Le grand dictionnaire des **mots croisés**

**Catalogage avant publication de Bibliothèque
et Archives nationales du Québec et Bibliothèque
et Archives Canada**

Beaudry, Lise

    Le grand dictionnaire des mots croisés

    2e édition

    (Collection Loisirs)

    Publ. antérieurement sous le titre : Dictionnaire
des mots croisés. c1994.

      ISBN 978-2-7640-1723-4

      1. Mots croisés – Glossaires, vocabulaires, etc.
I. Beaudry, Lise, 1950- . Dictionnaire des mots croisés.
II. Titre. III. Collection : Collection Loisirs (Éditions
Quebecor).

GV1507.C7B42 2011   793.73'203   C2011-940070-7

Dépôt légal : 2011
Bibliothèque et Archives nationales du Québec

Pour en savoir davantage sur nos publications,
visitez notre site : www.quebecoreditions.com

Éditeur : Jacques Simard
Conception de la couverture : Bernard Langlois
Illustration de la couverture : Corbis

Imprimé au Canada

DISTRIBUTEURS EXCLUSIFS :

• Pour le Canada et les États-Unis :
  MESSAGERIES ADP*
  2315, rue de la Province
  Longueuil, Québec J4G 1G4
  Tél. : (450) 640-1237
  Télécopieur : (450) 674-6237

  * une division du Groupe Sogides inc.,
  filiale du Groupe Livre Quebecor Média inc.

• Pour la France et les autres pays :
  INTERFORUM editis
  Immeuble Paryseine, 3, Allée de la Seine
  94854 Ivry CEDEX
  Tél. : 33 (0) 4 49 59 11 56/91
  Télécopieur : 33 (0) 1 49 59 11 33

  **Service commande France
  Métropolitaine**
  Tél. : 33 (0) 2 38 32 71 00
  Télécopieur : 33 (0) 2 38 32 71 28
  Internet : www.interforum.fr

  **Service commandes Export –
  DOM-TOM**
  Télécopieur : 33 (0) 2 38 32 78 86
  Internet : www.interforum.fr
  Courriel : cdes-export@interforum.fr

• Pour la Suisse :
  INTERFORUM editis SUISSE
  Case postale 69 – CH 1701 Fribourg –
  Suisse
  Tél. : 41 (0) 26 460 80 60
  Télécopieur : 41 (0) 26 460 80 68
  Internet : www.interforumsuisse.ch
  Courriel : office@interforumsuisse.ch

  Distributeur : OLF S.A.
  ZI. 3, Corminboeuf
  Case postale 1061 – CH 1701 Fribourg –
  Suisse

  Commandes : Tél. : 41 (0) 26 467 53 33
  Télécopieur : 41 (0) 26 467 54 66
  Internet : www.olf.ch
  Courriel : information@olf.ch

• Pour la Belgique et le Luxembourg :
  INTERFORUM BENELUX S.A.
  Fond Jean-Pâques, 6
  B-1348 Louvain-La-Neuve
  Tél. : 00 32 10 42 03 20
  Télécopieur : 00 32 10 41 20 24

Gouvernement du Québec – Programme de crédit d'impôt pour l'édition
de livres – Gestion SODEC.

L'Éditeur bénéficie du soutien de la Société de développement des entre-
prises culturelles du Québec pour son programme d'édition.

Nous reconnaissons l'aide financière du gouvernement du Canada par
l'entremise du Fonds du livre du Canada pour nos activités d'édition.

Lise Beaudry

Le grand dictionnaire des mots croisés

Noms propres et noms communs
600 000 mots

2e édition

LES ÉDITIONS
Quebecor
Une compagnie de Quebecor Media

Remerciements à André Brouillard, René Guay, Francine Paquette, Marcel Tardif, Normande Gamache pour leurs nombreux conseils, suggestions et commentaires.

28.35 g. once.
3.1416. Pi.
6 Pieds. Toise.
19.49 mètres. Toise.
80. Octante
90. Nonante.

100 kg. Quintal.
100 mètres carrés. Are.
274 litres. Muid.
576 mètres. Li.
736 watts. Cheval-vapeur.
1300 km. Uélé.

A

AA. Alcoolique, alcoolo, amalgame, anonyme, buveur, cheire, coulée, débauché, fleuve, ivrogne, lave, picoleur, pochard, pochetron, pochtron, poivrot, soiffard, soûlard, soûlon.

À BOUT DE FORCES. Anéanti, claqué, crevé, épuisé, éreinté, exténué, fatigué, fourbu, harassé, las, recru, vidé.

AAR (n. p.). Aarau, Aare, Aar-Gothard, Berne, Beznau, Bienne, Brienz, Meiringen, Olten, Rhin, Suisse, Thoune.

AARON (n. p.). Amram, Avihou, Eléazar, Hébreux, Ithamar, Jochabed, Miriam, Moïse, Nabab.

ABACA. Arbuste, bananier, cigare, chanvre, fibre, jute, manille, musa, musacée, phormion, phormium, tagal, treillis.

ABACULE. Bloc, boîte, boulier, cube, dé, élément, élève, hexaèdre, litre, mosaïque, multiple, parallépipède, peintre, polyèdre, stère, tesselle, zellige.

ABACUS. Abaque, bâton, caducée, crosse, lituus, pédum, sceptre, thyrse, verge.

ABAISSANT. Abject, abrutissant, avilissant, bas, coupable, crapuleux, dégoûtant, dégradant, déshonorant, humiliant.

ABAISSE. Abaissable, baissé, dégradant, détrône, feuille, fond, honte, moule, pâte, réductible, rétrograde, roulade.

ABAISSE-LANGUE. Angine, arrière-gorge, gosier, œsophage, oropharynx, palette, pharyngite, pharynx.

ABAISSEMENT. Abattage, abjection, affaiblissement, anéantissement, averse, avilissement, baisse, bas, chute, décadence, déchéance, déclin, dégénération, dégradation, déraser, descente, dévaluation, diminution, écrasement, ensellement, fermeture, flexion, gelée, humiliation, hypothermie, ignominie, platitude, plongée, rabattement, réduction, renoncement, ton.

ABAISSER. Abattre, affaiblir, amener, amoindrir, aplanir, avilir, baisser, compromettre, condescendre, daigner, dégrader, déprécier, déprimer, déraser, descendre, diminuer, écraser, humilier, mortifier, perdre, rabaisser, rabattre, ravaler, tracer.

ABAISSEUR. Muscle, transformateur.

ABAJOUE. Apophyse, bajote, bajoue, fossette, garde-manger, jote, joue, jugal, malaire, poche, pommette, réserve.

ABANDON. Abdication, aliénation, apostasie, appétence, arrêt, capitulation, cessation, cession, concession, confiance, défection, démission, départ, déprise, dérélicton, désertion, déshérence, désuétude, détente, détresse, divorce, don, donation, épave, exposition, forfait, fugue, fuite, hérésie, lâchage, luxure, négligence, nonchalance, passation, plaquage, reculade, rejet, renonciation, suspension, trahison.

ABANDONNATAIRE. Adjudicataire, affectataire, aliénataire, allocataire, attributaire, bénéficiaire, cessionnaire, client, excédentaire, gagnant, juteux, légataire, nominataire, prestataire, profitable, rentable.

ABANDONNÉ. Bayou, cédé, consentant, délaissé, esseulé, inachevé, inculte, inexécuté, inexploité, ingouverné, insecourable, isolé, laissé, quitté, renié, sauvage, seul, seulet, seulette, solitaire, unique, vacant, vendu, vide.

ABANDONNER. Abdiquer, bifurquer, broyer, capituler, céder, choir, confier, décrocher, défroquer, délaisser, démettre, démissionner, dériver, déserter, désister, donner, droper, dropper, éponge, évacuer, flancher, fuir, jeter, lâcher, laisser, laisser en plan, larguer, léguer, livrer, luxure, négliger, oublier, partir, perdre, planter, plaquer, prélasser, quitter, raccrocher, rade, rancart, renier, renoncer, retirer, sacrifier, semer, séparer, succomber, suivre, tomber, trahir, transiger, transmigrer, troquer, vider.

ABAQUE. Abacot, assise, boulier, calculateur, corbeille, diagramme, graphique, planchette, table, tablette, tailloir.

ABASIE. Acalculie, astasie, atonie, constipation, contradiction, impossibilité, impotent, insomnie paralysie, sclérose, stérilité.

ABASOURDI. Ahuri, atterré, coi, consterné, dérouté, ébahi, étonné, étourdi, hébété, sidéré, stupéfait.

ABASOURDIR. Ahurir, altérer, assommer, atterrer, baba, consterner, déconcerter, dérouter, ébahir, éberluer, égarer, épater, estomaquer, estourbir, étonner, étourdir, fatiguer, hébéter, interloquer, méduser, pétrifier, sidérer, stupéfier, tétaniser.

ABASOURDISSANT. Ahurissant, bouleversant, confondant, décoiffant, ébouriffant, échevelant, effarant, époustouflant, étonnant, extraordinaire, incroyable, inimaginable, inouï, invraisemblable, renversant, stupéfiant.

ABASOURDISSEMENT. Ahurissement, bouleversement, ébahissement, éblouissement, effarement, émerveillement, épatement, étonnement, saisissement, stupéfaction, stupeur, surprise.

ABAT. Abattis, amourettes, averse, cataracte, cœur, dais, déluge, grain, ondée, pluie, ris, tulipe.

ABÂTARDIR. Altérer, avilir, corrompre, dégénérer, dégrader, dénaturer, gâter, pervertir, pourrir, souiller, vicier.

ABÂTARDISSEMENT. Abaissement, abjection, abrutissement, agonie, atrophie, dégénération, dégénérescence.

ABAT-JOUR. Catadioptre, cataphote, chapeau, fenêtre, miroir, réflecteur, réverbère, tulipe, visière.

ABATS. Abattis, amourettes, animelles, cervelle, cœur, foie, forsure, fouaille, fraise, fressure, triperie, tripier, vidure.

ABATTAGE. Abatture, allant, allure, bosseyage, bouvril, brio, bûcheron, coupe, déboisement, déforestation, dépilage, dynamisme, enlevure, entrain, havage, merlin, saignée, train, tuage, vivacité.

ABATTANT. Abatant, battant, clapet, couvercle, obturateur, opercule, ouvrant, panneau, rabat, vantail, vasista, vasistas, volet.

ABATTEMENT. Accablement, affaiblissement, affliction, anéantissement, chagrin, coma, consternation, décote, découragement, déduction, dégoût, dépression, déprime, désespoir, écœurement, effondrement, énervation, ennui, épuisement, faiblesse, fatigue, inertie, lâcheté, langueur, lassitude, liquéfaction, mélancolie, neurasthénie, prostration, stupéfaction, torpeur.

ABATTÎME. Anéantîme, décourageame, dégoûtame, démâtâme, descendîme, éliminâme, rasâme, tuâme.

ABATTIS. Abats, ailerons, arrachis, bras, cou, coupe, déboisé, déboisement, défriche, désert, essart, essartage, foie, fressure, intestin, langue, layer, machette, main, mou, rognon, sart, tripe, volaille.

ABATTOIR (n. p.). Challans, Chicago, Collinée, Corbas, Falaise, Laon, Montdididier, Villette.

ABATTOIR. Assommoir, boucherie, bouvril, échaudoir, écorcherie, équarrissoir, fondoir, tueur, tuerie.

ABATTRE. Accabler, affaiblir, alanguir, anéantir, atterrer, consterner, couper, débiliter, décourager, démanteler, démâter, démolir, démonter, démoraliser, déposer, déprimer, dérober, descendre, désespérer, détruire, dévoiler, écarter, épuiser, étaler, fatiguer, faucher, haver, miner, raser, renverser, ruiner, saper, terrasser, tomber, tuer, zigouiller.

ABATTU. Accablé, affligé, anéanti, brisé, claqué, consterné, coupé, découragé, défait, dégoûté, démoli, démoralisé, déprimé, désolé, détruit, effondré, énervé, faible, flapi, inerte, las, morne, morose, mou, prostré, scié, sombre, tué, vaincu, zigouillé.

ABBAYE (n. p.). Aubazines, Bec, Bellaigue, Bellepais, Brantôme, Cambre, Chaalis, Citeaux, Clairvaux, Ebersmunster, Faremoutiers, Fontenay, Fontefroide, Fontenelle, Fontevrault, Fulda, Hambye, Hautecombe, Jouarre, La Trappe, Longchamps, Lorsch, Maillezais, Marmoutier, Melk, Orval, Port-Royal, Prades, Rayaumont, Saint-Gall, Sénanque, Silvacane, Solesmes, Thélème, Thoronet, Trappe, Valloires, Vauclair, Westminster.

ABBAYE. Abbadie, abbatiale, abbé, béguinage, abescat, chartreuse, cloître, commanderie, communauté, couvent, église, fromage, laure, lavra, moinerie, monastère, moutier, prieuré, solesme, thélème, vidame.

ABBÉ (n. p.). Abbon, Alberoni, Angilbert, Anselme, Arnaud, Aubignac, Barthélemy, Bremond, Breuil, Claude, Coton, Dangeau, Denis, Denys, Droctovée, Dubois, Dubos, Duchesne, Du Vergier, Engilbert, Épée, Fleury, Florentin, Gassendi, Guéranger, Guibert, Guillaume, Guitton, Haüy, Hugues, Jacques, La Caille, Lemaître, Mercier, Nollet, Odilon, Odon, Philibert, Picard, Pierre, Pothier, Prévost, Rancé, Saint-Cyran, Séverin, Suger, Terray, Théodulf.

ABBÉ. Aumônier, clerc, curé, pasteur, père, pontife, prélat, prêtre, prévôt, prieur, révérend, supérieur, vicaire.

ABBESSE (n. p.). Arnaud, Brigide, Brigitte, Claire, Eustochie, Gertrude, Héloïse, Herrade, Hildegarde, Odile, Walburge, Walpurgis.

ABBESSE. Doyenne, générale, mère, mère prieure, proxénète, religieuse, révérende, mère supérieure.

ABBEVILLIEN. Acheuléen, chelléen, étage, faciès, silex.

ABC. Abécédaire, alphabet, base, commencement, principes, rudiments.

ABCÈS. Adénite, anthrax, bubon, clou, dépôt, écrouelles, furoncle, parulie, plaie, pus, pustule, tumeur, ulcère.

ABDICATION (n. p.). Bolivar, Charles, Cincinnatus, Dioclétien, Guillaume, Isabelle, Napoléon, Sylla.

ABDICATION. Abandon, capitulation, démission, désistement, lâcheté, rejet, renoncement, renonciation, veulerie.

ABDIQUER. Abandonner, capituler, céder, démettre, démissionner, destituer, diminuer, laisser, renoncer, résigner.

ABDOMEN. Aine, bas-ventre, bedaine, bedon, bide, bidon, buffet, diaphragme, épigastre, estomac, foie, hypocondre, hypogastre, intestin, laparotomie, lombes, nombril, ombilic, panse, poitrine, telson, transit, ventre.

ABDOMINAL. Alvin, appendice, épigastrique, hypogastrique, intestin, intestinal, ptôse, queue, uropode, ventral.

ABÉCÉDAIRE. ABC, alphabet, alphabétique, élémentaire, lettre, lexique, livre, rudiment, syllabe.

ABÉE. Aqueduc, arroyo, artère, bée, berme, bief, bouche, canal, chemin, chenal, cholédoque, conduit, conduite, cours, dalot, drain, eau, écluse, égout, étier, évent, évier, fistule, fossé, grau, lé, lit, moulin, naville, ouverture, passage, passe, rachidien, rigole, sillon, trachée, tube, tuyau, uretère, urètre, vagin, veine, voie.

ABEILLE (n. p.). Aristée, Frisch.

ABEILLE. Aculéate, alvéole, ammophile, andrène, apicole, apiculture, apidé, apifuge, apis, bourdon, butineuse, charpentière, cire, cirière, couvain, essaim, faux-bourdon, guêpe, halicte, mégachile, mélipone, miel, mouche à miel, nida, nosémose, opercule, ouvrière, picorer, pollen, propolis, reine, ruche, sauveté, sphéroïde, varroa, ventileuse, xylocope.

ABEL (n. p.). Adam, Caïn, Ève, Seth.

ABÉLIEN. Analyse, anneau, commutatif, contrat, équation, groupe, intégral, loi, vectoriel.

ABER. Aval, bouche, delta, échancrure, embouchure, estuaire, fjord, lagune, liman, ria, vallée.

ABERRANCE. Affectation, anomalie, bizarrerie, curiosité, étrangeté, excentricité, exception, extravagance, insolite, nouveauté, originalité, particularité, rareté, singularité, trouvaille.

ABERRANT. Absurde, anormal, atypique, déraisonnable, déviant, faux, idiot, illogique, inepte, insensé, ridicule.

ABERRATION. Aberrance, absurdité, ânerie, astigmatisme, bêtise, bévue, délétion, démence, distorsion, divagation, égarement, errement, erreur, extravagance, faute, folie, fourvoiement, hérésie, idiotie, irisation, maldonne, méprise, quiproquo, stupidité, translocation.

ABERRER. Détourner, divaguer, écarter, égarer, errer, fauter, fourvoyer, tromper, vaguer.

ABÊTIR. Abrutir, affaiblir, assoler, assourdir, avilir, bêtifier, crétiniser, dégrader, énerver, ennuyer, hébéter, idiotiser.

ABÊTISSANT. Abrutissant, accablant, bêtifiant, cassant, claquant, crevant, épuisant, éreintant, esquintant, exténuant, fatigant, foulant, harassant, liquéfiant, neuneu, surmenant, tuant, usant.

ABÊTISSEMENT. Abasourdissement, abrutissement, ahurissement, animalité, avilissement, bestialité, connerie, crétinisation, décadence, encroûtement, engourdissement, hébétement, hébétude, idiotie.

ABHORRER. Abjurer, abominer, adorer, aversion, détester, exécrer, haïr, honnir, maudire, réprouver, ressentiment, vomir.

ABIÉTACÉE. Abiétinée, cèdre, cône, épicéa, épinette, mélèze, pignon, pin, pinacée, sapin, sapinette, stuga.

ABÎME. Abysse, aven, blason, caverne, cœur, désastre, fossé, gouffre, igue, perte, précipice, profondeur, ruine.

ABÎMER. Absorber, amocher, arranger, attiger, bigorner, blesser, bousiller, carier, casser, couler, déglinguer, dégrader, délabrer, démantibuler, démolir, détériorer, détraquer, dévorer, ébrécher, écorner, endommager, enfoncer, engloutir, escagasser, esquinter, flinguer, fusiller, gâcher, gâter, maganer, massacrer, miter, plonger, pourrir, ravager, rayer, saboter, saccader, salir, sniffer, sombrer, souiller, tacher, user.

ABJECT. Abominable, avili, avilissant, bas, bassesse, boueux, dégoûtant, dégueulasse, dernier, fangeux, grossier, honteux, ignoble, ignominieux, ilote, indigne, infâme, lâche, laid, méprisable, odieux, ordure, répugnant, sordide, vil.

ABJECTEMENT. Adulateur, bassement, flagornement, indignement, ignoblement, lâchement, petitement, vil.

ABJECTION. Abomination, avilissement, bassesse, crasse, fange, honte, ilotisme, indignité, infamie, opprobre, saleté.

ABJURATION. Adhésion, apocatastase, apostasie, changement, conversion, évangélisation, métamorphose, modification, mutation, oaristys, ossification, panification, reniement, transformation, virement.

ABJURER. Abandonner, abjuration, abjuratoire, apostasier, bénir, changer, démissionner, désavouer, déserter, parjurer, renégat, renier, renoncer, répudier, retirer, rétracter, revenir, trahir.

ABLATION. Abscision, abscission, amputation, ankylose, appendicectomie, artériectomie, autotomie, castration, chirurgie, cholécystectomie, cystectomie, énervation, enlèvement, énucléation, éviscération, excision, exérèse, extraction, gastrectomie, hystérectomie, laryngectomie, lobectomie, mammectomie, mastectomie, néphrectomie, opération, ovariectomie, pneumonectomie, prostatectomie, pulpectomie, résection, splénectomie, sublimation, sympathectomie, tarsectomie, thyroïdectomie, tomie.

ABLÉGAT. Adjoint, ambassadeur, délégué, pape, vicaire.

ABLERET. Ablier, appât, bâche, barbe, carrelet, chalut, châteaubriand, châteaubriant, cordon, drague, drège, dreige, embûche, émouchette, épervier, filet, flanc, folle, hamac, haveneau, havenet, lac, madrague, magret, marli, nasse, nervure, orle, panneau, pantèche, picot, piège, plexus, réseau, résille, rets, ridée, rissole, ru, seine, senne, thonaire, tirasse, tournedos, tramail, trémail, vannet, venet, verveux.

ABLETTE. Amble, amour-blanc, barbeau, barbote, bième, bouvière, brème, carpe, chevaine, chevenne, cloche, cyprin, cyprinidé, doré, gardon, gardon-rouge, gougon, hotu, ide, loche, meunier, rotengle, tanche, vairon, vandoise.

ABLIER. Ableret, aiguille, arachnide, araignée, bourrelier, carrelet, colichemarde, filet, plie, pleuronecte, poisson.

ABLUTION. Bain, bidet, douche, lavage, lavement, lotion, lustration, nettoyage, purification, rinçage, toilette.

ABNÉGATION. Abandon, altruisme, désintéressement, dévouement, générosité, humilité, oubli, renoncement, sacrifice.

ABNER (n. p.). David, Joab, Saül.

ABOI. Aboiement, cerf, chacal, chien, cri, déconfiture, désespéré, glapissement, hurlement, jappement, quia.

ABOIEMENT. Aboi, bahulée, chant, clabaudage, cri, glapissement, grognement, hurlement, jappement, voix.

ABOLIR. Abroger, abrogation, absolution, anéantir, annuler, antalgie, défendre, détruire, effacer, enlever, éradiquer, exterminer, extirper, extraire, grâce, infirmer, invalider, lever, ôter, pardonner, proscription, proscrire, rejeter, rémission, supprimer.

ABOLITION. Abrogation, ankylose, annulation, antalgie, atténuation, cassation, cessation, coupure, dissolution, grâce, invalidation, pardon, rémission, résiliation, résolution, retrait, révocation, suppression.

ABOLITIONNISTE (n. p.). Brown, Douglass, Mott, Schoelcher.

ABOMINABLE. Affreux, amer, atroce, aversion, catastrophique, damné, désastreux, détestable, effroyable, épouvantable, exécrable, horreur, horrible, maudit, mauvais, monstrueux, odieux, pénible, sacré, satané, yéti.

ABOMINABLE HOMME DES NEIGES (n. p.). Yéti.

ABOMINABLEMENT. Affreusement, atrocement, épouvantablement, horriblement, laidement, monstrueusement, très.

ABOMINATION. Allergie, atrocité, aversion, dégoût, haine, honte, horreur, ignominie, monstruosité, nausée, scandale.

ABOMINER. Abhorrer, abjurer, détester, exécrer, haïr, honnir, horreur, maudire, sataner.

ABONDAMMENT. Amplement, à profusion, à verse, à volonté, beaucoup, besef, bien, copieusement, foison, foisonnement, fort, largement, plantureusement, prolifération, prou, regorgement, riche, richement, trempé.

ABONDANCE. Affluence, amalthée, ampleur, babil, boisson, chèvre, congrégation, copieux, débordement, exubérance, floraison, foison, foisonnement, foisonné, flux, giboyeux, luxe, nombre, opulence, orgie, plénitude, pléthore, profusion, prolifération, pullulé, redondance, regorgé, riche, richesse, surabondance, trésor, verbiage.

ABONDANT. Ample, commun, considérable, copieux, dense, dru, épais, excessif, exubérant, fécond, fertile, foisonnant, fourni, fructueux, généreux, giboyeux, gogo, gros, large, luxuriant, nombreux, opulent, plantureux, pléthorique, pluvieux, profus, pullulant, riche, surabondant, tassé, volubile, volumineux.

ABONDEMENT. Appoint, cotisation, dépôt, paiement, redevance, royalties, somme, versement.

ABONDER. Affluer, approuver, couler, combler, enrichir, foisonner, fourmiller, gorger, grouiller, infecter, infester, pleuvoir, posséder, produire, pulluler, regorger, remplir, répandre, saturer, soutenir, verser.

ABONNÉ. Chaland, client, correspondant, familier, fidèle, habitué, pilier, pratique, souscrire, titulaire.

ABONNEMENT. Camelot, carte, contrat, forfait, habitude, manières, pli, postier, rite, rituel, série, souscription.

ABONNER. Adhérer, coutumier, désabonner, journal, péage, prime, réabonner, souscrire.

ABONNIR. Accès, accueil, améliorer, approche, bienvenue, bonifier, meilleur, mûrir, préalable, rabonnir.

ABONNISSEMENT. Amélioration, aménagement, anoblissement, bonification, changement, décoration, détente, éclaircie, embellie, embellissement, guérison, impenses, mieux, mieux-être, ornement, perfectionnement, progrès, réforme, réparation, révision.

ABORD. Accès, accueil, alentour, apparence, approche, attitude, auparavant, aussitôt, caractère, commencement, comportement, contact, entoure, entrée, environ, immédiatement, mine, primo, réception, rêche.

ABORDABLE. Accessible, accostable, approchable, avantageux, dangereux, modéré, modique, parlable, raisonnable.

ABORDAGE. Accostage, arraisonnement, assaut, atterrage, collision, gaffe, grappin, joindre, racolage, sabre.

ABORDER. Abord, accéder, accès, accoster, approcher, arraisonner, arriver, attaquer, atteindre, cogner, commencer, côtoyer, draguer, entamer, entrer, évoquer, gaffe, grappin, heurter, joindre, négocier, prendre, racoler, toucher.

ABORIGÈNE (n. p.). Maori, Tharu.

ABORIGÈNE. Amérindien, australoïde, autochtone, habitant, indien, indigène, natif, naturel, peau-rouge, sauvage.

ABORDS. Accès, alentours, approches, autour, bordures, entourage, entoure, environs, parages, proximité, voisinage.

ABORTIF. Anovulant, anovulatoire, anticonceptionnel, condom, contraceptif, pilule, spermicide, stérilet.

ABOT. Abat, billot, chaînes, embarras, empêchement, encouple, entrave, fer, frein, gêne, joug, libre, lien, obstacle, saboteur, tribart, trousse-pied.

ABOUCHEMENT. Aboutement, accouplement, aoutement, anastomose, anus, cholécystotomie, conférence, cystostomie, entretien, entrevue, jonction, jumelage, raccordement, rapport, reboutement, union, urétérostomie.

ABOUCHER. Abouter, accoupler, ajointer, anastomoser, annexer, communiquer, contacter, entrer, entretenir, joindre, jumeler, ménager, négocier, procurer, raccorder, rapprocher, rejoindre, réunir, toucher.

ABOULER. Activer, arriver, courir, dépêcher, donner, empresser, hâter, précipiter, presser, remettre, venir.

ABOULIE. Abattement, aboulique, anémie, apathie, débilité, dysboulie, faiblesse, fragilité, impotence, mou.

ABOULIQUE. Amorphe, apathique, baudruche, faible, indolent, léthargique, loque, lymphatique, mou, velléitaire.

ABOUT. Ajustage, assemblage, charpente, échiffre, emboîtement, emboîture, embout, embrèvement, joint, raccord.

ABOUTEMENT. Aboutage, ajustage, articulation, assemblage, emboîtement, emboîture, embrayage, encastrement, enchâssement, imbrication, incrustation, insertion, jonction, marqueterie, mosaïque, moyeu, sertissure.

ABOUTER. Accoler, accoupler, ajointer, ajuster, appondre, brancher, coller, connecter, converger, emboîter, embrancher, empatter, enter, joindre, jumeler, rabouter, raboutir, raccorder, réunir, souder, unir.

ABOUTIR. Affluer, arriver, atterrir, but, capoter, conduire, converger, déboucher, échouer, emplafonner, finir, mener, pogner, pu, rejoindre, résoudre, réussir, tendre, terminer.

ABOUTISSANT. Accomplissement, achèvement, apothéose, but, circonstance, fruit, issue, produit, tenant.

ABOUTISSEMENT. Bord, bordure, bout, but, cap, confins, débouché, enfin, extrémité, issue, résultat, terme, terminaison.

ABOYER. Cerf, chien, clabauder, crier, désespéré, fulminer, glapir, glapisser, gueuler, hurler, invectiver, japper, pester.

ABOYEUR. Adjudicateur, annonceur, chaouch, crieur, encanteur, héraut, huissier, massier, tabellion, vendeur.

ABRACADABRANT. Absurde, ahurissant, baroque, biscornu, bizarre, burlesque, extravagant, foutraque, invraisemblable.

ABRAHAM (n. p.). Agar, Esaü, Haran, Isaac, Ismaël, Jokshan, Keturah, Lot, Loth, Medan, Midian, Nahor, Our, Sara, Sarah, Shuah, Terah, Ur, Zimran.

ABRAHAM. Alliance, islam, judaïsme, monothéisme, patriarche, vocation, sacrifice.

ABRAQUER. Amurer, bander, border, contracter, crisper, durcir, embraquer, empeser, engourdir, étarquer, fixer, rider, raidir, tendre, tirer.

ABRASER. Abrasion, brosser, décaper, égriser, érosion, frotter, polir, récurer, user, usure.

ABRASIF. Bort, carbonado, carborundum, corindon, décapant, diamant, diatomite, émeri, grésoir, sablé.

ABRASION. Brossage, corrosion, égrisage, érosion, friction, frottement, frottis, polissage, ripage, surfaçage, usure.

ABRÉACTION. Catharsis, déblocage, décharge, défoulement, extériorisation, libération, psychanalyse, traumatisme.

ABRÉGÉ. Abréviation, aide-mémoire, amoindri, aperçu, bref, compendium, concis, condensé, court, cursif, digest, diminué, écourté, épitomé, etc., ouvrage, petit, plan, précis, raccourci, réduction, résumé, sommaire, sténo, topo, trachée.

ABRÈGEMENT. Abréviation, aphérèse, apocope, contraction, diminution, raccourcissement, récapitulation, troncation.

ABRÉGER. Aide-mémoire, abaisser, alléger, amoindrir, borner, compendium, condenser, diminuer, écourter, épitamer, etc., exposer, mutiler, raccourcir, rapetisser, réduire, resserrer, résumer, serrer, simplifier, sommaire, terminer.

ABREUVER. Abreuvement, accabler, arroser, boire, breuvage, combler, couvrir, désaltérer, imbiber, mouiller.

ABREUVOIR. Auge, auget, baquet, bassin, bol, cabaret, fontaine, guévoir, installation, lieu, taverne.

ABRÉVIATION. Abrégement, acronyme, aphérèse, apocope, initiale, raccourci, retranchement, sigle, troncation.

ABRÉVIATION COMMERCIALE. Cie, enr., inc., ltée.

ABRÉVIATION DISTANCE. CM, DAM, DM, HM, KM, MM.

ABRÉVIATION LIQUIDE. CL, DAL, DL, HL, KL, ML,

ABRÉVIATION MÉDICALE. DR, ORL, OP.

ABRÉVIATION RELIGIEUSE. N.D., N.S., R.P., S.S., S.S.T., S.T., S.T.E.

ABRI (n. p.). Knox.

ABRI. Abribus, aile, antre, asile, aubette, auvent, baraquement, blockhaus, cabane, cache, cagna, casemate, chenil, chotte, couvert, dais, édifice, édicule, égide, endroit, feuillée, fortification, fortin, gabion, gare, gîte, guérite, hangar, havre, hutte, igloo, iglou, kan, khan, niche, parapluie, parasol, port, poulailler, protection, quicageon, quiquajon, rade, refuge, remise, resserre, retraite, ruche, serre, taud, taude, tente, terrier, tet, timonerie, tipi, toit, tonnelle, tourelle, tunnel, tutelle.

ABRIBUS. Abri, aubette, autobus, auvent, bus, édicule, gare, gîte.

ABRICOT. Abricoté, abricotier, alberge, couleur, drupe, fruit, jaune, mandarine, orangé, oreillon, safran, vulve.

ABRICOTIER. Abricot, albergier, arbre, mellifère, plante, prunus, rosacée.

ABRIER. Abriller, abriter, armer, assurer, canne, étain, étamer, miroiter, protéger, rétamer, tain, vêtir.

ABRITER. Assurer, barricader, cacher, chaperonner, couver, couvrir, défendre, empêcher, encager, garantir, héberger, hiverner, loger, planquer, préserver, protéger, serrer.

ABRIVENT. Brise-vent, coupe-vent, haie, paillasson, palissade, pare-étincelles, rideau, talus.

ABROGATION. Abolition, abrogatoire, ajournement, annulatif, annulation, cassation, cessation, commissoire, coupure, dissolution, effacement, extinction, rédhibitoire, renon, report, retrait, révocatoire, rupture, suppression.

ABROGÉ. Aboli, amorti, annulé, arriéré, attardé, biffé, caduc, démodé, dépassé, désuet, dissous, éteint, expiré, inactuel, infirme, invalide, neutre, nul, obsolescent, obsolète, périmé, rayé, rétrograde, suranné.

ABROGER. Abolir, abrogatif, annuler, casser, effacer, éteindre, infirmer, invalider, rapporter, révoquer, supprimer.

ABRUPT. Abruptement, accore, acerbe, à-pic, ardu, bourru, brutal, brusque, corniche, direct, entier, escarpé, gendarme, incliné, inégal, pente, raide, rapide, revêche, raide, rapide, roide, rude, stupide.

ABRUPTEMENT. Articulé, brusquement, brutalement, caractérisé, carrément, catégoriquement, clairement, crûment, directement, droit, fermement, franc, franchement, hardiment, hautement, librement, net, nettement, raide, raidement, résolument, rondement, vertement.

ABRUTI. Abêti, andouille, arriéré, bête, bêtifié, borné, con, crétin, cul, débile, dégénéré, demeuré, écervelé, enflé, enfoiré, fatigué, hébété, idiot, imbécile, minus, moron, pété, sot, stupide, vapes, vaseux.

ABRUTIR. Abalourdir, abasourdir, abattre, abêtir, accabler, affaiblir, altérer, animaliser, assoter, assourdir, bêtifier, crétiniser, débiliter, écerveler, écraser, énerver, engourdir, ennuyer, étourdir, fatiguer, hébéter, stupide, surmener.

ABRUTISSANT. Accablant, assourdissant, crétinisant, dégradant, écrasant, engourdissant, étourdissant, fatigant.

ABRUTISSEMENT. Abasourdissement, abêtissement, ahurissement, animalité, avilissement, bestialité, connerie, crétinisation, décadence, encroûtement, engourdissement, hébétement, hébétude, idiotie.

ABRUZZES (n. p.). Apennin, Apennins, Aquila, Chieti, Mezzogiorno, Pescara, Teramo.

ABSALON (n. p.). Adonias, Amnon, David, Joab, Maakah, Salomon, Tamat, Thamar.

ABSCISION. Ablation, abscission, castration, émasculation, excision, exérèse, hystérectomie, résection, vasectomie.

ABSCONS. Abstrus, ambigu, cabalistique, caché, difficile, énigmatique, équivoque, ésotérique, hermétique, impénétrable, incompréhensible, indéchiffrable, inintelligible, mystérieux, nébuleux, obscur, sibyllin.

ABSENCE. Aboulie, académisme, acéphalie, acholie, acinésie, agalaxie, agénésie, aisé, akinésie, albinisme, alibi, alopécie, aménorrhée, anaphrodisie, anérection, anhidrose, anidrose, anodontie, anomie, anoxémie, anurie, apepsie, aplasie, apode, apyrexie, asepsie, asialie, aspermie, ataxie, azoospermie, calme plat, carence, crise, défaillance, défaut, défection, éloignement, frigidité, froid, hétéronomie, humilité, idiotie, impunité, inaction, inconscience, incontinence, incroyance, inintérêt, manque, mutisme, non-être, objectivisme, omission, petitesse, quiétude, résignation, rien, rusticité, sans, santé, sécheresse, sécurité, séparation, sérénité, silence, sûreté, vide, zéro.

ABSENT. Alibi, contumace, défaillant, disparu, distrait, envolé, étourdi, inattentif, incertain, inattentif, intérim, introuvable, invisible, lointain, lunaire, manquant, nul, parti, pensif, rêveur, zombi, zombie.

ABSENTER. Absorber, éclipser, décamper, disparaître, éloigner, manquer, priver, quitter, retirer, sortir.

ABSIDE. Absidiole, architecture, basilique, chapelle, chevet, chœur, conque, église, exèdre, trèfle, voûte.

ABSIDIOLE. Abside, basilique, braconnage, chapelle, chasse, chœur, exèdre, hémicycle, polygone, voûte.

ABSINTHE. Absin-menu, aluine, armoise, artemisia, boisson, composacée, herbe aux vers, liqueur, mominette.

ABSINTHISME. Alcoologie, alcoolisme, beuverie, delirium tremens, dipsomanie, enivrement, éthylisme, intempérance, ivresse, ivrognerie, œnolisme, pochardise, soûlographie.

ABSOLU. Autocritique, autoritaire, aveugle, catégorique, complet, diamétral, dictatorial, dictature, dogmatique, entier, exclusif, idéal, impérieux, inconditionné, infini, intégral, intègre, intransigeant, omnipotent, parfait, parfaitement, perfection, plein, souverain, total, tranchant, très.

ABSOLUITÉ. Complétude, entier, exemplarité, exhaustivité, globalité, infini, perfection, pureté, qualité, totalité.

ABSOLUMENT. Carrément, certainement, complètement, diamétralement, entièrement, foncièrement, littéralement, nécessairement, parfaitement, pleinement, radicalement, rigoureusement, totalement, zéro.

ABSOLUTION. Abolition, acquittement, aman, amnistie, clémence, grâce, pardon, péché, pénitence, rémission.

ABSOLUTISME. Autocratie, césarisme, despotisme, dictature, fascisme, franquisme, totalitarisme, tsarisme, tyrannie.

ABSORBANT. Accrocheur, captivant, entièrement, essuie-tout, fascinant, hydrophile, palpitant, perméable, prenant.

ABSORBÉ. Absent, achevé, aspiré, attentif, avalé, bu, concentré, dissout, distrait, épongé, humé, imbu, imprégné, impressionné, ingéré, ingurgité, lipophobe, mangé, méditatif, occupé, pénétré, pensif, pompé, préoccupé, résorbé, respiré, rêveur, séché, songeur, vidé.

ABSORBER. Abîmer, accaparer, annexer, aspirer, assimiler, avaler, boire, concentrer, consommer, dévorer, dissolution, empoisonner, engloutir, engouffrer, éponger, fusionner, humer, imbiber, imprégner, ingérer, ingurgiter, inhaler, manger, méditer, nourrir, occuper, pénétrer, phagocyter, plonger, pomper, prendre, racheter, réabsorber, résorber, résorption, respirer, retenir, sécher, sniffer, sucer, venir, vider.

ABSORBEUR. Appareil, évaporateur, fluide, frigorigène, saturateur.

ABSORPTION. Aérophagie, alimentation, assimilation, concentration, consommation, déglutition, délitescence, désorption, diffusion, dissolution, fusion, géophagie, ingestion, inhalation, percutané, puvathérapie, malabsorption, rachat, résorption.

ABSOUDRE. Absolutoire, absoute, accorder, acquitter, blanchir, confession, dégager, délier, dépénaliser, disculper, effacer, excuser, exempter, innocenter, libérer, pardonner, remettre.

ABSOUTE. Absolution, acquittement, aman, amnistie, annulation, clémence, dédouanement, disculpation, extinction, grâce, indulgence, miséricorde, oubli, pardon, pénitence, prière, relaxe, rémission, suppression.

ABSTÈME. Abstinent, austère, classique, concis, continent, court, dépouillé, discret, économe, frugal, mesuré, modéré, modeste, nu, pondéré, réglé, restreint, retenu, simple, sobre, sommaire, strict, tempérant.

ABSTENIR. Censurer, cesser, défendre, dispenser, empêcher, enlever, éviter, exempter, garder, interdire, jeûner, manquer, modérer, omettre, passer, priver, récuser, refuser, renoncer, retenir, taire, veiller.

ABSTENTION. Abandon, chasteté, continence, diète, frugalité, jeûne, modération, neutralité, privation, pureté, récusation, refus, régime, renonciation, renoncement, restriction, sobriété, virginité.

ABSTIENT. Abstème, abstinent, austère, classique, continent, court, dépouillé, discret, économe, frugal, mesuré, modéré, modeste, nu, pondéré, réglé, restreint, retenu, simple, sobre, sommaire, tempérant.

ABSTINENCE. Ascétisme, austérité, carême, chasteté, continence, diète, interdiction, jeûne, maigre, malthusianisme, modération, privation, pureté, quatre-temps, sobriété, tempérance, virginité.

ABSTINENT. Aa, abstème, chaste, continent, frugal, jeûneur, modéré, sobre, tempérant, vertueux.

ABSTRACTEUR. Alambiqueur, enculeur, homosexuel, idéologue, pinailleur, réducteur, sodomite, théoricien.

ABSTRACTION. Art, axiome, catégorie, chimère, concept, écarter, élimination, entité, exclure, exclusion, idéalité, idée, fiction, négliger, notion, omettre, omission, peinture, rêve, sculpture, tableau, toile, utopie, vue.

ABSTRAIRE. Abstracteur, dégager, déprendre, détacher, extirper, extraire, isoler, recueillir, séparer, sortir, tirer.

ABSTRAIT. Abscons, abstrus, art, axiomatique, chimère, concret, confus, fictif, figuratif, fumeux, général, imaginaire, infiguratif, informel, irréel, isolation, paradoxe, profond, pur, spéculatif, subtil, théorique, utopie, vague, virtuel.

ABSTRAITEMENT. Confusément, évasivement, imprécisément, indistinctement, obscurément, pêle-mêle, vaguement.

ABSTRUS. Abscons, ambigu, cabalistique, difficile, énigmatique, ésotérique, faux, fou, hermétique, impénétrable, incompréhensible, indéchiffrable, inintelligible, mystérieux, nébuleux, obscur, sibyllin, sot.

ABSTRUSION. Affliction, aporie, chagrin, complication, confusion, contrariété, corvée, dépit, désagrément, désobligé, désolation, difficulté, ennui, incommodité, mécontentement, ouïe, ouille, souci, tracas, tristesse.

ABSURDE. Aberrant, apagogique, balourd, biscornu, déraisonnable, dingue, extravagant, farfelu, faux, fou, grotesque, idiot, illogique, incohérent, inepte, insane, insensé, irrationnel, niais, non-sens, raisonnable, ridicule, saugrenu, sot, stupide.

ABSURDEMENT. Aberration, bouffon, bouffonnement, burlesquement, comiquement, délicieusement, dérisoirement, drôlement, facétieusement, grotesquement, joliment, plaisamment, ridiculement, risiblement.

ABSURDITÉ. Aberration, apagogie, bêtise, contradiction, contresens, contre-vérité, déraison, énormité, extravagance, folie, idiotie, illogisme, incohérence, incongruité, ineptie, inertie, non-sens, ridicule, sottise, stupidité.

ABUJA (n. p.). Nigeria.

ABUS. Alcoolisme, arnaque, débordement, dérèglement, désordre, détournement, errements, exagération, excès, inconduite, injustice, intempérance, mal, népotisme, outrance, paperasserie, ratiocination, théisme, tricherie, tromperie, vexer, viol, violence.

ABUSER. Attiger, attraper, berner, blouser, charrier, décevoir, dépasser, duper, exagérer, exploiter, illusionner, jobarder, jouer, leurrer, mentir, mystifier, outrepasser, ruser, surprendre, trahir, tricher, tromper, truander, tyranniser, user, violer, voiler.

ABUSEUR. Autocrate, brimeur, despote, dominateur, oppresseur, persécuteur, sadique, satrape, tyran, violeur.

ABUSIF. Débauche, dissolu, envahissant, exagéré, excessif, exploité, illégitime, immodéré, impropre, incorrect, indu, infondé, inique, injurieux, injuste, injustifié, léonin, mauvais, pérennant, pérenne, possessif, sévère, usurpatoire.

ABUSIVEMENT. Abîme, faussement, erronément, exagérément, excessivement, immodérément, improprement, incorrectement, indûment, injustement, large, mal, psychiatrisé, vicieusement.

ABYDOS (n. p.). Égypte, Madfounah, Narmer, Osiris, Ramsès, Séthi, Seti.

ABYSSAL. Benthique, caf, côtier, fosse, grand fond, marin, marine, maritime, mer, nautique, naval, océanique.

ABYSSE. Abîme, abyssal, creux, entrailles, fond, fosse, gouffre, hadal, intérieur, précipice, profondeur.

ABYSSIN. Chat, éthiopien, habitant, matou, mistigri, négus, ras.

ABYSSINIE (n. p.). Covilha, Covilham, Éthiopie, Roberts.

ACABIT. Catégorie, classe, espèce, genre, manière, nature, qualité, sorte, type.

ACACIA. Amourette, arbre, arbrisseau, boule, cachou, canéfier, casse, cassier, mimosa, parasol, robinier.

ACADÉMICIEN. Auteur, cénacle, conteur, écrivain, épistolier, immortel, ironiste, jetonnier, journaliste, lettre, nègre, platonicien, plumitif, poète, pseudonyme, rédacteur, romancier, scribe, scribouilleur.

ACADÉMICIEN (n. p.). (3 lettres) Say.

ACADÉMICIEN (n. p.). (4 lettres) Aron, Augé, Biot, Daru, Déon, Duby, Foch, Hugo, Loti.

ACADÉMICIEN (n. p.). (5 lettres) About, Clair, Druon, Dubos, Dumas, Dupin, Duruy, Furet, Green, Patru, Racan, Renan, Rueff, Ségur, Vogüé.

ACADÉMICIEN (n. p.). (6 lettres) Augier, Aumale, Bailly, Barrès, Benoit, Bonald, Buffon, Cambon, Choisy, Coppée, Dubois, Du Camp, Duclos, Du Ryer, Fleury,

Florian, France, Gratry, Guizot, Halevy, Hazard, Huyghe, Littré, Mondor, Musset, Nodier, Pétain, Scribe, Serres, Thiers, Troyat, Volney.

ACADÉMICIEN (n. p.). (7 lettres) Bernard, Berryer, Boegner, Boileau, Bossuet, Bourget, Braudel, Broglie, Chamfort, Chamson, Claudel, Cocteau, Colbert, Conrart, Dangeau, Delille, Duhamel, Dumézil, Falloux, Fourier, Guitton, Ionesco, Labiche, Laplace, Lavisse, Leconte, Lesseps, Lyautey, Mainard, Maurois, Maurras, Maynard, Meilhac, Mérimée, Ponsard, Régnier, Romilly, Rostand, Roussin, Scudéry, Sedaine, Segrais, Séguier, Senghor, Villars, Voiture.

ACADÉMICIEN (n. p.). (8 lettres) Alembert, Clairaut, Cousteau, Duchesne, Fléchier, Fontanes, Genevoix, Grousset, Guéhenno, Hanotaux, Lemercier, Marivaux, Morellet, Ollivier, Perrault, Poincaré, Portalis, Richepin, Voltaire.

ACADÉMICIEN (n. p.). (9 lettres) Bainville, Belle-Isle, Benserade, Berthelot, Chapelain, Corneille, Crébillon, Deschanel, Freycinet, Furetière, La Bruyère, Marmontel, Massillon, Peyrefitte, Pompignan, Villemain.

ACADÉMICIEN (n. p.). (10 lettres) Boisrobert, Brunetière, Cambacérès, Cherbuliez, Clémenceau, Destouches, Fontenelle, Lacordaire, Maupertuis.

ACADÉMICIEN (n. p.). (11 lettres) Montesquieu, Montherlant.

ACADÉMICIEN (n. p.). (13 lettres) Chateaubriand.

ACADÉMIE (n. p.). Goncourt, La Coupole.

ACADÉMIE. Charnure, cheval, collège, compagnie, conservatoire, conventionnel, coupole, cygne, école, faculté, figure, immortel, institut, institution, lycée, modèle, nu, palais, palme, rectorat, université.

ACADÉMIQUE. Âpreté, banal, classique, compassé, conformiste, conventionnel, empesé, guindé, universitaire.

ACADÉMIQUEMENT. Arbitrairement, classiquement, conventionnellement, habituellement, traditionnellement.

ACADIEN (n. p.). Cajun, Grand-Pré, Longfellow, Maillet.

ACAJOU. Amarante, anacarde, anacardier, arbre, bois, brique, cachou, châtaigne, chippendale, khaya, mahogani, marengo, margousier, marron, melia, méliacée, noix, puce, swietenia.

ACALÈPHE. Aurélie, automéduse, chrysaore, cnidaire, cotylorhiza, cuboméduse, cyanée, invertébré, lucernaire, méduse, neoturris, pélagie, rhizostome, scyphoméduse, scyphozoaire.

ACANTHACÉE. Acanthe, aphélandra, dicotylédone, herbacée, justicia, plante, thunbergia.

ACANTHE. Architecture, cartouche, corinthien, crochet, épine, feston, fleuron, ornement, palme, quadrilobe.

ACANTHURIDÉ. Idole, poisson, tranchoir.

ACARE. Demodex, gale, phytopte, sarcopte, ver.

ACARIÂTRE. Acerbe, acrimonieux, agressif, aigre, atrabilaire, bourru, chameau, chipie, dragon, furie, gale, grincheux, hargneux, hypocondriaque, insociable, maussade, mégère, poison, querelleur, quinteux, rébarbatif, revêche.

ACARIEN. Acare, acaricide, acariose, acarus, aleurobie, aoûtat, araignée, argas, ciron, demodex, gale, galle, halacarus, ixode, lepte, matelas, mite, phytopte, rouget, sarcopte, tique, trombidion, varroa, vendangeon.

ACARUS. Acarien, ciron, gale, parasite, sarcopte.

ACCABLANT. Abrutissant, accusateur, atterrant, brûlant, écrasant, épuisant, étouffant, fatigant, impitoyable, inexorable, intolérable, kafkaïen, lourd, oppressant, opprimant, orageux, pénible, pesant, suffocant.

ACCABLÉ. Abattu, abruti, affligé, agonisant, alourdi, assommé, atterré, chargé, comblé, couvert, crevé, criblé, écrasé, engueulé, éploré, épuisé, éreinté, étouffé, fatigué, lassé, oppressé, opprimé, surchargé, tondu, tué, vanné.

ACCABLEMENT. Abattement, alanguissement, anéantissement, asthénie, consternation, découragement, dépression, désespoir, écrasement, ennui, épuisement, indigestion, rompu, somme, surcharge.

ACCABLER. Abattre, abreuver, abrutir, accuser, affliger, agonir, assommer, atterrer, bombarder, catastropher, charger, combler, consterner, couvrir, crever, cribler, écraser, engueuler, épuiser, excéder, fatiguer, grever, imposer, incendier, lasser, obérer, oppresser, opprimer, rompre, submerger, surcharger, terrasser, tondre, tuer, vanner.

ACCALMIE. Agité, apaisement, ataraxie, béat, bonasse, bouillant, calme, coi, déchaîné, détendu, emporté, énervé, excité, flegme, froid, impatient, ire, irrité, modéré, paix, patient, posé, quiet, relax, répit, repos, sage, serein, tranquille, tranquillité, trêve.

ACCAPARANT. Absorbant, encombrant, envahissant, exigeant, exclusif, exigeant, fatigant, occupant, prenant.

ACCAPAREMENT. Accumulation, achat, appropriation, centralisme, cumul, énarchie, intégration, mainmise, monopolisation, retenue, spéculation.

ACCAPARER. Absorber, acheter, accumuler, amasser, approprier, bouffer, envahir, détourner, dévorer, emparer, envahir, monopoliser, occuper, prendre, rafler, retenir, scotcher, spéculer, truster.

ACCAPAREUR. Agioteur, baissier, boursicoteur, dévoreur, haussier, initié, monopolisateur, preneur, spéculateur.

ACCASTILLAGE. Affûtiaux, atelier, boutique, fabrique, ferronnerie, fiche, métal, quincaillerie, serrurerie.

ACCÉDER. Aborder, accession, acquiescer, admettre, approuver, arriver, atteindre, consentir, déverrouiller, éclater, entrer, envahir, grimper, hisser, infiltrer, investir, parvenir, pénétrer, percer, rendre, souscrire, venir.

ACCÉLÉRATEUR. Accroissement, activation, bêtatron, bévatron, champignon, cyclotron, isotron, kévatron, mécanisme, pédale, poignée, proliférateur, siccatif, sprinter, synchrocyclotron, synchrotron, vitesse.

ACCÉLÉRATION. Accroissement, activation, augmentation, booster, célérité, champignon, décélération, escalade, forcing, hâte, polypnée, précipitation, rapidité, rythme, sprint, tachyarythmie, tachycardie, variation, vitesse, vroom, vroum.

ACCÉLÉRÉ. Accroît, activé, avance, dépêché, excité, grouillé, hâté, pressé, rapide, redoublé.

ACCÉLÉRER. Accroître, activer, appletter, augmenter, avancer, courir, démarrer, dépêcher, diligenter, exciter, expédier, grouiller, hâter, magner, manier, pousser, précipiter, presser, sprinter, stimuler.

ACCENT. Aigu, atone, circonflexe, emphase, grave, inaccentué, inflexion, intensité, intonation, lettre, marque, mièvre, modulation, parlure, prime, prononciation, rythme, signe, tilde, ton, tonalité, tonique, voyelle.

ACCENTUATION. Accroissement, affermissement, aggravation, ah, certainement, complexification, consolidation, croissance, da, durcissement, intensification, même, recrudescence, renforcement, resserrement, risée.

ACCENTUÉ. Accru, accusé, appuyé, arrêté, augmenté, déclamé, déclaré, dit, exagéré, ferme, formel, fort, intensifié, marqué, mièvre, perceptible, prononcé, proparoxyton, rendu, résolu, souligné, taluté, visible.

ACCENTUER. Accroître, accuser, appoggiature, appuyer, atone, augmenter, déclamer, exagérer, inaccentué, insister, intensifier, luminisme, maquiller, marquer, marteler, montrer, ponctuer, rehausser, renforcer, ressortir, souligner.

ACCEPTABILITÉ. Admissibilité, crédibilité, croyance, fiabilité, fidélité, plausibilité, représentativité, vraisemblance.

ACCEPTABLE. Admissible, adoptable, agréable, approuvable, bon, buvable, conforme, congru, convenable, correct, excusable, honnête, honorable, irrecevable, limite, passable, pertinent, possible, recevable, satisfaisant, supportable, tolérable, valable.

ACCEPTATION. Accord, acquisition, addition, adoption, agrément, approbation, consentement, fatalisme, gré, néologisme, oui, passivité, reconnaissance, refus, renoncement, résignation, soumission.

ACCEPTE. Absolu, assuré, authentique, bénéfique, bon, certain, concret, décidé, degré, établi, évident, exact, fondé, formel, franc, manifeste, orgue, oui, positif, précis, réel, sérieux, strict, sûr, typon, utile, vrai.

ACCEPTER. Accueillir, acquérir, adhérer, admettre, agréer, assumer, autoriser, avaler, consentir, consoler, croire, daigner, déférer, digérer, embrasser, encaisser, endurer, eu, excuser, insinuer, marcher, permettre, prendre, recevoir, refuser, renoncer, résigner, souffrit, subir, supporter, tolérer, toper, vouloir.

ACCEPTEUR. Atome, donneur, impureté, ion, molécule, personne, semi-polaire, souscripteur, tiré.

ACCEPTION. Chouchoutage, clientélisme, combine, copinage, dorlotement, entente, entraide, faveur, favoritisme, flatterie, népotisme, partialité, partisannerie, passe-droit, patronage, piston, pistonnage, préférence.

ACCÈS. Abord, accueil, amok, approche, arrivée, attaque, atteinte, bord, bouffée, bouque, clé, clef, corrida, cuite, crise, élan, entrée, furie, herse, input, introduction, ouverture, porte, poussée, rage, récurrent, quinte, scène, seuil.

ACCESSIBILITÉ. Clarté, compréhensibilité, compréhension, évidence, facilité, intelligibilité, intercompréhension, limpidité, lisibilité, luminosité, netteté, normalité, pénétrabilité, transparence.

ACCESSIBLE. Abordable, accort, affable, compréhensible, évident, facile, intelligible, libre, ouvert, public.

ACCESSION. Accroissement, adhésion, adjonction, arrivée, atterrissement, avènement, élévation, extension, venue.

ACCESSIT. Citation, couronne, décoration, diplôme, distinction, médaille, mention, pourboire, prime, trophée.

ACCESSOIRE. Accastillage, à-côté, annexe, auxiliaire, boa, ceste, chistera, complémentaire, dépendant, épisodique, équipement, essentiel, éventail, figurant, fioriture, garniture, guirlande, incident, insignifiant, inutile, jeu, masque, mineur, muscade, négligeable, outil, parenthèse, principal, sac, secondaire, serpentin, subsidiaire, ustensile.

ACCESSOIREMENT. Abstraitement, éventuellement, idéalement, imaginairement, hypothétiquement, possiblement.

ACCESSOIRISER. Aborder, accéder, agrémenter, annexer, border, clé, costume, ganter, mener, nu, toilette.

ACCIDENT. Adversité, affaire, aléa, altéré, aspérité, attribut, avatar, aventure, bémol, calamité, carambolage, cas, catastrophe, contretemps, coup, crash, déraillement, dièse, écrasement, ennui, épisode, esclandre, explosion, fausse route, fulguration, fraise, incident, lésion, malheur, naufrage, panne, pépin, péripétie, revers, temponnade, toxémie, tuile, viander, vicissitude.

ACCIDENTÉ. Abîmé, accroché, amoché, atteint, blessé, esquinté, inégal, inégalité, momtueux, mouvementé, raboteux, touché, traumatisé.

ACCIDENTEL. Accessoire, adventice, brutal, casuel, contingent, extrinsèque, fortuit, hasard, imprévu, occasionnel.

ACCIDENTELLEMENT. Casuellement, fortuitement, hasard, incidemment, inopinément, occasionnellement.

ACCIPITRIDÉ. Aigle, balbuzard, buse, crécerelle, épervier, faucon, gypaète, harpie, milan, moine, pygargue, vautour.

ACCISE. Charge, contribution, cote, droit, excise, fisc, fiscalité, impôt, nombre, numéro, prix, taxe, valeur.

ACCLAMATION. Alléluia, applaudissement, ave, ban, bravo, célébration, cri, élection, glorification, hosanna, hourra, joie, louange, olé, ovation, salut, salutation, vivat, vive, viver.

ACCLAMER. Applaudir, auréoler, bisser, célébrer, encenser, glorifier, honorer, ovationner, saluer, vivent.

ACCLIMATATION. Accommodation, accoutumance, adaptation, animal, apprivoisement, naturalisation, pays.

ACCLIMATER. Acclimatable, accoutumer, adapter, établir, habituer, implanter, introduire, naturaliser, réussir.

ACCOINTANCE. Amitié, attache, camaraderie, connaissance, contact, fréquentation, liaison, lien, relation.

ACCOINTER. Accoupler, acoquiner, aimer, attacher, contacter, fréquenter, connaissance, lier.

ACCOLADE. Arcade, arc-boutant, bise, doubleau, caresse, chevalerie, embrassade, enlacement, étreinte, union.

ACCOLEMENT. Accouplement, adhérence, anastomose, approchement, bise, jonction, jouxtant, limitrophe, symphyse.

ACCOLER. Adhérer, adjoindre, amitié, baiser, coller, embrasser, joindre, juxtaposer, lier, réunir, serrer, unir.

ACCOMMODANT. Abordable, accessible, affable, aimable, apaisant, arrangeant, avenant, bienveillant, brave, commode, complaisant, conciliant, coulant, courtois, débonnaire, docile, facile, sociable, souple, traitable.

ACCOMMODAT. Accommodement, accord, arbitrage, arrangement, assaisonnement, atermoiement, capitulation, caractère, composition, compromis, compromission, conciliation, convention, modus-vivendi.

ACCOMMODATION. Acclimatation, accoutumance, adaptation, ajustement, apprivoisement, presbytie, assuétude.

ACCOMMODEMENT. Accommodat, accord, arbitrage, arrangement, assaisonnement, atermoiement, capitulation, caractère, composition, compromis, compromission, conciliation, convention, modus-vivendi.

ACCOMMODER. Accepter, accorder, adapter, ajuster, apprêter, approprier, arranger, assaisonner, céder, complaire, conformer, contenter, cuisiner, fricoter, gratiner, habituer, mettre, mitonner, préparer, réaliser, résigner, satisfaire.

ACCOMPAGNATEUR (n. p.). Charon, Hermès, Mingus, Orphée.

ACCOMPAGNATEUR. Animateur, cicérone, conducteur, cornac, escorte, guide, meneur, pilote, psychopompe, ripieno, suivant.

ACCOMPAGNE. Accessoire, apparat, arrosé, circonstance, compliment, équipage, guide, jingle, pianiste, sigisbée, sonal, suiveur.

ACCOMPAGNÉ. Chaperon, concomitant, convoyé, doublé, escorté, flanqué, garni, guide, suivi, surveillant.

ACCOMPAGNEMENT. Conduite, conséquence, convoi, cortège, équipage, escorte, garniture, résultat, sauce, suite.

ACCOMPAGNER. Aider, arroser, assister, assortir, avec, chaperonner, conduire, convoyer, escorter, flanquer, garnir, guider, joindre, marcher, mener, protéger, quant, reconduire, soutenir, surveiller, suivre.

ACCOMPLI. Achevé, complet, consommé, délai, distingué, effectué, fait, fini, idéal, impeccable, imperfectif, incomparable, irréalisable, magistral, mieux, modèle, parfait, passé, perfectif, précipité, réalisé, révolu, sonné, terminé, venir.

ACCOMPLIE. Ménopausée.

ACCOMPLIR. Acheter, achever, acquitter, arriver, célébrer, commettre, concrétiser, écouler, effectuer, épurer, exécuter, faire, finir, fournir, obéir, observer, opérer, parcourir, peaufiner, perler, perpétrer, postuler, pratiquer, procéder, réaliser, réussir, remplir, satisfaire, sonner, suivre, terminer.

ACCOMPLISSEMENT. Achèvement, croisement, couronnement, exaucement, exécution, performance, perpétration, réalisation.

ACCON. Acon, allège, bateau, bette, chaland, client, coche, flette, halé, haler, lé, mahonne, navée, péniche, poussage, pratique.

ACCONAGE. Affrètement, agence, chargement, charte-partie, charter, contrat, manutention, nolisage, nolisement, transbordement, transport.

ACCORD (n. p.). ACP, Alena, Douves, Gatt, Maastricht, Start, Varsovie.

ACCORD. Acceptation, alliance, amitié, amour, approbation, approuver, arpège, arrangement, assentiment, assorti, autorisation, banco, collusion, communication, communion, compérage, complicité, compromis, concert, concorde, congruence, connivence, consensus, consentement, contrat, convenance, convenir, convention, deal, discorde, do, entendu, entente, fraternité, harmonie, intelligence, entendu, la, marché, modus vivendi, musique, oc, ok, oui, pacte, paix, permission, protocole, refus, règlement, rime, soit, syllepse, sympathie, tope, traité, transaction, unanimité, union, unisson, unité.

ACCORDAILLES. Acceptation, annonce, assurance, ban, billet, contrat, convention, engagement, expectative, fiançailles, fidélité, foi, gageure, honneur, obligation, offre, otage, oui, parole, promesse, prometteur, promission, protestation, réservât, serment, signe, singe, vent, vœu.

ACCORDÉ. Bien-aimé, futur, fiancé, galant, harmonieux, parti, prétendu, promis, studieux.

ACCORDÉON. Accordéoniste, bandonéon, casier, concertina, georgina, harmonica, instrument, piano, soufflet.

ACCORDER. Accommoder, adapter, adjuger, admettre, adonner, agencer, aimer, aller, allier, allouer, amnistier, anoblir, apparier, approprier, arranger, assembler, associer, assortir, attacher, attribuer, avouer, cadre, céder, concéder, concilier, conférer, confesser, conforme, consentir, convenir, décerner, dénier, dispenser, donner, entendre, exaucer, fier, franchiser, gratifier, harmoniser, impartir, marchander, octroyer, offrir, opiner, permettre, piano, reconnaître, relaxer, rentrer, réserver, satisfaire.

ACCORDEUR. Agent, cause, coefficient, commis, élément, facteur, harmoniste, information, luthier, musique, nuisance, porteur, postier, postillon, rapport, rhésus.

ACCORDOIR. Clavecin, clé, orgue, outil, piano, retendoir.

ACCORE. Abrupt, à pic, ardu, difficile, épontille, escarpé, malaisé, montant, montueux, raide, rapide, roide.

ACCORT. Agréable, aimable, avenant, complaisant, chou, doux, engageant, gentil, gracieux, joli, soit.

ACCORTE. Agréable, aimable, avenant, complaisant, chou, doux, engageant, gentil, gracieux, joli, soit.

ACCOSTABLE. Abordable, accessible, approchable, avantageux, dangereux, modéré, modique, parlable, raisonnable.

ACCOSTAGE. Abordage, assaut, atterrage, collision, débarquement, hoverport, passerelle.

ACCOSTER. Aborder, aboutir, approcher, appuyer, arraisonner, arrêter, arriver, atteindre, côtoyer, débarquer, draguer, efflanquer, entrer, flirter, gaffe, jeter, joindre, parvenir, racoler, ranger, rencontrer, terrir, toucher.

ACCOT. Ados, déclinaison, dénivellation, descente, dévers, inclinaison, oblique, paillasson, paillis, pente, talus.

ACCOTAGE. Accord, acoquinement, association, attache, cohabitation, collage, collusion, compérage, complicité, concubinage, connivence, entente, fréquentation, liaison, lien, rapport, rapprochement, union.

ACCOTÉ. Accoudé, adossé, appuyé, assis, avalisé, concubin, documenté, instant, lourd, pressant, soutenu.

ACCOTEMENT. Banquette, bas-côté, berme, bord, bordure, caniveau, côté, délinéateur, fossé, trottoir.

ACCOTER. Accotement, accotoir, adosser, appuyer, caler, encourager, endosser, épauler, étayer, guider, soutenir.

ACCOTOIR. Accoudoir, appui, appui-bras, appuie-tête, balcon, balustrade, balustre, bras, dossier, joue, prie-Dieu, protection, repose-bras, support, soutien.

ACCOUCHÉE. Femme, fille, gémellipare, gésine, mère, parturiente, primipare.

ACCOUCHEMENT (n. p.). Baudelocque, Io, Latone.

ACCOUCHEMENT. Avortement, bas, césarienne, crapaud, délivrance, dystocie, élaboration, enfantement, eutocie, forceps, gésine, grossesse, maïeutique, maternité, naissance, nullipare, obstétrique, part, parturition, présentation, providence, puerpéral, réalisation, terme, tranchée, travail.

ACCOUCHER. Aboutir, accouchement, avorter, césariser, composer, confectionner, créer, donner, élaborer, enfanter, engendrer, gémellipare, gémelliparité, nullipare, parler, parturiente, produire, réaliser.

ACCOUCHEUR. Gynécologue, maïeuticien, matrone, médecin, obstétricien, parturologue, sage-femme.

ACCOUCHEUR (n. p.). Baudelocque, Tarnier.

ACCOUDER. Accentuer, accoter, accoudoir, adosser, aider, appliquer, apporter, appuyer, asseoir, avaliser, baiser, baser, bras, buter, coller, compter, confirmer, corroborer, diriger, encourager, épauler, étayer, fonder, fortifier, insister, maintenir, patronner, peser, pistonner, placer, poser, presser, protéger, recommander, référer, renforcer, servir, sonner, souligner, soutenir, supporter, taper, tenir.

ACCOUDOIR. Accotoir, appui-bras, balcon, balustrade, bras, prie-Dieu, protection, repose-bras, support, soutien.

ACCOUPLEMENT. Accolement, assemblage, clabotage, coït, copulation, couplage, croisement, jonction, liaison, monte, âriade, rapports, rapprochement, relation, remonte, reproduction, réunion, rut, saillie, sélection, sexe.

ACCOUPLER. Accoler, adouer, appareiller, apparier, appareiller, assembler, assortir, claboter, côcher, coïter, copuler, coupler, couvrir, craboter, frayer, joindre, jumeler, lier, lutter, mâtiner, monter, réunir, saillir.

ACCOURCISSEMENT. Abrègement, accourcir, chemin, contraction, court, diminution, embuvage, etc., extraction, raccourcir, raccourcissement, rapetissement, réduction, retirement, rétraction, rétrécissement.

ACCOURIR. Abréger, advoler, arriver, bondir, couper, courir, débouler, diminuer, écourter, filer, hâter, précipiter, presser, raccourcir, rapetisser, rapprocher, rétrécir, surgir, survenir, venir.

ACCOUTRÉ. Affublé, amanché, attifé, costumé, déguisé, fagoté, ficelé, fringué, habillé, harnaché, vêtu.

ACCOUTREMENT. Affiquet, affublement, ajustement, atours, attifage, attirail, caramantran, chienlit, costume, défroque, déguisement, fagotage, fringue, habillement, harnachement, mascarade, vêtement.

ACCOUTRER. Affubler, agatonner, amancher, attifer, déguiser, fagoter, ficeler, habiller, harnacher, nipper, vêtir.

ACCOUTUMANCE. Acclimatement, accroc, adaptation, adduction, aguerrissement, assuétude, barbituromanie, besoin, dépendance, endurcissement, habituation, immunisation, insensibilisation, tolérance, toxicomanie.

ACCOUTUMÉ. Courant, coutumier, dissimulé, familier, habitué, habituel, ordinaire, usuel.

ACCOUTUMER. Acclimater, acclimatiser, adapter, aguerrir, amariner, assujettir, disposer, dresser, endurcir, façonner, faire, familiariser, habituer, immuniser, mithridatiser, plier, prémunir, préparer, réaccoutumer, routinier, usager, vacciner.

ACCOUVAGE. Accouveur, aviculture, couvaison, couveuse, couvoir, éclore, incubation, œuf.

ACCRÉDITATION. Acceptation, accord, acquiescement, adhésion, agrément, approbation, autorisation, aveu, concession, crédit, endos, endossement, envoi, exeat, licence, obédience, ouverture, permis, permission.

ACCRÉDITER. Accepter, accorder, affirmer, acquiescer, adopter, autoriser, confirmer, propager, répandre, valider.

ACCRÉDITEUR. Appui, avaliseur, caution, endosseur, fidéjusseur, garant, parrain, répondant, soutien.

ACCRÉTION. Accélération, accroissement, accrue, accumulation, activation, agrandissement, augmentation, croissance, dérivée, extension, hâte, hausse, multiplication, nouer, progression, surcroît, sursaut, tropisme, urgence.

ACCRO. Amateur, assoiffé, camé, drogué, fervent, intoxiqué, mordu, passionné, schnoufard, toxicomane, tripeux.

ACCROC. Anicroche, complication, contretemps, déchirure, embarras, empêchement, incident, infraction, obstacle, tache.

ACCROCHAGE. Accident, cognement, collision, démêlé, dispute, empoignade, engueulade, épinglage, escarmouche, fixation, friction, happement, harpage, harponnage, heurt, impact, incident, querelle.

ACCROCHÉ. Aguiché, attaché, collé, immobile, grappiné, guiche, pendu, retenu, rouflaquette, suspendu.

ACCROCHE-CŒUR. Aguiche, boucle, bouclette, crochet, crolle, éfrison, favori, frisette, frison, frisottis, frisou, frisure, guiche, mèche, patte de lapin, retroussis, rosette, rouflaquette.

ACCROCHER. Aborder, achopper, agrafer, agripper, aiche, attacher, atteler, attraper, cramponner, croc, crocher, èche, esche, ferrer, fixer, frapper, gaffe, gaffer, grappiner, happer, harponner, heurter, immobiliser, intéresser, obtenir, pendre, prendre, raccrocher, retenir, suspendre, tamponner.

ACCROCHEUR. Absorbant, acharné, battant, captivant, combatif, opiniâtre, raccrocheur, racoleur, tenace, vendeur.

ACCROIRE. Abuser, augurer, croire, estimer, mentir, penser, présager, présumable, soupçonner, supposer, tromper.

ACCROISSEMENT. Accélération, accrétion, accrue, accumulation, activation, agrandissement, augmentation, croissance, dérivée, extension, foisonnement, hâte, hausse, hétérosis, multiplication, nouer, progression, prolifération, renforcement, renfort, surcroît, sursaut, tropisme, urgence.

ACCROÎT. Accélérateur, accumulateur, amplificateur, booster, développeur, esthésiogène, releveur, stimulateur.

ACCROÎTRE. Accélérer, accumuler, aggraver, agrandir, allonger, amplifier, arrondir, augmenter, bénéficier, croître, développer, diluer, échoir, élargir, étendre, exploser, extentionner, grandir, grossir, hypertrophier, monter, proliférer, prolonger, redoubler, relever, stimuler.

ACCROUPIE. Assis, croupetons, petit bonhomme, ramassé, tassé.

ACCROUPIR. Accouver, asseoir, baiser, baraquer, blottir, croupetons, pelotonner, posture, ramasser, tasser.

ACCROUPISSEMENT. Abaissement, affaiblissement, affaissement, blotissement, chute, commencement, crépuscule, crise, décadence, déchéance, déclin, décrépitude, dégénérescence, dégradation, dégringolade, déliquescence, dépérissement, descente, destruction, glas, prestige, ruine.

ACCRU. Augmenté, bouture, brin, brout, cépée, cultivé, drageon, dynamisé, enrichi, étendu, explosion, germe, grand, gros, jet, mailleton, marcotte, provin, recrû, rejeton, relève, stimulation, tendron, turion.

ACCRUE. Accession, accroissement, activité, ample, atterrissement, augmentation, étendu, grand, laisse, large, spacieux, suractivité, vaste, violent.

ACCUEIL. Abord, accès, approche, attitude, bienvenue, contact, conciergerie, hospitalité, réception, traitement.

ACCUEILLANT. Abordable, accessible, affable, agréable, aimable, chaleureux, cordial, hospitalier, ouvert, propice, réceptif, recevant.

ACCUEILLI. Accepté, agréé, aimé, bienvenu, cordial, exaucé, fêté, hébergé, hué, né, paria, reçu, salué, traité, vu.

ACCUEILLIR. Abriter, accepter, admettre, agréer, apprendre, bienvenir, chercher, chuter, conspuer, contenir, écouter, exaucer, fêter, héberger, hospitalier, huer, loger, prendre, rabrouer, recevoir, recueillir, saluer, siffler, voir.

ACCULER. Buter, coincer, contraindre, forcer, obliger, piéger, pousser, recul, réduire, rencogner, squeezer.

ACCULTURATION. Absorption, allégorie, anabolisme, assimilation, athrepsie, comparaison, digestion, harmonisation, identification, imprégnation, insertion, intégration, melting-pot, nutrition, photosynthèse, rapprochement.

ACCUMULATEUR. Accu, batterie, condensateur, flatulence, machine, pile, polarisateur, sulfatation.

ACCUMULATION. Accroissement, addition, adiposité, aérocolie, aérogastrie, agglomération, amas, amoncellement, ballonnement, congestion, encyclopédisme, entassement, épanchement, épargne, flatulence, flatuosité, gaz, gisement, glacier, gonflement, hydarthrose, hydropéricarde, hydropisie, investissement, lourdeur, mélanose, météorisme, minéralisation, moraine, œdème, pigmentation, provision, quantité, rétention, suraccumulation, tas, thésaurisation, ventosité.

ACCUMULER. Amasser, amonceler, arrérager, augmenter, avare, butin, butiner, capitaliser, charger, collectionner, congestionner, emmagasiner, empiler, engranger, entasser, mélanose, néritique, ramasser, rassembler, récolter, réunir, stocker, thésauriser.

ACCUS. Accumulateur, batterie, condensateur, flatulence, machine, pile, polarisateur, sulfatation.

ACCUSATEUR (n. p.). Fouquier-Tinville, Réal.

ACCUSATEUR. Accablant, calomniateur, délateur, dénonciateur, espion, mouchard, plaignant, révélateur, sycophante.

ACCUSATION. Attaque, blâme, calomnie, charge, chasse, crime, critique, culpabilisation, dénigrement, diatribe, diffamation, grief, imputation, incrimination, inculpation, médisance, plainte, poursuite, récrimination, reproche, réquisitoire.

ACCUSÉ (n. p.). Alcibiade, Calas, Campanella, Chalais, Clive, Cœur, Condorcet, Danton, Dolet, Étienne, Ghérardesca, Grandier, Houchard, La Barre, Lally, Landru, Mihailovic, Milon, Morton, Nixon, Rizal, Semblançay, Sirven, Slansky, Smith, Verrès, Watergate.

ACCUSÉ. Acquitté, examen, fort, inculpé, marqué, net, plaidoirie, prévenu, prononcé, récépissé, reçu, suspect.

ACUSÉE (n. p.). Boleyn, Concini, Dori, Galigaï, Lilith, Phryné, Suzanne.

ACCUSER. Accentuer, arguer, attaquer, avouer, charger, citer, dénigrer, dénoncer, dessiner, diffamer, disculper, excuser, impliquer, imputer, incriminer, inculper, innocenter, justifier, marquer, montrer, mouler, nier, poursuivre, reprocher, révéler, taxer, trahir, vendre.

ACÉPHALE. Bivalve, figure, gastropode, lamellibranche, mollusque, palourde, statue, tête.

ACER (n. p.). Floride, Japon, Norvège, Pennsylvanie.

ACER. Argenté, blanc, campestre, champêtre, circiné, épis, érable, ginnala, grosseri, japonicum, montagne, négondo, négundo, noir, palmé, plaine, platane, platinoïde, rouge, saccharinum, saccharum, sucre, sycomore.

ACÉRACÉE (n. p.). Floride, Japon, Norvège, Pennsylvanie.

ACÉRACÉE. Argenté, blanc, campestre, champêtre, circiné, épis, érable, ginnala, grosseri, japonicum, montagne, négondo, négundo, noir, palmé, plaine, platane, platinoïde, rouge, saccharinum, saccharum, sucre, sycomore.

ACERBE. Acariâtre, acerbité, acéré, acide, âcre, acrimonieux, agressif, aigre, aigre-aimant, amer, âpre, belliqueux, blessant, cassant, caustique, désagréable, désenvenimer, dur, méchant, mordant, piquant, sarcastique, venimeux, virulent.

ACERBITÉ. Acariâtreté, acidité, âcreté, agressivité, aridité, austérité, autorité, draconien, dureté, étroit, insensibilité, intransigeance, raideur, rigidité, rigorisme, rigueur, rudesse, sérieux, sévérité, vacherie.

ACÉRÉ. Aigre, aigu, aiguisé, caustique, coupant, dard, dur, fin, incisif, méchant, mordant, pointu, sarcastique, tranchant.

ACÉRER. Activer, affiler, affûter, agacer, aiguillonner, aiguiser, appointer, blanchir, chever, dégrossir, écacher, émorfiler, émoudre, exciter, fusil, meule, meuler, meulette, queue, repassage, repasser, tranchant.

ACÉRICULTEUR. Agriculteur, érablier, exploitant, producteur, sirop d'érable, sucrier.

ACÉRICULTURE. Cabane à sucre, concession, eau, érable, érablière, forêt, sève, sirop, sucre, sucrerie.

ACESCENCE. Acariâtreté, acerbité, acidité, âcreté, acrimonie, aigre, aigreur, amertume, causticité, hargne, ph, verdeur.

ACESCENT. Acide, acidulé, âcre, acrimonieux, aigre, alanine, amer, arsénique, asparagine, borique, bromique, caprylique, caustique, chlorique, citrique, désagréable, eau-forte, glycérique, glycocolle, histidine, hyposulfureux, lactique, lessant, leucine, malique, oléum, oxacide, palmitique, picrique, piquant, phtalique, salicylique, serine, silicique, stéarique, sulfurique, sur, suret, surette, thiosulfurique, tryptophane, tyrosine, urique, valine, vanadique, vinaigré, vitriol.

ACÉTAL. Alcool, aldéhyde, éthanal, pipéronal.

ACÉTALDÉHYDE. Aldéhyde, éthanal, éthylique.

ACÉTAMINOPHÈNE. Acétylsalicylique, anti-inflammatoire, aspirine, choline, diclofénac, étodolac, fénoprofène, flurbiprofène, ibuprofène, indométhacine, kétoprofène, kétorolac, méclofénamate, méthotriméprazine, naproxen, naproxène, phénazopyridine, piroxicam, salsalate, sulindac, tolmétine.

ACÉTATE. Acétocellulose, acide, ester, film, rhodia, rhodoïd, sel, vert-de-gris, verdet, vinylite.

ACÉTIFIER. Altérer, amener, assimiler, canaliser, carrer, catéchiser, changer, commuer, convertir, endoctriner, évangéliser, gagner, lapidifier, métamorphoser, muer, muter, rallier, seoir, transformer, transmuter, tréfiler.

ACÉTIQUE. Acétamide, acéteux, acétyle, acide, éthanoïque, fermentation, métaldéhyde, vinaigre.

ACÉTOCELLULOSE. Acétate, acide, ester, film, rhodia, rhodoïd, sel, vert-de-gris, verdet, vinylite.

ACÉTONE. Acétonémie, acétonurie, cétone, dissolvant, liquide, nectar, solvant, volatil.

ACÉTYLÈNE. Acétylénique, acétylure, allylène, gaz, hydrocarbure, lampe, oxyacétylénique, vinylique.

ACHAB (n. p.). Athalie, Élie, Galaad, Israël, Jézabel, Joram, Ochozias, Ramoth.

ACHAINE. Akène, anis, baie, fruit, gland, graine, indéhiscent, noisette, polyakène, samare.

ACHALANDAGE. Abondance, affluence, clientèle, commerce, fonds, meute, multitude, pléiade, rassemblement, ribambelle.

ACHALANDÉ. Actif, animé, approvisionné, assorti, client, enragé, fourni, furieux, négoce, pourvu, vivant.

ACHALANT. Emmerdeur, enquiquineur, fâcheux, fatigant, gêneur, importun, indésirable, intrus, raseur.

ACHARDS. Aschards, assaisonnement, condiment, vinaigre.

ACHARNÉ. Âpre, ardent, constant, coriace, énergique, enragé, entêté, fanatique, farouche, forcené, fougueux, furieux, meute, obstiné, opiniâtre, passionné, persécuteur, persévérant, piocheur, tenace, têtu.

ACHARNEMENT. Âpreté, ardeur, assiduité, colère, constance, cruauté, débordement, déchaînement, détermination, effort, énergie, frénésie, fureur, furie, lynchage, obstination, opiniâtreté, pâlir, ténacité, volonté, zèle.

ACHARNER. Acheminer, animer, attacher, attaquer, conduire, continuer, enrager, entêter, escrimer, exciter, évertuer, exciter, irriter, lutter, obstiner, opiniâtre, persécuter, persévérer, piétiner, poursuivre, transporter, vouloir.

ACHAT. Acquêt, acquisition, appropriation, chaland, commande, commerce, course, dépenser, échange, emplette, enchère, marché, médiaplanning, occasion, O.P.A., rachat, raider, réemploi, remploi, téléachat.

ACHAZ (n. p.). Isaïe, Jotham, Juda, Téglath-Phalasar.

ACHE. Aethuse, berle, céleri, cresson d'eau, livèche, ombellifère, petite ciguë, plante, sium.

ACHÉMÉNIDE (n. p.). Artaxerxés, Cambyse, Cyrus, Darios, Orient, Pasargades, Perse, Persépolis, Suse, Xerxès.

ACHEMINEMENT. Amélioration, avancée, avancement, développement, élévation, envol, essor, évolution, pas, perfectionnement, processus, progrès, progression, promotion, propagation, sélection, succès, traînée.

ACHEMINER. Adresser, aller, amener, avancer, canaliser, conduire, convoyer, diffuser, diriger, distribuer, envoyer, expédier, ferrouter, flotter, livrer, marcher, négocier, parvenir, préparer, progresser, traiter, transmettre, transporter, vers.

ACHETABLE. Achetable, apte, capable, chatouilleux, coléreux, délicat, émotif, emporté, érectile, irascible, irritable, érogène, ombrageux, pointilleux, prompt, rachetable, réceptif, sensible, sensitif, soupçonneux, sujet, susceptible, vibratile, vulnérable.

ACHETER. Abloquer, accomplir, acquérir, attriquer, avoir, bloquer, brocanter, cantiner, capter, corrompre, étrenner, obtenir, offrir, miser, obtenir, payer, prendre, procurer, racheter, rémérer, soudoyer, suborner, vendre.

ACHETEUR. Acquéreur, adjudicataire, amateur, barguineur, bimbelotier, brocanteur, cessionnaire, chaland, client, clientèle, consommateur, débiteur, destinataire, importateur, marchand, payeur, pratique, preneur.

ACHEVÉ. Accompli, complet, clos, cousu, entier, épuré, fatal, fini, parachevé, parfait, poussé, révolu, terminé, total.

ACHÈVEMENT. Aboutissement, accomplissement, apothéose, but, chapeau, chute, clôture, complémentarité, complétude, conclusion, consommation, couronnement, dénouement, entéléchie, fin, finition, parachèvement, perfectionnement, terme.

ACHEVER. Abattre, aboutir, accomplir, anéantir, arriver, bâcler, cesser, clore, clos, complet, compléter, conclure, éteindre, fatal, finaliser, fignoler, fini, finir, consommer, consumer, parfaire, parfait, révolu, terminer, tuer.

ACHIGAN. Black-bass, crapet, lac, micropterus, perche, perche d'Amérique, poisson, truitée.

ACHILLE. Anatomie, invulnérable, muscle, talon, tendon.

ACHILLE (n. p.). Chiron, Hector, Memnon, Myrmidons, Néoptolème, Pâris, Patrocle, Pélée, Pyrrhos, Thétis.

ACHILLÉE. Astéracée, composacée, estragon, génépi, herbe-à-dindes, infusion, mille-feuille, plante.

ACHOPPEMENT. Adversité, anicroche, barrière, confusion, difficulté, gêne, hic, peine, péril, pierre, subtilité.

ACHOPPER. Accrocher, aheurter, arrêter, broncher, buter, contre, échouer, heurter, trébucher.

ACHROMATIQUE. Achromat, achromatopsie, achrome, achromie, albinisme, couleur, daltonien, daltonisme, deutéranopie, dyschromatopsie, leucodermie, œil, optique.

ACHROMATOPSIE. Achromat, daltonisme, deutéranopie, dyschromatopsie, leucodermie, œil, optique.

ACHROMIE. Albinisme, albinos, blanc, cheveu, chlorose, dyschromie, furet, leucisme, leucodermie, vitiligo, yeux.

ACIDE. Acerbe, acescent, acidulé, âcre, acrimonieux, ADN, aigre, alanine, amer, aminé, ARN, arsénique, asparagine, blessant, borique, bromique, caprylique, caustique, chlorique, citrique, désagréable, DNA, eau-forte, glycérique, glycocolle, histidine, hyposulfureux, lactique, lessant, leucine, LSD, malique, mordant, nitrique, oléum, oxacide, palmitique, phénylalanine, phtalique, picrique, piquant, RNA, salicylique, serine, silicique, stéarique, sulfurique, sur, suret, surette, thiosulfurique, tryptophane, tyrosine, urique, valine, vanadique, verjuté, vinaigré, vitriol, Zyklon.

ACIDE AMINÉ. Alanine, cystéine, glycocolle, histidine, isoleucine, leucine, lysine, méthionine, phénylalanine, serine, thréonine, tryptophane, tyrosine, valine.

ACIDE BORIQUE. Antiseptique, borate, borax, borosilicate, lagoni, oxygène, sassoline, sel, suret, tincal.

ACIDE DÉSOXYRIBONUCLÉIQUE. ADN.

ACIDE OXYGÉNÉ. Azoteux-nitreux, borique, bromique, chlorique, chromique, sélénieux, sélénique, stannique, sulfurique, tellurique.

ACIDE RIBONUCLÉIQUE. ARN.

ACIDE SULFURIQUE. Cébidé, oléum, vitriol.

ACIDIFIER. Acidification, aciduler, aigrir, piquer, ph, ronger, surir, tourner, transformer, vinaigre.

ACIDIPHILE. Éosinophile.

ACIDITÉ. Acariâtreté, acerbité, acescence, âcreté, acrimonie, aigre, aigreur, amertume, causticité, hargne, ph, verdeur.

ACIDOPHILE. Ajonc, bruyère, éosinophile, plante.

ACIDULÉ (n. p.). Seltz.

ACIDULÉ. Acescent, acide, acidifier, âcre, aigre, aigrelet, aigri, amer, limonade, piquant, rance, suret, suri, trouné.

ACIER. Aciéré, alliage, austénite, blindage, brame, buse, coin, damas, détremper, elinvar, épée, fer, ferromanganèse, onte, inox, inoxydable, invar, laminé, lime, maraging, métal, nitruré, œrstite, rail, riblon, scie, spiegel, stainless, tôle, tréfilé.

ACIÉRIE. Centrale, fonderie, forge, haut fourneau, métal, métallurgie, procédé, sidérurgie, usine.

ACINUS. Acétabule, aisselle, alvéole, anfractuosité, barillet, bouche, brèche, cavité, conceptacle, cotyle, cotyloïde, crâne, diverticule, excavation, feuillée, fosse, glénoïdal, géode, glénoïde, gouffre, loge, méat, nombril, orbite, oreillette, pallale, palléale, purot, sac, saccule, sigmoïde, sinus, tanière, terrier, thorax, tinette, trou, utricule, vacuole, ventricule.

ACMÉ. Apex, apogée, apothéose, cime, climax, comble, culminant, culmination, maximum, point, sommet, zénith.

ACNÉ. Acnétique, adapalène, benzoyle, bouton, comédon, coupe-rose, dermatose, folliculine, nodule, papule, peau, peeling, peroxyde, point blanc, point noir, pustule, rosacée, séborrhée, tazarotène.

ACNÉIQUE. Blessure, bourgeonneux, boutonneux, cancer, chancre, chancrelle, grêlé, induré, lésion, maladie, MST, MTS, syphilis, tumeur, ulcération, ulcère, véroleux, variole, vérole.

ACOLYTE. Aide, assistant, associé, cercle, clerc, compagnon, comparse, compère, complice, ordre, servant, thuriféraire.

ACOMPTE. À-valoir, arrhes, avance, cash, dépôt, diminuer, paiement, provision, règle, tiers.

ACON. Accon, acheteur, bette, chaland, client, coche, flette, halé, haler, lé, mahonne, navée, péniche, poussage, pratique.

ACONAGE. Arrimage, chargement, débardage, débarquement, déchargement, désamorçage, délestage, lestage, livraison.

ACONIER. Aconier, bagagiste, arrimeur, coltineur, débardeur, déchargeur, docker, laptot, lesteur, maillot, marcel.

ACONIT. Aconitine, capuce de moine, capuchon, casque, fleur, napel, plante, poison, renonculacée, tue-loup.

ACONITINE. Alcaloïde, analgésique, poison, toxique, venin.

ACOQUINEMENT. Accord, association, attache, collage, collusion, compérage, complicité, concubinage, connivence, entente, fréquentation, liaison, lien, rapport, rapprochement.

ACOQUINER. Aboucher, accointer, associer, attacher, avilir, coller, commettre, dégrader, enticher, lier, mêler.

ACORE. Aracée, aroïdacée, arum, gouet, hémérocaille, infusion, lis, lys, polder, rosacée, roseau aromatique.

À-CÔTÉ. Accessoire, addenda, additif, addition, ajout, appendice, appoint, cahier, complément, excédent, extra, net, plus, prou, rab, rabe, rabiot, rallonge, remplacement, renfort, supplément, surcroît, surfilage, surplus.

À-COUP. Anormal, asymétrique, baroque, biscornu, boiteux, cahotant, capricieux, défendu, déréglé, difforme, discontinu, épisodique, fractal, haché, inégal, irrégulier, marron, occasionnel, saccadé, usurpé.

ACOUPHÈNE. Auditif, borborygme, bourdonnement, bruissement, cornement, feulement, gargouillement, grondement, murmure, réprimande, ronflement, roulement, sifflement, tintement, tonnerre.

ACOUSTIQUE. Acousticien, baffle, bip, entendre, gravité, odologie, oreille, son, sonie, sonore, tonalité, ultrason.

ACQUÉREUR. Acheteur, adjudicataire, cessionnaire, chaland, client, consommateur, pratique, preneur, soumissionnaire.

ACQUÉRIR. Acheter, apprendre, avoir, contracter, cueillir, étoffer, gagner, obtenir, payer, percer, préempter, prendre, prescrire, recycler, spécialiser, valoir.

ACQUÊT. Achat, acquisition, bien, commun, conquêt, époux, gain, mariage, possession, profit.

ACQUIESCEMENT. Acceptation, accord, adhésion, approbation, assentiment, inclination, n'est-ce pas, oui, permission, sanction.

ACQUIESCER. Accéder, accepter, adhérer, agréer, approuver, avouer, céder, consentir, déférer, obtempérer, opiner, permettre.

ACQUIS. Appris, avance, conquis, bagage, compétence, connaisance, connu, conquis, culture, décharge, dévolu, échu, expérience, héritage, infus, inné, natif, naturel, né, obtenu, quittance, savoir, vaincu.

ACQUISITION. Achat, acquêt, action, appropriation, conquêt, éducation, emplette, fiducie, mémorisation, obtention, portage, usucapion.

ACQUIT. Apurement, bulletin, congé, connaissance, décharge, facture, quittance, récépissé, reconnaissance, reçu.

ACQUITTÉ (n. p.). Clinton, Johnson, Papen.

ACQUITTÉ. Absout, amnistié, créance, crédité, facturé, innocent, innocenté, non coupable, payé, pardonné, reçu, réglé, soldé.

ACQUITTEMENT. Absolution, condamnation, dation, innocent, juge, libération, libre, paiement, pardon, règlement.

ACQUITTER. Absoudre, accomplir, exercer, innocenter, libérer, payer, régler, relaxer, rembourrer, remplir, revancher, servir, solder.

ÂCRE. Acerbe, acescent, acide, acidulé, âcreté, acrimonieux, aigre, aigre-doux, aigrelet, aigret, aigri, amer, âpre, astringent, dulcification, empyreume, fort, grinçant, irritant, mordant, piquant, raide, rance, rancir, sûr.

ÂCRETÉ. Acerbité, acidité, acrimonie, agressivité, aigreur, amertume, animosité, âpreté, colère, fiel, hargne.

ACRIDIEN. Acridoïde, cricri, criquet, grillon, insecte, locuste, orthoptère, pèlerin, sauterelle.

ACRIMONIE. Acariâtreté, acerbité, acidité, âcreté, agressivité, aigreur, amertume, animosité, hargne, maussaderie.

ACRIMONIEUX. Acariâtre, acerbe, acide, aigre, amer, atrabilaire, blessant, grinçant, hargneux, maussade, mordant.

ACROBATE (n. p.). Lancaster, Lebreton, Valadon.

ACROBATE. Anneliste, antipodiste, barriste, bateleur, bâtonniste, batoude, cascadeur, contorsionniste, culbuteur, équilibriste, fildefériste, funambule, gymnaste, jongleur, matassin, pétauriste, psylle, saltateur, trapéziste, voltigeur.

ACROBATIE (n. p.). Immelmann.

ACROBATIE. Adresse, agilité, agrès, antipodisme, batoude, boucle, cascade, chandelle, clown, contorsion, icarien, équilibrisme, looping, pont, rondade, tonneau, virtuosité, voltige, vrille.

ACROCÉPHALIE. Angiome, bec-de-lièvre, craniosténose, défaut, délétion, dysmélie, dysplasie, extrophie, hypostasia, imperfection, malformation, nævus, phocomélie, spina-bifida, tératogénie.

ACROLÉINE. Acide, acrylique, alcool, aldéhyde, aldol, aldose, chloral, cinnamique, éthanol, fibre, formaldéhyde, furfural, furfurol, glucose, imine, nitrile, orlon, propylène, synthétique, volatil.

ACROMÉGALIE. Colossal, comac, cyclopéen, démesuré, éléphantesque, énorme, étonnant, excessif, géant, gigantesque, grand, gros, haut, immense, mahous, maous, monstrueux, monumental, titanesque.

ACRONYME. Abrégé, abréviation, contraction, emblème, fivete, initiale, lettre, logo, monogramme, SAMU, sigle, SMIC, trigramme, ZAC, ZAD.

ACROPOLE. Citadelle, minerve, monument, poupe, proue.

ACROTÈRE. Appui, base, buste, continu, cul-de-lampe, fond, fondation, fondement, gaine, massif, môle, mouluré, pied, piédestal, plinthe, podium, scabellon, socle, soubassement, statif, support, tee, terrasse.

ACRYLIQUE. Acide, acroléine, alcool, aldéhyde, aldol, aldose, chloral, cinnamique, éthanol, fibre, formaldéhyde, furfural, furfurol, glucose, imine, nitrile, orlon, peinture, propylène, synthétique, volatil.

ACTANT. Abrégé, actantiel, canevas, croquis, descriptif, dessin, diagramme, ébauche, esquisse, forme, formule, graphique, image, mobile, modèle, pattern, plan, processus, représentation, schéma, structure, tracé.

ACTE (3 lettres). Foi, loi, vol.

ACTE (4 lettres). Bill, édit, élan, faux, geste, rire, rite, veto, viol, visa, voie, vote.

ACTE (5 lettres). Blanc, bonté, congé, décès, délit, droit, écrit, écrou, effet, excès, final, folie, levée, lever, noèse, offre, pièce, prime, prise, recel, salut, sceau, scène, seing, sujet, texte, titre, union, vente.

ACTE (6 lettres). Action, ânerie, attentat, bourde, brevet, crasse, décret, déport, effort, fraude, hadith, menace, placet, prière, protêt, quitus, statut, stupre.

ACTE (7 lettres). Ad litem, aménité, avenant, bienfait, contrat, désaveu, diplôme, félonie, épisode, exploit, facétie, gageure, gestion, libellé, partage, qualité, sodomie, sottise, théâtre, vouloir.

ACTE (8 lettres). Amnistie, document, exaction, mémoires, neuvaine, prouesse, sabotage, scandale, trahison, volition.

ACTE (9 lettres). Codicille, formalité, injustice, larcinloi, mainlevée, mouvement, rapinerie, réception, règlement, sacrement, testament, transfert, ultimatum.

ACTE (10 lettres). Antécédent, casus belli, certificat, convention, forfaiture, libéralité, ne variatur, ordonnance, profession, recognitif, réescompte, révocation.

ACTE (11 lettres). Acceptation, affirmation, batistaire, canaillerie, criminalité, déclaration, diffamation, distraction, motu proprio, procès-verbal, rengagement, réquisition.

ACTE (12 lettres). Annulabilité, commandement, complaisance, déclinatoire, excentricité, préliminaire, promulgation, ratification, réengagement, renonciation, rétrocession.

ACTE (13 lettres). Actualisation, béatification, inquisitorial, justification, manifestation, préconisation.

ACTE (14 lettres). Recommandation, reconnaissance.

ACTÉE. Baie, chasse-punaises, cimicaire, herbe de St-Christophe, plante, punaise, renonculacée.

ACTEUR. Artiste, auteur, bouffon, cabot, cabotin, clown, comédien, comique, doublure, étoile, figurant, histrion, ingénu, interprète, mime, muet, pensionnaire, protagoniste, ringard, rôle, star, tragédien, utilité, vedette.

ACTEUR AMÉRICAIN (n. p.). Alda, Allen, Armstrong, Astaire, Bakula, Baldwin, Belafonte, Belushi, Benedick, Bennet, Bogart, Boone, Brando, Bridges, Bronson, Brown, Cage, Cagney, Chandler, Clooney, Cole, Cooper, Costner, Crosby, Cruise, Culkin, Curtis, Dafoe, Daniels, Danson, Darin, Day-Lewis, Dean, De Niro, DeVito, Douglas, Dreyfuss, Eastwood, Fairnbanks, Flynn, Fonda, Ford, Gable, Gagney, Gere, Gibson, Grant, Hanks, Hoffma,. Hope, Hopkins, Hudson, Jackson, Jordan, Keaton, Keitel, Kelly, Kilmer, Kline, Lancaster, Laurel, Leblanc, Lemmon, Lewis, Lloyd, Malkovich, Martin, McConaughey, McQueen, Mitchum, Montalban, Montgomery, Moore, Murphy, Murray, Newman, Nicholson, Nolte, O'Connor, Peck, Penn, Pitt, Poitier, Presley, Pryor, Quaid, Quinn, Randall, Reagan, Reeves, Ritchie, Rooney, Rourke, Savage, Schwarzenegger, Simmons, Sinatra, Sorbo, Stallone, Stewart, Thomas, Tracy, Travolta, Tyler, Van Damme, Van Dyke, Washington, Wayne, Weissmuller, Williams, Willis, Wyle, Young.

ACTEUR BRITANNIQUE (n. p.). Accolas, Arène, Aymar, Ayoub, Bard, Barry, Blanch, Brosnan, Burbage, Burton, Buza, Calderwood, Chaplin, Foote, Friesen, Garrick, Garrison, Gillett, Hopkins, Irons, Keaton, Klanfer, Konig, Lawrence, Loftus, Martin, Mc Kenna, Murphy, Nardi, Nerman, O'Connor, Parillo, Parson, Pearson, Pennington, Richard, Ross, Snider.

ACTEUR FRANÇAIS (n. p.). Auteuil, Baur, Belmondo, Blier, Bourvil, Boyer, Brasseur, Chaplin, Chevalier, Coluche, Coquelin, Delon, Depardieu, Dutronc, Fernandel, Funès, Gabin, Galabru, Guitry, Hossein, Jouvet, Montand, Noiret, Olivier, Philipe, Piccoli, Raimu, Rochefort, Serrault, Simon, Talman, Vanel, Vilar.

ACTEUR ITALIEN (n. p.). Bertinazzi, De Sica, Fo, Mastroianni, Mezzetin, Riccoboni, Toto.

ACTEUR QUÉBÉCOIS (n. p.). Alarie, Albert, Barrette, Berval, Besré, Blanchard, Bouchard, Brassard, Brière, Cabana, Charland, Chenail, Coutu, Curzi, De Cespedes, Desmarteau, Drainville, Duceppe, Dufour, Dumont, Dupuis, Fruitier, Gadouas, Gamache, Gascon, Gélinas, Genest, Girard, Guèvremont, Guimond, Hébert, Labbé, Labelle, Labrèche, Latulippe, L'Écuyer, Lefrançois, Lemay-Thivierge, Lussier, Massicotte, Masson, Messier, Millaire, Pellerin, Pelletier, Pérusse, Ponton, Provost, Rainville, Rollin, Ronfard, Roux, Sabourin, Sicotte, Thisdale, Turgeon.

ACTEUR SOVIÉTIQUE (n. p.). Tairov.

ACTIF. Affairé, agissant, allant, ardent, battant, bilan, caleur, diligent, dynamique, efficace, efficient, énergique, entreprenant, increvable, industrieux, laborieux, militant, monnaie, passif, pétulant, remuant, titre, transitif, travailleur, vif, violent, zélé.

ACTINIE. Actinaire, anémone, anémone-de-mer, anthozoaire, cnidaire, dermatite, hexacoralliaire, inflammation, lésion, lucite, orticacée, ortie, ortie de mer, polype, tentacule, zoanthaire, zoanthère.

ACTINIQUE. Actinisme, coup de soleil, lumière, radiation, rayon ultraviolet, soleil, ultraviolet.

ACTINITE. Coup de soleil, dermatite, inflammation, insolation, lésion, lucite, lumière, rougeur, soleil.

ACTINIUM. Ac, actinide, émanation, radioactif.

ACTION (2 lettres). B.a.

ACTION (3 lettres). Bon, don, feu, jeu, tir, tri, vol, vue.

ACTION (4 lettres). Acte, aide, aura, choc, coup, duel, éros, fait, legs, mise, part, port, rixe, rôle, tors, tort, viol, zèle.

ACTION (5 lettres). Achat, appui, casse, choix, crime, cumul, délit, drame, écart, effet, éveil, faire, faute, force, fruit, geste, glane, heurt, intox, lancer, levée, lutte, magie, mêlée, offre, passe, poids, ponte, quête, rafle, règne, ruade, scène, squat, suite, sunna, titre, trame, vente, venue, verbe, visée, volée.

ACTION (6 lettres). Amorti, apport, assaut, combat, compte, coupon, crédit, décrue, effort, erreur, garer, guerre, impact, lâcher, méfait, murer, octroi, œuvre, pacage, parage, pliage, pliure, portée, praxis, prisée, procès, rachat, rajouter, râpage, rapine, rappel, rasage, rayage, recuit, regarder, relève, remise, retard, revenir, sortie, sortir, suture, traque, triage, tricher, tricot, tuerie, valeur, veille, vêlage, vidage, vision, voyage.

ACTION (7 lettres). Abandon, aoriste, attaque, bagarre, cannage, cession, conflit, contact, coucher, demande, écimage, élevage, emprise, énergie, évasion, exhaure, exploit, ferrade, ferrage, flexion, ineptie, lâchage, lâcheté, lestage, mélange, miction, mulsion, ouvrage, pansage, partage, passage, piquage, placage, plagiat, plainte, planage, plongée, pompage, ponçage, postage, poussée, pouvoir, raclage, rapport, rechute, récolte, recours, remiser, remonte, requête, réserve, retenue, revente, riposte, soudage, succion, timbrer, travail, usinage, veillée, vibrage, vidange, vilenie, vissage, vitrage, zingage.

ACTION (8 lettres). Abattage, adhésion, arrosage, atrocité, autorité, bataille, chaînage, conduite, cotation, décision, démarche, dételage, dilution, dotation, éclusage, égrenage, émersion, fonction, guérilla, intrigue, mainmise, mouvance, pédalage, pétition, piochage, pliement, plissage, plombage, plongeon, pointage, présence, pression, prestige, promesse, prouesse, rabotage, racolage, radotage, ramonage, râtelage, raturage, ravivage, réaction, recalage, récépage, recharge, récidive, reculade, récurage, recycler, résultat, ricochet, rosserie, séquelle, tourisme, trempage, tressage, tyrannie, vacherie, vêlement, vexation, virement.

ACTION (9 lettres). Accession, ascendant, ascension, admission, attention, attirance, attraction, cessation, contagion, dominance, égrainage, égrappage, empreinte, gaminerie, habillage, impudence, incidence, indécence, influence, injection, insertion, jardinage, labourage, mièvrerie, migration, mouvement, obscénité, offensive, opération, pansement, parfilage, passavant, pendaison, percement, péripétie, pétitoire, piquetage, pissement, pitonnage, placement, ploiement, plumaison, pollution, poursuite, puissance, prévision, puissance, raboutage, ramassage, rangement, rapiéçage, ratissage, rayonnage, réalésage, recadrage, réception, récession, rechapage, recherche, recollage, recoupage, recyclage, rédaction, reddition, réduction, réfection, remisage, rencontre, reptation, retombées, séduction, semailles, sériation, spectacle, tentative, transfert, traversée, trématage, tricherie, tricotage, tripotage, tromperie, turbinage, turpitude, tuteurage, tuyautage, vengeance, versement, violation, voligeage, vomissure.

ACTION (10 lettres). Accolement, accrochage, allocation, certificat, coercition, conclusion, confection, contrecoup, contresens, corollaire, dénégation, domination, efficacité, engagement, entreprise, évaluation, excavation, expédition, hostilités, implication, importance, incitation, initiative, insolation, inspection, magnétisme, méditation, obligation, persuasion, peuplement, pinaillage, plafonnage, plissement, possession, précaution, préhension, prendre, prestation, production, projection, propagande, propulsion, ralliement, rattrapage, ravalement, rebouchage, recentrage, récitation, recouvrage, récréation, récusation, redressage, réécriture, résolution, résorption, rétraction, suggestion, traduction, trimbalage, usurpation, validation, vantardise, vaporisage, vedissage, vernissage, visionnage, vitriolage.

ACTION (11 lettres). Acquisition, affirmation, agissements, amerrissage, attachement, célébration, conséquence, convergence, déboutement, distinction, empoignade, éradication, érubescence, escarmouche, fascination, financement, franc tireur, gentillesse, improbation, inclination, inspiration, interaction, malédiction, manducation, marchandage, martèlement, mastication, mesquinerie, occultation, pavoisement, poétisation, poinçonnage, pointillage, ponstuation, préparation, profanation, propagation, proposition, prospection, rabattement, raccrochage, rafistolage, rapetassage, rapièçement, réalisation, rechauffage, réclamation, recollement, recrutement, redémarrage, réservation, restitution, subjugation, trémoussant, trimballage, trituration, tronçonnage, utilisation, vaccination, ventilation, vomissement, vouvoiement.

ACTION (12 lettres). Acquittement, affrontement, anticipation, banalisation, comportement, décroissance, dispersement, échauffourée, enchantement, impertinence, intervention, légitimation, manipulation, marmonnement, perpétration, persévérance, poltronnerie, prépondérance, présentation, prolongement, propitiation, raccommodage, raccordement, raidissement, raisonnement, rançonnement, rassortiment, ratification, rationnement, réadaptation, rechargement, reclassement, réconduction, reconversion, recourbement, recouvrement, récrépissage, récupération, redistribution, redressement, répercussion, repopulation, resserrement, scélératesse, scénario, transmission, trimbalement, tripartition, trottinement, valorisation, vaporisation, verrouillage, vocalisation.

ACTION (13 lettres). Agglomération, développement, manifestation, pérennisation, poinçonnement, polissonnerie, prosternation, prosternement, rapetissement, rapprochement, réaménagement, réassortiment, rebroussement, rechampissage, rechaussement, reconversion, récrimination, trimballement, tronçonnement, verbalisation, vitrification, vulgarisation.

ACTION (14 lettres). Défenestration, naturalisation, plastification, ravitaillement, réconciliation, reconnaissance, reconstitution, reconstruction, retentissement, tripatouillage, végétalisation, volatilisation.

ACTIONNAIRE. Associé, bailleur, capitaliste, commanditaire, jetonnier, partenaire, porteur, propriétaire, sociétaire.

ACTIONNÉ. Ajournement, appel, assignation, attribution, citation, cité, convocation, doté, induction, invitation, justice, mû, pêne, plainte, réassignation, semonce, situé.

ACTIONNEMENT. Amorçage, amorce, bruit, déflagrateur, détonateur, étincelle, étoupille, explosion, fulminant, pet.

ACTIONNER. Cliquer, commander, entraîner, fonctionner, intenter, manœuvrer, mouvoir, pédaler, poursuivre, produire, requête, sélecter.

ACTIVATION. Accélération, accroissement, augmentation, booster, célérité, champignon, décélération, escalade, hâte, polypnée, précipitation, rapidité, rush, rythme, sprint, variation, vitesse, vroom, vroum.

ACTIVEMENT. Ardemment, avidement, chaudement, énergiquement, force, fortement, fougueusement, furieusement, gloutonnement, passionnément, soupirer, vigueur, vivement, voracement.

ACTIVER. Accélérer, affairer, agir, animer, aviver, débattre, démener, emporter, évertuer, exciter, hâter, lutter, magner, manier, occuper, pousser, presser, réactiver, régénérer, remuer, souffler, stimuler, turbiner, vibrionner.

ACTIVEUR. Accélérateur, activateur, affairiste, agitateur, architecte, avionneur, bâtisseur, catalyseur, constructeur, débatteur, entrepreneur, fabricant, faiseur, ingénieur, maître d'œuvre, promoteur.

ACTIVISME. Cynique, empirisme, extrémisme, matérialisme, opportunisme, pragmatisme, prosaïsme, terrorisme.

ACTIVISTE. Contestataire, enragé, extrémiste, fanatique, fasciste, intégriste, maximaliste, militant, radical, terroriste.

ACTIVITÉ. Accrue, action, affaires, agitation, ardeur, athlétisme, boum, business, cerf-volant, conduite, distraction, dynamisme, énergie, entrain, éréthisme, éruption, exercice, filière, force, hippisme, inertie, jeu, kinésie, lenteur, maïserie, marasme, mémoire, menuiserie, militantisme, mouvement, négoce, occupation, œuvre, producteur, production, profession, proxénétisme, publicité, recherche, représentation, rut, sellerie, service, sève, sport, suractivité, tourisme, trafic, travail, vie, vigueur, vitalité, vivacité, zèle.

ACTRICE. Cantatrice, comédienne, danseuse, diva, divette, étoile, figurante, star, starlette, vamp.

ACTRICE AMÉRICAINE (n. p.). Abdul, Anderson, Andrews, Bacall, Basinger, Bassett, Baxter, Bingham, Birch, Brenneman, Bullock, Burnett, Campbell, Cher, Collins, Crawford, Darnell, Davis, Day, Dee, Dickinson, Dietrich, Dors, Dunaway, Fonda, Fox, Gabor, Garbo, Garland, Gardner, Griffith, Hall, Hepburn, Kelly, Kidman, Lamour, Lane, Lansbury, Leigh, MacLaine, Madonna, Mansfield, Mantovani, Midler, Minnelli, Monroe, Moore, Morgan, Moss, Nolin, Novak, Parker, Paul, Powells, Powers, Rampling, Roberts, Rogers, Rivers, Russell, Sarandon, Seagrove, Shalom, Shatner, Schell, Sheridan, Shields, Shue, Silverstone, Stafford, Stone, Streep, Streisand, Taylor, Temple, Tilton, Turner, Walsh, West, Wood, Zuniga.

ACTRICE CANADIENNE-ANGLAISE (n. p.). Basaraba, Benson, Clune, Ellwand, Ferney, Gruen, Hall, Hayle, Henry, Jordan, Kee, Lawrence, Mackenzie, Morgan, Obonsawin, Racicot, Reh, Spiegel, Sprincis, Stankova, Verner, Victor, Zahalan, Zucco.

ACTRICE FRANÇAISE (n. p.). Adjani, Arletty, Bardot, Bernhart, Binoche, Bonnaire, Bouquet, Darrieux, Deneuve, Dorval, Feuillère, Girardot, Huppert, Miou-miou, Moreau, Morgan, Schneider, Signoret.

ACTRICE ITALIENNE (n. p.). Duse, Lisi, Lollobrigida, Loren.

ACTRICE QUÉBÉCOISE (n. p.). Alarie, Arsenault, Baillargeon, Berryman, Brind'Amour, Camirand, Cambell, Chouvalidzé, Coutu, Couture, Croze, Deschâtelets, Deyglun, Dorval, Drapeau, Eykel, Faucher, Filiatrault, Gascon, Grenon, Hébert, Jalbert, Lachapelle, Lanctôt, Lazure, Le Flaguais, Létourneau, Loiselle, Marleau, Mercure, Michel, Miller, Néron, Orsini, Paquin, Pelletier, Pilote, Pimparé, Portal, Snyder, Sutto, Tifo, Tulasne.

ACTUAIRE. Actuariel, assurance, logisticien, mathématicien, probabilité, professeur, statisticien, statistique.

ACTUALISATION. Actuation, chosification, concrétisation, expression, incarnation, personnification, réalisation.

ACTUALISER. Dépoussiérer, épousseter, essuyer, moderniser, nettoyer, rajeunir, raviver, renouveler, rénover.

ACTUALITÉ. Annonce, bulletin, communiqué, informations, journal, nouvelles, primeur, scoop, téléjournal.

ACTUATION. Actualisation, chosification, concrétisation, expression, incarnation, personnification, réalisation.

ACTUEL. Actualité, concurrent, contemporain, courant, désormais, effectif, existant, fait, inactuel, information, maintenant, moderne, nouveau, présent, récent, recyclage, réel, statu quo, temps, virtuel.

ACTUELLEMENT. Asteure, aujourd'hui, maintenant, moment, présent, présentement, séant.

ACUITÉ. Acumen, acutesse, aigu, amblyope, audiogramme, audiomètre, clairvoyance, fin, finesse, flair, gravité, habileté, intelligence, intensité, jugement, lucidité, netteté, pénétration, perspicacité, sagacité, stridence, violence.

ACULÉATE. Abeille, bourdon, dard, fourmi, guêpe, hyménoptère, puceron, taon, zagaie.

ACUPUNCTURE. Acuponcteur, acupuncteur, aiguille, auriculothérapie, chinois, dermopuncture, digitopuncture, méridien.

ACYCLIQUE. Alcane, alcène, alcyne, aliphatique, cyclique, déréglé, lactame, lactone, périodique, récurrent.

AD PATRES. Abandonner, accorder, arrêter, cesser, classer, couper, débrayer, dételer, expirer, fin, finir, lever, interrompre, mourir, négliger, ôter, perdre, priver, renoncer, retirer, sevrer, tarir, tuer, vaguer, vaquer.

ADAGE. Aphorisme, apophtegme, axiome, citation, devise, dicton, dogme, mantra, maxime, pensée, sentence.

ADAGIO. Indication, lent, lentement, modéré, rythme, tempo.

ADAM (n. p.). Abel, Caïn, Ève, Seth.

ADAM. Adamique, adamite, bible, éden, fruit, jeu, larynx, nu, pomme, préadamisme, premier, thyroïde.

ADAMANTIN. Aiguilleur, bijoutier, brillant, cellule, chaînetier, diamantaire, diamantin, drille, dur, gemmologiste, horloger, joaillier, lapidaire, orfèvre, pendulier, régulateur, tas, triboulet.

ADANTUM. Cheveu-de-Vénus, polypodiacée.

ADAPTABILITÉ. Adaptable, ajustable, élasticité, flexible, intelligence, mobile, modulable, possible, souple.

ADAPTABLE. Adaptabilité, ajustable, flexible, mobile, modulable, possible, souple.

ADAPTATION. Acclimatation, accommodation, accord, accoutumance, adaptateur, adaptatif, adéquation, adhérence, ajustement, arrangement, intégrisme, massification, modulation, œuvre, praxie, prêt-à-porter, reconversion, recyclage, rodage.

ADAPTÉ. Accord, assimilé, classique, conforme, constitutionnel, convenable, correct, exact, hiérarchique, intégré, juste, légal, logique, loyal, moral, naturel, normal, orthodoxe, ponctuel, précis, réglo, régulier, rituel, scrupuleux, standard, sûr, vrai.

ADAPTER. Acclimater, accommoder, accorder, affecter, ajuster, aller, appliquer, approprier, arranger, cadrer, capoter, changer, coller, conformer, convenir, convertir, épouser, habituer, harmoniser, inadapté, joindre, mixer, moderniser, modifier, moduler, personnaliser, plier, porter, rajuster, réadapter, réajuster, reconvertir, réunir, roder, socialiser, surfer, transcrire, transposer.

ADDAX. Aepycérotiné, alcéphalus, algazelle, antilope, biche, bubale, capricorne, catoblépas, cob, damalisque, dorcade, éland, gazelle, gnou, guib, impala, kif, kob, nilgaut, okapi, oryx, ourébi, saïga, springbok.

ADDENDA. Addendum, additif, addition, ajout, ajouté, annexe, appendice, béquet, codicille, complément, supplément.

ADDICTION. Accoutumance, assuétude, cocaïnomanie, éthéromanie, héroïnomanie, morphinomanie, opiomanie, toxicomanie.

ADDITIF. Accessoire, additionnel, adjuvant, ajout, ajoutage, ajouté, ajouture, alimentaire, annexe, antidétonant, auxiliaire, becquet, béquet, bifidus, complément, cyclamate, gélifiant, PS, rallonge, supplément.

ADDITION. Abonnement, accroissement, addenda, additif, adjonction, ajout, annexe, apostille, appendice, augmentation, calcul, complément, compte, dopage, et, facture, net, note, paradoxe, plus, prothèse, pur, somme, supplément, total, vinage, viner.

ADDITIONNÉ. Ajouté, allongé, annexé, caramélisé, glucose, mauresque, résiné, sacchariné.

ADDITIONNEL. Accessoire, ajouté, amnios, annexe, appendice, auxiliaire, bâtiment, complément, complémentaire, contingent, dépendance, incident, marginal, mineur, sacristie, secondaire, subsidiaire, succursale, supplément, supplémentaire.

ADDITIONNER. Adjoindre, ajouter, alcooliser, allonger, annexer, augmenter, carbonater, compléter, emprésurer, ioder, joindre, opiacer, prolonger, rallonger, rhume, rhumer, surajouter, tartrer, totaliser, viner.

ADDUCTION. Branchement, canalisation, colonne, conduit, dérivation, égout, émissaire, gazoduc, griffon, oléoduc, pipeline.

ADÉNINE. Base, cytosine, guanine, hydroxylamine, monobase, purique, pyrimidique, rosaniline, substance, thymine, uracile, xanthine.

ADÉNITE. Abcès, anthrax, bouton, chancre, empyème, fistule, furoncle, kyste, orgelet, panaris, phlegmon, pustule.

ADÉNOME. Glande, ganglion, gonade, tumeur.

ADÉNOSINE. Adeline, adénosine, AMP, ARN, ATP, monophosphate, nucléoside, ribose, triphosphate.

ADENT. Assemblage, assembler, enclenche, encoche, entaille, femelle, rainure.

ADEPTE. Adhérent, affidé, alchimiste, allié, ami, beatnik, cathare, clientèle, défenseur, disciple, école, enragé, fidèle, hippie, hippy, initié, manichéen, membre, militant, mordu, néophyte, occultiste, partisan, prosélyte, recrue, sectaire, secte, sikh, soutien, sympathisant, tenant, zélateur.

ADÉQUAT. Approprié, coïncident, concordant, congruent, convenable, égal, favorable, idoine, juste, opportun, propice, propre, semblable, synonyme.

ADÉQUATEMENT. Bien, congrûment, convenablement, correctement, décemment, juste, justement, pertinemment, proprement, raisonnablement, sainement, valablement, validement.

ADÉQUATION. Accord, adaptation, analogie, concordance, conformité, égalité, équivalence, littéralité, parité.

ADHÉRÉ. Accroché, adhérent, adné, agglutiné, attaché, collé, démissionné, détaché, encollé, enraciné, gommé, rejeté, retenu, scotché, serré, soudé, tenu.

ADHÉRENCE. Accolement, agglutination, assemblage, cohérence, collage, contact. Contiguïté, liaison, soudure, synéchie.

ADHÉRENT. Accolé, adepte, adhésif, affilié, assemblé, attaché, autocollant, collant, collé, cotisant, disciple, fixé, glu, gommé, inscrit, label, membre, militant, partisan, pétroleuse, soudé, tenace, ventouse.

ADHÉRER. Abonner, accéder, accorder, acquiescer, adjoindre, affilier, apporter, approuver, appuyer, associer, coller, consentement, cotiser, croire, enrôler, gripper, inscrire, joindre, rallier, souscrire, soutenir, suivre, tenir, union.

ADHÉSIF. Agglutinant, auto-adhésif, autocollant, collage, collant, diachylon, emplâtre, époxy, flocage, jonction, liaison, papier, patch, pégosité, pégueux, repositionnable, ruban, scotch, sparadrap, téflon, thermocollant, union, ventouse.

ADHÉSION. Accession, accolement, accord, acquiescement, adhérence, affiliation, agrément, approbation, assentiment, consentement, contrat, conviction, force, obédience, ralliement, ratification, sanction, suffrage, union.

AD HOC. Adonne, afférent, approprier, attitré, cela, convient, habillé, hominem, idéal, idoine, impropre, meilleur, messeoir, mieux, préférable, rêvé, seyant, sied, supérieur, va.

ADIANTE. Adiantum, capillaire de Montpellier, cheveu-de-Vénus, fougère, infusion, pédalé, polypodiacée.

ADIEU. Abandon, au revoir, bienvenue, bonjour, bonne nuit, bonsoir, bye, bye-bye, ciao, congé, quitter, renoncer, salue, saluer, salut, salutation, tchao.

ADIPEUSE. Graisse, graisseuse, liposuccion.

ADIPEUX. Adipopexie, adiposité, bouffi, bourrelet, charnu, corpulent, dodu, empâté, épais, gras, graisseux, grassouillet, gros, hypoderme, lard, lipidique, lipoïdique, obèse, plantureux, replet, rondelet, stéatopygie.

ADIPOSITÉ. Bouffissure, corpulence, embonpoint, graisse, grosseur, lipome, obésité, polysarcie, rondeur, rotondité.

ADIRÉ. Affolé, clairsemé, dépravé, dévoyé, désaxé, désorienté, dispersé, disséminé, effaré, égaré, émaillé, éparpillé, épars, éperdu, errant, fol, fou, fourvoyé, hagard, hallucine, hébété, ivre, perdu, sporadique, troublé.

ADJACENT. Attenant, avoisinant, contigu, côté, environnant, limitrophe, mitoyen, prochain, proche, voisin.

ADJECTIF DÉMONSTRATIF. Ce, ces, cet, cette.

ADJECTIF INDÉFINI. Aucun, autre, certain, chaque, différent, divers, maint, même, nul, plusieurs, quel, quelconque, quelque, tel, tous, tout, toute, toutes, un.

ADJECTIF INTERROGATIF. Pourquoi, quel, quelle.

ADJECTIF POSSESSIF. Leur, leurs, ma, mes, mien, mon, nos, notre, sa, ses, sien, son, ta, tes, tien, ton, vos, votre.

ADJECTIVAL. Adjectif, déterminant, déterminatif, épithète, locution, possible, syntagme.

ADJOINDRE. Adjonction, affecter, agréer, ajouter, annexer, associer, fusionner, joindre, lier, réunir, unir.

ADJOINT. Adjuvant, aide, alter ego, assesseur, assistant, associé, attaché, auxiliaire, bras droit, coadjuteur, codirecteur, cogérant, collaborateur, collègue, confrère, deuxième, inférieur, légat, lieutenant, parèdre, second, vice.

ADJONCTION. Accession, addition, admission, ajout, association, co, coh, com, con, fluoration, incrémentiel, jonction, repiquage.

ADJUDANT. Adjoint, adjupète, auxiliaire, baderne, feldwebel, juteux, scrogneugneu, sous-officier, marabout.

ADJUDICATAIRE. Acquéreur, affectataire, allocataire, attributaire, bénéficiaire, cessionnaire, client, consommateur.

ADJUDICATEUR. Aboyeur, annonceur, annonciateur, chantre, chaouch, commissaire-priseur, crieur, encanteur, estimateur, évaluateur, greffier, hérault, huissier, massier, messager, notaire, tabellion, vendeur.

ADJUDICATION. Achat, attribution, caution, cautionnement, criée, encan, enchère, enrichisseur, entreprise, licitation, moins-disant, pigiste, rabais, soumission, soumissionnaire, sous-traitant, surenchère.

ADJUGER. Approprier, attribuer, cautionner, concéder, conférer, décerner, demander, dire, parer, priser, refuser, remettre.

ADJURATION. Appel, demande, démarche, desideratum, exorcisme, imploration, invocation, objurgation, obsécration, prière, remontrance.

ADJURER. Commander, conjurer, demander, exorciser, implorer, invoquer, ordonner, prier, renier, solliciter, supplier.

ADJUVANT. Adjoint, aide, alter ego, ambassadeur, assesseur, assistant, associé, attaché, auxiliaire, bras droit, coadjuteur, codirecteur, cogérant, collaborateur, collègue, confrère, deuxième, inférieur, légat, lieutenant, nonce, parèdre, représentant, second, vice.

AD LIB. Ad libitum, au choix, éventuellement, facultativement, librement, volontairement.

ADMETTONS. Acceptation, accord, agrégation, amen, autorisation, oui, ratification, soit.

ADMETTRE. Accepter, accorder, accueillir, adopter, affilier, agréer, autoriser, avaler, avouer, caler, comporter, croire, déclarer, divulguer, hospitaliser, initier, introduire, introniser, nier, permettre, poser, présupposer, réadmettre, recaler, recevoir, reconnaître, récuser, rendre, souffrir, supporter, supposer, tolérer, voir.

ADMINISTRATEUR. Agent, curateur, dirigeant, doyen, économe, fonctionnaire, gérant, intendant, majordome, mandataire, pape, préfet, procurateur, proviseur, receveur, recteur, régisseur, syndic, trustee, tuteur, webmestre.

ADMINISTRATEUR ANGLAIS (n. p.). Beveridge, Robert, Cornwallis, Eyre, Hasting.

ADMINISTRATEUR AMÉRICAIN (n. p.). Hoover.

ADMINISTRATEUR BRITANNIQUE (n. p.). Dalhousie, Gordon, Hastings, Rhodes, Wellesley.

ADMINISTRATEUR BYZANTIN (n. p.). Maurice.

ADMINISTRATEUR ESPAGNOL (n. p.). Cisneros.

ADMINISTRATEUR FRANÇAIS (n. p.). Aubriot, Balladur, Beauharnois, Bienaymé, Boileau, Bottin, Bugeaud, Callières, Ceyrac, Daru, Dautry, Denon, Doumer, Dupleix, Éboué, Fayol, Foullon, Frontenac, Gentil, Gournay, Haussmann, Hocquart, Lally, Lavoisier, Lebrun, Lépine, Louvois, Monnet, Moulin, Rambuteau, Razilly, Roux, Talon, Tourny, Trudaine, Vaudreuil.

ADMINISTRATEUR HOLLONDAIS (n. p.). Van Diemen.

ADMINISTRATEUR NOUVELLE-FRANCE (n. p.). Frontenac, Talon, Vaudreuil.

ADMINISTRATEUR PORTUGAIS (n. p.). Castro.

ADMINISTRATION (n. p.). Éna, Saint-Siège.

ADMINISTRATION. Aumônerie, autorité, bureau, cadre, cogérance, curie, dème, direction, douane, enregistrement, fisc, gérance, gestion, gouvernance, junte, mairie, ministère, nome, papauté, poste, régie, régime, siège, syndic, trésorie, trust, yamen.

ADMINISTRER. Appliquer, absorber, cogérer, commander, conduire, contrôler, diriger, donner, doper, étatiser, flanquer, gérer, gouverner, infliger, médicamenter, mener, mourant, produire, régenter, régir, régner, vacciner.

ADMIRABLE. Beau, bel, belle, éblouissant, éclatant, épatant, étonnant, excellent, extraordinaire, formidable, grandiose, magnifique, merveilleux, prodigieux, remarquable, sensationnel, somptueux, splendide, sublime, superbe, tonnerre.

ADMIRABLEMENT. Epatamment, extraordinairement, magnifiquement, merveilleusement, parfaitement, splendidement, superbement.

ADMIRATEUR. Adorateur, amoureux, fan, fanatique, fervent, groupie, idolâtre, inconditionnel, snob, sot, spectateur.

ADMIRATIF. Apologétique, apologie, dithyrambique, élogieux, enthousiaste, flatteur, glorificateur, laudatif, louangeur.

ADMIRATION. Adoration, adulation, ah, beau, délire, diantre, éblouissement, éclat, eh, emballement, émerveillement, enchantement, engouement, enthousiasme, épatant, extase, fan, fanatique, flatterie, fichtre, frénésie, ho, mazette, merveille, narcissisme, quel, ravissement, snobisme, vénération.

ADMIRER. Admirateur, aduler, apprécier, bader, champion, contempler, dédaigner, émerveiller, emballer, engouer, enthousiasmer, extasier, glorifier, goûter, groupie, louanger, mépriser, mirer, piger, regarder, trouver.

ADMIS. Accepté, adopté, agrégé, avalé, avoué, compris, confessé, établi, légitime, moral, plausible, présumé, recevable, reconnu, reçu, refusé, répandu, respecté, supposé, vrai.

ADMISSIBILITÉ. Authenticité, bien-fondé, certitude, conformité, contreseing, contresigner, estampille, faux, greffier, inauthencité, ita, légalisation, légaliser, paillette, réalité, seing, sic, sincérité, véracité, véridique, vérité, visa, vrai.

ADMISSIBLE. Acceptable, aspirant, candidat, concurrent, légitime, plausible, possible, recevable, valable, valide.

ADMISSION. Adhésion, adjonction, adoption, affiliation, agrément, audience, entrée, initiation, hospitalisation, réception.

ADMIXTION. Alchimie, alliage, alliance, amalgame, amas, cocktail, combinaison, mélange, mixture, pâte, tain.

ADMONESTATION. Admonition, avertissement, blâme, correction, engueulade, exhortation, gronderie, leçon, mercuriale, objurgation, remontrance, réprimande, reproche, savon, semonce, sermon, vesparie, vesperie.

ADMONESTER. Avertir, chapitrer, engueuler, gourmander, gronder, houspiller, menacer, moraliser, morigéner, prévenir, remontrance, réprimander, reprocher, sabouler, savonner, semoncer, sermonner, tancer, vespériser.

ADMONITION. Admonestation, avertissement, blâme, correction, engueulade, exhortation, gronderie, leçon, mercuriale, monition, objurgation, remontrance, réprimande, reproche, savon, semonce, sermon, vesparie, vesperie.

ADN (n. p.). Crick, Delbrück, Gilbert, Mullis, Sanger, Todd, Watson, Wilkins.

ADN. Acide, adénovirus, anthropométrie, chromosome, désoxyribonucléique, gène, séquençage, transposon.

ADNÉ. Accroché, adhéré, agglutiné, attaché, collé, encollé, enraciné, gommé, retenu, scotché, serré, soudé.

ADOBE. Aggloméré, brique, briquette, carreau, chantignolle, dalle, livre, pavé, pierre, planelle, roman, tuile.

ADOLESCENCE. Ado, âge, éphébéité, jeunesse, juvénilité, minorité, nubilité, préadolescent, puberté, pubescence.

ADOLESCENT. Ado, adonis, bachelier, béjaune, blanc-bec, cadet, chérubin, éphèbe, fan, galopin, garçon, hymen, jeune, jouvenceau, jouvencelle, novice, nymphette, page, pédopsychiatrie, pionnier, puceau, scout, teen-ager, tendron.

ADON. Accident, aléa, aventure, bonheur, chance, circonstance, coïncidence, concordance, concours, dé, destin, déveine, errant, exprès, fortune, hasard, imprévu, jeu, occasion, pile, rencontre, simultanéité, sort, veine.

ADONIS (n. p.). Aphrodite, Apollon, Byblos, Narcisse, Phénicie.

ADONIS. Adonis, apollon, beau, éphèbe, jeune, papillon, plante, renonculacée, ténébreux, végétation.

ADONNER. Accorder, adon, appliquer, arriver, attacher, coïncider, consacrer, convenir, cultiver, diriger, donner, employer, entendre, habituer, hasard, jeter, livrer, plonger, pratiquer, repiquer, reprendre, retoucher, revenir, tomber.

ADOPTER. Adhérer, approuver, attendre, choisir, consentir, embrasser, endoctriner, épouser, observer, partager, présumer, ranger, suivre.

ADOPTION. Admission, approbation, choix, décision, désignation, élection, ralliement, ratification, sélection, travestisme.

ADORABLE. Avenant, charmant, coquet, craquant, exquis, gentil, irrésistible, merveilleux, parfait, ravissant.

ADORABLEMENT. Affablement, agréablement, aimablement, amicalement, bien, chaleureusement, chouettement, complaisamment, cordialement, délicatement, gentiment, poliment, sympathiquement.

ADORATEUR. Admirateur, adulateur, amoureux, courtisan, dévot, fan, fanatique, fervent, groupie, inconditionnel.

ADORATION. Admiration, adulation, amour, angélolâtrie, culte, dévotion, génuflexion, iconolâtrie, idolâtrie, idole, latrie, prière, prosternation, puja, religion, vénération, zoolâtrie.

ADORER. Admirer, aduler, aimer, apprécier, déifier, iconolâtrer, idolâtrer, honorer, ignocoler, mage, prier, prosterner, raffoler, rendre, vénérer, zoolâtrer.

ADOS. Accot, déclinaison, dénivellation, descente, dévers, inclinaison, oblique, pente, talus.

ADOSSEMENT. Accent, accointances, accot, accotoir, accoudoir, aide, allège, alignement, appui, assistance, auxiliaire, base, bras, butée, caution, champion, commandite, concours, culée, défenseur, égide, embase, épenthèse, éperon, étai, main, mécénat, muret, palée, parapet, pile, pilier, piston, protecteur, protection, pylône, recommandation, réconfort, relation, secours, sole, soulèvement, soutien, sponsoring, subvention, support, tuteur.

ADOSSER. Accoter, affronter, aider, aligner, appuyer, assister, caler, dos, mettre, placer, plaquer, soutenir, toucher.

ADOUBER. Adoubement, armer, consacrer, élever, exalter, fournir, recevoir, reconnaître.

ADOUCI. Apaise, apprivoisé, assoupi, bémolisé, calme, éclaircie, estompé, euphémisme, excuse, lime, mitigé, nuance, soulage, sucre, tamisé, tempéré, tranquille.

ADOUCIR. Alléger, amadouer, amollir, apaiser, attendrir, atténuer, baisser, bémoliser, calmer, civiliser, corriger, édulcorer, emmieller, enrober, estomper, euphémisme, humaniser, lénifier, limer, mitiger, modérer, panser, policer, polir, relâcher, soulager, sucrer, tempérer, velouter.

ADOUCISSAGE. Abrasement, abrasion, adoucissement, affinage, ajustage, brunissage, buffage, doucissage, éclaircissage, égrisage, finissage, finition, grésage, poinçage, polissage, polissure, ragréage, ragrément, sassage, surfaçage.

ADOUCISSANT. Apaisant, assouplissant, balsamique, calmant, correctif, diminutif, lénifiant, lénitif, looch, réglisse.

ADOUCISSEMENT. Accroissement, allégement, amélioration, amoindrissement, apaisement, assouplissement, atténuation, baume, bémol, congé, consolation, dictame, euphémisme, lénification, mitigation, replat, tamisage.

ADOUCISSEUR. Amadoueur, anticalcaire, assouplissant, assouplisseur, entraînant, filtre, touchant.

ADRAGANTE. Adraganthe, astragale, barbe de renard, cheville, colle, corbeille, fût, gomme, moulure, mucilagineuse, os, pied, réglisse, sainfoin, tibia.

ADRÉNALINE. Adrénergique, catécholamine, dopamine, hormone, phénylalanine, tyrosine.

ADRESSE. Agilité, apostrophe, art, coordonnées, dégourdi, destination, dextérité, doigté, domicile, entrée, entregent, finesse, habileté, harangue, indication, ingéniosité, instruction, IP, mæstria, maîtrise, réponse, savoir-faire, site, suscription, tir, tour, tri, truc, URL, vagabond.

ADRESSER. Apostropher, concerner, dédicacer, dédier, décocher, dire, diriger, échanger, envoyer, expédier, fusiller, haranguer, interpeler, interroger, parler, parvenir, poster, prier, prodiguer, proférer, questionner, recourir, soumettre, transmettre.

ADRET. Endroit, envers, ombrée, soulane, ubac, versant.

ADRIATIQUE (n. p.). Adige, Balkan, Croatie, Dalmatie, Italie, Méditerranée, Métaure, Piave, Pô.

ADROIT. Adresse, agile, ambidextre, art, astucieux, avisé, capable, chevronné, débrouillard, dégourdi, émérite, escroc, exercé, expérimenté, expert, fin, habile, industrieux, ingénieux, intelligent, preste, roublard, roué, rusé, savant, vif.

ADROITEMENT. Agréablement, astucieusement, avantageusement, bien, correctement, dignement, diplomatiquement, faufiler, finement, habilement, insinuer, judicieusement, politiquement, savamment, semer.

ADSORBANT. Adsorber, adsorption, bentonite, charbon, fixation, occlusion, physisorption.

ADSORPTION. Adsorber, adsorbant, fixation, occlusion, pénétration, physisorption, rétention.

ADULATEUR. Admirateur, adorateur, caudataire, complaisant, courtisan, encenseur, enjôleur, flagorneur, flatteur, frotte-manche, laudateur, lèche-bottes, lèche-cul, louangeur, obséquieux, servile, thuriféraire.

ADULATION. Adoration, attachement, culte, dévotion, emballement, fanatisme, ferveur, flatterie, iconolâtrie, vénération.

ADULER. Admirer, adorer, chérir, choyer, déifier, encenser, fêter, fétichiser, flagorner, flatter, idolâtrer, louanger.

ADULTE. Ado, adolescent, développé, formé, grand, majeur, mature, mûr, posé, raisonnable, réfléchi, touche à tout, vacciné.

ADULTÉRATION. Alliage, appauvrissement, bricolage, contrefaçon, déformation, déguisement, falsification, fardage, faux, fraude, frelatage, imitation, maquillage, pastiche, postiche, tromperie, trucage.

ADULTÈRE. Adultérin, amant, bigame, cocu, cocuage, cocufiage, complice, concubin, coquage, cornard, débauche, fornication, infidèle, infidélité, liaison, maîtresse, marimélard, onobate, polygame, trahison, tromperie.

ADULTÉRER. Altérer, avarier, changer, coiffer, corrompre, falsifier, gâter, modifier, trahir, transformer, vicier.

ADULTÉRIN. Abusif, bâtard, blâmable, coupable, illégitime, indu, indûment, infondé, inique, injuste, injustifié, naturel.

AD VALOREM. Av, caractéristique, nom, particulier, pattern, propre, spécial, spécifique, typique.

ADVECTION. Air, brouillard, convection, déplacement.

ADVENANT. Arbitre, droit, égal, équitable, histoire, impartial, indifférent, intègre, juste, neutre, objectif.

ADVENIR. À-Dieu-va, arriver, dérouler, échoir, passer, produire, réussir, survenir, virtuel.

ADVENTICE. Accessoire, accidentel, additif, additionnel, annexe, auxiliaire, marginal, parasite, secondaire, supplémentaire.

ADVERBE. Ainsi, alors, aussi, autant, ça, certes, ci, deçà, déjà, delà, enfin, guère, hors, ici, itou, là, lors, où, moins, ne, ni, ores, oui, pas, peut-être, plus, près, puis, quand, quoi, rasibus, sitôt, soit, sus, tant, tellement, ter, tôt, toutefois, très, trop, unanimement, vite, voici, voilà.

ADVERBE D'AFFIRMATION. Certainement, certes, oui, précisément, si, voilà, volontiers, vraiment.

ADVERBE DE COMPARAISON. Moins

ADVERBE DE LIEU. Ailleurs, autour, ça, ci, dedans, delà, derrière, dessus, devant, en, hors, ici, là, où.

ADVERBE DE NÉGATION. Guère, jamais, ne, ni, non, pas, point, rien.

ADVERBE DE QUANTITÉ. Assez, atome, autant, beaucoup, bis, maxi, moult, multi, peu, plusieurs, si, ter, très.

ADVERBE DE SUPERLATIF. Très.

ADVERBE DE TEMPS. Alors, après, a priori, aujourd'hui, déjà, depuis, encore, enfin, hier, ici, jamais, soudain, toujours.

ADVERSAIRE (n. p.). Abbizzi, Botha, Bourget, Brown, Eck, Favien, Fox, Frédon, Lysias, Phocion, Scudéry.

ADVERSAIRE. Antagoniste, attaqueur, combat, combattant, compétiteur, concurrent, contradicteur, émule, ennemi, jaloux, opposant, opposé, protagoniste, rallié, rival, simultanée, tombeur, tigre.

ADVERSE. Concurrent, contraire, défavorable, ennemi, hostile, inverse, opposant, opposé, rival, transfuge.

ADVERSITÉ. Avatars, calamité, chagrin, destin, détresse, deuil, difficulté, disgrâce, fatalité, infortune, malchance, malheur.

AD VITAM AETERNAM. Assidu, assidûment, constant, continuellement, durée, éternel, généralement, immortalité, invariablement, pérennité, perpette, perpétuité, toujours, uniforme, vie.

ADYNAMIE. Abaissement, abrègement, agueusie, agranulocytose, amenuisement, amortissement, anhépatie, amnésie, anémie, anhidrose, anidrose, anosmie, anoxie, atrophie, collapsus, déclin, décroissance, déflation, dégradé, détente, détumescence, diminution, encroûtement, frai, hypochlorhydrie, hypoglycémie, hypotonie, ischémie, leucopénie, oligurie, paralysie, presbytie, rabais, recoupement, réduction, relâchement, remise, retrait, smorzando, soulagement, sténose, surdité, xérophtalmie.

AÈDE (n. p.). Homère.

AÈDE. Chanteur, grec, lyre, poète, rapsode, rhapsode, troubadour, trouvère.

AEDES. Anophèle, dengue, fièvre jaune, maladie, moustique.

AÉRAGE. Aération, canar, façonnage, mine, rabat-vent, renouvellement, respiration, ventilation.

AÉRATEUR. Climatiseur, conditionneur, emballeur, éventail, hotte, revitalisant, soufflerie, ventilateur.

AÉRATION. Air, climatisation, distraction, échangeur, éclaircissement, évacuation, lanternon, oxygénation, purification, renouvellement, répartition, souffle, soufflerie, tunnel, ventilateur, ventilation.

AÉRER. Air, alléger, assainir, cultiver, dégager, dégourdir, désenfumer, distendre, distraire, éclaircir, espacer, évent, éventer, façonner, oura, ouvrir, oxygéner, pur, purifier, renouveler, respirer, sain, sortir, ventiler.

AÉRIEN. Antenne, céleste, élancé, élevé, éthéré, léger, immatériel, mousseux, poétique, pur, svelte, vaporeux.

AÉRIUM. Délassé, détendu, dispos, établissement, frais, paresseux, reposé, sanitaire, stressé.

AÉROBIE. Anaérobie, danse, danseur, exercice, gymnastique, micro-organisme, phénomène, step.

AÉRODROME. Adacport, aérogare, aéroport, altiport, cosmodrome, dispersal, escale, héligare, héliport, tarmac, terminal.

AÉRODROMÈDES YVELINES (n. p.). Buc.

AÉRODYNAMICIEN (n. p.). Joukovski, Riabouchinski.

AÉRODYNAMIQUE. Aérofrein, becquet, béquet, caréné, science, spoiler, technique, tunnel.

AÉRODYNE. Aéronef, aéroplane, alérion, autogire, avion, giravion, gyroplane, gyravion, gyrodine, hélibus, hélicoptère.

AÉROGARE. Aérodrome, aérodrome, aéroport, gare, héligare, héliport, satellite, tarmac, terminal.

AÉROGLISSEUR. Aquaplane, ferraplane, hovercraft, hydrofoil, hydroglisseur, hydroptère, naviplane, terraplane.

AÉROLITHE. Aérolithe, astéroïde, bolide, étoile filante, météorite.

AÉROMÈTRE. Alcoomètre, densimètre, glucomètre, uréomètre.

AÉROMOTEUR. Convertisseur, éolienne, harpe, mutateur, onduleur, transformateur, venté.

AÉRONAUTE (n. p.). Arlandes, Blanchard, Garnerin, Godard, Labrosse, Nadar, Tissandier, Zeppelin.

AÉRONAUTE. Aéronef, aéroscaphe, aérostat, aérostier, aviateur, ancre, balle, ballon, ballonnet, baudruche, bombe, délester, dirigeable, essai, filet, gaz, gonfler, lest, lob, montgolfière, nacelle, passe, pilote, rumeur, saucisse, saut, sommet, sonde, zeppelin.

AÉRONAUTIQUE. Aérien, aéronef, aérostat, air, aviation, avion, ballon, biplan, hydraviation, navigation.

AÉRONEF. ADAC, Aérodyne, aéroplane, aérostat, appontage, apponteur, autogire, avion, ballon, birotor, cz, dirigeable, élevon, giravion, hélicoptère, largage, largeur, planeur, stol, sustention, zeppelin.

AÉROPLANE. Aérodyne, aéronef, autogire, avion, hydravion, hydroplane, planeur, U.L.M.

AÉROPORT. Aérodrome, aérogare, aéroportuaire, aviation, gare, héligare, héliport, tarmac.

AÉROPORT ALGÉRIE (n. p.). Alger.

AÉROPORT ALLEMAGNE (n. p.). Berlin, Bonn, Francfort, Francfort-sur-le-Main, Kloten, Tempelhof.

AÉROPORT ANGLETERRE (n. p.). Croydon, Heathrow, Londres.

AÉROPORT ARABIE SAOUDITE (n. p.). Djedda.

AÉROPORT AUTRICHE (n. p.). Schwechat.

AÉROPORT BELGIQUE (n. p.). Anvers, Bruxelles, Deurne, Haren, Melsbroek, Zaventem.

AÉROPORT BIRMANIE (n. p.). Mandalay.

AÉROPORT BRÉSIL (n. p.). Jobin.

AÉROPORT CAMEROUN (n. p.). Douala.

AÉROPORT CANADA (n. p.). Bagotville, Baie-Comeau, Bathurst, Calgary, Charlottetown, Chibougamau, Diefenbaker, Dorval, Edmonton, Fredericton, Gander, Halifax, Hamilton, Jean-Lesage, Kuujjuaq, Kuujjuarapik, La Grande, Macdonald-Cartier, Mirabel, Moncton, Mont-Joli, Montréal, Ottawa, Pearson, Pierre-Éliot-Trudeau, Québec, Regina, Roberval, Rouyn, Saint-Hubert, Saint John, Stephenville, Thunder Bay, Toronto, Trudeau, Val-d'Or, Vancouver, Victoria, Whitehorse, Windsor, Winnipeg, Yellowknife.

AÉROPORT CHINE (n. p.). Chek Lap Kok, Kowloon.

AÉROPORT CHYPRE (n. p.). Larnaka.

AÉROPORT CONGO (n. p.). Brazzaville.

AÉROPORT CORSE (n. p.). Bastia, Figari.

AÉROPORT CÔTE D'IVOIRE (n. p.). Abidjan.

AÉROPORT DAKAR (n. p.). Yof.

AÉROPORT DANEMARK (n. p.). Copenhague, Kastrup.

AÉROPORT ÉCOSSE (n. p.). Glasgow, Paisley.

AÉROPORT ESPAGNE (n. p.). Barajas, Palma.

AÉROPORT ÉTATS-UNIS (n. p.). Albany, Anchorage, Atlanta, Boston, Charlotte, Chicago, Cincinnati, Cleveland, Dallas, Detroit, Fairbanks, Fort Lauderdale, Hartford, Idlewild, Kennedy, LaGuardia, Logan, Los Angeles, Miami, Minneapolis, Newark, New York, O'Hare, Orlando, Philadelphie, Pittsburgh, Washington

AÉROPORT FINLANDE (n. p.). Vantaa.

AÉROPORT FRANCE (n. p.). Aulnat, Blagnac, Blotzheim, Boos, Bron, Charles-de-Gaulle, Château-Bougon, Entzheim, Fréjorgues, Frescaty, Guipavas, Lann-Bihoué, Le Bourget, Lesquin, Longvic, Lyon, Marignane, Marseille, Mérignac, Montpellier, Nice, Orly, Ossun, Pleurtuit, Rochambeau, Saint-Louis, Satolas.

AÉROPORT GRANDE-BRETAGNE (n. p.). Luton, Paisley.

AÉROPORT GUADELOUPE (n. p.). Pointe-à-Pître, Raiset.

AÉROPORT GUINÉE ÉQUATORIALE (n. p.). Bata.

AÉROPORT HONGRIE (n. p.). Otopeni.

AÉROPORT HOLLANDE (n. p.). Schipol.

AÉROPORT INDE (n. p.). Calicut, Kozhikode.

AÉROPORT ISRAËL (n. p.). Ben Gourion, Lod, Lydda.

AÉROPORT ITALIE (n. p.). Fiumicino.

AÉROPORT JAPON (n. p.). Haneka, Itami, Narita, Osaka.

AÉROPORT KENYA (n. p.). Nairobi.

AÉROPORT LUXEMBOURG (n. p.). Findel.

AÉROPORT MALDIVES (n. p.). Malé.

AÉROPORT MALI (n. p.). Bamako.

AÉROPORT MAROC (n. p.). Salé.

AÉROPORT MARTINIQUE (n. p.). Lamentin.

AÉROPORT MEXIQUE (n. p.). Cancun, Guadalajara, Mandizillo.

AÉROPORT NIGERIA (n. p.). Kano.

AÉROPORT NOUVELLE-ZÉLANDE (n. p.). Bell-Block.

AÉROPORT OUGANDA (n. p.). Entebre.

AÉROPORT PALESTINE (n. p.). Gaza.

AÉROPORT PHILIPPINES (n. p.). Pasay.

AÉROPORT POLYNÉSIE FRANÇAISE (n. p.). Faaa, Papeete.

AÉROPORT PORTUGAL (n. p.). Faro.

AÉROPORT RUSSIE (n. p.). Cheremetièvo, Domodedovo.

AÉROPORT SÉNÉGAL (n. p.). Yoff.

AÉROPORT SUÈDE (n. p.). Arlanda.

AÉROPORT SUISSE (n. p.). Cointrin, Dübendorf, Kloten.

AÉROPORT TAÏWAN (n. p.). Taoyuan.

AÉROPORT TEL-AVIV (n. p.). Lod.

AÉROPORT THAÏLANDE (n. p.). Bangkok.

AÉROPORT TUNISIE (n. p.). Aouïna.

AÉROPORT VENEZUELA (n. p.). Caracas, Maiquetin.

AÉROSOL. Atomiseur, bombe, brumisateur, gicleur, inhalation, nébuliseur, pulvérisateur, spray, vaporisateur.

AÉROSTAT. Aérodyne, aéronaute, aérostier, agrès, ballon, dirigeable, guiderope, lest, montgolfière, zeppelin.

AÉROSTIER. Aéronef, aéroscaphe, aéronaute, aérostat, aviateur, ancre, balle, ballon, ballonnet, baudruche, bombe, délester, dirigeable, essai, filet, gaz, gonfler, lest, lob, montgolfière, nacelle, passe, pilote, rumeur, saucisse, saut, sommet, sonde, zeppelin.

AESCHNE. Agrion, demoiselle, hie, insecte, libellule, mademoiselle, odonate.

AETHUSE. Ache des chiens, ciguë, éthuse, faux persil, ombellifère, persil des fous, petite ciguë, plante.

AFAR. Couchitique, danakil, peuple.

AFFABILITÉ. Accueil, amabilité, aménité, attention, bienveillance, bonté, charme, civilité, complaisance, courtoisie, délicatesse, douceur, gentillesse, grâce, honnêteté, hospitalité, liant, miel, politesse, urbanité.

AFFABLE. Accueillant, agréable, aimable, amabilité, amène, bienveillant, bon, chaleureux, charmant, civil, cordial, complaisant, convivial, courtois, doux, engageant, facile, familier, gentil, liant, poli, politesse, sociable.

AFFABLEMENT. Adorablement, agréablement, aimablement, amicalement, bien, chaleureusement, chouettement, complaisamment, cordialement, délicatement, gentiment, poliment, sympathiquement.

AFFABULATION. Artifice, chimère, conte, fable, fabulation, fiction, intrigue, invention, mensonge, récit, trame.

AFFABULER. Amplifier, blaguer, fabuler, hâbler, imaginer, inventer, mentir, rêvasser, rêver.

AFFADIR. Abaisser, adoucir, affaiblir, altérer, amaigrir, amatir, amoindrir, atténuer, décolorer, défaillir, délaver, diluer, écœurer, édulcorer, émousser, estomper, évaporer, éventer, priver, ternir.

AFFADISSEMENT. Abaissement, affaiblissement, altération, amaigrissement, amollissement, apathie, décadence, émollient, fenaison, fléchissement, lénifiance, lénitif, ramollissement, relâchement.

AFFAIBLI. Abattu, abruti, amorti, anémie, anémié, assoupi, asthénique, attendri, aveuli, blasé, caduc, cassé, décrépit, déforcé, dépéri, déprimé, ébranlé, émoussé, étiolé, faible, fatigué, gâteux, moindre, mourant, réduit, usé, vieilli.

AFFAIBLIR. Abattre, abrutir, adoucir, affadir, alanguir, altérer, amoindrir, amollir, amortir, anémier, atrophier, atténuer, aveulir, baisser, briser, casser, débiliter, déchoir, décliner, dégrader, dépérir, déprimer, diluer, diminuer, ébranler, édulcorer, émousser, énerver, épuiser, éteindre, étioler, lasser, miner, pâlir, ronger, ruiner, sénilité, tiédir, user, vaciller.

AFFAIBLISSANT. Alanguissant, amollissant, anémiant, consomptif, débilitant, déprimant, énervant.

AFFAIBLISSEMENT. Abattement, agonie, amblyopie, anémie, atténuation, baisse, décadence, déclin, décrépitude, dégénérescence, délabrement, démence, dépérissement, diminution, effritement, étiolement, exténuation, faiblesse, fatigue, héméralopie, langueur, marasme, neurasthénie, psychasthénie, sénilité, usure.

AFFAIRE. Business, cause, chose, commerce, difficulté, duel, effets, ennui, entreprise, finance, gâchis, hic, histoire, litige, marché, obligation, occupation, opération, or, procès, question, sac de nœuds, saint-frusquin, scandale, transaction, travail, va.

AFFAIREMENT. Agitation, barouf, bruit, bruyant, chahut, chambardement, chaos, charivari, confusion, désordre, fatras, fouillis, magma, méli-mélo, ramdam, tintamarre, tohu-bohu, tumulte, vacarme.

AFFAIRER. Activer, agiter, bosser, démener, empresser, marner, occuper, œuvrer, spéculer, travailler, turbiner.

AFFAIRISME. Accaparement, agiotage, boursicotage, change, concussion, finance, spéculation, valeur.

AFFAIRISTE. Agent, agioteur, bricoleur, combinard, intermédiaire, intrigant, malhonnête, spéculateur, tripoteur.

AFFAISSEMENT. Abattement, abrutissement, adoucissement, alanguissement, colpocèle, dépression, écroulement, effondrement, épirogenèse, faix, fantis, fondis, fontes, fontis, posture, ptosis, subsidence, tassement.

AFFAISSER. Abattre, aréner, baisser, céder, crouler, écrouler, effondrer, enfoncer, fléchir, plier, tasser, tomber.

AFFAITAGE. Affaitement, apprivoisement, discipline, domptage, dressage, fauconnerie, montage, planage.

AFFAITEMENT. Affaitage, apprivoiser, discipline, domptage, dressage, montage, planage.

AFFALER. Avachir, écouler, écraser, écrouler, effoirer, effondrer, étaler, évacher, tomber, trévirer, vautrer.

AFFAMÉ. Affameur, altéré, assoiffé, avide, claquedent, faim, famélique, gourmand, insatiable, misérable, passionné.

AFFAMER. Agioter, alouvir, assoiffer, crever, efflanquer, gruger, mourir, priver, raréfier, spéculer, tripoter.

AFFECT. Attraction, disposition, état, émotion, psycho, psychologie, pulsion, représentation, répulsion.

AFFECTATION. Apprêt, assignation, attribution, cant, cérémonie, consécration, désignation, destination, fatuité, girie, gongorisme, imputation, momerie, névrose, nomination, ostentation, pose, préciosité, prétention, pruderie, pudibonderie, recherche, simagrée, singerie, tralala.

AFFECTÉ. Apprêté, composé, contourné, contraint, cuisant, empesé, ému, entortillé, étudié, fade, feint, forcé, gêné, gourmé, guindé, hypocrite, maniéré, mièvre, naturel, ostensoir, malade, poseur, précieux, prétentieux, prude, raide, recherché, ressenti.

AFFECTER. Afficher, affliger, artificiel, assigner, attacher, atteindre, bléser, causer, compassé, consacrer, cyanoser, destiner, diéser, émouvoir, feindre, frapper, minauder, nantir, nommer, obèse, reconvertir, ressentir, réserver, saisir, simuler, toucher.

AFFECTIF. Amitié, amour, affinité, athymhormie, athymie, émotion, émotionnel, immaturation, psychoaffectif, sentimental.

AFFECTION. Acanthose, adoration, affect, agnosie, amibiase, amiantose, amitié, amour, alzheimer, angine, anomalie, anorexie, antipathie, aphasie, asthme, athénose, athétose, attachement, biquet, bichette, bouillaud, byssinose, câlin, caresse, cataracte, chanci, cher, coco, cœliaque, cœnurose, couperose, coxaplana, dartre, désir, diminutif, dysfonction, éclampsie, émotion, épilepsie, érotomanie, filariose, froideur, gale, girie, haine, hémogénie, herpès, ictus, imago, inclination, infirmité, lésion, lithiase, lupus, maladie, manie, mimi, minet, mycose, naturel, névrose, ophtalmie, ostentation, passion, pemphigus, penchant, piété, préciosité, psoriasis, rosacée, rhumatisme, rhume, sentiment, sida, simplicité, spasmophilie, sympathie, syndrome, tabès, tendresse, tétanie, torticolis, valétudinaire, vitiligo, zona.

AFFECTIONNÉ. Affectueux, aimant, attaché, dévoué, fidèle, filial, fraternel, maternel, paternel, sympathique, tendre.

AFFECTIONNER. Adorer, aimer, amouracher, attacher, brûler, chérir, désirer, dévouer, enflammer, espérer, estimer, favori, fidéliser, fraterniser, goûter, idolâtrer, materner, préférer, raffoler, sympathiser.

AFFECTIVITÉ. Affectif, attendrissement, cœur, compassion, émotivité, empathie, pitié, sensibilité, thymique.

AFFECTUEUSEMENT. Amicalement, amoureusement, chaleureusement, cordialement, fraternellement, gentiment, tendrement.

AFFECTUEUX. Aimant, amoureux, bon, cajoleur, câlin, caressant, chaleureux, cordial, doux, gentil, tendre.

AFFENAGE. Affouragement, aliment, appât, asticot, becquée, besoin, désir, engrais, herbage, nourriture, pacage, pâtée, pâtis, pâture, pitance, pré, vairon, ver.

AFFÉRENT. Adhérent, analogue, connexe, dépendant, joint, lié, proche, rattaché, uni, voisin.

AFFERMAGE. Amodiation, bail, bailleur, commandite, contrat, convention, emphytéotique, fermage, louer, loyer, renon.

AFFERMER. Affermage, bail, bailleur, céder, consigner, ferme, location, louer, loyer, rural.

AFFERMIR. Ancrer, asseoir, assurer, cimenter, confirmer, conforter, consolider, durcir, fermeté, fortifier, enraciner, fortifier, invétérer, protéger, raffermir, renforcer, revigoter, solidifier, stabiliser, tonifier, tremper, vivifier.

AFFERMISSEMENT. Accentuation, accroissement, aggravation, certainement, complexification, consolidation, croissance, da, durcissement, intensification, même, recrudescence, renforcement, resserrement, risée.

AFFÉTÉ. Affecté, apprêté, composé, contourné, contraint, empesé, ému, entortillé, étudié, fade, feint, forcé, gêné, gourmé, guindé, hypocrite, maniéré, ostensoir, malade, poseur, précieux, prétentieux, prude, raide, recherché.

AFFÉTERIE. Affectation, affrété, marinisme, marivaudage, mièvrerie, mignardise, minauderie, préciosité, recherche.

AFFICHAGE. Afficheur, annonce, étalage, officialisation, pancarte, panneau, télétexte, visualisation, visuel.

AFFICHE. Affichette, annonce, avis, colleur, écriteau, enseigne, mural, pancarte, panneau, placard, poster, proclamation, réclame.

AFFICHER. Accentuer, accuser, affecter, affirmer, annoncer, arborer, attester, aviser, commettre, crâner, déballer, déployer, dérouler, dresser, échelonner, éditer, étaler, exhiber, inscrire, montrer, placarder, publier, visualiser.

AFFICHETTE. Affiche, affiche, annonce, avis, bannière, écriteau, enseigne, étiquette, INRI, mural, onglet, oriflamme, pancarte, placard, panneau, poster, proclamation, programme, réclame.

AFFICHEUR. Aboyeur, annonceur, aviseur, commanditaire, crieur, hérault, journaliste, speaker, speakerine, sponsor.

AFFICHISTE (n. p.). Beardsley, Bonnard, Cappiello, Carlu, Cassandre, Chéret, Colin, Lissitzky, Loupot, Mucha, Savignac, Steinlen, Toulouse-Lautrec.

AFFICHISTE. Acteur, artisan, artiste, bohème, ciseleur, colleur, dessinateur, esthète, paysagiste, peintre, vedette.

AFFIDÉ. Acolyte, agent, comparse, compère, complice, confiance, confident, connivence, espion, noyauter, partisan.

AFFILAGE. Affûtage, aiguisage, aiguisement, appointage, émorfilage, émoulage, repassage.

AFFILÉ. Acéré, acuité, affûté, aiguisé, bavard, coupant, émorfilé, émoulu, médisant, repassé, taillant, tranchant.

AFFILER. Acérer, affûter, aiguiser, appointer, appointir, avoyer, effiler, émorfiler, émoudre, épointer, repasser.

AFFILIATION. Adhésion, admission, appartenance, agrégation, entrée, incorporation, inscription, intégration, rattachement.

AFFILIÉ. Adhérent, adjoint, carbonaro, compagnon, cotisant, inféodé, membre, participant, partisan, souscripteur.

AFFILIER. Adhérer, adjoindre, admettre, adopter, agréger, associer, incorporer, initier, inscrire, intégrer, rattacher.

AFFILOIR. Affûtoir, aiguise-crayon, aiguisoir, hâloir, lime, meule, périgueux, pierre, queux, taille-crayon.

AFFINAGE. Blanchissage, bloom, calmage, écrémage, épuration, façonnage, finition, hâloir, perchage, raffinage, sursoufflage.

AFFINE. Annonce, charge, cote, espion, géométrie, indice, marque, piste, présage, preuve, rare, renseignement, repère, reste, signe, symptôme, trace, voie.

AFFINEMENT. Allégement, allongement, amaigrissement, amenuisement, amincissement, clonus, échauffement, entraînement, étirement, exercice, extension, gymnastique, laminage, rapetissement, stretching.

AFFINER. Amincir, atténuer, dégrossir, dépurer, épurer, fonte, frégater, fromage, purger, purifier, raffiner, sole, sublimer.

AFFINITÉ. Accointance, accord, adéquation, affin, ajustement, alliance, amitié, analogie, attachement, attirance, cohérence, cohésion, concordance, liaison, lien, parenté, rapport, suite, sympathique, tropisme, union.

AFFIQUET. Accessoire, agrafe, agrément, bijou, décor, décoration, figure, fioriture, garniture, ornement, parure.

AFFIRMATIF. Approbatif, assertif, assertion, catégorique, certain, da, déclaratif, dogmatique, exact, explicite, exprès, formel, franc, hardi, oui, péremptoire, positif, prétendu, si, soutenable.

AFFIRMATION. Action, allégation, assertion, attestation, caution, certain, da, déclaration, dogme, énoncé, exact, expression, formel, franc, garantie, lapalissade, manifestation, motal, na, oc, oïl, oui, preuve, proclamation, propos, proposition, serment, si, théorème, thèse, vrai.

AFFIRMATIVEMENT. Approbativement, catégoriquement, favorablement, oui, positivement, soit, volontiers.

AFFIRME. Absolu, accepte, assuré, authentique, bénéfique, bon, certain, concret, décidé, degré, établi, évident, exact, fondé, formel, franc, manifeste, orgue, oui, positif, précis, réel, sérieux, strict, sûr, typon, utile, vrai.

AFFIRMER. Afficher, articuler, assurer, attester, avancer, certifier, cimenter, confirmer, déclarer, déposer, dire, garantir, imposer, jurer, maintenir, manifester, mentir, montrer, nier, oui, parier, prétendre, protester, répondre, si, soutenir.

AFFIXE. Affixal, augment, circumfixe, formant, infixe, mathématique, nombre, préfixe, suffixe, transfixe.

AFFLEUREMENT. Absence, agio, contraste, dénivellation, dénivellement, discordance, dissemblance, distinction, divergence, diversité, écart, émergence, inégalité, nuance, opposition, sexe, tension, variété.

AFFLEURER. Apparaître, dégager, dévoiler, émerger, manifester, niveau, percer, poindre, profiler, sortir.

AFFLICTION. Amertume, chagrin, dépression, désespoir, désolation, détresse, deuil, douleur, épreuve, honte, mal, misère, navrant, navrement, peine, plaie, souffrance, tristesse.

AFFLIGÉ. Damné, déshérité, désolé, exclu, gueux, inconsolable, infortuné, malchanceux, miséreux, miteux, paria, triste.

AFFLIGEANT. Calamiteux, catastrophique, consternant, déplorable, dérisoire, désastreux, effroyable, épouvantable, exécrable, funeste, lamentable, minable, misérable, miteux, navrant, nul, pitoyable.

AFFLIGER. Abattre, accabler, affecter, affliction, arracher, assombrir, atterrer, attrister, blesser, chagriner, contrarier, contraster, déchirer, désespérer, désoler, éprouver, frapper, mortifier, navrer, peiner, percer, pleurer.

AFFLUENCE. Abondance, afflux, arrivée, bouchon, bourrée, circulation, concours, encombrement, essaim, flot, flux, foisonnement, foule, multitude, nuée, pullulement, présence, rush, vague.

AFFLUENT. Bord, charge, eau, fleuve, lit, pont, rivière, ruisseau, tête, torrent.

AFFLUENT, AAR (n. p.). Reuss, Saane, Sarine.

AFFLUENT, ADOUR (n. p.). Gave de Pau, Midou, Nive, Pau.

AFFLUENT, ADRIATIQUE (n. p.). Adige, Drim, Métaure, Pô.

AFFLUENT, AGOUT (n. p.). Thoré.

AFFLUENT, AIN (n. p.). Bienne.

AFFLUENT, AISNE (n. p.). Aire, Vesle.

AFFLUENT, ALLER (n. p.). Leine.

AFFLUENT, ALLIER (n. p.). Alagnon, Dore, Leine, Sioule.

AFFLUENT, AMAZONE (n. p.). Apurimac, Huallaga, Japura, Javari, Jurua, Madeira, Maranon, Negro, Purus, Tapajos, Ucayali, Xingu, Yapurá.

AFFLUENT, AMOUR (n. p.). Argoun, Boureïa, Chilka, Madeira, Oussouri, Soungari.

AFFLUENT, ANTILLES (n. p.). Magdalena.

AFFLUENT, ARAL (n. p.). Amou-Daria, Iaxarte, Oxus, Syr-Daria.

AFFLUENT, ARCACHON BASSIN (n. p.). Eyre, Leyre.

AFFLUENT, ARIÈGE (n. p.). Hers, Vicdessos.

AFFLUENT, ARKANSA (n. p.). Canadian-River.

AFFLUENT, ARROUX (n. p.). Bourbince

AFFLUENT, ARTIQUE (n. p.). Ienisseï, Indiguirha, Kolyma, Lena, Mackenzie, Ob, Tana.

AFFLUENT, ARIÈGE (n. p.). Hers.

AFFLUENT, ARKANSAS (n. p.). Canadien River, Mississipi.

AFFLUENT, ARVE (n. p.). Giffre.

AFFLUENT, ASSINIBOINE (n. p.). Qu'appelle

AFFLUENT, ATLANTIQUE (n. p.). Adour, Amazone, Charente, Churchill, Colorado, Congo, Delaware, Douro, Dra, Draa, Erne, Gambie, Garonne, Guadalquivir, Guadiana, Hamilton, Hudson, Minho, Miño, Mondego, Ogogué, Orange, Orénoque, Oyapoc, Oyapock, St-Laurent, Saloum, Sao Francisco, Savannah, Sebou, Sénégal, Shannon, Tage, Tensift, Tinto, Tocantins.

AFFLUENT, AVEYRON (n. p.). Viaur.

AFFLUENT, AZOV (n. p.). Don, Kouban, Manych.

AFFLUENT, BAIE JAMES (n. p.). Churchill, Rupert.

AFFLUENT, BALKBACH (n. p.). Ili.

AFFLUENT, BALTIQUE (n. p.). Niémen, Oder, Vistule.

AFFLUENT, BARENTS (n. p.). Petchora.

AFFLUENT, BAS-RHIN (n. p.). Entzheim.

AFFLUENT, BENGALE (n. p.). Brahmapoutre, Cauvery, Gange, Godavari, Kaveri, Kaviri, Kistna, Krishna.

AFFLUENT, BÉRING (n. p.). Anadyr, Yukon.

AFFLUENT, BOHAI (n. p.). Hai He, Hai Ho, Houang Ho, Huang He, Jaune.

AFFLUENT, BOTNIE (n. p.). Pite Alv, Torne, Ume Alv.

AFFLUENT, BRISTOL (n. p.). Severn

AFFLUENT, BUG (n. p.). Narew.

AFFLUENT, CARAÏBE (n. p.). Magdalena.

AFFLUENT, CASPIENNE (n. p.). Emba, Koura, Oural, Volga.

AFFLUENT, CHARI (n. p.). Logone.

AFFLUENT, CHENAB (n. p.). Jhelam, Jhelum, Rävi.

AFFLUENT, CHER (n. p.). Sauldre.

AFFLUENT, CHESAPEAKE (n. p.). Potomac, Susquehanna.

AFFLUENT, CHINE, MER (n. p.). Bleu, Mékong, Yangzi Jiang.

AFFLUENT, COLORADO (n. p.). Salado.

AFFLUENT, COLUMBIA (n. p.). Snake, Shake-River.

AFFLUENT, CONGO (n. p.). Kasaï, Kassaï, Lomani, Oubangui, Sangha.

AFFLUENT, CREUSE (n. p.). Gartempe.

AFFLUENT, DANUBE (n. p.). Abens, Abensberg, Altmuhl, D"mbovia, Drave, Enns, Inn, Isar, Iskar, Isker, Jantra, Jiu, Lech, Leitha, Morava, Olt, Prout, Prut, Raab, Raba, Save, Sio, Siret, Tisa, Tisza, V‡h.

AFFLUENT, DNIEPR (n. p.). Berezina, Ingoulets, Pripet, Pripiat.

AFFLUENT, DON (n. p.). Donets, Donetz.

AFFLUENT, DORDOGNE (n. p.). Cère, Isie, Isle, Saale, Vézère.

AFFLUENT, DOUBS (n. p.). Loue.

AFFLUENT, DOURO (n. p.). Côa.

AFFLUENT, DRAC (n. p.). Romanche.

AFFLUENT, DRAVE (n. p.). Mur.

AFFLUENT, DUERO (n. p.). Esla, Pisuerga.

AFFLUENT, DURANCE (n. p.). Bléone, Buëch, Guil, Ubaye, Verdon.

AFFLUENT, DYLE (n. p.). Senne.

AFFLUENT, ÈBRE (n. p.). Segré.

AFFLUENT, ÉGÉE, MER (n. p.). Hérault, Huveaune, Marica, Menderes, Struma, Vardar.

AFFLUENT, ELBE (n. p.). Eger, Elster Noire, Havel, Moldau, Ohre, Saale, Vltava.

AFFLUENT, ESCAULT (n. p.). Dendre, Durme, Leie, Lys, Rupel, Scarpe.

AFFLUENT, ESCLAVE (n. p.). Paix.

AFFLUENT, EUPHRATE (n. p.). Khabour.

AFFLUENT, EURE (n. p.). Iton.

AFFLUENT, FOYLE (n. p.). Finn.

AFFLUENT, FRASER (n. p.). Nechako.

AFFLUENT, GANGE (n. p.). Jamnä, Jumna, Yamuna.

AFFLUENT, GARONNE (n. p.). Ariège, Aveyroi, Baïse, Dordogne, Dropt, Gers, Gimone, Hers, Lot, Neste, Salat, Save, Tarn.

AFFLUENT, GASPIENNE, MER (n. p.). Emba, Oural, Volga.

AFFLUENT, GUADALQUIVIR (n. p.). Genil.

AFFLUENT, HAVEL (n. p.). Spree.

AFFLUENT, HUDSON (n. p.). Mohawk.

AFFLUENT, HUMBER (n. p.). Ouse, Trent.

AFFLUENT, IENISSEÏ (n. p.). Angara, Kuréjka, Toungouska.

AFFLUENT, INDIEN, OCÉAN (n. p.). Chébéli, Djouba, Irrawaddy, Limpopo, Murray, Salouen, Tana, Zambèze.

AFFLUENT, INDUS (n. p.). Cnebab, Kaboul, Sutlej.

AFFLUENT, INN (n. p.). Salzach.

AFFLUENT, IRLANDE, MER (n. p.). Clyde, Mersey.

AFFLUENT, IRRAWADDY (n. p.). Chindwin.

AFFLUENT, IRTYCH (n. p.). Ichim, Tobol.

AFFLUENT, ISÈRE (n. p.). Arc, Arly, Drac.

AFFLUENT, ISLE (n. p.). Dronne.

AFFLUENT, KAMA (n. p.). Viatka.

AFFLUENT, KASAÏ (n. p.). Lulua.

AFFLUENT, KOURA (n. p.). Araxe.

AFFLUENT, LAC, BALKBACH (n. p.). Ili.

AFFLUENT, LAC, TURKANA (n. p.). Omo.

AFFLUENT, LAPTEV, MER (n. p.). Anabar, Lena, Olenek, Oleniok.

AFFLUENT, LENA (n. p.). Aldan, Viliouï, Vitim.

AFFLUENT, LOIRE (n. p.). Allier, Arroux, Authion, Beuvron, Boulogne, Cher, Erdre, Furens, Indre, Layon, Lignon, Loiret, Maine, Nièvre, Sèvre, Thouet, Tours, Vienne.

AFFLUENT, LOT (n. p.). Célé, Truyère.

AFFLUENT, MACKENZIE (n. p.). Athabasca, Liard.

AFFLUENT, MADEIRA (n. p.). Beni, Mamoré.

AFFLUENT, MAGDALENA (n. p.). Cauca.

AFFLUENT, MAIN (n. p.). Regniyz.

AFFLUENT, MAINE (n. p.). Loir, Mayenne, Sarthe.

AFFLUENT, MAMORÉ (n. p.). Guaporé.

AFFLUENT, MANCHE (n. p.). Authie, Bresle, Canche, Dives, Rance, Seine, Somme, Touques, Vire.

AFFLUENT, MARNE (n. p.). Morin, Ornain, Ourcq.

AFFLUENT, MAYENNE (n. p.). Sarthe.

AFFLUENT, MÉDITERRANÉE (n. p.). Argens, Arno, Aude, Chelief, Chélif, Chlef, Èbre, Flumendosa, Harrach, Hérault, Huveaune, Jucar, Liamone, Llobregat, Moulouya, Orb, Oronte, Rhône, Rummel, Têt, Var.

AFFLUENT, MER LAPTEV (n. p.). Anabar, Lena, Olenek, Oleniok.

AFFLUENT, MER NOIRE (n. p.). Bug.

AFFLUENT, MER DU NORD (n. p.). Aa, Elbe, Ems, Escaut, Forth, Rhin, Tamise, Tay, Tweed, Weser, Yser.

AFFLUENT, MEUSE (n. p.). Chiers, Lesse, Ourthe, Sambre, Semois, Semoy.

AFFLUENT, MEXIQUE, GOLFE (n. p.). Colorado, Mississippi, Red River, Rio Bravo, Rio Grande.

AFFLUENT, MIDOUZE (n. p.). Midou.

AFFLUENT, MINO (n. p.). Sil.

AFFLUENT, MISSISSIPPI (n. p.). Arkansas, Missouri, Ohio, Red-River, Wisconsin.

AFFLUENT, MISSOURI (n. p.). Kansas, Yellowstone.

AFFLUENT, MOSELLE (n. p.). Meurthe, Moselotte, Saar, Sarre, Seille, Sûre.

AFFLUENT, MURRAY (n. p.). Darling, Murrumbidgee.

AFFLUENT, NAREW (n. p.). Boug, bug.

AFFLUENT, NIGER (n. p.). Bénoué.

AFFLUENT, NIL (n. p.). Atbara, Kagera.

AFFLUENT, NOIRE, MER (n. p.). Danube, Rioni.

AFFLUENT, OB (n. p.). Irtych.

AFFLUENT, ODER (n. p.). Neisse, Warta.

AFFLUENT, ODRA (n. p.). Warta.

AFFLUENT, OHIO (n. p.). Tennessee.

AFFLUENT, OISE (n. p.). Ailette, Aisne, Creil.

AFFLUENT, OKA (n. p.). Moskova.

AFFLUENT, ORANGE (n. p.). Vaal.

AFFLUENT, ORÉNOQUE (n. p.). Caroni.

AFFLUENT, ORNE (n. p.). Noireau, Odon, Rouve.

AFFLUENT, OUBANGUI (n. p.). Ouellé, Texel, Uélé.

AFFLUENT, PACIFIQUE, OCÉAN (n. p.). Columbia, Fraser.

AFFLUENT, PARAGUAY (n. p.). Bermejo, Pilcomaya.

AFFLUENT, PARANA (n. p.). Iguaçu, Iguazu, Paraguay, Praguay, Rio Grande, Salado.

AFFLUENT, PÔ (n. p.). Adda, Bormida, Doire, Dora, Mincio, Oglio, Sesia, Tanaro, Tessin, Ticini, Trébie.

AFFLUENT, RESTIGOUCHE (n. p.). Matapédia.

AFFLUENT, RHIN (n. p.). Aar, Aare, Ill, Lahn, Lauter, Lek, Lippe, Main, Moder, Moselle, Neckar, Ruhr.

AFFLUENT, RHÔNE (n. p.). Ain, Ardèche, Arve, Aude, Borgne, Cèze, Drôme, Durance, Fier, Gard, Gardon, Gier, Hérault, Isère, Saône, Var.

AFFLUENT, ROUGE (n. p.). Assiniboine.

AFFLUENT, SAAL (n. p.). Elster.

AFFLUENT, SAINT-LAURENT (n. p.). Assomption, Bécancour, Bergeronnes, Betsiamites, Châteauguay, Chaudière, Godbout, Jacques-Cartier, Moisie, Montmorency, Richelieu, Rivière du Loup, Manicouagan, Maskinongé, Mille-Isles, Ottawa, Outaouais, Pentecôte, Richelieu, Rivière des Prairies, Saguenay, Saint-Charles, Saint-François, Saint-Maurice, Saguenay.

AFFLUENT, SAÔNE (n. p.). Dheune, Doubs, Ognon, Seille.

AFFLUENT, SARTHE (n. p.). Huisne, Loir, Mayenne.

AFFLUENT, SEBOU (n. p.). Fes.

AFFLUENT, SEINE (n. p.). Aisne, Andelle, Aube, Epte, Erdre, Essonne, Eure, Indre, Iton, Loing, Marne, Morge, Oise, Orge, Rille, Risle, Ture, Yonne.

AFFLUENT, SÉNÉGAL (n. p.). Falémé.

AFFLUENT, SHANNON (n. p.). Suck.

AFFLUENT, SKAGERRAK (n. p.). Glamma, Glomma.

AFFLUENT, SÛRE (n. p.). Alzette.

AFFLUENT, TAGE (n. p.). Manzanares.

AFFLUENT, TARN (n. p.). Agout, Aveyron, Dourbie, Jonte.

AFFLUENT, TIBRE (n. p.). Allia, Anio, Teverone.

AFFLUENT, TIGRE (n. p.). Diuala, Zab.

AFFLUENT, TISZA (n. p.). Cris, Mures, Somes, Syamos.

AFFLUENT, TOCANTINS (n. p.). Araguaia.

AFFLUENT, TURKANA (n. p.). Omo.

AFFLUENT, URUGUAY (n. p.). Parana.

AFFLUENT, VAR (n. p.). Cians, Vésubie.

AFFLUENT, VARDAR (n. p.). Cerna.

AFFLUENT, VIENNE (n. p.). Clain, Creuse.

AFFLUENT, VILAINE (n. p.). Ille, Oust.

AFFLUENT, VISTULE (n. p.). Boug, bug, Narev, Narew.

AFFLUENT, VOLGA (n. p.). Kama, Oka.

AFFLUENT, WESER (n. p.). Aller, Diemel, Hunte.

AFFLUENT, YANGZI-JIANG (n. p.). Han-Chouei, Han-Shui, Yalong-Jiang.

AFFLUENT, YONNE (n. p.). Armancon, Cure, Serein.

AFFLUENT, YUKON (n. p.). Klondike.

AFFLUENT, ZAÏRE (n. p.). Aruwimi, Kasaï, Kassaï, Lomami, Oubangui, Sangha.

AFFLUER. Abonder, aboutir, arriver, couler, drainer, encombrer, foisonner, grouiller, marée, peupler, pulluler.

AFFLUX. Affluence, apoplexie, boom, bouchon, congestion, débordement, déferlement, flopée, flot, foule, ruée, rush.

AFFOLANT. Alarmant, angoissant, bouleversant, dangereux, dramatique, effrayant, épouvantable, inquiétant, terrible, troublant.

AFFOLÉ. Agité, angoissé, anxieux, apeuré, bouleversé, désemparé, effrayé, ému, éperdu, inquiet.

AFFOLEMENT. Agitation, angoisse, désarroi, embarras, émotion, inquiétude, panique, peine, peur, scrupule, transe.

AFFOLER. Agiter, alarmer, affrioler, angoisser, bouleverser, chambarder, chambouler, chavirer, dépêcher, déraisonner, effrayer, épouvanter, hâter, inquiéter, paniquer, perdre, perturber, terrifier, tourmenter, tournebouler, troubler.

AFFOUAGE. Affouagiste, bois, bois de chauffage, coupe de bois, droit, impôt, taxe.

AFFOUILLEMENT. Approfondissement, creusage, déblai, défoncement, forage, percement, riser, sonde.

AFFOUILLER. Affouillement, creuser, dégrader, enlever, éroder, excaver, miner, raviner, ronger, saper.

AFFRANCHI (n. p.). Christophe, Cimabue, Épictète, Ésope, Narcisse, Pallas, Pareja, Térence.

AFFRANCHI. Affidé, alleu, cave, complice, confident, dur, émancipé, franc, indépendant, libre, séide, serf.

AFFRANCHIR. Débarrasser, dégager, délivrer, émanciper, exempter, informer, libérer, renseigner, sauver, timbrer.

AFFRANCHISSEMENT. Acquittement, délivrance, émancipation, évacuation, libération, manumission, rachat, timbrage.

AFFRES. Angoisse, calvaire, douleur, élancement, enfer, horreur, lancination, supplice, torture, tourment, transe.

AFFRÈTEMENT. Agence, chargement, charte-partie, charter, contrat, nolisage, nolisement, transbordement.

AFFRÉTER. Charger, charter, chartériser, fret, fréter, louage, louer, noliser, pourvoir, transport.

AFFRÉTEUR. Apostole, armateur, baraterie, charter, fréteur, galioniste, répartiteur, shipchandler, spadassin, subrécargue.

AFFREUSEMENT. Atrocement, épouvantablement, extrêmement, horriblement, laidement, terriblement, vilainement.

AFFREUX. Abominable, atroce, crime, cruel, dégoûtant, désagrément, détestable, douloureux, effrayant, effroyable, épouvantable, hideux, horreur, horrible, inesthétique, laid, méchant, monstrueux, repoussant, terrible, vilain.

AFFRIANDANT. Affolant, affriolant, agaçant, aguichant, aimable, alléchant, allécher, appétissant, attirant, bandant, charmant, désirable, émoustillant, engageant, ensorcelant, excitant, folichon, plaisant, séduisant, tentant.

AFFRIANDER. Affrioler, allécher, amorcer, appâter, attirer, exciter, plaire, ragoûter, séduire, tenter.

AFFRIOLANT. Affolant, affriandant, agaçant, aguichant, aimable, alléchant, allécher, appétissant, attirant, bandant, charmant, désirable, émoustillant, engageant, ensorcelant, excitant, folichon, plaisant, séduisant, tentant.

AFFRIOLER. Aguicher, allécher, allumer, amorcer, appâter, attirer, charmer, étaler, ragoûter, séduire, tenter.

AFFRONT. Attaque, atteinte, avanie, blasphème, bravade, brimade, camouflet, colibet, déshonneur, fuite, gifle, honte, humiliation, infamie, injure, insulte, mépris, offense, opprobre, outrage, péché, rebuffade, refus, soufflet, vanne.

AFFRONTEMENT. Attaque, choc, combat, compétition, concurrence, conflit, contentieux, défi, échange, heurt, lutte.

AFFRONTER. Attaquer, braver, combattre, défier, exposer, heurter, lutter, matcher, mesurer, opposer, risquer.

AFFRUITER. Arboculture, planter, porter, produire.

AFFUBLEMENT. Accoutrement, attirail, bizarre, défroque, déguisement, fagotage, habillement, mascarade.

AFFUBLER. Accoutrer, agayonner, amancher, coller, déguiser, donner, fagoter, gratifier, habiller, harnacher, vêtir.

AFFUSION. Arrosage, aspersion, bassinage, injection, irrigation, irroration, mouillage, trempage.

AFFÛT. Artillerie, cache, canon, chasse, crosse, embuscade, flasque, guet, palombière, support, tourillon, trépied.

AFFÛTAGE. Affilage, aiguisage, aiguisement, appointage, émorfilage, émoulage, repassage.

AFFÛTER. Acérer, affiler, affûtage, affûteur, agacer, aiguiser, appointer, appointir, dégrossir, émoudre, repasser.

AFFÛTEUR. Affileur, aiguiseur, chasseur à l'affût, limeur, ouvrier, rémouleur, repasseur.

AFFÛTIAUX. Accoutrement, affiquet, affublement, attirail, bagatelle, bijou, déguisement, fagotage, mascarade, objet, outil, pacotille, parure, quincaillerie.

AFGHAN. Chien, dari, kabouli, langue, lévrier, manteau, pachto, pachtou, persan, taliban, veste.

AFGNANE (n. p.). Gula.

AFGHANISTAN, CAPITALE (n. p.). Kaboul.

AFGHANISTAN, LANGUE. Dari, ouzbek, pachtou.

AFGHANISTAN, MONNAIE. Afghani.

AFGHANISTAN, VILLE (n. p.). Aqchah, Asadabad, Aybak, Baghln, Bamiyan, Charikar, Faizabad, Farah, Faiz‰b‰d, Gardez, Ghazni, Harat, Herat, Jalalabad, Kaboul, Kabul, Kandahar, Konduz, Lashkargh, Mahmud, Maidan, Maimana, Meymaneh, Mihtarlam, Pulialam, Qalat, Qandahar, Raqi, Sharan, Shibirghan, Shindand, Taluqan, Zaranj.

AFIN. Avenue, but, cause, cible, désir, dessein, direct, direction, en, fin, final, goal, idée, intention, mire, mission, objectif, objet, où, panier, pinta, point, pour, prétention, rêve, sinueux, stratégie, terme, tir, tortueux, vers, visée, vue.

AFICIONADO. Amoureux, ardent, boutefeu, brutal, captivé, chaud, dévorant, enflammé, enragé, enthousiaste, éperdu, épris, exalté, excité, fana, féru, fervent, fou, mordu, passionné, véhément, violent.

AFRICAIN. Africaniste, alfa, algérien, amome, angolais, ben, bled, centrafricain, congolais, dahoméen, doum, égyptien, éthiopien, gabonais, gnou, griot, kola, libérien, libyen, malgache, malien, marocain, mauritanien, naja, nubien, panafricain, rhodésien, rwandais, sénégalais, somalien, soudanais, tanzanien, togolais, toubab, tunisien, ugandais.

AFRIQUE AUSTRALE (n. p.). Afrique du Sud, Botswana, Lesotho, Namibie, Swaziland.

AFRIQUE CENTRALE (n. p.). Cameroun, Centrafrique, Congo (Brazza), Congo (Kinshasa), Gabon, Guinée Équatoriale, Sao Tomé.

AFRIQUE DE l'EST (n. p.). Burundi, Kenya, Ouganda, Rwanda, Tanzanie.

AFRIQUE DU NORD-EST (n. p.). Djibouti, Érythrée, Éthiopie, Somalie,

AFRIQUE ÉQUATORIALE (n. p.). AE, AEF, Gabon, Tchad.

AFRIQUE ÉQUATORIALE FRANCAISE (n. p.). AEF.

AFRIQUE EXTRÊME-ORIENTALE (n. p.). Cap-Vert, Gambie, Guinée, Guinée-Bissau, Libéria, Sénégal, Sierra Léone.

AFRIQUE OCCIDENTALE (n. p.). AOF, Burundi, Côte d'Ivoire, Dahomey, Guinée, Haute-Volta, Mauritanie, Niger, Rouanda, Ruanda, Sénégal, Soudan, Tanganyika.

AFRIQUE ORIENTALE (n. p.). Buganda, bouganda, Burundi, Djibouti, Érythrée, Éthiopie, Kenya, Malawi, Ouganda, Rhodésie, Rwanda, Tanganyika, Tanzanie.

AFRIQUE SAHÉLIENNE (n. p.). Burkina Faso, Mali, Niger, Tchad.

AFRIQUE SEPTENTRIONALE (n. p.). Nubie, Sahara.

AFRIQUE SUD-TROPICALE (n. p.). Angola, Malawi, Mozambique, Zambie, Zimbabwe.

AGA. Agha, attention, averse, bachaga, caïd, chef, khan, officier, ottoman, ponte, regarde, sultan.

AGAÇANT. Achalant, agouant, aguichant, alléchant, capiteux, contrariant, crispant, déplaisant, désagréable, échauffant, embêtant, énervant, exaspérant, érotique, horripilant, irritant, provocant, rageant.

AGACÉ. Embêté, énervé, ennuyé, exaspéré, excédé, fâché, fébrile, horripilé, impatient, indisposé, irrité, nerveux.

AGACE. Agaçant, crispant, désagréable, embêtant, énervant, enquiquinant, exaspérant, excédant, fatigant, harcelant, importun, inopportun, insupportable, irritant, irrite, pie.

AGACEMENT. Contrariété, déplaisir, désagrément, énervement, exaspération, impatience, irritation, nervosité, ordonnance.

AGACER. Affûter, asticoter, bisquer, contrarier, casser les pieds, courir sur le haricot, crisper, déplaire, embêter, énerver, ennuyer, enquiquiner, enrager, escagasser, exaspérer, exciter, fâcher, harceler, hérisser, horripiler, importuner, irriter, lasser, provoquer, taquiner, tourmenter.

AGACERIE. Avance, coquetterie, grimace, manières, mignardise, minauderie, parole, simagrée, singerie, taquinerie.

AGAME. Célibataire, étamine, fécondation, iguane, margouillat, parthénogénétique, reproduction, reptile, saurien.

AGAMEMNON (n. p.). Astrée, Cassandre, Clytemnestre, Égisthe, Électre, Iphigénie, Ménélas, Oreste.

AGAMIDÉ. Agame, épineux, fouette-queue, iguane, lézard, margouillat, moloch, saurien.

AGAPE. Banquet, bombance, bombe, festin, fête, gueuleton, régal, réjouissances, repas, ripaille, syssities, ventrée.

AGAR-AGAR. Gelée, gelidium, gélose, laxatif, mousse de Ceylan, mousse du Japon, mucilage.

AGARIC. Agaricacée, amadouvier, balliote, barigoule, basidiomycète, champignon, champignon de Paris, colimaçon, coucoumelle, phalloïde, pratella, psalliote, rose des prés, russule.

AGARICACÉE. Agaric, amanite, clitocybe, collybie, coprin, entolome, golmote, golmotte, hypholome, lactaire, lépiote, marasme, meunier, oronge, pholiote, pleurote, psalliote, russule, volvaire.

AGASSIN. Acné, axillaire, bourgeon, bouton, bulbille, caïeu, cayeu, chaton, chou-palmiste, drageon, embryon, gemme, gemmule, germe, greffe, greffon, maille, œil, pousse, rejeton, scion, stolon, tendron, turion.

AGATE. Bille, calcédoine, camée, cilice, cornaline, jaspe, onyx, pierre, pite, roche, sardoine, sardonyx, silice, tapis de sisal.

AGATISÉ. Brillant, changeant, chatoyant, coloré, diapré, gorge-de-pigeon, miroitant, moiré, versicolore.

AGAVACÉE. Agave, dragonnier, phormion, phormium, sansevière, sisal, tubéreux, yucca

AGAVE. Abécédaire, aloès, ixtle, mescal, pite, pitta, plante, pulque, sansevière, sisal, tampico, tequila.

AGAYONNER. Accoutrer, affubler, amancher, attifer, enharnacher, fagoter, ficeler, harnacher.

ÂGE, LUNE. Comput, épacte, nubile.

ÂGÉ. Adolescence, aîné, ancien, ans, avancé, caduc, cep, charrue, chenu, croulant, décati, déclassé, démodé, doyen, enfance, ère, faible, gâteux, jeunement, labour, maturité, nonagénaire, sénile, sep, tard, temps, usé, vétéran, vie, vieil, vieillard, vieille, vieux.

AGENCE (n. p.). ACP, AFD, AFME, AFP, AIE, ANPE, AP, APS, ASC, Associated Press, CIA, ESA, FBI, NASA, NSA, ONA, PC, PTI, REUTER, SPA, TASS, UPI.

AGENCE. Affaire, bureau, cabinet, chantier, commerce, entreprise, organisation, organisme, service, succursale.

AGENCEMENT. Accommodation, ajustement, aménagement, arrangement, combinaison, composition, contexture, coordination, décor, disposition, drapé, enchaînement, mécanisme, ordonnance, ordre, organisation, structure, texture.

AGENCER. Ajuster, aménager, architecturer, arranger, combiner, composer, concevoir, coordonner, décorer, déterminer, disposer, distribuer, embellir, enchaîner, goupiller, installer, lier, meubler, monter, ordonnancer, ordonner, organiser, parer, présenter.

AGENDA. Aide-mémoire, alphapage, année, cahier, calendrier, calepin, carnet, manifold, mémento, mémo, ordre du jour, organisateur, pense-bête, programme, registre, rendez-vous, semainier, vade mecum.

AGENOUILLEMENT. Complaisance, génuflexion, humiliation, inclinaison, prosternation, prosternement, prostration.

AGENOUILLER. Abaisser, admirer, adorer, aplatir, coucher, humilier, incliner, orant, prier, prosterner, ramper.

AGENOUILLOIR. Accotoir, accoudoir, appui-bras, balcon, balustrade, bras, genou, prie-Dieu, protection, repose-bras, support, soutien.

AGENT. Action, affidé, âme, ami, archer, argousin, assureur, bailli, barbouze, bras, câbliste, casernier, cause, cautère, cogne, collaborateur, commerçant, commis, consul, courtier, cycliste, détective, émissaire, employé, espion, estafette, facteur, ferment, flic, fonctionnaire, fréon, gardien, gérant, gouverneur, îlotier, imprésario, inspecteur, instrument, intendant, intermédiaire, mandataire, mordant, mouchard, moyen, objet, officier, opérateur, pivot, police, policier, poulet, principe, prion, représentant, salarié, sbire, schupo, séide, sénéchal, taupe, vigie, virus.

AGENT DE POLICE. Argousin, cogne, constable, flic, hirondelle, îlotier, inspecteur, officier, policeman.

AGENT SECRET (n. p.). Éon.

AGERATUM. Agérate, célestine, composée, eupatoire, fleur.

AGGLOMÉRAT. Accrétion, accumulation, agglutinat, agrégat, amas, bloc, concentration, conglomérat, entassement.

AGGLOMÉRATION. Accrétion, association, banlieue, bidonville, bloc, bourg, bourgade, camp, campement, capitale, centre, cité, cité-dortoir, colonie, concentration, conurbation, douar, écart, grappe, groupement, métropole, noyau, ruche, synderme, tribu, union, village, ville, ville-dortoir.

AGGLOMÉRÉ. Amas, bloc, briquette, combustible, hourdis, masse, moellon, panneau, parpaing, staff, stuc, synderme.

AGGLOMÉRER. Agglutiner, agréger, amasser, conglomérer, entasser, feutrer, frittage, granuler, joindre, presser.

AGGLUTINANT. Adhésif, cafre, collant, colle, floculent, glutineux, poix.

AGGLUTINATION. Adhésivité, agglutination, compacité, crassitude, glutination, mucilage, résistance, viscosité.

AGGLUTINER. Agglomérer, agglutination, agréger, amasser, assembler, cokéfiant, coller, entasser, joindre, lier, réunir, unir.

AGGRAVATION. Accrue, addition, augmenter, crue, enchère, exagération, inflation, recrudescence, redoublement, risée.

AGGRAVER. Accentuer, accroître, aigrir, alléger, alourdir, améliorer, amplifier, atténuer, augmenter, calmer, charger, compliquer, crise, détériorer, développer, diminuer, empirer, enfoncer, envenimer, escalade, exaspérer, exciter, fatiguer, pire, progresser, récidiver, redoubler, surcharger.

AGHA. Aga, caïd, chef, officier, ottoman, sultan, turc.

AGILE. Adroit, aisé, alerte, allègre, dispos, fringant, habile, ingambe, intrigant, léger, leste, maniganceur, manipulateur, preste, prompt, rapide, sémillant, souple, valide, véloce, vif.

AGILEMENT. Adroitement, cabale, congère, intrigue, ligue, machination, manigance, manœuvre, menée, voie.

AGILITÉ. Adresse, aisance, brio, dextérité, élasticité, élégance, entrain, facilité, flexibilité, grâce, impétuosité, légèreté, maîtrise, pétulance, prestesse, promptitude, rapidité, souplesse, vitesse, vivacité.

AGIOTAGE. Accaparement, affairisme, agio, boursicotage, change, concussion, finance, spéculation, valeur.

AGIOTER. Accaparer, agio, arnaquer, boursicoter, hasarder, finance, jouer, miser, spéculer, traficoter, tripoter.

AGIOTEUR. Accapareur, baissier, boursicoteur, haussier, initié, margoulin, spéculateur, thésauriseur, trafiquant, zinzin.

AGIR. Actionner, activer, aller, animer, comporter, conduire, contrevenir, contribuer, coopérer, démériter, employer, faire, influer, influencer, intervenir, lambiner, lésiner, mener, militer, œuvrer, opérer, oser, procéder, régner, remuer, renarder, rétroagir, ruser, trahir, traiter, travailler, user, venir, vivre.

ÂGISME. Différenciation, discrimination, distinction, racisme, ségrégation, séparation.

AGISSANT. Actif, allant, dynamique, effectif, efficace, efficient, énergique, entreprenant, lambinant, opérant, puissant.

AGISSEMENTS. Action, aventure, combine, comportement, conduite, cuisine, hérésie, intrigue, machination, magouille, manège, manière, manigance, manœuvre, menées, micmac, pratique, procédé, ruse, tractation, tripotage.

AGITATEUR. Baguette, émeutier, entraîneur, factieux, fasciste, fomenteur, illégal, insurgé, meneur, mutin, perturbateur, provocateur, réactionnaire, révolté, révolutionnaire, sectaire, séditieux, subversif, troubleur, trublion.

AGITATEUR ANGLAIS (n. p.). Tyler.

AGITATEUR FRANÇAIS (n. p.). Huber

AGITATEUR HONGROIS (n. p.). Kun.

AGITATEUR IRLANDAIS (n. p.). O'Connell.

AGITATEUR JUIF (n. p.). Barabas, Barabbas.

AGITATEUR ROMAIN (n. p.). Clodius.

AGITATION. Activité, animation, apaisement, barattement, bousculade, calme, clapotement, coi, confusion, crise de nerfs, délire, effervescence, émeute, émoi, émotion, fermentation, fièvre, flux, frémissement, grogne, grouillement, houle, inquiétude, ire, mouvement, nervosité, orage, pacification, quiet, reflux, remous, tempête, tohu-bohu, tremblement, trouble, tumulte, turbulence.

AGITÉ. Actif, affolé, agile, animé, calme, écume, effervescent, ému, éperdu, excité, fébrile, fiévreux, gros, houleux, inquiet, mouvementé, nerveux, orageux, remué, tempétueux, tourmenté, trépidant, tressauté, troublé, tumultueux, turbulent, vague, vif.

AGITER. Activer, affairer, affoler, ballotter, baratter, barboter, battre, bercer, bouger, bouleverser, bousculer, brandiller, brandir, branler, brasser, brouiller, cahoter, démener, discuter, ébranler, ébrouer, émouvoir, encenser, exciter, frémir, frétiller, frissonner, gesticuler, gigoter, inquiéter, mêler, mouvoir, piétiner, remuer, secouer, soulever, spéculer, touiller, tourmenter, tournicoter, traiter, transporter, trembler, troubler, vibrionner.

AGLOSSA. Grenouille, lépidoptère, papillon, teigne de la graisse.

AGNAT. Allégorique, allusif, bas-côté, biais, cognat, collatéral, détourné, dommage, implicite, indirect, latéral, oblique, parent, ricochet, voilé.

AGNATHE. Cyclostome, lamproie, myxine, myxiniforme, pétromysontiforme, sacabambaspis, vertébré.

AGNATION. Alliance, ascendance, branche, cognation, degré, descendance, dynastie, famille, généalogie, parenté.

AGNEAU. Agnel, agnelet, agnelle, antenais, astrakan, baron, bélier, boucherie, broutard, côtelette, doux, épigramme, filet, gigot, méchoui, monnaie, mouton, pacifique, pâque, pâques, pascal, ris, selle, vacive, vassiveau.

AGNELER. Accoucher, concevoir, créer, enfanter, engendrer, générer, pouliner, procréer, produire, vêler.

AGNELINE. Bure, bourre, cardigan, carmeline, cheviotte, chèvre, corde, coton, couaille, étaim, lainage, laine, lanice, loden, mère, mite, mohair, mouton, noces, ouate, poil, ruban, satin, sorie, toison, tonte, tuque, tweed, vigogne.

AGNOSIE. Acalculie, affection, alexie, amusie, apraxie, astéréognosie, asymbolie, cécité, somatognosie, surdité.

AGNOSTICISME. Apostasie, athéisme, blasphème, désacralisation, doute, froideur, gentilité, hérésie, impiété, incrédulité, incroyance, indifférence, infidélité, irréligion, libertinage, matérialisme, paganisme, panthéisme, péché, polythéisme, profanation, reniement, sacrilège, scandale, scepticisme.

AGNOSTIQUE. Antireligieux, areligieux, athée, impie, incrédule, incroyant, irréligieux, libertin, mécréant, sceptique.

AGNUS-CASTUS. Arbrisseau, calmant, gattilier, tomenteux, verbénacées.

AGONIE. Affliction, calvaire, coma, douleur, extrémité, glas, lancination, martyre, mort, souffrances, supplice, torture.

AGONIR. Accabler, engueuler, injurier, insulte, insulter, invectiver, maudire, râler, souffrir, vilipender.

AGONISANT. Accablant, crevard, expirant, foutu, moribond, mourant, naze, raide, râleur.

AGONISER. Décliner, dégrader, délabrer, dépérir, détériorer, effondrer, éteindre, expirer, mourir, péricliter.

AGONISTE. Antagoniste, antitussif, codéine, congénère, gymnaste, muscle, paveral, pholcodine.

AGORA. Carré, espace, esplanade, forum, parvis, piazza, place, rond-point, square.

AGORAPHOBIE. Affres, angoisse, anxiété, appréhension, claustrophobie, crainte, désarroi, détresse, effroi, frayeur, infortune, inquiétude, insomnie, nervosité, peur, phobie, serre, stress, tourment, trac, transe, trouble.

AGOUTI. Animal, aulacode, dasyproctidé, dolichotis, lagidium, lagotis, mara, paca, rongeur, viscache.

AGRAFE. Attache, boucle, broche, clip, crampe, crochet, épingle, épinglette, fermail, fermoir, ferret, fibule.

AGRAFER. Accrocher, appréhender, arraisonner, arrêter, assembler, attacher, boucler, déboucher, épingler, fermer, fixer, joindre, maintenir, prendre, retenir.

AGRAIRE. Âcre, agrarien, agricole, agronomique, aratoire, are, arpent, cultural, foncier, perche, rural, terre, verge.

AGRAMMATISME. Arriération, asystolie, carence, défaut, déficience, faiblesse, hypoplasie, idiotie, impéritie, inaptitude, incapacité, incompétence, insuffisance, lacune, manque, médiocrité, myxœdème, pauvreté, supplétoire, tolérance, urémie, vicariant.

AGRANDIR. Accroître, allonger, amplifier, arrondir, augmenter, bander, croître, démesurer, développer, dilater, doubler, égueuler, élargir, élever, enfler, étendre, étirer, évaser, gonfler, grandir, grossir, hausser, mandriner, pousser.

AGRANDISSEMENT. Allongement, augmentation, croissance, élargissement, élongation, épreuve, extension, gonflement, photo, photographie, progression, prolongation, trucage, truquage, usurpation.

AGRAPHIE. Agnosie, alexie, aphasie, cécité, dyscalculie, dysgraphie, dyslogie, dyslalie, dyslexie, dysorthographie, incapacité, paralexie, trouble.

AGRAVITATION. Agravité, apesanteur, impesanteur, impondérabilité, non-pesanteur, microgravité.

AGRÉABLE. Aimable, attrayant, bath, beau, bel, bon, charmant, chic, chouette, cosy, délectable, délicat, délicieux, doux, exquis, friand, gentil, harmonieux, heureux, joli, pénible, plaisant, ragoûtant, riant, savoureux, séduisant, suave, succulent, sympathique, voluptueux.

AGRÉABLEMENT. Aimablement, bienheureusement, délicieusement, exquisément, joliment, plaisamment, savoureusement, voluptueusement.

AGRÉATION. Acceptation, accord, accréditation, adhésion, adoption, agréage, agréer, agrément, autorisation, ratifier.

AGRÉER. Accéder, accepter, acquiescer, accueillir, approuver, avaliser, cautionner, convenir, plaire, recevoir.

AGRÉGAT. Agglomérat, amas, assemblage, bloc, conglomérat, masse, nodule, paquet, réunion, sédiment, tas.

AGRÉGATION. Agréation, agrégatif, combinaison, concours, concrétion, homogène, motton, solvatation, université.

AGRÉGER. Accepter, accueillir, adjoindre, admettre, associer, incorporer, intégrer, joindre, recevoir, réunir.

AGRÉMENT. Acceptation, accord, approbation, assemtiment, attrait, bonheur, charme, choix, consentement, délice, douceur, fioriture, grâce, joie, oc, o.k., oui, plaisir, reconnaissance, sanction, sec, séduction.

AGRÉMENTER. Accessoiriser, agencer, ajouter, attrayez, colorer, décorer, diaprer, égayer, émailler, embellir, enjoliver, enrichir, épicer, garnir, habiller, orner, parer, rehausser, relever, renipper, varier.

AGRÈS. Apparaux, appareil, appât, armement, attirail, disgracié, engin, gréement, grément, laid, portique.

AGRESSER. Assaillir, attaquer, broquer, charger, chercher, colleter, foncer, heurter, provoquer, sauter, tomber.

AGRESSEUR. Adversaire, assaillant, attaquant, ennemi, offenseur, oppresseur, persécuteur, provocateur, violeur.

AGRESSIF. Acerbe, ardent, bagarreur, batailleur, belliqueux, colérique, combatif, criard, élaps, emporté, féroce, fou, hargneux, méchant, menaçant, provocant, querelleur, récessivité, revanchard, skin, teigneux, violent.

AGRESSION. Assaut, attaque, attentat, charge, déferlement, envahissement, intervention, invasion, irruption, stress.

AGRESSIVEMENT. Abruptement, brusquement, brutalement, carrément, crûment, directement, droit, durement, fermement, franc, inopinément, net, nettement, raide, rudement, soudainement, subitement, violemment.

AGRESSIVITÉ. Acerbité, brutalité, combativité, hargne, hostilité, malveillance, méchanceté, mordant, pugnacité, violence.

AGRESTE. Agraire, agricole, bucolique, campagnard, champêtre, forestier, pastoral, paysan, pastoral, rustique.

AGRICOLE. Agraire, agreste, agronomique, bucolique, campagnard, champêtre, cultivateur, paysan, rural, terrien.

AGRICULTEUR. Agrarien, agronome, areur, betteravier, colon, cultivateur, éleveur, exploitant, fermier, jardinier, labour, laboureur, maraîcher, partiaire, pasteur, paysan, paysannat, planteur, producteur, serriste, terrien.

AGRICULTURE (3 lettres). Rot, sol.

AGRICULTURE (4 lettres). Aide, dard, ente, urée, vert.

AGRICULTURE (5 lettres). Biser, colon, herse, jauge, larve, ouche, prime, purot, rayon, rejet, rural, surin, talle, terre.

AGRICULTURE (6 lettres). Berger, billon, dragée, épiage, gabion, herser, labour, lisier, marner, nouure, paysan, pralin, râteau, semeur, sevrer, taller, tarare, terrer, vanner.

AGRICULTURE (7 lettres). Batteur, céréale, culture, ébarber, écobuer, écusson, élevage, éleveur, emblave, émotter, enrayer, ensiler, étançon, étioler, faluner, fauchet, fermage, fermier, marnage, marneux, métayer, moyette, ouvrier, pâturer, pouture, terrien.

AGRICULTURE (8 lettres). Agrarien, agricole, agronome, aratoire, biloquer, brassier, bêcheron, chaintre, dépiquer, dessoler, éborgner, emblaver, émottage, engerber, ensilage, épiaison, jardiner, marcotte, nouaison, paisseau, pierrier, planteur, repiquer, rotation, rustique, tuteurer.

AGRICULTURE (9 lettres). Agronomie, déchaumer, déterrage, échaudage, éclaircir, emblavage, hivernage, lambourde, sauvageon.

AGRICULTURE (10 lettres). Déchaumage, déplantage, écussonner, étiolement, fumigateur, scarifiage, terreauter.

AGRICULTURE (11 lettres). Déchaussage, déterrement, motoculteur, motoculture.

AGRICULTURE (12 lettres). Acériculteur, hydroponique, provignement.

AGRICULTURE (13 lettres). Éclaircissage, scarification.

AGRIFFER. Accrocher, agricher, agripper, attacher, attraper, cramponner, greffer, raccrocher, retenir, tenir.

AGRION. Aeschne, archiptère, carnassier, demoiselle, hie, insecte, libellule, mademoiselle, odonate.

AGRIOTE. Coléoptère, élater, élatéridé, insecte, taupin, taupin des moissons, ver, ver fil de fer.

AGRIPAUME. Cardiaire, cardiaque, cheneuse, créneuse, labiée, léonure, méliasse, plante, queue-de-lion.

AGRIPPER. Accrocher, agriffer, attacher, attraper, cramponner, empoigner, happer, rattraper, retenir, saisir.

AGRIPPINE (n. p.). Britannicus, Caligula, Claude, Germanicus, Locuste, Narcisse, Néron, Pallas, Pandateria.

AGRONOME (n. p.). Borlaug, Demolon, Dombasle, Dumont, Gasparin, Godbout, La Quintinie, Lyssenko, Mitchourine, Schlœsing, Schribaux, Serres, Tisserand, Young.

AGRONOMIE. Agriculture, agroalimentaire, agrologie, étude, production, science, technologie.

AGRUME. Agrumiculture, bergamote, bigaradier, cédrat, cédratier, citron, citronnier, citrus, clémentine, clémentinier, grapefruit, kumquat, lime, limette, limettier, mandarine, mandarinier, orange, oranger, pamplemousse, pomelo, tangerine, zeste.

AGUERRIR. Accoutumer, affermir, amollir, blinder, conditionner, cuirasser, dresser, endurcir, entraîner, exercer, familiariser, former, fortifier, habituer, préparer, tremper.

AGUET. Affût, agachon, arrêt, attendre, embuscade, épier, épieur, espère, éveil, guetter, observation, qui-vive, surveiller.

AGUICHANT. Affriolant, aguicheur, allumeur, aphrodisiaque, émoustillant, érotique, impudique, lascif, provocant, sexy.

AGUICHANTE. Aguicheuse, allumeuse, attirante, lascive, mignonne, minette, nymphette, provocante, sexy.

AGUICHE. Abouète, achée, achet, aiche, amorce, appât, asticot, bloche, devon, èche, esche, leurre, manne.

AGUICHER. Affoler, affrioler, agacer, agourmandir, allécher, allumer, appâter, attirer, charmer, émoustiller, énerver, engager, ensorceler, envoûter, exciter, griser, minauder, provoquer, séduire, stimuler, teaser, tenter.

AGUICHEUR. Allumeur, batifoleur, casanova, cavaleur, charmeur, conquérant, coureur, cruiseur, don juan, dragueur, enjôleur, ensorceleur, envoûteur, flambeur, flirteur, gino, macho, maquereau, séducteur, tentateur, tombeur.

AHAN. Aïe, baréter, beuglement, bis, braillement, bramer, clameur, cri, crier, croassement, dia, éléphant, évoé, évohé, exclamation, glapissement, gloussement, haïe, han, haro, hue, huée, hurlement, jargon, réclame, roucoulement, rugissement, taïaut, tollé, vacarme, vagissement, vocifération.

AHANER. Abêtir, abrutir, ébahir, ébauhir, effarer, étonner, fatiguer, peiner, râloter, respirer, souffler, suer.

AHURI. Abasourdi, abruti, absurde, baba, ballot, bête, borné, confondu, demeuré, dépassé, ébahi, éberlué, ébouriffé, effaré, épaté, étonné, gaga, hébété, interdit, stupéfait, stupide, troublé.

AHURIR. Abasourdir, ébahir, ébaubir, époustoufler, étonner, étourdir, hébéter, sidérer, stupéfaire, stupéfier, troubler.

AHURISSANT. Abasourdissant, aberrant, bouleversant, confondant, époustouflant, étonnant, incroyable, sidérant, stupéfiant.

AHURISSEMENT. Abêtissement, ébahissement, effarement, étonnement, hébétude, saisissement, stupéfaction, stupeur.

AÏ. Bradype, édenté, inflammation, lémurien, lent, mammifère, mégathérium, paresseux, singe, synovite, tardigrade, unau.

AICHE. Abouète, achée, achet, aguiche, amorce, appât, asticot, bloche, devon, èche, esche, leurre, manne.

AIDANT. Acolyte, adjoint, aide, aide-soignant, alter ego, assesseur, assistant, associé, auxiliaire, collaborateur, compère, complice, exécutant, lamiste, lieutenant, naturel, préparateur, second, sous-chef.

AIDE. Adjoint, alun, appui, assistance, assistant, aumône, auxiliaire, avance, bourse, cadeau, canne, charité, collaborateur, complice, concours, contribution, coopération, don, engrais, entraide, grâce, incitation, loran, prêt, renfort, ressource, second, seconder, secours, service, servir, SOS, soutien, subside, subvention, tuteur.

AIDE DE CAMP (n. p.). Bertrand, Brialmont, Driant, Duroc, Fleury, Gourgaud, Hamilton, Juin, Junot, Lauriston, Mouton, Murat, Trochu.

AIDE-MÉMOIRE. Abrégé, agenda, bloc-notes, compendium, croquis, dessin, épitomé, guide, manuel, mémento, mémo, mémorandum, pense-bête, précis, recueil, résumé, synopsis, vadecum, vade-mecum.

AIDER. Agir, appuyer, assister, avantager, collaborer, concourir, contribuer, dépanner, épauler, faciliter, favoriser, guider, obliger, patronner, pousser, prêter, protéger, réhabiliter, seconder, secourir, servir, soulager, soutenir.

AIDE-SOIGNANT. Acolyte, adjoint, aidant, aide, assistant, associé, auxiliaire, compère, complice, lamiste, lieutenant, second.

AÏE. Cri, douleur, ouille, surprise.

AÏEUL. Aîné, ancestral, ancêtre, ascendant, géniteur, mânes, grand-père, parent, patriarche, prédécesseur, tué, vieux.

AÏEUL DE MAHOMET (n. p.). Hachémite, Hachimite.

AÏEUL DE PÉRICLÈS (n. p.). Clisthène.

AIGLE. Aétite, aiglon, aire, alérion, aquilin, autour, balbuzard, busard, buse, circaète, doré, épervier, étendard, faucon, glatir, glatit, grégate, gypaète, harpie, lutrin, milan, oiseau, orfraie, pêcheur, pygargue, raie, râle, rapace, royal, trompette, uraète, vautour, volatile.

AIGLEFIN. Cabillaud, églefin, escroc, gade, gadidé, haddock, mélanogrammus, merluche, morue noire, poisson.

AIGRE. Acariâtre, acerbe, acide, âcre, aigrelet, aigu, amer, âpre, blessant, criard, désagréable, froid, ginglet, ginguet, malveillant, mordant, perçant, piquant, revêche, rude, sur, suri, tourné, vert, vif.

AIGREFIN. Arnaqueur, bandit, brigand, coquin, escroc, faisan, filou, fourbe, kleptomane, rusé, voleur.

AIGRELET. Acescent, acide, acidulé, âcre, aigre, aigri, alisé, amer, ginglet, ginguet, piquant, piqué, sur, suret.

AIGREMOINE. Eupatoire, francormier, guillaume, rosacée, soubrette, thé des bois, thé du nord, tisane.

AIGRETTE. Bleue, casoar, crête, faisceau, garzette, huppe, neigeuse, ornement, panache, plume, plumet, roussâtre.

AIGREUR. Acidité, âcreté, acrimonie, amertume, animosité, brûlure, dépit, goût, hargne, rancœur, rudesse, verdeur.

AIGRI. Acide, acidulé, âcre, aigrelet, aigu, altéré, amer, âpre, doux, dur, fiel, froid, piqué, raide, rance, rude, sec, sûr, suret, suri, tourné, vert, vif.

AIGRIN. Arbre, brindille, dard, égrain, égrin, poire, poirier, pomme, pommier, tigre.

AIGRIR. Acidifier, aggraver, aigre, aigri, altérer, corrompre, dégoûté, désabusé, désenchanté, enfieller, envenimer, exaspérer, indisposer, irriter, puron, rancunier, sombre, surir, tourner.

AIGU. Acéré, acuité, aigre, angle, âpre, coupant, criard, cuire, cuisant, effilé, épine, fifre, fin, glapissant, grave, grêle, grinçant, haut, incisif, musique, pénétrant, perçant, perce, pique, pointu, scie, strident, stridulant, subtil, tranchant, vif, violent.

AIGUAIL. Gelée, givration, gouttelette, matinal, perle, pleur, rosée, rosifère.

AIGUE-MARINE. Béryl, bésicles, émeraude, gemme, héliodore, morganite, pierre, précieuse.

AIGUIÈRE. Anse, aquamanile, bassin, fontaine, lavabo, vase.

AIGUILLAGE. Axe, cardinal, constante, direction, écholocation, engagement, épitaxie, exposition, ligne, manœuvre, orientation, position, sens, situation, taxie, tendance, tournant, tournure, trajectoire, voie.

AIGUILLAT. Acanthias, chien de mer, émissole, poisson, requin, saumonette, sagre, squale.

AIGUILLE (n. p.). Cervin, Goûter, Midi, Pravaz.

AIGUILLE. Acupuncture, boussole, cadrature, carrelet, chas, clocher, dard, déclinatoire, épieu, épine, épinglette, index, languette, nageoire, obélisque, orphie, passe-lacet, pin, pinacle, saperde, tarière, telson, tourillon, trotteuse.

AIGUILLER. Animer, conduire, diriger, encourager, exciter, guider, inciter, orienter, stimuler, tricoter.

AIGUILLETTE. Aloyau, bavette, contre-filet, cordon, épaule, ferret, lacet, orphie, romsteak, t-bone, volaille.

AIGUILLEUR. Cheminot, contrôleur, dispatcher, horloger, navigateur, régulateur.

AIGUILLIER. Boîte, boîtier, carquois, cartouchière, cassette, coffin, dé, douille, écrin, enveloppe, étui, fourreau, gaine, gourde, holster, housse, onglon, nécessaire, pochette, portefeuille, sac, taud, taude, trousse, tube.

AIGUILLON. Arête, bâton, bec, bœuf, chas, crochet, dard, dent, éperon, épine, excite, fémelot, fibule, incitation, inerme, motivation, œil, piquant, pique, rostre, spicule, stimulant, stimule.

AIGUILLONNER. Aiguiser, animer, applaudir, approuver, appuyer, attiser, conforter, diriger, encourager, enflammer, enfoncer, engager, entraîner, éperonner, exalter, exciter, exhorter, fouetter, piquer, stimuler.

AIGUILLOT. Barre, fémelot, ferrure, gouvernail, safran, timon.

AIGUISAGE. Affilage, affûtage, aiguisement, appointage, émorfilage, émoulage, repassage.

AIGUISÉ. Acéré, affilé, affûté, aigu, effilé, émoulu, incisif, pénétrant, perçant, pointu, sagace, subtil, tranchant.

AIGUISE-CRAYON. Affiloir, affûtoir, aiguisoir, fusil, lime, meule, périgueux, pierre, queux, taille-crayon, tournefil.

AIGUISER. Acérer, activer, affiler, affûter, agacer, aiguillonner, appointer, blanchir, chever, dégrossir, écacher, émorfiler, émoudre, exciter, fusil, meule, meuler, meulette, queue, repassage, repasser, tranchant.

AIGUISEUR. Affileur, affûteur, aiguisoir, émouleur, rémouleur, repasseur.

AIGUISOIR. Affiloir, affûtoir, aiguise-crayon, fusil, lime, meule, périgueux, pierre, queux, taille-crayon, tournefil.

AIL. Aillade, allium, arôme, aulx, cébillon, ciboule, ciboulette, cive, civette, condiment, fausse échalote, épice, genette, gousse, herbe, légume, liliacée, moly, nard, oignon, pistou, plante, rocambole.

AILANTE. Arbre, bombyx, cymthia, papillon, simarubacée, vernis du Japon.

AILE. Abri, addition, aileron, alaire, aliforme, aptère, aviateur, aviation, branche, delta, élytre, empennage, envergure, flanc, intrados, nervure, pale, penne, plume, rémige, spoiler, tache, talonnière, voile, voilure, volant, voler, volet.

AILERON. Abattis, aile, ailette, console, contrefort, dérive, élevon, empennage, extrémité, lame, manche, mancheron, manchette, nageoire, panneau, quille, repli, volet.

AILETTE. Aile, aileron, aube, bombe, empennage, lamelle, pale, palette, plaquette, stabilisateur.

AILIER. Avant, droit, équipier, extérieur, gauche, inter, joueur.

AILLADE. Ail, allium, aulx, cébillon, ciboulette, cive, civette, gousse, légume, moly, oignon, pistou, rocambole.

AILLEURS. Absent, alibi, aussi, autre, autrement, dehors, déplanter, loin, lointain, lune, reporter, rêver, route.

AILLOLI. Aillade, aïoli, bouillabaisse, bourride, mayonnaise, morue, provençale, rouille, sauce.

AIMABLE. Accort, accueillant, affable, agréable, amène, attentionné, avenant, bienveillant, bon, charmant, complaisant, délicat, doux, facile, gentil, gracieux, joli, mignon, obligeant, plaisant, poli, prévenant, riant, sociable.

AIMABLEMENT. Adorablement, affablement, agréablement, amicalement, bien, chaleureusement, chouettement, complaisamment, cordialement, délicatement, gentiment, poliment, sympathiquement.

AIMANT. Affectueux, amoureux, cajoleur, câlin, caressant, enivré, éperdu, féru, minéral, œrstite, tendre, touche.

AIMANTATION. Aclinique, action, boussole, induction, magnétisme, polarité, rémanence, répulsion.

AIMANTER. Aimantation, attirer, charmer, électro-aimant, fasciner, hypnotiser, magnétiser, suggérer.

AIMÉ. Adoré, bien-aimé, blairé, cher, chéri, doudou, entr'aimé, érotomanie, mal-aimé, popularité, préféré, secoureur.

AIME. Affriolant, agréable, alléchant, amateur, avide, friand, gourmand, gourmet, pâté, tentant.

AIMER. Adorer, affectionner, amouracher, apprécier, attacher, blairer, brûler, chérir, convoiter, délecter, demander, désirer, envier, espérer, esthète, estimer, favori, fraterniser, goûter, idolâtrer, idolâtrie, intéresser, plaire, préférer, raffoler, vénérer.

AINE. Alinette, apex, archet, badine, baguette, bâton, enfourchure, entrecuisse, entrejambe, érythrasma, hanche, inguinal, pli.

AÎNÉ. Âge, ancêtre, ancien, baderne, birbe, concepteur, doyen, patriarche, premier-né, primogéniture, vieillard, vieux.

AÎNESSE. Aîné, antériorité, avant, droit, pré, précellence, premier-né, préséance, prima, primauté, prioritaire, priorité, progéniture.

AÎNESSE (n. p.). Ésaü.

AINSI. Amen, aussi, cela étant, comme, conséquent, de même que, dit, donc, et, façon, fait, ita, manière, même, montré, pareil, partant, presque, quasiment, réitération, résultat, sic, tel, tout comme.

AINSI SOIT-IL. Amen.

AÏOLI. Aillade, ailloli, bouillabaisse, bourride, mayonnaise, morue, provençale, rouille, sauce.

AIR. Aérogastrie, aérophagie, aisance, allure, apparence, aria, ariette, arioso, aspect, atmosphère, azur, benoît, bouffée, brise, chanson, ciel, contenance, enveloppe, espace, éther, expression, façon, figure, flonflons, genre, haleine, manière, mélodie, mine, musique, pression, prestance, ranz, sardane, sérieux, sonnerie, souffle, tyrolienne, vapeur, vent, visage.

AIR, MUSIQUE. Aria, ariette, arioso, cantatrice, chanson, chant, couplet, marche, mélodie, mélomane, ranz, refrain, scie, ton, tube, voix.

AIRAIN. Alliage, bronze, caractère, cuivre, dur, durée, dureté, étain, fermeté, force, impitoyable, métal, orichalque.

AIRE. Arène, biotope, chape, dispersal, domaine, emplacement, espace, étalon, étendue, four, hectare, nid, planimètre, pont, rhum, rumb, sautoir, secteur, superficie, surface, temenos, terrain, territoire, zone.

AIRE DE VENT. E.N.E., E.S.E. N.E., N.N.E., N.N.O., N.O., O.N.O., O.S.O., rhumb, rumb, rose, S.E., S.O., S.S.E., S.S.O.,

AIRELLE. Ataca, atoca, atocatier, bleuet, canneberge, éricacée, fruit, myrtille, vaccinier, vaccinium.

AIRER. Accrocher, brancher, coucher, demeurer, fauconnerie, grimper, habiter, jucher, loger, monter, nicher, nidifier, percher, placer, poser, résister, trouver, ventiler.

AIS. Aissante, aisselier, aisseau, charpente, essente, planche, planchette, plaque, plaquette, poutre.

AISANCE. Abondance, agilité, assurance, bien-être, cabinet, chiotte, commodité, confort, cossu, décontraction, détente, empêtré, facilité, goguenots, grâce, habileté, latrines, légèreté, leste, mæstria, naturel, opulence, toilette.

AISE. Bien-être, commodité, confort, confortable, content, contentement, décontracté, délibéré, désinvolte, déterminé, euphorie, facile, félicité, fortune, gêne, joie, liberté, libre, naturel, opulence, relax, relaxation, relaxe, richesse, satisfaction, souple.

AISÉ. Ardu, chic, commode, confortable, cossu, coulant, délibéré, délicat, déterminé, élémentaire, enfantin, facile, fragile, leste, libre, lisible, maniable, nanti, naturel, riche, souple.

AISÉMENT. Adroitement, alertement, confortablement, couramment, disert, facilement, flexible, sensible, simplement.

AISSEAU. Ais, aissante, ancelle, bardeau, bardot, chanlatte, dosse, douelle, douve, essente, planchette, tavillon.

AISSELLE. Axillaire, bras, creux, dessous-de-bras, entournure, gousset, grasser, hidrosadénite, intertrigo, paleron.

AJOINTER. Aboucher, abouter, allonger, annexer, enchérir, étendre, greffer, inquart, joindre, majorer, profiter, rajouter, suppléer, surfaire, taniser.

AJONC. Acidiphile, acidophile, arbrisseau, jan, jaugue, jomarin, jonc, joncacée, landage, lande, landier, thuie, ulex, vigneau.

AJOUR. Ajourage, baie, broderie, cantonnière, châssis, croisée, espagnolette, fenêtre, hublot, jalousie, jour, lucarne, lunette, oculus, œil-de-bœuf, oreille, oriel, ouverture, rideau, soupirail, store, tabatière, tenture, vanterne, vasistas, volet.

AJOURÉ. Bassinoire, fenestré, fenêtré, festonné, orné, ouvert, ouverture, ouvrir, percé, treillissé, troué.

AJOURNÉ. Abstrait, bref, court, disparaît, échappé, efface, éphémère, évanescent, fugace, fugitif, fuyard, intérimaire, momentané, passager, précaire, proscrit, provisoire, rapide, réfugié, temporaire, transitoire.

AJOURNEMENT. Assignation, atermoiement, délai, procrastination, réforme, refus, remise, renvoi, report, retard, retardement, sursis, temporisation.

AJOURNER. Assigner, atermoyer, coller, différer, recaler, reculer, refuser, remettre, renvoyer, reporter, retarder.

AJOUT. About, addenda, addendum, addition, adjonction, ajutage, alèse, allonge, annexe, augmentation, aussi, boni, codicille, complément, gain, hausse, joint, légende, post-scriptum, profit, p. s., raccord.

AJOUTÉ. Addition, affixe, annexe, appoint, archi, boni, épithète, gain, orné, percé, préfixe, talon.

AJOUTER. Abouter, accoler, accroître, additionner, adjoindre, agrandir, allier, allonger, annexer, assortir, augmenter, baptiser, chaptaliser, compléter, croire, enchérir, étendre, greffer, inquart, joindre, majorer, profiter, rajouter, suppléer, surfaire, taniser, tanniser, viner.

AJOUTURE. Aggravation, agrandissement, allongement, alourdissement, amplification, développement, exacerbation, exagération, exaspération, extension, intensification, maximalisation, paraphrase, résonance.

AJUGA. Bugle, germandée, fleur, ive, ivette, labiacée, labiée, plante.

AJUSTAGE. Accouplage, accouplement, alésage, appareil, armature, assemblage, brunissage, débourrage, embiellage, empature, ennéade, grille, jonction, limage, mosaïque, panache, phrase, phraséologie, trémie, triade.

AJUSTÉ. Bandé, basquine, boudiné, collant, comprimé, contracté, corseté, gainé, moulant, serré.

AJUSTEMENT. Accommodation, agencement, coaptation, emmanchement, habillement, jonction, mise, montage, parure, raccord, soudure.

AJUSTER. Accorder, accoupler, adapter, affecter, agencer, appliquer, arranger, assembler, cintrer, coller, combiner, disposer, écarter, égaliser, emboîter, emmancher, encastrer, entabler, façonner, mouler, raccorder, serrer, souder.

AJUTAGE. About, aboutement, ajout, assemblage, diffuseur, emboîtement, embout, enture, joint, orifice.

AKÈNE. Achaine, anis, aveline, baie, fruit, gland, graine, indéhiscent, noisette, polyakène, samare.

AKHETATON (n. p.). Amarna, Aménophis, Aton, Néfertiti.

ALACRITÉ. Allant, enjouement, enthousiasme, entrain, entraînant, gaieté, gaillardise, joie, jovialité, pétulance.

ALAISE, Alèse, assemblage, attache, couche, paillot, planche, protection, tissu.

À L'AISE. Bien-être, commodité, confort, confortable, content, contentement, décontracté, délibéré, désinvolte, déterminé, euphorie, facile, félicité, fortune, gêne, joie, liberté, libre, naturel, opulence, relaxation, richesse, satisfaction, souple.

ALAMBIC. Athanor, biscornu, chapiteau, confus, cucurbite, distillerie, pélican, raffiné, rectificateur, serpentin, subtil.

ALAMBIQUÉ. Amphigourique, archivé, complexe, compliqué, confus, contourné, embarrassé, raffiné, tarabiscoté.

ALAMBIQUEUR. Adepte, alchimiste, archivage, druide, hermétiste, sorcier, souffleur, transmutateur.

ALANDIER. Aire, arche, âtre, bouche, calcarone, calisson, carquaise, cubilot, cuisinière, étuve, four, fournaise, fourneau, fournil, foyer, grille, incendie, insuccès, micro-ondes, oura, pipe-still, réverbère, tuile, tuyère, voûte.

ALANGUI. Énamouré, langoureux, languide, languissant, mouillé, mourant, nonchalant, regard, transi.

ALANGUIR. Abattre, affaiblir, amollir, anémier, assouplir, consumer, débiliter, diminuer, nonchalant, paresseux.

ALANGUISSANT. Affaiblissement, amollissant, anémiant, consomptif, débilitant, démoralisant, déprimant, tuant.

ALANGUISSEMENT. Abattement, abrutissement, accablement, adoucissement, affaissement, anémie, dépression, écroulement, effondrement, faix, fantis, fondis, fontes, fontis, posture, ptosis, subsidence, tassement.

ALARMANT. Affolant, angoissant, effarant, inquiétant, oppressant, paniquant, préoccupant, stressant, troublant.

ALARME. Alerte, antivol, appel, avertissement, avertisseur, branle-bas, cadran, clignotant, crainte, cri, dispositif, effroi, émoi, éveil, frayeur, frousse, inquiet, signal, sirène, sonnerie, tocsin, triangle, urgence, venette.

ALARMER. Affoler, alerter, apeurer, effaroucher, effrayer, épeurer, épouvanter, inquiéter, terrifier, terroriser, tourmenter.

ALARMISME. Capitulateur, catastrophisme, défaitisme, inquiétude, négativisme, pessimisme, scepticisme.

ALARMISTE. Cafardeux, capitulard, capon, cassandre, défaitiste, démoralisateur, imaginaire, pessimiste, sceptique.

ALATERNE. Arbre, arbuste, bourdaine, épineux, nerprun, plante, prunier, rhamnacée.

ALAUDIDÉ. Alouette, calandre, cochevis, insectivore, lulu, mauviette, passereau, sirli.

ALBACORE. Bonite, germon, madrague, pélamide, pélamyde, poisson, thon, thon blanc, thonine.

ALBANAIS. Albain, albanien, chapeau.

ALBANIE. Albanais.

ALBANIE, CAPITALE (n. p.). Tirana.

ALBANIE, LANGUE. Albanais, grec.

ALBANIE, MONNAIE. Lek.

ALBANIE, VILLE (n. p.). Apollonia, Berat, Burrel, Boge, Borsh, Cerrik, Durazzo, Elbasan, Fier, Fjerze, Korce, Kruje, Kukes, Lac, Lezhe, Lin, Maliq, Muhur, Patos, Puke, Pulaj, Skadar, Tirana, Tirane, Tropojë, Valbone, Vlona, Vlone, Vlora, Vlorë.

ALBÂTRE. Alabastre, alabastrite, blancheur, calcaire, gypseux, vase.

ALBATROS. Diomedéidé, lougre, oiseau, procellariidé, palmipède, voilier, vorace.

ALBERGE. Abricot, fruit, pêche.

ALBIGEOIS. Adepte, bogomile, cathare, hérétique, parfait, patarin, relaps, sectaire, secte, vaudois.

ALBINISME. Achromie, albinos, anomalie, dépigmentation, dyschromie, leucodermie, mélanine, vitiligo.

ALBINOS. Achromie, albinisme, blanc, cheveu, chlorose, dyschromie, furet, leucisme, yeux.

ALBUM. Brochure, cahier, catalogue, classeur, disque, document, écrit, livre, nuancier, photo, recueil, registre.

ALBUMEN. Aleurone, blanc, coco, copra, coprah, corozo, graine, œuf, plantule, serge.

ALBUMINE. Éclampsie, fibroïne, lactalbumine, néphrite, œuf, ovalbumine, protéine, sérumalbumine.

ALBUMINURIE. Éclampsie, fibroïne, néphrite, protéinurie.

ALCADE. Bailli, bourgmestre, chef, échevin, édile, gouverneur, juge, magistrat, maïeur, maire, mairesse, mairie.

ALCALÈCHE. Aurélie, cnidaire, cuboméduse, cyanée, gorgonaire, méduse, rhizostomée, scyphozoaire.

ALCALI. Ammoniaque, baryte, base, cendre, hydroxyde, kali, savon, soude.

ALCALIN. Baryum, basique, bile, calcium, lessine, lithium, rubidium.

ALCALINITÉ. Alcalescence, alcalose, ammoniaque, basicité.

ALCALOÏDE (4 lettres). Amer, coca, cola, kola.

ALCALOÏDE (5 lettres). Acide, boldo, cacao, ciguë, idéca, tabac.

ALCALOÏDE (6 lettres). Conine, curare, peyotl, théine.

ALCALOÏDE (7 lettres). Brucine, caféine, cocaïne, codéine, émétine, ésérine, liqueur, lupulin, pipérin, quinine.

ALCALOÏDE (8 lettres). Atropine, cicutine, conicine, ergotine, lupuline, morphine, narcéine, nicotine, pipérine, ptomaïne, quassine, thébaïne.

ALCALOÏDE (9 lettres). Aconitine, belladone, éphédrine, hordéine, jaborandi, mescaline, muscarine, narcotine, raubasine, réserpine, solanacée, spartéine, stramoine, vératrine, vincamine, yohimbine.

ALCALOÏDE (10 lettres). Cinchonine, colchicine, ergotamine, lysergique, papavérine, strychnine.

ALCALOÏDE (11 lettres). Anaphylaxie, papavérine, pilocarpine, psilocybine, scopolamine, théobromine, vinblastine, vincristine

ALCALOÏDE (12 lettres). Cantharidine, pelletiérine, strophantine, théophylline.

ALCANE. Butane, cire, éthane, hydrocarbure, méthane, paraffine, propane.

ALCARAZAS. Cruche, cruchon, gargoulette, pichet, vase.

ALCAZAR. Château, maure, palais.

ALCÈNE. Acétylène, alcane, allène, allylène, amylène, benzène, butane, cyclane, diène, diesel, éthylène, heptane, hydrocarbure, hylène, mazout, naphtaline, octane, oléfine, ozonide, pentane, propane, styrène, térébenthine, terpène, toluène.

ALCHIMIE. Ésotérisme, gnose, hermétisme, illumination, kabbale, magie, mystère, occultisme, potion, psychomancie, radiesthésie, rituel, sorcellerie, spagirie, spiritisme.

ALCHIMISTE (n. p.). Agrippa, Becher, Brand, Brandt, Croll, Crollius, Dippel, Djabir, Geber, Helmont, Lulle, Paracelse.

ALCHIMISTE. Adepte, alambiqueur, archimage, druide, hermétiste, rose-croix, sorcier, souffleur, transmutateur.

ALCIDÉ. Alca, alque, guillemot, macareux, marmette, mergule, palmipède, pingouin.

ALCOOL. Allylique, ambréine, amylique, armagnac, bitter, brandevin, brandy, cognac, digestif, drink, éthanol, éthylique, fine, flegme, genièvre, gin, gnole, goutte, kirsch, liqueur, marc, menthe, menthol, mirabelle, niole, ouzo, raki, recoupe, rhodinol, rhum, rye, saké, schnaps, scotch, spiritueux, stérol, tafia, tequila, trou normand, vodka, whisky.

ALCOOLIQUE. AA, alcoolo, buveur, débauché, ivrogne, picoleur, pochard, poivrot, soiffard, soûlard, soûlon.

ALCOOLISER. Additionner, beurrer, biturer, boire, enivrer, mûrir, noircir, pocharder, poivrer, soûler, viner.

ALCOOLISME. Absinthisme, alcoologie, delirium tremens, éthylisme, intempérance, ivresse, ivrognerie, œnilisme, œnolisme.

ALCOOLTHYLÉNIQUE. Alcool, allylique, niaule, spiritueux.

ALCOOMÈTRE. Aéromètre, densimètre, glucomètre, pèse-alcool, pèse-esprit, pèse-liqueur, pèse-vin, uréomètre.

ALCÔVE. Chambre, crèche, dortoir, galanterie, lit, niche, piaule, réduit, renfoncement, ruelle, taule.

ALDÉHYDE. Acroléine, alcool, aldol, aldose, chloral, cinnamique, éthanol, formaldéhyde, furfural, furfurol, glucose, imine, œnanthal, pyridoxal, vanilline.

ALE. Anglaise, bière, blonde, malt, pale.

ALÉA. Accident, aventure, chance, danger, destin, douteux, hasard, incertitude, indéterminable, pari, péril, problématique, risque, sort, thérapeutique, variable.

ALÉATOIRE. Casuel, chance, conditionnel, contrat, douteux, événement, hasardeux, hasardisation, neutralisme, pari, probabilité, probable, problématique, randomisation, stochastique, variable, vraisemblance.

ALÉMANIQUE. Alsacien, langue, suisse, suisse allemand.

ALÈNE. Aigu, broche, épingle, épinglette, ferret, lardoire, outil, piquoir, poinçon, pointu, raie, subulé, trocart.

ALENTOURS. Abords, approches, autour, bordures, entourage, entoure, environs, lieu, fond, parages, proximité, voisinage.

ALÉRION. Aérodyne, aigle, aigle bicéphale, aigrette, ornement.

ALERTE. Agile, alarme, allègre, ameute, animé, appel, avertissement, bip, danger, dégourdi, déluré, émerillonné, entrain, éveillé, fringant, gaillard, impétueux, ingambe, intense, léger, leste, menace, péril, pétulant, pimpant, preste, prompt, rapide, signal, sirène, souple, tocsin, vif, vigilant.

ALERTER. Ameuter, appeler, attirer, avertir, aviser, donner, éveiller, inquiéter, précautionner, prémunir, prévenir.

ALÉSAGE. Assiduité, autorégulation, compression, contingentement, contrôle, critique, diminution, doute, économie, équivoque, limitation, ponctualité, rationnement, réduction, régularisation, répartition, réserve, restriction, réticence.

ALÈSE. Alaise, alézé, assemblage, attache, calibre, couche, drap, protection, tissu.

ALÉSER. Ajuster, alésoir, calibrer, cylindrer, évaser, fraiser, outil, percer, rectifier, tourner, trouer, usiner.

ALÉSEUR. Calibreur, chauffeur, conducteur, fraiseur, ingénieur, machiniste, perceur, rectifieur, tourneur, usinier.

ALEVIN. Ammocète, blanchaille, chatouille, civelle, fretin, lamprillon, lamproyon, nourrain, pibale, poisson.

ALEVINER. Coloniser, défricher, empoissonner, ensemencer, envahir, labourer, occuper, peupler, planter, repeupler, semer.

ALEXIE. Agnosie, aphasie, cécité, dyscalculie, dysgraphie, dyslalie, dyslexie, dysorthographie, incapacité, paralexie, trouble.

ALEXIPHARMAQUE. Acétylcystéine, amyle, antidote, atropine, contrepoison, déféroxamine, dérivatif, dimercaprol, diversion, exutoire, leucovorine, mithridatisation, naloxone, physostigmine, phytonadione, pralidoxime, protamine, remède, succimer, thériaque.

ALEZAN. Aquilain, bai, brûlé, brun, cheval, doré, fauve, isabelle, robe, rougeâtre, rubicond.

ALFA. Alfatier, cordage, crin, doum, espadrille, genêt, herbe, papier, spart, sparte, sparterie, stipa.

ALFANGE. Badelaire, braquemart, cimeterre, colichemarde, dague, épée, fleuret, glaive, lame, poignard, sabre.

ALGARADE. Accrochage, altercation, attaque, colère, dispute, éclat, esclandre, incartade, querelle, scène, sortie.

ALGAZELLE. Addax, æpycérotiné, alcéphalus, antilope, biche, bubale, capricorne, catoblépas, cob, damalisque, dorcade, éland, gazelle, gnou, guib, impala, kif, kob, nilgaut, okapi, oryx, ourébi, saïga, springbok.

ALGÈBRE (n. p.). Alembert, Artin, Boole, Cardan, Chevalley, Chuquet, Cramer, Diophante, Khwarizmi, Rolle, Steinitz, Viète, Wallis, Weber

ALGÈBRE. Algébriste, cours, équation, nombre, puissance, symbole, théorie, traité.

ALGÉRIE, CAPITALE (n. p.). Alger.

ALGÉRIE, LANGUE. Arabe, berbère, français.

ALGÉRIE, MONNAIE. Dinar.

ALGÉRIE, VILLE (n. p.). Adrar, Akbou, Annaba, Arzeu, Arzew, Aumale, Batna, Béchar, Béjaia, Biskra, Blida, Boghar, Bone, Collo, Douera, Guelma, Koll, Médea, Mila, Oran, Reggan, Rouiba, Saida, Sétif, Sig, Tbessa, Tébessa, Ténes, Thénia, Tlemcen, Tiaret, Tilimsen, Tipasa, Tlemcen.

ALGÉRIEN. Africain, arabe, harki, maghrébin, OAS, oranais, pied-noir.

ALGIDITÉ. Algide, chaud, frimas, frisquet, froid, froidure, gel, glacé, glacial, grippe, hiver, refroidir, rhume.

ALGIE. Affliction, agonie, calvaire, douleur, élancement, enfer, mal, martyre, souffrances, supplice, torture.

ALGONQUIN. Amérindien, autochtone, cheyenne, cris, ère, huron, indien, indigène, ojibwa, peuple, tribu.

ALGORITHME. Addition, algèbre, arithmétique, calcul, chiffrage, chiffres, compte, division, multiplication, soustraction.

ALGUE. Agar-agar, algine, balbianie, bangiée, bangiophycée, bleue, botrydium, caulerpe, cauperpe, charophyte, chlorelle, chlorophycée, conferve, coralline, cyanobactérie, cyanophycée, diatomée, diplopore, euglène, floridée, fucus, gélose, goémon, janie, laminaire, macrocystis, macrocyste, mougeotia, mucilage, navicule, némale, némalion, nostoc, padine, phéophycée, pluricellulaire, porphyra, protocoque, protophyte, rhodophycée, rouge, sargasse, spirogyre, stipe, sushi, ulve, unicellulaire, varech, vauchérie, zygnéma.

ALIAS. Autrement, dit, double, nommé, surnommé.

ALIBI. Apologie, argument, béton, camouflage, décharge, défaite, défense, dérobade, échappatoire, esquive, excuse, explication, faux-fuyant, fuite, justification, plausible, prétexte, raison, reculade.

ALIBORON. Andouille, andouillette, âne, bête, charcuterie, épais, fada, fier, imbécile, lent, niais, nigaud, saucisse, stupide.

ALIBOUFIER. Arbuste, baume, benjoin, liquidambar, officinal, storax, styrax, tonkinois.

ALICANTE. Bouschet, cépage, grenache, raisin, vin.

ALIDADE. Angle, carte, pinnule, règle, sextant, taximètre, théodolite.

ALIÉNABLE. Cessible, commercialisable, concessible, exportable, négociable, possible, transférable, transigible.

ALIÉNANT. Accablant, asservissant, assujettissant, astreignant, contraignant, écrasant, étouffant, exigeant, pénible.

ALIÉNATAIRE. Adjudicataire, affectataire, allocataire, attributaire, ayant droit, bénéficiaire, client, colégataire, confidentiaire, crédirentier, gagnant, héritier, légataire, nominataire, prestataire, récipiendaire.

ALIÉNATEUR. Acheteur, affecteur, astreinte, cofidéjusseur, coobligé, débirentier, débiteur, dette, detteur, emprunteur, escompte, obligé, paye, quérable, redevable, reliquataire, saisi, terme, vendre.

ALIÉNATION. Abandon, affection, aversion, cession, démence, dététiation, donation, distribution, donation, folie, fou, legs, maladie, monomanie, perte, transfert, trouble.

ALIÉNÉ. Dément, désaxé, déséquilibré, détraqué, dévalué, fol, forcené, fou, interné, maniaque, mental, perdu, psychosé.

ALIÉNER. Abandonner, afféager, céder, curateur, dément, détourner, dévaluer, disposer, distribuer, donner, échanger, écouler, éloigner, entrainer, laisser, léguer, liquider, partager, priver, renoncer, solder, transmettre, vendre.

ALIÉNISTE (n. p.). Esquirol, Pinel.

ALIÉNISTE. Neuropsychologue, psychanalyste, psychiatre, psychologue, psychothérapeute, thérapeute.

ALIGNÉ. Direct, directionnel, droit, figure, ligne, rectiligne.

ALIGNEMENT. Allée, andain, chaîne, chapelet, détermination, guide, jalon, niveau, rampe, rangée, série, servitude, tabulateur.

ALIGNEMENT MÉGALITHIQUE (n. p.). Bretagne, Carnac, Corse, Filitosa, Gozo, Locmariaquer, Stonehenge.

ALIGNER. Accorder, ajuster, arranger, conformer, dévaluer, disposer, dresser, imiter, ranger, réévaluer, tracer.

ALIGOTÉ. Bourgogne, cépage, raisin, vigne, vin.

ALIMENT. Alicament, analeptique, bectance, boisson, bouillie, bouillon, boustifaille, boutargue, brouet, cétogène, comestible, conserve, datte, délice, denrée, édule, fromage, instantané, laitage, mangeaille, manne, mets, nourriture, pain, pâture, pitance, poison, poutargue, prétexte, provision, rogaton, sauté, seitan, soupe, spiruline, subsistance, sucre, vivres.

ALIMENTAIRE. Agroalimentaire, comestible, consommable, denrée, déséquilibre, lucratif, mangeable, régime.

ALIMENTATION. Absorption, allaitement, approvisionnement, convertisseur, élevage, faverole, féverole, fourniture, gavage, malbouffe, nourrissage, nourrissement, nourriture, paisson, perfusion, ravitaillement, régime, repas, suralimentation, sustentation.

ALIMENTER. Agrainer, approvisionner, becter, engrener, entretenir, fournir, gaver, manger, nourrir, pourvoir, ravitailler, repaître, ressourcer, restaurer, rétablir, soutenir, subsister, suralimenter, sustenter.

ALINÉA. Article, attendu, chapitre, ligne, paragraphe, retrait, rubrique, section, subdivision, sujet, volet.

ALINETTE. Aile, apex, archet, badine, cravache, fouet, garcette, knout, martinet, nerf, sangle, verge.

ALIOS. Brique, colloïde, grès, latérite, melon, pétéchie, rosâtre, rougeâtre, urubu.

ALISE. Alize, baie, corme, sorbe, fruit.

ALISMATACÉE. Alisma, alisme, flèche–d'eau, fléchière, flûteau, plantain d'eau, sagette, sagittaire.

ALITER. Allonger, consigner, coucher, courber, couver, dormir, étaler, étendre, gésir, gîter, incliner, inscrire, lit, noter, pencher, tapir, vautrer, verser.

ALIZARINE. Anthraquinone, colorant, garance, purpurine, robiquet, rouge.

ALIZÉ. Aigrelet, alise, alisier, est, sirocco, vent.

ALKÉKENGE. Amour-en-cage, coqueret, fruit, infusion, physalis, solanacée.

ALLACHE. Alose, clupéidé, maghreb, poisson, sardine, sardine de la Méditerranée, sardinelle.

ALLAITEMENT. Ablactation, biberon, mamelle, pis, sein, sevré, tétée, téterelle, tétin, tétine, téton.

ALLAITER. Alimenter, donner, lactation, mamelle, nourrir, sein, sevrer, téter, téterelle

ALLANT. Actif, affairé, alacrité, ardeur, avalant, diligent, dynamisme, énergie, enthousiasme, entrain, fougue, parcours, pénétrant, pep, reculant, via, vif, vitalité, vivacité.

ALLÉCHANT. Affriolant, aguichant, appétissant, attirant, attrayant, désirable, envie, miam, ragoûtant, séduisant, tentant.

ALLÈCHEMENT. Aimant, attirance, attirement, attraction, attrait, bal, charme, clou, distraction, entraînement, fascination, goût, gravitation, gravité, manège, or, pesanteur, pôle, séduction, spectacle, tendance, tir, tropisme.

ALLÉCHER. Affriander, affrioler, aguicher, amorcer, appâter, attirer, miam, plaire, ragoûter, séduire, tenter.

ALLÉE. Accès, avenue, charmille, chemin, contre-allée, cours, course, démarche, déplacement, drève, labyrinthe, laie, layon, ligne, mail, nacette, oullière, passage, ruelle, tortille, tortillère, trajet, visite, voie, voyage.

ALLÉGATION. Affirmation, argument, argumentation, assertion, citation, diffamation, dire, énoncé, excitation, réfutation.

ALLÉGEANCE. Attachement, confiance, fidélité, handicap, manifestation, obéissance, obligation, soulagement, soumission.

ALLÉGEMENT. Adoucissement, amoindrissement, amputation, atténuation, baisse, dégrèvement, diminution, réduction.

ALLÉGER. Accorder, adoucir, aérer, aider, améliorer, amincir, apaiser, calmer, consoler, décharger, dégager, dégrever, délester, déréglementer, diminuer, dorer, éclaircir, écrémer, élégir, excuser, exonérer, sarcler, soulager.

ALLÉGORIE. Apologue, conte, fable, folie, image, métaphore, mystique, mythe, œuvre, parabole, récit, sotie, symbole.

ALLÉGORIQUE. Anagogique, emblématique, figuratif, métaphorique, parabolique, représentatif, symbolique.

ALLÈGRE. Actif, agile, alerte, badin, bouillant, dispos, enjoué, épanoui, folâtre, gai, gaillard, léger, vif.

ALLÈGREMENT. Agréablement, extatiquement, gaiement, heureusement, jovialement, joyeusement, plaisamment, radieusement.

ALLÉGRESSE. Alléluia, béatitude, bonheur, égaiement, euphorie, exultation, gaieté, joie, jubilation, liesse.

ALLEGRO. Allegretto, assai, gaiement, gaieté, lento, rapide, rythme, sonate, tempo, vivement.

ALLÉGUER. Affirmer, apporter, appuyer, arguer, avancer, citer, déduire, déposer, exciper, fournir, inférer, invoquer, objecter, opposer, poser, prétendre, prétexter, prévaloir, produire, raisonner, rapporter.

ALLÉLUIA. Acclamation, acétoselle, acide, allégresse, chant, cri, oxalide, oxalis, pain de coucou, surelle.

ALLEMAGNE. Mark, R.D.A, R.F.A.

ALLEMAGNE, CAPITALE (n. p.). Berlin.

ALLEMAGNE, LAND (n. p.). Aldenhoven, Bade-Wurtemberg, Basse-Saxe, Bavière, Berlin, Brandebourg, Brême, Hambourg, Hesse, Sarre, Saxe, Saxe-Anhalt, Thuringe.

ALLEMAGNE, LANGUE. Allemand.

ALLEMAGNE RÉGION (n. p.). Bade, Bavière, Brandebourg, Hesse, Lusace, Mecklembourg, Rhénavie, Sarre, Saxe, Saxe-Anhalt, Thuringe.

ALLEMAGNE, MONNAIE. Mark.

ALLEMAGNE, VILLE (n. p.). Aachen, Aarschot, Aix-la-Chapelle, Altona, Amberg, Baden-Baden, Berlin, Bonn, Brême, Coblence, Coburg, Dachau, Dresden, Düren, Düsseldorf, Ems, Erlangen, Essen, Frankfurt, Gera, Gladbeck, Gorlitz, Gotha, Hagen, Hambourg, Hamburg, Hamm, Hannover, Hanovre, Herne, Hof, Iena, Kehl, Kiel, Koln, Leer, Lubeck, Magdeburg, Mannheim, Marl, Meissen, Minden, Moers, Munchen, Munich, Nuremberg, Nürnberg, Passau, Ravensburg, Rostock, Stuttgart, Suhl, Ulm, Velbert, Walsum, Weiden, Weimar, Wismar, Worms, Zeitz, Zittau.

ALLEMAND. Badois, bavarois, berlinois, boche, chleuh, fridolin, frisé, fritz, germain, germanique, germanophile, germanophobe, kaiser, nazi, ottonien, prussien, rhénan, sarrois, saxon, ss, teuton, tudesque.

ALLER (3 lettres). Ite.

ALLER (4 lettres). Agir, camp, être.

ALLER (5 lettres). Caner, culer, errer, faire, filer, gazer, lever, luger, mener, noria, roder, seoir, voler.

ALLER (6 lettres). Allure, bicher, billet, botter, calter, canner, coller, courir, entrer, foncer, monter, mourir, partir, passer, plaire, porter, quérir, rendre, rouler, sauver, sortir, suivre, tarder, trajet, trôler.

ALLER (7 lettres). Aboutir, adapter, adonner, arriver, avancer, blesser, butiner, caleter, côtoyer, croiser, dépérir, dériver, diriger, étendre, marcher, pédaler, prendre, reculer, traîner, trisser, trotter, venir, voler, voyager.

ALLER (8 lettres). Cheminer, circuler, conduire, convenir, dépasser, déplacer, enchérir, naviguer, promener.

ALLER (9 lettres). Accélérer, accroître, acheminer, approcher, avantager, comporter, converger, cravacher, descendre, disperser, pèleriner, péricliter, rejoindre, retourner, trimbaler, verticité.

ALLER (10 lettres). Abandonner, accommoder, chevaucher, fréquenter, harmoniser, péricliter.

ALLER (11 lettres). Accompagner, disparaître, emportement, fonctionner, outrepasser, patrouiller.

ALLER (15 lettres). Mettre les voiles.

ALLERGÈNE. Allergénique, anaphylaxie, antigène, champignon, marasme, réactogène, substance.

ALLERGIE. Abomination, allergène, anaphylaxie, anergie, antipathie, aversion, coryza, dégoûtation, échauboulure, hypersensibilité, hypoallergique, incompatibilité, intolérance, pollen, pollinose, réaction, urticaire.

ALLEZ. Go, ite, oust, ouste, seoir.

ALLIAGE. Acier, airain, almasilium, almélec, aloi, alpax, amalgame, antifriction, argentan, argenton, brasure, bronze, céralumin, cerrobond, chrome, chrysocale, constantan, cupronickel, duralinox, duralumin, électrum, étain, étamure, ferrite, ferrocérium, fonte, hastelloy, inconel, invar, laiton, maillechort, manganine, monel, nichrome, nickel, or, pacfung, platinite, potin, régule, ruolz, stellite, titre, tombac, zicral, zircalloy.

ALLIAGE D'ALUMINIUM. Almélec, alpax, duralumin, zicral.

ALLIAGE DE CUIVRE. Airain, argentan, bronze, chrysocale, chrysocalque, constantan, cupronickel, laiton, maillechort, manganine, monel, pacfung, tombac.

ALLIANCE (n. p.). Axe, Brunnen, Cambrai, Duplice, Noyon, Quadruple, Sonderbund, Tilsit, Triplice.

ALLIANCE. Accord, affinité, amitié, anneau, apparentage, assemblage, association, axe, bague, coalition, combinaison, concubinage, contrat, convention, entente, et, gage, hyménée, lien, ligue, mariage, oxymore, pacte, parenté, système, traité, union.

ALLIÉ. Ami, apparenté, appui, auxiliaire, camarade, confédéré, fédéré, intime, parent, partenaire, proche, soutien.

ALLIER. Accorder, apparenter, assembler, associer, coaliser, combiner, joindre, liguer, marier, mêler, réaliser, unir.

ALLIÉS (n. p.). OTAN.

ALLIGATOR. Alligatoriné, caïman, crocodile, crocodilien, gavial, jacare, reptile.

ALLITÉRATION. Assonance, harmonie, imitation, imitative, paronomase, récurrence, répétition, rhétorique, suggestion.

ALLO. Bonjour, bonsoir, ciao, courbette, hommage, révérence, salamalec, salut, tchao.

ALLOCATAIRE. Abandonnataire, adjudicataire, affectataire, aliénataire, attributaire, bénéficiaire, client, prestataire.

ALLOCATION. Attribution, bonification, distribution, don, dotation, pension, prestation, remise, somme, subside.

ALLOCUTAIRE. Auditeur, décodeur, destinataire, interlocuteur, locuteur, récepteur.

ALLOCUTION. Adresse, discours, harangue, homélie, laïus, mot, sermon, speech, toast, topo.

ALLOGREFFE. Greffe, hétérogreffe, hétéroplastie, homogreffe, xénogreffe.

ALLONGÉ. Asséné, couché, crochet, décontracté, détendu, effilé, elliptique, étendu, étiré, filé, fin, inextensible, long, mince, nématoïde, oblong, ovulaire, ovale, ovalisé, ovoïde, repos, sieste, tendu.

ALLONGEMENT. Accroissement, agrandissement, affinement, ajout, ajoutage, appendice, augmentation, développement, élongation, étirement, extension, prolongation, prolongement, prorogation, tension.

ALLONGER. Accélérer, affaler, ajouter, asséner, augmenter, avancer, bander, coller, coucher, déployer, développer, donner, effiler, éloigner, envoyer, étendre, étirer, presser, prolonger, raidir, rallonger, tendre, tirer, verser.

ALLONS-Y. Action, banco, but, enjeu, gageure, jeu, mise, pari, pot, relance.

ALLOTIR. Assiette, attribuer, diffuser, distribuer, diviser, grouper, partager, rationner, répartir.

ALLOTISSEMENT. Emmagasinage, engrangement, entreposage, magasinage, manutention, remisage, stockage.

ALLOTROPIQUE. Chimie, différent, ferrite, ozone, subtropique, tropique.

ALLOUER. Accorder, attribuer, avancer, bailler, céder, concéder, consentir, donner, départir, doter, impartir, octroyer.

ALLUMAGE. Amadou, bougie, briquet, cétane, combustion, delco, démarrage, embrasement, ligot, mèche, raté.

ALLUMÉ. Anticonformiste, déchaîné, excentrique, extravagant, fanatique, non-conformiste, passionné, réveillé.

ALLUME-FEU. Allume-cigare, allumette, bois, briquet, filibus, inflammable, ligot, margotin.

ALLUMER. Attiser, brûler, clignoter, découvrir, éclairer, enflammer, ensoleiller, lanterner, ouvrir, rallumer, tisonner.

ALLUMETTE. Allumettier, allumi, bûche, craquante, frotte, frotteuse, gâteau, rallumer, seita, soufrage, souffrante, tison.

ALLUMEUR. Aguicheur, batifoleur, cavaleur, casanova, charmeur, conquérant, coureur, cruiseur, don juan, dragueur, enjôleur, ensorceleur, envoûteur, flambeur, flirteur, gino, macho, maquereau, séducteur, tentateur, tombeur.

ALLUMEUSE. Aguicheuse, charmeuse, coquette, enjôleuse, flambeuse, intrigante, mignonne, pimbêche

ALLURE. Air, amble, arroi, aspect, attitude, aubin, biture, bitture, chic, classe, comportement, contenance, dégaine, démarche, désinvolture, erre, façon, galop, gésir, gueule, largue, look, maintien, marche, mésair, mézair, mine, mise, pas, port, prestance, tempo, tenue, ton, tournure, train, trépidante, trot, vitesse.

ALLUSIF. Allégorie, allusion, comparaison, comprendre, dire, ellipse, évocation, implicite, inexprimé, insinuation, pique, prétexte, réserve, restriction, sous-entendu, tacite.

ALLUSION. Allégorie, allusif, comparaison, dire, évocation, insinuation, pique, prétexte, réserve, restriction, sous-entendu.

ALLUVION. Accroissement, accrue, allaise, alluvionnement, apport, argile, banc, boue, chative, colluvion, colmatage, delta, dépôt, diluvium, lais, laisse, limon, lœss, palud, palude, palus, relais, sédiment.

ALMANACH. Agenda, annuaire, bloc, calendrier, chronologie, éphéméride, météo, moderne, semainier, tableau.

ALMANDIN. Alabandine, almandine, bordeaux, éclogite, escarboucle, grenat, pierreries, pourpre, pyrénéite, rouge.

ALOÈS. Arborescents, bainesii, calambac, calambar, calambour, chicotin, ciliaris, éru, ferox, karata, liliacée, manilles, pite, placatilis, plante, pulque, stipe, tambac, vaombe, variegata, vera, yucca.

ALOI. Alliage, bon, exact, franc, goût, qualité, réputation, sincère, titre, valable, valeur, véritable.

ALOPÉCIE. Atrichie, calvitie, chauve, décalvation, favus, ophiase, ophiasis, pelade, porrigo, teigne, tonsure.

ALORS. Adonc, adonque, après, aussi, comme, comparaison, dis, donc, lors, lorsque, pendant, quand, tandis.

ALOSE. Allache, anchois, clupéiforme, clupéidé, clupéoïde, dorab, élopoïde, ésocoïde, gaspareau, hareng, harenguet, menuise, mormyroïde, ostéoglossoïde, plichard, poisson, salmonoïde, sardine, sardinelle, sprat.

ALOUATE. Cébidé, grisolle, hurleur, ouarine, platyrhinien, primate, singe.

ALOUETTE. Alauda, bateleuse, bécasseau, calandre, calandrelle, calandrette, cochevis, dauphinelle, delphinium, football, grisoller, hausse-col, illusion, lulu, mauviette, otocoris, passereau, sirli, tromperie.

ALOURDIR. Accabler, aggraver, appesantir, charger, compliquer, densifier, embarrasser, empâter, engourdir, engraisser, enrichir, envenimer, épaissir, exaspérer, garnir, gonfler, grossir, lester, renforcer, surcharger.

ALOURDISSEMENT. Appesantissement, assoupissement, augmentation, engourdissement, lourdeur, somnolence.

ALOYAU. Aiguillette, bavette, contre-filet, croupe, échine, filet, romsteck, rosbif, steak, t-bone.

ALPAGE. Alpe, armailli, campagne, champ, embouche, enclos, estivage, friche, montagne, nature, pâturage.

ALPAGUER. Appréhender, arrêter, attraper, capturer, coffrer, coincer, cueillir, embarquer, épingler, prendre, saisir.

ALPES, PAYS (n. p.). Allemagne, Autriche, France, Italie, Liechtenstein.

ALPES, SOMMET (n. p.). Dru, Eiger, Lure, Meije, Viso.

ALPES, VALLÉE (n. p.). Adige, Drave, Enns, Inn, Isère, Rhin, Rhône, Tende.

ALPHABET. ABC, abécédaire, anaglyptique, braille, index, lettre, lire, morse, phonétique, syllabaire, rune, table.

ALPHABET GREC. Alpha, bêta, delta, dzêta, epsilon, êta, gamma, iota, kappa, khi, lambda, mu, nu, oméga, omicron, phi, pi, psi, rhô, sigma, tau, thêta, upsilon, xi, zêta.

ALPHABÉTISATION. Andragogie, apprentissage, cursus, didactique, dogmatique, école, éducation, enseignement, étude, études, instruction, logique, pédagogie, scolarité, scolasticat, stage, universel.

ALPHABÉTISER. Apprendre, dresser, écrire, éduquer, enseigner, entraîner, former, informer, initier, instruire.

ALPIN. Alpestre, béret, cénozoïque, chèvre, dévisser, fantassin, orogenèse, ski, tertiaire.

ALPINISME. Ascension, autobloqueur, dévisser, escalade, grimpée, montagne, montée, ramoner, randonnée, trek, trekking, varappe.

ALPINISTE (n. p.). Frison-Roche, Herzog, Hillary, Lachenal, Messner, Whymper.

ALPINISTE. Ascensionniste, cordée, escaladeur, glaciairiste, grimpeur, marteau-piolet, montagnard, piolet, randonneur, rochassier, sherpa, tricouni, varappeur.

ALPISTE. Chiendent, fromenteau, graine, graminée, herbier, millet.

ALTÉRABILITÉ. Abaissement, affaiblissement, allègement, amenuisement, amoindrissement, dégradation, diminution, hypotrophie, péjoration, réduction, restriction, usure.

ALTÉRABLE. Biodégradable, corruptible, décomposable, fragile, modifiable, périssable, putréfiable, putrescible, variable.

ALTÉRATION. Accident, agnosie, armature, atteinte, avarie, bécarre, bémol, casse, changement, corruption, déformation, dégradation, dénaturation, détérioration, dièse, dysphonie, écaillage, enrouement, évent, falsification, flétrissure, graisse, lésion, maladie, malformation, modification, muance, mutilation, patine, perversion, pourriture, pousse, scotome, soif.

ALTERCATION. Accrochage, algarade, attaque, bagarre, chicane, contestation, controverse, débat, démêlé, différend, discussion, dispute, empoignade, empoigne, empoignement, engueulage, prise de bec, querelle, rixe.

ALTÉRÉ. Abîmer, affamé, assoiffé, avide, dénaturé, éventé, faussé, frelaté, impur, tourné.

ALTÉRER. Abâtir, abîmer, assoiffer, attaquer, avarier, baisser, blettir, changer, corrompre, décolorer, décomposer, défigurer, déformer, dégrader, dénaturer, déparer, dépraver, déranger, détériorer, détraquer, écorcher, effacer, estropier, éventer, falsifier, faner, frelater, gâter, hausser, indisposer, modifier, pourrir, relayer, remplacer, rouiller, roulement, souiller, succéder, tarer, tourner, transformer, troubler, tuer.

ALTÉRITÉ. Abîme, changement, désaccord, déviance, différence, dissemblance, dissimilitude, distance, distinction, divergence, diversité, division, divorce, écart, fossé, gouffre, inégalité, intervalle, marginalité, nuance, séparation, variante, variation, variété.

ALTERNANCE. Alternat, apophonie, assolement, enchaînement, flux, rotation, succession, suite, tantôt, variation.

ALTERNANT. Acyclique, alternatif, alterné, cyclique, lactame, lactone, périodique, pouls, récurrent, réglé.

ALTERNAT. Alternance, amendement, assolement, chaulage, compostage, déchaumage, épandage, répartition, rotation.

ALTERNATEUR. Cryoalternateur, dynamo, excitatrice, génératrice, magnéto, oscillateur, turboalternateur.

ALTERNATIF. Battement, doux, fluctuation, kénotron, marée, ou, parallèle, périodique, rotor, successif, valve.

ALTERNATIVE. Bourse, buridan, changement, choix, dilemme, être, investiture, opinion, ou, solution.

ALTERNATIVEMENT. Consécutivement, périodiquement, rythmiquement, successivement, tour à tour.

ALTERNÉ. Accord, aide, alliance, bilatéral, concomitant, corrélatif, correspondant, démixtion, échange, entraide, entre, marché, mutuel, osmose, pacte, pareille, protocole, réciproque, relatif, respectif, solidaire, traité, transaction.

ALTERNER. Assoler, balancer, aller, assoler, changer, chatoyer, deux, enfiler, enlier, flotter, osciller, plaider, réagir, relayer, remplacer, renvoyer, saisonner, substituer, succéder, suppléer, tourner.

ALTESSE ROYALE. A.R., S.A.R.

ALTHAEA. Arbuste, guimauve, hibiscus, malvacée, rose trémière.

ALTIER. Arrogant, condescendant, dédaigneux, fier, haut, hautain, insolent, noble, orgueilleux, pincé, racé, rogue, snob.

ALTISTE (n. p.). Hindemith.

ALTISTE. Alto, musicien.

ALTITUDE. Alt, altimètre, côte, élévation, géoïde, guindant, haut, hauteur, montagne, niveau, plafond, puna.

ALTO. Altiste, basset, contralto, cor, corde, hautbois, saxophone, stradivarius, voix.

ALTO, CHANTEUSE (n. p.). Berthiaume, Brehmer, Darmont, Dind, Dubois, Harbour, Lalonde, Magnan, Mayer, Pelletier, Picard, Rose.

ALTRUISME. Abnégation, allocentrisme, amour, assistance, bonté, charité, égoaltruisme, générosité, philanthropie.

ALTRUISTE. Bon, charitable, compatissant, désintéressé, généreux, humain, humanitaire, mécène, miséricordieux.

ALUMINAGE. Absorption, appropriation, assimilation, endosmose, imbibition, imprégnation, intégration, savonnage.

ALUMINATE. Acide, bauxite, chrysobéryl, cymophane, hercynite, laque, leucite, mica, minerai, pléonaste, sel, spinelle.

ALUMINE. Altérité, alun, améthyste, corindon, émeri, lapis, lapis-lazuli, ocre, rubis, saphir, topaze.

ALUMINIUM (n. p.). Alcan, Alpax, Duralumin, Héroult, Saguenay, Zamak, Zicral.

ALUMINIUM. Al, albite, alu, alumine, aluminerie, aluminiage, alun, bauxite, béryl, calorisation, cordiérite, corindon, cryolite, disthène, électrolyse, épidote, gallium, gibbsite, hornblende, indium, kaolinite, leucite, lithium, mica, montmorillonite, métal, papillote, pyroxène, saponite, sial, spinelle, staurotide, thermite, topaze, tourmaline, turquoise.

ALUMINOSILICATE. Almandine, aluminium, anorthite, anorthose, feldspath, gehlénite, gmélinite, harmotome, haüyne, hornblende, marialite, mellilite, natrolite, néphéline, rose trémière, silicate, wernérite, zéolite.

ALUN. Alunifère, astringent, chinage, étoffe, mégis, ocre, poudre, sulfate, talc.

ALUNAGE. Absorption, endosmose, imbibition, imprégnation, incération, infiltration, insalivation, pénétration, percolation.

ALUNER. Aluminiage, alun, alunage, atterrir, imprégner.

ALVÉOLE. Abeille, alvéolite, anfractuosité, capsule, cavité, cellule, emphysème, excavation, gaufre, miel.

ALYSSUM. Alpestre, alysse, alysson, argentum, aurinia, maritimum, montagne, saxatile, scardicum, spinosum, thiaspi.

ALYTE. Accoucheur, amphibien, anoure, batracien, crapaud, discoglossidé, obstecricans.

AMABILITÉ. Accueil, affabilité, agrément, aimable, altruisme, aménité, attention, bienveillance, bonté, brutalité, civilité, complaisance, courtoisie, délicatesse, froideur, galanterie, gentillesse, grâce, hommage, minauderie, obligeance, politesse.

AMADOUER. Adoucir, amollir, apaiser, appâter, attirer, enjôler, flatter, gagner, rapprocher, séduire, unir.

AMAIGRI. Aminci, atrophié, creux, défait, efflanqué, émacié, étiré, famélique, hâve, maigre, tiré.

AMAIGRIR. Affiner, amincir, atténuer, creuser, décharner, dépérir, diminuer, efflanquer, émacier, fondre, maigrir.

AMAIGRISSEMENT. Amincissement, athrepsie, atrophie, cachexie, consomption, cure, dépérissement, dessèchement, émaciation, étisie, hectisie, liposuccion, maigreur, marasme, régime, tabès, tabescence.

AMALGAME. Admixtion, alchimie, alliage, alliance, amas, cocktail, combinaison, incorporation, intégration, mariage, mélange, mixture, pâte, pâtée, plombage, processus, réunion, tain.

AMALGAMER. Associer, combiner, confondre, emmêler, fondre, fusionner, incorporer, mélanger, mêler, réunir.

AMAN. Absolution, absoudre, acquittement, amnistie, condamner, disculpation, excuser, expier, grâce, gracier, non-lieu, octroi, oublier, pardon, relaxe, remettre, reprendre, réprimander, réprouver, sauf-conduit, souffrir, soumettre, soumission, stigmatiser.

AMANDE. Arachide, brou, cacao, cerneau, copra, coprah, coque, coquillage, dragée, fruit, monder, noix, nougat, noyau, pétoncle, pignon, pistache, pithiviers, pralin, praline, testicule, vulve.

AMANITE. Agaric, champignon, ciguë, citrine, coucoumelle, des Césars, gomelle, golmette, golmotte, muscaria, oronge, oronge-vraie, panthère, phalline, phalloïde, porphyre, printanière, rougissante, tue-mouches, verna, vireuse, volve.

AMANT (n. p.). Acis, Amadis, Anchise, Chopin, Égisthe, Mortimer, Pâris, Potemkine, Sandeau, Stern, Struensee.

AMANT. Adorateur, ami, amoureux, béguin, berger, bien-aimé, calinaire, calinière, céladon, chéri, copain, concubin, coquin, couple, favori, flirt, galant, gigolo, greluchon, idole, jules, mec, soupirant, tourtereau.

AMANTE (n. p.). Clytemnestre, Dorval, Drouet, Épinay, Konigsmarck, Sémélé.

AMANTE. Amie, amoureuse, belle, bergère, bien-aimée, blonde, calinaire, calinière, chérie, concubine, copine, dame, dulcinée, favorite, fille, maîtresse, mignonne, môme, muse, poule.

AMARANTACÉE. Amarante, crête-de-coq, herbacée, passe-velours, queue-de-renard.

AMARANTE. Andrinople, célosie, cinabre, crête de coq, épinard épineux, queue-de-renard, rouge, tricolore.

AMAREYEUR. Huître, ostréiculteur

AMARRAGE. Ancrage, arrimage, attache, calage, encartage, étrive, fixation, lamanage, ligature, lusin, nouage, nouement, sanglage.

AMARRE. Aussière, bitord, bitte, cabillot, câble, chaumard, cordage, élingue, embossure, étrive, filin, garcette, haussière, jarretière, larguer, liure, organeau, sabaille, sabaye, suspente, taquet.

AMARRER. Accrocher, arrimer, assujettir, assurer, attacher, bloquer, embosser, étalinguer, fixer, immobiliser, larguer, retenir, river, serrer.

AMARYLLIDACÉE. Agate, agave, amaryllis, bulbeuse, jonquille, narcisse, nivéole, perce-neige, sansevière, sisal, tampico, tubéreuse.

AMARYLLIS. Belladone, brunsvigia, crinium, croix, hippeastrum, lis, lys, nerine, sprekelia, vallota, zephyranthe.

AMAS. Abattis, abcès, accumulation, adipeux, amalgame, amoncellement, banc, banquise, bloc, boule, bourre, branchage, bric à brac, cal, chaton, concentration, congère, dune, éboulis, échafaudage, empyème, ensablement, entassement, fatras, fétras, feu, flocon, foule, filasse, glomérule, jar, jard, liasse, lithiase, lot, macédoine, masse, meule, mitraille, monceau, mousse, névé, noyau, nuage, ossuaire, pannicule, paquet, pierraille, pierre, pile, plexus, ramassis, rocaille, ruée, salage, sécas, sérac, sore, tas, tout, trésor, tumulus.

AMASSER. Accaparer, accumuler, amonceler, assembler, butiner, capitaliser, cumuler, emmagasiner, empiler, entasser, gerber, masser, piler, ramasser, rassembler, râteler, recueillir, réunir, stocker, thésauriser.

AMATEUR. Aficionado, balletomane, bédéphile, bibliophile, bouquineur, bouquiniste, cinéphile, connaisseur, cruciverbiste, curieux, dilettante, fanatique, fantaisie, friand, joueur, mélomane, mots-croisiste, partisan, preneur, véliplanchiste, vélivole.

AMATEURISME. Attrape, barigoule, blague, bouffonnerie, canular, clownerie, dilettantisme, facétie, facétieux, farce, fumisterie, godiveau, niche, plaisanterie.

AMATIR. Altérer, assombrir, brouiller, décolorer, défraîchir, délustrer, dépolir, déshonorer, dessécher, éclipser, effacer, emboire, éteindre, étioler, faner, flétrir, gâter, matir, polir, rider, salir, tacher, ternir.

AMAUROSE. Ablepsie, agnosie, alexie, amblyopie, anéxie, anophtalmie, anopie, anopsie, aveugle, aveuglement, cataracte, cécité, héméralopie, hespéranopie, incapacité, mutisme, nyctalopie, obscurcissement.

AMAZONE (n. p.). Clorinde, Héraclès, Penthésilée, Pinzon.

AMAZONE. Cavalière, cheval, courtisane, écuyère, hétaïre, jupe, moto, péripatéticienne, prostituée, roulure, traînée.

AMBAGES. Catégorique, circonlocution, détours, direct, directement, équivoque, faux-fuyants, franchement, hésitation.

AMBASSADE. Attaché, carrière, consulat, diplomatie, internonciature, légation, mission, nonciature, résidence, théorie.

AMBASSADEUR (n. p.). Abetz, Benavides, Bernis, Botha, Caulincourt, Chrétien, Dalrymple, Daufresne, Franklin, Guyot, Iturriaga, Joubert, Keller, Leahy, Menchikov, Nigra, Ormesson, Ossat, Papen, Pélissier, Pons, Pradt, Renard, Rey, Rodriguez, Stadion, Talleyrand.

AMBASSADEUR. Agent, attaché, commissaire, consul, député, diplomate, émissaire, envoyé, légat, missionnaire, nonce.

AMBIANCE. Air, allégresse, ambiophonie, atmosphère, aura, bonheur, cadre, climat, condition, convivialité, décor, enjouement, entourage, entrain, gaieté, lieu, milieu, sfumato, sphère, tonalité.

AMBIANT. Adjacent, approchant, attenant, auprès, avoisinant, circonvoisin, contigu, environnant, immédiat, imminent, instant, jouxte, juxtaposé, limitrophe, parent, près, prochain, proche, rapproché, récent, ressemblant, semblable, sur, voici, voisin.

AMBIGU. Ambivalent, amphibologique, double, douteux, énigmatique, équivoque, évasif, incertain, indécis, louche, malsain, net, obscur, plurivoque, polysémique, repas, sibyllin, théorème.

AMBIGUÏTÉ. Ambivalence, amphibologie, dilogie, double, énigme, équivoque, incertitude, normand, obscurité, polysémie.

AMBITIEUX. Affectueux, arriviste, carriériste, gentil, grimpion, intrigant, présomptueux, prétentieux.

AMBITION. Appétit, ardeur, arrivisme, aspiration, brigue, but, carriérisme, convoitise, cupidité, désir, dessein, faim, fringale, gagne-petit, idéal, orgueil, passion, prétention, quête, recherche, rêve, soif, souhait, visée.

AMBITIONNER. Aspirer, assoiffer, briguer, brûler, convoiter, désirer, miser, orgueillir, passionner, pourchasser, poursuivre, prétendre, rechercher, rêver, souhaiter, viser.

AMBIVALENCE. Absurdité, antilogie, antinomie, aporie, barrière, boulet, contradiction, contraire, contraste, démenti, discordance, incohérence, incompatibilité, obligation, obstacle, opposition.

AMBIVALENT. Ambigu, aporie, contradictoire, double, dualité, janus, maître Jacques, schizophrénie.

AMBLE. Allure, ambler, ambleur, chameau, cheval, girafe, haquenée, ours, pas, trot.

AMBLYOPE. Absolu, aveugle, braille, cataracte, malvoyant, non-voyant, total.

AMBLYSTOME. Ambystome, amphibien, axolotl, batracien, néoténie, salamandre, urodèle.

AMBON. Basilique, cathère, chaire, chaise, chœur, église, estrade, faldistoire, homilétique, jubé, minbar, pupitre, siège, stalle, tribune.

AMBRACIE (n. p.). Actium, Arta, Auguste, Épire, Grèce. Octavien.

AMBRÉ. Agatite, ambréine, ambrin, bakétite, blond, bronzé, carabe, doré, jais, jaune, parfumé, phosphore, succinct.

AMBRE. Agatite, bakélite, carbolite, formite, intelligent, jaune, subtil, parfum, rusé, succin.

AMBRETTE. Abelmosque, ambrée, ketmie, gastéropode, graine, hibiscus, musquée, poire.

AMBROSIAQUE. Délectable, délicieux, excellent, exquis, friand, gastronomique, goûteux, savoureux, succulent.

AMBULACRAIRE. Échinoderme, podion, promener, trou, ventouse.

AMBULANCIER. Auxiliaire, brancardier, infirmier, samaritain, sauveteur, secouriste, urgentiste.

AMBULANT. Auxiliaire, baladeuse, cabot, cabotin, colporteur, fléau, forain, griot, itinérant, nomade, robineux.

ÂME. Animateur, apparition, atman, baguette, bouche, canon, cœur, conscience, désemparé, ego, ému, esprit, être, fantôme, habitant, humeur, individu, joie, ka, lémure, mânes, noyau, obit, paix, personne, principe, psychopompe, revenant, scrupule, sein, sensibilité, spectre, spirituel, triste.

AMÉLIORABLE. Amendable, curable, guérissable, perfectible, réformable, soignable.

AMÉLIORANT. Amendement, apport, colombine, compost, cyanamide, écobuage, engrais, falun, fertilisant, fumier, fumure, gadoue, graissin, guano, humus, limon, marne, nourrain, poudrette, pralin, purin, urée.

AMÉLIORATION. Abonnissement, aménagement, anoblissement, bonification, bonus, changement, décoration, détente, éclaircie, embellie, embellissement, guérison, impenses, mieux, mieux-être, ornement, perfectionnement, progrès, réforme, réparation, révision.

AMÉLIORER. Abonnir, aggraver, amender, arranger, augmenter, bonifier, changer, civiliser, corriger, doper, éduquer, embellir, engraisser, épurer, fertiliser, gagner, gâter, guérir, monter, orner, perfectionner, réécrire, refaire, rénover, réparer, restaurer, réviser, revoir.

AMÉNAGEMENT. Accommodation, accommodement, agencement, ajustement, arrangement, cadrage, canalisation, développement, disposition, distribution, domisme, équipement, garnissage, installation, ordonnance, organisation.

AMÉNAGER. Agencer, arranger, changer, composer, convertir, décorer, élaborer, enchaîner, équiper, établir, installer, modifier, ordonner, organiser, réaménager, régler, remplacer, tisser, transformer, urbaniser.

AMÉNAGEUR. Architecte, bâtisseur, chef, compas, concepteur, constructeur, créateur, décorateur, édificateur, équerre, ingénieur, inventeur, ornement, paysagiste, projeteur, règle, style, té, traçoir, urbaniste.

AMENDABLE. Améliorable, curable, guérissable, perfectible, réadaptable, réformable, soignable.

AMENDE. Astreinte, contravention, dédommagement, délit, excuse, indemnité, peine, percée, punition, sanction.

AMENDEMENT. Abonnissement, amélioration, ameublissement, assolement, bonification, changement, chaulage, correction, fertilisation, gadoue, gadouille, marnage, modification, plâtrage, réforme, réparation, substance, terreau.

AMENDER. Améliorer, changer, châtier, chauler, composter, corriger, dompter, épurer, erbue, faluner, fumer, gâter, glaiser, guérir, limer, marner, modifier, policer, polir, punir, ramender, redresser, réformer, réparer.

AMÈNE. Abordable, accueillant, accort, adorable, affable, afférent, agréable, aimable, amical, avenant, bénin, civil, courtois, doux, reillère, si.

AMENÉE. Abée, aqueduc, arroyo, artère, berme, bief, boyau, canal, canalicule, caniveau, chenal, cholédoque, conduit, conduite, cordon, cours, dalot, drain, eau, écluse, égout, émissaire, étier, évent, évier, fistule, fossé, gorge, installation, lé, lit, navale, navire, passe, pénis, rachidien, rigole, rivière, route, ru, ruisseau, ruisselet, sas, sillon, trachée, tube, tuyau, uretère, urètre, vagin, veine, voie.

AMENER. Abaisser, acheminer, affilier, apporter, ariser, arriver, attirer, biscuiter, causer, conduire, convertir, couronner, emmener, enrôler, entraîner, fondre, hâler, induire, ménager, occasionner, pointer, porter, pousser, préparer, présenter, provoquer, radiner, ramener, rappliquer, tirer, traîner, transporter, unifier, venir.

AMÉNITÉ. Affabilité, agrément, amabilité, attention, bienséance, civilité, convivialité, courtoisie, douceur, politesse.

AMENUISEMENT. Affaiblissement, amincissement, amoindrissement, diminution, rapetissement, raréfaction, réduction.

AMENUISER. Affaiblir, amincir, amoindrir, diminuer, dissiper, estomper, évanouir, évaporer, rapetisser, réduire.

AMER. Abject, acerbe, âcre, aigre, aigri, amertume, âpre, bière, bile, blessant, cruel, désagréable, dolent, douloureux, dur, douleur, fiel, mordant, morne, morose, onde, pénible, pensif, plaintif, rude, saumâtre, sûr, triste.

AMÈREMENT. Affreusement, atrocement, brutalement, cruellement, déplaisamment, désagréablement, douloureusement, durement, ennuyeusement, fâcheusement, mal, méchamment, péniblement, rudement.

AMÉRICAIN. Amerlo, amerloque, banjo, bingo, chat, coton, G.I., gringo, ranch, ricain, rodéo, saloon, yankee.

AMÉRICAINE. Cigarette, états-unienne, nordiste, sauce, voiture, yankee.

AMÉRICIUM. Am.

AMÉRINDIEN. Autochtone, aymara, indien, indigène, manitou, nahua, peau-rouge, sauvage, squaw.

AMÉRINDIEN (n. p.). Ahuntsic, Tecumseh, Tekakwitha.

AMÉRINDIEN DES ÉTATS-UNIS (n. p.). Acolaopissas, Apache, Atakapas, Catawbas, Cherokee, Cheyenne, Chinook, Chitimachas, Choctaw, Comanche, Creek, Hidatsas, Illinois, Mandan, Mohawk, Navajo, Nez Percé, Paiute, Pawnee, Pieds-Noirs, Pomo, Séminole, Seneca, Shoshone, Sioux, Tête-Plate.

AMÉRINDIEN DU CANADA (n. p.). Abénaquis, Agnier, Algonquin, Apache, Cree, Cris, Etchemin, Goyogouin, Haidas, Huron, Iroquois, Malécite, Micmac, Mohawk, Onneyout, Onnontagué, Outagami, Outaouais, Sioux, Souriquois, Tecumseh, Tsonnontouan.

AMÉRINDIEN MEXIQUE (n. p.). Mayas, Nahua.

AMÉRINDIEN DU NOUVEAU-MEXIQUE (n. p.). Chickasaw, Choctaw, Hopis, Mimbre, Mohave, Natchez, Pueblos, Yumas.

AMÉRINDIEN DU PÉROU (n. p.). Incas.

AMÉRIQUE CENTRALE, PAYS (n. p.). Belize, Costa Rica, Équateur, Guatemala, Honduras, Nicaragua, Panama, Salvador.

AMÉRIQUE LATINE, PAYS (n. p.). Argentine, Belize, Bolivie, Brésil, Chili, Colombie, Costa Rica, Cuba, Équateur, Guatemala, Haïti, Honduras, Mexique, Nicaragua, Panama, Paraguay, Pérou, Salvador, Uruguay, Venezuela.

AMERLOQUE. Américain, amerlo, amerloc, raciste, ricain, yankee.

AMERRIR. Apponter, amerrissage, aquarir, atterrir, hydroplaner, poser.

AMERTUME. Âcreté, affliction, aigreur, amère, âpreté, bile, chagrin, découragement, dégoût, dépit, douloureux, dulcifier, empoisonner, fiel, méchanceté, mélancolie, morose, morosité, peine, pessimisme, rancœur, ressentiment, tristesse.

AMÉTROPIE. Anomalie, astigmatisme, hypermétropie, myopie, réfraction, rétine.

AMEUBLEMENT. Armoire, bahut, banc, buffet, bureau, cabinet, chaise, classeur, coffre, commode, console, crédence, décoration, discothèque, divan, étagère, fanfreluche, fauteuil, lit, meuble, mobilier, prie-Dieu, pupitre, sétailier, siège, table.

AMEUBLIR. Amender, bêcher, biner, charrue, défoncer, écroûter, effondrer, gratter, herser, houe, mobiliser, pioche, scarifier.

AMEUBLISSEMENT. Bêchage, billonnage, binage, charruage, culture, écroûtage, émottage, hersage, labour.

AMEUTER. Alerter, assembler, attrouper, coaliser, crier, exciter, grouper, inviter, masser, rameuter, rassembler, soulever.

AMI. Accoint, agape, allié, amant, bénéfique, camarade, collègue, compagnon, compère, confrère, connaissance, copain, familier, favorable, fidèle, intime, lié, mec, œnophile, partisan, pote, proche, relation, tu, uni.

AMIABLE. Accommodement, amiablement, amicalement, amiteusement, arrangement, volontaire, volontairement.

AMIANTE. Amiantifère, amiantose, asbeste, asbestose, fibre, fibrociment, manchon, œil-de-tigre, silicate.

AMIBE. Amibien, amiboïde, entamibien, monère, protozoaire, pseudopode, rhizomastigide, rhizopode, schizopyrénide, vampyrelle.

AMIBIASE. Altération, contagion, contamination, corruption, ecthyma, érésipèle, érysipèle, fétidité, furoncle, gangrène, impétigo, infection, invasion, lèpre, malodorant, nosocomial, ornithose, ostéomyélite, panaris, peste, pestilence, pneumonie, putréfaction, septicémie, streptococcie, sycosis, syphilis, tétanos, typhus, variole.

AMICAL. Accueillant, affable, affectueux, aimable, bienveillant, chaleureux, cordial, fraternel, gentil, sympathique.

AMICALE. Association, cercle, club, compagnie, fraternité, groupe, société, union.

AMICALEMENT. Adorablement, affablement, agréablement, aimablement, bien, chaleureusement, chouettement, complaisamment, cordialement, délicatement, gentiment, poliment, sympathiquement.

AMIDE. Acétamide, acétanilide, aniline, asparagine, benzamide, diamide, formanide, lactame, polyamide, urée.

AMIDON. Amylacé, amyle, apprêt, colle, empeser, empois, fécule, igname, inuline, jaque, maïs, pois, sagou, sucre.

AMIDONNER. Apprêter, blé, coller, empeser, enduire, féculer, imprégner, poudrer.

AMIE. Amante, blonde, compagne, copine, égérie, intime, mie, poisson, vieille.

AMINCI. Acéré, allongé, aigu, délié, effilé, effiloché, fin, fuselé, maigre, mince, pointu, ténu, tranchant.

AMINCIR. Alléger, amaigrir, amenuiser, corroyer, dégraisser, dégrossir, diminuer, élimer, émacier, étriquer, maigrir, mincir, user.

AMINCISSEMENT. Affinement, allégement, amaigrissement, amenuisement, étirement, ostéoporose, rapetissement.

AMINE. Alanine, aminogène, aniline, arylamine, cystine, cystéine, diamine, histamine, histidine, monoamine, tyrosine, valine, xylidine.

AMINOACIDE. Aminé, histidine, lactame, lysergique, polyamide.

AMIRAL. Capitanpacha, chef, commandant, drongaire, drungaire, galons, grade, officier.

AMIRAL ALLEMAND (n. p.). Canaris, Dönitz, Raeder, Tirpitz.

AMIRAL AMÉRICAIN (n. p.). Byrd, Dewey, Farragut, King, Leahy, Mahan, McCormick, Nimitz, Porter, Stirling, William.

AMIRAL ANGLAIS (n. p.). Anson, Back, Beatty, Beaufort, Blake, Byng, Hawkins, Hawkyns, Jellicoe, McClure, Mountbatten, Nelson, Rodney, Rupert, Russell, Torrington, Wemyss.

AMIRAL AUTRICIEN (n. p.). Tegetthoff.

AMIRAL BRITANNIQUE (n. p.). Beatty, Blake, Byng, Cochrane, Jellicoe, Mountbatten, Murray, Nelson, Rupert, Russell, Sturdee, Wolf.

AMIRAL CARTHAGINOIS (n. p.). Adherbal.

AMIRAL DE LA RÉPUBLIQUE PARTHÉNOPÉENNE (n. p.). Caraccioli.

AMIRAL DES FORCES ALLIÉES (n. p.). Mountbatten.

AMIRAL ESPAGNOL (n. p.). Carrero, Gravina, Santa Cruz.

AMIRAL FRANÇAIS (n. p.). Argenlieu, Beaufort, Bonnivet, Bruat, Bruix, Castex, Chabot, Coligny, Courbet, Darlan, Duperré, Estaing, Fleuriais, Forbin, Freycinet, Ganteaume, Gouffier, Guépratte, Hamelin, Joinville, Joyeuse, Lemonnier, Mouchez, Noailles, Penthièvre, Roussin, Strozzi, Suffren, Toulouse, Tourville, Vienne, Villeneuve, Willaumez.

AMIRAL GÉNOIS (n. p.). Doria.

AMIRAL GREC (n. p.). Canaris, Kanaris, Miaoulis.

AMIRAL HOLLANDAIS (n. p.). Tromp.

AMIRAL HONGROIS (n. p.). Northy de Nagybanya.

AMIRAL JAPONAIS (n. p.). Nagano, Nagumo, Togo, Yamamoto.

AMIRAL NÉERLANDAIS (n. p.). Ruyter.

AMIRAL RUSSE (n. p.). Gorchkov, Koltchak, Menchikov, Papanine.

AMITIÉ. Accord, affection, allié, amant, amour, attachement, camarade, camaraderie, chaîne, copain, entente, fidèle, francophilie, inclinaison, intime, œnophile, paix, partisan, pote, sympathie, tendresse, union, visite.

AMITIEUX. Affectueux, amoureux, bon, cajoleur, câlin, caressant, chaleureux, cordial, doux, gentil, tendre.

AMMOBIUM. Acroclinium, alatum, amarantoïde, éternelle, gnaphalium, hélichrysum, helipterum, immortelle, rodanthum, statice, waitzia, xéranthème, zeranthemum.

AMMOCÈTE. Agnathe, chatouille, cyclostome, lampetra, lamprillon, lamproie, petromyzon, vertébré.

AMMONIAC (n. p.). Bassov, Bosch, Haber, Ostwald.

AMMONIAC. Alcali, amide, amine, ammoniacal, azote, cyamide, éthylamine, imide, imine.

AMMONIAQUE. Alcalescence, alcali, amide, ammoniacée, imide, nitrification.

AMMONITE. Aegoceras, céphalopode, clyménie, crioceras, fossile, gastropode, mollusque, poulpe, scaphite, tabulé.

AMNÉSIE (n. p.). Korsakoff.

AMNÉSIE. Absence, agnosie, antérograde, aphasie, apraxie, étourderie, mémoire, omission, oubli, perte, trou.

AMNISTIE. Absolution, absoudre, acquittement, aman, condamner, disculpation, excuser, expier, grâce, gracier, non-lieu, oublier, pardon, relaxe, remettre, reprendre, réprimander, réprouver, souffrir, stigmatiser.

AMNISTIER. Absoudre, affranchir, déchaîner, dégager, délier, délivrer, démuseler, déverrouiller, élargir, émanciper, évader, excuser, gracier, jouer, libérer, licencier, purger, quitter, relaxer, relever, remercier, sauver, tolérer.

AMNIOTIQUE. Amniocentèse, amnioscopie, eaux, fœtus, hydramnios, liquide.

AMOCHER. Abîmer, altérer, amoindrir, blesser, briser, carier, casser, défigurer, dégrader, délabrer, démolir, dénaturer, détériorer, ébrécher, endommager, envenimer, esquinter, gâcher, gâter, pourrir, rayer, saboter, salir, user.

AMOINDRIR. Abaisser, affaiblir, amenuiser, atténuer, baisser, diminuer, minimiser, rabaisser, réduire, user.

AMOINDRISSEMENT. Abaissement, affaiblissement, allègement, altérabilité, amenuisement, dégradation, diminution, hypotrophie, péjoration, réduction, restriction, usure.

AMOK. Aberration, aveuglement, cécité, délire, égarement, entêtement, erreur, folie, frénésie, hystérie, passion.

AMOLLIR. Abattre, adoucir, affaiblir, alanguir, alléger, attendrir, atténuer, avachir, aveulir, bruire, débiliter, délayer, détremper, diminuer, dissoudre, efféminer, faiblir, fléchir, lénifier, liquéfier, mollir, ramollir.

AMOLLISSANT. Affaiblissement, alanguissant, anémiant, consomptif, débilitant, démoralisant, déprimant, émollient, lénifiant, lénitif, liquifiant, malaxant, déprimant, tuant.

AMOLLISSEMENT. Abaissement, affadissement, affaiblissement, altération, amaigrissement, apathie, décadence, émollient, fenaison, fléchissement, lénifiance, lénitif, ramollissement, relâchement.

AMOME. Aromate, cardamome, graine de paradis, maniguette, plante, poivre de Guinée, pomme d'amour, zingibéracée.

AMONCELER. Accaparer, accumuler, agglomérer, amasser, chaparder, collectionner, empiler, entasser, truster.

AMONCELLEMENT. Accumulation, amas, bouscueil, crassier, embâcle, entassement, monceau, montagne, névé, pile, sérac, tas.

AMONT. Aval, dessus, estuaire, haut, névé, source.

AMONTILLADO. Jerez, manzanilla, sherry, vin, xérès.

AMORAL. Choquant, éhonté, indifférent, immoral, impur, inconvenant, laxiste, libertaire, libre, nature.

AMORALITÉ. Avilissement, corruption, cynisme, débauche, dégradation, dénaturé, dépravation, déshonneur, laxisme, luxure, péché, perdition, perversion, perversité, perversion, profanation, tare, vice.

AMORÇAGE. Amorce bruit, déflagrateur, détonateur, étincelle, étoupille, explosion, fulminant, pet.

AMORCE. Aiche, allèchement, appât, boëte, boëtte, boitte, bouette, brûlure, commence, commencement, début, détonateur, ébauche, étoupille, évent, fulminante, leurre, percuteur, pétard, ravine.

AMORCER. Appâter, attirer, commencer, déclencher, ébaucher, écher, entamer, escher, esquisser, pointer.

AMORPHE. Apathique, atone, énergique, forme, inactif, inconsistant, indécis, indifférent, inerte, unexpressif, informe, lâche, mou, paresseux, vitreux, zombie.

AMORTI. Aboli, abrogé, annulé, arriéré, attardé, biffé, caduc, démodé, dépassé, désuet, dissous, éteint, expiré, inactuel, infirme, invalide, neutre, nul, obsolescent, obsolète, périmé, rayé, rétrograde, suranné.

AMORTIR. Affaiblir, annuler, assourdir, calmer, diminuer, émousser, étouffer, modérer, payer, réduire, rembourser, rentabiliser.

AMORTISSEMENT. Acquittement, atténuation, constatation, couverture, diminution, extinction, remboursement, rendement.

AMORTISSEUR. Antichoc, antiroulis, banane, butoir, damper, filet, heurtoir, lisoir, ressort, suspension.

AMOU-DARIA (n. p.). Afghanistan, Aral, Kharezm, Ouzbékistan, Oxus, Pamir, Türkménistan.

AMOUR (n. p.). Aphrodite, Astarté, Ashtart, Balder, Baldr, Cupidon, Éros, Europa, Europe, Hathor, Ishtar, Kama, Vénus.

AMOUR. Adoration, affection, altruisme, amant, amitié, amourette, ardeur, attachement, baise, béguin, bibliophilie, caprice, charité, cœur, concubinage, cour, dévotion, dévouement, dilection, égoïsme, épris, érotisme, érotologie, estime, extase, feu, flamme, fleuve, flirt, foudre, fraternité, galant, gastronomie, herbe, idolâtrie, idylle, lascif, liaison, narcissisme, passade, passion, philanthropie, piété, platonique, pugnacité, tendresse.

AMOURACHER. Acoquiner, affectionner, aimer, coiffer, embéguiner, enamourer, enticher, éprendre, friand, passionner, préférer, raffoler, toquer.

AMOURETTE. Acacia, aimer, amoretas, amour, bois, béguin, bois, brize, caprice, flirt, muguet, passade, passager, passionnette, plante, tocade.

AMOURETTES. Bœuf, garniture, moelle, morceau, mouton, testicule.

AMOUREUSE (n. p.). Dulcinée, Iseult, Iseut, Isolde.

AMOUREUSEMENT. Affectueusement, amicalement, câlinement, chaleureusement, sensiblement, tendrement.

AMOUREUX (n. p.). Narcisse, Pygmalion, Roméo, Saint-Valentin, Tristan, Valentin.

AMOUREUX. Adorateur, alcôve, amant, amateur, amoroso, béguin, cavaleur, céladon, épris, fanatique, féru, fervent, fiancé, fou, galantin, idylle, mordu, narcisse, passionné, pincé, pris, soupirant, toqué, tourtereau.

AMOUR-PROPRE. Blessure, dignité, égoïsme, égratignure, fierté, humiliation, mortification, orgueil, soufflet.

AMOVIBLE. Clavette, clayette, coquille, déplaçable, détachable, interchangeable, mobile, modifiable, praticable.

AMPÉLIDACÉE. Ampélopsis, dicotylédone, hautain, lambruche, lambrusque, vigne, vigne-vierge, vitacée.

AMPÈRE. A, A.H., A.M., coulomb, henry, lumière, MKSA, ohm, var, volt.

AMPHIBIEN. Actinodon, alyte, amblystome, anabas, anoure, apode, axolotl, batracien, castor, cécilie, crapaud, grenouille, ichtyostéga, ichtyoïde, paludarium, protée, rainette, ranidé, salamandre, stégocéphale, têtard, triton, urodèle.

AMPHIBOLE. Actinote, ambigu, amphibolite, calcique, hornblende, jade, néphrite, smaragdite, syénite, trémolite.

AMPHIBOLOGIE. Ambigu, ambiguïté, double, équivoque, flou, imbroglio, incertain, janotisme, louche, nébuleux, vaporeux.

AMPHIBOLOGIQUE. Ambigu, catégorique, clair, douteux, éon, équivoque, évasif, faux, imbroglio, imprécis, incertain, indécis, interlope, janotisme, louche, micmac, net, obscur, précis, suspect, trouble.

AMPHIGOURI. Article, barbouillage, barbouillis, billet, brouillon, dire, écrit, écriture, factum, graphisme, gribouillage, grimoire, journal, libelle, minute, nécrologie, nota, pamphlet, papier, prose, récépissé, script, style, torchon.

AMPHIGOURIQUE. Alambiqué, brouillé, confus, embrouillé, entortillé, fumeux, galimatias, nébuleux, obscur.

AMPHINEURES. Chiton, gastropode, mollusque, oscabrion, polyplacophore.

AMPHION (n. p.). Antiope, Dircé, Niobé, Zéthos, Zeus.

AMPHITHÉÂTRE. Aréna, arène, auditoire, aula, cirque, colisée, forum, gradin, hémicycle, podium, poulailler.

AMPHITRYON (n. p.). Alcmène, Héraclès, Sosie, Zeus.

AMPHITRYON. Architriclin, hôte, maître, mécène.

AMPHORE. Aiguière, anse, ballon, bol, boue, bouteille, buire, calice, canette, canope, carafe, cérame, ciboire, cornue, cratère, cruche, fange, hanap, hydrie, jarre, jatte, limicole, limon, matras, navette, patène, pot, potiche, récipient, seau, soliflore, tasse, thomas, urinal, urne, vase, verre.

AMPLE. Abondant, considérable, développé, élevé, épanoui, étendu, faramineux, fort, grand, gras, gros, houppelande, immense, kimono, large, largo, largos, mante, pèlerine, riche, toge, vaste, volumineux.

AMPLEMENT. Abondamment, aisément, beaucoup, copieusement, énormément, largement, suffisamment, vastement.

AMPLEUR. Abondance, amplitude, atténuateur, carrure, corpulence, développement, dimension, envergure, étendue, extension, gabarit, grandeur, grosseur, importance, juponné, largesse, largeur, maigreur, volume.

AMPLIATION. Acte, augmentation, complément, copie, duplicata, duplication, duplicatum, expédition, grosse.

AMPLIFICATEUR. Ampli, audiophone, exagérer, grossir, haut-parleur, laser, mégaphone, répéteur, tuner.

AMPLIFICATION. Aggravation, agrandissement, ajouture, allongement, alourdissement, développement, exacerbation, exagération, exaspération, extension, intensification, laser, maximalisation, paraphrase, PCR, résonance.

AMPLIFIER. Accroître, agrandir, assister, augmenter, broder, développer, dilater, diminuer, élargir, embellir, enjoliver, étendre, exagérer, grossir, intensifier, ouvrir.

AMPLITUDE. Amortissement, clonique, écart, extension, immensité, inclinaison, oscillation, portée, résonance, variation.

AMPOULÉ. Affecté, amphigourique, bombastique, bouffi, boursouflé, contourné, creux, déclamateur, déclamatoire, discours, emphatique, enflé, grandiloquent, guindé, pindarique, pompeux, prétentieux, redondant, ronflant, sonore, style, vide.

AMPOULE. Argon, bulbe, bulle, burette, cloche, cloque, culot, fiole, idée, lampe, phlyctène, ventouse, vésicule, voyant.

AMPUTATION. Ablation, autotomie, glossotomie, mutilation, opération, réduction, retrait, sectionnement, transfixion.

AMPUTÉ. Chicot, cul-de-jatte, estropié, manchot, moignon, mutilé, unijambiste, victime.

AMPUTER. Abscisser, couper, diminuer, écorner, enlever, estropier, exciser, mutiler, ôter, réséquer, retrancher, transfixer.

AMUÏR. Aphone, caché, coi, comparse, discret, fermé, interdit, interloqué, muet, mutisme, parole, secret, silencieux, taciturne, taire, voix.

AMULETTE. Abraxas, aétite, anneau, bague, bétyle, bondieuserie, charme, effigie, fétiche, grigri, gris-gris, idole, mascotte, médaille, or, pentacle, phylactère, porte-bonheur, porte-chance, psellion, sachet, scapulaire, talisman.

AMURER. Abraquer, amure, assujettir, bander, border, contracter, crisper, durcir, embraquer, empeser, engourdir, étarquer, fixer, rider, raidir, tendre, tirer, voile.

AMUSANT. Comique, bidonnant, comique, distrayant, divertissant, drôle, énervant, ennuyant, fendant, jeu, joli, marrant, plaisant, réjouissant, rigolo, spirituel, tordant.

AMUSE-GUEULE. Baba, biscuit, bonbon, canapé, chatterie, confiserie, cracker, douceur, friandise, gâteau, gâterie, gourmandise, macaron, nanan, nougat, œuf, olive, papillote, pâtisserie, praline, sucette, sucrerie, tarte, tire, touron, truffe.

AMUSEMENT. Agrément, amusette, bagatelle, batifolage, déduit, délassement, dérivatif, distraction, diversion, divertissement, entrain, gaieté, goguette, jeu, joie, leurre, loisir, passe-temps, plaisir, récréation, réjouissance, sourire, tromperie.

AMUSER. Baguenauder, batifoler, délasser, dérider, distraire, divertir, drôle, ébaudir, égayer, endormir, folâtrer, goguette, hochet, jeu, jouer, lambiner, lanterner, marrer, musarder, muser, récréer, réjouir, rigoler, rire, sourire, traîner, vétiller.

AMUSETTE. Agreement, babiole, bagatelle, dérivatif, distraction, ébats, jeu loisir, ludisme, passe-temps, plaisir.

AMUSEUR. Animateur, bateleur, batifoleur, bouffon, clown, comique, espiègle, facétieux, farceur, g.o., humoriste, pitre, taquin.

AMYGDALE. Amygdalite, amygdalectomie, linguale, lymphoïde, palatine, pharyngée, tonsille.

AN. Annal, année, balai, berge, bissextile, calendrier, chronologie, douze, jour, lustre, millésime, pige, saison, semestre.

ANA. Anecdotes, anthologie, pensées, recueil.

ANABANTIDÉ. Combattant, gourami, macropode.

ANABAPTISTE. Adulte, baptême, baptiste, mennonite, protestant, zwinglien.

ANABOLISANT. Additif, dopant, énergisant, excitant, nandrolone, protidique, stéroïde, stimulant.

ANABOLISME. Absorption, assimilation, biosynthèse, caillette, cellule, chimisme, coction, digestion, eupepsie, feuillet, ingestion, mérycisme, métabolisme, nutrition, phagocytose, rumination, transformation.

ANACARDIACÉE. Acajou, fustet, laque, lentisque, manguier, mombin, pistachier, spondias, sumac, térébinthe.

ANACARDIER. Acajou, acajou à pommes, anacardiacée, arbre, boswellia, laquier, lentisque, manguier, pistachier, quebracho, spondias, sumac, térébinthacée, térébinthe, vernis du Japon.

ANACHORÈTE. Ascète, ermite, moine, ours, rectus, religieux, sauvage, solitaire, starets, stylite.

ANACHRONIQUE. Démodé, dépassé, désuet, erroné, inactuel, obsolète, métachronique, parachronique, périmé, prochronique, vieilli.

ANACHRONISME. Abandon, âge, ancienneté, antiquité, archaïsme, caducité, décrépitude, délabrement, désaffection, désuétude, obsolescence, survivance, usure, vétusté, vieillesse, vieillissement.

ANACONDA. Boa, crotale, eunecte, reptile, serpent, sonnette.

ANACRÉON (n. p.). Chaulieu, Polycrate, Samos, Téos.

ANAÉROBIE. Aérobie, anaérobiose, botulique, digesteur, micro-organisme, perfringens.

ANAGOGIE. Contemplation, écritures, élévation, exégèse, explication, extase, leçon, mysticisme, ravissement, symbolisme.

ANAGRAMME. Anacroisés, cryptonyme, hétéronyme, nom, plume, pseudonyme, sobriquet, surnom.

ANAÏS (n. p.). Nin.

ANAL. Anaux, anneau, anus, anuscopie, boyau, castoréum, cul, culier, derrière, émonctoire, fion, fondement, hémorroïde, intestin, marge, orifice, périnée, périprocte, pouvent, proctalgie, prostate, rectum, siège, trou, troufignard, troufignon.

ANALEPTIQUE. Défatigant, dopant, énergisant, excitant, fortifiant, reconstituant, remontant, stimulant, tonifiant.

ANALGÉSIE. Anesthésie, cocaïnisation, éther, éthérisation, insensible, péridural, rachianesthésie, sommeil, stovaïne.

ANALGÉSIQUE. Anesthésiant, antalgique, antidouleur, aspirine, morphine, opium, narcéine, salicoside, tylénol.

ANALOGIE. Affinité, association, conformité, correspondance, déduction, exégèse, extension, homologie, hypallage, induction, lien, métaphore, métonymie, parenté, rapport, relation, ressemblance, similitude, synecdoque.

ANALOGIQUE. Additionneur, associatif, commun, comparable, connexe, contigu, corrélateur, digital, soustracteur.

ANALOGUE. Affinité, approchant, assimilable, comparable, conforme, connexe, contigu, correspondant, équivalent, homologue, isologue, lien, pareil, parent, parenté, ressemblant, semblable, série, similaire, similitude, synonyme, voisin.

ANALPHABÈTE. Aïeul, ignare, ignorant, illettré, inculte.

ANALYSE. Abrégé, anatomie, attribut, critique, décomposition, dialyse, disséquer, épithète, essai, étude, examen, exposé, lecture, lisage, objet, observation, polarographie, prise, proposition, psychologie, recension, sommaire, sujet.

ANALYSER. Anatomiser, constater, critiquer, décomposer, décortiquer, dépecer, dépiauter, disséquer, dissoudre, éplucher, étudier, examiner, expliquer, observer, prélever, radiographier, résumer, séparer, sommaire.

ANALYSEUR. Analyste, chercheur, critique, enregistreur, examinateur, mesureur, psychologue, recherchiste, vidicon.

ANALYSTE. Analyseur, anatomiste, mathématicien, programmeur, psychanalyste, psychologue.

ANALYTIQUE (n. p.). Alexander, Austin, Lagrange, Laplace, Quine, Picard, Riemann.

ANALYTIQUE. Approfondi, compte rendu, circonstancié, détaillé, minutieux, précis, synthétique, tautologie.

ANALYTIQUEMENT. À point nommé, cohéremment, convenablement, correctement, dûment, équitablement, exactement, impartialement, justement, légitimement, logiquement, opportunément, pertinemment, précisément, rationnellement.

ANAPHRODISIE. Absence, anorgasmie, atonie, détachement, frigidité, froideur, impassibilité, impuissance, indifférence, insensibilité, réserve, sécheresse.

ANAPHYLAXIE. Allergène, allergie, augmentation, hypersensibilité, sensibilisation.

ANARCHIE. Anomie, bordel, chaos, confusion, désordre, égalitarisme, libertaire, nihilisme, pagaille, zizanie.

ANARCHIQUE. Bordélique, brouillon, chaotique, confus, désordonné, désorganisé, incohérent, libertaire, pagailleux.

ANARCHISTE (n. p.). Bakounine, Bonnot, Caserio, Durrutti, Ferrer, Gorgulov, Ravachol, Sacco, Vaillant, Vanzetti.

ANARCHISTE. Anar, anomique, antiautoritaire, dinamitero, dissident, libertaire, nihiliste, rebelle, révolutionnaire.

ANASARQUE. Ascite, enflure, gonfle, gonflement, hydrocèle, hydrocéphalie, hydropisie, hydrothorax, maladie, œdème.

ANASTASIE. Abandon, abstention, boycottage, chasteté, continence, diète, frugalité, jeûne, modération, neutralité, privation, pureté, récusation, refus, régime, renonciation, renoncement, restriction, sobriété, virginité.

ANASTOMOSE. Abouchement, incongruence, palmaire, réticulum, réunion.

ANASTROPHE. Contrepet, contrepèterie, interversion, inversion, métathèse, permutation, saphisme, transposition.

ANATHÉMATISER. Abîmer, accuser, bannir, blâmer, censurer, chasser, condamner, critiquer, dauber, désapprouver, exclure, excommunier, flétrir, honnir, huer, incriminer, interdire, larder, nuire, proscrire, punir, reprendre, réprimander, reprocher, retrancher, saler, salir, sévir, stigmatiser, vitupérer.

ANATHÈME. Aggrave, blâme, blasphème, condamnation, damnation, excommunication, interdit, malédiction.

ANATIDÉ. Barnache, bernache, bernacle, bièvre, canard, colvert, cygne, eider, fuligule, garrot, harle, macreuse, mandarin, milouin, morillon, mulard, oie, palmipède, pilet, sarcelle, souchet, tadorne.

ANATIFE. Barnache, barnacle, bernache, bernacle, crustacé, lépas, pouce-pied, pousse-pied.

ANATOMIE (4 lettres). Axis, cône, glie, gril, hile, lame, méat, moût, pair, pôle, tube, uvée.

ANATOMIE (5 lettres). Canal, carpe, corps, derme, dural, épine, filet, fosse, fovéa, glène, glial, hélix, jugal, lèvre, nucol, paroi, pénil, pénis, raphé, sinus, strie, sural, tibia, tissu, tronc, uvula, uvule, valve, vomer, voûte.

ANATOMIE (6 lettres). Apical, aréole, bassin, biceps, bourse, bregma, calice, cément, cornet, cortex, costal, cotyle, disque, étrier, fascia, fundus, glotte, hiatus, macula, médian, neural, nymphe, otique, pelvis, plexus, portal, pylore, rachis, radial, selles, spinal, stroma, suture, thénar, tibial, tragus, trompe, tympan, vermis, zygoma.

ANATOMIE (7 lettres). Achille, aveugle, carpien, chiasma, condyle, cuboïde, dentine, iliaque, iridien, ischion, jambier, jéjunal, larmier, lobaire, lordose, marteau, névraxe, nucleus, ombilic, ouraque, palatin, pelvien, périnée, pétreux, phanère, poplité, saccule, saphène, scalène, séreuse, stratum, trachée, tractus, trapèze, trigone, trochin, ulnaire, valvule, vésical, wormien.

ANATOMIE (8 lettres). Apophyse, brachial, clitoris, cortical, cuticule, deltoïde, duodénum, épendyme, épidural, épiphyse, épiploon, ethmoïde, glabelle, glénoïde, guttural, inguinal, mastoïde, méniscal, ménisque, métamère, névroglie, olécrane, pallidum, pariétal, parotide, périoste, péronier, proclive, réticule, sagittal, scissure, sinciput, sinusien, sigmoïde, splénius, styloïde, symphyse, thalamus, thyroïde, trachéal, trochlée, turcique, tympanal, utricule, uvulaire, vésicule, vulvaire, xiphoïde, zootomie.

ANATOMIE (9 lettres). Abducteur, acétabule, adamantin, adduction, anastomos, appendice, arthrodie, astragale, bicipital, columelle, cotylédon, cotyloïde, endocarde, endocrine, épididyme, épigastre, épiglotte, follicule, glénoïdal, hypoderme, hypophyse, lymphoïde, manubrium, mésentère, métacarpe, panicule, parodonte, péricarde, péritoine, salivaire, scaphoïde, splénique, staphylin, synostose, testicule.

ANATOMIE (10 lettres). Anastomose, arachnoïde, capillaire, corpuscule, cunéiforme, deltoïdien, diarthrose, énarthrose, épicanthus, épicondyle, fontanelle, hippocampe, hypocondre, labyrinthe, nécrologie, oropharynx, ostéologie, papillaire, phalangien, phalangine, procidence, ptérygoïde, scapulaire, thoracique, tricuspide, vasculaire.

ANATOMIE (11 lettres). Diencéphale, diverticule, fléchisseur, ischiatique, métacarpien, morphologie, périchondre, réticulaire, synarthrose, zygomatique.

ANATOMIE (12 lettres). Articulation, constricteur, mésencéphale, protubérance, ptérygoïdien, quadrijumeau, splanchnique.

ANATOMISER. Analyser, couper, décomposer, disséquer, étudier, examiner, segmenter, tailler.

ANATOMISTE (n. p.). Andral, Baer, Béclard, Bichat, Dionis, Duvernoy, Fabrice, Fallope, Galien, Malpigni, Morgagni, Pacchioni, Pecquet, Santorini, Scarpa, Vésale, Vieussens.

ANATOMISTE. Analyseur, analyste, bissecteur, disséqueur, prosecteur, psychanalyste, psychologue.

ANAVENIN. Accoutumance, dispense, exemption, franchise, immunité, insensibilité, mithridatisme, plasmocyte, tolérance.

ANCESTRAL. Âgé, ancien, antédiluvien, antique, archaïque, autrefois, bible, démodé, désuet, doyen, ex, lyre, mythe, nome, obsolète, ode, périmé, préhistoire, séculaire, usé, vétéran, vétuste, vieil, vieilli, vieillot, vieux.

ANCÊTRE. Aïeul, aîné, ancestral, antédiluvien, anthropopithèque, antique, archaïque, ascendant, désuet, doyen, généalogie, immémorial, mère, parent, passé, patronyme, père, précurseur, prédécesseur, race, reculé, révolu, séculaire, totem, trisaïeul, vieux.

ANCHE. Basson, bombarde, clarinette, cor, cromorne, hautbois, ilion, languette, orgue, robinet, saxophone, sarrussophone.

ANCHOIS. César, engraulidé, engraulis, pissala, pissaladière, pizza, poisson, sprat.

ANCIEN. Âgé, ancestral, antédiluvien, antique, archaïque, autrefois, bible, démodé, désuet, doyen, ex, immémorial, lyre, mythe, nome, obsolète, ode, périmé, préhistoire, séculaire, usé, vétéran, vétuste, vieil, vieilli, vieillot, vieux.

ANCIENNEMENT. Antan, antiquement, autrefois, en premier, jadis, naguère.

ANCIENNETÉ. Âge, anachronisme, antiquité, archaïsme, caducité, décrépitude, désuétude, séniorité, usure.

ANCOLIE. Aiglantine, angonie, aquilegia, clochette, colombine, cornette, fleur, gantelée, ganteline.

ANCRAGE. Amarrage, ancre, arrimage, attache, blocage, enracinement, fixation, grappin, implantation, scellement.

ANCRE. Bouée, bras, butoir, capon, collet, croc, crochet, diamant, gatte, grappin, guindeau, jas, organeau, oreille, orin, patte, ressaut, tige, trappe, verge.

ANCRER. Assujettir, consolider, endémique, enraciner, établir, fixer, graver, immobiliser, implanter, inculquer, installer, mouiller.

ANDAIN. Alignement, céréale, foin, herbe, pas, rang, rangée.

ANDALOU. Cheval, espagnol, flamenco, genet d'Espagne, seguidilla, solea.

ANDALOUSIE (n. p.). Alméria, Cadix, Cordoue, Grenade, Huelva, Jaen, Malaga, Séville.

ANDANTE. Andantino, indication, musique, rythme, sonate, tempo.

ANDIN. Américain, lama, péon, puna, transandin, ulluco.

ANDORRE (n. p.). Andorran.

ANDOUILLE. Andouillette, bête, boyau, charcuterie, crétin, épais, fada, fier, imbécile, lent, maladroit, niais, nigaud, personne, saucisse, sot, stupide, tube.

ANDOUILLER. Bois, cerf, cervidé, corne, paumier, paumure, ramification, renne, trochure.

ANDRAGOGIE. Alphabétisation, apprentissage, cursus, didactique, dogmatique, école, éducation, enseignement, étude, études, instruction, logique, pédagogie, scolarité, scolasticat, stage, universel.

ANDRAGOGUE. Cicérone, édificateur, éducateur, enseignant, éveilleur, façonneur, formateur, instituteur, instructeur, maître, mentor, moniteur, moralisateur, orienteur, précepteur, prof, professeur, rééducateur.

ANDRINOPLE. Carmin, cochenilles, coquelicot, corail, cramoisi, kermès, rouge, rubis, séraphique, violacé.

ANDROGÈNE. Hormone, mâle, masculin, sexe, testostérone.

ANDROGYNE. Androgynie, fleur, hermaphrodite, homme, intersexué, monoïque, noisetier, plante, transsexuel, unisexué.

ANDROGYNIE. Ambisexué, amphigame, androgyne, androgynoïde, bisexué, femme, fleur, gyrandroïde, hermaphrodite, intersexué, monocline, monoïque, noisetier, plante, transsexuel, unisexué.

ANDROÏDE. Automate, cyborg, dromomane, fantoche, golem, guignol, gyrovague, machine, marionnette, ordinateur, pantin, robot, somnambule, yéti.

ANDROPAUSE. Climatère, démon du midi, génital, ménopause.

ANDROSÈME. Plante, salvia, sauge, souveraine, toute-bonne, toure-saine.

ÂNE (n. p.). Buridan.

ÂNE. Aliboron, ânesse, ânon, asinien, bardot, baudet, beaudet, bourricot, bourrique, bourriquet, buridan, cadichon, cancre, cheval, grison, hémione, histrion, idiot, ignorant, imbécile, mule, mulet, onagre, oreillard, solipède, sommier, sot.

ANÉANTIR. Abattre, abolir, annihiler, annuler, briser, détruire, dissoudre, écraser, écrouler, effacer, effondrer, exténuer, exterminer, extirper, massacrer, néantiser, nirvana, réduire, ruiner, sidérer, sombrer, user, vaincre.

ANÉANTISSEMENT (n. p.). Guernica, Shoah.

ANÉANTISSEMENT. Abattement, accablement, annihilation, consommation, destruction, disparition, écroulement, effondrement, engloutissement, épuisement, évanouissement, extinction, mort, nirvana, perdition, prostration, radiation, ruine.

ANECDOTE. Annales, conte, chroniques, conte, écho, échofacétie, écriture, facétie, histoire, historiette, menu, nouvelle, récit.

ANECDOTIER. Auteur, chansonnier, compositeur, conteur, créateur, diseur, dramaturge, écrivain, essayiste, glossateur, historien, librettiste, narrateur, nouvelliste, parolier, poète, préfacier, raconteur, romancier, satiriste, scénariste, scripteur.

ANECDOTIQUE. Accessoire, annexe, décoratif, design, esthétique, incident, ornemental, utilitaire.

ANÉMIANT. Affaiblissement, alanguissant, amollissant, consomptif, débilitant, démoralisant, déprimant, tuant.

ANÉMIE. Absence, aglobulie, ankylostomiase, biermer, chlorose, débilité, faiblesse, fragilité, impotence, langueur.

ANÉMIER. Abattre, affaiblir, alanguir, débiliter, déprimer, diminuer, épuiser, étioler, fatiguer, languir, lasser.

ANÉMIQUE. Blafard, blanc, blême, blet, bleu, cadavérique, cireux, émacié, éteint, exsangue, fade, faible, fané, gris, hâve, livide, maladif, mauve, pâle, pâlot, plat, plombé, terne, terreux, vert.

ANÉMONE. Actinie, adonis, anthozoaire, astérie, coquelourde, coquerette, coquerolle, échiniderme, étoile, fleur, hépatique, ortie, ortie de mer, pâquerette, passefleur, polype, pulsatile, ortie, sagartie, sylvie.

ANÉMOPHILIE. Conception, entomophilie, fécondation, génération, gestation, pollinisation, reproduction.

ÂNERIE. Béotisme, bêtise, bourde, connerie, crétinerie, idiotie, ignorance, ineptie, injure, niaiserie, sottise.

ANESTHÉSIE. Analgésie, analgie, ataraxie, cocaïnisation, éther, éthérisation, hypnose, hypoesthésie, inconscience, insensible, lidocaïne, narcose, péridural, rachi, rachianesthésie, sommeil, stovaïne.

ANESTHÉSIER. Analgésier, apaiser, chloroformer, cocaïnisation, endormir, éthériser, geler, insensibiliser, narcotiser.

ANESTHÉSIOLOGIE. Antalgique, calmant, cocktail, euthanasie, lyse, lytique, réanimation.

ANESTHÉSIQUE. Anesthésiant, barbiturique, éther, froid, hypnotique, narcotique, procaïne, somnifère, soporifique.

ANETH. Anet, anis, cumin, écarlate, faux-anis, fenouil, ombellifère.

ANÉVRISME. Anévrysme, artère, baloune, cœur, dilatation, poche.

ANFRACTUOSITÉ. Alvéole, cavité, creusure, creux, crevasse, enfoncement, évidemment, évidure, excavation, trou.

ANGARIE. Appel, conclusion, confiscation, contrainte, demande, démarche, hypothèse, imposition, instance, invitation, pétition, placet, prière, quête, requête, réquisition, rogaton, service, supplication, supplique.

ANGE (n. p.). Achaiah, Aladiah, Anauel, Aniel, Ariel, Asaliah, Cahétel, Caliel, Chavakhiah, Damabiah, Daniel, Elémiah, Eyael, Fah-Hel, Gabriel, Haaiah, Haamiah, Habuhiah, Hahahel, Hahaiah, Hahasiah, Haheuiah, Haiaiel, Hariel, Haziel, Hékamiah, Imamiah, Jabamiah, Jéliel, Karahel, Lauviah, Lécabel, Léhahiah, Léiazel, Lélahel, Leuviah, Mahasiah, Manakel, Mébahel, Mébahiah, Mehiel, Melahel, Ménadel, Mihael, Mikhael, Mitzrael, Mumiah, Nanael, Nelchael, Nithael, Nith-Haiah, Omael, Pahaliah, Poyel, Réhael, Reiyiel, Rochel, Satan, Séaliah, Séhéiah, Séraphin, Sitael, Vasariah, Véhuel, Véhuiah, Veuliah, Umabel, Uriel, Yéhuiah, Yeiadel, Yéialel, Yéiayel, Yélahiah, Yérathel, Yézalel.

ANGE. Angélique, angelot, archange, byzantin, chéri, chérubin, chou, cœur, démon, docteur, monnaie, oiseau, poisson, principauté, protecteur, putto, ravi, sauveur, séraphin, vertu.

ANGÉLIQUE. Candide, céleste, divin, ingénu, innocent, pur, séraphique, sublime, transcendant, valérique, vespétro.

ANGÉLISME. Abstention, acceptation, asocial, contumace, défaut, déni, désaveu, mésologie, mutinerie, négation, nier, niet, non, rébellion, rebuffade, rebut, récusation, refus, rejet, renvoi, résistance, révolte, turlututu, veto.

ANGELOT. Ange, enfant, fromage, monnaie, putto.

ANGINE. Amygdalite, angineux, angor, esquinancie, inflammation, laryngite, nitro, pharyngite, pharynx, poitrine, rhinopharyngite, trinitrine, uvulite.

ANGIOGRAPHIE. Angiocardiographie, artériographie, capillaroscopie, coronarographie, description, gammagraphie, phlébographie, radiographie, scintigraphie, signalement, tomographie, topographie.

ANGIOME. Envie, fraise, hémangiome, lymphangiome, malformation, nævus, tumeur.

ANGIOPLASTIE. Opération, sonde, sténose, transluminal.

ANGIOSPERME. Apétale, dialypétale, dicotylédone, gamopétale, monocotylédone, phanérogame, plante à fleur.

ANGLAIS. Ale, angliche, anglophone, anglo-saxon, argot, bloke, britannique, cuivre, héritier, queue, prince, titre.

ANGLAISE. Ale, blonde, boucle, boudin, brune, cerise, coiffure, cursive, écriture, end, filé, gin, stout, thé.

ANGLE. Aberration, adjacent, aigu, aisselle, alidade, amure, arête, aspect, axe, azimut, biais, bissectrice, cap, carne, coin, corne, côté, coude, dièdre, droit, empointure, encoignure, gèze, gon, goniomètre, harpe, isogone, joint, larmier, lucarne, obtus, rapporteur, renforcement, rentrant, sauterelle, site, stéradian, tr.

ANGLETERRE, MONNAIE. Achey, couronne, florin, guinée, livre, noble, ora, pence, penny, pound, rial, shilling, sixpence, tuppence.

ANGLETERRE, VILLE (n. p.). Ascot, Bath, Bedford, Birmingham, Blackburn, Blackpool, Bolton, Bootle, Boston, Bournemouth, Bradford, Brighton, Bristol, Bury, Cambridge, Canterbury, Carlisle, Chatham, Chelsea, Cheltenham, Chester, Chesterfield, Colcherter, Corby, Coventry, Cowes, Crawley, Dallington, Deal, Derby, Devonport, Doncaster, Douglas, Douvres, Dover, Dudley, Dunder, Durham, Eastbourne, Ely, Epson, Eton, Exeter, Farborough, Folkstone, Gillingham, Gloucester, Gosport, Greenwich, Grimsby, Guilford, Halifax, Harlow, Harrogate, Hartlepool, Hastings, Hove, Huddersfield, Hull, Ipswich, Lancaster, Leamington, Leeds, Leicester, Lincoln, Liverpool, London, Londres, Luton, Maidstone, Manchester, Margate, Middlesbrough, Midlands, Newcastle, Newhaven, Newport, Northampton, Norwich, Nottingham, Oxford, Peterborough, Plymouth, Poole, Portsmouth, Preston, Ramsgate, Reading, Richmond, Rochdale, Rugby, Saint Helens, Salford, Salisbury, Sheffield, Shrewsbury, Slough, Solihull, Southampton, Stafford, Stevenage, Stockport, Sunderland, Swindon, Taunton, Tewkesbury, Thurrock, Tynemouth, Wakefield, Wallasey, Wallsall, Warrington, Wells, Westminster, Wimbledon, Winchester, Windsor, Worcester, Worthing, Yarmouth, York.

ANGLICAN. Conformiste, méthodiste, protestant, puseyisme, révérend, ritualiste.

ANGLOPHONE. Anglais, anglo-saxon, britannique.

ANGOISSANT. Alarmiste, catastrophiste, défaitiste, démoralisateur, dramatisant, jongleur, pessimiste.

ANGOISSE. Affres, agoraphobie, anxiété, appréhension, claustrophobie, crainte, désarroi, détresse, effroi, frayeur, infortune, inquiétude, insomnie, nervosité, peur, phobie, serre, stress, tourment, trac, transe, trouble.

ANGOISSÉ. Affolé, agité, alarmé, anxieux, appréhensif, effrayé, énervé, épouvanté, fiévreux, inquiet, paniqué.

ANGOISSER. Affoler, agiter, alarmer, effrayer, énerver, épeurer, flipper, inquiéter, oppresser, paniquer, stresser, tourmenter.

ANGOLA, CAPITALE (n. p.). Luanda.

ANGOLA, LANGUE. Ganguela, kikongo, kimbundu, quioco, umbundu.

ANGOLA, MONNAIE. Kwanza.

ANGOLA, VILLE (n. p.). Benguela, Chitembo, Damba, Ganda, Huambo, Kuito, Loanda, Luanda, Lucapa, Luena, Malanje, Mangando, Mbanza, Namibe, Ngiva, Ngunza, Nzeto, Quimbele, Soyo, Sumbe, Uige, Xangongo.

ANGON. Broche, carreau, épieu, faux, hache, hampe, hast, hasté, javelot, lance, pique, trait, vouge.

ANGOR. Amygdalite, angine, angoisse, douleur, esquinancie, inflammation, laryngite, nitro, oppression, pectoris, pharyngite, pharynx, plexus, poitrine, rhinopharyngite, serrement, trinitrine, uvulite.

ANGORA. Agneline, bure, bourre, cardigan, carmeline, chat, cheviotte, chèvre, corde, coton, couaille, étaim, lainage, laine, lanice, lapin, loden, mère, mite, mohair, mouton, noces, ouate, poil, ruban, satin, sorie, toison, tonte, tuque, tweed, vigogne.

ANGROIS. Cheville, coin, encoignure, engrois, fer, marteau.

ANGUILLE. Civelle, congre, gymnote, lampresse, leptocéphale, lycoris, matelote, pibale, sargasse, serpent.

ANGUILLULE. Anguille, nématode, nielle, parasite, tylenchus, ver.

ANGULAIRE. Angle, anglet, cornier, déclinaison, élongation, fondamental, fondement, latitude, pierre, sextant.

ANGULEUX. Acariâtre, acerbe, aigri, angle, âpre, arête, bourru, déplaisant, difficile, erratique, grincheux, tangente.

ANHÉLATION. Apnée, asthme, dyspnée, embarrassement, enchifrènement, essoufflement, étouffement, halètement, han, malaise, oppression, rhume, ronflement, sibilation, stertor, stridor, suffocation.

ANHÉLER. Époumoner, étouffer, haleter, panteler, pomper, respirer, souffler, suffoquer.

ANHYDRIDE. Alcalimètre, arsenic, bichromate, carbonique, chromique, manganique, mofette, sélénique, titanique.

ANICROCHE. Accident, accroc, avatar, aventure, cas, crise, complication, difficulté, ennui, incident, obstacle.

ANILINE. Amine, anilisme, arylamine, benzène, fuschine, induline, mauvéine, nitrobenzène, phénylamine, toluidine.

ANIMADVERSION. Antipathie, aversion, blâme, censure, critique, diatribe, grief, grognerie, leçon, ressentiment.

ANIMAL (2 lettres). Aï.

ANIMAL (3 lettres). Âne, coq, mue, rat, rut, ver, vol.

ANIMAL (4 lettres). Ânon, bête, bouc, cage, cerf, chat, crin, cuir, dahu, daim, faon, iule, lama, lard, lion, loup, lynx, muer, musc, œuf, once, ours, poil, porc, rage, suif, unau, veau.

ANIMAL (5 lettres). Acare, amibe, atèle, axène, bœuf, brute, ceste, cétacé, chien, chiot, ciron, cordé, corne, daman, faune, fauve, hydre, isard, issue, laine, lapin, larve, maçon, méduse, mulet, okapi, ordre, piège, poule, raton, renne, sabot, singe, tapir, tatou, tigre, totem, trace, truie, vache, varan, venin, vison, zèbre.

ANIMAL (6 lettres). Agneau, alcyon, alpaga, anoure, bétail, bipède, brutal, castor, cheval, chèvre, cochon, corail, coyote, culard, dindon, diurne, dragon, entier, éponge, fennec, gibier, girafe, hostie, impala, isatis, issant, lièvre, martre, mazama, méduse, mouton, narval, necton, ocelot, oiseau, otarie, oursin, pécore, poulet, putois, raceur, ranidé, renard, tiglon, tigron, vagile.

ANIMAL (7 lettres). Actinie, alouate, apivore, ascidie, avorton, belette, bestial, bisexué, bradype, caracal, caribou, chameau, chamois, charnel, colleté, enkysté, femelle, fossile, gazelle, gorgone, griffon, guanaco, hermine, hybride, insecte, léopard, licorne, monstre, muntsac, nilgaut, ophiure, orignal, poisson, pulmoné, sessile, vigogne, zoolite.

ANIMAL (8 lettres). Abattoir, affronté, antilope, araignée, axénique, bestiole, cariacou, couveuse, éléphant, faucheur, gerboise, gorgonie, grégaire, mascotte, omnivore, pédimane, physalie, ragondin, rainette, sarcopte, scorpion, sittelle, tamandua, tamanoir, urticant, vertébré, vivipare, volatile, zoophyte.

ANIMAL (9 lettres). Amphioxus, animalier, cabochard, cœlomate, commensal, compagnie, crocodile, dinosaure, échiurien, gallicole, hibernant, mammifère, millépore, mollusque, paresseux, prédateur, ptérygote, vérétile.

ANIMAL (10 lettres). Animalcule, animalerie, bestialité, catoblépas, chinchilla, cœlentéré, dromadaire, épineurien, holothurie, invertébré, linguatule, mastodonte, métazoaire, microcosme, nécrophage, pachyderme, phytophage, ptéranodon, quadrupède, saprophage, sonnailler, spongiaire, stégosaure, tardigrade, trombidion.

ANIMAL (11 lettres). Animalesque, aquiculture, brachiopode, brontosaure, cavernicole, coquecigrue, échinoderme, étoile de mer, hippogriffe, hyponeurien, hippopotame, homéotherme, hyponeurien, onguligrade, ovovivipare, protozoaire, spermophile, stercoraire, térébratule.

ANIMAL (12 lettres). Androcéphale, balanoglosse, kamptozoaire, tyrannosaure, zoomorphisme.

ANIMAL (13 lettres). Hermaphrodite, pœcilotherme, zoogéographie.

ANIMALCULE. Bestiole, ciron, microscopique, nain, plancton, protozoaire.

ANIMATEUR. Amuseur, créateur, éducateur, forain, meneur, moniteur, organisateur, présentateur, protagoniste, vivifiant.

ANIMATEUR RADIO ET TÉLÉVISION (n. p.). Arcand, Arson, Arthur, Beaudry, Bruneau, Charron, Coallier, Corbeil, Dee, Gougeon, Homier-Roy, Jasmin, Languirand, Le Bigot, Maisonneuve, Marcotte, Mongrain, Nadeau.

ANIMATION. Activité, affairement, ardeur, chaleur, éclat, élan, enthousiasme, entrain, exaltation, excitation, flamme, fougue, houle, impétuosité, mouvement, passion, vie, vivacité, vivant.

ANIMATRICE RADIO ET TÉLÉVISION (n. p.). Benezra, Charette, Nadeau.

ANIMÉ. Acharné, agité, amusant, ardent, bouillant, bouillonnant, brûlant, chaleureux, chaud, coloré, curieux, émoustillé, enflammé, exalté, excité, expressif, fanatique, fougueux, inspiré, mû, organisé, trépidant, vie, vif, vivace, vivant.

ANIMER. Acharner, activer, agir, aiguillonner, aviver, chauffer, diriger, ébranler, échauffer, égayer, électriser, encourager, enflammer, exciter, fouetter, impulser, inspirer, mener, motiver, mouvoir, présenter, stimuler, vivifier, voleter.

ANIMISME. Adhésion, certitude, conviction, créance, croyance, déisme, défiance, doctrine, dogme, doute, eschatologie, foi, illusion, incroyance, messianisme, nihilisme, objectivisme, opinion, religion, savoir, superstition, tantrisme, totémisme, vampirisme.

ANIMOSITÉ. Agressivité, aigreur, anti, antipathie, âpreté, aversion, colère, fiel, fielleux, haine, inimitié, malveillance, rancune, ressentiment, véhémence.

ANION. Anolate, anionique, atome, cation, émultion, énolate, ion, micelle, muon, négatif, particule, polyiodure.

ANIS. Aneth, anisé, anisette, badiane, boucage, carvi, cumin, étoilé, faux aneth, fenouil, liqueur, ombellifère, ouzo, pastis, pimprenelle, raki, vespétro.

ANISETTE. Alcool, anis, grecque, liqueur, ouzo.

ANKYLOSÉ. Courbatu, courbaturé, endormi, engourdi, paralysé, perclus, otospongiose, raide, raqué, rouillé.

ANKYLOSER. Abrutir, anéantir, briser, claquer, courbaturer, crever, démolir, engourdir, épuiser, éreinter, esquinter, estrapasser, exténuer, fatiguer, forcer, fourber, harasser, lasser, paralyser, recru, rendre, surmener, tuer, vanner, vider.

ANKYLOSTOME. Anémie, ankylostomiase, grêle, intestin, nématome, parasie, ver.

ANNAL. An, année, annuaire, annuel, annuité, cuvée, étésien, feuillaison, lupercales, recrû, rente, solennel, taux, temporaire.

ANNALES. Anecdote, archives, biographie, chronique, éphéméride, fastes, histoire, mémoires, récit, ouvrage.

ANNALISTE. Archiviste, biographe, chroniqueur, écrivain, historien, historiographe, mémorialiste.

ANNAMITE (n. p.). Annam.

ANNEAU. Agrès, alliance, anal, annelé, annelet, ansé, arceau, bague, beigne, bélière, boucle, bride, cercle, cerne, chaînon, chevalière, collier, combinaison, coulant, créole, cricoïde, cucurbitain, cucurbitin, écusson, embrayage, erse, erseau, esse, étalingure, étrier, frette, jonc, maille, maillon, manchon, manilles, mésothorax, métamère, morne, œillet, organeau, piton, porte-clefs, porte-clés, proglottis, prothorax, rapprochement, segment, telson, ténia, tire-fond, virole.

ANNÉE. Âgé, agneau, an, annuel, balai, berge, bissextile, carat, cerf, cycle, date, jubilé, lustre, millésime, noces, période, pige, temps, têt.

ANNÉE-LUMIÈRE. AL.

ANNELÉ. Anneau, ansé, arrangé, bagué, bichonné, bouclé, calamistré, crollé, frisé, frisotté, ondulé, permenté, ver.

ANNELER. Accomplir, achever, attacher, bâcler, boucler, cerner, clore, coffrer, compléter, convenir, écrouer, embastiller, encercler, enfermer, fermer, finir, friser, investir, lacer, natter, nouer, onduler, serrer, terminer, verrouiller.

ANNELET. Anneau, armille, bague, blason, boucle, filet, jonc, maille, ornement.

ANNÉLIDES. Arénicole, autolytus, bonelle, chizogamie, cœlomate, échinurien, hirudinée, limicole, oligochète, néoblaste, parapode, sangsue, sipunculide, spirorbis, térébelle, tubifex, ver.

ANNEXE. Accessoire, additionnel, ajouté, amnios, appendice, auxiliaire, bâtiment, complément, complémentaire, contingent, dépendance, incident, marginal, mineur, sacristie, secondaire, subsidiaire, succursale, supplément, supplémentaire.

ANNEXER. Aboucher, abouter, accoler, accoupler, adjacent, agglutiner, ajointer, ajouter, annexer, assembler, attacher, attribuer, coloniser, coudre, enlier, entrer, incorporer, joindre, latéral, lier, marier, mastiquer, mêler, nouer, rattacher, relier, réunir, souder, unir.

ANNEXION (n. p.). Anschluss, Augsbourg, Colbert, Dalhousie.

ANNEXION. Absorption, dépendance, fusion, fusionnement, incorporation, intégration, phagocyte, rattachement, réunion.

ANNEXIONNISME. Absolutisme, autoritarisme, colonialisme, despotisme, expansionnisme, impérialisme, paternalisme.

ANNIHILATION. Absorption, anéantissement, déconstruction, démolition, destruction, dévastation, disparition, effacement, élimination, enlèvement, éradication, fin, gommage, liquidation, mort, néantisation, suppression.

ANNIHILER. Abattre, abîmer, abolir, abroger, anéantir, annuler, aviner, bousiller, briser, broyer, brûler, casser, chat, défaire, défleurir, dératiser, désinfecter, détruire, exterminer, gâter, inhiber, massacrer, moissonner, neutraliser, ôter, paralyser, raser, rayer, renverser, révoquer, ruiner, saper, supprimer, triturer, tuer, user.

ANNIVERSAIRE. Bicentenaire, célébration, centenaire, commémoration, fête, jubilé, nativité, obit, souvenir.

ANNIVERSAIRES ANCIENS, NOCES. Papier (1 an), coton (2 ans), cuir (3 ans), fleurs (4 ans), bois (5 ans), sucre ou fer (6 ans), laine ou cuivre (7 ans), bronze ou faïence (8 ans), faïence ou osier (9 ans), fer ou aluminium, (10 ans), acier (11 ans), soie ou lin (12 ans), dentelle (13 ans), ivoire (14 ans), cristal (15 ans), porcelaine (20 ans), argent (25 ans), perle (30 ans), corail (35 ans), rubis (40 ans), saphir (45 ans), or (50 ans), émeraude (55 ans), diamant (60 ans), platine (70 ans), diamant (75 ans), chêne (80 ans).

ANNIVERSAIRES MODERNES, NOCES. Horloge (1 an), porcelaine (2 ans), cristal ou verre (3 ans), appareils électriques (4 ans), argenterie (5 ans), bois (6 ans), ensemble de bureau (7 ans), dentelle (8 ans), cuir (9 ans), bijoux en diamant (10 ans), bijoux à la mode (11 ans), perle (12 ans), fourrure ou tissu (13 ans), bijoux en or (14 ans), montre (15 ans), platine (20 ans), argent (25 ans), perle (30 ans), jade (35 ans), rubis (40 ans), saphir (45 ans), or (50 ans), émeraude (55 ans), diamant (60) ans), chêne (70 ans).

ANNONCE. Avant-coureur, avis, bluff, boniment, ceci, claironner, communication, communiqué, déclaration, enchère, glas, hallali, héraut, indicatif, indice, message, messager, notification, nouvelle, prélude, présage, prophétie, prône, pronostic, publication, réclame, révéler, signal, signe, sirène, tinter.

ANNONCER. Alerter, apprendre, augurer, avertir, aviser, citer, commencer, communiquer, déceler, déclarer, dénoncer, dénoter, dire, exhaler, exposer, indiquer, informer, instruire, lire, marquer, notifier, parler, prêcher, prédire, préluder, présager, proclamer, promettre, publier, révéler, signaler, signifier, sonner, tinter.

ANNONCEUR. Aboyeur, afficheur, aviseur, commanditaire, crieur, hérault, journaliste, speaker, speakerine, sponsor.

ANNONCEUR FÉMININ, RADIO ET TÉLÉVISION (n. p.). Bisaillon, Roy.

ANNONCEUR MASCULIN, RADIO ET TÉLÉVISION (n. p.). Arcand, Le Bigot, Marcotte, Quenneville, Rajotte.

ANNONCIATEUR. Avant-coureur, devin, héraut, précurseur, premier, prémonitoire, présage, prodromique, prophétique.

ANNONCIATION. Annonce, augure, auspices, conjecture, haruspication, horoscope, oracle, prédiction.

ANNONCIER. Aboyeur, accense, appariteur, bedeau, chaouch, crieur, dirigeant, gardien, huissier, massier, recors.

ANNONE. Achat, aiguade, alimentation, apport, approvisionnement, distribution, fourniture, impôt, munitions, provision, rappariement, ravitaillement, récolte, réserve, stock, subsistance, vivre.

ANNOTATEUR. Commentateur, éditeur, exégète, glossateur, interprète, magistère, massorète, scoliaste, vérificateur.

ANNOTATION. Apostille, doigté, commentaire, écriture, glose, massore, nota, note, notule, remarque, scoliaste.

ANNOTER. Adorer, aimer, apostiller, blocnoter, commenter, consigner, copier, coter, écrire, enregistrer, estimer, évaluer, ficher, gloser, goûter, idéaliser, inscrire, inventorier, juger, louer, marginer, noter, prix, sentir.

ANNUAIRE. Agenda, almanach, bottin, calendrier, gotha, liste, livre, minitel, recueil, répertoire.

ANNUEL. Annal, année, annuaire, annuité, cuvée, étésien, feuillaison, lupercales, recrû, rente, solennel, taux.

ANNUITÉ. Ancienneté, brisque, capital, chevron, dette, échéance, intérêt, paiement, pension, retraite, temps.

ANNULABLE. Admissible, annihilable, attaquable, précaire, prescriptible, provisoire, résistible, résiliable, révocable.

ANNULAIRE. Auriculaire, bague, bijou, castagnettes, dé, digital, digitopuncture, doigt, doigté, doigtier, douze, empan, index, majeur, montrer, ongle, orteil, palmé, phalange, phalangette, pouce, shiatsu, su.

ANNULATION. Abolition, abrogation, caducité, cassation, casse, casser, dénonciation, diriger, dispense, dissolution, divorce, éteindre, infirmation, invalidation, irritant, lésion, nullité, oblitération, rature, réforme, rescision, résiliation, résolution, résoudre, retrait, révocation, rupture.

ANNULÉ. Aboli, abrogé, amorti, arriéré, attardé, biffé, caduc, démodé, dépassé, désuet, dissous, éteint, expiré, inactuel, infirme, invalide, neutre, nul, obsolescent, obsolète, périmé, rayé, rétrograde, suranné.

ANNULER. Abolir, abroger, amortir, anéantir, barrer, biffer, casser, cesser, clore, décommander, dédire, dénoncer, dissoudre, éluder, enlever, éteindre, infirmer, invalider, néant, neutraliser, ôter, rapporter, raser, raturer, rayer, réformer, reprendre, rescinder, résilier, résoudre, révoquer, rompre, supprimer.

ANOBIE. Coléoptère, horloge de la mort, insecte, vrillette.

ANOBLIR. Accorder, baronifier, baroniser, conférer, emmarquiser, emparticuler, ennoblir, noblesse, titre.

ANODE. Anaphorèse, anodique, baguette, borne, cathode, diode, drain, électrode, lampe, grille, penthode, pôle, tétrode, triode, wehnelt.

ANODIN. Banal, bénin, calme, désarmé, doux, fade, falot, innocent, inoffensif, insignifiant, terne, véniel.

ANODONTE. Dent, édenté, lamellibranche, moule, moule d'étang, mollusque, moule.

ANOMAL. Aberrant, anormal, atypique, bizarre, déviant, difforme, dysmélie, étranger, excentrique, exception, irrégulier, second, singulier.

ANOMALIE. Achylie, affection, agénésie, albinisme, amétropie, anormal, astigmatisme, daltonisme, dégénérescence, déviation, difformité, dysplasie, écart, ectopie, excentricité, hémophilie, hypermétropie, irrégularité, malformation, monstruosité, myopie, nanisme, nyctalopie, prolifération, rareté, singularité, trisomie, trouble, urémie.

ÂNON. Âne, bourricot, bourriquet, lieu, moruette, poisson.

ANONACÉE. Anonne, anone, artabotrys, corossolier, ilang-ilang, uvariopsis, ylang-ylang.

ANONE. Anonne, anonacée, artabotrys, corossolier, ilang-ilang, uvariopsis, ylang-ylang.

ÂNONNEMENT. Aube, aurore, bafouillage, bafouillis, balbutiement, baragouinage, bégaiement, bredouillage, bredouillement, bredouillis, commencement, début, enfance, jargon, marmonnage, marmonnement, marmottage.

ÂNONNER. Âne, articuler, babiller, balbutier, bégayer, bredouiller, débiter, dire, lire, parler, psalmodier, réciter.

ANONYMAT. Banalité, foule, impersonnalité, incognito, inconnu, masque, obscurité, ombre, x.

ANONYME. Caché, état, ignoré, impersonnel, inconnu, neutre, nomination, obscur, on, secret, signature, société.

ANONYMEMENT. Cachette, catimini, clandestinement, confidentiellement, discrètement, distraitement, furtivement, incognito, maronner, secrètement, sourdement, sourdine, subrepticement, tapinois.

ANORAK. Caban, ciré, coupe-vent, doudoune, gabardine, kabig, imper, imperméable, parka, trench, veste.

ANOREXIE. Anorexigène, anorexique, athrepsie, coupe-faim, dégoût, gracilité, inappétence, maigreur, minceur.

ANOREXIQUE. Affaiblissement, anorexie, anorexigène, appétence, appétit, athrepsie, besoin, coupe-faim, dégoût, désir, diminution, gracilité, indifférence, inappétence, maigreur, minceur, oligophagie.

ANORGASMIE. Absence, anaphrodisie, atonie, détachement, frigidité, froideur, impassibilité, impuissance, indifférence, insensibilité, réserve, sécheresse.

ANORMAL. Anaplasie, anomalie, arriéré, bizarre, caractériel, désaxé, déséquilibre, excitation, fou, handicapé, impulsion, inadapté, inhabituel, insolite, instable, irrégularité, irrégulier, mérycisme, norme, phénoménal, rare, sain, subnormal.

ANORMALEMENT. Admirablement, baroquement, beaucoup, bizarrement, curieusement, drôlement, étonnamment, étrangement, excentriquement, extravagamment, formidablement, originalement, singulièrement.

ANORMALITÉ. Absurdité, anomalie, baroquerie, bizarrerie, branquignollerie, cocasserie, curiosité, dada, drôlerie, étrangeté, excentricité, fantaisie, folie, inénarrable, lubie, manie, originalité, paradoxe, rêve, saugrenu, singularité, travers.

ANOURE. Acaude, alyte, crapaud, grenouille, pélobate, pipa, raine, rainette, ranidé.

ANOVULANT. Abortif, anovulatoire, anticonceptionnel, condom, contraceptif, pilule, spermicide, stérilet.

ANOXIE. Anoxémie, arrêt, asphyxie, blocage, cyanose, étouffement, hypoxémie, hypoxie, oppression, oxygène, suffocation.

ANSE. Abri, anneau, baie, barachois, broc, buire, calanque, crique, godet, manne, poignée, portant, seau, tasse.

ANSÉRIFORME. Anatidé, bernache, bernacle, canard, cygne, kamichi, lamellirostre, oie, palmipède.

ANSÉRINE. Ambroisie, ambroisier, chénopode, chénopodiacée, infusion, patte d'oie, plante, potentille, vivace.

ANTAGONISME. Affrontement, combat, compétition, concurrence, conflit, désaccord, lutte, opposition, rivalité.

ANTAGONISTE. Adversaire, agoniste, combattant, concurrent, contraire, ennemi, glucagon, jaloux, lutteur, opposant, opposé, oppositionnel, rival.

ANTALGIQUE. Amidopyrine, analgésique, anti-douleur, antinévralgique, antipyrine, aspirine, calmant, carbamazépine, dextromoramide, douleur, encéphaline, morphine, opodeldoch, paracétamol, parégorique, thridace.

ANTAN. Ancien, anciennement, autrefois, avant, conjonction, désuet, ex, hier, jadis, longtemps, naguère, ost, passé, vieux.

ANTARCTIQUE. Adélie, austral, chionis, méridional, midi, sud.

ANTE. Am, colonne, cornier, ente, manche, pilastre, pilier.

ANTÉCÉDENT. Ancienneté, antérieur, antériorité, épigénie, implication, passé, précédent, priorité, surimposition, surjectif.

ANTÉDILUVIEN. Ancien, antique, archaïque, arriéré, démodé, dépassé, désuet, fossile, préhistoire, préhistorique, suranné.

ANTENAIS. Agneau, antenois, ovin, vassive, vassiveau.

ANTENNAT E. Arthropode, crustacé, insecte, mandibulate, mille-pattes, myriapode, péripate.

ANTENNE. Acéré, aérien, antennule, appendice, conducteur, créneau, écoute, gabie, parabolique, penne, poste, radôme, vergue, vigie.

ANTÉPÉNULTIÈME. Avant-dernier, dernier, paroxyton, pénultième, proparoxyton, terminus.

ANTÉRIEUR. Anciennement, antécédent, antéposé, antidaté, apriorique, auparavant, avant, avant-main, devant, écart, front, frontal, passé, palatal, postérieur, précédent, préexistant, premier, régression, tête, ultérieur.

ANTÉRIEUREMENT. A priori, auparavant, avant, ci-devant, déjà, devant, préalable, précédemment, psoas.

ANTÉRIORITÉ. Ancienneté, ante, antécédence, autre, avant, histoire, passé, préexistence, priorité, rétro-acte, tradition.

ANTHÉMIS. Anacyclus, camomille, cladanthus, chrysanthème, matricaire, œil-de-bœuf, œil-de-vache.

ANTHÈRE. Connectif, déhiscence, étamine, extrorse, filet, fleur, introrse, pollen.

ANTHOFLE. Assaisonnement, clou de girofle, épice.

ANTHOLOGIE. Ana, analecta, best of, choix, chrestomathie, collection, compilation, épitomé, extraits, florilège, recueil, spicilège.

ANTHONOME. Apion, calandre, charançon, coléoptère, cotonnier, curculionidé, insecte, rhynchite.

ANTHOZOAIRES. Actinie, anémone, cnidaire, corail, coralliaire, hexacoralliaire, invertébré, madrépore, méandrine, zoanthaire.

ANTHRACÈNE. Anthraquinone, benzénique, charbon, goudron, houille, hydrocarbure, phénanthrène.

ANTHRACITE. Carbone, charbon, coke, gris, gris foncé, houille, jais, jayet, lignite, poussier.

ANTHRACNOSE. Carie, charbon, cryptogamique, rouille.

ANTHRAX. Abcès, charbon, furoncle, maladie du charbon, staphylocoque, ulcère.

ANTHROPODES. Arachné, arachnéen, arachnide, argiope, aragne, argyronète, araigne, araignée, aranéide, arantèle, argyronète, articulés, crabe, épeire, faucheur, faucheux, galéode, halabé, hydromètre, latrodecte, lycose, maïa, malmignatte, mygale, orbitèle, ségestrie, tarentule, tégénaire, théridion, théridium, thomise, tubitèle, vélie, veuve noire.

ANTHROPOÏDE. Anthropomorphe, australopithèque, chimpanzé, gibbon, gorille, hominidés, orang-outan, orang-outang, pongidé, pongo, promate, singe.

ANTHROPOLOGISTE (n. p.). Firth, Leach, Mead.

ANTHROPOLOGUE. Anthropologiste, biologiste, démographe, diffusionniste, ethnographe, ethnologue.

ANTHROPOLOGUE ALLEMAND (n. p.). Blumenbach, Frobenius, Virchow.

ANTHROPOLOGUE AMÉRICAIN (n. p.). Bateson, Benedict, Boas, Devereux, Hall, Leach, Lowie, Mead, Morgan.

ANTHROPOLOGUE ANGLAIS (n. p.). Firth, Fraser, Hocart, Leach, Malinowski, Radcliffe-Brown, Rivers, Tylor.

ANTHROPOLOGUE BRITANNIQUE (n. p.). Leach, Malinowski, Radcliffe-Brown.

ANTHROPOLOGUE FRANÇAIS (n. p.). Augé, Bastide, Bertillon, Broca, Caillois, Devereux, Dumont, Girard, Granet, Hamy, Lévi-Strauss, Mauss, Métreaux, Rivet, Van Gennep.

ANTHROPOLOGUE HONGROIS (n. p.). Roheim.

ANTHROPOPHAGE. Barbare, bestial, cannibales cruel, féroce, inhumain, ogre, sadique, sanguinaire.

ANTHROPOPHAGIE. Cannibalisme, cannibaliste, croque-mitaine, géant, goule, lamie, ogre, théophagie, vampire.

ANTHYLLIS. Anthyllide, barbe de Jupiter, centranthe, papilionacée, trèfle, triolet, valériane, vulnéraire.

ANTI. Ant, avant, contre, juxtaposé, malgré, opposé, par, pour, protester, sur, tort, vice, voix, vs.

ANTIARIS. Flèche, ipo, latex, moracète, pohoh, poison, upas.

ANTIBIOTIQUE. Auréomycine, bactéricide, bactériostatique, chloramphénicol, clindamycine, colistine, éthionamide, gentamicine, gramicidine, macrolide, moisissure, néomycine, nystatine, oléandomycine, pénicilline, pénicillium, rifampicine, streptomycine, terrafungine, tétracycline, tyrothricine.

ANTIBLOCAGE. ABS.

ANTICALCAIRE. Adoucisseur, assouplissant, assouplisseur.

ANTICELLULITE. Amaigrissant, amincissant.

ANTICHAMBRE. Attendre, entrée, hall, narthex, passage, poireauter, porche, réception, salle, toril, vestibule.

ANTICIPATION. À-valoir, avance, avancement, avenir, devancement, empiétement, futurologie, prénotion, présage, prescience, présomption, prévision, prolepse, pronostic, prospective, science-fiction, usurpation.

ANTICIPER. Annoncer, augurer, avant, découvrir, devancer, dévoiler, empiéter, envisager, escompter, espérer, prédire, préjuger, présager, présumer, prévoir, sonder, supposer, usurper, visionnaire.

ANTICLINAL. Boutonnière, cluse, combe, convexe, mont, pli, plissement, ruz, synclinal.

ANTICONCEPTIONNEL. Abortif, anovulant, anovulatoire, condom, contraceptif, pilule, spermicide, stérilet.

ANTICONFORMISTE. Artiste, asocial, baba, babacool, beatnik, be-in, bohème, contestataire, dissident, fantaisiste, freak, gitan, hippie, indépendant, individualiste, insouciant, marginal, morave, non-conformiste, original, punk, romani, tzigane.

ANTICORPS. Ablastine, abzyme, agglutinine, antienzyme, antigène, antitoxine, hybridome, monoclonal, opsonine.

ANTICOSTI. Île.

ANTIDÉPRESSEUR. Amitriptyline, amoxapine, anxiolytique, bupropoin, clomipramine, doxépine, énergisant, fluoxétine, imipramine, maprotiline, neuroleptique, nortriptyline, phénelzine, psychotonique, psychotrope, sédatif, thymoanaleptique, tranquillisant, tranylcypromine, trazodone.

ANTIDIABÉTIQUE. Acétohexamide, chlorpropamide, glipizide, glyburide, insuline, tolazamide, tolbutamide.

ANTIDIARRHÉIQUE. Bismuth, difénoxine, diphénoxylate, kaolin-pectine, lopéramide, octréotide, polycarbophile.

ANTIDOTE. Acétylcystéine, amyle, atropine, contrepoison, déféroxamine, dérivatif, dimercaprol, diversion, exutoire, leucovorine, naloxone, physostigmine, phytonadione, pralidoxime, protamine, remède, succimer, thériaque.

ANTI-DOULEUR. Analgésique, antalgique, calmant, parégorique.

ANTI-EFFRACTION. Alarme, alerte, antivol, appel, avertissement, avertisseur, branle-bas, cadran, clignotant, crainte, cri, dispositif, effroi, émoi, éveil, frayeur, frousse, inquiet, signal, sirène, sonnerie, tocsin, triangle, urgence, venette.

ANTIFRICTION. Alliage, antimoine, coussinet, garnissage, frottement, métal, régulage, régule.

ANTIENNE. Cantique, chanson, chant, communion, couplet, discours, disque, invitatoire, leitmotiv, prière, rabâchage, refrain, rengaine, répétition, répons, scie, verset.

ANTIFONGIQUE. Amphotéricine, antimycosique, champignon, clotrimazole, éconazole, fluconazole, flucytosine, griséofulvine, kétoconazole, miconazole, mycose, naftifine, natamycine, nystatine, oxiconazole, terconazole, tioconazole.

ANTIGÈNE. Ablastine, abzyme, agglutinine, allergène, anticorps, antitoxine, hybridome, monoclonal, opsonine.

ANTIGONE (n. p.). Alfieri, Anouilh, Étéocle, GarnierIsmène, Jocaste, Œdipe, Polynice.

ANTIHISTAMINIQUE. Astémizole, azatadine, bromphéniramine, chlorphéniramine, clémastine, cyproheptadine, dimenhydrinate, diphenhydramine, hydroxyzine, méclizine, prométhazine, terfénadine, triprolidine.

ANTIHYPERTENSEUR. Acébutolol, aténolol, bénazapril, bétaxolol, captopril, cartéolol, clonidine, diazoxide, diltiazem, doxazosine, énalapril, esmolol, félodipine, furosémide, guanabenz, guanadrel, guanéthidine, guanfacine, hydralazine, hydrochlorothiazide, indapamide, isradipine, labétalol, leucovorine, lisinopril, méthyldopa, métolazone, métoprolol, minoxidil, nadolol, nicardipine, nifédipine, nitroprusside, penbutolol, pindolol, prazosine, propranolol, quinapril, ramipril, réserpine, térazosine, timolol, triméthaphan, vérapamil.

ANTI-INFLAMMATOIRE. Acétaminophène, acétylsalicylique, aspirine, choline, diclofénac, étodolac, fénoprofène, flurbiprofène, ibuprofène, indométhacine, kétoprofène, kétorolac, méclofénamate, méthotriméprazine, naproxen, naproxène, phénazopyridine, piroxicam, salsalate, sulindac, tolmétine.

ANTILLAIS. Acra, blaff, caraïbe, créole, cubain, dominicain, guadeloupéen, haïtien, îles, jamaïcain, martiniquais, portoricain, rhum.

ANTILLES BRITANNIQUE (n. p.). Monserrat.

ANTILLES ÉTATS-UNIS (n. p.). Porto Rico, Puerto Rico.

ANTILLES FRANÇAISE (n. p.). Désirade, Guadeloupe, Marie-Galante, Martinique.

ANTILLES NÉERLANDAISES (n. p.). Aruba, Bonaire, Curaçao.

ANTILOGIE. Absurdité, ambivalence, antinomie, aporie, barrière, boulet, contradiction, contraire, contraste, démenti, discordance, incohérence, incompatibilité, obligation, obstacle, opposition.

ANTILOPE. Addax, aepycérotiné, alcéphalus, algazelle, biche, bubale, capricorne, catoblépas, cob, coudou, damalisque, dorcade, éland, gazelle, gnou, guib, impala, kif, kob, koudou, nilgaut, okapi, oryx, ourébi, saïga, springbok, steenbok, steinbock.

ANTIMATIÈRE. Antiatome, anticorpuscule, antilepton, antineutron, antiparticule, antiproton, antiquark, positon.

ANTIMITE. Boule, insecticide, mite, naphtalène, naphtaline, paradichlorobenzène.

ANTIMITOTIQUE. Anticancéreux, mitose, opposition, vinblastine.

ANTIMOINE. Métalloïde, Sb, stibié, valentinite.

ANTINÉVRALGIQUE. Amidopyrine, analgésique, anti-douleur, antalgique, antipyrine, aspirine, calmant, carbamazépine, dextromoramide, douleur, encéphaline, morphine, opodeldoch, paracétamol, parégorique, thridace.

ANTINOMIE. Antipode, antithèse, contradiction, contraire, contraste, dichotomie, incompabilité, opposition, paradoxe.

ANTINOMIQUE. Antipodal, antithétique, aporétique, contradictoire, contraire, incompatible, opposé, paradoxal.

ANTIPAPE (n. p.). Amédée, Anaclet, Benoît XIII, Félix,Hus, Jean XXIII, Novatien, Pascal.

ANTIPARTICULE. Anticorpuscule, antilepton, antimatière, antineutron, antiproton, antiquark, positon.

ANTIPATHIE. Acrimonie, amertume, androphobie, animosité, aversion, baver, dégoût, déplaisant, éloignement, fiel, grippe, haine, horreur, hostilité, incompatibilité, inimitié, prévention, rancune, répugnance, ressentiment, xénophobie.

ANTIPATHIQUE. Atroce, déplaisant, désagréable, détestable, exécrable, haïssable, imbuvable, incompatible, odieux, rebutant.

ANTIPERSPIRANT. Anhidrose, anidrose, antisudoral, antisudoral, antisudorifique, diaphorèse, étuve, évaporation, perspiration, sudation, suée, sueur, transpiration.

ANTIPHRASE. Adoucissement, atténuation, diminution, édulcoration, euphémisme, ironie, litote.

ANTIPODE. Antilogie, antinomie, antithèse, contradiction, contraire, contraste, dichotomie, divergence, envers, inverse, opposé, opposition, polarité, réciproque.

ANTIPOISON. Alexitère, anavenin, antidote, antitoxique, chélateur, contrepoison, crainte, défiance, détention, disgrâce, doute, incrédulité, jalousie, méfiance, passion, précaution, préjugé, prévention, prophylaxie, prudence, réserve, scepticisme, soupçon, surveillance, suspection, suspicion, thériaque.

ANTIPSYCHOTIQUE. Butyrophénone, chlorpromazine, clomipramine, clozapine, fluphénazine, halopéridol, loxapine, mésoridazine, molindone, perphénazine, phénothiazine, prochlorpérazine, promazine, thiodazine, thiothixène, trifluopérazine.

ANTIPYRÉTIQUE. Acétaminophène, amidopyrine, antipyrine, antithermique, aspirine, fébrifuge, paracétanol.

ANTIQUAIRE (n. p.). Millin, Peutinger.

ANTIQUAIRE. Archéologue, brocanteur, chineur, collectionneur, commerçant, marchand.

ANTIQUE (n. p.). Égypte, Grèce, Rome.

ANTIQUE. Actuel, âgé, ancestral, ancien, archaïque, autrefois, centenaire, cérame, contemporain, démodé, grec, massaliote, médiéval, neuf, nouveau, passé, préhistorique, serrate, suranné, usé, vénérable, vétuste, vieux.

ANTIQUITÉ. Ancien, ancienneté, archaïsme, désuétude, caducité, décrépitude, mythologie, usure, vieillerie.

ANTIQUITÉ GRECQUE (3 lettres). Ode

ANTIQUITÉ GRECQUE (4 lettres). Cens, cité, ides, mine, péan

ANTIQUITÉ GRECQUE (5 lettres). Arène, boule, démon, éphod, forum, heure, mitre, musée, ombre, palme, pelta, pelte, pilum, rites, style, thète, tribu, tyran, villa, xyste.

ANTIQUITÉ GRECQUE (6 lettres). Diaule, éphèbe, éphore, épulon, exèdre, fastes, fibule, hostie, insula, lustre, opimes, oracle, patère, pétase, podium, pythie, scutum, suaire, talent, thrène, thyrse, trière, zétète.

ANTIQUITÉ GRECQUE (7 lettres). Auspice, censeur, chorège, dynaste, empyrée, éphébie, éponyme, gymnase, hétaïre, hétérie, hippeus, hoplite, laniste, lustral, lyrique, mégaron, mélopée, métèque, murrhin, néméens, nymphée, oppidum, oxycrat, pallium, phallus, pontife, priapée, proxène, prytane, pugilat, quirite, rapsode, rhéteur, sarisse, sibylle, suffète, temenos, théorie, trophée, tunique, zeugite.

ANTIQUITÉ GRECQUE (8 lettres). Chlamyde, cothurne, démiurge, diptyque, ecclésia, éparchie, épistate, éponymie, hastaire, héliaste, hétairie, himation, hydraule, indigète, libation, liturgie, musagète, navarque, orgiaque, palestre, pancrace, pandèmes, peltaste, péribole, phalange, phratrie, plébéien, prémices, prologue, prytanée, quadrige, rational, rhapsode, strigile, tyrannie.

ANTIQUITÉ GRECQUE (9 lettres). Canéphore, chevalier, clérouque, discobole, docimasie, ethnarque, hécatombe, hiérodule, hipparque, isthmique, laticlave, mélodrame, mirmillon, népenthès, nomothète, olympique, orchestre, palinodie, palladium, pétalisme, phylarque, primipile, publicain, pugiliste, pyrrhique, pythiques, taxiarque, triompher, vomitoire, xénélasie.

ANTIQUITÉ GRECQUE (10 lettres). Clérouquie, dithyrambe, ethnarchie, hipparchie, hippodrome, logographe, ostracisme, pentacorde, pentarchie, pentathlon, pétauriste, plébiscite, polémarque, pontifical, pontificat, pythonisse, quadrirème, triérarque.

ANTIQUITÉ GRECQUE (11 lettres) Hiérophante, opisthodome, panathénées, thesmothète.

ANTIQUITÉ GRECQUE (12 lettres). Primipilaire.

ANTIQUITÉ GRECQUE (13 lettres). Sacrificateur, thesmophories.

ANTIRELIGIEUX. Agnostique, areligieux, athée, libertin, impie, incrédule, incroyant, indévot, irréligieux, mécréant.

ANTIROUILLE. Anticorrosion, antioxydant, minium.

ANTIROI (n. p.). Philippe de Souabe, Saint Empire.

ANTISÈCHE. Agenda, aide-mémoire, almanach, calepin, carnet, éphéméride, mémento, mémo, précis, plagiat.

ANTISEPTIE. Abolition, anéantissement, annulation, autolyse, carie, cataclysme, corrosion, démantèlement, démolition, dératisation, désinfection, destruction, effondrement, effritement, hémolyse, naufrage, ruine, sabotage, sape, suicide.

ANTISEPTIQUE. Alcool, antiputride, benjoin, benzonaphtol, collargol, créosote, désinfectant, eugénol, formol, gaïacol, germicide, hexamidine, iode, médicament, mercurescéine, mercurochrome, naphtol, salicylique, salol.

ANTISOCIAL. Asocial, clochardisé, délinquant, inadapté, marginal, pervers, rejeté, réprouvé, révolté.

ANTITHÈSE. Antilogie, antinomie, antonymie, chiasme, contradiction, contraire, contraste, inverse, opposition.

ANTITHÉTIQUE. Antinomique, antipodal, aporétique, contradictoire, contraire, incompatible, opposé, paradoxal.

ANTITOXIQUE. Alexitère, anavenin, antidote, antipoison, chélateur, contrepoison, crainte, défiance, détention, disgrâce, doute, incrédulité, jalousie, méfiance, passion, précaution, préjugé, prévention, prophylaxie, prudence, réserve, scepticisme, soupçon, surveillance, suspection, suspicion, thériaque.

ANTITUSSIF. Acétycystéine, béchique, codéine, dextrométhorphane, expectorant, gyaïfénésine, hydrocodone, hydromorphine.

ANTIVIRAL. Adénovirus, antibactérien, arbovirus, condylome, ebola, entérovirus, lentivirus, microbe, myxovirus, papillomavirus, phage, poison, provirus, rétrovirus, ultravirus, viral, virion, virose, virus.

ANTIVOL. Alarme, antidémarrage, anti-effraction, bip.

ANTONINS (n. p.). Antonin le Pieux, Commode, Hadrien, Marc Aurèle, Nerva, Trajan, Vérus.

ANTONYME. Absurde, abusif, adversaire, adverse, antagoniste, anti, antithèse, autrement, concurrent, contradictoire, contraire, divergent, envers, étrange, illégal, incompatible, inverse, licencieux, malsonnant, obversion, opposé, paradoxe, synonyme.

ANTONYMIE. Antithèse, antonyme, contraire, opposition, relation.

ANTRE. Abri, aire, breuil, caverne, cavité, estomac, excavation, gîte, grotte, habitation, halot, lieu, nid, pylore, réduit, refuge, repaire, tanière, trou.

ANTRUSTION. Belliciste, belliqueux, guerrier, martial, militaire, militant, pair, reître, samouraï, soldat, truste.

ANURIE. À-coup, apnée, arrêt, assez, butée, caravane, cessation, cessez, cran, délai, escale, étape, frein, gel, halte, hémostase, infantilisme, ischémie, marasme, oligurie, panne, parade, paralysie, pause, quiescence, rémission, répit, repos, souffrance, stase, station, stop, syncope, trêve.

ANUS. Anal, anneau, anuscopie, boyau, cul, culier, derrière, émonctoire, fion, fondement, hémorroïde, intestin, marge, orifice, périnée, périprocte, pouvent, prostate, rectum, siège, trou, troufignard, troufignon.

ANXIÉTÉ. Agitation, angoisse, appréhension, bileuse, chagrin, crainte, doute, inquiétude, peur, raptus, transe.

ANXIEUSEMENT. Bouleversement, convulsivement, fébrilement, fiévreusement, frénétiquement, hystériquement, impatiemment, nerveusement, spasmodiquement, sursautement, vivement.

ANXIEUX. Affolé, agité, alarmé, angoissé, bileux, énervé, fiévreux, impatient, inquiet, nerveux, peureux, stressé, tourmenté.

ANXIOLYTIQUE. Antipsychotique, benzodiazépine, butyrophénone, chlorpromazine, diazépam, halopéridol, médicament, neurodépresseur, neuroleptique, phénothiazine, psycholeptique, psychose, psychotrope, tranquillisant.

AORISTE. Action, affirmation, allégation, aphorisme, assertion, axiome, conjugaison, doxologie, énoncé, explicite, formulé, gnomique, inchoatif, lexis, loi, maxime, morphème, pré, postulat, précepte, premier, principe, proposition, protocole, proverbe, second, temps.

AORTE. Anévrisme, aortite, artère, carotide, coarctation, cœur, crosse, sang, sigmoïde, thyroïde, veine.

AOÛTAT. Acarien, insecte, larve, lepte, rouget, trombidion, vendangeon.

AOÛTÉ. Approfondi, digéré, étudié, fortifié, jeune, médité, mijoté, moissonné, mûri, pensé, préparé, réfléchi, vert.

AOÛTEMENT. Agénésie, anaplasie, apogamie, bourgeonnement, boutonnement, croissance, développement, déploiement, déroulement, diatribe, digression, épiage, essai, essor, évolution, expansion, explication, exposé, feu, gemmation, germination, hirsutisme, hypergenèse, hypertrophie, lyrique, narration, passage, pilosisme, polysarcie, pousse, progrès, pustule, suite, traitement, végétation, vésicule.

AOÛTIEN. Bronzé, croisiériste, curiste, estivant, hivernant, touriste, vacancier, villégiateur, visiteur, voyageur.

APACHE. Bandit, gangster, indien, kleptomane, malfaiteur, malfrat, nervi, tribu, truand, voyou.

APAISANT. Adoucissant, balsamique, calmant, émollient, lénifiant, lénitif, rassurant, reposant, sécurisant, sédatif, tranquillisant.

APAISEMENT. Adoucissement, allègement, baume, calme, cure, guérison, paix, rémission, sédation, soulagement.

APAISER. Adoucir, amadouer, amortir, assouvir, bercer, boire, calmer, cicatriser, consoler, désaltérer, dormir, dulcifier, endormir, étancher, étouffer, graver, guérir, lénifier, modérer, pacifier, radoucir, ralentir, rassasier, rassurer, rendormir, reposer, réprimer, satisfaire, soulager, tasser.

APANAGE. Bien, domaine, exclusivité, fortune, lot, monopole, patrimoine, privilège, propre, propriété, sagesse.

APARTÉ. Digression, divagation, écart, épisode, excursion, monologue, parabase, parenthèse, parole, solo, théâtre.

APARTHEID. A.N.C., bantoustan, discrimination, racisme, ségrégation, séparation, xénophobie.

APATHIE. Ataraxie, atonie, engourdissement, impassibilité, imperturbabilité, indifférence, indolence, inertie, langueur, marasme, mollesse, nonchalance, paresse, passivité, résignation, torpeur, veulerie.

APATHIQUE. Aboulique, alangui, amorphe, empaillé, emplâtre, endormi, énergique, flasque, incapable, indifférent, indolent, inerte, lent, lymphatique, mol, molasse, mollasse, mollasson, mou, nonchalant, passif.

APATRIDE. Cosmopolite, déserteur, errant, heimatlos, métèque, sans-patrie.

APAX. Accent, air, aspect, binôme, caractère, cliché, émanation, énoncé, équation, expression, figure, formule, hapax, juron, lexie, locution, lyrisme, mine, mot, physionomie, raccourci, style, ton, voix.

APERCEPTION. Appréhension, conception, conscience, discernement, entendement, gnosie, idée, impression, intelligence.

APERCEVOIR. Aperception, appréhender, aviser, comprendre, constater, découvrir, deviner, discerner, entrevoir, idée, informer, juger, montrer, percevoir, remarquer, répérer, sentir, visible, voir, vu, vue.

APERÇU. Avisé, chimère, concept, dada, dyade, ébauche, ectopie, esquisse, estimation, fantaisie, fiction, idée, illusion, image, lubie, manie, mode, notion, opinion, pensée, phonétiquement, projet, repère, rêve, songe, ton, tour, vu, vue.

APÉRITEUR. Agent, assureur, coulissier, courtier, entremetteur, inspecteur, intermédiaire, représentant.

APÉRITIF. Amer, apéro, avèze, banyuls, bitter, bourbon, campari, carpano, cinzano, cocktail, colombo, communard, dry, dubonnet, frontignan, gentiane, kir, pastis, quassia, réception, simaruba, tapas, tomate, vermouth.

APESANTEUR. Agravitation, agravité, impesanteur, impondérabilité, non-pesanteur, microgravité.

APESANTI. Alourdi, agile, apige, chargé, diminué, lège, lesté, plombé, pourvoir, vert, vif.

APÉTALE. Aristoloche, betterave, chêne, chénopodiacée, dicotylédone, gui, moracée, nyctaginacée, ortie, oseille, pipéracée, polygonacée, saule.

À PEU PRÈS. Approximativement, avancé, comme, guère, négligeable, peu, près, presque, quasiment.

APEURÉ. Angoissé, anxieux, craintif, effrayé, inquiet, peureux, saisi, timoré, tremblant.

APEURER. Affoler, alarmer, alerter, effaroucher, effrayer, épeurer, épouvanter, horrifier, saisir, terrifier, terroriser.

APEX. Acmé, apogée, apothéose, badine, baguette, cime, climax, comble, culminant, excès, faîte, fin, fort, limite, maximum, meilleur, optimum, paroxysme, pinacle, plafond, point, sommet, summum, triomphe, zénith.

APHIDÉ. Abeille, andrène, aphidien, aphidoïde, bourdon, cochenilles, homoptère, phylloxéra, puceron, xylocope.

APHONE. Abasourdi, baba, coi, immobile, muet, paisible, pantois, sidéré, silencieux, stupéfait, tranquille.

APHONIE. Anéantir, anesthésie, cessation, enrouement, extinction, fin, finir, hypnose, nirvana, rachat, silence, sommeil.

APHORISME. Adage, apophtegme, axiome, citation, devise, dicton, dit, dogme, formule, maxime, pensée, sentence, soutra, sutra.

APHRODISIAQUE. Affriolant, aguichant, aguicheur, émoustillant, érotique, excitant, impudique, stimulant, viagra.

APHRODITE (n. p.). Adonis, Antéros, Dioné, Énée, Éros, Grecque, Héphaïstos, Olympe, Priape, Pygmalion.

APHRODITE. Amour, beauté, déesse, dionée, divinité, hermaphrodite, polychète, souris, taupe, ver.

APHTE. Bouche, buccal, lésion, maladie, muqueuse, ulcération, ulcère.

API. Alphabet, mancenilles, phonétique, pomme.

À-PIC. Abrupt, aplomb, cran, crêt, crête, dénivellement, écorchis, épaulement, escarpement, falaise, mur, paroi.

APIDÉ. Abeille, andrène, bourdon, hyménoptère, insecte, mellifère, végétarien xylocope.

À PIED. Baguenaude, balade, bambée, chevauchée, déplacement, errance, excursion, flânerie, pédestre, pédestrement, pedibus, promenade, randonnée, tournée, trek, trekking, vadrouille, virée.

APIGEONNER. Affriander, affrioler, aguicher, allécher, amadouer, amorcer, appâter, attirer, attraper, avaler, charmer, convaincre, corrompre, enjôler, ensorceler, envoûter, escher, fasciner, gaver, gober, leurrer, mordre, plaire, séduire, tenter.

APION. Anthonome, calandre, charançon, coléoptère, curculionidé, insecte, larve, rhynchite.

APITOIEMENT. Attendrissement, bienveillance, clémence, commisération, comparaison, compassion, pitié.

APITOYER. Attendrir, attrister, compatir, émotionner, émouvoir, plaindre, remuer, toucher, troubler.

APLANI. Abaissé, abattu, aplati, arasé, égal, égalisé, galet, nivelé, plat, rabaissé, rabattu, rame, tapé, uni, uniforme.

APLANIR. Amincir, araser, battre, broyer, dégauchir, diminuer, doler, dresser, écraser, égaliser, épanneler, frotter, gratter, lever, mater, matir, nettoyer, niveler, polir, raboter, racler, régaler, repasser, supprimer, unir, xyste.

APLANISSEMENT. Débarras, débarrasser, déblaiement, décharger, dégagement, déneigement, nivellement, préparation.

APLASIE. Absence, aplasique, atrophie, hypoplasie, insuffisance, médullaire.

APLAT. Aire, apparence, dimension, espace, étendue, peinture, plage, surface.

APLATI. Camard, camus, comprimé, déprimé, écrasé, écroulé, épaté, galet, obéré, pince, plat, rame, tapé.

APLATIR. Allonger, briser, comprimer, dominer, dépression, dominer, écrabouiller, écraser, étaler, humilier, palmer, presser, rabattre, repasser, river, taper, tomber.

APLATISSEMENT. Collapsus, compression, dépression, écrouissage, érosion, étirage, fasciation, forge, laminage.

APLOMB. Audace, assis, assurance, bien, cale, courage, culot, droit, durable, effronterie, équilibre, estomac, ferme, fermeté, fixe, habituel, hardiesse, image, impudence, larve, leste, solide, stabilité, stable, toupet, vertical.

APLOMBER. Ancrer, asseoir, équilibrer, placer, redresser, stabiliser.

APOASTRE. Aphélie, apogée, aposélène, apside, astron, maximal, périastre, périgée.

APOCALYPSE (n. p.). Akhisar, Daniel, Jean, Patmos.

APOCALYPSE. Abîme, bouleversement, calamité, cataclysme, catastrophe, chaos, désastre, drame, fléau, écrit, malheur, néant, plaie, précipice, ruine, sinistre, tragédie.

APOCALYPTIQUE. Antéchrist, bataille, bible, dantesque, effrayant, effroyable, épouvantable, horrible, terrifiant.

APOCRYPHE. Douteux, fabriqué, fantaisiste, faux, fictif, forgé, frauduleux, hérétique, imaginé, inauthentique, suspect.

APOCYNACÉE. Cyprès, frangipanier, genévrier, laurier-rose, pervenche, rauwolfia, strophantus, thuya.

APODE. Amphibien, cécilie, dermophis, gymniophione, ichtyophis, hippocampe, idiocranium, murène, siphonops, typhlonecte.

APODICTIQUE. Aveuglant, certain, certitude, dégager, évidence, évident, flagrance, frappant, indiscutable, lapalissade, manifeste, montrer, nécessaire, parbleu, ressortir, saisissant, sans doute, souligner, sûr, sûrement, trivial, truisme, vérité.

APOGÉE. Acmé, altitude, aphélie, apoastre, apothéose, apside, ascension, cime, comble, culminant, élévation, faîte, gloire, maximum, mont, nadir, périastre, périgée, pinacle, point, sommet, summum, triomphe, zénith.

À POIL. Aride, chauve, clairsemé, dégarni, dénudé, déshabillé, désolé, dépouillé, dévêtu, nu, pelé, ras.

APOLLON (n. p.). Aristée, Artémis, Daphné, Délos, Hyades, Hymen, Léto, Ion, Midas, Niobé, Nome, Phébus, Pythie, Zeus.

APOLLON. Adonis, apollinien, beau, beauté, éphèbe, hymen, musagète, papillon, parnassien, soleil, ténébreux.

APOLOGIE. Apologétique, défense, discours, dithyrambe, écrit, éloge, justification, louange, plaidoirie, plaidoyer, panégyrique.

APOLOGISTE (n. p.). Arnobe, Lactance, Nicolas, Origène, Orose, Tatianos, Tatien, Tertullien.

APOLOGISTE. Avocat, complimenteur, défenseur, panégyriste, partisan, protecteur, serviteur, soutien, tenant.

APOLOGUE. Allégorie, conte, discours, écrit, fable, parabole, prose, récit.

APOPHTEGME. Adage, aphorisme, commandement, conseil, coutume, dogme, enseignement, forme, formule, leçon, loi, maxime, mise, norme, ordre, pratique, précepte, principe, proverbe, règle, règlement, rite, sentence, soutra.

APOPHYSE. Acromion, apoplectique, bosse, cheville, coracoïde, crête, éminence, épicondyle, épine, malléole, olécrane, protubérance, ptérygoïde, saillie, styloïde, tibia, tubérosité, zygoma, zygomatique.

APOPLEXIE. Attaque, cataplexie, cérébrale, congestion, embolie, évanouissement, hémorragie, hyperémie, ictus, pléthore, thrombose.

APORIE. Ambivalent, aporia, aporétique, complexité, contradiction, difficulté, impasse, paradoxe.

APOSTASIE. Agnosticisme, athéisme, blasphème, désacralisation, doute, froideur, gentilité, hérésie, impiété, incrédulité, incroyance, indifférence, infidélité, irréligion, libertinage, matérialisme, paganisme, panthéisme, péché, polythéisme, profanation, reniement, sacrilège, scandale, scepticisme.

APOSTASIER. Abandonner, abjurer, défroqué, délaisser, hérétique, infidèle, renégat, renier, renoncer, schismatique.

APOSTAT. Défroqué, déserteur, hérétique, hétérodoxe, impie, lâcheur, laps, relaps, renégat, schisme, transfuge.

APOSTILLE. Addition, annotation, commentaire, glose, nota, note, notule, observation, ps, remarque, scolie.

APOSTOLAT. Apôtre, catéchèse, catéchisme, endoctrinement, évangélisation, mission, missionnariat, pastorale, vocation.

APOSTROPHE. Adresse, appel, élision, figue, interpellation, invective, vocatif.

APOSTROPHER. Aborder, appeler, élision, héler, interpeller, invectiver, scène.

APOTHÉOSE. Acclamation, apogée, consécration, couronnement, déification, divination, glorification, triomphe.

APOTHICAIRE (n. p.). Hébert, Lemery.

APOTHICAIRE. Alchimiste, compte, herboriste, ordonnancier, pharmacien, poilphard, potard.

APÔTRE (n. p.). André, Barnabé, Barthélemy, Jacques, Jean, Judas, Jude, Marc, Mathias, Matthieu, Paul, Philippe, Pierre, Paul, Simon, Thaddée, Thomas.

APÔTRE. Apostolat, défenseur, disciple, évangélisateur, missionnaire, partisan, pêcheur, prédicateur, propagateur, prosélyte.

APPAIRAGE. Accouplement, appariement, assemblage, avec, coexistence, coïncidence, combiné, concomitance, couplage, jumelage, liaison, raccordement, rappariement, simultané, synchronisme, unisson, unité.

APPARAÎTRE. Avérer, découvrir, dévoiler, éclore, éditer, émerger, éveil, exposer, hanter, jaillir, lever, luire, manifester, montrer, paraître, percer, poindre, pousser, présenter, ressortir, révéler, sembler, sortir, surgir, survenir, trahir, transparaître, venir.

APPARAT. Appareil, caftan, cérémonial, éclat, étalage, faste, gala, luxe, ostentation, pompe, protocole, solennel.

APPARAUX. Agrès, annaux, appareil, appât, armement, attirail, engin, gréage, gréement, grément, portique.

APPAREIL (2 lettres). CB, nu.

APPAREIL (3 lettres). Bât, ber, hub, bip, ulm.

APPAREIL (4 lettres). Cage, cric, étau, four, grue, loch, œil, opus, pile, pipe, skip, tube, tour, zéro.

APPAREIL (5 lettres). Agrès, arroi, asdic, avion, barda, barre, bidet, engin, étuve, frein, gibet, herse, hotte, lampe, laser, mixer, modem, outil, palan, pièce, poêle, pompe, radar, robot, sonar, sonde, soude, train, vanne, vérin.

APPAREIL (6 lettres). Alarme, anneau, archet, bécane, bib-bip, bipeur, bocard, brûloir, caméra, cloche, corset, doseur, garrot, hélice, mixeur, pétrin, pilori, plâtre, rameur, ridoir, sirène, sondeur, tarare, treuil, tungar, zinzin.

APPAREIL (7 lettres). Aéronef, alambic, alarme, anneau, apparat, arsenal, attelle, boulier, brûloir, chadouf, étuveur, gabarit, haltère, machine, minerve, orthèse, patente, pendule, poulain, scanner, serrure, testeur, tireuse, trapèze, travail, vumètre.

APPAREIL (8 lettres). Aérateur, aérostat, allumoir, applique, armature, autogire, barbecue, bouclier, boussole, couveuse, émulseur, équipage, fourneau, ohmmètre, mitigeur, moniteur, mouchard, polaroid, râtelier, urinaire.

APPAREIL (9 lettres). Abreuvoir, aéroscope, alcootest, altimètre, ascenseur, démarreur, élévateur, essoreuse, gouttière, luminaire, manomètre, métronome, muselière, ondemètre, osmomètre, téléphone, téterelle.

APPAREIL (10 lettres). Accessoire, adapteur, alcoomètre, aspirateur, bastringue, calorifère, cuisinière, dispositif, ergographe, extincteur, instrument, moniteur, photophore, plafonnier, raidisseur, scaphandre, télévision, vélocipède.

APPAREIL (11 lettres). Abrasimètre, adoucisseur, ampèremètre, aplatisseur, autocuiseur, avertisseur, bathyscaphe, binoculaire, carburateur, chasse-neige, cinémomètre, hélicoptère, lance-amarre, percolateur, plansichter, pluviomètre.

APPAREIL (12 lettres). Centrifugeur, conservateur, distillation, électroscope, kaléidoscope, laryngoscope.

APPAREIL (13 lettres). Amplificateur, concentrateur, conditionneur, convertisseur, décompresseur.

APPAREIL (14 lettres). Chauffe-biberon, cinématographe, défibrillateur, électroménager, humidificateur.

APPAREIL (15 lettres). Photocomposeuse, rétroprojecteur, rince-bouteilles.

APPAREIL DE DÉTECTION. Aéronef, asdic, radar, sonar.

APPAREILLAGE. Accouplement, agencement, chevalement, départ, disposition, échafaudage, montage, préparatif.

APPAREILLEMENT. Alternative, anthologie, choisir, choix, crème, décision, dilemme, échelle, électif, élection, élimination, élite, éventail, facultatif, gratin, option, ou, recueil, sélectif, sélection, tri, variété.

APPAREILLER. Accoupler, apparier, assortir, coupler, échafauder, étayer, jumeler, lever, munir, partir, réunir.

APPAREMMENT. Apparence, censément, dehors, extérieurement, illusoirement, superficiellement, visiblement, vraisemblablement.

APPARENCE. Air, allure, aspect, bienséance, censément, convenance, cosmétique, couleur, croûte, décor, dehors, écorce, enveloppe, espèce, extérieur, façade, figure, forme, frime, idée, lueur, mine, mirage, ombre, oripeaux, ostensible, paillette, perceptible, phase, trompe-l'œil, semblant, simulacre, soupçon, spécieux, tape-à-l'œil, teinte, tournure, vernis, visible, vraisemblance, zoomorphisme.

APPARENT. Clair, criant, évident, faux, illusoire, manifeste, ostensible, perceptible, supposé, trompeur, visible.

APPARENTÉ. Acaule, allié, approchant, cousin, lignager, parapublic, parent, proche, ressemblé, semblable, surpique.

APPARENTER. Accorder, allier, assembler, associer, coaliser, combiner, connoter, dénoter, évoquer, exprimer, inspirer, joindre, liguer, marier, mêler, rappeler, rapprocher, réaliser, ressembler, unir.

APPARIER. Accoupler, allier, appareiller, associer, assortir, combiner, coupler, harmoniser, joindre, marier, réunir, unir.

APPARITEUR. Aboyeur, accense, annoncier, bedeau, chaouch, crieur, dirigeant, gardien, huissier, massier, recors.

APPARITION. Abiogenèse, arrivée, avènement, biogénèse, dermatographie, dermatographisme, éclosion, émergence, entrée, épenthèse, épiage, épiaison, épiphanie, éruption, exposition, fantôme, intrusion, invention, irruption, lueur, manifestation, mutagenèse, naissance, parution, phénomène, revenant, simulacre, spectre, tératogenèse, tératogénie, venue, vision, visite, vue.

APPARTEMENT. Atelier, bauge, calla, duplex, flat, garçonnière, gynécée, habitation, harem, HLM, hypne, intérieur, loft, logement, logis, meublé, niche, penthouse, pièce, salle, salon, studio, suite, taudis, triplex, vestibule, zénana.

APPARTENANCE. Adhésion, adjonction, affiliation, dépendance, domaine, inclusion, indivision, possession, propriété.

APPARTENIR. Concerner, convenir, dépendre, devoir, échoir, être, incomber, rattacher, relever, retourner, revenir, seoir.

APPARTIENT. Attribut, aviaire, concerné, est, fagnard, fondamentaliste, mensural, multimédia, sied, thymique, vitaliste.

APPARU. Air, avéré, éclos, fondu, lueur, né, paru, revenu, semblé, surgi.

APPAS. Agrément, amorces, attraits, charme, grâce, poitrine, sein.

APPÂT. Abet, aiche, allécher, amorce, asticot, attirer, attrait, boëte, boitte, bouette, cuiller, devon, èche, écho, esche, filet, grappe, leurre, manne, mouche, nourriture, piège, pêche, rogue, ver, vif.

APPÂTER. Affriander, affrioler, aguicher, allécher, amadouer, amorcer, attirer, attraper, avaler, charmer, convaincre, corrompre, enjôler, ensorceler, envoûter, escher, fasciner, gaver, gober, mordre, plaire, séduire, tenter.

APPAUVRIR. Anémier, clochardiser, épuiser, exclure, paupériser, réduire, ruiner, stériliser, tarir, user.

APPAUVRISSEMENT. Affaiblissement, anémie, dégénérescence, dépérissement, détérioration, épuisement, étiolement, paupérisation.

APPEAU. Aiche, appât, appelant, chanterelle, courcaillet, embûche, leurre, mouvant, piège, pipeau, piperie, sifflet.

APPEL. Allô, aspiration, clamer, communication, convocation, cri, demande, dispositif, écho, hé, héler, hep, élan, évocation, excitation, exhortation, hello, hep, ici, impulsion, incitation, incorporation, interjection, intimidation, invitation, levée, mobilisation, œillade, ohé, proclamation, rappel, rassemblement, recensement, recours, recrutement, révision, signe, sollicitation, SOS, sonner, viens, vocation, voix.

APPELANT. Appeau, appel, appeleur, chanterelle, chasse, courcaillet, crabe, demandeur, leurre, oiseau, téléphone.

APPELÉ. Bleu, conscrit, intitulé, ladite, ledit, novice, pierrot, recrue, soldat, surnommé, titre.

APPELER. Apostropher, apparaître, aspirer, assigner, attirer, baptiser, bénir, biper, caser, choisir, citer, commander, convier, convoquer, crier, demander, désigner, désirer, élever, élire, enrôler, entraîner, épeler, évoquer, exiger, héler, hep, holà, hucher, incorporer, interpeller, intimer, intituler, inviter, invoquer, mander, maudire, mobiliser, nommer, ohé, prénommer, pst, qualifier, rappeler, réclamer, recourir, recruter, référer, remettre, requérir, siffler, solliciter, sonner, SOS, souhaiter, soumettre, surnommer, téléphoner.

APPELLATION. Attribut, connu, contrôlée, dénomination, désignation, feu, gentilé, identification, identité, label, marque, mot, nom, prénom, prête-nom, qualificatif, qualification, surnom, titre, vocable.

APPENDICE. Addition, aile, antenne, barbe, bras, caudal, chélicère, cire, cirre, cirrhe, didactyle, diverticule, doigt, extrémité, griffe, luette, membre, nageoire, nez, oreille, palpe, patte, pédipalpe, prolongement, queue, stipule, tentacule, typhlite, uropode, uvule, vermiculaire, xiphoïde.

APPENDRE. Accrocher, ajourner, arrêter, attacher, cesser, différer, enrayer, fixer, geler, inhiber, interrompre, pendre, soutenir, suspendre.

APPENTIS. Abri, auvent, bâtiment, bûcher, comble, débarras, galerie, hangar, toit, véranda.

APPESANTIR. Abrutir, accabler, alourdir, appuyer, attarder, embarrasser, engourdir, étendre, frapper, insister.

APPESANTISSEMENT. Alourdissement, augmentation, embarras, engourdissement, indigestion, lourdeur, surcharge.

APPÉTENCE. Alléchant, ambition, appel, appétit, aspiration, attirance, attrait, besoin, désir, envie, goût, tendance.

APPÉTER. Ambitionner, aspirer, avide, briguer, convoiter, décider, demander, désirer, envier, espérer, exiger, guigner, incliner, lorgner, loucher, mirer, obstiner, prétendre, rechercher, rêver, viser, vouloir.

APPÉTISSANT. Affriandant, affriolant, agréable, aguichant, alléchant, appétent, attirant, attrayant, bon, comestible, engageant, envie, friand, goûtable, miam, miam-miam, pica, plaisant, ragoûtant, savoureux, séduisant, succulent.

APPÉTIT. Anorexie, apéritif, appétence, aspiration, avidité, besoin, concupiscence, curiosité, désir, faim, gloutonnerie, goût, herbe, inclinaison, insatiabilité, instinct, malacie, ogre, passion, pica, soif, tendance, voracité.

APPLAUDIR. Acclamer, admirer, approuver, ban, battre, bénir, bisser, bravo, célébrer, claque, claquer, encourager, féliciter, louer, réjouir, saluer, soutenir, toper, trépigner.

APPLAUDISSEMENT. Acclamation, approbation, ban, bis, bravo, compliment, éloge, encouragement, félicitation, hourra, louange, ovation, rappel, salve, triomphe, vivat.

APPLAUDISSEUR. Admirateur, adorateur, adulateur, apologiste, claqueur, complaisant, complimenteur, courtisan, flatteur.

APPLICABLE. Adéquat, applicabilité, congru, conguent, convenable, imputable, possible, praticable, superposable.

APPLICATION. Adaptation, affectation, apposer, appuyer, art, assiduité, attention, attribution, bijection, contention, destination, diligence, effort, empresser, étude, fonction, image, imputation, infliger, injection, mettre, minutie, onction, opération, placage, pose, programme, prosodie, soin, travail, zélé.

APPLIQUÉ. Adapté, asséné, assidu, attentif, consciencieux, diligent, posé, sérieux, soigneux, studieux, travailleur, zélé.

APPLIQUER. Acharner, adapter, administrer, adonner, affecter, ajuster, apposer, appuyer, asséner, attacher, atteler, attribuer, baiser, battre, chercher, coller, concentrer, concerner, consacrer, convenir, correspondre, corriger, destiner, diriger, donner, efforcer, employer, empresser, enduire, escrimer, étendre, évertuer, exécuter, exercer, ficher, flairer, flanquer, imputer, infliger, intéresser, livrer, mettre, panser, passer, peiner, placer, plaquer, poser, rapporter, rechercher, recouvrir, sceller, superposer, utiliser, vaquer, viser, vouer.

APPOINT. Accessoire, aide, apport, appui, assistance, complément, concours, contribution, secours, supplément.

APPOINTÉ. Diurne, employé, engagé, journalier, manœuvre, marée, mercenaire, payé, pointu, quotidien, rémunéré, rétribué, salarié, soldat, travailleur.

APPOINTEMENTS. Cachet, commission, émoluments, paie, paye, rémunération, rétribution, salaire, traitement.

APPOINTER. Affiler, ajuster, arriver, braquer, contrôler, diriger, épointer, joindre, marquer, mirer, noter, orienter, payer, paraître, régler, rétribuer, tailler, tendre, tirer, venir, vérifier, viser.

APPONDRE. Abouter, ajointer, attacher, enter, fixer, joindre, rabouter, raboutir.

APPONTAGE. Alunissage, amerrissage, atterrissage, contact, wharf.

APPONTEMENT. Accul, bassin, cale, darce, débarcadère, dock, embarcadère, escale, havre, plateforme, wharf.

APPORT. Appoint, commandite, concours, contingent, contribution, cotisation, dot, lucratif, participation, quote-part.

APPORTER. Afférent, amener, appliquer, apprendre, approvisionner, bousculer, causer, donner, doter, employer, entraîner, fignoler, fournir, importer, innover, mettre, opiner, pallier, porter, prendre, produire, provoquer, quérir, rapporter, remédier, révolutionner, toiletter, venir.

APPORTEUR. Affectateur, altruiste, bienfaiteur, bon, charitable, compatissant, désintéressé, donateur, fournisseur, généreux, humain, humanitaire, mécène, miséricordieux, protecteur, souscripteur, testateur.

APPOSER. Accoler, appliquer, coller, émarger, juxtaposer, marquer, mettre, parapher, plaquer, poser, sceller, signer.

APPOSITION. Abouchement, aboutage, accouplage, ajustage, application, assemblage, épithète, juxtaposition, pose.

APPRÉCIABLE. Appréciabilité, calculable, chiffrable, consistant, estimable, évaluable, grand, important, mesurable, notable, perceptible, pensable, pondérable, précieux, quantifiable, remarquable, sensible, substantiel, visible.

APPRÉCIATEUR. Arbitre, connaisseur, dégustateur, enquêteur, estimateur, évaluateur, expert, juge, juré.

APPRÉCIATION. Aperçu, avis, blâme, calcul, commentaire, credo, dépriser, dogme, école, erreur, estimation, estimé, évaluation, examen, expertise, goût, hérésie, idée, imagination, impression, jugement, juste, méconnu, note, observation, opinion, paradoxe, prisée, rang, sens, sentiment, thèse.

APPRÉCIER. Adorer, aimer, calculer, comprendre, considérer, coter, déterminer, discerner, estimer, évaluer, expertiser, goûter, idéaliser, jauger, jouir, juger, louer, mésestimer, mesurer, noter, palper, peser, préférer, priser, prix, saisir, sentir.

APPRÉHENDER. Agrafer, alpaguer, arraisonner, arrêter, attraper, capturer, choper, coffrer, comprendre, craindre, cueillir, embarquer, emparer, épingler, harponner, pincer, piquer, ramasser, redouter, saisir, trembler.

APPRÉHENSIF. Affolé, agité, alarmé, angoissé, anxieux, effrayé, énervé, épouvanté, fiévreux, inquiet, paniqué.

APPRÉHENSION. Alarme, angoisse, anxiété, aperception, compréhension, crainte, effroi, épouvante, frayeur, inquiétude, intimidation, peur, pressentiment, terreur, transe.

APPRENANT. Aide, apprenti, carabin, écolier, élève, débutant, étudiant, néophyte, novice, potard, stagiaire.

APPRENDRE. Accoutumer, accueillir, acquérir, annoncer, approfondir, avertir, aviser, bourrer, communiquer, découvrir, dire, enseigner, étudier, exercer, expliquer, faire, gaver, habituer, inculquer, informer, initier, instruire, mémoriser, mettre, montrer, potasser, préparer, professer, rabâcher, renseigner, repasser, ressasser, réviser, revoir, savoir, tenir.

APPRENTI. Aide, apprenant, arpète, arpette, bleu, commis, débutant, élève, employé, galibot, galifard, garçon, gindre, grouillot, initié, marmiton, mitron, néophyte, novice, patronnet, pilotin, rapin, roupiot, stagiaire, travailleur, varlet.

APPRENTISSAGE. Début, dyscalculie, dysgraphie, épreuve, exercice, expérience, formation, initiation, instruction, noviciat, préparation, probation, processus, stage, stagiaire.

APPRÊT. Accommodage, affectation, apprêtage, calandrage, cati, catissage, collage, croustade, décati, disposition, dressage, empois, enduit, glaçage, habillage, négligé, préparatif, préparation, recherche, terrine, vaporisage.

APPRÊTÉ. Accommodé, affecté, ampoulé, compassé, composé, cru, factice, gourmé, prétentieux, recherché, tarabiscoté.

APPRÊTER. Accommoder, aménager, arranger, corroyer, disposer, empeser, former, habiller, parer, pomponner, préparer, relever.

APPRIS. Acquis, alphabétisé, annonce, averti, instruit, sinisant, su.

APPRIVOISABLE. Alibile, analogue, animalisable, apparenté, approchant, assimilable, comparable, conforme, contigu, digérable, digeste, digestible, équivalent, eupeptique, indigeste, léger, ressemblant, semblable.

APPRIVOISEMENT. Abaissement, allégeance, asservissement, assujettissement, captivité, dépendance, domestication, esclavage, obéissance, obligation, servitude, soumission, subordination, sujétion, vassalité.

APPRIVOISER. Acclimater, adoucir, affaiter, amadouer, charmer, civiliser, conquérir, domestiquer, dompter, dresser, duire, familiariser, familier, gagner, humaniser, oiseler, polir, priver, séduire, soumettre.

APPRIVOISEUR. Aguicheur, charmeur, conquérant, coq, coureur, cruiseur, don juan, dragueur, enchanteur, enjôleur, ensorceleur, envoûteur, flambeur, flirteur, pêcheur, séducteur, suborneur, tentateur, tombeur.

APPROBATEUR. Acclamateur, admirateur, adorateur, adulateur, apologiste, béni-oui-oui, caudataire, complaisant, complimenteur, courtisan, dithyrambiste, flatteur, glorificateur, laquais, laudateur, patelin, valet.

APPROBATION. Acceptation, accord, acquiescement, adhésion, adoption, agrément, amen, applaudir, applaudissement, approuver, assentiment, autorisation, aval, aveu, avis, ban, bien, bon, bravissimo, bravo, chorus, concession, confirmation, consentement, convenir, cri, déclaration, entendu, entérinement, héhé, homologation, mais, oui, permission, ratification, sanction, soit, suffrage, visa, vivat.

APPROBATIVEMENT. Affirmativement, catégoriquement, favorablement, oui, positivement, soit, volontiers.

APPROBATIVITÉ. Accommodement, bassesse, cajolerie, complaisance, compromission, flatterie, obséquiosité, servilité.

APPROCHABLE. Abordable, accessible, accostable, avantageux, dangereux, modéré, modique, parlable, raisonnable.

APPROCHANT. Analogue, apparenté, comparable, environ, équivalent, proche, ressemblant, semblable, voisin.

APPROCHE. Abord, accès, accessif, apparition, arrivée, avoisine, entrée, parage, proximité, rencontre, venue.

APPROCHER. Aborder, accès, accoster, aller, approximer, arraisonner, arriver, atteindre, attiser, avancer, avoisiner, côtoyer, entrée, fréquenter, friser, frôler, joindre, parvenir, rapprocher, raser, serrer, toucher, venir.

APPROFONDIR. Affouiller, analyser, appesantir, apprendre, appuyer, caver, chercher, chiader, creuser, étudier, examiner, explorer, fouiller, fouir, insister, mûrir, pénétrer, scruter, sonder.

APPROFONDISSEMENT. Analyse, creusement, développement, enrichissement, étude, examen, méditation, raval.

APPROPRIATION. Achat, adaptation, conquête, fonctionnalisme, occupation, prise, saisie, usurpation, vol.

APPROPRIÉ. Adapté, adéquat, assorti, conforme, congru, congruent, convenable, idoine, juste, pertinent, propre, spécial.

APPROPRIER. Accorder, adapter, adjuger, apte, arroger, attribuer, conformer, convenir, curer, écurer, emparer, empocher, idoine, nettoyer, occuper, pertinent, prendre, propre, récurer, saisir, souffler, usurper.

APPROUVABLE. Acceptable, admissible, adoptable, agréable, bon, buvable, conforme, congru, convenable, correct, excusable, honnête, honorable, irrecevable, passable, pertinent, possible, recevable, satisfaisable, supportable, tolérable, valable.

APPROUVER. Abonder, accepter, accorder, acquiescer, adhérer, admettre, adopter, agréer, applaudir, apprécier, approbation, autoriser, avaliser, cautionner, céder, confirmer, consentir, convenir, encourager, entendu, entériner, goûter, homologuer, louer, opiner, oui, permettre, plébisciter, prêt, ratifier, sanctionner, signer, souscrire.

APPROVISIONNEMENT. Achat, aiguade, alimentation, annone, apport, avitaillement, distribution, fourniture, munitions, provision, rappariement, ravitaillement, réserve, stock, subsistance, vivre.

APPROVISIONNER. Achalander, alimenter, apporter, armer, assortir, avitailler, donner, doter, douer, ensiler, équiper, établir, fournir, garnir, gratifier, munir, nourrir, pourvoir, procurer, provisionner, ravitailler, réassortir, subvenir.

APPROVISIONNEUR. Apporteur, casernier, donateur, fournisseur, pourvoyeur, prestataire, ravitailleur, vendeur.

APPROXIMATIF. À peu près approchant, approché, arrondi, confus, élémentaire, environ, évasif, exact, flou, grossier, imparfait, imprécis, indécis, indéterminé, précis, relatif, rigoureux, strict, vague.

APPROXIMATION. Aperçu, à-peu-près, approche, bien, dans, entre, estimation, évaluation, exhaustion, flou, grandeur, idée, imprécision, indétermination, indistinction, itération, jugé, vague, vers.

APPROXIMATIVEMENT. Abord, alentour, approximatif, auprès, autour, avoisinant, bordure, entour, entourage, environnement, environs, imprécis, parage, près, proche, proximité, quelque, relatif, vaguement, voisinage.

APPUI. Accent, accointances, accotoir, accoudoir, adossement, aide, allège, assistance, auxiliaire, base, bras, butée, caution, champion, commandite, concours, culée, défenseur, égide, embase, épenthèse, éperon, étai, main, mécénat, muret, palée, parapet, pile, pilier, piston, protecteur, protection, pylône, recommandation, réconfort, relation, secours, sole, soulèvement, soutien, sponsoring, subvention, support, tuteur.

APPUYÉ. Accoté, accoudé, adossé, assis, avalisé, documenté, instant, lourd, pressant, soutenu.

APPUYER. Accentuer, accoter, accouder, adosser, aider, appliquer, apporter, asseoir, avaliser, baiser, baser, buter, coller, compter, confirmer, corroborer, diriger, encourager, épauler, étayer, fonder, fortifier, insister, maintenir, patronner, peser, pistonner, placer, poser, presser, protéger, recommander, référer, renforcer, servir, sonner, souligner, soutenir, supporter, taper, tenir.

APRAGMATIQUE. Amorphe, apathique, apraxique, atone, avachi, cagnard, empaillé, endormi, inactif, incapacité, indolent, insensible, léthargique, mou, oisif, paresseux.

ÂPRE. Abrupt, accidenté, aigre, aigu, amer, ardent, astringent, austère, avare, avide, brutal, cruel, cuisant, cupide, désagréable, dur, féroce, froid, inégal, pénible, râpeux, rauque, rêche, rigoureux, rude, rugueux, sévère, vif.

ÂPREMENT Avidement, brutalement, durement, énergiquement, farouchement, opiniâtrement, résolument, rudement, violemment.

APRÈS. Alors, au-delà, avenir, cadet, conformément, délai, derrière, dès, ensuite, etc., futur, midi, mûrement, passé, post, postérieur, posthume, postiche, puîné, puis, second, secondaire, selon, succéder, suite, suivant, tard, ultérieur.

APRÈS JÉSUS-CHRIST. AD.

ÂPRETÉ. Acharnement, âcreté, acrimonie, aigreur, amertume, animosité, âprement, ardeur, aspérité, avarice, brutalité, dureté, mesquinerie, raucité, répugnance, rigueur, rudesse, sévérité, verdeur, violence, virulence.

À-PROPOS. Adon, bien-fondé, convenance, esprit, légitimité, opportunité, pertinence, présence, répartie, utile.

APSARA. Allure, apsaras, beauté, cabira, danseuse, déesse, déité, dive, divinité, fée, femme, grâce, kère, muse, musicienne, nymphe, naïade, ondine, parque, sirène, walkyrie.

APSIDE. Aphélie, apoastre, apogée, astron, orbite, périastre, périhélie, voûte.

APTE. Art, bon, capable, demandeur, disposé, don, doué, éducable, équilibré, eugénique, expert, facilité, fait, habile, habilité, néoténie, oreille, propre, susceptible, talent, viable.

APTÈRE. Aile, ciron, colonne, dépourvu, mallophage, mélophage, pou, puce, sans, victoire.

APTÉRYGOTE. Collembole, insecte, lépisme, thysanoure.

APTÉRYX. Autruche, émeu, kiwi, nandou, oiseau, ratite.

APTITUDE. Adresse, art, bosse, capacité, digestibilité, disposition, don, doué, endurance, esprit, esthésie, facilité, faculté, fécondité, finesse, génie, goût, habilitation, habileté, infus, inné, miscibilité, natif, né, oreille, penchant, prédisposition, propension, qualification, qualité, réceptivité, sensualité, siccativité, talent, tendance, test, vocation.

APUREMENT. Analyse, audit, bilan, check-up, confirmation, considération, contrôle, critique, démonstration, enquête, enregistrement, épluchage, épreuve, essai, étude, évaluation, examen, expérience, expertise, filtrage, inspection, inventaire, justification, observation, pointage, recensement, récolement, reconnaissance, révision, revue, surveillance, test, vérification.

APURER. Analyser, assurer, compter, confirmer, confronter, considérer, constater, contrôler, critiquer, démontrer, enquêter, éplucher, éprouver, essayer, étudier, évaluer, examiner, expérimenter, expertiser, filtrer, inspecter, juger, justifier, observer, pointer, prouver, récoler, repasser, réviser, revoir, solder, surveiller, tester, vérifier.

APYRE. Fusible, inaltérable, incombustible, infusible, ininflammable, réfractaire.

AQUAFORTISTE (n. p.). Bailly, Bracquemond, Bresdin, Callot, Lalanne, Méryon, Morandi, Piranèse, Rops, Tavernier, Tiepolo.

AQUAFORTISTE. Artiste, eau-forte, graveur, peintre.

AQUANAUTE. Homme-grenouille, océanaute, plongeur, scaphandrier, submersible, tubiste.

AQUARELLE. Aquarelliste, aquatintiste, gouache, lavis, peinture, pochade, torchon.

AQUARELLISTE (n. p.). Barye, Berthier, Bonington, Boulanger, Cotman, Fortuny, Gavarni, Guys, Jongking, Lacaze, Lemaire, Redouté, Ruskin.

AQUARELLISTE. Artiste, badigeonneur, barbouilleur, chevalet, chromiste, coloriste, enlumineur, fauvisme, figuratif, fresquiste, imagier, pastelliste, paysagiste, peintre, portraitiste, rapin, ruiniste, veinette.

AQUARIUM. Aquariophilie, bassin, bocal, delphinarium, erpetarium, herpétarium, paludarium, réservoir, terrarium.

AQUATIQUE. Amphibie, aquacole, benthique, benthonique, fluviatile, fontinal, lacustre, marin, nautique, palustre.

AQUEDUC (n. p.). Fallope, Gard, Gardon.

AQUEDUC. Adducteur, bésau, bisse, canal, conduite, drain, duit, encaissement, fossé, lit, sangsue, tranchée, watergang.

AQUEUX. Aquifère, aquosité, coulant, eau, fluide, fondant, humide, juteux, liquide, sueur, thé, tisane.

AQUIFOLIACÉE. Aigrefeuille, apalachine, arbuste, fragon, glu, houssaie, housset, houx, ilicacée, illicinée, maté, mélier, thé.

AQUILIN. Aigle, arqué, bourbonien, busqué, crochu, droit, fin, nez, recourbé.

AQUILON. Bise, blason, blizzard, bora, borée, nordais, nordet, vent.

ARA. Cacatoès, cire, conure, euphème, foc, jaco, jacot, jacquot, jaser, loriquet, lori, macareux, mélopsitte, paléonis, perroquet, perruche, psittacidé, psittacose, rosalbin.

ARABE (n. p.). Asie, Bédouin, Berbère, Coran, Édomite, Gétule, Kabyle, Maghreb, Maure, Moabite, Sarrasin.

ARABE. Bédouin, caïd, calife, cheikh, cheval, copte, dar, dinar, douar, el, émir, fakir, harem, inb, islam, maghrébin, maronite, méchoui, mosquée, mozarabe, mudéjar, musulman, pacha, perse, pilaf, qasida, raï, sarrasin, scheik, sémite.

ARABESQUE. Broderie, entrelacs, figure, fioriture, moresque, ornement, rinceau, sinuosité, spirale, volute.

ARABETTE. Alysse, alysson, corbeille d'argent, fleur, hélianthème.

ARABICA. Café, caféier, cafier, canephora, coffea, gamopétale, herbacée, moka, robusta, rubiacée.

ARABIE (n. p.). Bahreïn, Émirat, Koweit, Oman, Qatar, Saoudite, Yémen.

ARABIE SAOUDITE, MONNAIE. Riyal.

ARABIE SAOUDITE, VILLE (n. p.). Aar, Abha, Aden, Aynunah, Badr, Dammam, Djedda, Hail, La Mecque, Médine, Mina, Moka, Mubarraz, Rabigh, Riad, Sanaa, Tabuk, Ta'if, Yanbu, Zilfi.

ARABLE. Cultivable, exploitable, fertile, labourable, meuble, terre.

ARACÉE. Acore, anthurium, aroïdacée, aroïdée, arum, cala, caladion, caladium, calla, colocase, colocasia, dieffenbachia, ébénacée, gouet, monstera, philodendron, phytéléphas, pied-de-veau, taro.

ARACHIDE. Arrachis, beurre, cacahuète, huile, oléagineux, maté, noisette, noix, pinote, pinotte, pistache.

ARACHNÉEN. Aérien, éthéré, gazeux, imaginaire, immatériel, impalpable, insaisissable, intangible, irréel, vaporeux.

ARACHNIDE. Acarien, acarus, araignée, aranéide, ciron, épeire, faucheur, faucheux, lycose, maïa, opilion, tique.

ARAIGNÉE. Arachné, arachnéen, arachnide, argiope, aragne, argyronète, araigne, aranéide, arantèle, argyronète, arthropode, crabe, drassode, épeire, faucheur, faucheux, filet, galéode, halabé, hydromètre, latrodecte, lycose, maïa, malmignatte, mygale, orbitèle, ségestrie, tarentule, tégénaire, théridion, théridium, thomise, tubitèle, vélie, veuve noire.

ARAIRE. Brabant, butteur, buttoir, chisel, cultivateur, déchaumeuse, défonceuse, fossoir, houe, motoculteur.

ARALIACÉE. Aralia, dicotylédone, fatsia, ginseng, hédéracée, lierre, panace, panax, schefflera.

ARAMÉEN. Arawéennisémite, kaddish, mandéisme, quaddich, sémitique, syriaque.

ARAMON. Cépage, midi, pitot, raisin, vigne, vin.

ARANÉIDÉ. Arachnide, araignée, arthropodes, épeire, mygale, soie, tissus, toile, vélie.

ARASEMENT. Affermi, assiette, assise, assuré, base, ferme, fondement, guignol, hérisson, infrastructure, jambage, juridiction, margelle, pied, réunion, solage, soubassement, stable, strate, tambour, tourniquet.

ARASER. Affermir, alanir, aplanir, couper, décaper, diminuer, égaliser, niveler, raser, régaler, user.

ARATOIRE. Agricole, alleu, bien, boue, champ, charrue, continent, contrée, domaine, duché, emblavure, erbue, esplanade, gadoue, glaise, gâtine, globe, guéret, herbus, héritage, humus, herbue, île, jachère, labour, labourage, latérite, monde, nife, noue, ocre, pays, planète, poussière, propriété, région, seigneurie, sial, sima, sol, tenure, terre, terrain, terreau, territoire, turf.

ARAXE (n. p.). Ani, Araks, Aras, Arménie, Azerbaïdjan, Iran, Koura, Turquie.

ARBALÈTE. Arbalétrier, arc, arme, cranequin, cric, espingole, flèche, jalet, levier, matras, moufle, sextant.

ARBALÉTRIER (n. p.). Tell.

ARBALÉTRIER. Griffon, martinet noir, oiseau, poutre

ARBALÉTRIÈRE. Baie, barbacane, canonnière, chantepleure, fente, fortification, meurtrière, ouverture, poste.

ARBITRAGE. Accommodement, appel, arbitre, compromis, conciliation, contestation, litige, médiation, opération, règlement, sentence, surarbitre, tractation.

ARBITRAIRE. Absolu, absolutisme, artificiel, caprice, conventionnel, despotique, discrétionnaire, discutable, équitable, gratuit, illégal, immotivé, injuste, injustice, injustifié, irrégulier, libre, pige, tyrannique.

ARBITRAIREMENT. Absolument, despotiquement, dictatorialement, discrétionnairement, tyranniquement, unilatéralement.

ARBITRE. Arrangeur, conciliateur, expert, intermédiaire, juge, libre, maître, médiateur, molinisme, souverain, volonté.

ARBITRER. Amiable, compromis, conciliation, contrôler, convention, décider, entremise, expertiser, intervenir, juger, liberté, médiation, priser, prononcer, régler, sentence, sentencer, statuer, trancher.

ARBORER. Afficher, déployer, dresser, élever, étaler, exhiber, exposer, hisser, montrer, planter, parade, porter.

ARBORESCENCE. Arborisation, arborisé, cristallisation, dendrite, ramescence, ramification, structure.

ARBORETUM. Amandaie, aunaie, arbre, bananeraie, boisement, boulaie, cédrière, érablière, orangeraie, ormaie, ormoie, oseraie, pépinière, peuplement, pinède, plantation, reboisement, repiquage, rizière, saulaie, verger.

ARBORICULTEUR. Agrumiculteur, arboriste, forestier, fruiticulteur, horticulteur, pépiniériste, planteur, sylviculteur.

ARBORICULTURE. Acériculture, agrumiculture, culture, oléiculture, pomiculture, pomoculture, pomologie, sylviculture.

ARBORISATION. Arborescence, arborisé, cristallisation, dendrite, ramescence, ramification.

ARBOUSIER. Arbrisseau, arbuste, busserole, des Alpes, éricacée, infusion, laurier, raisin d'ours, uva-ursi.

ARBOVIROSE. Dengue, fièvre jaune, maladie, vomito.

ARBOVIRUS. Moustique, tique, virus.

ARBRE (2 lettres). If.

ARBRE (3 lettres). Axe, fau, fût, ipé, mai, pin, sal, tek.

ARBRE (4 lettres). Arec, aune, bois, came, cime, cola, doum, écot, enté, haie, kaki, kava, kawa, kola, lais, mais, maté, néré, nipa, orme, orne, pied, port, séné, sipo, teck, tige, upas.

ARBRE (5 lettres). Abaca, ajonc, anona, anone, arole, aulne, boldo, caïac, carya, casse, cèdre, cerne, chêne, cipre, cœur, coupe, cycas, ébène, étêté, éléis, faîte, filao, forêt, frêne, gaïac, gélif, grume, hêtre, hévéa, ilang, liber, lilas, mélia, noyer, osier, panax, pérot, pivot, sapin, saule, scion, sumac, surin, thuya, tille, tronc, verne, vigne, volis, yeuse.

ARBRE (6 lettres). Acacia, acajou, annone, arolle, aubier, baobab, boiser, bonsaï, brésil, broche, caryer, cassie, charme, chicot, citrus, croton, cyprès, cytise, doucin, écorce, élaeis, épicéa, érable, essieu, fayard, février, fourré, futaie, ginkgo, jaquier, karité, letchi, lignée, litchi, lychee, mélèze, mimosa, mûrier, myrica, mombin, okoumé, ormeau, pêcher, plante, pomelo, putier, putiet, rameau, ramure, rônier, rouvre, santal, sappan, souche, taille, teille, vélani, ventis, verger, vergne, ypréau, zamier.

ARBRE (7 lettres). Ailante, alisier, alizier, arbuste, avodiré, baumier, borasse, bouleau, bouture, branche, buisson, camélia, cassier, catalpa, cedrela, copalme, copayer, cormier, duramen, ébénier, écorcé, élaguer, émonder, encroué, épineux, essence, feuille, feuillu, figuier, gainier, gommier, greffer, grisard, hickory, jacquier, laurier, néflier, négondo, négundo, nerprun, niaouli, oléacée, olivier, oranger, palmier, papayer, pinacée, platane, poirier, pommier, prunier, rondier, quassia, ramille, séquoia, sophora, sorbier, tailler, taillis, talipot, tilleul, végétal, vermeil, ximénia, ximénie.

ARBRE (8 lettres). Alaterne, aleurite, amandier, amarante, amentale, arganier, arrachis, aubépine, baliveau, borassus, bourgeon, calamite, cacaoyer, cerisier, colatier, conifère, coudrier, déboiser, dendrite, ébénacée, espalier, fastigié, fromager, goyavier, hibiscus, houppier, jujubier, kolatier, kapokier, lauracée, magnolia, manglier, manguier, merisier, pacanier, palmette, peuplier, plantain, pleureur, polyscia, quassier, ravenala, reboiser, résineux, robinier, sapotier, simaruba, spondias, sycomore, tchitola, tiliacée, topiaire, tulipier.

ARBRE (9 lettres). Abiétacée, abiétinée, albergier, alloucher, aquilaria, araucaria, artocarpe, astronium, avocatier, azédarach, balsamier, boswellia, brésillet, cacaotier, cannelier, caroubier, cédratier, courbaril, dichopsis, érythrine, giroflier, grenadier, grevillea, jacaranda, lentisque, magnolier, morisonia, moronobea, muscadier, myroxylon, noisetier, palaquium, paulownia, rauwolfia, ravensara, rhamnacée, quebracho, quinquina, sassafras, sauvageon, savonnier, semencier, sigillaire, strychnos, symplocos, virgilier, vomiquier, yohimbehe.

ARBRE (10 lettres). Abricotier, anacardier, bancoulier, cognassier, eucalyptus, flamboyant, généalogie, ilang-ilang, margousier, marronnier, orangeraie, palétuvier, pistachier, plantation, prunellier, quenouille, quercitron, rhizophage, sigillaire, souchetage, tamarinier, térébinthe, ylang-ylang.

ARBRE (11 lettres). Arborescent, bergamotier, bignoniacée, calebassier, carambolier, châtaignier, chérimolier, cornouiller, corossolier, juglandacée, micocoulier, mirabellier, phytéléphas, sapotillier, sidéroxylon.

ARBRE (12 lettres). Arborisation, mancenillier, plaqueminier, sterculiacée, wellingtonia.

ARBRE (13 lettres). Arboriculture, lépidodendron, mangoustanier, plaquemantier, vernis du Japon.

ARBRE (14 lettres). Pamplemoussier

ARBRISSEAU (3 lettres). Gui, qat, thé.

ARBRISSEAU (4 lettres). Aune, buis, cade, café, coca, houx, khat, séné, ulex.

ARBRISSEAU (5 lettres). Ajonc, anone, arbre, aulne, butée, ciste, épine, garou, genêt, gnète, henné, ipéca, lilas, obier, osier, panax, saule, vigne, yèble.

ARBRISSEAU (6 lettres). Acacia, annone, aralia, aucuba, azalée, cassis, daphné, fragon, fusain, fustet, gnetum, hysope, redoul, rosage, rosier, styrax, théier, viorne.

ARBRISSEAU (7 lettres). Airelle, arbuste, badiane, bignone, caféier, camélia, câprier, dracena, éphédra, éphèdre, fuchsia, mahonia, néflier, nerprun, niaouli, romarin, seringa, tamaris, tamarix.

ARBRISSEAU (8 lettres). Alaterne, ambrette, arbustif, aubépine, camellia, icaquier, lauréole, myrtille, oléandre, quassier, rocouyer, sainbois.

ARBRISSEAU (9 lettres). Angusture, arbousier, asiminier, berchémia, bourdaine, busserole, cinnamome, coronilles, corroyère, cotonnier, églantier, érythrine, fauchette, firsythia, forsythia, gattilier, genévrier, griottier, hamamélis, hippophaé, hortensia, lantanier, lentisque, mélaleuca, nectandra, noisetier, rauwolfia, santoline.

ARBRISSEAU (10 lettres). Ampélopsis, citronnier, gaulthérie, ipécacuana, passiflore, symphorine.

ARBRISSEAU (11 lettres). Framboisier, groseillier, mandarinier.

ARBRISSEAU (12 lettres). Baguenaudier, clémentinier, épine-vinette, rhododendron.

ARBUSTE (3 lettres). Gui, qat.

ARBUSTE (4 lettres). Buis, cade, coca, houx, kava, kawa, khat, maté, séné, ulex.

ARBUSTE (5 lettres). Ajonc, arbre, butée. casse, henné, lilas, myrte, ronce, yèble.

ARBUSTE (6 lettres). Aralia, aucuba, azalée, bambou, câprier, cassis, cirier, croton, cubèbe, cytise, ketmie, hièble, jasmin, jojoba, kerria, kerria, kerrie, mûrier, ogival, plante, reboul, rosier, sabine, santal, sureau, théier, troène, viorne.

ARBUSTE (7 lettres). Actinia, badiane, bruyère, camélia, câprier, cassier, cocaïer, dracena, épinaie, épineux, glycine, kumquat, lantana, laurier, néflier, nerprun, oléacée, pimbina, quassia, romarin, seringa, tamaris, tamarix, végétal.

ARBUSTE (8 lettres). Alaterne, arbustif, aubépine, bauhinia, bauhinie, berbéris, buddleia, ébénacée, fumagine, gadellier, gardénia, poivrier, quassier, rocouyer, seringat, sesbania, sesbanie, topiaire.

ARBUSTE (9 lettres). Actinidia, angusture, bleuetier, bourdaine, busserole, celastrus, cinnamome, coronilles, cotonnier, églantier, fauchette, gadellier, genévrier, hamamélis, hortensia, jaborandi, lantanier, linociera, malpighia, mélastoma, rauwolfia.

ARBUSTE (10 lettres). Arbrisseau, canneberge, fortunella, médicinier, pistachier, staphylier.

ARBUSTE (11 lettres). Bignoniacée, carambolier, cotonéaster, groseillier, laurier-rose, micocoulier, pittosporum.

ARBUSTE (12 lettres). Baguenaudier, frangipanier, genévrier, philodendron, plaqueminier, sterculiacée.

ARBUSTIF. Broussailleux, buissonneux, embroussaillé, emmêlé, hérissé, hirsute, inculte, touffu.

ARC (n. p.). Galère, Triomphe, Tell.

ARC. Anse, arbalète, arcade, arceau, arche, arçon, arme, arqué, berceau, cercle, côte, courbe, degré, doubleau, écoinçon, grade, halo, intrados, iris, lancéolé, lancette, minot, ogival, ogive, sinus, spire, tiers-point, torana, verse, voûte.

ARCADE. Anse, arc, arcature, arceau, arche, baie, courbe, imposte, local, loge, organe, piédroit, pleurant, vousseau, voûte.

ARCADIE. Agreste, âne, arcadien, bucolique, campagnard, champêtre, faune, rural, rustique.

ARCANE. Cachotterie, énigme, inconnaissable, inconnu, lame, mystère, obscurité, opération, secret, tarot, voile.

ARCANSON. Archer, archet, colophane, galipot, résine, térébenthine.

ARCASSE. Arrière, cul, défenseur, derrière, dos, envers, étambot, fesse, nuque, passé, poupe, queue, revers, verso.

ARCATURE. Anneau, anse, arc, arcade, arcature, arceau, archet, cercle, courbe, courbure, éperon, étrier, feston, gabarit, wishbone.

ARC-BOUTANT. Accolade, anse, bossoir, contrefort, doubleau, étai, entortille, maçonnerie, minot, portemanteau, voûte.

ARC-BOUTER. Appuyer, cambrer, contrebuter, épauler, étayer, soutenir.

ARCEAU. Anneau, anse, arc, arcade, arcature, archet, cercle, courbe, courbure, éperon, étrier, feston, gabarit, wishbone.

ARC-EN-CIEL. Archer, couleurs, courbe, écharpe, iris, irisation, irisé, multicolore, spectre, truite.

ARCHAÏQUE. Âgé, amorti, anachronique, ancien, antique, arriéré, autrefois, baderne, caduc, cassé, couros, décrépit, déjà, démodé, désuet, féodal, nouveau, obsolète, périmé, primitif, vétéran, usé, vétuste, vieil, vieux.

ARCHAÏSME. Abandon, âge, anachronisme, ancienneté, antiquité, caducité, décrépitude, délabrement, désaffection, désuétude, obsolescence, survivance, usure, vétusté, vieillesse, vieillissement.

ARCHANGE (n. p.). Ave, Gabriel, Michaël, Michel, Raphaël, Tobie.

ARCHE (n. p.). Agridag, Ararat, Exode, Noé.

ARCHE. Arcade, arceau, armoire, arqué, bateau, cambrure, coffre, croissant, culée, four, porte, propitiatoire, tabernacle, vaisseau, voûte.

ARCHELLE. Anse, balconnet, étagère, planchette, rangée, rayon, rayonnage, stand, tablar, tablette, tirette.

ARCHÉOLOGIE. Antiquaire, archéologue, fouilles, iconographie, iconologie, inscription, paléographie, préhistoire, sigillographie.

ARCHÉOLOGUE. Antiquaire, collectionneur, curieux, explorateur, fouineur, orpailleur, préhistorien, scientiste.

ARCHÉOLOGUE ALLEMAND (n. p.). Curtius, Schliemann, Winckelmann.

ARCHÉOLOGUE AMÉRICAIN (n. p.). Bird, Proskouriakoff.

ARCHÉOLOGUE ANGLAIS (n. p.). Evans, Rawlinson, Thompson, Wheeler.

ARCHÉOLOGUE BELGE (n. p.). Cumont.

ARCHÉOLOGUE BRITANNIQUE (n. p.). Evans, Lawrence, Thompson, Wheeler.

ARCHÉOLOGUE CANADIEN (n. p.). Faribault.

ARCHÉOLOGUE DANOIS (n. p.). Thomsen.

ARCHÉOLOGUE FRANÇAIS (n. p.). Bouard, Caumont, Caylus, Collignon, Daremberg, Déchelette, Deschamps, Dieulafoy, Empereur, Gsell, Lauer, Lenoir, Marchal, Mortillet, Parrot, Picard, Poidebard, Quicherat, Waddington.

ARCHÉOLOGUE ITALIEN (n. p.). Pétraque, Rossi, Visconti.

ARCHER (n. p.). Aster, Éros, Philoctète, Saint Sébastien, Scythes, Tell.

ARCHER. Arc, arcanson, archerie, aster, cupidon, décocheur, flèche, policier, rebec, sagittaire, soldat, tireur.

ARCHÈRE. Arbalétrier, arbalétrière, arbalète, arc, archière, bandereau, bandoulière, baudrier, bretelle, meurtrière, ouverture.

ARCHET. Arcanson, archetier, baguette, chevillier, démanché, dispositif, organe, pizzicato, sauterelle, violon.

ARCHÉTYPE. Critère, échantillon, étalon, exemple, forme, gabarit, idée, modèle, original, principe, prototype.

ARCHEVÊCHÉ. Archidiaconé, archidiacre, diocèse archidiocèse, écolâtre, évêché, évêque, exeat, ordo.

ARCHEVÊCHÉ ALLEMAGNE (n. p.). Cologne, Magdebourg, Salzbourg.

ARCHEVÊCHÉ ARGENTINE (n. p.). Mendoza.

ARCHEVÊCHÉ BELGIQUE (n. p.). Bruxelles, Malines.

ARCHEVÊCHÉ BRÉSIL (n. p.). Rio de Janeiro.

ARCHEVÊCHÉ CANADA (n. p.). Halifax, Kingston, Moncton, Montréal, Ottawa, Québec, Regina, Sherbrooke, St-Jean, St-John, Toronto, Vancouver, Winnipeg.

ARCHEVÊCHÉ CHILI (n. p.). Santiago.

ARCHEVÊCHÉ ESPAGNE (n. p.). Saragosse, Séville, Tolère, Valladolid.

ARCHEVÊCHÉ FRANCE (n. p.). Aix-en-Provence, Albi, Auch, Avignon, Besançon, Bordeaux, Bourges, Cambrai, Chambéry, Clermont-Ferrand, Dijon, Lyon, Marseille, Montpellier, Paris, Poitiers, Reims, Rennes, Retz, Rouen, Sens, Strasbourg, Toulouse, Tours.

ARCHEVÊCHÉ GRANDE-BRETAGNE (n. p.). York.

ARCHEVÊCHÉ HONGRIE (n. p.). Esztergom.

ARCHEVÊCHÉ ITALIE (n. p.). Bari, Milan, Otrante, Palerme, Pise, Sienne, Tarente, Turin, Urbino.

ARCHEVÊCHÉ MEXIQUE (n. p.). Mexico.

ARCHEVÊCHÉ POLOGNE (n. p.). Cracovie.

ARCHEVÊCHÉ PORTUGAL (n. p.). Lisbonne.

ARCHEVÊCHÉ QUÉBEC (n. p.). Montréal, Ottawa, Québec, Rimouski, Sherbrooke.

ARCHEVÊQUE (n. p.). Abbot, Adam, Affre, Aime, Anselme, Axel, Beaumont, Becket, Beckett, Belloy, Blanc, Blanchet, Borromée, Carey, Casaroli, Cheverus, Cisneros, Clément, Coligny, Cros, Cunibert, Dunstan, Ébacher, Ebbon, Fesch, Foulque, Grégoire, Hincmar, Ildefonse, Isidore, Jolly, Joyeuse, Langton, Laud, Leu, Lucon, Lustiger, Makarios, Marca, Maury, Mercier, Panet, Pole, Pradt, Rémi, Retz, Roy, Taschereau, Tencin, Turpin, Tutu, Villeneuve, Visconti, Wiseman, Wolsey, Wulfran, Wyszynski.

ARCHEVÊQUE. Abbé, aumônier, bonze, célébrant, chanoine, coadjuteur, curé, druide, évêque, lama, missionnaire, monseigneur, pape, vicaire.

ARCHICHANCELIER (n. p.). Cambacérès, Dalberg, Napoléon.

ARCHICHANCELIER. Chancelier, dignitaire, protonotaire.

ARCHICONNU. Connu, découvert, divulgué, écervelé, étourdi, évaporé, éventé, exposé, usé, venté.

ARCHIDIACRE. Diocèse, général, magistrat, prélat, vicaire.

ARCHIDUC (n. p.). Albert, Charles, François-Ferdinand, Joseph, Léopold, Maximilien.

ARCHIDUC. Noble, prince.

ARCHIDUCHESSE D'AUTRICHE (n. p.). Éléonore, Élisabeth.

ARCHIMANDRITE. Dignité, moine, supérieur, titre.

ARCHIPEL. Aggloomérat, atoll, bloc, if, île, îlet, îlette, îlot, insulaire, javeau, seul.

ARCHIPEL, AÇORES (n. p.). Faial, Florès, Jorge, Pico, Santa-Maria, Sao, Terceira.

ARCHIPEL, AHVENANMEA (n. p.). Baltique.

ARCHIPEL, ALASKA (n. p.). Pribilof.

ARCHIPEL, ALÉOUTIENNES (n. p.). Adak, Agattu, Amchitka, Atka, Attu, Kiska, Randall, Shemya, Shumagin, Tanaga, Umnak, Unalaska, Unimak.

ARCHIPEL, AMÉRIQUE (n. p.). Alexandre.

ARCHIPEL, AMÉRIQUE CENTRALE (n. p.). Antilles.

ARCHIPEL, ANTILLES (n. p.). Antigua, Anguilla, Barbade, Cuba, Dominique, Grenade, Grenadine, Guadeloupe, Haïti, Jamaïque, Martinique, Montserrat, Nevis, Porto Rico, République dominicaine, Saint-Martin, Sainte-Croix, Sainte-Lucie, Tobago, Trinidad, Trinité.

ARCHIPEL, ARCTIQUE (n. p.). Devon, Ellesmere, Lofoten, Melville, Parry, Prince-de-Galles.

ARCHIPEL, ASIE (n. p.). Philippines.

ARCHIPEL, ATLANTIQUE NORD (n. p.). Bahamas, Bermudes, Canaries.

ARCHIPEL, ATLANTIQUE SUD (n. p.). Falkland, Malouines.

ARCHIPEL, AUSTRALIEN (n. p.). Cocos, Keeling.

ARCHIPEL, BAHAMAS (n. p.). Acklins, Andros, Calicots, Cat, Éleuthère, Grand-Abacos, Grand-Bahamas, Grand-Indague, Long, Mayaguana, San Salvador, Turks, Turquoise.

ARCHIPEL, BALÉARES (n. p.). Cabrera, Conejera, Ibiza, Ivica, Majorque, Minorque.

ARCHIPEL, BRITANNIQUE (n. p.). Bermudes, Caimans, Caymans, Chagos, Orcades, Santa Cruz, Shetland du sud.

ARCHIPEL, CANADA (n. p.). Ellesmere, Îles de la Madeleine, Melville, Mille-Îles, Mingan, Prince-de-Galles, Reine-Charlotte, Sverdrup, Victoria.

ARCHIPEL, CANARIES (n. p.). Fer, Fortunées, Fuerteventura, Gomera, Hierro, Lanzarote, Palma, Ténériffe.

ARCHIPEL, CAP VERT (n. p.). Boa-Vista, Feu, Fogo, Maio, Sal, Santo-Antao, Sao-Nicolao, Sao-Thiago.

ARCHIPEL, CARAÏBES (n. p.). Antilles.

ARCHIPEL, CAROLINES (n. p.). Eauripik, Greenwich, Hall, Kusaie, Mokil, Namoluk, Namonuitp, Nomoi, Oroluk, Pikelot, Pingelap, Ponape, Pulusuk, Truk.

ARCHIPEL, CHINE (n. p.). Spratly.

ARCHIPEL, COMORES (n. p.). Anjouan, Mayotte, Mohéli, Moili, Ndzouani, Ngazidja.

ARCHIPEL, CYCLADES (n. p.). Amorgos, Andhros, Andros, Astipalaia, Délos, Ios, Kythnos, Makronisos, Milo, Milos, Mykonos, Naxos, Paros, Santorin, Siros, Syra, Syros, Tenos, Théra, Tinos.

ARCHIPEL, DANEMARK (n. p.). Féroé.

ARCHIPEL, DE LA MADELEINE (n. p.). Allright, Amherst, Brion, Coffin, Grosse-Île, Meules.

ARCHIPEL, ESPAGNE (n. p.). Baléares.

ARCHIPEL, FIDJI (n. p.). Kandavu, Lau, Levu, Rotuma, Suva, Vanua, Viti.

ARCHIPEL, FINLANDAIS (n. p.). Ahvenanmaa, Aland.

ARCHIPEL, FRANCE (n. p.). Crozet, Glénan, Hyères.

ARCHIPEL, GALAPAGOS (n. p.). Cristobal, Isabela.

ARCHIPEL, GILBERT (n. p.). Abaiang, Abemama, Kuria, Maiana, Makin, Nukunau, Onotoa, Tabiteuea, Tamana, Tarawa.

ARCHIPEL, GRANDE-BRETAGNE (n. p.). Hébrides, Orcades, Shetland.

ARCHIPEL, GREC (n. p.). Cyclades, Dodécanèse.

ARCHIPEL, GUINÉE (n. p.). Loos, Los.

ARCHIPEL, GUINÉE-BASSEAU (n. p.). Bissagos.

ARCHIPEL, HAWAII (n. p.). Hawaii, Honolulu, Kauai, Maui, Necker, Oahu.

ARCHIPEL, INDIEN (n. p.). Andaman.

ARCHIPEL, INDONÉSIE (n. p.). Ambon, Moluques, Sonde.

ARCHIPEL, IONIENNES (n. p.). Céphalonie, Corfou, Ithaque, Leucade, Sphactérie, Theaki, Thiaki, Zante.

ARCHIPEL, IRLANDE (n. p.). Aran.

ARCHIPEL, ITALIE (n. p.). Éoliennes, Lipari.

ARCHIPEL, JAPON (n. p.). Bonin, Matsushima, Okinawa, Tsushima.

ARCHIPEL, MALAISIE (n. p.). Arou.

ARCHIPEL, MANCHE (n. p.). Chausey.

ARCHIPEL, MARSHALL (n. p.). Bikar, Bikini, Majuro, Maloelap, Mejit, Mili, Taka.

ARCHIPEL, MÉDITERRANÉE (n. p.). Baléares.

ARCHIPEL, MÉLANÉSIE (n. p.). Amirauté, Bismarck.

ARCHIPEL, NORVÈGE (n. p.). Lofoten, Svalbard, Vesteralen.

ARCHIPEL, OCÉAN ARCTIQUE (n. p.). Aléoutiennes, Baffin, Banks, François-Joseph, Liakhov, Lucayes, Reine-Élizabeth, Sverdrup.

ARCHIPEL, OCÉAN ATLANTIQUE (n. p.). Açores, Antilles, Bahamas, Bermudes, Britanniques, Calco, Canaries, Cayman, Falkland, Hébrides, Madeira, Madère, Malouines, Orcades, Shetland, Turks.

ARCHIPEL, OCÉAN INDIEN (n. p.). Albadra, Amirantes, Cocos, Comores, Crozet, Glorieuses, Keeling, Kerguelen, Laquedives, Maldives, Mascareignes, Rodrigues, Seychelles, Tchagos.

ARCHIPEL, OCÉAN PACIFIQUE (n. p.). Aléoutiennes, Amirauté, Antipodes, Arou, Australes, Belau, Chatham, Chesterfield, Chiloé, Chonos, Cook, Fidji, Futuna, Galápagos, Gambier, Gilbert, Hawaii, Hydrides, Indonésie, Line, Loyalty, Macquarie, Mariannes, Marquises, Mendana, Marshall, Micronésie, Midway, Moluques, Nouvelles-Hébrides, Ouvéa, Palaos, Palau, Pâques, Pescadores, Philippines, Phoenix, Pomotou, Reine-Charlotte, Samoa, Sandwich, San Félix, Sulu, Tokelau, Tonga, Touamotou, Wallis, Wallis-Futuna.

ARCHIPEL, OCÉANIE (n. p.). Bismarck, Carolines, Chatman, Cook, Marquises, Samoa, Santa Cruz, Tuvalu, Vanuatu.

ARCHIPEL, PACIFIQUE (n. p.). Bonin.

ARCHIPEL, PAPOUASIS-NOUVELLE-GUINÉE (n. p.). Louisiade.

ARCHIPEL, PHILIPPINES (n. p.). Bisayan, Luçon, Luzon, Palaouan, Mindanao, Mindoro, Sulu, Visaya.

ARCHIPEL, PAYS-BAS (n. p.). Frise.

ARCHIPEL, POLYNÉSIE (n. p.). Gambier, Hawaï, Hawaii, Marquises, Société, Tonga, Tuamotu, Tubuai.

ARCHIPEL, PORTUGAL (n. p.). Açores, Madeira, Madère.

ARCHIPEL, RUSSE (n. p.). Commandeur, François-Joseph, Liakhov, Nouvelle-Zemble.

ARCHIPEL, SAINT-LAURENT (n. p.). Mingan.

ARCHIPEL, SALOMON (n. p.). Bougainville, Buka, Guadalcanal.

ARCHIPEL, TAIWAN (n. p.). Pescadores.

ARCHIPEL, TUNISIE (n. p.). Kermadec.

ARCHIPEL, VIERGES (n. p.). Leeward, Saint-Thomas, Sainte-Croix, St-John, St-Thomas.

ARCHIPRÊTRE. Archipresbytéral, curé, doyen, prêtre.

ARCHITECTE. Aménageur, bâtisseur, chef, compas, concepteur, constructeur, créateur, décorateur, édificateur, équerre, ingénieur, inventeur, ornement, paysagiste, projeteur, règle, style, té, traçoir, urbaniste.

ARCHITECTE ALLEMAND (n. p.). Altdorfer, Asam, Behrens, Cuvilliés, Dotzinger, Fischer, Gropius, Hildebrandt, Klenze, Knobelsdorff, Knoll, Langhans, Neumann, Schinkel, Speer, Zimmermann.

ARCHITECTE ALSACIEN (n. p.). Erwin, Steinbach.

ARCHITECTE AMÉRICAIN (n. p.). Adler, Breuer, Dankmar, Eames, Espérandieu, Fuller, Gehry, Gropius, Jenney, Johnson, Kahn, Meier, Neutra, Pei, Rogers, Saarinen, Sullivan, Wright.

ARCHITECTE ANGLAIS (n. p.). Adam, Barry, Chambers, Foster, Gibbs, Hawskmoor, Jones, Kent, Mackingtosch, Nash, Paxton, Vanbrugh, Wren.

ARCHITECTE AUTRICHIEN (n. p.). Fischer, Hildebrandt, Hiltorff, Hoffmann, Loos, Prandtauer, Wagner.

ARCHITECTE BELGE (n. p.). Coecke, Fayherde, Horta, Keldermans, Van de Velde.

ARCHITECTE BRÉSILIEN (n. p.). Aleijadinho, Costa, Niemeyer.

ARCHITECTE BRITANNIQUE (n. p.). Adam, Barry, Chambers, Giggs, Jones, Kent, Nash, Paxton, Ventris, Wren.

ARCHIPEL, BYSANTIN (n. p.). Anthémios.

ARCHITECTE CANADIEN (n. p.). Baillardé, Baillairgé, Lambert, Ott, Rose.

ARCHITECTE CHINOIS (n. p.). Pei.

ARCHIPEL, CRÊTE (n. p.). Dédale.

ARCHITECTE DANOIS (n. p.). Harsdorff, Jacobsen, Utzon.

ARCHITECTE ÉCOSSAIS (n. p.). Adam, Mackinstosh, Stirling.

ARCHITECTE ÉGYPTIEN (n. p.). Fathi, Fathy, Imhotep.

ARCHITECTE ESPAGNOL (n. p.). Berruguète, Bofill, Calatrava, Cano, Churriguera, Covarrubias, Égas, Gaudi, Herrera, Ribera, Rodriguez, Sert, Toledo.

ARCHITECTE FINLANDAIS (n. p.). Aalto, Alvar.

ARCHITECTE FLAMAND (n. p.). Cobergher, Coecke, Faydherbe, Giambologna, Huyssens, Keldermans.

ARCHITECTE FLORENTIN (n. p.). Brunelleschi, Buontalenti.

ARCHITECTE FRANÇAIS (n. p.). Abadie, Aillaud, Andrault, Antoine, Aubert, Bachelier, Ballu, Baltard, Baudot, Bélanger, Biart, Blondel, Boffrand, Boullée, Brongniart, Brosse, Bruant, Bullant, Bullet, Camelot, Candilis, Carlu, Chalgrin, Chambiges, Chareau, Chemetov, Chenavard, Chevotet, Cotte, Courtonne, Dammartin, Daviler, Davioud, Delorme, Deperthes, Desargues, Deschamps, Dorbay, Duban, Dutert, Eiffel, Ferwin, Felibien, Fontaine, Fressinet, Gabriel, Garnier, Goujon, Guimard, Hardouin, Hère, Hittorff, Horeau, Jourdain, Labrouste, Laprade, Lebas, Le Corbusier, Ledoux, Lefuel, Lemercier, L'enfant, Le Nôtre, Le Pautre, Lescot, Levau, Lods, Luzarches, Mailly, Mansart, Martellange, Métezeau, Mique, Monsart, Napoléon III, Nouvel, Oppenordt, Orbay, Parent, Percier, Perrault, Perret, Peyre, Pierret, Portzamparc, Prouvé, Puget, Renaudie, Rondelet, Roux-Spitz, Sambin, Soufflot, Starck, Taillibert, Vaudoyer, Vaudremer, Verniquet, Villard, Violet, Wailly, Wogenscky, Zehrfuss.

ARCHITECTE GREC (n. p.). Anthémios, Antistate, Apollodore, Callicratès, Damascène, Dédale, Ictinos, Mnésiclès, Polyclète.

ARCHITECTE HOLLANDAIS (n. p.). Doesburg, Van Campen.

ARCHIPEL, HONGROIS (n. p.). Breuer.

ARCHIPEL, INDIEN (n. p.). Guarini.

ARCHITECTE ITALIEN (n. p.). Abbate, Alberti, Alessi, Amadei, Ammannati, Arnolfo, Bernin, Bernini, Boccador, Borromini, Bramante, Brunelleschi, Buontalenti, Cronaca, Dell'abate, Della Porta, Filarete, Fontana, Ghiberti, Giotto, Guarini, Ictinos, Juvara, Langranco, Lombardo, Longhena, Maderno, Martini, Michel-Ange, Michelozzo, Nervi, Orcagna, Palladio, Peruzzi, Piano, Piranèse, Pisano, Ponti, Primatice, Quarenghi, Raphaël, Rastrelli, Riedinger, Romain, Rossellino, Rossi, Sacchetti, Sangallo, Sansovino, Serlio, Servandoni, Solsari, Stanzioni, Terragni, Vasari, Vignola, Vinci.

ARCHITECTE JAPONAIS (n. p.). Ando Tadao, Isozaki, Kikutake, Tange.

ARCHITECTE NÉERLANDAIS (n. p.). Bakema, Berlage, Klerk, Oud, Van Campen, Van de Velder.

ARCHITECTE POLONAIS (n. p.). Bibiena, Kowalski.

ARCHITECTE PORTUGAIS (n. p.). Fernandes.

ARCHITECTE QUÉBÉCOIS (n. p.). Baillairgé, Baillargé, Beaulieu, Belzile, Blouin, Bourgeau, Brassard, Cayouette, Gallienne, Gauthier, Guité, Lambert, Longpré, Marchand, Perrault, Saia, Roy, Taché.

ARCHITECTE ROMAIN (n. p.). Vitruve.

ARCHITECTE RUSSE (n. p.). Brioullov, Rastrelli, Starsevy, Tatline.

ARCHITECTE SOVIÉTIQUE (n. p.). Lissitzky.

ARCHITECTE SUÉDOIS (n. p.). Asplund, Gunnar, Palmstedt, Tessin.

ARCHITECTE SUISSE (n. p.). Bill, Botta, Maderno, Meyer.

ARCHITECTE TURC (n. p.). Sinan.

ARCHITECTURE. Aménagement, architectonique, charpente, conception, construction, dessin, devis, domiste, façade, forme, ordonnance, ordre, ossature, plan, plateresque, projet, proportion, squelette, structure, style, vimana.

ARCHITECTURER. Agencer, arranger, articuler, bâtir, charpenter, construire, façonner, organiser, redan, redent, structurer.

ARCHITRAVE. Entablement, épistyle, fasce, frise, linteau, plate-bande, poitrail, sommier, tailloir.

ARCHIVAGE. Arrangement, catalogage, classement, classification, criblage, distribution, hiérarchie, indexage, méjanage, méthode, numérotation, ordre, place, rang, rangement, systématique, taxinomie, tomaison, tri, typologie.

ARCHIVER. Cataloguer, classer, comptabiliser, enregistrer, indexer, inscrire, mentionner, ranger, répertorier.

ARCHIVES. Annales, bibliothèque, cabinet, dépôt, document, filmothèque, histoire, livre, microfiche, tabularium.

ARCHIVISTE (n. p.). Daunou, Suétone, Tabellion.

ARCHIVISTE. Annaliste, biographe, chroniqueur, documentaliste, historien, historiographe, mémorialiste, paléographe.

ARCHIVOLTE. Anse, arc, arcade, arceau, arche, courbe, courbure, face, imposte, piédroit, transept, triforium.

ARCHONTE (n. p.). Dracon, Solon, Thémistocle.

ARCHONTE. Bourgmestre, cadi, cours, décemvir, échevin, édile, éphore, éponyme, fonctionnaire, juge, jurât, magistrat, maire, ministre, podestat, polémarque, préfet, préteur, prévarication, procureur, robe, robin, toque, tribun.

ARÇON. Arcure, armature, fonte, outil, pommeau, rameau, sarment, selle, troussequin, trusquin.

ARÇONNAGE. Arcure, arrondi, bombage, cambre, cambrure, cintrage, circularité, concavité, convexité, courbe, courbement, courbure, parabolicité, ploiement, recourbement, rondeur, rotondité, sinuosité, tortuosité.

ARCTIQUE. Boréal, hyperborée, hyperboréen, macareux, morse, morue, nordique, polaire, septentrional, toundra.

ARCURE. Arc, arçon, arçonnage, arrondi, bombage, cambrage, cambrement, cintrage, courbure, ploiement, recourbement.

ARDÉIDÉ. Aigrette, bihoreau, butor, garde-bœuf, héron.

ARDEMMENT. Activement, ardeur, avidement, chaudement, énergiquement, force, fortement, fougueusement, furieusement, passionnément, soupirer, vigueur, vivement.

ARDENT. Acharné, actif, amoureux, animé, bouillant, brûlant, chaleureux, chaud, effervescent, élan, embrasé, emporté, empressé, enflammé, enthousiaste, exalté, fanatique, fervent, feu, fièvre, flamboyant, flamme, fougue, fougueux, frénétique, furie, impatient, impétueux, incandescent, passionné, rapace, rutilant, sensuel, torride, véhément, vif, violent, zélé.

ARDEUR. Acharnement, activité, allant, amour, âpreté, avidité, chaleur, cœur, courage, élan, emballement, empressement, énergie, enthousiasme, entrain, exaltation, ferveur, feu, flamme, force, fougue, frénésie, furie, impétuosité, passion, soin, véhémence, verdeur, vie, vigueur, violence, vitalité, vivacité, volcanique, zèle.

ARDILLON. Broquette, clou, déboucler, poinçon, pointe, rivet, semence, sexe.

ARDOISE. Bardeau, biset, crayon, délit, dette, dû, ive, levier, pic, phyllade, roche, schiste, somme, tablette, touche.

ARDOISIER. Arrondisseur, bassicotier, carrier, couvreur, fendeur, querneur, rondisseur.

ARDU. Compliqué, coton, difficile, dur, épineux, éprouvant, escarpé, laborieux, malaisé, obscur, pénible, raide, rude, trapu, travail.

ARE. A., centiare, surface.

AREC. Amande, arbre, arek, aréquier, cachou, chou-palmiste, fruit, liqueur, masticatoire, noix, palmier.

ARÉCACÉE. Chamaerops, chamérops, latanier, palmacée, palmier, sagoutier.

ARÉIQUE. Aride, avare, desséché, désertique, improductif, inculte, infécond, ingrat, piloselle, sec, stérile, ulex.

ARELIGIEUX. Agnostique, antireligieux, athée, libertin, impie, incrédule, incroyant, indévot, irréligieux, mécréant.

ARÉNA. Amphithéâtre, forum, glace, patinoire.

ARÈNE (n. p.). Androclès, Lutèce, Nîmes.

ARÈNE. Amphithéâtre, calcul, carrière, castine, cirque, gravier, lice, pierre, podium, ring, sable, sablon, théâtre, toril.

ARÉNICOLE. Ammophile, arénaire, fennec, plante, polychète, sable, sabulicole, ver.

ARÉOLE. Abside, almicantarat, anneau, arc, arcade, auréole, boucle, cavité, cénacle, cerceau, cercle, cerne, cirque, disque, équidistant, halo, jante, listel, lobe, lune, mamelon, nimbe, orbe, orbiculaire, pi, rayon, rond, rouet, sein, sinus, tour, zone.

ARÉOMÈTRE. Alcoomètre, aréométrie, densimètre, glucomètre, lactomètre, oléomètre, pèse-esprit, pèse-liqueur, uromètre.

ARÉOPAGE. Amphictyonie, arène, assemblée, bal, club, comice, comité, concile, conclave, congrégation, congrès, consistoire, convention, cortes, diète, djama, douma, ecclésial, fête, landtag, législature, meeting, mercuriale, mir, panégyrie, parlement, pétaudière, plaid, plénier, plénière, quorum, regroupement, réunion, sabbat, séance, sénat, synagogue, synode.

ARÉQUIER. Arec, areca, cachou, noyer, palmier.

ARÊTE. Angle, anglet, aristé, barbe, carre, coin, coude, couteau, crêt, délarder, grésoir, ligne, ogive, os, pointe, sommet, vif, voûte.

ARGENT. Ag, aloi, arrhes, avance, avoir, billet, blé, bourse, capital, cash, collargol, crisbi, denier, douille, écu, électrum, enjeu, escarcelle, espèces, flouse, flouze, fonds, fortune, fric, galette, grisbi, impécunieux, lingot, magot, métal, mise, monnaie, oseille, pécule, pécuniaire, pèze, pognon, prêt, radis, recette, ressource, richesse, rond, saignée, sou, sous, statère, taper, thune, tiroir-caisse, trèfle, tune, vermeil.

ARGENTÉ. Blanc, cossu, électrum, fortuné, gris, grisonné, huppé, métallisé, nanti, opulent, riche.

ARGENTERIE. Aiguière, bougeoir, cafetière, chandelier, couteau, coutellerie, couvert, écrin, grosserie, vaisselle.

ARGENTIER. Armoire, bahut, bibliothèque, buffet, cabinet, casier, crédence, coffre, coffre-fort, commode, fichier, garde-robe, glace, lingerie, meuble, montre, penderie, placard, semainier, tabernacle, tour, vaisselier, vitrine.

ARGENTIN. Aragonite, cataracte, clair, cristallin, hyalin, limpide, presbytie, pur, transparent, trigéminé.

ARGENTINE, CAPITALE (n. p.). Buenos Aires.

ARGENTINE, LANGUE. Espagnol.

ARGENTINE, MONNAIE. Peso.

ARGENTINE, VILLE (n. p.). Avellaneda, Azul, Bariloche, Buenos Aires, Catamarca, Cordoba, Esquel, Gastre, Huaco, Junin, La Paz, Mendoza, Oran, Parana, Rio Grande, Salta, San Cristobal, Tucuman, Ushuaia, Viedma, Zapala.

ARGENTURE. Argentage, argentation, dépôt, maillechort, miroiterie.

ARGILE. Argilacé, banc, barbotine, bauge, bentonite, bille, bol, brique, calamite, chamotte, erbue, gault, gibbsite, glaise, groie, kaolin, illite, marne, ocre, parafango, pisé, salbande, sep, sial, sil, terre, tuile.

ARGIOPE. Anthropode, arachnide, araignée, aranéide, araneus, diadème, épeire, fascié, insecte, lycose, mygale.

ARGON. AR.

ARGONAUTE (n. p.). Admète, Argo, Augias, Castor, Héraclès, Hercule, Iolcos, Jason, Lyncée, Médée, Oilée, Orphée, Pelée, Pollux, Télamon.

ARGONAUTE. Céphalopode, mollusque, nacelle, nautile, octopode, physalie.

ARGOS (n. p.). Agamemnon, Argolide, Argus, Danaïde, Danaé, Hermès, Héra, Io, Pyrrhos.

ARGOT. Argotier, argotique, argotiste, calo, charabia, cockney, éperon, fric, idiome, jar, jargon, javanais, jobelin, joual, langue, marollien, moco, môme, parler, patois, pidgin, sabir, slang, verlan, vocabulaire.

ARGOT MILITAIRE (4 lettres). Pâle.

ARGOT MILITAIRE (5 lettres). Bazar, biffe, pékin.

ARGOT MILITAIRE (6 lettres). Biffin, biribi, fistot, joyeux, juteux, margis, péquin, requin.

ARGOT MILITAIRE (7 lettres). Brisque, marmite, poussin, sous-off

ARGOT MILITAIRE (8 lettres). Capiston, marmiter, marsouin, rempiler.

ARGOT MILITAIRE (9 lettres). Marmitage.

ARGOT MILITAIRE (10 lettres). Bleusaille, garde-mites, riz-pain-sel.

ARGOUSIER. Épine, épine marine, faux nerprun, griset, hippophaé, infusion, nerprun, saule épineux.

ARGUER. Accuser, alléguer, argumenter, attaquer, avancer, conclure, contester, déduire, inculper, inférer, invoquer, prétendre, prétexter, prévaloir, protester, prouver.

ARGUMENT. Abrégé, argutie, axiome, conclusion, démonstration, dilemme, enthymème, épichérème, exemple, exposé, induction, logique, matière, objection, prémisse, preuve, prologue, proposition, raison, raisonnement, réserve, rhétorique, sommaire, sophisme, sorite, syllogisme, synopsis, thèse.

ARGUMENTATEUR. Chicaneur, chicanier, ergoteur, plaideur, procédurier, raisonneur, rhétoricien, vendeur.

ARGUMENTATION. Conférence, démonstration, discussion, dissertation, polémique, preuve, raisonnement, réfutation, réplique, thèse.

ARGUMENTER. Appuyer, arguer, conclure, discuter, épiloguer, ergoter, justifier, prouver, raisonner, réfuter.

ARGUS (n. p.). Argos, Danaïde, Hermès, Héra, Io, Pyrrhos.

ARGUS. Affidé, almanach, clairvoyant, épieur, espion, faisan, guide, livre, mouchard, oiseau, publication, surveillant, sycophante, taupe.

ARGUTIE. Chicane, chinoiserie, élucubration, ergotage, ergoterie, finasserie, finesse, formalisme, raisonnement, subtilité.

ARIA. Accroc, adversité, air, angoisse, anicroche, anxiété, arioso, barrière, blocage, chagrin, contrariété, crainte, difficulté, embarras, émoi, ennui, incertitude, mélodie, obstacle, souci, tracas.

ARIANE (n. p.). Arien, Minos, Minotaure, Naos, Pasiphaé, Phèdre, Thésée.

ARIDE. Aréique, avare, désert, désertique, desséché, improductif, inculte, infécond, ingrat, maigre, pauvre, piloselle, rébarbatif, sec, sévère, stérile, ulex.

ARIDITÉ. Anhydrie, austérité, dessèchement, dessiccation, flétrissure, improductivité, infertilité, sécheresse, stérilité.

ARIETTE. Air, aimable, aria, arioso, cadence, cantabile, cantilène, chanson, chant, complainte, harmonie, lied, mélodie, musique, refrain, rengaine, ritournelle, romance, tendre.

ARILLE. Aromate, capsule, écorce, épice, faux fruit, gélule, if, macis, muscade, nymphéa, tégument.

ARIMATHIE (n. p.). Israël, Graal, Jésus, Joseph, Judée, Pilate, Rama, Saint-Graal, San Hédrin.

ARISER. Abaisser, abréger, agoniser, aléser, alléger, altérer, amaigrir, amoindrir, amputer, atrophier, atténuer, attiédir, baisser, céder, écourter, décarburer, déchoir, décliner, décroître, détendre, diluer, élégir, faiblir, rapetisser, réduire, restreindre, rétrécir, rogner, ronger, user.

ARISTARQUE. Arbitraire, censeur, critique, droit, égal, équitable, grammairien, impartial, injuste, juste, légitime, loyal, objectif, partial, profitable, raisonnable.

ARISTOCRATE (n. p.). Castiglione, Chevreuse, Esterhazy, Eszterházy, Hanska, Rastignac, Scipion.

ARISTOCRATE. Aristo, chevalier, élite, hidalgo, hobereau, lord, magnat, noble, patricien, seigneur, titré.

ARISTOCRATIE. Bourgeoisie, chevalerie, élite, gentry, grandesse, grandeur, gratin, lignage, noblesse, pairie.

ARISTOCRATIQUE. Chic, distingué, élégant, hétérie, nobiliaire, noble, patricien, princier, racé, raffiné, ultrachic.

ARITHMÉTIQUE. Addition, algèbre, algorithme, calcul, chiffrage, chiffres, compte, division, multiplication, soustraction.

ARLEQUIN (n. p.). Colombine, Goldoni, Lesage, Marivaux, Regnard.

ARLEQUIN. Arlequinade, bouffon, comédie, diable, hellequin, loterie, pantin, patchwork, pitre.

ARLEQUINADE. Bouffonnerie, boulevard, burlesque, clownerie, comédie, farce, limerick, momerie, pitrerie.

ARMADA. Abondance, armée, bande, bataillon, escadre, escadrille, escadron, essaim, flotte, régiment, troupe.

ARMAILLI. Alpage, alpe, campagne, champ, embouche, enclos, estivage, friche, montagne, nature, pâtre, pâturage.

ARMATEUR (n. p.). Ango, Angot, Colomb, Guiton, Pinzón, Surcouf.

ARMATEUR. Affréteur, apostole, baraterie, charter, fréteur, galioniste, répartiteur, shipchandler, spadassin, subrécargue.

ARMATURE. Amure, antenne, arçon, armée, armure, base, carcasse, cerce, châlit, charpente, cordage, crinoline, drisse, échafaudage, gui, ossature, mât, muselet, ogive, os, ossature, raban, soutien, squelette, support, tringle, tuteur.

ARME. Angon, arbalète, arc, argument, arquebuse, arsenal, baïonnette, bâton, bazooka, blanche, boomerang, calibre, canne, canon, carabine, cimeterre, colt, couteau, coutelas, dague, dard, engin, épée, escopette, estoc, exploit, faux, fer, fronde, fusée, fusil, glaive, gourdin, griffu, guisarme, hache, hallebarde, hast, javeline, javelot, lance, lance-flammes, légère, maillet, marteau, masse, massue, matraque, missile, mitraillette, mitrailleuse, mousquet, mousqueton, moyen, ogive, panoplie, pistolet, poignard, raté, rifle, ressource, revolver, roquette, sabre, sagaie, scramasaxe, stylet, trait, vouge.

ARMÉE. Air, appel, armada, arme, aviation, bataillon, brigade, camp, centurie, cohorte, corps, escouade, escadron, force, galon, grade, host, infanterie, junte, légion, marine, milice, militaire, muet, OAS, ost, peloton, régiment, salut, soldat, stratégie, terre, troupe.

ARMÉE ANGLAISE (n. p.). RAF.

ARMÉE IRLANDAISE (n. p.). IRA.

ARMÉE ITALIENNE (n. p.). Arditi.

ARMEMENT. Avitaillement, équipement, gréage, gréement, matage, mâtement, matériel, pétricherie, militarisation.

ARMÉNIE, CAPITALE (n. p.). Ani, Erevan.

ARMÉNIE, LANGUE. Arménien, russe.

ARMÉNIE, MONNAIE. Dram.

ARMÉNIE, VILLE (n. p.). Amasia, Ani, Artachat, Artik, Berd, Dilijan, Djermouk, Egvard, Gapan, Goris, Goumri, Kadjaran, Kamo, Martouni, Masis, Megri, Razdan, Sevan, Sisian, Tachir, Talin, Vaik, Vardenis, Vedi.

ARMER. Adouber, affermir, animer, avitailler, blinder, cuirasser, défendre, désarmer, équiper, exciter, fortifier, fourbir, fournir, gréer, lever, miner, munir, pourvoir, prémunir, prendre, réarmer, renforcer, sacrer, soulever.

ARMILLES. Annelet, astron, bijou, bracelet, breloque, chaîne, chaînette, gourmette, jonc, lunette, menotte, moulure, psellion, puntarelle, semainier.

ARMISTICE (n. p.). Compiègne, Ferrières, Panmunjom, Rethondes.

ARMISTICE. Abonnement, académique, accord, alliance, bail, capitulation, cartel, clause, compromis, concordat, condition, contrat, convention, ducroire, écrit, entente, fiançailles, forfait, marché, orale, pacte, pollicitation, règle, restriction, traité.

ARMOIRE. Argentier, bahut, bibliothèque, buffet, cabinet, casier, crédence, coffre, coffre-fort, commode, fichier, garde-robe, glace, lingerie, meuble, montre, penderie, pharmacie, placard, semainier, tabernacle, tour, vaisselier, vitrine.

ARMOIRIES. Armes, blason, chiffre, écu, écusson, emblème, frette, héraldique, marque, panonceau, pennon.

ARMOISE. Absinthe, aurone, citronnelle, dracunculus, estragon, génépi, moxa, santonine, semen-contra, serpentine.

ARMON. Antérieurs, avant-main, avant-train, diabolo, palonnier, timon.

ARMURE. Adouber, armature, barbute, barde, bicoquet, bouclier, capeline, carapace, contexture, cuirasse, écu, entrelacement, faucre, gantelet, harnois, mode, moyen, plaque, poulaine, protecteur, protection, sergé, soleret, tassette, visière.

ARMURIER (n. p.). Colt, Mauser, Remington.

ARMURIER. Arquebusier, expert, fabricant, fourbisseur, marchand.

ARN. Acide, codon, messager, ribose, ribonucléique, ribosomique, rétrovirus. RNA, transfert.

ARNAQUE. Artifice, attrape, biffe, chiqué, couillonnade, dol, duperie, erreur, escroquerie, fausseté, feinte, fourberie, fraude, imposture, infanterie, lapsus, leurre, manège, mensonge, méprise, mystification, perfidie, piétaille, ruse, sottise, tissu, tricherie, tromperie.

ARNAQUER. Agioter, alpaguer, appréhender, arrêter, brigander, duper, escroquer, estamper, filouter, gruger, travestir, tricher, tromper, voler.

ARNAQUEUR. Aigrefin, bandit, brigand, canaille, crapule, escroc, estampeur, filou, fripon, gredin, truand, voleur.

ARNICA. Arnique, bétoine, doronic, herbe aux chutes, narcotique, plantain, plante, souci, tabac, teinture.

AROÏDACÉE. Acore, anthurium. aracée, aroïdée, arum, cala, caladion, caladium, calla, colocase, colocasia, dieffenbachia, ébénacée, gouet, monstera, philodendron, phytéléphas, pied-de-veau, taro.

AROÏDÉE. Acore, anthurium, aracée, aroïdacée, arum, cala, caladion, caladium, calla, colocase, colocasia, dieffenbachia, gouet, monstera, philodendron, phytéléphas, pied-de-veau, taro.

AROLE. Albicaule, arbre, argenté, aristé, arol, arolle, balfour, blanc, chihuahua, cône, coulter, elliot, englemann, épicéa, épineux, galipot, gemme, glabre, gomme, gris, jeffrey, marais, mélèze, monterey, muriqué, pin, pinastre, pinède, pignons, pinastre, piquant, pive, ponderosa, rigide, rouge, sapin, sables, souple, sucre, sylvestre, tardif, torrey, vrillé.

AROMATE. Absinthe, ail, aneth, angélique, anis, arôme, badiane, basilic, cannelle, cardamome, cari, carvi, cayenne, céleri, cerfeuil, ciboulette, coriandre, cumin, curcuma, échalote, épice, estragon, fenouil, genièvre, gingembre, girofle, herbe, hysope, laurier, livèche, macis, maniguette, marjolaine, mélisse, menthe, moutarde, muscade, nard, oignon, origan, paprika, parfum, persil, piment, poivre, poivron, romarin, safran, sarriette, sauge, sel, serpolet, sésame, thym, vinaigre.

AROMATIQUE. Aliphatique, anisé, décoction, encens, fragrant, infusion, odorant, odoriférant, parfumé, suave.

AROMATISER. Aniser, bouqueter, embaumer, épicer, fragrance, framboiser, pimenter, parfumer, poivrer, safraner.

ARÔME. Aromate, bouquet, essence, fragrance, fumet, goût, odeur, parfum, puanteur, relent, saveur, senteur.

ARONDE. Bicolore, cycliste, exocet, hirondeau, hirondelle, hirundinidé, granges, ironde, lamellibranche, martinet, passereau, pourprée, ramoneur, rieuse, rivage, sable, salangane, sterne, tangara.

AROUET (n. p.). Voltaire.

ARPÈGE. Accord, amitié, amour, approuver, coalition, concert, concorde, convenir, convention, discorde, do, entente, harmonie, la, marché, musique, oui, pacte, refus, rime, traité, unanimité, union, unisson.

ARPENT. Acre, agraire, are, arp, hectare, journade, journal, jugère, mesure, perche, surface, verge.

ARPENTAGE. Alidade, aréage, bornage, cadastrage, chaînage, géodésie, horizon, mire, niveau, pantomètre, plan.

ARPENTER. Battre, chaîner, explorer, inspecter, jalonner, marcher, mesurer, mirer, parcourir, prospecter, viser.

ARPENTEUR. Analyseur, analyste, arbitre, chercheur, critique, enregistreur, examinateur, géomètre, mesureur, métreur, professionnel, recherchiste, spécialiste, vidicon.

ARPÈTE. Apprenti, calottier, casquettier, chapelier, confectionneur, modiste, cousette, couturier, couturière, midinette.

ARPION. Latte, nougat, panard, patte, paturon, peton, pied, pince, pinceau, ripaton.

ARQUÉ. Aquilin, arc, bourbonien, brassicourt, busqué, cambré, cheval, convexe, courbé, crochu, curviligne, ogive, tors.

ARQUEBUSE. Arme, arquebusade, butière, escopette, espingole, fusil, hacquebute, haquebute, haquebute, mèche, rouet, tromblon.

ARQUEBUSIER. Armurier, arsenal, fourbisseur, soldat.

ARQUER. Busquer, cambrer, cintrer, couder, courber, fléchir, incurver, plier, ployer, pont, recourber, voûter.

ARRACHAGE. Arrachis, avulsion, délainage, déracinement, divulsion, éradication, extirpation, extraction, sarclage, sarclure.

ARRACHÉ. Acharnement, avulsion, haltère, haltérophilie, scalpé, soulevé, usure, vulvaire.

ARRACHEMENT. Avulsion, déchirement, divulsion, éradication, excision, extirpation, extraction, retirement, sarclure.

ARRACHER. Déboiser, débroussailler, déclouer, délainer, démarier, déplanter, déraciner, détacher, déterrer, échardonner, écobuer, édenter, effeuiller, emporter, enlever, épiler, essarter, essoucher, extirper, extorquer, extraire, ôter, plumer, priver, raciner, rompre, sarcler, soutirer, soustraire, tirer.

ARRACHOIR. Binette, bineuse, déchaussoir, déplantoir, déracinoir, foissoir, gratte, houe, pioche, sarcloir.

ARRAISONNEMENT. Abordage, assaut, collision, contrôle, examen, inspection, interception, reconnaissance, visite.

ARRAISONNER. Aborder, arrêter, ausculter, contrôler, examiner, interpeller, reconnaître.

ARRANGEABLE. Compensable, corrigeable, corrigible, organisable, perfectible, rectifiable, remédiable, réparable.

ARRANGEANT. Accommodant, commode, complaisant, conciliant, cool, coulant, facile, flexible, souple, traitable.

ARRANGEMENT. Accommodement, accord, adaptation, agencement, aménagement, charpente, coiffure, compromis, conciliation, conduite, configuration, deal, disposition, distribution, économie, entente, formule, installation, motif, ordonnancement, organisation, préparatif, projet, répartition, texture.

ARRANGER. Accorder, adapter, agencer, aménager, bidouiller, coiffer, colmater, disposer, draper, entente, faire, goupille, harmoniser, manipuler, mêler, monter, organiser, orner, parer, pétrir, placer, poser, préparer, ranger, régler, retaper, tresser.

ARRANGEUR. Arbitre, conciliateur, expert, intermédiaire, juge, libre, maître, médiateur, molinisme, souverain, volonté.

ARRÉRAGES. Allocation, avantage, bénéfice, casuet, dividende, dotation, dû, fruit, gain, intérêt, revenu.

ARRESTATION. Arrêt, capture, descente, élargissement, empoigner, libération, préhension, rafle, relaxe.

ARRÊT. À-coup, anurie, apnée, arrestation, assez, butée, caravane, cessation, cessez, cran, délai, escale, étape, frein, gel, halte, hémostase, infantilisme, ischémie, marasme, panne, parade, paralysie, pause, quiescence, rémission, répit, repos, souffrance, stase, station, stop, syncope, trêve.

ARRÊTÉ. Apuré, arrêt, capturé, décision, décret, délibération, encalminé, épinglé, jugement, ordonnance, prononcé, règlement, résolution, verdict, vu.

ARRÊTE-BŒUF. Agaloussès, bougrate, bouverance, bugrane, coquecigrue, ononis, papilionacée.

ARRÊTER. Agrafer, alpaguer, ancrer, appréhender, arraisonner, borner, buter, caler, camper, cesser, clore, clôturer, couper, cueillir, dételer, enrayer, épingler, étancher, fixer, freiner, harponner, holà, interrompre, juguler, limiter, maintenir, pincer, poisser, rayer, régler, reprendre, reposer, réprimer, retenir, serrer, stagner, stopper, suspendre, tarir, tenir, tiquer, trébucher.

ARRÊTISTE. Avocat, bâtonnier, criminaliste, jurisconsulte, juriste, légiste, ouléma, rau, uléma.

ARRÊTOIR. Accul, arrêt, busc, butée, butoir, cliquet, contrefort, contre-mur, culée, heurtoir, massif, taquet.

ARRHES. Acompte, are, argent, à-valoir, avance, caution, clause, dédit, dénier, dépôt, gage, provision, somme.

ARRIÉRATION. Crétinisme, débilité, déficience, déficit, faiblesse, idiotie, imbécillité, insuffisance, oligophrénie, retard.

ARRIÉRÉ. Arrérage, attardé, demeuré, démodé, dû, impayé, obsolète, rétrograde, somme, suranné, vieux.

ARRIÈRE. Antérieur, après, arcasse, cul, défenseur, derrière, dos, échine, envers, étambot, fesse, nuque, passé, poupe, postérieur, queue, râble, rachis, revers, verso.

ARRIÈRE-FAIX. Délivrance, placenta.

ARRIÈRE-FAUX. Délivre, enveloppe, gargousse, gousse, péricarde.

ARRIÈRE-GORGE. Abaisse-langue, angine, gosier, œsophage, oropharynx, pharyngite, pharynx.

ARRIÈRE-GOÛT. Commémoration, déboires, évocation, impression, mémento, mémoire, mention, mobilisation, rappel, retour, souvenance, souvenir.

ARRIÈRE-GRAND-PARENT. Ancêtre, bisaïeul.

ARRIÈRE-MAIN. Cheval, croupe, postérieur, revers.

ARRIÈRE-PAYS. Hinterland, littoral.

ARRIÈRE-PENSÉE. Âme, conscience, coulisse, dedans, dessous, fond, intention, pensée, réserve, réticence.

ARRIÈRE-PLAN. Coulisse, filigrane, fond, lointain, scène, horizon, premier plan.

ARRIÉRER. Ajourner, différer, remettre, reporter, retarder, surseoir, temporiser.

ARRIÈRE-SAISON. Automne, été indien, vendages.

ARRIÈRE-TRAIN. Coccyx, croupe, croupion, cul, culard, derrière, fesses, popotin, postérieur, séant, siège.

ARRIMAGE. Amarrage, ancrage, assujettir, attache, calage, chargement, crampon, encartage, épinglage, fixation.

ARRIMER. Accorder, accrocher, affermir, amarrer, ancrer, arranger, assujettir, assurer, attacher, bloquer, charger, disposer, fixer, vrac.

ARRIMEUR. Bagagiste, chargeur, coltineur, commissionnaire, courrier, coursier, débardeur, docker, estafette, facteur, laptot, livreur, messager, nervi, ouvrier, porteur.

ARRIVAGE. Accession, afflux, anode, apparition, approche, approchement, arrivée, avènement, avent, bienvenue, commencement, débardage, débarquement, début, déchargement, descente, entrée, gare, naissance, subit, survenance, survenue, venue.

ARRIVÉ. Accompli, achevé, arrivage, dû, échu, installé, né, parvenu, reconnu, rendu, résolu, survenu, venu.

ARRIVÉE. Accession, afflux, anode, apparition, approche, approchement, arrivage, avènement, avent, bienvenue, commencement, débarquement, début, entrée, gare, incursion, invasion, naissance, subit, survenance, survenue, venue.

ARRIVER. Aborder, abouler, aboutir, accéder, advenir, affluer, arrivage, atterrir, avenue, but, coïncider, dû, due, échoir, expirer, fatal, finir, invasion, mener, mûrir, naître, parvenir, pickpocket, pointer, radiner, rappliquer, rendre, sonner, sortir, survenir, tomber, venir, voler.

ARRIVISME. Appétit, ardeur, ambition, aspiration, brigue, but, carriérisme, convoitise, cupidité, désir, dessein, faim, fringale, gagne-petit, idéal, orgueil, passion, prétention, quête, recherche, rêve, soif, souhait, visée.

ARRIVISTE. Ambitieux, calculateur, carriériste, cumulard, grimpion, intrigant, magouilleur, mégalomane, maquignon.

ARROCHE. Atriplex, belle-dame, bonne-dame, chénopodiacée, chénopode, épinard, follette, prudfemme, vulvaire.

ARROGANCE. Audace, cynisme, dédain, désinvolture, effronterie, fatuité, fierté, hardiesse, hauteur, impertinence, importance, impudence, insolence, ironie, mépris, mordacité, morgue, orgueil, outrecuidance, suffisance.

ARROGANT. Condescendant, dédaigneux, fier, haut, hautain, insolent, outrecuidant, rogne, rogue, suffisant.

ARROGER. Accorder, adjuger, approprier, assigner, attribuer, empiéter, octroyer, usurper.

ARRONDI. Bombage, bombé, bosse, cambre, cambrure, cintrage, creux, fesse, gorge, grenu, lobe, obtus, rond.

ARRONDIR. Arquer, ballonner, bomber, cintrer, courber, enfler, fléchir, gonfler, plier, recourber, renfler, voûter.

ARRONDISSEMENT. Accentuation, accroissement, accrue, arr., augmentation, bond, boutonnière, chefferie, maire.

ARROSABLE. Cultivable, fertilisable, irrigable, mouillable, possible.

ARROSAGE. Aspersion, bombardement, enveloppe, injection, irrigation, ondoiement, pot-de-vin, pourboire, serinage.

ARROSE AARAU (n. p.). Aar, Aare.

ARROSE AIRE (n. p.). Lys.

ARROSE ALBERTVILLE (n. p.). Arly, Isere.

ARROSE ALBI (n. p.). Tarn.

ARROSE ALOST (n. p.). Dendre.

ARROSE ANGERS (n. p.). Maine.

ARROSE ARMENTIÈRES (n. p.). Lys.

ARROSE ASSOUAN (n. p.). Nil.

ARROSE ATH (n. p.). Dendre.

ARROSE AUBUSSON (n. p.). Creuse.

ARROSE AUCH (n. p.). Gers.

ARROSE AUDINCOURT (n. p.). Doubs.

ARROSE AUTUN (n. p.). Arroux.

ARROSE AUXERRE (n. p.). Yonne.

ARROSE AVALLON (n. p.). Cousin.

ARROSE BÂLE (n. p.). Rhin.

ARROSE BAMAKO (n. p.). Niger.

ARROSE BANGKOK (n. p.). Ménam.

ARROSE BAYREUTH (n. p.). Main.

ARROSE BELGRADE (n. p.). Danube, Save.

ARROSE BÉNARÈS (n. p.). Gange.

ARROSE BERGERAC (n. p.). Dordogne.

ARROSE BERLIN (n. p.). Sprée.

ARROSE BERNE (n. p.). Aar, Aare.

ARROSE BESANÇON (n. p.). Doubs.

ARROSE BÉZIERS (n. p.). Orb.

ARROSE BIENDECQUES (n. p.). Aa.

ARROSE BLOIS (n. p.). Loire.

ARROSE BONN (n. p.). Rhin.

ARROSE BOURGES (n. p.). Yèvre.

ARROSE BRIANÇON (n. p.). Durance.

ARROSE BRIVE-LA-GAILLARDE (n. p.). Corrèze.

ARROSE BRUXELLES (n. p.). Senne.

ARROSE BUZANÇAIS (n. p.). Indre.

ARROSE CAHORS (n. p.). Lot.
ARROSE CAMBRAI (n. p.). Escaut.
ARROSE CAVAILLON (n. p.). Durance.
ARROSE CERNAY (n. p.). Thur.
ARROSE CHABLIS (n. p.). Serein.
ARROSE CHALONS-EN-CHAMPAGNE (n. p.). Marne.
ARROSE CHAMBLY (n. p.). Richelieu.
ARROSE CHAMPAGNOLE (n. p.). Ain.
ARROSE CHARLEROI (n. p.). Sambre.
ARROSE CHARTRES (n. p.). Eure.
ARROSE CHÂTEAUDUN (n. p.). Loir.
ARROSE CHÂTEAU-GONTIER (n. p.). Mayenne.
ARROSE CHÂTEAUROUX (n. p.). Indre.
ARROSE CHÂTEAU-THIERRY (n. p.). Marne.
ARROSE CHÂTELLERAULT (n. p.). Vienne.
ARROSE CHEVREUSE (n. p.). Yvette.
ARROSE CHINON (n. p.). Vienne.
ARROSE CINCINNATI (n. p.). Ohio.
ARROSE CLAMECY (n. p.). Yonne.
ARROSE COLOGNE (n. p.). Rhin.
ARROSE COMPIÈGNE (n. p.). Oise.
ARROSE CONDOM (n. p.). Baïse.
ARROSE COOKSHIRE (n. p.). Eaton.
ARROSE COURTRAIS (n. p.). Lys.
ARROSE CRAIOVA (n. p.). Jiu.
ARROSE CREIL (n. p.). Oise.
ARROSE CRÉMONE (n. p.). Pô.
ARROSE CREST (n. p.). Drôme.
ARROSE DIE (n. p.). Drôme.
ARROSE DIXMUDE (n. p.). Yser.
ARROSE DOUAI (n. p.). Scarpe.
ARROSE DRESDE (n. p.). Elbe.
ARROSE ÉGYPTE (n. p.). Nil.
ARROSE EMBRUN (n. p.). Durance.
ARROSE EMMENTAL (n. p.). Emme.
ARROSE ÉPERNAY (n. p.). Marne.
ARROSE ÉPINAL (n. p.). Moselle.
ARROSE ERSTEIN (n. p.). Ill.
ARROSE ESPALION (n. p.). Lot.
ARROSE ESSEN (n. p.). Rhur.
ARROSE EVANSVILLE (n. p.). Ohio.
ARROSE ÉVREUX (n. p.). Iton.
ARROSE FAUQUEMBERGUES (n. p.). Aa.
ARROSE FERRARE (n. p.). Pô.
ARROSE FLORENCE (n. p.). Arno.
ARROSE FONTENAY-LE-COMTE (n. p.). Vendée.
ARROSE FORGES-LES-EAUX (n. p.). Epte.
ARROSE FRANCFORT (n. p.). Main.
ARROSE FRIBOURG (n. p.). Satine.
ARROSE GAND (n. p.). Escault, Lys.
ARROSE GAO (n. p.). Niger.
ARROSE GAROUA (n. p.). Bénoué.
ARROSE GISORS (n. p.). Epte.
ARROSE GOURNAY-EN-BRAY (n. p.). Epte.
ARROSE GRAVELINES (n. p.). Aa.
ARROSE GRENOBLE (n. p.). Isère.
ARROSE GUITRES (n. p.). Isle.
ARROSE HAGUENEAU (n. p.). Moder.
ARROSE HALLE (n. p.). Saale.
ARROSE HEIDELBERG (n. p.). Neckar.
ARROSE INNSBRUCK (n. p.). Inn.
ARROSE JOIGNY (n. p.). Yonne.
ARROSE KANSAS CITY (n. p.). Missouri.
ARROSE LA FLÈCHE (n. p.). Loir.
ARROSE LANDSHUT (n. p.). Isar.
ARROSE LAVAL (n. p.). Mayenne.

ARROSE LENINGRAD (n. p.). Neva.
ARROSE LÉRIDA (n. p.). Sègre.
ARROSE LIÈGE (n. p.). Meuse, Ourthe.
ARROSE LILLE (n. p.). Deûle.
ARROSE LIMOGES (n. p.). Vienne.
ARROSE LISBONNE (n. p.). Tage.
ARROSE LISIEUX (n. p.). Touques.
ARROSE LOCHES (n. p.). Indre.
ARROSE LONGWY (n. p.). Chiers.
ARROSE LOUGANSK (n. p.). Donets, Donetz.
ARROSE LOUISVILLE (n. p.). Ohio.
ARROSE LOURDES (n. p.). Pau.
ARROSE LOUVAIN (n. p.). Dyle.
ARROSE LOUVIERS (n. p.). Eure.
ARROSE LYON (n. p.). Rhône, Saône.
ARROSE MALINES (n. p.). Dyle.
ARROSE MAUBEUGE (n. p.). Sambre.
ARROSE MAYENCE (n. p.). Rhin.
ARROSE MEAUX (n. p.). Marne.
ARROSE MENDE (n. p.). Lot.
ARROSE METZ (n. p.). Mosellle.
ARROSE MINÎÊH (n. p.). Nil.
ARROSE MONTARGIS (n. p.). Loing.
ARROSE MONTLUÇON (n. p.). Cher.
ARROSE MONTMÉDY (n. p.). Chiers.
ARROSE MONTMORILLON (n. p.). Gartempe.
ARROSE MOPTI (n. p.). Niger.
ARROSE MORET (n. p.). Loing.
ARROSE MORTEAU (n. p.). Doubs.
ARROSE MULHOUSE (n. p.). Ill.
ARROSE MUNICH (n. p.). Isar.
ARROSE MURAT (n. p.). Alagnan.
ARROSE NEMOURS (n. p.). Loing.
ARROSE NEWCASTLE (n. p.). Tyne.
ARROSE NIAMEY (n. p.). Niger.
ARROSE OLTEN (n. p.). Aar, Aare.
ARROSE OMAHA (n. p.). Missouri.
ARROSE OREL (n. p.). Oka.
ARROSE ORLÉANS (n. p.). Loire.
ARROSE PARIS (n. p.). Seine.
ARROSE PENDJAB (n. p.). Chenab.
ARROSE PÉRIGUEUX (n. p.). Isle.
ARROSE PERPIGNAN (n. p.). Têt.
ARROSE PITHIVIERS (n. p.). Essonne.
ARROSE PITTSBURGH (n. p.). Ohio.
ARROSE POITIERS (n. p.). Clain.
ARROSE PONTARLIER (n. p.). Doubs.
ARROSE PONT-AUDEMER (n. p.). Rille, Risle.
ARROSE PONT-L'ÉVÊQUE (n. p.). Touques.
ARROSE PONTOISE (n. p.). Oise.
ARROSE PRADES (n. p.). Têt.
ARROSE REIMS (n. p.). Vesle.
ARROSE REMOULINS (n. p.). Gard.
ARROSE RENNES (n. p.). Ille, Vilaine.
ARROSE RHEINE (n. p.). Ems.
ARROSE RODEZ (n. p.). Aveyron.
ARROSE ROMANS (n. p.). Isère.
ARROSE ROUEN (n. p.). Seine.
ARROSE SAINT-DIÉ (n. p.). Meurthe.
ARROSE SAINT-OMER (n. p.). Aa.
ARROSE SARAGOSSE (n. p.). Èbre.
ARROSE SÉLESTAT (n. p.). Ill.
ARROSE SENS (n. p.). Yonne.
ARROSE SÉPOU (n. p.). Niger.
ARROSE SIOUX CITY (n. p.). Missouri.
ARROSE SISTERON (n. p.). Durance.

ARROSE SOISSONS (n. p.). Aisne, Vilaine.

ARROSE SOLEURE (n. p.). Aar, Aare.

ARROSE SOREL (n. p.). Richelieu, Saint-Laurent.

ARROSE SAINT-OMER (n. p.). Aa.

ARROSE STRASBOURG (n. p.). Ill, Rhin.

ARROSE STUTTGART (n. p.). Neckar.

ARROSE THANN (n. p.). Thur.

ARROSE TOUL (n. p.). Moselle.

ARROSE TOULOUSE (n. p.). Garonne.

ARROSE TOURS (n. p.). Cher, Loire

ARROSE TREVES (n. p.). Moselle.

ARROSE TÜBINGEN (n. p.). Necktar.

ARROSE TULLE (n. p.). Corrèze.

ARROSE TURIN (n. p.). Pô.

ARROSE VALENCIENNES (n. p.). Escaut.

ARROSE VARSOVIE (n. p.). Vistule.

ARROSE VENDÔME (n. p.). Loir.

ARROSE VÉRONE (n. p.). Adige.

ARROSE VIENNE (n. p.). Danube, Rhône.

ARROSE VIERZON (n. p.). Cher.

ARROSE VILLEFRANCHE-DE-ROUERGUE (n. p.). Aveyron.

ARROSE VILLENEUVE-SUR-LOT (n. p.). Lot.

ARROSEMENT. Affusion, arrosage, aspersion, bassinage, injection, irrigation, irroration, mouillage, trempage.

ARROSER. Asperger, baigner, baptiser, bassiner, bombarder, couler, dériver, doucher, éclabousser, humecter, humidifier, imbiber, incendie, inonder, irriguer, irriter, mouiller, noyer, ondoyer, soudoyer, submerger, traverser, tremper, verser.

ARROSEUR. Arrosoir, aspergeur, chantepleure, gicleur, humecteur, irrigateur, mouilleur, mouilloir, sprinkler.

ARROSOIR. Aspergeur, aspersoir, chantepleure, gicleur, humecteur, irrigateur, pommée, sprinkler.

ARSENAL. Affaire, appareil, arme, bagage, centre, chantier, dépôt, ensemble, équipage, équipement, fabrique, magasin, matériel, munition, panoplie, poudrière, provision, quantité, réserve, sainte-barbe, stock, usine.

ARSÉNIATE. Érythrine, kottigite, sel, scorodite, vert, zeunérite.

ARSENIC. Arsine, As, cobaltine, cobaltite, mispickel, mort-aux-rats, orpiment, poison, réalgar, smaltine, smaltite.

ARSÉNIOSULFURE. Cobaltine, glaucodot, larandite, mispickel, proustite, sartorite.

ARSÉNIURE. Arsine, nickeline, smaltine, smaltite, speiss.

ARSOUILLE. Aventurier, Canaille, crapule, crapuleux, délinquant, dévergondé, gouape, soûlerie, vaurien, voyou.

ART. Aéronautique, alchimie, alevinage, aquiculture, architecture, béotien, cabale, cartomancie, chevaucher, cinéma, culinaire, cynégétique, danse, diagnose, divination, doxologie, écriture, éloquence, escrime, esthète, fauconnerie, gastronomie, glyptique, hippiatrie, hippiatrique, horticulture, ikebana, imprimerie, kendo, lecture, lithographie, littérature, magie, manœuvre, mantique, martial, mégie, musique, natation, nécromancie, niellage, niellure, obstétrique, origami, peinture, photographie, pisciculture, plaidoirie, poliorcétique, reliure, scène, sculpture, sidérographie, stratégie, tauromachie, taxidermie, théâtre, tir, topiaire, vannerie, vénerie, zootechnie, zymotechnie.

ARTEFACT. Artifice, artificiel, convention, marqueur, phénomène, signe, structure.

ARTÉMIS (n. p.). Actéon, Apollon, Callisto, Érostrate, Léto, Orion, Zeus.

ARTÉMISIA. Abrotone, absin-menu, absinthe, alliène, alvive, armoise, artémise, aurone, barbotine, cistain, citronnelle, garde-robe, génépi, ivrogne, pontic.

ARTÈRE. Anévrisme, aorte, artériole, artériosclérose, artérite, athérome, avenue, autoroute, boulevard, carotide, chemin, diastole, jugulaire, pédicule, pontage, pouls, route, rue, ruelle, sang, systole, tronc cœliaque, voie.

ARTÉRIOLE. Artère.

ARTÉRIOSCLÉROSE. Athérome, durcissement, glaucome, nitruration, sclérose, sténose, xérodermie.

ARTHRITE. Athérome, coxalgie, goutte, herpétisme, podagre, polyarthrite, rhumatisme.

ARTHROPODE. Acarien, antennate, araignée, aranéide, articulés, chélicérate, crabe, crustacé, exuvie, insecte, limule, mandibulate, mille-pattes, ommatidie, péripate, pyconogonodie, scorpion, soie, sternite, tagme, telson, trilobite.

ARTHROSE. Coxarthrose, coxathrie, discarthrose, lombarthrose, ostéophyte, rhumatisme, spondylarthrose.

ARTICHAUT. Acanthe, barigoule, bonnet-de-prêtre, cardon, cardonnette, chardon, chardonnette, cœur, composacée, cynars, écheveria, foin, joubarbe, patate, pâtisson, pied, portefeuille, strobile, talon, topinambour.

ARTICLE. Au, aux, billet, brûlot, chronique, de, défini, des, déterminant, du, édito, éditorial, entrefilet, feuilleton, indéfini, la, le, les, morphème, peausserie, tribune libre, tricot, un, une, varia.

ARTICLE ARABE. El.

ARTICLE ESPAGNOL. El, olé

ARTICULATION. Amphiarthrose, anilles, boulet, cardan, charnière, cheville, condyle, cotyle, coude, déboîté, diarthrose, énarthrose, engrenure, épaule, genou, genouillère, gomphose, hanche, joint, jointure, ménisque, n'est-ce pas, nilless, nœud, poignet, prononciation, rotule, suture, symphyse, synarthrose, synovie, tophus.

ARTICULÉ. Arthropode, audible, énoncé, exprimé, inarticulé, invertébré, nettement, patenôtre, pliant.

ARTICULER. Affirmer, agencer, alléguer, anarthrie, avancer, balbutier, bégayer, bredouiller, communiquer, débiter, déclamer, dire, énoncer, joindre, mâchonner, marteler, parler, proférer, prononcer.

ARTICULÉS. Anthropodes, arachné, arachnéen, arachnide, argiope, aragne, argyronète, araigne, araignée, aranéide, arantèle, argyronète, crabe, épeire, faucheur, faucheux, galéode, halabé, hydromètre, latrodecte, lycose, maïa, malmignatte, mygale, orbitèle, ségestrie, tarentule, tégénaire, théridion, théridium, thomise, tubitèle, vélie, veuve noire.

ARTIFICE. Artificier, astuce, attrape-nigaud, carotte, cautèle, détour, diplomatie, embrasement, étoupille, fusée, hypocrisie, lance, leurre, pétard, piège, pyrotechnie, ralenti, ruse, tromperie, truc, trucage.

ARTIFICIEL. Arrangé, artefact, canal, chiméral, chimique, conte, contrefait, devon, duit, fabriqué, factice, faux, imitation, imité, inventé, postiche, rade, reproduit, serre, sonde, synthétique, théâtral, toc.

ARTIFICIELLEMENT. Approximativement, diplomatiquement, erronément, fabuleusement, faussement, fautivement, illicitement, improprement, incorrectement, inexactement, injustement, mal, prétendument, vicieusement.

ARTIFICIER. Artifice, astuce, bidonnage, contrefaçon, falsification, embrasement, étoupille, fusée, lance, leurre, maquillage, pétard, piège, pyrotechnie, ralenti, ruse, truc, trucage.

ARTIFICIEUSEMENT. Captieusement, déloyalement, fallacieusement, hypocritement, insidieusement, insincèrement, machiavéliquement, perfidement, sournoisement, traîtreusement, trompeusement.

ARTIFICIEUX. Captieux, diabolique, fourbe, hypocrite, machiavélique, malin, perfide, retors, roublard, rusé.

ARTILLERIE. Arguments, arme, batterie, bombardement, canon, canonnade, décharge, faucon, feu, missile, mitraille, mortier, munitions, pilonnage, rafale, roquette, salve, serpentine, sexe, tir.

ARTILLEUR. Artiflot, canonnier, militaire, munitionnaire, pointeur, pourvoyeur, servant, soldat, tireur.

ARTIMON. Amure, brigantine, cape, cargue, clinfoc, conopée, étrangloir, foc, fun, fuste, gui, hunier, litham, mât, misaine, nuée, panne, perroquet, ris, spi, spinnaker, taled, taleth, tapecul, tchador, tchadri, têtière, tréou, velet, vélum, voile, voilette.

ARTIODACTYLE. Camélidé, hippopotame, ongulé, porcin, ruminant.

ARTISAN. Artiste, cause, charron, ciseleur, compagnon, cordonnier, façon, forgeron, ivoirier, lapidaire, layetier, marbreur, maréchal, maréchal-ferrant, orfèvre, ouvrier, peignier, sellier, serrurier, tanneur, tisserand, tisseur, tôlier, travailleur.

ARTISANAT. Catalogne, compagnonnage, manuel, métier, patron, tertiaire.

ARTISTE. Acteur, architecte, aquarelliste, artisan, bohème, chanteur, ciseleur, comédien, dessinateur, écrivain, esthète, étoile, fantaisiste, forain, has been, imitateur, imprésario, interprète, logiste, mime, mosaïste, muraliste, musicien, nabi, ornemaniste, palme, paysagiste, peintre, pianiste, poète, rapin, raté, sculpteur, soliste, solo, stucateur, vedette, ventriloque.

ARTISTE COMÉDIEN ALLEMAND (n. p.). Asam, Beuys, Schinkel.

ARTISTE COMÉDIEN AMÉRICAIN (n. p.). Allen, Armstrong, Astaire, Bacall, Bakula, Baldwin, Belafonte, Belushi, Benedick, Bennet, Bogart, Boone, Brando, Bridges, Brosnan, Brown, Cage, Chandler, Clooney, Cole, Costner, Crosby, Cruise, Culkin, Curtis, Dafoe, Daniels, Danson, Darin, Day-Lewis, Dean, De Niro, DeVito, Douglas, Dreyfuss, Eastwood, Ford, Gable, Gere, Gibson, Goldblum, Granger, Grant, Hackman, Hanks, Hardy, Harrelson, Heston, Hope, Hoskins, Hudson, Jackson, Jordan, Keitel, Kilmer, Kline, Lancaster, Laurel, Leblanc, Lewis, O'Connor, Malkovich, Martin, McConaughey, McQueen, Mitchum, Montgomery, Moore, Murphy, Murray, Nauman, Newman, Nicholson, Nolte, Peck, Penn, Pitt, Presley, Pryor, Quaid, Quinn, Randall, Reagan, Reeves, Ritchie, Rooney, Rourke, Savage, Schwarzenegger, Simmons, Sinatra, Sorbo, Stallone, Stewart, Taylor, Thomas,

Travolta, Tyler, Van Damme, Van Dyke, Washington, Wayne, Weissmuller, Williams, Willis, Wyle, Young.

ARTISTE COMÉDIEN ANGLAIS (n. p.). Accolas, Arène, Aymar, Ayoub, Bard, Barry, Blanch, Burbage, Burton, Buza, Calderwood, Chaplin, Foote, Friesen, Garrick, Garrison, Gillett, Hopkins, Klanfer, Konig, Lawrence, Loftus, Martin, Mc Kenna, Morris, Murphy, Nardi, Nerman, O'Connor, Parillo, Parson, Pearson, Pennington, Richard, Ross, Snider, William.

ARTISTE COMÉDIEN BELGE (n. p.). Brel, Bury, Folon.

ARTISTE COMÉDIEN FRANÇAIS (n. p.). Arman, Audran, Auteuil, Baker, Belmondo, Boltanski, Boyer, Buren, Caffieri, Carmontelle, Chevalier, Coquelin, Dac, Devos, Fernandel, Gabin, Got, Guitry, Lepautre, Montand, Morellet, Pane, Raynaud, Serrault.

ARTISTE COMÉDIEN ITALIEN (n. p.). Bertinazzi, Fo, Lombardi, Mastroianni, Merz, Mezzetin.

ARTISTE COMÉDIEN QUÉBÉCOIS (n. p.). Barrette, Beaudry, Béland, Bergeron, Berval, Besré, Bessette, Blanchard, Bouchard, Boucher, Brière, Brousseau, Buissonneau, Cabana, Canuel, Caron, Carrère, Charles, Chartrand, Chenail, Coallier, Collin, Corbeil, Côté, Coutu, Curzi, De Cespedes, Desmarteau, Desrochers, Desroches, Dubois, Ducharme, Faubert, Fortin, Fournier, Fruitier, Gadouas, Gascon, Gélinas, Gignac, Giguère, Guévremont, Guilda, Guimond, Houde, Huard, Joubert, Labbé, Labrèche, Laprade, Lautrec, L'Écuyer, Lefrançois, Lemay-Thivierge, L'Heureux, Lirette, Meunier, Millette, Montmorency, Moreau, Nadon, Paradis, Pérusse, Ponton, Sicotte.

ARTISTE COMÉDIEN SUISSE (n. p.). Gessner, Grock, Spoerri.

ARTISTE DE VARIÉTÉS ANGLAIS, HOMME. Accolas, Arène, Aymar, Ayoub, Bard, Barry, Blanch, Buza, Calderwood, Friesen, Garrison, Gillett, Klanfer, Konig, Lawrence, Loftus, Martin, Mc Kenna, Murphy, Nardi, Nerman, O'Connor, Parillo, Parson, Pearson, Pennington, Richard, Ross, Snider.

ARTISTE DE VARIÉTÉS FÉMININE AMÉRICAINE (n. p.). Abdul, Anderson, Bacall, Basinger, Bassett, Bingham, Birch, Brenneman, Bullock, Campbell, Cher, Collins, Dickinson, Dunaway, Evangelista, Fox, Griffith, Hall, Kidman, Houston, Keaton, Lansbury, Maclaine, Madonna, Mantovani, Midler, Moore, Moss, Nolin, Novak, Paul, Powers, Rampling, Roberts, Rivers, Sarandon, Seagrove, Shalom, Shatner, Sheridan, Shields, Shue, Silverstone, Stafford, Stone, Streep, Streisand, Taylor, Tilton, Turner, Walsh, Zuniga.

ARTISTE DE VARIÉTÉS FÉMININE CANADIENNE-ANGLAISE (n. p.). Basaraba, Benson, Clune, Ellwand, Ferney, Gruen, Hall, Hayle, Henry, Jordan, Kee, Lawrence, Mackenzie, Obonsawin, Racicot, Reh, Spiegel, Sprincis, Stankova, Verner, Victor, Zahalan, Zucco.

ARTISTE FÉMININE AMÉRICAINE (n. p.). Abdul, Anderson, Andrews, Bacall, Basinger, Bassett, Baxter, Bingham, Birch, Brenneman, Bullock, Campbell, Cher, Collins, Crawford, Darnell, Davis, Day, Dee, Dickinson, Dors, Dunaway, Fonda, Fox, Gabor, Gardner, Garland, Griffith, Hall, Kelly, Kidman, Lamour, Lane, Lansbury, Leigh, Maclaine, Madonna, Mansfield, Mantovani, Midler, Monroe, Moore, Morgan, Moss, Nolin, Novak, Parker, Paul, Powells, Powers, Rampling, Roberts, Rivers, Russell, Sarandon, Schell, Seagrove, Shalom, Shatner, Sheridan, Shields, Shue, Silverstone, Stafford, Stone, Streep, Streisand, Taylor, Temple, Tilton, Turner, Walsh, West, Wood, Zuniga.

ARTISTE FÉMININE FRANÇAISE (n. p.). Darrieux, Dorval, Bardot.

ARTISTE FÉMININE ITALIENNE (n. p.). Lollobrigida, Loren.

ARTISTE PEINTRE. Animalier, aquarelliste, artiste, badigeonneur, barbouilleur, figuratif, fresquiste, imagier, pastelliste, paysagiste, portraitiste, rapin.

ARTISTIQUE. Beau, cubisme, expression, flou, futurisme, navet, pastiche, romantisme, unité, virtuosité.

ART MARTIAL. Aïkido, belliqueux, brave, combatif, dan, guerrier, jiu-jitsu, judo, karaté, kendo, kung-fu, militaire, prestance, tatami.

ARUM. Acore, aracée, calla, capuchon, chandelle, cornet, gouet, herbacée, pied-de-veau, plante, richardie, taro.

ARUSPICE. Astrologue, augure, auspice, boa, cartomancien, charlatan, chiromancien, constrictor, devin, divinateur, eubage, féticheur, graphologue, haruspice, jour, nécromancien, oniromancien, oracle, prophète, sorcier, tireur, vaticineur, voyant.

ARYLAMINE. Amine, aryle, benzidine, colorant, xylidine.

ARYTHMIE. Angine, bradycardie, cardiomégalie, cardiomyopathie, cardiopathie, cardiothyréose, cardite, coronarite, coronaropathie, dextrocardie, embolie, extrasystole, hypertension, hypotension, infarctus, palpitation, tachycardie, thrombose.

AS. Aigle, beset, brème, carte, champion, connaisseur, crack, expert, maître, manillon, phénix, pro, professionnel, spécialiste, virtuose.

ASANA. Allure, attitude, condition, contenance, état, lotus, maintien, pose, position, posture, situation, station.

ASARUM. Asaret, cabaret, gingembre, oreillette, rondelle, roussin.

ASCAGNE (n. p.). Creuse, Énée, Iule.

ASCARIS. Ascaride, ascaridiose, grêle, helminthe, nématode, ver.

ASCENDANCE. Agnation, alliance, branche, consanguinité, naissance, généalogie, origine, race, unilinéaire.

ASCENDANT. Aïeul, aïeux, ancêtre, appui, attraction, aura, autorité, charisme, charme, empire, emprise, fascination, gradation, influence, montant, mouvement, parent, pouvoir, prestige, progressant, séduction, titre, vague, zénith.

ASCENSEUR. Complaisance, descendeur, élévateur, liftier, monte-charge, monte-plats, monte-sacs, retour, service.

ASCENSION. Alpinisme, élévation, escalade, gravir, fête, grimpée, inalpage, lévitation, montée, pompe, progrès, progression, réussite, rogation, trekking, varappe.

ASCENSIONNEL. Colonnaire, force, hampe, levé, nadir, parachute, perpendiculaire, vertical, vitesse, zénith.

ASCENSIONNER. Aller, augmenter, croître, dresser, élever, embarquer, emmancher, entrer, escalader, franchir, gravir, grimper, hausser, hisser, lever, marcher, monter, organiser, préparer, sertir, voler, vriller.

ASCÈSE. Absence, abstinence, ascétisme, austérité, expiation, gravité, mortifier, puritanisme, rigidité, rigorisme, sévérité, vertu.

ASCÈTE. Anachorète, athlète, austère, bonze, brouteur, cénobite, dendrite, ermite, fakir, flagellant, fraticelle, gourou, guru, gymnosophiste, janséniste, mahatma, moine, pénitent, pieux, santon, soufi, spartiate, stricte, yogi.

ASCÉTIQUE. Austère, érémitique, frugal, janséniste, monacal, puritain, rigide, rigoriste, rigoureux, sévère, spartiate.

ASCÉTISME. Ascèse, austérité, chasteté, jeûne, macération, mortification, pénitence, privation, rigorisme, stoïcisme.

ASCIDIE. Animal, figue de mer, microcosme, népenthès, organe, tunicier, urne.

ASCLÉPIADACÉE. Asclépiade, asclépias, ceropegia, compte-venin, cynanchum, dompte-venin, gonolobus, herbe à la ouate, pollinie.

ASCOMYCÈTE. Aspergille, bière, champignon, discomycète, gyromitre, helvelle, levure, lichen, morille, pénicillium, pézizale, pézize, pyrénomycète, terpès, terfesse, terfèze, truffe, tubérale, tubéracée.

ASE. Âne, asa, diastase, férule, fœdida, génie, malaise, résine.

ASELLE. Armadille, cloqué, cloporte, concierge, crustacé, hémilépiste, isopode, ligie, oniscus, porcellio, trichoniscus.

ASEPSIE. Antisepsie, assainissement, désinfection, étuvage, germe, microbe, prophylaxie, soufrage, stérilisation.

ASEPTISATION. Antisepsie, asepsie, assainissement, décontamination, désinfection, étuvage, formolage, pasteurisation, prophylaxie, stérilisation.

ASEPTISÉ. Artificiel, impersonnel, neutre, privé, pur, stérilisé, traditionnel.

ASEPTISER. Assainir, banaliser, dépersonnaliser, désinfecter, étuver, stériliser.

ASES (n. p.). Balder, Odin, Thor.

ASEXUEL. Asexué, eunuque, frigide, impuissant, stérile.

ASHKÉNAZE. Ashkénazim, golem, juif.

ASIATIQUE. Afghan, arménien, asiate, birman, cambodgien, coréen, chinois, eurasien, indien, ionien, irakien, iranien, japonais, jordanien, laotien, libanais, malais, mongol, népalais, persan, philippin, singapourien, syrien, tibétain.

ASIE (n. p.). Anatolie, Ionie.

ASIE CENTRALE RÉGION (n. p.). Birmanie, Cambodge, Chine, Kazakastan, Kirghizstan, Laos, Mongolie, Népal, Pamir, Tadjikistan, Tibet, Transoxiane, Turkménistan.

ASIE MÉRIDIONALE RÉGION (n. p.). Chine, Inde, Japon, Sri Lanka, Viêt-nam.

ASIE MINEURE RÉGION (n. p.). Cilicie, Ionie, Isaurie, Mysie, Syrie.

ASIE OCCIDENTALE RÉGION (n. p.). Arménie, Bengale, Birmanie, Caucase, Caucasie, Irak, Iran, Kurdistan, Liban, Pakistan.

ASILE. Abri, affût, cache, cachette, enfermer, établissement, fou, gîte, havre, hospitalité, interner, mouche, refuge, retraite, salle, zaouïa.

ASOCIAL. Antisocial, clochardisé, délinquant, inadapté, marginal, pervers, rejeté, réprouvé, révolté.

ASPARTAME. Adoucir, affadir, cyclamate, édulcorant, mitiger, polyol, saccharine, sorbitol, sucrate, sucrette.

ASPE. Asple, bourrette, chrysalide, cocon, coque, dévidoir, enveloppe, filature, grège, ponte, protoptère.

ASPECT. Abord, air, allure, anatomie, angle, apparence, biais, cachet, côté, couleur, décor, embu, épair, face, facette, faciès, figure, forme, gueule, jour, luisant, mine, modelé, morphologie, œil, pâleur, paraître, patine, phase, port, profil, splendeur, style, teint, touche, tour, tournure, train, vue, yeux.

ASPERGE. Échalas, épilobe, fouine, gigue, girafe, grand, leptosome, liliacée, longiligne, maigre, pointe, turion.

ASPERGER. Arroser, baigner, baptiser, bassiner, bénir, doucher, éclabousser, goupillonner, humecter, imbiber, inonder, irriguer, mouiller, ondoyer, répandre, soudoyer, submerger, sulfater, traverser, tremper, verser.

ASPÉRITÉ. Aléser, âpreté, bosse, bourrelet, éminence, énouer, gazer, gibbosité, grain, inégalité, irrégularité, lisse, prise, prominence, raboteux, rudesse, rugosité, saillie, uni.

ASPERSION. Affusion, arrosage, arrosement, aspergès, bénédiction, douche, goupillon, irroration.

ASPHALTAGE. Bitumage, goudronnage, macadamisage, pavage, tarmacadamisation.

ASPHALTE. Asphaltier, bitume, chape, chaussée, goudron, macadam, revêtement, tarmacadam.

ASPHALTER. Bitumer, bituminer, goudronner, macadam, macadamiser, paver, revêtement, tarmacadamiser.

ASPHYXIANT (n. p.). Anthrax.

ASPHYXIANT. Accablant, délétère, étouffant, irrespirable, lourd, méphitique, néfaste, suffocant, toxique.

ASPHYXIE. Anoxémie, anoxie, arrêt, blocage, cyanose, étouffement, hypoxémie, hypoxie, oppression, suffocation.

ASPHYXIER. Absorber, cyanoser, étouffer, gazer, humer, inhaler, noyer, suffoquer, voler.

ASPIC. Canon, confit, gelée, lavande, mousse, spic, lavande, mêle, pâté, préparation, spic, terrine, vipère.

ASPIRANT. Ambitieux, aspi, aspirateur, candidat, clerc, grade, officier, postulant, soupirant.

ASPIRATEUR. Balai, balayette, brosse, coco, écouvette, écouvillon, épi, époussette, épuration, escoube, faubert, goret, guipon, houssoir, lave-pont, levier, oust, plumard, plumeau, queue, ramon, rubis, sorcière, tête-de-loup, torchon, vadrouille.

ASPIRATION. Ambition, appel, attrait, besoin, désir, élan, enlisement, espérance, espoir, inhalation, inspiration, penchant, prise, reniflement, respiration, rêve, souhait, succion, tendance, vœu, vote.

ASPIRER. Absorber, ambitionner, asphyxier, attirer, briguer, désirer, fumer, happer, humer, idéaliser, inhaler, inspirer, noyer, pomper, prétendre, priser, renâcler, renifler, souhaiter, soupirer, sucer, suçoter, téter, viser, vouloir.

ASPIRINE. Acétylsalicylique, acide, analgésique, antalgique, anti-inflammatoire, antipyrétique, médicament.

ASPLE. Aspe, bourrette, chrysalide, cocon, coque, dévidoir, enveloppe, filature, grège, ponte, protoptère.

ASPLÉNIUM. Adiante, adiantum, aigle, alsophila, athyrium, azolla, capillaire, cétérac, cétérach, cheveu-de-Vénus, crosse, dryoteris, filicale, filicinée, fougère, fougerole, indusie, limbe, ophioglosse, osmonde, pécoptéris, pilulaire, pinnule, polypode, pteridium, rhizoïde, royale, scolopendre, sore.

ASPRE. Butte, capitolin, colline, côte, coteau, croupe, dune, éminence, haut, hauteur, mont, montagne, tell, tertre.

ASSAGIR. Atténuer, calmer, dételer, diminuer, modérer, mûrir, raisonner, ranger, tempérer.

ASSAI. Allegro, augmentatif, beaucoup, lento, presto, très, vif.

ASSAILLANT. Agresseur, attaquant, offenseur, oppresseur, persécuteur, provocateur, solliciteur.

ASSAILLIR. Agresser, attaquer, bombarder, charger, cogner, commérer, critiquer, défier, foncer, frapper, harceler, importuner, injurier, insulter, médiremiter, mordre, ruer, salir, sauter, tourmenter, vilipender.

ASSAINIR. Aseptiser, assécher, désinfecter, drainer, équilibrer, nettoyer, purifier, rétablir, stabiliser, stériliser.

ASSAINISSEMENT. Asepsie, antisepsie, assèchement, chloration, désinfection, drainage, épuration, purification, stérilisation.

ASSAINISSEUR. Déodorant, dépollueur, désodorisant, nettoyeur, ozone.

ASSAISONNEMENT. Apprêt, aromate, câpre, cari, condiment, épice, moutarde, oille, poivre, safran, sarriette, sauce, sel, vinaigre.

ASSAISONNER. Accommoder, agrémenter, ailler, ajouter, apprêter, aromatiser, condimenter, émailler, épicer, maltraiter, moutarder, persiller, pimenter, poivrer, rehausser, relever, resaler, safraner, saler, sucrer, vinaigrer.

ASSASSIN (n. p.). Agrippine la jeune, Borgia, Brinvilliers, Caserio, Châtel, Clément, Frédégonde, Jack l'Éventreur, Landru, L'Hospitalier, Louvel, Macbeth, Milon, Néron, Pallas, Poltrot, Ravaillac, Sanson, Tell.

ASSASSIN. Altruicide, autruicide, assassineur, chanvre, coupe-jarret, criminel, escarpe, éventreur, fratricide, homicide, infanticide, matricide, meurtrier, mouche, œillade, patricide, provocant, régicide, séide, sicaire, tueur.

ASSASSINAT. Assises, atrocité, attentat, atrocité, brigandage, carnage, complot, cour, crime, délit, égorgement, électrocution, empoisonnement, faute, forfait, fusillade, homicide, justice, méfait, meurtre, piraterie, procès.

ASSASSINÉ (n. p.). Abner, Adherbal, Aetius, Agamemnon, Alboïn, Aquino, Alcibiade, Alexandre I, Obrenovic, Argos, Argus, Arner, Becket, Berry, Borris, Bossy, Brune, Buckingham, Calmette, Capodistria, Carin, Carnot, Carrel, Carrero, Cassandre, César, Clodius, Clytemnestre, Commode, Concini, Conrad I, Cunimond, Dagobert, Darios, Darlan, Darnley, Dessalines, Dollfuss, Domitien, Doumer, Duncan, Ébroïn, Édouard 5, Égisthe, Élagabal, Erzberger, Faysal 2, Foucault, Fualdès, Galba, Gandhi, Gaessler, Geta, Hyrcan, Hussein, Iorga, Jaurès, Karageorges, Kennedy, King, Kléber, Liebknecht, Lincoln, Locuste, Lumumba, Lysimaque, Macbeth, Macrin, Médicis, Mammon, Messaline, Nader, Nicaise, Odoacre, Park, Patrocle, Pizarro, Pompée, Rabin, Rahman, Raspoutine, Röhm, Rossi, Sadate, Sévère, Sigebert, Spartacus, Stauffenberg, Stavisky, Stuart, Tisza, Trotski, Ulpien, Valentinien, Valérien, Wiit, Zapata.

ASSASSINER. Abattre, buter, butter, décapiter, descendre, écraser, égorger, éliminer, empoisonner, envoyer, étouffer, étrangler, étriper, exécuter, exterminer, immoler, nettoyer, occire, supprimer, trucider, tuer, zigouiller.

ASSAUT. Abordage, agression, attaque, attentat, charge, combat, concours, déferlement, offensive, ruade, rush, tournoi.

ASSEAU. Aisseau, aissette, ardoise, asse, assette, couvreur, esse, maillet, marteau, outil, paroir.

ASSÈCHEMENT. Assainissement, astringent, déshumidification, déshydratation, dessèchement, dessiccation, drainage, écopage, égouttage, étanchement, évaporation, mâchefer, séchage, tarissement, wateringue.

ASSÉCHER. Assainir, assèchement, drainer, égoutter, épuiser, essorer, étancher, sec, sécher, tarir, vider.

ASSEMBLAGE. Adent, agglomérat, amas, appareil, apposition, apprêt, armature, bariolage, botte, bouquet, bruit, cahier, caillebotis, corde, couture, empatture, ennéade, enture, esse, gerbe, grappe, grille, jonction, mélange, mélasse, mosaïque, nantis, noulet, panache, parquet, phrase, phraséologie, pilée, poutraison, radeau, ramée, râtelier, régime, rivet, rivure, soudure, toron, tortis, touffe, trémie, triade, troche, vers, ville.

ASSEMBLÉE. Amphictyonie, arène, aréopage, bal, club, comice, comité, concile, conclave, congrégation, congrès, consistoire, convention, cortes, diète, djama, douma, ecclésial, fête, landtag, législature, meeting, mercuriale, mir, panégyrie, parlement, pétaudière, plaid, plénier, plénière, quorum, regroupement, réunion, sabbat, séance, sénat, synagogue, synode.

ASSEMBLER. Adent, agrafer, ameuter, articuler, attacher, bâtir, brêler, carreler, clouer, coller, coudre, embrever, enter, épisser, esse, grouper, joindre, lier, lire, monter, nouer, rabouter, rallier, relier, réunir, river, riveter, sertir, souder, unir, voisin.

ASSEMBLEUR. Brocheur, compilateur, interpréteur, monteur, relieur, synthétiseur.

ASSÉNER. Administrer, allonger, appliquer, assommer, atteindre, battre, brutaliser, cogner, coller, donner, envoyer, ficher, filer, flanquer, frapper, heurter, lancer, marteler, porter, tambouriner, taper, toucher.

ASSENTIMENT. Acceptation, accord, acquiescement, adhésion, adoption, agréement, amen, approbation, autorisation, aval, avis, aveu, consentement, encouragement, oui, permission, ratification, sanction.

ASSEOIR. Accroupir, affermir, appuyer, assurer, attabler, bûcher, consolider, disposer, établir, fonder, installer, mettre, placer, planter, poser, pouce, reposer, siège.

ASSERMENTATION. Aide, allocation, apport, contribution, corvée, discours, fourniture, indemnité, laïus, pension, performance, prestatation, prêt, réparation, revenu, service, show, spectacle.

ASSERTION. Affirmation, allégation, argument, déclaration, dire, documentation, expression, parole, proposition.

ASSERVIR. Assujettir, domestiquer, dominer, dompter, enchaîner, entraver, lier, maîtriser, opprimer, réduire, soumettre, tyranniser.

ASSERVISSANT. Accablant, aliénant, astreignant, contraignant, écrasant, étouffant, exigeant, oppressant, pesant.

ASSERVISSEMENT. Assuétude, captif, dépendance, emprise, esclavage, joug, servitude, soumission, sujet, sujétion.

ASSESSEUR. Acolyte, adjoint, aidant, aide, assistant, complice, exécuteur, lampiste, lieutenant, magistrat, second.

ASSETTE. Asseau, asse, asseau, couvreur, esse, essette, marteau, outil.

ASSEZ. Adéquat, amplement, autant, basta, besef, bezef, class, congru, convenable, excédé, fatigué, marre, moyennement, passable, passablement, plutôt, ras-le-bol, respectable, soupé, suffisant, tanné, valablement.

ASSIDU. Appliqué, consciencieux, constant, continu, exact, fidèle, loyal, obstiné, pétant, ponctuel, précis, réglo, régulier, scrupuleux, sérieux, sonnant, soutenu, suivi, tenace, toujours, zélé.

ASSIDUITÉ. Absentéisme, assidûment, concordance, congruence, convenance, cour, exactitude, fréquentation, importunité, présence.

ASSIDÛMENT. Constamment, continuellement, continûment, exactement, infiniment, permanence, ponctuellement, régulièrement.

ASSIÉGEANT. Agaçant, crispant, désagréable, embêtant, énervant, enquiquinant, exaspérant, excédant, fatigant, harcelant, importun, inopportun, insupportable, irritant, persécuteur, pourchasseur, traqueur.

ASSIÉGER. Accabler, assaillir, bloquer, cerner, encercler, envelopper, harceler, importuner, investir, obséder, poursuivre, tourmenter.

ASSIETTE. Assiettée, assise, base, bol, budget, calotte, chabrot, écuelle, équilibre, fondation, fondement, hypothèque, imposition, marli, plat, pose, position, posture, situation, soucoupe, stabilité, suage, tenue, terrain, vaisselle.

ASSIGNATION. Ajournement, appel, attribution, avertissement, citation, convocation, doter, indiction, intimation, invitation, justice, mobilisation, placet, réassignation, rescription, semence, situer, sommation.

ASSIGNÉ. Banni, cantonné, cloîtré, confiné, déporté, écarté, enfermé, exilé, isolé, reclus, renfermé, retraité.

ASSIGNER. Affecter, appeler, appliquer, attraire, attraper, attribuer, citer, convoquer, destiner, doter, douer, exploiter, imputer, indiquer, interner, intimer, mander, prescrire, réassigner, situer, sommer.

ASSIMILABLE. Alibile, analogue, animalisable, apparenté, apprivoisable, approchant, comparable, conforme, contigu, digérable, digeste, digestible, équivalent, eupeptique, indigeste, léger, ressemblant, semblable.

ASSIMILATION. Absorption, acculturation, allégorie, anabolisme, athrepsie, comparaison, digestion, harmonisation, identification, imprégnation, insertion, intégration, melting-pot, nutrition, photosynthèse, rapprochement.

ASSIMILÉ. Analogue, appareillé, approché, comparable, comparé, compris, digéré, élaboré, équivalent, rapparié.

ASSIMILER. Absorber, adapter, adopter, amalgamer, approprier, comprendre, confondre, digérer, élaborer, fondre, identifier, imprégner, incorporer, insérer, intégrer, piger, rapprocher, saisir, transformer, utiliser.

ASSIS. Ajusté, agencé, aplomb, appuyé, assiette, assuré, attablé, calme, casé, classé, déposé, établi, ferme, giron, installé, mis, ordonné, placé, posé, rangé, séant, sédentaire, seoir, siège, sis, situé, solide, stable.

ASSISE. Affermi, arasement, assiette, assuré, base, ferme, fondement, guignol, hérisson, infrastructure, jambage, juridiction, margelle, pied, réunion, solage, soubassement, stable, strate, tambour, tourniquet.

ASSISES. Assassinat, attentat, congrès, cour, crime, juge, juridiction, réunion, séance, session, tribunal.

ASSISTANCE. Aide, appui, assesseur, auditoire, bons offices, charité, foule, gardien, gratitude, hospice, nourrice, office, orthèse, parterre, protection, public, rescousse, secourir, secours, service, servir, subside, subvention, secourir, secours.

ASSISTANT. Acolyte, adjoint, aidant, aide, associé, auxiliaire, compère, complice, lampiste, lieutenant, second.

ASSISTER. Aider, appuyer, entendre, épauler, inviter, participer, revoir, seconder, secourir, servir, soutenir, suivre.

ASSOCIATION. Aelé, amicale, avec, blastomère, camorra, cartel, cercle, chorale, club, comité, congrégation, corporation, covenant, fédération, fusion, guilde, hanse, hétaïre, hétairia, hétérie, jumelage, ligue, macle, maffia, mafia, ordre, organisation, pacte, parti, regroupement, société, syndicalisation, tandem, triumvirat, union.

ASSOCIÉ. Acolyte, actionnaire, adjoint, affilié, agrégé, camarade, coauteur, collaborateur, collègue, compère, complice, confrère, conjoint, covendeur, mêlé, membre, mutuelle, partenaire, partisan, sociétaire, syndiqué, uni.

ASSOCIER. Adhérer, adjoindre, allier, assembler, assujettir, attacher, combiner, concilier, conjuguer, enchaîner, fusionner, grouper, joindre, jumeler, lier, marier, mêler, mettre, participer, rapprocher, regrouper, réunir, unir.

ASSOIFFÉ. Adepte, affamé, altéré, amant, amateur, avide, connaisseur, fanatique, gourmand, insatiable, passionné.

ASSOIFFER. Affamer, altérer, assécher, besoin, boire, désaltérer, déshydrater, désir, dessécher, envie, or.

ASSOLEMENT. Alternance, alternat, amendement, chaulage, compostage, déchaumage, épandage, répartition, rotation.

ASSOMBRIR. Attrister, embrumer, endeuiller, enténébrer, foncer, noircir, obscurcir, ombrer, rembrunir, ternir.

ASSOMBRISSEMENT. Épaississement, mélancolie, noircissement, obscurcissement, occultation, opacification, tristesse.

ASSOMMANT. Barbifiant, casse-pieds, contrariant, désagréable, endormant, ennuyant, ennuyeux, fastidieux, insipide, lassant, rasoir, tuant.

ASSOMMÉ. Abasourdi, abattu, accablé, anéanti, bafoué, battu, boxé, cogné, déprimé, embêté, ennuyé, ensuqué, étourdi, fatigué, figé, groggy, importuné, knock-out, K.-O., lassé, rossé, roué, sonné, stupéfié, tué.

ASSOMMER. Abattre, anesthésier, barber, battre, boxer, calmer, coucher, effacer, embêter, endormir, engourdir, ennuyer, épuiser, estourbir, étendre, étourdir, fesser, fouetter, gauler, rager, rosser, rouer, sonner, tuer.

ASSOMMEUR. Casse-pieds, emmerdeur, empoisonneur, enquiquineur, fâcheux, importun, raseur, saigneur, tueur.

ASSOMMOIR. Abattoir, boucherie, bouvril, échaudoir, écorcherie, équarrissoir, fondoir, tueur, tuerie.

ASSONANCE. Allitération, concordance, consonance, écho, harmonie, répétition, rime.

ASSORTI. Achalandé, appareillement, approprié, décision, désassorti, échelle, harmonieux, rappareillé, semblable.

ASSORTIMENT. Assemblage, assiette, assortissement, beaucoup, bigarrure, classification, choix, dialecte, différence, disparité, diversité, espèce, garniture, jeu, lot, mélange, multiplicité, outillage, race, riche, service, uni.

ASSORTIR. Accorder, accoupler, agencer, apparier, couple, faire, harmoniser, marier, nuancer, nuer, paire.

ASSOUPI. Adouci, affaibli, atténué, calme, comateux, cuvé, endormi, ennuyeux, somnolent.

ASSOUPIR. Adoucir, apaiser, alléger, atténuer, bercer, calmer, endormir, engourdir, estomper, lénifier, somnoler.

ASSOUPISSANT. Agaçant, assommant, barbant, casse-pieds, contrariant, dégoûtant, embêtant, emmerdant, empoisonnant, ennuyant, ennuyeux, enquiquinant, importun, puant, rasant, rasoir, tuant, upas.

ASSOUPISSEMENT. Coma, dormir, endormissement, engourdissement, hypnose, sommeil, somnolence, sopor, torpeur.

ASSOUPLIR. Adoucir, atténuer, désarticuler, former, freiner, modérer, plier, ralentir, réserver, retenir, tempérer.

ASSOUPLISSANT. Adoucissant, anticalcaire, assouplisseur, dégras, palisson, rinçage.

ASSOUPLISSEMENT. Adoucissement, apathie, coma, dépression, diminuer, dormir, engourdissement, gymnastique, léthargie, malléabilisation, modération, narcose, sommeil, somnolence, torpeur.

ASSOUPLISSEUR. Adoucissant, anticalcaire, assouplissant, dégras, palisson, rinçage.

ASSOURDI. Agréable, aimable, amène, amorti, bénin, câlin, caressant, charitable, clément, dévoisé, docile, doucereux, doux, étouffé, feutré, gentil, indulgent, langoureux, liant, moelleux, mol, mou, ouaté, paisible, riant, satin, sirupeux, sociable, souple, soyeux, suave, sucré, tendre, tranquille, velouté.

ASSOURDIR. Abasourdir, amortir, assommer, atténuer, couvrir, enrayer, éteindre, étouffer, feutrer, noyer, refréner.

ASSOURDISSANT. Atténuant, bruyant, éclatant, étourdissant, fort, fracassant, résonnant, retentissant, sonore.

ASSOUVIR. Apaiser, calmer, combler, contenter, étancher, exaucer, manger, rassasier, remplir, repaître, satisfaire, soulager.

ASSOUVISSEMENT. Apaisement, contentement, étanchement, rassasiement, satiété, satisfaction, soulagement.

ASSUÉTUDE. Acclimatation, accommodation, accoutumance, adaptation, dépendance, habitude, tolérance, toxicomanie.

ASSUJETTI. Censier, censitaire, contribuable, imposable, imposé, prestataire, redevable, rivé, soumis, tributaire.

ASSUJETTIR. Ancrer, arrimer, asservir, caler, conquérir, domestiquer, dominer, opprimer, plier, régler, river.

ASSUJETTISSANT. Accablant, aliénant, asservissant, astreignant, contraignant, écrasant, pénible, pesant.

ASSUJETTISSEMENT. Asservissement, dépendance, domestication, esclavage, obéissance, obligation, servitude, soumission, subordination, sujétion, vassalité.

ASSUMER. Accepter, assurer, charger, endosser, entreprendre, occuper, porter, prendre, revendiquer.

ASSURANCE (n. p.). Delessert, Lloyd's.

ASSURANCE. Audace, bonus, confiance, conviction, courage, culot, fermement, fermeté, foi, hardiesse, gage, garant, garantie, hardiesse, malus, omnium, parole, police, prime, promesse, protection, sûr, sûreté, timidité, timoré, toupet.

ASSURÉ. Certain, clair, confiant, convaincu, crâne, criant, décidé, délibéré, éclatant, évident, ferme, garanti, hésitant, hoc, libre, lumineux, patent, personne, précaire, rassuré, résolu, stable, sûr, timide, transparent.

ASSURÉMENT. Certainement, certes, effectivement, évidemment, indubitablement, manifestement, oui, sûrement.

ASSURER. Accoter, affermir, affirmer, arrêter, attester, certifier, confirmer, déclarer, endosser, enhardir, fixer, garantir, fixer, jurer, promettre, protéger, renter, rentrer, répondre, retenir, saurer, soutenir, tâter.

ASSUREUR. Agent, apériteur, complice, courtier, inspecteur, prime, sinistre, surprise.

ASTASIE. Abasie, acalculie, atonie, constipation, contradiction, difficulté, impossibilité insomnie paralysie, sclérose, stérilité.

ASTATE. At, guêpe, halogène.

ASTER. Acris, alpellus, alpinus, amellus, bédoine, dumosus, pâquerette, pétouane, plante, sibiricus, vendangeuse.

ASTÉRACÉE (5 lettres). Aster, aunée, cirse, inule, jacée, radié, souci.

ASTÉRACÉE (6 lettres). Arnica, aulnée, bleuet, cardon, dahlia, endive, laitue, picris, safran, soleil, tagète, zinnia.

ASTÉRACÉE (7 lettres). Agérate, armoise, bardane, barbeau, chardon, maroute, œillet, romaine, scarole, sénéçon, witloof.

ASTÉRACÉE (8 lettres). Absinthe, achillée, ageratum, anthémis, centaure, chicorée, escarole, laiteron, pyrèthre, salsifis, sarrette, solidage, tanaisie.

ASTÉRACÉE (9 lettres). Artichaut, camomille, centaurée, cinéraire, edelweiss, épervière, eupatoire, gaillarde, hélianthe, lampourde, marouette, pulicaire, rudbeckia, rudbeckie, santoline, serratule, tournesol, tussilage.

ASTÉRACÉE (10 lettres). Citrouille, gaillardie, marguerite, matricaire, pâquerette, xéranthème.

ASTÉRACÉE (11 lettres). Citronnelle, mignonnette, synanthérée.

ASTÉRACÉE (12 lettres). Chrysanthème, millefeuille.

ASTÉRIDE. Astéroïde, échinoderme, encrine, étoile de mer, holothure, ophiure, oursin, prédateur.

ASTÉRIE. Anémone, astéride, échinoderme, étoile, étoile de mer, ophiure, stelléride.

ASTÉRISQUE. Appel, étoile, gaulois, grébiche, lettrine, marque, ombelle, pentacle, référence, renvoi, signe.

ASTÉROÏDE (n. p.). Adonis, Apollo, Aten, Cérès, Chiron, Éros, Euphrosyne, Hygéa, Intermamnia, Pallas, Vesta.

ASTÉROÏDE. Aérolithe, comète, étoile, météore, météorite, micrométéorite, planète, planétoïde, protoplanète, quasar, télescope.

ASTHÉNIE. Affaiblissement, anémie, débilité, difficulté, épuisement, exténuation, faiblesse, fatigue, paralysie.

ASTHME. Anhélation, apnée, dyspnée, essoufflement, halètement, han, oppression, pousse, stertor, stridor.

ASTICOT. Anormal, appât, bizarre, excentrique, flyé, guignol, insecte, larve, numéro, original, phénomène, ver.

ASTICOTER. Acculer, agacer, appâter, embêter, ennuyer, exciter, harceler, huer, obséder, suivre, taquiner, tourmenter.

ASTIGMATE. Astigmatisme, courbe, emmétropie, ériophydé, ophtalmométrie, optique, stigmatisme, tétrapode.

ASTIGMATISME. Astigmate, courbe, emmétropie, ophtalmométrie, stigmatisme.

ASTILBE. Fleur, hoteia.

ASTIQUAGE. Bichonnage, briquage, débarbouillage, décrassage, décrottage, détachage, essuyage, frottage, patience.

ASTIQUER. Briguer, briller, briquer, cirer, fourbir, frotter, laver, nettoyer, patience, peaufiner, polir, reluire.

ASTRAGALE. Adragante, barbe de renard, cheville, corbeille, fût, moulure, os, pied, réglisse, sainfoin, tibia.

ASTRAL. Astrologique, aura, céleste, ciel, étoile, horoscope, lune, nova, planétaire, sidéral, signe, stellaire, zodiacal.

ASTRE. Anneau, auréole, astrolâtrie, bord, ciel, comète, constellation, disque, éclipse, étoile, feu, galaxie, héliaque, immersion, limbe, libration, lune, météore, nébuleuse, planète, quasar, satellite, sidéral, soleil, univers, zodiaque.

ASTREIGNANT. Accablant, assujettissant, aliénant, contraignant, écrasant, exact, étroit, littéral, mitigé, sévère, strict, vrai.

ASTREINDRE. Asservir, astreindre, assujettir, attacher, atteler, brusquer, condamner, contraindre, dicter, enchaîner, engager, exiger, forcer, habituer, imposer, lier, obliger, proposer, réduire, servir, soumettre.

ASTREINTE. Amende, compulsion, constat, contrainte, coercition, contrainte, force, joug, moratoire, obligation, pression.

ASTRICTION. Asphyxie, astringence, choke, constriction, contraction, étouffement, étranglement, garrot, paralysie, paraphimosis, pertuis, phimosis, resserrement, rétrécissement, suffocation, strangulation.

ASTRINGENT. Alun, butée, cachou, cinchonine, citron, orpin, quinquina, renouée, restringent, styptique, tanin, tormentille.

ASTROBIOLOGIE. Astronomie, bioastrologie, bioastronomie, biologie, exobiologie, vie.

ASTROLOGIE. Décan, devin, divination, généthliologie, géomancie, hermétisme, horoscope, médium, sidéromancie, voyant, zodiaque.

ASTROLOGIE, SIGNE AZTÈQUE. Aigle, âne, chevreuil, chien, crocodile, eau, fleur, jaguar, lapin, lézard, maison, mort, pluie, roseau, serpent, silex, singe, tremblement de terre, vautour, vent.

ASTROLOGIE, SIGNE CHINOIS. Buffle, chat, cheval, chèvre, chien, cochon, coq, dragon, poule, rat, serpent, singe, tigre.

ASTROLOGIE, SIGNE ÉGYPTIEN (n. p.). Amon-Ra, Anubis, Bastet, Geb, Horus, Isis, le Nil, Mout, Osiris, Sekhmet, Seth, Thot.

ASTROLOGIE, SIGNE OCCIDENTAL. Balance, Bélier, Cancer, Capricorne, Gémeaux, Lion, Poissons, Sagittaire, Scorpion, Taureau, Verseau, Vierge.

ASTROLOGUE (n. p.). Aubry, Cardan, Chaldéens, Chalifoux, Charpentier, Dee, Gosselin, Haley, Nostradamus, Ruggieri.

ASTROLOGUE. Astrologien, astromancien, astronome, augure, devin, mage, vaticinateur.

ASTRONAUTE (n. p.). Aldrin, Armstrong, Carpenter, Chrétien, Clervoy, Collins, Cooper, Favier, Gagarine, Garneau, Glenn, Grissom, Haigneré, Leonov, Manarov, Nicollier, Payette, Ride, Shepard, Terechkova, Titov, Tognini, Yang.

ASTRONAUTE. Cosmonaute, navette, spationaute, taïkonaute.

ASTRONEF. Aérodyne, navette, ovni, satellite, spationef, station orbitale, vaisseau spatial, véhicule.

ASTRONOME. Abréviation, astre, astrologue, astrophysicien, cosmographe, cosmologiste, muses, observateur.

ASTRONOME ALLEMAND (n. p.). Ambronn, Apianus, Argelander, Arnold, Arrest, Auwers, Bayer, Beer, Bessel, Biela, Bode, Brendel, Bruhns, Brunnow, Encke, Fabricius, Foerster, Galle, Gauss, Graff, Guthnick, Hansen, Hartmann, Harzer, Herschell, Ideler, Kempf, Kepler, Knopf, Lambert, Lamont, Lindenau, Madler, Marius, Mayer, Mercator, Möbius, Mollweide, Muller, Olbers, Palitzsch, Peters, Regiomontanus, Rhaeticus, Rhaticus, Rumker, Scheiner, Schoner, Schonfeld, Schwabe, Sporer, Struye, Tempel, Titius, Winnecke, Wolf, Zach, Zöllner.

ASTRONOME AMÉRICAIN (n. p.). Abell, Adams, Aldrin, Armstrong, Baade, Bailey, Barnard, Bauer, Bethe, Bok, Bond, Boss, Bowen, Campbell, Cannon, Chandrasekhar, Chase, Chauvenet, Draper, Elkin, Frost, Hale, Hall, Hill, Holden, Hough, Hubble, Hynek, Hussey, Jacoby, Joti, Jotisi, Keeler, Kuiper, Leavitt, Loomis, Lowell, Maury, Newcomb, Pease, Peirce, Penzias, Peters, Pickering, Porter, Renize, Rogers, Russell, Sagan, Sandage, Schwarzschild, Seares, See, Shapley, Slipher, Struve, Swift, Todd, Tombaugh, Van Allen, Very, Walker, Watson, Wilson, Young.

ASTRONOME ANGLAIS (n. p.). Adams, Airy, Baily, Bradley, Brisbane, Carrington, Challis, Claxton, Clerke, Copeland, Darwin, Delarue, Dixon, Dunstable, Dyson, Eddington, Eddinton, Flamsteed, Gellibrand, Glaisher, Gompertz, Gregory, Groombridge, Halley, Herschell, Hind, Hooke, Horrocks, Huggins, Innes, Jeans, Jones, Lockyer, Lovell, Lubbock, Maskelyne, Mason, Michell, Milne, Muris, Newton, Parsons, Penrose, Pond, Pritchard, Proctor, Ryle, Sheepshanks, Todd, Wales, Ward.

ASTRONOME ARABE (n. p.). Alhazen, Arzachel, Battani, Biruni, Hazin, Zarqali.

ASTRONOME ATHÉNIEN (n. p.). Méton.

ASTRONOME AUTRICHIEN (n. p.). Falb, Hagen, Littrow, Purbach.

ASTRONOME BELGE (n. p.). Quételet, Stroobant.

ASTRONOME BRITANNIQUE (n. p.). Adams, Airy, Bradley, Eddington, Halley, Herschel, Hooke, Hoyle, Jeans, Lockyer, Newton.

ASTRONOME CANADIEN (n. p.). Choquette, Klotz, Plaskett, Reeves.

ASTRONOME DANOIS (n. p.). Brahe, Dreyer, Hansen, Hertzsprung, Longomontanus, Römer, Schumacher.

ASTRONOME ÉCOSSAIS (n. p.). Anderson, Ferguson, Gill, Gregory, Henderson, Nichol, Wilson.

ASTRONOME ÉGYPTIEN (n. p.). Ptolémée.

ASTRONOME ESPAGNOL (n. p.). Méchain.

ASTRONOME FINLANDAIS (n. p.). Stone.

ASTRONOME FLORENTIN (n. p.). Ruggieri.

ASTRONOME FRANÇAIS (n. p.). Arago, Auzout, Babinet, Bailly, Beauchamp, Bigourdan, Biot, Borelly, Bouvard, Burckhart, Cassini, Chacornac, Chazelles, Danjon, Delambre, Delaunay, Delisle, Deslandres, Esclangon, Faye, Fernel, Flammarion, Flamsteed, Gassendi, Henry, Janssen, LaCaille, LaGrange, LaHire, Lalande, Lallemand, Laplace, Laussedat, Lemonnier, LeVerrier, Loewy, Lyot, Maraldi, Marie-Davy, Maupertuis, Méchain, Messier, Moreux, Mouchez, Nostradamus, Picard, Pons, Puiseux, Rayet, Schatzman, Thury, Tisserand, Vallot, Wolf.

ASTRONOME GÉORGIEN (n. p.). Ambartsoumian.

ASTRONOME GREC (n. p.). Apollonios, Aristarque, Aristote, Callippos, Cléomène, Ératosthène, Eudoxe, Hipparque, Ptolémée, Théon, Timokhari.

ASTRONOME HOLLANDAIS (n. p.). Fabricius, Snel, Snel Vanroyen.

ASTRONOME INDIEN (n. p.). Aryabhata, Brahmagupta.

ASTRONOME IRLANDAIS (n. p.). Ball, Hamilton, Molyneux, Parsons.

ASTRONOME ITALIEN (n. p.). Amici, Bianchini, Borelli, Boscovich, Donati, Fracastoro, Frisi, Galilée, Oriani, Piazzi, Riccioli, Ruggieri, Schiaparelli, Secchi, Tacchini.

ASTRONOME MUSULMAN (n. p.). Khwarizmi.

ASTRONOME NÉERLANDAIS (n. p.). Blaeu, De Sitter, Huygens, Huyghens, Kapteyn, Oort, Sitter.

ASTRONOME NORVÉGIEN (n. p.). Hansteen.

ASTRONOME POLONAIS (n. p.). Copernic, Hevelius.

ASTRONOME PORTUGAIS (n. p.). Nonius.

ASTRONOME QUÉBÉCOIS (n. p.). Reeves.

ASTRONOME RUSSE (n. p.). Bredichin, Fridman, Friedman, Shklovsky, Strouve, Struve.

ASTRONOME SUÉDOIS (n. p.). Angstrom, Backlund, Bohlin, Branting, Celsius, Duner, Gylden, Lindblad, Stromgren.

ASTRONOME SUISSE (n. p.). Zwicky.

ASTRONOME TCHÈQUE (n. p.). Kohoutek.

ASTRONOME YOUGOSLAVE (n. p.). Milankovic.

ASTRONOMIE. Astrophographie, astrophysique, azimut, cosmologie, cosmogonie, équatorial, planétologie, radioastronomie, sélénologie, sidérostat, télescope.

ASTRONOMIQUE. Azimut, colossal, démesuré, élevé, énorme, exagéré, excessif, fantastique, faramineux, fou, gigantesque, incroyable, phénoménal.

ASTRONOMIQUEMENT. Affreusement, amplement, beaucoup, bigrement, copieusement, fort, gros, maximum, très.

ASTROPHYSICIEN (n. p.). Alfven, Ambartsoumian, Biermann, Chandrasekhar, Danjon, Deslandres, Draper, Eddington, Fowler, Gamow, Hale, Hertzsprung, Hoyle, Hubble, Hulse, Lallemand, Lemaître, Lockyer, Lyot, Reeves, Russell, Sagan, Sandage, Shapley, Schatzman, Spitzer, Zwicky.

ASTUCE. Combine, escamotage, escroquerie, fourberie, fraude, frime, habileté, machination, ruse, tour, truc.

ASTUCIEUSEMENT. Adroit, adroitement, ambassadorial, brillamment, diplomatiquement, faufiler, finement, habile, habilement, insinuer, politique, politiquement, prudent, savamment, semer.

ASTUCIEUX. Adroit, avisé, débrouillard, fallacieux, filou, fin, fort, fortiche, fouine, fourbe, génial, gimmick, grec, habile, imaginatif, ingénieux, insidieux, intelligent, malin, matois, retors, roué, rusé, sioux, trompeur.

ASYMBOLIE. Acalculie, affection, agnosie, alexie, amusie, aphasie, apraxie, astéréognosie, cécité, hypoacousie, otospongiose, somatognosie, sourd-muet, surdi-mutité, surdité, tympanoplastie.

ASYMPTOTE. Absence, anéantir, aucun, bagatelle, courbe, droite, effacer, équilatère, éteindre, néant, nier, non, nul, ras, rayer, rien, sans, valeur, vide, zéro.

ATACA. Atoca, airelle, baie, canneberge, coussinet, éricacée, gadelle, myrtille, pimbina.

ATARAXIE (n. p.). Démocrite, Épicure.

ATARAXIE. Apathie, béatitude, calme, détachement, impassibilité, quiétude, sérénité, tranquillité.

ATAVISME. Ancestral, atavique, génération, génotype, hérédité, micromérisme, naissance, réapparition, ressemblance.

ATAXIE. Absence, défection, désordre, difficulté, dysarthrie, incoordination, incurie, négligence, tabès.

ATÈLE. Alouate, capucin, cébidé, hurleur, lagothrix, lagotriche, platyrrhinien, saï, saïmiri, sajou, singe, singe-araignée.

ATELIER. Agence, armurerie, arsenal, boutique, brûlerie, cabinet, chantier, corderie, couture, fabrique, forge, garage, laboratoire, laverie, lavoir, local, loge, menuiserie, ouvroir, studio, tournerie, usine.

ATÉMI. Coup, horion, japonais.

ATERMOIEMENT. Ajournement, attentisme, délai, faux-fuyant, hésitation, lenteur, manœuvre, préfixion, tergiversation.

ATERMOYER. Attendre, biaiser, délai, différer, finasser, hésiter, procrastiner, retarder, tarder, temporiser, tergiverser.

ATHALIE (n. p.). Achab, Jézabel, Joad, Joas, Joram, Ochozias, Racine.

ATHÉE. Agnostique, antireligieux, areligieux, défiant, dubitatif, hérétique, libertin, impénitent, impie, incrédule, incroyant, indévot, irréligieux, libertin, mécréant, païen, perplexe, rationaliste, sceptique.

ATHÉISME. Agnosticisme, apostasie, doute, hérésie, impiété, incroyance, irréligion, matérialisme, opinion, péché.

ATHÉNA (n. p.). Athènes, Callicratès, Élatée, Encelade, Iliade, Méduse, Mentor, Minerve, Odyssée, Pâris, Parthénon, Phidias, Télémaque, Zeus.

ATHÉNA. Art, déesse, égide, panathénées, sagesse, science.

ATHÈNES. Aréopage, héliaste, nomothète, prytane.

ATHLÈTE. Boxeur, challenger, challengeur, champion, coureur, décathlonien, discobole, gymnaste, hurdler, lanceur, lutteur, nageur, perchiste, pugiliste, recordman, sauteur, soigneur, sportif, supporter, triathlète.

ATHLÈTE AMATEUR ALGÉRIEN (n. p.). Boulmerka.

ATHLÈTE AMATEUR AMÉRICAIN (n. p.). Beamon, Fosbury, Johnson, Lewis, Oerter, Owens, Weissmuller.

ATHLÈTE AMATEUR CANADIEN (n. p.). Harvey, Johnson, Surin.

ATHLÈTE AMATEUR ÉTHIOPIEN (n. p.). Bikila.

ATHLÈTE AMATEUR FINLANDAIS (n. p.). Nurmi.

ATHLÈTE AMATEUR FRANÇAIS (n. p.). Bouin, Ladoumègue, Mimoun, Pérec.

ATHLÈTE AMATEUR GREC (n. p.). Milon.

ATHLÈTE AMATEUR MAROCAIN (n. p.). Aouita.

ATHLÈTE AMATEUR SUISSE (n. p.). Günthôr.

ATHLÈTE AMATEUR TCHÈQUE (n. p.). Zatopek.

ATHLÈTE AMATEURE CANADIENNE (n. p.). Fréchette.

ATHLÉTIQUE. Bréviligne, costaud, exerciste, fort, gaillard, gymnastique, musclé, puissant, robuste, sportif.

ATHLÉTISME. Biathlon, course, décathlon, décathlonie, diaule, disque, heptathlon, javelot, haltérophilie, lancer, marathon, marteau, olympisme, pentathle, pentathlon, quinquerce, saut, sport, triathlon.

ATLANTE (n. p.). Cariatide, Télamon.

ATLANTE. Cariatide, caryatide, colonne, dos, entablement, minerve, ornement, support, statue, télamon.

ATLANTIQUE. Golfe, iroise, océan, océane, province, saumon, transatlantique.

ATLAS (n. p.). Épiméthé, Japet, Clyméné, Prométhée, Pléiades, Titan, Zab, Zeus.

ATLAS. Carte, géant, géographie, livre, os, ouvrage, recueil, titan, vertèbre, voûte.

ATMAN. Âme, cœur, conscience, exprit, mystère, pensée, principe, psyché, psychisme, souffle, spiritualité, transcendance.

ATMOSPHÈRE. Air, ambiance, ATM, aura, bar, baromètre, climat, exobase, exosphère, grisaille, hétérosphère, homosphère, ionosphère, magnétosphère, mésopause, mésosphère, milieu, stratopause, stratosphère, temps, thermosphère, touffeur, tropopause, troposphère.

ATOCA. Ataca, airelle, baie, canneberge, coussinet, éricacée, gadelle, myrtille, pimbina.

ATOLL (n. p.). Bikini, Clipperton, Kiritimati, Majuro, Misway, Mururoa, Nauru, Pohnpei, Tarawa, Wake.

ATOLL. Corail, écueil, île, îlot, javeau, lagon, lagune, nauru, récif.

ATOME. Anion, aryle, atomique, bactérie, brin, chélate, corpuscule, crochus, deuton, électron, goutte, intranucléaire, ion, matière, microbe, neutron, noyau, particule, petit, proton, redox, rien, soupçon, thiazole, unité.

ATOMIQUE. Angstrœm, angström, atomiste, magnéton, masse, nombre, nucléaire, numéro, plutonium, réacteur.

ATOMISATION. Désagrégation, désintégration, dislocation, dispersion, dissolution, fractionnement, pulvérisation, vaporisation.

ATOMISER. Asperger, décomposer, détruire, disperser, diviser, fractionner, nébuliser, pulvériser, vaporiser, vitrifier.

ATOMISEUR. Aérosol, bombe, brumisateur, nébuliseur, pulvérisateur, spray, sulfateuse, vaporisateur.

ATOMISTE. Agnosticiste, chosiste, hylozoïsme, marxiste, matérialiste, objectiviste, physicien, radicaliste, relativiste.

ATONAL. Amorphe, apathique, dodécaphonique, éteint, faible, harmonie, inerte, morne, mou, neutre, sériel.

ATONE. Affaissé, amorphe, éteint, immobile, inaccentué, inerte, inexpressif, languissant, morne, mou, paresseux.

ATONIE. Abattement, anémie, apathie, calme, catatonie, débilité, engourdi, entropie, faiblesse, force, fragilité, hypotonie, immobilité, impotence, impuissance, inertie, manque, paralysie, paresse, vitalité.

ATOURS. Arranger, bijou, fringues, ornement, parure, tissu, vêtement.

ATOUT. Argent, argument, arme, avantage, bridge, brisque, carreau, carte, chance, cœur, couleur, coup, coupe, favorable, fortune, hasard, main, moyen, petit, pique, privilège, sort, succès, trèfle, viatique.

ATRABILAIRE. Acariâtre, bile, bilieux, chatouilleux, coléreux, colérique, emporté, irascible, irritable, mélancolie.

ATRABILE. Abandon, abattement, accablement, affliction, amer, amertume, austérité, cafard, chagrin, dégoût, dépression, deuil, mélancolie, morosité, népenthès, nostalgie, peine, renfrognement, tristesse, vague.

ÂTRE. Atramentaire, cheminée, chenet, foyer, manteau, noir, nébuleux, obscur, stéganique, trémie.

ATRÉE (n. p.). Agamemnon, Atrides, Égisthe, Ménélas, Pélops, Thyeste.

ATRIUM. Assises, aulique, cloître, compluvium, côté, cour, hôtelière, impluvium, jardin, narthex, parvis, patio, théâtre.

ATROCE. Abominable, affreux, barbare, brutal, cauchemardesque, cruel, dégoûtant, effrayant, effroyable, épouvantable, hideux, horrible, ignoble, infâme, inhumain, insupportable, intolérable, monstrueux, odieux, sadique.

ATROCEMENT. Affreusement, atrocité, cruellement, épouvantablement, horriblement, laidement, monstrueusement.

ATROCITÉ. Aversion, barbarie, brutalité, cauchemar, dégoût, effroi, émotion, épouvantable, exécrer, frisson, haine, horreur, hydrophobie, monstruosité, peur, photophobie, sadisme, stupeur, terreur, vide.

ATROPHIE. Abaissement, abjection, agonie, altération, amyotrophie, baisse, étiole, faiblesse, maigreur, paralysie.

ATROPHIER. Affaiblir, amoindrir, cesser, dégrader, dépérir, détruire, diminuer, disparaître, éteindre, étioler, ratatiner, réduire, supprimer.

ATROPINE. Anticholinergique, belladone, benztropine, cyclopentolate, glycopyrrolate, propanthéline, scopolamine, trihexyphédyle.

ATTABLER. Agir, besogner, bosser, bricoler, écosser, manœuvrer, produire, réunir, suer, travailler, trimer.

ATTACHANT. Attendrissant, attirant, attrayant, captivant, charmant, désarmant, émouvant, ensorcelant, ensorceleur, enthouisiasmant, enveloppant, fascinant, intéressant, passionnant, prenant, ravissant, séduisant.

ATTACHE. Accointances, adné, amitié, ancré, ars, articulation, attèle, boucle, calé, chaîne, collé, contact, corde, épris, et, fixation, fixé, hart, jointure, lacé, laisse, lichette, lie, lien, ligament, noué, rapport, rivé, vissé.

ATTACHÉ. Accroché, accouplé, adhère, adhérent, adjoint, agrafé, amarré, ambassade, ambassadeur, amoureux, ancré, attelé, captif, cloué, épris, ficelé, fixé, inclus, obéissant, partisan, tenace, uni.

ATTACHEMENT. Adhérent, affection, amitié, amour, avarice, dévotion, enticher, fidélité, goût, inclinaison, intérêt, liaison, lié, moi, nœud, passade, piété, rigorisme, sensualité, sentiment, sympathie, ténacité, tendresse, vénération, véracité.

ATTACHER. Accouder, accouer, accrocher, adonner, agrafer, amarrer, ancrer, annexer, atteler, botteler, brêler, caler, cheviller, clouer, coller, coudre, coupler, cramponner, dévoter, enchaîner, encorder, engager, enjuguer, ficeler, fixer, harder, lacer, lier, ligaturer, ligoter, nouer, palisser, pendre, plaire, relier, river, souder, visser.

ATTAQUABLE. Bénin, bon, chétif, controversable, débile, discutable, énervé, épuisé, étiolé, faible, fatigué, fluet, grêle, léger, menu, mou, pâle, petit, précaire, réfutable, usé, veule, vil, vulnérable.

ATTAQUANT. Agresseur, assaillant, avant, joueur, offenseur, oppresseur, persécuteur, provocateur.

ATTAQUE. Accusation, agression, assaut, attentat, botte, braquage, chant, charge, cluster, combat, congestion, crise, critique, estocade, ictus, interception, mord, morsure, nerf, offensive, paralysie, raid, riposte, ruade, rescousse, saignée, sangsue, scène, sus.

ATTAQUER. Aborder, affronter, agresser, arguer, assaillir, attentat, bombarder, braquer, charger, combattre, défier, dénigrer, entamer, exécuter, inciser, insulter, lapider, livrer, miner, miter, mordre, pourfendre, quereller, riposter, ruer, salir, torpiller, violer.

ATTARDÉ. Arriéré, crétin, débile, déficient, dégénéré, demeuré, idiot, retardé, rétrograde, simple, taré.

ATTARDER. Appesantir, arrêter, bretter, coller, demeurer, étendre, flâner, insister, lambiner, muser, pedzer, retarder, traînasser, traîner.

ATTEIGNABLE. Abscons, abstrait, abstrus, accessible, adéquat, attrapable, clair, compréhensible, concevable, défendable, explicable, facile, intelligible, naturel, normal, pardonnable, pénétrable, saisissable, simple, touchable.

ATTEINDRE. Aborder, accéder, affecter, arriver, attester, blesser, but, calomnier, cingler, contacter, culminer, décrocher, éclabousser, égaler, gagner, heurter, intact, joindre, léser, obtenir, parvenir, piquer, plafonner, rater, rejoindre, toucher, venir, viser.

ATTEINT. Abordé, accédé, affecté, arrivé, attesté, blessé, calomnié, cinglé, dérangé, dingue, égalé, éprouvé, fêlé, fou, gaga, gâteux, heurté, lésé, mal, malade, pris, souffrant, taré, troublé, visé.

ATTEINTE. Avarie, blessure, casse, contrainte, coup, crise, dégât, désavantage, dommage, douleur, entorse, épidémie, flétrissure, infraction, injustice, lésion, offense, outrage, perte, préjudice, ribordage, sinistre.

ATTELAGE. Abordage, accrochage, amarrage, attirail, caparaçon, docile, engagement, équipement, harnachement, harnais, joug, postillon, quadrige, système, troïka, vêtement.

ATTELER. Aborder, accrocher, ancrer, appliquer, attacher, attaquer, commencer, cramponner, débuter, démarrer, engager, enrêner, entamer, entreprendre, fixer, harder, joindre, joug, lier, ligoter, livrer, relier, unir.

ATTELLE. Attache, bandage, bande, brancard, capeline, contention, écharpe, éclisse, glisse, gouttière, lacs, ligature, mancelle, orthèse, os, planchette, plâtre, pneu, spica, suspensoir, timon, toile, trait.

ATTENANT. Accolé, adjacent, avoisinant, contigu, joignant, jouxtant, juxtaposé, limitrophe, prochain, voisin.

ATTENDRE. Anticiper, bayer, compter, croquer le marmot, durer, épier, escompter, espérer, éterniser, guetter, illico, languir, macérer, mariner, maronner, menacer, moisir, niaiser, patienter, poireauter, poiroter, poser, pourrir, traîner.

ATTENDRI. Abattu, abruti, affaibli, amorti, anémie, anémié, asthénique, aveuli, blasé, caduc, cassé, décrépit, dépéri, déprimé, ébranlé, émoussé, ému, étiolé, faible, fatigué, gâteux, moindre, réduit, usé, vieilli.

ATTENDRIR. Amollir, apitoyer, craquer, émeuter, émotionner, émouvoir, fléchir, remuer, toucher, troubler.

ATTENDRISSANT. Attachant, désarmant, émouvant, larmoyant, prenant, touchant.

ATTENDRISSEMENT. Apitoiement, commisération, compassion, compatissant, déplorant, fumiste, généreux, mal, médiocre, méprisable, minable, misérable, moche, navrant, pitié, tendresse, triste.

ATTENDU. Car, comme, considérant, douté, efficace, espéré, inattendu, motif, parce que, vu.

ATTENTAT (n. p.). Baader, Damiens, Orsini, Stauffenberg.

ATTENTAT. Agression, assassinat, assises, atrocité, attaque, atteinte, brigandage, complot, coup, cour, délit, faute, forfait, justice, lèse-majesté, méfait, meurtre, piraterie, préjudice, procès, tentative, outrage.

ATTENTATOIRE. Adverse, contraire, défavorable, dommageable, hostile, mesure, nuisible, opposé, préjudiciable.

ATTENTE. Affût, calme, délai, désir, espérance, espoir, expectance, expectation, expectative, faction, instance, lapin, latence, orme, pause, pendant, poireau, poireautage, présomption, remise, station, sursis, suspense.

ATTENTER. Attaquer, commettre, ébrécher, enfreindre, entreprendre, léser, nuire, offenser, outrager, perpétrer, violer.

ATTENTIF. Absorbé, appliqué, assidu, circonspect, complaisant, concentré, curieux, diligent, écoute, entourer, prévenant, soigneux, vigilant.

ATTENTION. Amabilité, application, concentration, délicatesse, dissipation, distraction, égard, empressement, esprit, étourderie, étude, garde, gare, hem, inattention, intérêt, obligeance, œil, psitt, soin, vigilance, zèle.

ATTENTIONNÉ. Accommodant, affable, agréable, aimable, appliqué, attentif, avenant, circonspect, curieux, délicat, diligent, doux, empressé, exact, facile, galant, gentil, maternel, poli, prévenant, vigilant.

ATTENTISME. Atermoiement, dilatoire, hésitation, lenteur, opportunisme, préfixion, retardement, taponnage, temporisation.

ATTENTISTE. Ambitieux, arriviste, bénéficiaire, calculateur, combinard, exploitant, intrigant, maniganceur, maquignon, opportuniste, prébendier, profiteur, souteneur, sybarite.

ATTÉNUATION. Adoucissement, affaiblissement, allégement, antalgie, assoupissement, désinflation, diminutif, diminution, rémission, rémittence, sédation.

ATTÉNUER. Adoucir, affaiblir, aggraver, amoindrir, amortir, assoupir, assouplir, assourdir, bémoliser, calmer, corriger, débiliter, détendre, diluer, diminuer, édulcorer, émousser, endormir, engourdir, épuiser, estomper, éteindre, gommer, lénifier, mitiger, modérer, neutraliser, remédier, tempérer.

ATTERRANT. Accablant, affligeant, affolant, alarmant, angoissant, attristant, chagrinant, consternant, déplorable, désespérant, désolant, effrayant, inquiétant, misérable, navrant, préoccupant, terrorisant.

ATTERRER. Abattre, accabler, anéantir, briser, consterner, démoraliser, désoler, effondrer, foudroyer, stupéfier.

ATTERRIR. Aboutir, alunir, amerrir, apponter, arriver, atterrissage, crash, écraser, piste, poser, retentir, surprendre.

ATTERRISSAGE. Abordage, accostage, altiport, alunissage, amerrissage, apparition, appontage, approche, arrivée, arrondi, attitude, crash, I.L.S., ostention, pose, stol, survenue, train, venue.

ATTESTATION. Affirmation, assurance, certificat, certitude, confirmation, quittance, référence, satisfaction, témoin.

ATTESTER. Affermir, affirmer, approuver, appuyer, assurer, avérer, certifier, cimenter, compléter, confirmer, consacrer, corroborer, contresigner, déclarer, émarger, garantir, jurer, promettre, prouver, signer, témoigner.

ATTIÉDI. Adouci, affaibli, éteint, froid, modéré, refroidi, tempéré, tiède.

ATTIÉDIR. Adoucir, diminuer, doucher, éteindre, modérer, rafraîchir, refroidir, tiédir.

ATTIÉDISSEMENT. Affaiblissement, catarrhe, grippe, inflammation, influenza, morfondure, refroidissement, rhume.

ATTIFEMENT. Accoutrement, affublement, attirail, défroque, déguisement, fagotage, habillement, ornement, parement.

ATTIFER. Accoutrer, affubler, agayonner, amancher, arranger, bizarre, fagoter, ficeler, harnacher, orner, parer.

ATTIGER. Abîmer, abuser, ambitionner, charrier, combler, dépasser, exagérer, forcer, meurtrir, pousser.

ATTIQUE (n. p.). Athènes, Grèce.

ATTIQUE. Atticurge, couronnement, élégance, étage, eupatride, finesse, ionien, marathon, plaisanterie, tribu.

ATTIRAIL. Affaires, appareil, bagage, barda, bastringue, bataclan, bazar, chargement, fourbi, outil, train.

ATTIRANCE. Amour, appât, attraction, attrait, charisme, charme, élan, faible, hétérosexuel, intérêt, penchant, séduction.

ATTIRANT. Affriolant, aguichant, aimable, alléchant, appât, attachant, attirable, attracteur, attractif, attrait, attrayant, captivant, charmant, engageant, fascinateur, magnétique, piquant, ravissant, séduisant, sexy, tentant.

ATTIRER. Affriander, affrioler, aguicher, allécher, alerter, amener, appâter, aspirer, attraction, attraper, avertir, capter, causer, charmer, conduire, drainer, enrôler, entraîner, flatter, humer, leurrer, occasionner, piéger, plaire, polariser, provoquer, racoler, ravir, recruter, séduire, solliciter, souligner, sucer, tenter, tirer, tousser, trôner, valoir, venir.

ATTISER. Accroître, activer, aggraver, aiguillonner, allumer, animer, attisoir, augmenter, aviser, aviver, déchaîner, emballer, embraser, enflammer, enthousiasmer, entretenir, exacerber, exciter, ranimer, ringardage, stimuler, tisonner, tisonnier.

ATTITRÉ. Chargé, confirmé, exclusivité, habituel, patenté, posté, propre, titre, titulaire.

ATTITUDE. Action, air, allure, bravade, carrure, centrisme, conduite, contenance, contorsion, crânerie, décubitus, défi, démagogie, dogmatisme, éclectisme, effet, ethos, geste, hanchement, humilité, inobservance, intolérance, irénisme, ligne, maintien, manière, morgue, négativisme, nombrilisme, pantomime, partialité, paternalisme, port, pose, position, positivisme, posture, pragmatisme, prestance, procédé, quant-à-soi, raciste, sexisme, tenue, ton, tournure, triomphalisme, utopisme.

ATTRACTIF. Affriolant, aguichant, aimable, alléchant, appât, attachant, attirable, attirant, attracteur, attrait, attrayant, captivant, charmant, compétitif, concurrentiel, engageant, fascinateur, magnétique, performant, piquant, ravissant, séduisant, sexy, tentant.

ATTRACTION. Aimant, allèchement, attirance, attirement, attrait, bal, charme, clou, distraction, entraînement, fascination, goût, gravitation, gravité, manège, or, pesanteur, pôle, séduction, spectacle, tendance, tir, tropisme.

ATTRAIT. Agrément, allèchement, appât, attirance, attirement, attraction, charme, chic, classe, coquetterie, entraînement, fascination, goût, grâce, magnétisme, prestige, pureté, séduction, spectacle, tentation, tropisme.

ATTRAPADE. Accusation, attaque, blâme, censure, correction, critique, engueulade, grief, réprimande, savon.

ATTRAPE. Blague, canular, facétie, farce, fumisterie, mystification, niche, piège, plaisanterie, reçu, tour.

ATTRAPE-MOUCHE. Dionée, droséra, droséracée, piège, plante.

ATTRAPE-NIGAUD. Duperie, embuscade, guêpier, guet-apens, leurre, miroir, piège, ruse, traquenard, tromperie.

ATTRAPER. Abuser, agrafer, agripper, appâter, arrêter, atteindre, blâmer, choper, contracter, gober, gripper, happer, injurier, obtenir, piéger, piger, pogner, prendre, rattraper, rejoindre, réprimander, saisir, toucher, tromper.

ATTRAYANT. Agréable, agrémenter, alléchant, amusant, appétissant, attachant, attirant, attractif, beau, captivant, charmant, enchanteur, engageant, intéressant, orné, plaisant, prestigieux, ravissant, séduisant, tentant.

ATTRIBUABLE. Adéquat, applicabilité, applicable, concédable, congru, conguent, convenable, imputable, possible, praticable, superposable, supposable.

ATTRIBUÉ. Accordé, adjugé, affecté, alloué, appelé, choisi, concédé, dévolu, imparti, imputable, imputé, réservé, supposé.

ATTRIBUER. Accorder, accuser, adjuger, allouer, annexer, appeler, appliquer, approprier, arroger, assigner, considérer, dater, décerner, dédier, déférer, destiner, donner, ériger, impartir, imputer, jeter, lancer, livrer, nommer, octroyer, porter, prêter, qualifier, rendre, taxer, usurper, vouer.

ATTRIBUT. Adjectif, apanage, caractéristique, contingence, copule, cuivré, emblème, marque, particularité, pedum, prédicat, prérogative, propriété, qualité, sexe, signe, symbole, testicule, trident.

ATTRIBUTAIRE. Allocataire, bénéficiaire, cessionnaire, client, commanditaire, héritier, impétrant, prestataire, rentier.

ATTRIBUTION. Adjudication, affectation, allocation, appel, assignation, cession, concession, dévolution, distribution, don, dotation, droit, emploi, imputation, octroi, plagiat, remise, retenue, retrait, saisie, subvention.

ATTRISTANT. Affligeant, atterrant, chagrinant, consternant, déplorable, désolant, navrant, pénible, triste

ATTRISTÉ. Affligé, assombri, chagriné, désolé, ému, endeuillé, éploré, marri, morose, navré, peiné, triste.

ATTRISTER. Abattre, accabler, affecter, affliger, arracher, assombrir, assommer, atterrer, chagriner, confus, consterner, contrarier, contraster, désoler, embrumer, émouvoir, éplorer, fâcher, frapper, marri, navrer, peiner.

ATTRITION. Chagrin, componction, contrition, épuisement, honte, pénitence, regret, remords, repentir, retraite.

ATTROUPEMENT. Abondance, affluence, armada, armée, assemblée, bande, foule, groupe, masse, meute.

ATTROUPER. Ameuter, assembler, masser, mobiliser, rallier, ramasser, rameuter, rassembler, réunir, troupe.

ATYANAX (n. p.). Andromaque, Hector, Ulysse, Troyennes.

ATYPIQUE. Aberrant, anormal, déviant, inclassable, indéfinissable, indéterminable, irrégulier, original, ovni, spécial.

AUBADE. Accouplement, aube, avanie, concert, fenêtre, huée, matin, récital, sérénade.

AUBAINE. Bonheur, bon marché, chance, déduction, démarque, droit, escompte, hasard, indemnité, libératoire, liquidation, manne, matelotage, occasion, pot, profit, rabais, reste, solde, spécial, succession, veine.

AUBE. Ailette, aubette, aubois, aurore, chasuble, commencement, crépuscule, courrière, début, lever, lueur, matin, naissance, orient, pâle, palette, pique, point, robe, roue, sacerdotal, surplus, vêtement.

AUBÉPINE. Acinier, arbuste, aubépin, azérolier, buisson, cenelle, cenellier, crataegus, épine, ergot, fleur, mespilus, néflier, pyracantha, rosacée, rhynchite, senellier.

AUBERGE. Ajiste, aubergiste, cabaret, cambuse, caravansérail, crèche, gîte, guinguette, hall, hôtel, logis, lupanar, maison, motel, palace, pension, posada, rambouillet, relais, restaurant, taule, taverne.

AUBERGINE. Albergine, contractuelle, courge, mélongène, mélongine, morelle, moussaka, solanum, viédase.

AUBERGISTE. Cabaretier, hôte, hôtelier, logeur, patron, popotier, taulier, tavernier, tenancier, tôlier.

AUBETTE. Abri, baignoire, belvédère, boutique, concert, édicule, gloriette, journal, kiosque, musique, pavillon, stand, tonnelle.

AUBIER. Aracée, arbuste, aubour, cytise, ébénier, faux acacia, faux ébénier, genêt, grappe, hérissonne, viorne.

AUBURN. Acajou, brun, châtain, châtain-roux, couleur, roux.

AUCUBA. Arbrisseau, arbuste, chinensis, cornacées, himalaica, japonica, panaché.

AUCUN. Indéfini, jamais, non, nul, pas, personne, plusieurs, quelque, repic, rien, sans, sûr, un, zain, zéro.

AUCUNEMENT. Goutte, macache, mie, négativement, nenni, nullement, pantoute, pas, pas du tout, point, rien.

AUDACE. Affront, aplomb, assurance, bravoure, cœur, courage, cran, culot, décision, détermination, effronterie, encourager, fierté, front, hardi, hardiesse, insolence, oser, solution, téméraire, témérité, timidité, toupet, valeureux.

AUDACIEUSEMENT. Bravement, courageusement, hardiment, intrépidement, résolument, vaillamment, valeureusement.

AUDACIEUX. Assuré, aventureux, aventurier, brave, courageux, culotté, décidé, dynamique, effronté, énergique, entreprenant, fier, fonceur, gaillard, hardi, intrépide, leste, libertin, osé, pusillanime, résolu, téméraire.

AU-DELÀ. Ample, après, coyau, excès, hors, limbes, loin, nirvana, oasis, outre, par, para, paradis, passé, tric.

AU-DESSUS. Amont, as, avantage, ciel, cime, couronnement, crête, croûte, dessus, éminent, empeigne, épi, haut, hors, hyper, lob, premier, supériorité, supra, sur, surpasser, supérieurement, sus, timbre, toit, ultra, vaincre.

AUDIBLE. Appréciable, articulé, branchie, clair, constatable, discernable, distinct, dolby, écoutable, entendre, identifiable, inaudible, perceptible, reconnaissable, saisissable, sensible, téléphone.

AUDIENCE. Auditoire, conférence, confrontation, entretien, entrevue, plaid, prétoire, rencontre, salle, séance.

AUDIENCIER. Annoncier, appariteur, constat, huissier, massier, nomenclateur, officier, protêt, sommation.

AUDIOMÈTRE. Acoumètre, acuité, audimat, audimètre, auditif.

AUDIT. Auditeur, commissaire, comptable, consultant, diagnostic, facturier, payeur, receveur, trésorier, vérificateur.

AUDITEUR. Audit, auditorat, observateur, participant, public, regardeur, rote, spectateur, témoin, vérificateur.

AUDITIF. Audiomètre, cérumen, hypoacousie, malentendant, nerf, oreille, otoscope, ouïe, sourd, tragus.

AUDITION. Acoustique, audiologie, auditorium, bruit, concert, corti, dysacousie, écoute, entendre, épreuve, essai, examen, épreuve, fonction, inaudible, oreille, ouïe, phonétique, présentation, récital, surdité, test.

AUDITIONNER. Consulter, créditer, diagnostiquer, donner, écouter, examiner, présentation, présenter, réciter, vérifier.

AUDITOIRE. Amphithéâtre, assemblée, assistance, audience, auditorium, foule, galerie, public, salle, spectateur.

AUDITORIUM. Amphithéâtre, cénacle, cinéma, classe, échaudoir, enceinte, entrée, exèdre, foyer, galerie, hall, loge, mess, naos, odéon, pièce, planétarium, prétoire, réfectoire, salle, salon, théâtre, trinquet, vivoir.

AUGE. Abreuvoir, augée, auget, augette, bac, bassin, binée, bouloir, crèche, fiord, fjord, godet, laye, mangeoire, maye, minette, oiseau, récipient, rigole, ripe, trémie, vaisseau, vallée, vide.

AUGET. Auge, augette, bassinet, cuveau, godet, seau, turbine.

AUGMENTATIF. Allegro, amplificatif, assai, beaucoup, lento, presto, très, vif.

AUGMENTATION. Accélération, accrue, acétonémie, acétonurie, aggravation, anaphylaxie, baby-boom, cétose, crescendo, croissance, crue, dilatation, échauffement, élongation, enchère, foisonnement, gigantisme, goitre, hausse, hépatomégalie, hydrémie, hypertonie, inflation, leucocytose, majoration, poussée, progrès, recrudescence, surcroît, tumeur, urémie.

AUGMENTER. Accélérer, accroître, agrandir, ajouter, amplifier, aviver, croître, dilater, doubler, élargir, élever, enchérir, enfler, enrichir, envoler, étendre, étoffer, extra, forcer, gâter, germer, gonfler, graduer, grandir, hausser, lever, majorer, monter, réaléser, renfler, sprinter, surhausser, tuméfier, valoriser.

AUGURE. Auspice, devin, divinateur, mage, prédiction, présage, prophète, signe, sinistre, vaticineur, voyant.

AUGURER. Annoncer, anticiper, conjecturer, prédire, présager, présenter, pressentir, présumer, prévoir, pronostiquer, supposer.

AUGUSTE (n. p.). Agrippine, Arenberg, César, Julie, Livie, Mécène, Nola, Octave, Octavien, Paillasse, Tibère, Vipsanius.

AUGUSTE. Arlequin, bouffon, clown, digne, gugusse, imposant, majestueux, noble, respectable, solennel, vénérable.

AUGUSTIN (n. p.). Alypius, Ambroise, Austin, Canterbury, Monique.

AUJOURD'HUI. Actuellement, anhui, aussitôt, asteur, hui, ici, instant, maintenant, moment, présent, présentement.

AULA. Amphithéâtre, aréna, arène, auditoire, cirque, colisée, forum, gradin, hémicycle, salle, vestibule.

AULNE. Alnus, aulnaie, aunaie, aune, arbre, bergne, bétulacée, bourdaine, cordata, glutonosa, incana, vergne, verne, viridis.

AULX. Ail, aillade, allium, cébillon, ciboulette, cive, civette, glane, gousse, légume, moly, oignon, pistou, rocambole.

AUMÔNE. Aide, allocation, apport, assistance, bienfait, cadeau, charité, distribution, don, donation, faveur, gratification, largesse, legs, mendiant, obole, offrande, présent, quête, secours, subside, tronc.

AUMÔNIER (n. p.). Amyot, Balue, Fesch, Fleury, James, Janvier, Leroy, Pradt, Prévost, Rey, Richelieu, Rohan, Tallemant.

AUMÔNIÈRE. Bourse, cassette, escarcelle, gobelet, poche, porte-monnaie, réticule, sac, sébile, timbale, tronc.

AUNE. Alnus, arbre, aulnaie, aulne, aunaie, aune, bergne, bétulacée, bourdaine, cordata, glutonosa, incana, vergne, verne, viridis.

AUNÉE. Astéracée, composacée, faux crithme, fleur, herbacée, infusion, inule, plante.

AUPARAVANT. Ancien, antérieurement, avant, ci-devant, déjà, préalablement, précédemment, préliminairement, tôt.

AUPRÈS. Alentour, autour, comparaison, entourage, environs, par, para, parage, près, proche, proximité, raser.

AUQUEL. Auxquelles, auxquels, desquelles, desquels, dont, duquel, laquelle, lequel, lesquelles, lesquels, où, que, quel, qui, quoi.

AURA. Ambiance, âme, appui, ascendant, atmosphère, auréole, atmosphère, cerne, climat, couronne, crédit, décor, diadème, double, émanation, entourage, éthéré, gloire, halo, irradiation, milieu, nimbe, nuage, souffle.

AURANTIACÉE. Agrume, angusture, arbre, cédratier, citronnier, citrus, clémentier, dictame, fraxinelle, jaborandi, kumquat, limettier, mandarinier, oranger, pamplemoussier, pilocarpe, rue, rutacée.

AURÉLIE. Acalèphe, acalèphe, animal, hémérocalle, méduse, poisson, scyphozoaire.

AURELIÈRE. Dermoptère, forficule, perce-oreille, pince-oreille.

AURÉOLE. Aura, célébrité, cerne, cercle, couronne, éclat, faveur, gloire, halo, louange, mandorle, nimbe, renommée.

AURÉOLER. Acclamer, ceindre, célébrer, coiffer, couronner, entourer, glorifier, magnifier, nimber, parer.

AU REVOIR. Abandon, adieu, bienvenue, bonjour, bonsoir, bye, ciao, congé, quitter, renoncer, salue, saluer, salutation, tchao.

AURICULAIRE. Annulaire, bague, bijou, castagnettes, dé, digital, digitopuncture, doigt, doigté, doigtier, douze, empan, index, majeur, montrer, ongle, orteil, palmé, phalange, phalangette, pouce, shiatsu, su.

AURICULE. Appendice, champignon, cœur, diverticule, lobe, oreille de Judas, oreillette, ventricule.

AURIFIER. Boucher, fermer, miner, obstruer, obturer, plomber, reconstituer.

AUROCHS. Bison, bœuf, boviné, buffle, ure, urus.

AURORE (n. p.). Birkeland, Borée, Cépale, Éos, Memnon, Tithon.

AURORE. Aube, commencement, courrière, crépuscule, départ, est, lueur, matin, origine, potron-minet, rose.

AUSCULTATION (n. p.). Laennec.

AUSCULTATION. Exploration, frottement, galop, percussion, râle, recherche, souffle, stéthoscope.

AUSCULTER. Analyser, apprécier, approfondir, arraisonner, débattre, critiquer, étudier, examiner, inspecter, langueyer, observer, peser, regarder, réviser, revoir, scruter, sonder, stéthoscope, tâter, vérifier, visiter, voir.

AUSPICES. Appui, direction, égide, férule, houlette, patronage, protection, recommandation, sauvegarde, tutelle.

AUSSI. Addition, ainsi, alors, ajout, autant, avec, cause, également, encore, égal, également, égalité, idem, item, itou, même, mêmement, non plus, pareillement, partant, pour, quelque, semblablement, si, sitôt, tant, voire.

AUSSITÔT. Dès, directement, illico, immédiatement, incontinent, instantanément, sec, sitôt, soudain, urgence.

AUSTÈRE. Abrupt, âpre, ascète, ascétique, chaste, décent, dépouillé, dur, ennuyeux, frugal, grave, moine, prude, pur, puritain, raide, rance, reclus, rigide, rigoriste, rigoureux, rude, sage, sérieux, sévère, simple, sobre, spartiate, stoïque.

AUSTÈREMENT. Âcrement, âprement, brutalement, cruellement, désagréablement, désobligeamment, difficilement, durement, méchamment, péniblement, rudement, sèchement, sévèrement, vertement, vilement.

AUSTÉRITÉ. Absence, abstinence, ascèse, ascétisme, expiation, gravité, mortifier, puritanisme, rigidité, rigorisme, sévérité, vertu.

AUSTRAL. Antarctique, boréal, chien, hydre, méridional, midi, sagittaire, sud, verseau, zone.

AUSTRALIE, CAPITALE (n. p.). Canberra.

AUSTRALIE, LANGUE. Anglais.

AUSTRALIE, MONNAIE. Dollar.

AUSTRALIE, VILLE (n. p.). Adelaïde, Albany, Albury, Augusta, Ayr, Bourke, Broome, Burnie, Cairns, Dalby, Darwin, Derby, Dubbo, Eucla, Fremantle, Hobart, Mackay, Melbourne, Newcastle, Perth, Sydney, Unley, Weipa, Whyalla, Woomera, Wyndham.

AUTAN. Midi, sud, sud-est, sud-ouest, vent.

AUTANT. Aussi, centuple, également, encore, idem, itou, octuple, pareillement, quadruple, sextuple, tant.

AUTARCIE. Administration, apartheid, autosubsistance, constitution, curatelle, despotisme, direction, état, étatisme, fascisme, gestion, gouvernement, régime, règle, surveillance, terrorisme, tutelle.

AUTEL. Dais, eucharistie, foyer, laraire, messe, offrandes, ostensoir, pierre, reposoir, sacrifices, tabernacle, table.

AUTEUR. Compositeur, conteur, corbeau, créateur, diariste, dramaturge, écrivailleur, écrivain, essayiste, glossateur, historien, librettiste, narrateur, nègre, nouvelliste, pamphlétaire, parolier, poète, psalmiste, préfacier, prosateur, revuiste, romancier, satiriste, scénariste, scripteur.

AUTEUR ALGÉRIEN (n. p.). Dib, Kateb.

AUTEUR ALLEMAND (n. p.). Arnim, Benn, Bettelheim, Böll, Durrenmatt, Goethe, Grass, Grimm, Hamsun, Hauptmann, Hegel, Hein, Heine, Hermlin, Hesse, Jung, Jünger, Laube, Mann, Marx, Nietzsche, Raabe, Singer, Storm, Süskind, Zweig.

AUTEUR AMÉRICAIN (n. p.). Asimov, Auden, Auster, Brunner, Capote, Carnegie, Clancy, Clarke, Clavell, Cook, Coonts, Crichton, Cussler, Daley, DeMille, Dick, Dreiser, Fitzgerald, Follett, Forsyth, Gray, Greene, Hailey, Hemingway, Higgins, Himes, Hitchcock, King, Lawrence, Ludlum, Mailer, Michener, Miller, Poe, Puzo, Roth, Segal, Steinbeck, Twain, Updike, Wells, West, Wilde.

AUTEUR ANGLAIS (n. p.). Chase, Chesterton, Doyle, Defoe, Fry, Gay, Gray, Greene, Kipling, Lamb, Lawrence, Middleton, Naipaul, Pater, Reade, Reid, Richardson, Rushdie, Scott, Stevenson, Wells, Wycherley.

AUTEUR AUSTRALIEN (n. p.). West, White.

AUTEUR AUTRICHIEN (n. p.). Musil.

AUTEUR BELGE (n. p.) Claus, Daisne, Simenon, Thiry.

AUTEUR BRÉSILIEN (n. p.). Amado, Soâres.

AUTEUR BRITANNIQUE (n. p.). Chase, Chesterton, Doyle, Defoe, Fry, Gay, Gray, Greene, Kipling, Lamb, Lawrence, Naipaul, Osborne, Pater, Reade, Reid, Richardson, Rushdie, Scott, Stevenson, Wells.

AUTEUR CHILIEN (n. p.). Bello.

AUTEUR COLOMBIEN (n. p.). Garcia Marquez.

AUTEUR CUBAIN (n. p.). Marti.

AUTEUR DANOIS (n. p.). Abell, Branner, Drachmann, Jensen, Nexo.

AUTEUR ESPAGNOL (n. p.). Aleman, Cervantès, Ganivet, Iriarte, Larra, Ors, Pla.

AUTEUR FINLANDAIS (n. p.). Aho, Kivi.

AUTEUR FRANÇAIS (n. p.). About, Alain-Fournier, Apollinaire, Aron, Attali, Aymé, Balzac, Baudelaire, Bazin, Beaumarchais, Berger, Bernanos, Bodard, Borel, Bosco, Brion, Butor, Camus, Carco, Céline, Chateaubriand, Clavel, Cocteau, Corneille, Dabit, Daninos, Daudet, Déon, Descartes, Diderot, Dorgeles, Druon, Ducis, Dumas, Exbrayat, Faret, Féval, Feydeau, Flaubert, Frossard, Gallo, Gary, Genet, Gide, Giono, Giraudoux, Green, Guitry, Hémon, Hugo, Jacquard, Janin, Jouve, Kessel, Laborit, La Fontaine, Leblanc, Leroux, Lévy, Loti, Macé, Malot, Maupassant, Mauriac, Maurois, Mérimée, Molière, Montaigne, Monteilhet, Montesquieu, Montherland, Musset, Nourissier, Péguy, Pérec, Piron, Prévost, Proust, Rabelais, Racine, Radiguet, Renan, Renard, Rolland, Romains, Rostand, Rousseau, Sade, Sartre, Stendhal, Sue, Sulitzer, Troyat, Urfé, Vercors, Verlaine, Verne, Vian, Villon, Voltaire, Zola.

AUTEUR GREC (n. p.). Athénée.

AUTEUR GUINÉEN (n. p.). Laye.

AUTEUR HOLLANDAIS (n. p.). Hooft.

AUTEUR HONGROIS (n. p.). Dery, Füst, Illyes.

AUTEUR INDIEN (n. p.). Bana.

AUTEUR IRLANDAIS (n. p.). Steele, Yeats.

AUTEUR ISRAÉLIEN (n. p.). Agnon.

AUTEUR ITALIEN (n. p.). Aretin, Dante, Eco, Fo, Gadda, Luzi, Pasolini, Pavese, Svevo, Verga.

AUTEUR JAPONAIS (n. p.). Abe, Kobo, Mori, Ogai.

AUTEUR MEXICAIN (n. p.). Paz, Reyes.

AUTEUR NORVÉGIEN (n. p.). Duun, Ibsen, Lie.

AUTEUR PÉRUVIEN (n. p.). Alegria, Llosa, Palma, Vargas.

AUTEUR POLONAIS (n. p.). Prus, Rej.

AUTEUR PORTUGAIS (n. p.). Herculano.

AUTEUR QUÉBÉCOIS (n. p.). Acquelin, Aktouf, Alain, Anderson, Andrès, Angers, Antoine, Aquin, Archambault, Arnau, Assiniwi, Aubin, Audet, Babineau, Baillargeon, Baillie, Barcelo, Beauchamp, Beauchemin, Beaudet, Beaudoin, Beaudry, Beaulieu, Beausoleil, Bédard, Bégin, Béguin, Bélanger, Bélec, Bergeron, Bernier, Berthiaume, Bertrand, Bérubé, Bessette, Bigras, Blackburn, Blais, Boissay, Boisvert, Boivin, Bonenfant, Boulerice, Boulizon, Bourdon, Brassard, Brière, Brillant, Brochu, Brodeur, Brossard, Brouillard, Brouillette, Bruens, Bujold, Bureau, Bussières, Cadet, Caron, Chabot, Chamberland, Champagne, Champetier, Charbonneau, Charland, Charron, Chatillon, Choquette, Chrétien, Claveau, Clavet, Comeau, Coppens, Corriveau, Cossette, Côté, Cyr, Daignault, Dansereau, Day, Delisle, De Lorimier, Delorme, Des Rosiers, Des Ruisseaux, Descheneaux, Désy, De Vernal, Dion, Dionne, Dor, Doré, Drache, Dubois, Ducharme, Duguay, Duhaime, Dumont, Dupont, Dupuis, Dussault, Duval, Fasciano, Favreau, Ferland, Filion, Findley, Folch-Ribas, Fournier, Francoeur, Gaboury, Gagnon, Garneau, Garon, Gaudet, Gauthier, Gay, Gélinas, Gemme, Gendreau, Gendron, Genest, Gérin, Germain, Gervais, Gobeil, Godbout, Godin, Gosselin, Gratton, Gravel, Graveline, Grignon, Guillemet, Haeck, Hazelton, Hébert, Hénault, Hétu, Homel, Horic, Hus, Isabelle, Jacob, Jacques, Jasmin, Julien, Kattam, Kemp, Laberge, Labrie, Lacasse, Laferrière, Lalonde, Languirand, Laplante, Lavoie, Leblond, Leclerc, Lemelin, Lemieux, Lemoine, Léveillé, Lévesque, Mainville, Major, Malenfant, Marchand, Martin-Laval, Mathieu, Matteau, Meunier, Miron, Monette, Mongrain, Montmorency, Morissette, Noël, Ohl, Olivier, Ollivier, Ouellet, Ouellette, Paradis, Paré, Pelchat, Piché, Plante, Poissant, Poliquin, Poulin, Poupart, Pratte, Prieur, Proulx, Roy, Saïa, Savard, Simard, Smith, Soucy, Soulières, Stanké, Thériault, Tremblay, Turgeon, Vadeboncoeur, Vaillancourt, Vallières, Vanasse, Vastel, Vigneault, Zumthor.

AUTEUR ROUMAIN (n. p.). Ionesco, Istrati.

AUTEUR RUSSE (n. p.). Babel, Boulgakov, Dostoïevski, Gogol, Gorki, Leonov, Soljenitsyne, Tchekhov, Tolstoï.

AUTEUR SUÉDOIS (n. p.). Ahlin.

AUTEUR SUISSE (n. p.). Amiel, Chappaz, Chessex, Cohen, Jaccottet, Hesse, Rod.

AUTEUR TCHEQUE (n. p.). Kundera, Macha.

AUTEURE AMÉRICAINE (n. p.). Chase-Riboud, French, Higgins-Clark, Jong, Kubler-Ross, Lessing, MacLaine, McCullough, Nin, Oates, Rendell, Steel, Susann, Taylor-Bradford.

AUTEURE ANGLAISE (n. p.). Brontë, Cartland, Christie, Cornwell, Highsmith, James, Westmacott, Woolf.

AUTEURE CHILIENNE (n. p.). Allende.

AUTEURE FRANÇAISE (n. p.). Arnothy, Avril, Boissard, Bourin, Cardinal, Chapsal, Charles-Roux, Colette, Collange, Desforges, Dolto, Dorin, Frain, Groult, Lacamp, Laclos, Le Varlet, Mallet-Joris, Monsigny, Pisier, Rivoyre, Sagan, Sand.

AUTEURE ITALIENNE (n. p.). Belgioso.

AUTEURE QUÉBÉCOISE (n. p.). Allard, Alonzo, Anctil, Aubry, Baillargeon, Bazin, Beaudry, Bersianik, Bissonnette, Blais, Blouin, Boisjoli, Boisvert, Bombardier, Bouchard, Boucher, Brault, Brière, Brossard, Bussières, Cadieux, Cardinal, Champagne, Cholette, Claudais, Cloutier, Corbeil, Côté, Cousture, Cyr, Daveluy, De Gramont, De Lamirande, Demers, Déry, Desrochers, Doyon, Dubé, Dumont, Ferretti, Ferron, Gagnon, Gauvin, Ghalem, Grisé, Harvey, Hébert, Jacob, Juteau, Laberge, Lacasse, Lanctôt, Larouche, Larue, Lasnier, Lavigne, Lemieux, Lévesque, Loranger, Maillet, Major, Mallet, Marchessault, Marineau, Martin, Michel, Miville-Deschênes, Monette, Noël, Ouellette, Ouellette-Michalska, Ouvrard, Paquette, Paris, Payette, Pelland, Plamondon, Poisson, Proulx, Rainville, Renaud, Robert, Roy, Ruel, Saint-Denis, Sarfati, Sauriol, Simard, Thériault, Tremblay, Villemaire, Villeneuve.

AUTHENTICITÉ. Admissibilité, bien-fondé, certitude, conformité, contreseing, contresigner, estampille, faux, greffier, inauthenticité, ita, légalisation, légaliser, paillette, réalité, seing, sic, sincérité, véracité, véridique, vérité, visa, vrai.

AUTHENTIFICATION. Assurance, attestation, certification, garantie, homologation, légalisation, officialisation, reconnaissance.

AUTHENTIFIE. Assuré, authentique, avéré, certain, établi, évident, exact, incontestable, indéniable, indiscutable, juste, naturel, officiel, pur, réel, sceau, sincère, sûr, véridique, véritable, visa, vrai.

AUTHENTIFIER. Attester, certifier, confirmer, constater, garantir, légaliser, prouver, témoigner, valider, viser.

AUTHENTIQUE. Avéré, certain, évident, exact, naturel, officiel, pur, réel, sceau, sincère, sûr, véritable, visa, vrai.

AUTHENTIQUEMENT. Franc, franchement, franco, honnêtement, loyalement, ouvertement, sincèrement, uniment.

AUTISME. Arête, barbillon, caché, cutané, déroute, épicanthus, fanon, faux, frein, hélix, intime, lèvre, mésentère, mésocolon, nœud, ourlet, pli, rabat, rebord, recoin, recul, repli, rempli, retraite, revers, ride, sinuosité, velum.

AUTISTIQUE. Autisme, autiste, déréel, égocentrique, égoïste, indifférent, introverti, narcissiste.

AUTO. Automobile, bagnole, bazou, bolide, char, limousine, minoune, tacot, taxi, voiture.

AUTOBUS. Autocar, bibliobus, bus, car, gyrobus, impérial, métrobus, minibus, navette, patache, plateforme, rotonde, trolleybus.

AUTOCAR. Autobus, bus, cabriolet, car, gyrobus, impériale, microbus, minibus, minicar, pullman, victorienne.

AUTOCHTONE. Aborigène, allogène, amérindien, habitant, indigène, indien, local, natif, naturel, souche, supplétif.

AUTOCHTONE DES ÉTATS-UNIS (n. p.). Acolaopissas, Apache, Atakapas, Catawbas, Cherokee, Cheyenne, Chinook, Chitimachas, Choctaw, Comanche, Creek, Hidatsas, Illinois, Mandan, Mohawk, Navabo, Nez Percé, Paiute, Pawnee, Pieds-Noirs, Pomo, Séminole, Seneca, Shoshone, Sioux, Tête-Plate.

AUTOCHTONE DU CANADA (n. p.). Abénaquis, Agnier, Algonquin, Apache, Cri, Etchemin, Goyogouin, Huron, Iroquois, Malécite, Micmac, Mohawk, Onneyout, Onnontagué, Outagami, Outaouais, Sioux, Souriquois, Tsonnontouan.

AUTOCHTONE DU NOUVEAU MEXIQUE (n. p.). Chickasaw, Choctaw, Hopis, Mimbre, Mohave, Natchez, Pueblos, Yumas.

AUTOCHTONE DU PÉROU (n. p.). Incas.

AUTOCLAVE. Chaudière, digesteur, entonnoir, étuve, étuveur, étuveuse, pression, récipient, stérilisation.

AUTOCOLLANT. Adhérant, adhésif, agglutinant, ajusté, collant, crampon, étroit, glaireux, gluant, gommé, gommeux, importun, léotard, moulant, nylon, pantalon, poisseux, serré, sirupeux, visqueux.

AUTOCRATE. Abuseur, césar, despote, dictateur, dominateur, oppresseur, persécuteur, potentat, souverain, tyran.

AUTOCRATIE. Absolutisme, autoritarisme, césarisme, despotisme, dictature, fascisme, monarchie, totalitarisme, tyrannie.

AUTOCRATIQUE. Absolu, absolutiste, arbitraire, autoritaire, césarien, despote, despotique, dictatorial, tyrannique.

AUTOCUISEUR. Casserole, cocotte, cocotte-minute, cuiseur, digesteur, mijoteuse.

AUTODAFÉ. Censure, cérémonie, exécution, feu, inquisition, jugement, proclamation, supplice, suppression.

AUTOGESTION. Babouvisme, bolchevisme, collectionnite, collectivisme, communisme, égalitarisme, étatisme, gauchisme, léninisme, maoïsme, marxisme, socialisme, stalinisme, syndicalisme, trotskisme.

AUTOGRAPHE. Blanc-seing, contreseing, dédicace, endos, idole, monogramme, paraphe, seing, signature.

AUTOLYSE. Abolition, anéantissement, annulation, antiseptie, carie, cataclysme, corrosion, démantèlement, démolition, dératisation, désinfection, destruction, effondrement, effritement, hémolyse, naufrage, ruine, sabotage, sape, suicide.

AUTOMATE. Androïde, cyborg, dromomane, fantoche, golem, guignol, gyrovague, jacquemart, jaquemart, machine, marionnette, pantin, robot, somnambule.

AUTOMATIQUE. Autofocus, browning, colt, convulsif, disjoncteur, forcé, immanquable, inconscient, inévitable, instinctif, involontaire, ipso facto, irréfléchi, machinal, mécanique, réflexe, robot, spontané.

AUTOMATIQUEMENT. Impulsivement, inconsciemment, instinctivement, ipso facto, mécaniquement, obligatoirement, spontanément.

AUTOMATISATION. Automation, biomécanique, bionique, biophysique, cybernétique, électronique, robotique.

AUTOMATISÉ. Code, formule, harmonie, informatisé, machine, mécanisme, motor, presse-bouton.

AUTOMATISER. Aligner, codifier, formuler, harmoniser, informatiser, machiner, mécaniser, motoriser, robotiser.

AUTOMATISME. Conditionnel, inconscient, instinctif, machinal, réaction, réflexe, réponse, stimulus.

AUTOMÉDON. Aurige, charretier, cocher, colignon, collignon, conducteur, patachier, patachon, pattier, phaéton.

AUTOMNE. Agonie, automne, brunante, crépuscule, décadence, déclin, décours, diminution, disparition, saison.

AUTOMOBILE. Autocaravane, bagnole, bazou, berline, boghei, boguet, bolide, buggy, cab, cabriolet, car, carénage, char, custode, custom, jeep, limousine, racer, routière, tacot, tandem, tank, tapecul, taxi, tilbury, tonneau, ventouse, voiture, wiski.

AUTOMOBILE, IMMATRICULATION INTERNATIONALE. A (Autriche), ADN (Yémen), AL (Albanie), AND (Andorre), AUS (Australie), B (Belgique), BDS (Barbade), BG (Bulgarie), BH (Honduras), BR (Brésil), BRN (Bahrein), BRU (Brunei), BS (Bahamas), BUR (Birmanie), C (Cuba), CDN (Canada), CH (Suisse), CI (Côte-d'Ivoire), CL (Sri Lanka), CO (Colombie), CR (Costa Rica), CS (Tchécoslovaquie), CY (Chypre), D (Allemagne), DK (Danemark), DOM (République dominicaine), DY (Bénin), DZ (Algérie), E (Espagne), EAK (Kenya), EAT (Tanzanie), EAU (Ouganda), EC (Équateur), ES (El Salvador), ET (Égypte), F (France), FJI (Fidji), FL (Liechtenstein), GB (Grande-Bretagne), GBZ (Gibraltar), GCA (Guatemala), GH (Ghana), GR (Grèce), GUY (Guyane), H (Hongrie), HK (Hong-Kong), HKJ (Jordanie), I (Italie), IL (Israël), IND (Inde), IRL (Irlande), IS (Islande), J (Japon), JA (Jamaïque), K (Kamputchea ou Cambodge), KWT (Koweit), L (Luxembourg), LAO (Laos), LAR (Libye), LB (Libéria), LS (Lesotho), M (Malte), MA (Maroc), MAL (Malaysia), MC (Monaco), MEX (Mexique), MS (Île Maurice), N (Norvège), NA (Antilles néerlandaises), NIC (Nicaragua), NL (Pays-Bas), NR (Niger), NZ (Nouvelle-Zélande), P (Portugal), PA (Panama), PAK (Pakistan), PE (Pérou), PI (Philippines), PL (Pologne), PY (Paraguay), R (Roumanie), RA (Argentine), RC (Chine), RCA (République centrafricaine), RCH (Chili), RH (Haïti), RI (Indonésie), RL (Liban), RMM (Mali), ROK (Corée du Sud), RSD (Zimbabwe), RSM (Saint-Martin), RU (Burundi), RWA (Rwanda), S (Suède), SF (Finlande), SGP (Singapour), SN (Sénégal), SY (Seychelles), SYR (Syrie), T (Thaïlande), TG (Togo), TN (Tunisie), TR (Turquie), TT (Trinité et Tobago), U (Uruguay), USA (États-Unis), V (Vatican), VN (Vietnam), WAG (Gambie), WAN (Nigeria), WG (Grenade), WL (Sainte-Lucie), WV (Saint-Vincent), YU (Yougoslavie), YV (Venezuela), Z (Zambie), ZA (Afrique du Sud), ZRE (Zaïre).

AUTOMOBILISTE. Auto-stop, chauffard, chauffeur, conducteur, écraseur.

AUTOMOTRICE. Autorail, bogie, coucou, envi, locomotive, machine, machiniste, motrice, train.

AUTONOME. Dissocié, distinct, droit, indépendant, individualiste, libre, nationaliste, séparatiste, séparé, souverain.

AUTONOMIE. Assujettissement, choix, décentralisation, dépendance, droit, faculté, hétéronomie, indépendance, liberté, libre arbitre, non-conformisme, souveraineté, subordination, succursale, tutelle, vassalité.

AUTONOMISTE. Indépendantiste, nationaliste, particulariste, régionaliste, scissionniste, sécessionniste, séparatiste.

AUTOPSIE. Académie, analyse, anatomie, corps, décomposition, déconstruction, démontage, dissection, division, docimasie, étude, examen, morphologie, nécropsie, physique, recherche.

AUTORAIL. Auto, automobile, bagnole, baladeuse, berline, bolide, break, briska, buggy, cab, cabriolet, car, char, charrette, coach, coche, coupé, duc, fardier, fiacre, fourgonnette, guimbarde, jardinière, jeep, landau, limousine, micheline, mulet, omnibus, phaéton, poussette, tacot, tapecul, taxi, téléga, télègue, teuf-teuf, torpédo, tram, turbo, utilitaire, van, véhicule, victoria, voiture.

AUTORISATION. Acceptation, accord, accréditation, acquiescement, adhésion, agrément, approbation, aveu, concession, crédit, endos, endossement, envoi, exeat, licence, obédience, ouverture, permis, permission.

AUTORISÉ. Accordé, accrédité, admis, admissible, agréé, approuvé, ayant-droit, compétent, consenti, fondé, influent, légal, légitime, licite, mandaté, officiel, permis, possible, qualifié, toléré, valable.

AUTORISER. Accepter, accorder, accréditer, admettre, approuver, appuyer, confirmer, consacrer, consentir, désavouer, dispenser, entériner, homologuer, investir, permettre, pouvoir, prévaloir, prohiber, ratifier, reconnaître, tolérer.

AUTORITAIRE. Absolu, affirmatif, cassant, catégorique, conquérant, coupant, despotique, dictatorial, dogmatique, dominateur, impérieux, magistral, pète-sec, pressant, sec, sévère, strict, tranchant, tyrannique.

AUTORITARISME. Absolu, absolutisme, autocratie, césarisme, communisme, despotisme, dictatorial, dictature, domination, fascisme, franquisme, impérialisme, junte, thermidorien, totalitaire, totalitarisme, tsarisme, tyrannie.

AUTORITÉ. Appel, ascendant, chef, col, dépendre, directivisme, empire, fermeté, férule, for, force, influence, loi, ordre, otage, main, maîtrise, omnipotent, oracle, pète-sec, pouvoir, récuser, règne, rigueur, royal, souveraineté, sujet, taxe, tyran, tyranniser.

AUTOROUTE. Autopiste, autostrade, boulevard, bretelle, inforoute, péage, pénétrante, rocade, route, voie.

AUTOROUTE (n. p.). Aquitaine, Blanche, Est, Languedocienne, Laurentides, La Provençale, Normandie, Océane, Transcanadienne.

AUTOSATISFACTION. Arrogance, complaisance, fatuité, gloriole, masturbation, suffisance, triomphalisme, vanité.

AUTO-STOP. Auto-stoppeur, pouce, routard, stop.

AUTOUR. Abord, alentour, approximatif, boa, cage, circonscrire, circonvoisin, col, collet, collier, enrouler, entourer, environ, épervier, faucon, graviter, péri, rapace, rimer, rôder, ronde, rotation, tournailler, vautour.

AUTRE. Altérité, altruiste, autrement, autrui, couple, différent, distinct, émule, étranger, eux, identique, lui, même, opposé, pareil, prochain, rival, semblable, soi, suivant, tel, un.

AUTREFOIS. Adverbe, ancestralement, ancien, anciennement, antan, antiquement, avant, conjonction, désuet, ex, hier, jadis, longtemps, naguère, olim, ost, passé, vieux.

AUTREMENT. Alias, anciennement, antan, autre, c'est-à-dire, contraire, contrairement, différemment, dissemblablement, diversement, immémorial, jadis, mal, naguère, ou, sans quoi, sinon.

AUTRICHE, CAPITALE (n. p.). Vienne.

AUTRICHE, LANGUE. Allemand, hongrois, serbo-croate, slovène, tchèque.

AUTRICHE, MONNAIE. Schilling.

AUTRICHE, VILLE (n. p.). Baden, Badgastein, Braunau, Carlsbourg, Dornbim, Enns, Graz, Igls, Innsbruck, Ischgl, Klagenfurt, Koflach, Krems, Lienz, Linz, Loeben, Lustenau, Mayerling, Melk, Ried, Salzbourg, Schwaz, Spittal, Stainach, Steyr, Traun, Vienne, Wagram, Wels, Wien, Zistersdorf, Zwettl.

AUTRUCHE. Aptéryx, autruchon, casoar, coureur, dinornis, échassier, émeu, épyornis, kiwi, nandou, oiseau, ratite, sotte, struthio, struthionidé.

AUTRUI. Allocentrisme, alter ego, altruisme, autre, écorniflé, empathie, envie, oblatif, prochain, semblable.

AUVENT. Abri, appentis, avant-toit, chaume, couverture, faîtage, marquise, terrasse, toit, toiture, verrière, vitrage.

AUXILIAIRE. Accessoire, additif, afat, aide, aide-soignant, annexe, assistant, avocat, avoir, complice, contractuel, être, extra, intérimaire, mi-temps, remplaçant, scripte, secondaire, stagiaire, subsidiaire, supplétif, surnuméraire.

AVACHI. Accablé, amolli, amorphe, aplati, assommé, attendri, comprimé, déformé, durci, écrasé, fatigué, flasque, indolent, mou, recru, ramolli, ramollo, rendu, sans, usagé, usé, vautré, vétuste, veule.

AVACHIR. Affaiblir, alanguir, amollir, briser, crever, déformer, déprimer, échiner, écraser, ramollir, user.

AVAL. Amont, approbation, appui, assurance, avaliser, caution, charge, estuaire, gage, garantie, ria, salut, soutien, sûreté.

AVALANCHE. Amoncellement, cascade, cône, débauche, déluge, flopée, grêle, kyrielle, masse, multiplication, multitude, myriade, neige, pluie, quantité, raillerie, tas, torrent.

AVALÉ. Absorbé, aspiré, bu, cru, dégluti, englouti, gobé, humé, ingéré, ingurgité, mangé, ravalé, sucé, tombant.

AVALER. Absorber, accepter, admettre, aspirer, boire, croire, déglutir, dévorer, enfourner, engamer, engloutir, engouffrer, gober, humer, ingérer, ingurgiter, manger, ravaler, sec, siffler, sucer, user, vider.

AVALEUR. Bateleur, bouffeur, dévoreur, gargantua, glouton, gobeur, goinfre, goulu, gourmand, mangeur, ogre, vorace.

AVALISER. Accentuer, accoter, accouder, adosser, aider, appliquer, apporter, appuyer, asseoir, baiser, baser, buter, coller, compter, confirmer, corroborer, diriger, encourager, épauler, étayer, fonder, fortifier, insister, maintenir, materner, patronner, peser, pistonner, placer, poser, presser, protéger, recommander, référer, renforcer, servir, sonner, souligner, soutenir, supporter, surprotéger, taper, tenir.

AVALISEUR. Accréditeur, assurance, aval, avaliste, caution, correspondant, défenseur, endosseur, gage, garant, garantie, gardien, otage, parrain, preuve, protecteur, redevable, répondant, responsable, témoignage.

À-VALOIR. Acompte, anticipé, arrhes, avance, dépôt, paiement, provision, redevance, tiers.

AVANCE. Acompte, arrhes, à-valoir, avancement, concluant, courtiser, distant, distance, dit, fromage, go, hoirie, marche, préformer, prêt, progression, semer, rabais, réduction, réservation, ristourne, saillie, tâter, thèse, va.

AVANCÉE. Angle, appendice, arête, aspérité, avancement, avant-garde, brise-soleil, péninsule, presqu'île, progrès, progression, saillie.

AVANCEMENT. Acheminement, amélioration, avancée, développement, élévation, envol, essor, évolution, pas, perfectionnement, processus, progrès, progression, promotion, propagation, succès, traînée.

AVANCER. Acheminer, affirmer, aller, allonger, ambler, arguer, cheminer, claudiquer, clopiner, dire, émettre, évoluer, flâner, glisser, hâter, hue, ivoquer, marcher, nager, pénétrer, pousser, progresser, prêter, ramer, ramper, sautiller, tendre, touer, virer, voile, zigzaguer.

AVANIE. Affront, algarade, brimade, cafard, camouflet, empoisonnement, ennui, honte, huée, humiliation, incartade, injure, invective, malheur, mortification, nasarde, offense, outrage, scène, sortie, soufflet, traitement, vexation.

AVANT. Ancien, antan, antépénultième, antérieur, av, bec, cap, devant, éperon, étrave, front, hier, joue, nez, n.s., oser, pré, précédemment, précédent, précurseur, préfixe, premier, préséance, priorité, recto, rétro, science, tenter, tête, total, un, veille, vêpres.

AVANTAGE. Atout, attribut, aubaine, bénéfice, bien, bienfait, concession, dessus, don, droit, faveur, fruit, gain, intérêt, mener, plus, prééminence, prérogative, privilège, profit, rendement, ristourne, succès, utilité.

AVANTAGÉ. Cinégénique, exceptionnel, favorisé, flatteur, idéal, parfait, photogénique, privilégié, télégénique, unique.

AVANTAGER. Aider, assister, bonifier, doter, douer, embellir, encourager, favoriser, flatter, gratifier, lotir, partager, pousser, préférer, primer, privilégier, protéger, ressortir, seconder, secourir, servir, soutenir.

AVANTAGEUSEMENT. Agréablement, bien, commodément, favorablement, honorablement, précieusement, profitablement.

AVANTAGEUX. Bel, bénéfique, bienfaisant, bon, chic, commode, intéressant, mieux, profitant, rémunérateur, salutaire, utile.

AVANT-BEC. Aiguillon, arrière-bec, bride, brise-glace, broche, collet, dard, dent, éperon, ergot, molette, nectaire, pointe, rosette, rostral, rostre, saillie.

AVANT-BRAS. Carpe, cheval, coude, cubitus, extenseur, genou, gîte, manchette, manicle, manique, médian, membre, poignet, radial, radius, ulna.

AVANT-COUREUR. Ancêtre, annonciateur, devancier, fourrier, hydraule, initiateur, inventeur, messager, nicotinique, novateur, pionnier, précurseur, prédécesseur, promoteur, prophète, provitamine.

AVANT-DERNIER. Antépénultième, dernier, paroxyton, pénultième, proparoxyton, terminus.

AVANT-GOÛT. Anticipation, à-valoir, avance, avancement, avenir, devancement, empiétement, futurologie, impression, préfiguration, prénotion, présage, prescience, présomption, pressentiment, prévision, prolepse, pronostic, prospective, science-fiction, usurpation.

AVANT JÉSUS-CHRIST. A.C., N.S.

AVANT-MIDI. AM, matin.

AVANT-PROPOS. Avertissement, avis, début, discours, exorde, introduction, notice, préambule, préface.

AVANT-TOIT. Abri, aubette, auvent, galerie, marquise, toit, véranda.

AVANT-TRAIN. Antérieurs, armon, avant-main, diabolo, timon.

AVARE (n. p.). Géronte, Grandet, Harpagon, Molière, Plaute, Séraphin, Volpone.

AVARE. Chiche, cupide, dépensier, dissipateur, économe, fesse-mathieu, gaspilleur, gredin, grigou, grimelin, grippe-sou, harpagon, ladre, lésineur, liard, liardeur, pingre, pisse-vinaigre, pouacre, prodigue, radin, rapiat, rat, séraphin, serré, vautour, vil, vilain.

AVARICE. Âpreté, avidité, crasse, cupidité, ladrerie, lésine, mesquinerie, parcimonie, péché, pingrerie, radinerie, rapacité, thésaurisation, usure, vilenie.

AVARICIEUX. Chiche, cupide, dépensier, dissipateur, économe, gaspilleur, gredin, grigou, grimelin, grippe-sou, harpagon, ladre, lésineur, liard, liardeur, pingre, pouacre, prodigue, radin, rapiat, rat, séraphin, serré, vautour, vil, vilain.

AVARIÉ. Brie, casse, débâcle, désemparé, dommage, méfait, mouille, panne, perte, sapiteur, tare, vilenie.

AVARIE. Abîmer, casse, dégât, détériorer, dévasté, dommage, grabuge, méfait, pillage, préjudice, ravage, ruine.

AVARIER. Altérer, corrompre, décomposter, endommager, gâter, meurtrir, pourrir, putréfier, tarer, vicier.

AVATAR (n. p.). Vishnou, Vishnu, Zeus.

AVATAR. Accident, adaptation, ajustement, hindou, incarnation, mésaventure, métamorphose, passage, transformation.

AVE. Prière, rosaire, salut, salutation.

AVEC. Auprès, aussi, autant, comme, contre, de, également, encore, grâce, idem, malgré, par, parmi, pareillement, partager.

AVELINE. Avelinier, coudrier, fruit, lichette, noisetier, noisette.

AVEN. Abîme, abysse, alvéole, anfractuosité, bétoire, cavité, chantoir, cloup, creux, doline, emposieu, évidé, excavation, fosse, gouffre, igue, niche, orifice, poche, précipice, puits, trou, vide.

AVENANT. Accessible, accords, accort, accueillant, adjonction, affable, agréable, aimable, amical, charmant, civil, clause, codicille, cordial, courtois, doux, engageant, gracieux, joli, obligeant.

AVÈNEMENT. Accession, admission, apparition, approche, arrivée, commencement, élévation, parousie, venue.

AVENIR. Astrologie, astrologue, aventure, chaman, débouché, demain, désormais, destin, devin, éternité, fakir, futur, futuriste, hasard, horizon, lendemain, lot, météorologie, oracle, postérité, prophète, semer, sort, vocation.

AVENT. Arrivée, attente, avènement, bétoire, emposieu, gouffre, igue, puits, station, temps.

AVENTURE. Accident, affaire, aléa, avatar, chance, conte, équipée, épopée, errer, événement, fait, fortuit, galipote, hasard, héros, histoire, incident, liaison, mésaventure, revers, roman, tribulation.

AVENTURER. Commettre, compromettre, embarquer, embriguer, empêtrer, exposer, hasarder, jouer, risquer.

AVENTUREUX. Aléatoire, audacieux, circonspect, dangereux, entreprenant, hardi, hasardeux, périlleux, risqué, téméraire.

AVENTURIER (n. p.). Andriscos, Balsamo, Buffalo Bill, Cagliostro, Casanova, Concini, Dampier, Éon, Galigaï, Gondobald, Guiscard, La Motte, Latude, Lawrence, Lopez, Mandrin, Mata Hari, Montes, Montez, Naundorf, Neuhof, Oates, Picaro, Raspoutine, Sarrazin, Scots, Tafnech, Terrier, Vidocq, Voisin.

AVENTURIER. Audacieux, aventureux, boucanier, bourlingueur, conquistador, condottiere, corsaire, entreprenant, errant, escroc, hasardeux, imprévoyant, intrigant, mandrin, osé, outlaw, picaresque, pirate, résolu, risqueur, ruffian, rufian, téméraire.

AVENTURIÈRE (n. p.). Galigaï, La Motte, Mata Hari, Montes, Montez, Voisin.

AVENTURINE. Héliolite, limaille, quartz, pierre.

AVENUE. Accès, allée, arrivée, artère, av, boulevard, chemin, corridor, cours, drève, mail, paver, perspective, pontage, promenade, route, rue, ruelle, sentier, survenue, voie.

AVÉRÉ. Authentique, certain, démontré, établi, formel, incontesté, indéniable, indiscuté, irrécusable, prouvé, reconnu, sûr.

AVÉRER. Apparaître, attester, confirmer, constater, garantir, manifester, montrer, notoire, prouver, reconnaître, révéler, témoigner, trouver, vérifier, vrai.

AVERS. Effigie, endroit, envers, face, incus, médaille, monnaie, obvers, obverse, recto, revers.

AVERSE. Abat, abord, abattée, arc-en-ciel, avalanche, avrillée, baille, carre, cataracte, déluge, douche, drache, eau, flotte, giboulée, grain, mouille, nielle, nuée, ondée, orage, pluie, pissée, rincée, saucée, trombe.

AVERSION. Allergie, animosité, antipathie, dégoût, détestation, écœurement, éloignement, exécration, exécrer, haine, haut-le-cœur, horreur, inimitié, misonéisme, nausée, peur, phobie, répugnance, répulsion, venin.

AVERTI. Alarmiste, appris, avisé, aviseur, capable, compétent, connaisseur, cultivé, dirigeant, éclairé, exercé, expérimenté, informateur, instructeur, instruit, prévenu, prévu, savant, signaleur, sommeur.

AVERTIR. Admonester, alarmer, alerter, aviser, biper, dire, diriger, enjoindre, expliquer, gronder, informer, insinuer, instruire, klaxonner, menacer, notifier, prévenir, rappeler, remonter, renseigner, semoncer, signaler, sommer.

AVERTISSEMENT. Admonestation, admonition, alerte, avis, blâme, conseil, gare, klaxon, leçon, lettre, marque, menace, mise en garde, monition, monitoire, observation, postface, préambule, préavis, prologue, recommandation, remontrance, réprimande, reproche, semonce, sifflet, signe, suggestion, tocsin, trompe, voix.

AVERTISSEUR. Clignotant, corne, criard, indicateur, junon, klaxon, prophète, signal, sirène, sonnerie, trompe.

AVESTIQUE. Iranien, langue, mazdéisme, zend.

AVETTE. Abeille, apidé, apis, hyménoptère.

AVEU. Annonce, candeur, confession, confidence, déclaration, fuite, gêne, mea-culpa, naïveté, oui, remords.

AVEUGLANT. Éblouissant, évident, flagrant, fulgurant, incontestable, indéniable, indiscutable, manifeste, patent.

AVEUGLE. Absolu, amblyope, braille, cataracte, chauvin, clairvoyant, clos, ébloui, lucide, malvoyant, non-voyant, nuit, total.

AVEUGLEMENT. Aberration, amok, cécité, délire, égarement, entêtement, erreur, folie, frénésie, hystérie, passion.

AVEUGLER. Bander, boucher, brouiller, crever, éblouir, embrumer, obnubiler, obscurcir, priver, tromper, voiler.

AVEULIR. Affaiblir, alanguir, amollir, avachir, émasculer, énerver, faiblir, humilier, ramollir, volonté.

AVEULISSEMENT. Abjection, affaiblissement, agonie, amollissement, atrophie, baisse, déclin, dégénérescence, perte.

AVIATEUR. Aile, as, commandant, copilote, kamikaze, mazouteur, navigant, navigateur, rampant, pilote, raid, vol.

AVIATEUR ALLEMAND (n. p.). Goering, Goring, Immelmann, Richthofen.

AVIATEUR AMÉRICAIN (n. p.). Byrd, Ellsworth, Lindbergh, Wright.

AVIATEUR BRÉSILIEN (n. p.). Santos-Dumont.

AVIATEUR FRANÇAIS (n. p.). Ader, Bastié, Bellonte, Blériot, Breguet, Bossoutrot, Boucher, Caudron, Clostermann, Coli, Costes, Daurat, Farman, Fokker, Fonck, Frantz, Garros, Guillaumet, Guynemer, Latham, Le Brix, Mermoz, Morane, Mouchotte, Nieuport, Noguès, Nungesser, Pégout, Poidebard, Saint-Exupéry, Védrines, Voisin.

AVIATEUR ITALIEN (n. p.). Nobile.

AVIATEUR NÉERLANDAIS (n. p.). Fokker.

AVIATEUR SOVIÉTIQUE (n. p.). Gagarine.

AVIATION. Aérien, aéronautique, aéronavale, aéropostale, aérospatiale, air, hydraviation, navigation, piqué, raid.

AVIATRICE AMÉRICAINE (n. p.). Cochran, Earhart.

AVIATRICE FRANÇAISE (n. p.). Auriol, Bastié, Bolland, Boucher, Hilsz.

AVICULTEUR. Accouveur, avicole, colombiculteur, coqueleux, coturniculteur, éleveur, oiselier, volailleur.

AVICULTURE. Accouvage, accouveur, couvage, couvaison, couveuse, couvoir, éclore, incubation, maturation, œuf.

AVIDE. Affamé, altéré, anxieux, âpre, assoiffé, avare, concupiscent, convoite, cupide, curieux, désir, désireux, épris, friand, glouton, goulu, impatient, insatiable, intéressé, mercenaire, passionné, pressé, rapace, rapiat, vorace.

AVIDEMENT. Activement, ardemment, chaudement, énergiquement, force, fortement, fougueusement, furieusement, gloutonnement, passionnément, soupirer, vigueur, vivement, voracement.

AVIDITÉ. Ambition, âpreté, avarice, concupiscence, convoitise, cupidité, désir, faim, gloutonnerie, insatiable, mégotage, mesquinerie, parcimonie, pingrerie, possessivité, rapacité, soif, vampirisme, voracité.

AVILIR. Abaisser, abâtardir, affaiblir, amoindrir, animaliser, bas, dégrader, dépraver, déprécier, déshonorer, déshumaniser, ennoblir, galvauder, honte, humilier, infamie, mépriser, profaner, prostituer, ravaler, salir, souiller.

AVILISSANT. Abaissant, abject, abrutissant, dégradant, dépravation, déshonorant, honte, humiliation, ignominieux.

AVILISSEMENT. Abjection, bas, bassesse, dégradation, dépravation, flétrissure, profanation, souillure, vil, vilain.

AVINÉ. Beurré, bourré, dipsomane, éméché, imbibé, ivre, gris, noir, paf, parti, plein, rond, saoul, soûl.

AVION (n. p.). Adac, Adav, Airbus, Atl, Bwia, Concorde, El-Al, Delta, Klm, Iberia, Lufthansa, Mirage, Sabena, Sas, Stol, Stuka, Tupolev, Twa, US-Air, Zénith.

AVION. Aérien, aérobus, aérodyne, aéronef, aéroplane, airbus, appareil, avionnette, airplan, bimoteur, biplace, biplan, coucou, drone, gros-porteur, habitacle, hydravion, intrados, jet, nez, piper, piqué, raid, ressource, trimoteur, triplan, U.L.M., zinc.

AVIRON. Canot, dame, erseau, godille, nageoire, pagaie, pale, pelle, rame, régate, rowing, scull, tolet.

AVIRONNER. Canoter, déramer, godiller, limer, manœuvrer, nager, pagayer, ramer, souquer.

AVIRONNEUR. Canotier, chiourme, espalier, galérien, godilleur, nageur, pagayeur, rameur, skiffeur, thète.

AVIS. Annonce, avertissement, certificat, circulaire, conseil, dénonciation, éveil, idée, information, note, notice, notification, nouvelle, obituaire, opinion, placard, préavis, préface, proclamation, sens, unanime, urne, verdict, voix, vote.

AVISÉ. Averti, circonspect, compétent, dégourdi, éclairé, fin, gascon, habile, inspiré, prudent, réfléchi, sagace, sage.

AVISER. Alerter, annoncer, apercevoir, avertir, communiquer, conseiller, déclarer, enquérir, estimer, éveiller, inculquer, indiquer, informer, notifier, opiner, oser, pourvoir, proclamer, recommander, relever, renseigner, trouver, verdict, voir.

AVITAILLEMENT. Achat, aiguade, alimentation, annone, apport, approvisionnement, distribution, fourniture, impôt, munitions, provision, rappariement, ravitaillement, récolte, réserve, stock, subsistance, vivre.

AVITAMINOSE. Béribéri, carence, gerçure, hypovitaminose, pellagre, rachitisme, scorbut, vitamine.

AVIVÉ. Accéléré, activé, agacé, agité, aigu, animé, attisé, blessé, courroucé, énervé, enflammé, enragé, envenimé, exaspéré, exalté, excité, fanatisé, furieux, furibond, irrité, précipité, vif, vivifié.

AVIVER. Accélérer, aiguiser, attiser, augmenter, croître, décaper, déchaîner, embraser, enflammer, exalter, exciter, fanatiser, irriter, ouvrir, plâtrer, polir, ranimer, raviver, ragaillardir, rouvrir, tisonner, vivifier.

AVOCAT (n. p.). Badinter, Besson, Bouchard, Butt, Charpentier, Cicéron, Conte, Cros, Danton, Davy, Dreyfus, Drouet, Dubost, Dumas, Dupin, Fabre, Favre, Gambetta, Grevy, Joly, Jourdan, Klein, Lacordaire, Lemaistre, Levy, Linguet, Mandela, Manin, Nader, Patru, Poincaré, Pons, Robespierre, Schuman, Talon, Varin, Verdier, Vergès.

AVOCAT. Apôtre, auxiliaire, avocaillon, avocasser, avocasserie, avocassier, avoué, barreau, bavard, conseil, conseiller, défenseur, épitoge, fruit, intercesseur, jurisconsulte, juriste, maître, orateur, plaideur, robe, robin, toge.

AVOCATE (n. p.). Ebadi, Robinson, Ruffo.

AVOINE. Argent, céréale, fromental, graminée, grumelle, houque, nourriture, picotin, poche, volée, whisky.

AVOIR. Abhorrer, abominer, accéder, actif, bien, cadrer, compte, concerner, concorder, contribuer, crédit, demander, détenir, doit, engendrer, eu, jouir, marre, militer, monter, obtenir, onduler, ovuler, partager, posséder, pouvoir, prévaloir, propriété, prospérer, regorger, réussir, songer, stipendier, tenir, tirer, trébucher, trottiner, vouloir.

AVOISINANT. Adjacent, alentours, attenant, circonvoisin, contigu, environnant, près, prochain, proche, proximité, voisin.

AVOISINER. Approcher, attenant, confiner, côtoyer, coudoyer, environner, friser, frôler, jouxter, toucher, voisiner.

AVORTÉ. Échoué, foiré, imparfait, inéclos, loupé, manqué, mort-né, raté.

AVORTEMENT. Arrêt, brucellose, cessation, échec, faillite, fiasco, insuccès, interruption, IVG, millerandage.

AVORTER. Abortif, accoucher, capoter, chuter, échouer, floper, foirer, hâter, louper, manquer, queuter, rater.

AVORTON. Courtaud, faible, embryon, fœtus, germe, homoncule, homuncule, lilliputien, nabot, nain, petit, radais, tom-pouce.

AVOUER. Accuser, admettre, approuver, avocat, concéder, confesser, confier, constater, convenir, déboutonner, déclarer, dévoiler, dire, homologuer, inavouer, mea-culpa, nier, parler, reconnaître, révéler, se mettre à table, trahir, vider.

AVRIL. Blé, floréal, germinal, mois, poisson, printemps, Vénus.

AVULSION. Ablation, arrachage, arrachement, déracinement, enfleurage, enlevé, énucléation, évulsion, exérèse, extirpation, extraction, fonte, lixiviation, métallurgie, naissance, origine, sous-produit, tiré.

AXE. Aiguille, aiguillot, arbre, axial, axile, bissel, calamus, centre, cep, cime, coulemelle, direction, essieu, gond, gourmand, hampe, ligne, mèche, paille, pivot, pôle, rachis, selle, stipe, stupe, tige, tore, tronc, uniaxe, vanne, vecteur.

AXER. Aiguiller, canaliser, centraliser, centrer, concentrer, diriger, orienter, piloter, pivoter, tourner, traverser.

AXIOMATISER. Blesser, choquer, fâcher, fixer, formaliser, grammaticaliser, hérisser, mathématiser, modéliser, offenser, offusquer, ordonner, organiser, piquer, ritualiser, scandaliser, vexer.

AXIOME. Argument, apodicticité, certitude, donnée, évidence, lemme, pensée, postulat, prémisse, théorie, vérité.

AXIS. Cerf, cervidé, faon, quadripède, vertèbre.

AXONE. Dendrite, glial, glie, inhibition, lubrifiant, microglie, neurone, névroglie, prolongement, synapse commendataire.

AYANT DROIT. Allocataire, ascendant, attributaire, autorisé, bénéficiaire, cessionnaire, client, continuateur, dauphin, descendant, héritier, impétrant, parent, personne, prestataire, remplaçant, successeur.

AZALÉE. Amaena, arbuste, arendsii, canadensis, crouxii, dicotylédone, éricacée, fleur, gamopétale, kaempferi, kurume, malvatica, macrantha, macrostemon, maxwellii, mollis, mucronatum, plante, pontique, rhododendron, viscosa, vuykiana.

AZERBAÏDJAN, CAPITALE (n. p.). Bakou.

AZERBAÏDJAN, LANGUE. Arménien, russe, turc.

AZERBAÏDJAN, MONNAIE. Manat.

AZERBAÏDJAN, VILLE (n. p.). Agdam, Akhsou, Astara, Baki, Bakou, Bejlagan, Belokany, Cheki, Chemakha, Choucha, Djoulfa, Evlakh, Fizouli, Giandja, Jiloi, Kouba, Lenkoran, Martouni, Matchtaga, Naftalan, Noukha, Oudjary, Sabountchi, Siazan, Stepanakert, Zakataly, Zangelan.

AZIMUT. Angle, astronomie, azimutal, boussole, défense, directions, partout, sens.

AZIMUTÉ. Cinglé, dingo, dingue, dérangé, fêlé, folasse, fou, gaga, gâteux, maboul, malade, marteau, troublé.

AZOTATE. Nitrate, nitrogène, roburite.

AZOTE. Air, az, azotémie, chitine, créatine, créatinine, N, nitrate, nitre, nitreux, nitrogène, nitrure, nylon, soja, urée, urémie, urique.

AZOTÉMIE. Azote, urate, urée.

AZOTITE. Nitrite, sel

AZUR. Air, atmosphère, blason, bleu, bleu ciel, céleste, cérulé, céruléen, cérulescent, ciel, empyrée, éther, firmament, lapis, lapis-lazuli, mer, minéral, outremer, safre, smalt, verre, voûte.

AZURÉ. Azurin, bleu, bleuâtre, bleuté, bruant, céleste, cérulé, céruléen, myosotis, pervenche, saphir, voûte.

AZURITE. Alchimie, carbonate, carbone, cuivre, lapis, minéral.

AZYME (n. p.). Pâque.

AZYME. Israélite, hostie, levain, miche, pain.

B

B.A.-BA. Abc, bases, connaissance, rudiments.

BABA. Abasourdi, ahuri, bébé, bée, bol, confondu, croupe, cul, derrière, dos, ébahi, éberlué, estomaqué, étonné, fessier, gâteau, hébété, interdit, interloqué, kirsch, marquise, médusé, pantois, pétrifié, réunion, rhum, savarin, sidéré, stupéfait, surpris.

BABA (n. p.). Ali.

BABEL. Babélisme, bible, capitale, désordre, nemrod, tour, ziggourat.

BABÉLISME. Babel, brouhaha, brouillamini, cafouillage, capharnaüm, chaos, cohue, confusion, désordre, embrouillement, enchevêtrement, fatras, fouillis, imbroglio, jargon, mélange, méli-mélo, pêle-mêle, tumulte.

BABICHE. Attache, câble, chaîne, corde, courroie, fers, lanière, lien, ligament, ligature, liure, rétinacle, sangle.

BABIL. Babillage, babillard, bavardage, boniment, bruit, caquet, gazouillement, gazouillis, jaserie, lallation, murmure, papotage, pie, placotage, ramage.

BABILLAGE. Babil, bagou, baragouinage, baratin, bavardage, bla-bla, cancan, caquetage, caquètement, jacassement, jactance, jabotage, jaspinage, margotage, papotage, parlote, patata, patati, potin, racontar, ragot, verbiage.

BABILLARD. Afficheur, bavard, causeur, commère, éloquent, jacasseur, jacteur, jaseur, loquace, phraseur, tableau, volubile.

BABILLER. Bavarder, bavasser, cailleter, cancaner, caqueter, chanter, gazouiller, jaser, murmurer, parler, piailler.

BABINES. Badigoinces, baboune, balèvre, bord, bouche, joue, labre, lèvre, lippe, masque, moue, nymphe.

BABIOLE. Affichet, bagatelle, baliverne, bêtise, bibelot, breloque, bricole, broutille, colifichet, flirt, rien.

BÂBORD. Bâbordais, batterie, gauche, senestre, tribord.

BABOUCHE. Charentaise, chaussure, gougoune, mule, pantoufle, sandale, savate, tape-guidoune.

BABOUIN. Cercopithécidé, cynocéphale, enfant, épouvantail, hamadryas, mandrill, papion, singe.

BABOUNE. Babine, badigoinces, balèvre, bord, bouche, grimace, joue, labre, lèvre, lippe, masque, moue, nymphe.

BABOUNER. Bouder, cantonner, emmerder, grogner, ignorer, maussade, moue, rechigner, refuser, renfrogner.

BABOUVISME. Attachement, autogestion, bolchevisme, chartisme, collectivisme, collégialité, communisme, dirigisme, doctrine, égalitarisme, étatisme, gauche, impérialisme, léninisme, maoïsme, marxisme, mutualisme, nationalisme, patriotisme, progressisme, stalinisme, trotskisme.

BABYLONE (n. p.). Akkad, Babel, Balthazar, Chaldée, Esther, Hammourabi, Mardouk, Marduk, Mésopotamie, Saule.

BAC. Auget, auget, baccalauréat, bachot, baquet, bateau, caisse, cuve, navette, passeur, pile, toue, traille, traversier.

BACCALAURÉAT. Bac, bachelier, bachot, diplôme, examen, grade, maturité, premier, propédeutique, terminale.

BACCARA. Banco, banqueroute, carte, chute, débâcle, fiasco, floche, marasme, pharaon, ponte, pot, ruine.

BACCARAT. Base, cristal, cristallin, cristallite, druse, épitaxine, face, géode, lame, macle, nicol, noces, noyau, œil, pendeloque, phénocristal, quartz, raphide, rhomboèdre, stras, strass, trémie, trichite, uniaxe, verre, verroterie.

BACCHANALE. Bacchante, bachique, bambochade, beuverie, débauche, fête, libation, noce, orgie, soûlerie.

BACCHANTE. Bacante, bacchanale, bassaride, charmeuses, débauche, débauchée, éleide, éviade, femme, fête, ivrognesse, ménade, mimalonide, moustache, orgie, prêtresse, thyiade.

BACCHUS (n. p.). Baalbek, Bacchanale, Bakkos, Balbek, Dionynos.

BACCHUS. Bacchante, bachique, dithyrambe, évohé, louange, ménades, sommelier, thyades, thyrse, vin.

BÂCHE. Abri, banne, caisse, capot, châssis, couette, couverture, drap, housse, plaid, prélart, réservoir, toile.

BACHIQUE. Bacchante, chahut, débauche, dionysiaque, mégère, noachique, thyade.

BACHOT. Bac, baccalauréat, barque, embarcation, maturité, navette, propédeutique, traille, transbordeur, traversier.

BACILLARIOPHYCÉE. Algue, cyclotella, diatomée, euglène, navicule, pennale, protiste.

BACILLE (n. p.). Eberth, Hansen, Koch, Nicolaier, Yersin.

BACILLE. Bacillose, bactérie, bâtonnet, botulisme, brucella, colibacille, coliforme, diphtérie, germe, hansen, insecte, koch, lèpre, microbe, mycobactérie, phasme, tuberculose, typhique, vibrion, virgule, virus, yercin.

BACILLOSE. Bacille, bactérie, botulique, choléra, coliforme, diphtérie, hansen, inopérant, koch, lèpre, microbe, microorganisme, tuberculose, typhique, vibrion, virgule, yercin.

BÂCLER. Bousiller, exécuter, expédier, fagoter, fermer, finir, gâcher, gâter, inattention, saboter, sabrer, saloper, torcher.

BACTÉRIE. Acétobacter, azotobacter, bacille, champignon, cocci, colibacille, coque, culture, diplocoque, e-coli, fromage, germe, gonocoque, koch, leptospire, microbe, nitreux, nitrique, pasteurella, pneumocoque, rhizobium, rickettsie, sarcine, shigelle, spirille, spirochète, streptocoque, tréponème, vibrion, yersin, yersinia.

BACTÉRIOLOGISTE (n. p.). Albert, Behring, Calmette, Chantemesse, Dubos, Eberth, Gram, Guérin, Haffkine, Laveran, Martin, Nicolaier, Nicolle, Pasteur, Roux, Tréfouël, Yersin.

BACUL. Croupière, cuisse, harnachement, harnais, palonnier.

BADABOUM (n. p.). Nordique.

BADABOUM. Boum, bruit, chute, mascotte, patatras.

BADAUD. Barguineur, crédule, curieux, flâneur, fouineur, musardeur, oisif, promeneur, rôdeur, traîneur, vadrouilleur.

BADERNE. Aîné, archaïque, bedole, borné, cadenette, frottement, protection, rétrograde, tresse, vieillard, vieux.

BADGE. Autocollant, cocarde, écusson, emblème, épinglette, étole, insigne, macaron, pin, rosette, sceptre.

BADIANE. Anis, arbrisseau, arbuste, aromate, cumin, épice, fenouil, infusion, magnoliacée, pimprenelle.

BADIGEONNER. Barbouiller, couvrir, dorer, enduire, farder, lécher, oindre, peindre, recouvrir.

BADIGEONNEUR. Artiste, barbouilleur, cuisinier, gribouilleur, peintre, rapin.

BADIGOINCES. Babine, balèvre, bec-de-lièvre, bilabié, bord, bouche, écarteur, joue, labial, labié, labium, labre, lèvres, lippe, lippée, lippu, lobe, masque, moue, moustache, nymphe, perlèche, plaie, pourlèche, repli, ri, rire, vulve.

BADIN. Allègre, bouffon, enjoué, épanoui, espiègle, fol, folâtre, folichon, fou, gai, hilare, léger, pétulant, plaisantin.

BADINAGE. Amusement, badinerie, baliverne, blague, bouffonnerie, boutade, calembour, jeu, marivaudage, plaisanterie.

BADINE. Aine, apex, archet, baguette, bâton, bâtonnet, canne, cravache, crosse, houssine, houx, jonc.

BADINER. Abuser, amuser, berner, blaguer, conter, ébattre, flirter, folâtrer, hasarder, jongler, jouer, lutiner, marivauder, miser, parier, pincer, plaisanter, railler, rigoler, rire, risquer, spéculer, taquiner, traiter, tromper.

BADINERIE. Amusette, badinage, bagatelle, baliverne, bêtise, bricole, enfantillage, espièglerie, plaisanterie, taquinerie.

BADMINTON. Filet, moineau, paddair, squash, tennis, volant.

BAFFE. Beigne, calotte, claque, gifle, giroflée, mandale, mornifle, pêche, soufflet, taloche, tape, tapette.

BAFFLE. Acousticien, acoustique, bip, écran, enceinte, entendre, gravité, haut-parleur, odologie, oreille, son, sonie, sonore, tonalité, ultrason.

BAFOUER. Abaisser, cocu, conspuer, huer, ignorer, malmener, mépriser, moquer, outrager, railler, ridiculiser.

BAFOUILLAGE. Amphigouri, balbutiement, baragouinage, charabia, élocution, incohérence, idiotie, marmonnage, propos.

BAFOUILLE. Babillarde, bifton, billet, caractère, épître, faire-part, lambda, lettre, message, missive, mot, obédience, pi, pli, poulet, psi, rho, traite, xi.

BAFOUILLER. Ânonner, argoter, balbutier, baragouiner, bégayer, bredouiller, broubeler, hésiter, marmonner, parler.

BAFOUILLEUR. Balbutiant, baragouineur, baragouineux, bégayant, bredouilleur, marmotteur.

BAFOUILLIS. Ânonnement, aube, aurore, bafouillage, balbutiement, baragouinage, bégaiement, bredouillage, bredouillement, bredouillis, commencement, début, enfance, jargon, marmonnage, marmonnement, marmottage.

BÂFRER. Bouffer, bourrer, briffer, descendre, empiffrer, gaver, goberger, gorger, goinfrer, manger, morfaler.

BÂFREUR. Bouffeur, dévoreur, gargantua, glouton, gobeur, goinfre, goulu, gourmand, ogre, ripailleur, vorace.

BAGAGE. Affaires, arroi, attirail, bâche, bagot, ballot, barda, cabas, caisse, chargement, coffre, colis, effets, équipage, équipement, fourbi, frusquess, malle, nippes, pacotille, paquet, paquetage, sac, train, trousseau, valise.

BAGAGISTE. Ânée, coltineur, commissionnaire, coolie, courrier, coursier, débardeur, déchargeur, déménageur, détenteur, estafette, facteur, laptot, livreur, messager, nervi, portefaix, porteur, sherpa, transporteur.

BAGARRE. Altercation, baroud, baroufle, baston, bataille, battre, bigorne, casse, castagne, combat, coup de torchon, discussion, dispute, duel, échauffourée, grabuge, guerre, lutte, mêlée, pugilat, querelle, rif, riffe, rififi, rifle, riflette, rixe.

BAGARRER. Attaquer, barder, battre, castagner, combattre, découdre, démener, disputer, ferrailler, lutter, quereller.

BAGARREUR. Agressif, baroudeur, bastonneur, batailleur, belliqueux, combatif, coucheur, offensif, querelleur.

BAGASSE. Amazone, belle-de-jour, convolvulacée, courtisane, fleur, hétaïre, liseron, plante, poule de luxe, prostituée.

BAGATELLE. Amour, amusette, babiole, baliverne, bêtise, bibelot, bricole, brimborion, broutille, colifichet, fadaise, foutaise, frivolité, futilité, minutie, misère, niaiserie, plaisanterie, prune, ragot, rien, sornette, vétille.

BAGNARD. Déporté, détenu, forçat, galérien, interné, pénitencier, prisonnier, relégué, transporté.

BAGNE. Cachot, chiourme, détention, enfer, galère, geôle, pénitencier, pontons, présides, prison, réclusion, relégation.

BAGNOLE. Auto, automobile, bahut, bazou, caisse, clou, ferraille, poubelle, tacot, taxi, tire, véhicule, voiture.

BAGOU. Bagout, baratin, bavardage, bavasserie, boniment, éloquence, faconde, jactance, mordache, tchatche.

BAGUE. Alliance, anneau, baguier, brillant, cabochon, chaton, chevalière, cigare, collier, cricoïde, diamant, ferrage, ferret, ferrement, ferrure, gage, grenadière, jonc, manchon, marguerite, marquise, solitaire, triboulet, virole.

BAGUENAUDE. Aventure, balade, course, déambulation, déplacement, égarement, flânerie, promenade, randonnée.

BAGUENAUDER. Balader, déambuler, errer, flâner, guêtre, lanterner, musarder, muser, promener, rôder, traîner.

BAGUENAUDIER. Arbuste, arbustier, bâtard, fagacée, faux séné, infusion, papilionacée.

BAGUER. Coudre, garnir, identifier, marquer, marier, matelasser, ouater.

BAGUETTE. Agitateur, aine, antibois, archet, badine, bâton, broche, caducée, canne, carre, chicote, crayon, fla, frette, gong, gratte-dos, houssine, listeau, listel, liston, liteau, mailloche, membron, pain, plectre, ra, sillet, spatule, triboulet, verge, vergette.

BAGUETTISANT. Enchantement, fontainier, radiesthésiste, rhabdomancien, sourcier.

BAGUIER. Boîte, cassette, coffret, coupe, écrin, pyxide, rangement.

BAHAMAS (n. p.). Lucayes.

BAHAMAS, CAPITALE (n. p.). Nassau.

BAHAMAS, LANGUE. Anglais.

BAHAMAS, MONNAIE. Dollar.

BAHAMAS, VILLE (n. p.). Free Port, Kemp's Bay, Matthew, Nassau, New-Providence.

BAHREIN, CAPITALE (n. p.). Manama.

BAHREIN, LANGUE. Arabe.

BAHREIN, MONNAIE. Dinar.

BAHREIN, VILLE (n. p.). Awali, Hammad, Manama, Sitrah.

BAHUT. Appui, armoire, assise, automobile, boîte, buffet, camion, chaperon, coffre, collège, dressoir, école, huche, lycée, maie, mur, semainier, taxi, vaisselier.

BAI. Alezan, aquilin, baie, brun, cheval, isabelle, miroité, oculus, roussâtre, rubican.

BAIE, BOTANIQUE. Abricot, airelle, akène, ataca, atoca, avocat, banane, bleuet, calanque, cenelle, cerise, citron, drupe, fraise, framboise, fruit, grain, graine, groseille, mûre, myrtille, oculus, pamplemousse, raisin, rosacée, rose, sorbe.

BAIE, CONSTRUCTION. Carreau, embrasure, fenêtre, fenestration, fronteau, lanterne, lanterneau, lanternon, lucarne, lumière, linteau, mosaïque, ouverture, puits, rose, table, verre, verrière, vitrail, vitre, vue.

BAIE, GÉOGRAPHIE. Anse, barachois, calanque, cap, conche, crique, estuaire, golfe, havre.

BAIE AFRIQUE (n. p.). Biafra, Delagoa, Sainte-Hélène, Walvis.

BAIE ALASKA (n. p.). Prudhoe.

BAIE ANGLETERRE (n. p.). Lyme.

BAIE ATLANTIQUE (n. p.). Aiguillon, Fundy.

BAIE AUSTRALIE (n. p.). Albatros, Halifax.

BAIE BRÉSIL (n. p.). Guanabara, Marajo, Rio, Turiacu.

BAIE BRETAGNE (n. p.). Trépassés.

BAIE CANADA (n. p.). Baffin, Burlington, Cambridge, Caraquet, Cardigan, Chaleurs, Chedabouctou, Cobequid, Cumberland, des Chaleurs, De James, Egmont, Frobisher, Fundy, Georgienne, Goose, Green, Hudson, James, Miramichi, Quinté, resolute, Saginaw, Shepody, Trinity, Ungava, Vancouver.

BAIE CHINE (n. p.). Kiao-Tcheou, Yinglo.

BAIE CÔTE D'IVOIRE (n. p.). Sassandra.

BAIE ÉCOSSE (n. p.). Moray.

BAIE ÉTATS-UNIS (n. p.). Chesapeake, Fundy, Galveston, Prudhoe, San Francisco.

BAIE FRANCE (n. p.). Audierne, Trépassés.

BAIE IRLANDE (n. p.). Bantry, Clew, Dingle, Donegal, Dundalk, Galway, Rosslare, Youghal.

BAIE ISRAËL (n. p.). Ako, Haïfa.

BAIE JAPON (n. p.). Ise, Matsushina, Uele.

BAIE LABRADOR (n. p.). Ungava.

BAIE LAC CHAMPLAIN (n. p.). Missisquoi.

BAIE LIBYE (n. p.). Syrte.

BAIE MARITIMES (n. p.). Fundy.

BAIE MEXIQUE (n. p.). Acapulco, Campêche.

BAIE MOZAMBIQUE (n. p.). Delagoa.

BAIE QUÉBEC (n. p.). Cascapédia, Comeau, Des Chaleurs, Gaspé, Ha Ha, James, Missisquoi, Trinité, Urfée, Ungava.

BAIE VIETNAM (n. p.). Along.

BAIE VITRÉE. Châssis, croisée, fenêtre, vitre, vue.

BAIGNADE. Baigner, baignoire, bain, balnéation, douche, étuve, mégis, pataugeoire, saucette, sauna, trempette.

BAIGNE COMPIÈGE (n. p.). Oise.

BAIGNE FERRARE (n. p.). Pô.

BAIGNE ENGADINE (n. p.). Inn.

BAIGNE GRENOBLE (n. p.). Isère.

BAIGNE IÉNA (n. p.). Saale.

BAIGNE LOURDES (n. p.). Pau.

BAIGNER. Arroser, asperger, auréoler, badigeonner, baignoire, bain, baptiser, bassiner, doucher, étuver, guéer, humecter, imbiber, inonder, irriguer, laver, macérer, mariner, mouiller, nager, nettoyer, nimber, noyer, œillère, ondoyer, plonger, submerger, traverser, tremper, tuber, verser.

BAIGNEUR. Curiste, fessier, jouet, nageur, naïade, postérieur, poupard, poupon, touriste, vacancier.

BAIGNOIRE. Bain, bassin, cuve, douche, jacuzzi, kiosque, loge, mezzanine, piscine, proscenium, sabot, salle, spa, théâtre.

BAIL. Affermage, amodiation, bailleur, commandite, contrat, convention, emphytéose, emphytéotique, fermage, louer, loyer, renon.

BAILLE. Auge, bac, baquet, bateau, école, embarcation, navale, patouillard, rafiot, sapine, seillon, tonneau.

BÂILLEMENT. Amertume, chagrin, contrariété, contrecœur, dégoût, déplaisir, désagrément, ennui, froissement, gêne, insatisfaction, irritation, langueur, mécontentement, offense, regret, répugnance, scandale, vide, vilenie.

BÂILLER. Béant, béer, croire, décrocher, donner, ennui, entrebâiller, faim, fatigue, mâchoire.

BAILLEUR. Amodiataire, commanditaire, concessionnaire, créancier, loueur, preneur, prêteur, propriétaire, sponsor.

BAILLI (n. p.). Gessler, Suffren, Tell.

BAILLI. Administrer, alcade, bourgmestre, chef, dividende, échevin, édile, gouverneur, magistrat, maïeur, maire, municipalité, notabilité, sénéchal, village.

BÂILLON. Bandeau, boycottage, censure, contrôle, entrave, filtre, imprimatur, muselière, poire d'angoisse, tampon.

BÂILLONNER. Censurer, empêcher, étouffer, fermer, garroter, museler, opprimer, réduire.

BAIN. Balnéation, cuvette, douche, étuve, fangothérapie, hammam, hermès, immersion, lavage, maillot, mégis, nymphée, nu, piscine, râbler, salle, sauna, sel, siège, solarium, spa, strigile, suée, sueur, thermes, trempette, tub.

BAÏONNETTE. Douille, ergot, escrime, fusil, lame, lardoire, poignard, rosalie, sabre, scramasaxe.

BAISABLE. Affriolant, appétissant, attrayant, bandant, consommable, désirable, enviable, excitant, intéressant, mettable, nécessaire, séduisant, souhaitable, tentant, voulu.

BAISE. Accouplement, appairage, appariement, assemblage, avec, coexistence, coïncidence, combiné, concomitance, couplage, jumelage, liaison, raccordement, rappariement, simultané, synchronisme, unisson, unité.

BAISE-EN-VILLE. Bagage, besace, bissac, bourse, cabas, carnier, ensiler, enveloppe, gibecière, havresac, musette, poche, récipient, réticule, sac, sachet, sacoche, taie, utricule, valise.

BAISEMAIN. Accolade, baiser, bec, bécot, bécoter, bise, bisou, bizou, compliment, courbette, duper, embrassement, embrasser, hommage, lutiner, mimi, osculateur, osculation, pourtour, prosternation, tromper.

BAISER (n. p.). Judas, Lamourette.

BAISER. Accolade, baisemain, baisement, bec, bécot, bécoter, berner, bise, bisou, bizou, copuler, duper, embrassade, embrasser, lutiner, mimi, niquer, osculateur, osculation, poutou, trigler, tromper.

BAISSE. Abaissement, affaiblissement, afflux, amoindrissement, bas, bémol, chute, décroissance, décrue, diminution, fléchissement, rabais, réduction, régression, retranchement, sénescence, soustraction, tassement.

BAISSER. Abaisser, abattre, affaisser, baissement, bas, bémoliser, caler, céder, chuter, courber, déchoir, décliner, décroître, déflation, descendre, faiblir, fléchir, incliner, pencher, plier, rabaisser, rabattre, rebaisser, surbaisser.

BAISEUR. Coucheur, culbuteur, étalon, fornicateur, mâle.

BAISSANT. Abaissant, abrutissant, avilissant, dégradant, déshonorant, honteux, humiliant, infamant, rabaissant.

BAISSE. Abaissement, affaiblissement, affaissement, chute, commencement, crépuscule, crise, décadence, déchéance, déclin, décrépitude, dégénérescence, dégradation, dégringolade, déliquescence, dépérissement, descente, destruction, glas, prestige, ruine.

BAISSER. Abaisser, abréger, affaiblir, aléser, amoindrir, amortir, asservir, atomiser, atténuer, bâillonner, brésiller, briser, broyer, changer, clochardiser, comprimer, contracter, diminuer, écrabouiller, effriter, égruger, élégir, émier, émietter, forcer, gracier, grainer, grener, gruger, incinérer, léviger, limer, limiter, mater, minimiser, minorer, modérer, morceler, moudre, museler, piler, pulvériser, ramener, réduire, quarter, râper, réduire, ristourner, ruiner, surbaisser, tasser, teindre, tomber, triturer, unifier, user.

BAJOUE. Abajoue, apophyse, bajote, fossette, joue, jugal, malaire, poche, pommette, réserve.

BAKCHICH. Arrosage, dessous-de-table, enveloppe, gratification, matabiche, pot-de-vin, pourboire.

BAL. Bastringue, boîte, bourrée, casino, cavalier, dancing, danse, guinche, guinguette, musette, ouvrir, salon, travesti.

BALADE. Baguenaude, bambée, campagne, chanson, chevauchée, circuit, course, croisière, déplacement, errance, excursion, flânerie, poème, promenade, randonnée, sortie, tour, tournée, vadrouille, virée, voyage.

BALADER. Aller, arpenter, arquer, avancer, cheminer, clopiner, courir, déambuler, enjamber, errer, flâner, fouler, longer, marcher, mener, musarder, passer, pavaner, piéter, rôder, suivre, trainasser, trotter, trottiner, vagabonder.

BALADEUR. Cassette, lecteur, navire, portable, porteur, roue, téléphone, walkman.

BALADEUSE. Lampe, main, prostituée, remorque, veilleuse, voiture.

BALADIN. Acteur, ambulant, acrobate, banquiste, bateleur, bouffon, cabotin, clown, histrion, saltimbanque.

BALAFRE. Blessure, cicatrice, coupure, couture, entaille, estafilade, incision, indice, stigmate, taillade, trace.

BALAFRER. Blesser, couper, couturer, déchirer, écharper, écorcher, entailler, estafilader, taillader, tailler.

BALAI. Aspirateur, balayette, brosse, coco, écouvette, écouvillon, épi, époussette, épuration, escoube, faubert, goret, guipon, houssoir, lave-pont, levier, oust, plumard, plumeau, queue, ramon, sorcière, tête-de-loup, torchon, vadrouille.

BALAIS. Corindon, rose pâle, rubis.

BALANCE (n. p.). Cavendish, Cotton, Coulomb, Roberval, Thémis.

BALANCE. Ajustoir, baroscope, bascule, berce, caudrette, crochet, filet, fléau, microbalance, pêchette, pèse-bébé, pèse-grain, pèse-lettre, pèse-personne, pesette, peseuse, peson, plateau, romaine, seste, solde, trébuchet, truble, verge.

BALANCELLE. Balançoire, baliverne, bascule, baliverne, brandilloire, branloire, escarpolette, sornette, tapecul.

BALANCEMENT. Alternance, balan, bascule, bercement, dandinement, mutation, nutation, roulis, tangage, va et vient.

BALANCER. Agiter, balloter, battre, bazarder, bercer, berner, branler, brimbaler, bringuebaler, centrer, chanceler, compenser, dandiner, dodeliner, dodiner, frémir, hésiter, jeter, lancer, osciller, peser, rouler, sauter, vaciller.

BALANCIER. Ancre, bascule, ballast, contrepoids, foliot, horlogerie, palanche, pendule, perche, prao, régulateur.

BALANCINE. Aile, archère, archière, avion, bandereau, bandoulière, baudrier, bifurcation, branchement, brassière, bretelle, bricole, carrefour, cordage, courroie, croisée, croisement, échangeur, embranchement, épaulette, espar, lanière, raccord, roulette, trèfle.

BALANÇOIRE. Balancelle, baliverne, bascule, baliverne, brandilloire, branloire, escarpolette, sornette, tapecul.

BALAYAGE. Abstention, assainissement, astiquage, bichonnage, brossage, déflation, digitalisation, époussetage, épuration, exploration, nettoiement, nettoyage, scannage, scanner, scanneur, scanning, scanographie.

BALAYER. Bannir, brosser, chasser, disperser, dissiper, essuyer, éluer, frotter, housser, laver, nettoyer, ramoner.

BALAYETTE. Balai, brosse, écouvillon, époussette, faubert, houssoir, pleumas, plumeau, tête-de-loup, vadrouille.

BALAYURE. Débris, déchet, dépotoir, détritus, écume, effiloche, étoupe, excrément, grenaille, immondices, lie, lin, maculature, ordure, racaille, rancart, rebus, résidu, reste, rogations, rognure, soie, strasse, vrac.

BALBUTIANT. Bafouillant, bégayant, branlant, bredouillant, chancelant, croulant, défaillant, flageolant, fragile, hésitant, incertain, instable, oscillant, pécloter, précaire, titubant, vacillant.

BALBUTIEMENT. Ânonnement, aube, aurore, bafouillage, bafouillis, baragouinage, bégaiement, bredouillage, bredouillement, bredouillis, commencement, début, enfance, jargon, marmonnage, marmonnement, marmottage.

BALBUTIER. Articuler, babiller, bafouiller, baragouiner, bégayer, bredouiller, marmonner, murmurer, verdoyer.

BALBUZARD. Accipitridé, aigle, aigle pêcheur, oiseau, piscivore, rapace.

BALCON. Avancée, balustrade, corbeille, diazome, galerie, loggia, méniane, mezzanine, oriel, saillie, véranda.

BALCONNET. Balustrade, brassière, étagère, planchette, rayon, rayonnage, soutien-gorge, tablette, tirette.

BALDAQUIN. Chapiteau, ciborium, ciel, ciel de lit, courtine, dais, lit, reposoir, tenture.

BALEINE. Baleineau, baleinier, baleinière, baleinoptère, bélouga, busc, cachalot, cétacé, crinoline, épaulard, fanon, huile, jubarte, krill, léviathan, mégaptère, orque, roque, rorqual, scie, spermaceti, verge.

BALEINE (n. p.). Jonas, Moby Dick.

BALÉNOPTÈRE. Baleine, gibard, jubarte, mégaptère, rorqual.

BALESTRON. Apiquer, balancine, beaupré, bôme, corne, drome, espar, gui, levier, mât, tangon, vergue.

BALÈZE. Athlète, baraqué, costaud, dépendeur, flandrin, fort, fort-à-bras, gaillard, géant, goliath, grand, hercule.

BALISAGE. Borne, bouée, désignation, feu, panneau, signal, signalement, signalisation, stop, timonerie.

BALISE. Amer, bouée, clignotant, délinéateur, émetteur, feu, position, jalon, marque, poteau, réflecteur, vigie.

BALISER. Borner, cadastrer, cantonner, confiner, contenter, contingenter, délimiter, limiter, localiser, restreindre, terminer.

BALISIER. Canna, cannacée, fleur, monocotylédone, plante, scitaminacée.

BALISTE. Bricole, caprique, catapulte, espringale, fanfré des Provençaux, machine, onagre, poisson, scorpion.

BALIVEAU. Arbre, arbuste, étalon, filardeau, futaie, lais, perche, pérot, support, sylvicole.

BALIVERNE. Bagatelle, balançoire, billevesée, bourde, chanson, coquecigrue, facétie, faribole, sornette, sottise.

BALLADE. Air, barcarolle, berceuse, canzone, chanson, chant, clip, complainte, comptine, couplet, estampie, fado, hit, jota, lied, mélodie, parolier, poème, pot-pourri, refrain, rengaine, ritournelle, romance, ronde, tube, villanelle.

BALLANT. Agitation, balancement, déséquilibre, équilibre, fébrilité, harmonie, modération, nervosité, pondération, retenue.

BALLAST. Agrégat, ballastière, compartiment, gravier, gravillon, lestage, litière, remblai, réservoir, sous-marin.

BALLE. Ace, amorti, auget, ballon, baseball, bastos, biscaïen, boule, but, cartouche, chevrotine, cible, colis, croquet, dum-dum, éteuf, farde, golf, jeu, let, lob, marbre, munition, net, pelote, plomb, polo, projectile, pruneau, slice, smash, tee, volée.

BALLER. Balancer, ballotter, danser, osciller, pendre.

BALLERINE. Baladine, chausson, chaussure, danseuse, étoile, tigre.

BALLERINE ITALIENNE (n. p.). Taglioni.

BALLET (n. p.). Casse-noisette, Coppelia, Daphnis, Don Juan, Ek, Giselle, Moïsseïev, Parade, Petit, Petrouchka, Psyché, Sylphide, Wilis.

BALLET. Balletomane, chorégraphie, coda, comédie, coryphée, danse, figurant, flamenco, quadrille, solo, spectacle.

BALLON (n. p.). Alsace, Arlandes, Blanchard, Garnerin, Guebwiller, Hess, Labrosse, Montgolfier, Nadar, Piccard, Servance, Tissandier, Verne.

BALLON. Aéronaute, aéronef, aéroscaphe, ancre, balle, ballonnet, baudruche, bombe, délester, dirigeable, essai, filet, gaz, gonfler, lest, lob, médecine-ball, montgolfière, nacelle, passe, punching-ball, rumeur, saucisse, saut, sommet, sonde, zeppelin.

BALLONNÉ. Distendu, enflé, flatueux, flatulent, gonflé, météorisé, tendu, venteux.

BALLONNEMENT. Aérophagie, crampe, emphysème, flatulence, gonflement, météorisation, météorisme, pet, tympanite.

BALLONNER. Aérophagie, arrondir, augmenter, bomber, boursoufler, empâter, emphysème, emprisonner, enfler, flatulence, gonfler, grouiller, tuméfier, météoriste, tendre, touffu, tromper, tympanite.

BALLOT. Affaires, attirail, balle, balluchon, baluchoncolis, équipement, imbécile, paquet, remballer, sot.

BALLOTTEMENT. Agitation, balancement, bercement, branlement, cahotement, flottement, flux, oscillation, reflux.

BALLOTTER. Agiter, balancer, baller, cahoter, dandiner, hocher, osciller, remuer, secouer, tirailler, tosser.

BALLOTINE. Aspic, charcuterie, dodine, galantine, gélatine, hors-d'œuvre, mets, minoune, rôti.

BALLUCHON. Ballot, baluchon, besace, bissac, cabas, fonte, fourre-tout, havresac, imbécile, paquet, selle.

BALONNET. Ballon, imbécile, paquet, sot.

BALOURD. Balustre, bête, cruche, gaffeur, gauche, imperfection, lourdaud, niais, rustaud, sot, stupide, tourte.

BALOURDISE. Ânerie, bêtise, Bévue, bourde, coquille, énormité, erreur, fadaise, faute, gaffe, gaucherie, grossièreté, idiotie, injure, insanité, insulte, invective, lourdeur, maladresse, niaiserie, rusticité, sornette, sottise, stupidité.

BALSAMIER. Arbre, balsamodendron, baume, baumier, beaumier, myroxyle, myroxylon, myrrhe, odoriférant.

BALSAMINE. Balsaminacée, dicotylédone, fleur, impatiens, impatiente, noli-me-tangere.

BALSAMIQUE. Baume, calmant, désodorisant, gaïc, odeur, parfum, parfumé, senteur.

BALUCHON. Ballot, balluchon, besace, bissac, cabas, fonte, fourre-tout, havresac, imbécile, paquet, selle.

BALUSTRADE. Balcon, balustre, épi, garde-corps, garde-fou, grille, limon, rampe, ridelle, sainte-table, socle, travée.

BALUSTRE. Accotoir, appui, col, colonnette, compas, menuiserie, ornement, pied, pilastre, pilier, tige.

BALZAC, PERSONNAGE (n. p.). Chanbert, Grandet, Gaudissart, Mirouet, Nucingen, Peau de chagrin.

BAMBIN. Bébé, chérubin, enfant, gamin, gosse, lardon, marmot, mioche, môme, moucheron, petiot, petit.

BAMBOCHARD. Bambocheur, fêtard, fêteur, noceur, viveur.

BAMBOCHE. Bamboula, bombance, bombe, bringue, couraillerie, débauche, fête, java, noce, noue, ripaille.

BAMBOCHER. Banqueter, bringuer, festoyer, fêter, gobichonner, gueuletonner, nocer, partouzer, ripailler.

BAMBOCHEUR. Arsouille, couche-tard, débauché, fêtard, jouisseur, noceur, noctambule, viveur.

BAMBOU. Auréa, bambusa, canne, dépression, fastuosa, henonis, japonica, mitis, murielae, nigra, nitida, plante, sasa, simonii.

BAMBOULA. Bacchanale, bambochade, beuverie, danse, débauche, fête, nègre, noce, nouba, tambour, tam-tam.

BAN. Annonce, applaudissement, condamnation, dignitaire, infraction, interdit, ovation, pouvoir, proclamation, publication, sonnerie.

BANAL. Classique, commun, communal, conforme, convenu, courant, coutumier, déjà-vu, éculé, fréquent, habituel, médiocre, normal, ordinaire, passe-partout, plat, plate, public, stéréotypé, terne, usé.

BANALEMENT. Aisément, communément, couramment, facilement, fréquemment, habituellement, ordinairement, parfaitement, populairement, prosaïquement, souvent, trivialement, usuellement, vulgairement.

BANALISER. Banal, décriminaliser, déculpabiliser, démystifier, dépersonnaliser, désaffecter, embourgeoiser, uniformiser.

BANALITÉ. Cliché, évidence, généralité, insignifiance, insipidité, lapalissade, platitude, poncif, relief, stéréotype, tarte, truisme.

BANANE. Bananeraie, butoir, coiffure, décoration, futon, frécinette, fruit, hélicoptère, mèche, plantain, régime.

BANANIER. Abaca, arbuste, banane, bananeraie, bateau, main, musacée, plantain, régime.

BANC. Agenouilloir, bahut, balancelle, balançoire, chaise, congère, corail, dressoir, escabeau, établi, exèdre, gradin, haut-fond, huche, huîtrier, montoir, neige, poissons, porteur, quêteux, sable, selle, siège, théâtre, tréteau.

BANCAIRE. Agio, banque, banquier, billet, bourse, change, chèque, cochon, coupure, crédit, dépôt, devise, recouvrement, tirelire, titrisation.

BANCAL. Approximatif, bancroche, bâtard, boiteux, branlant, claudicant, croche, difforme, épée, fragile, imparfait, inégal, instable, précaire, sabre.

BANCROCHE. Bancal, banban, béquillard, boiteux, boitillant, clamoin, claudicant, contrefait, éclopé, estropié, instable, précaire.

BANDAGE. Attelle, bandagiste, bande, capeline, écharpe, glisse, ligature, plâtre, pneu, spica, suspensoir, toile.

BANDANT. Affriolant, désirable, excitant, passionnant, séduisant, turgescent.

BANDE (n. p.). Aiken, Aozou, Barrière, Bonnot, Canaan, Gaza, Lido.

BANDE (2 lettres). AM, bd, FM, lé, MA, MF.

BANDE (3 lettres). Dat, écu, son.

BANDE (4 lettres). Aine, bédé, clan, démo, film, gang, gîte, lido, lien, loup, nuée, raie, rail, rive, zone.

BANDE (5 lettres). Bride, caste, école, étole, fanon, fasce, frise, galon, garde, jaspe, liste, mafia, manga, masse, mèche, meute, panne, patte, pègre, pente, piste, ruban, secte, séton, spica, volée, zonal.

BANDE (6 lettres). Armada, bilame, brayer, burèle, clique, cordon, côtier, équipe, flamme, frange, groupe, guêtre, isthme, légion, liséré, rayure, rebord, rivage, rubané, sangle, signet, sonore, surdos, trâlée, troupe, velcro.

BANDE (7 lettres). Bandage, bandeau, burelle, calicot, cohorte, collure, coterie, cravate, diadème, écharpe, épitope, falbala, lanière, libèche, lisière, pendant, penture, plinthe, sautoir, surfaix, tranche.

BANDE (8 lettres). Ceinture, chapelle, courroie, engrêlée, escouade, régiment, sous-pied, troupeau.

BANDE (9 lettres). Ascenseur, bandereau, banderole, bataillon, bédéphile, ceinturon, entre-deux, épaulette, feuillard, garde-boue, girouette, marmaille, multitude, passepoil, pellicule, sparadrap, trépointe.

BANDE (10 lettres). Architrave, bandelette, bande-vidéo, bouillonné, intervalle, jarretelle, jarretière, molletière.

BANDE (11 lettres). Bandoulière, cantonnière, inclinaison, mentonnière, protège-slip.

BANDE (12 lettres). Attroupement, bande-annonce.

BANDEAU. Archivolte, bâillon, bandelette, diadème, fasce, ferronnière, fronteau, serre-tête, turban, verseau.

BANDELETTE. Bande, bandeau, infule, langue, languette, momie, moulure, queue, ruban, sérum, séton.

BANDER. Armer, enclencher, engager, érection, étirer, gîter, lier, panser, raidir, rebander, retendre, rouler, tendre.

BANDERILLE. Banderillero, dard, garrot, lance, pique, toréador, torero.

BANDEROLE. Baverolle, calicot, drapeau, étendard, flamme, girouette, gonfalon, gonfanon, marque, phylactère.

BANDIT (n. p.). Al Capone, Cartouche, Fantômas, Mandrin, Robin des bois.

BANDIT. Apache, arnaqueur, brigand, convict, coquin, criminel, escarpe, escroc, filou, forban, gangster, hors-la-loi, larron, malandrin, malfaiteur, nervi, pillard, pirate, scélérat, séide, sicaire, truand, vaurien, voleur.

BANDITISME. Brigandage, briganderie, concussion, criminalité, escroquerie, gangstérisme, pillage, piratage.

BANDONÉON (n. p.). Piazzolla.

BANDONÉON. Accordéon, bando, hexagonal, tango.

BANDOULIÈRE. Archère, archière, assurage, bandereau, baudrier, bretelle, bricole, ceinture, écharpe.

BANGLADESH, CAPITALE (n. p.). Dhaka.

BANGLADESH, LANGUE. Anglais, bengali.

BANGLADESH, MONNAIE. Taka.

BANGLADESH, VILLE (n. p.). Barisal, Bogra, Chalna, Comilla, Dhaka, Khulna, Jessore. Maijdi, Pabna, Rangpur, Saidpur, Sylhet, Tangail.

BANIAN. Brahmanique, caste, figuier, moracée.

BANJO. Balalaïka, buzuki, cithare, citole, gratte, guimbarde, guimbri, guitare, guiterne, guzla, instrument, luth, lyre, mandoline, mandore, médiator, plectre, samisen, shamisen, sistre, sitar, touchette, turtulette, ukulélé.

BANLIEUE. Agglomération, alentours, ceinture, environs, faubourg, omnibus, périphérie, quartier, suburbain, villette.

BANNE. Bâche, benne, berline, blondin, osier, panier, rideau, skip, toile, tombereau, voiture, wagon, wagonnet.

BANNETON. Bannette, boutique, pain, paneton, panier, vivier.

BANNETTE. Banne, banneton, bourriche, cageot, cagette, casier, cloyère, corbeille, hotte, panier.

BANNI. Bagnard, déporté, exilé, expatrié, expulsé, interdit, proscrit, refoulé, réfugié, relégué, sans-papiers, transporté.

BANNIÈRE. Banderole, bandière, baucen, baverolle, couleurs, drapeau, emblème, enseigne, étendard, fanion, flamme, gonfalon, gonfanon, guidon, labarum, marque, oriflamme, pavillon, pennon, sigle, tanka.

BANNIR. Abandonner, abolir, annoncer, avorter, ban, chasser, déféquer, déporter, écarter, éloigner, émigrer, exclure, exiler, expatrier, expulser, interdire, ostraciser, ostracisme, proscrire, proscrit, refouler, reléguer, renvoyer.

BANNISSEMENT. Déportation, destitution, élimination, épuration, exclusion, exil, expulsion, interdiction, ostracisme, proscription, radiation, refoulement, rejet, relégation, renvoi, révocation, rupture, suppression.

BANQUE (n. p.). BCE, BEI, BN, BNP, BRI, CIBC, CMP, Barclays, FED, Rothschild.

BANQUE. Bancaire, banquier, billet, bourse, change, cochon, coupure, crédit, dépôt, devise, recouvrement, tirelire.

BANQUER. Aligner, casquer, douiller, payer, raquer.

BANQUEROUTE. Anéantissement, catastrophe, chute, crise, culbute, débâcle, déboires, débris, déconfiture, défaite, échec, effondrement, faillite, fiasco, insuccès, krach, liquidation, naufrage, revers, ruine.

BANQUET. Agapes, baille, banqueter, bombance, bombe, bonne chère, buffet, dîner, épulon, festin, festivité, fête, lectisterne, noce, partie, réjouissance, repas, ressat, ripaille, seille, tinette.

BANQUETER. Bambocher, festoyer, fêter, gobichonner, gueuletonner, nocer, ripailler.

BANQUETEUR. Anthropophile, commensal, convié, convive, goéland, hôte, invité, mouette, parasite.

BANQUETTE. Banc, chaise, chemin, congère, corail, couchette, dressoir, épaulement, escabeau, établi, exèdre, huîtrier, gradin, lit, montoir, neige, poissons, rotonde, sable, selle, siège, tréteau.

BANQUIER (n. p.). Ashburton, Bouglione, Cantillon, Fould, Fugger, Laffite, Medicis, Necker, Pereire, Perier, Perrégaux, Rothschild.

BANQUIER. Argentier, bonneteur, croupier, financier, mécène, ponte, preneur, remettant, sponsor, usurier.

BANQUISE. Bouscueil, calotte, glaciel, glacier, hummock, iceberg, icefield, inlandsis, pack, vêlage.

BANQUISTE (n. p.). Gruss, Ross.

BANQUISTE. Acrobate, baladin, bateleur, bouffon, cambiste, chanteur, cirque, clown, forain, pitre, saltimbanque.

BANTOUSTAN. Apartheid, homeland, territoire.

BAPTÊME. Catéchumène, chrémeau, chrétien, engagement, fonts, marraine, ondoiement, parrain, purification.

BAPTISER. Appeler, arroser, bénir, conférer, diluer, exorciser, immerger, oindre, ondoyer, purifier, régénérer.

BAQUET. Auge, bac, bachotte, baille, barbotière, corpulent, cuve, gros, jale, sapine, seillon, siège, tonneau.

BAR. Alcool, bistrot, brasserie, buvette, cabaret, café, comptoir, dancing, débit, débit-de-boisson, discothèque, estaminet, loubine, loup, loup de mer, lubin, meuble, poisson, pression, rade, saloon, taverne, troquet, zinc.

BARACHOIS. Anse, baie, brèche, brisure, calanque, crevasse, crique, fente, fissure, golfe, locuste, ruisseau.

BARAGOUIN. Balbutier, bredouillement, bredouiller, cafouillage, charabia, galimatias, jargon, sabir, volapuk.

BARAGOUINAGE. Babil, babillage, bagou, baratin, bavardage, bla-bla, cancan, caquetage, caquètement, jacassement, jactance, jabotage, jaspinage, margotage, papotage, parlote, patata, patati, potin, racontar, ragot, verbiage.

BARAGOUINER. Aborder, agir, annoncer, babiller, bafouiller, bavarder, bêler, bléser, causer, chuchoter, chuinter, claironner, crier, dauber, débiter, dénigrer, dire, discourir, disserter, divaguer, évoquer, exposer, exprimer, extravaguer, gueuler, haranguer, hurler, jacter, jargonner, jaser, joual, marmotter, monologuer, nasiller, négociation, parler, patois, péronier, picard, placoter, prononcer, rouchi, sic, substituer, susurrer, tarir, tonner, trahir, vociférer, zézayer, zozoter.

BARAGOUINEUR. Bafouilleur, balbutiant, baragouineux, bégayant, bredouilleur, marmotteur.

BARAKA. Aubaine, bol, chance, fortune, hasard, occasion, pot, protection, veine.

BARAQUÉ. Athlète, balèze, costaud, dépendeur, flandrin, fort, fort-à-bras, gaillard, géant, goliath, grand, hercule.

BARAQUE. Abri, appentis, bicoque, cabane, cabanon, cassine, échoppe, hangar, guérite, habitation, loge, masure.

BARAQUEMENT. Abri, base, bivouac, camp, campement, cantonnement, caserne, installation, quartiers.

BARAQUER. Accroupir, camper, chameau, dromadaire, établir.

BARATIN. Abattage, bagou, bavardage, bla-bla-bla, boniment, bourre-mou, brio, charme, faconde, gringue, jactance.

BARATINAGE. Babil, babillage, bagou, baragouinage, baratin, bavardage, bla-bla, cancan, caquetage, caquètement, jacassement, jactance, jabotage, jaspinage, margotage, papotage, parlote, patata, patati, potin, racontar, ragot, verbiage.

BARATINER. Bateler, bavarder, bonimenter, charmer, embobiner, entortiller, entreprendre, séduire, tchatcher.

BARATINEUR. Bavard, bonimenteur, charmeur, discoureur, hâbleur, parleur, séducteur, tartineur, tchatcheur.

BARBACANE. Arbalétrière, baie, canonnière, chantepleure, fente, fortification, meurtrière, ouverture, poste.

BARBADE, CAPITALE (n. p.). Bridgetown.

BARBADE, LANGUE. Anglais

BARBADE, MONNAIE. Dollar.

BARBADE, VILLE (n. p.). Bathheba, Bridgetown, Bruce, Hastings, Jackson, Marchfield, Portland, Speighstown.

BARBADINE. Fleur, fruit de la passion, passiflore.

BARBANT. Assommant, barbifiant, barbifique, embêtant, empoisonnant, ennuyeux, fastidieux, rasant, rasoir, sciant.

BARBAQUE. Bidoche, carne, chair, cuir, frigo, hasté, hâtelette, muscle, semelle, semelle de botte, viande.

BARBARE. Anthropophage, atroce, avare, barbaresque, barbe, bête, brute, cannibale, clan, cruel, dur, germain, grossier, horde, indien, inhumain, maure, mongol, pilleur, pirate, sans-cœur, sarrasin, sauvage, tribu, violeur, voleur.

BARBARIE. Animalité, atrocité, bestialité, brusquerie, brutalité, cruauté, déshumanisation, dureté, férocité, grossièreté, horreur, immunité, monstruosité, oponce, raquette, sadisme, sauvagerie, violence.

BARBARISME. Estropié, faute, impropriété, incorrection, inexistant, solécisme, vocabulaire.

BARBE. Arête, barbelure, barbiche, barbichette, barbillon, barbu, barbule, blaireau, bouc, cheval, cheveux, chicorée, collier, confiserie, ennui, favoris, imberbe, moustache, orge, penne, plume, poils, postiche, rasage, royale.

BARBEAU. Barbillon, barbue, bleuet, bluet, escarbot, fleur, hanneton, insecte, myrtille, poisson, proxénète, souteneur.

BARBE-BLEUE (n. p.). Perrault.

BARBE-BLEUE. Capucin, glabre, impériale, mouche, royale.

BARBELÉ. Barbelure, barricade, barrière, chancel, chevaux de frise, claie, clôture, échalier, piquant, ronce.

BARBER. Assommer, barbifier, embêter, emmerder, empoisonner, endormir, ennuyer, gratter, racler, raser.

BARBET. Arrêt, brigand, chien, contrebandier, griffon, hérétique, protestant, rouget, surmulet, vaudois.

BARBEUX. Arrogant, audacieux, culotté, cynique, donjuanesque, effronté, éhonté, exhibitionniste, grossier, hardi, impertinent, impudent, impudique, inconvenant, indécent, indiscret, insolent, outrecuidant, provocant.

BARBICHE. Barbe, bouc, chèvre, barbichette, barbichu, barbillons, barbu, blaireau, mouche, royale.

BARBIER (n. p.). Beaumarchais, Figaro, Le Daim, Le Dain, Necker, Rossini.

BARBIER. Coiffeur, figaro, frater, gobie, lepadogaster, lepadogastre, merlan, perruquier, poisson.

BARBIFIANT. Assommant, barbant, endormant, ennuyeux, fastidieux, inintéressant, insipide, lassant, rasant.

BARBIFIER. Assommer, barber, embêter, emmerder, empoisonner, endormir, ennuyer, languir, lasser, raser.

BARBIFIQUE. Assommant, barbant, barbifiant, embêtant, empoisonnant, ennuyeux, fastidieux, rasant, rasoir, sciant.

BARBILLE. Découpure, dent, dentelure, échancrure, entaille, hachure, incisure, lobe, mouchette, redan, redent.

BARBILLON. Barbeau, bœuf, cheval, entremetteur, filament, gage, loche, minable, poisson-chat, pointe, proxénète.

BARBITURIQUE. Anesthésique, anticonvulsif, barbital, gardénal, hypnotique, penthotal, sédatif, véronal.

BARBON. Andropogon, baderne, birbe, chef-d'œuvre, géronte, grison, schnoque, vieillard, vieux.

BARBOTAGE. Chapardage, duperie, effraction, escroquerie, exaction, extorsion, filouterie, flibusterie, friponnerie, hold-up, kleptomane, larcin, maraudage, maraude, piratage, plagiat, rapine, recel, vol, volerie.

BARBOTE. Barbot, barbotin, barbotte, cobitidé, fouille, loche, lotte, motelle, poisson, poisson-chat, silure, vol.

BARBOTER. Agiter, chaparder, chiper, choper, dérober, embourber, empêtrer, enliser, escamoter, faucher, fouiller, grenouiller, patauger, patouiller, piquer, placoter, prendre, soustraire, subtiliser, tremper, vautrer, voler.

BARBOTEUSE. Brassière, camisole, dormeuse, grenouillère, jaquette, lange, maillot, piscine, robe, vêtement.

BARBOTINE. Argile, balsamite, baume, herbe aux coqs, herbe aux mites, pâte, porcelaine, tanacetum, tanaisie.

BARBOUILLAGE. Barbouille, bariolage, dessin, graffiti, gribouillage, gribouillis, griffonnage, hiéroglyphe, scribouillage.

BARBOUILLER. Badigeonner, barioler, bomber, écrire, encrasser, enduire, gâter, goudronner, gribouiller, gribouillis, griffonnage, griffonner, grimoire, grisailler, mâchurer, maculer, noircir, peindre, peinturer, salir, tacher.

BARBOUILLEUR. Badigeonneur, écrivailleur, écrivassier, graffiteur, gribouilleur, griffonneur, plumitif, vandale.

BARBOUILLIS. Barbot, barbouillage, dessin, écriture, gribouillage, gribouillis, griffonnage, peinture.

BARBOUZE. Affidé, agent, argus, barbe, barbiche, espion, favoris, mouchard, mouche, policier, sycophante, taupe.

BARBU. Capucin, glabre, grison, imberbe, islamiste, moustachu, poilu, rasé, sapeur, velu, vulve.

BARBUE. Barbeau, barbillon, bleuet, escarbot, fleur, hanneton, insecte, myrtille, poisson, proxénète, souteneur.

BARCAROLLE. Air, ballade, batelier, berceuse, canzone, chanson, chant, clip, complainte, comptine, couplet, estampie, fado, hit, jota, lied, mélodie, parolier, poème, pot-pourri, refrain, rengaine, ritournelle, romance, ronde, tube, villanelle.

BARD. Basterne, brancard, brancardier, civière, dossière, filanzane, limon, limonière, litière, longeron, palanquin.

BARDA. Affaires, appareil, argent, attirail, assortiment, bagage, ballot, bruit, chargement, équipement, fourbi, harnachement, malle, matériel, ménage, outillage, paquetage, soin, tapage, train.

BARDANE. Arctium, artichaut, composacée, coupeau, glouteron, gratteron, herbe aux teigneux, peignerolle, plante.

BARDASSER. Agiter, balancer, ballotter, bercer, brasser, brimbaler, bringuebaler, cahoter, remuer, secouer.

BARDE (n. p.). Chevtchenko, Joukovski, MacPherson, Ossian, Temrah.

BARDE. Armure, chanteur, crépine, griot, lamelle, lard, mariachi, ménestrel, platine, poète, selle, tranche, vite.

BARDEAU. Ais, aisseau, asseau, assette, bois, cèdre, planche, planchette, shingle, toit, toiture, tuile, tuileau.

BARDER. Armer, caparaçonner, chauffer, couvrir, cuirasser, envelopper, garnir, gâter, mal, protéger, recouvrir.

BARDOT. Aisseau, âne, bardeau, brêle, cabot, cheval, métis, mulet, planchette.

BARÈME. Bordereau, cadre, catalogue, échelle, étalon, graduation, livre, prix, recueil, répertoire, table, tarif, taux.

BARGE. Barque, bateau, charlottine, échassier, gerbier, meule, moyette, oiseau, pailler, péniche, quantité, tas.

BARGUIGNER. Emprunter, hésiter, rechigner, tergiverser, tortiller.

BARIBAL. Carnivore, grizzli, grizzly, kodiak, mammifère, ours, plantigrade, ursidé.

BARIL. Barrel, barillet, barrique, barrot, boucaut, caque, charge, charnier, cufat, cuffat, demie, feuillette, foudre, fût, futaille, hareng, lité, muid, quartaut, pacquer, pipe, poinçon, tine, tinette, tonne, tonneau, tonnelet.

BARIOLAGE. Barbouillage, bigarrure, chamarrure, diaprure, disparité, diversité, mélange, panachage, variété.

BARIOLER. Barbouiller, bigarrer, chamarrer, colorer, jasper, marbrer, multicolore, panacher, peinturlurer, veiner.

BARJO. Barjot, bizarre, braque, charlot, cinglé, dingue, dingo, farfelu, fêlé, fondu, fou, foufou, givré, siphonné, toqué.

BARMAN. Cafetier, garçon, loufiat, maritorne, présentateur, réseau, restaurant, serveur, steward, subordonné.

BAROMÈTRE. Altimètre, anéroïde, atmosphère, barographe, cadran, crève-vessie, instrument, mercure, pression, sondage, tube.

BARON (n. p.). Acton, Adrets, Alvinzy, Amherst, Auer, Bach, Boyer, Bulloc. Bulow, Byron, Calvert, Cloots, Cohorn, Crac, Dalberg, Delaunay, Delaware, Dietrich, Drais, Dupin, Fabre, Fain, Félix, Fischer, Fritsch, Grimm, Gros, Haussmann, Holbach, Holberg, Horta, Humboldt, Jarnac, Keller, Lally, Liebig, Lister, Mannerheim, Melas, Menou, Mercy, Montesquieu, Munchhausen, Pointis, Rais, Rays, Retz, Sand, Stein, Sully, Surcouf, Tavernier, Trenck, Vitrolles, Warens, Webb, Wilson, Yvre.

BARON. Agneau, baronnage, baronnet, baronnie, boucherie, chevalier, complice, feudataire, filet, gigot, jelle, lady, morceau, mouton, noble, râble, roi, seigneur, thane, tortil, verre, vicomte.

BARONNIE. Châtellenie, comté, duché, marquisat, pairie, seigneurie, starostie, tènement, vicomté.

BAROQUE. Abracadabrant, baroquisme, bizarre, bouffon, choquant, excentrique, kitsch, original, rococo, style.

BAROQUEUX. Anormal, baroque, bigarré, bizarre, cocasse, comique, curieux, danseur, désaxé, drôle, étrange, excentrique, farfelu, hétéroclite, hurluberlu, incroyable, inouï, insolite, lunatique, musicien, olibrius, original, phénomène, saugrenu, spécial.

BAROUD. Accrochage, action, affaire, assaut, bagarre, barouf, bataille, combat, échauffourée, engagement, lutte.

BAROUDEUR. Agressif, bagarreur, bastonneur, batailleur, belliqueux, combatif, coucheur, offensif, querelleur.

BAROUF. Bagarre, baroud, boucan, bruit, chahut, chambard, cris, dispute, raffut, scandale, tapage, vacarme.

BARQUE. Arche, bac, bachot, barcasse, barge, bateau, bélandre, boom, brick, caïque, cange, canot, caron, chaloupe, drakkar, esquif, galère, nacelle, nocher, périssoire, pirogue, ponton, rafiot, steamer, trimaran, vedette.

BARQUETTE. Automobile, canot, navette, pâtisserie, récipient, tartelette.

BARRACUDA. Bécune, brochet de mer, carnassier, poisson, spet, sphyrène, sphyrénidé.

BARRAGE. Barrière, batardeau, borne, centrale, clôture, cordon, déversoir, digue, duit, écluse, écran, embâcle, épi, estacade, évacuateur, guideau, jetée, levée, obstacle, réservoir, ressaut, retenue, réservoir, serrement, truyère.

BARRAGE AFRIQUE DU SUD (n. p.). Vaal.

BARRAGE ALLEMAGNE (n. p.). Ottmachau.

BARRAGE AUSTRALIE (n. p.). Murrumbidgee.

BARRAGE BELGIQUE (n. p.). Eupen, Gileppe.

BARRAGE BRETAGNE (n. p.). Guerlédan.

BARRAGE CONGO (n. p.). Inga.

BARRAGE ÉGYPTE (n. p.). Assouan, Camarasa.

BARRAGE ESPAGNE (n. p.). Canelles, Esla, Jandula, Pallaresa.

BARRAGE ÉTATS-UNIS (n. p.). Alder, Arrowrock, Ashokan, Boulder, Buffalo Bill, Conowingo, Coolidge, Detroit, Diablo, Fontana, Fort Peck, Grand Coulee, Harrodsburg, Hoover, Hungry Horse, Kensico, Martin, Norris, Osage, Owyhee, Pardee, Pathfinder, Pine Flat, Roosevelt, Ross, Saluda, Schoharie, Shasta, Shoshone, Wilson.

BARRAGE FINLANDE (n. p.). Pyhakoski.

BARRAGE FRANCE (n. p.). Arras, Chambon, Génissiat, Naussac, Salagow, Sautet, Serre-Ponçon, Tigues.

BARRAGE GHANA (n. p.). Akosombo.

BARRAGE IRAN (n. p.). Sefid-roud.

BARRAGE JAPON (n. p.). Okutadami.

BARRAGE ISLANDE (n. p.). Andakilsa.

BARRAGE PAKISTAN (n. p.). Tarbela.

BARRAGE QUÉBEC (n. p.). Baie-de-James, Beauharnois, Bersimis, Daniel-Johnson, Des-Joachims, Johnson, LG 1, LG 2, Manicouagan, Manic, Outardes, Radisson, Robert-Bourassa, Shipshaw.

BARRAGE RUSSIE (n. p.). Dnieper, Inguri, Kuibyshev.

BARRAGE SUISSE (n. p.). Barberine, Émosson, Grimsel, Mauvoisin, Zeuzier.

BARRAGE SYRIE (n. p.). Mureybat, Tabqa.

BARRAGE TURQUIE (n. p.). Keban.

BARRAGE URUGUAY (n. p.). Baygorria.

BARRAGE ZIMBABWE (n. p.). Kariba.

BARRAGISTE. Concurrent, équipe.

BARRE (n. p.). Adours, Écrins, Étel, Pelvoux.

BARRE. Ancre, bâcle, barachois, barlotière, barreau, bâton, bielle, biellette, bloom, chenet, chien, cintre, échelon, épar, épart, fanton, fenton, fêle, gouge, gouvernail, huit, jas, levier, lierne, mors, obel, péri, pince, rature, sautoir, spa, témoin, tige, timon, transversale, tringle.

BARREAU. Aimant, arc-boutant, balustre, barre, échelon, grille, montant, orgue, pilastre, sommier, verge.

BARRER. Annuler, biffer, bloquer, boucher, coincer, couper, diriger, effacer, empêcher, exclure, fermer, gommer, gouverner, interdire, obstruer, piloter, radier, raturer, rayer, sabrer, strier, supprimer, verrouiller.

BARRETTE. Agrafe, attache, barre, bonnet, boucle, broche, calotte, clip, coiffure, décoration, épingle, ruban.

BARREUR. Aviateur, capitaine, chasseur, chauffeur, cicérone, commandant, conducteur, cornac, copilote, guide, lamaneur, ligne, locman, marin, nautonier, nocher, pilote, requin, responsable, skipper, timonier, ulmiste.

BARRICADE. Abri, arrêt, barrage, barrière, clôture, défense, digue, écran, empêchement, fermeture, obstacle.

BARRICADER. Cacheter, claustrer, cloîtrer, clôturer, colmater, confiner, fermer, enfermer, isoler, terrer.

BARRIÈRE (n. p.). Andes, Caucase, Gamow, Himalaya, Queensland, Ross.

BARRIÈRE. Barrêt, barrage, barricade, borne, claie, clôture, digue, douve, enceinte, fermeture, garde-fou, grille, haie, herse, ligne, limite, lisse, obstacle, palissade, rampe, ridelle, séparation, seuil, stop, treillis.

BARRIQUE. Baril, barillet, benne, botte, boucaut, caque, charge, charnier, cuve, feuillette, flotte, foudre, fût, futaille, mèche, muid, pièce, pipe, quartaut, récipient, seau, tonne, tonneau, tonnelet, tine, tune, vase, vin.

BARRIR. Ahan, aïe, baréter, beuglement, bis, braillement, bramer, clameur, cri, crier, croassement, dia, éléphant, évoé, évohé, exclamation, glapissement, gloussement, haïe, han, haro, hue, huée, hurlement, jargon, réclame, roucoulement, rugissement, taïaut, tollé, vacarme, vagissement, vocifération.

BARROT. Anchois, baril, bau, caque, élément, épontille, poutre, poutrelle.

BARTAVELLE. Alectoris, oiseau, perdreau, perdrix, perdrix rouge, phasianidé.

BARYSPHÈRE. Fer, nickel, nifé, noyau.

BARYTON, CHANTEUR (n. p.). Allard, Arres, Barre, Beauchemin, Belleau, Biron, Bisson, Boie, Boivin, Boucher, Cambell, Chaliapine, Chiosa, Claude, Côté, Couturier, Cyr, Duguay, Erkoreka, Faure, Ferland, Fischer-Dieskau, Fournier, Funicelli, Gaudet, Gobeil, Gosselin, Grosser, Julien, Kulish, Labbé, Lagrenade, Langlois, Laperrière, Larouche, Latour, Lecky, Leclerc, Lefebvre, Lepage, Létourneau, Levasseur, Levert, Lortie, Major, Martin, McAuley, McMillan, Miron, Mollet, Montpetit, Oland, Patenaude, Poirier, Raimondi, Richard, Robie, Sasseville, Savoie, Sever, Trempe, Vam Dam, Viau, Wolny, Zinko.

BARYUM. Ba, baryte, barytine, lithopone, polysulfure, radium.

BARZOÏ. Afghan, chien, cynodrome, levrette, lévrier, lévrier russe, levron, sloughi.

BAS. Abject, accoucher, avili, cave, chaussette, crapuleux, dessous, élevé, feuille, fond, grivois, grossier, haut, honteux, ignoble, impur, infâme, inférieur, infra, jarretelle, lâche, laid, laideur, noble, parturition, pays, pédale, petit, pied, plongeant, portée, taré, trivial, vêtement, vil.

BASAL. Apical, basique, crucial, décisif, épiderme, essentiel, fondamental, principal, repos, séminal.

BASALTE. Lave, magma, olivine, orgues, plagioclase, planèze, pyroxène, volcan.

BASANÉ. Bistré, boucané, bronzé, brun, café, escafignon, foncé, grillé, halé, kroumir, maghrébin, noir, tanné.

BASANER. Boësse, boucaner, bronzer, brunir, cuivrer, dorer, griller, hâler, matir, noircir, polir, poncer, tanner.

BAS-BLEU. Bélise, cuistre, grammatiste, linguiste, pédant, philologue, puriste, styliste, vadius.

BAS-CÔTÉ. Accotement, banquerette, berme, bord, bordure, caniveau, collatéral, déambulatoire, fossé, trottoir.

BASCULE. Balance, balançoire, chute, culbute, levier, martinet, renversement, retournement, romaine, tablier.

BASCULEMENT. Chavirage, chavirement, culbutage, culbutement, renversement, retournement, revirement, volte-face.

BASCULER. Balancer, benne, capoter, chavirer, chuter, culbuter, piquer, pousser, renverser, tomber, verse.

BASCULEUR. Acrobate, anneliste, antipodiste, barriste, bateleur, bâtonniste, batoude, cascadeur, contorsionniste, culbuteur, équilibriste, fantassin, fildefériste, funambule, gymnaste, jongleur, matassin, pétauriste, pilote, psylle, salvateur, soldat, trapéziste, voltigeur.

BASE. Abc, appui, armature, assiette, assise, balbutiement, centre, clé, clef, début, dessous, empattement, ergot, fond, fondement, froid, patin, pied, pivot, plan, point, principe, rosaniline, rudiment, socle, sol, soubassement, support.

BASE CHIMIQUE. Adénine, cytosine, guanine, hydroxylamine, monobase, purique, pyrimidique, rosaniline, thymine, uracile, xanthine.

BASEBALL, CLUB (n. p.). Angels, Astros, Athletics, Bluejays, Brave, Brewers, Cardinals, Cardinaux, Cubs, Dodgers, Expos, Giants, Indians, Mariners, Marlins, Mets, Orioles, Padres, Phillies, Pirates, Rangers, Reds, Redsox, Rockies, Royals, Tigers, Twins, Whitesox, Yankees.

BASEBALL, JOUEUR (n. p.). Aaron, Alou, Banks, Bench, Berra, Bottomley, Brock, Campanella, Carew, Carlton, Carter, Clemente, Cobb, Dean, Dimaggio, Drysdale, Dykstra, Evers, Feller, Ford, Gehrig, Goslin, Hornby, Jackson, Johnson, Keeler, Killebrew, Koufax, Lyons, Mantle, Mays, McGuire, Musial, Paige, Reese, Robinson, Rose, Ruth, Ryan, Seaver, Spahn, Stargell, Strawberry, Williams, Yannigan, Yastrzemski, Young.

BASER. Appuyer, asseoir, bâtir, échafauder, établir, fonder, installer, placer, porter, reposer, rouler.

BAS-FOND. Abysse, accul, alentours, ancre, banc, bas, base, boue, cale, creux, cul, culasse, cuvette, dépôt, faille, fond, fondement, lie, limite, limon, plateau, réseau, résistance, sole, térébration, toilage, toile, vasard, vase.

BASICITÉ. Alcalescence, alcalinité, Ph.

BASIDIOMYCÈTE. Agaric, chanterelle, clavaire, cordinaire, girolle, hydne, inocybe, polypore, souchette, urédinale.

BASILIC. Aromate, canon, dragon, iguane, labiacée, labiée, lézard, pistou, plante, reptile, saurien.

BASILIQUE (n. p.). Aquilée, Assise, Bari, Bernin, Bethléem, Bramante, Bratislava, Bruges, Cimabue, Czestochowa, Echternach, Épinal, Esztergom, Fourvière, Guingamp, Hal, Kef, Lecce, Lisieux, Lourdes, Montmartre, Murano, Sacré-Cœur.

BASILIQUE. Abside, basilical, cathédrale, église, jubé, monument, nef, temple, sanctuaire, tribunal.

BASIQUE. Alcalin, amine, ampholyte, anionique, basal, basiphile, élémentaire, fondamental, métal, neutre.

BASKET. Basket-ball, basketteur, chaussure, dribbler, dunk, entre-deux, panier, tennis.

BASQUE. Basquais, biscayen, espagnol, ETA, euskerien, labourdin, langue, pan, piperade, queue, rebot, retroussis, tambour.

BAS-RELIEF. Anaglyphe, diptyque, estampage, médaillon, méplat, plaquette, rude, sculpture, triptyque.

BASSE. Bas-fond, basson, cachot, chanteur, continuo, contrebasse, cordes, hélicon, messe, tuba, voix.

BASSE, CHANTEUR (n. p.). Beauchemin, Béland, Belleau, Benoît, Bisson, Callender, Corbeil, De Forge, Deschamps, Desjardins, Dionne, Funicelli, Germain, Gosselin, Gramescu, Grenier, Guérette, Harbour, Hébert, Julien, Kulish, Lareau, Lefebvre, Légaré, Martin, McNamara, McRae, Pratt, Rouleau, Saint-Amant, Saucier, Scott, Sigmen, Trudeau, Victor.

BASSEMENT. Abjectement, adulateur, flagornement, ignoblement, indignement, lâchement, petitement, vil.

BASSESSE. Abjection, dégoûtant, immonde, lâche, laid, petitesse, platitude, sale, saloperie, servilité, vilenie.

BASSET. Beagle, chien, clarinette, cor, cor de basset, cuivres, dachshund, teckel.

BASSIN (n. p.). Alès, Aquitain, Apt, Arcachon, Aurillac, Châteaulin, Forez, Kouznetsk, Maritza, Münster, Roanne.

BASSIN. Auge, bac, bassine, ber, claire, cuvette, darce, darse, dépression, dock, étang, étier, évier, fesse, fonts, gare, golfe, naumachie, pataugeoire, pédiluve, pelvien, pelvis, périnée, piscine, port, purgeoir, rade, réservoir, retenue, rond, sacrum, sas, tin, tub, vasque.

BASSINANT. Assommant, barbant, embêtant, empoisonnant, ennuyeux, enquiquinant, fatigant, rasant.

BASSIN-D'OR. Fleur, herbacée, populage, renonculacée.

BASSINE. Auget, auget, bac, baille, baquet, bassin, bassinet, cuve, cuveau, cuvette, friteuse, sapine, seillon.

BASSINER. Assommer, barber, chauffer, embêter, empoisonner, ennuyer, humecter, importuner, raser, réchauffer.

BASSINET. Age, auget, aumônière, bassin, bouton-d'or, calice, casque, cuvette, platine, pourboire, rein, uretère.

BASTA. Assez, ça suffit, cela suffithalte, interjection, stop, suffit.

BASTE. As, assez, bah, basta, bah, carte, panier, trèfle.

BASTIDE. Casemate, château, citadelle, donjon, éperon, fort, forteresse, fortification, fortin, herse, ligne, mur, muraille, oppidum, orillon, ravelin, redan, redent, redoute, rempart, sarrasine, tenaillon.

BASTINGAGE. Caisson, coffre, filière, garde-corps, garde-fou, lisse, pavois, rambarde.

BASTION. Bonnette, bouclier, casemate, citadelle, défense, fortification, orillon, protection, rempart, retranchement, soutien.

BASTON. Affrontement, assaut, attaque, bagarre, bataille, castagne, combat, conflit, duel, guerre, lutte, rixe.

BASTONNADE. Correction, coup, fustigation, torgnole, tricotée, volée.

BASTONNER. Battre, châtier, corriger, fesser, fouetter, frapper, fustiger, punir, rosser, rouer, taper.

BASTRINGUE. Bal, boîte, boîte de nuit, bruit, cabaret, chahut, dance, dancing, danse, désordre, fête, guinche, guinguette, musette, pince-fesses, sauterie, soirée, surboum, surpatte, tapage, tohu-bohu, vacarme, zinzin.

BAS-VENTRE. Abdomen, aine, alvin, bedaine, bedon, bide, bidon, buffet, diaphragme, épigastre, estomac, foie, hypocondre, hypogastre, intestin, laparotomie, lombes, nombril, ombilic, panse, poitrine, telson, transit, ventre.

BÂT. Brêle, brelle, difficulté, embarras, fardeau, harnachement, harnais, harnière, licou, sangle, selle, sommière.

BATACLAN. Appareil, attirail, bagage, bazar, bordel, équipement, fourbi, foutoir, frusquess, outil, train.

BATAILLE. Accrochage, action, affrontement, bagarre, bannière, choc, combat, coursier, défaite, destrier, dispute, duel, échauffourée, grabuge, guerre, lutte, iena, ipsos, mêlée, ossuaire, pugilat, rixe, turbulence, victoire.

BATAILLE (4 lettres) (n. p.). Adwa, Alma, Badr, Iéna, Isly, Zama.

BATAILLE (5 lettres) (n. p.). Adoua, Alamo, Boyne, Dunes, Ipsos, Issos, Issus, Marne, Narva, Pavie, Pydna, Sedan, Varna.

BATAILLE (6 lettres) (n. p.). Actium, Arcole, Boyaca, Cunaxa, Égates, Eylaw, Hougue, Kosovo, Lützen, Midway, Mohacs, Mycale, Rivoli, Rocroi, Sadowa, Tertry, Thasus, Valmy, Verdun, Wagram.

BATAILLE (7 lettres) (n. p.). Aboukir, Abraham, Aégates, Alamein, Arbèles, Ardenne, Bosworth, Cassino, Counaxa, Custoza, Eckmühl, Écluses, Essling, Granson, Hernani, Jutland, Khotine, Lawfeld, Leipzip, Lépante, Magenta, Matinée, Marengo, Meloria, Moskova, Moukden, Navarin, Palikao, Platées.

BATAILLE (8 lettres) (n. p.). Blenheim, Borodino, Bouvines, Carobobo, Chéronée, Courtrai, Coventry, Culloden, Falkland, Fontenoy, Formigny, Grandson, Granique, Grunwald, Hastings, Jemmapes, Kloptock, Leuctres, Marathon, Marignan, Monthéry, Mühlberg, Rossbach, Rosebeke, Salamine, Sempach, Waterloo.

BATAILLE (9 lettres) (n. p.). Arginuses, Azincourt, Balaklava, Caporetto, Elchingen, Friedland, Höchstädt, Kasserine, Morgarten, Nicopolis, Normandie, Pyramides, Solferino, Trafalgar, Trocadéro.

BATAILLE (10 lettres) (n. p.). Austerlitz, Guinegatte, Leucopetra, Malplaquet, Montdidier, Montenotte, Neerwinden, Nordlingen, Ramilliés, Rezonville, Ronceveaux, Stalingrad, Tannenberg.

BATAILLE (11 lettres) (n. p.). Artémission, Bannockburn, Castiglione, Friedlingen, Hohenlinden, Saint-Mihiel, Saint-Privat, Wissembourg.

BATAILLE (12 lettres) (n. p.). Villaviciosa.

BATAILLE (13 lettres) (n. p.). Catalauniques, Cynoscéphales.

BATAILLER. Bagarrer, batailleur, battre, combattre, défoncer, démener, escrimer, ferrailler, guerroyer, lutter.

BATAILLEUR. Accrocheur, actif, ardent, agressif, bagarreur, battant, belliqueux, combatif, courageux, querelleur.

BATAILLON. Brigade, centurie, chambrée, cohorte, escadrille, escadron, quartier, régiment, soldat, troupe, unité.

BÂTARD. Adultérin, baguenaudier, boulanger, champi, corniot, illégitime, métis, mortier, pain, séné, roi.

BATARDEAU. Barrage, brise-lame, chaussée, digue, estacade, jetée, levée, môle, musoir, palplanche, turcie.

BATAVE. Edam, hollandais, jongkeer, Pays-bas, néerlandais, tête-de-Maure, tulipe.

BATAVIA. Boston, césar, chef, chicon, cigare, composée, crouton, feuille, frisée, iceberg, lactuca, lactucarium, laitue, pied, pomme, pommée, romaine, salade, sucrine, thridace, ulve.

BATEAU. Arche, aviso, bac, bâche, barge, barque, bâtiment, bélandre, berge, blague, caboteur, canoë, canot, canular, cargo, chaland, chaloupe, chalutier, chebec, corvette, couffa, doris, drakkar, embarcation, éperon, étrave, ferry, ferry-boat, flotte, frégate, gabare, galère, gommier, gondole, jonque, kayac, langoustier, margota, monitor, morutier, navire, nef, négrier, péniche, pinasse, pirogue, polacre, ponton, prao, proue, poupe, radeau, rafiot, rostre, skiff, sous-marin, steamer, terre-neuvas, thonier, transbordeur, traversier, trimaran, vaisseau, vedette, voilier, yacht.

BATELET. Baleinière, barque, berge, berthon, bombard, canadienne, canoë, canot, chaloupe, coraillère, doris, embarcation, esquif, flette, kayak, péniche, racer, runabout, sardinière, tapecul, yole, zodiac.

BATELEUR (n. p.). Brioché, Tabarin.

BATELEUR. Acrobate, amuseur, baladin, banquiste, bouffon, cabotin, charlatan, clown, dompteur, équilibriste, forain, funambule, histrion, jongleur, lutteur, pitre, prestidigitateur, saltimbanque.

BATELIER. Bachoteur, barcarolle, canotier, gabarier, gondolier, marin, marinier, matelot, passeur, pilote.

BÂTI. Armature, balèze, baraqué, cadre, cage, charpente, châssis, conformé, coque, disposé, faufil, formé, proportionné, robuste.

BATIFOLAGE. Agrément, amusement, amusette, bagatelle, déduit, délassement, dérivatif, distraction, diversion, divertissement, entrain, gaieté, goguette, jeu, joie, leurre, loisir, passe-temps, plaisir, récréation, réjouissance, sourire, tromperie.

BATIFOLER. Amuser, badiner, bricoler, counillesr, folâtrer, jouer, lutiner, marivauder, niaiser, plaisanter, rire.

BATIFOLEUR. Aguicheur, allumeur, cavaleur, casanova, charmeur, conquérant, coureur, cruiseur, don juan, dragueur, enjôleur, ensorceleur, envoûteur, flambeur, flirteur, gino, macho, maquereau, phallo, phallocrate, séducteur, sexiste, tentateur, tombeur.

BATIK. Ambre, cérat, cérifère, cire, encaustique, fart, ozocérite, paraffine, polir, procédé, rayon, ruche, soie, stéarine, teinture, tissu.

BÂTIMENT. Abattoir, abbaye, aile, appentis, aviso, bateau, bâtisse, brûlot, caboteur, cargo, caserne, chebec, columbarium, corvette, criée, dôme, écurie, édicule, édifice, étable, galère, immeuble, felouque, ferme, frégate, galère, gare, grange, hourque, kondo, kongo, légation, logis, navire, négrier, ossuaire, poulailler, réale, rotonde, ruine, servitude, sous-marin, unité, vis-à-vis, yacht.

BÂTIR. Assembler, construire, créer, dresser, échafauder, édifier, élever, ériger, établir, fonder, instituer, monter.

BÂTISSE. Abri, appentis, bâtiment, construction, dôme, édifice, grange, hôtel, masure, musée, odéon, temple.

BÂTISSEUR. Architecte, constructeur, créateur, faiseur, maçon, ornement, pionnier, promoteur, règle, style, té, traçoir.

BATISTE. Cotonnade, lin, lingerie, linon, tissu, toile.

BÂTON. Archet, baguette, barre, batte, bâtonnet, bois, bourdon, boutefeu, brigadier, bêche, canne, craie, crosse, digon, échasse, épieu, férule, frette, fusain, gaule, gorge, gourdin, hampe, houlette, jalon, jauge, jonc, lambourde, lance, latte, lituus, masse, massue, matraque, palis, pédum, pieu, refouloir, règle, rodoir, sceptre, scion, stick, témoin, théâtre, thyrse, tige, touche, trique, verge.

BÂTONNER. Barrer, battre, corriger, cravacher, frapper, fustiger, rosser.

BÂTONNET. Aine, ainette, allumette, apex, bougie, bretzel, coton-tige, craie, crayon, frite, hasi, jonchet, surimi, témoin.

BATOUDE. Acrobate, anneliste, antipodiste, barriste, bateleur, bâtonniste, cascadeur, contorsionniste, culbuteur, équilibriste, fantassin, fildefériste, funambule, gymnaste, jongleur, matassin, pétauriste, pilote, psylle, salvateur, soldat, trapéziste, voltigeur.

BATRACIEN. Agua, alyte, amblystome, amphibien, amphiume, anoure, apode, axolotl, cécilie, coasser, crapaud, erpétologie, euprocte, frai, grenouille, herpétologie, larve, ouaouaron, pipa, protée, raine, rainette, ranidé, salamandre, têtard, triton, typhlonecte, urodèle, uroplate, xénope, xénopus.

BATTAGE. Bactrioles, battaison, bluff, bruit, charlatanisme, frappage, frappe, martelage, publicité, réclame, vent.

BATTANT. Battement, bélière, bluff, brayer, bruit, éventail, marteau, menuiserie, réclame, traquet, vantail.

BATTE. Bat, battoir, brie, émottoir, hutinet, maillet, mailloche, marteau, massue, palette, raquette, sabre, tapette.

BATTELLEMENT. Avant-toit, bord, doublis, rive.

BATTEMENT. Barillon, battant, batillage, choc, coup, frappement, ictus, oscillation, palpiter, pouls, pulsation.

BATTERIE. Accu, appel, artillerie, bâbord, canon, casseroles, chamade, charge, diane, drums, ensemble, général, marmites, percussions, pile, plats, pont, rappel, réveil, sabord, série, tambour, train, tribord, ustensile.

BATTEUR (n. p.). Bertrand, Clarke, Starr.

BATTEUR. Drummer, fouet, fouette, lamineur, malaxeur, mélangeur, moussoir, percussionniste, rabatteur, tambourineur.

BATTOIR. Baguette, bande, bâton, ceinture, corde, fouet, frappoir, heurtoir, knout, linge, main, peluche, pied.

BATTRE. Arranger, boxer, brutaliser, casser, castagner, chabler, cligner, cogner, corriger, damer, défaire, errer, étriller, étriper, faseiller, faseyer, fesser, flageller, fouetter, frapper, fustiger, gauler, knouter, léser, lessiver, mêler, piler, punir, rétamer, rosser, rouer, rudoyer, tabac, tabasser, taper, teiller, tiller, vaincre, vanner.

BATTU. Chien, fouetté, foulé, maltraité, martyr, perdant, sentier, tassé, vaincu.

BATTUE. Chasse, rabat, rabattage, rabattre, rive, recherche, traque.

BATTURE. Estran, île, lais, laisse, platier, rivage.

BAU. Baril, barrique, barrot, bauquière, caque, foudre, fût, futaille, hareng, muid, poutre.

BAUDET. Aliboron, âne, ânière, ânon, bardot, bourricot, bourrique, bourriquet, grison, mulassier, roussin, sot, tréteau.

BAUDRIER. Archère, archière, assurage, bandereau, bandoulière, bretelle, ceinture, ceinturon, écharpe, télamon.

BAUDROIE. Crapaud de mer, diable de mer, lophiidé, lote, lotte, lotte de mer, poisson.

BAUDRUCHE. Ballon, boyau, erreur, fragilité, illusion, inconsistance, intestin, membrane, pellicule, prétention.

BAUGE. Boue, bousillage, fange, fumière, gîte, lieu, mortier, nid, pisé, retraite, sanglier, souille, taudis, torchis.

BAUME. Adoucissant, balsamique, dictame, gomme, liniment, menthe, onguent, résine, styrax, teinture, tolu.

BAUMIER. Arbre, balsamier, balsamodendron, burséracée, myroxyle, myroxylon, myrrhe, sapin.

BAVARD. Ara, avocat, babillard, causant, causeur, commère, crécelle, discoureur, discret, disert, indiscret, jacasseur, jaseur, laïusseur, long, loquace, margot, mémère, orateur, pie, pipelet, prolixe, silencieux, taciturne, verbeux, volubile.

BAVARDAGE. Babil, babillage, bagou, baragouinage, baratin, bla-bla, cancan, caquetage, caquètement, jacassement, jactance, jabotage, jaspinage, margotage, papotage, parlote, patata, patati, potin, racontar, ragot, verbiage.

BAVARDER. Babiller, bagouler, barjaquer, bavasser, cancaner, caqueter, causer, clavarder, commérer, débiter, discourir, tchatcher, jaboter, jacasser, jacter, jaser, jaspiner, palabrer, papoter, parler, placoter, potiner, répandre, tchatcher, verbaliser.

BAVAROIS. Allemand, badois, berlinois, boche, chleuh, entremets, fridolin, frisé, fritz, germain, germanique, germanophile, germanophobe, kaiser, nazi, ottonien, prussien, rhénan, sarrois, saxon, SS, teuton, tudesque.

BAVASSER. Bafouiller, bavarder, bavocher, cancaner, caqueter, causer, commérer, discourir, discuter, jaboter, jacasser, jaser, parler, potiner.

BAVASSEUR. Bavard, bonimenteur, calomniateur, cancanier, commère, indiscret, jaseur, parleur, potinier.

BAVE. Bavette, baveux, broue, crachat, eau, écume, liquide, mousse, mucus, postillon, salive, spumosité, venin.

BAVER. Bavocher, calomnier, couler, débiner, dégouliner, écumer, juter, médire, mouiller, postillonner, saliver.

BAVETTE. Araignée, bavoir, bœuf, boucher, boucherie, causette, conversation, onglet, poire, serviette, tranche.

BAVEUX. Avocat, baveur, coulant, écumeux, grossier, journal, malveillant, omelette, savon, sournois, spumeux.

BAVIÈRE (n. p.). Abensberg, Amberg, Augsbourg, Bamberg, Bavarois, Bayreuth, Blenheim, Nuremberg, Ratisbonne.

BAVOIR. Araignée, baverolle, bavette, bœuf, boucher, boucherie, causette, conversation, onglet, plastron, poire, serviette, tranche.

BAVOLET. Bourdalou, chapeau, coiffe, coiffure, couvre-nuque, kichenotte, protection, volant.

BAVURE. Accident, bévue, boulette, confusion, coquille, couillonnace, éclaboussure, erreur, excès, faute, fourvoiement, gaffe, gourance, imperfection, incident, lapsus, macule, ratage, tache, trace, traînée.

BAYADÈRE. Acrobate, aimée, almée, ballerine, courtisane, danseuse, étoffe, étoile, girl, partenaire, pétauriste, rat, tissu, tutu.

BAYARD (n. p.). Garigliano, Napoléon, terrain.

BAYER. Bader, bailler, béer, corneilles, flâner, rêvasser, rêver.

BAYOU (n. p.). Louisiane, Mississipi.

BAYOU. Delta, lac, marais, marigot, méandre, rivière.

BAZAR. Attirail, barda, bastringue, boutique, bric-à-brac, capharnaüm, désordre, fourbi, magasin, marché, souk.

BAZARDER. Balancer, brader, débarrasser, défaire, fourguer, jeter, liquider, renoncer, solder, supprimer, vendre.

BAZOOKA. Antichar, arme, lance-fusées, lance-roquettes, lance-torpilles, tube.

BÉANCE. Brèche, brisure, col, dilatation, entaille, entame, orifice, ouverture, passage, percée, pertuis, trou, trouée.

BÉANT. Abasourdi, ahuri, bée, béance, confondu, ébahi, éberlué, estomaqué, grand, large, ouvert, stupéfait.

BÉAT. Bienheureux, bigot, calme, canonisé, content, élu, heureux, niais, paisible, rassasié, ravi, saint.

BÉATIFICATION. Apogée, apologie, apothéose, auréole, canonisation, exaltation, glorification, louange.

BÉATIFIÉ. Béat, bénit, bienheureux, canonisé, célébré, élu, fêté, inscrit, introduit, saint, sanctifié.

BÉATITUDE. Béatifique, bien-être, bienheureux, bonheur, contentement, élu, euphorie, extase, félicité, gloire, quiétude, ravissement, sainteté, satisfaction.

BEATLES (n. p.). Harrison, Lennon, McCartney, Starkey, Starr.

BEATNIK. Artiste, asocial, baba, beat, bohème, cool, contestataire, fantaisiste, hippie, gitan, insouciant, marginal, morave, original, romani, tzigane.

BEAU. Admirable, adorable, affreux, bath, beauf, bel, coquet, divin, élégant, épouvantable, esthète, gai, gendre, gentil, hideux, horrible, ignoble, joli, laid, magnifique, mignon, moche, monstrueux, parâtre, sexe, superbe, vilain.

BEAUCOUP. Abondamment, amplement, armée, assai, bésef, bézef, bien, bougrement, cohorte, énormément, fort, foule, gros, groupe, guère, horde, joliment, légion, lerche, maint, marée, masse, meute, millier, moult, multitude, nombre, nuée, palanquée, peu, plein, plusieurs, profusion, prou, quantité, salement, sec, tant, tapée, tas, tellement, tout, trente-six, très, trop.

BEAUF. Beau-frère, borné, bourgeois, conformiste, conservateur, conventionnel, français, intolérant, traditionaliste.

BEAU-FILS. Époux, fiancé, fillâtre, gendre.

BEAUFORT. Échelle, fromage, gruyère, tempête, vent.

BEAUJOLAIS (n. p.). Chiroubles, Beaune, Bourgogne, Brouilly, Juliénas, Morgon, Régnié.

BEAUJOLAIS. Ballon, beaujo, beaujol, beaujolpif, nouveau, primeur, région.

BEAUPRÉ. Apiquer, balancelle, balancine, balestron, bôme, bout-dehors, corne, drome, espar, foc, gui, levier, gui, mât, sous-barbe, tangon, vergue.

BEAUTÉ. Agrément, apollon, astre, art, bellâtre, charme, chic, éphèbe, élégance, féérique, fraîcheur, gel, glamour, grâce, grain, féerie, idéal, jolie, joliesse, ornement, plastique, reine, séduction, splendeur, superbe, toilette, vénusté.

BÉBÉ. Enfant, flô, gosse, lardon, mioche, môme, nourrisson, nouveau-né, petit, poupon, progéniture, rejeton, têtard.

BÉBÊTE. Bêta, bête, couillon, cucul, gamin, infantile, naïf, niais, nigaud, nunuche, puéril, sot, stupide.

BEC (n. p.). Ambès, Auer, Bunsen, Portland.

BEC. Accolade, baiser, bécot, becqueter, bouche, bouvreuil, brûleur, cap, cire, clapet, conirostre, coque, embouchure, embout, embrassade, gicleur, goule, goulot, gueule, oncirostre, onglet, papillon, pinson, plume, rostre.

BÉCANE. Biclo, bicycle, bicyclette, clou, cycle, cyclomoteur, moto, motocyclette, tandem, triporteur, vélo.

BÉCARD. Bécasse, bièvre, brochet, harle, palmipède, piette, saumon.

BÉCASSE. Barge, bécard, bécassine, bécasseau, bécassine, bécasson, bêchot, bécot, canard, croule, crouler, échassier, niaise, nigaude, oiseau, sac, sotte.

BÉCASSEAU. Baird, bébête, bécasse, chevalier, cocorli, cendré, échasse, imbécile, jeune, maritime, maubèche, minuscule, ressac, roussâtre, roux, sanderling, semi-palmé, variable, violet.

BÉCASSINE. Aiguille, bécasse, chabraque, connasse, dinde, jaquet, marais, oiseau, orphie, sotte.

BEC-DE-CANE. Barrure, bénarde, bobinette, housset, loquet, loqueteau, serrure, taquet, targuette, verrou.

BEC-DE-PERROQUET. Excroissance, crochet, ostéophyte, prolifération, rhumatisme.

BEC-FIN. Becfigue, fauvette, oiseau, passereau, passériforme, rouge-gorge, ténuirostre.

BÊCHAGE. Aération, ameublissement, billonnage, billonnement, binage, charruage, commérage, culture, décavaillonnage, déchaussage, déchaussement, culture, écroûtage, émottage, hersage, labour, labourage, tassage.

BÉCHAMEL. Blanche, blanquette, désordre, moussaka, sauce, talmouse.

BÊCHE. Bichelamar, bichlamar, fourche, holothurie, houlette, langue, louchet, palot, pelle, taillandier, trident.

BÊCHER. Cultiver, débiner, gobelet, labourer, médire, mésoyer, paloter, ragoter, retourner, gloser, snober.

BÊCHEUR. Arrogant, chochotte, fier, frimeur, hautain, méprisant, mijaurée, pimbêche, prétentieux, snob, vaniteux.

BÉCOT. Baiser, becqueter, brûleur, cap, clapet, coque, goule, goulot, gueule, oncirostre, onglet, papillon, plume, rostre.

BÉCOTER. Becquer, becqueter, baiser, baisoter, becquer, biser, choisir, embrasser, enlacer, étreindre, serrer.

BECQUEREL. Bq, curie, microcurie, physicien, radioactivité.

BECQUETER. Baiser, baisoter, bécoter, becquer, becquetage, embrasser, manger, mordiller, picorer, picoter.

BECTANCE. Aliment, becquetance, bouffe, bouffetance, boustifaille, couvert, nourriture, pain, repas, table.

BECTER. Bouffer, grignoter, manger, mordiller, picorer, picoter, piquer.

BEDAINE. Abdomen, ballon, baquet, bedon, bedondaine, bide, bidon, brioche, buffet, estomac, panse, ventre.

BÉDANE. Bec-d'âne, bec-de-corbin, berceau, biseau, bouchard, burin, cisaille, ciseau, ciselet, cisoir, échenilloir, entablure, gouge, gradine, matoir, molette, mouchette, onglet, planoir, poinçon, riflard, rondelle, sécateur.

BEDEAU. Arguillier, bigot, hiérodule, laïc, laique, marguillier, porte-verge, sacristain, suisse.

BÉDÉISTE (n. p.). Bretécher, Cabu, Cabut, Caniff, Chartier, Christophe, Côté, Crumb, Druillet, Foster, Franquin, Fred, Gir, Giraud, Goscinny, Gotlib, Gotlieb, Greg, Hergé, Hogarth, Jacobs, Jijé, Kirby, Kurtzman, Loisel, McCay, Morris, Outcault, Pétillon, Peyo, Pratt, Rabagliati, Raymond Reiser, Saint-Ogan, Schuiten, Schulz, Spiegelman, Swarte, Tardi, tesuka Osamu, Tillieux, Trondheim, Uderzo, Vandersteen, Wolinski, Zep

BÉDÉISTE. Affichiste, caricaturiste, crayonneur, dessinateur, fusiniste, illustrateur, scénariste.

BEDON. Abdomen, bibendum, bedaine, bide, bedondaine, brioche, entripaillé, grassouillet, panse, ventre.

BEDONNANT. Adipeux, baquet, grassouillet, gros, obèse, pansu, ventre, ventripotent, ventru.

BÉDOUIN. Arabe, keffieh, mélampyre, peuple, tribu.

BÉER. Admirer, bâiller, bayer, ébahir, ouvrir, regarder, rêvasser, rêver, stupéfaction, stupeur.

BEFFROI. Bourdon, campanile, cloche, clocher, clocheton, donjon, guet, hélépole, jaquemart, tour.

BÉGAIEMENT. Bafouillage, balbisme, balbutiement, bègue, bredouillement, commencement, début, tâtonnement.

BÉGAYER. Ânonner, bafouiller, balbutier, becquer, bléser, bredouiller, broubeler, hésiter.

BÉGONIA. Bégoniacée, bertinii, calebassier, discolor, gracilis, jacaranda, masoniana, tubéreux.

BÈGUE. Bafouilleur, bégayeur, blèse, bredouilleur.

BÉGUETER. Becqueter, bêler, chèbre, chevroter, crier.

BÉGUEULE. Austère, bienséant, chochotte, convenable, correct, décent, farouche, prude, pudibond, puritain.

BÉGUIN. Amourette, amoureux, blonde, bonnet, caprice, coiffe, copain, chéri, flirt, passade, penchant, tocade.

BÉGUM. Beauté, grande-duchesse, impératrice, maharani, pharaonne, princesse, rani, reine, souveraine, titre.

BEIGE. Beigeâtre, bis, brun, champagne, clair, coquille d'œuf, crème, drabe, écru, grège, ivoire, mastic, sable, vanilles.

BEIGNE. Beignet, brik, coup, croquignole, gifle, muffin, pet-de-nonne, pet-de-sœur, pomme, rondelle de pâte.

BEIGNET. Akra, beigne, bougnette, brik, bugne, muffin, pâtisserie, pet-de-nonne, pet-de-sœur, pomme, soufflé.

BÉJAUNE. Bec-jaune, blanc-bec, faucon, homme, imbécile, inexpérimenté, naïf, niais, oiseau, sot, stupide.

BÊLEMENT. Accusation, complainte, cri, doléance, élégie, gémissement, girie, grief, grognerie, hélas, hurlement, jérémiade, lamentation, murmure, pétition, plaignant, plainte, pleur, râle, réprimande, reproche.

BÊLER. Appeler, bégueter, bêlant, brailler, braire, bramer, chevroter, crier, geindre, gémir, plaindre, pleurnicher.

BELGE (n. p.). Bruxellois, Liégeois, Luxembourgeois.

BELGIQUE, CAPITALE (n. p.). Bruxelles.

BELGIQUE, LANGUE. Allemand, flamand, français, néerlandais.

BELGIQUE, MONNAIE. Franc.

BELGIQUE VILLE (n. p.). Aalter, Aalst, Aarschot, Aat, Alost, Andenne, Ans, Anvers, Arlon, Asse, Ath, Audenarde, Balen, Bastogne, Beloeil, Binche, Boom, Bruges, Bruxelles, Charleroi, Chatelet, Ciney, Diest, Dinan, Dison, Dour, Eeklo, Essen, Eupen, Fleurus, Gand, Geel, Genk, Gent, Ghlin, Gilly, Hal, Halle, Hamme, Heist, Heule, Hornu, Huy, Ieper, Jumet, Komen, Léau, Lède, Lessines, Liège, Lier, Ligny, Louvain, Maaseik, Melle, Menen, Menin, Mol, Mons, Namur, Neufchâteau, Niel, Nieuport, Ninove, Olen, Ostende, Roeselare, Ronse, Roux, Spa, Stène, Temse, Thuin, Tielt, Uccle, Ukkel, Visé, Vorst, Wavre, Ypres, Waterloo, Wavre, Zele.

BÉLIER. Animelles, blatérer, bouc, boutoir, brebis, constellation, cosser, demoiselle, hie, machine, mérinos, mouton, ovin.

BELLADONE. Amaryllis, atropine, belle-dame, crinium, croix, faux safran, griffinia, lys Saint Jacques, narcotique, sprekelia.

BELLÂTRE. Avantageux, bélitre, fat, gandin, godelureau, hâbleur, plastron, plastronneur, poseur, tarzan.

BELLE-DAME. Arroche, atropine, belladone, créature, mauro, paon de jour, papillon, vanessa, vanesse.

BELLE-DE-JOUR. Amazone, bagasse, convolvulacée, courtisane, fleur, hétaïre, liseron, plante, poule de luxe, prostituée, volubis.

BELLE-DE-NUIT. Faux jalap, fauvette, fleur, goton, jalapa, mirabilis, nyctage, phragmite des joncs, plante, prostituée.

BELLE-FILLE. Bru, femme, fils.

BELLE-MÈRE. Belle-doche, belle-maman, marâtre, reine mère.

BELLICISME. Affaire, altercation, arbitrage, cause, conflit, contentieux, contestation, décrétale, démêlé, différend, dispute, espèce, litige, litigieux, médiation, querelle, procès, récréance.

BELLICISTE. Belliqueux, boutefeu, épervier, guerrier, guerroyeur, martial, militaire, militariste, va-t-en-guerre.

BELLIGÉRANCE. Affrontement, bravade, challenge, championnat, combat, compétition, concours, concurrence, conflit, coupe, course, débat, duel, émulation, épreuve, intervention, guerre, joute, lutte, match, omnium, open, rivalité, test, tournoi.

BELLIGÉRANT. Adversaire, affronté, antagoniste, athlète, boxeur, challenger, combattant, compétiteur, concurrent, contestataire, contradicteur, émule, ennemi, opposant, prétendant, rival.

BELLIQUEUX. Aginal, agressif, batailleur, boutefeu, combatif, épervier, guerrier, martial, mordant, pacifique.

BELLUAIRE. Bestiaire, charmeur, combattant, dompteur, dresseur, gladiateur, lutteur, mirmillon, pugiliste, rétiaire.

BELON. Acul, anisomyaria, bonamia, cancale, coquillage, crassostrea, écaillage, huître, méléagrine, mollusque, moule, nacre, ostracé, ostréiculture, ostréidé, peigne, perlot, pintadine, portugaise, ptériidé, spéciale, valve.

BELOTE. Atout, carte, combinaison, dedans, der, guerrière, jeu, levée, quatorze, rebelote.

BÉLOUGA. Baleine, béluga, boutargue, caviar, cétacé, dauphin, évent, marsouin, osciètre, poisson, sévruga.

BELVÉDÈRE. Falaise, gloriette, hauteur, kiosque, mirador, montagne, observatoire, pagodon, pavillon, terrasse.

BELZÉBUTH. Belzébul, démon, diable, divinité.

BÉMOL. Adoucissement, altération, armure, bécarre, bémoliser, difficulté, enharmonique, note, nuance.

BÉMOLISER. Adoucir, alléger, amadouer, amortir, apaiser, assagir, assoupir, atténuer, bercer, calmer, cesser, délasser, détendre, diminuer, dompter, endormir, enharmoniser, éteindre, guérir, lénifier, modérer, nuancer, pacifier, pallier, rasséner, refroidir, relaxer, reposer, retenir.

BENARD. Barrure, bec-de-cane, bénarde, culotte, housset, loquet, loqueteau, serrure, taquet, targette, verrou.

BÉNÉDICTIN (n. p.). Achery, Bède, Calmet, Clément, Du Pont, Guéranger, Gui, Guibert, Guido, Gui, Guy, Mabillon, Maurolico, Montfaucon, Paris, Pérignon, Pothier, Rabelais, Romuald, Vaissette, Walburge, Walpurgis.

BÉNÉDICTIN. Calvairienne, dom, encyclopédiste, érudit, humaniste, lettré, mauriste, olivain, religieux.

BÉNÉDICTION. Accord, aide, allocation, apport, approbation, assistance, aumône, aubaine, baptême, bonheur, chance, charité, confirmation, consécration, dation, exorcisme, faveur, grâce, onction, sacrement, veine.

BÉNÉFICE. Agio, amortissement, avantage, bénef, boni, canonicat, casuel, commission, dividende, émolument, excédent, faveur, favorable, gain, intérêt, martingale, obédience, privilège, profit, rabais, remise, rente, reste, revenu, ristourne, trop-perçu.

BÉNÉFICIAIRE. Abandonnataire, adjudicataire, affectataire, aliénataire, allocataire, attributaire, cessionnaire, client, excédentaire, gagnant, juteux, légataire, nominataire, prestataire, profitable, rentable.

BÉNÉFICIER. Avoir, augmenter, avantager, cotiser, disposer, fructifier, gagner, jouir, profiter, rapporter.

BÉNÉFIQUE. Ami, appréciable, avantageux, bienfaisant, bon, favorable, fétiche, gratifiant, positif, profitable, propice, salutaire, utile.

BENÊT. Andouille, bébête, bêta, bobet, éveillé, futé, godiche, jocrisse, malin, naïf, niais, niaiseux, nigaud, sot.

BÉNÉVOLAT. Aide, altruisme, assistance, bénévole, bienveillance, complaisant, gracieux, volontaire, volontariat.

BÉNÉVOLE. Associatif, bienveillant, complaisant, désintéressé, extra, gracieux, gratuit, spontané, volontaire.

BÉNÉVOLEMENT. Agréablement, aimablement, civilement, courtoisement, délicatement, élégamment, félinement, gracieusement, gratuitement, joliment, mignonnement, poliment, suavement.

BÉNIGNITÉ. Affabilité, amabilité, bienveillance, bonhomie, bonté, calme, douceur, innocence, innocuité, mansuétude.

BÉNIN. Accueillant, anodin, bon, calme, doux, grave, innocent, inoffensif, irrépréhensible, larvé, sarcoïde, stéatome.

BÉNIN, CAPITALE (n. p.). Porto Novo.

BÉNIN, LANGUE. Adja-fon, dendi, français, goun, pila-pila, yorouba.

BÉNIN, MONNAIE. Franc.

BÉNIN, VILLE (n. p.). Abomey, Allada, Bassila, Bohicon, Cotonou, Dassa, Dahomey, Djougou, Kandi, Ketou, Lokossa, Malanville, Natitingou, Ndali, Nikki, Ouidah, Pobe, Porto Novo, Sakete, Save.

BÉNIR. Accorder, adorer, amict, applaudir, baptiser, bénédiction, consacrer, consoler, corporal, encenser, exalter, exorciser, glorifier, indulgencier, louanger, louer, glorifier, oindre, patafioler, protéger, remercier, sacrer, vénérer.

BÉNITIER. Bassin, benoitier, bigot, conque, coquillage, crapaud, eau, mollusque, tridacne, vase, vasque.

BENJAMIN. Cadet, dernier, dernier-né, descendant, frangin, frère, jeune, petit dernier, puîné, tardillon.

BENJOIN. Alcool, antiputride, antiseptique, balsamique, benzonaphtol, collargol, créosote, désinfectant, eugénol, formol, gaïacol, germicide, hexamidine, iode, médicament, mercurescéine, mercurochrome, naphtol, résine, salicylique, salol.

BENNE. Banne, berline, blondin, cabine, caisse, chariot, hotte, mine, panier, récipient, skip, tombereau, wagonnet.

BENOÎT. Bénin, bienveillant, benoîtement, bon, calme, doucereux, doux, hypocrite, indulgent, mielleux, patelin.

BENOÎTEMENT. Doucereusement, fadement, mielleusement, mièvrement, onctueusement, simplement, tranquillement.

BENZOATE. Acide, benzoïque, benzonaphtol, carbonate, corps, esprit, ester, éther, inventer, lactone, oléate, oxalate, sel, stéarate, triester, trister.

BÉOTIEN. Analphabète, barbare, débutant, fruste, grossier, ignare, ignorant, illettré, inculte, plouc, profane, rustre.

BÉOTISME. Balourdise, barbarie, bestialité, brutalité, fruste, goujaterie, grossièreté, impolitesse, lourdeur, rudesse.

BÉQUILLARD. Banban, bancal, bancroche, boiteux, boitillant, bourreau, clampin, claudicant, éclopé.

BÉQUILLE. Bâton, béquillard, cale, canne, crosse, étai, étançon, houlette, makila, soutien, support, tin.

BÉQUILLER. Adosser, appuyer, boiter, caler, dilapider, étayer, guillotiner, manger, pendre, soutenir, tuer.

BERBÈRE (n. p.). Abdalwadide, Almoravide, Aurès, Chaouïa, Chleuh, Gétule, Hammadide, Kabyle, Marinide, Mérinide, Numide, Rifain, Touareg, Ziride.

BERBÈRE. Arabe, berbérophone, jannat, kabyle, maghrébin, maure, more, targui, touareg, zénaga, zénète.

BERBÉRIDACÉE. Berbéridée, caulophylle, épine-vinette, léontice, mahonia, podophylle.

BERCAIL. Bergerie, cellule, domicile, entourage, famille, foyer, fratrie, logis, maison, patrie, pays, pénates.

BERCEAU. Bassinette, ber, berce, bercelonnette, bers, calotte, chariot, charmille, cité, couchette, couffe, couffin, coupole, crèche, lit, moïse, nacelle, naissance, nef, nid, origine, panier, tin, tonnelle, treille, voûte.

BERCEMENT. Adoucissement, apaisement, balancement, baume, consolation, oscillation, réconfort, soulagement.

BERCER. Abuser, adoucir, agiter, amadouer, apaiser, balancer, bourrichon, branler, cadence, calmer, charmer, consoler, dodeliner, endormir, espérer, illusionner, lénifier, leurrer, ondoyer, onduler, remuer, soulager, tromper.

BERCEUSE. Baby-sitter, barcarolle, berçante, branleuse, chanson, fauteuil, nourrice, nurse, rocking-chair, siège.

BÉRET. Basque, calot, calotte, coiffure, faluche, galette, galons, toque.

BERGE. An, année, batillage, berme, bord, bordages, graves, grève, levée, plage, port, rivage, rive, talus.

BERGER (n. p.). Abel, Acis, Attis, Atys, Bénezet, Daphnis, Endymion, Pan, Saint-Bénezet, Vénus.

BERGER. Abbé, allemand, bouvier, capelan, chevrier, chien-loup, clerc, curé, gardeur, gardien, houlette, houppelande, labri, malinois, marcaire, muletier, pasteur, pastoral, pastoureau, pâtre, porcher, prêtre, ranz, vacher, vénus.

BERGÈRE. Bergerette, bergeronnette, cabriolet, fauteuil, germaine, hochequeue, lavandière, marquise, siège.

BERGERIE. Bâtiment, bercail, brebis, comptoir, étable, jas, mouton, parc, pastorale, poème, tableau, tapisserie, têt.

BERGERONNETTE. Bergère, bergerette, branle-queue, hausse-queue, hochequeue, lavandière, passereau.

BERKÉLIUM. Bk.

BERLINE. Automobile, benne, chariot, decauville, hercher, herscher, hotte, mail-coach, récipient, voiture, wagon, wagonnet.

BERLINGOT. Bêtise, bonbon, chatouille, contenant, demiard, emballage, lait, pinte, praline, quart, tétraèdre.

BERLUE. Chimère, éblouissement, effet, fantasme, faux, hallucination, illusion, mirage, plante, revue, utopie.

BERME. Accotement, berge, bord, bordure, borne, cadre, caniveau, contour, côte, encadrement, frange, grève, hiloire, lé, lice, limite, lisière, littoral, marge, orée, orle, ourlet, paroi, passepoil, quai, rain, rive, trottoir.

BERMUDA. Barboteuse, bloomer, bobette, boucherie, boxer, bragues, braies, caleçon, charivari, collant, cuissard, cuissettes, culotte, défaite, dessous, échec, froc, grègues, pantalon, rhingrave, robe, salopette, short, slip, trousses, veste.

BERNACHE. Anatife, barnache, bernacle, collier, cravant, crustacé, nonnette, oie, outarde, outardeau, palmipède.

BERNARD-L'ERMITE. Bernard-l'hermite, cénobite, coquillage, crustacé, décapode, pagure, pagurien.

BERNÉ. Bafoué, blousé, branchevé, cocu, cocufié, coiffé, conard, dandin, dupe, maîtresse, pigeon, trompé.

BERNER. Abuser, coullonner, dindonner, duper, jobarder, leurrer, moquer, mystifier, rouler, tricher, tromper.

BERNIQUE. Bernicle, chapeau chinois, coquillage, déception, gastropode, mollusque, patelle, prosobranche.

BERSAGLIER. Fantassin, italien, soldat.

BÉRYL. Aigue-marine, bésicles, émeraude, gemme, héliodore, morganite, pierre, précieuse.

BÉRYLLIUM. Be, beryl, chrysobéryl, émeraude, glucinium.

BESACE. Besacier, bissac, bougette, cabas, fonte, fourre-tout, group, havresac, musette, poche, sac, sacoche.

BESAIGUË. Bagarre, batte, bigorne, boucharde, charde, châsse, enclume, enclumette, ferretier, laie, masse.

BÉSEF. Abondamment, amplement, beaucoup, bien, considérablement, dru, énormément, lerche, lourd.

BÉSICLES. Lunettes.

BESOGNE. Affaire, boulot, corvée, devoir, labeur, obligation, ouvrage, pensum, pièce, sbire, tâche, travail.

BESOGNER. Accoupler, agir, baver, bosser, boulonner, bricoler, bûcher, chiner, cultiver, galérer, marner, œuvrer, peiner, piocher, produire, rendre, rusher, suer, tâcher, tracer, travailler, trimer.

BESOGNEUX. Assisté, défavorisé, démuni, dénué, exigible, indigent, miséreux, nécessiteux, pressant, utile.

BESOIN. Appétit, assouvir, déféquer, désir, dipsomanie, disette, envie, exigence, faim, gêne, indispensable, jeûne, laver, manque, misère, narcolepsie, nécessaire, nécessité, potomanie, prier, privation, réclame, recommandation, soif, sommeil, urgence, uriner.

BESSEMER. Convertisseur, cubilot, éolienne, finerie, fourneau, huguenot, mutateur, ondulateur, transformateur.

BESSON. Agneau, double, jumeau, menechme, pareil, siamois, sosie, univitellin.

BESTIAIRE. Belluaire, fable, gladiateur, iconographie, ménagerie, mirmillon, recueil, rétiaire.

BESTIAL. Animal, âpre, barbare, bas, bourru, brusque, brutal, brute, cannibale, cru, cruel, direct, dur, féroce, franc, groin, grossier, inhumain, mufle, rude, sadique, sanguinaire, sauvage, truculent, violent, vulgaire.

BESTIALEMENT. Animalement, barbarement, brutalement, cruellement, durement, férocement, méchamment, sauvagement.

BESTIALITÉ. Animalité, barbarie, béotisme, brutalité, cruauté, férocité, inhumanité, sauvagerie, zoomanie, zoophilie.

BESTIOLE. Abêtir, abrutir, âne, animal, attelage, bébête, bestial, bétail, bête, cambrai, charogne, coccinelle, distrait, dromadaire, fauve, féral, horde, ignorance, irréfléchi, monture, morné, niais, obtus, sauvagine, sot, stupide, train.

BÊTA. Abruti, ballot, bébête, benêt, bêtasse, bétathérapie, bête, crétin, cruche, demeuré, hébété, idiot, imbécile, inepte, sot.

BÉTAIL. Animal, bestial, bête, cheptel, coccidiose, ers, ferrade, kraal, mule, pacage, pâtis, rodéo, troupeau.

BÉTAILLÈRE. Camion, fourgon, remorque, véhicule, voiture.

BÊTE. Abêtir, abrutir, âne, animal, attelage, bébête, bestial, bestiole, bétail, borné, cambrai, charogne, coccinelle, distrait, dromadaire, fauve, féral, horde, ignorance, irréfléchi, monture, niais, obtus, sauvagine, sot, stupide, train.

BÊTE À BON DIEU. Cacarinette, chilocore, coccinelle, coléoptère, élytre, épilachne, insecte, puceron.

BÊTE DE TRAIT. Âne, bœuf, caribou, chameau, cheval, chien, éléphant, husky, renne, timon.

BÉTEL. Arec, bétel, chewing-gum, chique, coca, feuille, lentisque, masticatoire, pipéracée, poivrier, qat.

BÊTEMENT. Absurdement, bestialement, brutalement, idiotement, naïvement, niaisement, sottement, stupidement.

BÉTIFIANT. Abêtissant, abrutissant, accablant, cassant, claquant, crevant, épuisant, éreintant, esquintant, exténuant, fatigant, foulant, harassant, liquéfiant, neuneu, surmenant, tuant, usant.

BÊTIFIER. Abêtir, abrutir, amoindrir, crétiniser, gâtifier, hébéter, idiotiser, niaiser, rabêtir.

BÊTISE. Ânerie, béotisme, bornerie, bourde, connerie, crasse, crevée, déconné, énormité, erreur, esprit, fadaise, finesse, idiotie, imbécillité, ineptie, ingéniosité, intelligence, naïveté, niaiserie, pochetée, rien, sornette, sottise, stupidité, subtilité.

BÊTISIER. Compilation, déconophone, dictionnaire, perles, recueil, sottises, sottisier.

BÉTOIRE. Aven, cavité, chantoir, cloup, fosse, gouffre, igue, perte, précipice, puisard, tindoul.

BÉTON. Antigelif, armé, banchage, banche, bétonnière, ciment, coffrage, concrete, faïence, fluatation, granito, gunite, mortier, pervibrage, pervibration, précontraint, vibrateur.

BÉTONNEUSE. Bétonnière, malaxeur, malaxeur-broyeur.

BETTE. Betterave, blette, bouille, cardon, côte, face, figure, fiole, frimousse, gueule, minois, poirée, tête, traits, visage.

BETTE À CARDE. Apétale, chénopodiacée, poirée, potagère.

BETTERAVE. Apétale, betteravier, bette, blète, carde, cardon, céleri-rave, chou-navet, chou-rave, cossette, plante, poirée, saccharose, sucre.

BÉTULACÉE. Aulne, aune, bétulinée, bétuloïdé, bouleau, charme, coryloïdée, coudrier, noisetier, vergne.

BEUGLANTE, Air, cantilène, chanson, chant, couplet, flonflon, gueulante, mélodie, refrain, toune, turlurette.

BEUGLEMENT. Appel, braillement, braiment, cri, hurlement, meuglement, mugissement, vocifération.

BEUGLER. Aboyer, appeler, brailler, bramer, crier, gueuler, hurler, lamenter, meugler, mugir, tonitruer, vociférer.

BEURRE. Arachide, argent, babeurre, baratte, butyrine, crème, demi-sel, fromage, margarine, motte, noir, noisette.

BEURRÉ. Branque, braque, brindezingue, cinglé, dérangé, dingo, dingue, fêlé, fou, gaga, gâteux, ivre, poire, troublé.

ivre, Brosse, enivrement, ivresse, tartinade, tartine.

BEURRER. Barbouiller, baratter, biturer, enrichir, maculer, mûrir, noircir, pinter, prospérer, salir, tartiner.

BEURRERIE. Barattage, cabaret, chantilly, crémerie, fabrique, fromagerie, laiterie.

BEUVERIE. Bacchanale, bombance, bambochade, bringue, débauche, festin, guindaille, ivresse, orgie, soûlerie.

BÉVUE. Ânerie, bavure, bêtise, blague, boulette, bourde, brioche, clerc, connerie, couac, erreur, étourderie, faute, gaffe, gourance, gourante, impair, imprudence, maladresse, maldonne, manœuvre, méprise, quiproquo, sottise.

BEY. Beylical, dignitaire, fonctionnaire, monarque, musulman, officier, souverain, titre, turquie, vassal.

BHOUTAN, VILLE (n. p.). Bjakar, Daga, Damphu, Gasa, Mongar, Paro, Samchi, Shemgang, Thimphu, Tongsa.

BIAIS. Angle, aspect, biseau, dépassant, détour, droite, ébrasement, ébrasure, escalope, frisant, indirect, ligne, oblique.

BIAISER. Bifurquer, dériver, détourner, fausser, indirect, louvoyer, obliquer, ricocher, ruser, tergiverser, tournoyer.

BIBELOT. Affiquet, babiole, bagatelle, baliverne, bêtise, bilboquet, breloque, bricole, chinoiserie, colifichet, frivolité.

BIBERON. Alcoolique, bouteille, buveur, dipsomane, éponge, fiole, ivrogne, picoleur, soûlon, tétine, trinqueur.

BIBERONNER. Boire, buvoter, chopiner, écluser, gobeletter, picoler, pinter, poncer, robiner, siroter, trinquer.

BIBI. Bitos, bugne, camail, chapeau, coiffure, couvre-chef, galure, galurin, mézigue, moi, tromblon.

BIBLE (n. p.). Aaron, Abel, Abraham, Adam, Agar, Aman, Ammon, Babel, Balthazar, Bel, Belzébuth, Benjamin, Bethel, Caleb, Daniel, David, Éden, Élie, Éphraïm, Esaü, Ève, Gaspard, Gemara, Genèse, Goliath, Ismaël, Israël, Japhet, Jéhovah, Jésus, Jhavé, Jonathan, Josué, Lot, Loth, Magog, Melchior, Melchisédech, Mishna, Moïse, Nemrod, Pentateuque, Saba, Samson, Samuel, Sara, Sarah, Seth, Siméon, Talmud, Tora, Torah, Vulgate, Yahvé, Yahvé, Zacharie.

BIBLE. Apocalypse, bréviaire, canon, exégèse, genèse, kabbale, massore, pentateuque, phylactère, psautier, shéol, tora, thora, verset.

BIBLIOGRAPHE (n. p.). Cohen, Dewey, Faribault, Jamet.

BIBLIOGRAPHIE. Bibliologie, catalogue, corpus, liste, littérature, nomenclature, référence, répertoire.

BIBLIOTHÉCAIRE (n. p.). Cohen, Dewey, Dufour, Laskaris, Maury, Patenaude.

BIBLIOTHÉCAIRE. Archiviste, bibliotaphe, chartiste, conservateur, libraire, médiathécaire, rat de bibliothèque.

BIBLIOTHÈQUE (n. p.). Alexandrie, Ambrosienne, Arsenal, BNF, Bodléienne, Corvina, Forney, Mazarine, Pergame.

BIBLIOTHÈQUE. Armoire, bibliobus, casier, didacthèque, enfer, iconothèque, logithèque, meuble, musée, rayon.

BIBLIQUE (n. p.). Aaron, Aba, Abel, Abner, Adam, Agag, Agar, Ammon, Asa, Aser, Booz, Caïn, Cham, Dan, Éla, Élie, Éliezer, Énoch, Ésaü, Ève, Giad, Isaac, Jacob, Japhet, Job, Judas, Laban, Lia, Loth, Moïse, Noé, Onan, Ruth, Sarah, Sem, Seth, Sulamite, Tobie, Urie, Zabulon.

BIC. Arabe, porte-plume, rasoir, stylo.

BICEPS. Autorité, bicipital, biscoteau, biscoto, brachial, bras, cantaloup, crural, force, muscle, puissance, vigueur.

BICHE. Antilope, belle, bichette, cerf, cervidé, cocotte, colombe, douce, faon, gazelle, harpaille, princesse, tourterelle.

BICHER. Aller, arrêter, boumer, coller, gazer, marcher, réjouir, rouler.

BICHETTE. Antilope, belle, biche, cerf, cervidé, cocotte, colombe, douce, faon, gazelle, harpaille, princesse, tourterelle.

BICHONNER. Arranger, chouchouter, choyer, dorloter, entourer, fignoler, gâter, parer, pomponner, traiter, vêtir.

BICOQUE. Baraque, cabane, cassine, chalet, domicile, foyer, intérieur, maison, nid, pavillon, résidence, taudis.

BICORNE. Béret, bob, bibi, bicuspide, bitos, bolivar, cap, cape, capeline, capuchon, chapeau, charlotte, cinglé, claque, coiffure, double, feutre, galure, galurin, gibus, képi, manilles, melon, mitre, modiste, panama, pétase, sombrero, suroît, tricorne, tube.

BICOT. Affection, ami, amour, ange, arabe, bijou, bique, biquet, biquette, cabri, cher, chéri, chèvre, chevreau, chevrette, mignon.

BICROSS. Bicyclette, motocross, motocyclette, vélo, VTT.

BICYCLETTE. Bécane, bicross, bicycle, cadre, célérifère, cipède, clou, cycle, cyclomoteur, cyclo-pousse, cyclotourisme, dérailleur, deux-roues, draisienne, fourche, monture, pédale, reine, tandem, triplette, triporteur, vélo, vélocipède.

BIDASSE. Briscard, cadet, drille, griveton, guerrier, lignard, moblot, pioupiou, soldat, reître, troufion, troupier.

BIDE. Abdomen, bedaine, bedon, échec, fiasco, flop, four, gâcher, louper, omettre, panse, patiner, ratage, rater, ventre.

BIDET. Bourrin, cheval, cob, cocotte, coursier, cuvette, destrier, haquenée, mule, mulet, postier, roussin, toilette.

BIDOCHE. Barbaque, carne, chair, cuir, frigo, hasté, hâtelette, muscle, semelle, semelle de botte, viande.

BIDON. Bluff, boille, bouille, contrefait, cuve, fabriqué, factice, falsifié, faux, forgé, fût, gourde, insuccès, inventé, jerrycan, mensonge, mensonger, moque, nourrice, récipient, réservoir, sein, simulé, truqué, ventre.

BIDONNAGE. Artifice, artificier, astuce, bluff, contrefaçon, falsification, embrasement, étoupille, fusée, lance, leurre, maquillage, pétard, piège, pyrotechnie, ralenti, ruse, truc, trucage.

BIDONNANT. Amusant, bouffon, burlesque, cocasse, comique, crevant, drôle, marrant, poilant, rigolo, tordant.

BIDONNÉ. Bu, comique, éclaté, falsifié, maquillé, mort, pouffé, ri, tordu, truqué.

BIDONNER. Adultérer, altérer, bidouiller, bluffer, corrompre, falsifier, maquiller, marrer, rigoler, rire, truquer.

BIDONVILLE. Baraquement, bas-fonds, camp, campement, favela, ghetto, quartiers, taudis, zone.

BIDOUILLER. Altérer, bricoler, contrefaire, déguiser, falsifier, maquiller, patenter, trafiquer, travestir, truquer.

BIDOUILLEUR. Bisouneux, bricoleur, patenteux, trafiqueur, truqueur.

BIDULE. Amulette, bébelle, bricole, but, chef, chose, cossin, engin, fourbi, gadget, gogosse, ivoire, onde, outil, machin, maroquinerie, matraque, objet, patente, stérilet, talisman, trésor, truc, ulve, ustensile, zinzin.

BIEF. Buse, canal, dérivation, écluse, section.

BIELLE. Articulation, axe, biellette, charnière, combe, essieu, gond, manivelle, paumelle, penture.

BIÉLORUSSIE, VILLE (n. p.). Bobrouisk, Borisov, Brest, Gomel, Gorki, Grodno, Homel, Lepel, Lida, Malhilyou, Minsk, Moghilev, Mozyr, Orcha, Pinsk, Retchitsa, Rogatchev, Slonim, Smorgon, Soligorsk, Vileika, Volkovysk.

BIÉLORUSSIE, CAPITALE (n. p.). Minsk.

BIÉLORUSSIE, LANGUE. Biélorusse, polonais, russe, ukrainien.

BIÉLORUSSIE, MONNAIE. Rouble.

BIEN. Actif, acquêt, aisance, assez, avantageux, avoir, ben, bonté, bravo, confortable, consomptible, couci-couça, désir, digne, domaine, dot, droit, héritage, joli, joliment, légal, mal, net, patrimoine, rédemption, revenu, séparation, temporel, très, zest.

BIEN (n. p.). Adam, Ahura-Mazdâ, Ève, Ormuzd.

BIEN-AIMÉ. Adoré, adulé, aimé, amant, amoureux, cher, chéri, chouchou, dulcinée, élu, favori, fiancé, maîtresse, mignon.

BIEN-DIRE. Ardeur, art, brio, chaleur, charme, conviction, distingué, élégant, éloquence, expression, persuasion, rhétorique.

BIEN-ÊTRE. Aisance, aise, béatitude, bonheur, confort, contentement, délectation, délice, douceur, euphorie, félicité, jouissance, mieux-être, nectar, orgasme, plaisir, quiétude, régal, richesse, satisfaction, sérénité, volupté.

BIENFAISANCE. Aide, appoint, apport, appui, assistance, bénignité, bienveillance, bonté, charité, commisération, fraternité, générosité, humanité, miséricorde, patronnesse, philanthropie, secours, solidarité, soupe.

BIENFAISANT. Avantageux, bénéfique, favorable, généreux, humain, maléfique, malfaisant, pernicieux, salutaire.

BIENFAIT. Aide, appui, aumône, avantage, bénédiction, bénéfice, bien, bonté, charité, civilité, commodité, convenance, don, faveur, grâce, largesse, obole, offrande, mérite, patronage, pitié, politesse, protection, service, utilité.

BIENFAITEUR. Affectateur, apporteur, dispensateur, donateur, mécène, patron, protecteur, souscripteur, testateur.

BIEN-FONDÉ. Bon, convenance, droit, justesse, légitime, opportunité, pertinence, recevabilité, utilité, validité.

BIENHEUREUX. Béat, béatifier, bonheur, ciel, comblé, content, élu, enchanté, heureux, paisible, paradis, saint.

BIENNAL. Bisannuel, deux, double, exposition, festival.

BIEN-PENSANT. Beauf, bourgeois, conformiste, conservateur, conventionnel, traditionaliste.

BIENS. Ab intestat, actif, acquêt, argent, avoir, fortune, fric, patrimoine, possessions, propriétés, richesses, revenu.

BIENSÉANCE. Convenances, correction, décence, dot, droit, héritage malpoli, malsonnant, politesse, savoir-vivre, seoir, usages.

BIENSÉANT. Approprié, bel, beau, convenable, courtois, décent, idoine, laid, pertinent, poli, propre, respectueux, séant.

BIEN SÛR. Absolument, certainement, certes, évidemment, naturellement, oui, parfaitement.

BIENTÔT. Avenir, futur, incessamment, prochainement, promptement, rapidement, revoyure, tantôt, tôt.

BIENVEILLANCE. Affabilité, altruisme, amitié, amour, bienfaisance, bonhomie, bonté, clémence, cordialité, déférence, douceur, égard, faveur, générosité, grâce, hospitalité, indulgence, mansuétude, paterne, protection, sympathie.

BIENVEILLANT. Aimable, bénin, bon, clément, complaisant, compréhensif, cordial, fléchissable, généreux, indulgent, paterne.

BIENVENUE. Abord, accès, accueil, adon, bon, favorable, hospitalier, opportun, propice, réception, traitement.

BIÈRE. Ale, amidon, bibine, blonde, bock, boisson, bouteille, brasserie, canette, cercueil, cervoise, chope, demi, épinette, faro, feu, grenadine, gueuse, gueuze, houblon, lambic, malt, mort, orge, pale, pale-ale, pils, porter, stout, tango, tchapalo, tombe, zython, zythum.

BIERGOL. Diergol, ergol, lithergol, monergol, propergol.

BIÈVRE. Anatidé, castor, desman, harle, loutre, palmipède, piette, ragondin, rat musqué, rivière, rongeur.

BIFFAGE. Bande, barre, biffure, contre-taille, correction, hachure, ligne, liséré, liteau, raie, rature, rayure, trait.

BIFFE. Arnaque, artifice, attrape, chiqué, couillonnade, dol, duperie, erreur, escroquerie, fausseté, feinte, fourberie, fraude, imposture, infanterie, lapsus, leurre, manège, mensonge, méprise, mystification, perfidie, piétaille, rature, ruse, sottise, tissu, tricherie, tromperie.

BIFFEMENT. Bande, barre, biffage, biffure, contre-taille, correction, hachure, ligne, liséré, liteau, raie, rature, rayure, trait.

BIFFER. Annuler, barrer, bâtonner, effacer, enlever, éradiquer, extirper, oblitérer, raturer, rayer, sabrer, tracer.

BIFFETON. Argent, billet, comptant, coupure, fafiot, lettre, liquide, message, mot, pli, papier-monnaie, réponse.

BIFFIN. Chiffonnier, fantassin, guenillou, hopplite, militaire, piéton, pion, policier, pousse-cailloux.

BIFFURE. Bande, barre, biffage, contre-taille, correction, hachure, ligne, liséré, liteau, raie, rature, rayure, trait.

BIFTECK. Biftèque, bœuf, côtelette, entrecôte, frites, grillade, pavé, rôti, steak, t-bone, tranche, venaison, viande.

BIFURCATION. Aiguillage, alternative, branchement, bretelle, carrefour, croisement, dichotome, dichotomie, division, embranchement, enfourchure, fourche, patte d'oie.

BIFURQUER. Dédoubler, diverger, diviser, écarter, éloigner, fractionner, fragmenter, morceler, partager, réorienter.

BIGAME. Adultère, adultérin, amant, cocu, cocuage, cocufiage, complice, concubin, coquage, cornard, débauche, fornication, infidèle, infidélité, liaison, maîtresse, marimélard, onobate, polyandre, polygame, polygyne, trahison, tromperie.

BIGARADE. Agrume, bigaradier, curaçao, essence, fruit, huile, orange.

BIGARRÉ. Bariolé, chamarré, composite, diapré, disparate, diversifié, émaillé, grivelé, hétéroclite, hétérogène, hybride, jaspé, madré, marbré, mélangé, mêlé, moucheté, multicolore, pommelé, rayé, ronceux, tacheté, tavelé, tigré, tricolore, varié, veiné, vergeté, zébré.

BIGARREAU. Anglaise, azerole, burlat, cerise, cerisette, cerisier, cherry, cœur-de-pigeon, coulard, drupe, gobet, grappe, griotte, grottier, guigne, guignon, mahaleb, marasque, marasquin, marmotte, merise, merisier, montmorency, reverchon.

BIGARRER. Barbouiller, barioler, chamarrer, colorer, diaprer, jasper, chamarrer, disparate, diversifier, jasper, marbrer, mélanger, mêler, panacher, peinturer, rayer, tacher, taveler, tigrer, varier, veiner, zébrer.

BIGARRURE. Bariolage, chamarrure, diaprure, disparité, diversité, hétérogénéité, jaspure, mélange, tavelure, variété.

BIGLER. Bigleux, ciller, cligner, convoiter, guigner, lorgner, loucher, mater, mirer, regarder, reluquer, zieuter.

BIGLEUX. Bésiclard, bigle, binoclard, coq-l'œil, louche, loucheur, louchon, miro, myope, strabique, vue.

BIGNOLE. Cerbère, concierge, gardien, geôlier, pipelet, policier, portier, suisse.

BIGNONIACÉE. Bignone, bignonia, bignone, calebassier, catalpa, ébène verte, jacaranda, kigelia, lapacho, spathodea, tulipier africain.

BIGOPHONE. Grelot, mirliton, téléphone, tube.

BIGORNE. Bagarre, batte, besaiguë, boucharde, charde, châsse, enclume, enclumette, ferretier, laie, masse.

BIGORNEAU. Colimaçon, coquillage, écouteur, escargot, hélix, limaçon, littorine, téléphone, vigneau, vignot.

BIGORNER. Abîmer, amocher, battre, casser, castagner, cingler, cogner, démolir, endommager, esquinter, forger.

BIGOT. Béat, bondieusard, cafard, cagot, calotin, croyant, dévot, faux dévot, momier, pharisien, tartufe, tartuffe.

BIGOTERIE. Bigote, bigotisme, bondieuserie, cagoterie, dévotion, hypocrisie, jésuitisme, pieux, pharisaïsme, tartuferie.

BIGOUDI. Boucle, cylindre, papillote, rouleau, sexe, tête.

BIGRE. Bougre, espèce, étonnement, fichtre, foutre, grossier, sacré, surprise.

BIGREMENT. Affreusement, amplement, astronomiquement, beaucoup, copieusement, fort, gros, maximum, très.

BIGUANIDE. Diabète, diabétologue, glycosurie, insipide, insuline, médicament, polydipsie, rein, sucré.

BIGUE. Cabestan, caliorne, chèvre, drisse, garde, grue, guinde, haleur, palan, pouliot, sapine, transstockeur, treuil.

BIJOU. Aigrette, alliance, anneau, bague, baguier, barrette, boucle, bracelet, breloque, broche, chaîne, chaînetier, clip, coffre, coffret, colifichet, collier, diadème, épingle, épinglette, ferronnière, fronteau, joaillier, jonc, joyau, médaillon, parure, pendant d'oreille, pendentif, piercing, pin's.

BIJOUTERIE. Chaînetier, chaîniste, chef-d'œuvre, horlogerie, jaspe, joaillerie, marcassite, merveille, nacre, orfèvre, orfèvrerie, parurerie, perfection, pierreries, triboulet, verroterie.

BIJOUTIER (n. p.). Birks, Fabergé, Lalique, Salles.

BIJOUTIER. Chaînetier, diamantaire, drille, gemmologiste, horloger, joaillier, lapidaire, orfèvre, tas, triboulet.

BIKINI. Archipel, deux-pièces, maillot, monokini.

BILAN. Actif, balance, check-up, compte, conclusion, conséquences, constat, effets, état, passif, résultat, solde.

BILATÉRAL. Accord, aide, alliance, alterné, concomitant, corrélatif, correspondant, démixtion, échange, entraide, entre, marché, mutuel, osmose, pacte, pareille, protocole, réciproque, relatif, respectif, solidaire, traité, transaction.

BILATÉRALEMENT. Contrepartie, échange, inversement, mutuellement, réciproquement, revanche, vice versa.

BILBOQUET. Affiche, bibelot, faire-part, homosexuel, imprimé, jouet, magot, statuette, travaux de ville.

BILE. Acholie, aigreur, amer, atrabile, bileux, biligenèse, biliaire, bilié, canalicule, chagrin, cholagogue, cholédoque, cholémie, cholurie, colère, fiel, foie, glaire, humeur, mécontentement, mélancolie, tilt, venin, urobiline.

BILER. Angoisser, énerver, inquiéter, morfondre, ronger, soucier, stresser, tourmenter, tracasser.

BILEUX. Agité, alarmé, angoissé, anxieux, appréhensif, bilieux, énervé, fiévreux, inquiet, soucieux, tourmenté.

BILHARZIE. Bilharzia, bilharziose, parasite, plathelminthe, platode, schistosomiase, trématode, ver.

BILIEUX. Abattu, acariâtre, atrabilaire, bileux, coléreux, découragé, furieux, hargneux, irascible, ire, las, rage.

BILINGUISME. Accompagnement, cohabitation, coexistence, concomitance, contemporanéité, diglossie, dualité, isochronie, néoténie, pluralisme, rencontre, simultanéité, synchronie.

BILLAGE. Découverture, décapage, décapement, dépolissage, dépolissement, grenaillage, nettoyage, ponçage, sablage.

BILLARD. Bande, bille, boule, carambole, coulé, flipper, massé, queue, queuter, rétro, série, tilt, truc.

BILLE. Auge, bic, biffeton, billon, billot, boule, calot, carambole, effet, gobille, plot, queue, sphère, tronçon.

BILLET. Bon, carte, coupon, devise, fafiot, faux-monnayeur, lettre, open, ordre, poulet, tessère, ticket, traite.

BILLETTE. Bloom, bois, bûche, bûchette, chenet, débiter, fagot, gourde, gueuse, lingot, rondin, roulé.

BILLEVESÉE. Absurdité, baliverne, calembredaine, carabistouille, fadaise, faribole, histoire, sornette, sottise.

BILLONNAGE. Aération, ameublissement, bêchage, billonnement, binage, charruage, culture, décavaillonnage, déchaussage, déchaussement, culture, écroûtage, émottage, hersage, labour, labourage, tassage.

BILLOT. Bâton, bille, billon, bitte, casseau, décapité, entrave, godet, grume, hache, montoir, pilot, plot, rochet, socle, tin, tronc, tronchet, tronçon.

BINAGE. Ameublissement, bêchage, billonnage, charruage, culture, désherbage, émottage, hersage, sarclage.

BINAIRE. Bipartite, bit, binon, booléen, double, dualiste, duel, hydrure, octet, multiplet, octet, OIT, trépan, unité.

BINE. Binette, bobine, bouille, face, fève, figure, fiole, fraise, frimousse, minois, physionomie, tête, traits, visage.

BINER. Ameublir, bêcher, défoncer, désherber, écroûter, émotter, herser, houer, labourer, sarcler, serfouir.

BINETTE. Bouille, expression, figure, fiole, gueule, houe, physionomie, sarcloir, tête, trombine, tronche, visage.

BINGO. Boule, carte, cri, free, gain, jeton, jeu, loterie, partie, passe-temps, passion, piton, tampon.

BINIOU. Breton, cabrette, cornemuse, dondaine, flûte, gaïda, loure, musette, outre, pibrock, poche, vèze.

BINOCLE. Barnicles, besicles, carreaux, conserves, face-à-main, lorgnon, lunette, monocle, pince-nez, verres.

BINÔME. Binomial, condisciple, couple, faire, jumelle, longue-vue, lorgnette, lunette, monôme, polynôme, télescope.

BINZ. Bazar, bin's, bordel, confusion, désordre, difficulté, pagaille.

BIOCÉNOSE. Atmosphère, biogéographie, biomasse, biome, biosphère, écosphère, écosystème, environnement.

BIOCHIMISTE ALLEMAND (n. p.). Buchner, Domagk, Huber, Kossel, Warburg.

BIOCHIMISTE AMÉRICAIN (n. p.). Anfinsen, Asimov, Beadle, Berg, Calvin, Cech, Cori, Delbrück, Doisy, Dubos, Gilbert, Holley, Kendall, Lee, Lipmann, Loewy, Merrifield, Moore, Mullis, Northrop, Stanley, Stein, Sumner, Szent-Györgyi, Temin.

BIOCHIMISTE ANGLAIS (n. p.). Chain, Crick, Hopkins, Krebs, Sanger.

BIOCHIMISTE BELGE (n. p.). Brachet.

BIOCHIMISTE BRITANNIQUE (n. p.). Chain, Haworth, Hopkins, Krebs, Martin, Nirenberg, Sanger, Synge.

BIOCHIMISTE CANADIEN (n. p.). Smith.

BIOCHIMISTE DANOIS (n. p.). Dam.

BIOCHIMISTE FRANÇAIS (n. p.). Baulieu, Bertrand, Duclaux, Jacob, Martin, Monod, Payen.

BIOCHIMISTE ITALIEN (n. p.). Bovet.

BIOCHIMISTE SUISSE (n. p.). Karrer, Miescher, Müller, Reichstein.

BIODÉGRADABLE. Altérable, caduc, corruptible, court, décolorer, décomposable, délébile, destructible, effaçable, effacer, éphémère, falot, fongible, fragile, fugace, incertain, instable, mortel, passager, périssable, précaire, putréfiable, putrescible, vénal.

BIODÉGRADATION. Ablation, altération, analyse, blet, blette, blettissement, blettissure, corruption, cracking, décomposition, dégradation, dénitrification, désagrégation, désintégration, division, fermentation, humus, photolyse, pourriture, ptomaïne, putréfaction, pyrolyse, séparation, tmèse.

BIOGENÈSE. Créationnisme, darwinisme, doctrine, évolutionnisme, fixisme, génétique, lamarckisme, mitchourinisme, mutationnisme, néodarwinisme, systématique, théorie, transformisme.

BIOGRAPHE (n. p.). Celano, Jones, Porphyre, Troyat.

BIOGRAPHE. Annaliste, archiviste, chroniqueur, documentaliste, hagiographie, historien, historiographe, mémorialiste, paléongraphe.

BIOGRAPHIE. Autobiographie, biobibliographie, chronique, existence, hagiographie, histoire, journal, mémoires, notice, vie.

BIOLOGIE (3 lettres). Bio, suc, vie.

BIOLOGIE (4 lettres). Gène, hôte, loge, lyse, mâle, soma.

BIOLOGIE (5 lettres). Cycle, genre, laser, locus, lyser, muter, noyau, ovule, soupe, taxie.

BIOLOGIE (6 lettres). Agamie, allèle, croisé, espèce, fascié, gamète, germen, hémine, isolat, lignée, méiose, mitose, monère, morula, necton, nucléé, oocyte, phylum, plasma, sérine, souche, stigma, survie, zygote.

BIOLOGIE (7 lettres). Agamète, alexine, cellule, explant, facteur, fibrine, fixisme, flavine, isogame, linkage, lipoïde, néotène, ovocyte, ovotide, pycnose, raphide, vacuole, vacuome.

BIOLOGIE (8 lettres). Anomalie, autolose, bourgeon, délétion, dendrite, diagnose, diploïde, écologie, gastrula, gradient, haploïde, hématine, immunité, isogamie, mosaïque, mutagène, mutation, néoténie, nidation, nutation, organite, ovogénie, parasite, plasmide, plasmode, prophase, somation, spirille, sporuler, symbiose, symbiote, tréphone, trisomie, tropisme, vitellin, vitellus.

BIOLOGIE (9 lettres). Biométrie, ciliature, coacervat, cytologie, ectoderme, édaphique, endoderme, épigenèse, épistasie, euryhalin, flagellum, inducteur, macrocyte, mésoderme, métaphase, mitotique, myélocyte, néoblaste, néoplasie, nucléaire, nutriment, oncotique, ontogénie, ovogenèse, parabiose, pédologie, phénotype, phéromone, radiation, rhéophile, somatique, télophase, tétramère, triploïde, troglobie, trophique, vibratile, vicariant, vitalisme.

BIOLOGIE (10 lettres). Altéragène, anisogamie, biomédical, cellulaire, centrosome, coprophile, ectoblaste, endoblaste, endorphine, endotoxine, ergostérol, eurytherme, gamétocyte, histiocyte, homozygote, hygrophile, hygrophobe, hypertélie, incubateur, limnologie, lipochrome, mésenchyme, mésoblaste, méthionine, monozygote, ontogenèse, ovalbumine, peroxydase, photophore, phylogénie, pinocytose, plasmocyte, plasmodium, polyploïde, porphyrine, pseudopode, régression, spanandrie, spéciation, spermatide, tocophérol, totipotent, triploïdie.

BIOLOGIE (11 lettres). Embryologie, caryocinèse, cicatricule, dimorphisme, encéphaline, enképhaline, eurythermie, fibrinogène, fibroblaste, granulocyte, hyperplasie, immunologie, myéloblaste, neuroblaste, ostéoclaste, plasmatique, schizogamie, schizogonie, sporulation, télolécithe, tératologie, tétraploïde, tiégalocyte.

BIOLOGIE (12 lettres). Aérobiologie, biomécanique, embryogenèse, endomorphine, euryhalinité, gastrulation, gonochorisme, hypertélique, macrocytaire, mégaloblaste, mésodermique, métencéphale, mitochondrie, oligo-élément, prosthétique, réticulocyte, transduction.

BIOLOGIE (13 lettres). Embryogénique, homogamétique, néphélémétrie, spermatozoïde.

BIOLOGIQUE. Amendement, apport, compost, crotte, crottin, cyanamide, engrais, fertilisant, fiente, fumier, fumure, gadoue, géophile, guano, humus, lisier, nourrain, poudrette, purin, terreau, urée, urine, wagage.

BIOLOGISTE. Bactériologiste, bioéthique, botaniste, cytologiste, endocrinologue, généticien, naturaliste, sidologue, zoologiste.

BIOLOGISTE ALLEMAND (n. p.). Driesch, Haeckel, Henning, Hertwig, Koch, Nicolaier, Roux, Schwann, Spemann, Weismann.

BIOLOGISTE ANGLAIS (n. p.). Crick, Darwin, Medawar.

BIOLOGISTE AMÉRICAIN (n. p.). Blakeslee, Calvin, Cori, Dubos, Dulbecco, Edward, Hershey, Kinsey, Landsteiner, Lawrie, Mayr, McClintock, Morgan, Müller, Nathans, Pincus, Prusiner, Sabin, Salk, Tatum, Temin, Wald, Watson, Wilson.

BIOLOGISTE BELGE (n. p.). Bordet, Duve.

BIOLOGISTE BRITANNIQUE (n. p.). Chain, Crick, Darwin, Fleming, Huxley, Klug, Medawar, Wilkins.

BIOLOGISTE DANOIS (n. p.). Finsen.

BIOLOGISTE ESPAGNOL (n. p.). Cajal, Ramon.

BIOLOGISTE FRANÇAIS (n. p.). Bataillon, Bertrand, Bombard, Carrel, Changeux, Cuénot, Dausset, Demolon, Dutrochet, Ephrussi, Giard, Grassé, Jacob, Laborit, Lecomte du Noüy, Le Dantec, Le Douarin, Lwoff, Monod, Montagnier, Naudin, Nocard, Pasteur, Ramon, Rostand, Ruffié, Wolff, Yersin.

BIOLOGISTE INDIEN (n. p.). Haldane.

BIOLOGISTE ITALIEN (n. p.). Spallanzani.

BIOLOGISTE NÉERLANDAIS (n. p.). Eijkman.

BIOLOGISTE ROUMAIN (n. p.). Racovita.

BIOLOGISTE RUSSE (n. p.). Bogomolets, Bogomoletz, Oparine.

BIOLOGISTE SOVIÉTIQUE (n. p.). Lyssenko, Oparine.

BIOMASSE. Atmosphère, biocénose, biogéographie, biome, biosphère, écosphère, écosystème, environnement.

BIOLUMINESCENCE. Fluorescence, lampyre, luciole, pholade, phosphorescence, photogenèse.

BIOME. Biotope, climat, écosystème, environnement, forêt, habitat, milieu, nature, océan, prairie, station.

BIONIQUE. Biochimie, biologie, biomécanique, biophysique, cybernétique.

BIOPHYSICIEN (n. p.). Delbrück, Hartline, Lecomte du Noüy, Wilkins.

BIOPSIE. Coupe, forage, fragment, piqûre, ponction, ponction-biopsie, prélèvement, prise.

BIOSPHÈRE. Biome, biotope, climat, écosystème, élément, environnement, habitat, milieu, nature, station.

BIOSYNTHÈSE. Absorption, anabolisme, assimilation, cellule, chimisme, coction, digestion, eupepsie, ingestion, métabolisme, nutrition, phagocytose, rumination, transformation.

BIOTE. Biocénose, biomasse, biosphère, faune, flore, habitat, occupation, peuplement.

BIOTINE. Mica, vitamine B8, vitamine H.

BIOTOPE. Biome, biosphère, climat, écosystème, élément, environnement, habitat, milieu, nature, station.

BIOXYDE. Dioxyde, étain, oxyde, oxygène, oxylithe, polianite, pyrolusite.

BIP. Appareil, messager, radiomessageur, récepteur, signal, téléavertisseur, télécepteur.

BIPARTITE. Anneau, article, biparti, corde, créneau, diagonale, diamètre, division, fraction, fragment, gène, ilion, médiane, métamère, morceau, polygone, portion, scolex, segment, somite, stylopode, telson, vecteur.

BIPARTITION. Clivage, conflit, découpage, désaccord, discordance, dissension, divergence, division, divorce, fission, mipartition, opposition, répudiation, rupture, scission, section, segmentation, séparation.

BIPÈDE. Australopithèque, cheval, dipode, hohinidé, homme, iguanodon, oiseau, théropode, trot, tyrannosaure.

BIPENNE. Arme, aisseau, aissette, ascia, cochoir, cognée, couperet, coutre, dolabre, doleau, doloire, erminette, fendoir, francisque, hache, herminette, laye, merlin, minerve, rustique, tille, tomahawk.

BIPER. Annoncer, appeler, carillonner, claironner, clamer, crier, prévenir, résonner, retentir, sonner, tinter, vibrer.

BIQUET. Ami, amour, ange, bicot, bijou, bique, biquette, cabri, cher, chéri, chèvre, chevreau, chevrette, mignon.

BIRBE. Ancien, âgé, baderne, barbe, barbon, chenu, croulant, géronte, patriarche, pépé, schnock, sénile, vieillard, vieux, viocard.

BIRÉFRINGENCE. Anatomie, cyphose, déflexion, dérive, détour, déviation, dévoiement, diffraction, dispersion, distance, écart, évitement, flèche, gauche, gauchissement, hétérophorie, intervalle, loucherie, scoliose, sinuosité, superstition, tortueux, valgus.

BIRÈME. Bagne, bateau, chiourme, espalier, fuste, galéace, galère, galérien, galiote, mahonne, navire, prame, réale, sensile, trière, trirème.

BIRMANIE, CAPITALE (n. p.). Rangoon.

BIRMANIE, LANGUE. Anglais, birman.

BIRMANIE, MONNAIE. Kyat.

BIRMANIE, VILLE (n. p.). Akyab, Bahmo, Chauk, Falam, Katha, Lshio, Magwe, Merqui, Minbu, Moulneim, Myanmar, Namsang, Namthu, Pegou, Pegu, Prome, Putao, Pyapon, Rangoon, Shwebo, Tavoy, Thaton, Toungoo, Ye.

BIROTOR. Aérodyne, aéronef, aéroplane, aérostat, autogire, avion, dirigeable, giravion, hélicoptère, largeur, zeppelin.

BIROUTE. Ante, barre, batte, bêche, bras, caban, cal, cape, coude, coule, crevé, emmanchure, ente, fléau, fouet, gilet, hampe, manche, mancheron, manchette, manicle, mendier, œil, pagode, partie, poêlon, revanche, rob, robe, set, soie.

BIS. Acclamation, basané, beige, bistre, bravo, brun, cri, deux, encore, grège, gris, hourra, pain, sable, ter.

BISANNUEL. Biennal, carvi, colza, deux, double, plante, pluriannuel.

BISBILLE. Brouille, brouillerie, chicane, désaccord, différend, discorde, dispute, fâcherie, mésentente, querelle.

BISBROUILLE. Brouille, brouillerie, chicane, désaccord, différend, discorde, dispute, fâcherie, mésentente, querelle.

BISCAÏEN. Arme, balle, bazooka, biscaïn, biscayen, boulet, fusil, lance-fusées, lance-roquettes, mousquet, tube.

BISCÔME. Brioche, chanoinesse, couque, cuisinier, nonnette, pain, pain d'épice, pâtisserie.

BISCORNU. Abracadabrant, asymétrique, baroque, bizarre, compliqué, difforme, extravagant, farfelu, irrégulier, saugrenu, tordu.

BISCOTEAU. Biceps, biscoto, brachial, cantaloup, muscle.

BISCOTTE. Biscuit, croûton, gressin, grissol, longuet, pain, panini, zwieback.

BISCUIT. Biscotin, bonbon, biscotin, boudoir, bretzel, cracker, craquelin, croquant, croquet, croquignole, galette, gâteau, gaufrette, macaron, massepain, porcelaine, sablé, soda, spéculaus, spéculoos, spéculos, toast.

BISCUITIER. Chocolatier, confiseur, glacier, pâtissier.

BISE. Aquilon, baisemain, baiser, bec, bécot, bisette, bisou, blizzard, bora, borée, nordet, poutou, retient, vent.

BISEAU. Bec, biseauter, burin, chanfrein, ébiseler, écossé, embouchure, entaillé, hoyau, oblique, pied-de-biche, sifflet.

BISEAUTER. Ciseler, cliver, couper, découper, diminuer, ébiseler, échancrer, écharper, écimer, élaguer, émonder, équarrir, étêter, fuseler, hacher, partir, raccourcir, rafraîchir, recouper, retailler, sculpter, smiller, tailler, tondre, tricher, tromper.

BISER. Baiser, baisoter, bécoter, becquer, dégénérer, embrasser, fuguer, noircir.

BISET. Boudin, colombin, étron, fiente, lainage, mouton, palombe, pigeon, ramier, rouleau, tourterelle.

BISEXUÉ. Ambisexué, autogame, autogamie, hermaphrodite, intersexué, monoïque.

BISMUTH. Bi, bismuthine, germanium.

BISON (n. p.). Buffalo Bill.

BISON. Aurochs, bœuf, bovidé, ure, urus, vodka, zoubrovka.

BISOU. Accolade, baisemain, baiser, bec, bécot, bise, bisette, bizou, embrassade, mimi, poutou, retient.

BISOUNAGE. Amélioration, arrangement, bidouillage, bricolage, consolidation, entretien, patentage, réparation.

BISOUNER. Arranger, bidouiller, bricoler, fabriquer, fainéanter, ficher, flâner, fricoter, glander, glandouiller, musarder, muser, paresser, patenter, réparer, rétablir, retaper, taponner, traficoter, trafiquer.

BISQUE. Potage, bouillie, bouillon, cille, colère, consommé, crème, coulis, crustacé, écrevisse, homard, humeur, julienne, lavasse, lavure, louche, minestrone, oille, philtre, potage, soupe.

BISQUER. Accabler, agacer, asticoter, contrarier, dépit, écumer, embêter, ennuyer, enrager, éprouver, excéder, froisser, fumer, importuner, lasser, déplaire, rager, râler, rogner, taquiner, vexer.

BISSE. Adducteur, aqueduc, béseau, canal, couleuvre, daleau, dalot, drain, fossé, guivre, lit, serpent, tranchée.

BISSECTRICE. Angle, capitale, demi-droite, droite, géométrie, ligne.

BISSEL. Arbre, axe, axial, axile, balai, centre, cep, cime, coulemelle, direction, essieu, gond, gourmand, hampe, ligne, mèche, paille, pivot, pôle, rachis, selle, stipe, stupe, tige, tore, tronc, vadrouille, vanne, vecteur.

BISSER. Acclamer, applaudir, ovation, rappeler, réclamer, redemander, répéter, triompher, trisser.

BISTOURI. Césarienne, coupure, couteau, cystotomie, entaille, excision, fente, incision, kératotomie, lame, scalpel, scarification.

BISTOURNAGE. Castration, chaponnage, contorsion, courbure, distorsion, émasculation, grimace, orchidectomie, torsion.

BISTOURNER. Castrer, contourner, courber, crochir, déformer, dévier, distordre, gauchir, tordre, voiler.

BISTRE. Aquatinte, basané, beige, bis, brun, châtain, kaki, lavis, mat, mordoré, mordorure, olivâtre, suie.

BISTRO. Bar, bistrot, brasserie, buvette, bouchon, cabaret, café, comptoir, estaminet, gargote, grill, guinguette, marigot, pub, restaurent, resto, taverne, troquet, zinc.

BISULFURE. Disulfure, marcassite, mussif.

BIT. Binaire, binon, octet, multiplet, OIT, trépan, unité.

BITE. Bitte, Ennui, pénis, pine, queue, sexe, tromperie, verge, zob.

BITOS. Bibi, camail, canotier, chapeau, coiffure, couvre-chef, feutre, galure, galurin, tromblon.

BITTE. Amarrage, aussière, barrière, billot, bollard, bordure, borne, confin, court, douane, étroit, excès, fin, frein, frontière, hydrant, illimité, koudourrou, limite, lisière, marque, mesuré, méta, obtus, orée, pôle, rétréci, terme.

BITTER. Accoupler, amarrer, amer, apéritif, apéro, boisson, comprendre, genièvre, tromper, vermouth.

BITUMAGE. Asphaltage, goudronnage, macadamisage, pavage, tarmacadamisation.

BITUME. Asphalte, chaussée, coaltar, élatérite, enrobé, goudron, guitran, lave, macadam, route, rue, tarmacadam.

BITUMER. Asphalter, brayer, coaltérer, enrober, entretenir, goudronner, macadamiser, paver, revêtir, tarmacadamiser.

BITURE. Alcoolisme, bacchante, bitture, coction, cristallisation, cuisson, cuite, débauche, défonce, ébriété, emportement, enivrement, éthéromanie, éthylisme, griserie, ivresse, orgie, poivrade, ribote, soûlerie, vertige.

BITURER. Alcooliser, arsouiller, aviner, beurrer, bitturer, boire, bourrer, camphrer, cocarder, cuiter, défoncer, émécher, enivrer, étourdir, exalter, exciter, griser, noircir, poivrer, rétamer, saouler, soûler.

BIVALENT. Alternative, bi, bicolore, bilingue, bine, bis, couple, deux, di, didactyle, divalent, division, double, doublé, doubler, dual, duo, hybride, II, jumeaux, métis, paire, plurivalent, postérieur, réciproque, second, secundo, sexe, suivant.

BIVALVE. Acéphale, anodonte, bénitier, cardite, clam, clavagelle, coque, couteau, cuspidaria, huître, isocarde, lamellibranche, lime, lithodome, lithophage, moule, mulette, mye, nucule, pélécypode, solen, tridacne, valve.

BIVOUAC. Abrivent, baraquement, base, bivouaquer, camp, campement, cantonnement, douar, garde, halte, quartiers, tente.

BIVOUAQUER. Camper, cantonner, dresser, halte, haleter, installer, planter.

BIZARRE. Abracadabrant, anormal, baroque, bigarré, biscornu, braque, cocasse, comique, curieux, déconcertant, démence, drôle, étonnant, étrange, extravagant, farfelu, hétéroclite, inouï, insolite, lunatique, original, paradoxal, saugrenu, singulier, spécial, tordu.

BIZARREMENT. Anormalement, baroquement, caprice, curieusement, drôlement, étrangement, insolitement, singulièrement.

BIZARRERIE. Absurdité, anomalie, anormalité, baroquerie, branquignollerie, cocasserie, curiosité, dada, drôlerie, étrangeté, excentricité, fantaisie, folie, inénarrable, lubie, manie, originalité, paradoxe, rêve, saugrenu, singularité, travers.

BIZUT. Apprenti, bizuth, bleu, débutant, élève, néophyte, nouveau, novice.

BIZUTAGE. Avanie, berné, épreuve, brimade, chahut, exactions, initiation, offense, oppression, persécution, tracasserie, vexation.

BIZUTER. Berner, brimer, décevoir, flouer, frustrer, léser, offenser, opprimer, priver, railler, taquiner, tourmenter, vexer.

BLA-BLA. Babillage, bavardage, boniment, caquetage, délayage, jacassage, loquacité, papotage, verbalisme, verbiage.

BLACK-BASS. Achigan, centrarchidé, perche, perche noire, poisson.

BLACKBOULER. Battre, coller, contester, décliner, dénier, dominer, éconduire, étendre, évincer, infliger, nier, priver, rebeller, rebiffer, recaler, récuser, refuser, regimber, rejeter, renier, repousser, résister, retaper, vaincre, virer.

BLACK-OUT. Confidence, discrétion, mutisme, mystère, non-dit, obscurité, retenue, réticence, secret, silence.

BLAFARD. Blanc, blanchâtre, blême, clair, diaphane, élavé, hâve, incolore, livide, pâle, pâlot, terne, terreux.

BLAGUE. Attrape, badinage, baliverne, bêtise, bobard, canular, carabistouille, char, charre, craque, erreur, exagération, farce, gag, galéjade, hâblerie, histoire, mensonge, plaisanterie, punch, sac, sornette, tabac, zwanze.

BLAGUER. Asticoter, badiner, chahuter, charrier, galéjer, moquer, plaisanter, railler, rigoler, taquiner, zwanzer.

BLAGUEUR. Bonimenteur, bouffon, coquin, espiègle, esbroufeur, facétieux, fanfaron, farceur, fripon, hâbleur, joueur, menteur, mystificateur, pince-sans-rire, plaisantin, railleur, rieur, rigolo, taquin, vantard.

BLAIR. Appendice, blase, museau, narines, nasal, nase, nez, pif, protubérance, ronflant, tarin, truffe, trompe.

BLAIREAU. Barbe, barbiche, brosse, carcajou, glouton, grisard, pinceau, plantigrade, ratel, savonnette, vermillonner.

BLAIRER. Aimer, antipathie, éprouver, estimer, pifer, piffer, ressentir, sentir, souffrir, supporter, voir.

BLÂMABLE. Condamnable, coupable, critiquable, damnable, désavouable, errements, incriminable, répréhensible, réprouvable.

BLÂME. Anathème, avertissement, censure, condamnation, critique, culpabilité, désaveu, huée, plainte, redire, remontrance, répréhensible, réprimande, réprobation, reproche, satire, savon, sermon, tirade, tollé.

BLÂMER. Abîmer, accuser, censurer, condamner, criticailler, critiquer, dauber, désapprouver, excommunier, flétrir, honnir, huer, incriminer, interdire, larder, nuire, proscrire, punir, reprendre, réprimander, reprocher, saler, salir, sévir, stigmatiser, vitupérer.

BLANC. Albâtre, albumen, api, asti, aube, blafard, blême, caldoche, candidat, candide, canitie, céruse, chenu, clair, craie, cygne, écru, glaire, immaculé, innocent, laiteux, mégi, neige, net, opium, pâle, pavot, pie, spermaceti, toubab, zinc.

BLANC-BEC. Arrogant, bec-jaune, béjaune, con, gamin, grossier, insolent, merdeux, morveux, niais, prétentieux.

BLANCHAILLE. Alevin, bigaille, blanquet, frai, fretin, menuaille, nourrain, poisson, poutine, toulamon.

BLANCHÂTRE. Albuginé, argenté, blafard, blanc, blême, chyle, cireux, crayeux, écume, immaculé, ivoirin, lacté, lactescent, laiteux, lilial, livide, marmoréen, neigeux, opale, opalescent, opalin, pâle, palescent.

BLANCHE. Armeline, bille, boule, drogue, héroïne, immaculée, innocente, laiteuse, magie, note, nuit, ronde, vierge.

BLANCHEUR. Albâtre, canitie, clarté, éburné, éburnéen, ivoire, ivoirien, lactescence, leucome, lilial, lymphatisme, neige, netteté, pâleur, propreté.

BLANCHI. Acquitté, amnistié, chenu, dédouané, disculpé, grisonnant, innocenté, lavé, recyclé, relaxé, vieilli.

BLANCHIMENT. Albification, argent, blanchissage, décoloration, échaudage, étiolement, fraude, recyclage.

BLANCHIR. Blêmir, chauler, dédouaner, défendre, disculper, ébouillanter, échauder, enfariner, étioler, excuser, frotter, herber, innocenter, justifier, laver, lessiver, nettoyer, pâlir, résigner, sabler, savonner.

BLANCHISSAGE. Argent, blanchiment, décoloration, étiolement, lavage, nettoyage, raffinage, recyclage.

BLANCHISSANT. Décolorant, délavé, embu, émoi, enfumé, éteint, fade, flétri, javellisant, terne.

BLANCHISSERIE. Buanderie, dégraisseur, laverie, lavoir, lavomat, nettoyeur, pressing, teinturerie, teinturier.

BLANCHISSEUR. Buandier, curandier, lavandier, lavandière, laveur, lessiveur, nettoyeur, pressing, teinturier.

BLANCHON. Mammifère, odobénidé, phocidé, phoque, pinnipède, veau.

BLANC-SEING. Approbation, autographe, autorisation, aval, contreseing, monogramme, paragraphe, seing, signature.

BLANDICE. Agrément, art, attrait, beauté, caressant, charme, chic, classe, coquetterie, délice, éclat, grâce, séduction.

BLANQUETTE. Agneau, argent, chasselas, clairette, mousseux, plat, ragoût, veau, vin.

BLASE. Appendice, blair, blaze, museau, narines, nasal, nase, nez, pif, protubérance, tarin, trompe.

BLASÉ. Assommé, assouvi, brisé, claqué, courbatu, courbaturé, crevé, découragé, dégoûté, désabusé, ennuyé, épuisé, éreinté, excédé, exténué, fatigué, fourbu, indifférent, las, lassé, rassasié, reclus, repu, rompu.

BLASEMENT. Assommement, bâillement, dégoût, déplaisir, ennui, insatisfaction, langueur, lassitude, vide, satiété.

BLASER. Dégoûter, désabuser, écœurer, émousser, fatiguer, incuriosité, indifférent, lasser, rassasier, soûler.

BLASON. Abîme, armes, armoiries, azur, écu, écusson, émail, épi, héraldique, orle, parti, pennon, sinople, tau, timbre.

BLASPHÈME. Anathème, blâme, grossièreté, impiété, imprécation, injure, insulte, jurement, juron, sacre.

BLASPHÉMER. Bafouer, humilier, injurier, insulter, jurer, juron, malédiction, maudire, moquer, outrager, sacrer.

BLATTE. Cafard, cancrelat, coquerelle, dictyoptère, kakerlak, insecte, meunier.

BLAZER. Anorak, blouson, boléro, caban, cabi, canadienne, cardigan, carmagnole, chandail, défaite, dolman, doudoune, échec, flanelle, gilet, hoqueton, jaquette, pourpoint, pull, saharienne, sweater, tunique, vareuse, veste, veston, vêtement.

BLÉ. Amidonnier, argent, carie, céréale, écidie, épautre, épeautre, fagopyrum, farine, foin, froment, gerbe, grain, gruau, ivraie, maïs, minot, moucheté, orge, pain, pâte, raccard, roupie, sarrasin, son, touselle, triticale, triticum, urédospore.

BLÈCHE. Affreux, déplaisant, disgracieux, faible, hideux, horrible, ignoble, laid, mauvais, moche, mou.

BLED. Affût, arrêt, asile, cédraie, cinéma, clairière, creuset, emplacement, endroit, entrée, envers, flottaison, germoir, glaisière, gué, héronnière, ici, là, légumier, lieu, mangeure, melonnière, noiseraie, parages, patelin, paysage, place, pondoir, précipice, recto, resserre, rouissoir, rucher, séjour, silo, site, soudure, source, tabagie, tir, vasière.

BLÊME. Blafard, blanc, cireux, clair, décoloré, diaphane, exsangue, faible, hâve, livide, pâle, pâlot, terne.

BLÊMIR. Blanchir, caponner, clopper, frissonner, pâlir, pétocher, trembler, traquer, trouiller, trouilloter, verdir.

BLENNORRAGIE. Chaude-lance, chaude-pisse, chtouille, gonococcie, gonocoque, gonorrhée, phallorrhée, pyurie.

BLENNORRHÉE. Abcès, boue, bourbillon, chassie, collection, drain, écoulement, empyème, exsudat, gourme, humeur, ichor, infection, jaunâtre, leucocyte, purulent, pus, pyogène, pyorrhée, pyurie, sanie, suppurer, vomique.

BLÉPHARITE. Inflammation, maladie, myxomatose, paupière.

BLÈSEMENT. Blésité, chuintement, défaut, deltacisme, zézaiement, zozotement.

BLÉSER. Aborder, agir, annoncer, babiller, bafouiller, baragouiner, bavarder, bêler, causer, chuchoter, chuinter, claironner, crier, dauber, débiter, dénigrer, dire, discourir, disserter, divaguer, évoquer, exposer, exprimer, extravaguer, gueuler, haranguer, hurler, jacter, jargonner, jaser, joual, marmotter, monologuer, nasiller, négociation, parler, patois, péronier, picard, placoter, prononcer, rouchi, sic, substituer, susurrer, tarir, tonner, trahir, vociférer, zézayer, zozoter.

BLESSANT. Acerbe, acéré, acide, âcre, agressif, aigre, aigu, amer, âpre, ardu, bière, brûlant, choquant, cinglant, coupable, coupant, cru, cruel, cuisant, déplacé, déplaisant, dur, douleur, écorchant, étripant, étrivant, fiel, froissant, gênant, grivois, impoli, larder, lésant, mordant, navrant, offensant, onde, pénible, souffrant, ulcérant, vexant.

BLESSÉ. Amer, amputé, atteint, brancardier, civière, éclopé, invalide, lésé, mutilé, nui, sauf, ulcéré, vexé.

BLESSER. Abîmer, amocher, atteindre, contusionner, écharper, écorcher, égratigner, encorner, entailler, esquinter, estropier, étriper, froisser, geler, léser, luxer, meurtrir, mordre, mortifier, mutiler, navrer, offenser, ulcérer, vexer.

BLESSURE. Bleu, bobo, bosse, boursouflure, bouton, boutonnière, bris, brisure, brûlure, cancer, cassure, chagrin, chancre, coup, coupure, déchirure, décousure, douleur, écorchure, égratignure, enclouure, engelure, entaille, fêlure, fracture, gifle, lésion, luxure, mal, meurtrissure, morsure, œdème, piqûre, plaie, taillade, trauma, traumatisme, ulcère, varice.

BLET. Avancé, blette, blettir, décomposé, gâté, mature, mou, mûr, pâle, passé, pourri, talé, tapé.

BLETTISSURE. Blettissement, carie, charogne, corruption, décomposition, dépravation, fumier, gangrène, loque, maladie, monilia, ordure, perversion, pourriture, putréfaction, rhizopus.

BLETZ. Bletse, rondelle, rustine.

BLEU. Acier, azur, béryl, bleuâtre, bleuet, bolet, céruléen, cobée, conservateur, couleur, cyan, ecchymose, guède, iode, inde, indigo, induline, iris, lapis-lazuli, lavande, lilas, marine, néophyte, nouveau, outremer, pâle, pers, safre, sauge, spleen, turquin, vert, zinc.

BLEUÂTRE. Bleu, bleuissant, bleuté, cendreux, céruléen, glauque, grisâtre, livide, plombé.

BLEU COUPIER. Aniline, induline.

BLEUET. Airelle, arbrisseau, barbeau, barde-au-bleut, bleuetterie, bleuetière, bluet, centaurée, fleur, fruit, myrtille.

BLEU-MAUVE. Apocynacée, azuré, fleur, infusion, lavande, pervenche, plante.

BLEUSAILLE. Apprenti, bizuth, bleusaillon, commençant, conscrit, deb, débutant, militaire, néophyte, nouveau, novice, poulain, recrue.

BLINDAGE. Abri, automouvant, bardage, bouclier, carapace, cuirasse, cuirassement, écran, protection, revêtement.

BLINDÉ. Abri, blasé, char, chenillestte, cuirassé, diascope, endurci, immunisé, panzer, soutien, tank, tranché.

BLINDER. Aguerrir, armer, ardu, barder, bronzer, brutal, calleux, coriace, cuirasser, dur, endurcir, épais, fortifier, habituer, impitoyable, implacable, inexorable, métallique, rassis, roc, rude, sec, sévère, tremper.

BLINI. Blinis, crêpe, crêpier, crépon, galette, hors-d'œuvre, matefaim, nem, ruban, taco, tortilla.

BLINQUER. Astiquer, briller, briquer, chatoyer, fourbir, frotter, luire, nettoyer, peaufiner, polir, reluire.

BLITZ. Agression, assaut, attaque, descente, effraction, entrée, envahissement, épreuve, immixtion, incursion, ingérence, intervention, intrusion, invasion, irruption, mission, raid, rallye, razzia, rezzou, visite.

BLIZZARD. Bordée, mousson, neige, nord, poudrerie, rafale, souffle, tempête, tourmente, vent, zéphir.

BLOC. Accrétion, accumulation, agrégat, amas, bille, calepin, cube, culasse, délit, domino, efface, enclume, ensemble, iceberg, igloo, îlot, lego, masse, massif, monolithe, morceau, nodule, nucléus, ouvrage, paquet, parcelle, pavé, prison, réunion, roche, sérac, tablette, tout.

BLOCAGE. Arrêt, barrage, bloc, blocaille, calage, congestion, dame, digue, frein, gel, jetée, inhibition, obstruction, paysage, région, remplage, stabilisation, tac, tacle.

BLOCKHAUS. Abri, bunker, cagna, casemate, forteresse, fortin, gourbi, guitoune, ouvrage, redoute, tourelle.

BLOC-NOTES. Agenda, cahier, calepin, carnet, journal, livret, manifold, mémento, mémorandum, registre, répertoire.

BLOCUS. Bouclage, boycott, confiscation, embargo, encerclement, gel, investissement, mainmise, quadrillage, siège.

BLOND. Ambré, blondasse, blondelet, blondinet, bouton-d'or, chamois, champagne, citron, décoloré, doré, galant, filasse, flace, flavescent, jaune, lin, miellé, or, oxygéné, platine, queue de vache, topaze.

BLONDASSE. Blond, blondelet, blondinet, éphélide, fade, filasse, jaunâtre, platiné, sale, terne.

BLONDE. Ale, amie, amour, amoureuse, bière, blondine, blondinette, bovin, chérie, cigarette, cuivrée, dentelle, dorée, épouse, favorite, femme, fille, laitue, mignonne, pale-ale, parque, pils, platine, tête.

BLONDIR. Blondoyer, décolorer, dorer, jaunir, javelliser, mûrir, rissoler.

BLOOMER. Barboteuse, bobette, boucherie, boxer, bragues, braies, caleçon, charivari, collant, cuissard, culotte, défaite, dessous, échec, froc, grègues, pantalon, rhingrave, robe, salopette, short, slip, trousses, veste.

BLOQUER. Amasser, barrer, boucher, bûcher, caler, cerner, coincer, concentrer, condamner, emmurer, empêcher, entasser, fermer, geler, gripper, grouper, immobiliser, investir, masser, obstruer, potasser, rassembler, réunir, serrer, suspendre, tacler, verrouiller.

BLOTTIR. Accroupir, clapir, enfouir, pelotonner, presser, recroqueviller, réfugier, replier, serrer, tapir.

BLOUSANT. Ample, ballonnant, bouffant, bouillon, crinoline, gonflant, gonflé, tournure, tutu, vertugadin.

BLOUSE. Blazer, bourgeron, caban, camisole, casaque, casaquin, chemisier, corsage, jabot, marinière, perfecto, plastron, protection, sarrau, souquenilles, surtout, tablier, vareuse, veste.

BLOUSER. Abuser, avoir, baiser, berner, bluffer, bouffer, circonvenir, couillonner, duper, embobiner, empaumer, escroquer, flouer, gonfler, leurrer, mener, mystifier, pigeonner, posséder, refaire, repasser, rouler, tromper.

BLOUSON. Anorak, délinquant, loulou, loubard, rocker, survêtement, vaurien, veste, voyou.

BLUE-JEAN. Denin, jean, pantalon, tissu.

BLUES. Abattement, accablement, bourbon, cafard, complainte, mélancolie, raï, rythme, sentiment, slow, spleen.

BLUET. Ambrette, amer, barbeau, bleuet, centaurée, chausse-trappe, fleur, jacée, lychnide, lychnis.

BLUETTE. Amour, amourette, badinage, badinerie, éblouir, étincelle, fleurette, flirt, galanterie, historiette, saynète.

BLUFF. Affectation, appât, blague, char, charre, charme, chiqué, farce, frime, histoire, imposteur, leurre, tromperie.

BLUFFER. Abuser, attraper, bercer, berner, duper, ébahir, éberluer, épater, esbroufer, estomaquer, fanfaronner, flouer, frimer, hâbler, impressionner, leurrer, méduser, mentir, mousser, mystifier, ramener, sidérer, tromper, vanter.

BLUFFEUR. Cabotin, fanfaron, feinteur, frimeur, hâbleur, imposteur, joueur, menteur, tricheur, trompeur, vantard.

BLUSH. Affectation, artifice, blanc, brillant, couleur, démaquillant, fard, faux, fond, grimage, khôl, kohol, maquillage, nu, peinture, rimmel, rouge.

BLUTAGE. Archivage, calibrage, catalogage, choix, classement, coulage, criblage, élimination, enlevé, filtrage, index, indexation, ordre, sassage, sassement, tamisage, taratage, triage, vannage, volet.

BLUTER. Accoupler, bluterie, calibrer, cribler, enfariner, filtrer, passer, sasser, séparer, tamiser, trier.

BLUTOIR. Bluteau, crible, filtre, passoire, plansichter, sas, sasser, tamis, vanne.

BOA. Anaconda, boïdé, constricteur, constrictor, devin, écharpe, empereur, eunecte, foulard, python, rouleau, serpent.

BOB. Argent, bobsleigh, bonnet, chapeau, coiffure, dollar, lupanar, shilling.

BOBARD. Attrape, bêtise, bide, bidon, bourde, canular, char, craque, erreur, exagération, fable, farce, fausseté, fiction, gag, galéjade, hâblerie, imposture, mensonge, menterie, menteur, mentri, plaisanterie, salade, sornette, tabac.

BOBARDIER. Contrefacteur, captieux, copieur, copiste, déformateur, démarqueur, escroc, falsificateur, faussaire, faux-monnayeur, fripon, imitateur, mystificateur, pasticheur, plagiaire, posticheur, trompeur, voleur

BOBÈCHE. Binet, bobéchon, bougeoir, brûle-bout, brûle-tout, chandelier, chandelle, coupelle, disque, imbécile.

BOBET. Andouille, bébête, benêt, bêta, éveillé, futé, godiche, jocrisse, malin, naïf, niais, niaiseux, nigaud, sot.

BOBINAGE. Bobiner, cannetage, copsage, cryoalternateur, dévidoir, enroulement, envidage, rembobinage, renvidage.

BOBINE (n. p.). Maxwell, Ruhmkorff.

BOBINE. Bobineau, bobinot, broche, cannelle, canette, cops, cylindre, diabolo, espolin, face, fusée, fuseau, fusette, marionnette, moue, moulinet, navette, nilles, noyau, quenouille, rochet, roquetin, rouleau, solénoïde, visage.

BOBINER. Embobiner, enrouler, envider, rebobiner, rembobiner, renvider.

BOBINEUR. Bobinoir, comédien, figurant, peloteur.

BOBO. Blessure, brûlure, douleur, ecchymose, égratignure, enflure, engelure, éraflure, mal, œdème, piqûre, plaie.

BOBSLEIGH. Bob, skeleton, toboggan, traîneau.

BOCAGE. Bois, boisé, boqueteau, bosquet, breuil, clôture, déchet, forêt, garenne, haie, normand, pâturage, sylve.

BOCAL. Aquarium, bassin, bouillotte, boule, caboche, cafetière, canette, carafe, conserve, pot, récipient, vase.

BOCARD. Brisoir, broyeur, concasseur, déchiqueteur, ébogueuse, égrugeoir, marquoir, moulin, moulinette, triturateur.

BOCHE. Allemand, badois, bavarois, berlinois, chleuh, fridolin, frisé, fritz, germain, germanique, germanophile, germanophobe, kaiser, nazi, ottonien, prussien, rhénan, sarrois, saxon, SS, teuton, tudesque.

BOCK. Bière, chope, pichet, sérieux, verre.

BODY. Justaucorps, teddybear.

BODY-BUILDING. Actomyosine, culturisme, exercice, exerciseur, gonflette, musculation, musculature, volume.

BOERS (n. p.). Afrikaanders, Afrikaners, Botha, Joubert, Trek.

BOËTTE. Aiche, appât, boëtte, boite, èche, esche, fleurette, piquette, strouille.

BŒUF. Aloyau, api, araignée, aurochs, bavette, bison, bourguignon, bouvier, bouvillon, bovin, bovril, buffle, butor, cuisse, échine, faux-filet, filet, flanchet, gaur, gayal, génisse, gîte, gîte-gîte, goulasch, hampe, ladre, macreuse, mâle, mufle, onglet, ovibos, ovin, paleron, romsteak, romsteck, ronde, rosbif, ruminant, sacrifice, surlonge, taureau, trumeau, ure, urus, vache, veau, yack, yak, zébu.

BOGHEAD. Charbon, houille, schiste, volatile.

BOGHEI. Boguet, buggy, cabriolet, charrette, hippomobile, voiture.

BOGUE. Bug, brou, coque, coquille, cosse, défaut, écale, enveloppe, épicarpe, pellicule, pelure, problème, zeste.

BOHÈME. Artiste, beatnik, fantaisiste, gitan, hippie, insouciant, marginal, morave, original, romani, tzigane.

BOHÉMIEN. Gipsy, gitan, nomade, robineux, rom, romanichel, tsigane, tzigane, vagabond, zingard, zongaro.

BOHÉMIENNE (n. p.). Esméralda.

BOHRIUM. Bh.

BOIRE. Absorber, auge, avaler, buvoter, chabrol, chabrot, déguster, écluser, gobelotter, goûter, humer, ingurgiter, lamper, laper, lécher, libations, licher, lipper, picoler, pinter, pomper, prendre, régalade, sabler, sabrer, savourer, siroter, téter, toast, trait, trinquer, vider.

BOIS (n. p.). Belleau, Boulogne, Païolive, Verneuil, Verrières, Vincennes.

BOIS. Acajou, agglo, aggloméré, allume-feu, amarante, amourette, angélique, arsin, avivé, balsa, billette, bocage, boqueteau, bosquet, bourbillon, braise, brande, brésil, bûchette, calambac, calambour, campêche, chablis, châlitais, châtaigneraie, chêne, cœur, cor, dague, douvain, ébène, éclisse, érable, espenilles, fagot, filao, forêt, garenne, gibet, ige, lignicole, ligneux, lithoxyle, madré, mélèze, merisier, noyer, palissandre, pelard, perchis, pernambouc, pin, pinède, pineraie, pinière, ramure, ronceux, rondin, rose, sal, santal, sapin, sappan, sarment, sciage, ségrairie, sidéroxylon, sipo, sole, stère, taillis, tasseau, teck, tek, tin, tison, vermoulu.

BOISAGE. Boiserie, cadre, châssis, consolidation, corniche, cuvelage, garnissage, maintenage, renforcement, soutènement.

BOISÉ. Bocage, bois, bosquet, cédrière, chênaie, clairière, éclaircie, érablière, flopée, forêt, foule, fraise, futaie, kyrielle, maquis, multitude, nuée, parc, perceuse, pignade, pinède, sapinière, selve, sous-bois, sylve, taïga, taillis, verger.

BOISEMENT. Amandaie, arboretum, aunaie, bananeraie, boulaie, cédrière, érablière, olivaie, oliveraie, orangeraie, ormaie, ormoie, oseraie, peuplement, pinède, plantation, reboisement, repiquage, rizière, saulaie, verger.

BOISER. Arborer, consolider, enrésiner, ensemencement, étayer, garnir, latter, peupler, planter, renforcer, soutenir.

BOISERIE. Boisage, charpente, châssis, fenêtre, frisette, lambris, lambrissage, lambrissement, lambrissure, maintenage.

BOISSEAU. Boissellerie, capacité, chandelle, cierge, dissimuler, litron, mesure, récipient, trou, tuyau.

BOISSOIR. Corde, croix, équerre, estrapade, gibet, gibier, girafe, patibulaire, portemanteau, potence, supplice, té, victime.

BOISSON. Alcool, alcoolisme, ale, apéro, ay, bar, bibine, bichof, bière, bière d'épinette, bischof, bitter, breuvage, café, caribou, cerisette, chocolat, cidre, citronnade, coco, consommation, diabolo, dive, eau, eau-de-vie, genévrette, gentiane, gin, grog, halbi, hydromel, hypocras, irish-coffee, kava, kawa, kéfir, képair, koumis, koumys, kvas, kwas, lait, lavasse, limonade, liqueur, mascarin, maté, nectar, népenthès, orangeade, pastis, perroquet, piquette, poiré, poison, porto, pulque, punch, rafraîchissement, râpé, rasade, ratafia, recoupe, remontant, rhum, rye, saké, sangria, scotch, sirop, soda, sorbet, spiritueux, thé, ti-punch, tisane, vin, vodka.

BOIT. Avale, déguste, goûte, ingurgite, picole, pinte, savoure, trinque, vide.

BOÎTE (n. p.). Pandore.

BOÎTE. Bonbonnière, boîtier, cagnotte, caisse, canette, cannette, caque, carton, case, casette, casier, casse, cassette, classeur, coffre, crâne, custode, drageoir, écrin, emballage, étui, justice, lanterne, nécessaire, pilulier, plumier, pochette, poubelle, serinette, tabatière, tirelire, tiroir, tronc, urne, voûte.

BOITEMENT. Boiterie, boitillement, claudicant, claudication, claudiquer.

BOITER. Béquiller, boitiller, claudiquer, clocher, cloper, clopiner, déhancher, feindre, marcher.

BOITERIE. Boitement, boitillement, claudicant, claudication, claudiquer, fourbure, infirmité.

BOITEUX. Bancal, bancroche, banban, béquillard, boitillant, clamoin, claudicant, éclopé, estropié, instable, précaire.

BOÎTIER. Boîte, cageot, caissette, casier, casseau, cassette, contenant, écrin, étui, palastre, palâtre, serrure.

BOITILLANT. Bancal, banban, béquillard, boiteux, claudicant, éclopé, irrégulier, saccadé, sautillant, syncopé.

BOITILLEMENT. Boitement, boiterie, claudication, claudiquer, fourbure, infirmité.

BOITILLER. Béquiller, boiter, claudiquer, clocher, cloper, clopiner, déhancher, feindre, marcher.

BOITON. Auge, bauge, écurie, étable, porcher, porcherie, soue, souille, trou.

BOL. Argile, bolée, chance, coupe, excédé, jatte, pilule, pot, récipient, rince-doigts, saladier, tasse, vase, veine.

BOLCHEVIK. Bolchevique, bolcho, collectiviste, communiste, léniniste, révolutionnaire, rouge, socialiste.

BOLCHEVISME. Autogestion, babouvisme, bolchevisation, bolcheviser, bolcheviste, chartisme, collectiviste, communisme, dirigisme, égalitarisme, gauche, gauchisme, léninisme, marxisme, mutualisme, radicalisme, socialisme.

BOLDUC. Boucle, bouffette, chou, cocarde, coque, dragonne, élastique, faveur, galon, ganse, houppe, lambrequin.

BOLÉRO (n. p.). Ravel, Rubinstein.

BOLÉRO. Blouson, cachucha, cardigan, coiffure, danse, dolman, gilet, hoqueton, veste.

BOLET. Bai, basidiomycète, blafard, bronzé, cèpe, champignon, fiel, jatte, jattée, nonnette, tête-de-nègre, satan.

BOLIDE. Bagnole, bazou, étoile, fusée, guimbarde, météore, minoune, perséides, tacot, taurides, véhicule, voiture.

BOLIVAR. Béret, bob, bibi, bicorne, bitos, cap, cape, capeline, capuchon, chapeau, charlotte, cinglé, claque, coiffure, feutre, galure, galurin, gibus, képi, manilles, melon, mitre, modiste, monnaie, panama, pétase, sombrero, suroît, tricorne, tube.

BOLIVIE, CAPITALE (n. p.). Sucre.

BOLIVIE, LANGUE. Aymara, espagnol, guarani, quechua.

BOLIVIE, MONNAIE. Boliviano.

BOLIVIE, VILLE (n. p.). Aiquile, Apolo, Cabezas, Camiri, Chiguana, Cobija, Iscayachi, La Paz, Llica, Magdalena, Manoa, Oruro, Padilla, Porvenir, Potosi, Robore, Sucre, Tarija, Tiahuanaco, Tupiza, Turco, Villazon, Uyuni, Yacuiba.

BOMBACACÉE. Balsa, baobab, bombacée, durion, fromager, kapokier.

BOMBAGE. Arçonnage, arcure, arrondi, cambre, cambrage, cintrage, circularité, concavité, courbe galbe, tortuosité.

BOMBANCE. Agape, bamboche, banquet, beuverie, bombe, boustifaille, bringue, festin, festoyer, fête, gueuleton, noce, nocer, repas, ribote, ripaille.

BOMBARDE. Canon, flageolet, guimbarde, hautbois, lance-bombes, mortier, musique, ruine-babines, turlurette.

BOMBARDEMENT. Canonnade, canonnage, cyclotron, grenadage, marmitage, pilonnade, spallation, torpillage.

BOMBARDER. Accabler, agresser, arroser, assaillir, assiéger, attaquer, canonner, catapulter, cloper, crapoter, écraser, fumer, harceler, lancer, marmiter, matraquer, mitrailler, parachuter, pétuner, pilonner, presser, propulser, tirer.

BOMBARDIER (n. p.). Armand, Canadair, Valcourt.

BOMBARDIER. Aviateur, brachyne, candu, carabe, carabidé, forteresse, skidoo, stratoforteresse, stuka, superforteresse.

BOMBAX. Fromager, kapokier, malvacée.

BOMBE. Aérosol, arme, atomique, atomiseur, bactériologique, bahut, bamboula, bombardement, bombardier, bombonne, bringue, chimique, creux, culot, débauche, destructrice, festin, fête, grenade, hydrogène, mine, napalm, neutron, noce, nouba, nucléaire, obus, œil, ogive, projectile, rafiot, spray, torpille.

BOMBÉ. Arqué, arrondi, busqué, cintré, convexe, courbe, curviligne, godé, gondolé, gonflé, renflé, ventru, voûte.

BOMBEMENT. Ampoule, arrondi, bosse, bulle, convexité, courbure, enflure, gonflement, renflement, rift.

BOMBER. Arquer, arrondir, ballonner, bourrer, cambrer, cintrer, convexer, courber, déformer, empiffrer, enfler, filer, foncer, gauchie, goder, gondoler, gonfler, graffiter, rebondir, redresser, renfler, rondir, saillir, tanguer.

BOMBEUR. Barbouilleur, graffeur, graffiteur, gribouilleur, tagueur.

BOMBYX. Ailante, chenilles, cul-doré, insecte, mûre, sériciculture, simarubacée, soie, tordeuse, ver à soie.

BÔME. Arbre, aurique, espar, foc, gui, limite, mât, triangulaire, voilier.

BON. Assaut, avantageux, avisé, bat, bénéfique, brave, charitable, correct, débonnaire, efficace, exact, exquis, généreux, juste, parfait, propre, rigoureux, sage, sain, satisfaisant, soigneux, talent, valable.

BONACE. Accalmie, apaisement, calme, calmie, éclaircie, embellie, paix, plat, quiétude, rémission, répit, tranquille.

BON À RIEN. Branleur, gougnafier, incapable, incompétent, médiocre, nul, nullité, ringard, zéro.

BONASSE. Benasse, bénin, bon, boniface, crédule, débonnaire, faible, modeste, mou, niais, simple, timoré.

BONBON. Bergamote, berlingot, bêtise, bouchée, boule, calisson, caramel, chatterie, chique, chocolat, confiserie, crotte, douceur, dragée, fondant, friandise, halva, nanan, papillote, pastille, praline, sucette, suçon, sucrerie, tamar.

BONBONNE. Bombonne, bouteille, dame-jeanne, fiasque, jaquelin, jacqueline, pansu, tourie.

BONBONNIÈRE. Boîte, boudoir, chocolatière, coffret, drageoir, garçonnière, studio.

BOND. Assaut, boom, cabriole, cahot, cascade, culbute, culture, enjambée, entrechat, étape, furet, gambade, hausse, mouvement, progrès, rebond, ricochet, saltation, saut, sautillement, soubresaut, sursaut.

BONDÉ. Archiplein, bondon, bourré, comble, complet, débondé, débordant, paqueté, plein, rempli.

BONDER. Bourrer, charger, combler, emplir, enfumer, engrener, envahir, farcir, garnir, infester, occuper, remplir, truffer.

BONDIEUSERIE. Affectation, amulette, bigoterie, fétiche, grigri, hypocrisie, jésuitisme, piété, talisman, tartuferie.

BONDIR. Bondissement, cabrioler, cahoter, cascader, courir, élancer, gambader, jaillir, marcher, précipiter, sauter, sursauter.

BONDISSANT. Agile, capricant, décousu, désordonné, fantasque, saccadé, sautillant.

BONDISSEMENT. Bond, cabriole, cahot, culbute, enjambée, entrechat, gambade, plongeon, saut, soubresaut, sursaut.

BONDON. Bonde, bonnet, bouchon, bouchon, caban, cagoule, calotte, camail, capot, capsule, capuce, capuche, capuchon, chapeau, chaperon, coiffe, coltin, couvercle, cuculle, cupule, capulet, marette, ouïe, tapador, tarbouche.

BONHEUR. Adversité, aise, amulette, aubaine, béatitude, calamité, chance, ciel, confort, contentement, délice, désastre, douceur, douleur, éden, échec, extase, félicité, heur, infortune, joie, jouissance, malchance, misère, nirvana, paradis,

peine, plaisir, prospérité, rayonner, revers, sainteté, satisfaction, souffrance, succès, veine.

BONHOMIE. Affabilité, amabilité, aménité, bénignité, bienveillance, bonté, calme, enjouement, familiarité, gaieté, gentillesse, humanité, simplicité.

BONHOMME. Affable, aimable, bienveillant, bon, bougre, brave, carnaval, débonnaire, diable, gaillard, gars, gentil, homme, individu, loustic, mec, modeste, particulier, papa, pèlerin, simple, type.

BONI. Avantage, bénéfice, bonifier, crédit, excédent, gain, gratification, prime, récompense, revenu, solde.

BONICHE. Bonne, bonniche, jeune, nurse, petite, servante.

BONIFICATION. Affinement, amélioration, commission, guelte, maximalisation, primage, remise, ristourne, salaire.

BONIFIER. Affiner, améliorer, amender, avantager, enrichir, fertiliser, gratifier, mûrir, primer, rabonnir, valoriser.

BONIMENT. Babillage, baliverne, baratin, bavardage, bla-bla, blague, bluff, bruit, charlatanisme, discours, flatterie, ineptie, matraquage, parade, publicité, réclame, tromperie, vantardise, verbiage, verbosité.

BONIMENTER. Baratiner, bateler, bavarder, charmer, clavarder, cyberbavardage, emberlificoter, embobiner, endormir, enjôler, entortiller, entreprendre, envelopper, leurrer, parler, pateliner, séduire, tchatcher.

BONIMENTEUR. Baratineur, bavard, camelot, causeur, charlatan, chatcheur, commère, crécelle, discoureur, péroreur, phraseur.

BONITE. Maquereau, pectoral, pélamide, pélamyde, poisson, sarde, scombridé, serpent, thon.

BONJOUR. Adieu, allo, bonsoir, ciao, courbette, hommage, révérence, salamalec, salut, tchao.

BONNE. Affable, aide, bonniche, domestique, douce, fatma, gouvernante, infirmière, nourrice, nurse, servante.

BONNE ACTION. B.A.

BONNE D'ENFANT. Bonniche, gardienne, gouvernante, infirmière, mamie, nounou, nourrice, nurse, servante.

BONNEMENT. Correctement, franchement, naïvement, réellement, simplement, sincèrement, vraiment.

BONNET. Attifet, barrette, béret, bonichon, bonnette, calot, calotte, capuchon, chapka, chrémeau, éteignoir, hennin, képi, mortier, panse, pisse-droit, pisse-vinaigre, pompon, réticulum, rumen, serre-tête, tarbouch, tarbouche, toque, tuque.

BONNETERIE. Bas, collant, chaussette, commerce, dessous, lingerie, petite-tenue, slip, sous-vêtement, vêtement.

BONNETEUR. Aigrefin, arnaqueur, bandit, brigand, canaille, carambouilleur, crapule, dupeur, déserteur, espion, filou, fraudeur, fripon, joueur, maquignon, mauvais, menteur, pipeur, tricheur, trompeur, voleur.

BONNETTE. Bastion, bretèche, camp, castrum, ferté, flanquement, fort, forteresse, fortifs, fortifications, lentille, œilleton, ouvrage, place, préside, redoute, retranchement, sténopé, verre, verre de contact.

BONNICHE. Boniche, bonne, jeune, nurse, petite, servante.

BONSOIR. Adieu, au revoir, bonjour, bonne nuit, ciao, courbette, hommage, révérence, salamalec, salut.

BONTÉ. Aide, allocentrisme, altruisme, amour, assistance, bénévolat, bienfaisance, bienfait, charité, commisération, compassion, daigner, douceur, estime, générosité, gentillesse, humainement, humanité, philanthropie, pitié, qualité, valeur, vertu.

BONUS. Avantage, bénéfice, bonifier, crédit, excédent, gain, gratification, prime, récompense, revenu, solde.

BON VIVANT. Agréable, alacrité, alerte, allègre, amusant, animé, badin, bon, boute-en-train, charmant, comique, content, dispos, divertissant, drôle, égrillard, éméché, enjoué, encourageant, épanoui, épicurien, espiègle, éveillé, folâtre, folichon, gai, gaillard, gré, gris, guilleret, hilare, jeu, joie, jovial, joyeux, libre, luron, mutin, plaisant, pompette, réjouissant, ri, riant, rieur, rire, souriant, vaudeville, vif.

BONZE. Cuistre, grimaud, huile, lama, mandarin, personnalité, ponte, pontife, prétentieux, prêtre, religieux.

BONZERIE. Bonze, bonzesse, lamaserie, monastère, vihara.

BOOM. Accentuation, accroissement, accrue, augmentation, croissance, expansion, explosion, flambée, hausse.

BOOSTER. Accélérateur, amplificateur, développeur, impulseur, lanceur, pousseur, propulseur, renforcement, stimulateur.

BOOTS. Botte, bottillon, snow-boot.

BOQUET. Boghei, cyclomoteur.

BOQUETEAU. Bois, bosquet, bouillée, bouquet, buisson, fond, fourré, massif, taillis, talle, touffe.

BORA (n. p.). Luther.

BORA. Vent.

BORASSUS. Borasse, lontar, palmier, palmyre, rondier, rônier, vin de palme.

BORATE. Borax, borique, borosilicate, sel, tincal.

BORAX. Borate, borate de soude, borique, borosilicate, tincal.

BORBORYGME. Bourdonnement, bruit, flatuosité, gargouillement, gargouillis, grondement, râlement, ronflement.

BORD. Alèse, amure, arête, bande, berge, biseau, bordure, cercle, collerette, cordon, côte, extrémité, flanc, grève, haie, lacustre, lèvre, limbe, limite, liséré, lisière, littoral, marge, marli, orée, ourlet, paroi, plage, rebord, rive, virer, zone.

BORDAGE. Bord, bordé, congère, dame, fargues, lisière, portemanteau, préceinte, vaigrage, vaigre, virure.

BORDÉ. Alentour, bord, bordage, bordure, borné, caboté, côtoyé, dentelé, engrêlé, entouré, fagues, feston, frange, galon, liséré, lisière, longé, ourlet, passepoil, proximité, vaigre, voisinage.

BORDEAUX (n. p.). Barsac, Cabernet, Castillon, Fronsac, Graves, Margaux, Médoc, Merlot, Pauillac, Pessac, Pomerol, Saint-Émilion, Sauternes.

BORDEAUX. Amarante, brique, cerise, cramoisi, empourpré, grenat, pourpre, pourprin, purpurin, rouge, vin.

BORDÉE. Avalanche, cascade, décharge, déluge, flot, fusillade, salve, tombereau, vadrouille, virée, volée.

BORDEL. Boucan, claque, désordre, fouillis, foutoir, lupanar, pagaille, prostitution, raffut, ramdam, tapage.

BORDELAIS (n. p.). Blayais, Bordeaux, Entre-deux-mers, Gironde, Graves, Landes.

BORDELAIS. Bouteille, futaille, graves, merlot, pichet, pomerol, sémillon.

BORDÉLIQUE. Anarchique, brouillon, chaotique, confus, désordonné, désorganisé, incohérent, libertaire, pagailleux.

BORDER. Borner, caboter, cadrer, carguer, confiner, côtoyer, délimiter, encadrer, encaisser, entourer, franger, garnir, limiter, lisérer, longer, louvoyer, marger, orner, ourler, rogner, suivre, tangenter, toucher, voisiner.

BORDEREAU. Barème, cadre, catalogue, état, facture, formulaire, index, justificatif, liste, questionnaire, relevé.

BORDERIE. Agricole, bordage, borde, ferme, fermette, métairie.

BORDIER. Bordurier, fermier, frontalier, mer, métayer, mitoyen, riverain, voisin.

BORDURE. Accotement, berge, berme, bord, borne, cadre, caniveau, contour, côte, encadrement, frange, grève, hiloire, lé, lice, limite, lisière, littoral, marge, orée, orle, ourlet, paroi, passepoil, quai, rain, rive, trottoir.

BORDURER. Cadrer, congédier, crépiner, enrubanner, galonner, garnir, mouler, ornementer.

BORE. B.

BORÉAL. Arctique, aurore, austral, élan, hyperborée, magnétique, nord, nordique, polaire, pôle, septentrional.

BORGNE. Borgnet, borgnot, coq-l'œil, éborgner, interlope, lope, louche, lupanar, malfamé, sordide, suspect.

BORIQUE. Acide, borate, borax, borosilicate, oxygène, perborate, sel, suret, tincal.

BORNAGE. Abonnage, abornage, abornement, cabotage, délimitation, jalonnement, limitation, limite, tracé.

BORNE. Barrière, billot, bitte, bordure, confin, court, douane, étroit, excès, fin, frein, frontière, hydrant, illimité, koudourrou, limite, lisière, marque, mesuré, méta, obtus, orée, pôle, rétréci, terme.

BORNÉ. Baderne, barrière, bête, bouché, bouché à l'émeri, con, court, croûton, émeri, étriqué, étroit, excès, fini, finitude, incompréhensible, intolérant, limité, mesquin, mesuré, nicodème, obtus, orée, petit, pôle, rétréci, routinier, sot, stupide.

BORNÉO (n. p.). Kalimantan.

BORNÉO, VILLE (n. p.). Balikpapan, Banjermassin, Ketapang, Kuching, Kumai, Pontiawak, Samarinda, Sampit.

BORNER. Cadastrer, cantonner, confiner, contenter, contingenter, délimiter, limiter, localiser, restreindre, terminer.

BORNERIE. Ânerie, béotisme, bêtise, connerie, crétinisme, débilité, dinguerie, idiotie, ignorance, imbécillité, ineptie, inintelligence, innocence, insipidité, lenteur, lourdeur, naïveté, niaiserie, nigauderie, simplicité, sottise, stupidité

BORNOYER. Baliser, borner, délimiter, jalonner, limiter, marquer, piqueter, regarder, repérer, tracer, viser.

BORRAGINACÉE. Bourrache, buglosse, consoude, cynoglosse, grémil, héliotrope, herbe-aux-perles, langue-de-chien, myosotis, orcanète, orcanette, oreille-de-souris, pulmonaire, vipérin.

BOSCOT. Bosco, bossu, combre, contrefait, cyphotique, difforme, estropié, gibbeux, gobin, noué, rire, tortu.

BOSNIE-HERZÉGOVINE, CAPITALE (n. p.). Sarajevo.

BOSNIE-HERZÉGOVINE, LANGUE. Bosniaque, croate, serbe.

BOSNIE-HERZÉGOVINE, MONNAIE. Deutsch mark.

BOSNIE-HERZÉGOVINE, VILLE (n. p.). Bihac, Bileca, Brcko, Breza, Cazin, Doboj, Foca, Gacko, Glamoc, Grude, Jajce, Livno, Lopare, Maglaj, Odzak, Olovo, Prozor, Rudo, Sarajevo, Sipovo, Srebrenica, Stolac, Tesanj, Teslic, Travnik, Tuzla, Vares, Visoko, Zenica, Zepce, Zivinice, Zvornik.

BOSON. Atome, exciton, gluon, méson, nucléide, particule, photon, spin.

BOSQUET. Bocage, bois, boqueteau, bouillée, bouquet, breuil, buisson, fond, massif, talle, tonnelle, touffe.

BOSS. Administrateur, cadre, chef, décideur, décisionnaire, directeur, dirigeant, gestionnaire, gouvernant, maître, patron, responsable, singe.

BOSSE. Apostume, beigne, bigne, cabosse, courbure, don, dos-d'âne, enflure, gibbeux, gibbosité, ombon, saillie, tumeur, zébu.

BOSSELÉ. Abîmé, accidenté, âpre, bombé, bossé, bossu, cabossé, inégal, irrégulier, montueux, mouvementé, varié.

BOSSELER. Abîmer, bosser, bossuer, cabosser, cobir, déformer, fausser, marteler, poquer.

BOSSER. Boulonner, bûcher, commander, diriger, encadrer, mener, superviser, travailler, trimer, turbiner.

BOSSETTE. Cabochon, mors, ornement, renflement, tonneau.

BOSSEUR. Actif, affairé, allant, bûcheur, diligent, dynamique, énergique, infatigable, laborieux, travailleur, vaillant.

BOSSOIR. Accolade, anse, arc-boutant, contrefort, doubleau, étai, entortille, maçonnerie, minot, portemanteau, voûte.

BOSSU (n. p.). Lagardère, Polichinelle, Quasimodo.

BOSSU. Bosco, boscot, combre, contrefait, cyphotique, difforme, estropié, gibbeux, gobin, noué, rire, tortu.

BOSSUER. Bosseler, bosser, cabosser, cobir, déformer, poquer.

BOSTON. Batavia, danse, gâteau, laitue, valse, ville.

BOTANIQUE. Biote, dextrine, floralies, flore, floristique, madicole, microflore, végétation.

BOTANISER. Amender, ameublir, arboriser, arracher, arroser, assoler, bêcher, biner, botteler, butter, chauler, cueillir, cultiver, débroussailler, entretenir, herboriser, jardiner, planter, rustiquer.

BOTANISTE. Algologue, arboriculteur, botanophile, bryologue, herborisateur, horticulteur, mycologue, naturaliste, phycologue.

BOTANISTE ALLEMAND (n. p.). Hedwig.

BOTANISTE AMÉRICAIN (n. p.). Cronquist.

BOTANISTE ANGLAIS (n. p.). Brown, Hooker, Ray, Wray.

BOTANISTE AUTRICHIEN (n. p.). Mendel.

BOTANISTE BRITANNIQUE (n. p.). Brown, Hooker.

BOTANISTE CANADIEN (n. p.). Marie-Victorin.

BOTANISTE DANOIS (n. p.). Lundegardh.

BOTANISTE ÉCOSSAIS (n. p.). Brown.

BOTANISTE FRANÇAIS (n. p.). Bonnier, Bonpland, Brogniart, Brosse, Chauveaud, Chevalier, Dutrochet, Gaussen, Guignard, Heim, Jacquemont, Jordan, Jussieu, La Brosse, Lamarck, Lécluse, Lesclusse, Magnol, Mangin, Millardet, Naudin, Schribaux, Thuret, Tournefort.

BOTANISTE HOLLANDAIS (n. p.). De Vries.

BOTANISTE ITALIEN (n. p.). Aldrovandi.

BOTANISTE NÉERLANDAIS (n. p.). De Vries.

BOTANISTE SUÉDOIS (n. p.). Linné, Lundegarch.

BOTANISTE SUISSE (n. p.). Candolle.

BOTSWANA VILLE (n. p.). Francistown, Gaborone, Gweta, Kang, Lobatse, Mamuno, Maun, Mochudi, Nata, Orapa, Palapye, Sekoma, Sowa, Tsau, Werda.

BOTTE (n. p.). Italie.

BOTTE. Assemblage, attaque, bottillon, bottine, bouquet, carotte, chaussure, claque, coup, cuissarde, demi-botte, dévoué, ensemble, escrime, faisceau, gerbe, gerbée, heuse, lieur, ligot, manoque, meule, mukluk, opprimé, santiag, soumis, soulier, tabac, talon, tas, tige, trochet, trousse.

BOTTELER. Assembler, attacher, bottelage, botteleur, embottement, gerber, grouper, lier, lieur, manoquer.

BOTTER. Agréer, aller, complaire, contenter, convenir, frapper, lancer, plaire, satisfaire, shooter, sourire, tirer.

BOTTEUR. Football, joueur, rugby, transformeur.

BOTTIER. Alène, artisan, astic, bouif, boulf, buis, chausseur, chaussure, cordonnier, cordonnerie, gnaf, pignouf, poinçon, point, riveteur, saint-crépin, savetier, soulier, tire-pied, tranchet.

BOTTILLON. Botte, bottine, brodequin, chaussette, chaussure, galoche, godillot, napolitain, ranger, soulier.

BOTTIN. Agenda, almanach, annuaire, bloc, calendrier, chronologie, éphéméride, météo, moderne, répertoire, semainier, tableau.

BOTTINE. Botte, bottillon, chaussure, espadrille, lesbienne, pantoufle.

BOUBOULER. Chouette, crier, hibou, hululer.

BOUC. Barbe, barbiche, barbichette, béguète, bélier, bouquin, chèvre, chevrote, émissaire, étable, hase, hircin, mâle, menton, mouche, musc, outre, ovin, peau, royale, victime.

BOUCAN. Bruit, chahut, chambardé, charivari, fracas, pétard, raffut, ramdam, tapage, tintamarre, tumulte, vacarme.

BOUCANÉ. Basané, bronzé, bruni, conservé, desséché, enfumé, fumé, fumée, saur, sauré, séché, tanné.

BOUCANER. Brûler, enfumer, engraisser, enrichir, fumer, mégoter, pétuner, pipailler, saurer, torrailler.

BOUCANIER (n. p.). Morgan.

BOUCANIER. Aventurier, bandit, brigand, contrebandier, corsaire, coureur, écumeur, escroc, filou, flibustier, forban, pirate, requin, voleur.

BOUCAUD. Boucot, bouquet, crevette, grise, tonneau.

BOUCHAGE. Barrage, bouclage, cloisonnage, clôture, colmatage, fermeture, interception, oblitération, obturation.

BOUCHARDE. Batte, besaigüe, bogorne, châsse, ferretier, laie, longuet, maillet, mailloche, marteau, masse.

BOUCHE (n. p.). Bonifacio, Kotor.

BOUCHE. Âme, aphte, artillerie, bave, bec, bombarde, buccal, canon, cément, clapet, dent, gourmet, gueule, lèvre, mâchoire, mandibule, mangeoire, margoulette, mors, mortier, muguet, museau, obusier, odontostomatologie, oral, ouverture, palais, per os, reverche, rot, stomatologie, truffe, ultime, voix.

BOUCHE À FEU. Affût, âme, bombarde, boutefeu, calibre, cerbatane, couleuvrine, épaulement, gargousse, mortier, obus, pierrier, refouloir, tube.

BOUCHÉE. Béatilles, becquée, bornée, briffée, croquée, crotte, entrée, goulée, léchée, lichette, lippée, morce, morceau, petit-four, repas, rocher, salpicon.

BOUCHER. Aveugler, barricader, borner, caboche, cacheter, calfeutrer, clore, clôturer, colmater, condamner, embouteiller, émeri, enduire, engorger, étalier, étouper, fermer, isoler, luter, mastiquer, murer, obstruer, obturer, occulter, sceller.

BOUCHERIE. Abattoir, boutique, carnage, échaudoir, étal, fressure, fusil, hansart, hippophagique, massacre, toilette, tuerie.

BOUCHE-TROU. Cheville, doublure, extra, figurant, flipot, pis aller, raccord, remplaçant, utilité.

BOUCHON. Bâillon, barrage, barricade, bonde, bondon, bouée, cachet, capsule, capuchon, couvercle, fermeture, liège, luton, marette, muselet, oblitération, obstruction, obturation, retenue, tampon, tape.

BOUCHONNER. Brosser, chiffonner, étriller, frictionner, froisser, frotter, malaxer, paille, panser, tordre.

BOUCHOT. Coquillage, moule, moulière, parc à moules, pieu.

BOUCLAGE. Barrage, blocus, bouchage, encerclement, fermeture, investissement, quadrillage, siège, verrouillage.

BOUCLE. Agrafe, agui, anneau, ardillon, bouclette, boudin, chape, crolle, écu, éfrison, émerillon, erse, fermoir, fibule, frisette, frison, frisottis, girandole, glène, lobe, maille, mousqueton, nœud, œil, spirale, vague, vaguelette.

BOUCLER. Accomplir, achever, anneler, attacher, bâcler, cerner, clore, coffrer, compléter, convenir, écrouer, embastiller, encercler, enfermer, fermer, finir, friser, investir, lacer, natter, nouer, onduler, serrer, terminer, verrouiller.

BOUCLETTE. Accroche-cœur, boucle, crolle, éfrison, frisette, frison, frisottis, frisou, frisure, retroussis, rosette.

BOUCLIER (n. p.). Adélie, Héraclès, Zeus.

BOUCLIER. Ambon, ancile, arme, blindage, boucle, broquel, carapace, champ, cuirasse, défense, écu, égide, guige, orle, parme, pavois, pelte, protection, rempart, rondache, rondelle, sauvegarde, scutum, targe, tortue.

BOUDDHA (n. p.). Amitabha, Avalokitésvara, Fô, Gautama, Jataka, Jocho, Kapilavastu, Lumbini, Sarnath.

BOUDDHISME. Bodhisattva, bonze, charma, jataka, lamaïsme, mantra, nirvana, satori, soutra, stoupa, stupa, sutra, tantrisme, zen.

BOUDDHISTE (n. p.). Andhra, Bashô, Bodh-Gayâ, Dalaï-lama, Nagarjuna, Nichiren.

BOUDDHISTE. Amiadaïste, amidiste, bonze, brahmaniste, caodaïste, hindouiste, jaïniste, lama, tantriste, zen.

BOUDER. Babouner, cantonner, emmerder, grogner, ignorer, maussade, moue, rechigner, refuser, renfrogner.

BOUDERIE. Accrochage, bisbrouille, bougon, brouille, colère, désaccord, fâcherie, humeur, mécontentement, tracassin.

BOUDEUR. Bourru, grognon, maussade, mécontent, morne, morose, potu, rechigné, rembruni, renfrogné, taciturne.

BOUDIN. Bourrelet, cageot, chevet, coussin, laideron, mentonner, mocheté, polochon, spirale, tore, traversin.

BOUDINÉ. Ajusté, bridé, collant, comprimé, dodu, entortillé, étouffé, étriqué, saucissonné, serré, tordu.

BOUDINER. Comprimer, entortiller, étouffer, étriquer, extruder, ficeler, mailler, plier, saucissonner, serrer, tordre.

BOUDOIR. Biscuit, bureau, cabinet, retiro, rêvoir, salon, vivoir.

BOUE. Argile, bouillasse, bourbe, compost, crotte, currure, dépôt, fange, gâchis, gadoue, gadouille, illuter, immondice, lie, limon, lut, margouillis, merde, mousse, papette, poto-poto, rebut, salse, terre, tourbe, vase.

BOUÉE. Balancier, balise, bouchon, clignotant, délinéateur, émetteur, feu, flotte, flotteur, orin, plume, vigie.

BOUEUX. Bourbeux, bourbier, caillebotis, crotte, fangeux, gadouilleux, limoneux, marécageux, vasard, vaseux.

BOUFFANT. Ample, ballonnant, blousant, bouillon, crinoline, gonflant, gonflé, tournure, tutu, vertugadin.

BOUFFARDE. Brûle-gueule, cachotte, calumet, chibouque, kalioun, narguilé, pipe, pipette.

BOUFFE. Aliment, bouffetance, comique, couvert, frichti, gueuleton, nourriture, opéra, pain, repas, table.

BOUFFÉE. Aspiration, crise, émanation, exhalaison, expiration, haleine, inhalation, pouf, respiration, taffe.

BOUFFER. Absorber, avaler, becter, blouser, brouter, consommer, croquer, déguster, dévorer, dîner, flotter, gaver, gonfler, goûter, grignoter, happer, ingérer, mâcher, manger, paître, pignocher, restaurer, ronger, sustenter, vider.

BOUFFETANCE. Bectance, bouffe, cuisine, frichti, gueuleton, nourriture, repas.

BOUFFETTE. Bolduc, boucle, chou, cocarde, coque, dragonne, élastique, faveur, galon, ganse, houppe, lambrequin.

BOUFFEUR. Anticlérical, avaleur, dévoreur, gargantua, glouton, gobeur, goinfre, goulu, gourmand, mangeur, rongeur.

BOUFFI. Adipeux, alourdi, ballonné, boursouflé, empâté, enflé, épaissi, gonflé, gros, joufflu, mafflé, mafflu.

BOUFFIR. Ballonner, boursoufler, dilater, empâter, enfler, engraisser, gonfler, grossir, souffler.

BOUFFISSURE. Ballonnement, boursouflure, empâtement, emphase, enflure, gonflement, grandiloquence, pompe.

BOUFFON (n. p.). Arlequin, Bip, Bobèche, Gobelet, Marceau, Paillasse, Scaramouche, Sol, Triboulet.

BOUFFON. Amuseur, arlequin, baladin, bas, bête, bizarre, bouffe, clown, comédie, comique, drôle, farceur, fol, fou, gai, gracioso, histrion, joyeux, loustic, opérette, paillasse, pantin, pasquin, pitre, ridicule, triboulet, vil, zani, zanni.

BOUFFONNEMENT. Absurdement, bouffon, burlesquement, comiquement, dérisoirement, drôlement, facétieusement, grotesquement, plaisamment, ridiculement, risiblement.

BOUFFONNER. Badiner, blaguer, caricaturer, divertir, folâtrer, gauchir, grimacer, moquer, parodier, plaisanter, ridiculiser, rire, singer, turlupiner.

BOUFFONNERIE. Arlequinade, comédie, drôlerie, facétie, farce, pantalonnade, parodie, pitrerie, plaisanterie, sottise.

BOUGE. Baraque, bicoque, bombement, cambuse, convexité, galetas, logement, mouvant, réduit, taudis.

BOUGEOIR. Binet, bobèche, brûle-bout, brûle-tout, candélabre, chandelier, flambeau, girandole, herse, martinet.

BOUGER. Agir, agiter, aller, altérer, avancer, broncher, changer, ciller, déplacer, déranger, différer, fluctuer, gesticuler, gigoter, grouiller, mouvoir, nager, partir, réagir, remuer, transporter, venir, voyager.

BOUGIE. An, bougeoir, chandelier, chandelle, cierge, cire, cirier, éteignoir, lampion, lumignon, paraffine, rouloir.

BOUGNOUL. Arabe, bicot, bougnoule, maghrébin, paysan, type.

BOUGON. Acariâtre, boudeur, bougonneur, bourru, criailleur, chialeur, critiqueur, grincheux, grognard, grogneur, grogneux, grognon, grondeur, maussade, mécontent, morose, râleur, récriminateur, renfrogné, ronchon.

BOUGONNER. Bouder, geindre, grincer, grognasser, grogner, grommeler, gronder, marmonner, marmotter, maronner, maugréer, murmurer, pester, râler, renauder, renfrogner, rognonner, ronchonner, rouscailler, rouspéter.

BOUGONNEUR. Boudeur, bougon, criailleur, critiqueur, grincheux, grogneur, grongneux, grognon, ronchonneur.

BOUGRE. Bigre, bonhomme, diable, drôle, espèce, gaillard, homme, individu, mec, oiseau, quidam, type.

BOUGREMENT. Affreusement, amplement, beaucoup, drôlement, fichtrement, rudement, très, trop, vachement.

BOUI-BOUI. Beuglant, bouge, caboulot, café, gargote, lupanar, restaurant.

BOUIF. Alène, astic, bottier, boulf, buis, chausseur, chaussure, cordonnier, cordonnerie, gnaf, pignouf, poinçon, point, rivetier, saint-crépin, savetier, soulier, tire-pied, tranchet.

BOUILLABAISSE. Bourride, chaudrée, cotriade, matelote, mouclade, poisson, provençale, rouille, soupe.

BOUILLANT. Ardent, brûlant, chaud, écru, emporté, enflammé, enthousiaste, exalté, explosif, fébrile, fiévreux, fougueux, impatient, impétueux, passionné, pétulant, sanguin, véhément, vif, volcanique.

BOUILLASSE. Boue, compost, débris, détritus, engrais, fagne, fange, fumier, gadoue, gadouille.

BOUILLE. Berthe, bidon, bille, binette, boille, brante, figure, hotte, pot, récipient, tête, vase, vendangeoir, viage.

BOUILLEUR. Alambic, brandevinier, brûleur, cylindre, distillateur, eau-de-vie, liquoriste.

BOUILLI. Bouteillon, braisière, cocotte, crémaillère, cuiseur, daubière, faitout, huguenote, marmite, marmitée, miroton, pot, pot-au-feu, potée.

BOUILLIE. Cataplasme, céréales, chyme, compote, consommé, coulis, couscous, crème, cuit, emplâtre, gadoue, gruau, kacha, magma, millas, pablum, pâtée, polenta, porridge, purée, ramolli, soupane, stérilisé.

BOUILLIR. Blanchir, bouillonner, brûler, cuire, décoction, écumer, fondre, frémir, frire, marc, mijoter, mitonner, piaffer.

BOUILLOIRE. Bombe, bouillotte, canard, chaufferette, coquemar, marabout, récipient, samovar.

BOUILLON. Aisy, brouet, chabrol, chabrot, chaudeau, chaudrée, concentré, consommé, court-bouillon, décoction, échouer, fond, fronce, fumet, gargote, godiveau, godron, lavure, molène, ourlet, pli, potage, ramequin, soupe.

BOUILLON-BLANC. Herbe de saint-Fiacre, molène, oreille de saint-Cloup, plante, queue de loup.

BOUILLONNANT. Agité, ardent, bouillant, délirant, échevelé, effervescent, effréné, enflammé, enthousiaste, exalté, explosif, fébrile, fougueux, frénétique, impétueux, passionné, pétulant, trépidant, tumultueux, volcanique.

BOUILLONNEMENT. Agitation, bouillon, débordement, ébullition, effervescence, émission, émoi, éruption, exaltation, excitation, fébrilité, fièvre, fougue, frénésie, fureur, impétuosité, remous, surexcitation, trouble, tumulte, véhémence.

BOUILLONNER. Agiter, bouillir, brûler, écumer, mousser, moutonner, piaffer.

BOUILLOTTE. Bassinoire, bouilloire, boule, caboche, chauffe-lit, ciboulot, coco, cruche, fiole, moine, tête, tronche.

BOUILLOTTER. Balancer, bouillir, bruire, colère, frémir, frissonner, palpiter, peur, trembler, vibrer.

BOULANGER. Boulangerie, fouacier, fournier, geindre, gindre, mitron, panifier, pâtissier, pétrir, pétrisseur.

BOULANGERIE. Commerce, panification, pâtisserie.

BOULE. Balle, ballon, ballotte, bille, boléro, boulet, boulette, bulle, cochonnet, croquette, édam, globe, godiveau, grelot, grumeau, hâtereau, mail, mie, obier, pelote, perle, pointeur, pois, pompon, quenelle, quille, sphère, tête.

BOULEAU (n. p.). Yukon.

BOULEAU. Arbre, aulne, aune, betula, bétulacée, blanc, bleu, bois, canoé, canot, écorce, feuillu, fontimal, gris, jaune, noir, papier.

BOULE-DE-NEIGE. Agaric, alisier, champignon, clématite, genêt, laurier-tin, obier, pimbina, viorne.

BOULEDOGUE. Boxer, bulldog, carlin, chien, concierge, dogue, doguin, hargneux, pistolet.

BOULER. Balader, débouler, dégringoler, dinguer, éconduire, envoyer, garnir, paître, renvoyer, repousser, valser.

BOULET. Affliction, aggloméré, angoisse, articulation, boule, canon, chagrin, charbon, charge, châtiment, cheval, désespoir, douleur, fanon, fardeau, métal, obligation, obus, paturon, pierre, poids, projectile, ruminant, sphère, vite.

BOULETTE. Acra, attignole, bavure, bêtise, bévue, blague, boule, bourde, créole, croquette, erreur, étourderie, faute, foutou, fricadelle, galeté, gnocchi, gobe, godiveau, hâtereau, impair, pellet, quenelle, sushi, toulet, vitoulet.

BOULEVARD. Allée, artère, autoroute, avenue, chemin, cours, mail, périf, périphérique, ring, rocade, rue.

BOULEVERSANT. Déchirant, dramatique, émouvant, passionnant, pathétique, poète, poignant, touchant, tragique.

BOULEVERSÉ. Abattu, accablé, affolé, agité, confondu, déconcerté, ébranlé, ému, touché, tourneboulé, troublé.

BOULEVERSEMENT. Affairement, agitation, bouillonnement, brimbalement, cataclysme, catastrophe, chambardement, changement, émotion, fourmillement, houle, orage, renversement, séisme.

BOULEVERSER. Abattre, affoler, agiter, atteindre, brouiller, casser, chambarder, chambouler, changer, chavirer, choquer, commotionner, contester, déranger, dérégler, émouvoir, ravager, renverser, révolutionner, révulser, saccager, subvertir, toucher, tournebouler, troubler.

BOULIER. Abacot, abaque, calculateur, compteur, corbeille, diagramme, filet, graphique, planchette, table, tablette, tailloir.

BOULIMIE. Appétit, avidité, besoin, creux, faim, fièvre, frénésie, fringale, gloutonnerie, goinfrerie, sitiomanie.

BOULOCHER. Boule, cotonner, frotter, pelucher, tricoter.

BOULON. Attache, cheville, contrôle, disciple, écrou, filet, lien, moise, pas, rivet, tareau, tige, vis, visse.

BOULONNER. Baver, besogner, bosser, bûcher, fixer, galérer, marner, peiner, suer, tâcher, travailler, trimer.

BOULOT. Arrondi, carrière, charnu, court, dodu, emploi, enveloppé, fonction, gagne-pain, grassouillet, job, labeur, métier, occupation, poste, profession, tâche, travail, turbin.

BOULOTTE. Court, courtaud, gras, grassouillet, obèse, rond, rondelet, rondouillard, rondelet, trapu.

BOULOTTER. Becter, bouffer, briffer, dépenser, dépenser, dilapider, enfiler, gober, grailler, manger, travailler.

BOUM. Activité, bang, battement, bruit, choc, coup, expansion, fête, hausse, soirée, succès, surboum, travail.

BOUMER. Aller, bicher, coller, gazer, marcher, réjouir, rouler.

BOUQUET. Aigrette, apogée, apothéose, arôme, arrangement, bois, botte, bouquin, brassée, clou, comble, couronnement, écrevisse, crevette, effluve, émanation, faisceau, fleur, fumet, gale, gerbe, groupe, lapin, lièvre, mèche, nez, odeur, palémon, parfum, plumet, queue, réunion, rose, senteur, talle, touffe, toupet, toupillon, trochard, trochet.

BOUQUETIN. Bétail, bête, bique, biquet, biquette, bouc, cabri, camelot, caprin, chèvre, chevreau, chevrette, chevroter, corne, fromage, grue, haire, haricot, ibex, laine, lait, mammifère, menon, ovin, ovine, pétole, saanen, treuil.

BOUQUIN. Album, atlas, bouc, bouquet, brochure, cahier, cazin, catalogue, cor, document, écrit, fascicule, grimoire, guide, imprimé, lapin, léporidé, libretto, lièvre, livre, livret, mâle, manuel, ouvrage, satyre.

BOUQUINER. Accoupler, bibliomane, bibliophile, bouquineur, brocanter, lire, magasiner, relire.

BOUQUINEUR. Amateur, anagnoste, ânonner, bibliophile, bouquiner, clerc, collaborateur, dévorer, étudier, évasion, lecteur, lectorat, lire, liseur, papivore, parler, réciter, relire, revoir, soldeur.

BOUQUINISTE. Bibliothécaire, bouquiniste, brocanteur, libraire, livre, parution, pochothèque, soldeur.

BOURBE. Boue, bouette, bouillasse, fange, gâchis, gadoue, gadouille, limon, marécage, mélasse, vasard, vase.

BOURBEUX. Bouetteux, boueux, fangeux, impur, marécageux, opaque, sale, terne, trouble, vasard, vaseux.

BOURBIER. Anarchie, baissière, bauge, cloaque, égout, embarras, fondrière, marais, merdier, mouillère, vasière.

BOURBILLON. Abcès, adénite, anthrax, bouton, bubon, chancre, empyème, furoncle, mare, staphylocoque, ulcère.

BOURBON. Alcool, blues, café, carlisme, condé, duché, dynastie, hôtel, palais, whisky.

BOURBONIEN. Aquilin, arqué, busqué, cheval, crochu, nez, recourbé, royaliste.

BOURDAINE. Alaterne, arbrisseau, arbuste, aulne, aune, infusion, laxatif, nerprun, rhamnacée, tisane.

BOURDE. Ânerie, baliverne, bavure, bêtise, bévue, blague, boulette, colle, connerie, distraction, erreur, étourderie, faribole, faute, gaffe, impair, maladresse, mensonge, méprise, sottise, stupidité.

BOURDON. Abeille, anthrène, apidé, bâton, bourde, broderie, cafard, cloche, faute, guêpe, hyménoptère, insecte, mélancolie, omission, orgue, pèlerin, syrphe, taon, ton, triste, volucelle.

BOURDONNEMENT. Acouphène, borborygme, bruissement, cornement, gargouillement, grondement, murmure, ronflement.

BOURDONNER. Clampiner, corner, fainéanter, flâner, fredonner, gronder, murmurer, musarder, muser, paresser, résonner, retentir, rêvasser, ronfler, ronronner, siffler, sonner, susurrer, tinter, traînasser, traîner, travailler, vrombir.

BOURG. Agglomération, aoul, bourgade, cité, commune, dème, écart, hameau, localité, trou, village, ville.

BOURG, ALLEMAGNE (n. p.). Dora, Rossbach.

BOURG, ATTIQUE (n. p.). Colone.

BOURG, AUTRICHE (n. p.). Hallstadt, Hallstatt, Mariazell.

BOURG, CHINE (n. p.). Palikao.

BOURG, COLOMBIE (n. p.). Boyaca.

BOURG, ESPAGNE (n. p.). Ampurias, Navarrete, Roncevaux, Palos, Trocadéro.

BOURG, GALILÉE (n. p.). Cana.

BOURG, GRANDE BRETAGNE (n. p.). Isleworth.

BOURG, HONGRIE (n. p.). Badacsony.

BOURG, ITALIE (n. p.). Arcole, Cérisoles, Ostie, Palestro, Rivoli, Solferino, Turbigo.

BOURG, JUDÉE (n. p.). Béthanie, Emmaüs.

BOURG, MORAVIE (n. p.). Austerlitz.

BOURG, PALESTINE (n. p.). Emmaüs.

BOURG, PÉROU (n. p.). Junin.

BOURG, PHRYGIE (n. p.). Ipsos.

BOURG, PRUSSE (n. p.). Ems.

BOURG, SAXE (n. p.). Auerstedt.

BOURG, SUISSE (n. p.). Sempach.

BOURGADE (n. p.). Ampurias, Hochelaga, Stadacone, Tolbiac.

BOURGADE. Agglomération, bourg, centre, commune, conseil, localité, municipalité, municipe, paroisse, ville, village.

BOURGEOIS. Aisé, bourgeoisial, cadre, conformiste, confortable, monsieur, nanti, pékin, philistin, rentier, roturier, supérieur.

BOURGEOISIE. Aristocratie, chevalerie, élite, gentry, grandesse, grandeur, gratin, lignage, noblesse, pairie.

BOURGEON. Acné, agassin, axillaire, bouton, bulbille, caïeu, cayeu, chaton, chou-palmiste, drageon, embryon, gemme, gemmule, germe, greffe, greffon, maille, œil, pousse, rejeton, scion, stolon, tendron, turion.

BOURGEONNEMENT. Agénésie, anaplasie, aoûtement, apogamie, croissance, déploiement, déroulement, développement, diatribe, digression, épiage, essai, essor, évolution, expansion, explication, exposé, feu, gemmation, germination, hirsutisme, hypergenèse, hypertrophie, lyrique, narration, passage, pilosisme, polysarcie, pousse, progrès, suite, traitement, végétation.

BOURGEONNER. Boutonner, chatonner, croître, débourrer, épanouir, fleurir, grandir, prospérer, réussir, surgeonner.

BOURGMESTRE. Échevin, échevinal, magistrat, maïeur, maïoral, maïorat, maire, mayeur, mayorat.

BOURGOGNE (n. p.). Arles, Arras, Artois, Auxois, Beaujolais, Beaune, Boson, Brabant, Burgondes, Clos-Vougeot, Côte d'Or, Dijon, Gex, Gontran, Lille, Loire, Meurseault, Nièvre, Raoul, Rodolphe, Saône, Serein, Vougeot, Yonne

BOURGOGNE. Aligoté, bourguignonne, chablis, chambertin, chardonay, corton, mâcon, mercurey, meursault, pinot, vin.

BOURLINGUE. Balade, campagne, circuit, course, croisière, déplacement, excursion, expédition, odyssée, voyage

BOURLINGUER. Circuler, congédier, courir, naviguer, pérégriner, rouler, tanguer, trimarder, vagabonder, voyager.

BOURLINGUEUR. Aiguilleur, caboteur, découvreur, fureteur, marin, navire, navigateur, pilote, sacolève, voyageur.

BOURONNER. Absorber, affaiblir, anéantir, brûler, consommer, consumer, couver, détruire, dévorer, épuiser, miner, ronger.

BOURRACHE. Borraginacée, fine herbe, fleur, herbe, herbe aux perles, infusion, mellifère, plante, théobromine, théophylline.

BOURRADE. Choc, coup, poussée, ramponneau, torgnole.

BOURRAGE. Bachotage, bourre, capitonnage, compactage, damage, densification, embourrure, fourrage, garnissage, garniture, intoxication, matelassage, matraquage, ouatage, propagande, rembourrage, remplissage.

BOURRASQUE. Coup de vent, cyclone, hurricane, orage, ouragan, rafale, tornade, tourmente, trombe, typhon, vent.

BOURASSER. Bougonner, brusquer, maugréer, rabrouer, rebuter, remballer, rembarrer, remiser, repousser, rudoyer.

BOURRE. Balle, bourrage, capiton, chiure, chute, coco, crasse, culot, débris, déchet, dépôt, étoupe, fagot, feutre, fibre, laine, lassis, maton, ouate, paille, plein, ploc, policier, pressé, schappe, soie, strasse, retard, tontisse.

BOURRÉ. Abreuvé, alcoolisé, amant, anisé, arsouillé, aviné, beurré, bituré, bondé, comble, éméché, enivré, enthousiasmé, étourdi, euphorisé, exalté, gris, grisé, ivre, noir, passionné, poivré, saoul, saoulé, soûl, soûlé.

BOURREAU (n. p.). Capeluche, Sanson.

BOURREAU. Assassin, barbare, boucher, cruel, dépravé, exécuteur, fusilleur, guillotine, guillotineur, meurtrier, monstre, psychopathe, sadique, sado, sanguinaire, supplice, tordu, tortionnaire, tourmenteur, tueur, valet.

BOURRÉE. Abondance, brande, cotret, effort, fagot, fagotin, faisceau, falourde, fascine, javelle, ligot, margotin.

BOURRÈLEMENT. Adversité, calamité, chagrin, détresse, deuil, disgrâce, remords, souffrance, torture, tourment.

BOURRELER. Dévorer, hanter, harceler, martyriser, obséder, persécuter, questionner, ravager, ronger, tarauder, tenailler, torturer, tourmenter.

BOURRELET. Calfeutrage, casse-vitesse, circonvolution, coussinet, épaulette, graisse, malheutre, pli, tortil, tortillon, vertugadin.

BOURRELIER. Bâtier, carrelet, harnacheur, lormier, manicle, manique, piqueur, sellier, tire-pied, trépointe.

BOURRER. Alimenter, appâter, combler, emplir, engraisser, farcir, garnir, gaver, rembourrer, remplir, truffer.

BOURRETTE. Bourre, capiton, déchet, filoselle, lassis, ouate, schappe, soie, strasse.

BOURRICHE. Banne, banneton, bannette, cabas, cageot, cagette, casier, cloyère, corbeille, hotte, panier.

BOURRICOT. Âne, ânon, bête, bourrique, bourriquet, fromage, grison, imbécile.

BOURRIN. Canasson, carcan, carne, cheval, haridelle, mazette, moteur, picouille, piton, rosse, tocard, veau.

BOURRIQUE. Aliboron, âne, ânesse, baudet, bête, bourricot, butor, cruche, grison, idiot, policier, roussin, sot.

BOURRIQUET. Âne, ânesse, ânon, bourricot, stupide, têtue, tourniquet.

BOURRU. Abrupt, acariâtre, boudeur, bougon, brusque, brut, cru, dégrossi, grossier, hargneux, hirsute, humeur, grognon, lait, mal, maussade, mécontent, misanthrope, morne, morose, rébarbatif, renfrogné, revêche, rude, taciturne, vin.

BOURRURE. Bachotage, ballastage, bourrage, bourre, bourrer, capitonnage, compactage, damage, délayage, densification, embourrure, fourrage, garnissage, garniture, intoxication, matelassage, matraquage, ouatage, propagande, rembourrage, remplissage, ruiler, verbiage.

BOURSE (n. p.). CAC, COB, Dow Jones, MONEP, NASDAQ, Wall Street.

BOURSE. Agiot, aide, argent, aumônière, avance, besace, capsule, coteur, don, enveloppe, escarcelle, eunuque, gibecière, haussier, parquet, poche, prêt, prime, réticule, sac, sacoche, scrotal, scrotum, secours, subside, tirant.

BOURSICOTAGE. Accaparement, affairisme, agiotage, concussion, intrigue, spéculation, trafic, tripotage.

BOURSICOTER. Acheter, agioter, bricoler, hasarder, jouer, miser, spéculer, traficoter, trafiquer, tripoter, vendre.

BOURSICOTEUR. Actionnaire, agioteur, investisseur, joueur, prêteur, propriétaire, spéculateur, zinzin.

BOURSIER. Cambiste, coulissier, courtier, échelier, haussier, portefeuilliste, remisier, spéculateur, trésorier.

BOURSOUFLAGE. Ampoule, apostème, ballonnement, bombement, bosse, bouffissure, boursouflement, boursouflure, bulle, cloche, cloque, emphase, enflure, fluxion, gonflement, grandiloquence, œdème, phlyctène, tension, tumeur, vésicule.

BOURSOUFLÉ. Ampoule, bouffi, déclamatoire, emphatique, gonflé, grandiloquent, pompeux, ronflant, turgide.

BOURSOUFLEMENT. Ampoule, apostème, ballonnement, bombement, bosse, bouffissure, boursouflage, boursouflure, bulle, cloche, cloque, emphase, enflure, fluxion, gonflement, grandiloquence, œdème, phlyctène, tension, tumeur, vésicule.

BOURSOUFLER. Ballonner, bouffir, dilater, distendre, empâter, enfler, gonfler, grossir, ru, souffler, turgide.

BOURSOUFLURE. Ampoule, apostème, ballonnement, bombement, bosse, bouffissure, boursouflage, bulle, cloche, cloque, emphase, enflure, fluxion, gonflement, grandiloquence, œdème, phlyctène, tension, tumeur, vésicule.

BOUSCUEIL. Banquise, débâcle, dégel, fonte, glace, glaciel, glacier, iceberg, icefield, inlandsis, pack.

BOUSCULADE. Accrochage, agitation, bagarre, corrida, désordre, échauffourée, heurt, mêlée, ruée, tourbillon.

BOUSCULER. Battre, brutaliser, écarter, heurter, lapider, malmener, molester, pousser, presser, rudoyer, sabouler.

BOUSE. Bousard, bousier, bousin, bovin, excrément, fiente, merde, pralin, ruminant, vache.

BOUSIER. Bouse, cétoine, coléoptère, escarbot, hanneton, insecte, scarabée, ténébrion.

BOUSILLAGE. Bâclage, bauge, détérioration, gâchis, massacre, masticage, mortier, pisé, sabotage, torchis.

BOUSILLER. Abattre, abîmer, amocher, anéantir, bâcler, bâtir, blesser, carier, casser, cochonner, dégrader, démolir, détériorer, ébrécher, endommager, gâcher, gâter, massacrer, pourrir, saboter, saloper, tuer, user.

BOUSILLEUR. Bâcleur, barbouillon, démolisseur, destructeur, gâcheur, gaspilleur, saboteur.

BOUSIN. Boucan, bouge, brouhaha, cacophonie, chahut, charivari, tapage, tohu-bohu, tourbe, tumulte, vacarme.

BOUSSOLE. Affoler, aimant, azimut, clinomètre, compas, déclinatoire, inclinomètre, lest, pivot, pôle, rose.

BOUSTIFAILLE. Aliment, becquetance, bouffe, bouffetance, couvert, croustance, nourriture, pain, table.

BOUT. Aboutissement, auricule, bord, bordure, borne, cap, confins, cordon, dé, délimitation, extrémité, fin, lobe, lumignon, mèche, mégot, moucheron, naine, ongle, pointe, raban, tenon, terme, tétine, tette.

BOUTADE. Badinage, baliverne, blague, bouffonnerie, cabriole, facétie, fantaisie, plaisanterie, quolibet, saillie.

BOUTE-EN-TRAIN. Amuseur, bouffon, clown, comique, espiègle, facétieux, farceur, humoriste, pince-sans-rire, pitre.

BOUTEFAS. Saucisse, saucisson.

BOUTEFEU. Belliciste, belliqueux, épervier, guerrier, guerroyeur, martial, militaire, militariste, va-t-en-guerre.

BOUTEILLE. Balthazar, biberon, bidon, bocal, bombonne, bonbonne, bordelaise, cadavre, canette, cannette, carafe, champenoise, chopine, col, cul, dame-jeanne, demi, dive, fillette, fiole, flacon, fond, goulot, gourde, if, jacqueline, jéroboam, litre, magnum, mathusalem, mouilleur, nabuchodonosor, panse, pichet, quart, réhoboam, salmanazar, siphon, thermos, verre.

BOUTER. Attaquer, balayer, bannir, braconner, déboulonner, débusquer, chasser, déloger, dissiper, écarter, éliminer, éloigner, exclure, exiler, exorciser, expulser, oust, ouste, piéger, pousser, rejeter, renvoyer, repousser, sacquer, vider, voler.

BOUTEUR. Bulldozer, chargeuse, chouleur, excavateur, excavatrice, pelle, pelleteuse, pépine, tractopelle.

BOUTIQUE. Agence, animalerie, atelier, bazar, boucherie, charcuterie, commerce, débit, échoppe, épicerie, essencerie, étal, fruiterie, galerie, herboristerie, kiosque, librairie, local, magasin, papeterie, souk.

BOUTIQUIER. Avide, calculateur, corporatiste, détaillant, égoïste, étroit, intéressé, marchand.

BOUTOIR. Attaque, butoir, corne, couteau, défense, maréchal-ferrant, museau, outil, sanglier.

BOUTON. Acné, agrafe, boucle, bourgeon, bouton-pressoir, bulbe, câpre, clou, comédon, déboutonner, éruption, fermail, fermoir, galon, girofle, lésion, mamelon, mouche, œil, œillet, populage, renoncule, rivet, sépale, vernation, vésicule.

BOUTONNEMENT. Agénésie, anaplasie, aoûtement, apogamie, bourgeonnement, croissance, développement, déploiement, déroulement, diatribe, digression, épiage, essai, essor, évolution, expansion, explication, exposé, feu, gemmation, germination, hirsutisme, hypergenèse, hypertrophie, lyrique, narration, passage, pilosisme, polysarcie, pousse, progrès, pustule, suite, traitement, végétation, vésicule.

BOUTONNER. Accrocher, agrafer, attacher, boucler, bourgeonner, débourrer, déboutonner, fermer, lacer.

BOUTONNEUX. Acnéique, blessure, bourgeonneux, cancer, chancre, chancrelle, grêlé, induré, lésion, maladie, MST, MTS, syphilis, tumeur, ulcération, ulcère, véroleux, variole, vérole.

BOUTONNIÈRE. Blessure, bride, dépression, fente, fonte, incision, œillet, ouverture, rosette, ruban.

BOUTON-POUSSOIR. Bouton, clé, combinateur, commande, commutateur, conjoncteur, contact, coupleur, discontacteur, disjoncteur, interrupteur, manostat, poussoir, sélecteur, télécommande.

BOUTRE. Bateau, cabot, voilier.

BOUTURE. Accru, brin, brout, cépée, drageon, ente, enture, germe, greffe, greffon, jet, mailleton, marcotte, oïdie, plançon, plantard, rejeton, scion.

BOUTURER. Adjoindre, ajouter, drageonner, écussonner, enter, entoir, greffage, greffer, greffoir, insérer, marcotter, marquer, regreffer, tailler, transplanter.

BOUVERIE. Abri, bercail, bergerie, bœuf, écurie, étable, porcherie, soue, tect.

BOUVET. Colombe, doucine, feuilleret, gorget, guillaume, guimbarde, île, menuisier, mouchette, pestum, rabot, riflard, sabot, varlope.

BOUVILLON. Bœuf, bouvard, bovidé, bovin, castré, taureau, vache, veau.

BOUVRIL. Abattoir, assommoir, boucherie, échaudoir, écorcherie, équarrissoir, fondoir, tueur, tuerie.

BOVARYSME. Besoin, frustration, inapaisement, inassouvissement, insatiabilité, insatisfaction, mécontentement.

BOVIDÉ. Antilope, bête, bison, bœuf, bouvillon, bovin, brucellose, buffle, caprin, capriné, cavicorne, chamois, chèvre, élan, mouton, nilgault, ovin, oviné, salers, taureau, vache, veau, zébu.

BOVIN. Abondance, auroch, banteng, bison, bœuf, buffle, durham, frison, hereford, kouprey, normand, ovibos, salers, taure, taurillon, ure, urus, yack, xébu.

BOX. Alcôve, barre, calf, case, cellule, chambrette, coin, compartiment, loge, logement, logette, réduit, stalle.

BOXE. Coq, crochet, direct, jab, léger, lourd, mouche, moyen, out, plume, ring, round, savate, swing, uppercut.

BOXER. Administrer, battre, chien, cogner, corriger, étriller, frapper, pugiliste, puncher, rosser, rouer, taper.

BOXEUR. Allonge, arène, athlète, challenger, coq, léger, lourd, mi-lourd, mi-moyen, mouche, moyen, plume, pugiliste, puncheur, ring, sportif, superléger, superlourd, welter.

BOXEUR POIDS LOURD (n. p.). Ali, Baer, Braddock, Burns, Carnera, Clay, Corbett, Dempsey, Ezzard, Fitzsimmons, Foreman, Frasier, Holmes, Jeffries, Johansson, Johnson, Hart, Liston, Louis, Marciano, Patterson, Schmeling, Sharkey, Sullivan, Tunney, Tyson, Walcott, Willard.

BOXEUR POIDS MOYEN (n. p.). Antuofermo, Apostoli, Basilio, Benvenuti, Brouillard, Cerdan, Chip, Corro, Dempsey, Downes, Dundee, Fitzsimmons, Flowers, Fullmer, Garcia, Giardello, Graziano, Greb, Griffith, Hagler, Hostak, Jeby, Jones, Ketchell, Klaus, Krieger, La Motta, Leonard, McCoy, Minter, Monzon, O'Dowd, Olson, Overlin, Papke, Pender, Risco, Robinson, Ryan, Soose, Steele, Thil, Thompson, Tiger, Turpin, Valdès, Walker, Wilson, Yarosz, Zale.

BOXEUR QUÉBÉCOIS. Bergeron, Clavet, Cusson, Hilton, Lucas, Ouellette,

BOY. Cuisinier, danseur, domestique, factoton, factotum, garçon, groom, jardinier, palefrenier, serviteur.

BOYARD. Boïard, boyard, bulgare, fort, noble, russe, seigneur, slovaque, slave, tchèque, ukrainien, yougoslave.

BOYAU. Andouille, baudruche, boudin, canal, canalisation, catgut, chemin, conduit, durit, durite, entrailles, fraise, intestin, noué, passage, rognon, ruelle, saucisse, traboule, trac, tripe, tube, tuyau, ventre, viscères.

BOYAUTER. Bidonner, dérider, désopiler, dilater, glousser, gondoler, marrer, rigoler, rire, tordre.

BOYCOTT. Bannir, blocus, déconcerter, défendre, embargo, embarrasser, interdire, ostracisme, quarantaine.

BOYCOTTAGE. Abandon, abstention, chasteté, continence, diète, frugalité, jeûne, modération, neutralité, privation, pureté, récusation, refus, régime, renonciation, renoncement, restriction, sobriété, virginité.

BOYCOTTER. Frapper, index, interdire, ostraciser, quarantaine, refouler, refuser, rejeter, suspendre.

BRABANT. Araire, butteur, buttoir, chisel, cultivateur, déchaumeuse, défonceuse, fossoir, houe, motoculteur.

BRACELET. Armilles, attache, attachement, bijou, breloque, chaîne, chaînette, décoration, fioriture, gourmette, jonc, joug, joyau, lien, menottes, ornement, parure, psellion, puntarelle, semainier, servitude.

BRACHIOPODE. Fossile, invertébré, lingule, rhynchonelle, spirifer, térébratule.

BRACHYCÈRE. Calliphoridé, chironome, diptère, drosophile, hippoboscidé, insecte, mouche, muscidé, volucelle.

BRACHYOURE. Araignée-de-mer, crabe, cancre, chinois, crustacé, dormeur, enragé, étrille, eucaride, fantôme, fouisseur, limule, maïa, macrocheire, nageur, pinnothère, portune, poupart, sacculine, tourteau, vert.

BRACONNAGE. Absidiole, affût, bannir, battue, chasse, cimicaire, cor, chien, drag, épervier, filetage, fouée, gibier, louveterie, muette, panneautage, piégeage, piper, poursuite, safari, to, traque, vénerie, volerie.

BRACONNER. Chasser, cocufier, écumer, fureter, panneauter, pêcher, piéger, rabouiller, racoler.

BRACONNIER. Chasseur, colleteur, fauconnier, piégeur, piqueur, pisteur, portier, pourboire, trappeur, veneur.

BRACTÉE. Aracée, bractéole, calicule, glume, glumelle, involucre, spadice, spathe.

BRADAGE. Broderie, composition, conception, confection, couture, création, escompte, exécution, fabrication, façon, œuvre, ouvrage, paternité, piqure, pive, prêt-à-porter, production, réalisation, synthèse, taille, usinage.

BRADER. Abandonner, bazarder, brocanter, débarrasser, liquider, régler, sacrifier, solder, vendre.

BRADERIE. Bazar, encan, foire, fondouk, garage, halle, kermesse, khan, liquidation, marché, puces, vente.

BRADYCARDIE. Angine, arythmie, cardiomégalie, cardiomyopathie, cardiopathie, cardiothyréose, cardite, coronarite, coronaropathie, dextrocardie, embolie, extrasystole, hypertension, hypotension, infarctus, palpitation, tachycardie, thrombose.

BRADYPE. Aï, mammifère, mégathérium, paresseux, singe, végétarien, unau, xénarthre.

BRAGUE. Armure, aussière, barboteuse, bloomer, bobette, boxer, braies, caleçon, collant, culotte, cuissard, dessois, froc, grègues, pantalon, protection, rhingrave, robe, salopette, short, slip, tassette, trousses, veste.

BRAHMANISME. Çivaïsme, hindouisme, métempsycose, religion, sanskrit, soutra, sutra, védisme.

BRAI. Briquette, goudron, houille, pâte, pétrole, résidu.

BRAIES. Brague, culotte, gaulois, haut-de-chausses, pantalon, suspect.

BRAILLARD. Brailleur, bruyant, chialeur, criailleur, criard, glapissant, gueulard, hurlant, hurleur, pleurnichard, pleurnicheur.

BRAILLE. Amphigouri, article, barbouillage, barbouillis, billet, brouillon, dire, écrit, écriture, factum, graphisme, gribouillage, grimoire, journal, libelle, minute, nécrologie, nota, pamphlet, papier, prose, récépissé, script, style, torchon.

BRAILLEMENT. Beuglement, cri, criaillement, criaillerie, éclat, gloussement, hurlement, rugissement, vocifération.

BRAILLER. Beugler, braire, bramer, chanter, chialer, chigner, crier, gémir, gueuler, horler, hurler, lamenter, larmoyer, miauler, plaindre, pleurer, pleurnicher, rugir, sangloter, tonitruer, vagir, vociférer, zerver.

BRAILLEUR. Braillard, chicaneur, chicanier, critiqueur, critiqueux, débatteur, discuteur, frustré, insatisfait, mécontent, plaignard, raisonneur, rechignard, rechigneux, récriminateur, regimbeur, rouspéteur, vitupérateur.

BRAIMENT. Âne, appel, beuglement, braillement, cri, hi-han, hurlement, meuglement, mugissement, vocifération.

BRAIRE. Âne, beugler, brailler, bramer, crier, lamenter, plaindre, ricaner.

BRAISE. Argent, blé, braisette, brandon, charbon, chaufferette, flouse, fric, galette, oseille, rouable, tison.

BRAISIÈRE. Brasero, brasier, chaudron, cocotte, daube, daubière, étouffoir, faitout, huguenote, marmite, soupière.

BRAME. Appel, braiement, braiment, bramée, cerf, cervidé, chant, chevreuil, cri, daim, plainte, rée, voix.

BRAMER. Appeler, beugler, brailler, braire, chanter, crier, dorât, lamenter, plaindre, raire, raller, réer.

BRAN. Blousse, bourrette, bride, cendre, chute, copeau, débris, déchet, déperdition, détritus, épluchure, excrément, freinte, immondice, limaille, ordure, pelure, perte, raclure, rebut, reliquat, résidu, riblon, rognure, sciure, scorie, son, urée.

BRANCARD. Bard, basterne, brancardier, civière, dossière, filanzane, limon, limonière, lisse, longeron, palanquin.

BRANCARDIER. Ambulancier, cheval, infirmier, samaritain, sauveteur, secouriste, urgentiste.

BRANCHAGE. Branche, broutille, fagot, fascine, feuillage, frondaison, haie, houssoir, pendaison, ramée, ramure.

BRANCHE (n. p.). Uélé.

BRANCHE. Bois, bras, brindille, camarade, chiffonne, copain, corne, courçon, courson, coursonne, crossette, écotée, éperon, ergot, ès, feuillage, feuillard, frondaison, gluau, greffe, marcotte, membre, membrure, plantard, planton, rameau, ramée, ramure, rejet, rejeton, rotin, sarment, scion, tronc, vinée.

BRANCHÉ. Câblé, connecté, couplé, courant, cri, in, mode, snob, vinée, vogue.

BRANCHEMENT. Abouchement, aboutement, accolement, alternative, bifurcation, connexion, jonction, raccordement.

BRANCHER. Affranchir, aiguiller, allumer, avertir, aviser, captiver, connecter, diriger, embrancher, informer, instruire, intéresser, joindre, lier, orienter, ouvrir, passionner, prévenir, raccorder, rattacher, relier, réunir, séduire.

BRANCHETTE. Branche, brindille, rameau, ramille, scion.

BRANCHIAL. Amphibien, aquatique, crustacé, esse, ouïe, poisson, têtard.

BRANCHIE. Aïe, audible, auditif, audition, écoute, entendre, esse, inaudible, opercule, oreille, ouïe, ouille, oyant, sens, sourd, surdité.

BRANCHIOPODES. Anostracé, apus, artémie, branchipe, chirocéphale, cladocère, conchostracé, daphnie, limnadia, notostracé, puce d'eau.

BRANCHU. Canard, dendroïde, ramé, rameux, ramifié, touffu.

BRANDE. Ajonc, brassée, brindilles, bruyère, callune, fagot, fougère, friche, genêt, lande, ramée, sous-bois.

BRANDIR. Agiter, attirer, balancer, brandiller, élever, exposer, lever, menacer, montrer, remuer, tenir.

BRANDON. Conflit, discorde, enflammé, escarbille, étincelle, flambeau, flammèche, querelle, torche, tortillon.

BRANLANT. Bancal, boiteux, chambranlant, chancelant, croulant, flageolant, instable, titubant, trébuchant, vacillant.

BRANLE. Agitation, balancement, confusion, danse, déclencher, désordre, engager, initier, lancer, mouvement, oscillation.

BRANLE-BAS. Affairement, agitation, alarme, alerte, appel, avertissement, effervescence, remue-ménage, tohu-bohu.

BRANLEMENT. Agitation, balancement, ballottement, bercement, cahotement, flottement, flux, oscillation, reflux.

BRANLER. Balancer, battre, bercer, berner, brandiller, chanceler, compenser, crosser, dandiner, dodeliner, frémir, glander, hésiter, jeter, masturber, osciller, peser, remuer, rouler, sauter, tripoter, vaciller, vibrer.

BRANLETTE. Attouchement, branlée, branler, crassage, crosser, crossette, masturbation, onanisme.

BRANLEUR. Crosseur, fainéant, feignant, flemmard, glandeur, indécis, jean-foutre, masturbateur, onaniste, paresseux.

BRANQUE. Braque, brindezingue, cinglé, dérangé, dingo, dingue, fêlé, fou, gaga, gâteux, ivre, troublé.

BRAQUAGE. Appropriation, attaque, brigandage, cambriolage, détournement, extorsion, grappillage, hold-up, larcin.

BRAQUE. Bizarre, brindezingue, chien, dérangé, écervelé, étourdi, fantasque, fou, gâteux, hurluberlu, lunatique.

BRAQUEMART. Alfange, arme, badelaire, bague, bancal, bandal, batte, botte, brand, brette, briquet, cape, carrelet, cimeterre, claymore, colichemarde, coutelas, coutille, croisette, dague, épée, espadon, estoc, estocade, estramaçon, fer, fil, flamberge, fleuret, glaive, haute-claire, joyeuse, lame, latte, pénis, rapière, robe, sabre, verge, yatagan.

BRAQUER. Attaquer, buter, cabrer, contre-braquer, diriger, dresser, fixer, insurger, menacer, monter, opposer, orienter, piquer, pointer, rebeller, rebiffer, récalcitrer, regimber, résister, révolter, ruer, tourner, vexer.

BRAS. Accotoir, accoudoir, affluent, aisselle, allonge, appui, baguette, bayou, biceps, brassard, brassée, cède, coude, crawl, crête, cubitus, détroit, élinde, fanon, humérus, limon, marigot, membre, patte, pompe, pseudopode, radius, tentacule.

BRASAGE. Adhérence, alliage, brasure, écolage, ignitron, soudage, soudure, suture, synostose.

BRAS DE MER. Canal, détroit, fleuve, manche, mer.

BRAS DE MER (n. p.). Belle-Isle, Bristol, Cattegat, Déroute, East-River, Kattegat, Irlande, Johnstone, Lombok, Magellan, Manche, Palk, Waal, Yssel.

BRAS DROIT. Adjoint, adjuvant, aide, alter ego, ambassadeur, assesseur, assistant, associé, attaché, auxiliaire, coadjuteur, codirecteur, cogérant, collaborateur, collègue, confrère, deuxième, inférieur, légat, lieutenant, nonce, parèdre, représentant, second, vice.

BRASERO. Athanor, bec, bouilleur, brûle-parfum, brûleur, cassolette, chaudière, chauffe-plat, débitant, distillateur, fourneau, hypocauste, lampe, liquoriste, pharillon, rebouilleur, réchaud, thermosiphon, torréfacteur

BRASIER. Affrontement, ardeur, âtre, brûler, bûcher, cendres, chaleur, conflagration, embrasement, feu, flamme, fournaise, foyer, funéraire, fuser, igné, incendie, inflammation, passion, poêle.

BRASILLANT. Brillant, éclatant, étincelant, flamboyant, incandescent, luisant, miroitant, reluisant, rutilant.

BRASILLER. Briller, chatoyer, étinceler, flamboyer, fulgurer, luire, miroiter, reluire, resplendir, rôtir, scintiller.

BRASSAGE. Amalgame, barattage, brassement, fusion, malaxage, mélange, remuage, secouage, touillage, turbulence.

BRASSARD. Bande, bandeau, bracelet, bras, crêpe, manipule, ruban, signe.

BRASSE. Arondelle, brasseur, capacité, encablure, longueur, nage, nageur, papillon, toué.

BRASSE-CAMARADE. Accrochage, affrontement, assaut, baptême de feu, baroud, bataille, boxe, choc, combat, djihad, duel, échauffourée, engagement, escarmouche, guerre, hostilité, jihad, joute, lutte, match, mêlée, opération, pugilat, querelle, rif, rififi, riffe, riffle, ring, rixe, salve.

BRASSEMENT. Amalgame, barattage, brassage, fusion, malaxage, mélange, remuage, secouage, touillage, turbulence.

BRASSER. Admonester, agiter, amalgamer, attraper, baratter, battre, brouiller, fatiguer, gronder, houspiller, malmener, manier, malaxer, mélanger, mêler, moraliser, orienter, ourdir, pétrir, remuer, secouer, touiller, tourner.

BRASSERIE (n. p.). Baie-Mahault, Chambly, Champigneulles, Chimay, Cobourg, Labatt, Molson, Sleeman.

BRASSERIE. Bar, bière, bistrot, brassette, brasseur, brassicole, café, estaminet, guinguette, pub, restaurant, taverne.

BRASSEUR (n. p.). Artevelde, Molson.

BRASSEUR. Affaires, baigneur, bière, nageur.

BRASSIÈRE. Barboteuse, bustier, camisole, chemisette, dormeuse, grenouillère, lange, maillot, pigeonnier, soutien-gorge.

BRASURE. Adhérence, alliage, brasage, écolage, ignitron, soudage, soudure, suture, synostose.

BRAVACHE. Bravade, brave, bravo, capitan, défi, fanfaron, fendant, hâbleur, mâchefer, matamore, olibrius, sabre, vantard.

BRAVADE. Action, bluff, bravoure, compétition, crânerie, défi, éclat, exagération, fanfaronnade, forfanterie, hâblerie, jactance, mépris, ostention, parole, provocation, rodomontade, vantardise.

BRAVE. Bon, bougre, couard, courageux, crâner, droit, fanfaron, gaillard, hardi, héros, honnête, intrépide, lâche, malhonnête, matamore, mauvais, parangon, poltron, preux, pusillanime, rodomont, tartarin, valeureux, vaillant, valeureux.

BRAVEMENT. Audacieusement, courageusement, hardiment, intrépidement, résolument, vaillamment, valeureusement.

BRAVER. Affronter, attaquer, crâner, défier, menacer, mépriser, mesurer, moquer, narguer, offenser, oser.

BRAVO. Accueil, applaudissements, bis, bravissimo, cri, encore, exclamation, félicitation, hourra, vivat.

BRAVOURE. Ardeur, audace, bravade, bravement, chaleur, cœur, courage, cran, crâne, crânerie, décidé, exploit, fanfaronnade, fier, fierté, fougue, front, furie, hardiesse, héroïsme, intrépidité, nerf, panache, témérité, vaillance, valeur.

BREAK. Arrêt, attente, brèche, coupure, danse, écart, intermède, interruption, pause, répit, repos, voiture.

BREBIS. Agneau, agnelage, bélier, bessonnière, chrétiens, femelle, feta, mouton, moutonne, niolo, ouailles, ovin, vacive.

BRÈCHE. Brisure, col, dommage, entaille, entame, orifice, ouverture, passage, percée, pertuis, trou, trouée.

BRÉCHET. Aiguillette, carène, carinate, crête, fourchette, poitrine, sternum.

BREDOUILLANT. Balbutiant, bafouillant, bégayant, branlant, chancelant, croulant, défaillant, flageolant, fragile, hésitant, incertain, instable, oscillant, pécloter, précaire, titubant, vacillant.

BREDOUILLE. Capot, chocolat, déçu, dupé, échec, échouer, quinaud, rien, vide.

BREDOUILLEMENT. Ânonnement, bafouillage, bafouillis, balbutiement, bégaiement, bredouillage, jargon, marmonnage.

BREDOUILLER. Ânonner, bafouiller, balbutier, baragouiner, barboter, bégayer, cafouiller, déconner, embarrasser, embrouiller, hésiter, lapidaire, mâchonner, mâchouiller, marmonner, murmurer, troubler.

BREDOUILLEUR. Bafouilleur, balbutiant, baragouineur, baragouineux, bégayant, marmotteur.

BREF. Abrégé, anecdote, billet, brusque, brutal, bulle, clin d'œil, concis, coupant, court, décrétale, enfin, impératif, instantané, laconique, mandement, moment, passager, précis, rescrit, résumé, sceau, sommaire, succinct, syllabus.

BREGMA. Anatomie, crâne, fontanelle, frontal, lambda, membrane, pariétal.

BRELAN. Bouillotte, carte, full, maison de jeu, poker, tripot.

BRÊLER. Accouder, accouer, accrocher, agrafer, amarrer, ancrer, assembler, attacher, atteler, botteler, caler, charger, cheviller, clouer, coller, coudre, coupler, cramponner, dévoter, enchaîner, engager, enjuguer, ficeler, fixer, harder, lacer, lier, ligoter, nouer, palisser, pendre, plaire, river, souder, visser.

BRELOQUE. Affichet, babiole, bagatelle, baliverne, bijou, colifichet, déraisonner, divaguer, fantaisie, sonnerie.

BRÈME. Arête, barbeau, carpe, carpillon, cyprin, gardon, herbivore, loche, pisciforme, scaphoïde, sésamoïde, tanche.

BRÉSIL, CAPITALE (n. p.). Brasilia.

BRÉSIL, LANGUE. Portugais.

BRÉSIL, MONNAIE. Real.

BRÉSIL, VILLE (n. p.). Amapa, Anapolis, Aracaju, Bahia, Bauru, Belem, Blumenau, Brasilia, Brejo, Cameta, Campinas, Campos, Caruaru, Coari, Codo, Coxim, Cuiaba, Curitiba, Florianópolis, Fortaleza, Goiânia, Guarulhos, Imperatriz, Ipatinga, Joinville, Lajes, Londrina, Macapa, Maceió, Manaus, Maringá, Mauges, Moura, Natal, Niteroi, Olinda, Osasco, Para, Pelotas, Petrópolis, Picos, Recife, Rio, Roi de Janeiro, Salvador, Santas Maria, Santarém, Santos, Sao Paulo, Sorocaba, Taubaté, Tefé, Teresina, Uberaba, Uberlândia, Vitoria, Volta Redonda.

BRÉSILLER. Abaisser, abréger, affaiblir, aléser, amoindrir, amortir, asservir, atomiser, atténuer, bâillonner, baisser, briser, broyer, changer, clochardiser, comprimer, contracter, diminuer, écrabouiller, effriter, égruger, élégir, émier, émietter, forcer, gracier, grainer, grener, gruger, incinérer, léviger, limer, limiter, mater, minimiser, minorer, modérer, morceler, moudre, museler, piler, pulvériser, ramener, réduire, quarter, râper, réduire, ristourner, ruiner, surbaisser, tasser, teindre, tomber, triturer, unifier, user.

BRÉSILLET. Arbre, brésil, césalpiniacée, garnier, gléditschia, teinture.

BRETAGNE (n. p.). Armor, Armorique, Arvor, Breton, Celte, Iroise.

BRETELLE. Archère, archière, balancines, bandereau, bandoulière, baudrier, bifurcation, branchement, brassière, bricole, carrefour, courroie, croisée, croisement, échangeur, embranchement, épaulette, lanière, raccord, trèfle.

BRETON. Armoricain, biniou, brezhoneg, cheval, cob, gaélique, gallec, gallo, gallot, gouren, ilien, postier.

BRETTE. Bretteler, dispute, duel, épée, estafe, fer, furet, lame, outil, querelle.

BRETTER. Bretteler, combattre, crépir, dueller, hésiter, musarder, niaiser, rayer, relever, répondre, strier, tarder.

BRETTEUR. Duelliste, estafier, fanfaron, ferrailleur, indécis, lambin, perplexe, spadassin, vasouillard, velléitaire.

BRETZEL. Bâtonnet, biscuit, craquelin, huit, lorgnon, pâtisserie.

BREUVAGE. Barbotage, bichof, bière, bischof, boisson, buvée, café, cerisette, cidre, citronnade, coco, eau, genévrette, gin, grog, halbi, hydromel, hypocras, kava, kawa, kéfir, kvas, kwas, lait, limonade, liqueur, médicament, nectar, orangeade, oxymel, philtre, piquette, poiré, poison, pulque, râpé, rye, saké, saki, scotch, sorbet, thé, tisane, vin, vodka.

BRÈVE. Actualités, annonce, bulletin, communiqué, flash, information, journal, passereau, pittidé, tribraque.

BREVET. Attestation, BTS, certificat, copyright, dec, diplôme, licence, obédience, parchemin, patente, redevance, titre.

BREVETÉ. Approuvé, bachelier, certifié, diplômé, docteur, garanti, licencié, maître, promu, universitaire.

BRÉVIAIRE. Anthologie, antiphonaire, bible, directoire, diurnal, eucologe, livre, missel, none, ordinal, psautier.

BRÉVILIGNE. Aigu, ample, chétif, collant, confiné, court, dérisoire, effilé, étendu, étriqué, étroit, exigu, faible, fin, juste, large, médiocre, menu, mince, minime, ouvert, petit, resserré, rétréci, spacieux, vaste.

BREZONEG. Armoricain, biniou, breton, cornouaillais, gaélique, gallec, gallo, gallot, gouren, ilien, léonais.

BRIBE. Bridon, brisure, charpie, citation, débris, extrait, fragment, miette, morceau, parcelle, partie, résidu, reste, rogaton, zéro.

BRIC-À-BRAC. Bazar, bordel, capharnaüm, désordre, fatras, fouillis, fourbi, gâchis, hétéroclite, méli-mélo, pêle-mêle.

BRICELET. Biscuit, brisselet, cloqué, cornet, galette, gâteau, gaufre, gaufrette, gaufrier, gaufroir, pâtisserie.

BRICK. Bateau, beignet, brique, fromage, galette, goélette, navire, senau, voilier.

BRICOLAGE. Amélioration, arrangement, bidouillage, bisounage, consolidation, entretien, patentage, réparation.

BRICOLE. Affiquet, babiole, bagatelle, bêtise, bidule, breloque, brimborion, broutille, détail, futilité, patente, rien, vétille.

BRICOLER. Arranger, bidouiller, chipoter, fabriquer, faire, ficher, fricoter, patenter, réparer, rétablir, retaper, traficoter, trafiquer.

BRICOLEUR. Amateur, bidouilleur, bisouneux, bricolier, djobeur, habile, patenteux, rafistoleur, réparateur, trafiquant.

BRIDE. Bridon, chapeau, collerette, débris, guide, harnais, lien, mors, œillère, rebus, rêne, reste, rogation, têtière.

BRIDER. Attacher, atteler, contenir, débrider, endiguer, ficeler, freiner, hybrider, nettoyer, seller, serrer.

BRIDGE. Atout, bridgeur, capitaine, chelem, contrat, descripteur, donneur, duplicata, enchère, est, entame, fit, honneur, levée, livre, main, majeure, mineure, mort, nord, ouest, ouverture, ouvreur, rob, robre, schelem, singleton, sud, surcontre, vulnérable, whist.

BRIE. Avarié, batte, batton, briard, fromage, miche, pain.

BRIEFER. Affranchir, avertir, aviser, briffer, brancher, informer, instruire, manger, prévenir, renseigner.

BRIÈVEMENT. Bref, court, densément, elliptiquement, laconiquement, rapidement, résumé, sommairement, succinctement.

BRIÈVETÉ. Concision, densité, dépouillement, évanescence, fugacité, fugitivité, laconisme, rapidité.

BRIFFER. Bâfrer, bouffer, bourrer, descendre, empiffrer, gaver, goberger, gorger, goinfrer, manger, morfaler.

BRIGADE. Bataillon, colonne, commando, équipe, escouade, formation, groupe, peloton, quart, troupe.

BRIGADIER. Aide, bâton, caporal, chef, colonel, général, militaire, surveillant, théâtre, troupier.

BRIGAND (n. p.). Bondy, Bonnot, Cacus, Cartouche, Hermandad, Procruste, Procuste.

BRIGAND. Bandit, boucanier, coquin, coupe-jarret, kleptomane, malandrin, maraudeur, motard, pilleur, voleur.

BRIGANDAGE. Banditisme, cambriolage, concussion, déprédation, gangstérisme, maraudage, pillage, rapine, vol.

BRIGANDER. Attraper, brutaliser, cambrioler, casser, démunir, dérober, dévaliser, escalader, fric-frac, malmener, maltraiter, voler.

BRIGANDINE. Arme, armure, chabot, combinaison, cotte, haubert, jaseran, journade, jupe, salopette, tunique, vêtement.

BRIGANTIN. Bateau, goélette, navire, schooner, voilier.

BRIGANTINE. Anatomie, appareil, artimon, aurique, carpe, gui, muscle, omoplate, quadrilatère, queue d'aronde, trapèze, voile, voltigeur.

BRIGUE. Agissements, cabale, calcul, combinaison, complot, conjuration, intrigue, magouilles, manœuvres, tractations.

BRIGUER. Ambitionner, aspirer, convoiter, courir, désirer, pourchasser, prétendre, rechercher, souhaiter, viser.

BRILLAMMENT. Adroitement, astucieusement, finement, magnifiquement, savamment, superbement, talentueusement, vivement.

BRILLANCE. Brasillement, brillant, cati, chatoiement, coruscation, éclat, feux, halo, luisance, luminance, luminosité.

BRILLANT. Aveuglant, ara, blanc, brio, ciré, faux, éblouissant, éclatant, étincelant, étoile, fard, faste, flamboyant, gloire, incandescent, intelligent, luisant, lustré, or, radieux, réfléchissant, relief, reluisant, réussi, rutilant, satiné, soyeux, splendeur, splendide, stras, strass, toc, ver, vermeil, vif.

BRILLANTER. Calandrer, catir, étinceler, frotter, iriser, lustrer, moirer, orfèvrerie, tailler.

BRILLANTINE. Bandoline, cosmétique, fixateur, fixatif, gel, gomina, laque, percale, pommade, tissu.

BRILLE. Coruscant, éclat, ensoleillé, étoile, luit, lumineux, phosphorescent, resplendissant, rutile, soleil, stras, strass.

BRILLER. Astiquer, blinquer, chatoyer, cirer, dorer, éclater, étinceler, farder, flamber, flamboyer, fulgurer, glacer, irradier, luire, parer, pétiller, radier, refléter, reluire, resplendir, rupiner, rutiler, scintiller, stras, strass.

BRIMADE. Avanie, berné, bizutage, épreuve, exactions, initiation, offense, oppression, persécution, tracasserie, vexation.

BRIMBALEMENT. Affairement, agitation, bouleversement, bouillonnement, cataclysme, catastrophe, chambardement, changement, émotion, fourmillement, houle, orage, renversement, séisme.

BRIMBALER. Agiter, balancer, ballotter, bardasser, bercer, brasser, bringuebaler, cahoter, remuer, secouer.

BRIMBELLE. Abrêtier, abrêtnoir, airelle, bleuet, luce, lucet, moret, myrtille, raisin-des-bois, teint-vi, vaccinier.

BRIMBORION. Affiquet, babiole, bagatelle, baliverne, bêtise, bibelot, breloque, bricole, colifichet, frivolité, rien.

BRIMER. Berner, bizuter, décevoir, flouer, frustrer, léser, maltraiter, offenser, opprimer, priver, railler, taquiner, tourmenter, vexer.

BRIN. Atome, fétu, fil, filament, miette, natte, pennon, penon, peu, pleyon, plion, quillette, scion, tortis.

BRINDEZINGUE. Branque, braque, cinglé, dérangé, dingo, dingue, fêlé, fou, gaga, gâteux, ivre, troublé.

BRINDILLE. Allume-feu, branche, branchette, fétu, foin, herbe, margotin, rameau, ramille, scion, verge.

BRINGUE. Bamboche, bamboula, bombe, débauche, dégingandé, fiesta, foire, java, maigre, noce, nouba.

BRINGUEBALER. Agiter, balancer, ballotter, brimbaler, brinquebaler, cahoter, secouer, tanguer.

BRINGUER. Accrocher, bambocher, chamailler, chicaner, disputer, engueuler, festoyer, harceler, insister, quereller.

BRIO. Aisance, alacrité, allant, brillant, entrain, fougue, maestria, panache, verve, verveux, virtuosité, vivacité.

BRIOCHE. Abdomen, bas-ventre, boule, couque, embonpoint, épigastre, hypocondre, kouglof, pâtisserie, ventre.

BRIQUE. Adobe, aggloméré, briquette, carreau, chantignole, dalle, livre, pavé, pierre, planelle, roman, tuile.

BRIQUER. Astiquer, blinquer, fourbir, frotter, nettoyer, peaufiner, polir, poutser.

BRIQUET. Allume-cigare, allume-feu, allumette, amadou, cérium, chien, épée, fusil, jetable, pierre, sabre.

BRIQUETAGE. Appareil, maçonnerie.

BRIQUETER. Bâtir, carreler, couvrir, daller, damer, décarreler, demoiselle, embriquer, joncher, macadam, paver, recouvrir, repaver, revêtir.

BRIQUETTE. Adobe, aggloméré, brique, carreau, chantignole, charbon, combustible, dalle, pavé, tomette.

BRIS. Action, brisement, cassage, casse, débris, éclat, effraction, fin, morceaux, ostéoclasie, rupture, viol.

BRISANT. Accore, contre-lame, déflagrant, détonant, écueil, étoc, explosif, mascaret, récif, rocher, rouleau.

BRISCARD. Astucieux, brisquard, chevronné, expérience, retors, soldat, vétéran.

BRISE. Brize, caresse, nase, naze, risée, vent, zéphir, zéphyr.

BRISÉ. Abattu, accablé, affligé, anéanti, claqué, consterné, coupé, découragé, dégoûté, démoli, démoralisé, déprimé, désolé, détruit, effondré, énervé, faible, inerte, las, morne, morose, mou, moulu, nase, naze, prostré, scié, sombre, tué, vaincu.

BRISE-FER. Andouille, balourd, brise-tout, empêtré, empoté, gaffeur, gauche, godichon, grossier, ignorant, inapte, incapable, inconsidéré, inhabile, lourd, lourdaud, maladroit, malhabile, malavisé, malhabile, niais, pataud, sot.

BRISE-GLACE (n. p.). Camsell, Howe, Ernest-Lapointe, Iberville, Macdonald, Labrador, Montcalm, Saurel, Simon-Fraser, Tupper, Wolfe.

BRISE-GLACE. Avant-bec, bâche, barge, barque, bateau, bâtiment, caboteur, cargo, corvette, flotte, fortification, frégate, galère, navire, rafiot, steamer, terre-neuvas.

BRISE-LAMES. Barrage, batardeau, chaussée, digue, estacade, jetée, levée, môle, musoir, palée, turcie.

BRISEMENT. Affliction, bris, cassage, casse, déferlement, effraction, forcement, fracassement, fracture.

BRISE-MOTTES. Compacteur, compresseur, croskill, dame, émotteur, engin, hérisson, plombeur, rondeau, rouleau.

BRISER. Brésiller, broyer, casser, croquer, déboucher, décaper, ébrécher, éclater, écorner, écraser, édenter, effondrer, égueuler, émotter, entamer, épuiser, éreinter, fracasser, fractionner, gruger, mouler, ouvrir, péter, pulvériser, rompre, sabrer, stèle, teiller, tiller, tuer, user.

BRISE-TOUT. Andouille, balourd, brise-fer, empêtré, empoté, gaffeur, gauche, godichon, grossier, ignorant, inapte, incapable, inconsidéré, inhabile, lourd, lourdaud, maladroit, malhabile, malavisé, malhabile, niais, pataud, sot.

BRISE-VENT. Abrivent, claie, cloison, clôture, coupe-vent, haie, mur, paillasson, palissade, rideau, talus.

BRISQUE. Ancienneté, annuité, atout, carte, chevron, ficelle, galon, mariage, sardine, temps, tresse.

BRISTOL. Carte, carte-lettre, carte postale, carte-réponse, carte-vue, carton, feuilleton, lettre, papier.

BRISURE. Bout, brèche, cassure, classe, craque, craquelure, crevasse, déchirure, ébréchure, éclat, écornure, entaille, faille, fêlure, fendillement, fente, fissure, fragment, gerçure, lambel, miette, morceau, parcelle, pépite.

BRITANNICUS (n. p.). Agrippine, Claude, Locuste, Messline, Néron, Racine.

BRITANNIQUE (n. p.). Royaume-Uni.

BRITANNIQUE. Anglais, anglo-saxon, écossais, gallois, orangiste.

BRITISH PETROLEUM. BP.

BRIZE. Amourette, aventure, brise, flirt, graminée, mouvette, muguet, pain d'oiseau, tremblette.

BROC. Anse, bec, bidon, brocanteur, channe, channe, chaume, col, ouillette, pichet, pot à eau, récipient, vase.

BROCANTE. Antiquaille, antiquité, bouquinerie, chine, ferraille, friperie, fripes, marché aux puces, vieilleries.

BROCANTER. Acheter, bazarder, bouquiner, brader, brocante, chiner, échanger, négocier, troquer, vendre.

BROCANTEUR. Antiquaire, bouquiniste, camelot, casseur, chiffonnier, chineur, ferrailleur, fripier, regrattier.

BROCARD. Adage, cerf, chevreuil, daim, dérision, épigramme, esprit, flèche, humour, ironie, moquerie, raillerie.

BROCARDER. Bafouer, brocard, dauber, fronder, gouailler, moquer, railler, raillerie, ridiculiser, tourner.

BROCART. Brocatelle, étoffe, marbre, samit, soie, soierie, tenture, tissu.

BROCATELLE. Brocart, étoffe, marbre, samit, soie, soierie, tenture, tissu.

BROCCIO. Brousse, brousso, bruccio, brucciu, fromage.

BROCHAGE. Assemblage, collage, couture, façonnage, pliage, pliure, reliure, tissage.

BROCHE. Agrafe, bijou, gaguette, barrette, brochette, clip, épinglette, hast, hâtelet, lardoire, tige, varette.

BROCHER. Agrafer, assembler, bâcler, coudre, espoliner, plier, relier, usiner.

BROCHET. Barracuda, bécard, brocheton, ésociculture, ésocidé, esox, hure, lanceron, lucius, maskinongé, muskellunge, muskie, niger, pickerel, poisson, spet, tiger, vermiculatus, vermiculé.

BROCHETTE. Barbecue, barrette, broche, chachlik, chiche-kebab, hast, hâtelet, lardoire, souvlaki, yakitori.

BROCHEUSE. Agrafeuse, assembleuse, brocheur, couseuse, plieuse.

BROCHURE. Album, argument, cahier, catalogue, dépliant, document, feuillet, imprimé, libelle, livre, livret, opuscule, ouvrage, pamphlet, plaquette, prospectus, thèse, tract.

BRODEQUIN. Botte, bottillon, bottine, chaussette, chaussure, galoche, godillot, napolitain, ranger, soulier.

BRODER. Amplifier, charger, chiffrer, chiner, enjoliver, entoiler, exagérer, fabuler, inventer, piquer, rembourrer.

BRODERIE. Alourdissement, amplification, arabesque, boursouflure, cannetille, dramatisation, fanfreluche, feston, filet, filigrane, fioriture, incrustation, orfroi, oripeau, moresque, plumetis, point, tapisserie, verdurette, volute.

BROIE. Brisoir, broyeur, écang, macque, maque, moulin.

BROIEMENT. Bocardage, broyage, concassage, écangage écrabouillage, écrasement, pilage, pilonnage.

BROKER. Agent, assureur, coulissier, courtier, entremetteur, intermédiaire, représentant, trader.

BROME. Br.

BROMÉLIACÉE. Aechmea, ananas, billbergia, bromélie, pitcairnia, tillandie, tillandsia, vriesea.

BRONCHE. Bronchectasie, bronchiectasie, bronchiole, bronchite, dyspnée, expectorer, lobaire, pneumonie, toux.

BRONCHER. Achopper, agiter, bouger, buter, manifester, murmurer, protester, réagir, remuer, sourciller, trébucher.

BRONCHITE. Bronche, broncho-pneumonie, inflammation, maladie, muqueuse, pneumonie.

BRONCO. Alezan, allure, amble, anglo-arabe, anglo-normand, ars, arzel, aubère, bai, baillet, balzan, barbe, bas-jointé, bégu, bouleté, bourrin, brassicourt, cagneux, canasson, canon, carcan, carne, cavale, cavalier, cavecé, châtaigne, cheval, cob, courbatu, coursier, court-jointé, crinière, croupe, dada, demi-sang, embarre, encastré, encolure, ensellé, équin, étalon, galop, garrot, genet, goussaut, haridelle, hippocampe, hongre, hunter, isabelle, jarret, limonier, mésair, mézair, mors, mule, mustang, outsider, palefroi, panard, percheron, piaffeur, pinçard, poitrail, polo, poney, pur-sang, racer, ramingue, relais, rosse, rouan, roussin, rubican, ruer, sabot, sommier, stepper, steppeur, tarpan, tocard, toquard, trot, trotteur, turf, yearling, zain.

BRONZAGE. Brunissage, brunissement, halage, hâle, cuivrage, polissage.

BRONZE. Airain, alliage, art, buste, cuivre, déféquer, étain, étron, métail, sculpture, statue, statuette, tuile.

BRONZÉ. Ambré, basané, boucané, brun, bruni, cuivré, doré, étain, grillé, hâlé, nègre, noir, talé, tanné.

BRONZER. Arder, brûler, calciner, carboniser, cautériser, chauffer, consommer, consumer, convoiter, cramer, crématoire, cuire, détruire, distiller, ébouillanter, échauder, embraser, enflammer, flamber, fondre, fumer, griller, hâler, havir, incendier, incinérer, phlogistiquer, rôtir, roussir, torréfier.

BRONZIER (n. p.). Donatello, Filarete, Guillain.

BRONZIER. Animalier, artiste, brunissoir, bustier, ciseau, ciselet, ciseleur, fondeur, gouge, imager, imagier, imagiste, lanoir, mannequin, modeleur, musée, ognette, praticien, riflard, ripe, sculpteur, statuaire, tailleur.

BRQQUER. Agresser, assaillir, attaquer, charger, chercher, colleter, foncer, heurter, provoquer, sauter, tomber.

BROQUETTE. Abcès, affection, attraction, bec, bouquet, bouton, caboche, cavalier, cheville, clou, crampon, finir, finition, furoncle, girofle, goujon, piton, pointe, prison, pus, rivet, semence, sexe, tête, tricouni, tumeur, ulcère, vis.

BROSSAGE. Abrasion, balayage, bouchonnage, bouchonnement, écouvillonnage, embrocation, époussetage, érosion, friction, frottage, frottement, frottis, grattage, grattement, massage, onction, raclage, ramonage, râpage, ripage, ripement, traînement, trituration.

BROSSE. Balai, balayette, blaireau, carde, coco, démêloir, écouvette, écouvillon, étrille, goret, goupillon, hérisson, houssoir, pinceau, plumas, plumeau, porc, rizette, saie, saye, spalter, tapis, tête-de-loup, vadrouille, veinette, vergette.

BROSSER. Astiquer, balayer, blanchir, bouchonner, briquer, coiffer, cirer, curer, décaper, décrasser, dégraisser, détacher, discipliner, épousseter, esquisser, étriller, fourbir, frotter, panser, peigner, peindre, soigner, vaincre.

BROU. Bogue, coque, coquille, cosse, écale, écalure, écorce, efflorescence, enveloppe, épicarpe, noix, peau.

BROUET. Aliment, bouillon, brouettage, chaudeau, crème, jus, onctueux, potage, ragoût, soupe, velouté.

BROUETTE. Brancard, cabrouet, caisse, chaise, diable, polka, tombereau, vinaigrette, voiture.

BROUETTER. Acharner, aller, amener, camionner, charrier, charroyer, coltiner, débarder, déplacer, emporter, exulter, mener, porter, promener, ravir, rempoter, transbahuter, transférer, transplanter, transporter, trimarder, trimballer, véhiculer.

BROUHAHA. Bruit, chahut, charivari, cohue, confusion, foire, foule, rumeur, tapage, tohubohu, tumulte.

BROUILLAMINI. Brouillement, complication, confusion, désordre, embrouillamini, embrouillement, pagaille.

BROUILLARD. Brouillasse, bruine, brumaille, brumasse, brume, crachin, embrun, fog, frimas, givre, halo, livre, main courante, mélasse, mouscaille, nuage, nuée, purée, purée de pois, serein, smog, vapeur, verglas.

BROUILLASSE. Brouillard, bruine, brumaille, brumasse, brume, crachin, embrun, mouscaille, poudrin.

BROUILLASSER. Bruiner, brumasser, crachiner, gouttiner, mouillasser, pleuvasser, pleuviner, pleuvocher, pleuvoter.

BROUILLE. Altercation, bisbrouille, bouderie, confus, désaccord, désordre, différend, discorde, dispute, fâcherie, froideur, haine, inimitié, litige, malentendu, mésentente, nuage, orage, querelle, trouble, zizanie.

BROUILLÉ. Aveuglé, bisbille, confus, désuni, disparate, ennemi, fâché, incertain, pâle, œuf, terni.

BROUILLER. Confondre, désunir, emmêler, enchevêtrer, fâcher, mélanger, mêler, perturber, touiller, troubler.

BROUILLERIE. Bisbille, brouille, désaccord, différend, fâcherie, froid, mésentente, mésintelligence, pique, querelle, zizanie.

BROUILLON. Agité, anarchique, canevas, chaotique, confus, désordonné, désorganisé, dissipé, ébauche, esquisse, manuscrit.

BROUSSAILLE. Arbuste, ardent, bartasse, bois, bosquet, brousse, buisson, fardoches, fourré, haie, taillis.

BROUSSAILLEUX. Arbustif, buissonneux, embroussaillé, emmêlé, hérissé, hirsute, inculte, touffu.

BROUSSARD. Bouteux, campagnard, glaiseux, habitant, paysan, pécore, péquenot, provincial, rural, rustre.

BROUSSE. Bled, broussard, bush, campo, forêt, fromage, lande, maquis, matorral, rigue, sahel, savane, scrub.

BROUSSIN. Excroissance, exostose, loupe, lunure, madrure, maillure, malandre, nodosité, nœud.

BROUT. Accru, bouture, brin, cépée, drageon, germe, inflammation, jet mailleton, marcotte, plant, pousse, provin, recrû, rejet, rejeton, revenue, surgeon, talle, tendron, turion.

BROUTARD. Agneau, chevreau, mouton, poulain, veau.

BROUTER. Berger, cunnilinctus, gagner, heurter, manger, pacager, paître, pasteur, pâtre, pâturer, viander.

BROUTILLE. Amourette, amusement, amusette, babiole, bagatelle, baliverne, bêtise, brimborion, bricole, détail, fadaise, fait, futilité, niaiserie, objet, pousse, rien, sornette, vétille.

BROWNING. Automatique, pétard, pistolet, revolver, soufflant.

BROYAGE. Bocardage, broiement, concassage, écangage écrabouillage, écrasement, pilage, pilonnage.

BROYER. Aplatir, battre, bocarder, briser, casser, concasser, croquer, écanguer, écraser, égruger, émietter, épaufrer, mâcher, mastiquer, meuler, mixer, molaire, moudre, piler, pilonner, râper, réduire, renverser, teiller, tiller, triturer.

BROYEUR. Bocard, brisoir, concasseur, déchiqueteur, ébogueuse, égrugeoir, macquoir, moulin, moulinette, triturateur.

BRU. Belle-fille, fils.

BRUANT. Azuré, blanc, bréant, indigo, lapon, lazuli, nonpareil, oiseau, ortolan, passereau, proyer, smith, zizi.

BRUCELLA. Bacille, fièvre de Malte, fièvre ondulante, mélitococcie, microbe.

BRUCELLOSE. Avortement, bovidé, épizootie, fièvre, fièvre de Malte, maladie, maltase, pandémie, pyrexie.

BRUINE. Brouillard, brouillasse, crachin, pluie, poudrin.

BRUINER. Brouillasser, crachiner, gouttiner, mouillasser, pleuvasser, pleuviner, pleuvocher, pleuvoter.

BRUIRE. Bourdonner, bruisser, chuchoter, frémir, friseler, frissonner, froufrouter, murmurer, retentir, soupirer.

BRUISSAGE. Bourdonnement, bruissement, chuchotement, frémissement, frisson, froissement, murmure, rumeur.

BRUISSEMENT. Bourdonnement, bruissage, chuchotement, frémissement, frisson, froissement, murmure, rumeur.

BRUISSER. Bougonner, bruire, chuchoter, clapoter, craquer, craqueter, crépiter, geindre, gémir, grésiller, grogner, grommeler, gronder, marmonner, maronner, maugréer, murmurer, pétiller, râler, ronchonner, susurrer.

BRUIT (2 lettres). Ra,

BRUIT (3 lettres). Cri, PAF, pan, pet, pif, rot, son, tac, tic, T.N.T., toc.

BRUIT (4 lettres). Boum, clac, clic, coup, crac, cric, croc, écho, flac, floc, huée, râle, raté, vlan.

BRUIT (5 lettres). Barda, broum, cohue, dring, éclat, galop, noise, on-dit, péter, plouf, potin, sniff, sourd.

BRUIT (6 lettres). Boucan, cancan, chahut, déclic, diable, drelin, fracas, marron, pétard, pin-pon, raffut, ramdam, ronron, rumeur, tam-tam, tapage, tic-tac, tocsin.

BRUIT (7 lettres). Bruyant, clameur, cornage, crisser, friture, grabuge, murmure, stridor, tumulte, vacarme.

BRUIT (8 lettres). Badaboum, Brouhaha, charivari, clapotis, esclandre, froufrou, patatras, râlement, tonnerre.

BRUIT (9 lettres). Agitation, cliquetis, grabuge, explosion, hurlement, résonance, roucoulis, tintement.

BRUIT (10 lettres). Borborygme, bruyamment, cacophonie, clappement, claquement, craquement, crissement, détonation, gazouillis, grattement, grincement, ronflement, roucoulade, tintamarre.

BRUIT (11 lettres). Bruissement, chuintement, crépitation, crépitement, gargouillis, martèlement.

BRUIT (12 lettres). Auscultation, criaillement, glapissement, martellement, roucoulement, stridulation.

BRUIT (13 lettres). Bourdonnement, gazouillement, vrombissement.

BRUIT (14 lettres). Gargouillement, retentissement, tambourinement.

BRUITAGE. Autoplastie, indicatif, néoblaste, recomposition, reconstitution, réparation, repeuplement, sauvetage.

BRÛLAGE. Brûlis, calcination, carbonisation, combustion, consomption, feu, flambage, grillage, ignescence, ignition, incandescence, incinération, torréfaction.

BRÛLANT. Accablant, ardent, bouillant, caniculaire, caustique, chaud, écrasant, fiévreux, risqué, tiède, torride.

BRÛLÉ (n. p.). Avvakoum, Brinvilliers, Bruno, Dolet, Du Bourg, Grandier, Hus, Jeanne d'Arc, La Barre, Latimer, Rais, Rays, Retz, Savoranole, Servet, Voisin.

BRÛLÉ. Ardent, brûlis, brûlon, découvert, démasqué, exalté, fatigué, grillé, imbrûlé, roussi.

BRÛLE-GUEULE. Bouffarde, cachotte, calumet, chibouque, kalioun, narguilé, pipe, pipette.

BRÛLER. Ambitionner, arder, bronzer, calciner, carboniser, cautériser, chauffer, combustion, consommer, consumer, convoiter, cramer, crématoire, cuire, détruire, distiller, ébouillanter, échauder, embraser, enflammer, flamber, fondre, fumer, fusion, griller, hâler, havir, incendier, incinérer, phlogistiquer, rôtir, roussir, torréfier.

BRÛLERIE. Atelier, distillerie, café, installation, rhumerie.

BRÛLEUR (n. p.). Bunsen.

BRÛLEUR. Athanor, bec, bouilleur, bunsen, brasero, chaudière, débitant, distillateur, hypocauste, liquoriste, réchaud, torréfacteur.

BRÛLIS. Abattage, abattis, arrachis, chablis, chaplis, coupe, déboisement, débroussaillage, déforestation, défrichage, défrichement, dépeuplement, effardochage, essartage, essartement, rompis, ventis.

BRÛLOIR. Crématoire, fourneau, foyer, incinérateur, réchaud, torréfacteur.

BRÛLOT. Diatribe, épigramme, factum, feuille, journal, libelle, mazarinade, moustique, navire, pamphlet, tract.

BRÛLURE. Acidité, aigreur, ampoule, blessure, cautère, cloche, cloque, irritation, meurtrissure, plaie, ténesme, urtication.

BRUME. Brouillard, brumasse, buée, confusion, gris, mélancolie, mélasse, nébuleux, smog, spleen, tristesse, vapeur.

BRUMEUX. Brouillardeux, brouillé, compliqué, confus, flou, fumeux, nébuleux, obscur, vague, vaporeux, voilé.

BRUMISATEUR. Aérosol, atomiseur, bombe, fixateur, nébuliseur, pulvérisateur, sublimateur, vaporisateur.

BRUN. Auburn, bai, basané, beige, bis, bistre, boucané, bronzé, brûlé, brunâtre, café, cannelle, caramel, châtaigne, châtain, chêne, chocolat, corinthe, drabe, halé, kaki, feuille morte, marron, mélanine, moka, mordoré, morée, noiraud, noisette, mordoré, ocre, puce, sépia, tabac, tanné, terreux, tête-de-Maure, tête-de-nègre.

BRUNANTE. Brune, couchant, coucher, crépuscule, déclin, fin, lueur, soir, tombée.

BRUNCH. Agape, banquet, bombance, buffet, casse-croûte, cène, collation, déjeuner, dîner, dînette, en-cas, festin, frichti, frugal, gala, gastronomie, gourmandise, goûter, gueuleton, lippée, lunch, médianoche, menu, orgie, pique-nique, popote, réfection, régal, repas, reste, réveillon, ripaille, soupe, souper, tétée, thé.

BRUNE. Anglaise, bière, brunissure, couchant, crépuscule, italienne, moment, nuit, parque, soir, tombée.

BRUNI. Basané, bronzé, cuivré, doré, grillé, hâlé, noir, ocré, poli.

BRUNIR. Basaner, boësse, boucaner, bronzer, cuivrer, dorer, griller, hâler, matir, noircir, polir, poncer, tanner.

BRUNISSAGE. Abrasement, abrasion, adoucissage, adoucissement, affinage, ajustage, buffage, doucissage, éclaircissage, égrisage, finissage, finition, grésage, poinçage, polissage, polissure, ragréage, ragrément, sassage, surfaçage.

BRUNISSEMENT. Brunissage, bronzage, halage, hâle, cuivrage, polissage.

BRUSHING. Bombage, brosse, coiffage, gonflage, séchage.

BRUSQUE. Abrupt, agressif, bourru, bref, brut, brutal, cassant, crise, cru, dur, éclat, instantané, irrégulier, irruption, net, prompt, rapide, ressac, ruade, rude, saccadé, saut, sec, soudain, subit, subitement, subito, toux, vif.

BRUSQUEMENT. Brutalement, court, ex abrupto, inopinément, pile, sèchement, soudain, soudainement, subitement.

BRUSQUER. Accélérer, activer, bousculer, hâter, malmener, précipiter, presser, rabrouer, rudoyer, secouer.

BRUSQUERIE. Brutalité, colère, dureté, empressement, frénésie, hâte, hostilité, impatience, irréflexion, précipitation, promptitude, raideur, rapidité, rudesse, rudoiement, sécheresse, soudaineté.

BRUT. Cru, ébauche, élémentaire, embryonnaire, fort, frais, fruste, grège, grossier, imparfait, larvaire, naturel, net, neutre, nu, primitif, rude, rudimentaire, sauvage, terne, vierge, violent, vulgaire.

BRUTAL. Abrupt, agressif, animal, âpre, barbare, bas, bestial, bête, bourru, bref, brusque, cassant, coupant, cru, cruel, direct, dur, emporté, féroce, franc, grossier, mufle, net, pare, raide, rude, truculent, violent, vulgaire.

BRUTALEMENT. Abruptement, agressivement, brusquement, carrément, crûment, directement, droit, durement, fermement, franc, inopinément, net, nettement, raide, rudement, soudainement, subitement, violemment.

BRUTALISER. Arranger, assener, battre, brusquer, cogner, déflagrer, frapper, heurter, houspiller, maganer, malmener, maltraiter, martyriser, molester, rosser, rudoyer, secouer, tabac, tabasser, tourmenter, violenter.

BRUTALITÉ. Âpreté, atrocité, barbarie, bestialité, brusquerie, cruauté, crudité, dureté, férocité, grossièreté, précision, ratonade, ratonnade, réalisme, rudesse, sadisme, sauvagerie, sévices, hussarde, verdeur, violence, vulgarité.

BRUTE. Animal, balourd, barbare, bestial, brutal, butor, écrue, goujat, grossier, malotru, mufle, rustre, sauvage.

BRUYAMMENT. Beaucoup, chorus, lourdement, sonorement, tapageusement, tumultueusement, valdinguer.

BRUYANT. Borborygme, boucan, bourdonnement, brouhaha, bruissement, cancan, chahut, clapotis, clappement, cornage, coup, crépitation, crépitement, cri, déclic, détonation, drelin, écho, éclat, esclandre, fracas, friture, galop, gargouillement, gazouillement, grabuge, grincement, huée, hurlement, murmure, pet, pétard, potin, râle, ronflement, ronron, rot, rumeur, son, stridulation, tac, tapage, tic, tintamarre, toc, tocsin, tonnerre, tumulte, vacarme.

BRUYÈRE. Andromeda, arborescente, arbrisseau, arbuste, blanc, brande, callune, camarine, cendrée, des marais, coq, dicotylédone, éricacée, fleur, gamopétale, lande, plante, pourpre.

BRYONE. Aubergine, bénincase, chaïote, chayole, citrouille, coloquinte, concombre, courge, courgette, cucurbitacée, ecballium, éponge, gourde, loofa, luffa, melon, momordique, navet du diable, pastèque, pâtisson, potiron.

BRYOPHYTE. Anthocérote, cryptogramme, flocon, hépatique, mousse, muscinée.

BRYOZOAIRE. Aviculaire, cyphonaute, ectoprocte, flustre, gymnolème, phylactolème, plumatelle, vibraculaire, zoocie.

BU. Absorber, avaler, boire, buvoter, déguster, gobelotter, goûter, humer, lamper, laper, licher, lipper, ingurgiter, ivre, picoler, régalade, sabler, savourer, siroter, toast, trait, trinquer, vider.

BUANDERIE. Blanchisserie, buanderette, lavanderie, laverie, lavoir, nettoyeur, pressing, souillarde, teinturerie, teinturier.

BUANDIER. Blanchisseur, cireur, curandier, décrotteur, dégraisseur, détachant, détacheur, grattoir, lavandier, lavandière, laveur, lessiveur, nettoyeur, plongeur, pressing, raton, teinturier.

BUBALE. Addax, aepycérotiné, alcéphalus, algazelle, antilope, biche, capricorne, catoblépas, cob, damalisque, dorcade, éland, gazelle, gnou, guib, impala, kif, kob, nilgaut, okapi, oryx, ourébi, saïga, springbok.

BUBON. Adénite, ampoule, ballonnement, bombement, bosse, boursouflure, inflammation, MST, peste.

BUCCAL. Apertume, aphte, bouche, labium, mâchoire, mandibule, oral, stomatite, suçoir, trompe.

BUCCIN. Alène, babylonia, buccinateur, bulot, coquillage, corne, escargot, gastéropode, mollusque, trompette.

BÛCHE. Âne, balourd, billette, chenet, cornichon, cruche, débiter, gourde, idiot, lourdaud, Noël, roulé, sot.

BÛCHER. Appentis, battre, besogner, bosser, buriner, cave, étudier, œta, peiner, resserre, sati, suer, travailler.

BÛCHETTE. Bille, bois, bûche, chouquet, flandre, pitoune, plot, rondin, stère, tronc, tronche, tronchet.

BÛCHEUR. Actif, affairé, allant, bosseur, diligent, dynamique, énergique, étudiant, infatigable, travailleur, vaillant.

BUCOLIQUE. Agreste, bergerie, campagnard, champêtre, églogue, idylle, pastoral, paysan, poème, rustique.

BUDGET. Assiette, balance, bilan, comptabilité, compte, crédit, dépense, enveloppe, gain, plan, prévision, recette, rentrée, répartition, revenu, salaire.

BUDGÉTAIRE. Contrôle, enveloppe, équilibre, financier, impasse, pécuniaire, prévisionnel.

BUÉE. Condensation, émanation, embuer, exhalaison, fumée, fumerolle, gaz, mofette, nuage, nuée, vapeur.

BUFFET. Abdomen, argentier, armoire, bahut, bedon, buvette, cabinet, café, cantine, commode, crédence, danser, desserte, dressoir, estomac, étagère, organiste, meuble, panse, placard, table, vaisselier, ventre.

BUFFLE. Auroch, bison, bœuf, bovin, gaur, gayal, karabau, karbau, kérabau, taureau, ure, urus, yack, yak, zébu.

BUG. Anicroche, aria, avanie, avaro, avatar, bogue, cafard, contrariété, déboire, dégoût, désagrément, difficulté, embarras, embêtement, ennui, enquiquinement, épine, épreuve, hic, incident, lassitude, os, panne, pépin, plantage, souci, tracas, tuile.

BUGGY. Boghei, boguet, cabriolet, dune, hippomobile, tout-terrain, voiture.

BUGLE. Alto, baryton, clairon, cornet, cuivres, herbacée, ive, ivette, labiacée, labiée, plante, saxhorn, trompette.

BUILDING. Bâtiment, bâtisse, construction, édifice, gratte-ciel, habitation, hôtel, immeuble, maison, propriété, tour.

BUIRE. Aiguière, amphore, ballon, bol, boue, bouteille, calice, canette, canope, carafe, cérame, ciboire, cornue, cratère, cruche, fange, hanap, hydrie, jarre, jatte, limicole, limon, matras, navette, patène, pot, potiche, récipient, seau, soliflore, tasse, thomas, urinal, urne, vase, verre.

BUIS. Arbrisseau, arbuste, branche, buxacée, buxus, fragon, pyxide, rameau.

BUISSON. Ardent, bois, bosquet, broussaille, écrevisse, églantier, épinier, fourré, hallier, pyracantha, roncier, roncière, scrub, taillis, théridion.

BUISSON-ARDENT. Arbre de Moïse, arbuste, cotonéaster, pyracantha, pyracanthea, rosacée.

BUISSONNEUX. Abri, chargé, cornière, couvert, enterré, épineux, équerre, erbue, farineux, grenu, gris, herbue, ioduré, lanugineux, lépreux, nacré, nuageux, ombre, ridé, salpêtreux, table, té, tomenteux, ulcéreux, vaisselle, vaseux, vêtement, vêtu, voilé.

BULBE. Ail, bulbille, caïeu, cayeu, cervelet, coupole, freesia, grésil, groisil, oignon, olive, tunique.

BULBEUX. Arrondi, bombé, bulbe, bulbiforme, convexe, courbé, enflé, épais, galbé, gibbeux, gonflé, pansu, renflé, rond, urcéole, ventru.

BULBILLE. Ail, bourgeon, bractée, bulbe, caïeu, feuille, ficaire, foliole, limbe, palme, sépale, spathe.

BULGARE. Bogomile, dialecte, monnaie, slave, slavon.

BULGARIE, CAPITALE (n. p.). Sofia.

BULGARIE, LANGUE. Bulgare, turc.

BULGARIE, MONNAIE. Lev.

BULGARIE, VILLE (n. p.). Burgas, Byala, Dimitrovo, Dobrick, Jambol, Lom, Lovec, Nikopol, Pernik, Pleven, Ruse, Sofia, Sliven, Shumen, Sumen, Tarnovo, Tolbuhin, Varna, Videim, Vraca.

BULL. Bulldozer, tracteur.

BULLDOZER. Angledozer, bach loader, bouldozeur, boureur, décapeuse, excavateur, excavatrice, rétrochargeuse, tritureuse.

BULLE. Ampoule, amulette, argent, ballon, bande dessinée, bd, boule, bref, cloque, décrétale, globule, mandement, papier, pemphigus, phlyctère, phylactère, pustule, rescrit, sceau, syllabus, vésicule.

BULLER. Fainéanter, flâner, flemmarder, glander, glandouiller, musarder, muser, paresser, rêvasser, traînasser, traîner.

BULLETIN. Actualités, annonce, avis, billet, brève, carnet, communiqué, flash, mercuriale, météo, rapport, reçu, urne.

BULOT. Buccin, calicoco, coquillage, escargot de mer, hélix, ran.

BUN. Hamburger, pain, pâtisserie.

BUNA. Caoutchouc, crêpe, durit, ébonite, élastique, élastomère, ficus, gomme, hévéa, latex, néoprène, vulcanisation.

BUNGALOW. Belvédère, chartreuse, coloniale, gloriette, habitation, kiosque, maison, pavillon, véranda, villa.

BUNKER. Abri, aile, antre, asile, auvent, cabane, cagna, casemate, chenil, couvert, dais, égide, gare, gîte, guérite, hangar, havre, niche, parapluie, parasol, port, rade, refuge, retraite, ruche, taud, tente, toit, tutelle.

BUPRESTE. Agrile, buprestidé, coléoptère, galerie, insecte.

BURALISTE. Bureaucrate, commis, fonctionnaire, gratte-papier, paperassier, rond-de-cuir, scribe, scribouillard.

BURE. Étoffe, lainage, limousine, moine, puits, vêtement.

BUREAU (n. p.). Politburo.

BUREAU. Agence, bureaucrate, burlingue, cabinet, étude, factorerie, local, meuble, poste, pupitre, régie, secrétariat, table.

BUREAUCRATE. Buraliste, commis, fonctionnaire, gratte-papier, paperassier, rond-de-cuir, scribe, scribouillard.

BUREAUCRATIE. Classique, coutume, croûton, encroûté, habitude, monotonie, numéro, ornière, pli, préjugé, quotidien, répétition, ronron, routine, routinier, sous-programme, tic, train-train, us.

BURETTE. Ampoule, bouteille, crédence, fiole, flacon, flasque, mignonnette, récipient, topette, vase, vinaigrier.

BURGAUDINE. Burgau, burgo, cornet, gueulard, mégaphone, nacre, porte-voix.

BURIN. Bédane, charnière, ciseau, drille, échoppe, estampe, gravettien, gravure, guilloche, onglette, pointe.

BURINAGE. Ciselage, cisellement, ciselure, échoppage, gravure, parfaire, sculpture, toreutique, tri.

BURINER. Chiffrer, ciseler, écrire, entailler, estamper, graver, imprimer, inscrire, orfèvre, sculpter, tailler.

BURKINA FASO, VILLE (n. p.). Boulsa, Dori, Gourcy, Hounde, Kaya, Kombissiri, Leo, Manga, Nouna, Orodara, Pissila, Po, Reo, Toma, Tougan, Yako, Zabre, Zorgo.

BURLAT. Anglaise, azerole, bigarreau, cerise, cerisette, cerisier, cherry, cœur-de-pigeon, coulard, drupe, gobet, grappe, griotte, grottier, guigne, guignon, mahaleb, marasque, marasquin, marmotte, merise, merisier, montmorency, reverchon.

BURLESQUE. Absurde, amusant, baroque, bouffon, cocasse, comique, extravagant, facétie, farce, grotesque, parodie, ridicule, risible, saugrenu.

BURLESQUEMENT. Absurdement, agréablement, bouffon, bouffonnement, comiquement, délicieusement, dérisoirement, drôlement, facétieusement, grotesquement, joliment, plaisamment, ridiculement, risiblement.

BURLINGUE. Affaire, bureau, compagnie, entreprise, établissement, exploitation, firme, institution, société, ventre.

BURNOUT. Abattement, accablement, anéantissement, attaque, catalepsie, démotivation, dépression, effondrement, engourdissement, épuisement, fatigue, hébétude, léthargie, marasme, neurasthénie, paralysie, prostration, sidération, stupeur.

BURSÉRACÉE. Arbre, balsamier, baumier, dicotylédone, myrrhe.

BURUNDI, CAPITALE (n. p.). Bujumbura.

BURUNDI, LANGUE. Français, kirundi, swahili.

BURUNDI, MONNAIE. Franc.

BURUNDI, VILLE (n. p.). Bujumbura, Cankuzo, Karuzi, Kisosi, Mabanda, Mabayi, Mutambara, Ngozi, Rumonge.

BUS. Abribus, aphérèse, autobus, avalé, balai, bibliobus, car, métrobus, minibus, navette, transilien, trolleybus, USB.

BUSARD. Cendré, cossade, des marais, diurne, falconiforme, mange-poule, milan blanc, oiseau, rapace.

BUSC. Arrêt, baleine, basquine, busqué, buste, butée, corset, coude, crosse, flingue, fusil, lame, soutien.

BUSE. Bête, bondrée, boyau, busaigle, busard, canal, conduit, crabière, échec, gaine, grise, harpaye, harpie, lance, multiraie, noire, obscure, pattue, pipe, prairie, rapace, rouilleuse, swainson, tarlais, tata, tube, tubulure, tuyau.

BUSER. Ajourner, caler, claquer, craquer, échouer, foirer, louper, manquer, rater, recaler.

BUSINESS. Affaires, bureau, commerce, compagnie, entreprise, firme, opération, traite, travail, troc, vente.

BUSQUÉ. Aquilin, arqué, bombé, bourbonien, busc, convexe, courbé, courbure, crochu, en bec d'aigle, recourbé.

BUSQUER. Apiquer, arquer, baisser, cambrer, casser, courber, incliner, infléchir, pencher, plier.

BUSSEROLE. Arbousier des Alpes, arbrisseau, arbuste, éricacée, raisin d'ours, uva-ursi.

BUSTE. Busc, chérubin, corsage, hermès, piédestal, poitrail, poitrine, sein, socle, sphinge, terme, torse.

BUSTIER. Brassière, brazoune, corsage, guêpière, sculpteur, soutien-gorge, soutif.

BUT. Afin, avenue, cause, cible, désir, dessein, direct, direction, en, fin, final, goal, idée, intention, mire, mission, objectif, objet, où, panier, pinta, point, pour, prétention, rêve, sinueux, stratégie, terme, tir, tortueux, vers, visée, vue.

BUTADIÈNE. A.B.S., buna, caoutchouc, chloroprène, érythrène, polybutadiène.

BUTÉ. Arrêté, bloqué, braqué, entêté, étroit, indélogeable, fermé, obstiné, obtus, opiniâtre, tenace, têtu, tué.

BUTÉE. Accul, arrêt, arrêtoir, busc, butoir, cliquet, contrefort, contre-mur, culée, heurtoir, massif, taquet.

BUTER. Achopper, assassiner, broncher, chopper, cogner, entêter, heurter, obstiner, soutenir, trébucher, tuer.

BUTEUR. Ailier, allié, avant, bloqueur, centre, compteur, défenseur, demi, équipier, garde, lanceur, voltigeur.

BUTIN. Capture, confiscation, conquête, dépouille, matériel, panoplie, prise, proie, rançon, trophée.

BUTINER. Glaner, grappiller, papillonner, piller, prendre, ramasser, récolter, recueillir, virevolter, voltiger.

BUTOIR. Arrêtoir, banane, butée, cale-pied, culée, drayoir, échéance, expiration, heurtoir, limite, taquet.

BUTOR. Âne, balourd, béotien, bête, biorque, brute, couac, grossier, impoli, maladroit, mufle, oiseau, rustre.

BUTTE (n. p.). Montmartre.

BUTTE. Button, colline, côte, dune, élévation, éminence, erg, gour, inselberg, mont, monticule, motte, talus, tertre, tumulus.

BUTTER. Assassiner, chausser, enchausser, garnir, tuer.

BUTYLÈNE. Butène, éthylénique, hydrocarbure.

BUVABLE. Acceptable, endurable, passable, possible, potable, sain, supportable, tenable, tolérable, vivable.

BUVARD. Absorbant, brouillard, encre, filtre, hachisch, hallucinogène, L.S.D., maroquin, papier, sous-main.

BUVETTE. Bar, bistrot, brasserie, buvetier, cabaret, café, cantine, estaminet, guinguette, marigot, pub, taverne.

BUVEUR. Alcoolique, amateur, biberon, consommateur, éponge, ivrogne, lapeur, picoleur, trinqueur.

BUXACÉE. Buis, dicotylédone, euphorbiale, jojoba, rosidée.

BYE-BYE. Adieu, affection, au revoir, bye, courbette, courtoisie, culte, déférence, égard, estime, honneur, prosternation, respect, révérence, revoir, salamalecs, salut, vénération, tchao.

BY-PASS. Bi-passe, bridge, contournement, dérivation, déviation, évitement, manifold, passe, pontage.

BYSANCE. Ange, cygne, ornement.

BYTE. Bits, octet.

BYZANTIN. Chinois, compliqué, entortillé, farfelu, futile, inutile, oiseux, pédant, stérile, tarabiscoté, vain.

BYSANTINISME. Argutie, chicane, chinoiserie, élucubration, emphase, ergotage, finesse, formalisme, subtilité.

C

C.E.I. (n. p.). Arménie, Azerbaïdjan, Biélorussie, Géorgie, Kirghizstan, Moldavie, Ouzbékistan, Russie, Tadjikistan, Turkménistan, Ukraine.

C'EST-À-DIRE. Est, id, I.E.

CA. Calcium.

CAB. Cabriolet, hippomobile, voiture.

CABALE. Complot, élection, ésotérisme, intrigue, kabbale, machination, magique, mystérieux, talisman.

CABALISTIQUE. Cryptique, ésotérique, initiatique, magique, mystérieux, occulte, secret, sibyllin.

CABAN. Anorak, caoutchouc, ciré, coupe-vent, gabardine, imperméable, manteau, vareuse, veste.

CABANE. Abri, baraque, bicoque, buron, cabanon, cache, cahute, carbet, case, chaume, chaumière, chenil, clapier, couveuse, gabion, gloriette, gourbi, hutte, isba, loge, maison, mansarde, masure, muette, niche, refuge.

CABANER. Abîmer, basculer, bouleverser, capoter, chavirer, couler, culbuter, demeurer, dessaler, émouvoir, naviguer, renverser, retourner, sombrer, tanguer, tituber, tomber, vaciller.

CABANON, Appentis, cabane, cellule, chalet, débarras, folie, gabelas, loge, maison, prison, remise.

CABARET. Bistrot, boîte, buvette, caboulot, café, cave, caveau, club, concert, cueva, plateau, taverne, tripot.

CABARETIER. Aubergiste, hôte, hôtelier, logeur, loueur, patron, popotier, taulier, tavernier, tenancier, tôlier.

CABAS. Banne, banneton, bannette, bourriche, couffe, couffin, panier, sac, sachet, sacoche, scouffin.

CABERNET. Bordeaux, cépage, franc, raisin, sauvignon.

CABESTAN. Amolette, arbre, bigue, câble, caliorne, carlingue, chèvre, drisse, grue, mèche, palan, treuil.

CABIAI. Capybara, cochon d'eau, hydrochoeridé, mammifère, rongeur.

CABILLAUD. Aiglefin, églefin, faction, morue, poisson, tarama.

CABINE. Abri, cabinet, cagibi, chambre, chiotte, cockpit, confessionnal, habitacle, isoloir, nacelle, publiphone, réduit.

CABINET. Agence, bahut, bibliothèque, bouteille, buffet, bureau, cabine, chiotte, collection, coquillier, étude, feuillée, fourre-tout, gloriette, kiosque, latrines, médaillier, pièce, studio, tinette, toilette, tonnelle, water-closet.

CÂBLE. Amarre, bleu, bouée, cabestan, câbler, chaîne, clavette, cordage, corde, crin, dépêche, drosse, écoute, élingue, étai, exprès, filin, fune, funiculaire, hauban, liure, orin, pneu, remorque, ronce, téléphérique, terne, torsade, touée.

CÂBLÉ. Branché, câblage, connecté, couplé, cri, in, mode, snob, télédistribution, vinée, vogue.

CÂBLER. Affinité, assembler, brancher, connexion, envoyer, expédier, liaison, rapport, relation, télégraphier.

CABOCHARD. Âne, boqué, buté, entêté, hutin, obstiné, opiniâtre, tête de cochon, tête de mule, têtu, volontaire.

CABOCHE. Bague, cabochon, cap, cerveau, chef, chevet, cime, cou, crâne, début, épi, esprit, file, froc, guillotine, hauteur, hure, mental, mine, occiput, premier, roi, sinciput, sommet, supérieur, test, têt, tête, turc.

CABOCHON. Bague, bijou, buté, clou, entêté, épais, épingle, épinglette, niais, opiniâtre, pierre, têtu.

CABOSSER. Bosseler, bosser, bossuer, cobir, déformer, emboutir, endommager, fausser, poquer, ruiner.

CABOT. Acteur, cabotin, caporal, chabot, chien, clebs, complaisant, conquérant, cotte, muge, mulet, poisson.

CABOTAGE. Circumpolaire, éclaireur, galiote, haut-fond, hauturière, lougre, marine, nautique, navigation, périple, sloop, yachting.

CABOTER. Boulinier, bourlinguer, cingler, croiser, filer, louvoyer, nager, naviguer, piloter, sillonner, voguer, voile, voyager.

CABOTEUR. Aiguilleur, bourlingueur, découvreur, fureteur, marin, navire, navigateur, pilote, sacolève, voyageur.

CABOTIN. Acteur, bigot, bouffon, cabot, charlatan, comédien, complaisant, conquérant, fat fier, histrion.

CABOTINAGE. Affectation, air, apparence, apprêt, bluff, comédie, épate, esbroufe, frime, snobisme.

CABRÉ. Abrupt, absolu, agressif, aigre, bourru, bref, brusque, brutal, cassable, cassant, chétif, combatif, coupant, délicat, dur, faible, fragile, frêle, friable, grêle, menu, mince, ostéoporose, périssable, précaire, sec, vain.

CABREMENT. Attrapade, blâme, cabrage, injure, pesade, protestation, rébellion, récrimination, regombrement, reproche, résistance, résistement, révolte, ruade, tablature, vitupération.

CABRER. Braquer, dresser, monter, opposer, protester, rebiffer, redresser, regimber, relever, révolter.

CABRI. Bicot, bique, biquet, biquette, chèvre, chevreau, chevrette, chevrotin, faon.

CABRIOLE. Bond, bondissement, caracoler, chute, culbute, échappatoire, galipette, gambade, pirouette, saut.

CABRIOLER. Bondir, caracoler, danser, ébattre, folâtrer, fringuer, gambader, sauter.

CABRIOLET. Automobile, boghei, boguet, buggy, cab, car, tandem, tapecul, tilbury, tonneau, wiski.

CABUS. Brassica, chou, chou-fleur, chou-navet, chou-rave, chou vert, fourrager, marin, palmiste, pommé, profiterole, rouge, rutabaga.

CACA. Excréments, fiente, laid, mauvais, merde, ordure, sale, saleté.

CACAHUÈTE. Arachide, beurre, cacahouète, fruit, grain, graine, peanut, pinote, pinotte, pistache, testicule.

CACAO. Alcaloïde, alexandra, amande, boisson, cacaoté, cabosse, caféine, cacaoyer, chocolat, graine, infusion.

CACAOUI. Anatidé, canard, harelde du nord, kakawi.

CACATOÈS. Oiseau, grimpeur, kakatoès, perroquet, psittacidé, psittacose, rosalbin.

CACATOIS. Antenne, artimon, beaupré, corne, mât, mestre, misaine, perche, perroquet, phare, poteau, support, vergue, voile.

CACHALOT. Baleine, bélouga, béluga, cétacé, dauphin, épaulard, évent, jubarte, lamantin, marsouin, mégaptère, mysticète, narval, odontocète, orque, requin, rorqual, souffleur, squale.

CACHE. Abri, asile, cachette, cave, coin, fond, mystère, niche, planque, recoin, refuge, repli, retraite, taire.

CACHÉ. Anonyme, arcane, celé, couvert, dissimulé, enfoui, ennuagé, hermétique, huis clos, incognito, insu, latent, mussé, mystérieux, noir, nuageux, obscur, obscurci, occulte, privé, secret, sous-jacent, tapi, tu.

CACHE-COL. Arc-en-ciel, boa, cache-nez, châle, chèche, écharpe, étole, fichu, foulard, guimpe, iris, mantille, pallium.

CACHER. Abrier, abriter, afficher, camoufler, celer, couvrir, déceler, découvrir, déguiser, dévoiler, dissimuler, éclipser, enterrer, étaler, exposer, feindre, garder, masquer, mentir, montrer, muser, nu, occulter, omettre, planquer, receler, soustraire, taire, tapir, terrer, tramer, voiler.

CACHE-SEXE. Bobettes, calecif, caleçon, culotte, feuille de vigne, slip, sous-vêtement, string, triangle.

CACHET. Comprimé, lettre, marque, missive, paye, pilule, pli, salaire, sceau, scellé, tampon, timbre, visa.

CACHETER. Clore, coller, estampiller, fermer, marquer, poinçonner, protéger, sceller, tamponner, timbrer.

CACHETTE. Abri, antre, cache, cape, catimini, clandestin, discrètement, dérobée, planque, recoin, tapinois.

CACHEXIE. Abattement, amaigrissement, ankylostomiase, athrepsie, carence, consomption, langueur, pourriture.

CACHOT. Casemate, cellule, coin, cul-de-basse-fosse, ergastule, fosse, geôle, mitard, oubliette, prison, tullianum.

CACHOTTERIE. Affectation, aparté, artifice, comédie, déguisement, dissimulation, mystère, secret.

CACHOTTIER. Affecté, attribué, circonspect, dévolu, discret, humble, immodeste, imparti, méfiant, modeste, mystérieux, présomptueux, réservé, restreint, retenu, réticent, secret, silencieux, timide.

CACHOU. Anacarde, arec, aréquier, cajou, catéchine, catéchol, noix de cajou, pastille.

CACIQUE. Bonze, caïd, chef, hiérarque, lesder, maître, major, manitou, meneur, parrain, ponte, premier.

CACOCHYME. Débile, faiblesse, maladif, malingre, souffreteux, valétudinaire, vieillard, vieillesse.

CACOPHONIE. Bruit, canard, chahut, charivari, dissonance, sérénade, tapage, tintamarre, tumulte.

CACTACÉES. Cactées, cactier, cactus, cierge, échinocactus, épiphylle, gaillardie, mamillaire, marguerite, matricaire, nopal, oponce, opontiacée, opuntia, opuntiale, pereskia, peyotl, tussilage, xéranthème.

CACTÉES. Cactacées, cactus, cierge, échinocactus, figuier, mamillaire, nopal, oponce, opuntia, peyotl.

CACTUS. Cactacées, cactées, cierge, complication, difficulté, épine, figuier, nopal, obstacle, oponce, plante.

CADASTRE. Agenda, album, archives, auteur, bureaucrate, cahier, calepin, chiffrier, journal, livre, matrice, matricule, minutier, obituaire, olim, plumitif, registre, répertoire, rôle, scribouillard, sommier, terreur, tessiture, ton, tonalité, voix.

CADASTRER. Apprécier, arer, arpenter, auner, calculer, calibrer, chaîner, compasser, compter, corder, cuber, doser, évaluer, jauger, juger, mesurer, métrer, niveler, palper, peser, raser, régler, stérer, toiser.

CADAVÉRIQUE. Blafard, blême, cadavéreux, diaphane, exsangue, livide, plombé, terreux, verdâtre.

CADAVRE. Cadavéreux, cadavérique, carcasse, cendres, charnier, charogne, corps, dépouille, goule, hyène, macchabée, momie, mort, noyé, ossements, pendu, restes, squelette, sujet.

CADDIE. Benne, binard, boggie, briska, cadet, callisto, charrette, chariot, charron, diable, éfourceau, fardier, golf, jumbo, lorry, poussette, prolonge, ridelle, trolley, téléférique, transpalette, voiturette, wagon.

CADE. Arceuthos, cèdre, commun, cupressacées, deppe, genièvre, genévrier, genièvre, ginkgo, juniperus, occidental, pinchot, pleureur, pilocarpe, sabine.

CADEAU. Anet, avantage, don, donation, dot, envoi, étrenne, faveur, fleur, générosité, gracieuseté, gratification, largesse, libéralité, offrande, offrande, offre, pot-de-vin, présent, prime, prix, souvenir, surprise.

CADENAS. Barreau, cadenasser, chaîne, clé, clef, cloison, clôture, croisée, espagnolette, fermeture, fin, hermétique, jalousie, loquet, occlusion, paumelle, pêne, serrure, tirette, trappe, verrou.

CADENASSER. Arrêter, bâcler, barrer, barricader, boucher, boucler, cacher, cicatriser, ciller, claquemurer, claquer, cligner, clore, coudre, enfermer, faufiler, fermer, lacer, murer, occlure, placarder, river, sceller, souder, verrouiller.

CADENCE. Accord, allure, course, danse, erre, harmonie, marche, mouvement, pas, poésie, rythme.

CADENCER. Accorder, conformer, danser, mesurer, régler, rythmer, scander.

CADENETTE. Baderne, cordon, couette, macaron, mèche, militaire, natte, soutache, tresse.

CADET. Benjamin, caddie, descendant, griveton, infant, jeune, junior, puîné, soldat, sororat, troupier.

CADI. Aga, agha, alcoran, alem, aman, arabe, arch, ayatollah, bey, calife, charia, chiite, coran, émir, ère, fakir, hadj, harem, hégire, iman, iman, islamique, juge, kadi, magistrat, mahométan, maure, mollah, more, mudéjar, muezzin, musulman, raïa, raya, ramadan, religion, soufi, sourate, sultan, sunna, sunnite, turc, uléma, vizir.

CADMIUM. Cd.

CADOR. As, caïd, champion, chef, chien, clebs.

CADRAN. Aiguille, boussole, gnomon, gnomonique, heure, horloge, pèse-personne, plan, rosette, scaphé.

CADRE. Boisage, bordure, châlit, châssis, chef, coffrage, décor, dirigeant, écran, encadrement, encadreur, entourage, huisserie, limite, marie-louise, passe-partout, patron, paysage, peigne, pêle-mêle, riant, sommier, tour, yuppie.

CADRER. Accorder, centrer, coïncider, coller, concorder, convenir, correspondre, harmoniser, répondre.

CADREUR. Cameraman, chef-opérateur, filmeur, opérateur, photofilmeur, technicien, vidéaste.

CADUC. Âgé, annulé, cassé, démodé, dépassé, nul, obsolète, passager, périmé, ringard, suranné, vieillot.

CADUCIFOLIÉ. Décidu, sempervirent.

CADUCITÉ. Abandon, âge, anachronisme, décrépitude, désuétude, imprescriptible, sénilité, vieillesse.

CÆCUM. Anus, appendice, bauhin, bile, boyau, chyle, côlon, duodénum, entrailles, fraise, grêle, hypogastre, iléon, intérieur, intestin, jéjunum, rectum, transit, tripaille, tripe, tube, viscère.

CÆSIUM. Cs.

CAFARD. Aria, avanie, avaro, avatar, blatte, blues, cagot, contrariété, déboires, dégoût, désagrément, difficulté, embarras, embêtement, enquiquinement, épine, épreuve, hic, hypocrite, idée, lassitude, mélancolie, meunier, noir, mouchard, nostalgie, os, panne, pépin, rapporteur, souci, sournois, spleen, tartufe, tracas, tuile.

CAFARDAGE. Accusation, allégation, attaque, calomnie, critique, délation, dénigrement, dénonciation, dépréciation, détraction, dévalorisation, diffamation, imputation, insinuation, médisance, plainte, rabaissement, réquisitoire, trahison.

CAFARDER. Cafter, dénoncer, donner, livrer, moucharder, rapporter, renier, signaler, stooler, trahir.

CAFARDEUR. Accusateur, calomniateur, délateur, dénonciateur, détracteur, diffamateur, mouchard, traître.

CAFARDEUX. Abattu, découragé, démoralisé, déprimé, fermé, funèbre, glauque, grisâtre, lugubre, maussade, mélancolique, morne, nostalgique, sinistre, triste.

CAFÉ. Allongé, arabica, arôme, bar, bistouille, bistro, bistrot, boui-boui, brasserie, brûlerie, buvette, cabaret, caboulot, cafétéria, caoua, cappuccino, caveau, champoreau, colombien, comptoir, déca, estaminet, express, expresso, farde, gloria, java, jus, lavasse, liégeois, marc, mazagran, moka, nescafé, orge, percolateur, pub, rade, restaurant, rincette, ristretto, robusta, snack, snack-bar, taverne, terrasse, troquet, turc.

CAFÉIER. Arabica, café, cafier, canephora, coffea, gamopétale, herbacée, moka, robusta, rubiacée.

CAFÉINE. Alcaloïde, décaféiné, cacao, cola, kola, moka, psychostimulant, psychotonique, purine, théine, xanthine.

CAFÉTÉRIA. Brasserie, cafèterie, cantine, réfectoire, restoroute, snack-bar, triclinium.

CAFETIER. Aubergiste, cabaretier, hôtelier, limonadier, mastroquet, patron, popotier, restaurateur, taulier, tavernier, tenancier, tôlier.

CAFETIÈRE. Aquarium, bassin, bocal, bouillotte, boule, caboche, canette, carafe, conserve, percolateur, pot, récipient, tête, vase, verseuse.

CAFOUILLAGE. Bafouillage, bafouillis, bredouillement, cafouillis, confusion, désordre, grippage, jargon.

CAFOUILLER. Déroger, empêtrer, gâcher, louper, manquer, merdoyer, omettre, patiner, rater, vasouiller.

CAFOUILLEUX. Balourd, brouillon, cafouilleur, désordonné, gaffeur, lourdaud, maladroit, pataud.

CAFOUILLIS. Bafouillage, bafouillis, bredouillement, cafouillage, confusion, désordre, grippage, jargon.

CAFTER. Accuser, cafarder, calomnier, dénoncer, donner, livrer, moucharder, rapporter, renier, trahir.

CAGE. Ascenseur, bâti, encager, épinette, harasse, juchoir, mésangette, mue, nichoir, vara, varus, volière.

CAGEOT. Bourriche, cagette, caisse, carton, cave, clayette, coffre, colis, emballage, paquet, tambour.

CAGET. Cagerotte, cajet, caseret, caserette, clayon, clisse, éclisse, égouttoir, faisselle, fromager, natte.

CAGIBI. Appentis, armoire, cabane, fourre-tout, garde-robe, lingerie, penderie, placard, rangement, réduit.

CAGNA. Abri, baraquement, blockhaus, bunker, casemate, fortin, gourbi, guitoune, hutte, maison, tourelle.

CAGNARD. Abri, amorphe, apathique, atone, avachi, coin, cossard, débarras, endormi, empaillé, engourdi, ensoleillé, fainéant, inactif, indolent, insensible, léthargique, lent, lupanar, mou, oisif, paresseux, soleil.

CAGNEUX. Bancal, bancroche, chaval, difforme, inégal, noueux, tordu, tors, tortu, vara, varus.

CAGNOTTE. Argent, boîte, bourse, caisse, coffret, corbeille, économie, épargne, somme, tirelire.

CAGOT. Bigot, bindieusard, cagoterie, calotin, dévot, lépreux, papelard, pharisien, sacristain, tartufe.

CAGOULARD. Aigrefin, bandit, brigand, cambrioleur, canaille, casseur, kleptomane, pilleur, voleur.

CAGOULE. Cagoulard, camail, capuche, capuchon, capulet, coiffure, cuculle, manteau, passe-montagne.

CAHIER. Agenda, album, calepin, carnet, cartable, chauderet, défet, encart, farde, fascicule, livre, livret, registre.

CAHIN-CAHA. Balin-balan, boitant, clopin-clopant, couci-couça, difficilement, durement, mal, péniblement.

CAHORS (n. p.). Cadurci, Cadurcien, Carduques, Lot, Puy-Lévesque, Quercy.

CAHORS. Cadurcien, ville, vin.

CAHOT. Accroc, anicroche, cahotement, difficulté, heurt, problème, rebond, secousse, soubresaut, vicissitude.

CAHOTANT. Ballottant, bringuebalant, cahoteux, instable, irrégulier, raté, saccade, secousse, soubresaut.

CAHOTEMENT. Agitement, balancement, ballottement, cahot, heurt, houle, impulsion, secousse, soubresaut.

CAHOTER. Agiter, ballotter, bardasser, barouetter, brimbaler, bringuebaler, chahuter, secouer, tressauter.

CAHOTEUX. Âpre, aspérité, cahot, cahotant, écorché, inégal, noueux, raboteux, rêche, rude, rugueux.

CAHUTE. Baraque, bicoque, cabane, cagna, cassine, hutte, masure.

CAÏD. Aga, agha, baron, cacique, cadi, cador, caïda, chef, dignitaire, leader, magistrat, magnat, maître, manitou, meneur, officiel, parrain, ponte, pontife, pouvoir, puissant, responsable, seigneur, supérieur, tête.

CAÏEU. Bourgeon, bouton, bulbe, bulbille, cayeu, gemmule, gousse, œil, œilleton, mailleton, turion.

CAILLASSE. Agrégat, ballast, caillou, cailloutage, cailloutis, granulat, gravier, litière, pierraille, pierre.

CAILLASSER. Aborder, affronter, agresser, arguer, assaillir, attaquer, attentat, bombarder, braquer, combattre, défier, dénigrer, entamer, exécuter, inciser, insulter, lapider, livrer, miter, mordre, pourfendre, quereller, riposter, ruer, salir, violer.

CAILLÉ. Caillebotte, caséine, filé, fromage, lait, sérac, tome, tomme, tourné, yaourt, yogourt.

CAILLE. Brouisse, calorifère, colin, margauder, margot, pituiter, puron, tirasse, yaourt, yogourt.

CAILLE-LAIT. Croisette, gaillet, gaillet blanc, grateron, gratteron, présure, rubiacée.

CAILLER. Brousse, coaguler, condenser, congeler, durcir, épaissir, figer, prendre, présurer, surir, tourner.

CAILLOT. Coaguler, coagulum, embolie, flocon, grumeau, phlébite, thrombolyse, thrombose, thrombus.

CAILLOU. Aspre, caillasse, cailloutis, crâne, galet, gravier, marron, minerai, palet, pierre, rocaille, roche, silex, tête.

CAILLOUTAGE. Argile, cailloutis, empierrage, faïence, mortier, poterie, quartz, rechargement, sable.

CAILLOUTER. Argenter, barder, beurrer, boucher, cacher, cocher, coiffer, combler, complanter, consteller, couvercle, couvrir, déguiser, dissimuler, empierrer, enchausser, enduire, enfaîter, engluer, enrubanner, enterrer, envelopper, garantir, graveler, habiller, housser, immuniser, inonder, iodurer, macadamiser, maquiller, métalliser, moisir, napper, ombrager, paner, parsemer, peindre, placarder, plâtrer, prémunir, préserver, recharger, recouvrir, réparer, revêtir, rocher, salpêtrer, semer, terrer, vêtir, voiler.

CAILLOUTEUX. Basse, caillouteux, chaotique, dentelaire, dur, fjeld, graveleux, nunatak, pédiment, pétré, pierreux, raboteux, râpeux, rauque, rocailleux, rocheux, rude, sain, staphylier.

CAILLOUTIS. Aspre, caillasse, caillou, crâne, galet, gravier, marron, minerai, palet, pierre, rocaille, roche, silex.

CAÏMAN. Alligator, alligatoridé, croco, crocodile, crocodilien, gavial, île, morelet, orénoque, répétiteur, reptile.

CAÏN (n. p.). Abel, Adam, Énoch, Ève, Hénoch, Japhet, Sam, Seth.

CAIRN. Alpinisme, amas, champignon, cime, mont, monticule, pyramide, repère, steinmann, tumulus.

CAISSE. Bâche, benne, boîte, cadre, cagnotte, caissette, caisson, carrosserie, carton, cave, coffre, coffret, colis, conteneur, fût, harasse, huche, koto, maie, malle, paquet, tambour, tare, tiroir, tiroir-caisse, tombereau.

CAISSETTE. Bâche, benne, boîte, cadre, cagnotte, caisse, caisson, carrosserie, carton, cave, coffre, coffret, colis, conteneur, fût, harasse, huche, koto, maie, malle, paquet, tambour, tare, tiroir, tiroir-caisse.

CAISSIER. Argentier, avare, chevalier, comptable, gestionnaire, guichetier, intendant, payeur, receveur, trésorier.

CAISSON. Bascule, bastingage, benne, billot, boîte, boîtier, cadre, caisse, colis, emballage, harasse, soffite.

CAJOLER. Aduler, amadouer, attirer, câliner, capter, caresser, chouchouter, choyer, combler, conter, couver, dorloter, endormir, encenser, enjôler, entourer, flatter, gagner, gâter, geai, masser, peloter, séduire.

CAJOLERIE. Amadouement, attouchement, câlinerie, caresse, chatterie, complaisance, douceur, empressement, flagornerie, flatterie, gâterie, gentillesse, mignardise, minauderie, prévenance, tendresse, zèle.

CAJOLEUR. Affectueux, aimant, amoureux, câlin, caressant, chatte, colleux, doux, roucoulant, tendre.

CAJOU. Anacarde, arec, bétel, brou, cachou, cerneau, coco, coir, écale, enveloppe, fessier, kola, muscade, noyer, moulin, muscade, noix, pacane, pécan.

CAJUN. Acadien, français, francophone, québécois, romand, wallon, zydeco.

CAL. Amas, calleux, callosité, calus, cicatrice, cor, corne, durillon, induration, œil-de-perdrix, oignon, ostéosynthèse.

CALABRAIS. Étrusque, italien, rital, romain, sbire, toscan, transalpin.

CALADION. Acore, anthurium, aracée, aroïdacée, aroïdée, arum, cala, caladium, calla, colocase, colocasia, dieffenbachia, ébénacée, gouet, monstera, philodendron, phytéléphas, pied-de-veau, taro.

CALAGE. Amarrage, ancrage, arrimage, attache, encartage, étrive, fixation, lamanage, nouage, sanglage.

CALAISON. Bouchain, carénage, carène, coque, coquille, flottaison, flottement, fluctuation, ligne, isocarène, pétale, radoub, tirant, d'eau.

CALAMISTRÉ. Brillantine, cheveux, frisé, gominé, lustré, ondulé, pommade.

CALAMITÉ. Apocalypse, cataclysme, catastrophe, désastre, fléau, mal, malheur, maux, misère, peste.

CALAMITEUX. Affligeant, catastrophique, consternant, déplorable, dérisoire, désastreux, effroyable, épouvantable, exécrable, funeste, lamentable, minable, misérable, miteux, navrant, nul, pitoyable.

CALAMUS. Axe, chalumeau, graminée, paille, plume, rotang, tuyau.

CALANCHER. Ad patres, agoniser, assassiner, avaler sa chique, caner, canner, clamecer, clamser, claquer, clore, crever, décéder, disparaître, éteindre, expirer, finir, mourir, noyer, passer, payer, périr, rouer, succomber, tomber, trépasser.

CALANDRE. Alouette, calandrette, charançon, cylindre, garniture, golfe, insecte, lisse, moire.

CALANDRER. Brillanter, catir, déchiffonner, défriper, défroisser, déplisser, lisser, lustrer, moirer, repasser.

CALANQUE. Anse, baie, barachois, crique, golfe, ria.

CALCAIRE. Albâtre, calcin, castine, chaux, cipolin, comblanchien, craie, dolomie, entroque, falun, groie, liais, marbre, marne, merl, molasse, nacre, oolite, oolithe, sardoine, spicule, stalactite, stalagmite, test, tufeau, tuffeau.

CALCÉDOINE. Agate, chrysoprase, cilice, cornaline, héliotrope, jaspe, onyx, saphirine, sardoine, silex.

CALCICOLE. Betterave, luzerne.

CALCIF. Bobettes, cache-sexe, calbar, calebar, caleçon, calecif, chausse, culotte, pantalon, slip, tutu.

CALCIFÉROLE. Vitamine D.

CALCIFICATION. Calcium, fixation, ossification, ostéogenèse, ostéogénie, sel, sel de calcium.

CALCINATION. Brûlage, carbonisation, combustion, feu, flambage, grillage, ignescence, ignition.

CALCINER. Brûler, carboniser, chaux, consumer, cramer, cuire, décrépiter, dessécher, incinérer.

CALCIQUE. Albâtre, calcaire, calcin, castine, chaux, cipolin, comblanchien, craie, dolomie, entroque, falun, groie, liais, marbre, marne, merl, molasse, oolite, oolithe, sardoine, spath, spicule, stalactite, stalagmite, test, tufeau, tuffeau.

CALCITE. Blanc d'Espagne, calcaire, carbonate, cipolin, craie, fluorite, spath, stalactite, stalagmite, travertin.

CALCIUM. Ca.

CALCUL. Addition, appréciation, arène, arithmétique, chiffre, combinaison, compte, concrétion, coprolithe, devinette, dyscalculie, évaluation, gravier, intérêt, lithiase, lithotripsie, lithotritie, machination, mathématique, opération, pierre, préparation, preuve, quadrature, ruse, sable, somme, spéculation, stratagème, supputation, tabler, tensoriel.

CALCULABLE. Appréciable, chiffrable, comptabilisable, dénombrable, estimable, évaluable, mesurable, quantifiable.

CALCULATEUR. Affairiste, agioteur, arriviste, combinard, intrigant, machinateur, magouilleur, malin, manipulateur, manœuvrier, maquillon, opportuniste, politicard, roublard, roué, rusé, spéculateur, triporteur.

CALCULATRICE. Abaque, arithmomètre, calculateur, calculette, ordinateur, pitonneuse, totalisateur, totaliseur.

CALCULER. Apprécier, chiffrer, combiner, compter, dénombrer, dériver, déterminer, estimer, évaluer, supputer.

CALCULETTE. Abaque, arithmomètre, calculateur, calculatrice, ordinateur, pitonneuse, totalisateur, totaliseur.

CALCULOT. Alcidé, arctique, guillemot, macareux, manchot, mergule, oiseau, palmipède, pingouin.

CALE. Aplomb, arrêt, bassin, bonnet, cargaison, cargo, coiffure, coin, dock, écoutille, fond, lit, fond, lit, pente, port, radoub, sentine, soute, supplice, taquet, tasseau, tringle, vé.

CALÉ. Ajusté, aplombé, avachi, averti, bon, couché, cultivé, débile, déficient, enfoncé, faible, ferme, ferré, grand, haut, instruit, malingre, nerveux, plein, puissant, redoutable, résistant, solide, vé, versé, vigoureux.

CALEBASSE. Calebassier, couge, front, fruit, gourde, maracas, percussion, récipient, tête.

CALEBASSIER. Bignone, bignonia, bignoniacée, bignone, catalpa, crescentia, ébène verte, faux calebassier, jacaranda, kigelia, lapacho, spathodea, tulipier africain.

CALÈCHE. Auto, automobile, autorail, bagnole, baladeuse, berline, bolide, break, briska, buggy, cab, cabriolet, car, char, charrette, coach, coche, coupé, duc, fardier, fiacre, fourgonnette, guimbarde, jardinière, jeep, landau, limousine, mulet, omnibus, phaéton, poussette, tacot, téléga, télègue, teuf-teuf, torpédo, tram, turbo, utilitaire, van, véhicule, victoria, voiture.

CALEÇON. Bobettes, cache-sexe, calbar, calebar, calcif, calecif, chausse, culotte, pantalon, slip, tutu.

CALEÇONNADE. Arlequinade, bouffonnerie, burlesque, compliqué, corsé, dangereux, délicat, difficile, embarrassant, grossier, inconvenant, indécent, libre, licencieux, obscène, osé, périlleux, risqué, scabreux.

CALÉDONIEN. Caldoche, écossais, kanak, plissement.

CALÉFACTION. Actinite, calorification, constipation, convection, échauffement, écume, énervement, entraînement, étirement, étuvage, fermentation, inflammation, irritation, liquation, réchauffement, surexcitation, thermogénie.

CALEMBOUR. Amusement, à-peu-près, badinage, badinerie, baliverne, blague, bouffonnerie, boutade, farce, jeu, jeu de mots, marivaudage, plaisanterie.

CALEMBREDAINE. Baliverne, billevesée, carabistouille, extravagant, fadaise, faribole, futile, propos, sornette, sottise.

CALENDRIER (n. p.). Grégoire, Julien, Lévitique.

CALENDRIER. Agenda, almanach, annuaire, chronologie, comput, cours, déroulement, échéancier, éphéméride, fastes, frimaire, ides, jour, julien, ménologe, messidor, mois, nivôse, nones, nonidi, ordo, programme, républicain, semaine, semainier, table, tableau.

CALENDULA. Composée, plante, populage, renonculacée, souci, souci d'eau, souci des marais.

CALE-PIED. Butoir, cycliste, pédale, soutien-pied, starting-block.

CALEPIN. Agenda, bloc, bloc-notes, cahier, carnet, cartable, chéquier, dessin, journal, livret, mémorandum, registre.

CALER. Abaisser, ajuster, aplomber, appuyer, arrêter, assujettir, baisser, bloquer, caner, céder, couler, dégoutter, écouler, étouffer, filer, fixer, fuir, immobiliser, naufrager, rabattre, recaler, reculer, sombrer, stabiliser, verser.

CALFAT. Bouchon, calfateur, coin, délot, étoupe, goudron, navire, ouvrier, patarasse, poix, résine.

CALFATAGE. Cale sèche, carénage, colmatage, consolidation, dépannage, entretien, gril, lancis, maintenance, marouflage, raccommodage, radouage, radoub, rafistolage, raison, réfection, réparation, restauration.

CALFATER. Aveugler, boucher, brai, caréner, étoupe, florer, guignette, mastic, radouber, radouer, suiver.

CALFEUTRAGE. Bouchement, bourrelet, brandon, casse-vitesse, chalaze, circonvolution, coussinet, épaulette, escargot, estompe, fardeau, graisse, linge, malheutre, papier, pli, tortil, tortillon, vertugadin.

CALFEUTRER. Boucher, claquemurer, cloîtrer, colmater, combler, confiner, enfermer, fermer, obturer.

CALIBRAGE. Archivage, blutage, catalogage, choix, classement, coulage, criblage, élimination, enlevé, filtrage, index, indexation, ordre, sassage, sassement, tamisage, taratage, triage, vannage, volet.

CALIBRE. Acabit, alèse, ampleur, amplitude, catégorie, cerce, classe, diamètre, dilation, dimension, envergure, étalon, extrafin, forme, gabarit, grosseur, importance, mesure, qualité, sabot, taille, triboulet.

CALIBRER. Aléser, cercer, classer, dilater, évaluer, mesurer, proportionner, senser, trier, usiner.

CALICE. Bassinet, bilabié, cavité, coupe, dialysépale, fleur, monosépale, pale, palle, patène, sépale, tube, urcéolé, ueretère, vase.

CALICOT. Banderole, bannière, baucent, cornette, coton, couleurs, drapeau, étoffe, madapolam, percale, tissu.

CALIER. Batelier, gabier, hamac, lascar, loup, marin, mataf, matelot, moussaillon, mousse, pilotin, soutier, timonier, vaisseau, vigie.

CALIFE (n. p.). Ali, Al-Mansour, Bagdad, Hakim, Mahomet, Mansur, Muawiya, Omar, Umar, Uthman.

CALIFE. Chef, commandeur, émir, iman, khalifat, khalife, monarque, tsar, umar.

CALIFORNIUM. Cf.

CALIFOURCHON. Chevaucher, dada, derrière, enfoncer, enfourcher, enjamber, fesse, mettre, monter.

CÂLIN. Bec, bisou, cajolerie, câlinerie, caressant, caresse, chatterie, clément, doux, mamours, patouille, tendresse.

CÂLINER. Cajoler, caresser, catiner, choyer, dorloter, embrasser, migmoner, pouponner, soigner.

CÂLINERIE. Accolade, attentions, becquetage, cajolerie, câlin, caresse, chatterie, mamours, soin, tendresse.

CALIORNE. Articulation, bigue, cabestan, chèvre, cric, doigt, drisse, giron, grue, guinde, haleur, manchon, manivelle, nilles, palan, pantoire, pouliot, sapine, tambour, tirefort, tourillon, treuil, vindas, winch.

CALLA. Acore, aracée, arum, chandelle, cornet, gouet, herbacée, pied-de-veau, plante, richardie, taro.

CALLIGRAMME (n. p.). Apollinaire.

CALLIGRAMME. Canevas, crayon, crayonné, croquis, déroulement, dessin, ébauche, entoilage, épure, esquisse, essai, modèle, ossature, peinture, plan, poème, scénario, schéma, script, squelette, structure, tableau, toile, trame.

CALLIGRAPHE (n. p.). Kenzan, Koetsu-Honami, Mi-fou, Mi-fu, Ni-Tsan, NiZan, Shisei, Shi-tao, Wasiti, Wou-Tchen, Wu-Zhen.

CALLIGRAPHIE. Art, coufique, décoration, doigté, écriture, enjolivure, enluminure, kufique, main.

CALLISIA. Éphémère, misère.

CALLOSITÉ. Cal, calus, cor, corne, durillon, induration, œil-de-perdrix, oignon, rudesse, tylose.

CALMANT. Analgésique, antispasmodique, apaisant, baume, diacode, dictame, émollient, laudanum, lénifiant, lénitif, mauve, morphine, opium, populéum, relaxant, sédatif, thridace, tranquillisant.

CALMAR. Architeuthis, bélemnite, calamar, calemar, encornet, histioteuthis, plumier, seiche, supion.

CALME. Accalmie, agité, ataraxie, béat, benoît, bonace, bouillant, coi, cool, déchaîné, détendu, emporté, énervé, excité, flegme, froid, impatient, ire, irrité, modéré, oasis, paisible, paix, patient, placide, placidité, pondéré, posé, quiet, quiétude, rasséréné, rassis, réfléchi, relax, sage, serein, sérénité, silence, tranquille, tranquillité, turbulent, violent, zen.

CALMEMENT. Benoîtement, doucement, flegmatiquement, froidement, impassiblement, imperturbablement, paisiblement, patiemment, placidement, posément, sereinement, tranquillement.

CALMER. Adoucir, aggraver, alléger, amadouer, amortir, apaiser, assagir, assoupir, bercer, calmir, cesser, contenter, délasser, détendre, diminuer, dompter, dulcifier, endormir, éteindre, guérir, lénifier, maîtriser, modérer, pacifier, pallier, refroidir, relaxer, rasséréner, reposer, retenir.

CALOMNIATEUR. Calomnieux, dénigrant, dénigreur, détracteur, diffamant, diffamateur, médisant.

CALOMNIE. Accusation, affront, allégation, attaque, atteinte, attentat, avanie, blessure, défi, diffamation, dommage, indignité, injure, insolence, insulte, mal, médisance, mensonge, offense, outrage, ragot, sycophante.

CALOMNIER. Attaquer, baver, blâmer, clabauder, cracher, critiquer, dauber, déblatérer, déchirer, décrier, dénigrer, déprécier, détracter, diffamer, discréditer, insinuer, médire, mépriser, noircir, raconter, ternir.

CALOMNIEUX. Baveux, critique, décriant, dénigrant, diffamatoire, faux, inique, injurieux, injuste, mensonger.

CALORIE (n. p.). Joule, Mayer.

CALORIE. Acalorique, BTU, cal, hypocalorique, joule, microthermie.

CALORIFIQUE. Calorique, énergétique, frigorifique, thermique, thermogène, thermogénique, thermopompe.

CALOT. Bille, bonnet, cale, carreau, châsse, clignotant, coiffure, mirette, œil, quenoeil, quinquet.

CALOTIN. Bigot, bondieusard, catholique, clerc, clérical, ecclésiastique, ensoutané, pharisien, profès, religieux.

CALOTTE. Bâche, baffe, bonnet, casquette, claque, cornée, dôme, fez, gâpette, képi, kippa, tape, tuque, ventouse.

CALOTTER. Battre, claquer, coiffer, dérober, gifler, prendre, souffleter, talocher, taper, torgnoler, voler.

CALOYER. Bouillotte, cénobite, défroqué, église, frère, froc, lama, moine, monastère, prêtre, religieux, vœu.

CALQUE. Copie, décalque, double, duplicata, duplication, exemplaire, fac-similé, imitation, plagiat, reproduction.

CALQUER. Acter, conformer, contrefaire, copier, décalquer, imiter, mimer, modeler, plagier, reproduire, singer.

CALTER. Barrer, caner, céder, décanillesr, décéder, dégonfler, enfuir, expirer, flancher, fuir, mourir, reculer, succomber, tirer.

CALUGER. Achopper, avorter, buser, déconvenue, échec, échouer, fiasco, foirer, louper, manquer, obstacle, rater, renverser.

CALUMET. Bouffarde, cachotte, chibouque, kalioun, narguilé, pipe.

CALVADOS. Alcool, calva, cidre, eau-de-vie, pomme, pousse-café, rocher.

CALVAIRE. Affliction, agonie, calvairienne, croix, douleur, élancement, épreuve, martyre, supplice.

CALVINISTE. Arminien, camisard, gomariste, huguenot, parpaillot, presbytérien, protestant, réforme.

CALVINISTE (n. p.). Aubigné, Auguste, Buchanan, Calvin, Casaubon, Claude, Coligny, Condé, Jurieu, La Noue, Montgomery, Mornay.

CALVITIE. Alopécie, atrichie, chauve, décalvation, favus, ophiase, ophiasis, pelade, porrigo, teigne, tonsure.

CALYPSO (n. p.). Cousteau, Odyssée.

CALYPSO. Danse, musique.

CAMAÏEU. Camée, clair-obscur, gravure, grisaille, monochrome, peinture, racinage, sgraffite.

CAMAIL. Armure, capuche, capuchon, coule, domino, manteau, mosette, mozette, pèlerine, plume.

CAMALDULE. Bouillotte, caloyer, cénobite, défroqué, église, ermite, frère, froc, lama, moine, monastère, moniale, prêtre, religieux, vœu.

CAMARADE. Adhérent, allié, ami, apparatchik, associé, collègue, compagnon, compère, condisciple, confrère, connaissance, copain, copine, égal, intime, labadens, labades, mec, partenaire, pote, type.

CAMARADERIE. Amitié, copiner, entente, entraide, familiarité, liaison, privauté, solidarité, union.

CAMARD. Aile, antilope, appendice, avant, blair, blase, camus, clairvoyance, devant, épaté, épistaxis, évent, fanal, flair, goûter, intuition, narine, nase, nasillard, naze, nez, odorat, perspicacité, pif, pifomètre, piton, renifler, sagacité, tarin, truffe.

CAMARILLA. Bande, cabale, chapelle, clan, clique, coterie, cour, école, église, lobbyiste, mafia, secte.

CAMBER. Empiéter, enjamber, escalader, franchir, marcher, passer, rejeter, sauter, superposer, traverser, usurper.

CAMBISTE. Boursier, coulissier, courtier, échelier, haussier, portefeuilliste, remisier, spéculateur, trésorier.

CAMBODGE, CAPITALE (n. p.). Phnom Penh.

CAMBODGE, LANGUE. Anglais, français, khmer, vietnamien.

CAMBODGE, MONNAIE. Riel.

CAMBODGE, VILLE (n. p.). Angkor, Kralanh, Lomphat, Mong, Phnom Penh, Poipet, Pursat, Rovieng, Samrong, Sisophon, Skoun, Takeo.

CAMBODGIEN. Asiate, asiatique, indochinois, jaune, xanthoderme.

CAMBODGIEN (n. p.). Khmer, Khmer rouge.

CAMBOUIS. Adipeux, axonge, beurre, graille, graillon, gras, graisse, huile, lanoline, lard, lipide, lubrifiant, oing, oindre, oint, oléine, maniguette, margarine, myéline, oing, oléine, panne, sain, saindoux, stéarine, suif, suint, spic, vaseline.

CAMBRAI. Abêtir, abrutir, animal, attelage, bébête, bestial, bestiole, bétail, bête, bêtise, cambrésien, charogne, cygne, distrait, dromadaire, fauve, féral, horde, ignorance, irréfléchi, monture, morné, niais, obtus, sauvagine, sot, stupide, train.

CAMBREMENT. Arçonnage, bombage, cintrage, courbement, courbure, pliement, ploiement, recourbement.

CAMBRER. Arc-bouter, arquer, arrondir, bomber, busquer, cintrer, concave, couder, courber, creuser, creux, incurver, infléchir, plier, ployer, recourber, redresser, rentrant, voûter.

CAMBRIEN. Archéen, calcicordé, georgien, ordovicien, paléozoïque, précambrien, primaire, silurien, trilobites.

CAMBRIOLAGE. Attaque, attrape, banditisme, brigandage, casse, crime, dérobade, effraction, fric-frac, larcin, méfait, vol.

CAMBRIOLER. Attraper, brigander, casser, démunir, dérober, dévaliser, escalader, voler.

CAMBRIOLEUR (n. p.). Arsène Lupin, Leblanc.

CAMBRIOLEUR. Aigrefin, bandit, brigand, cagoulard, canaille, casseur, kleptomane, pilleur, voleur.

CAMBROUSSARD. Campagnard, habitant, manant, paysan, paroissien, péquenot, rural.

CAMBROUSSE. Agreste, bled, brousse, cabale, campagne, champ, champagne, champêtre, clôture, croisade, forestier, guerre, nature, openfield, pays, plaine, pré, publicité, rural, rustique, sillon, terroir, villégiature.

CAMBRURE. Arçonnage, arcure, arrondi, bombage, cintrage, courbure, ensellure, incurvation, lordose.

CAMBUSE. Baraque, cabanon, chambre, chaume, clapier, couveuse, hutte, magasin, maison, niche.

CAMBUSIER. Cantinier, commis, commissaire, équipage, marchand, marin, matelot, popotier.

CAME. Acide, camelote, cocaïne, drogue, fumette, goure, haschich, héroïne, LSD, lève, marchandise, marijuana, morphine, neige, onguent, orviétan, psychotrope, remède, reniflette, sabre, seng, speed, stupéfiant.

CAMÉE. Agate, améthyste, broche, camaïeu, cameo, entaille, onyx, pierre, strombe, sulfure.

CAMÉLÉON. Caméléonesque, changeant, girouette, lézard, pantin, polichinelle, protée, saurien.

CAMÉLIDÉ. Alpaga, animal, chameau, dromadaire, guanaco, lama, méhari, vigogne.

CAMELOT. Bonimenteur, charlatan, colporteur, dioula, étalagiste, livreur, marchand, motorisé, vêtement.

CAMELOTE. Came, cochonnerie, drogue, imitation, marchandise, pacotille, saleté, saloperie, toc.

CAMEMBERT. Calando, calendo, calendos, camembji, camerlo, fromage, graphique.

CAMER. Activer, augmenter, défoncer, doper, droguer, dynamiser, piquer, réveiller, sniffer, stimuler.

CAMÉRA. Angle, autofocus, caméscope, champ, déclic, focus, fondu, netcam, tireuse, travelling.

CAMERAMAN. Cadreur, chef-opérateur, filmeur, opérateur, photofilmeur, photographe, technicien, vidéaste.

CAMÉRIER. Chambellan, dignitaire, pape.

CAMÉRISTE. Bonne, bonniche, chambrière, domestique, fatma, nourrice, servante, soubrette, suivante.

CAMERLINGUE. Administrateur, cardinal, chambellan, magistrat, pape.

CAMEROUN, CAPITALE (n. p.). Yaoundé.

CAMEROUN, MONNAIE. Franc.

CAMEROUN, VILLE (n. p.). Bafoussam, Bamenda, Douala, Édéa, Garoua, Maroua, Mbe, Wum, Yaoundé, Yen.

CAMION. Ambulance, autopompe, bahut, benne, bétaillère, cadre, camionnette, chariot, citerne, déménageuse, épingle, fardier, fourgon, ridelle, routier, seau, semi-remorque, tombereau, utilitaire, van, véhicule, voiture.

CAMIONNAGE. Brouettage, car, cargo, cession, charroi, circulation, délégation, déplacement, expédition, extase, factage, fret, importation, ire, ligne, locomotive, manutention, messagerie, passage, portage, roulage, route, train, transfert, transport, véhicule, via, voie, voiture.

CAMIONNER. Acharner, aller, amener, charrier, charroyer, coltiner, débarder, déplacer, emporter, exulter, mener, porter, promener, ravir, rempoter, transbahuter, transférer, transplanter, transporter, trimarder, trimballer, véhiculer.

CAMIONNETTE. Bâchée, fourgonnette, minivan, pick-up, utilitaire, van, voiture, wagon.

CAMIONNEUR. Benne, cheval, convoyeur, déménageur, routier, transporteur, voiturier.

CAMISARD (n. p.). Cavalier, Laporte, Mazel.

CAMISARD. Arminien, calviniste, cévenol, chemise, gomariste, huguenot, parpaillot, presbytérien, protestant, réforme.

CAMISOLE. Barboteuse, blouse, bracerole, brassière, caraco, chemise, dormeuse, gilet, maillot, singlet, veste.

CAMOMILLE. Allemande, anthémide, anthémis, infusion, marouette, maroute, matricaire, plante, puante, pyrèthre, romaine, sauvage, tisane.

CAMOUFLAGE. Déguisement, dissimulation, fard, léopard, maquillage, mascarade, masquage, masque, mimétisme.

CAMOUFLER. Abriter, afficher, celer, couvrir, déceler, découvrir, déguiser, dévoiler, dissimuler, éclipser, enterrer, étaler, exposer, feindre, garder, masquer, mentir, montrer, muser, nu, occulter, omettre, planquer, soustraire, taire, tapir, terrer, tramer, voiler.

CAMOUFLET. Affront, avanie, attaque, atteinte, attentat, avanie, calotte, nasarde, offense, vexation.

CAMP. Alliance, armée, base, bivouac, bled, campement, cantonnement, chalet, ennemi, oflag, ost, parti, prétoire, quartier, stalag, volant.

CAMP DE CONCENTRATION (n. p.). Buchenwald, Auschwitz, Bergen-Belsen, Breendonk, Dachau, Dora-Mittelbaw, Flossenbürg, Gross Rosen, Maïdanek, Majdanek, Mauthausen, Neuengamme, Ravensbrück, Struthof, Stuthof.

CAMP MILITAIRE (n. p.). Bitche, Canjuers, Carpiagne, Caylus, Châlons-en-Chamagne, Coëtquidan, Frileuse, Garrigues, Knox (fort), Guer, Larzac, Mailly-le-Camp, Mourmelon-le-Grand, Ruchard, Sathonay-Camp, Sissonne, Souge, Valbonne, Valdahon.

CAMPAGNARD. Agreste, balourd, bouseux, bucolique, champêtre, contadin, fellah, fermier, grossier, habitant, hobereau, koulak, lourdaud, pastoral, paysan, péon, rural, rustique, rustre, terrien, villageois.

CAMPAGNE. Agreste, bled, brousse, cabale, cambrousse, champ, champagne, champêtre, clôture, croisade, forestier, guerre, nature, openfield, pays, plaine, pré, publicité, rural, rustique, sillon, terroir, villégiature.

CAMPAGNOL. Arvicole, cricétidé, gerbille, hamster, lemming, mammifère, mulot, muridé, ondatra, phénacomys, rat, rat des champs, rongeur, surmulot, souris.

CAMPANILE. Beffroi, clocher, clocheton, donjon, lanterne, minaret, mirador, phare, tour, tourelle.

CAMPANULACÉE. Campanule, cloche, cobéa, cobée, gantelée, ganteline, lobélie, raiponce, spéculaire.

CAMPANULE. Aiglantine, ancolie, angonie, aquilegia, campanulacée, clochette, colombine, cornette, corolle, fiente, fleur, gamopétale, gantelée, ganteline, plantain, plante, raiponce.

CAMP DE CONCENTRATION (n. p.). Auschwitz, Birkenau, Bergen-Belsen, Breendonk, Brzezinka, Buchenwald, Dachau, Dora, Dora-Mittelbau, Drancy, Flossenburg, Gross Rosen, Maïdanek, Mauthausen, Neuengamme, Oflag, Ravensbrück, Schirmeck, Stalag, Struthof, Treblinka.

CAMPÉ. Assis, bivouaqué, établi, fixé, placé, posé, posté, solide, stable.

CAMPEMENT. Baraquement, base, bivouac, camp, camping, cantonnement, castramétation, installation, quartiers.

CAMPER. Bivouaquer, cantonner, décrire, dresser, incarner, interpréter, placer, planter, poser, représenter.

CAMPEUR. Caravanier, doudoune, havresac, randonneur, routard, scout, vacancier.

CAMPHRE. Apiol, camphrier, celluloïd, fébrifuge, huile, nitrocellulose, pommade, rhodoïd.

CAMPHRIER. Camphre, cannelier, cinnamome, ivrogne, lauracée, laurier, laurier du Japon.

CAMPING. Auberge, bordj, caravansérail, étape, fondouk, gîte, hôtel, hôtellerie, kan, khan, refuge.

CAMPING-CAR. Autocaravane, caravane, fourgonnette, motor-home, motorisé, tente-roulotte.

CAMP MILITAIRE (n. p.). Avord, Boulogne, Brasschaat, Carpiagne, Coëtquidan, Frileuse, Knox, Larzac, Mailly, Mourmelon-le-Grand, Ruchard, Souge, Suippes, Valbonne, Valdahon.

CAMPO. Caatonga, congé, liberté, permission, plaine, récréation, repos, savane, sertao, vacances.

CAMPUS. Académie, collège, complexe, école, enseignement, faculté, institut, université

CAMUS. Aplati, camard, camuset, confus, court, déconcerté, ébahi, écaché, écrasé, épaté, nez, plat, sime.

CANADA, CAPITALE (n. p.). Ottawa.

CANADA, VILLE (n. p.). Alma, Amos, Banff, Barrie, Calgary, Chibougamau, Chicoutimi, Dorval, Edmonton, Gander, Gaspé, Granby, Guelph, Halifax, Hamilton, Hearst, Hull, Jasper, Kenora, Laval, Lévis, London, Longueuil, Magog, Moncton, Montréal, Natashquan, Oshawa, Ottawa, Outremont, Québec, Regina, Rouyn, Sarnia, Saskatoon, Sorel, Sudbury, Sydney, Timmins, Toronto, Vancouver, Victoria, Welland, Windsor, Winnipeg.

CANADIEN NATIONAL. CN.

CANADIENNE. Anorak, blazer, blouson, boléro, caban, cabi, cardigan, carmagnole, défaite, dolman, doudoune, échec, hoqueton, jaquette, kabig, kabic, moumoute, paletot, pourpoint, redingote, saharienne, spencer, tricot, tunique, vareuse, veste, veston, vêtement.

CANADIEN PACIFIQUE. CP.

CANAILLE. Arsouille, bélitre, cambrioleur, coquin, crapule, égrillard, fripouille, racaille, vaurien, vermine, voyou.

CANAILLERIE. Charlatanerie, crapulerie, friponnerie, improbité, indélicatesse, malhonnêteté, polissonnerie.

CANAL. Abée, adducteur, aqueduc, arroyo, artère, berme, bief, bisse, boyau, canalicule, caniveau, chenal, cholédoque, conduit, conduite, cordon, cours, daleau, dalot, drain, eau, écluse, égout, émissaire, étier, évent, évier, fistule, fossé, gorge, gouttière, lé, lit, navale, navire, œsophage, passe, pénis, rachidien, rigole, rivière, route, ru, ruisseau, ruisselet, sas, sillon, sinus, trachée, trompe d'Eustache, tube, tuyau, uretère, urètre, vagin, vaisseau, veine, voie.

CANAL, ALLEMAGNE (n. p.). Dortmund-Ems, Ems, Finow, Kiel.

CANAL, AMÉRIQUE (n. p.). Érié, Welland.

CANAL, AMÉRIQUE CENTRALE (n. p.). Panama.

CANAL, BELGIQUE (n. p.). Albert, Assebroek, Bruges, Escaut, Condé, Sambre.

CANAL, CANADA (n. p.). Carillon, Cornwall, Galops, Greenville, Murray, Pointe-Farran, Rapides-Plats, Rideau, Sault-Sainte-Marie, Soulanges, Trent, Welland.

CANAL, CHINE (n. p.). Impérial, Sushou.

CANAL, ÉGYPTE (n. p.). Suez.

CANAL, ÉTATS-UNIS (n. p.). Cape Cod, Érié, Houston.

CANAL, FRANCE (n. p.). Berry, Bourgogne, Briare, Carhaix, Centre, Garonne, Lunel, Midi, Nantes, Nivernais, Roanne, Robine, Saint-Martin.

CANAL PAYS-BAS (n. p.). Amsterdam.

CANAL, QUÉBEC (n. p.). Beauharnois, Chambly, Lachine, Saint-Laurent, Soulanges.

CANALICULE. Abée, aqueduc, arroyo, artère, berme, bief, boyau, canal, caniveau, chenal, cholédoque, conduit, conduite, cordon, cours, dalot, drain, eau, écluse, égout, émissaire, étier, évent, évier, fistule, fossé, gorge, lé, lit, navale, navire, passe, pénis, rachidien, rigole, rivière, route, ru, ruisseau, ruisselet, sas, sillon, trachée, tube, tuyau, uretère, urètre, vagin, veine, voie.

CANALISATION. Adducteur, adduction, aqueduc, arrvée, bisse, conduit, conduite, égout, étier, galerie, gazoduc, pipeline, rigole, sea-line, tube, tunnel, tuyau, tuyère.

CANALISER. Axer, capter, centraliser, centrer, concentrer, contrôler, creuser, dériver, focaliser, grouper, maîtriser, ouvrir, polariser, rassembler, réunir, vider.

CANAPÉ. Amuse-gueule, causeuse, crapaud, divan, fauteuil, hors-d'œuvre, méridienne, ottomane, pain, siège, sofa, tête-à-tête.

CANAQUE. Austronésien, fidjien, kanak, mélanésien, papou, papoua, popinée, sauvage, tribale.

CANARD. Anatidé, arlequin, bec-scie, bièvre, blé, brancheur, branchu, brun, cacaoui, cancan, cane, caneton, canardeau, cancane, carolin, chipeau, colvert, domestique, duvet, eider, fauve, fuligule, garrot, halbran, harle, huppé, journal, kakawi, macreuse, magret, malard, malart, mandarin, mare, marin, mexicain, milouin, morillon, muet, mulard, nasille, noir, pilet, plongeur, pommelé, quotidien, routoutou, roux, sarcelle, siffleur, souchet, surface, tadorne, vaucanson.

CANARDER. Abîmer, bombarder, bousiller, embarquer, exécuter, fusiller, glisser, plonger, tirer, tuer, viser.

CANARDIÈRE. Barbotière, canon, canarderie, étang, fusil, mare, mare aux canards, poste.

CANARI. Berthe, buire, cache-pot, nautille, potiche, pucheux, serin, torchère, urne, vaisseau, vase.

CANASSON. Bourrin, carcan, carne, cheval, haridelle, mazette, picouille, piton, rosse, tocard, veau.

CANCALE. Acul, anisomyaria, belon, cancale, coquillage, crassostrea, écaillage, huître, méléagrine, mollusque, moule, nacre, ostracé, peigne, perlot, pintadine, portugaise, ptériidé, ostréiculture, ostréidé, valve.

CANCAN. Bavardage, calomnie, canard, commérage, danse, médisance, on, potin, racontar, ragot.

CANCANER. Bavarder, bavasser, calomnier, causer, clabauder, commérer, crier, critiquer, déblatérer, décrier, dénigrer, discuter, divulguer, gloser, jacasser, jaser, médire, papoter, potiner, ragoter, répandre, vilipender.

CANCANIER. Bavard, bavasseur, calomniateur, commère, indiscret, jaseur, potinier.

CANCER. Cancérigène, cancérogenèse, cancérologue, cancérophobie, carcinogenèse, carcinoïde, carcinome, cancroïde, épithélioma, épithéliome, fongus, leucémie, malin, métastase, néoplasme, sarcome, séminome, squirrhe, taxol, tumeur.

CANCÉREUX. Cancer, carcinoïde, grain de beauté, lentigo, leucémique, mélanocyte, mélanome, nævo-carcinome, nævus, tumeur.

CANCÉRIGÈNE. Cancer, cancérogenèse, cancérologue, cancérophobie, cancérogène, carcinogène, carcinogenèse, carcinoïde, carcinome, épithélioma, épithéliome, fongus, leucémie, malin, métastase, néoplasme, oncogène, sarcome, sida, squirrhe, taxol, tumeur.

CANCÉROLOGIE. Carcinologie, oncologie.

CANCÉROLOGUE (n. p.). Mathé, Roussy.

CANCÉROLOGUE. Cancer, oncologiste, oncologue.

CANCRE. Âne, branleur, clampin, cossard, élève, fainéant, flemmard, ignorant, larve, nullité, paresseux.

CANCRELAT. Blatte, cafard, coquerelle, kakerlak, insecte, meunier, orthoptère, pouacre.

CANDELA. CD, mesure.

CANDÉLABRE. Bougeoir, bras, chandelier, flambeau, girandole, herse, lampadaire, lustre, torche, torchère.

CANDEUR. Âme, candide, crédulité, franchise, ingénuité, innocence, naïveté, niaiserie, oie, pureté, simplet, simplicité, sincérité, virginité.

CANDI. Agave, api, caramel, cassonade, chocolat, doux, fructose, galactose, glace, gelée, hexose, lactose, maltose, mélasse, melon, miel, nectar, punch, saccharol, sirop, sucre, tréhalose, vergeoise.

CANDIDAT. Admissible, aspirant, colistier, concurrent, élève, examen, impétrant, postulant, prétendant, stagiaire.

CANDIDE. Angélique, blanc, confiant, crédule, franc, ingénu, innocent, naïf, naturel, puéril, pur, simple.

CANDIDEMENT. Crédulement, ingénument, innocemment, naïvement, niaisement, simplement.

CANDIR. Concrétiser, conserver, cristalliser, fixer, stabiliser, sucre.

CANDOMBLÉ. Apparition, culte, esprit, fantôme, mort-vivant, nullité, périsprit, spectre, vaudou, zombie.

CANÉFICIER. Acacia, arbre, arbuste, casse, cassie, cassier, césalpiniacée, héron, laxatif, purgatif, séné.

CANER. Calter, canner, céder, décanillesr, décéder, dégonfler, enfuir, expirer, flancher, mourir, reculer, succomber.

CANETTE. Balthazar, bidon, bobine, bocal, boîte, bouteille, broche, cane, carafe, conserve, cops, fiole, flacon, fuseau, gourde, if, jéroboam, magnum, nabuchodonosor, navette, pichet, rochet, thermos.

CANEVAS. Crayon, crayonné, croquis, dentelle, déroulement, dessin, ébauche, entoilage, épure, esquisse, essai, modèle, ossature, peinture, plan, scénario, schéma, script, squelette, structure, tableau, tapisserie, toile, trame.

CANEZOU. Basquine, bavette, blouse, buste, bustier, caraco, chemise, chemisette, chemisier, corsage, corset, détachement, jaquette, plastron, veste.

CANGUE. Abaissement, allégeance, appartenance, asservissement, attachement, captivité, carcan, chaîne, châtiment, cheval, collier, contrainte, dépendance, emprise, harnais, joug, obéissance, pilori, servitude.

CANICHE. Abricot, chien, nain, royal.

CANICULAIRE. Accablant, brûlant, chaleur, chaud, écrasant, étouffant, lourd, oppressant, torride.

CANICULE. Ardeur, caniculaire, chaleur, été, étuve, fournaise, grilladou, plumet, sécheresse, tiaffe, tiède, torride.

CANIDÉ. Chacal, chien, coyote, cyon, dhole, dingo, dogue, fennec, hyène, isatis, loup, lycaon, renard.

CANIF. Amassette, arme, bistouri, couteau, eustache, grattoir, jambette, laguiole, lame, machette, mollusque, navaja, onglet, opinel, poignard, soie, solen, surin.

CANINE. Broche, carnivore, chien, croc, dague, défense, dent, lanière, prémolaire.

CANIVEAU. Accotement, banquette, bas-côté, canal, cassis, conduit, déversoir, fossé, rigole, ruisseau.

CANNA. Balisier, bananier, cardamome, curcuma, fleur, scitaminacée.

CANNABINACÉE. Barbeyracée, cécroplacée, hanvre, houblon, moracée, ulmacée, urticale, urticacée.

CANNABIS. Chanvre, colombien, hasch, haschisch, herbe, joint, kif, marie-jeanne, marijuana, pot.

CANNAGE. Cordage, empaillage, garniture, nattage, rempaillage, réparation, tressage.

CANNE. Badine, bagasse, bambou, bâton, béquille, béquillon, club, fêle, gaule, jonc, libouret, makila, mayotte, moulinet, palangre, palangrotte, piolet, pommeau, rhum, roseau, rotin, scion, stick, trimmer, vesou.

CANNEBERGE. Airelle, arbrisseau, arbuste, ataca, atoca, baie, confiture, éricacée.

CANNELÉ. Annelé, aplati, bichonné, bouclé, crépu, frisé, frisotté, laine, lissé, moutonné, ondulé, permanente, rainuré, rasé, strié.

CANNELLE. Anone, annone, aromate, bobine, canéficier, cannelier, casse, écorce, épice, huile, infusion, pomme, poudre.

CANNELLONI. Cannellon, cylindre, farcie, mets, pâte.

CANNELURE. Canal, creux, douve, gorge, goujure, jable, moulure, raie, rainure, sillon, strie, strigile.

CANNER. Caner, céder, empailler, enfuir, flancher, fuir, joncer, mourir, pailler, reculer, rempailler.

CANNEUR. Botaniste, cannier, empailleur, erpétologiste, minéralogiste, naturaliste, nature, réaliste, rempailleur, taxidermiste, zoologiste, zoologue.

CANNIBALE. Anthropophage, barbare, bestial, cannibalesque, cruel, féroce, inhumain, sadique, steak.

CANNIBALISER. Absorber, concurrencer, démonter, détruire, phagocyter, récupérer, remplacer.

CANNIBALISME. Anthropophagie, cruauté, férocité, nécrophagie, rituel, théophagie.

CANOË. Baleinière, barque, batelet, berthon, bombard, canadienne, canoëiste, canoiste, canot, canotier, chaloupe, dinghy, esquif, flette, kayak, plate, pirogue, podoscaphe, rabaska, racer, runabout, tapecul, yacht, yole, zodiac.

CANON (n. p.). Bertha, Gribeauval, Hotchkiss, Maxim, Schwarz, Wehnelt.

CANON. Airain, âme, bistrot, bombarde, bouche, boulet, cheval, chœur, crosse, culasse, droit, église, fauconneau, gorge, gueule, liturgie, loi, modèle, obus, obusier, pétoire, pièce, poudre, serpentine, veuglaire, volée.

CANONICAT. Aumusse, chanoine, dignité, office, prébende, sinécure.

CANONICITÉ. Accord, affinité, alignement, analogie, bien-fondé, concordance, conformité, correction, harmonie, isonomie, juste, justesse, légalité, légitimité, normalité, parité, régularité, rituel, similitude, union, unisson, unité, validité.

CANONIQUE. Ancien, apprécié, auguste, avancé, béatification, canon, digne, estimable, exemplaire, honorable, loge, patriarcal, président, respectable, sacralisation, sacré, saint, vénérable.

CANONIQUEMENT. Conformément, constitutionnellement, correctement, dûment, juridiquement, légalement, légitimement, licitement, officiellement, réglementairement, régulièrement, validement.

CANONISABLE. Bienheureux, censitaire, choisi, élu, glorieux, papable, plébiscité, saint, staroste, vénérable.

CANONISATION. Apogée, apologie, apothéose, auréole, béatification, exaltation, glorification, louange.

CANONISER. Béatifier, déclarer, encenser, glorifier, louer, prôner, sacraliser, saint, sanctifier, vénérable.

CANONNADE. Arrosage, bombardement, canonnage, fauchage, feu, mitraillage, pilonnage, torpillage.

CONNONNAGE. Arrosage, bombardement, canonnade, fauchage, feu, mitraillage, pilonnage, torpillage.

CANONNER. Accabler, agresser, arroser, assaillir, assiéger, attaquer, bombarder, catapulter, cloper, crapoter, écraser, fumer, harceler, lancer, marmiter, matraquer, mitrailler, parachuter, pétuner, pilonner, presser, propulser, tirer.

CANONNIER. Artiflot, artilleur, militaire, munitionnaire, pointeur, pourvoyeur, servant, soldat, tireur.

CANONNIÈRE. Arbalétrière, baie, barbacane, canon, chantepleure, fente, fortification, meurtrière, navire, ouverture, pétoire, poste.

CANOPE. Aiguière, amphore, ballon, bol, boue, bouteille, buire, calice, canette, carafe, cérame, ciboire, cornue, coupe, cratère, cruche, fange, hanap, hydrie, jarre, jatte, limicole, limon, matras, navette, patène, pot, potiche, récipient, seau, soliflore, tasse, thomas, urinal, urne, vase, verre.

CANOT. Baleinière, barque, batelet, berthon, bombard, canadienne, canoë, canotier, chaloupe, dinghy, esquif, flette, kayak, mouette, plate, podoscaphe, rabaska, racer, runabout, tapecul, yacht, yole, zodiac.

CANOTER. Avironner, godiller, manœuvrer, nager, pagayer, promener, ramer.

CANOTIER. Avironneur, canoter, chapeau, coiffure, godilleur, gondolier, nageur, pagayeur, rameur, skiffeur.

CANTAL. Fourme, fromage, salers.

CANTALOUP. Biceps, biscoteau, brachial, brodé, cucurbitacée, d'eau, melon, miel, muscle, pastèque.

CANTATE. Acrostiche, ballade, bucolique, cantique, composition, églogue, élégie, épilogue, épique, épître, épode, épopée, geste, huitain, iambe, idylle, kaïkaï, kaïku, lai, lied, mélodie, neuvain, node, ode, musique, poème, poésie, qasida, quatrain, récitatif, rime, rondeau, scène, sizain, sixain, sonate, sonnet, stance, strophe, tenson, vers, virelai.

CANTATRICE (n. p.). Alarie, Albani, Baket, Berganza, Boyer, Caballé, Callas, Crespin, Forrester, Freni, Gabrielli, Hendricks, Lubin, Malibran, Melba, Mitchel, Nilsson, Norman, Patti, Price, Rhodes, Robin, Schwarzkopf, Sutherland, Tebaldi, Watts.

CANTATRICE. Chanteuse, cigale, diva, divette, mezzo, opéra, prima donna, rainette, soprano.

CANTER. Cailler, coucher, endormir, incliner, paddocker, pageoter, pagnoter, pieuter, pencher, plumarder.

CANTILÈNE. Beuglante, chanson, chant, complainte, couplet, mélodie, poème, refrain, toune, turlurette.

CANTINE. Arche, auberge, bahut, bistrot, brasserie, brassette, buffet, buvette, cabaret, cafétéria, cantinier, carte, coffre, conteneur, huche, layette, malle, mess, mobile, pizzeria, popote, réfectoire, taverne.

CANTINIER. Cambusier, commis, commissaire, madelon, marchand, matelot, popotier, vivandier, vivandière.

CANTIQUE. Chant, dithyrambe, hymne, magnificat, messe, motet, Noël, psaume, te deum.

CANTOCHE. Cafétéria, cantine, carnotset, coin, mess, réfectoire, salle à manger, triclinium.

CANTON. Blason, cercle, coin, concierge, de l'est, dème, écureuil, lieu, portier, région, saint, suisse, ville.

CANTON DE L'EST (n. p.). Estrie.

CANTON SUISSE (n. p.). Appenzell, Argovie, Bâle, Bâle-campagne, Bâle-ville, Berne, Fribourg, Genève, Glaris, Grisons, Jura, Lucerne, Neuchâtel, Nidwald, Obwald, Rhodes-Extérieures, Rhodes-Intérieures, Saint-Gall, Schaffhouse, Schwyz, Soleure, Tessin, Thurgovie, Unterwald, Unterwalden, Uri, Valais, Vaud, Zoug, Zurich.

CANTONADE. Coulisse, coulure, dessous, glissière, mobile, plan, rideau, secret, support, théâtre, vanne.

CANTONNEMENT. Baraquement, base, bivouac, camp, campement, installation, quartiers.

CANTONNER. Camper, confiner, enfermer, établir, fortifier, installer, isoler, reléguer, renfermer, retirer.

CANTONNIÈRE. Canevas, draperie, gobelin, portière, rideau, store, tapisserie, tenture, tissu, toile.

CANTONS DE L'EST. Estrie.

CANTOR. Aumusse, barde, chansonnier, chanteur, chantre, maître de chapelle. scalde, sisymbre, vélar.

CANULANT. Acariâtre, agaçant, barbant, chiant, contrariant, déplaisant, dérangeant, désespérant, embêtant, empoisonnant, ennuyeux, fâcheux, fastidieux, importun, insupportable, intolérable, râlant, rasant, vexant.

CANULAR. Attrape, blague, canularesque, duperie, facétie, farce, fumisterie, mystification, plaisanterie.

CANULE. Bougie, cannelle, cathéter, clysoir, collecteur, conduite, drain, endoscope, fécondateur, instillateur, insufflateur, laparoscope, manche, pénétreur, siphon, sonde, trocart, tube, tubulure, tuyau, tuyère.

CANULER. Agacer, crisper, énerver, ennuyer, exaspérer, excéder, fatiguer, hérisser, importuner, mystifier.

CANUT. Bobine, cannette, Lyon, ouvrier, révolte, soie.

CANYON (n. p.). Arizona, Chaco.

CANYON. Aber, auge, bassin, col, combe, couloir, défilé, entonnoir, fjord, gorge, prairie, ravin, ria, ruz, val, vallée, vallon.

CANZONE. Air, ballade, barcarolle, berceuse, chanson, chant, clip, complainte, comptine, couplet, estampie, fado, hit, jota, lied, mélodie, parolier, pot-pourri, refrain, rengaine, ritournelle, romance, ronde, tube, villanelle.

CAOUA. Arabica, arôme, café, colombien, comptoir, déca, express, jus, moka, nescafé, orge, percolateur, robusta, turc.

CAOUANNE. Caouane, caret, tortue, touret, tourniquet.

CAOUTCHOUC. Buna, crêpe, durit, ébonite, élastique, élastomère, élatérite, ficus, gomme, hévéa, latex, néoprène, vulcanisation.

CAP. Ail, béar, bon, bord, bout, direction, extrémité, nez, orientation, pointe, promontoire, raz, tête.

CAP AFRIQUE (n. p.). Aiguilles, Blanc, Bojador, Bonne-Espérance, Delgado, Des Tempêtes, Gardafui, Guardafui, Vert.

CAP ALASKA (n. p.). Montgomery.

CAP ALGÉRIE (n. p.). Bougaroun.

CAP AMÉRIQUE DU SUD (n. p.). Horn, San Antonio, San Diego, Sao Roque, Sao Tomé.

CAP ANGLETERRE (n. p.). Dungeness, Land's End, Lizard, Raz.

CAP ARMÉNIE (n. p.). Ani.

CAP ATTIQUE (n. p.). Colonne, Sounion.

CAP AUSTRALIE (n. p.). Grand, Howe, Melville, Talbot, York, Zeeuwin.

CAP BRETAGNE (n. p.). Fréhel, Raz.

CAP CANADA (n. p.). Bathurst, Breton, Canso, Chidley, De Sable, East-Point, Race, Ray, Sambro, Tourmente, Tourmentin.

CAP CHILI (n. p.). Horn.

CAP CORÉE DU SUD (n. p.). Séoul.

CAP CORSE (n. p.). Pertusato.

CAP D'ESPAGNE (n. p.). Creus, Finisterre, Nao, Palos, Trafalgar.

CAP ÉTATS-UNIS (n. p.). Blanco, Canaveral, Charles, Cod, Flattery, Hatteras, Kennedy, May, Mendocino, Prince de Galles, Sable.

CAP FRANCE (n. p.). Agde, Antifer, Bénat, Blanc Nez, Brégançon, Camarat, Canaille, Croisic, Croisette, Ferrat, Fréhel, Grave, Gris-Nez, Hève, Jobourg, Raz, Sicié.

CAP GHANA (n. p.). Accra.

CAP GREC (n. p.). Colonne, Matapan, Sounion, Ténare.

CAP GROENLAND (n. p.). Alexandre, Atholl, Barclay, Bismarck, Discorde, Farewell, Lowenorn, Melville, Mosting, Seddon, York.

CAP INDE (n. p.). Comorin.

CAP INDOCHINE (n. p.). Ca Mau.

CAP ITALIE (n. p.). Gargano, Misène, Passero.

CAP JAPON (n. p.). Benten, Erimo, Irozaki, Osezaki.

CAP LOIRE (n. p.). Croisic.

CAP MACÉDOINE (n. p.). Pella.

CAP MANCHE (n. p.). Hague.

CAP MAROC (n. p.). Juby.

CAP MAURITANIE (n. p.). Blanc.

CAP MOZAMBIQUE (n. p.). Delgado.

CAP NORVEGE (n. p.). Lindesnes, Nord.

CAP PÉLOPONNÈSE (n. p.). Matapan, Ténare.

CAP PROVENCE (n. p.). Croisette.

CAP PORTUGAL (n. p.). Roca, St-Vincent.

CAP PROVENCE (n. p.). Sicié.

CAP QUÉBEC (n. p.). Chat, Diamant, Gaspé, Madeleine, Rouge, Tourmente, Trinité.

CAP SAGUENAY (n. p.). Trinité.

CAP SAHARA (n. p.). Bojador.

CAP SÉNÉGAL (n. p.). Vert.

CAP SICILE (n. p.). Passero.

CAP SOMALIE (n. p.). Guardafui.

CAP SAMOA (n. p.). Apia.

CAP TERRE DE FEU (n. p.). Horn.

CAP TIBET (n. p.). Lhassa.

CAP TUNISIE (n. p.). Blanc, Bon.

CAP VIET-NAM (n. p.). Ca Mau.

CAPABLE. Adroit, apte, averti, avisé, bon, brillant, chevronné, cognitif, compétent, doué, expert, habile, impropre, inapte, incapable, incollable, incompétent, inhabile, intelligent, peut, prêt, qualifié, susceptible.

CAPACITÉ. Aptitude, attitude, boisseau, capabilité, contenance, cubage, efficacité, efficience, énergie, esthésis, faculté, force, grandeur, grosseur, litre, mesure, portée, possibilité, pouvoir, pu, puissance, saâ, savoir, science, setier, talent, volonté, yu.

CAPARAÇON. Bâche, cape, chabraque, cocon, coque, enveloppe, étui, fourreau, gaine, housse, sac, schabraque, taie.

CAPARAÇONNER. Atteler, couvrir, harnacher, housse, protéger, recouvrir, revêtir.

CAPE. Cachette, cigare, enveloppe, épée, mante, manteau, mantelet, muleta, tauromachie, voile.

CAPELAN. Berger, bigot, clerc, curé, corneille, curaillon, cureton, pasteur, poisson, prêtre, ratichon.

CAPELER. Anneler, attacher, boucler, calamistrer, disposer, entourer, fixer, onder, ourler, recouvrir.

CAPELET. Cheval, éparvin, jarde, jarret, javart, suros, tumeur, vessigon.

CAPELINE. Armure, béret, bob, bibi, bicorne, bitos, bolivar, cap, cape, capuchon, chapeau, charlotte, cinglé, claque, coiffe, coiffure, feutre, galure, galurin, gibus, képi, manilles, melon, mitre, modiste, panama, pétase, sombrero, suroît, tricorne, tube.

CAPHARNAÜM. Bazar, bordel, bric-à-brac, chantier, désordre, écurie, fourbi, foutoir, pagaille, porcherie.

CAP-HORNIER. Baleinier, bateau, capitaine, chalutier, dorissier, marin, martin-pêcheur, navire, voilier.

CAPILLAIRE. Adiante, adiantium, cheveu, circulation, cosmétique, diapédèse, fougère, lotion, télangiectasie, vaisseau.

CAPILOTADE. Bouillie, charpie, compote, déconfiture, gâchis, marmelade, miettes, poussière, purée, ragoût.

CAPITAINE (n. p.). Adrets, Artaban, Artevelde, Asad, Assam, Barbe, Bart, Baudricourt, Bligh, Bueil, Chandos, D'Artagnan, Dreyfus, Dubuisson, Fernandez, Foix, Goujon, Jarnac, Kirk, Lesdiguières, Lucas, Moncade, Montgomery, Némo, Pistollet, Scala, Schomberg, Tilly, Vivny, Waldstein, Yvre.

CAPITAINE. Capitainerie, capiston, chef, commandant, corsaire, frégaton, navarque, patron, pirate.

CAPITAL. Argent, besoin, bien, central, clé, clef, essentiel, fonds, important, indispensable, intérêt, intrinsèque, ire, nécessaire, péché, pécule, placement, prépondérant, primordial, principal, revenu, terre, tête.

CAPITALE (n. p.). Afghanistan (Kaboul), Afrique du Sud (Pretoria, Le Cap), Albanie (Tirana), Algérie (Alger), Allemagne (Berlin), Andorre (Andorre-la-Vieille), Angola (Luanda), Arabie Saoudite (Riyad), Argentine (Buenos Aires), Arménie (Ani, Erevan), Australie (Canberra), Autriche (Vienne), Bahamas (Nassau), Bahreïn (Manamah), Bangladesh (Dacca), Barbade (Bridgetown), Belgique (Bruxelles), Bélize (Belmopan), Bénin (Porto Novo), Bhoutan (Thimbu), Birmanie (Rangoon), Bolivie (La Paz), Bosnie-Herzégovine (Sarajevo), Botswana (Gaborone), Brésil (Brasilia), Brunei (Bandar Seri Begawan), Bulgarie (Sofia), Burkina Faso (Ouagadougou), Burundi (Bujumbura), Cameroun (Yaoundé), Canada (Ottawa), Cap-Vert (Praia), Chili (Santiago), Chine (Beijing), Chypre (Nicosie), Colombie (Bogota), Comores (Moroni), Congo (Brazzaville), Corée du Nord (Pyongyang), Corée du Sud (Séoul), Costa Rica (San José), Côte d'Ivoire (Yamoussoukro), Croatie (Zagreb), Cuba (La Havane), Danemark (Copenhague), Djibouti (Djibouti), Dominique (Roseau), Égypte (Le Caire), El Salvador (San Salvador), Émirats arabes (Abu Dhabi), Équateur (Quito), Espagne (Madrid), Estonie (Tallin), États-Unis (Washington), Éthiopie (Addis Abeba), Finlande (Helsinki), France (Paris), Gabon (Libreville), Gambie (Banjul), Géorgie (Tbilissi), Ghana (Accra), Grèce (Athènes), Grenade (Saint-Georges), Guatemala (Guatemala), Guinée (Conakry), Guinée Bissau (Bissau), Guinée équatoriale (Malabo), Guyana (Georgetown), Haïti (Port-au-Prince), Hawaï (Honolulu), Honduras (Tegucigalpa), Hongrie (Budapest), Inde (New Delhi), Indonésie (Djakarta), Iran (Téhéran), Irak (Bagdad), Irlande (Dublin), Islande (Reykjavik), Israël (Jérusalem), Italie (Rome), Jamaïque (Kingston), Japon (Edo, Tokyo, Yedo), Jordanie (Amman), Kenya (Nairobi), Koweït (Koweït), Laos (Vientiane), Lesotho (Maseru), Lettonie (Riga), Liban (Beyrouth), Libéria (Monrovia), Libye (Tripoli), Liechtenstein (Vaduz), Lituanie (Vilnius), Luxembourg (Luxembourg), Madagascar (Antananarivo), Malaisie (Kuala Lumpur), Malawi (Lilongwe), Maldives (Male), Mali (Bamako), Malte (La Valette), Maroc (Rabat), Maurice (Port Louis), Mauritanie (Nouakchott), Mexique (Mexico), Monaco (Monaco), Mongolie (Oulan-Bator), Mozambique (Maputo), Namibie (Windhoek), Népal (Katmandou), Nicaragua (Managua), Niger (Niamey), Nigeria (Abuja, Lagos), Norvège (Oslo), Nouvelle-Zélande (Wellington), Oman (Mascate), Ouganda (Kampala), Pakistan (Islamabad), Panama (Panama), Papouasie Nouvelle-Guinée (Port Moresby), Paraguay (Asunción), Pays-Bas (Amsterdam), Pérou (Lima), Philippines (Manilles), Pologne (Varsovie), Portugal (Lisbonne), Puerto Rico (San Juan), Qatar (Doha), République centrafricaine (Bangui), République dominicaine (Santo Domingo), République populaire du Kampuchéa (Phnom Penh), Réunion (Saint-Denis), Roumanie (Bucarest), Ruanda (Kigali), Rwanda (Kigali), Royaume-Uni (Londres), Sainte-Lucie (Castries), Saint Kitts (Basseterre), Saint-Marin (Saint-Marin), Samoa (Apia), Sao Tome (Sao Tome), Sénégal (Dakar), Seychelles (Victoria), Sierra Leone (Freetown), Singapour (Singapour), Slovénie (Ljubljana), Somalie (Mogadiscio), Soudan (Khartoum), Sri Lanka (Colombo), Suède (Stockholm), Suisse (Berne), Surinam (Paramaribo), Swaziland (Mbabane), Syrie (Damas), Taiwan (Taipei), Tanzanie (Dodoma), Tchad (N'djamena), Tchécoslovaquie (Prague), Thaïlande (Bangkok), Tibet (Lhassa), Togo (Lomé), Transkei (Umtata), Trinidad et Tobago (Port of Spain), Tunisie (Tunis), Ukraine (Kiev), Uruguay (Montevideo), Vatican (Vatican), Venezuela (Caracas), Vietnam (Hanoi), Yémen (Sanaa), Yougoslavie (Belgrade), Zaïre (Kinshasa), Zambie (Lusaka), Zimbabwe (Harare).

CAPITALE. Centre, chef-lieu, lettrine, majuscule, métropole, pandémonium, ville.

CAPITALISATION. Accaparement, accroissement, accumulation, anatocisme, cumul, stockage, thésaurisation.

CAPITALISER. Amasser, butiner, cumuler, économiser, empiler, entasser, épargner, masser, réunir.

CAPITALISME. Étatisme, individualisme, libéralisme, mercantilisme, néocapitalisme, productivisme, propriété.

CAPITALISTE. Argentier, banquier, financier, mécène, monétaire, nucingen, payeur, pécuniaire, possédant.

CAPITAN. Bravache, brave, casseur, coq, crâneur, faraud, fanfaron, fendant, fier-à-bras, flambard, gascon, hâbleur, matamore, orgueilleux, pan, prétentieux, rodomont, séducteur, tartarin, tranche-montagne, truculent, vantard.

CAPITATION. Accises, annate, annone, banalité, cens, contribution, corvée, décime, dîme, droit, fisc, gabelle, impôt, lods, maltôte, ost, paulette, prestation, publicain, redevance, septain, serisette, taille, taxe, tonlieu, TPS, TVA, TVQ.

CAPITEUX. Alcoolisé, échauffant, enivrant, entêtant, entêtement, étourdissant, exaltant, excitant, grisant, troublant.

CAPITON. Bourre, bourrette, capitonnage, épaississement, garniture, lassis, losange, matelassage, ouate, rembourrage, stras, strasse.

CAPITONNAGE. Bachotage, ballastage, bourrage, bourre, bourrer, compactage, damage, délayage, densification, embourrure, fourrage, garnissage, garniture, intoxication, matelassage, matraquage, ouatage, propagande, rembourrage, remplissage, tassage, verbiage.

CAPITONNER. Ailler, aillier appâter, amorcer, armer, baguer, boiser, border, bourrer, canner, décorer, doubler, enrubanner, ferrer, fournir, garnir, gréer, hérisser, lotir, matelasser, mâter, meubler, munir, orner, ouater, parer, pouf, rembourrer, tapisser.

CAPITULARD. Anxieux, audacieux, brave, capon, couard, courageux, craintif, dégonflé, embusqué, froussard, fuyard, héros, pétochard, peureux, pleutre, poltron, timide, trouillard, vaillant, valeureux.

CAPITULATION (n. p.). Appomattox, Bailén, Burgoyne, Caserte, Donitz, Eisenhower, Hirohito, Joukov, Keitel, Sintra, Ulm, Vaudreuil.

CAPITULATION. Abandon, abdication, céder, chamade, défaite, démission, drapeau blanc, paix, reddition, renonciation.

CAPITULE. Bouton, camomille, cèpe, chaton, cône, conique, conoïde, corymbe, cyme, épi, fleur, glomérule, grappe, inflorescence, involucre, ombelle, parapluie, paraso, pédoncule, plateau, renonce, spadice.

CAPITULER. Abandonner, abdiquer, accommoder, baisser, céder, chamade, déchoquer, démissionner, démordre, déposer, incliner, lâcher, paix, quitter, reddition, rendre, renoncer, soumettre.

CAPON. Abattu, bas, cerf, couard, craintif, dégonflé, détendu, faible, froussard, fuyard, lâche, mou, peureux, pleutre, poltron, treuil, vague, vil.

CAPONE (n. p.). Al, Scarface.

CAPONE. Alarmiste, bandit, brigand, coquillard, gangster, kleptomane, pillard, pilleur, truand, voleur.

CAPORAL. Brigadier, cabot, crabe, escouade, gauloise, gradé, militaire, quartier-maître, tabac.

CAPOT. Béguin, bonde, bondon, bonnet, bouchon, caban, cagoule, calotte, camail, capsule, capuce, capuche, capuchon, chapeau, chaperon, coiffe, coltin, couvercle, cuculle, cupule, capulet, marette, ouïe, tapador, tarbouche.

CAPOTANT. Accidentel, anormal, antinaturel, bizarre, clairsemé, curieux, difficile, éminent, étonnant, étourdissant, étrange, exceptionnel, extra, extraordinaire, grand, hors-série, inouï, merveilleux, rare, remarquable, sensass, sensationnel, seul, unique.

CAPOTE. Chapeau, coiffure, condom, décapotable, manteau, précaution, préservatif, protection, toit.

CAPOTER. Ahurir, basculer, chavirer, culbuter, dessaler, échouer, étonner, renverser, retourner, stupéfait, troubler.

CAPPUCINO. Café, crème chantilly, espresso.

CAPRICANT. Désordonné, dévoyé, égaré, épars, étourdi, fantasque, impoli, inégal, méli-mélo, obscur.

CAPRICE. Accès, amourette, arbitraire, bizarrerie, boutade, capriccio, changement, chimère, dada, engouement, envie, fantaisie, fantasme, folie, frasque, goût, gré, idée, lubie, lune, manie, marotte, mode, na, passade, plaisir, rat, tic, tocade, toquade.

CAPRICIEUSEMENT. Aléatoirement, anormalement, intermittence, épisodiquement, irrégulièrement, sporadiquement.

CAPRICIEUX. Bizarre, changeant, délicat, difficile, exigeant, fantaisiste, fantasque, hypocondriaque, inconstant, instable, irrégulier, lunatique, maniaque, mobile, ondoyant, quinteux, variable, versatile, volage.

CAPRICORNE. Ægosome, ascendant, astrologie, cérambyx, coléoptère, insecte, longicorne, titan.

CAPRIFOLIACÉE. Abélie, chèvrefeuille, diervilla, hièble, laurier-tin, leycesteria, linnée, obier, sureau, symphorine, triostenum, viorne, weigela, yèble.

CAPRIMULGIDÉ. Caprimulgiforme, engoulevent.

CAPRIN. Bouquetin, bovidé, capriné, chamois, chèvre, ovin, oviné, ruminant.

CAPSELLE. Bourse, bourse-à-pasteur, crucifère, haussier, herbacée, plante.

CAPSULE. Bouchon, cachet, carapace, colomelle, contenant, coquille, cosse, couronne, couvercle, emballage, enveloppe, étui, fourreau, gangue, gélule, gousse, housse, macis, opercule, pyxide, sachet, tégument, têt.

CAPTATIF. Envieux, exclusif, inquiet, jaloux, méfiant, ombrageux, possessif, rival, soupçonneux, tigresse.

CAPTATION. Dépossession, dépouillement, frustration, manœuvre, prélèvement, privation, suggestion.

CAPTATIVITÉ. Amour-propre, égocentrisme, égoïsme, individualisme, introversion, moi, vanité

CAPTER. Canaliser, collecter, conquérir, gagner, intercepter, obtenir, recevoir, recueillir, séduire, surprendre.

CAPTEUR. Antiradar, dépisteur, détecteur, fumée, hydrophone, intercepteur, palpeur, radar, radarastronomie, radioaltimètre, radôme, récepteur, senseur, son, sonar, stéthoscope, voleur.

CAPTIEUSEMENT. Déloyalement, fallacieusement, hypocritement, sournoisement, spécieusement, trompeusement.

CAPTIEUX. Artificieux, déloyal, dissimulateur, fallacieux, faux, fourbe, mensonger, spécieux, trompeur.

CAPTIF. Asservi, assujetti, attaché, charmé, dominé, emprisonné, enchaîné, enfermé, esclave, prisonnier, soumis.

CAPTIVANT. Alléchant, attachant, attirant, charmant, ensorcelant, envoûtant, fascinant, palpitant, passionnant, prenant.

CAPTIVER. Attacher, attirer, charmer, enchanter, ensorceler, envoûter, fasciner, intéresser, passionner, séduire.

CAPTIVITÉ. Chaîne, claustration, détention, emprisonnement, fers, incarcération, liberté, prison.

CAPTURE. Accrétion, arrestation, arrêt, butin, ciseau, clé, clef, conquête, descente, dispute, emprise, enlèvement, levée, moyen, préhension, prise, proie, querelle, rafle, saisie, saisissement, scène, unité.

CAPTURER. Accréter, arrêter, attraper, confisquer, emparer, empoigner, emprisonner, piéger, prendre, pris, saisir.

CAPUCHE. Béguin, bonde, bondon, bonnet, bouchon, caban, cagoule, camail, capot, capsule, capuce, capuchon, chapeau, chaperon, coiffe, coltin, couvercle, cuculle, cupule, capulet, marette, tapador, tarbouche.

CAPUCHON. Béguin, bonde, bondon, bonnet, bouchon, caban, cagoule, camail, capot, capsule, capuche, chapeau, chaperon, coiffe, coltin, couvercle, cuculle, cupule, capulet, marette, tapador, tarbouche.

CAPUCIN (n. p.). Bernardin, Chabot, Grouès.

CAPUCIN. Cébidé, cebus, franciscain, frère, lièvre, moine, nonne, religieux, saï, sajou, sapajou, singe.

CAP-VERT, CAPITALE (n. p.). Praia.

CAP-VERT, LANGUE. Portugais.

CAP-VERT, MONNAIE. Escudo.

CAQUE. Baril, barrique, barrot, caisse, excrément, foudre, fût, futaille, hareng, harengade, hotte, muid, saud.

CAQUELON. Casserole, chassepinte, chopine, pocheuse, poêlon, religieuse, sauteuse, sautoir.

CAQUET. Babil, babillage, bavardage, boniment, caquetage, caquètement, cri, jacassage, jacasserie, gloussement.

CAQUETAGE. Bavardage, caquet, commérage, loquacité, papotage, piaillerie, verbalisme, verbiage.

CAQUÈTEMENT. Babil, babillage, bagou, baratin, bavardage, bla-bla, cancan, caquetage, jacassement, jactance, jabotage, jaspinage, margotage, papotage, parlote, patata, patati, potin, racontar, ragot, verbiage.

CAQUETER. Bavarder, causer, commérer, crier, discuter, glousser, jacasser, jacter, jaser, papoter, parler.

CAR. Attentu que, autobus, autocar, cabriolet, de fait, effectivement, en effet, minibus, minicar, parce que, puisque.

CARABE. Agone, bombardier, brachyne, cicindèle, coléoptère, couturière, doré, jardinière, sergent, vinaigrier.

CARABIN. Arrogant, camisard, cavalier, crampillon, désinvolte, estafette, étudiant, hardi, hautain, impertinent, inconsidéré, médecin, picador, reître, selle, sinapisé, soldat, spahi, vaisseaux.

CARABINE. Arme, arquebuse, armurier, artillerie, busc, chassepot, chien, crosse, escopette, espingole, flingue, fusil, hammerless, infanterie, lebel, mitraillette, mousquet, mousqueton, pétoire, rifle, tromblon, winchester.

CARABINÉ. Abusif, chargé, convoitise, cupidité, démesuré, déraisonnable, déréglé, désordonné, effréné, énorme, exagéré, excessif, fou, grave, immodéré, insatiable, intempérant, intense, outrancier, outré, sobre, violent.

CARABINIER. Agent, balai, brigadier, cogne, condé, défaut, douanier, griffe, gendarme, guignol, hareng, îlotier, inspecteur, investigateur, limier, militaire, pandore, pic, police, policier, punaise, rebiffe, repasser, saucisse, soldat.

CARABISTOUILLE. Bêtise, blague, billevesée, calembredaine, faribole, galéjade, histoire, sornette.

CARABOSSE. Fée, femme, mégère, sorcière.

CARACAL. Fauve, félidé, loup-cervier, lynx, lynx d'Afrique, mammifère.

CARACO. Basquine, blouse, buste, bustier, camisole, canezou, chemise, chemisier, corsage, corset, jaquette, plastron, sous-vêtement.

CARACOLER. Bondir, cabrioler, évoluer, folâtrer, fringuer, gambader, mouvoir, occuper, sauter, sautiller.

CARACTÈRE (3 lettres). Air, âme, mot, mou, ton.

CARACTÈRE (4 lettres). Bref, coin, état, fade, luxe, note, œil, pâte, rune, tête, type, voie, voix.

CARACTÈRE (5 lettres). Bonté, corps, digit, éthos, ferme, fonte, forme, génie, juste, motif, sampi, sceau,

CARACTÈRE (6 lettres). Acabit, acuité, arobas, atonie, beauté, lettre, nature, oiseux, romain, sinité.

CARACTÈRE (7 lettres). Acidité, ampleur, apathie, aphteux, aréisme, arobase, arrobas, calibre, critère, crudité, dualité, eccéité, elzévir, essence, gravité, innéité, laideur, largeur, nocuité, primeur, unicité, utilité, verdeur.

CARACTÈRE (8 lettres). Altérité, banalité, bonhomie, casanier, écriture, énormité, féminité, fluidité, identité, italique, légalité, légèreté, nasalité, nocivité, nuisance, pudicité, récessif, salacité, toxicité, vinosité, virulent.

CARACTÈRE (9 lettres). Aberrance, abjection, absurdité, brutalité, certitude, critérium, empreinte, exoréisme, fréquence, malignité, nécessité, nervosité, pérennité, placidité, praticité, puérilité, rectitude, rénitence.

CARACTÈRE (10 lettres). Androgynie, anormalité, badauderie, balourdise, bestialité, bizarrerie, brusquerie, causticité, continuité, créativité, diachronie, égyptienne, endoréisme, insularité, modération, partialité.

CARACTÈRE (11 lettres). Ambivalence, dimorphisme, épidémicité, inscription, originalité, tempérament.

CARACTÈRE (12 lettres). Américaniser, boursouflure, directivisme, indépendance, méticulosité.

CARACTÈRE (13 lettres). Aérodynamisme, applicabilité, autoritarisme, caoutchouteux, vulnérabilité.

CARACTÈRE (14 lettres). Autosuffisance, caractérologie, catastrophique, inflammabilité, putrescibilité.

CARACTÉRIEL. Asocial, désaxé, déséquilibré, fade, fou, inadapté, malade, marginal, mésadapté, misanthrope.

CARACTÉRISATION. Choix, définition, détermination, distinction, élection, particularisation, spécification.

CARACTÉRISÉ. Circonstancié, décidé, marqué, net, propre, spécial, tranché, typique.

CARACTÉRISER. Cerner, cibler, décrire, définir, délimiter, désigner, déterminer, différencier, établir, fixer, individualiser, marquer, moralité, particulariser, qualifier, spécialiser, spécifier.

CARACTÉRISTIQUE. Distinct, distinctif, emblématique, essentiel, indice, marque, particularité, particulier, personnel, propre, propriété, qualité, représentatif, révélateur, signe, significatif, spécificité, spécifique, symptomatique, trait, type, typique.

CARACUL. Agneau, astrakan, boukhara, breitschwanz, fourrure, karakul, mouton.

CARAFE. Balthazar, bidon, bocal, boule, bourrichon, bouteille, caboche, cannette, ciboulot, crâne, fiole, flacon, gourde, if, jéroboam, magnum, nabuchodonosor, pichet, siphon, tête, thermos.

CARAFON. Bouteille, carafe, tête.

CARAMBOLAGE. Accrochage, choc, cognement, collision, coup, entrechoquement, heurt, série, télescopage.

CARAMBOLE. Bande, billard, bille, boule, coulé, flipper, massé, queue, queuter, rétro, série, tilt, truc.

CARAMBOLER. Accrocher, emboutir, frapper, heurter, percuter, rentrer, série, tamponner, télescoper.

CARAMBOUILLAGE. Canaillerie, charlatanisme, crapulerie, duperie, enjôlement, escroquerie, fraude, grivèlerie, maquignonnage, mystification, supercherie, tricherie, tromperie, usurpation.

CARAMBOUILLEUR. Aigrefin, arnaqueur, bandit, bonneteur, brigand, canaille, crapule, dupeur, déserteur, espion, filou, fraudeur, fripon, joueur, maquignon, mauvais, menteur, pipeur, tricheur, trompeur, voleur.

CARAMEL. Bonbon, bronze, brun, caramélé, caramélisé, colorant, doré, friandise, mordoré, roudoudou, toffee.

CARAPACE. Blindage, coquille, cuirasse, dossière, écaille, exosquelette, invertébré, protection, test.

CARAPATER. Calter, caner, cavaler, débarrasser, débiner, décamper, déguerpir, enfuir, fuir, sauver, tirer.

CARAQUE. Bateau, femme, navire, porcelaine, portugais, voilier.

CARASSIN. Carpe, cyprin, cyprinidé, cypriniforme, doré, hotu, poisson, poisson rouge, vandoise.

CARASSONNE. Bâton, échalas, jalon, marquant, pal, palis, perche, pieu, pilot, piquet, roulon, tuteur.

CARAT. Âge, au, aurifère, barre, blanc, claim, cher, clinquant, dinar, dorage, doré, dorure, ducat, filé, galon, jaune, lingot, métal, monnaie, mussif, noces, noir, or, orfèvre, oripeau, paillette, richesse, veau, vermeil.

CARAVANE. Caravaning, charroi, convoi, enterrement, file, obsèques, rame, roulotte, train, troupe.

CARAVANSÉRAIL. Auberge, bordj, camping, étape, fondouk, gîte, hôtel, hôtellerie, kan, khan, refuge.

CARAVELLE DE COLOMB (n. p.). Nina, Pinta, Santa Maria.

CARAVELLE. Avion, bateau, cargo, navire, prostituée.

CARBET, Abri, cabane, cabanon, case, chaumière, compartiment, gourbi, hutte, paillote, subdivision.

CARBONADO. Abrasif, diamant, forale.

CARBONATE. Albâtre, aragonite, azurite, blanc d'argent, blanc de céruse, calcite, céruse, cérusite, craie, dialogite, dolomie, dolomite, giobertite, hydrocarbonate, malachite, natron, natrum, sidérite, sidérose, smithsonite, soude, zinc.

CARBONE. Azurite, bitume, C, carbure, charbon, diamant, fonte, fullerène, graphite, hydrocarbure, jais, plombagine.

CARBONIFÈRE. Charbon, dinantien, houille, houiller, paléozoïque, silésien.

CARBONIQUE. Alcalimètre, anhydride, bicarbonate, dioxyde, hypercapnie, hypocapnie, neige.

CARBONISATION. Brûlage, calcination, combustion, consomption, feu, flambage, grillage, ignescence, ignition, incandescence, incinération, torréfaction.

CARBONISER. Ambitionner, arder, bronzer, brûler, calciner, cautériser, consumer, convoiter, crématoire, cuire, détruire, distiller, ébouillanter, échauder, embraser, enflammer, fondre, fusion, griller, hâler, haver, incinérer, phlogistiquer, rôtir, roussir, torréfier, ustion.

CARBURANT. Aliment, benzol, carburol, cétane, combustible, diergol, diesel, ergol, essence, éthane, éthanol, fioul, fuel, gaz, gazole, gazoline, huile, kérosène, pétrole, propergol, super, tétraline.

CARBURATEUR. Buse, démarreur, diffuseur, injecteur, papillon, saturation, starter.

CARBURATION. Aciérage, explosion, opération.

CARBURE. Acière, anthracène, austénite, bicarbure, carborundum, cémentite, cétane, cétène, citrène, éthane, fonstionne, hydrocarbure, limonène, marche, paraffine, tungstène.

CARBURER. Boire, brûler, enivrer, enrichir, marcher, mélanger, penser, ravitailler, travailler.

CARCAJOU. Blaireau, carnivore, furet, glouton, goulu, mammifère, mustélidé, wolvérine.

CARCAN. Abaissement, allégeance, appartenance, asservissement, attachement, cangue, captivité, chaîne, châtiment, cheval, collier, contrainte, dépendance, emprise, harnais, joug, obéissance, pilori, servitude.

CARCASSE. Armature, ber, cadavre, charogne, charpente, châssis, coque, corps, os, ossature, squelette.

CARCÉRAL. Bagne, barreau, bloc, cabane, cachot, cage, cellule, clou, écrou, derrière les barreaux, ergastule, forçat, forteresse, geôle, ham, in pace, latomies, oubliette, pénitencier, ponton, preau, prison, taule, tôle, trou, violon.

CARCINOGÈNE. Cancer, cancérigène, cancérogène, cancérogenèse, cancérologue, cancérophobie, carcinogenèse, carcinoïde, carcinome, épithélioma, épithéliome, fongus, leucémie, malin, métastase, néoplasme, oncogène, sarcome, sida, squirrhe, taxol, tumeur.

CARCINOMATEUX. Cancer, cancéreux, carcinoïde, grain de beauté, lentigo, leucémique, mélanocyte, mélanome, nævo-carcinome, nævus, tumeur.

CARCINOME. Adénocarcinome, cancer, cancéreux, cancérigène, carcinoïde, épithélioma, grain de beauté, lentigo, mélanome, mélanocyte, nævo-carcinome, nævus, sarcome, tumeur.

CARDAGE. Battage, boudineuse, démêlage, peignage, regayage, sérançage.

CARDAMINE. Cresson des prés, cressonnette, cruciféracée, dentaire, herbage, nasitort, pâtis, plante, pré.

CARDE. Artichaut, bette, blette, cardère, cardeur, cardon, chardon, côte, jotte, peigne, séran, tête.

CARDER. Battre, cardage, cardeuse, démêler, dénouer, peigner, regayer, sérancer.

CARDIAQUE. Agripaume, asystole, bradycardie, cardiothyréose, cardiotomie, cœur, embryocardie, tachycarde, tachycardie.

CARDIGAN. Anorak, blazer, blouson, boléro, caban, cabi, canadienne, carmagnole, chandail, défaite, dolman, doudoune, échec, gilet, hoquetons, jaquette, laine, pourpoint, saharienne, tunique, vareuse, veste, vêtement.

CARDINAL. Baseball, camerlingue, conclave, consistoire, éminence, est, évêque, oiseau, ouest, nord, sud.

CARDINAL ALLEMAND (n. p.). Bea, Fürstenberg, Ratzinger.

CARDINAL AMÉRICAIN (n. p.). Spellmann.

CARDINAL ANGLAIS (n. p.). Beaufort, Fisher, Manning, Newman, Poe, Wiseman, Wolsey.

CARDINAL BELGE (n. p.). Cardijn, Mercier, Suenens.

CARDINAL BRITANNIQUE (n. p.). Manning, Newman, Wiseman.

CARDINAL BYSANTIN (n. p.). Bessarion.

CARDINAL CANADIEN (n. p.). Grégoire, Léger, Turcotte, Roy, Taschereau, Villeneuve.

CARDINAL ESPAGNOL (n. p.). Albornoz, Cisneros.

CARDINAL FLORENTIN (n. p.). Barberini, Gondi.

CARDINAL FRANÇAIS (n. p.). Albert, Ailly, Amboise, Balue, Bausset, Beaufort, Bellay, Bernis, Bérulle, Biragne, Bourbon, Briçonnet, Chauvelin, Coligny, Congar, Courcon, Daniélou, Du Bellay, Dubois, Du Perron, Duprat, Fesch, Fillastre, Fleury, Gondi, Granvelle, Guise, Joyeuse, Lavigerie, Lemoine, Liénart, Lubac, Lustiger, Maury, Mazarin, Médicis, Noailles, Polignac, Retz, Richelieu, Rohan, Sourdis, Tencin, Tournon.

CARDINAL GENOIS (n. p.). Fieschi, Fiesque.

CARDINAL HONGROIS (n. p.). Mindszenty.

CARDINAL ITALIEN (n. p.). Alberoni, Antonelli, Barberini, Bellarmin, Bembo, Bonaventure, Borromée, Caetano, Cajetan, Caprara, Chigi, Consalvi, Damien, Sadolet.

CARDINAL NÉERLANDAIS (n. p.). Alfrink.

CARDINAL POLONAIS (n. p.). Olesnicki.

CARDINAL QUÉBÉCOIS (n. p.). Grégoire, Léger, Turcotte, Roy, Taschereau, Villeneuve.

CARDINAL ROMAIN (n. p.). Barberini, Farnese.

CARDINAL SUISSE (n. p.). Balthasar, Schiner.

CARDIOGRAMME. Échocardiogramme, électrocardiogramme.

CARDIOLOGUE (n. p.). Deschamps, David.

CARDIOPATHIE. Angine, arythmie, bradycardie, cardiomégalie, cardiomyopathie, cardiothyréose, cardite, coronarite, coronaropathie, dextrocardie, embolie, extrasystole, hypertension, hypotension, infarctus, palpitation, tachycardie, thrombose.

CARDITE. Angine, arythmie, bradycardie, cardiomégalie, cardiomyopathie, cardiopathie, cardiothyréose, coronarite, coronaropathie, dextrocardie, embolie, extrasystole, hypertension, hypotension, inflammation, infarctus, mollusque, palpitation, tachycardie, thrombose.

CARDON. Artichaut sauvage, carde, chardon Notre-Dame, composacée, plante.

CARÊME. Abstinence, bogot, carnaval, jeûne, maigre, quadragésimal, quadragésime, ramadan.

CARÉNAGE. Cale sèche, calfatage, dépannage, entretien, gril, raccommodage, radouage, radoub, rafistolage, raison, réfection, réparation, restauration.

CARENCE. Absence, acabit, aloi, anomalie, anoxémie, asialie, aspect, athrepsie, atrophie, avitaminose, bêtise, contumace, crapaud, défaut, défectuosité, déficience, dévers, dureté, étroitesse, faible, gendarme, illégitimité, imperfection, inadaptation, inadvertance, incurie, inexistence, insensibilité, instabilité, lunure, manque, mésentente, mort, nasillement, paille, paresse, pénurie, préfixe, prosaïsme, raideur, retassure, ridicule, sottise, tare, verbosité, verdeur, vice, zézaiement.

CARÈNE. Bouchain, carénage, coque, coquille, étambot, étrave, flottaison, isocarène, pétale, radoub.

CARÉNER. Calfater, nettoyer, radouber, radouer, réparer.

CARESSANT. Accolade, affectueux, aimant, amoureux, blandice, cajoleur, câlin, embrassade, enlacement, étreinte.

CARESSE. Attouchement, cajolerie, câlin, câlinerie, chatterie, effleurement, frôlement, gâterie, mamours, mimi.

CARESSER. Amadouer, cajoler, câliner, catiner, choyer, complaire, dorloter, effleurer, enlacer, entretenir, éteindre, flatter, frôler, lécher, mignoter, minoucher, nourrir, peloter, toucher, tripoter.

CARET. Caouanne, dérouleur, dévideur, dévidoir, enrouleur, eretmochelys, moulinet, tortue, touret, tourniquet, treuil.

CAREX. Cypéracée, flaiche, laîche, monocotylédone, ribosome, tournedous.

CARGAISON. Apige, bagage, capacité, charge, chargement, fret, lège, marchandise, nolage, nolis, réserve.

CARGO. Argo, bac, bateau, brick, brûlot, butanier, câblier, caravelle, corsaire, croiseur, drague, dromon, galère, galion, galiote, liner, navire, nef, paquebot, patrouilleur, rafiot, ravitailleur, sacoléva, sacolève, sloop, tanker, torpilleur, tramp, traversier, trière, vaisseau, vedette, yacht.

CARGUER. Accoler, appuyer, attacher, border, bouliner, comprimer, étrangloir, ferler, plier, serrer.

CARI. Aromate, carry, cary, curcuma, curry, kari.

CARIACOU. Cerf, cerf de Virginie, cervidé, chevreuil, mazama rouge.

CARIATIDE. Atlante, caryatide, dos, minerve, ornement, support, statue, télamon.

CARIATIDE (n. p.). Atlante, Érechthéion, Goujon, Télamon.

CARIBOU. Alcool, animal, boisson, cervidé, mammifère, renne, ruminant, ti-blanc.

CARICATURAL. Burlesque, comique, épigrammatique, exagéré, grotesque, ridicule, satirique, simpliste.

CARICATURE. Calquage, charge, croquis, dessin, imitation, parodie, peinture, portrait, satire, simulacre.

CARICATURER. Contrefaire, déformer, exagérer, grossir, imiter, parodier, pasticher, ridiculiser, simplifier, singer.

CARICATURISTE (n. p.). Beaudet, Cabu, Cabut, Caldecott, Cappiello, Cham, Chapleau, Côté, Cruikshank, Daumier, Effel, Garnotte, Gillray, Girerd, Grosz, Guillaume, Hansi, Hudon, Lapalme, Monnier, Nadar, Rowlandson, Thackeray, Vernet, Waltz, Wolinski.

CARICATURISTE. Bédéiste, dessinateur, humoriste, imitateur, portraitiste, scénariste.

CARIE. Anthracnose, bruine, cariant, cariogène, charbon, dégradation, nielle, ostéite, rouille.

CARIER. Abîmer, altérer, avarier, bruiner, corrompre, détériorer, endommager, gâter, gangrener, infecter, nécroser.

CARILLON. Cloches, glockenspiel, horloge, sonnerie, sonnette, tapage, tintement, tintinnabulement, vacarme.

CARILLONNÉ. Célébrations, cérémonie, épousailles, fête, mariage, messe, noce, service, têt.

CARILLONNER. Annoncer, appeler, claironner, clamer, crier, résonner, retentir, sonner, tinter, vibrer.

CARILLONNEUR. Annonceur, appeleur, claironneur, crieur, sonneur.

CARINATES. Accipitriforme, anis, ansériforme, apodiforme, caprimulgiforme, charadriiforme, ciconiiforme, coliiforme, colombin, columbiforme, colymbiforme, coraciadoforme, coraciiforme, coucou, cuculiforme, engoulevent, falconiforme, flamant, galliforme, gallinacé, gaviiforme, grèbe, gruiforme, huart, impenne, manchot, martinet, oiseau, paléognathe, passereau, passériforme, pélécaniforme, phénicoptériforme, piciforme, podicipédiforme, procellariiforme, psittacidé, psittaciforme, ratite, salangane, sphénisciforme, stéganopode, strigidé, strigiforme, trogonidé, trogoniforme.

CARLIN. Bouledogue, chien, dogue, monnaie, morse.

CARLINGUE. Cabine, cockpit, compas, coquille, domicile, équipage, fuselage, habitacle, verrière.

CARMAGNOLE. Anorak, blazer, blouson, boléro, caban, cabi, canadienne, cardigan, chandail, danse, défaite, dolman, doudoune, échec, gilet, hoqueton, jaquette, pourpoint, pull, ronde, saharienne, sweater, tunique, vareuse, veste, veston, vêtement.

CARME (n. p.). Argenlieu, Loyson.

CARME. Argent, charme, déchaussé, déchaux, incantation, invocation, mendiant, poème, religieux.

CARMELINE. Laine, laine de vigogne.

CARMÉLITE. Absent, absorbé, aviseur, chartreuse, clarisse, contemplatif, distrait, léger, méditatif, moniale, occupé, penseur, pensif, préoccupé, rêveur, songeur, soucieux, visionnaire.

CARMIN. Andrinople, carminé, cochenilles, coquelicot, corail, cramoisi, kermès, rouge, rubis, violacé.

CARNAGE. Anéantissement, assassinat, boucherie, chair, hécatombe, holocauste, massacre, ruine, tuerie.

CARNASSIER. Aï, amphictyon, basseride, belette, blaireau, caracal, carnivore, chacal, chat, chaus, chien, civette, coati, colocolo, coyote, créodonte, dhole, édenté, euphère, félidé, fennec, fossa, fossane, fourmilier, furet, galago, hermine, kodlkod, léopard, linsang, lion, loup, loutre, lycaon, lynx, mangouste, manul, martre, moufette, mouffette, ocelot, ours, panda, pangolin, panthère, paresseux, pichi,

protèle, puma, putois, ratel, raton, renard, serval, suricate, tamanoir, tatou, tayra, tigre, tupinambisunau, vison, xénarthre, zibeline, zorille.

CARNASSIÈRE. Carnier, cartable, dent, gibecière, havresac, musette, sac, sacoche.

CARNATION. Apparence, chair, coloration, couleur, mine, peau, pigmentation, teint, teinte.

CARNAVAL (n. p.). Binche, Québec, Rio, Rio de Janeiro.

CARNAVAL. Bal, cavalcade, débauche, débordement, défilé, déguisement, fête, filon, foule, mascarade.

CARNAVALESQUE. Caricatural, clownesque, comique, extravagant, grotesque, ridicule.

CARNE. Angle, barbaque, chair, chameau, cheval, rosse, semelle de botte, vache, viande, virago.

CARNÉ. Chair, cuisse, incarnadin, rose, viande.

CARNET. Agenda, aide-mémoire, bloc, bloc-notes, brochure, bulletin, cahier, calepin, cartable, chéquier, éphéméride, libretto, livret, manifold, mémento, mémorandum, pad, planning, registre, vade-mecum.

CARNIER. Carnassière, cartable, dent, gibecière, musette, sac, sacoche.

CARNIVORE. Belette, blaireau, canidé, caracal, carcajou, carnassier, cervier, chacal, chat, chat sauvage, chat-tigre, civette, coati, couguar, coyote, dhole, fauve, félidé, félin, fennec, genette, guépard, hermine, hyène, hyénidé, jaguar, léopard, lion, loup, loutre, lycaon, lynx, mangouste, mangue, martre, moufette, mouffette, musaraigne, mustélidé, ocelot, ours, panda, panthère, pékan, procyonidé, puma, putois, ratel, raton, renard, suricate, tigre, ursidé, vison, viverridé.

CARNOTSET. Cafétéria, cantine, cantoche, coin, mess, réfectoire, salle à manger, triclinium.

CAROLINGIEN (n. p.). Arcuin, Arnoul, Austrasie, Capet, Charlemagne, Germanie, Pépin, Verdun.

CAROLINGIEN. Capitulaire, censier, mérovingien, plain-chant.

CARONADE. Canon, mitraille.

CARONCULE. Bourrelet, dindon, duodénum, excroissance, fraise, halerons, lacrymale, protubérance.

CAROTIDE. Anévrisme, aorte, aortite, artère, coarctation, cœur, crosse, sang, sigmoïde, thyroïde, veine.

CAROTTAGE. Canaillerie, carambouillage, charlatanerie, crapulerie, duperie, enjôlement, escamotage, escroquerie, fraude, grivèlerie, maquignonnage, mystification, supercherie, tricherie, tromperie, usurpation.

CAROTTE. Échantillon, motivation, ombelle, ombellifère, ombellule, pan, partie, poil-de-carotte, rouquin, roux, ruse, section, segment, tabac.

CAROTTER. Arracher, écornifler, escroquer, extorquer, griveler, ratiboiser, resquiller, soutirer, taxer, voler.

CAROTTEUR. Aigrefin, arnaqueur, bandit, brigand, carottier, chapardeur, chineur, escroc, fripon, voleur.

CARPE. Arête, barbeau, brème, carassin, carpillon, cyprin doré, gardon, herbivore, loche, pisciforme, scaphoïde, sésamoïde, tanche, trapézoïde.

CARPEAU. Carpe, carpillon, loche, pisciforme, poisson, scaphoïde, sésamoïde, tanche, trapézoïde

CARPELLE. Dard, fleur, fruit, gynécée, ovaire, pistil, reproduction, uniovulé.

CARPETTE. Acclamateur, admirateur, carpettier, jeu, mise, moquette, natte, paillasson, servile, tapis, valet.

CARPIEN. Anneau, canal, carpe, genou, os, tendon.

CARPILLON. Arête, barbeau, carpe, carpeau, loche, pisciforme, poisson, scaphoïde, sésamoïde, tanche, trapézoïde.

CARPOCAPSE. Papillon, pyrale, pyrale des pommes, pyralidé.

CARPOPHORE. Ascomycète, basidiomycète, champignon, sporifère

CARQUOIS. Aiguillier, boîte, boîtier, cartouchière, cassette, coffin, dé, douille, écrin, enveloppe, étui, fourreau, gaine, gourde, holster, housse, onglon, nécessaire, pochette, portefeuille, sac, taud, taude, trousse, tube.

CARRARE. Albâtre, brocatelle, calcaire, chaux, cipolin, dalle, dolomie, granite, griotte, gypse, jaspe, liais, lumachelle, marbre, onyx, ophite, paros, portor, sarrancolin, stuc, table, tarso, terrazo, tuile, zinc.

CARRÉ. Carreau, case, coin, corbeille, dossard, échiquier, équipollé, étamine, foulard, lange, manicle, manique, massif, morceau, mouchoir, panosse, parterre, pièce, quadrilatère, quadrillé, raviole, ravioli, rectangle, serpillière, set.

CARREAU. As, azulejo, brique, carré, carrelage, dalle, malade, matras, tomette, tommette, tuile, verre, vitre.

CARRÉ-ÉPONGE. Débarbouillette, gant, lavette, linge, serviette, tissu-éponge.

CARREFOUR. Bifurcation, branchement, bretelle, colloque, croisée, croisement, échangeur, embranchement, enfourchure, étoile, forum, fourche, intersection, patte-d'oie, rencontre, réunion, rond-point, symposium.

CARRELAGE. Carreau, catelle, dallage, dalle, mosaïque, pavage, planelle, revêtement, rudération, sol, tomette.

CARRELER. Briqueter, carroyer, couvrir, daller, damer, macadam, paver, quadriller, revêtir.

CARRELET. Ableret, ablette, ablier, aiguille, arachnide, araignée, bourrelier, colichemarde, filet, plie, pleuronecte, poisson.

CARRELEUR. Cordonnier, dalleur, mosaïste, ouvrier, paveur.

CARRÉMENT. Abruptement, brusquement, brutalement, catégoriquement, crûment, directement, droit, fermement, franc, franchement, hardiment, librement, net, nettement, nuement, nûment, raide, raidement, résolument, rondement, vertement.

CARRER. Cacher, caler, carapater, élever, enfoncer, enfuir, étaler, installer, prélasser, tailler, voler.

CARRICK. Garrick, habit, lévite, manteau, redingote, soutane, soutanelle.

CARRIER. Ardoisier, exploitant, mineur, perrier, tailleur, têtu.

CARRIÈRE. Ambassade, ardoisière, arène, ballastière, cours, état, falunière, filon, fonction, glaisière, latomies, liberté, lice, manège, marbrière, métier, mine, plâtrerie, plâtrière, profession, sautage, stade.

CARRIÉRISME. Ambition, appétit, ardeur, arrivisme, aspiration, brigue, but, convoitise, cupidité, désir, dessein, faim, fringale, gagne-petit, idéal, orgueil, passion, prétention, quête, recherche, rêve, soif, souhait, visée.

CARRIÉRISTE. Ambitieux, arriviste, cumulard, grimpion, machiavélique, magouillard, mégalomane, politicard.

CARRIOLE. Atteloire, char, chariot, charrette, charretier, charretin, charreton, chartil, diable, gerbière, haquet, haussière, hayon, liure, ridelle, tombereau, traîneau, trésaille, voiture, wagon.

CARROSSABLE. Commode, drève, exécutable, facile, faisable, jetée, possible, praticable, réalisable, viable.

CARROSSER. Accoutrer, affubler, ajuster, attifer, coller, costumer, couvrir, culotter, draper, endimancher, équiper, franger, fringuer, ganter, habiller, nipper, parer, recouvrit, revêtir, rhabiller, saper, vêtir, voiturer.

CARROSSERIE. Aile, bâti, berline, break, caisse, carénage, carrossier, coach, coupé, custode, débosseleur, débosseur, landaulet, limousine, roadster, torpédo.

CARROSSIER. Charron, concepteur, couturier, débosseleur, débosseur, dessinateur, landau, modéliste.

CARROUSEL. Cavalcade, fantasia, manège, panier, parade, quadrille, reprise, ronde, tournoi.

CARROYAGE. Carreaux, damier, échiquier, grille, investissement, moletage, moustiquaire, quadrillage, trame.

CARROYER. Briqueter, carreler, couvrir, daller, damer, macadam, paver, quadriller.

CARRURE. Ampleur, amplitude, baraqué, calibre, diamètre, dimension, empan, envergure, étendue, évasure, format, gabarit, giron, grosseur, laize, large, largeur, lé, module, portée, râblé, stature, taille.

CARTABLE. Calepin, carnet, carton, cartonnier, gibecière, mallette, porte-documents, sac, serviette.

CARTE (n. p.). Bull, Cassini, Dufour, Fillastre, Lambert, Moreno, Mouchez, Peutinger, Puiseux.

CARTE. As, atout, banque, battre, brelan, brisque, bristol, cagnotte, capot, carré, carreau, cœur, contrat, couleur, coup, coupe, couper, coupeur, couverte, dame, défausse, donne, donneur, écart, écarter, enjeu, entame, entamer, étaler, excuse, fiche, figure, forcer, fou, fournir, grapette, horoscope, jeton, joker, lame, levée, main, maldonne, manche, mappemonde, marqueur, mise, mort, paire, paquet, parole, partie, passe, passe-partout, pile, pique, planisphère, pli, poule, quinte, relance, relancer, renonce, retourne, reine, rob, roi, rubicond, séquence, suivre, talon, taroté, tierce, tour, trèfle, trio, valet, valeur, va-tout.

CARTEL. Alliance, association, coalition, consortium, entente, groupe, horloge, pendule, trust, union.

CARTELLISATION. Accaparement, centralisation, centrisme, concentration, intégration, monopolisation.

CARTER. Bâche, boîte, encarter, encartonner, enveloppe, fixer, présenter, protection.

CARTES (JEU). Bataille, beigne, belote, bésigue, blackjack, boodle, bridge, canasta, chicago, chouette, cinq-cents, cochon, cœurs, concentration, concierge, cribbage, cuillère, dîme, dix, dominos, école, fan-tan, gin, gin-rami, golf, huit, jass, knock-rami, mémoire, michigan, neuf, newmarket, paquet-voleur, parlement, pêche, piquet, pisseuse, poker, rami, rob, romain, rumoli, salade, samba, saratoga, sept, slapjack, soixante-cinq, sorcière, taquin, tête-et-queue, trente et un, trifouille, trio, trou-du-cul, valets, vieille, vingt et un, whist, yass.

CARTÉSIEN (n. p.). Descartes, Malebranche.

CARTÉSIEN. Abscisse, cogito, déductif, discursif, esprit, logique, méthodique, rationnel.

CARTILAGE. Achondroplasie, aryténoïde, chondrocostal, cricoïde, croquant, disque, ménisque, os, tendron.

CARTOGRAPHE (n. p.). Champlain, Petermann, Waldseemüller.

CARTOGRAPHE. Chorographe, climatologue, dessinateur, géographe, géomorphologue, géostratège, topographe.

CARTOGRAPHIE. Géodésie, hydrographie, odographie, planimétrie, sélénographie, topographie.

CARTOMANCIE. Astrologie, augure, cabale, carte, conjecture, devin, divination, extase, géomancie, horoscope, intuition, mancie, numérologie, oniromancie, oracle, ornithomancie, prédiction, présage, prescience, pronostic, tarot.

CARTOMANCIEN. Aruspice, astrologue, augure, auspice, boa, charlatan, chiromancien, constrictor, devin, divinateur, eubage, féticheur, graphologue, haruspice, jour, nécromancien, oniromancien, oracle, prophète, sorcier, tireur, vaticineur, voyant.

CARTON. Boîte, bristol, carte, emballage, encart, encartage, grille, maifair, matrice, modèle, nuancier, pâle, pancarte, pochoir.

CARTONNIER (n. p.). Lurçat.

CARTOON. Animé, bande, bande dessinée, dessin, dessin animé, film, vignette.

CARTOPHILE. Carte, collectionneur.

CARTOUCHE. Balle, bande, barillet, boîtier, cartel, chargeur, cigarette, culot, dumdum, écusson, encadrement, farde, fusil, gaine, giberne, munition, ornement.

CARTOUCHIÈRE. Ceinture, étui, giberne, grenadière, musette, sac, sacoche.

CARYATIDE. Atlante, cariatide, dos, minerve, ornement, support, statue, télamon.

CARYOPHYLLACÉES. Coquelourde, espargoute, gerseau, grenadin, gypsophile, lychnis, morgeline, mouron-blanc, nielle, œillet, saponaire, scléranthe, silène, spargoutte, spergule, stellaire, tagètes, turquette, vaccaire.

CARYOPSE. Akène, fermé, fruit, grain, indéhiscent.

CAS. Ablatif, alors, autrement, cause, circonstance, débat, dossier, énigme, espèce, événement, éventuellement, fait, hypothèse, manifestation, moment, occasion, occurrence, problème, prodige, récidive, situation, urgence, vocatif.

CASANIER. Bannir, bourru, introverti, ours, pantouflard, pépère, pot-au-feu, renfermé, secret, sédentaire, solitaire.

CASAQUE. Chamarre, corsage, cotte, hoqueton, jaquette, manteau, sayon, soubreveste, veste.

CASAQUIN. Bassin, blouse, ceinture, corsage, coxal, croupe, déhanché, fémur, fesse, flanc, hanche, iliaque, ilion, ischion, pubis, sciatique, soubreveste, taille, veste.

CASBAH. Citadelle, forteresse, habitation, kasbah, lupanar, maghreb, palais, quartier.

CASCADE. Abondance, acrobate, cascatelle, cataracte, chute, eau, fontaine, jet, nappe, saut, tomber.

CASCADEUR. Acrobate, acteur, artiste, casse-cou, culbuteur, doublure, fêtard. hardi.

CASCATELLE. Cascade, cataracte.

CASE. Alvéole, cabane, cabanon, carbet, chaumière, compartiment, gourbi, hutte, paillote, subdivision.

CASÉINE. Caillé, caséum, galalithe, globuline, méthionine, prostide, protéine, tyrine.

CASEMATE. Abri, blockhaus, bunker, cagna, caserne, entrepôt, fortification, fortin, gourbi, logement.

CASE POSTALE. C.P.

CASER. Aligner, établir, fixer, fourrer, installer, loger, marier, mettre, placer, ranger, recaser, replacer, serrer.

CASERNE. Baraquement, base, cantonnement, casernement, dépôt, garnison, place, quartiers, salle.

CASIER. Boîte, bourriche, classeur, consigne, fichier, nasse, nasette, panier, rayons, réservation, tiroir.

CASIMIR. Alépine, alun, basin, batik, batiste, bord, bure, cachemire, cati, cotonnade, drap, empan, escot, étamine, étoffe, feutre, gaze, grain, granité, lé, laine, linge, mérinos, mohair, moire, ottoman, pan, ras, ratine, rep, satin, satinette, sergé, soie, suédine, surah, taffetas, tarlatane, tartan, tenture, textile, tissu, trentain, tulle, tussor, un, uni, velours, zénana.

CASING. Caisson, tubage.

CASINO. Bal, clandé, épicerie, établissement, lieu, maison de jeu, maison de paris, palace, palais, roulette.

CASQUE. Apex, armet, bassinet, bombe, cabasset, calotte, chapska, cimier, coiffure, crête, heaume, horion, intégral, képi, morion, plique, pot-en-tête, salade, timbre, toque, ventaille.

CASQUER. Allonger, banquer, débourser, décaisser, dépenser, dépocher, douiller, payer, raquer, verser.

CASQUETTE. Bâche, calotte, coiffure, fez, gâpette, heaume, képi, tampon, toque, visière.

CASSABLE. Cassant, casuel, chétif, débile, délicat, faible, filiforme, fluet, fragile, frêle, friable, gracile, grêle, instable, malingre, menu, mince, ostéoporose, périssable, précaire, raffiné, vain.

CASSAGE. Bris, brisement, casse, concassage, effraction, forcement, fracassement, fracture, scheidage.

CASSANDRE (n. p.). Apollon, Clytemnestre, Creüse, Égistre, Hector, Hécube, Hélénos, Pâris, Polyxène, Priam.

CASSANDRE. Alarmiste, capitulard, défaitiste, démoralisateur, devineresse, pessimiste.

CASSANT. Abrupt, absolu, agressif, aigre, bourru, bref, brusque, brutal, cassable, chétif, coupant, délicat, dur, faible, fragile, frêle, friable, grêle, menu, mince, ostéoporose, périssable, précaire, sec, tranchant, vain.

CASSATE. Alexandra, crème, flan, fleur, frangipane, ganache, glace, mousse, onguent, pommade, sabayon, tarte.

CASSATION. Abolution, abrogation, annulation, cessation, coupure, dégradation, infirmation, rupture.

CASSE. Action, altération, boîte, bruit, cambriolage, cassement, casse-tête, cassier, contenant, ennui, fatigue, fric-frac, objet, préoccupation, souci, tracas.

CASSÉ. Assisté, besogneux, brisé, caduc, décrépit, défavorisé, dommage, endommagé, éraillé, erre, faible, fractionné, gragmenté, nase, naze, pauvre, rompu, séné.

CASSEAU. Boîte, boîtier, cageot, caissette, casier, cassette, contenant, écrin, étui, palastre, palâtre, serrure.

CASSE-COU. Acharné, affirmatif, assuré, audacieux, aventureux, aventurier, bouillant, brave, cascadeur, cavalier, confiant, courageux, culotté, cynique, décidé, déluré, déterminé, effronté, emporté, énergique, enragé, entreprenant, ferme, fier, fougueux, gaillard, gonflé, hardi, impavide, impétueux, intrépide, luron, original, osé, périlleux, pétulant, résolu, risqué, risque-tout, téméraire, tenace, vaillant, valeureux, vif, violent, viril, volcanique, volontaire.

CASSE-CROÛTE. Agape, banquet, bombance, brunch, buffet, cène, collation, déjeuner, dînatoire, dîner, en-cas, festin, frichti, frugal, gala, gastronomie, gourmandise, goûter, gueuleton, lippée, lunch, médianoche, menu, orgie, pique-nique, popote, réfection, régal, repas, reste, réveillon, ripaille, soupe, souper, tétée, thé.

CASSE-GUEULE. Aléa, casse-cou, danger, détresse, difficulté, dragon, écueil, embûche, épouvantail, guêpier, hasard, impasse, imprudence, insécurité, menace, monstre, perdition, péril, piège, poudrière, récif, risque, souricière, spectre, tarasque, traquenard, traverse, urgence.

CASSEMENT. Bruit, cambriolage, casse, casse-tête, ennui, fatigue, fric-frac, préoccupation, souci, tracas.

CASSE-PIEDS. Accablant, agaçant, assommant, chiant, chieur, collant, dérangeant, emmerdeur, ennuyeux, enquiquineur, gêneur, guerre, importun, indésirable, indiscret, intrus, pesant, raseur, soporifique, teigne.

CASSE-PIERRES. Maillet, pariétaire, saxifrage.

CASSER. Abîmer, abolir, annuler, bigorner, briser, broyer, craquer, crever, démolir, désunir, disloquer, égueuler, épointer, étêter, fêler, fendre, fracasser, fracturer, péter, rescinder, rompre, rupturer, sauter, voûter.

CASSEROLE. Caquelon, chaudron, chevrette, gratin, marguerite, poêle, poêlon, sauteuse, sautoir, ustensile.

CASSE-TÊTE. Arme, férule, gourdin, mailloche, massue, matraque, problème, puzzle, tomahawk, trique.

CASSETTE. Baguier, baladeur, boîtier, coffret, écrin, livre-cassette, minicassette, radiocassette, trésor.

CASSEUR. Briseur, cambrioleur, destructeur, épaviste, ferrailleur, hooligan, saboteur, vandale, voleur.

CASSIER. Acacia, arbre, arbuste, canéficier, casse, cassie, césalpiniacée, héron, laxatif, purgatif, séné.

CASSINE. Baraque, bauge, bicoque, cambuse, chenil, écurie, gatelas, gourbis, logement, tanière, taudis, trou, turne.

CASSIS. Arbuste, caniveau, cassissier, citron, dos d'âne, gadelier, gadelle, groseillier, kir, ruisseau, stop.

CASSOLETTE. Brûle-parfum, encensoir, flatterie, pendentif, récipient, réchaud, thuriféraire, vase.

CASSONADE. Caramel, chocolat, doux, fructose, galactose, glace, gelée, hexose, lactose, maltose, mélasse, melon, miel, moscouade, moscovade, nectar, punch, saccharol, sirop, sucre, tréhalose, vergeoise.

CASSOULET. Blanquette, bourguignon, civet, fricassée, gibelotte, mets, navarin, pot-pourri, ragoût, rata, ratatouille, salmis, salpicon.

CASSURE. Brèche, brisure, coupe, coupure, craque, craquelure, crevasse, déchirure, division, ébréchure, écornure, faille, fêlure, fente, fissure, fuite, fracture, interruption, joint, lézarde, pli, pliure, rupture.

CASTAFIORE. Cantatrice, chanteuse, cigale, diva, divette, mezzo, opéra, prima donna, rainette, soprano.

CASTAGNE. Affrontement, assaut, attaque, bagarre, baston, bataille, châtaigne, combat, conflit, duel, guerre, lutte, marron, rixe.

CASTAGNER. Attaquer, bagarrer, barder, battre, cogner, combattre, découdre, démener, disputer, ferrailler, lutter, quereller.

CASTAGNETTES. Annulaire, auriculaire, châtaigne, cliquette, crotale, fandango, flamenco.

CASTARD. Âcre, bon, calé, chétif, colosse, costaud, débile, déficient, dru, énergique, faible, ferme, fort, grand, haut, malingre, nerveux, plein, puissant, redoutable, résistant, robuste, solide, très, vigoureux, violent.

CASTE. Adriana, banian, brahmane, catégorie, clan, classe, condition, degré, échelon, étage, file, fortune, gourkha, gurkha, ksatriya, kshatriya, haie, hova, lieu, maonty, mérinas, noblesse, ondevo, rang.

CASTEL. Chartreuse, château, citadelle, donjon, folie, gentilhommière, logis, manoir, navire, palais.

CASTILLAN. Aragonais, calo, espagnol, hispano, judéo-espagnol, léonais, ladino, navarrais, papiamento.

CASTINE. Alluvion, arénacé, arène, banc, béton, calcul, dépôt, dune, erg, falun, galet, gravier, grève, jar, lest, limon, lise, maërl, merl, mouvant, noir, paillette, pierre, roche, rose, ruine, sablon, silicium, silt, tague.

CASTOR. Barrage, bièvre, branche, castoréum, coypou, fiber, hutte, monticule, myocastor, myopotame, ondatra.

CASTOR ET POLLUX (n. p.). Clytemnestre, Dioscures, Dioskouroïs, Hélène, Léda, Zeuz.

CASTORIDÉ. Bièvre, castor, coypou, fourrure, mammifère, myocastor, myopotame, ragondin.

CASTRAT (n. p.). Farinelli.

CASTRAT. Chanteur, châtré, eunuque, eutrope, haute-contre, mutilé, sopraniste, voix.

CASTRATION. Ablation, Affaiblissement, bistournage, chaponnage, émasculation, orchidectomie, ovariectomie, stérilisation.

CASTRÉ. Amputé, bistourné, bouvillon, chaponné, châtré, coupé, émasculé, entier, hongré, mutilé.

CASTRER. Bistourner, bretauder, chaponner, châtrer, couper, démascler, émasculer, entier, mutiler, stériliser.

CASTRUM. Bastion, bonnette, bretèche, camp, ferté, flanquement, fort, forteresse, fortifs, fortifications, ouvrage, place, préside, redoute, retranchement.

CASUEL. Accidentel, aléatoire, appoint, commission, conjectural, contingent, éventuel, fortuit, occasionnel, revenu.

CASUISTE (n. p.). Escobar, Mendosa.

CASUISTE. Conscience, morale, moralisateur, moraliste, prêcheur, prédicant, sermonneur, théologien.

CASUITIQUE. Argutie, byzantinisme, chicane, chicanerie, chinoiserie, chipotage, distinguo, élucubration, ergotage, finesse, formalisme, logomachie, ratiocination, scolastique, sophistique, subtilité.

CATACHRÈSE. Allégorie, analogie, apologie, assimilation, association, comparaison, équivalence, figure, image, lien, métaphore, parabole, parallèle, parenté, personnification, rapport, relation, ressemblance, symbole.

CATACLYSME. Blizzard, calamité, catastrophe, crise, déluge, dénouement, désastre, éruption, feu, fléau, foudre, glissement, incendie, inondation, lèpre, malheur, ouragan, peste, plaie, raz de marée, séisme, tempête, tornade.

CATACLYSMIQUE. Désastreux, destructeur, dévastateur, effrayant, ravageur, terrible.

CATACOMBE. Charnier, cimetière, colombaire, fosse, morgue, nécropole, ossuaire, sépulture, souterrain.

CATAIRE. Chataire, herbe-aux-chats, infusion, labiacée, labiée, nepeta, népète, plante, valériane.

CATALAN. Langue, majorquin, minorquin, valencien.

CATALEPSIE. Abattement, accablement, anéantissement, attaque, démotivation, dépression, effondrement, engourdissement, hébétude, léthargie, marasme, neurasthénie, paralysie, prostration, sidération, stupeur.

CATALOGAGE. Archivage, arrangement, classement, indexage, indexation, ordre, rangement, répartition.

CATALOGNE. Alaise, couette, courtepointe, couverture, douillette, duvet, édredon, fourre, lirette.

CATALOGUE. Dénombrement, détail, énumération, état, index, liste, pamphlet, répertoire, rôle, rubrique.

CATALOGUER. Classer, dénombrer, détailler, énoncer, étiqueter, évaluer, inventorier, juger, recenser, répertorier.

CATALYSE. Dégraissage, desmolase, dessuintage, dissolution, nettoyage, rationalisation, restriction, réticence.

CATALYSER. Amener, apporter, causer, créer, déchaîner, déclencher, déterminer, engendrer, entraîner, former, générer, nécessiter, occasionner, produire, provoquer, soulever, susciter.

CATALYSEUR. Activateur, activeur, architecte, avionneur, bâtisseur, constructeur, corps, déclencheur, élément, entrepreneur, fabricant, faiseur, ingénieur, initiateur, inspirateur, maître d'œuvre, promoteur.

CATAPLASME. Bandage, compresse, crêpe, diachylon, emplâtre, gaze, ouate, rigollot, sinapisme, sparadrap.

CATAPULTAGE. Éjection, évacuation, éviction, expulsion, forclusion, jet, lancement, protubérance, rejet, renvoi.

CATAPULTE. Baliste, bricole, dondaine, espringale, mangonneau, onagre, perrière, scorpion.

CATAPULTER. Bombarder, éjecter, envoyer, jeter, lancer, parachuter, projeter, propulser.

CATARACTE. Avalanche, averse, cascade, cascatelle, chute, déluge, drache, douche, écluse, torrent, trombe.

CATARRHE. Grippe, inflammation, influenza, morfondure, refroidissement, rhisclérome, rhume.

CATASTROPHE. Accident, apocalypse, calamité, cataclysme, consternation, coulée, déflagration, dénouement, désastre, drame, éruption, explosion, fléau, guerre, inondation, insurrection, malheur, mutinerie, révolte, ruine, tragédie.

CATASTROPHER. Abattre, accabler, anéantir, annihiler, atterrer, briser, consterner, désespérer, terrasser.

CATASTROPHIQUE. Abominable, affreux, déplorable, désastreux, dramatique, effroyable, épouvantable, lamentable.

CATASTROPHISTE. Alarmiste, défaitiste, démoralisateur, dramatisant, pessimiste.

CATCH. Accrochage, affrontement, assaut, baroud, bataille, boxe, choc, combat, duel, échauffourée, engagement, hostilité, joute, lutte, match, mêlée, pancrace, pugilat, querelle, rif, rififi, riffe, ring, rixe, salve.

CATCHEUR. Belluaire, boxeur, combattant, ergastule, gladiateur, hoplomaque, laniste, lutteur, mercenaire, mirmillon, parmulaire, pugiliste, rétiaire, samnite, sécuteur, thrace.

CATÉCHÈSE. Apostolat, catéchisme, endoctrinement, évangélisation, pastorale, prédication, prosélytisme.

CATÉCHISER. Christianiser, convertir, endoctriner, enseigner, évangéliser, moraliser, prêcher, sermonner.

CATÉCHISME. Apostolat, catéchèse, credo, dogme, endoctrinement, évangélisation, pastorale, sermon.

CATÉCHISTE. Apôtre, diffuseur, divulgateur, lollard, missionnaire, prédicateur, prêcheur, sermonnaire.

CATÉCHUMÈNE. Acidifiable, alcoolisable, converti, initié, morisque, néophyte, prosélyte, ramené.

CATÉGORIE. Acabit, caste, cédule, classe, concept, coq, couche, critère, degré, duel, engeance, épreuve, espèce, genre, grade, idée, léger, lourd, noumène, ordre, plume, rang, référence, rubrique, série, sorte, test, variété.

CATÉGORIQUE. Absolu, affirmatif, cassant, certain, clair, classe, entier, espèce, étage, évident, explicite, formel, genre, groupe, incontestable, net, ordre, oui, péremptoire, positif, précis, race, rang, réel, série, sur, vrai.

CATÉGORIQUEMENT. Carrément, dogmatiquement, explicitement, formellement, franchement, irréfutablement.

CATÉGORISATION. Classification, compartimentage, compartimentation, hiérarchie, hiérarchisation, nomenclature, séparation, systématique, taxinomie, taxologie, terminologie, typologie.

CATÉGORISER. Archiver, arranger, calibrer, cataloguer, classer, classifier, considérer, distribuer, étiqueter, grouper, inventorier, lister, numéroter, ordonner, ranger, répartir, répertorier, séparer, sérier, trier.

CATHARE (n. p.). Castelnau, Inquisition.

CATHARE. Adepte, albigeois, bogomile, hérétique, parfait, patarin, sectaire, secte.

CATHARSIS. Abréaction, déblocage, défoulement, désinhibition, extériorisation, purgation, purge, purification.

CATHARTIQUE. Dépuratif, évacuant, laxatif, libératoire, lustral, purgatif, purificateur, purificatoire.

CATHÉDRALE (n. p.). Constable, Dormition, Elne, Notre-Dame, Saint-Gall, Saint-Paul, Sion.

CATHÉDRALE. Apostolique, basilique, canonique, dôme, édifice, église, épiscopal, temple, vitrail.

CATHÈDRE. Ambon, chaire, chaise, estrade, faldistoire, homilétique, minbar, pupitre, siège, stalle, tribune.

CATHÉTER. Bougie, cannelle, canule, clysoir, drain, endoscope, fécondateur, instillateur, insufflateur, laparoscope, pénétreur, sonde, tige, trocart.

CATHÉTÉRISME. Analyse, ballon, bougie, cathéter, cétacé, détecteur, drain, engin, étude, explore, forage, île, inspection, lance, orbiteur, plongée, profondeur, puits, sondage, sonde, tarière, trépan, tube.

CATHODE. Anaphorèse, anode, baguette, bêta, borne, diode, drain, électrode, grille, lampe, penthode, photocathode, pôle, rayon, tétrode, triode, wehnelt.

CATHOLICISME. Conformiste, doctrine, gallicanisme, hésychasme, higoumène, jansénisme, ligne, molinisme, norme, orthodoxie, papisme, prêtre, règle, religion, souna, sounna, sunna, uniate, vérité, vrai.

CATHOLIQUE. Abbé, amen, archevêque, archidiocèse, auréole, bedeau, bible, bulle, canon, canoniser, cardinal, chrétien, clergé, couvent, curé, diocèse, encyclique, évangéliste, évêque, hérésie, indulgence, I.N.R.I., latin, maronite, moine, nonne, pape, pasteur, pontife, relique, révérend, romain, vicaire.

CATI. Brillant, bruni, éclat, feux, halo, image, irisation, lueur, luisant, lustre, moire, nacre, orient, poli, reflet.

CATILINAIRE. Brûlot, diatribe, épigramme, factum, feuille, mazarinade, pamphlet, philippique, satire.

CATIMINI. Anonymement, cachette, clandestinement, confidentiellement, discrètement, distraitement, furtivement, incognito, maronner, secrètement, sourdement, sourdine, subrepticement, tapinois.

CATIN. Courtisane, garce, gigogne, matriochka, péripatéticienne, poupée, poussah, prostituée, roulure.

CATINER. Amadouer, amignarder, cajoler, câliner, caresser, choyer, complaire, dorloter, effleurer, enlacer, entretenir, éteindre, flatter, frôler, lécher, mignoter, minoucher, nourrir, peloter, toucher, tripoter.

CATION. Ammonium, anion, atome, carbocation, cationique, diazoïque, ion, particule, positif.

CATIR. Apprêter, brillanter, briller, calandrer, cirer, déglacer, délustrer, dorer, éblouir, frotter, glacer, glairer, laquer, lisser, lustrer, moirer, patiner, peaufiner, polir, satiner, ternir, vernir.

CATOBLÉPAS. Addax, algazelle, animal, antilope, bubale, gazelle, gnou, imbécile.

CATOGAN. Cadogan, chignon, chouchou, coiffure, élastique, nœud, queue de cheval, ruban.

CAUCASIEN (n. p.). Georgie, Ibère, Ossète, Russe, Tchétchène, Tsigane.

CAUCHEMAR. Angoisse, apparaître, crainte, délire, hantise, horreur, peur, rêve, songe, tourment.

CAUCHEMARDESQUE. Abominable, affolant, affreux, alarmant, atroce, démesuré, effroyable, épeurant, épouvantable, fort, frémissant, horrible, monstrueux, rapide, redoutable, terrible, terrifiant, vertigineux.

CAUDAL. Appendice, nageoire, palette, postérieur, queue, terminal.

CAUDATAIRE. Acclamateur, admirateur, adulateur, apologiste, complaisant, courtisan, dithyrambiste, flatteur, patelin, valet.

CAUDRETTE. Balance, cerceau, crevettier, épuisette, filet, poche, truble.

CAUPERPE. Algue.

CAUSALITÉ. Déterminisme, effectualité, efficacité, efficience, finalité, fondement, implication, instigation.

CAUSANT. Babillard, bavard, causeur, communicatif, jacasseur, jacteur, loquace, parlant, volubile.

CAUSATIF. Accessoire, accro, causal, corrélatif, correspondant, dépendant, factitif, relatif, soumis, subordonné, sujet, tributaire, vassal.

CAUSE. Affaire, bavarde, brandon, de, effet, fondement, germe, idée, matière, mère, mobile, motif, objet, origine, par, parle, pourquoi, procès, pro domo, raison, source, sujet.

CAUSER. Affecter, affliger, agacer, alarmer, attrister, bavarder, chagriner, charmer, désobliger, désoler, donner, élancer, endeuiller, ennuyer, éplorer, exténuer, fâcher, influer, jaser, jaspiner, navrer, occasionner, parler, peiner, provoquer, ravager, renverser, ruiner, secouer, ulcérer.

CAUSERIE. Allocution, boniment, conférence, discours, dissertation, dit, éloge, énigme, exorde, exposé, harangue, homélie, laïus, mensonge, oraison, parole, péroraison, plaidoyer, prêche, sermon, sornette, topo.

CAUSETTE. Bagou, bavardage, bavette, chat, conversation, dialogue, entretien.

CAUSEUR. Babillard, bavard, causant, discoureur, jacasseur, jacteur, loquace, parlant, verve, volubile.

CAUSEUSE. Berçante, berceuse, bergère, cabriolet, canapé, chaise, confident, crapaud, divan, fauteuil, filanzane, ouvreuse, palanquin, selle, siège, sofa, transat, trône, violoné.

CAUSSE (n. p.). Di Rosa, Gramat, Larzac, Limogne, Martel, Méjean, Noir, Querçy, Sauveterre, Sévérac.

CAUSSE. Plateau.

CAUSTICITÉ. Acidité, acrimonie, agressivité, aigreur, corrosif, incisif, malignité, mordacité, mordant.

CAUSTIQUE. Acerbe, acéré, acide, acidulé, aigu, brûlant, corrodant, corrosif, créosoté, cuisant, décapant, moqueur, mordant, narquois, piquant, potasse, satirique, sublimé, vif, violent.

CAUTÈLE. Adresse, débrouillardise, défiance, incrédulité, finesse, méfiance, prudence, rouerie, ruse.

CAUTELEUX. Adroit, défiant, dissimulateur, fallacieux, flatteur, hypocrite, méfiance, méfiant, rusé.

CAUTÈRE. Brûlure, électrocautère, escarre, exutoire, galvanocautère, pointe de feu, thermocautère.

CAUTÉRISATION. Adustion, brûlant, escarre, ignipuncture, moxa, pointe de feu, ustion.

CAUTÉRISER. Adurer, brûler, calciner, carboniser, chauffer, combustion, consommer, consumer, convoiter, convaincre, cramer, crématoire, cuire, détruire, distiller, ébouillanter, échauder, embraser, enflammer, flamber, fondre, fumer, fusion, griller, hâler, havir, incendier, incinérer, phlogistiquer, rôtir, roussir, torréfier.

CAUTION. Arrhes, assurance, aval, charge, consigne, couverture, gage, garant, garantie, répondant, sûreté.

CAUTIONNEMENT. Assurance, aval, caution, charge, consigne, couverture, ducroire, engagement, gage, garant, garantie, nantissement, obligation, palladium, parrainage, promesse, salut, stick, warrant.

CAUTIONNER. Accepter, approuver, appuyer, avaliser, couvrir, garantir, garder, répondre, sûreté.

CAVAGE. Chien, excavation, recherche, sondage, sous-cavage, truffe, truie.

CAVALCADE. Bousculade, carrousel, cavaleur, chevauchée, course, défilé, évadé, évasion, fuite, jument.

CAVALCADER. Cavaler, chevaucher, courir, échapper, enfuir, évader, éviter, esquiver.

CAVALE. Cheval, course, échappée, escapade, évasion, fugue, fuite, haquenée, jument, liberté, pouliche.

CAVALER. Courir, enfuir, ennuyer, esquiver, filer, fuir, galoper, importuner, pédaler, sprinter, tracer.

CAVALERIE. Arme, brigade, cornette, escadron, fanion, guidon, hipparchie, hussard, régiment, troupe.

CAVALEUR. Aguicheur, allumeur, batifoleur, casanova, charmeur, conquérant, coureur, cruiseur, don juan, dragueur, enjôleur, ensorceleur, envoûteur, flambeur, flirteur, gino, macho, maquereau, séducteur, tentateur, tombeur.

CAVALIER (n. p.). Bernin, Cent-Garde, Éon, Guyon, Murat, Polaque, Reître, Scythes, Spahi, Zorro.

CAVALIER. Amazone, arrogant, camisard, carabin, cheval, chevalier, crampillon, désinvolte, échec, écuyer, équestre, estafette, étrier, format, hardi, hautain, hussard, impertinent, inconsidéré, jockey, mamelouk, mameluk, picador, reître, selle, sinapisé, spahi, vaisseaux.

CAVALIÈREMENT. Cyniquement, déplaisamment, discourtoisement, effrontément, grossièrement, hardiment, impertinemment, impoliment, impudemment, inamicalement, lestement, malhonnêtement.

CAVE. Bougerie, cabaret, caveau, caverne, caviste, cellier, chai, craie, creux, cuverie, cuvier, enjeu, excavation, grotte, mise, niais, nigaud, oubliette, rat, rentré, réserve, silo, sous-sol, souterrain, tin, trappe, vinée.

CAVEAU. Boîte, cabaret, cave, cellier, chai, crypte, nécropole, sépulture, sous-sol, souterrain, tombe.

CAVEÇON. Moraille, mouchettes, serre-nez, têtière, tord-babine, tord-gueule, tord-nez, tourniquet, twisteur.

CAVÉE. Accès, allée, artère, avenue, chemin, chenal, course, descente, détour, direction, distance, draille, fer, funiculaire, grimpette, guide, itinéraire, jeu, laie, layon, lé, muletier, ornière, parcours, passage, périple, piste, rail, rampe, rang, ravin, route, rr, rue, sente, sentier, talweg, trajet, traverse, trimard, trotte, via, vie, voie.

CAVER. Approfondir, chercher, creuser, fouiller, miner, miser, sonder, tromper.

CAVERNE. Abîme, abri, antre, baume, cavitaire, cavité, grotte, repaire, spéléo, spéléologue, spélonque, tanière.

CAVERNEUX. Amphorique, bas, érectile, grave, outre-tombe, profond, sépulcral, sinistre, sourd, voilé.

CAVET. Cambrer, cercle, concave, congé, convexe, creuser, creux, gorge, incurvé, moulure, palanche, renforcement, talon, tore.

CAVIAR. Ebéouga, béluga, entrée, esturgeon, hors-d'œuvre, molosol, œuf, oscière, sterlet, tamara.

CAVIARDAGE. Bâillonnement, boycottage, censure, filtrage, imprimatur, interdiction, musellement, suppression.

CAVIARDER. Barrer, biffer, censurer, effacer, interdire, rayer, supprimer.

CAVITÉ. Acétabule, acinus, aisselle, alvéole, anfractuosité, antre, barillet, bouche, brèche, caverne, cœlome, conceptacle, cotyle, cotyloïde, crâne, diverticule, entonnoir, excavation, fosse, fossette, géode, glène, glénoïdal, glénoïde, gouffre, kyste, loge, marmite, méat, nombril, orbite, oreillette, pallale, palléale, puits, sac,

saccule, sigmoïde, sinus, tanière, terrier, thorax, trou, utricule, vacuole, ventricule, vésicule.

CÉANS. Âme, âtre, central, dans, dedans, en, entre, familial, fond, for, foyer, ici, immanent, inclus, individuel, inhérent, intérieur, interne, intériorité, intestin, intime, intrinsèque, logement, milieu, profond, sein.

CÉBIDÉ. Alouate, atèle, capucin, hurleur, lagothrix, lagotriche, platyrrhinien, saï, saïmiri, sajou, singe.

CECI. Ce, celui-ci, ceux-ci.

CÉCIDIE. Bouquet, gale, galeux, galle, grattelle, noix, redi, rouvieux, sarcopte, scabieux, spore, teigne.

CÉCITÉ. Ablepsie, agnosie, alexie, amaurose, amblyopie, anéxie, anophtalmie, anopie, anopsie, aveugle, aveuglement, cataracte, goutte, héméralopie, hespéranopie, incapacité, mutisme, nyctalopie, obscurcissement, silence, témoin.

CÉDER. Abandonner, abdiquer, affaisser, aliéner, caler, caner, capituler, casser, changer, condescendre, craquer, déférer, désarmer, échanger, enfoncer, faiblir, flancher, incliner, mobiliser, obéir, pactiser, plier, ployer, prêter, reculer, renoncer, résigner, rétrocéder, rompre, succomber, soumettre, transiger, vendre.

CÉDÉROM. CD, CDV, compact, disque, DVD.

CEDEX. Boîte postale, courrier, distribution.

CÈDRE. Arceuthos, cade, callitroïdée, chamaecyparis, commun, cupressacées, cupressoïdée, cyprès, deppe, genièvre, genévrier, ginkgo, juniperus, occidental, pinchot, polocarpe, sabine, sapinette, tétraclinis, thuya.

CÉDULE. Affirmation, allégation, assertion, assignation, billet, catégorie, citation, épigraphe, exergue, expression, extrait, feuillet, fiche, guillemet, passage, référence, revenu, sic, vagulation, vers.

CÉGEP. Cégépien, collège, institut, lycée.

CEINDRE. Attacher, auréoler, boucler, ceinturer, embrasser, enceindre, enclore, entourer, environner, serrer.

CEINT. Attaché, auréolé, bouclé, embrassé, enserré, entouré, serré.

CEINTURAGE. Bandage, blocus, bouclage, boycott, confiscation, embargo, encadrement, encerclement, enclavement, enfermement, enveloppement, gel, investissement, mainmise, quadrillage, siège.

CEINTURE. Ardillon, bande, banlieue, bauquière, ceinturon, ceste, châtelaine, cilice, cordelière, cordon, corset, dan, écharpe, éclisse, entoure, éphod, estrope, gaine, giron, obi, pelvienne, ruban, sangle, soutien, taille, taillole, zone.

CEINTURER. Ceindre, embrasser, enceindre, enclore, entourer, environner, prendre.

CEINTURON. Ardillon, bande, banlieue, baudrier, bauquière, ceinture, ceste, châtelaine, cilice, cordelière, cordon, corset, dan, écharpe, entoure, éphod, estrope, gaine, giron, obi, pelvienne, ruban, sangle, soutien, taille, taillole, zone.

CELA. Ad hoc, ça, celui-là, ceux-là, pour.

CÉLADON. Adorateur, amant, ami, amoureux, astrée, jade, pistache, soupirant, tilleul, vert, vert pâle.

CÉLÉBRANT. Archevêque, desservant, diacre, épistolier, évêque, officiant, prêtre, sous-diacre, vicaire.

CÉLÉBRATION. Cérémonie, commémoration, épousailles, fête, louange, mariage, messe, noce, service, têt.

CÉLÈBRE. Célébrité, connu, distingué, dynastie, éclat, éclatant, fabuleux, fameux, gloire, glorieux, illustre, inconnu, laudatif, légendaire, magnifique, notoire, proverbial, renom, renommé, réputation, réputé, star, superstar.

CÉLÉBRER. Amuser, biner, chanter, cérémoniser, chômer, commémorer, concélébrer, dire, entonner, fêter, fiancer, honorer, inaugurer, louer, magnifier, marquer, nocer, officier, pavoiser, prêcher, sanctifier, solenniser, vanter.

CÉLÉBRITÉ. Célèbre, éclat, faveur, favori, gloire, glorieux, idole, importance, important, lancé, marque, notable, notoire, notoriété, personnalité, popularité, renom, renommée, sommité, star, succès, vedette, vogue.

CELER. Arrêter, bâcler, barrer, barricader, boucher, boucler, cacher, cadenasser, cicatriser, ciller, claquer, cligner, clore, coudre, dissimuler, fermer, lacer, taire.

CÉLERI. Ache, aromate, branche, épice, feuille, graine, infusion, légume, légumineuse, mellifère, ombellifère.

CÉLÉRIFÈRE. Cycle, cursus, draisienne, époque, ère, poème, rond, tandem, tricycle, triporteur, véhicule, vélo, vélocipède, voiture.

CÉLÉRITÉ. Activité, agilité, diligence, hâte, lenteur, promptitude, rapidité, vélocité, vitesse, vivacité.

CÉLESTE (n. p.). Antéchrist, Atlas, Bayer, Chine, Michaël, Michel, Walhalla.

CÉLESTE. Aérien, air, angélique, année, astral, ciel, divin, éther, exquis, firmament, li, merveilleux, musique, nadir, nova, parsec, ravissement, zénith.

CÉLESTIN. Ermite, pape, religieux.

CÉLIBAT. Abstinence, chasteté, continence, pudeur, honneur, nicolaïsme, retenue, sagesse, vertu, vœu.

CÉLIBATAIRE. Agame, demoiselle, fille, garçon, garçonnière, mademoiselle, veuf, vieille fille, vieux garçon.

CELLA, Cellier, naos, salle, sanctuaire, statue, tabernacle, temple, tholos.

CELLE. Celui, ci, là.

CELLÉRIER, Avare, camérier, camerlingue, économe, épargnant, parcimonieux, regardant.

CELLIER (n. p.). Épernon, SAQ, Vougeot.

CELLIER. Bâtiment, cave, caveau, cella, chai, creux, hangar, nigaud, rentre, silo, sous-sol, tin.

CELLOPHANE. Cal, cellulose, pellicule, rhodia, soie, viscose.

CELLULAIRE. Alvéole, amitose, anaphase, captif, condamné, détenu, fourgon, pore, prisonnier, téléphone.

CELLULE. Acinus, adamantin, aérobie, agamète, alvéole, anthéridie, asque, baside, blastomère, bloc, cachot, chondroblaste, comité, crib, érythroblaste, fibre, gamète, germen, glie, globule, hématie, hépatocyte, loge, mégacaryocyte, mitochondrie, mitose, néoblaste, neurone, névroglie, noyau, nucléé, œuf, oïdium, oogone, organelle, organite, ostéoblaste, ovule, phagocyte, plasmode, polynucléaire, prison, section, soma, spore, subérine, thèque, violon, zoospore, zygote.

CELLULOÏD. Camphre, camphrier, cellulo, huile, nécrose, nitrocellulose, pommade, rhodoïd

CELLULOSE. Cal, cellophane, pellicule, rhodia, soie, viscose.

CÉLOSIE. Amarante, andrinople, cinabre, crête de coq, épinard épineux, passe-velours, queue-de-renard, rouge, tricolore.

CELTE (n. p.). Avernes, Éduens, Gaëls, Gildas, Helvètes, Taranis, Teutatès, Toutatis.

CELTE. Barde, breton, celtique, galate, gallois, gaulois, peuple, sylphe, vouge.

CELTIQUE. Breton, brittonique, celte, cornique, gaélique, gaulois, goïdélique, lépontique, mannois, rhétique.

CELTIUM. Ct, hafnium.

CELUI-LÀ. Celui-ci, icelui.

CÉMENTATION. Calorisation, cément, chauffage, chromisation, cyanuration, ductilité, shérardisation, sulfinisation.

CÉNACLE. Académie, aéropage, association, cercle, chapelle, club, école, groupe, pléiade, réunion.

CENDRE. Arcot, charrée, cheminée, cinéraire, cinérite, débris, décombres, deépouille, engrais, escarbille, fraisil, gravelée, lave, mâchefer, mercredi, poussière, relique, résidu, restes, ruine, scorie, vestige.

CENDRÉE. Balle, bastos, cartouche, chevrotine, dragée, grenaille, massicot, menuise, plomb, pruneau.

CENDRILLON. Citrouille, maîtresse de maison, ménagère, reine du foyer, servante.

CÈNE. Cénacle, communion, consubstantiation, eucharistie, graal, hostie, impanation, transsubstantiation.

CENELLIER. Arbre, arbuste, aubépine, crataegus, épine, rosacée, senellier.

CÉNOBITE. Acronycte, anachorète, anton, ermote, moine, pagure, papillon, psi, religieux, solitaire.

CÉNOTAPHE. Caveau, cénoraire, cercueil, cinéraire, cippe, columbarium, corbillard, fosse, koubba, mastaba, mausolée, monument, pierre, sarcophage, sépulcre, sépulture, spéos, stèle, tombe, tombeau.

CENS. Catalogue, champart, chiffrage, comptage, dénombrement, impôt, montant, quotité, recensement, redevance.

CENSÉ. Admis, affirmé, apocryphe, attribué, conjectural, considéré, cru, douteux, emprunt, espéré, estimé, factice, faux, imaginaire, incertain, point, présage, présumé, prétendu, pseudo, putatif, réputé, si, soi-disant, supposé.

CENSÉMENT. Apparement, apparence, dehors, extérieurement, illusoirement, superficiellement, visiblement, vraisemblablement.

CENSEUR (n. p.). Caton, Claudia, Claudius, César.

CENSEUR. Analyse, ardu, blâme, censorat, commentaire, commentateur, crucial, critique, décisif, désespéré, diatribe, difficile, dur, éreinteur, étude, flèche, glose, grave, juge, observateur, raillerie, reproche, sérieux, sévère, soupçonneux, zoïle.

CENSURE. Bâillonnement, blâme, boycottage, caviardage, contrôle, critique, filtre, imprimatur, index, punition, suspension.

CENSURER. Blâmer, caviarder, condamner, critiquer, décrier, défendre, interdire, refouler, supprimer.

CENT. C, centaine, centi, centième, centuple, hect, hecto, monnaie, séculaire, siècle.

CENT-CINQUANTE. Cl.

CENT MÈTRES Acre, are, hm.

CENTAURE (n. p.). Agena, Chiron, Ixion, Kentarus, Lapithes, Minotaure, Nessos, Nessus, Pirithoos, Proxima.

CENTAURE. Astéracée, bucentaure, cheval, composées, constellation, hippanthrope, monstre, taureau, théâtre.

CENTAURÉE. Ambrette, amer, barbeau, bleuet, bluet, chausse-trappe, fleur, jacée, lychnide, lychnis.

CENTENAIRE. Âge, ans, bicentenaire, cycle, durée, époque, ère, étape, moment, séculaire, siècle.

CENTIÈME. Cent, centenaire, centiare, centigrade, centigramme, centile, centilitre, centimètre, quantité.

CENTIGRAMME. Cg.

CENTILITRE. Cl, pinte.

CENTIMÈTRE. Cm, gauss, klystron.

CENTON. Cocktail, compilation, mélange, mosaïque, pastiche, patchwork, pot-pourri, rhapsodie.

CENTRAL. Âme, axe, cité, cœur, essentiel, focal, intérieur, intermédiaire, noyau, ombilic, ronde.

CENTRALE. Aciérie, atelier, entreprise, fabrique, fédération, fonderie, forge, industrie, maïserie, manufacture, piston, prison, raffinerie, scierie, usine, verrerie.

CENTRALE HYDROÉLECTRIQUE, AFRIQUE (n. p.). Assouan, Cahora-Bassa, Inga, Kariba, Kossou.

CENTRALE HYDROÉLECTRIQUE, ASIE (n. p.). Bratsk, Diepr, Huang He, Jaune, Lenissel, Trois-Gorges.

CENTRALE HYDROÉLECTRIQUE, CONGO (n. p.). Inga.

CENTRALE HYDROÉLECTRIQUE, GHANA (n. p.). Akosombo.

CENTRALE HYDROÉLECTRIQUE, ÉTATS-UNIS (n. p.). Hoover Dam.

CENTRALE HYDROÉLECTRIQUE, FRANCE (n. p.). Argentat, Bâthie, Beaucaire, Bollène, Bort-les-Orgues, Bour-lès-Valence, Carbonne, Fayet, Golfech, Grandval, Manosque, Marckolsheim, Maurienne, Oô, Passy, Pierre-Bénite, Revin, Salon-de-Provence, Sarrans, Serre-Ponçon, Seyssel, Villeneuve-sur-Lot, Vouglons.

CENTRALE HYDROÉLECTRIQUE, LUXEMBOURG (n. p.). Vianden.

CENTRALE HYDROÉLECTRIQUE, PANAMA (n. p.). Itaipu.

CENTRALE HYDROÉLECTRIQUE, QUÉBEC (n. p.). Beauharnois, Bourassa, Daniel-Johnson, LaGrande, LG1, LG2, Outardes, Manicouagan, Radisson, Shawinigan, Shipshaw.

CENTRALE HYDROÉLECTRIQUE, RUSSIE (n. p.). Balakovo, Bratsk, Irkoutsk, Krasnoïarsk, Samara.

CENTRALE HYDROÉLECTRIQUE, UKRAINE (n. p.). Dniprodzerjynsk, Krementchouk.

CENTRALE HYDROÉLECTRIQUE, ZAMBIE (n. p.). Kariba.

CENTRALE HYDROÉLECTRIQUE, ZIMBABWE (n. p.). Kariba.

CENTRALE NUCLÉAIRE ANGLETERRE (n. p.). Dungeness.

CENTRALE NUCLÉAIRE BELGIQUE (n. p.). Doel, Tihange.

CENTRALE NUCLÉAIRE FRANCE (n. p.). Avoine, Belle-sur-Loire, Blayais, Bugey, Cattenom, Chooz, Civaux, Creys-Malville, Cruas, Dampierre-en-Burly, Fessenheim, Flamanville, Golfech, Gravelines, Nogent-sur-Seine, Paluel, Penly, Saint-Alban, Saint-Laurent-des-Eaux, Saint-Vulbas.

CENTRALE NUCLÉAIRE KAZAKHSTAN (n. p.). Aktaou.

CENTRALE NUCLÉAIRE QUÉBEC (n. p.). Gentilly.

CENTRALE NUCLÉAIRE RUSSIE (n. p.). Balakovo, Kalinine, Koursk, Tver.

CENTRALE NUCLÉAIRE SUISSE (n. p.). Beznau.

CENTRALE NUCLÉAIRE UKRAINE (n. p.). Tchernobyl.

CENTRALE SYNDICALE. C.E.Q., C.S.D., C.S.N., F.T.Q.

CENTRALIEN. Élève, piston.

CENTRALISATION. Accaparement, cartellisation, centrisme, concentration, intégration, monopolisation.

CENTRALISER. Axer, canaliser, centrer, concentrer, focaliser, levée, palonnier, rassembler, regrouper, réunir.

CENTRE. Âme, anticyclone, aréna, arsenal, axe, base, centrifuge, centripète, cerveau, cheville, cœur, fort, foyer, giron, gravité, home, lieu, milieu, mitan, nife, nœud, noir, nombril, noyau, ombilic, point, pôle, sein, siège, spa.

CENTRER. Attirer, axer, canaliser, centraliser, concentrer, égocentrique, focaliser, orienter, polariser.

CENTRIFUGE. Centrifugeuse, centripète, excentrique, externe, extracteur, périphérique, turbine.

CENTRIFUGEUSE. Épulpeur, essoreuse, extracteur, hématocrite, presse-agrumes, presse-fruits, presse-orange.

CENTRISTE (n. p.). Monory, Poher, Raffarin, Toledo.

CENTRISTE. Altruiste, dévoué, égoïste, égocentriste, individualiste, intéressé, modérantiste, modéré, oisif.

CENTROSOME. Centriole, cil, ciliaire, ciliature, cirre, ensile, flagelle, mascara, organite, ovocentre, poil, protozoaire, rimmel, sensille.

CENTUPLER. Accroître, agrandir, augmenter, cent, croître, décupler, majorer, multiplier.

CENTURION (n. p.). Corneille, Polyeucte, Saint Longin.

CENTURION. Cent, centenier, centurie, chef, longin, officier, primipilaire, primipile, romain.

CEP. Orne, ouillère, oullière, pide de vigne, provin, sarment, sep, treille, vigne.

CÉPAGE. Alicante, aligoté, aramon, bellochin, bourgogne, cabernet, carignan, champagne, chardonnay, chasselas, chenin, cinsault, colombard, colombaud, fendant, folle-blanche, gamay, gewurztraminer, gorondin, grenache, gros-plant, malbec, merlot, morrastel, muscat, nebbiolo, picardan, pinot, riesling, sangiovese, sarment, sauvignon, sémillon, syrah, teinturier, tempranillo, tisserand, trebbiano, vigne, vignoble, vin, zinfandel.

CÈPE. Bolet, bordelais, bûche, ceps, champignon, fonge, godarel, nonnette, tête de nègre.

CÉPÉE. Accru, bouture, brin, brout, drageon, germe, jet, mailleton, marcotte, provin, recrû, rejet, rejeton, surgeon, taillis, talle, tendron, trochée, turion.

CEPENDANT. Alors, enfin, mais, malgré, néanmoins, nonobstant, pendant que, pourtant, quoique, seulement, tandis que, toutefois.

CÉPHALÉE. Céphalalgie, douleur, hémicrânie, maladie, mal de bloc, mal de tête, migraine, migraineux.

CÉPHALOPODES. Ammonite, argonaute, bélemnite, calmar, mollusque, nautile, octopode, pieuvre, poulpe, seiche.

CÉPHÉIDE. Astre, constellation, étoile.

CÉRAMBYCIDÉ. Ægosome, capricorne, cérambyx, coléoptère, lepture, longicorne, saperde, titan.

CÉRAME. Amphore, buire, canope, céramique, grès, hydrie, jatte, torchère, urne, vase.

CÉRAMIQUE. Abacule, azulejo, biscuit, émail, faïence, ferrite, grès, porcelaine, poterie, terre, tesselle, tuile, zellige.

CÉRAMISTE (n. p.). Bracquemond, Brongniart, Chicaneau, Deck, Della Robbia, Erni, Euphronio, Exékias, Gallé, Jouve, Kenzan, Miró, Palissy, Shinsei, Wedgwood.

CÉRAMISTE. Artiste, faïencier, porcelainier, potier, toupinier, tour, tupinier.

CÉRASTE. Reptile, serpent, tarentule, venimeux, vipère, vipère à cornes, vipéridé.

CERBÈRE. Bignole, chien, concierge, garde, gardien, geôlier, mâtin, molosse, pipelet, portier, sentinelle.

CERCE. Armature, calibre, cercle, gabarit, modèle.

CERCEAU. Anneau, arceau, bague, cercle, collier, couronne, douelle, douve, épuisette, feuillard, trousseau.

CERCLE (n. p.). Euler, Prague.

CERCLE. Abside, almicantarat, anneau, arc, arcade, aréole, auréole, bandage, boucle, cénacle, cerceau, cerne, cirque, club, disque, équidistant, halo, jante, listel, lobe, lune, manchette, nimbe, orbe, orbiculaire, osculateur, pi, rayon, relier, rond, rouet, sinus, tour.

CERCLER. Boucler, cacher, caserner, ceindre, claquemurer, claustrer, cloîtrer, coffrer, confiner, emmurer, emprisonner, encaserner, encercler, enclore, enfermer, enserrer, fermer, fourrer, inclus, interner, loger, murer, priver, ranger, retenir, séquestrer, serrer, traquer, verrouiller.

CERCOPITHÉCIDÉ. Babouin, colobe, drill, guenon, macaque, mandrill, papion, patas.

CERCOPITHÈQUE. Babouin, catarhinien, guenon, macaque, primate, singe, singe vert, vervet.

CERCUEIL. Bière, capsule, catafalque, cisse, coffin, mausolée, monument, mort, sarcophage, stèle, tombe, tombeau.

CÉRÉALE. Andain, avoine, bale, balle, blé, farine, fonio, froment, graminée, gruau, houblon, ivraie, luzerne, maïs, manioc, mil, millet, muesli, musli, orge, piétin, riz, sarrasin, seigle, semoule, silo, sorgho, soja, tapioca, tofu, triticale, zizanie.

CÉRÉBRAL. Abstractif, abstrait, cerveau, conceptuel, intellectuel, mental, néocortex, psychique, stéréotaxie.

CÉRÉBRALITÉ. Abstraction, abstrait, brièveté, essentialité, évanescence, fugacité, futilité, idéalité, immatérialité, impalpabilité, imperceptibilité, intangibilité, irréalité, spiritualité, subtilité, volatilité.

CÉRÉMONIAL. Apparat, célébration, décorum, étiquette, pompe, pompeux, protocole, règle, rite.

CÉRÉMONIE. Anniversaire, apparat, bénédiction, cortège, culte, défilé, derviches, étiquette, exorcisme, expiation, fête, formalité, gala, inauguration, ite, lavement, liturgie, messe, office, onction, ordre, parade, pompe, prescrit, réception, règles, rite, sacre, solennité, taffetas, tonsure, vêture.

CÉRÉMONIEUX. Affecté, apprêté, façonnier, formaliste, formel, goumier, guindé, maniéré, protocolaire, solennel.

CERF (n. p.). Actéon, Cernunnos.

CERF. Axis, biche, bois, brame, bramer, brocard, cariacou, chevreuil, cor, cuissot, daguet, daim, élan, époi, fanfare, faon, fauve, hallali, harde, hère, jeunement, mazama, mégacéros, muette, muntjac, orignal, pseudaxis, raire, raller, ramure, rée, renne, servir, sica, tayaut, wapiti.

CERFEUIL. Anthriscus, aromate, condiment, épice, infusion, musqué, ombellifère, scandix, tubéreux.

CERF-VOLANT. Cerf-voliste, cervoliste, coléoptère, deltaplane, écoufle, insecte, jeu, lucane, lucaniste, lucanophile.

CERISE. Anglaise, azerole, bigarreau, burlat, cerisette, cerisier, cherry, cœur-de-pigeon, coulard, drupe, gobet, grappe, griotte, grottier, guigne, guignon, mahaleb, marasque, marasquin, marmotte, merise, merisier, montmorency, reverchon.

CERISIER (n. p.). Mississippi, Pennsylvanie, Virginie.

CERISIER. Amer, arbre, bigarreautier, catalina, clafoutis, giroflier, griottier, guignier, mahaleb, malpighie, merisier, prunus, tardif.

CÉRIUM (n. p.). Klaproth.

CÉRIUM. Ce, cérite, ferrocérium, lanthanide, métal, monazite.

CERMET. Campane, complexe, composite, disparate, divers, hétéroclite, hétérogène, mélangé, mêlé.

CERNE. Âge, ambigu, auréole, battu, cercle, cercle annuel, cernure, col, marbrure, poche, rond, valise.

CERNEAU. Amande, anacarde, arec, bétel, brou, cachou, cajou, chair, coco, coir, écale, enveloppe, fessier, fille, kola, moulin, muscade, noix, noyer, pacane, pécan.

CERNER. Assiéger, bloquer, circonscrire, contourner, embrasser, encercler, encadrer, entourer, environner, investir.

CERS. Air, alizé, amure, aquilon, autan, bise, blizzard, bora, bourrasque, brise, chergui, chinook, cyclone, éolien, étésien, fœhn, grain, haleine, harmattan, joran, khamsin, mistral, noroît, orage, orgue, pampero, pet, rafale, simoun, sirocco, souffle, suroît, tempête, tornade, tourbillon, tramontane, vent, voile, zéphir, zéphyr.

CERTAIN. Absolu, admis, assuré, avéré, certifié, certitude, constant, contestable, dogme, douteux, évident, historique, illusoire, incertain, incontesté, indubitable, infaillible, manifeste, positif, quelque, réel, sûr, tel, un, vrai.

CERTAINEMENT. Absolument, confirmation, évidemment, formellement, manifestement, oui, sûrement, vraiment.

CERTES. Absolument, accord, agrément, assentiment, assurément, aveu, bien, bien sûr, bon, certainement, da, entendu, évidemment, jà, mariage, merci, oc, oïl, oui, opiner, ouais, parfait, parfaitement, si, soit, volontiers.

CERTIFICAT. Acte, attestation, brevet, capacitaire, certifié, diplôme, licence, parère, passeport, PCB, preuve, titre, verdict.

CERTIFICATION. Assurance, attestation, authentification, garantie, homologation, légalisation, officialisation, reconnaissance.

CERTIFIER. Abriter, admettre, affirmer, assurer, attester, authentifier, confirmer, constater, corroborer, couvrir, donner, garantir, jurer, légaliser, promettre, protéger, prouver, soutenir, témoigner, vidimer, vrai.

CERTITUDE. Absolu, assurance, augure, autorité, axiome, clarté, conviction, croyance, doctrine, dogme, espérance, évangile, évidence, fermeté, foi, infaillibilité, mystère, opinion, oracle, sûreté, véridiction, vérité.

CÉRULÉEN. Air, atmosphère, azur, azuré, blason, bleu, bleuâtre, bleu ciel, céleste, cérulé, cérulescent, ciel, empurée, éther, firmament, lapis, lapis-lazuli, mer, minéral, outremer, smalt, verre, voûte.

CÉRUMEN. Auditif, bouchon, cire, cérumineux, dépôt, impureté, oreille, substance.

CERVEAU. Aqueduc, as, caïd, calife, cérébral, cervelet, cervelle, chancelier, chef, crâne, diencéphale, dirigeant, encéphale, faux, hypothalamus, méninge, siège, tête.

CERVELAS. Bois, charcuterie, saucisse, saucisson.

CERVELET. Asynergie, cérébelleux, cerveau, encéphale, équilibre, nodule, vermis.

CERVELLE. Céphalorachidien, cerveau, crâne, encéphale, hypophyse, hypothalamus, spinal, thalamus, ventricule.

CERVICITE. Infection, inflammation, métrite, utérus.

CERVIDÉ. Axis, biche, caribou, cerf, chevreuil, daguet, daim, élan, faon, muntjac, orignal, renne.

CERVOISE. Bière, gauloise, gueuse, orge.

CÉSALPINIACÉE. Arbre-de-Judée, bauhinia, brésil, brésillet, campêche, canéficier, caroubier, casse, cassier, copaïer, copayer, courbaril, févier, flamboyant, gainier, gléditschia, séné, tamarin, tamarinier, tchitola.

CÉSAR (n. p.). Alésia, Antoine, Arioviste, Ascagne, Auguste, Brutus, Cassius, Césarion, Chevelue, Cicéron, Cléopâtre, Crassus, Iule, Julia, Lépide, Marius, Marcus, Octave, Octavien, Pompée, Ptolémée.

CÉSAR. Anchois, autocrate, batavia, despote, dictateur, laitue, oppresseur, potentat, raisin, salade, sénat.

CÉSARIEN. Absolu, absolutiste, arbitraire, autocratique, autoritaire, despotique, dictatorial, directif, dominateur, hautain, hégémonique, illégal, impérieux, jupitérien, satrape, totalitaire, tranchant, tyrannique.

CÉSARISME. Absolutisme, autocratie, despotisme, dictature, fascisme, totalitarisme, starisme, tyrannie.

CÉSIUM. Cs.

CESSATION. Abandon, annulation, arrêt, cassure, cessez-le-feu, disparition, dissolution, extinction, fermeture, fin, grève, interruption, liquidation, mort, paix, relâche, repos, silence, suspension, suppression, trêve.

CESSE. Abandon, accord, arrêt, continuellement, finir, incessant, perpétuel, repos, retraite, sortant, toujours.

CESSER. Abandonner, accorder, arrêter, briser, classer, couper, débrayer, décolérer, désemplir, dételer, expirer, fin, finir, lever, interrompre, mourir, négliger, ôter, perdre, priver, renoncer, retirer, sevrer, tarir, vaquer.

CESSEZ-LE-FEU. Armistice, compromis, interruption, moratoire, pacte, paix, répit, repos, suspension, traité, trêve.

CESSIBILITÉ. Aliénabilité, commerciabilité, négociabilité, possibilité, transférabilité, transmissibilité.

CESSIBLE. Aliénable, commercialisable, concessible, exportable, négociable, possible, transférable, transigible.

CESSION. Abandon, abdication, capitulation, chamade, concession, délaissement, désertion, désistement, don, donation, fuite, renoncement, renonciation, résignation, transfert, transmission, vente.

CESSIONNAIRE. Acheteur, acquéreur, adjudicataire, allocataire, attributaire, auditeur, bénéficiaire, chaland, client, consommateur, décodeur, destinataire, interlocuteur, preneur, récepteur, soumissionnaire, sujet.

C'EST-À-DIRE. À savoir, c. à d., disons, donc, entendez, id est, i.e., seulement, simplement, surtout.

CESTE. Ceinture, ceston, gant, gantelet, pugiliste.

CESTODES. Bothriocéphale, échinocoque, endoparasite, plathelminthe, proglottis, ténia, ver.

CÉSURE. Coupe, coupure, hémistiche, pause, repos.

CÉTACÉS. Baleine, bélouga, béluga, cachalot, dauphin, épaulard, évent, grinde, jubarte, lamantin, licorne de mer, marsouin, mégaptère, mysticètes, narval, odontocète, orque, requin, rorqual, souffleur, squale.

CÉTEAU. Pleuronecte, poisson, semelle, séteau, sole, téléostéen.

CÉTOINE. Coléoptère, élytre, émeraudine, escarbot, hanneton des roses, insecte, oxythyrea, scarabée.

CÉTONE. Acétone, camphre, cétose, dicétose, imine, ionone, irone.

CEYLAN (n. p.). Bandaranaike, Cola, Sri Lanka.

CEYLAN, VILLE (n. p.). Anuradhapura, Polonnaruwa.

CHÂBLE. Châbleau, charpente, cordage, couloir, dévaloir.

CHABLIS (n. p.). Bourgogne, Serein, Yonne.

CHABLIS. Bois, bourgogne, chaos, chaplis, déboisement, rompis, ventis, vin, volis.

CHABLON. Modèle, patron, pochoir.

CHABRAQUE. Bécasse, bécassine, connasse, couverture, housse, mégère, pelage, sabraque, schabraque.

CHACAL (n. p.). Anubis.

CHACAL. Aboie, carnassier, charognard, coyote, crabier, jappe, loup, pieuvre, prédateur, rapace, requin, tueur.

CHADBURN. Transmetteur.

CHADOUF. Balancier, élévateur, puits.

CHAFOUIN. Cauteleux, dissimulateur, faux, fouine, fourbe, perfide, hypocrite, rusé, sournois, tartufe, tartuffe.

CHAGRIN. Abattu, affecté, affliction, affligé, aigre, amertume, bourru, consterné, cuir, déception, dégoût, dépit, déplaire, déplaisir, désoler, douleur, ennui, éploré, épreuve, mal, marri, mélancolie, morose, navré, peau, peine, spleen, triste, tristesse.

CHAGRINANT. Affligeant, atterrant, attristant, consternant, contrariant, déplorable, désespérant, désolant, douloureux, lamentable, malheureux, misérable, navrant, pénible, pitoyable.

CHAGRINÉ. Agacé, affligé, amer, attristé, chiffonné, combattu, contrarié, contrecarré, déçu, déjoué, désolé, embêté, ennuyé, entravé, fâché, freiné, froissé, insatisfait, irrité, marri, peiné, sec, tracassé, vexé.

CHAGRINER. Affecter, affliger, attrister, contrarier, dépiter, désoler, endeuiller, éplorer, fâcher, navrer, peiner.

CHAH (n. p.). Abas, Djahan, Iran, Ismail, Mozaffar, Reza.

CHAH. Cadeau, chef, empereur, justice, lion, mage, monarque, pair, pharaon, prince, reine, royal, royaume, shah, sire, souverain, triboulet, tsar.

CHAHUT. Agitation, bacchanale, brouhaha, bruit, cacophonie, chambard, danse, tapage, tumulte, vacarme.

CHAHUTER. Bahuter, bousculer, conspuer, culbuter, huer, malmener, pousser, saboter, siffler, tapager.

CHAHUTEUR. Agité, bruyant, dissipé, espiègle, excité, nerveux, pétulant, remuant, turbulent, vif.

CHAI. Cave, caveau, caviste, cellier, entrepôt, sommelier, sous-sol.

CHAÎNAGE. Armature, arpentage, bâti, cadre, carcasse, charpente, châssis, étayage, ossature, poutrage.

CHAÎNE. Acatène, andin, anneau, câble, cadenas, captivité, carcan, chaînon, châtelaine, clavier, collier, cordage, cordillère, étrangloir, fer, giletière, guirlande, jambe, léontine, lien, maille, méridienne, montagnes, montre, récif, sautoir, suspente, trame.

CHAÎNE DE MONTAGNES (n. p.). Adam, Adirondacks, Albères, Alpes, Andes, Appalaches, Aravis, Atlas, Balkans, Carpates, Causase, Cordillère, Estrela, Grampians, Guadalupe, Hamersley, Himalaya, Ida, Jura, Karakorum, Laurentides, Léontine, Lure, Morgarten, Nevada, Ouled-nail, Oural, Paropamisus, Porcupine, Rif, Rocheuses, Sierra, Stanovoï, Talamanca, Tchétchène, Vosges.

CHAÎNER. Arpenter, battre, explorer, inspecter, jalonner, marcher, mesurer, mirer, parcourir, prospecter, viser.

CHAÎNETTE. Bijou, chaîne, châtelaine, ferronnière, gourmette, jaseran, poucette, sautoir.

CHAÎNON (n. p.). Alpilles, Alpines, Estaque, Lure, Morgarten, Plantaurel, Revermont, Salève.

CHAÎNON. Anneau, chaîne, maille, maillon, paillon, parallèle.

CHAIR. Agneau, carne, cerneau, charnel, charnu, charogne, dodu, fraise, gras, hérissement, horripilation, incarnat, libido, luxure, maigre, muscle, pantelant, peau, planteureux, plie, pulpe, rebondi, sens, sexuel, tissu, venaison, viande, vif, volaille, zoophage.

CHAIRE. Ambon, cathèdre, estrade, homilétique, minbar, prédication, professorat, pupitre, siège, tribune.

CHAISE. Banc, cabriolet, cadière, caqueteuse, fauteuil, filanzane, litière, palanquin, siège, transat, trorote, vinaigrette.

CHALAND. Acon, accon, acheteur, barque, bateau, bélandre, bette, client, coche, flette, halé, haler, lé, mahonne, marie-salope, navée, péniche, ponton, poussage, pratique.

CHALANDAGE. Couraillage, courreries, lèche-vitrine, lèche-vitrines, magasinage, transport.

CHALAZION. Abcès, ardilleux, compère-loriot, grosseur, induration, kyste, orgelet, sclérose, tanne, tumeur, ulcère.

CHALDÉE (n. p.). Babylone, Babylonie, Béhistoun, Our, Ur.

CHALDÉE. Astrologie, chaldéen, rite.

CHÂLE. Bandana, cachemire, écharpe, fichu, pointe, talet, taleth, talith, talleth, tallith, tallit, tartan.

CHALET. Bâtiment, batisse, bungalow, buron, cabane, cabanon, édicule, ermitage, maison, pavillon, villa.

CHALEUR. Animation, ardeur, athermique, calorie, calorifique, calorimètre, canicule, chaud, chauffage, cordialité, effervescence, étuve, ferveur, feu, fièvre, fougue, latente, joule, rut, thermie, tiaffe, tiède, touffeur, vie, zèle.

CHALEUREUSEMENT. Amicalement, ardemment, amicalement, chaudement, cordialement, favorablement, expressivement, expressivo, fougueusement, impétueusement, passionnément, violemment.

CHALEUREUX. Accueillant, affable, amical, animé, ardent, chaud, cordial, enthousiaste, fervent, passionné, tiède.

CHALLENGE. Affrontement, championnat, compétition, concours, concurrence, défi, duel, épreuve, tournoi.

CHALLENGER. Adversaire, antagoniste, athlète, boxeur, compétiteur, concurrent, contestataire, émule, ennemi, opposant, prétendant, rival.

CHALOIR. Client, importer, intéresser, nonchalance, peu importe.

CHALOUPE. Baleinière, barge, barque, batelet, berge, berthon, bombard, canadienne, canoë, canot, coraillère, doris, embarcation, esquif, flette, kayak, péniche, racer, runabout, sardinière, tapecul, yole, zodiac.

CHALUMEAU. Fer, flûte, flûtiau, galoubet, larigot, paille, pipe, pipeau, roseau, soudeuse, torche, tuyau.

CHALUT. Agrès, bac, bateau, bouqueton, chalutage, chalutier, filet, pêche, traille.

CHALUTIER. Bateau, chalut, fileyeur, marin, martin-pêcheur, pêcheur, senneur.

CHAMADE. Batterie, breloque, capitulation, capituler, cession, signal, sonnerie, tambour, trompette.

CHAMAILLER. Algarader, bagarrer, battre, chicaner, combattre, crêper, disputer, guerroyer, lutter, quereller, tabasser, taper.

CHAMAILLERIE. Accrochage, bisbille, discussion, dispute, échauffourée, empoignade, mésentente, querelle.

CHAMAILLEUR. Acerbe, agressif, ardent, bagarreur, batailleur, belliqueux, colérique, combatif, criard, élaps, emporté, féroce, fou, hargneux, méchant, menaçant, provocant, querelleur, récessivité, revancheur, teigneux, tenace, violent.

CHAMAN. Guérisseur, manitou, prêtre, quimboiseur, shaman, sorcier.

CHAMARRÉ. Arc-en-ciel, bariolé, bigarré, broussaille, composite, diapré, disparate, diversifié, émaillé, grivelé, hétéroclite, hétérogène, hybride, jaspé, madré, marbré, mélangé, mêlé, moucheté, multicolore, pommelé, rayé, ronceux, tacheté, tavelé, tigré, tricolore, varié, veiné, vergeté, zébré.

CHAMARRER. Agrémenter, barioler, bigarrer, colorer, décorer, dorer, émailler, enjoliver, enluminer, orner, veiner, zébrer.

CHAMBARD. Bouleversement, changement, chavirage, conflagration, convulsion, dérangement, dérèglement, déséquilibre, désordre, détraquement, perturbation, révolution, scandale, séisme, stress, trouble.

CHAMBARDEMENT. Bouleversement, branle-bas, changement, chavirement, remue-ménage, révolution.

CHAMBARDER. Bordeliser, bouleverser, bousculer, chambouler, changer, chavirer, déplacer, déranger, dérégler, ébranler, gêner, importuner, nuire, perturber, renverser, révolutionner, saccager, transformer.

CHAMBOULER. Bouleverser, chambarder, changer, chavirer, déplacer, gêner, importuner, nuire, perturber.

CHAMBRANLANT. Bancal, boiteux, branlant, chancelant, croulant, flageolant, instable, titubant, trébuchant, vacillant.

CHAMBRANLE. Cadre, châssis, croisée, dormant, encadrement, fenêtre, huisserie, trappe.

CHAMBRE (n. p.). Communes, Douma, Knesset, Reichsrat, Reichstag, Sénat.

CHAMBRE. Assemblée, baise-en-ville, cachette, carré, chambrée, cellule, cubiculaire, étuve, galetas, garçonnière, garni, harem, kot, loft, loi, mansarde, meublé, odalisque, piaule, pièce, planque, pneu, rustine, sénat, soufflet, taule, tribunal, turne.

CHAMBRER. Acclimater, charrier, cohabiter, crécher, demeurer, endoctriner, estiver, établir, fixer, giter, habiter, hanter, loger, moquer, nicher, occuper, passer, peupler, piauter, résider, rester, séjourner, sermonner, vivre.

CHAMBRETTE. Alcôve, barre, box, case, cellule, chambre, coin, loge, logement, petite, réduit, stalle.

CHAMBRIÈRE. Béquille, camérière, camériste, domestique, fatma, fouet, gouvernante, nourrice, servante.

CHAMEAU. Blatérer, bourru, camélidé, chamelier, chamelon, déplaisant, désagréable, dromadaire, méhari.

CHAMÉROPS. Acéracée, chamaerops, doum, latanier, palmacée, palmier, sagoutier.

CHAMOIS. Beige, beurre-frais, bouquetin, isabelle, isard, jaune, jaune pâle, mouflon, nankin, ocre, soufre.

CHAMOISERIE. Basane, galuchat, maroquinage, maroquinerie, palisson, peau, peausserie, tannerie.

CHAMOISEUR. Habilleur, mégissier, palissonneur, peaussier, pelletier, tanneur.

CHAMOTTE. Argile, céramique, dégraissant, glaise, joint, sil.

CHAMP. Campagne, champêtre, chaume, chènevière, clé, clef, clos, domaine, duel, enclos, friche, glèbe, hippodrome, lice, linière, llanos, lopin, luzernière, mouillère, navetière, pampa, plaine, plantation, prairie, pré, rizière, terrain, tréflière, turf, verger, zone.

CHAMPAGNE (n. p.). Aï, Ay.

CHAMPAGNE. Balthasar, bouteille, brut, champagnette, champenois, crémant, dry, extra-fine, fine, flûte, jéroboam, magnum, mathusalem, mousseux, nabuchodonosor, réhoboam, roteuse, sabler, sabrer, salmanasar, sec, soyer, tocane, vin, vintage.

CHAMPÊTRE. Agreste, arcadien, bucolique, campagnard, faune, pastoral, paysagé, paysan, rural, rustique.

CHAMPI. Bâtard, champis, champisse, enfant.

CHAMPIGNON (4 lettres). Adné, cèpe, pane, pied.

CHAMPIGNON (5 lettres). Asque, bolet, hydne, hyphe, mitre, spore, stipe, volve.

CHAMPIGNON (6 lettres). Agaric, coprin, empuse, fongus, levure, mérule, mycène, oïdium, oronge, papaye, pézize, plutée, satyre, terfès, truffe.

CHAMPIGNON (7 lettres). Amanite, bolétin, dionæa, géaster, girolle, lentine, lépiote, marasme, monilia, morille, oreille, panéole, paxille, phallus, russule, terfèze.

CHAMPIGNON (8 lettres). Botrytis, clavaire, collybie, entolome, eumycète, filament, gomphide, hébélome, helvelle, hérisson, lactaire, mycélium, omphalie, pholiote,

pleurote, polypore, psaliote, puccinie, rhizopus, terfesse, trémelle, tubérale, volvaire.

CHAMPIGNON (9 lettres). Agaricacée, agaricale, asclépias, clitocybe, fistuline, gyromitre, hypholome, marasmius, mousseron, mycorhize, népenthès, psalliote, souchette, trompette, urédinale.

CHAMPIGNON (10 lettres). Acrosperme, agaricacée, amadouvier, armillaire, ascomycète, aspergille, cephalotus, cortinaire, coulemelle, craterelle, hygrophore, lycoperdon, moisissure, myxomycète, plasmopara, protophyte, rhizoctone, saprophyte, strophaire, tricholome, zygomycète.

CHAMPIGNON (11 lettres). Amanitopsis, chanterelle, coucoumelle, foie-de-bœuf, micromycète, phycomycète, scléroderme, siphomycète, vesse-de-loup.

CHAMPIGNON (12 lettres). Darlingtonia, hyménomycète, phycomycètes, phytophthora, pied-de-mouton, pyrénomycète, ustilaginale.

CHAMPIGNON (13 lettres). Basidiomycète, faux mousseron, gastéromycète.

CHAMPIGNON ÉTRANGLEUR. Asclépias, cephalotus, darlingtonia, dionæa, népenthès, papaye.

CHAMPION (n. p.). Ali, Armstrong, Carpentier, Cerdan, Clark, Delamarre, Dempsey, Fangio, Hinault, Johnson, Jordan, Lauda, Le Mond, Maradona, Marciano, Prost, Robinson, Stewart, Weissmuller, Zatopek.

CHAMPION. As, athlète, avocat, cador, défenseur, héros, lauréat, leader, maître, tenant, vainqueur, vedette.

CHAMPIONNAT. Affrontement, bravade, cador, challenge, combat, compétition, concours, concurrence, conflit, coupe, course, débat, duel, émulation, épreuve, guerre, joute, lutte, match, omnium, open, rivalité, test, tournoi.

CHAMPOLLION. Démotique, égyptologue, hiératique, hiéroglyphe, historien.

CHANÇARD. Chanceux, favorisé, fortuné, heureux, mardeux, veinard, verni.

CHANCE. Aléa, atout, aubaine, avantage, baraka, bol, bonheur, chançard, coup, déveine, filon, fortune, guigne, hasard, heur, infortune, malchance, occasion, opportunité, pot, raté, sort, veinard, veine, verni.

CHANCELANT. Branlant, croulant, défaillant, faible, flageolant, flottant, fragile, glissant, hésitant, incertain, instable, menacé, oscillant, pécloter, précaire, titubant, trébuchant, vacillant.

CHANCELER. Balancer, branler, chavirer, hésiter, osciller, tituber, trébucher, trembler, trembloter, vaciller, valser.

CHANCELIER (n. p.). Adalbéron, Adenauer, Aguesseau, Ailly, Aligre, Arundel, Bacon, Bade, Bellièvre, Bethmann, Beust, Bismarck, Brandt, Brougham, Bruning, Callaghan, Chamberlain, Cromwell, Dollfuss, Duprat, Erhard, Exelmans, Honecker, Kiesinger, Kohl, Krenz, Law, Maupeou, Papen, Raab, Rolin, Scheel, Schmidt, Schwarzenberg, Vorontsov, Walpole.

CHANCELIER. Archichancelier, chef, connétable, consul, dataire, daterie, huissier, recteur, scripteur.

CHANCELLERIE. Ambassade, chancel, consulat, daterie, magistrature, représentation, résidence, secrétariat.

CHANCEUX. Aléatoire, aventurier, bossu, chançard, favorisé, fortuit, hasardeux, heureux, incertain, infortuné, malchanceux, mardeux, opportun, osé, risqué, veinard, verni.

CHANCI. Amendement, apport, boue, chaux, compost, craie, cyanamide, débris, engrais, falun, fertilisant, fumier, gadoue, gadouille, guano, humus, mélange, nourrain, poudrette, purin, soutrage, terreau, urée.

CHANCIR. Altérer, avarier, corrompre, croupir, décomposer, dégénérer, dégrader, détériorer, gâter, moisir, pourrir, putréfier, tourner, ulcérer.

CHANCISSURE. Acide, aspergille, auréole, blettissure, chanci, croupissure, empuse, ergot, fleur, levure, moisissement, moisissure, monilie, mucor, pégot, pénicillium, rancissure, sporotriche, trichophyton, vert.

CHANCRE. Blessure, cancer, chancrelle, érosion, induré, lésion, maladie, MST, MTS, mycose, plaie, syphilis, tumeur, ulcération, ulcère, vérole.

CHANCRELLE. Blessure, B.W., cancer, chancre, hérédo, induré, infection, lésion, lue-test, luétine, maladie, MST, MTS, roséole, syphilis, tabès, tréponème, tumeur, ulcération, ulcère, vérole.

CHANDAIL. Aiguille, cardigan, gilet, jacquard, lainage, macramé, maillot, pull, pull-over, tricot, veste.

CHANDELIER. Bobèche, bougeoir, candélabre, cierge, flambeau, girandole, herse, lampadaire, lustre, menora.

CHANDELLE. Binet, boisseau, bougie, bougeoir, cactus, calbombe, candélabre, chandelier, cierge, cire, falot, flambeau, flamme, fusée, lampion, lumière, lumignon, luminaire, mèche, oribus, pascal, rat, sabot.

CHANFREIN. Bec, biseau, biseauter, burin, ébiseler, écossé, embouchure, entaillé, hoyau, oblique, pied-de-biche, sifflet.

CHANGE. Argent, avantage, boursem câlin, chassé-croisé, commerce, devise, échange, marché, mue, mutuel, permutation, recevoir, rechange, réciproque, relais, remettre, retour, séné, soulte, soute, traite, troc.

CHANGÉ. Altéré, amélioré, converti, différent, méconnaissable, mué, permuté, transformé, zappé.

CHANGEABLE. Convertissable, métamorphosable, modifiable, remplaçable, réversible, transformable, transmuable, transmutable.

CHANGEANT (n. p.). Cana, Io, Loth, Narcisse, Protée.

CHANGEANT. Arlequin, bizarre, caméléon, capricieux, divers, erratique, flottant, fluctuant, incertain, inconstant, inégal, instable, irrégulier, léger, mobile, mouvant, protée, us, variable, versatile, volage.

CHANGEMENT. Abandon, amélioration, avatar, chambardement, crise, débâcle, détour, éclaircie, embardée, évasion, évolution, inflexion, magnétostriction, métagramme, métamorphose, métastase, modification, modulation, mue, mutation, nuance, oscillation, palinodie, péripétie, phase, pirouette, réforme, remaniement, retournement, revirement, révolution, saute, subit, tel, transmutation, variation, véraison, virage.

CHANGER. Aérer, altérer, améliorer, amender, commuer, convertir, décaler, dégénérer, déliter, désaffecter, dévier, émigrer, évoluer, falsifier, fluctuer, innover, inverser, lignifier, métamorphoser, modifier, momifier, mouvoir, muer, muter, ossifier, permuter, pétrifier, pirouetter, raviser, reconvertir, remanier, remplacer, remuer, revenir, saccharifier, tourner, transfigurer, varier, virer, zapper.

CHANGEUR. Barème, bordereau, cadre, cambiste, catalogue, courtier, index, inventaire, liste, matricule, mémoire, menu, nomenclature, registre, relevé, répertoire, rôle, série, suite, tabelle, tableau, thyratron.

CHANOINE (n. p.). Aubry, Baudry, Clavier, Colas, Cornet, Groulx, Leroy, Machaut, Prémontré, Ricard, Saulnier.

CHANOINE. Doyen, ecclésiastique, génovéfain, plébain, pléban, prévôt, religieux, séculier, succenteur, théologal.

CHANSON (n. p.). Carmagnole, Nibelungen, Roland.

CHANSON. Air, ballade, barcarolle, berceuse, beuglante, canzone, chansonnette, chant, clip, complainte, comptine, couplet, estampie, fado, goualante, hit, jota, lied, mélodie, parolier, pot-pourri, refrain, rengaine, ritournelle, romance, ronde, rondeau, rondel, rondo, tube, villanelle, yé-yé.

CHANSONNIER (n. p.). Béranger, Botrel, Boyer, Brel, Bruant, Cabrel, Charlebois, Clément, Dac, Delannoy, Désaugiers, Dupont, Ferland, Gallet, Imbert, Leclerc, Lemay, Léveillé, Malet, Nadaud, Pottier, Rivard, Vadé, Vigneault.

CHANSONNIER. Analecta, anthologie, auteur, chanteur, compositeur, humoriste, mélodiste, recueil.

CHANT. Air, alléluia, bel canto, byline, cantatrice, cantilène, cappella, chœur, choral, credo, cygne, dies irae, fado, faux-bourdon, flamenco, gospel, graduel, haka, hosanna, hymne, introït, lamento, lied, marseillaise, mater, mélopée, monodie, motet, musique, negro spiritual, nénies, Noël, ode, oiseau, orphéon, péan, pluriel, poème, priapée, prose, psaume, ramage, repons, rhapsodie, rive, sanctus, ska, solea, stabat, thrène, voceri, vocero.

CHANTAGE. Alerte, avertissement, bravade, danger, délit, fureur, injure, nuage, outrage, ultimatum.

CHANTEPLEURE. Arrosoir, autoclave, barbacane, bassinet, boudinière, chausse, cornet, culot, cuvette, entonnoir, gargouille, ouverture, perloir, robinet, siphon, tourbillon, trémie, verveux.

CHANTER. A capela, attaquer, beugler, brailler, bramer, cappella, chantonner, coqueriquer, détonner, égosiller, entonner, fredonner, grisoller, gueuler, hurler, injurier, iodler, iouler, jodler, psalmodier, ramager, roucouler, solfier, swinguer, ténoriser, turlutter, vocaliser.

CHANTERELLE. Appeau, appelant, champignon, claviforme, corde, girolle, mouvant, paxille, trompette.

CHANTEUR. Aède, alto, artiste, barde, basse, castrat, chantre, chœur, choriste, coloratura, contralto, crooner, fausset, idole, lutrin, ménestrel, mezzo-soprano, oriole, rapsode, rhapsode, rocker, soliste, soprano, sopraniste, ténor, troupier, tyrolien.

CHANTEUR ALLEMAND (n. p.). Fischer-Dieskau, Tannhäuser.

CHANTEUR ANGLAIS (n. p.). Bowie, Clapton.

CHANTEUR AMÉRICAIN (n. p.). Armstrong, Astaire, Berry, Broonzy, Brown, Calloeway, Charles, Cole, Crosby, Dylan, Gaye, Gillespie, Hendrix, Hooker, Hopkins, Jackson, King, Muddy, Presley, Redding, Sinatra, Springsteen, Vaughan, Waller, Wonder, Zappa.

CHANTEUR ARGENTIN (n. p.). Gardel, Yupanqui.

CHANTEUR BARYTON (n. p.). Allard, Arres, Beauchemin, Belleau, Biron, Bisson, Boie, Boivin, Boucher, Cambell, Chiosa, Claude, Côté, Couturier, Cyr, Duguay, Erkoreka, Ferland, Fournier, Funicelli, Gaudet, Gobeil, Gosselin, Grosser, Julien, Kulish,

Labbé, Lagrenade, Langlois, Laperrière, Larouche, Latour, Lecky, Leclerc, Lefebvre, Lepage, Létourneau, Levasseur, Levert, Lortie, Major, McAuley, McMillan, Miron, Mollet, Montpetit, Oland, Patenaude, Poirier, Richard, Robie, Sasseville, Savoie, Sever, Trempe, Viau, Wolny, Zinko.

CHANTEUR BASSE (n. p.). Beauchemin, Béland, Belleau, Benoît, Bisson, Callender, Corbeil, De Forge, Deschamps, Desjardins, Dionne, Funicelli, Germain, Gosselin, Gramescu, Grenier, Guérette, Harbour, Hébert, Julien, Kulish, Lareau, Lefebvre, Légaré, Martin, McNamara, McRae, Pratt, Rouleau, Saint-Amant, Saucier, Scott, Sigmen, Trudeau, Victor.

CHANTEUR BELGE (n. p.). Brel.

CHANTEUR COMPOSITEUR QUÉBÉCOIS (n. p.). Bélanger, Biddle, Bouchard, Bourgeois, Brault, Brousseau, Brown, Calvé, Canuel, Carse, Charlebois, Cyr, De Larochellière, Gabriel, Gélinas, Joanness, Labbé, Lalonde, Lefrançois, Lelièvre, Lemay, Mandeville, Minville, Norman, Olivier, Pagliaro, Pelchat, Piché, Pringle, Tadros, Torr, Vigneault, Voisine.

CHANTEUR CONTRE-TÉNOR (n. p.). Lagranade, McLean.

CHANTEUR ÉGYPTIEN (n. p.). Abdel.

CHANTEUR ESPAGNOL (n. p.). Mairena, Mariano.

CHANTEUR FOLKLORISTE, HOMME (n. p.). Beaudoin, Collard, Cormier, Daignault, Gosselin, Grenier, Labrecque, Mignault.

CHANTEUR FRANÇAIS (n. p.). Aznavour, Bashung, Béart, Bécaud, Berger, Bertrand, Bourvil, Brassens, Chevalier, Clerc, Cochereau, Dranem, Dutronc, Fernandel, Ferrat, Ferré, François, Gainsbourg, Hallyday, Lama, Lapointe, Mayol, Mitchell, Montand, Nougaro, Perret, Polnareff, Reggiani, Renaud, Rossi, Salvador, Souchon, Trenet, trial.

CHANTEUR ITALIEN (n. p.). Caccini, Caruso, Pavarotti, Raimondi, Stradella

CHANTEUR JAMAÏCAIN (n. p.). Marley.

CHANTEUR QUÉBÉCOIS DE VARIÉTÉS (n. p.). Bigras, Campagne, Carse, Charles, Corcoran, Duguay, Farago, Ferland, Gauthier, Gignac, Hachey, Huet, Labrecque, Lalonde, Leloup, Mervil, Pelchat, Simard, Stax, Vigneault, Voisine, Zabé.

CHANTEUR QUÉBÉCOIS POP (n. p.). Berthiaume, Charlebois, Déry, Fugère, Hua, Knight, Lapointe, Lebel, Legendre, Lemay-Thivierge, Louvain, Martin, Mignault, Pringle, St-Clair.

CHANTEUR RUSSE (n. p.). Chaliapine.

CHANTEUR SÉNÉGALAIS (n. p.). N'Dour.

CHANTEUR TÉNOR (n. p.). Aubry, Barrette, Bélanger, Bernier, Bilodeau, Bisson, Bizier, Blanchette, Blouin, Boisvert, Boutet, Cantin, Champoux, Charette, Comeau, Corbeil, Côté, Coulombe, De Hêtre, Denys, Desbiens, Desmeules, Dionne, Doane, Dubord, Duguay, Duval, Fortin, Fournier, Gagnon, Gauvin, Glogowski, Gosselin, Gray, Guérin, Guillemette, Guinard, Guindon, Hargreaves, Joanness, Jodry, Lacourse, Laflamme, Landry, Langelier, Lanouette, Laperrière, Latour, Leclerc, Legault, Léonard, Lessard, Lortie, McAuley, McLean, Morin, Nolet, Ouellette, Panneton, Pavarotti, Pellerin, Pelletier, Perras, Perreault, Perron, Peters, Philipp, Piché, Pilon, Robitaille, Rompré, Saint-Gelais, Schrey, Simard, Smith, Tardif, Tremblay, Trépanier, Turcotte, Vallée, Verreau, Webber.

CHANTEUSE. Cantatrice, diva, divette, geisha, goualeuse, prima donna, rockeuse, soliste.

CHANTEUSE ALTO (n. p.). Berthiaume, Brehmer, Darmont, Dind, Dubois, Harbour, Lalonde, Magnan, Mayer, Pelletier. Picard, Rose.

CHANTEUSE COLORATURE (n. p.). Arpin, Bilodeau, Choquette, Côté, Fortin, Hurley, Leclerc, Lespérance.

CHANTEUSE COMPOSITEURE QUÉBÉCOISE (n. p.). Butler, Cousineau, Des Rochers, Desrosiers, Dufresne, Forestier, Jasmin, Lemay, Paris, Philippe, Saintonge, Séguin, St-Clair, Tell, Thério.

CHANTEUSE CONTRALTO (n. p.). Beaulieu, Catudal, Champagne, Couture, Dumontet, Ferland, Gignac, Jalbert, Lambert, Lanouette, Paquet, Parent, Puiu, Rioux.

CHANTEUSE FRANÇAISE (n. p.). Crespin, Damia, Falcon, Faure, Gréco, Guilbert, Lubin, Mireille, Mistinguett, Piaf, Sylvestre.

CHANTEUSE JAZZ (n. p.). Fitzgerald.

CHANTEUSE MEZZO-SOPRANO (n. p.). Amos, Aubé, Beaudry, Beaulieu, Beaupré, Bédard, Bergeron, Boucher, Bovet, Brehmer, Brodeur, Cartier, Chaput, Chartier, Chiocchio, Choinière, Clavet, Comtois, Corbeil, Couture-Joachim, Dansereau, Dind, Dion, Dufour, Duguay, Dumont, Dumontet, Duval, Fay, Ferland, Fillion-Biro, Fleury, Flibotte, Gaudreau, Girard, Girouard, Guyot, Harbour, Keklikian, Laferrière, Lamarche, Lambert, Lapointe, Lavigne, Leblanc, Lemelin, Lessard, Levac, Marchand, Martin, Martineau, Matteau, Mayer, Mizera, Murray, Nelson, Novembre, Ouellet-Gagnon, Paltiel, Paquet, Pavelka, Pelletier, Poulain, Poulin Parizeau, Racine, Rioux, Robert, Rose, Roy, Samson, Sanders, Senécal, Sevadjian, St-Jean, Tardif, Vachon, Vaillancourt, Verschelden.

CHANTEUSE QUÉBÉCOISE DE VARIÉTÉS (n. p.). Bocan, Boulay, Campagne, Daraîche, Dassylva, Dion, Dufresne, Fabian, Juster, Kathleen, Oddera, Pary, Reno, Richard, Robi, Rock, Sainte-Marie, Sanscartier, Simard, St-Clair, Valade.

CHANTEUSE QUÉBÉCOISE POP (n. p.). Blouin, Butler, Choquette, Gélinas, Martel.

CHANTEUSE SOPRANO (n. p.). Allison, Amos, Arpin, Arsenault, Baillargeon, Banini-Giroux, Barrette, Bastien, Beauchamp, Beaumier, Bédard, Bélanger, Bellavance, Bellégo, Bernard, Berthiaume, Bilodeau, Blier, Boky, Boucher, Burla, Cadbury, Camirand, Caron, Carrier, Chalfoun, Charbonneau, Choquette, Cimon, Claude, Côté, Cousineau, Couture, Crépeau, Dansereau, Daviault, D'Éon, De Repentigny, Desmarais, Desrosiers, Dion, Drolet, Duchemin, Dugal, Duguay, Dulude, Dumontier, Dussault, Duval, Edwards, Fabien, Figiel, Findlay, Forget, Fortin, Frenette, Gagné, Gagnier, Gates, Gauthier, Gendron, Gingras, Grenier, Guay, Guérard, Guérin, Hurley, Husaruk, Jolin-Laurencelle, Karam, Katazian, Kinslow, Kutz, Laberge, Lachance, Lafontaine, Lalonde, Lambert, Lamoureux, Lapointe, Laterreur, Leboeuf, Lebrun, Legault, Lemay, Lemieux, Le Myre, Lespérance, Lessard, Longpré, Lord, Marchand, Marcotte, Marquette, Martel, Martin, Masella, McGuire, Mercier, Murray, Nadeau, Ohlmann, Pagé, Parent, Paulin, Pelletier, Phaneuf, Picard, Pilon, Plante, Postill, Poulin-Parizeau, Poulyo, Robert, Robert, Saint-Denis, Savoie, Séguin, Selkirk, Simard, Sperano, Tiernan, Tremblay, Trudeau, Vachon, Vaillancourt, Vallée-Jalbert, Van Der Hoeven, Verret.

CHANTIER. Arsenal, atelier, bazar, bordel, charpenterie, dépôt, fabrique, foutoir, gril, magasin, ouvrier, tas.

CHANTILLY. Beurrerie, cappuccino, crème, crèmerie, dentelle, liégeois, melba, mont-blanc, saint-honoré, sauce.

CHANTOIR. Aven, bétoire, cavité, chanteur, cloup, égout, fosse, gouffre, igue, perte, précipice, puisard, puits, tindoul.

CHANTONNEMENT. Bruissement, bourdonnement, chant, fredonnement, gazouillement.

CHANTONNER. Bourdonner, chanter, détonner, fredonner, moduler, turluter.

CHANTOURNER. Charcuter, ciseler, couper, débiter, découper, délisser, denteler, dépecer, dessiner, détacher, détailler, échancrer, équarrir, évider, festonner, hacher, lacérer, profiler, rogner, taillader, tailler, trancher.

CHANTRE (n. p.). Agno, Alfieri, Alterman, Bialik, Blok, Botev, Chabrol, Chocano, Elskamp, Evtouchenko, Fleg, Fucini, Giono, Isocrate, Kipling, Pérochon, Pilniak, Sachs, Séféris, Vazov.

CHANTRE. Aumusse, barde, cantor, castrat, chansonnier, chanteur, défenseur, machicot, scalde, sisymbre, vélar.

CHANVRE. Abaca, bananier, bidens, canebière, cannabis, chènevière, chènevis, corde, écang, étoupe, eupatoire, filasse, filin, hasch, haschisch, kif, maque, marijuana, rouet, rouir, rouissoir, sérancer, textile, tissu, toile, treillis.

CHAOS. Anarchie, bouleversement, chaotique, confusion, désordre, gâchis, pagaille, perturbation, sérac, trouble.

CHAOTIQUE. Anarchique, brouillon, chaos, confus, décousu, désordonné, désorganisé, incohérent, inconséquent.

CHAOUCH. Aboyeur, adjudicateur, annonceur, annonciateur, appariteur, chantre, crieur, encanteur, héraut, huissier, massier, messager, tabellion, vendeur.

CHAOURCE. Fromage.

CHAPARDAGE. Appropriation, brigandage, cambriolage, déprédation, détournement, détroussement, enlèvement, extorsion, larcin, malversation, pillage, piratage, razzia, resquillage, spoliation, subtilisation, vol.

CHAPARDER. Barboter, chiper, délester, dérober, marauder, piquer, prendre, soustraire, subtiliser, voler.

CHAPARDEUR. Chipeur, dérobeur, escroc, fricoteur, maraudeur, pillard, pilleur, piqueur, voleur.

CHAPE. Asphalte, aube, bande, cappa, chasuble, ciment, dalmatique, fardeau, froc, magna, mosette.

CHAPEAU. Bavolet, béret, bernicle, bob, bibi, bicorne, bitos, bolivar, cabriolet, canotier, cap, cape, capeline, capote, capuchon, chapelier, charlotte, cinglé, claque, cloche, coiffure, couvre-chef, feutre, galure, galurin, gibus, haut-de-forme, hennin, képi, manilles, melon, mitre, modiste, paille, panama, patelle, pétase, sombrero, suroît, toque, tricorne, tube.

CHAPEAUTER. Accompagner, acheminer, animer, axer, coiffer, conduire, couvrir, gêner, gouverner, guider, mener, orienter, router, senestrer, tenir, viser.

CHAPELAIN (n. p.). Cornu, Latimer, Roques, Sorbon.

CHAPELAIN. Aumônier, chapellenie, prêtre.

CHAPELER. Admonester, chamailler, chicaner, discuter, disputer, engueuler, expliquer, gronder, opposer, quereller.

CHAPELET. Alignement, ave, cascade, chaîne, clane, colonne, combinaison, consécution, dizaine, égrainer, égrener, glane, grain, kyrielle, mala, neuvaine, pater, prières, psautier, rosaire, série, succession, suite.

CHAPELIER. Casquettier, chapelière, couturière, képissier, modiste.

CHAPELLE (n. p.). Invalides, Sixtine.

CHAPELLE. Absidiole, baptistère, camarilla, chanterie, crypte, église, laraire, oratoire, pagode, reposoir, sacristie.

CHAPELURE. Enrobage, friture, gratin, miche, mie, pain, paner, panure, râpe.

CHAPERON. Accompagnateur, bahut, bourrelet, cagoule, capuche, capuchon, coiffure, couronnement, duègne, femme, gouvernante, nourrice, servante.

CHAPERONNER. Accompagner, conseiller, couvrir, défendre, diriger, garder, protéger, suivre, veiller.

CHAPKA. Afro, bavolet, béret, bibi, bombe, bonnet, boucle, boudin, brosse, calot, cape, capeline, casque, chapska, chevelure, cloche, coiffure, cornette, diadème, épi, fez, figaro, hennin, keffieh, képi, kipa, melon, mitre, plumet, pouf, pschent, schako, shako, shapska, tarbouch, tarbouche, tiare, toque, tresse, truffe, turban.

CHAPITEAU. Annelet, armille, cippe, cirque, composite, corbeille, corinthien, échine, fût, orle, ove, tente.

CHAPITRE. Article, assemblée, capitulaire, chanoine, chapitral, conseil, division, doyen, épigraphe, exergue, livre, matière, objet, partie, poste, primicier, question, réunion, section, sujet, surate, titre.

CHAPITRER. Admonester, attraper, gronder, houspiller, malmener, moraliser, morigéner, réprimander.

CHAPKA. Afro, bavolet, béret, bibi, bombe, bonnet, boucle, boudin, brosse, calot, cape, capeline, casque, chapska, chéchia, chevelure, cloche, coiffure, cornette, diadème, épi, fez, figaro, galure, hennin, keffieh, képi, kipa, melon, mimi, mirliton, mitre, plumet, pouf, pschent, schako, shako, shapska, talpalk, tarbouch, tarbouche, tiare, toque, tresse, truffe, turban.

CHAPON. Aillade, blanc, chaponneau, châtré, coq, coquelet, croûte, frottée, pain, poule, poulet.

CHAPONNER. Amputer, castrat, castrer, châtrer, couper, démascler, émasculer, eunuque, hongrer, mutiler, tronquer.

CHAQUE. Chacun, élément, exemplaire, respectif, tous, tout, unité.

CHAR. Auto, automobile, basterne, bazou, bige, blague, blindé, bluff, charrette, chariot, corbillard, corso, engin, essède, half-track, histoire, panzer, quadrige, tank, voiture.

CHARABIA. Argot, baragouin, baragouinage, bizarre, galimatias, jargon, obscur, pataquès, patois, sabir, volapük.

CHARACIDÉ. Néon, piranha, piraya, poisson.

CHARADE. Colle, devinette, énigme, jeu, question, rébus.

CHARADRIIDÉ. Charadriidorme, courlieu, courlis, échassier, gambette, pluvier, sanderling, vanneau.

CHARANÇON. Anthonome, apion, brachonyx, byctiscus, calandre, curculionicé, peritelus, phyllobie, rhynchite, rhynchole.

CHARANGO. Guitare, luth.

CHARBON. Abattage, anthracite, anthracose, boghead, boulet, briquette, clarain, coke, combustible, crochon, diamant, durain, escarbille, fusain, gailleterie, gaillette, gril, houille, lavoir, lignite, maladie, noisette, pustule, tourbe.

CHARBONNER. Barbouiller, biser, culotter, discréditer, enfumer, estomper, fumer, mâchurer, maculer, noircir, obscurcir, salir, teindre.

CHARBONNERIE. Carbonari, carbonarisme, carbonaro.

CHARBONNEUX. Carbonisé, confus, ébène, fuligineux, noirâtre, noirci, obscur, sale, sali.

CHARBONNIER. Bateau, bougnat, cargo, champignon, tourbeur, tourbier.

CHARBONNIÈRE. Charbonnage, coffre, houillère, mésange, seau, seau à charbon.

CHARCUTAGE. Bandage, bouillie, capilotage, charpie, compote, déchiquetage, déchirement, défilage, destruction, dilacération, hachage, hachement, lacération, marmelade, miettes, morceaux, poussière, purée.

CHARCUTER. Couper, découper, défigurer, diviser, égorger, métier, opérer, sectionner, tripatouiller.

CHARCUTERIE. Andouille, andouillette, assiette, bacon, ballottine, boucherie, boudin, cervelas, cochonnaille, confit, coppa, cretons, galantine, hure, museau, pâtisserie, pancetta, porc, rillettes, roulade, salaison, traiteur, triperie.

CHARCUTIER. Boucher, boyaudier, chirurgien, conserveur, étalier, poissonnier, rôtisseur, traiteur, tripier.

CHARDON. Acanthe, artichaut, bosse, brasier, carde, cardère, cardon, carline, centaurée, cirse, difficulté, échinops, kentrophylle, oiseau, onoporde, onopordon, panicaut, pédane, piquant, sarrète, sarrette, serratule, serrette.

CHARENTAIS. Chausson, cheval, melon, mule, pantoufle.

CHARENTE MARITIME, VILLE (n. p.). Ars, Aulnay, Aytre, Breuillet, Brouage, Burie, Cozes, Fouras, La Rochelle, Périgny, Pons, Royan.

CHARENTE, VILLE (n. p.). Agris, Aigre, Angoulème, Brossac, Chabanais, Chalais, Claix, Cognac, Jarnac, Matha, Rouillac, Saint Claud, Sers, Villefagan.

CHARGÉ. Attitré, coloré, couvert, émissaire, empreint, encré, équilibré, exécutif, humide, lesté, obéré, obscur, occupé, plein, préposé, tarabiscoté, touffu.

CHARGE. Ânée, aumônerie, balle, bébé, boulet, dette, devoir, dîme, économat, édilité, emploi, encrer, éphorat, étude, excès, faix, fardeau, fonction, frais, franco, humide, imager, imamat, impôt, judicature, légation, lest, mine, mission, munition, office, palanquée, pensum, peser, pétard, poids, port, pouvoir, préture, servitude.

CHARGEMENT. Augée, barda, batelée, bolée, ci-inclus, cuvée, dedans, inclus, remplissage, teneur.

CHARGER. Amorcer, armer, arrimer, assumer, bâter, brêler, combler, déléguer, désigner, disposer, élancer, embarquer, embâter, empiler, emplir, engager, facturer, fréter, imposer, investir, lester, recharger, remplir, transborder.

CHARGEUR. Baraterie, chiffonnier, débardeur, docker, fusil, loader, magasin, manutentionnaire, ramasseur, subrécargue.

CHARGEUSE. Chouleur, excavateur, excavatrice, loader, noria, pelleteuse, pépine, rétrochargeuse, sakieh.

CHARIOT. Benne, binard, boggie, briska, caddie, callisto, camion, charrette, charron, diable, éfourceau, élévateur, fardier, jumbo, lorry, prolonge, ridelle, transpalette, trolley, téléférique, transpalette, vide-tourie, wagon.

CHARISME. Aimant, attirance, attraction, attrait, avantage, bénéfice, bienfait, charme, commodité, convenance, désidérabilité, efficacité, envoûtement, fascination, fonction, intérêt, magie, magnétisme, mérite, nécessité, profit, recours, séduction, sex-appeal, usage, utilité, valeur.

CHARITABLE. Altruiste, bon, compatissant, désintéressé, généreux, humain, obligeant, philanthrope, sensible.

CHARITÉ. Aide, altruisme, assistance, aumône, bienfaisance, bonté, caritatif, clémence, congiaire, denier, don, entraide, générosité, mendicité, obole, palliatif, quête, rénisme, répartition, sportule, subside, subvention, tolérance.

CHARIVARI. Bastringue, bazar, brouhaha, bruit, cacophonie, chahut, sérénade, tapage, tohu-bohu, vacarme.

CHARLATAN (n. p.). Barnum, Cagliostro, Tabarin.

CHARLATAN. Camelot, démagogue, escroc, forain, hâbleur, imposteur, menteur, parleur, rebouteux, trompeur.

CHARLATANERIE. Canaillerie, carambouille, coquinerie, crapulerie, enjôlement, escroquerie, fraude, friponnerie, malhonnêteté, maquignonnage, mystification, supercherie, tricherie, tromperie, usurpation.

CHARLATANISME. Cabotinage, canaillerie, carambouillage, crapulerie, duperie, enjôlement, escroquerie, fanfaronnade, fraude, grivèlerie, hâblerie, imposture, maquignonnage, mystification, supercherie, tricherie, tromperie, usurpation.

CHARLEMAGNE (n. p.). Adalgis, Angilbert, Berthe, Bertrade, Carloman, Éginhard, Einhard, Pépin le Bref.

CHARLES (n. p.). Carol.

CHARLES DE BEAUMONT (n. p.). Éon.

CHARLES DE BEAUMONT. Agent, chevalier, efféminé, espion, esprit, gnostique, officier, secret, travesti.

CHARLESTON. Cymbale, danse, musique.

CHARLOT. Amuseur, bascule, bouffon, bourreau, clown, coquard, courlis, guillotine, guignol, individu, pantin, pitre, rigolo, zouave.

CHARMANT. Adorable, agréable, attirant, attrayant, beau, bel, chérubin, coquet, délicieux, divin, enchanteur, ensorcelant, exquis, fascinant, gai, gentil, joli, ravissant, riant, rieur, séducteur, séduisant, sexy, tentant, trognon.

CHARME. Adorable, agrément, appas, appât, arbre, attirance, attrait, beauté, blandice, délice, courtisan, courtiser, élégance, fascinant, fascine, goût, grâce, gracieux, magie, magnétisme, piquant, pouvoir, saveur, séduction, serpent, sirène, sort, sortilège, tournure.

CHARMER. Attirer, aveugler, captiver, conjurer, délecter, éblouir, émerveiller, enchanter, ensorceler, entraîner, envoûter, épater, fasciner, flatter, hypnotiser, magnétiser, marabouter, passionner, plaire, ravir, séduire.

CHARMEUR. Attractif, charmant, enchanteur, enjôleur, ensorceleur, entraîneur, envoûteur, flatteur, hypnotiseur, magicien, magnétiseur, psylle, séducteur, séduisant, tombeur, troublant.

CHARMILLE. Allée, berceau, bocage, bosquet, charmeraie, charmoie, chemin, haie, ormille, plant, vigne.

CHARNEL. Corporel, intime, lubrique, luxure, physique, sensible, sensuel, sexuel, tangible, temporel.

CHARNIER. Cadavre, catacombe, catafalque, caveau, cimetière, colombaire, crypte, fosse, mausolée, momie, monument, nécropole, pyramide, sarcophage, sépulcre, sépulture, syringe, tombe, tombeau.

CHARNIÈRE. Articulation, axe, bielle, biellette, combe, essieu, gond, manivelle, paumelle, penture.

CHARNU. Arrondi, bouffi, corpulent, dodu, enveloppé, épais, étpffé, ferme, fort, gras, grassouillet, gros, lèvre, obèse, plantureux, plein, potelé, pulpeux, rebondi, replet, rond, rondelet, ventru.

CHAROGNARD. Chacal, corneille, goéland, hyène, nécrobie, nécrophage, orfraie, urubu, vautour.

CHAROGNE. Barbaque, bidoche, cadavre, carcasse, carne, carogne, chair, malveillant, méchant, mort.

CHAROLAIS. Bœuf, bovin, mouton, vache

CHARPENTE. Arêtier, armature, armure, bâti, ber, cadre, carcasse, composition, étai, if, lierne, liure, noue, noulet, os, ossature, pan, pilier, poteau, poutre, racinal, sablière, sapin, solive, soliveau, squelette, tin, toiture.

CHARPENTER. Architecturer, articuler, dégauchir, équarrir, gosser, menuiser, robuste, structurer, tailler.

CHARPENTIER (n. p.). Joseph.

CHARPENTIER. Abeille, équerre, erminette, herminette, menuisier, ossu, rénette, rabot, rouanne, tarière, vrille.

CHARPENTIÈRE. Abeille, hyménoptère, menuisière, perce-bois, xylocope.

CHARPIE. Bandage, bouillie, capilotage, compote, déchiquetage, défilage, marmelade, miettes, morceaux, poussière, purée.

CHARRETIER. Aurige, automédon, cocher, colignon, collignon, conducteur, patachier, patachon, pattier, phaéton.

CHARRETTE. Atteloire, carriole, char, chariot, charretier, charretin, charreton, chartil, diable, fourragère, gerbière, haquet, haussière, hayon, liure, ridelle, téléga, tombereau, travail, trésaille, véhicule, voiture, wagon.

CHARRIAGE. Abus, charge, charroi, charroyage, convoi, démesure, équipage, excès, train, transport.

CHARRIER. Abuser, attiger, charroyer, dramatiser, emporter, entraîner, exagérer, forcer, grossir, moquer, mystifier, outrer, plaisanter, traîner, transporter.

CHARROI. Charge, charriage, charroyage, convoi, équipage, train, transport.

CHARRON. Caddie, chariot, charrette, hippomobile.

CHARROYER. Acharner, aller, amener, camionner, charrier, coltiner, débarder, déplacer, emporter, exulter, mener, porter, promener, ravir, rempoter, transbahuter, transférer, transplanter, transporter, trimarder, trimballer, véhiculer.

CHARRUAGE. Aération, ameublissement, bêchage, billonnage, billonnement, binage, culture, déchaussage, décavaillonnage, déchaussement, culture, écroûtage, émottage, hersage, labour, labourage, tassage.

CHARRUE. Age, araire, binet, brabant, butteur, buttoir, cep, coutre, cultivateur, déchausseuse, dombasle, draineuse, enrayure, étançon, fossoir, hersoir, houe, labour, pelle, rasette, rets, rigoleuse, ritte, sep, soc, trisoc.

CHARTE. Cartulaire, constitution, convention, droit, fuero, loi, privilège, protocole, règle, règlement, titre.

CHARTE-PARTIE. Acconage, affrètement, agence, chargement, charter, contrat, copie, manutention, nolisage, nolisement, transbordement, transport.

CHARTER. Apige, avion, bagage, capacité, cargaison, charge, chargement, charter, fret, lège, marchandise, nolage, nolis, réserve.

CHARTÉRISER. Affréter, charger, fret, fréter, louage, louer, noliser, pourvoir, transport.

CHARTREUSE. Abbaye, béguinage, cloître, commanderie, couvent, laure, lavra, monastère, prieuré, trappe.

CHARTREUX. Chat, dom, matou, mistigri, religieux.

CHAS. Aiguille, enduit, passe-lacets, trou, vulve.

CHASSE. Absidiole, affût, bannir, battue, chien, cimicaire, cor, croule, drag, épervier, fauconnerie, fouée, gibier, gluau, louveterie, muette, oust, panneautage, piégeage, pipée, piper, poursuite, safari, tenderie, to, traque, trolle, vénerie, volerie.

CHASSÉ-CROISÉ. Changement, commutation, échange, insuccès, intérim, rechange, relève, remplacement, rotation, roulement, subrogation, substitution, succession, suppléance.

CHASSELAS. Cépage, fendant, raisin, vigne.

CHASSE-NEIGE. Charrue, déneigeuse, gratte, ski, souffleuse, virage.

CHASSEPOT. Fusil.

CHASSER. Balayer, bannir, braconner, bouter, congédier, débolonner, débusquer, déloger, dissiper, écarter, éliminer, éloigner, évincer, exclure, exiler, exorciser, expulser, oust, ouste, piéger, piper, rejeter, remercier, renvoyer, repousser, sacquer, saquer, vider, voler.

CHASSERESSE (n. p.). Artémis, Atalante, Diane.

CHASSE-ROUE. Arc, borne, bouteroue.

CHASSEUR (n. p.). Actéon, Adonis, Eustache, Hubert, Messeerschmitt, Nemrod, Orion.

CHASSEUR. Avion, boucanier, braconnier, colleteur, corvette, coureur, fauconnier, groom, piégeur, piqueur, pisteur, portier, pourboire, trappeur, traqueur, veneur.

CHÂSSIS. Arceau, bâti, bogie, boggie, cadre, carrelet, encadrement, fenêtre, moustiquaire, ridelle, structure.

CHASTE. Abstinent, ascétique, continent, décent, honnête, immaculé, innocent, modeste, platonique, prude, puceau, pucelle, pudique, pur, puritain, rangé, réservé, rosière, sage, vertueux, vestale, vierge, virginal.

CHASTEMENT. Angéliquement, décemment, discrètement, moralement, pudiquement, purement, saintement, vertueusement, virginalement.

CHASTETÉ. Abstinence, célibat, continence, décence, pudeur, honneur, retenue, sagesse, vertu, vœu.

CHASUBLE. Ailette, aube, courrière, pâle, palette, pique, point, robe, roue, sacerdotal, surplis, vêtement.

CHAT. Abyssin, angora, carnivore, chartreux, chaton, chatte, cougouar, couguar, félidé, félin, féral, fouet, guépard, haret, lion, lynx, mammifère, margay, matou, mimi, mine, minet, minette, minou, mistigri, ocelot, once, oriental, persan, raminagrobis, rodilard, russe, serval, siamois, tigre, valériane.

CHÂTAIGNE. Acajou, aulne, bogue, brique, brun, châtaignons, cheval, coup, fruit, havane, hérisson, macre, malhonnête, marron, oursin, porc, refait, suspect, tabac, tan, véreux.

CHÂTAIGNER. Bagarrer, battre, castagner, colleter, découdre, empoigner, expliquer, frapper, tabasser.

CHÂTAIGNIER. Arbre, chincapin, fagacée, feuillu, hippocastanacée, infusion, marronnier.

CHÂTAIN. Acajou, auburn, blond, brun, brun clair, couleur, roux.

CHATAIRE. Cataire, herbe-aux-chats, infusion, labiacée, labiée, nepeta, népète, plante, valériane.

CHÂTEAU (n. p.). Anet, Carnarvon, Claremont, Eu, Frontenac, If, Moulinsart, Ussé.

CHÂTEAU. Bastille, burg, castel, châtelain, citadelle, donjon, gentilhommière, manoir, navire, palais.

CHÂTEAU DE LA LOIRE (n. p.). Amboise, Anet, Angers, Azay-le-Rideau, Blois, Chambord, Chaumont, Chenonceau, Cheverny, Chinon, Langeais, Loches, Ussé, Valençay, Villandry.

CHÂTEAU DE MONTREAL (n. p.). Ramezay.

CHÂTEAU DE QUÉBEC (n. p.). Frontenac.

CHÂTEAU DE ROME (n. p.). Saint-Ange.

CHÂTEAU DES PRINCES DE GUISE (n. p.). Eu.

CHÂTEAU DES ROIS DE FRANCE (n. p.). Louvre, Tuileries, Versailles.

CHÂTEAU D'ORLÉANS (n. p.). Eu.

CHÂTELAIN. Banneret, barine, baron, cavalier, châtellenie, chef, daïmio, daimyo, dieu, dîme, écuyer, ellice, félon, fief, gentilhomme, hobereau, laird, lige, maître, marquis, monarque, monsieur, nabab, noble, oint, pacha, page, paladin, prince, satrape, seigneur, sieur, sir, sire, sultan, suzerain, vicomte.

CHÂTELAINE. Chaîne, chaînette, ferronnière, gourmette, jaseran, poucette, sautoir.

CHÂTELET. Bastille, bastide, burg, château, krak.

CHÂTELLENIE. Baronnie, comté, duché, marquisat, pairie, seigneurie, starostie, tènement, vicomté.

CHAT-HUANT. Chaouin, chouette, effraie, grand duc, hibou, hulotte, oiseau, petit duc, rapace.

CHÂTIÉ. Battu, cil, cinglé, cravaché, dinoflagellé, euglène, fessé, filament, flagellé, fouetté, fustigé.

CHÂTIER. Corriger, dépouiller, épurer, fouetter, fustiger, impunir, infliger, mortifier, parfaire, pénaliser, perfectionner, polir, punir, réprimander, réprimer, retoucher, revoir, sévir, stimuler, venger.

CHATIÈRE. Boyau, cheminés, évent, étroiture, rétrécissement, lucarneau, lucarnon, ouverture, trou, vulve.

CHÂTIMENT. Dam, exemple, fouet, knout, peine, pénalité, pénitence, préjudice, prix, punition, répression, sanction.

CHATOIEMENT. Brillance, coruscation, éclat, miroitement, moirure, rayonnement, reflet, réfraction, réverbération, scintillement.

CHATON. Bourre, chat, enveloppe, épi, épillet, inflorescence, iule, minet, mouton, panicule, sertissure, spadice.

CHATOUILLE. Ammocète, chatouillis, guili-guili, lamprillon, larve, papouille, poisson, titillation, toucher.

CHATOUILLEMENT. Agacerie, caresse, chatouillis, démangeaison, guiliguili, papouille, patouille, prurit, titillation.

CHATOUILLER. Démanger, exciter, fourmiller, gratter, grattouiller, picoter, piquer, susceptible, titiller.

CHATOUILLEUX. Bileux, coléreux, colérique, irascible, irritable, ombrageux, soupçonneux, susceptible.

CHATOUILLIS. Agacerie, caresse, chatouille, chatouillement, guili-guili, papouille, patouille, prurit, titillation.

CHATOYANT. Agatisé, brillant, changeant, coloré, diapré, gorge-de-pigeon, miroitant, moiré, versicolore.

CHATOYER. Briller, colorer, étinceler, imager, jeter, luire, miroiter, moire, pétiller, rutiler, scintiller.

CHÂTRÉ. Bostangi, bréhaigne, castrat, castré, chapon, chaponneau, châtron, coq, coquelet, coupé, émasculé, eunuque, hongre, nader, poulet.

CHÂTRER. Amputer, castrat, chaponner, couper, démascler, émasculer, eunuque, hongrer, mutiler, tronquer.

CHATTERIE. Cajolerie, câlinerie, caresse, douceur, friandise, gâterie, mamours, papouille, sucrerie.

CHAT-TIGRE. Félidé, fourrure, margay, ocelot, serval

CHAUD. Ardent, bouillant, brûlant, canicule, étuve, fournaise, tempéré, thermos, tiède, torride, sue.

CHAUDASSE. Chaud, éméché, émoustillé, enivré, gai, goguette, gris, grisé, ivre, pompette, saoul, soûl, soûlé.

CHAUDEAU. Aisy, bouillon, brouet, chabrol, chabrot, chaudrée, concentré, consommé, court-bouillon, décoction, échouer, fond, fronce, fumet, gargote, godiveau, godron, lavure, molène, ourlet, pli, potage, ramequin, soupe.

CHAUDEMENT. Ardemment, chaleureusement, fougueusement, impétueusement, violemment, vivement.

CHAUDE-PISSE. Blennorragie, chaude-lance, chtouille, gonococcie, gonocoque, gonorrhée, phallorrhée, pyurie.

CHAUDIÈRE. Calorifère, chaudron, chauffage, convecteur, cuiseur, dôme, étuve, poêle, radiateur, seau.

CHAUDRON. Braisière, casserole, chaudronnée, cocotte, couscoussier, daubière, faitout, marmite, poêlée, soupière.

CHAUDRONNERIE. Dinanderie, emboutissage, estampage, martelage, poêlerie, rivetage, soudage.

CHAUDRONNIER. Artisan, dinandier, magnien, magnier, magnin, poêlier, réparateur, rétameur.

CHAUFFAGE. Biénergie, bûche, cémentation, chaudière, climatisation, foyer, feu, poêle, radiateur, surchauffe.

CHAUFFARD. Automobiliste, chauffeur, conducteur, écraseur, fugitif, fuyard.

CHAUFFE. Ardent, caléfaction, calorification, échauffement, étuvage, incandescent, réchauffement, thermogénie.

CHAUFFER. Bouillir, cuire, déchaîner, échauffer, électriser, embraser, enfiévrer, griller, pocher, réchauffer, rôtir, souder.

CHAUFFERETTE. Bassinoire, calorifère, chauffe-pieds, chauffe-plats, convecteur, plinthe, poêle, radiateur.

CHAUFFERIE. Alambic, alcool, bouillerie, brûlerie, distillerie, gaz, genièvrerie, liquide, rhumerie.

CHAUFFEUR. Aurige, automédon, cariste, chauffard, chef, cocher, conducteur, cornac, enginiste, fil, isolant, loche, machiniste, mécanicien, métal, motoriste, musagète, pilote, postillon, routier, taxi, tankiste, tractoriste.

CHAUFFEUSE. Chaise, siège.

CHAULAGE. Abonnissement, amendement, assolement, bonification, compostage, fertilisation, terreautage.

CHAUMAGE. Abonnissement, amélioration, amendement, assolement, bonification, chaulage, compostage, déchaumage, écobuage, engraissage, engraissement, enrichissement, ensemencement, épandage, fertilisation, fumage, fumaison, fumigation, fumure, irrigation, jachère, limonage, marnage, phosphatage, plâtrage, soufrage, sulfatage, terreautage.

CHAUME. Brûlis, cabane, champ, chaumière, éteule, étrape, feurre, foin, gui, guéret, paille, tige, toit.

CHAUMER. Arracher, couper, déchaumer, récolter.

CHAUMIÈRE. Cabane, cabanon, case, chalet, chaumine, foyer, gloriette, hutte, maison, maisonnette, wigwam.

CHAUSSE. Bas, blanchet, chaussette, culotte, écumoire, étamine, filtre, guêtre, jambière, passoire, tamis.

CHAUSSÉE. Accotement, asphalte, digue, duit, jetée, macadam, pavée, revêtement, route, rue, tarmac, voie.

CHAUSSER. Accoupler, adopter, ajuster, botter, butter, enchausser, enfiler, garnir, pourvoir.

CHAUSSE-TRAPPE. Collet, déloyauté, félonie, hersillon, perfidie, piège, ruse, souricière, taupière, traîtrise, trou.

CHAUSSETTE. Bas, chausse, culotte, demi-bas, écumoire, étamine, filtre, guêtre, jambière, passoire, socquette, tamis.

CHAUSSEUR. Alène, astic, bottier, bouif, buis, chaussonnier, chaussure, cordonnerie, cordonnier, gnaf, pantouflier, pignouf, poinçon, point, rivetier, sabotier, saint-crépin, savetier, soulier, tire-pied, tranchet.

CHAUSSON. Babouche, bas, charentaise, chaussure, demi-pointe, espadrille, gosette, kroumir, mule, pantoufle, pâtisserie, pointe, poncho, rissole, savate.

CHAUSSURE. Babouche, ballerine, bas, basket, botte, bottine, brodequin, cothurne, chouclaque, derby, embauchoir, escarpin, espadrille, galoche, godasse, godillot, gougoune, grole, grolle, guêtre, latte, mocassin, mule, pantoufle, pataugas, patin, pompe, sabot, sandale, savate, socque, soulier, tennis, tige, tong.

CHAUVE. Calvitie, dégarni, dénudé, déplumé, genou, lisse, pelade, pelé, pleumé, ras, tondu, xérasie.

CHAUVE-SOURIS. Céphalote, chéiroptère, chiroptère, fer-à-cheval, harpie, mammifère, mégaderme, murin, myoptère, noctule, oreillard, pipistrelle, rhinolophe, roussette, souris-chauve, vampire, vespertilion.

CHAUVIN. Cocardier, nationaliste, patriotard, patriote, raciste, ségrégationniste, séparatiste, xénophobe.

CHAUVINISME. Clanisme, cocardier, coquerico, nationalisme, patriotard, patriotisme, raciste, xénophobie.

CHAUX. Calcaire, ciment, compost, craie, engrais, falun, fertilisant, fumier, gypse, lapis, plâtre, stuc.

CHAVIRÉ. Agité, émotion, ému, gris, grisé, impressionné, ivresse, noir, parti, rond, saoul, soûl, touché, troublé.

CHAVIREMENT. Basculement, chavirage, culbutage, culbutement, dessalage, naufrage, renversement, retournement, revirement, volte-face.

CHAVIRER. Abîmer, basculer, bouleverser, cabaner, capoter, couler, culbuter, dessaler, ébranler, émouvoir, remuer, renverser, retourner, révulser, secouer, sombrer, tanguer, tituber, tomber, troubler, vaciller.

CHEAP. Avare, chiche, gratteux, grippe-sou, ladre, lésineur, mesquin, pingre, radin, regardant, séraphin

CHECK-UP. Analyse, apurement, audit, bilan, confirmation, considération, contrôle, critique, démonstration, enquête, enregistrement, épluchage, épreuve, essai, étude, évaluation, examen, expérience, expertise, filtrage, inspection, inventaire, justification, observation, pointage, recensement, récolement, reconnaissance, révision, revue, surveillance, test, vérification.

CHEDDAR. Fromage.

CHEF. Aga, agha, amman, as, ban, caïd, calife, capitaine, caudillo, chah, chancelier, chauffeur, cheikh, consul, coryphée, curion, dalaï-lama, despote, dey, doge, duc, duce, émir, empereur, hérésiarque, hetman, imam, khalife, leader, lieutenant, maestro, maire, maître, meneur, ovate, pacha, pape, parrain, patron, père, porte-drapeau, prote, rabbin, raïs, rapin, ras, régent, roi, sachem, satan, shah, shérif, shogoun, shogun, staroste, stratège, tête, vergobret, vizir.

CHEF AMÉRINDIEN (n. p.). Black Hawk. Pontiac, Tecumseh.

CHEF ARMÉE TROYENNE (n. p.). Hector.

CHEF ESCLAVES (n. p.). Spartacus.

CHEF GALLO-ROMAIN (n. p.). Syagrius.

CHEF GAULOIS (n. p.). Bren, Brennus, Senones Dumnorix, Vercingétorix.

CHEF D'ORCHESTRE AUTRICHIEN (n. p.). Böhm, Cerha, Harnoncourt, Karajan, Kleiber, Mahler, Paumgartner, Rosbaud, Weingartner, Zemlinski.

CHEF D'ORCHESTRE ALLEMAND (n. p.). Brahms, Bülon, Cramer, Furtwängler, Hindemith, Joachim, Klemperer, Münchinger, Pfitzner, Scherchen, Strauss, Tchaïskovski, Walter, Weber.

CHEF D'ORCHESTRE AMÉRICAIN (n. p.). Basie, Bechet, Berstein, Blakey, Calloway, Charles, Christie, Dorati, Eldridge, Ellington, Gillespie, Gooman, Haley, Hampton, Henderson, Lunceford, Maazel, Menuhin, Miller, Mingus, Mitropoulos, Monk, Monteux, Morton, Oliver, Ormandy, Powell, Stokowski, Walter, Whiteman, Wilson.

CHEF D'ORCHESTRE ANGLAIS (n. p.). Beecham.

CHEF D'ORCHESTRE ARGENTIN (n. p.). Kagel, Kleiber.

CHEF D'ORCHESTRE BELGE (n. p.). Bartholomée, Cluytens, Collaer, Dupuis, Herreweghe, Ysaye.

CHEF D'ORCHESTRE BRITANNIQUE (n. p.). Beecham, Britten, Davis, Gardiner, Marriner, Menuhin, Rattle, Solti, Stokowski.

CHEF D'ORCHESTRE CANADIEN (n. p.). Dutoit, Pelletier.

CHEF D'ORCHESTRE DANOIS (n. p.). Gade.

CHEF D'ORCHESTRE FRANÇAIS (n. p.). Amy, Boulanger, Boulez, Caplet, Casadegus, Christie, Colonne, Constant, Cortot, Désormière, Gaubert, Habeneck, Lamoureux, Landowski, Legrand, Leibowitz, Le Roux, Martinon, Messager, Monteux, Munch, Param, Pasdeloup, Pierné, Rabaud, Rosenthal, Solal, Tortelier.

CHEF D'ORCHESTRE GREC (n. p.). Petridis.

CHEF D'ORCHESTRE HONGROIS (n. p.). Dohnanyi, Erkel, Liszt, Solti.

CHEF D'ORCHESTRE IRLANDAIS (n. p.). Farmer, Stanford.

CHEF D'ORCHESTRE ISRAÉLIEN (n. p.). Barenboïm, Klemperer.

CHEF D'ORCHESTRE ITALIEN (n. p.). Abbado, Clementi, Giulini, Maderna, Muti, Sabata, Toscanini.

CHEF D'ORCHESTRE NÉERLANDAIS (n. p.). Haitink, Leonhardt, Mengelberg.

CHEF D'ORCHESTRE POLONAIS (n. p.). Moniuszko.

CHEF D'ORCHESTRE RUSSE (n. p.). Balakirev, Markevitch, Menuhin, Rostrodovitch, Tchaïkovski.

CHEF D'ORCHESTRE SUISSE (n. p.). Ansermet, Doret, Fischer, Kubelik, Sacher.

CHEF GESTAPO (n. p.). Himmler.

CHEF-LIEU D'ARRONDISSEMENT BELGIQUE (Ch.-l. d'arr.) (n. p.). Alost, Anvers, Arlon, Ath, Audenarde, Bastogne, Braband, Bruges, Charleroi, Courtrai, Dinant, Dismude, Eeklo, Furnes, Gand, Hasselt, Huy, Liège, Louvain, Maaseik, Malines, Mons, Mouscron, Neufchâteau, Ostende, Philippeville, Rouliers, Soignies, St-Nicolas, Termonde, Thuin, Tielt, Tongres, Tournai, Turnhout, Verviers, Virtons, Waremme, Ypres.

CHEF-LIEU D'ARRONDISSEMENT FRANCE (Ch.-l. d'arr.) (n. p.). (2 lettres). Eu.

CHEF-LIEU D'ARRONDISSEMENT FRANCE (Ch.-l. d'arr.) (n. p.). (3 lettres). Apt, Dax, Die, Gex.

CHEF-LIEU D'ARRONDISSEMENT FRANCE (Ch.-l. d'arr.) (n. p.). (4 lettres). Albi, Alès, Dole, Gien, Guer, Lens, Riom, Sens Toul, Vire.

CHEF-LIEU D'ARRONDISSEMENT FRANCE (Ch.-l. d'arr.) (n. p.). (5 lettres). Arles, Autun, Blaye, Brest, Briey, Calvi, Céret, Corte, Dinan, Douai, Dreux, Eauze, Meaux, Muret, Nérac, Nyons, Redon, Reims, Sedan, Segré, Thann, Ussel, Vichy.

CHEF-LIEU D'ARRONDISSEMENT FRANCE (Ch.-l. d'arr.) (n. p.). (6 lettres). Ambert, Antony, Bayeux, Beaune, Bellac, Belley, Bernay, Cajarc, Calais, Châtre, Chinon, Cholet, Cognac, Condom, Dieppe, Embrun, Figeac, Florac, Grasse, Istres, Jarnac, Jonzac, Langon, Limoux, Loches, Lodève, Mamers, Nantua, Prades, Raincy, Rethel, Roanne, Saumur, Senlis, Thiers, Verdun, Vienne.

CHEF-LIEU D'ARRONDISSEMENT FRANCE (Ch.-l. d'arr.) (n. p.). (7 lettres). Altkirc, Ancenis, Andelys, Avallon, Bayonne, Béthune, Béziers, Brioude, Cambrai, Castres, Clamecy, Épernay, Étampes, Forbach, Gourdon, Havre (Le), Issoire, Langres, Lannion, Le Blanc, Lorient, Louhans, Marin (Le), Mauriac, Mayenne, Mirande, Morlaix, Nontron, Pamiers, Péronne, Pontivy, Provins, Saintes, Saverne, Vendôme, Vervins, Vierzon, Vilan (Le).

CHEF-LIEU D'ARRONDISSEMENT FRANCE (Ch.-l. d'arr.) (n. p.). (8 lettres). Argentan, Aubusson, Bergerac, Bressure, Briançon, Clermont, Commercy, Compiègne, La Flèche, Fougères, Guingamp, Haguenau, Issoudun, Libourne, Marmande, Molsheim, Montbard, Mulhouse, Narbonne, Saint-Dié, Sartènes, Sélestat, Soissons, Vouziers.

CHEF-LIEU D'ARRONDISSEMENT FRANCE (Ch.-l. d'arr.) (n. p.). (9 lettres). Abbeville, Avranches, Cherbourg, Brignoles, Charolles, Confolens, Coutances, Draguignan, Dunkerque, Lunéville, Montargis, Montluçon, Palaiseau, Parthenay, Rochefort, Saint-Malo, Saint-Omer, Saint-Paul, Trinité (La).

CHEF-LIEU D'ARRONDISSEMENT FRANCE (Ch.-l. d'arr.) (n. p.). (10 lettres). Argenteuil, Bar-sur-Aube, Bayeux, Bonneville, Carpentras, Castellane, Châteaudun, Châteaulin, Guebwiller, Montbrison, Montdidier, Pithiviers, Pontarlier, Ribeauvillé, Saint-Denis, Saint-Flour, Sarrebourg, Thionville, Yssingeaux.

CHEF-LIEU D'ARRONDISSEMENT FRANCE (Ch.-l. d'arr.) (n. p.). (11 lettres). Albertville, Forcalquier, Haÿ-les-Roses, Langentière, MelleMillau, Montbéliard, Montmorency, Neufchâteau, Rambouillet, Saint-Claude, Saint-Dizier, Saint-Girons, Saint-Pierre, Tour-du-Pin (La), Wissembourg.

CHEF-LIEU D'ARRONDISSEMENT FRANCE (Ch.-l. d'arr.) (n. p.). (12 lettres). Châteaubriand, Gif-sur-Yvette, Montmorillon, Pointe-à-Pitre, Rochechouart, Saint-Benoit, Saint-Gaudens, Saint-Nazaire, Saint-Quentin, Valenciennes.

CHEF-LIEU D'ARRONDISSEMENT FRANCE (Ch.-l. d'arr.) (n. p.). (13 lettres). Aix-en-Provence, Argelès-Gazost, Barcelonnette, Boulay-Moselle, Château-Salins, Châtellerault, Cosne-sur-Loire, Fontainebleau, Lesparre-Médoc, Mantes-la-Jolie, Sables-d'Olonne, Sarreguemines.

CHEF-LIEU D'ARRONDISSEMENT FRANCE (Ch.-l. d'arr.) (n. p.). (14 lettres). Boulogne-sur-Mer, Castelsarrasin, Chalon-sur-Saône, Château-Gontier, Château-Thierry, Nogent-le-Rotrou, Nogent-sur-Marne, Nogent-sur-Seine, Sarlat-la-Canéda, Thonon-les-Bains.

CHEF-LIEU D'ARRONDISSEMENT FRANCE (Ch.-l. d'arr.) (n. p.). (15 lettres). Avesnes-sur-Helpe, Fontenay-le-Comte, Montreuil-sur-Mer, Sainte-Menehould, Tournon-sur-Rhône, Vitry-le-François.

CHEF-LIEU D'ARRONDISSEMENT FRANCE (Ch.-l. d'arr.) (n. p.). (16 lettres). Brive-la-Gaillarde, Mortagne-au-Perche, Saint-Jean-d'Angély, Villeneuve-sur-Lot.

CHEF-LIEU D'ARRONDISSEMENT FRANCE (Ch.-l. d'arr.) (n. p.). (17 lettres). Bagnères-de-Bigorre, Oloron-Sainte-Marie.

CHEF-LIEU, FRANCE (n. p.). Ajaccio, Amiens, Angers, Angoulême, Avignon, Bastia, Besançon, Béziers, Bordeaux, Boulogne, Bourges, Brest, Brive, Caen, Calais, Châteauroux, Clermont-Ferrand, Colmar, Dijon, Dunkerque, Grenoble, La Rochelle, Le Havre, Le Mans, Lille, Limoges, Lyon, Marseille, Metz, Montluçon, Montpellier, Mulhouse, Nancy, Nantes, Nevers, Nice, Nîmes, Orléans, Paris, Pau, Périgueux, Perpignan, Poitiers, Reims, Rennes, Rouen, St-Étienne, Strasbourg, Toulon, Toulouse, Tours, Troyes, Valence, Vichy.

CHEF-LIEU, SUISSE (n. p.). Aarau, Altdorf, Appenzell, Bâle, Bellinzona, Berne, Coire, Delémont, Frauenfeld, Fribourg, Genève, Glaris, Herisau, Lausanne, Liestal, Lucerne, Neuchâtel, Saint-Gall, Sarnen, Schaffhouse, Schwyz, Sion, Soleure, Stans, Zoug, Zurich.

CHEF RELIGIEUX (n. p.). Abraham, Bab, Booth, Bouddha, Calvin, Confucius, Dalaï-Lama, Hus, Jésus-Christ, Knox, Lao, Luther, Mahâvira, Mahomet, Nânak, Smith, Wesley, Wyclif, Young, Zarathoustra, Zoroastre, Zwingli.

CHEF RELIGIEUX. Catholicos, imam, prêtre, rabbin.

CHÉLATEUR. Alexitère, anavenin, antidote, antipoison, antitoxique, contrepoison, crainte, défiance, détention, disgrâce, doute, incrédulité, jalousie, méfiance, passion, précaution, préjugé, prévention, prophylaxie, prudence, réserve, scepticisme, soupçon, surveillance, suspection, suspicion, thériaque.

CHELEM. Bridge, carte, grand, levée, rugby, schelem, série, succès, tarot, tennis, whist.

CHÉLIDOINE. Agate, éclaire, ficaire, herbe aux boucs, herbe aux verrues, hirondelle, papavéracée.

CHELLÉEN. Abbevillien, étage.

CHÉLOÏDE. Balafre, bourrelet, boursouflure, brèche, cicatrice, cicatriciel, couture, entaille, grêlé, hile, lézarde, marisque, marque, nombril, ombilic, signe, séquelle, souvenir, stigmate, trace, tumeur.

CHEMIN. Accès, allée, artère, avenue, cavée, chenal, course, descente, détour, direction, distance, draille, fer, funiculaire, grimpette, guide, itinéraire, jeu, laie, layon, lé, muletier, ornière, parcours, passage, périple, piste, rail, rampe, rang, ravin, route, rr, rue, sente, sentier, talweg, trajet, traverse, trimard, trotte, via, vie, voie.

CHEMIN DE FER. Cheminot, decauville, ferroviaire, funiculaire, gare, métro, rail, rampe, train, tramway, truc, voie, wagon.

CHEMINEAU. Bohème, bohémien, clochard, cloche, dépravé, errant, flâneur, itinérant, mendiant, nomade, pâtisserie, robineux, rôdeur, romanichel, trimardeur, trôleur, truand, tzigane, vagabond, voyageur.

CHEMINÉE. Âtre, conduit, crémaillère, feu, foyer, fumée, hotte, fumiste, mitron, puits, ramoné, suie, trou.

CHEMINEMENT. Avance, circuit, course, direction, évolution, itinéraire, marche, migration, progrès, progression.

CHEMINER. Acheminer, aller, avancer, effectuer, évoluer, marcher, progresser, route, suivre.

CHEMINOT. Aiguilleur, chauffeur, contrôleur, mécanicien, poinçonneur, porteur, traminot, wagonnier.

CHEMISAGE. Accoutrement, atours, complet, fringues, gant, habillement, harde, jupe, layette, parure, revêtement, toilette.

CHEMISE. Brassière, camisard, camisole, chemisette, chèvre, cilice, classeur, crin, cylindre, dossier, farde, gilet, guimpe, haire, jabot, jaquette, liquette, manche, manchette, nuisette, obus, parure, plastron, poignet, polo, puce.

CHEMISETTE. Basquine, bavette, blouse, brassière, buste, bustier, canezou, caraco, chemise, chemisier, corsage, corset, détachement, guimpe, jaquette, plastron, veste.

CHEMISIER. Blouse, camisole, chemise, corsage, guimpe, jabot, marinière, polo, sarrau, tunique, vareuse.

CHENAILLER. Abandonner, aller, cavaler, cheniquer, débarrasser, décamper, décaliller, défiler, déguerpir, déloger, départ, détaler, droper, émigrer, enfuir, exiler, filer, fuir, partir, quitter, rogner, sauver, sortir.

CHENAL (n. p.). Aigues-mortes, Caronte, Déroute, East River, Euripe, Maelström, Malstrom, Rideau.

CHENAL. Abée, aqueduc, arroyo, artère, berme, bief, canal, chemin, cholédoque, conduite, cours, dalot, drain, eau, écluse, égout, étier, évent, évier, fistule, fossé, grau, lé, lit, nasille, passe, rachidien, rigole, sillon, trachée, tube, tuyau, uretère, urètre, vagin, veine, voie.

CHENAPAN. Bandit, brigand, canaille, coquin, criminel, galopin, garnement, gouape, malfaisant, malicieux, indiscipliné, polisson, sacripant, vaurien, vicieux, voyou.

CHÊNE (n. p.). Amérique, Californie.

CHÊNE. Apétale, bicolore, blanc, bleu, bourgogne, brosse, buis, chapman, chênaie, chêne-liège, chevelu, chinquapin, commun, cupule, eau, écarlate, émory, engelman, femelle, gambel, gris, gui, imbriqué, kellogg, kermès, liège, marais, marécages,

nuttall, pédonculé, prin, quercitron, quercus, rouge, rouvre, saule, shumard, tauzin, teinturier, vélani, vert, yeuse.

CHÊNEAU. Chêneteau, dalle, égout, gargouille, goulette, goulotte, gouttière, rigole.

CHENET. Ancre, bâcle, barlotière, barre, barreau, bâton, bielle, bloom, cintre, échelon, épar, fanton, fêle, gouge, gournail, hâtier, huit, jas, landier, levier, lierne, marmouset, mors, obel, péri, témoin, tige, timon, tringle.

CHÈNEVIÈRE. Campagne, chamo, champêtre, clé, clef, clos, domaine, duel, enclos, friche, glèbe, hippodrome, lice, linière, llanos, lopin, luzernière, mouillère, navetière, pampa, plaine, plantation, prairie, pré, rizière, terraire, tréflière, turf, verger, zone.

CHENIL. Abri, bazar, bordel, bric-à-brac, capharnaüm, désordre, écurie, foutoir, porcherie, soue, souk.

CHENILLE. Arpenteuse, bombyx, chenillestte, chrysalide, cocon, coque, épite, eudémis, géomètre, hérissonne, larve, limaçonne, magnan, mue, nymphe, papillon, patin, processionnaire, tordeuse, ver, ver de la grappe, vulcain.

CHENIQUER. Abandonner, aller, cavaler, chenailler, débarrasser, décamper, décaliller, défiler, déguerpir, déloger, départ, détaler, droper, émigrer, enfuir, exiler, filer, fuir, partir, quitter, rogner, sauver, sortir.

CHÉNOPODE. Ambrine, ambroisie, ansérine, arroche, chénopodiacée, potentille, vermifuge, vulvaire.

CHÉNOPODIACÉE. Ansérine, arroche, arroche-puante, baselle, bette, betterave, blète, blette, chénopode, épinard, kali, poirée, quinoa, salicor, salicorne, soude, ulluco, ulluque, vulvaire.

CHENU. Austère, blanc, blanchi, chiche, dépouillé, froid, gris, mesquin, nu, pingre, sévère, triste.

CHEPTEL. Animaux, bergerie, bestiaux, bétail, bête, capital, écurie, élevage, étable, harde, troupeau.

CHÈQUE. Acquit, barré, bon, certifié, chéquier, compensable, mandat, paiement, porteur, visé.

CHER. Adoré, adulé, affectionné, agréable, aimé, astronomique, bon marché, chéri, chérot, coûteux, dispendieux, élevé, estimable, exorbitant, faramineux, onéreux, précieux, prix, rare, ruineux, salé, surpayer.

CHER, VILLE (n. p.). Avord, Baugy, Bléré, Bourges, Culan, Lère, Levet, Lignière, Sancerre.

CHERCHER. Atermoyer, autopsier, bouquiner, briguer, chiner, circonvenir, courtiser, demander, étudier, farfouiller, fouiller, fourrager, fureter, hésiter, picorer, quémander, quérir, questionner, quêter, rechercher, rivaliser, sonder, scruter, tâter, tâtonner, tenter, trifouiller, troller, viser.

CHERCHEUR BRITANNIQUE (n. p.). Ross.

CHERCHEUR CANADIEN. Béliveau, David, Savard.

CHERCHEUR FRANÇAIS (n. p.). Charpak.

CHERCHEUR ITALIEN (n. p.). Petrarque.

CHERCHEUR. Aventurier, curieux, découvreur, explorateur, fouineur, orpailleur, prospecteur, scientifique, scientiste.

CHÈRE. Adorée, amie, bombance, chérie, festoyer, gastronome, goberger, lie, menu, nourriture, ripaille.

CHÈREMENT. Amèrement, amoureusement, âprement, cher, durement, onéreusement, pieusement, tendrement.

CHERGUI. Cers, chamsin, marécage, simoun, sirocco, tempête, vent.

CHÉRI. Aimé, ami, amour, bien-aimé, cher, chu, chouchou, loulou, minou, poulot, précieux, référé.

CHÉRIR. Adorer, affectionner, aimer, amouracher, attacher, brûler, choyer, désirer, espérer, estimer, favori, goûter, idolâtrer, raffoler.

CHERMÈS. Épicéa, homoptère, kermès, puceron.

CHÉROT. Astronomique, cher, coûteux, élevé, exorbitant, faramineux, fou, inabordable, prohibitif, ruineux, salé.

CHERTÉ. Charge, cotation, cours, coût, criée, dépense, estimation, estimé, évaluation, prix, revient, tarif, taux.

CHÉRUBIN. Amour, ange, angelot, bara, bébé, champi, démon, diablotin, doux, enfant, gamin, fille, fils, môme, moutard, négrillon, nouveau-né, oblat, orphelin, part, peste, polisson, poupon, séraphin, têtard.

CHERVIS. Cumin, ombellifère, sium.

CHESTER. Fromage.

CHÉTIF. Avorton, cassant, débile, déficient, demi-portion, étiolé, faible, fluet, fort, fragile, frêle, freluquet, gringalet, insuffisant, maigre, malingre, mauviette, microbe, misérable, pauvre, rabougri, rachitique, souffreteux, vermisseau.

CHÉTIVEMENT. Avarement, chiquement, cupidement, maigrement, mesquinement, modestement, modiquement, parcimonieusement, pauvrement, petitement, prudemment, serré, sordidement, usurairement.

CHEVAINE. Able, cabot, dard, chevesne, chevenne, cyprinidé, hotu, meunier, poisson, vandoise.

CHEVAL (n. p.). Bayard, Bucéphale, Calchas, Camargue, Crin-blanc, Pégase, Troie.

CHEVAL. Alezan, allure, amble, anglo-arabe, anglo-normand, araignée, ars, arzel, assiette, aubère, bai, baillet, balzan, barbe, bas-jointé, bégu, bidet, boulet, bouleté, bourrin, brassicourt, cagneux, canasson, canon, carcan, carne, cavale, cavalier, cavecé, châtaigne, cob, courbatu, coursier, court-jointé, crack, crinière, croupe, dada, demi-sang, dérobade, destrier, dia, embarre, encastré, encolure, ensellé, équin, étalon, fanon, galop, garrot, genet, goussaut, haridelle, hippisme, hippocampe, hippodrome, hongre, hue, hunter, isabelle, jarret, ladre, limonier, louvet, manade, mésair, mézair, montoir, moreau, mors, mule, mustang, onagre, ongulé, outsider, palefroi, panard, percheron, piaffeur, pinçard, poitrail, polo, poney, pur-sang, racer, ramingue, rétif, relais, rosse, rossinante, rouan, roussin, rubican, ruer, sabot, salière, seime, sommier, stepper, steppeur, tarpan, têtière, tocard, toquard, trot, trotteur, turf, yearling, zain.

CHEVALEMENT. Chevalet, enchevalement, étai, étaiement, étançonnement, mine, molette, soutènement.

CHEVALER. Adosser, appuyer, béquiller, buter, caler, étayer, étançonner, étrésillonner, fonder, soutenir, supporter.

CHEVALERESQUE. Courtois, fier, galant, généreux, gentlemen, grand, magnanime, noble, poli.

CHEVALERIE. Commandeur, féodalité, grand-croix, hardiesse, institution, militaire, noblesse, ordre.

CHEVALET. Banc, baudet, chevrette, étai, lutrin, pied, râtelier, sourdine, support, trépied, tréteau.

CHEVALIER (n. p.). Annonciade, Arthur, Assas, Aue, Bain, Bayard, Beowulf, Berlichigen, Éon, Don Quichotte, Étoile, Gluck, Hutten, Jarretiè, Labienus, Lancelot du Lac, Mélène, Sickingen, Templiers, Terrail.

CHEVALIER. Adouber, asas, bachelier, bière, cavalier, damoiseau, échassier, écuyer, errant, gambette, honneur, industrie, légion, noble, oiseau, olifant, oliphant, omble, paladin, preux, sigisbée, templier, varlet, vassal.

CHEVALIÈRE. Alaise, alèse, alliance, anneau, armes, armoiries, bague, baguette, balai, bâton, bijou, butome, canne, jonc, juncacée, juncus, roseau, scirpe, solitaire, souchet, virole.

CHEVALIN. Boucherie, équestre, équin, hippique, hippophagique.

CHEVAL-VAPEUR. CH, CV, HP, joule.

CHEVAUCHANT. Cavalcade, écaille, emboîté, équitant, gigogne, matriochka, monture, poupée.

CHEVAUCHÉE. Cavalcade, course, défilé, expédition, incursion, promenade, randonnée, voyage.

CHEVAUCHEMENT. Charriage, croisement, empiétement, intersection, nœud, recoupement, recouvrement, rencontre, superposition.

CHEVAUCHER. Couvrir, croiser, déborder, dépasser, empiéter, imbriquer, mordre, recouvrir, superposer.

CHEVÊCHE. Chouette, chuinte, oiseau, rapace, strigidé.

CHEVELURE. Afro, alopécie, cheveux, coiffure, crêpé, crêpelure, crinière, cuir, fourrure, frisé, frisure, guiche, lainage, laine, moumoute, natte, pelage, perruque, postiche, robe, scalp, tif, tignasse, toison, toupet.

CHEVESNE. Able, cabot, chevaine, chevenne, cyprinidé, dard, meunier, poisson, vandoise.

CHEVET. Abside, absidiole, choréa, lampe, lit, livre, soin, table, tête, traversin.

CHEVÊTRE. Ais, arbalétrier, attache, bandage, bau, boulin, étai, étambot, hec, jas, lambourde, licou, longeron, madrier, paille, pieu, planche, poutre, poutrelle, sapine, soffite, solive, tangon.

CHEVEU. Accroche-cœur, afro, albinos, alopécie, boudin, calvitie, canitie, chignon, coiffure, couette, crinière, crolle, épi, filasse, frange, frisé, frisure, guiche, mèche, moumoute, natte, perruque, plique, poil, poil-de-carotte, pou, scalp, sixtus, tif, tiffe, tignasse, toque, toupet, tresse, xérasie.

CHEVEU-DE-VÉNUS. Adiante, adiantum, capillaire de Montpellier, fougère, polypodiacée.

CHEVILLE. Atteloire, axe, cabillot, chevillette, chevron, clavette, clou, cou-de-pied, épite, esse, fausset, fiche, goujon, goupille, gournable, malléole, mollet, ouvrière, pléonasme, tee, tourillon, trenail.

CHEVILLER. Accouder, accouer, accrocher, agrafer, amarrer, ancrer, assembler, attacher, atteler, botteler, brêler, caler, clouer, coller, coudre, coupler, cramponner, dévoter, enchaîner, engager, enjuguer, ficeler, fixer, harder, lacer, lier, ligoter, nouer, palisser, pendre, plaire, river, souder, visser.

CHEVILLETTE. Accouder, accouer, accrocher, agrafer, amarrer, ancrer, attacher, atteler, botteler, brêler, caler, cheville, clouer, coller, coudre, coupler, cramponner, dévoter, enchaîner, engager, enjuguer, ficeler, fixer, harder, lacer, lier, ligoter, nouer, palisser, pendre, plaire, river, souder, visser.

CHEVIOTTE. Agneline, bure, bourre, cardigan, carmeline, chèvre, corde, coton, couaille, étaim, lainage, laine, lanice, loden, mère, mite, mohair, mouton, noces, ouate, poil, ruban, satin, sorie, toison, tonte, tuque, tweed, vigogne.

CHÈVRE (n. p.). Amalthée, Daudet, Faunus.

CHÈVRE. Alpin, angora, bétail, bête, bique, biquet, biquette, bouc, bouquetin, cabri, camelot, caprin, chevreau, chevrette, chevroter, corne, fromage, grue, haire, haricot, laine, lait, mammifère, menon, mohair, ovin, pétole, saanen, saïga, treuil.

CHEVREAU. Bicot, bique, biquet, biquette, cabri, chèvre, chevrillon, chevrette, chevrotin, faon, kid.

CHEVRETTE. Bicot, biquette, capri, chenet, chevreau, chevreuil, chevrotin, crevette, faon.

CHEVREUIL. Brame, brocard, cerf, chevrette, chevrillard, chevrotin, cuisse, cuissot, gigue, merrain, rée.

CHEVRIER. Abbé, berger, bouvier, capelan, chien-loup, clerc, curé, flageolet, gardeur, gardien, haricot, houlette, houppelande, labri, malinois, marcaire, muletier, pasteur, pastoral, pastoureau, pâtre, porcher, prêtre, ranz, vacher, vénus.

CHEVRILLARD. Brame, brocard, cerf, chevrette, chevreuil, chevrotin, cuisse, cuissot, gigue, merrain, rée.

CHEVRON. Ais, baliveau, basting, brisque, chanlate, chanlatte, cheville, colombage, coyau, faîtage, poutre, tige.

CHEVRONNÉ. Adroit, âgé, ancien, brillant, capable, doyen, émérite, expérimenté, expert, vieux.

CHEVROTANT. Actif, agile, agité, alarmé, alerte, allègre, amoureux, animé, apeuré, ardent, brûlant, effrayé, ému, frémissant, palpitant, passionné, transi, tremblant, tremblotant, vacillant, vibrant.

CHEVROTER. Béqueter, bêler, brailler, bramer, chanter, chevreter, crier, geindre, gémir, parler, plaindre, pleurnicher, trembler, trembloter.

CHEVROTIN. Bicot, bique, biquet, biquette, cabri, chèvre, chevreau, chevrette, chevrillard, faon, fromage.

CHEVROTINE. Arc, balle, bordée, boulet, cartouche, coup, décharge, éclair, feu, flamme, foudre, reçu, salve, tir, volée.

CHEWING-GUM. Arganier, balata, bétel, bubble-gum, cainitier, chiclé, chique, coca, dichopsis, gomme, gutta-percha, karité, madhuca, makoré, masticatoire, moabi, sapotacée, sapotier, sapotillier, sidéroxylon.

CHEZ-NOUS. Chez-soi, demeure, domicile, foyer, habitacle, home, ici, intérieur, logis, maison, nid, résidence, toit.

CHEZ-SOI. Chez-nous, demeure, domicile, foyer, habitacle, home, intérieur, logis, maison, nid, résidence, toit.

CHIADER. Apprendre, approfondir, bloquer, bûcher, étudier, fignoler, piocher, potasser, travailler.

CHIALER. Apitoyer, brailler, braire, chanter, chicaner, chigner, couiner, crier, criticailler, déplorer, geindre, gémir, implorer, lamenter, larmoyer, miauler, plaindre, pleurer, pleurnicher, réclamer, regretter, sangloter, vagir, zerver.

CHIALEUR. Braillard, brailleur, chialeux, criailleur, glapissant, pleurard, pleurnichard, pleurnicheur.

CHIANT. Agaçant, chiatique, contrariant, crispant, emmerdant, énervant, ennuyeux, gonflant, suant.

CHIANTI (n. p.). Italie, Sienne, Toscane.

CHIANTI. Vin.

CHIARD. Bambin, enfant, enfantelet, fille, fillette, gamin, garçonnet, gosse, lardon, môme, poltron.

CHIASSE. Chiure, colique, diarrhée, fatalité, flux, foirade, malchance, malheur, peur, va-vite, vicissitude.

CHIATIQUE. Agaçant, chiant, contrariant, crispant, emmerdant, énervant, ennuyeux, gonflant, suant.

CHIBOUQUE. Bouffarde, cachotte, calumet, chibouk, chilom, cigarette, houka, jacob, kalioun, narghilé, narguilé, pipe, pipette, shilom, tabac, trompe, turque.

CHIBRE. Bite, bour, boure, carte, foutoir, jass, jeu, membre, nell, pénis, queue, verge, yass, zob.

CHIC. Agréable, aimable, aisance, allure, beau, bichonné, bon, brave, caractère, chouette, classe, classique, distingué, élégant, généreux, générosité, habilité, huppé, jet-set, originalité, prestance, sélect, sympathique.

CHICANE. Argument, argutie, artifice, avocasserie, bagarre, bataille, bisbille, chicanerie, chinoiserie, complication, conflit, contestation, détour, dispute, ergotage, ergote, équivoque, incident, noise, querelle, scène, tracasserie.

CHICANER. Arguer, argumenter, chamailler, chialer, chipoter, contester, criticailler, critiquer, contredire, disputer, épiloguer, ergoter, objecter, processif, quereller, vétiller.

CHICANERIE. Argutie, bisbille, byzantinisme, casuistique, chicaneur, ergotage, ergoterie, subtilité.

CHICANEUR. Chicanier, ergoteur, maniaque, minutieux, plaideur, procédurier, processif, vétilleux.

CHICANIER. Argutieux, chicaneur, chipoteur, discutailleur, ergoteur, ergoteux, procédurier, raisonneur.

CHICANO. Émigré, immigrant, mexicain.

CHICHE (n. p.). Molière.

CHICHE. Avare, dépensier, dissipateur, économe, gaspilleur, gredin, grigou, grimelin, grippe-sou, harpagon, ladre, lésineur, liard, liardeur, pingre, pois, prodigue, radin, rapiat, rat, séraphin, serré, vautour, vil, vilain.

CHICHE-KEBAB. Brochette, chachlik, kebab, mouton, porc.

CHICHEMENT. Avarement, chétivement, cupidement, maigrement, mesquinement, modestement, modiquement, parcimonieusement, pauvrement, petitement, prudemment, serré, sordidement, usurairement.

CHICHI. Affectation, cérémonie, embarras, façon, girie, manière, mignardise, minauderie, simagrée, singerie.

CHICHITEUX. Altier, arrogant, capricieux, chochotte, condescendant, dédaigneux, distant, façonnier, fier, grimacier, hautain, maniéré, méprisant, minaudier, pimbêche, précieux, sarcastique, supérieur.

CHICON. Bourgeon, chicorée, chicorée de Bruxelles, endive, laitue, romaine, salade, witloof.

CHICORÉE. Chicon, cornette, cossette, endive, escarole, frisée, mignonnette, salade, scarole, scaroule, trévise, witloof.

CHICOT. Ars, billot, bouscotte, branche, chott, colonne, corps, courçon, croc, crossette, dard, débris, dent, écot, fragment, fût, lambourde, lignée, moignon, morceau, souche, stipe, tige, tirelire, torse, tronc.

CHICOTE. Baguette, chambrière, cravache, discipline, fouet, knout, martinet, nagaïka, souris.

CHICOTER. Agacer, agiter, assaillir, bourreler, brutaliser, condamner, damner, déchirer, envier, exaspérer, gêner, harceler, impatienter, infester, inquiéter, lanciner, maltraiter, moquer, mouvementer, obséder, occuper, oppresser, ronger, tanner, tarauder, tenailler, torturer, tourmenter, tracasser, vexer.

CHICOTIN. Agave, aloès, amer, arborescents, bainesii, calambac, calambar, calambour, ciliaris, cocktail, éru, ferox, karata, liliacée, manilles, pite, placatilis, plante, pulque, tambac, vaombe, variegata, vera.

CHIÉE. Flopée, masse, quantité, ribambelle, tapée, tripotée.

CHIEN (n. p.). Argos, Argus, Cerbère, Lassy, Milou, Pluto, Rintintin, Sirius, Snoopy.

CHIEN. Aboyeur, aiguillat, airedale, barbet, basset, bâtard, beagle, berger, bichon, bobtail, bouledogue, bouvier, boxer, braque, briard, briquet, bull-terrier, cabéru, cabot, cador, caniche, carlin, chenil, chihuahua, chin, chiot, chow-chow, clabaud, clébard, clebs, cocker, colley, corneau, corniaud, dalmatien, danois, dingo, doberman, dogue, élavé, émissole, épagneul, fox, fox-hound, griffon, groenendael, havanais, houret, husky, irish-terrier, klebs, king-charles, labrador, labrit, lévrier, levrette, levron, limier, loulou, malinois, mastiff, mâtin, meute, molosse, niche, otocyon, pataud, pékinois, pitbull, pointer, ratier, retriever, roquet, roussette, saint-bernard, schnauzer, scottish-terrier, setter, sloughi, teckel, terre-neuve, terrier, toutou, tsin, turquet, whippet, zain.

CHIEN-ASSIS. Angle, fenêtre, imposte, judas, lucarne, œil-de-bœuf, ouverture, tabatière, toit.

CHIEN CHAUD. Hot-dog, roteux.

CHIEN DE MER. Acanthias, aiguillat, émissole, poisson, requin, saumonette, sagre, squale.

CHIENDENT. Alpiste, andropogon, arrenatherum, complication, corvée, difficulté, embarras, ennui, herbe, hic, impasse, mal, obstacle, panaché, peine, pied de poule, problème, ruban, tourment, tracas.

CHIENLIT. Anarchie, bourbier, brouillement, confusion, déguisement, désordre, mascarade, masque, pagaille.

CHIEN-LOUP. Berger, berger allemand, berger alsacien, berger belge, canidé.

CHIENNE. Affolement, alarme, angoisse, blouse, bourgeron, combinaison, cotte, froc, levrette, lice, peignoir, poitrinière, robe, salopette, sarrau, souquenilles, suroît, tablier, toge, uniforme, vareuse, vêtement.

CHIENNERIE. Avarice, bassesse, ladrerie, lèpre, lépreux, léproserie, lésine, lésinerie, lésion, pingrerie.

CHIER. Déféquer, embêter, emmerder, ennuyer, envoyer, expulser, gâter, importuner, peiner, rembarrer.

CHIERIE. Apepsie, aporie, asthénie, chiotte, complexité, danger, difficulté, éblouissement, écueil, emmerdement, ennui, entrave, épine, épreuve, hic, inconvénient, insomnie, nœud, obstacle, os, piège, problème, tirage, tiraillement.

CHIEUX. Couard, craintif, emmerdeur, faible, frileux, lâche, peureux, pleutre, poltron, timoré, veule.

CHIFFE. Amorphe, apathique, baudruche, chiffon, indolent, lavette, léthargique, molasse, mou, veule.

CHIFFON. Chamoisine, chiffe, défilage, défroque, drapeau, drille, éponge, guenille, haillon, harde, lambeau, loque, oripeau, patte, pattemouille, peille, serpillèren, serpillièro, torchon, wassingue.

CHIFFONNÉ. Agacé, contrarié, embêté, ennuyé, fatigué, fripé, froissé, irrité, plissé, taponné, tourmenté.

CHIFFONNER. Bouchonner, contrarier, fatiguer, flétrir, friper, froisser, manier, plisser, remuer, rider, tourmenter.

CHIFFONNIER. Armoire, bahut, biffin, chineur, commode, crochet, fripier, guenillou, hotte, semainier.

CHIFFRABLE. Appréciable, calculable, consistant, estimable, évaluable, important, mesurable, notable, perceptible, pesable, pondérable, précieux, quantifiable, remarquable, sensible, substantiel, visible.

CHIFFRAGE. Catalogue, cens, comptage, compter, décompte, dénombrement, détail, économétrie, énumération, état, évaluation, inventaire, liste, litanie, numération, recensement, revue, rôle, statistique.

CHIFFRE. Acalculie, arabe, calcul, digit, marque, millésime, nombre, note, numéro, retenue, romain, tomer.

CHIFFREMENT. Adressage, chiffrage, codage, codification, cryptage, cryptographie, encodage, programmation.

CHIFFRER. Calculer, coder, compter, crypter, cryptographier, dénombrer, encoder, escompter, espérer, estimer, évaluer, mesurer, nombrer, numéroter, quantifier, totaliser.

CHIFFRE ROMAIN. I, II, III, IV, V, VI, VII, VIII, IX, X, XI, XII, XIII, XIV, XV, XVI, XVII, XVIII, XIX, XX, D, C, M.

CHIFFRES ROMAINS, 2 LETTRES. CC (200), CD (400), CI (101), CL (150), CM (900), CV (105), CX (110), DC (600), DI (501), DL (550), DV (505), DX (510), II (2), IV (4), IX (9), LI (51), LV (55), LX (60), MC (1100), MD (1500), MI (1001), ML (1050), MM (2000), MV (1005), MX (1010), VI (6), XC (90), XI (11), XL (40), XV (15), XX (20).

CHIFFREUR. Codeur, compteur, cryptographe, encodeur, enregistreur, indicateur, magnétophone, mouchard, pointeur.

CHIFFRIER. Audit, comptabilité, comptable, dû, écriture, garant, reçu, registre, tableur, teneur, tenue, trésorier.

CHIGNER. Beugler, brailler, braire, bramer, chanter, chialer, crier, gémir, grogner, gueuler, horler, hurler, lamenter, larmoyer, miauler, plaindre, pleurer, pleurnicher, rugir, sangloter, tonitruer, vagir, vociférer, zerver.

CHIGNEUX. Braillard, brailleur, chicaneur, chicanier, critiqueur, critiqueux, débatteur, discuteur, frustré, insatisfait, mécontent, plaignard, raisonneur, rechignard, rechigneux, récriminateur, regimbeur, rouspéteur, vitupérateur.

CHIGNOLE. Avant-clou, drille, foret, fraise, fraisoir, mèche, percerette, perceuse, perçoir, voiture.

CHIGNON. Catogan, catogan, chouchou, coiffure, crêper, élastique, nœud, ruban, toquon.

CHIITE (n. p.). Achoura, Aladin, Ali, Amal, Asad, Assad, Hassan, Hezbollah, Karbala, Khomeyni, Nadjef, Najaf, Qom, Qum.

CHIITE. Alawite, ayatollah, djihad, duodécimain, hodjatoleslam, ismaélien, jihad, mahdiste, musulman, yézidi.

CHILI. Cayenne, pili-pili, piment, piment fort, poivre de cayenne, poivre de Guinée.

CHILI, CAPITALE (n. p.). Santiago.

CHILI, LANGUE. Espagnol.

CHILI, MONNAIE. Peso.

CHILI, VILLE (n. p.). Ancud, Angeles, Angol, Antofagasta, Arica, Calama, Chillan, Chuquicamata, Concepcion, Coquimbo, Iquique, Lebu, Linares, Lota, Osorno, Puerto Montt, Punta Arenas, Putre, Rancagua, San Bernardo, Santiago, Serena, Talca, Talcahuano, Temuco, Teniente, Valdivia, Valparaiso, Vina Del Mar.

CHILOM. Haschich, shilom, pipe.

CHIMÈRE. Berlue, chimérique, coquecigrue, ectopie, fantaisie, fantasme, fictif, fiction, idée, illusion, image, implication, lubie, manie, mirage, mode, monstre, notion, opinion, pensée, projet, rêve, rêverie, roman, songe, ton, tour, utopie, vue.

CHIMÉRIQUE. Allégorique, coquecigrues, extravagant, fabuleux, fantaisiste, fantasmagorique, fantasmatique, fictif, fou, illusoire, imaginaire, irréalisable, irréel, lunaire, utopie, utopique, vain.

CHIMIE. Agrochimie, alchimie, atome, biochimie, chaîne, composé, corps, électrochimie, élément, groupement, liaison, microchimie, molécule, noyau, pétrochimie, physicochimie, photochimie, radical, symbole.

CHIMIQUE. Artificiel, colorant, engrais, synthétique.

CHIMISTE. Alchimiste, apothicaire, biochimiste, caducée, chimiste, herboriste, officine, ordonnancier, pharmacien, pilchard, potard, pétrochimiste.

CHIMISTE AFRIQUE (n. p.). Smith.

CHIMISTE ALLEMAND (n. p.). Alder, Baeyer, Becher, Bergius, Bosch, Brand, Brandt, Buchner, Bunsen, Butenandt, Croll, Crolius, Dippel, Diels, Eigen, Fehling, Fischer, Fresenius, Glauber, Gmelin, Haber, Hahn, Hofmann, Huber, Kekule, Klaproth, Kossel, Kunckel, Liebig, Loewi, Marggraf, Meyer, Mitscherlich, Nernst, Osthwald, Richter, Schönbein, Stahl, Staudinger, Stradonitz, Von Kekule, Wallach, Wieland, Willstätter, Willing, Wöhler, Ziegler.

CHIMISTE AMÉRICAIN (n. p.). Altman, Baekeland, Boyle, Brown, Carothers, Corey, Cram, Dalton, Debye, Djerassi, Eyring, Ficher, Flory, Friedel, Giauque, Gibbs, Herschbach, Hoffmann, Hopkins, Karle, Kendall, Langmuir, Lauterbur, Lee, Lewis, Libby, Lipscomb, Marcus, Mulliken, Olah, Onsager, Ostwald, Pauling, Richards, Robinsom, Rumford, Seaborg, Smalley, Taube, Urey, Winstein, Woodward.

CHIMISTE ANGLAIS (n. p.). Aston, Black, Brown, Cavendish, Couper, Crookes, Dalton, Davy, Dewar, Faraday, Frankland, Graham, Hales, Haworth, Henry, Hinshelwood, Hope, Hopkins, ingold, Marsh, Moseley, Nicholson, Perkin, Priestley, Prout, Ramsay, Robinson, Swan, Synge, Todd, Wollaston.

CHIMISTE AUSTRALIEN (n. p.). Cornforth.

CHIMISTE AUTRICHIEN (n. p.). Auer, Zsigmondy.

CHIMISTE BELGE (n. p.). Baekeland, Prigogine, Stas.

CHIMISTE BRITANNIQUE (n. p.). Barton, Black, Brown, Cavendish, Couper, Crookes, Dalton, Davy, Dewar, Faraday, Frankland, Graham, Haworth, Hodgkin, Kroto, Perutz, Porter, Priestley, Ramsay, Robinson, Soddy, Swan, Todd, Wilkinson, Wollaston.

CHIMISTE CANADIEN (n. p.). Altman, Barzen, Black, Douglas, Dow, Graham, Heaffy, Herzberg, Hsinchy, Polanyi, Reily, Smith.

CHIMISTE DANOIS (n.p.) Bronsted, Oersted, Sorensen.

CHIMISTE ÉCOSSAIS (n. p.). Dewar, Graham, Hope.

CHIMISTE FRANÇAIS (n. p.). Arcet, Balard, Bayen, Baumé, Bel, Berthelot. Berthollet, Bertrand, Boussingault, Caventou, Chaptal, Chardonnet, Chevreul, Claude, Conte, Courtois, Curie, Darcet, Debierne, Debray, Duclaux, Dufraisse, Dulong, Dumas, Fourcroy, Friedel, Gautier, Gay-Lussac, Gerhardt, Grignard, Joliot-Curie, Kuhlmann, Laurent, Lavoisier, Le Bel, Leblanc, Lebon, Lehn, Lémery, Lumière, Moissan, Niepce, Orfila, Osmond, Pasteur, Payen, Pelletier, Pelouze, Proust, Raoult, Raspail, Rey, Robiquet, Sabatier, Schoesing, Thenard, Tiffeneau, Trefouël, Turpin, Vauquelin, Wurtz.

CHIMISTE HOLLANDAIS (n. p.). Boerhaave, Roozeboom.

CHIMISTE IRLANDAIS (n. p.). Boyle.

CHIMISTE ISRAÉLIEN (n. p.). Weizmann.

CHIMISTE ITALIEN (n. p.). Avogadro, Bovet, Cannizzaro, Ciamician, Farina, Natta.

CHIMISTE JAPONAIS (n. p.). Fukui, Fukui Kenichi.

CHIMISTE NÉERLANDAIS (n. p.). Debye, Van't Hoff.

CHIMISTE NORVÉGIEN (n. p.). Guldberg, Hassel.

CHIMISTE RUSSE (n. p.). Mendeleïev, Oparine, Semenov, Semionov.

CHIMISTE SUÉDOIS (n. p.). Arrhenius, Bergman, Berzelius, Cronstedt, Hevesy, Nobel, Scheele, Svedberg.

CHIMISTE SUISSE (n. p.). Ernst, Karrer, Müller, Prelog, Ruzicka, Sterbach, Werner.

CHIMISTE TCHÈQUE (n. p.). Heyrovsky.

CHIMPANZÉ. Anthropoïde, bonobo, guenon, hominidé, laideron, mammifère, pongidé, primate, singe.

CHINAGE. Agacerie, alunifère, astringent, étoffe, facétie, mégis, ocre, poudre, sulfate, talc, taquinerie.

CHINE. Brocante, céramique, encre, faïence, porcelaine, vélin.

CHINE, CAPITALE (n. p.). Beijing, Pékin.

CHINE, LANGUE. Mandarin, putonghua.

CHINE, MONNAIE. Renminbi (yuan).

CHINE RÉGION (n. p.). Anhui, Djoungarie, Dzoungarie, Guangdong, Guangxi, Hong Kong, Hubei, Macao, Mandchourie, Ningxia, Setchouan, Sichuan, Sinkiang, Tibet, Xinjiang, Yumnan, Zhejiang.

CHINE, VILLE (n. p.). Altay, Amoy, Andong, Anshan, Anyang, Anxi, Baoding, Baoji, Baotou, Beijing, Beipiao, Bengbu, Benqi, Benxi, Benzi, Canton, Changchun, Changsha, Changzhou, Chengdu, Chongqing, Dairen, Dalian, Dalni, Dandong, Daqing, Datong, Dongguan, Dongying, Dukow, Dunhuang, Foshan, Fujin, Fushun, Fuxin, Fuzhow, Ganzhou, Guilin, Guiyang, Hefei, Hegang, Hengyang, Hohhot, Hotan, Huainan, Hunjiang, Huzhou, Jiamusi, Jian, Jiaxing, Jilin, Jinan, Jingdezhen, Jingmen, Jinhua, Jinzhou, Jixi, Kachgan, Kaifeng, Kalgan, Kashi, Kouldja, Kowloon, Kunming, Lanzhow, Leshan, Lhasa, Lhassa, Liaocheng, Liaoyang, Liaoyuan, Lichuan, Linchuan, Luan, Luoyang, Lüshun, Luzhow, Mianyang, Mudanjiang, Nanchang, Nanchong, Nankin, Nanning, Nantong, Ningbo, Ouroumtsi, Pékin, Pingxiang, Qinan, Qingdao, Qiqihar, Qupu, Quzhou, Renqiu, Rizhao, Shanghai, Shangrao, Shantou, Shaoxing, Shennyang, Shenzhen, Shijiazhuang, Sian, Suoche, Suzhou, Tai'an, Taiyan, Tangshan, Tianjin, Tientsin, Tonhua, Tsi-nan, Weifang, Wenhow, Wuhan, Wuhu, Wuxi, Wuzhow, Xiamen, Xian, Xiangtan, Xianyang, Xining, Xinji, Xinxiang, Xinyu, Xuanhua, Xuzhow, Yaan, Yan'an, Yangquan, Yangzhou, Yantai, Yarkand, Yibin, Yichang, Yichun, Yinchuan, Yingchen, Yingkou, Yueyang, Zaozhuang, Zhanjiang, Zhengzhou, Zibo, Zigong.

CHINER. Acheter, agacer, alterner, asticoter, barioler, brocanter, calculer, chercher, chinure, critiquer, fouiller, ironiser, moquer, plaisanter, quérir, railler, rechercher, scruter, supposer, taquiner, teindre.

CHINETOQUE. Chinois, injurieux.

CHINEUR. Antiquaire, bouquiniste, brocanteur, camelot, casseur, chiffonnier, ferrailleur, fripier, regrattier.

CHINOIS (n. p.). Asie, Han, Mao.

CHINOIS. Asiate, asiatique, bonze, céleste, chinetoque, compliqué, coolie, dao, encre, gan, gong, jade, jaune, li, mandarin, min, mongol, nettoyeur, opium, original, sinisé, sinité, sino, soie, taël, taï chi, tamis, tao, thé, wu, xanthoderme.

CHINOISE, MESURE. Fen, hao, hou, pou, li, yu.

CHINOISER. Argumenter, bogoter, chicaner, discutailler, épiloguer, ergoter, gloser, ratiociner, siniser, tatillonner.

CHINOISERIE. Anomalie, anormalité, bibelot, bizarrerie, curiosité, étrangeté, excentricité, singularité.

CHINOOK. Cers, sirocco, vent.

CHIOTTE. Automobile, cabinet, chierie, emmerdement, ennui, toilette, water-closet, voiture.

CHIP. Croustille, puce.

CHIPER. Attribuer, barboter, cacher, cambrioler, chaparder, démunir, déposséder, dérober, filouter, voler.

CHIPEUR. Chapardeur, dérobeur, escroc, fricoteur, maraudeur, pillard, pilleur, piqueur, voleur.

CHIPIE. Commère, cotillon, fébosse, furie, garce, gonzesse, gouine, maquerelle, mégère, sorcière, valkyrie, walkyrie.

CHIPOLATA. Boyau, chipo, mouton, ragoût, saucisse, sexe.

CHIPOTAGE. Argutie, chicane, chicanerie, contestation, contradiction, ergoterie, pinaillage, querelle.

CHIPOTER. Chicaner, critiquer, discuter, ergoter, grignoter, mangeotter, manger, marchander, picorer.

CHIPOTEUR. Chicaneur, chicanier, ergoteur, pinailleur, pointilleux, procédurier, tatillon, tracassier, vétilleux.

CHIQUÉ. Arnaque, artifice, attrape, bluff, couillonnade, dol, duperie, escroquerie, erreur, esbroufe, fausseté, feinte, fourberie, fraude, imposture, lapsus, leurre, manège, mensonge, méprise, mystification, perfidie, ruse, sottise, tricherie, tromperie.

CHIQUEMENT. Avarement, chétivement, cupidement, maigrement, mesquinement, modestement, modiquement, parcimonieusement, pauvrement, petitement, prudemment, serré, sordidement, usurairement.

CHIQUENAUDE. Bine, coup, croquignole, flipper, nasarde, petit cochon, pichenette, pichenotte, tapette.

CHIQUER. Bétel, broyer, carotte, chique, chiqueur, écraser, hésiter, mâcher, manger, mastiquer, tabac.

CHIROMANCIE. Ambition, cauchemar, désir, espérance, évasion, fantasme, hypnoïde, idéal, idée, imagination, irréel, lit, main, onirisme, phantasme, procédé, rêve, séjour, sommeil, songe, utopie, vision.

CHIROMANCIEN. Annonciateur, aruspice, astrologue, augure, auspice, cartomancien, chirographe, clairvoyant, devin, diseur, mage, médium, voyant.

CHIROPRACTEUR. Chiropraticien, ostéopathe, physiothérapeute.

CHIRURGICAL. Anaplastie, césarienne, circoncision, colostomie, diérèse, occlusion, opération, ponction, stripping, trachéotomie.

CHIRURGIE. Ablation, adjuvat, chirurgien, curette, décapsulation, dentiste, érine, excision, exérèse, lifting, médecin, neurochirurgie, plastie, plastique, praticien, résection, revascularisation, rugine, sonde, ténotomie, tympanoplastie.

CHIRURGIEN (n. p.). Barnard, Bégin, Bonnet, Boyer, Broca, Cabrol, Carrel, Colot, Cosme, Cushing, Dupuytren, Fallope, Guyon, Harvey, Kocher, Larrey, Leriche, Lister, Martel, Mondor, Nélaton, O'Meara, Paré, Péan, Pott, Ricord, Roux, Scarpa, Shumway, Tarnier, Velpeau.

CHIRURGIEN. Charcutier, dentiste, médecin, neurochirurgien, opérateur, professionnel, spécialiste.

CHISEL. Araire, brabant, butteur, buttoir, charrue, cultivateur, déchaumeuse, défonceuse, fossoir, fouilleuse, houe, motoculteur, piocheuse, polysoc, pulvériseur, ripper, rooter, sarcloir, trisoc.

CHITINE. Arthropode, azote, champignon, cuticule, sternite.

CHITON. Amphineure, oscabrion, mollusque, oscabrion, polyplacophore, tunique.

CHIURE. Bourre, bourrier, chiasse, chute, crasse, culot, débris, déchet, dépôt, détritus, excrément, fange, fiente, fumier, gadoue, immondices, impureté, ordure, raclure, ramas, rebut, résidu, rognure, salissure.

CHLAMYDE. Costume, laine, manteau, pagne, sarong.

CHLAMYDIA. Bactérie, MTS, ornithose, psittacose, trachome, vénérienne, virus.

CHLAMYDIOSE, MÉDICAMENT. Azithromycine, érythromycine, ofloxacine, sulfacétamide, trovafloxacine.

CHLEUH. Allemand, berbère, chleu, schleu.

CHLINGUER. Chlingoter, chlipoter, empester, puer, chlipoter, sentir.

CHLORE. Cl.

CHLORELLE. Algue.

CHLOROFORMER. Analgésier, anesthésier, apaiser, cocaïnisation, endormir, engourdir, éthériser, geler, insensibiliser, narcotiser.

CHLOROPHYCÉE. Agar-agar, algine, algue, bleue, balbianie, botrydium, caulerpe, cauperpe, chlorelle, chlorophycée, conferve, coralline, cyanobactérie, cyanophycée, diatomée, diplopode, euglène, floridée, fucus, goémon, janie, laminaire, macrocystis, macrocyte, mougeotia, navicule, némale, némalion, nostoc, padine, phéophycée, pluricellulaire, porphyra, protocoque, protophyte, rhodophycée, rouge, sargasse, spirogyre, sushi, ulve, unicellulaire, varech, vauchérie, zygnéma.

CHLOROPHYLLE. Bactériochlorophylle, euglène, carothène, lacuneux, porphyrine, spirogyre.

CHLOROVANADATE. Vanadinite.

CHLORURE. Ammoniac, calomel, gemme, halite, javel, muriate, perchlorure, potasse, sel, soude, sylvinite, vinylite.

CHNOQUE. Chnock, fossile, fou, idiot, imbécile, schnock, schnoque, vieux.

CHNOUF. Drogue, reniflette, stupéfiant.

CHOC. Abordage, accident, accrochage, carambolage, affrontement, assaut, attaque, battement, cahot, charge, collision, confrontation, contrecoup, coup, émotion, heurt, ictus, impact, lutte, percussion, secousse, traumatisme.

CHOCHOTTE. Cabot, cabotin, complaisant, homosexuel, mondain, précieux, prétentieux, salonnard, snob, snobinard.

CHOCOLAT. Amande, bille, boisson, bonbon, bouchée, bredouille, brun, cacao, chocolatier, couleur, déçu, dupé, liégeois, mélange, rouge, tablette.

CHOCOLATÉ. Cacaoté, parfumé, sépia, tête de nègre.

CHOCOLATIER. Chocolaterie, confiseur, fabrique, magasin, récipient, verseur

CHOCOTTE. Dent, peur.

CHŒUR. Ambon, chevet, chorale, choriste, concert, conjointement, déambulatoire, ensemble, épode, jubé, lutrin, unanimement.

CHOIR. Abandonner, abattre, basculer, chuter, débouler, dévaler, ébouler, effondrer, étendre, tomber.

CHOISI. Adopté, béat, châtié, distingué, élégant, élu, opportun, opté, précieux, préféré, raffiné, sélectionné, trié.

CHOISIR. Adopter, aimer, arbitre, coopter, décider, départager, désigner, déterminer, distinguer, échantillonner, élire, embrasser, engager, fixer, mandater, nommer, opter, préférer, sélectionner, tirer, trier, voter.

CHOIX. Alternative, anthologie, appareillement, choisir, crème, décision, dilemme, échelle, électif, élection, élimination, élite, éventail, facultatif, gratin, médiaplanning, option, ou, recueil, sélectif, sélection, tri, variété.

CHOLÉDOQUE. Angiocholite, bile, cystique, duodénum, hépatique.

CHOLÉMIE. Bile, chlorose, hépatite, ictère, jaunisse, leptospirose.

CHOLÉRA. Bacille, cholériforme, cholérine, méchant, morbus, morbus, nostras, peste, trousse-galant, virgule.

CHOLESTÉROL. Athérome, cholestérine, cholestérolémie, clofibrate, lipoprotéine, stéroïde, stérol, xanthome.

CHÔMABLE. Arrêter, cesser, chômé, férié, fêter, jour, oisif, suspendre.

CHÔMAGE. Crise, demandeur, inaction, inemploi, inertie, inoccupation, marasme, morte-saison, sans-emploi.

CHÔMÉ. Arrêté, cessé, chômable, férié, fêté, jour, oisif, suspendu.

CHÔMER. Arrêter, célébrer, cesser, férié, fêter, inoccuper, oisif, suspendre, tarir.

CHÔMEUR. Appelant, demandeur, licencié, poursuivant, quémandeur, requérant, sans-emploi, serveur, solliciteur, tapeur.

CHONDRIOSOME. Cellule, chondriome, mitochondrie.

CHONDROSTÉENS. Ascipensériforme, esturgeon, ganoïde, ostéichtyen, polyodonte, spatule, vertébré.

CHOPE. Bock, cornet, demi, gobelet, pot, quart, rince-bouche, sérieux, sol, tasse, timbale, verre.

CHOPER. Arrêter, attraper, capturer, chiper, contracter, dérober, pincer, pogner, prendre, ramasser, voler.

CHOPPER. Achopper, broncher, buter, moto, trébucher, tromper.

CHOQUANT. Agressif, blessant, cru, désagréable, fâcheux, fort, indécent, irritant, nu, offensant, osé, rebutant, révoltant, scandaleux.

CHOQUER. Agacer, agresser, blesser, bouleverser, briser, cotir, déplaire, déranger, écorcher, ennuyer, fêler, formaliser, fouetter, frustrer, heurter, irriter, offusquer, rebuter, rudoyer, scandaliser, secouer, taper, tiquer, toucher, ulcérer, vexer.

CHORALE. Air, cantatrice, cappella, chœur, introït, lied, mélopée, monodie, motet, musique, nénies, Noël, ode, oiseau, orphéon, péan, pluriel, poème, prose, psaume, ramage, rhapsodie, solea, voceri, vocero.

CHORÉGRAPHE.

CHORÉGRAPHE, FEMME (n. p.). Auger, Bergeron, Bisson, Boudot, Boutin, Cadrin, Chiriaeff, Cloutier, Dauphinais, Del Rio, DesRuisseaux, Dionne, Dorice, Gagnon, Gélinas, Giraldeau, Giroux, Graff, Horowitz, Hotte, Lachance, Lamarche, Lamontagne, Lamoureux, Lapierre, Laurin, Leclair, Lussier, Martineau, Moretti, Morin, Nolet, Pélissier, Poulin, Rénélique, Riopelle, Ross, Roy, Saario, St-Arnaud, Sturk, Tardif, Teekman, Tremblay, Vincent.

CHORÉGRAPHE, HOMME (n. p.). Bain, Balanchine, Bastarache, Béjart, Bélanger, Bertrand, Boudot, Bourgault, Charpentier, Déom, Drolet, Ek, Émard, Fortier, Gades, Gorski, Guay, Guillemette, Laban, Meyer, Mondor, Pilon, Sauvé, Soulières, Tremblay, Vandekeybus, Zanetti.

CHORÉGRAPHIE. Alternatif, danse, gymnique, métrique, mimique, prosodie, rythmique, scansion, versification.

CHORISTE. Altiste, artiste, aulète, bassiste, chanteur, compositeur, concertiste, cor, coryphée, duettiste, exécutant, flûtiste, griot, groupe, guitariste, harmoniciste, luthiste, maestro, mariachi, mélomane, ménestrel, ménétrier, musicastre, musicien, pianiste, saxophoniste, sitariste, soliste, timbalier, trio, trombone, tubiste, violoneux, violoniste, virtuose.

CHORISTE POP, FEMME (n. p.). Brémault, Choquette, Corradi, Dassylva, Richardson, Vallée.

CHORISTE POP, HOMME (n. p.). Berthiaume, Chapados, Habib, Minville, Morel, Vyvial.

CHORIZO. Rouge, saucisse, saucisson.

CHOROÏDE. Ciliaire, membrane, péritoine, plexus, rétine, uvée.

CHORUS. Acceptation, accord, acquiescement, adhésion, adoption, agrément, amen, applaudir, applaudissement, approbation, approuver, assentiment, autorisation, aval, aveu, avis, ban, bien, bon, bravo, concession, confirmation, consentement, convenir, cri, déclaration, ensemble, entendu, entérinement, homologation, improvisation, mais, manifester, oui, permission, ratification, sanction, soit, suffrage, visa.

CHOSE. Amer, amulette, babiole, bagatelle, bidule, bricole, but, cauchemar, chef, dinanderie, énigme, épave, essence, fourbi, foutaise, fifrelin, gnognote, gnognotte, joyau, machin, misère, nanan, non-sens, objet, onde, outil, protée, rareté, resucée, stérilet, talisman, trésor, truc, ulve, ustensile, vétille.

CHOSIFICATION. Actualisation, actuation, concrétisation, expression, incarnation, personnification, réalisation.

CHOSIFIER. Avilir, chosification, dépersonnaliser, déshumaniser, instrumentaliser, marchandiser, réifier.

CHOTT (n. p.). Chergui, Djérid, Hodna, Malghir, Melghir.

CHOTT. Dépression, lac, sebka, sel.

CHOU (n. p.). Bruxelles.

CHOU. Adorable, avenant, beau, brassica, cabus, charmant, chou-fleur, chou-navet, chou-rave, chou vert, coquet, crambe, délicieux, fourrager, gentil, gracieux, marin, mignon, palmiste, profiterole, rouge, rutabaga.

CHOUAN (n. p.). Balsac, Bernier, Cadoudal, Cottereau, Vendéen.

CHOUANNERIE. Agitation, chouan, désordre, légitimiste, monarchiste, nominataire, roi, royaliste, ultra.

CHOUCAS. Corbeau, corneille, corvidé, crave, freux, grole, grolle, omnivore.

CHOUCHEN. Boisson, breuvage, hydromel, miel.

CHOUCHOU. Affection, catogan, chéri, choisi, élastique, élu, enfant, favori, gagnant, mignon, préféré, ruban.

CHOUCHOUTAGE. Combine, copinage, dorlotement, favoritisme, flatterie, népotisme, passe-droit, patronage.

CHOUCHOUTER. Choyer, combler, dorloter, favoriser, fignoler, gâter, mignoter, panser, traiter.

CHOUCROUTE. Chignon, chou, conserve.

CHOUETTE (n. p.). Hedayat, Tengmalm.

CHOUETTE. Agréable, beau, brune, bulotte, cendrée, chevêche, chuinter, duc, effraie, épervière, fantastique, femme, frouer, harfang, hubou, hulotte, hululer, lapone, limard, naine, rapace, ravins, rayée, rousse, saguaros, strigidé, tachetée, terriers.

CHOUETTEMENT. Adorablement, affablement, agréablement, aimablement, amicalement, bien, chaleureusement, complaisamment, cordialement, délicatement, gentiment, poliment, sympathiquement.

CHOU-FLEUR. Brocoli, chou, crucifère, dicotylédone.

CHOULEUR. Chargeuse, élévateur.

CHOU-NAVET. Cabus, chou, chou-rave, chou de Siam, choutiam, crucifère, dicotylédone, rutabaga.

CHOU POMMÉ. Cabus, crucifère, dicotylédone

CHOU-RAVE. Chou, chou-navet, chou de Siam, choutiam, rabiole, rutabaga, turneps.

CHOYER. Aduler, aimer, bichonner, cajoler, caresser, chérir, chouchouter, couver, dorloter, gâter, materner, mignoter, soigner.

CHRESTOMATHIE. Anthologie, choix, enseignement, recueil.

CHRÉTIEN. Agape, baptisé, brebis, catholique, copte, croix, ébonite, fidèle, galiléen, goï, goy, homme, infidèle, lapsi, logos, mathurin, mozarabe, orthodoxe, ouailles, païen, paroissien, protestant, relaps, roumi, schismatique, uniate.

CHRÉTIENNEMENT. Amèrement, amoureusement, âprement, cher, chèrement, dévotement, durement, moralement, mystiquement, onéreusement, pieusement, religieusement, respectueusement, spirituellement, tendrement.

CHRISME. Khi, monogramme, p, rhô, x.

CHRIST (n. p.). Antéchrist, Bethléem, Jéhovah, Jérusalem, Jésus, JHS, Messie, Noël, Pâques, Sauveur.

CHRIST. Antéchrist, calvaire, chrétien, copte, croix, église, Jésus, ouailles, mandorle, messie, pater, rameaux.

CHRISTIANA. Arrêt, parallèle, ski, stem-christiania, virage.

CHRISTIANISATION. Colonisation, conversion, endoctrinement, évangélisation.

CHRISTIANISER. Catéchiser, catholiciser, coloniser, convertir, endoctriner, évangéliser, prêcher.

CHROMATISME. Acrocyanose, carnation, coloration, coloris, couleur, degré, demi-teinte, nuance, patine, pigmentation, pycnose, teinte, teinture, ton, tonalité.

CHROME. Cr.

CHROMOSOME. A.D.N., autosome, bâtonnet, centromère, gêne, hétérochromosome, locus, télomère, trisomie, x, y.

CHRONICITÉ. Cadence, cyclicité, durée, périodicité, régularité, rythme, rythmicité, saisonnalité.

CHRONIQUE. Article, constant, continuel, durable, endémique, histoire, invétéré, permanent, persistant.

CHRONIQUEMENT. Assidûment, constamment, continuellement, continûment, éternellement, immuablement.

CHRONIQUES. Annales, articles, courrier, histoires, journal, mémoires, nouvelles, recueil, rubriques.

CHRONIQUEUR (n. p.). Abbon, Bazin, Brantôme, Comines, Eginhard, Einhard, Flodoard, Froissart, Glaber, Guys, Holinshed, Joinville, Kemp, La Marche, Leroux, L'Estoile, Muntaner, Sigebert de Gembloux, Villehardouin, Wittekind.

CHRONIQUEUR. Annaliste, auteur, courriériste, historien, journaliste, mémorialiste, nouvelliste, salonnier.

CHRONOLOGIE. Ab, âge, agenda, almanach, an, anecdote, annales, autobiographie, calendes, calendrier, condita, date, épacte, ère, hégire, histoire, ides, indication, jour, nones, ordo, parachronisme, urbe.

CHRONOMÈTRE. Chrono, chronographe, enregistreur, exact, minuteur, montre, ponctuel, régulier.

CHRONOMÉTRER. Chiffrer, compter, copier, écrire, estimer, mesurer, minuter, nombrer, tabler.

CHRYSALIDE. Chique, cocon, commencement, coque, lépidoptère, nymphe, papillon, pupe.

CHRYSANTHÈME. Alpinum, arcticum, carinatum, catananche, coronarium, frutescens, indicum, morifolium, pompon, pyrèthre, rubellum, segetum.

CHRYSOMÉLIDÉ. Altise, chrysomèle, coléoptère, criocère, donacie, doryphore, galéruque, lythraria.

CHRYSOPHYSÉE. Bicoeca, chromulina, chrysoamoeba, chrysomonadale, chrysosphoera, dinobryon, ochromonas, synura.

CHUCHOTEMENT. Babil, babillage, bruissement, chant, chuchotis, gazouillement, gazouillis, marmonage, marmonnement, marmottage, marmottement, murmure, pépiement, ramage, susurration, susurrement.

CHUCHOTER. Bourdonner, fredonner, grilloter, grimoner, hogner, marmonner, murmurer, susurrer.

CHUCHOTERIE. Bavardage, causerie, causette, colloque, concertation, conciliabule, conversation, dialogue, discussion, échange, entretien, interview, jasette, médisance, palabres, potin, pourparlers, tête-à-tête.

CHUINTANT. Aigu, avertissement, perçant, sibilant, sifflant, signalement, strident, striduleux, suraigu.

CHUINTEMENT. Blèsement, blésité, clichement, dystomie, gémissement, sifflement, sifflet, sifflotement, stigmatisme, sillage, silement, stridence, stridulation, susseyement, zézaiement, zozotement.

CHUINTER. Aborder, agir, annoncer, babiller, bafouiller, baragouiner, bavarder, bêler, bléser, causer, chuchoter, claironner, crier, dauber, débiter, dénigrer, dire, discourir, disserter, divaguer, évoquer, exposer, exprimer, extravaguer, gueuler, haranguer, hurler, jacter, jargonner, jaser, joual, marmotter, monologuer, nasiller, négociation, parler, patois, péronier, picard, placoter, prononcer, rouchi, sic, siffler, siller, substituer, susurrer, tarir, tonner, trahir, vociférer, zézayer, zozoter.

CHUM. Accoint, acolyte, allié, amant, ami, camarade, collègue, compagnon, compère, complice, confrère, connaissance, copain, familier, favorable, fidèle, intime, lié, mec, partisan, pote, proche, relation, tu, uni.

CHUT. Arrêt, bâillon, calme, celé, coi, motus, mutisme, mystère, omis, paix, pause, réticence, secret, silence, taire, temps, tu.

CHUTE (n. p.). Caroni, Iguaçu, Livingstone, Montmorency, Niagara, Parana, Schaffhouse, Victoria.

CHUTE. Alopécie, apocope, bief, bordée, cabriole, cascade, cataracte, culbute, décadence, défaite, défeuillaison, défloraison, défoliation, dégringolade, descente, desquamation, éboulement, écroulement, effeuillaison, effeuillement, effondrement, exfoliation, gadin, glissade, plongeon, pluie, ptôse, ptôsis, saut, tombée.

CHUTER. Affaisser, anéantir, baisser, craquer, culbuter, ébouler, écrouler, enfoncer, glisser, sauter, tomber.

CHYLE. Albuginé, argenté, blafard, blanc, blanchâtre, blême, cireux, crayeux, écume, immaculé, ivoirin, lacté, lactescent, laiteux, lilial, livide, marmoréen, neigeux, opale, opalescent, opalin, pâle, palescent, suc.

CHYPRE, VILLE (n. p.). Akaki, Famagouste, Lapithos, Larnaka, Lefka, Limassol, Nicosie, Paphos, Polis, Rhodes, Salamine.

CI-APRÈS. Après, ci-dessous, deçà, ici, ici-bas, infra, plus bas, plus loin.

CIBICHE. Cigarette, cigoune, clope, pipe, sèche, tige.

CIBLE. But, carton, fin, mire, mouche, noir, objectif, objet, papegai, papegai, point de mire, quintaine, visée.

CIBLER. Caractériser, cerner, décrire, définir, délimiter, désigner, déterminer, différencier, établir, fixer, individualiser, marquer, moralité, particulariser, qualifier, spécialiser, spécifier.

CIBOIRE. Burette, coupe, custode, hostie, navette, patène, patère, pavillon, péristère, pyxide, vase.

CIBORIUM. Abat-voix, abri, baldaquin, chapiteau, ciel, ciel de lit, dais, lambrequin, pavillon, vélum, voûte.

CIBOULE. Ail, allium, aromate, ciboulette, cive, civette, condiment, liliacée, oignon, plante, tête.

CIBOULETTE. Ail, allium, arôme. ciboule, cive, civette, condiment, fausse échalote, herbe, oignon.

CIBOULOT. Caboche, cap, cerveau, chef, chevet, ciboulot, cime, cou, crâne, début, épi, esprit, file, fraise, froc, guillotine, hauteur, hure, mental, mine, occiput, premier, roi, sinciput, sommet, supérieur, test, tête, turc.

CICATRICE. Apparence, balafre, brèche, cal, chéloïde, chinfrenau, cicatriciel, couture, entaille, grêlé, hile, lézarde, marisque, marque, nombril, ombilic, signe, séquelle, souvenir, stigmate, trace, vergeture.

CICATRISANT. Baume, coagulant, ergotine, goménol, hémostatique, prothrombine, thrombine, vulnéraire.

CICATRISATION. Adoucissement, apaisement, consolation, fermeture, guérison, rémission, soulagement.

CICATRISER. Adoucir, apaiser, consoler, dessécher, fermer, guérir, refermer, soulager.

CICÉRO. Douze, espace, œil, typo.

CICÉRON (n. p.). Atticus, Catilina, Clodius, Fulvie, Milon, Murena, Quintilien, Tiron.

CICÉRONE. Accompagnateur, conducteur, cornac, gouverneur, guide, introducteur, mène, mentor, péon, phare, pilote, rêne, sherpa.

CICONIIFORME. Aigrette, ardéidé, ardéiforme, balaenicipitidé, bihoreau, butor, carinate, caurale, ciconiidé, crabier, garde-bœuf, héron, mésite, mésitornithidé, pédionome, savacou, turnicidé, turnix.

CI-DESSOUS. Après, bas, ci-après, deçà, dito, ici, ici-bas, infra, plus bas, plus loin, supra, susdit.

CI-DESSUS. Avant, ci-devant, ci-haut, ici, dito, plus haut, supra, susdit, susvisé.

CI-DEVANT. Antérieurement, auparavant, au préalable, avant, déjà, préalablement, précédemment, préliminairement.

CIDRE. Boisson, bouché, calvados, cidrerie, doux, graisse, halbi, mousseux, poiré, pomme, sec.

CIEL (n. p.). Ascension, Asssomption, Babel, Olympe, Ouranos.

CIEL. Air, arc, astre, azur, baldaquin, calotte, céleste, cieux, climat, coupole, dais, décan, empyrée, enfer, éther, exil, firmament, frise, géhenne, inespéré, là-haut, lit, mythologie, neige, paradis, pluie, radiant, séjour, voûte.

CIERGE. Binet, boisseau, bougie, bougeoir, cactus, candélabre, chandelle, chandelier, chapiteau, chevecier, ciergier, cire, falot, fiche, flambeau, flamme, herse, if, lampion, luminaire, lumignon, molène, pic, pointe, rouloir, souche.

CIGALE. Chant, cicadidé, craquette, cricri, criquette, hémiptère, homoptère, psylle, squille, stridule.

CIGARE. Bague, cape, cigarier, cigarillo, cohibas, havane, londrès, manille, mégot, ninas, panatela, panatella, robe, rouleau, señorita, trabucos, tripe, voltigeur.

CIGARETTE. Américaine, biscuit, blonde, brune, cape, carton, cartouche, cibiche, cigarillo, clope, clou, cylindre, gauloise, gitane, joint, mégot, pantalon, paquet, pétard, pipe, pof, robe, rouleau, rouleuse, sèche, seita, sesbania, sesbanie, taffe.

CIGARILLO. Cigare, ninas, señorita.

CIGOGNE. Ciconiidé, cigogneau, claquette, craque, craquette, échassier, jabiru, marabout, tantale.

CIGUË. Æthuse, cicutine, conium, éthuse, faux persil, maceron, ombellifère, phellandre, plante, poison.

CIL. Centrosome, ciliaire, ciliature, cirre, ensille, flagelle, flagellum, filament, mascara, poil, protozoaire, rimmel, sensille, sourcil, vibrisse.

CILICE. Ceinture, chemise, haire, mortification, pénitence.

CILIÉ. Balantidium, buetschlia, cépédietttiné, cils, codonella, infusoire, paramécie, protozoaire, vorticelle.

CILLEMENT. Clignement, clignotement, nictation, papillotage, papillotement, paupière.

CILLER. Battre, bornoyer, broncher, chapiller, cligner, clignoter, émouvoir, papilloter, réagir.

CIME. Acmé, apex, apogée, couronnement, crête, dessus, dôme, faîte, hauteur, pic, pinacle, sommet, tête, volis.

CIMENT. Béton, chaux, colcrete, crépi, dalle, gunite, joint, jointement, liant, lien, lut, mastic, mortier, stuc.

CIMENTATION. Affermissement, amélioration, ancrage, consolidation, durcissement, enracinement, fixation, fortification, garantie, protection, radicalisation, raffermissement, raidissement, renforcement, renfort, stabilisation.

CIMENTER. Affermir, ancrer, asseoir, bétonner, cimentation, confirmer, conforter, consolider, crépir, dispersal, fermer, fortifier, joindre, lier, luter, maçonner, piser, plaquer, raffermir, renforcer, sceller, solidifier.

CIMETERRE. Alfange, alfrance, arme, dague, épée, fleuret, glaive, latte, propfan, rapière, sabre, thrace.

CIMETIÈRE (n. p.). Arlington, Bagneux, Dormans, La Chaise, Marigny, Montmartre, Pantin, Père Lachaise, Picpus, Pise, Saint-Avold, Saint-Sépulcre, Scutari, Suresnes, Thiais, Tipasa, Tipaza, Villequier.

CIMETIÈRE. Aître, catacombe, charnier, clamart, colombaire, columbarium, crypte, nécropole, ossuaire.

CIMICAIRE. Actée, chasse-punaises, herbe de St-Christophe, plante, punaise, renonculacée.

CINABRE. Amarante, célosie, couleur, ichtyol, minerai, minéral, pyrite, rouge, sulfure, vermillon.

CINÉASTE. Cinégraphe, dialoguiste, opérateur, producteur, réalisateur, scénariste, téléastre, vidéastre.

CINÉASTE ALLEMAND (n. p.). Fassbinder, Herzog, Murnau, Pabst, Riefenstahl, Schlöndorff, Wenders, Wiene.

CINÉASTE AMÉRICAIN (n. p.). Aldrich, Allen, Altman, Avery, Beatty, Borzage, Brooks, Capra, Cassavetes, Coppola, Corman, Cukor, Curtiz, Dassin, Daves, De Mille, Disney, Dmytryk, Donen, Eastwood, Edwards, Flaherty, Fleming, Ford, Forman, Fosse, Frank, Fuller, Griffith, Hathaway, Hawks, Hecht, Hitchcock, Hughes, Huston, Ince, Ivory, Jarmusch, Kazan, Keaton, Kelly, King, Kubrick, Lang, Levinson, Lewis, Losey, Lubitsch, Lucas, Lumet, Lynch, Mankiewicz, Mann, Maté, McCarey, Minnelli, Newman, Nichols, Nicholson, Penn, Pollack, Preminger, Quine, Ray, Redford, Scorsese, Selznick, Sennett, Shamroy, Sirk, Spielberg, Sternberg, Strand, Stroheim, Sturges, Tarantino, Thorpe, Vidor, Walsh, Warhol, Welles, Wellman, Wilder, Wise, Wyler, Zinnemann.

CINÉASTE ANGLAIS (n. p.). Anderson, Boorman, Chaplin, Grierson, Korda, Lean, Olivier, Ondaatje, Reed, Reisz, Russell,

CINÉASTE ARGENTIN (n. p.). Solanas.

CINÉASTE AUSTRALIEN (n. p.). Pabst, Weir.

CINÉASTE AUTRICHIEN (n. p.). Handke, Lang, Minnelli, Pabst.

CINÉASTE BELGE (n. p.). Akerman, Delvaux.

CINÉASTE BRÉSILIEN (n. p.). Cavalcanti, Rocha.

CINÉASTE BRITANNIQUE (n. p.). Anderson, Asquith, Boorman, Brook, Chaplin, Frears, Gibson, Greenaway, Grierson, Hithcock, Korda, Laughton, Lean, Loach, Olivier, Powell, Reed, Reisz, Richardson, Ustinov.

CINÉASTE CANADIEN (n. p.). Arcand, Brault, Carle, Godbout, Jutra, McLaren, Ondaatje, Perrault.

CINÉASTE DANOIS (n. p.). Dreyer, Trier.

CINÉASTE ÉGYPTIEN (n. p.). Chahin, Chahine.

CINÉASTE ESPAGNOL (n. p.). Almodovar, Arrabal, Bardem, Berlanga, Bunuel, Saura, Semprun.

CINÉASTE FRANÇAIS (n. p.). Allégret, Allio, Annaud, Astruc, Aurenche, Autant-Lara, Becker, Berri, Besson, Blier, Bresson, Carné, Cayatte, Chabrol, Chéreau, Clair, Clément, Clouzot, Cocteau, Cohl, Costa-Gavras, Coutard, Dassin, Debord, De Brocca, Delannoy, Delluc, Demy, De Pardon, De Sica, Deville, Doillon, Dulac, Duras, Duvivier, Epstein, Étaix, Eustache, Feuillade, Feyder, Franju, Gainsbourg, Galti, Gance, Gasnier, Godard, Grémillon, Guitry, Hossein, Kustirica, Lelouch, L'Herbier, Linder, Malle, Méliès, Melville, Mocky, Ophuls, Oury, Pagnol, Painlevé, Pialat, Polanski, Renoir, Resnais, Rivette, Robert, Rohmer, Rouch, Sautet, Tati, Tavernier, Téchiné, Tourneur, Truffaut, Varda, Verneuil, Vigo.

CINÉASTE GÉORGIEN (n. p.). Iasseliani, Paradjanov.

CINÉASTE GREC (n. p.). Angelopoulos.

CINÉASTE HONGROIS (n. p.). Jancso.

CINÉASTE INDIEN (n. p.). Ray, Sen.

CINÉASTE ITALIEN (n. p.). Antonioni, Bene, Bertolucci, Cissé, Comencini, De Filippo, De Sica, Fellini, Ferreri, Leone, Malaparte, Moretti, Olmi, Pasolini, Risi, Rosi, Rossellini, Scola, Soldati, Taviani, Visconti.

CINÉASTE JAPONAIS (n. p.). Imamura, Kinugasa, Kon, Kurosawa, Mizoguchi, Oshima, Ozu, Petri, Yasujiro.

CINÉASTE MALIEN (n. p.). Cissé.

CINÉASTE NÉERLANDAIS (n. p.). Ivens.

CINÉASTE POLONAIS (n. p.). Ford, Kieslowski, Polanski, Wajda, Zulawski.

CINÉASTE PORTUGAIS (n. p.). Oliveira.

CINÉASTE QUÉBÉCOIS (n. p.). Brault, Carle, Dansereau, Demers, Godbout, Lauzon, Perrault.

CINÉASTE RUSSE (n. p.). Donskoï, Dovjenko, Eisenstein, Guerman, Koulechov, Mikhalkov, Panfilov, Paradjanov, Poudovkine, Tarkovski, Vertov.

CINÉASTE SÉNÉGALAIS (n. p.). Sembène.

CINÉASTE SOVIÉTIQUE (n. p.). Barnet, Donskoï, Dovjenko, Eisenstein, Koulechov, Paradjanov, Poudovkine, Tarkovski, Vertov.

CINÉASTE SUÉDOIS (n. p.). Bergman, Sjöström, Stiller.

CINÉASTE SUISSE (n. p.). Murer, Tanner, Wyler.

CINÉASTE TCHÈQUE (n. p.). Forman, Pabst, Reisz, Trnka, Zeman.

CINÉASTE TURC (n. p.). Güney.

CINÉMA (n. p.). AOL Time Warner, Cannes, Cinecittà, CNC, FEMIS.

CINÉMA. Art, bande, bluff, caméra, ciné, ciné-parc, cinoche, cirque, comédie, copie, décor, écran, figurant, film, hard, salle, septième art, soft, vamp.

CINÉMATOGRAPHE (n. p.). Lumière.

CINÉMATOGRAPHIER. Cinégraphier, enregistrer, filmer, photographier, tourner, vidéographier.

CINÉMOMÈTRE. Doppler, radar.

CINÉRAIRE. Astéracée, caveau, cénoraire, cénotaphe, cercueil, cippe, columbarium, composacée, corbillard, fosse, jacobée, koubba, mastaba, mausolée, monument, pierre, sarcophage, séneçon, sépulcre, sépulture, spéos, stèle, tombe, tombeau, urne.

CINGLANT. Acerbe, blessant, choquant, cruel, douloureux, dur, incisif, mordant, sec, sévère, vexant, vif.

CINGLÉ. Aliéné, anormal, barjo, bizarre, branque, cinoque, crétin, dérouillée, dingo, dingue, enragé, fada, fanatique, fêlé, fondu, fou, idiot, jeté, loufoque, maboul, marteau, névrosé, obsédé, timbré, toqué.

CINGLER. Attiser, battre, blesser, boxer, chapeau, cogner, corriger, couper, cravacher, estourbir, fesser, flageller, fouailler, fouetter, frapper, fustiger, naviguer, rouer, sangler, secouer, sévère, tabasser, taper, vexer.

CINNAMOME. Arbrisseau, aromate, camphre, camphrier, cannelier, lauracée, laurier, laurier du Japon.

CINOCHE. Ciné, cinéma, ciné-parc, film, écran, grand écran, septième art, théâtre.

CINQ (n. p.). Dionne, Grands Lacs, Pentateuque, Thora, Tora, Torah.

CINQ. Ans, cinquième, lustre, pent, penta, pentacle, pentagone, penthode, quinaire, quine, quintette, quintuple, quintupler, sens, sec, v.

CINQ NATIONS (n. p.). Algonquins, Mohawk, Oneidas, Onondagas, Tuscaroras.

CINQUANTE (n. p.). Danaïdes, Doris, États-Unis, Néréides.

CINQUANTE. Cinquantaine, cinquantième, danaïdes, fifty-fifty, L, pentecôte, quinquagénaire.

CINQUIÈME. Auriculaire, carrosse, cinq, cinquante, han, jeudi, nine, nones, quintidi, spondaïque.

CINTRAGE. Arçonnage, arcure, arrondi, bombage, cambre, cambrure, circularité, concavité, convexité, courbe, courbement, courbure, parabolicité, ploiement, recourbement, rondeur, rotondité, sinuosité, tortuosité.

CINTRE. Anse, arc, arcade, arceau, cerceau, charpente, courbure, frise, ogive, support, théâtre, vau, veau.

CINTRER. Ajuster, arquer, arrondir, ballonner, bomber, bourrer, cambrer, convexer, courber, déformer, empiffrer, enfler, filer, foncer, gauchie, goder, gondoler, gonfler, graffiter, rebondir, redresser, renfler, rondir, saillir, tanguer.

CINZANO. Apéro.

CIPAYE. Soldat.

CIPPE. Borne, colonne, mastaba, mausolée, pilier, sépulcre, stèle, stupa, stoupa, tombeau, votive.

CIPRE. Arbre, boscoyo, cèdre, cyprès, taxaudier, taxaudium, taxodier, taxodium.

CIPRIÈRE. Étang, grenouillère, marais, mare, marécage, narse, tourbière.

CIRAGE. Aiguisage, brunissage, égrisage, fart, fignolage, fourbissage, frottage, léchage, limage, lustrage, peaufinage, polissage, ponçage, rodage, usure.

CIRCAÈTE. Accipitridé, aigle, falconiforme, jean-le-blanc, oiseau, rapace.

CIRCONFÉRENCE. Aube, auge, bord, ceinture, cercle, contour, orbiculaire, pi, pourtour, rayon, rond, tour.

CIRCONLOCUTION. Ambages, antonomase, biais, courbe, détour, déviation, diffus, digression, euphémisme, fuite, indirect, manège, méandre, périphrase, repli, retour, ruse, sinuosité, tour, virage, zigzag.

CIRCONSCRIPTION. Arrondissement, canton, cité, comté, délimiter, dème, division, district, doyenné, éparchie, finage, igamie, localiser, pagus, préfecture, restreindre, secteur, zone.

CIRCONSCRIPTION, ASSEMBLÉE NATIONALE (n. p.). Abitibi-Est, Abitibi-Ouest, Anjou, Argenteuil, Arthabaska, Beauce-Nord, Beauce-Sud, Beauharnois-Huntingdon, Bellechasse, Berthier, Bertrand, Blainville, Bonaventure, Borduas, Bourassa, Bourget, Brome-Missisquoi, Chambly, Champlain, Chapleau, Charlesbourg, Charlevoix, Châteauguay, Chauveau, Chicoutimi, Chomedey, Chutes-de-la-Chaudière, Crémazie, D'Arcy-McGee, Deux-Montagnes, Drummond, Dubuc, Duplessis, Fabre, Frontenac, Gaspé, Gatineau, Gouin, Groulx, Hochelaga-Maisonneuve, Hull, Iberville, Îles-de-la-Madeleine, Jacques-Cartier, Jeanne-Mance, Jean-Talon, Johnson, Joliette, Jonquière, Kamouraska-Témiscouata, Labelle, L'Acadie, Lac-Saint-Jean, Lafontaine, La Peltrie, La Pinière, Laporte, Laprairie, L'Assomption, Laurier-Dorion, Laval-des-Rapides, Laviolette, Lévis, Limoilou, Lotbinière, Louis-Hébert, Marguerite-Bourgeoys, Marguerite-d'Youville, Marie-Victorin, Marquette, Maskinongé, Masson, Matane, Matapédia, Mégantic-Compton, Mercier, Mille-Îles, Montmagny-L'Islet, Montmorency, Mont-Royal, Nelligan, Nicolet-Yamaska, Notre-Dame-de-Grâce, Orford, Outremont, Papineau, Pointe-aux-Trembles, Pontiac, Portneuf, Prévost, Richelieu, Richmond, Rimouski, Rivière-du-Loup, Robert-Baldwin, Roberval, Rosemont, Rousseau, Rouyn-Noranda-Témiscamingue, Saguenay, Saint-François, Saint-Henri-Sainte-Anne, Saint-Hyacinthe, Saint-Jean, Saint-Laurent, Sainte-Marie-Saint-Jacques, Saint-Maurice, Salaberry-Soulanges, Sauvé, Shefford, Sherbrooke, Taillon, Taschereau, Terrebonne, Trois-Rivières, Ungava, Vachon, Vanier, Vaudreuil, Verchères, Verdun, Viau, Viger, Vimont, Westmount-Saint-Louis.

CIRCONSCRIPTION DU QUÉBEC, CHAMBRE DES COMMUNES, CANADA (n. p.). Abitibi, Ahuntsic, Anjou-Rivière-des-Prairies, Argenteuil-Papineau, Beauce, Beauharnois-Salaberry, Beauport-Montmorency-Orléans, Bellechasse, Blainville-Deux-Montagnes, Bonaventure-Îles-de-la-Madeleine, Bourassa, Brome-Missisquoi, Chambly, Champlain, Charlesbourg, Charlevoix, Châteauguay, Chicoutimi, Drummond, Frontenac, Gaspé, Gatineau-Le-Lièvre, Hochelaga-Maisonneuve, Hull-Aylmer, Lachine-Lac-Saint-Louis, Lac-Saint-Jean, Laprairie, LaSalle-Émard, Laurentides, Laurier-Sainte-Marie, Laval-Centre, Laval-Est, Laval-Ouest, Lévis, Longueuil, Lotbinière, Louis-Hébert, Manicouagan, Matapédia-Matane, Mégantic-Compton-Stanstead, Mercier, Mont-Royal, Notre-Dame-de-Grâce, Outremont, Papineau-Saint-Michel, Pierrefonds-Dollard, Pontiac-Gatineau-Labelle, Portneuf, Québec, Québec-Est, Richelieu, Richmond-Wolfe, Rimouski-Témiscouata, Roberval, Rosemont, Saint-Denis, Saint-Henri-Westmount, Saint-Hubert, Saint-Hyacinthe-Bagot, Saint-Jean, Saint-Laurent-Cartierville, Saint-Léonard, Saint-Maurice, Shefford, Sherbrooke, Témiscamingue, Terrebonne, Trois-Rivières, Vaudreuil, Verchères, Verdun-Saint-Paul.

CIRCONSCRIRE. Borner, cerner, délimiter, encercler, entourer, limiter, localiser, mesurer, paroi, restreindre.

CIRCONSPECT. Adroit, attentif, aventureux, averti, avisé, craintif, défiant, délicat, diplomate, discret, éclairé, imprudent, léger, mesuré, pesé, peureux, prudent, réfléchi, réservé, réticent, sage, téméraire, trembleur.

CIRCONSPECTION. Attention, calme, considération, défiance, diplomatie, discrétion, égard, maîtrise, ménagement, mesure, modération, précaution, prévoyance, prude, prudence, réflexion, retenue, sagesse, sobre.

CIRCONSTANCE. Actualité, alibi, cas, condition, conjoncture, détail, donnée, épisode, événement, éventualité, face, fait, impondérable, lieu, modalité, moment, occasion, occurrence, opportuniste, rencontre, situation.

CIRCONSTANCIÉ. Absolu, accompli, adéquat, complet, consommé, costard, costume, détaillé, entier, exhaustif, fin, fini, intégral, mûr, parfait, plein, plénier, précis, ras, rempli, révolu, terminé, total, tout, unanime, universel, vendu.

CIRCONVENIR. Abuser, allécher, acheter, appâter, attirer, baratiner, berner, catéchiser, complaire, corrompre, éblouir, embobiner, endoctriner, endormir, enjôler, entortiller, flatter, leurrer, manœuvrer, séduire.

CIRCONVOISIN. Alentours, analogue, avoisinant, comparable, confondu, couleur, égal, équivalent, fondu, homogène, joint, latéral, lié, lisse, net, noué, prochain, proche, rivé, similaire, uni, unifier, voisin.

CIRCONVOLUTION. Bobinage, bobinement, boucle, coquille, enroulement, papillote, spirale, spire, volute, vrille.

CIRCUIT. Aérodrome, autotour, bouclage, boucle, castellet, chelem, circonférence, contour, course, croisière, détour, enceinte, homerun, itinéraire, microprocesseur, piste, pourtour, randonnée, réseau, révolution, tour, trajet, voyage.

CUICUIT AUTOMOBILE (n. p.). Daytona, Estoril, Imola, Le Mans, Montlhéry, Monza, Rouen-les-Essarts, Silverstone, Spa-Francorchamps.

CIRCUIT ÉLECTRONIQUE. Microcircuit, puce.

CIRCULAIRE. Arrondi, vis, cercle, couronne, cricoïde, cylindrique, lettre, jante, orbe, rond, rose, rotatoire, roue, sphérique, tour, tuyau, venet.

CIRCULARITÉ. Arçonnage, arcure, arrondi, bombage, cambre, cambrure, cintrage, concavité, convexité, courbe, courbement, courbure, parabolicité, ploiement, recourbement, rondeur, rotondité, sinuosité, tortuosité.

CIRCULATION. Apoplexie, aérage, carrossable, carrousel, commerce, diffusion, échange, émission, flux, ischémie, mouvement, pontage, propagation, rue, trafic, passage, transmission, viable.

CIRCULE. Acquit-à-caution, laissez-passer, maraude, météore, passant, piéton, sang, sève.

CIRCULER. Artère, couler, courir, déplacer, émettre, laissez-passer, marcher, mouvoir, passer, promener, propager, pulser, répandre, sauf-conduit, tourner, veine.

CIRCUMDUCTION. Aisselle, amict, ars, bras, buste, carré, châle, cou, dos, éclanche, épaule, froc, garrot, giration, lever, longe, omoplate, pivotement, révolution, rotation, saie, saye, scapulaire, soutient, tête.

CIRE. Ambre, batik, cérat, cérifère, cirier, cérumen, encaustique, fart, gaufre, incération, ozocérite, paraffine, polir, rayon, ruche, stéarine.

CIRER. Appliquer, badigeonner, bitumer, couvrir, crépir, empoisser, encaustiquer, encoller, encrer, enduire, engommer, enrober, étaler, farter, gluer, gélatiner, gommer, luter, polir, recouvrir, résiner, revêtir, stuquer.

CIREUX. Albuginé, argenté, blafard, blanc, blanchâtre, blême, chyle, crayeux, écume, immaculé, ivoirin, lacté, lactescent, laiteux, lilial, livide, marmoréen, neigeux, opale, opalescent, opalin, pâle, palescent.

CIRIER. Abeille, arbre, arbuste, bougie, cérifère, fabricant, insecte, jojoba, myricacée, paraffine.

CIRON. Acarien, acarus, animal, animalcule, aptère, arachnide, coléoptère, sabelle, sarcopte, ver.

CIRQUE (n. p.). Barnum, Bouglione, Cilaos, du Soleil, Éloïse, Éos, Gavarnie, National Suisse, Salazie, Zavatta.

CIRQUE. Acrobate, amphithéâtre, arène, attraction, carrière, chahut, chapiteau, gave, gavarnie, gradin, hémicycle, magicien, manège, numéro, piste, podium, scène, soleil, stade, tauromachie, voltige, vrille.

CIRRE. Cil, cirrhe, drille, fibre, filament, foret, gouine, hélice, lesbienne, liseron, mèche, nervé, perceuse, queue-de-cochon, spirale, taraud, tarière, tordu, tribade, vice, vis, vrille.

CIRRHE. Cil, cirre, drille, fibre, filament, foret, gouine, hélice, lesbienne, liseron, mèche, nervé, perceuse, queue-de-cochon, spirale, taraud, tarière, tordu, tribade, vice, vis, vrille.

CIRRHOSE. Bile, distomatose, foie, hâtereau, hépatite, hépatomégalie, hépatonéphrite, hile, stéatose, urée.

CIRROSTRATUS. Cirrocumulus, cirrus, halo, lune, nuage, soleil.

CIRRUS. Cirrocumulus, cirrostratus, halo, lune, nuage, soleil.

CIRSE. Acanthe, astéracée, bosse, brasier, carde, cardère, carline, chardon, composacée, kentrophylle, oiseau, panicaut, pédane, piquant, sarrète, sarrette, serratule.

CISAILLE. Bourriquet, ciseau, cisoires, cueilloir, échenilloir, élagueuse, hachard, rognure, tailloir.

CISAILLEMENT. Abrasion, ciselage, clivage, corrosion, coupage, couper, coupure, crevasse, débitage, découpage, dosse, érosion, fendre, frai, patine, plot, refendre, rongeage, sciage, séparer, zigouiller.

CISAILLER. Coupailler, couper, débiter, déchiqueter, découper, diviser, ébarber, écharogner, élaguer, entailler, fendre, fractionner, hacher, inciser, morceller, scier, sectionner, segmenter, taillader, user, zigailler.

CISEAU. Bec-de-corbin, bédane, berceau, biseau, boucharde, burin, cisaille, ciselet, cisoir, entablure, gouge, gradine, guiguette, honguette, matoir, molette, mouchette, onglier, orfèvre, planoir, poinçon, riflard, rondelle, sculpteur, sécateur.

CISELAGE. Burinage, cisellement, ciselure, échoppage, gravure, parfaire, sculpture, toreutique, tri.

CISELER. Fignoler, finir, lécher, limer, parachever, parfaire, peaufiner, polir, raffiner, sculpter, soigner, tailler.

CISELLEMENT. Burinage, ciselage, ciselure, échoppage, gravure, parfaire, sculpture, toreutique, tri.

CISELET. Bec-de-corbin, bédane, berceau, biseau, bouchard, burin, cisaille, cisoir, échenilloir, entablure, gouge, gradine, matoir, molette, mouchette, onglet, planoir, poinçon, riflard, rondelle, sécateur.

CISELEUR (n. p.). Gouthière, Michelozzo, Pasitélès, Thomire, Uccello.

CISELEUR. Artiste, burineur, graveur, lithographe, maniaque, nielleur, orfèvre, perfectionniste, sculpteur, xylographe.

CISELURE. Burinage, décor, défoncé, échoppage, gravure, guillochage, lapiaz, lapié, ornement, sculpture.

CISJORDANIE, VILLE (n. p.). Bethléem, Djénine, Hébron, Kalkiliya, Naplouse, Ramallah, Tulkarem.

CISOIRES. Bourriquet, cisaille, ciseau, cueilloir, ébrancheur, échenilloir, élagueuse, hachard, rognure, tailloir.

CISSUS. Rhoicissus, vigne, vigne vierge, vitis.

CISTACÉE. Ciste, hélianthème, violale.

CISTE. Arbuste, coffre, coffret, corbeille, massugué, messoga, mugan, panier, sépulture, tombe.

CISTERCIEN (n. p.). Alcobaça, Castelnau, Cîteaux, Clairvaux, De Flore, Poblet, Rance.

CISTERCIEN. Abbaye, congrégation, feuillant, moine, religieux, trappiste.

CISTRE. Buzuki, guitare, luth, lyre, mandoline, mandore, oud, sehtar, setar, tar, téorbe, théorbe.

CISTRON. Gène, protéine, protéosynthèse.

CISTUDE. Émyde, émydidé, émys, tortue.

CITADELLE (n. p.). Alep, Bastia, Corte, Dinant, Huy, Jaca, Nauplie, Privas, Québec, Saint-Ange, Sisteron, Vauban, Verdun.

CITADELLE. Acropole, bastion, casbah, centre, château, ferté, fort, forteresse, ksar, muraille, oppidum.

CITADIN. Bobo, habitant, urbain, ville.

CITADINE. Automobile.

CITATION. Adage, affirmation, allégation, aphorisme, assertion, assignation, cédule, distinction, épigraphe, exemple, exergue, expression, extrait, fragment, guillemet, passage, référence, sic, vagulation, vers.

CITÉ (n. p.). Our, Ur.

CITÉ. Agglomération, bourg, bourgade, centre, hameau, justice, lieu-dit, localité, palafitte, village, ville.

CITÉ ANTIQUE (n. p.). Ani, Atlantis, Cana, Dougga, Ébla, Ilion, Mari, Milet, Our, Ougarit, Ourouk, Tégée, Troie, Ugarit, Ur, Ys.

CITÉ ARCADIE (n. p.). Tégée.

CITÉ BRETONNE (n. p.). Ys.

CITÉ CANANÉENNE (n. p.). Gomorrhe, Mediddo, Sichem, Sodome.

CITÉ DES ANGES (n. p.). Bangkok.

CITÉ ÉTRUSQUE (n. p.). Veies, Volterra.

CITÉ, GAULE (n. p.). Avaricum, Bibracte, Lutèce, Tolbiac.

CITÉ, GRÈCQUE (n. p.). Acropole, Alexandroúpolis, Andros, Argos, Arta, Athènes, Byzance, Chio, Corfou, Corinthe, Cyrène, Delphes, Drama, Hydra, Lacédemone, Lamia, Larissa, Lépante, Météores, Naxos, Patras, Plati, Pylos, Salamine, Samos, Sitia, Sparte, Syra, Tégée, Thèbes, Thiba, Tripolis, Vathi, Veria, Vólos, Xante, Xanthi.

CITÉ LÉGENDAIRE (n. p.). Édesse, Rome, Ys.

CITÉ IMPÉRIALE (n. p.). Agra, Cité interdite, Pékin, Rome.

CITÉ INCA (n. p.). Machu Picchu.

CITÉ INTERDITE (n. p.). Gugong.

CITÉ IONIENNE (n. p.). Milet.

CITÉ MAYA (n. p.). Copán, Chichén Itza, Mirador.

CITÉ MÉSOPOTAMIE (n. p.). Édesse, Lagash, Mari.

CITÉ ROMAINE (n. p.). Angers, Arles, Nîmes, Séville, Timgad.

CITÉ SAINTE (n. p.). Karbala.

CITÉ SUMÉRIENNE (n. p.). Kish.

CITÉ SYRIE (n. p.). Baalbek, Balbek, Ebla, Ougarit, Palmyre, Raqqa, Ugarit.

CITER. Alléguer, appeler, assigner, convoquer, déférer, désigner, dire, donner, énumérer, évoquer, indiquer, intimer, invoquer, mentionner, nommer, produire, rapporter, reproduire, sic, signaler, traduire, viser.

CITERNE. Aquarium, barrage, cuve, digue, pinardier, puits, réservoir, silo, tank, tub, véhicule, vivier.

CITHARE (n. p.). Pandore.

CITHARE. Balalaïka, banjo, citharède, cithariste, corde, guimbarde, guitare, guiterne, guzla, luth, lyre, mandore, mandoline, plectre, psaltérion, qanum, quanun, sistre, touchette, turtulette, ukulélé, vina.

CITOYEN. Citoyenneté, habitant, quirite, patricien, pauvre, paysan, plébéien, prolétaire, prolo, salarié.

CITOYENNETÉ. Citoyen, civisme, conscience, dévouement, éducation, nationalisme, patriotisme, politesse, responsabilité.

CITRON. Agrume, bergamote, caboche, canari, cédrat, citrine, citronnier, citrus, jaune, lime, limette, limon, limonade, limonette, pamplemousse, parfum, poncire, poncirus, punch, tête, ximénia, ximénie, zeste.

CITRONNADE. Cidre, coulis, gelée, jus, limon, limonade, marc, moût, orangeade, punch, réglisse, sirop, suc, treille, verjus, vesou, vin, vinification.

CITRONNELLE. Alcoolat, andropogon, armoise, artémisia, aurone, cymbopogon, estragon, jonc, liqueur, mélisse, verveine.

CITRONNIER. Arbre, cédratier, citron, citrus, limequat, limonier, poncire, poncirus, rutacée, ximenia, ximénie.

CITROUILLE. Carabaça, courge, courgette, cuje, cucurbitacées, front, fruit, halloween, potiron, tête.

CITRUS. Agrume, arbre, aurantiacée, aurantiée, bergamotier, bigaradier, cédratier, citron, citronnier, fortunella, hespéridée, kumquat, limettier, mandarinier, oranger, pamplemoussier, poncirus, qumquat.

CIVE. Ail, allium, arôme, ciboule, ciboulette, civette, condiment, fausse échalote, genette, herbe, oignon, plante.

CIVELLE. Anguille, congre, gymnote, lampresse, leptocéphale, lycoris, matelote, pibale, sargasse, serpent.

CIVET. Cassoulet, gibelotte, gibier, lièvre, ragoût, sauce.

CIVETTE. Ail, allium, arôme, carnivore, ciboule, ciboulette, cive, condiment, fausse échalote, genette, herbe, mammifère, oignon, viverrain, viverridé.

CIVIÈRE. Bar, bard, bast, basterne, bayart, brancard, filanzane, limonière, litière, oiseau, palanquin, sandapile.

CIVIL. Affable, aimable, amène, bienséant, convenable, correct, courtois, déférent, délicat, discret, distingué, état, galant, gentil, laïque, liste, mariage, militaire, pékin, péquin, poli, raffiné, requis, réservé.

CIVILEMENT. Adorablement, affablement, agréablement, aimablement, amiablement, amicalement, chaleureusement, complaisamment, cordialement, courtoisement, gentiment, poliment, sympathiquement.

CIVILISATION. Alexandrinisme, arabisme, avancement, barbarie, byzantinisme, culture, déshumanisation, culture, évolution, hellénisme, humamisation, indianisme, progrès, sauvage, société.

CIVILISÉ. Affiné, avancé, courtois, cultivé, dégrossi, éclairé, éduqué, évolué, poli, policé, sauvage.

CIVILISER. Adieu, adoucir, affiner, corriger, cultiver, décrasser, décrotter, dégrossir, éduquer, former, humaniser, incivilisé, instruire, organiser, policer, polir, raffiner, réglementer.

CIVILITÉ. Affabilité, amabilité, amitiés, cérémonie, compliment, correction, courtoisie, devoirs, éducation, entregent, formalité, hommages, honnêté, impolitesse, manières, policé, politesse, respect, salut, salutations, urbanité.

CIVIQUE. Citoyen, conscient, dévouement, numéro, patriote, patriotique, scoutisme.

CIVISME. Citoyenneté, conscience, dévouement, éducation, nationalisme, patriotisme, politesse, responsabilité.

CLABAUDAGE. Aboiement, cancan, chien, commérage, criaillerie, glapissement, grognement, hurlement, jappement.

CLABAUDER. Aboyer, ameuter, cancaner, criailler, crier, exprimer, fulminer, glapir, hurler, japper, médire.

CLABAUDERIE. Braillement, cri, éclat, gloussement, hurlement, rugissement, vagissement, vociération.

CLABAUDEUR. Braillard, brailleur, chicaneur, chicanier, critiqueur, mécontent, plaignard, rechigneur.

CLABOTER. Accoupler, calancher, caner, clamser, claquer, décéder, exalter, expirer, mourir, succomber, trépasser.

CLADONIE. Buisson, fourrage, lichen, renne.

CLAFOUTIS. Baba, bûche, cake, cerise, couque, dartois, éclair, frangipane, galette, gâteau, gaufre, génois, génoise, gougère, kouglof, kugelhof, macaron, millas, millefeuille, moka, nougat, opéra, pâtisserie, pudding, ramequin, roulé, sablé, saint-honoré, savarin, tourte, vacherin.

CLAIE. Auvel, barrière, canisse, clayette, clayon, clayonnage, clisse, clôture, douve, éclisse, écrille, frisage, gratte-dos, grillage, grille, haie, hane, jonc, lattis, natte, osier, paillasson, parc, sas, treillage, treillis, trolle.

CLAIR. Aigu, ambages, apparent, bien, blanc, calme, catégorique, confus, connu, cristallin, déchiffré, diaphane, distinct, éclairé, embrouillé, épais, évident, explicite, fluide, foncé, frais, gai, limpide, lumineux, manifeste, net, obscur, opaque, perçant, précis, pur, sain, serein, sombre, sûr, translucide, transparent, trouble.

CLAIREMENT. Aisément, carrément, clarté, crûment, distinctement, explicitement, expressément, formellement, franchement, implicitement, naturellement, net, nettement, précisément.

CLAIRET. Bouillon, paillet, pinard, rosat, sans façon, vin.

CLAIRETTE. Aigu, blanchet, blanquette, cépage, clair, doucette, mâche, mince, raisin, rampon, valérianelle, vin.

CLAIRE-VOIE. Bard, claie, clayette, clôture, filet, gril, ouverture, râtelier, ridelle, treillage, treillis, triforium.

CLAIRIÈRE. Bocage, bois, boisé, bosquet, cédrière, chênaie, éclaircie, érablière, flopée, forêt, foule, fraise, futaie, kyrielle, maquis, multitude, nuée, parc, perceuse, pignade, pinède, sapinière, selve, sous-bois, sylve, taïga, taillis, verger.

CLAIR-OBSCUR. Brouillon, clair, clarté, contre-jour, éclairage, éclat, embrasement, flou, foué, jour, limpidité, louche, lueur, lumière, luminosité, nébuleux, nébulosité, netteté, nuageux, obscurité, précision, troublé.

CLAIRON. Batterie, ban, breloque, clique, claironner, diane, fanfare, mademoiselle, réveil, trompette, troupe.

CLAIRONNANT. Aisé, béat, bienheureux, comblé, content, enchanté, fat, fiérot, gai, gavé, heureux, joisse, jouasse, joyeux, jubilant, orgueilleux, présomptueux, radieux, rassasié, ravi, réjoui, repu, satisfait, triomphant.

CLAIRONNER. Annoncer, carillonner, clamer, corner, crier, proclamer, publier, sonner, tambouriner, trompeter.

CLAIRSEMÉ. Disparate, dispersé, disséminé, distant, émaillé, éparpillé, épars, espacé, parsemé, rare, semé.

CLAIRVOYANCE. Acuité, aveugle, compréhension, discernement, esprit, fin, finesse, flair, habileté, imagination, intelligence, jugement, lucidité, nez, pénétration, perspicacité, sagacité, sensibilité, subtilité, sûreté.

CLAIRVOYANT. Acuité, aigu, argus, astrologue, astucieux, aveugle, divinateur, éclairé, fin, flair, intelligent, lucide, lumineux, numérologue, pénétrant, perçant, perspicace, profond, psychologue, sagace, subtil.

CLAM. Acéphale, bivalve, bucarde, clovisse, coque, coquillage, couteau, donax, huître, lamellibranche, mollusque, moule, mye, palourde, peigne, pélécypode, pétoncle, pinnothère, praire, vénéridé, vénus.

CLAMECER. Agoniser, clamser crever, décéder, disparaître, exhaler, expirer, mourir, périr, succomber, trépasser.

CLAMER. Acclamer, affirmer, ânonner, appeler, avertir, claironner, corner, crier, dire, gueuler, proclamer.

CLAMEUR. Ahan, aïe, barrir, beuglement, bis, braillement, bramer, cri, croassement, dia, évoé, évohé, exclamation, glapissement, gloussement, haïe, han, haro, hue, huée, hurlement, jargon, réclame, roucoulement, rugissement, taïaut, tollé, vacarme, vagissement, vocifération.

CLAMP. Clip, garrot, hémostatique, pince, tourniquet.

CLAMSER. Clamecer crever, décéder, disparaître, exhaler, expirer, mourir, périr, succomber, trépasser.

CLAN. Bande, camp, caste, classe, communauté, confrérie, coterie, ethnie, famille, gang, groupe, horde, matriclan, nation, parti, partisan, patriclan, pays, peuplade, peuple, phratrie, population, race, secte, société, tribu.

CLANDÉ. Baisodrome, bordel, boxon, harem, lupanar, maison close, pistil, prostitué, sérail, zénana.

CLANDESTIN. Anonyme, caché, confidentiel, contrebande, dérobé, dissimulé, énigmatique, frauduleux, illégal, illicite, impénétrable, inavoué, insaisissable, marginal, marron, noir, occulte, pègre, piraté, rave, secret.

CLANDESTINEMENT. Anonymement, catimini, confidentiellement, discrètement, furtivement, incognito, occultement, secrètement, sourdement, sourdine, souterrainement, subrepticement.

CLANDESTINITÉ. Anonyme, braconnage, cacher, clandestin, commerce, contrebande, contrefaçon, fraude, illégal, illicite, interlope, noir, pègre, pirate, rave, secret, trafic, trabendo, tromperie.

CLANISME. Chauvinisme, cocardier, coquerico, nationalisme, patriotard, patriotisme, raciste, xénophobie.

CLAP. Clapman, claquette, claquoir, instrument, repère.

CLAPET. Bouche, bouchon, langue, obturateur, purgeur, reniflard, soupape, valve, valvule, vannelle.

CLAPIER. Baraque, cabanon, cambuse, chambre, chaume, couveuse, hutte, logis, magasin, maison, niche.

CLAPIR. Blottir, crier, glapir, lapin, tapir.

CLAPOTAGE. Agitation, clapot, clapotage, clapotement, clapotis, claquement, claquètement, flic flac, glouglou.

CLAPOTEMENT. Activité, agitation, animation, apaisement, ardeur, barattement, calme, coi, confusion, délire, dissipation, effervescence, émeute, émoi, émotion, fermentation, fièvre, flic flac, flux, grogne, grouillement, houle, inquiétude, ire, mouvement, nervosité, orage, pacification, pétulance, quiet, reflux, remous, tempête, tremblement, trouble, turbulence, vivacité.

CLAPOTIS. Agitation, clapot, clapotage, clapotement, claquement, claquètement, flic flac, glouglou.

CLAQUAGE. Déboîtement, désarticulation, dislocation, élongation, entorse, foulure, luxation, rupture.

CLAQUANT. Abrutissant, accablant, cassant, crevant, épuisant, éreintant, esquintant, exténuant, fatigant, foulant, harassant, lassant, liquéfiant, surmenant, tuant, usant.

CLAQUE. Acteur, applaudir, applaudissement, battre, botte, cède, chapeau, coup, gifle, maison, mornifle, tape.

CLAQUEMENT. Agitation, clapot, clapotage, clapotement, clapotis, claquètement, clic clac, flic flac, glouglou, pif.

CLAQUEMURER. Barricader, calfeutrer, cantonner, claustrer, cloîtrer, confiner, embarrer, emmurer, emprisonner, encager, enclure, enfermer, isoler, murer, reclure, renfermer, séquestrer, terrer, verrouiller.

CLAQUER. Appliquer, avorter, buser, casser, céder, dépenser, épuiser, éreinter, fatiguer, frapper, mourir, rompre.

CLAQUETER. Aspirer, briller, craqueter, créer, diffuser, dire, éditer, émettre, énoncer, jeter, lancer, luire, ronronner, striduler.

CLAQUETTE. Bec, bouche, cigogne, clap, claquoir, danse, gueule, margoulette, zapateado.

CLAQUETTE (n. p.). Astaire.

CLAQUEUR. Admirateur, adorateur, adulateur, apologiste, applaudisseur, complaisant, complimenteur, courtisan, flatteur.

CLARIFICATION. Défécation, éclaircir, éclaircissement, élucidation, embrouiller, épuration, obscurcir, purification.

CLARIFIER. Assainir, débrouiller, déchiffrer, démêler, éclaircir, élucider, épurer, expliquer, purifier.

CLARINE. Bourdon, cloche, clochette, glas, gong, grelot, sonnaille, sonnerie, sonnette, timbre, tintement, tocsin.

CLARINETTE. Basset, Basson, bec, bombarde, chalumeau, cor, cromone, hautbois, orgue, saxophone, sarrussophone.

CLARINETTISTE (n. p.). Bechet, Dodds, Goodman, Portal, Young.

CLARISSE. Religieuse.

CLARTÉ. Brouillon, clair, clair-obscur, contre-jour, éclairage, éclat, embrasement, flou, foué, jour, limpidité, louche, lueur, lumière, luminosité, nébuleux, nébulosité, netteté, nuageux, obscurité, précision, troublé, vespéral.

CLASH. Conflit, désaccord, mésintelligence, rupture.

CLASSE. Acabit, amide, aristocratie, caste, catégorie, chic, clan, corniche, cran, degré, distingué, division, échelle, écolier, ensemble, espèce, étage, étude, famille, genre, gradin, groupe, marche, niveau, ordre, plèbe, ptéropode, racé, rang, salle, seconde, section, série, sorte, stade, taupe.

CLASSEMENT. Archivage, arrangement, catalogage, classification, criblage, distribution, hiérarchie, indexage, méjanage, méthode, ordre, place, rang, rangement, systématique, taxinomie, tri, typologie.

CLASSER. Archiver, arranger, calibrer, cataloguer, catégoriser, classifier, distribuer, étiqueter, garer, grouper, inventorier, lister, numéroter, ordonner, ranger, répartir, répertorier, séparer, sérier, serrer, trier.

CLASSEUR. Album, cahier, carton, chemise, dossier, filière, meuble, parapheur, portefeuille, recueil, registre.

CLASSIFICATION (n. p.). Bacon, Cronquist, Dewey, Fouqué, Goldschmidt, Henning, Hooker, Klein, Legendre, Mendeleïev, Powell, Ray, Russell, Thenard, Tournefort, Wray.

CLASSIFICATION. Choix, classement, hiérarchie, nosologie, ordre, posologie, rang, sae, taxinomie, taxon, taxonomie, taxum.

CLASSIFICATOIRE. Adoption, affinité, agnation, alliance, allié, analogie, cognation, consanguinité, côté, cousin, cousinage, degré, famille, liaison, lien, parentale, parenté, rapport, relation, sang, union.

CLASSIFIER. Aligner, assujettir, caser, catégoriser, classer, combiner, disposer, distribuer, garer, grouper, mettre, ordonner, placer, ranger, répartir, séparer, sérier, soumettre, trier.

CLASSIQUE. Banal, confident, conventionnel, courant, habituel, ordinaire, rituel, traditionnel, usuel.

CLASSIQUEMENT. Académiquement, arbitrairement, conventionnellement, habituellement, traditionnellement.

CLAUDE (n. p.). Agrippine, Britannicus, Caligula, Drusus, Locuste, Messaline, Narcisse, Néron, Octavis, Pallas, Tibère.

CLAUDICANT. Bancal, banban, bancroche, béquillard, boiteux, boitillant, clampin, éclopé.

CLAUDICATION. Boitement, boiterie, boitillement, claudicant, claudiquer, fourbure, infirmité.

CLAUDIQUER. Boiter, boitiller, clocher, cloper, clopiner, déhancher, feindre, marcher.

CLAUSE. Abrogatoire, condition, convention, disposition, or, réméré, rémére, réserve, restriction, stipulation.

CLAUSTRA. Claie, claustre, clôture, monacal, monastique, monial, paroi, séparation, treillage.

CLAUSTRAL. Ascétique, cénobitique, conventuel, monacal, monastique, monial, puritain, religieux.

CLAUSTRATION. Captivité, confinement, détention, emprisonnement, enfermement, isolement, réclusion.

CLAUSTRER. Barricader, cacher, calfeutrer, cantonner, claquemurer, cloîtrer, confiner, emmurer, emprisonner, enfermer, incarcérer, interner, isoler, murer, reclure, renfermer, retrancher, terrer.

CLAVAIRE. Barbe-de-bouc, champignon, clavaria, clavulina, menotte, ramaria, sparassis.

CLAVARDAGE. Baratiner, bateler, bavardage, bavarder, bonimenter, charmer, cyberbavardage, embobiner, entortiller, entreprendre, parler, séduire, tchatcher.

CLAVEAU. Arc, clavelée, claver, clé, clef, contreclef, douelle, pierre, sommier, vousseau, voussoir, voûte.

CLAVECIN. Clavicorde, épinette, manichordion, manicorde, octavine, piano, sautereau, toccata, virginal.

CLAVECINISTE (n. p.). Anglebert, Bach, Chambonnières, Couperin, Christie, Gilbert, Landowska, Leonhardt, Pachelbel, Pasquini, Rameau, Rebel, Ross, Scarlatti.

CLAVETTE. Amovible, cheville, clé, clef, ergot, goujon, goupille, malléole, mortaise.

CLAVICULE. Carcan, cou, épaule, fourchette, omoplate, os, salière, sous-clavier, sternum.

CLAVIER. Accordéon, accordéoniste, cluster, digicode, étendue, orgue, palette, pédalier, piano, pianiste, pupitre, récit, registre, touche.

CLAVISTE. Copiste, dactylo, dactylographe, doigt, écritoire, facturer, rédacteur, scribanne, scribe, scribouillard, secrétaire, stenciliste, sténodactylo, taper, tapuscrit, télex.

CLAYÈRE. Cageot, claire, étagère, huître, huîtrière, parc, vivier.

CLAYETTE. Cageot, cagerotte, canisse, casseau, claie, clayon, emballage, étagère, grillage, harasse, treillage, treillis.

CLAYMORE. Écossais, épée, espadon.

CLAYON. Cagerotte, caget, canisse, claie, claire-voie, clayette, égouttoir, grillage, treillage, treillis.

CLAYONNAGE. Auvel, barrière, claie, clayon, clisse, clôture, crêpage, douve, éclisse, écrille, frisage, grillage, grille, griller, haie, hane, jonc, lattis, natte, osier, paillasson, parc, sas, torréfier, traversine, treillis, trolle.

CLÉ. Accordoir, bénarde, boisseau, bouterolle, bouton, clef, combinateur, commande, contact, dièse, do, fa, forure, forure, molette, mystère, outil, panneton, passe-partout, rossignol, serrurier, sol, solution, sûreté, tricoises, trousseau, ut.

CLEARING. Accord, compensation, troc.

CLÉBARD. Cabot, cador, cerbère, chien, chiot, clebs, klebs, limier, pitou, toutou.

CLEF. Bénarde, bouterolle, bouton, clé, combinateur, commande, contact, dièse, do, fa, forure, molette, mystère, outil, panneton, passe-partout, rossignol, serrurier, sol, solution, sûreté, tricoises, trousseau, ut.

CLÉMATITE. Alpina, armandii, atragène, chrysocoma, comète, flammula, florida, herbe-aux-gueux, jackmannil, kermesina, lanuginosa, montana, orientalis, patens, rubens, tangutica, tetrarose, viorne, viticella, wilsonii.

CLÉMENCE. Bénignité, bienveillance, douceur, humanité, indulgence, magnanimité, mansuétude, miséricorde.

CLÉMENT. Bienveillant, bon, câlin, doux, humain, indulgent, magnanime, miséricordieux, paternel, tolérant.

CLÉMENTINE. Agrume, cédrat, citron, citrus, lime, mandarine, nectarine, orange, poméló, rutacée.

CLENCHE. Bénarde, cadenas, clé, clef, clenchette, crochet, écusson, encoche, fermoir, gâche, huis, levier, loquet, loqueteau, pêne, poignée, pompe, rouet, serrure, targette, verrou.

CLENCHER. Comporter, compter, comprendre, concevoir, consister, contenir, décoder, démêler, embrasser, enfermer, entendre, inclure, lire, pénétrer, percer, piger, réaliser, renfermer, saisir, sous-entendu, tilt, vite.

CLÉOME. Araignée, arborea, gigantea, lutea, speciosissima.

CLÉOPÂTRE (n. p.). Antoine, César, Césarion, Corneille, Égypte, Mankiewicz, Marmontel, Shakespeare.

CLEPSYDRE. Eau, horloge, réveille-matin.

CLEPTOMANE. Aiglefin, bandit, brigand, cambrioleur, canaille, chenapan, détrousseur, entôleur, escroc, filou, fraudeur, fripon, larron, malandrin, malfaiteur, pillard, receleur, resquilleur, stellionataire, tire-laine, tricheur, truand, voleur.

CLERC. Acolyte, basoche, diacre, gaffe, lai, ordinand, portier, prêtre, sacerdotal, saute-ruisseau, savant, thuriféraire.

CLERGÉ. Catholicé, clérical, dîme, église, laïc, laïque, ordre, patarin, prêtraille, sacerdoce, séculier, tiers.

CLÉRICAL. Calotin, dogmatique, ecclésial, ecclésiastique, intolérant, presbytéral, religieux, sacerdotal.

CLÉRICATURE. Clergie, diaconat, épiscopat, ministère, ordre, pastorat, prêtrise, sacerdoce, sécularité.

CLIC-CLAC. Agitation, canapé, clapot, clapotage, clapotement, clapotis, claquement, claquètement, flic flac, glouglou.

CLICHÉ. Banalité, copie, épreuve, figure, image, négatif, pellicule, photo, photographie, poncif, simili, stéréotype.

CLIENT. Achalandé, acheteur, acquéreur, chaland, consommateur, curiste, étude, habitué, patient, pratique, prospect.

CLIENTÈLE. Achalandage, adepte, débouché, issue, marché, perspective, public, sortie, suite, voie.

CLIENTÉLISME. Chouchoutage, combine, copinage, faveur, favoritisme, népotisme, partialité, préférence.

CLIGNEMENT. Battement, clignotement, clin, clin d'œil, cillement, nictation, nictitation, œillade, regard.

CLIGNER. Battre, bornoyer, ciller, clignoter, clin d'œil, fermer, papilloter, vaciller.

CLIGNOTANT. Avertisseur, danger, feu, indicateur, intermittent, nictation, nictitant, nictitation, urgence.

CLIGNOTEMENT. Battement, clignement, clin, cillement, nictation, scintillement, tremblotement, vacillement.

CLIGNOTER. Balancer, branler, briller, chanceler, chavirer, ciller, cligner, faiblir, fléchir, osciller, papilloter, remuer, scintiller, tanguer, tituber, tourner, trembler, trembloter, vaciller.

CLIGNOTEUR. Avertisseur, clignotant, danger, feu, indicateur, nictation, nictitant, nictitation, urgence.

CLIMAT. Ambiance, aride, atmosphère, azuréen, bioclimat, ciel, el niño, entrain, latitude, météo, milieu, niño, océanique, paléoclimat, régime, semi-aride, subtropical, température, tempéré, temps, tropical, xérophile.

CLIMATÉRIQUE. Critique, dangereux, difficile, dramatique, grave, inquiétant, menaçant, sérieux.

CLIMATISATION. Aération, air, climatiseur, conditionnement, échangeur, évacuation, répartition, souffle, soufflerie, tunnel, ventilateur, ventilation.

CLIMATISEUR. Aérateur, conditionneur, emballeur, éventail, hotte, revitalisant, soufflerie, ventilateur.

CLIMAX. Acmé, apex, apogée, apothéose, cime, comble, culminant, culmination, excès, faîte, fin, fort, limite, maximum, meilleur, optimum, paroxysme, pinacle, plafond, point, sommet, summum, triomphe, zénith.

CLIN D'ŒIL. Accord, battement, clignement, clignotement, nictation, nictitation, œillade.

CLINFOC. Foc, génois, perroquet, pétrel, tourmentin, trinquette, voile.

CLINICIEN. Chirurgien, médecin, praticien.

CLINIQUE. Dispensaire, hôpital, hospice, médical, polyclinique, préventorium, refuge, thérapeutique.

CLINOMÈTRE. Boussole, inclinaison, inclinomètre.

CLINQUANT. Brillant, camelote, éclat, fard, faux, imitation, oripeau, pacotille, simili, stras, strass, toc, vernis, verre, verroterie.

CLIP. Actualité, agrafe, annonce, attache, bande, film, métrage, pellicule, pince, projection, vidéoclip.

CLIPPER. Acculer, appréhender, attacher, attraper, barrer, bloquer, caler, choper, coincer, coller, cueillir, empêcher, entraver, fixer, immobiliser, obstruer, piéger, pincer, prendre, serrer, squeezer, voilier.

CLIQUE. Association, bande, cabale, camarilla, camp, chapelle, clan, coterie, école, église, équipe, faction, fanfare, gang, groupe, groupement, groupuscule, ligue, maffia, mafia, motard, orchestre, secte.

CLIQUER. Actionner, commander, entraîner, fonctionner, intenter, mouvoir, pédaler, poursuivre, produire, requête.

CLIQUET. Arrêtoir, butée, décliqueter, dentée, doigt, fermoir, levier, rochet.

CLIQUETIS. Acouphène, bourdonnement, bruissement, bruit, claquement, cliquettement, cornement, sifflement, tintement, verbiage.

CLISSE. Cagerotte, caget, claie, clayon, cuiller, éclisse, égouttoir, enveloppe, faisselle, fromager, hérisson, if, jonc, osier, passoire, porte-bouteilles, tamis, sas.

CLITORIS. Féminité, femme, hymen, lèvres, mammifère, mariage, pucelage, vagin, virginité, vulve.

CLIVAGE. Bipartition, conflit, découpage, désaccord, discordance, dissension, divergence, division, divorce, fission, impartition, opposition, répudiation, rupture, scission, section, segmentation, séparation.

CLIVER. Allotir, classer, cloisonner, couper, débiter, déchirer, découper, déliter, disjoindre, disperser, dissocier, diviser, fendre, fractionner, graduer, granuleux, lotir, morceler, pair, partager, ramifier, scier, scinder, séparer, sérancer, tailler, tomer.

CLOAQUE. Bas-fond, bouche, bourbier, canal, chêneau, collecteur, décharge, dépôt, dépotoir, dompe, égout, garouille, goulotte, gouttière, regard, rigole, sale, sentine, vidoir, voirie.

CLOCHARD. Chemineau, cloche, clodo, gredin, gueux, itinérant, mendiant, mendigot, meurt-de-faim, misérable, miséreux, nécessiteux, pauvre, quêteux, robineux, sans-abri, sans-logis, squatter, vagabond.

CLOCHARDISATION. Appauvrissement, disette, paupérisation, paupérisme, pauvreté, pénurie, sous-développement.

CLOCHE. Abri, airain, battant, bourdon, campane, campaniforme, campanulacée, chapeau, clarine, clochette, glas, gong, grelot, incapable, jacquemart, jaquemart, maladroit, médiocre, ridicule, sonnerie, sonnette, sonneur, stupide, timbre, tintement, tocsin, ventouse.

CLOCHER. Beffroi, boiter, boitier, bulbe, campanile, claudiquer, clocheton, esprit, flèche, tour, tour d'église.

CLOCHETTE. Ancolie, bélière, campane, campanule, carillon, clarine, cloche, corolle, drelin, grelot, liseron, muguet, perce-neige, sonnaille, sonnette, timbre.

CLODO. Chemineau, clochard, cloche, gredin, gueux, itinérant, mendiant, mendigot, meurt-de-faim, misérable, miséreux, nécessiteux, pauvre, quêteux, robineux, sans-abri, sans-logis, squatter, vagabond.

CLOISON. Ais, bardis, bat-flanc, brise-vent, charpente, clos, clôture, diaphragme, émail, épi, galandage, iconostase, judas, médiastin, mur, muret, muretin, pan, paroi, séparation, septum, voile, voûte, zeste.

CLOISONNAGE. Barrage, bouchage, bouclage, cloisonnement, compartimentage, compartimentation, fermeture, isolement, obstruction, séparation, tamponnement, verrouillage.

CLOISONNÉ. Découpé, divisé, endetté, fissile, gradué, granuleux, losangé, métamérisé, partagé, parti, scissile, sporadique, tripartite.

CLOISONNEMENT. Barrage, bouchage, bouclage, cloisonnage, compartimentage, compartimentation, fermeture, isolement, obstruction, séparation, tamponnement, verrouillage.

CLOISONNER. Analyser, arracher, casser, cliver, compartimenter, couper, déboîter, démettre, disjoindre, disloquer, diviser, écarter, écrémer, éloigner, enlever, épurer, espacer, exfolier, exiler, fendre, isoler, scier, séparer, trancher, trier, zester.

CLOÎTRE. Abbaye, chartreuse, claustral, couvent, église, monastère, préau, prieuré, solesme, thélème, trappe.

CLOÎTRER. Claquemurer, claustrer, confiner, emmurer, emprisonner, encager, enfermer, isoler, murer, retirer.

CLONE. Copie, cyborg, double, enfant, imitation, jumeau, monstre, mutant, ordinateur, produit, sosie.

CLONUS. Allongement, astriction, constriction, contraction, crampe, étirement, extension, laminage, muscle.

CLOPE. Cibiche, cigarette, cigoune, clop, clou, mégot, pipe, prune, rien, sèche, tige.

CLOPIN-CLOPANT. Balin-balan, boitant, cahin-caha, couci-couça, péniblement.

CLOPINER. Boiter, boitiller, claudiquer, clocher, déhancher, marcher.

CLOPINETTES. Absence, aucun, dénué, épuisé, fainéant, goutte, intérêt, iota, mais, mie, néant, niaiserie, nib, non, nu, nul, pas, peu, point, rien, sans, sec, seulement, tari, tripette, valeur, vide, zéro.

CLOPORTE. Armadille, aselle, cloqué, concierge, crustacé, hémilépiste, isopode, ligie, oniscus, porcellio, trichoniscus.

CLOPPER. Blanchir, blêmir, caponner, frissonner, pâlir, pétocher, trembler, traquer, trouiller, trouilloter, verdir.

CLOQUE. Ampoule, apostème, ballonnement, boursouflure, bubon, bulle, enflure, phlyctène, œdème, vésicule.

CLOQUER. Boursoufler, former, gaufrer, gonfler, imprimer, péter, placer.

CLORE. Achever, arrêter, boucher, cadenasser, ceinturer, celer, cercler, classer, clôturer, colmater, déboucher, enfermer, entourer, fermer, finir, lever, limiter, obstruer, ouvrir, percer, rober, terminer, verrouiller.

CLOS. Barrer, boucher, cachot, champ, cloître, clôturer, cour, enceinte, enclore, enclos, fermé, fruitier, geôle, huis, jardin, jardinet, pénitencier, pépinière, potager, préau, prison, serre, tôle, verger, vigne, vignoble.

CLOSERIE. Carré, clos, cour, courtil, courtille, éden, enclos, hortillonnage, jardin, jardinet, lopin, mail, maraîcher, oasis, ouche, paradis, parc, plate-bande, potager, serre, square, terre, théâtre, verger, zoo.

CLOTAIRE (n. p.). Balthilde, Bathilde, Caribert, Childebert, Chipéric, Clovis, Dagobert, Gontran, Thierry.

CLOTILDE (n. p.). Amalaric, Childebert, Chilpéric, Clodomir, Clovis.

CLÔTURE. Balustrade, balustre, barricade, barrière, bris, chaîne, chancel, claie, cloison, clos, déclore, échalier, enceinte, enclore, enclos, fermeture, grille, haie, jubé, mur, palis, palissade, rampe, saut-de-loup, termine, treillage, treillis, trêve, vitrage.

CLÔTURER. Achever, arrêter, barrer, barricader, border, borner, ceindre, ceinturer, clore, conclure, échalier, enceindre, enclore, entourer, fermer, finir, lever, limiter, murer, occlure, palissader, protéger, terminer.

CLOU. Abcès, affection, attraction, bec, bouquet, bouton, broquette, cabochon, cavalier, cheville, crampon, finir, finition, furoncle, girofle, goujon, piton, pointe, prison, punaise, pus, rivet, semence, tête, tricouni, tumeur, ulcère, vis.

CLOU DE GIROFLE. Anthofle, assaisonnement, bouton, épice, girofier.

CLOUÉ. Accroché, accouplé, adhère, adhérent, adjoint, agrafé, amarré, ambassade, ambassadeur, amoureux, ancré, attaché, attelé, captif, épris, ficelé, figé, fixé, immobile, inclus, obéissant, partisan, tenace, uni.

CLOUER. Araser, enfoncer, ficher, fixer, immobiliser, maintenir, rabattre, reclouer, retenir, river, visser.

CLOVIS (n. p.). Balthide, Bathilde, Childebert, Childeric, Clodomir, Clotaire, Clotilde, Dagobert, Reims, Rémi, Thiery, Vouillé.

CLOVISSE. Bucarde, clam, coquillage, lamellibranche, mollusque, mye, palourde, vénéridé, vénus.

CLOWN (n. p.). Arlequin, Auriol, Bobèche, Boswell, Cander, Chaplin, Chocolat, Foottit, Fratellini, Gobelet, Grimaldi, Grock, Jodorowski, Mazurier, Paillasse, Patof, Scaramouche, Sol, Triboulet.

CLOWN. Auguste, bateleur, bouffon, charlot, gugusse, guignol, mariole, paillasse, pitre, singe, zouave.

CLOWNERIE. Arlequinade, bouffonnerie, burlesque, comédie, pantalonnade, pitrerie, plaisanterie, vaudeville.

CLOWNESQUE. Caricatural, carnavalesque, comique, extravagant, grotesque, ridicule.

CLOYÈRE. Banne, banneton, bannette, bourriche, cabas, corbeille, hotte, hottereau, manne, panier.

CLUB. Accueil, association, bois, cénacle, cercle, driver, fer, groupe, putter, société, spoon, wedge.

CLUPÉIDÉ. Allache, alose, anchois, clupéiforme, clupéoïde, dorab, élopoïde, ésocoïde, gaspareau, hareng, harenguet, menuise, mormyroïde, ostéoglossoïde, plichard, salmonoïde, sardine, sardinelle, sprat.

CLUSE (n. p.). Annecy, Chambéry, Grenoble, Nantua, Voiron, Voreppe.

CLUSE. Anticlinal, combe, convexe, coupure, défilé, gorge, mont, pli, plissement, ruz, synclinal, vallée.

CLYMÉMÉ (n. p.). Atlas, Épiméthée, Héliade, Hélios, Japet, Phaéton, Prométhée.

CLYSTÈRE. Bock, clysoir, clysopompe, irrigateur, lavage, lavement, purgation, purge, remède, seringue.

CLYTEMNESTRE (n. p.). Agamemnon, Castor, Égisthe, Électre, Hélène, Léda, Iphigénie, Oreste, Pollux, Tyndare.

CNÉMIDE. Arme, hausses, grève, guêtre, guêtron, heuse, houseau, jambart, jambière, leggings, protecteur.

CNIDAIRES. Alcyon, anémone, anthozoaire, cœlentérés, corail, cyanée, gorgonaire, gorgone, hexacoralliaire, hydraire, hydre, hydrozoaire, madréporaire, madrépore, médusepolype, octocoralliaire, polype, psysalie, scyphozoaire, tabulé, vérétille, zanthus, zoanthaire.

COACH. Auto, automobile, coche, coupé, diligence, entraîneur, hippomobile, mail-coach, voiture.

COADJUTEUR. Adjoint, adjuvant, aide, alter ego, ambassadeur, assesseur, assistant, associé, attaché, auxiliaire, bras droit, codirecteur, cogérant, collaborateur, collègue, confrère, deuxième, inférieur, légat, lieutenant, nonce, parèdre, représentant, second, vice.

COAGULANT. Baume, cicatrisant, ergotine, goménol, hémostatique, prothrombine, thrombine, vulnéraire.

COAGULATION. Agglutination, anticoagulant, caillot, congélation, gel, grumeau, présure, sérum.

COAGULER. Caillebotter, cailler, caséifier, congeler, cristalliser, cruor, durcir, épaissir, figer, grumeler, liguer.

COAGULUM. Caillot, caséification, caséum, coagulation, coalescence, congélation, gel, masse, prise.

COALISER. Allier, associer, grève, grouper, joindre, liguer, rassembler, réunir, solidariser, unir.

COALITION. Accord, alliance, association, bande, bloc, collusion, complot, confédération, connivence, entente, équipe, faction, fédération, front, jonction, ligue, parti, phalange, tripartisme, union.

COAUTEUR. Auteur, cénacle, collaborateur, écrivain, épistolier, ironiste, journaliste, nègre, plumitif, poète, pseudonyme, rédacteur, romancier, scribe, scribouilleur.

COB. Antilope, bovidé, breton, cheval, postier.

COBALT. Co, mita.

COBAYE. Cochon d'Inde, expérience, laboratoire, mammifère, rongeur, sujet.

COBÉE. Bleu, campanulacée, cobéa, liane, plante, polémoniacée, strophantus.

COBELLIGÉRANT. Adversaire, affronté, allié, ami, antagoniste, athlète, belligérant, boxeur, challenger, coallié, combattant, compétiteur, concurrent, contestataire, contradicteur, émule, ennemi, opposant, prétendant, rival.

COBIR. Abîmer, bosseler, bosser, bossuer, cabosser, déformer, fausser, marteler, poquer.

COBRA. Aspic de Cléopâtre, bongare, bungare, hamadryade, naja, royal, serpent, serpent à lunettes, uraeus.

COCA. Arbuste, cocaïer, cocaïne, érythroxlacée.

COCAÏNE. Came, camelote, coca, coco, coke, crack, dope, drogue, héroïne, narcotique, neige, stupéfiant.

COCAÏNOMANE. Accro, camé, cocaïne, coke, drogué, éthéromane, héroïnomane, morphinomane, opiomane, pharmacodépendant, poudré, toxicomane.

COCARDE. Badge, écusson, emblème, épinglette, ivresse, insigne, plaque, rosace, tatouage, tête, vignette.

COCARDIER. Chauvin, fanatique, nationaliste, patriotard, patriote, raciste, ségrégationniste, xénophobe.

COCASSE. Amusant, bizarre, bizarrerie, bouffon, burlesque, comique, drôle, marrant, piquant, risible.

COCASSERIE. Absurdité, anomalie, anormalité, baroquerie, bizarrerie, bouffonnerie, branquignollerie, curiosité, dada, drôlerie, étrangeté, excentricité, fantaisie, folie, lubie, manie, originalité, paradoxe, rêve, saugrenu, singularité, travers.

COCCIDIE. Acanthaire, actinopode, amibe, amibien, anophèle, cilié, euglène, flagellé, foraminifère, globidium, hématozoaire, infusoire, leishmania, leishmanie, leptospire, noctiluque, nummulite, paludisme, paramécie, plasmodium, protozoaire, radiolaire, rhizopode, sporozoaire, stentor, trichomonas, trypanosome, volvoce, volvox, vorticelle.

COCCINELLE. Bête à bon Dieu, cacarinette, chilocore, coléoptère, élytre, épilachne, insecte, puceron.

COCCYX. Croupe, croupion, derrière, fesses, fessier, os, popotin, postérieur, sacrum, siège, vertèbre.

COCHE. Berline, carrosse, chaise, chaland, courrier, cran, diligence, entaille, malle, marque, signe.

COCHENILLE. Aphididé, aphidien, carmin, coccidé, kermès, nopal, pou de San Jose, phylloxéra, puceron, teinture.

COCHER. Aurige, automédon, charretier, collignon, collignon, conducteur, patachier, patachon, phaéton.

COCHET. Coq, gallinacé, pissenlit.

COCHETTE. Truie.

COCHEVIS. Alaudidé, alouette, oiseau, passereau.

COCHLÉE. Cochléaire, limaçon, oreille.

COCHON. Cobaye, cochette, cochonnet, croustillant, débauché, dégoûtant, déloyal, égrillard, goret, groin, malfaisant, marsouin, nourrain, obscène, ord, oryctérope, ort, pécari, porc, pourceau, sale, tirelire, truie, verrat.

COCHONCETÉ. Canaillerie, cochonnerie, coprolalie, cynisme, gaillardise, gauloiserie, gravelure, grivoiserie, grossièreté, impudeur, inconvenance, indécence, malpropreté, obscénité, pornographie, saleté, saloperie.

COCHONNAILLE. Andouille, cervelas, charcuterie, jambon, pieds de porc, porc, viande.

COCHONNER. Abîmer, altérer, avarier, bâcler, botcher, corrompre, endommager, expédier, gâcher, gâter, polluer, rabêtir, saboter, sabrer, saloper, souiller, tacher, tarer, ternir, torcher, torchonner, vicier.

COCHONNERIE. Entourloupette, horreur, malhonnêteté, malpropreté, obscénité, rosserie, saleté, vacherie.

COCHONNET. Boule, cochon, garil, goret, ministre, peintre, pétanque, pitchoun, porcelet, pourceau.

COCHYLIS. Ampélophage, conchylis, eudémis, papillon, tortricidé, vigne.

COCKER. Arrêt, chien.

COCKNEY. Accent, argot, londonien.

COCKPIT. Cabine, carlingue, creux, habitacle, poste de pilotage.

COCKTAIL. Alexandra, bloody mary, dry, gin-fizz, lunch, macédoine, martini, mélange, planteur, réception, shaker.

COCO. Arecastrum, boisson, butia, cocaïne, cocotier, coke, drogue, fruit, haricot, macassar, œuf, rhyticocos, syagrus.

COCOLER. Cajoler, chouchouter, choyer, combler, couver, dorloter, materner, mignoter, pouponner, soigner.

COCOLOGIE. Compréhension, concept, conception, entendement, intellect, intelligence, jugement, raison, raisonnement.

COCON. Aspe, asple, bourrette, chenilles, chique, chrysalide, coque, enveloppe, grège, lieu, papillon, ponte, protoptère, solitude.

COCORICO. Aube, aurore, chant, chauvinisme, coq, cri, éveil, lever, matin, onomatopée, réveil.

COCOTIER. Coco, cocoteraie, noix, palmier, palmiste, stipe.

COCOTTE. Autocuiseur, cheval, crémaillère, cuiseur, faitout, femme, fille, marmite, mijoteuse, papier, poule.

COCOTTER. Empester, empuantir, dégager, fouetter, infecter, puer, renfermé, renifler, sentir, taper, vicier.

COCTION. Absorption, anabolisme, assation, assimilation, biosynthèse, cellule, chimisme, cuisson, décoction, digestion, eupepsie, ingestion, jus, métabolisme, nutrition, phagocytose, rumination, transformation.

COCU. Amant, bafoué, berné, blousé, branchevé, cocufié, coiffé, conard, dandin, maîtresse, trompé.

COCUFIAGE. Adultère, adultérin, amant, bigame, cocu, cocuage, complice, concubin, coquage, cornard, débauche, fornication, infidèle, infidélité, liaison, maîtresse, marimélard, onobate, polygame, trahison, tromperie.

COCUFIER. Abuser, berner, décevoir, dol, duper, égarer, enjôler, errer, flouer, frauder, gourer, gruger, induire, léser, leurrer, mentir, méprendre, piper, posséder, refaire, rouler, trahir, tricher, tromper, truc.

COCYCLIQUE. Cercle, inscriptible, point, polygone.

CODAGE. Adressage, chiffrage, chiffrement, codification, cryptage, cryptographie, encodage, programmation.

CODE (n. p.). Ascii, Cambacérès, Claudius, Dracon, Hammourabi, Hammou-Rapi, Hollerith, Holley, Justinien, Marillac, Michau, Morse, Napoléon, Portalis, Théodosien, Tribonien, Tronchet, Watson.

CODE. Bushido, chiffre, clé, clef, code-barres, cryptage, décalogue, deutéronome, DIN, gombette, grammaire, honneur, loi, morale, morse, mot de passe, nip, pénal, postal, recueil, règle, règlement, sésame, titre.

CODÉINE. Agoniste, alcaloïde, antitussif, narcotique, opiacé, opium, paveral, pholcodine.

CODER. Ajuster, calculer, chiffrer, codifier, compter, conformer, crypter, cryptographier, encoder, escompter, espérer, estimer, évaluer, fixer, mesurer, nombrer, normaliser, numéroter, organiser, programmer, quantifier.

CODEUR. Boulier, chiffreur, compteur, cryptographe, encodeur, enregistreur, horodateur, indicateur, magnétophone, mouchard, péritéléphonie, pointeur, tachymètre, taximètre, volucompteur.

CODEX. Codices, formulaire, livre, manuscrit, nomenclature, pharmacopée, recueil, remède, répertoire.

CODICILLE. Addenda, addendum, additif, addition, ajout, ajouté, annexe, appendice, avenant, béquet, codicillaire, complément, modification, postérieur, supplément, testament.

CODIFICATION. Chiffrage, codage, cryptage, encodage, lexicalisation, normalisation, programmation, réglementation.

CODIFIER. Coder, encoder, normaliser, rationaliser, régler, réglementer, ritualiser, systématiser, virtualiser.

COEFFICIENT. Clearance, Cz, décrément, facteur, marge, masse, module, nombre, ph, pourcentage, ratio.

CŒLENTÉRÉS. Acalèche, alcyon, anthozoaire, cnidaire, corail, gorgone, hexacoralliaire, hydre, hydroméduse, hydrozoaire, madrépore, méduse, mollusque, vérétille, zoanthaire.

CŒLIOSCOPIE. Abdomen, appendicectomie, célioscopie, culdoscopie, entérique, intestinal, laparoscopie.

COELOMATE. Achète, échiurien, annélide, bonellie, hirudinée, oligochète, sangsue, sipunculide, ver annelé.

CŒLOME. Cavité, mésentère, métazoaire, triploblastique.

CŒLOSTAT. Héliostat, sidérostat.

COÉQUIPIER. Acolyte, allié, alter ego, ami, associé, camarade, collègue, commensal, compagnon, compère, complice, concubin, condisciple, confrère, conjoint, copain, intime, mari, mec, mouton, pote, rieur.

COERCIBLE. Abondant, accidentel, ami, anormal, bizarrerie, cher, clair, clairsemé, commun, contraint, courant, étrange, exceptionnel, extraordinaire, fréquent, inaccoutumé, inouï, insolite, inusité, inusuel, or, ordinaire, peu, rare, rarissime, réprimé, surprenant, unique.

COERCITIF. Contraignant, despotique, dominateur, oppresseur, oppressif, opprimant, pénible, tyrannique.

COERCITION. Astreinte, botte, carcan, compulsion, contrainte, défense, finlandisation, force, gêne, joug, loi, nécessité, norme, obligation, oppression, ordre, pression, punition, règle, satellisation.

CŒUR. Abîme, âme, amour, angiocardie, aorte, artère, artichaud, arythmie, as, auricule, borasse, borassus, cardialgie, cardiographe, cardiologue, cardiopathie, carte, centre, cerise, chagrin, courage, de palmier, dextrocardie, digitaline, duramen, écœurant, endocarde, énergie, éréthisme, fressure, infarctus, mésoblaste, mésoderme, milieu, myocarde, oreillette, ouabaïne, palmite, palpitation, pomme, rônier, sang, sein, spartéine, systole, tachycardie, trognon, valvule, veine, ventricule.

COEXISTENCE. Accompagnement, bilinguisme, cohabitation, coïncidence, concomitance, contemporanéité, diglossie, dualité, isochronie, néoténie, pluralisme, rencontre, simultanéité, synchronie.

COEXISTER. Abonder, accompagner, cohabiter, compatible, durer, être, exister, infester, précéder, pulluler, régner, subsister, vivre, voisiner.

COFFIN. Aiguisoir, carquois, cercueil, coyer, étui, faucheur.

COFFRAGE. Banchage, banche, blindage, charpente, forme, matrice, moule, parados, solage, soutien.

COFFRE. Bahut, bière, boîte, boîtier, caisse, caisson, carton, case, cassette, cercueil, coffret, écrin, hayon, huche, layette, maie, malle, meuble, pétrin, poitrine, saloir, saunière, tabernacle, voix.

COFRE-FORT. Argentier, armoire, bahut, bibliothèque, buffet, cabinet, casier, crédence, coffre, commode, fichier, garde-robe, glace, lingerie, meuble, montre, penderie, placard, semainier, tabernacle, tour, vaisselier, vitrine.

COFFRER. Arrêter, boucler, cacher, ceindre, claquemurer, claustrer, cloîtrer, confiner, décoffrer, emmurer, emprisonner, encercler, enclore, enfermer, enserrer, fermer, fourrer, inclus, interner, murer, noyer, priver, ranger, retenir, séquestrer, serrer, traquer, verrouiller.

COFFRET. Baguier, boîte, boîtier, bonbonnière, cabaret, cage, cagnotte, caissette, câprière, cassette, chancelière, châsse, chocolatière, ciste, coffre, custode, drageoir, écrin, écritoire, épi, étui, fût, ménagère.

COGESTION. Autogestion, cogérance, commun, participation.

COGITATION. Introspection, méditation, pensée, questionnement, recueillement, réflexion, rêvasserie.

COGITER. Aviser, comprendre, concevoir, conjecturer, conscience, contempler, croire, délibérer, espérer, imaginer, gamberger, juger, méditer, penser, peser, phosphorer, raisonner, réfléchir, rêver, songer, spéculer.

COGNAC. Alcool, alexandra, brandy, eau-de-vie, fauve, fine, noisette, ocre, rouille, roussâtre, roux, tabac.

COGNATION. Agnation, alliance, ascendance, branche, consanguinité, cousinage, degré, descendance, dynastie, endogamie, famille, filiation, hérédité, lignage, origine, parentage, parenté, race, sang, souche.

COGNE. Agent, archer, argousin, condé, flic, flicard, gendarme, policier, poulet, ripou, sbire, sergot, tosse.

COGNÉE. Arme, aisseau, bipenne, cochoir, doleau, doloire, erminette, francisque, hache, fauve, fourrure, herminette, laye, merlin, minerve, rustique, tille, tomahawk.

COGNEMENT. Accrochage, broutage, broutement, choc, collision, coup, heurt, impact, percussion, secousse.

COGNER. Asséner, assommer, battre, boxer, châtier, cingler, corriger, ébahir, étonner, férir, fesser, frapper, geler, heurter, infliger, marteler, matraquer, plaquer, poignarder, sonner, taper, tapoter, tosser, trépigner.

COGNITION. Acquis, âme, attention, conation, connaissance, conscience, crépusculaire, étourdissement, expérience, for, impression, intuition, lucidité, morale, notion, obnubilation, scrupule, sentiment, soin.

COHABITATION. Acoquinement, collage, concubinage, mixité, promiscuité, union, voisin, voisinage.

COHABITER. Abonder, accompagner, coexister, compatible, durer, être, exister, infester, partager, précéder, pulluler, régner, subsister, vivre, voisiner.

COHÉREMMENT. Analytiquement, convenablement, correctement, dûment, équitablement, exactement, impartialement, justement, légitimement, logiquement, pertinemment, précisément, rationnellement.

COHÉRENCE. Adhésion, cohésion, connexion, décalage, désordre, équilibre, fouillis, harmonie, harmonisation, homogénéité, liaison, logique, organisation, systématisé, union, unité.

COHÉRENT. Accessible, adhérence, cartésien, clair, classé, cohésion, compréhensible, conséquent, consistant, cristallisé, équilibré, harmonieux, homogène, liaison, logique, marchéage, suivi, uni, unité.

COHÉSION. Adhérence, cohérence, compacité, consistance, fermeté, harmonie, homogénéité, liaison, unité.

COHORTE. Armée, bande, brigade, cellule, collectif, colonie, cortège, équipe, groupe, meute, troupe.

COHUE. Abondance, affluence, amas, anarchie, armada, armée, assistance, confusion, désordre, essaim, fouillis, foule, masse, mêlée, meute, monde, multitude, nuée, pagaille, peuple, populace, presse, tale, tas.

COI. Abasourdi, aphone, baba, immobile, muet, paisible, pantois, sidéré, silencieux, stupéfait, tranquille.

COIFFAGE. Brossage, brushing, coiffure, mise en plis, ondulation, séchage, shampoing.

COIFFE. Bigouden, béguin, bonnet, cale, chapeau, collinette, cornette, escoffion, hennin, opercule, perruque, têtière.

COIFFER. Arranger, brosser, ceindre, chapeauter, couvrir, diriger, embéguiner, peigner, recouvrir, surmonter.

COIFFEUR. Attifeur, barbier, capilliculteur, figaro, friseur, lave-tête, merlan, perruquier, visagiste.

COIFFURE. Afro, bavolet, béret, bibi, bombe, bonnet, boucle, boudin, brosse, calot, cape, capeline, casque, chapka, chapska, chéchia, chevelure, cloche, cornette, diadème, épi, fez, figaro, galure, hennin, keffieh, képi, kipa, melon, mimi, mirliton, mitre, plumet, pouf, pschent, schako, shako, shapska, talpalk, tarbouch, tarbouche, tiare, toque, tresse, truffe, turban.

COIN. Amure, angle, angrois, biseau, cachet, caractère, commissures, corne, discret, empreinte, encoignure, estampille, fourchette, furtif, incisive, intersection, ironique, louve, marque, matrice, oasis, orée, parcelle, partout, plage, poinçon, recoin, rencogner, repli, rétissant, sceau, toilette.

COINÇAGE. Asphyxie, blocage, coincement, décontamination, désactivation, engourdissement, enraiement, entrave, grippage, immobilisation, immobilisme, impuissance, inhibition, neutralisation, obstruction, paralysie, ralentissement, sclérose, stagnation.

COINCÉ. Acculé, appréhendé, apprêté, attrapé, barré, bloqué, calé, chopé, collé, compassé, constipé, corseté, empesé, encroué, gêné, gourmé, guindé, inhibé, pincé, raide, resserré, timide.

COINCER. Acculer, appréhender, attraper, barrer, bloquer, caler, choper, coller, contraindre, cueillir, empêcher, enrayer, entraver, fixer, fourchette, immobiliser, obstruer, piéger, pincer, prendre, serrer, squeezer.

COÏNCIDENCE. Accident, aléa, aventure, bonheur, chance, circonstance, concordance, concours, dé, destin, déveine, errant, exprès, fortune, hasard, imprévu, jeu, occasion, pile, rencontre, simultanéité, sort, veine.

COÏNCIDENT. Alignement, coexistant, concomitant, simultané, synchrone, synchronique.

COÏNCIDER. Accorder, adonner, aligner, cadrer, centrer, concorder, correspondre, recouper, rejoindre.

COING. Cognasse, cognassier, cotignac, fruit, gelée, jaune, pâte, piriforme, poire, pomme, rousselet.

COÏT. Accouplement, amour, copulation, dourine, fornication, liaison, rapports, rut, saillie, sodomie, sexe.

COÏTER. Accoupler, baiser, câliner, copuler, coucher, forniquer, inséminer, lier, pénétrer, sodomiser, unir.

COITRON. Arion, chamémidé, doris, escargot, glaucidé, limace, limaçon, loche, mollusque, nudibranche, veronicella, vertigo.

COKE. Charbon, coca-cola, cocaïne, coco, combustible, délutage, drogue, grésillon, houille, pepsi.

COL. Béance, bocal, collerette, collet, couloir, colposcopie, cou, décolleté, défilé, dilatation, encolure, entonnoir, gorge, goulot, mao, mousse, ouverture, pas, passage, port, rabat, ravin, romain, roulé, tende, tibi, tube, tuyau, utérin, utérus, vagin.

COL (n. p.). Ares, Balme, Brenner, Heckman, Iséran, Khaybar, Sinclair, Stelvio, Susten, Vars.

COLA. Boisson, colatier, élixir, graine, kola, malvacée, noix, soda.

COL AFGNANISTAN (n. p.). Salang.

COL ALPES (n. p.). Allos, Aravis, Argentière, Arlberg, Balme, Bayard, Bernina, Brenner, Cayolle, Cenis, Croix-Haute, Faucille, Forclaz, Fréjus, Furka, Galabier, Grimsel, Iseran, Izoard, Larche, Lautaret, Montgenèvre, Saint-Bernard, Saint-Gotghard, Saisies, Salang, San Bernardino, Semmering, Simplon, Somosierra, Splügen, St-Bernard, Stelvio, Susten, Tarvis, Tende, Valberg, Vars.

COL AUTRICHE (n. p.). Arlberg.

COL CORSE (n. p.). Vizzavona.

COL ESPAGNE (n. p.). Somosierra, Vielha, Viella.

COL FRANCE (n. p.). Lioran, Naurouze, République, Saverne.

COL JURA (n. p.). Faucille.

COL KARPATES (n. p.). Jablonica.

COL PYRÉNÉES (n. p.). Aubisque, Belate, Envalira, Ibaneta, Perche, Perthus, Peyresourde, Port, Pourtalet, Puymorens, Roncevaux, Somport, Tourmalet, Velate.

COL ROCHEUSES (n. p.). Tête-jaune.

COL TUNISIE (n. p.). Kasserine.

COL VOSGES (n. p.). Bonhomme, Bussang, Donon, Saales, Schlucht.

COLBACK. Bonnet, cervicale, col, colbac, collerette, collet, cou, décolleté, encolure, kiki, vertèbre.

COLBERT (n. p.). Aubusson, Beauvais, Cassini, Chebvreuse, Ciysevox, Desmarets, Foucquet, Fouquet, Gobelins, Guénégaud, Lebrun, Rochefort, Seignelay, Torcy, Toulon.

COL BLEU. Apiéceur, canut, carrier, claviste, dalleur, débardeur, ébéniste, éboueur, foreur, homme, leveur, limousin, lissier, maçon, marin, mineur, monteur, nattier, ouvrier, paludier, péon, praticien, repasseur, scieur, sellier, souffleur, tâcheron, tanneur, terrassier, tisserand, tourneur, tubiste.

COLCHIQUE. Fleur, narcisse, safran, safran des prés, tue-chien, tue-vaches, veilleuse, veillotte, vératre.

COLÉE. Adoubement, chevalier, coup, paumée

COLÉOPTÈRES. Adéphage, agriote, altise, anisotome, anobie, anobiidé, anthonome, apion, araeocère, archostemate, artison, ateuchus, attagène, bête à bon Dieu, blaps, bombardier, bostryche, bousier, bupreste, carabe, capricorne, cérambycidé, cerf-volant, cétoine, charançon, chrysomélidé, cicindèle, ciron, cléride, coccinelle, coque, dermeste, donacie, dorcadion, doryphore, dryophile, élatéridé, escarbot, eumolpe, galéruque, hanneton, hister, histéridé, hylophile, hylotrupe, insecte, ips, ire, lepture, longicorne, lucane, lucanidé, luciole, lymexylon, méloé, mycophage, nécrobie, polyphage, saperde, scarabée, scolyte, taret, taupin, ténébrion, tribolium, trogosite, vrillette, zabre.

COLÈRE. Agitation, agressivité, aigreur, aigri, atrabile, aversion, avertin, bile, courroux, déchaînement, dépit, émoi, emportement, ému, endêver, foudres, fureur, furie, hargne, indignation, ire, irritabilité, irritation, maudire, merde, pétard, rage, rogne, ruade, tollé.

COLÉREUX. Agité, agressif, atrabilaire, bilieux, clastique, colérique, courroucé, cramoisi, dogue, emporté, exaspéré, excitable, fulminant, gripette, irascible, irritable, irrité, malin, quinteux, rageur, rogneux, susceptible.

COLÉRIQUE. Acerbe, agressif, ardent, bagarreur, batailleur, belliqueux, combatif, criard, élaps, emporté, féroce, fou, hargneux, méchant, menaçant, provocant, querelleur, récessivité, revancheur, teigneux, tenace, violent.

COLIBACILLE. Bactérie, coli, colibacillose, coliforme, escherichia, gastro-entérite, nostra.

COLIBRI (n. p.). Californie.

COLIBRI. Allen, anna, calliope, costa, lucifère, magnifique, oiseau-mouche, passereau, rivoli, roux, sasin, trochile, trochilidé, vieillot.

COLIFICHET. Amusette, babiole, bagatelle, bijou, biscuit, breloque, bricole, objet, pernette, vétille.

COLIFORME. Bacille, bacillose, bactérie, botulique, choléra, colibacille, diphtérie, escherichia, hansen, inopérant, koch, lèpre, microbe, microorganisme, tuberculose, typhique, vibrion, virgule, yercin.

COLIMAÇON. Agaric, bigorneau, champignon, escalier, escargot, gastéropode, hélix, limace, limaçon, passerelle.

COLIN. Caille, colineau, colinot, gade, gadidé, galliforme, lieu noir, merlu, merluche, oiseau, poisson, saumon.

COLIQUE. Colite, côlon, crampe, débâcle, diarrhée, épreintes, hépatique, iléus, néphrétique, occlusion, saturnin.

COLIS. Bagage, balle, ballot, ballotin, balluchon, baluchon, boîte, chargement, envoi, express, paquet, prostituée.

COLITE. Détracte, diarrhée, entérite, entérocolite, gastro-entérite, inflammation, maladie, recto-colite, strongylose.

COLLABO. Collaborateur, collaborationniste, pétainiste, rexiste.

COLLABORATEUR (n. p.). Beauchamp, Berthier, Du Bellay, Galbraith, Gamelin, Haig, Hess, Inönü, Lacordaire, Sosigène, Thenard, Zinoviev.

COLLABORATEUR. Adjoint, aide, assistant, associé, collabo, collaborationniste, collègue, espion, état-major, incivique, lecteur, maréchaliste, pétainiste, pétainiste, préparateur, second, traître.

COLLABORATION. Aide, appoint, apport, appui, association, contribution, coopération, participation.

COLLABORER. Aider, associer, concourir, contribuer, coopérer, joindre, partager, participer, seconder.

COLLAGE. Alliance, apprêt, assemblage, concubinage, fusion, intégration, raccord, symbiose, unification, union.

COLLANT. Accaparant, adhérant, adhésif, agglutinant, ajusté, autocollant, bas, crampon, étroit, glaireux, gluant, gommé, gommeux, importun, léotard, moulant, nylon, pantalon, poisseux, serré, sirupeux, visqueux.

COLLAPSUS. Abaissement, agueusie, agranulocytose, amenuisement, amortissement, anhépatie, amnésie, anémie, anhidrose, anidrose, anosmie, déflation, détente, détumescence, diminution, encroûtement, frai, hypochlorhydrie, hypoglycémie, hypotonie, leucopénie, oligurie, paralysie, presbytie, rabais, réduction, remise, retrait, soulagement, surdité, xérophtalmie.

COLLATÉRAL. Agnat, allégorique, allusif, bas-côté, biais, cognat, détourné, dommage, implicite, indirect, latéral, oblique, parent, ricochet, voilé.

COLLATION. Attribution, buffet, casse-croûte, déjeuner, dîner, distribution, en-cas, goûter, lunch, mâchon, piquenique, réfection, régal, repas, sandwich, snack, souper, thé.

COLLATIONNEMENT. Analyse, balance, collation, comparaison, confrontation, mesure, parallèle.

COLLATIONNER. Attribuer, comparer, conférer, confronter, différencier, distribuer, gabarier, goûter, peser, rapprocher, relire, remettre, vidimer.

COLLE. Adhésif, agglutine, charade, empois, encoller, épreuve, gélatine, glu, gluant, gomme, goudron, ichtyocolle, importun, maroufle, mastic, mucilage, poix, question, résine, retenue, stuc, supplice, tenace, torture, visqueux.

COLLÉ. Accroché, adhéré, adhérent, adné, agglutiné, attaché, encollé, enraciné, gommé, retenu, scotché, serré.

COLLECTAGE. Annone, collecte, cueillette, enlèvement, gaulage, grappillage, herborisation, ramassage, récolte.

COLLECTE. Aumône, collection, cueillette, guignolée, levée, quête, ramassage, récolte, réunion, sélection, téléthon, tri.

COLLECTER. Accoupler, assembler, boulonner, chercher, cheviller, coller, demander, emboîter, encastrer, enchâsser, lever, mendier, percevoir, quêter, ramasser, rassembler, rechercher, recueillir, réunir, solliciter.

COLLECTEUR. Canalisation, conduit, drain, guignoleux, percepteur, quêteur, réceptacle.

COLLECTEUR D'IMPÔT (n. p.). Zachée.

COLLECTIF. Aménagement, collégial, commun, équipe, général, groupe, public, social, standard, usuel.

COLLECTION. Assortiment, bibliothèque, ensemble, fichier, filmothèque, galerie, hématome, herbier, médaillier, ménagerie, musée, panoplie, patristique, patrologie, philatéliste, photothèque, pièce, recueil, scripophilie, suite, varia, zoothèque.

COLLECTIONNER. Accumuler, amasser, amonceler, assembler, bibeloter, colliger, entasser, ramasser, réunir.

COLLECTIONNEUR (n. p.). Albani, Berenson, Bonnat, Elgin, Gaignières, Getty, Guillaume, Guimet, Marmottan, Mariette, Mazarin, Mifou, Mifu, Peutinger, Praz, Vollard, Wallace, Walter.

COLLECTIONNEUR (7 lettres). Amateur.

COLLECTIONNEUR (8 lettres). Fouineur.

COLLECTIONNEUR (9 lettres). Chercheur, numismate, cinéphile, échéphile, fabophile, japoniste, notaphile, numismate, pipophile, xylophile.

COLLECTIONNEUR (10 lettres). Bibliomane, cartophile, discophile, glacophile, glycophile, héraldiste, ludophile, mnémophile, oologiste, phalériste, publiphile, tramophile.

COLLECTIONNEUR (11 lettres). Aquilaphile, bibliophile, chromophile, crophiliste, félinophile, glandophile, jetonophile, lucanophile, médailliste, molabophile, saponiphile, scripophile, sidérophile.

COLLECTIONNEUR (12 lettres). Aérophiliste, aquariophile, autographiste, autophiliste, canivettiste, capsulophile, cartopuciste, clavalogiste, colombophile, coquetiphile, dolophiliste, ferrovipathe, jocondophile, marbétophile, marquettiste, miniaturiste, napoléoniste, nicophiliste, œnographiste, philatéliste, philuméniste, salciophile.

COLLECTIONNEUR (13 lettres). Briquetophile, buticolariste, calcéologiste, capéophiliste, caricatophile, cartophiliste, circophiliste, clavophiliste, cuniculophile, erpétologiste, ésitériophile, fibulanomiste, fiscaphiliste, glacophiliste, glycophiliste, lécythiophile, lithophiliste, marcophiliste, minéralophile, odolaphiliste, pétrophiliste, pyrogénophiliste, vélocipédiste, vexilologiste, vitolphiliste.

COLLECTIONNEUR (14 lettres). Bibliophiliste, calamophiliste, cofféaphiliste, cucurbitaciste, cumixaphiliste, erinnophiliste, gazetophiliste, huhulophiliste, jénonophiliste, plombophiliste, pyrothécophile, scrinophiliste.

COLLECTIONNEUR (15 lettres). Appertophiliste, astronophiliste, conchyophiliste, copocléphiliste, éphémératophile, estiquephiliste, ferroviphiliste, judaïcophiliste, maximécanophile, mérellophiliste, philocorbollien, scalaglobuphile, tabaccophiliste, véxillophiliste.

COLLECTIONNEUR (16 lettres). Billettophiliste, daguerréotypiste, lépidoptérophile, minéralophiliste, molubdotémophile.

COLLECTIONNEUR (17 lettres). Congiariophiliste, montgolfiérophile, œnosémiophiliste, tyrosémiophiliste.

COLLECTIONNEUR (18 lettres). Avrilopiscicophile, buticulamicrophile, éthylabélophiliste, légufrulabélophile, noeudetérophiliste.

COLLECTIONNEUR (19 lettres). Cervalobélophiliste, microtyrosémiophile.

COLLECTIVEMENT. Collégialement, concurremment, conjointement, coopérativement, unanimement

COLLECTIVISATION. Dirigisme, étatisation, nationalisation, réforme, socialisme, socialisation.

COLLECTIVISER. Déposséder, étatiser, exproprier, fusionner, nationaliser, socialiser, transférer.

COLLECTIVISME. Autogestion, babouvisme, bolchevisme, collectionnite, communisme, égalitarisme, étatisme, gauchisme, léninisme, maoïsme, marxisme, socialisme, stalinisme, syndicalisme, trotskisme.

COLLECTIVISTE. Autogestion, babouvisme, bolchevisation, bolcheviser, bolcheviste, chartisme, communisme, dirigisme, égalitarisme, gauche, gauchisme, léninisme, marxisme, mutualisme, radicalisme, socialisme.

COLLECTIVITÉ. Collège, communauté, ensemble, groupe, kibboutz, phalanstère, social, société.

COLLÈGE. Bahut, cardinal, cégep, corporation, école, institut, lycée, madrasa, medersa, polyvalente, préfet.

COLLÈGE ANGLAIS (n. p.). Eton.

COLLÈGE FRANCE (n. p.). Juilly, Quatre-Nations.

COLLÈGE GRANDE BRETAGNE (n. p.). Rugby.

COLLÉGIAL. Aménagement, collectif, commun, équipe, général, groupe, public, standard, usuel.

COLLÉGIALEMENT. Collectivement, concurremment, conjointement, coopérativement, unanimement.

COLLÉGIALITÉ. Attachement, autogestion, babouvisme, bolchevisme, chartisme, collectivisme, communisme, dirigisme, doctrine, égalitarisme, étatisme, gauche, impérialisme, léninisme, maoïsme, marxisme, mutualisme, nationalisme, patriotisme, progressisme, stalinisme, trotskisme.

COLLÉGIEN. Bleu, cégépien, écolier, élève, enfant, étudiant, lycéen, potache.

COLLÈGUE. Acolyte, adjoint, affilié, agrégé, ami, associé, camarade, collaborateur, compagnon, compère, complice, condisciple, confrère, covendeur, membre, mutuelle, partenaire, proche, syndiqué, uni.

COLLER. Adapter, adhérer, agglutiner, appliquer, appuyer, attacher, boucher, caler, clarifier, coincer, consigner, convenir, donner, encoller, fixer, gommer, imposer, joindre, maroufler, mastiquer, mettre, placer, punir, recaler, recoller, scotcher, serrer, suivre, tenir, transmettre.

COLLERETTE. Bride, col, colback, collet, décolleté, encolure, fraise, gorgerette, pèlerine, volant.

COLLET. Affecté, apprêté, colback, cou, guindé, lacet, maniéré, nœud, palatine, piège, prude, tendelle.

COLLETAILLER. Argumenter, attaquer, combattre, confondre, contre-attaquer, contredire, critiquer, démentir, démontrer, détruire, infirmer, nier, objecter, opposer, prouver, raisonner, rebiffer, réfuter, renvoyer, répliquer, répondre, riposter.

COLLETER. Affronter, bagarrer, battre, bigorner, débattre, empoigner, expliquer, lutter, prendre, renverser.

COLLEUX. Affectueux, aimant, amoureux, cajoleur, câlin, caressant, chatte, doux, roucoulant, tendre.

COLLEY. Chien, collie.

COLLIER. Bague, barbe, bijou, boa, carcan, cercle, chaîne, courroie, fraise, joyau, misère, ornement, parure, racage, rivière, sautoir, torque.

COLLIGER. Assembler, collecter, ramasser, rapailler, rapercher, rassembler, recueillir, relever, relier, réunir.

COLLINE. Aspre, butte, capitolin, côte, coteau, croupe, dune, éminence, haut, hauteur, mont, montagne, morne, tell, tertre.

COLLINE ALGÉRIE (n. p.). Zab.

COLLINE AMÉRICAINE (n. p.). Mesabi Range.

COLLINE ANGLETERRE (n. p.). Cheviot.

COLLINE ATHÈNES (n. p.). Aréopage, Pnyx.

COLLINE ATTIQUE (n. p.). Lycabette.

COLLINE BRETAGNE (n. p.). Arrée.

COLLINE ÉCOSSE (n. p.). Cheviot.

COLLINE GRÈCE (n. p.). Lycabette.

COLLINE ITALIE (n. p.). Albains.

COLLINE JÉRUSALEM (n. p.). Oliviers, Sion.

COLLINE LATIUM (n. p.). Albains.

COLLINE LYON (n. p.). Fourvière.

COLLINE PALESTINE (n. p.). Mont des oliviers.

COLLINE PARIS (n. p.). Montmartre.

COLLINE PROCHE-ORIENT (n. p.). Sion.

COLLINE ROME (n. p.). Aventin, Caelius, Capitole, Capitolin, Esquilin, Janicule, Palatin, Pincio, Quirinal, Sacre, Viminal.

COLLINE ROUSSON (n. p.). Aspre.

COLLISION. Abordage, accident, accrochage, carambolage, choc, heurt, impact, tamponnage, télescopage.

COLLOCATION. Bagne, captivité, claustration, détention, écrou, emmurage, emmurement, emprisonnement, enfermement, fermer, incarcération, internement, prison, réclusion, séquestration, tôle.

COLLOÏDAL. Aérosol, empois, floculation, gel, humus, hydrogel, macromolécule, micelle, protéine, sol.

COLLOQUE (n. p.). Poissy.

COLLOQUE. Causerie, conférence, conversation, débat, échange, entretien, forum, réunion, symposium.

COLLURE. Brisure, collage, enchevauchure, entablure, genou, joint, montage, raccord, soudure.

COLLUSION. Accord, acoquinement, association, coalition, compérage, complicité, connivence, entente.

COLLYBIE. Agaricacée, butyracée, champignon, lépiote, maculée, souchette.

COLMATAGE. Barrage, bouchage, bouchement, bouclage, calfeutrage, cloisonnage, clôture, compactage, cylindrage, damage, fermeture, interception, oblitération, obturation, occlusion, plombage, roulage, tassage.

COLMATER. Arranger, aveugler, barrer, boucher, calfater, calfeutrer, clore, combler, étouper, fermer, luter, mastiquer, murer, obstruer, obturer, occlure, occulter, sceller.

COLOBE. Bai, beneden, capucin, colobidé, guéréza, magistrat, singe, tunique.

COLOC. Beau-frère, beau-père, cocu, concubin, conjoint, époux, homme, mri, mec, partenaire, père, veuve.

COLOMB, CARAVELLE (n. p.). Nina, Pinta, Santa Maria.

COLOMBAIRE. Cadavre, catacombe, catafalque, caveau, charnier, cimetière, crypte, fosse, mausolée, momie, monument, nécropole, pyramide, sarcophage, sépulcre, sépulture, syringe, tombe, tombeau.

COLOMBE. Colombin, colombier, colombophile, fuie, gémir, neutraliste, pacifiste, pigeon, rabot, tourterelle.

COLOMBIE, CAPITALE (n. p.). Bogota.

COLOMBIE, LANGUE. Espagnol.

COLOMBIE, MONNAIE. Peso.

COLOMBIE, VILLE (n. p.). Arica, Armenia, Barrancabermeja, Barranquilla, Bello, Bogota, Bucaramanga, Buenaventura, Buga, Cali, Cartagena, Carthagène, Ciénaga, Cucuta, Manizales, Eger, Guapi, Ibagué, Leticia, Medellin, Mitu, Mocoa, Mompos, Monteria, Neiva, Palmira, Pasto, Pereira, Popayan, San Agustin, Santa Marta, Sincelejo, Tumaco, Tunja, Turbo, Valledupar, Villavicencio.

COLOMBIEN. Cannabis, chanvre, hasch, haschisch, herbe, joint, kif, marie-jeanne, marijuana, pot, shit.

COLOMBIER. Format, fuie, gloriette, monnaie, nichoir, oiseau, piège, pigeon, pigeonnier, poussinière, trébuchet, volière.

COLOMBIN. Biset, boulant, boudin, étron, fiente, goura, palombe, pigeon, ramier, rouleau, tourterelle.

COLOMBINE. Aiglantine, ancolie, angonie, aquilegia, campanule, clochette, cornette, fiente, gantelée, ganteline, fleur.

COLOMBIUM. Cb, niobium.

COLOMBO. Inspecteur, racine, ragoût.

COLON. Boër, clérouque, colonel, cultivateur, enfant, fermier, habitant, membre, métayer, personne, pionnier.

CÔLON. Aérocolie, boyaux, caecum, colique, colonoscopie, colopathie, colostomie, dolichocôlon, duodénum, grêle, entrailles, intestin, mégacôlon, rectum, sigmoïde, tripes, tripette.

COLON D'AFRIQUE (n. p.). Boers.

CLON, NOUVELLE FRANCE (n. p.). Hébert.

COLONEL (n. p.). Arif, Boumediene, Bouvier, Charras, Fabien, Kadhafi, Lepic, Magloire, Mayer, Mobutu, Nasser, Rémy, Saleh, Sévigny.

COLONEL. Bikbachi, bimbachi, colon, mestre, officier.

COLONIAL. Artillerie, colon, colonie, défricheur, infanterie, pionnier, troupe.

COLONIALISME. Absolutisme, annexionnisme, autoritarisme, despotisme, expansionnisme, impérialisme, paternalisme.

COLONIALISTE. Agresseur, colonisateur, despote, dictateur, dominateur, doryphore, ennemi, envahisseur, impérialiste, occupant, oppresseur, persécuteur, potentat, tortionnaire, touriste, tyran, usurpateur.

COLONIE. Bande, concession, ensemble, essaim, fourmi, planteur, possession, protectorat, ruche.

COLONIE ALLEMANDE (n. p.). Bismarck.

COLONIE ANGLAISE (n. p.). Birmanie, Myanmar.

COLONIE ATHÈNES (n. p.). Amphipolis.

COLONIE BRITANNIQUE (n. p.). Aden, Ascension, Bahamas, Barbade, Belize, Bermudes, Caicos, Chypre, Falkland, Fidji, Gibraltar, Gilbert, Guyane, Honduras, Hong-Kong, Jamaïque, Kenya, Lucayes, Malaisie, Maurice, Namibie, Natal, Rhodésie, Sabah, Seychelles, Sierra Leone, Singapour, Transvaal, Trinité, Zimbabwe.

COLONIE CARTHAGINOISE (n. p.). Lilybée.

COLONIE ESPAGNE (n. p.). Ampurias.

COLONIE FRANÇAISE (n. p.). Acadie, Algérie, Burkina, Cochinchine, Guinée, Guyane, Mali, Maroc, Martinique, Niger, Nouvelle-France, Sénégal, Somalie, Tahiti, Tchap.

COLONIE GRECQUE (n. p.). Bysance, Cumes, Halicarnasse, Paestum.

COLONIE ITALIENNE (n. p.). Gabon, Guinée-Bissau, Mozambique.

COLONIE PHÉNICIENNE (n. p.). Hadrumète.

COLONIE PORTUGAISE (n. p.). Angola, Goa, Macao.

COLONIE ROMAINE (n. p.). Carthage, Cordoue, Fregellae, Pompei, Timgad..

COLONISATEUR (n. p.). Béthencourt, Bobadilla, Boone, Brazza, Champlain, Dupleix, Duplessis, Frontenac, Labelle, Monts, Peters, Rhodes, Talon, Wakefield.

COLONISATEUR. Agresseur, cananéen, colon, despote, dictateur, dominateur, doryphore, ennemi, envahisseur, impérialiste, occupant, oppresseur, persécuteur, potentat, tortionnaire, touriste, tyran, usurpateur.

COLONISATION. Immigration, multiplication, natalité, occupation, peuplement, plantation, propagation.

COLONISER. Aleviner, défricher, ensemencer, envahir, labourer, occuper, peupler, planter, semer.

COLONNADE. Alignement, colonne, corridor, couloir, enfilade, file, fronton, galerie, narthex, octastyle, orgue, péristyle, pœcile, porche, porte, portique, pronaos, rang, rangée, tambour, torana, torii, vestibule.

COLONNE (n. p.). Abyla, Ashoka, Buren, Calpé, Durruti, Hercule, Trafalgar Square, Trajanne, Vendôme.

COLONNE. Aiguille, base, calcaire, ciel, cippe, coccyx, columelle, échine, épine, escouade, fût, invertébré, montant, pilier, poteau, pylône, rachis, rostrale, scoliose, section, soutien, spinal, stèle, style, support, torse, trompe, vertébré.

CALONNETTE. Accotoir, appui, balustre, col, compas, menuiserie, ornement, pied, pilastre, pilier, tige.

COLOPHANE. Arcanson, archer, archet, crin, galipot, résine, térébenthine.

COLOQUINTE. Barbarine, calebasse, chicotin, coloquinelle, courge, courgoudette, orangine, pâtisson, tête.

COLORANT. Alizarine, azurant, carmin, céruléine, céruse, coloris, couleur, décoction, éosine, gaude, indigo, mauvaine, mauvéine, ocre, orseille, pigment, rhodamine, rocou, rubéfaction, sépia, smalt, teintant, teinture, thiamine, tinctorial.

COLORATION. Acrocyanose, bain, carnation, chromatisme, colorant, coloriage, coloris, couleur, degré, demi-teinte, ictère, impression, nuance, patine, peinture, pigmentation, robe, teint, teinte, teinture, ton, tonalité.

COLORATURE, CHANTEUSE (n. p.). Arpin, Bilodeau, Choquette, Côté, Fortin, Hurley, Leclerc, Lespérance.

COLORÉ. Animé, barbouillé, bariolé, bigarré, colorié, dessiné, enluminé, expressif, fardé, imagé, lampassé, langué, pampre, panaché, peinturluré, pittoresque, polychrome, teinté, truculent, vigoureux, vivant.

COLORER. Azurer, barbouiller, barioler, chiner, colorier, dorer, empourprer, encrer, enluminer, farder, injecter, iriser, ocrer, orner, panacher, peindre, pigmenter, rehausser, relever, revêtir, rosir, safraner, teindre, teinter.

COLORIAGE. Coloration, colorier, coloriste, couleur, habillage, laqué, lavis, peinture, pigmentation, teindre.

COLORIER. Azurer, barbouiller, barioler, colorer, coloriage, dorer, empourprer, encrer, enluminer, farder, injecter, iriser, ocrer, orner, panacher, peindre, pigmenter, rehausser, relever, rosir, safraner, teindre, teinter.

COLORIS. Azurant, carnation, colorant, coloration, couleur, éosine, gaude, guide, indigo, ocre, orseille, mauvaine, nuance, rocou, smalt, teint, teinte, thiamine, tinctorial, ton.

COLORISTE. Aquarelliste, artiste, badigeonneur, barbouilleur, chevalet, chromiste, enlumineur, fauvisme, figuratif, fresquiste, imagier, pastelliste, paysagiste, peintre, portraitiste, rapin, ruiniste, veinette.

COLOSSAL. Babylonien, considérable, cyclopien, dantesque, démesuré, éléphantesque, énorme, géant, gigantesque, grand, gros, herculéen, immense, inouï, monstre, monumental, notable, sublime, titanesque, titanique.

COLOSSALEMENT. Amplement, considérablement, énormément, gigantesquement, immensément, vastement.

COLOSSE (n. p.). Barletta, Memnon, Rhodes.

COLOSSE. Costaud, cyclope, énorme, fort, géant, grand, mastodonte, monstre, ogre, statue, titan, titanique.

COLPORTAGE. Bavardage, commérage, démarchage, diffusion, médisance, porte-à-porte, sollicitation.

COLPORTER. Bavarder, cancan, commérer, divulguer, médire, potiner, propager, ragot, répandre, transporter.

COLPORTEUR. Bonimenteur, camelot, démarcheur, dioula, étalagiste, marchand, peddleur, propagateur.

COLT. Fusil, holster, pistolet, revolver.

COLTINER. Acharner, aller, amener, brouetter, camionner, charger, charrier, charroyer, débarder, déplacer, emporter, exulter, mener, porter, promener, ravir, rempoter, transbahuter, transférer, transplanter, transporter, trimarder, trimballer, véhiculer.

COLUBRIDÉ. Atractaspiné, colubrine, coronelle, couleuvre, dasypeltiné, natriciné, serpent, vipérin.

COLUMBARIUM. Caveau, cénoraire, cénotaphe, cercueil, cimetière, cinéraire, cippe, corbillard, fosse, koubba, mastaba, mausolée, monument, nécropole, pierre, sarcophage, sépulcre, sépulture, spéos, stèle, tombeau, urne.

COLUMBIDÉ. Colombin, colombiforme, ganga, pigeon, ptéroclididé, raphidé, syrrhapte, tourte, tourterelle.

COLUMBIFORME. Colombin, columbidé ganga, pigeon, ptéroclididé, raphidé, syrrhapte, tourte, tourterelle.

COLUMBIUM. Niobium.

COLVERT. Anatidé, canard, malard, palmipède.

COLZA. Chou, colzatier, crucifère, érucique, graine, huile, navette, oléagineux, tourteau.

COMA. Anesthésie, apoplexie, assoupissement, comateux, dodo, dormir, hypnose, inaction, léthargie, méridienne, mort, narcolepsie, narcose, repos, roupillon, sieste, somme, sommeil, somnambulisme, somnolence, stupéfiant, torpeur.

COMATEUX. Automatique, défoulement, évanoui, fou, ignorant, inconscient, insensible, insouciant, instinctif, involontaire, irraisonné, irréfléchi, irresponsable, léger, machinal, réminiscence, spontané, subconscient.

COMBAT (n. p.). Aures, Cherbourg, Guadalcanal, Lodz, Normandie, Noyon, Piave, Sinaï, Tobrouk, Vercors, Vimy, Waterloo.

COMBAT. Accrochage, affrontement, assaut, baptême de feu, baroud, bataille, boxe, choc, djihad, duel, échauffourée, engagement, escarmouche, guerre, hostilité, jihad, joute, lutte, match, mêlée, opération, pugilat, querelle, rif, rififi, riffe, riffle, ring, rixe, salve.

COMBATIF. Agressif, bagarreur, batailleur, belliqueux, coriace, guerrier, offensif, pugnace, querelleur, teigneux.

COMBATIVITÉ. Agressivité, brutalité, gnaque, hostilité, malveillance, méchanceté, mordant, niaque, provocation, pugnacité, quérulence, résignation.

COMBATTANT. Adversaire, belligérant, boxeur, bretteur, briscard, cadet, drille, ennemi, franc-tireur, gladiateur, guérillero, guerrier, guetteur, lutteur, maquisard, moudjahid, moudjahiddin, soldat, SS, toréador, torero, troufion, troupier, vétéran.

COMBATTRE. Affronter, assaillir, attaquer, bagarrer, battre, boxer, enrôler, lutter, militer, réfuter, toréer.

COMBE. Cime, cluse, combette, crêt, gorge, goulet, ravin, reculée, sommet, val, vallée, vallon.

COMBIEN. Beaucoup, chaque, combientième, comme, comment, division, mesure, nombre, quantité.

COMBINAISON. Agencement, alliage, alliance, amalgame, arrangement, assemblage, calcul, carbure, chlorure, coffre-fort, cotte, coup, dosage, grenouillère, hydrate, hydrocarbure, hydroxyde, hydrure, magouillage, magouille, mariage, mélange, mixture, nitrure, oxydation, phosgène, poule, projet, réunion, réussite, sousvêtement, spéculation, sulfure, système, union, vêtement.

COMBINARD. Affairiste, agioteur, arriviste, calculateur, intrigant, machinateur, magouilleur, malin, manipulateur, manœuvrier, maquillon, opportuniste, politicard, roublard, roué, rusé, spéculateur, triporteur.

COMBINAT. Alliance, cartel, complexe, coentreprise, complexe, concentration, conglomérat, consortium, duopole, entente, féodalité, groupe, industrie, monopole, oligopole, trust.

COMBINATEUR. Bouton, commande, clé, commande, commutateur, conjoncteur, contact, contacteur, coupleur, disjoncteur, interrupteur, manostat, poussoir, rodacteur, sélecteur, sectionneur, télécommande.

COMBINATOIRE. Accommodation, agencement, ajustement, aménagement, arrangement, assemblage, combinaison, composition, configuration, coordination, disposition, élaboration, harmonie, ordre, profil.

COMBINE. Agissements, amulette, bonheur, cabale, calcul, caleçon, chance, combinaison, couche, dyke, éponte, filon, galerie, hasard, martingale, masse, mine, salbande, source, strate, tripatouillage, veine.

COMBINÉ. Accouplement, appairage, appariement, assemblage, avec, coexistence, coïncidence, concomitance, couplage, jumelage, liaison, raccordement, rappariement, simultané, synchronisme, unisson, unité.

COMBINER. Agencer, allier, amalgamer, arranger, assembler, calculer, composer, fusionner, hydrater, hydrogéner, joindre, marier, mélanger, mêler, mettre, mixer, ourdir, oxyder, réunir, sulfurer, synthétiser, tramer, unir, varier.

COMBLÉ. Aisé, béat, bienheureux, claironnant, content, enchanté, fat, fiérot, gai, gavé, heureux, joice, jouasse, jouisseur, joyeux, jubilant, orgueilleux, présomptueux, radieux, rassasié, ravi, réjoui, repu, satisfait, triomphant.

COMBLE. Apogée, apothéose, appentis, attique, bourré, bouquet, empli, exaspération, excès, extrême, faîte, ferme, fort, grenier, limite, mansarde, maximum, plein, pinacle, pompon, ravi, sommet, summum, supplément, surcroît, surplus, toit, triomphe, trop-plein, zénith.

COMBLEMENT. Aveuglement, barrage, bouchage, bouclage, cloisonnement, colmatage, condamnation, coupure, fermeture, obstruction, verrouillage.

COMBLER. Abreuver, accabler, aduler, bénir, boucher, bourrer, charger, colmater, couvrir, donner, emplir, entourer, exaucer, gâter, gorger, obturer, rattraper, remblayer, remplir, saturer, surcharger, sursaturer.

COMBUSTIBLE. Aliment, anthracite, bois, boulet, briquette, butane, carburant, charbon, coke, diesel, ergol, fioul, fuel, gaillette, gazole, gazoline, houille, huile, inflammable, mazout, méta, moxa, naphte, semi-coke, soute, tourbe.

COMBUSTION. Brûlage, brûlement, calcination, carbonisation, consomption, feu, flambage, flambée, héliothermie, grillage, ignescence, ignition, incandescence, incinération, inflammation, torréfaction.

COME-BACK. Contrecoup, éclaboussure, rentrée, rebondissement, répercussion, retour, ricochet, séquelle, suite.

COMECON (n. p.). Albanie, Bulgarie, CAEM, Cuba, Hongrie, Mongolie, Pologne, RDA, Roumanie, Tchécoslovaquie, URSS, Vietnam.

COMÉDIE (n. p.). Amphitryon, Cyrano de Bergerac, Don Juan, L'avare, Le misanthrope, Tartuffe, Ubu.

COMÉDIE. Aminta, atellane, bouffonnerie, drame, farce, kyogen, mascarade, mime, muse, pièce, plaisanterie, parabase, proverbe, rire, saynète, scène, sketch, sitcom, sotie, sottie, spectacle, théâtre, tragi-comédie, vaudeville.

COMÉDIEN. Acteur, archimime, artiste, baladin, bobineur, cabotin, cascadeur, comique, comparse, deutéragoniste, doublure, faire-valoir, figurant, hypocrite, interprète, mime, monstre, ringard, rôle, tragédien.

COMÉDIEN ALLEMAND (n. p.). Kinski.

COMÉDIEN AMÉRICAIN (n. p.). Allen, Armstrong, Astaire, Bacall, Bakula, Baldwin, Belafonte, Belushi, Benedick, Bennet, Bogart, Boone, Brando, Bridges, Brown, Cage, Chandler, Clooney, Cole, Costner, Crosby, Cruise, Culkin, Curtis, Dafoe, Daniels, Danson, Darin, Day-Lewis, Dean, De Niro, DeVito, Douglas, Dreyfuss, Eastwood, Ford, Gable, Gere, Gibson, Goldblum, Granger, Grant, Hackman, Hanks, Hardy, Harrelson, Heston, Hope, Hoskins, Hudson, Jackson, Jordan, Keitel, Kilmer, Kline, Lancaster, Laurel, Leblanc, Lewis, Malkovich, Martin, McConaughey, McQueen, Mitchum, Montgomery, Moore, Murphy, Murray, Newman, Nicholson, Nolte, O'Connor, Peck, Penn, Pitt, Presley, Pryor, Quaid, Quinn, Randall, Reagan, Reeves, Ritchie, Rooney, Rourke, Savage, Schwarzenegger, Simmons, Sinatra, Sorbo, Stallone, Stewart, Taylor, Thomas, Travolta, Tyler, Van Damme, Van Dyke, Washington, Wayne, Weissmuller, Williams, Willis, Wyle, Young.

COMÉDIEN ANGLAIS (n. p.). Accolas, Arène, Aymar, Ayoub, Bard, Barry, Blanch, Brosnan, Burbage, Burton, Buza, Calderwood, Chaplin, Foote, Friesen, Garrick, Garrison, Gillett, Hopkins, Klanfer, Konig, Lawrence, Loftus, Martin, Mc Kenna, Murphy, Nardi, Nerman, O'Connor, Parillo, Parson, Pearson, Pennington, Richard, Ross, Snider.

COMÉDIEN CANADIEN-ANGLAIS (n. p.). Accolas, Arène, Aymar, Ayoub, Bard, Barry, Blanch, Buza, Calderwood, Friesen, Garrison, Gillett, Klanfer, Konig, Lawrence, Loftus, Martin, Mc Kenna, Murphy, Nardi, Nerman, O'Connor, Parillo, Parson, Pearson, Pennington, Richard, Ross, Snider.

COMÉDIEN FRANÇAIS (n. p.). Auteuil, Béjart, Belmondo, Boyer, Chevalier, Coquelin, Fernandel, Fresnay, Gabin, Guitry, Hirsh, La Grange, Maréchal, Montand, Serrault, Terzieff.

COMÉDIEN ITALIEN (n. p.). Bertinazzi, Fo, Mastroianni, Mezzetin.

COMÉDIEN QUÉBÉCOIS (n. p.). Barrette, Béland, Berval, Besré, Blanchard, Bouchard, Brière, Buissonneau, Canuel, Carrère, Chenail, Coutu, Curzi, Cyr, De Cespedes, Delcourt, Desmarteau, Fruitier, Gadouas, Gélinas, Genest, Godin, Guilda, Guimond, Houde, Huard, Labbé, Latulippe, L'Écuyer, Légaré, Lemay-Thivierge, Millaire, Millette, Montmorency, Pérusse, Robidoux, Thiboutot, Thisdale, Toupin, Tremblay, Zouvi.

COMÉDIENNE ALLEMANDE (n. p.). Kinski.

COMÉDIENNE AMÉRICAINE (n. p.). Abdul, Anderson, Andrews, Bacall, Basinger, Bassett, Baxter, Bingham, Birch, Brooks, Brenneman, Bullock, Campbell, Cher, Collins, Crawford, Darnell, Davis, Day, Dee, Dickinson, Dietrich, Dors, Dunaway, Evangelista, Fonda, Fox, Garbo, Gabor, Gardner, Garland, Griffith, Hall, Hayworth, Hepburn, Kelly, Kidman, Lamour, Lane, Lansbury, Leigh, Maclaine, Madonna, Mansfield, Mantovani, Midler, Minnelli, Monroe, Moore, Morgan, Moss, Nolin, Novak, Parker, Paul, Pickford, Powells, Powers, Rampling, Roberts, Rivers, Russell, Sarandon, Schell, Seagrove, Shalom, Shatner, Sheridan, Shields, Shue, Silverstone, Stafford, Stone, Streep, Streisand, Swanson, Taylor, Temple, Tierney, Tilton, Turner, Walsh, West, Wood, Zuniga.

COMÉDIENNE ANGLAISE (n. p.). Leigh.

COMÉDIENNE CANADIENNE-ANGLAISE (n. p.). Basaraba, Benson, Clune, Ellwand, Ferney, Gruen, Hall, Hayle, Henry, Jordan, Kee, Lawrence, Mackenzie, Obonsawin, Racicot, Reh, Spiegel, Sprincis, Stankova, Verner, Victor, Zahalan, Zucco.

COMÉDIENNE FRANÇAISE (n. p.). Adjani, Arletty, Bardot, Carol, Darrieux, Deneuve, Dorval, Gréco, Mistinguett, Moreau, Morgan, Renaud, Seyrig, Signoret.

COMÉDIENNE ITALIENNE (n. p.). Cardinale, Lollobrigida, Loren, Magnani.

COMÉDIENNE QUÉBÉCOISE (n. p.). Baillargeon, Bégin, Berryman, Brind'Amour, Bussières, Cambell, Chouvalidzé, Cotton, Coutu, Croze, Deyglun, Dorval, Eykel, Fontaine, Gascon, Grenon, Lanctôt, Le Flaguais, Loiselle, Longchamps, Mercure, Nolin, Orsini, Pasquier, Pimparé, Portal, Rouzier, Schmidt, Sutto, Taillefer, Tifo, Tisdale, Tougas, Tremblay, Tulasne, Turcot, Turgeon.

COMÉDIENNE SUÉDOISE (n. p.). Bergman.

COMÉDON. Acné, bouton, point noir, séborrhée.

COMESTIBLE. Alimentaire, analeptique, bouillie, bouillon, brouet, cétogène, datte, denrée, édule, fromage, mangeable, manne, mets, nourriture, pain, pitance, poison, prétexte, provision, sauté, soupe, subsistance, sucre, vivre.

COMÈTE (n. p.). Balais, Biela, Encke, Faye, Gauss, Halley, Kohoutek, Messier, Müller, Regiomontanus.

COMÈTE. Aphélie, astéroïde, astre, blason, cométaire, étoile filante, météorite, quasar, ruban, signet, télescope.

COMICE. Assemblée, association, attroupement, concentration, centurie, curie, poire, réunion, tribune.

COMIQUE. Absurde, amusant, bidonnant, bizarre, bouffe, bouffon, burlesque, cocasse, drôle, falot, farceur, gag, gaguesque, gai, guignol, hilarant, hilare, impayable, inénarrable, lazzi, loufoque, marrant, opéra, plaisant, poilant, rigolo, risible, roulant, tordant, tragi-comique.

COMIQUE AMÉRICAIN (n. p.). Abbott, Chaplin, Field, Hardy, Keaton, Langdon, Laurel, Lemmon, Lewis, Lloyd.

COMIQUE BRITANNIQUE (n. p.). Sellers.

COMIQUE FRANÇAIS (n. p.). Allais, Baron, Bourvil, Coluche, Dac, Devos, Dranem, Fernandel, Funès, Hirsch, Linder, Piron, Polichinelle, Raynaud, Regnard, Tati.

COMIQUE GREC (n. p.). Aristophane, Épicharme, Ménandre.

COMIQUE ITALIEN (n. p.). Berni, Fo, toto.

COMIQUE LATIN (n. p.). Plaute, Térence.

COMIQUE SUISSE (n. p.). Toepffer, Töpffer.

COMIQUEMENT. Absurdement, agréablement, bouffon, bouffonnement, burlesquement, délicieusement, dérisoirement, drôlement, facétieusement, grotesquement, joliment, plaisamment, ridiculement, risiblement.

COMITÉ. Aelé, amicale, artel, association, blastomère, bureau, censure, cercle, club, commission, corporation, covenant, fédération, fusion, ghilde, gilde, guilde, hanse, jumelage, ligue, macle, mafia, ordre, pacte, parti, regroupement, société, syndicalisation, triumvirat, trombinoscope, union.

COMITÉ INTERNATIONAL OLYMPIQUE (n. p.). CIO.

COMITIALITÉ. Aura, comitial, convulsion, éclampsie, épilepsie, épileptoïde, mal, grand mal.

COMMANDANT (n. p.). Anders, Aoun, Botha, Cambridge, Diaz, Eisenhower, Faye, Goering, Goring, Joffre, Leclerc, Lévis, Montcalm, Montgomery, Napoléon, Nimitz, Paulus, Pétain, Raeder, Ramos, Taxiarque, Wellington, Wolfe, Yamamoto.

COMMANDANT. Adjudant, amiral, architecte, berger, brigadier, burgrave, capitaine, caporal, chef, colonel, connétable, despote, directeur, dirigeant, dominateur, entraîneur, général, gradé, guide, hetman, lieutenant, maître, major, maréchal, mestre, meneur, mestre, navarque, officier, patron, sergent, skipper, stratège, tête.

COMMANDE. Achat, autorité, demande, exige, gâchette, impérieux, manette, ordonne, ordre, télécommande.

COMMANDEMENT. Amirauté, arrêté, attend, autant, autorité, avance, consigne, décret, direction, directive, empire, état-major, loi, marche, ordre, oukase, puissance, recule, regarde, sommation, ukase, ultimatum, va.

COMMANDER. Acheter, conduire, contraindre, décréter, dicter, diriger, dominer, enjoindre, exiger, forcer, gouverner, imposer, intimer, mener, ordonner, policer, prier, prescrire, régenter, régir, sommer.

COMMANDITAIRE. Bailleur, commandite, financier, mécène, parrain, parraineur, sponsor.

COMMANDITER. Financer, fiscaliser, obérer, organiser, payer, parrainer, sponsoriser.

COMMANDO. Caravane, caste, chœur, clan, clique, cohorte, décapole, duo, élite, ennéade, équipe, espèce, essaim, ethnie, fournée, grappe, groupe, horde, îlot, ion, macle, octuor, parti, peloton, pool, quatuor, quintette, race, réunion, secte, section, série, sigle, strophe, trait, triade, tribu, trio, troïka, troupe, type.

COMME. Ainsi, autant, couci-couça, comparable, de même, dito, instar, même, pareillement, pour, quand, tel.

COMMÉMORATIF. Anniversaire, assemblée, bacchanale, bal, célébration, cérémonie, cinquante, commémoration, dentelle, féerie, féralies, festin, festivité, fest-noz, fête, foire, gala, jubilée, kermesse, noce, nouba, orgie, parentalies, raout, réception, réjouissance, rodéo, saturnales, soirée, solennité, têt, tournoi.

COMMÉMORATION. Anniversaire, célébration, discours, évocation, festivité, fête, mémoire, rappel, souvenir.

COMMÉMORER. Célébrer, chômer, évoquer, festoyer, fêter, pavoiser, rappeler, remémorer, sanctifier, souvenir.

COMMENÇANT. Apprenti, bizuth, deb, débutant, ébauche, emmanchement, néophyte, nouveau, novice, poulain, recrue.

COMMENCEMENT. Alpha, amorce, arrivée, aube, aurore, avènement, blet, bout, de, début, déclenchement, départ, ébauche, embryon, entrée, esquisse, germe, inauguration, initial, lever, matin, naissance, natif, novice, orée, origine, ouverture, prémices, principe, seuil, source, tête.

COMMENCER. Agir, amorcer, apercevoir, coller, créer, croître, dater, débuter, devenir, ébaucher, éclore, effleurer, emmancher, enclencher, engager, entamer, entonner, entreprendre, entrer, esquisser, exorde, faire, gazouiller, germer, incipit, initial, liminaire, naître, origine, partir, poindre, premier, recommencer, seuil, vermouler.

COMMENSAL. Anthropophile, banqueteur, convié, convive, goéland, hôte, invité, mouette, parasite.

COMMENSURABLE. Additionneur, analogique, associatif, commun, comparable, connexe, contigu, corrélateur, digital, grandeur, mesurable, soustracteur.

COMMENT. Bien, certainement, comme, évidemment, hein, naturellement, pardon, pourquoi, quoi, réellement.

COMMENTAIRE. Analyse, annotation, critique, définition, épilogue, exégèse, explication, glose, herméneutique, interprétation, massorah, note, notule, observation, paraphrase, postface, préface, remarque, scolie.

COMMENTATEUR. Allégoriste, annotateur, auteur, critique, éditorialiste, exégète, glossateur, présentateur, scoliaste.

COMMENTER. Annoter, critiquer, énoncer, épiloguer, expliquer, gloser, interpréter, noter, paraphraser.

COMMÉRAGE. Bavardage, bêchage, bruit, cancan, cancaner, médire, médisance, potin, racontar, ragot.

COMMERÇANT. Boulanger, boutiquier, comprador, compradore, crémier, détaillant, écailler, épicier, étalier, ferrailleur, fripier, grainetier, laitier, marchand, margoulin, mercanti, négociant, pacotilleur, tablier, tripier.

COMMERCE. Affaires, bonneterie, boulangerie, bouquinerie, bourse, brocante, buanderie, chamoiserie, dentellerie, draperie, ébénisterie, échange, édition, essencerie, firme, graineterie, gros, huilerie, import-export, librairie, lingerie, margoulin, maroquinerie, mercerie, meunerie, négoce, oisellerie, orfèvrerie, parfumerie, peausserie, relation, sellerie, trafic, traite, tribunaux, triperie, troc, vente.

COMMERCER. Accorder, arranger, convenir, discuter, négocier, parlementer, régler, trafiquer, traiter, transmettre, vendre.

COMMERCIAL. Agent, audit, commis, commissaire, comptable, crédit, débit, dû, économe, facturier, garant, gestionnaire, impôt, ordonnateur, payeur, redû, responsable, solidaire, ventilation.

COMMERCIALISATION. Distribution, marchandise, marchéage, marketing, mercatique, merchandising.

COMMERCIALISER. Amm, développer, diffuser, distribuer, exploiter, lancer, sortir, vendre.

COMMÈRE. Bavard, belle-mère, bonimenteur, causeur, discoureur, marraine, mémère, parleur, phraseur, pipelet, pipelette.

COMMÉRER. Bavarder, cancaner, caqueter, causer, colporter, jaser, médire, potiner, propager, répandre, transporter.

COMMETTANT. Affidé, commissionnaire, délégant, délégateur, ducroire, mandant.

COMMETTRE. Attenter, errer, faire, faillir, fauter, frauder, gaffer, gourer, pécher, perpétrer, récidiver, tromper.

COMMINATOIRE. Agressif, injonctif, inquiétant, intimidant, intimidateur, menaçant, monitoire, pressant.

COMMIS. Agent, buraliste, calicot, employé, placier, plumitif, préposé, représentant, vendeur, voyageur.

COMMISÉRATION. Apitoiement, attendrissement, bienveillance, compassion, miséricorde, pécaïre, pitié.

COMMISSAIRE (n. p.). Allenby, Berthelot, Cavaignac, Cromer, Gort, Herzog, Litvinov, Lukacs, Molotov, Monnet, Rheims, Ricard, Sarrail, Tchitcherine, Togliatti, Vauban.

COMMISSAIRE. Ablégat, commissariat, condé, fonctionnaire, handicapeur, intermédiaire, légat, nonce, zététe.

COMMISSAIRE-PRISEUR. Aboyeur, adjudicateur, annonceur, annonciateur, chantre, chaouch, crieur, encanteur, estimateur, évaluateur, greffier, hérault, huissier, massier, messager, notaire, tabellion, vendeur.

COMMISSARIAT. Argousin, assurance, cop, flic, flicaille, gendarme, gendarmerie, gestapo, milice, police, policier, poilet, poste, rousse, vingt-deux.

COMMISSION (n. p.). CNIL, COB, Tcheka.

COMMISSION. Achat, ambassade, assemblée, boni, bonus, bureau, charge, comité, course, courtage, délégation, gratification, jury, légation, message, mission, pourcentage, remise, ristourne, rogatoire, salaire, scolaire.

COMMISSIONNAIRE. Courrier, courtier, ducroire, émissaire, envoyé, estafette, intermédiaire, messager, porteur.

COMMISSIONEMENT. Affectation, collation, désignation, destination, installation, investiture, nomination, promotion.

COMMISSIONNER. Affecter, appeler, charger, commettre, constituer, désigner, payer, proposer.

COMMISSURE. Angle, fanon, fente, froncement, joint, jointure, jonction, lèvre, ouverture, pli, repli, valvule.

COMMODAT. Prêt.

COMMODE. Aisé, bien, chic, coffre, doux, facile, meuble, pratique, rangement, serviable, sûr, tiroir, utile.

COMMODÉMENT. Agréablement, aisément, avantageusement, bien, bien-être, commodité, convenu, facilement, favorablement, honorablement, précieusement, profitablement, simplement, utilement.

COMMODITÉ. Agrément, aisance, aise, avantage, confort, convenance, pratique, selle, toilette, utilité.

COMMONWEALTH, PAYS (n. p.). Afrique du Sud, Antigua et Barbuda, Australie, Bahamas, Bangladesh, Barbade, Belize, Botswana, Brunei, Cameroun, Canada, Chypre, Dominique, Fidji, Gambie, Ghana, Grenade, Guyana, Inde, Jamaïque, Kenya, Kiribati, Lesotho, Malaisie, Malawi, Maldives, Malte, Maurice, Mozambique, Namibie, Nauru, Nigeria, Nouvelle-Zélande, Ouganda, Pakistan, Papouasie-Nouvelle-Guinée, Royaume-Uni, Sainte-Lucie, Saint Kitts et Nevis, Saint-Vincent et les Grenadines, Salomon, Samoa, Seychelles, Sierra Leone, Singapour, Sri Lanka, Swaziland, Tanzanie, Tonga, Trinité et Tobago, Tuvalu, Vanuatu, Zambie, Zimbabwe.

COMMOTION. Bouleversement, choc, ébranlement, explosion, perturbation, secousse, traumatisme, trouble.

COMMOTIONNER. Affecter, affaiblir, affliger, agiter, atteindre, balancer, bouleverser, brutaliser, chanceler, choquer, déstabiliser, ébranler, étonner, marquer, perturber, remuer, ruiner, saper, secouer, traumatiser.

COMMUABLE. Changeable, commutable, interchangeable, permutable, remplaçable, substituable, transposable.

COMMUER. Aérer, altérer, améliorer, amender, changer, convertir, décaler, dégénérer, déliter, désaffecter, dévier, émigrer, évoluer, falsifier, fluctuer, innover, inverser, lignifier, métamorphoser, modifier, momifier, muer, muter, ossifier, permuter, pétrifier, pirouetter, raviser, remanier, remplacer, remuer, revenir, saccharifier, tourner, transformer, varier, virer, zapper.

COMMUN. Abondant, banal, cliché, collectif, connu, courant, coutumier, fréquent, général, gras, grossier, habituel, identique, médiocre, naturel, nom, ordinaire, pauvre, public, standard, unanime, usé, usité, usuel, vulgaire, vulgum pecus.

COMMUNAL. Bourgeoisial, échevinal, édilitaire, municipal, public, urbain, vicinal.

COMMUNAUTAIRE. Ascétique, cénobitique, claustral, couvent, conventuel, monacal, monastique, monial, puritain, religieux.

COMMUNAUTÉ (n. p.). Andalousie, Asturies, Cantabrique, CECA, CED, CEE, CEEA, CEI, Estrémadure, Galice, MIR, Thélème, Valence.

COMMUNAUTÉ. Béguinage, église, indivision, jésuite, moine, nation, oblat, ordre, phalanstère, prieuré, religieuse, séfarade.

COMMUNE. Agglomération, bourg, bourgade, centre, conseil, localité, mir, municipalité, municipe, paroisse, ville, village.

COMMUNE, ALGÉRIE (n. p.). Alma, Arba, Bizet, Geryville, Khenchela, Kolea, Lambèse, Mekla, Pérégaux, Saida, Sig, Staouéli, Tébessa, Tipasa.

COMMUNE, BELGIQUE (n. p.). (3 lettres). Ans, Mol, Mons, Spa.

COMMUNE, BELGIQUE (n. p.). (4 lettres). Amay, Asse, Boom, Dour, Ekeren, Eupen, Gand, Geel, Genk, Lede, Niel, Olen, Roux, Visé.

COMMUNE, BELGIQUE (n. p.). (5 lettres). Alost, Balen, Ciney, Dison, Essen, Eupen, Evere, Flénu, Ghlin, Gilly, Hamme, Heist, Heule, Hornu, Jambes, Jette, Jumet, Lauwe, Liège, Ligny, Meise, Melle, Namur, Panne, Temse, Uccle, Ypres, Zemst.

COMMUNE, BELGIQUE (n. p.). (6 lettres). Aalter, Anvers, Beerse, Bilzen, Blégny, Bornem, Boussu, Brecht, Bruges, Chênée, Couvin, Deinzer, Dilsen, Duffel, Durbuy, Edegem, Eisden, Ekeren, Esneux, Fléron, Forest, Furnes, Herent, Ixelles, Izegem, Kalken, Knokke, Kuurne, Laeken, Lommel, Manage, Ninove, Opwijk, Ougrée, Tamise, Tubize, Wasmes, Wervik.

COMMUNE, BELGIQUE (n. p.). (7 lettres). Aalter, Angleur, Beersel, Berchem, Berlaar, Beloeil, Beveren, Brabant, Casteau, Comines, Cuesmes, Dilbeek, Eghezée, Ensival, Evergem, Fleurus, Hainaut, Herstal, Heusden, Ixelles, Lebbeke, Limbourg, Jemeppe, Maaseik, Merksem, Mortsel, Ransart, Rumbeke, Schoten, Seneffe, Seraing, Stekène, Tilleur, Waregem, Waremme.

COMMUNE, BELGIQUE (n. p.). (8 lettres). Arendonk, Assenede, Bressoux, Couillet, Dampremy, Erpe-Mère, Fontenoy, Gembloux, Hemiksem, Heverlee, Jemmapes, Kapellen, Ledeberg, Louvière, Merchtem, Neerpelt, Oostkamp, Overpelt, Overrijse, Rozebeke, Stevelot, Tervuren, Vilvorde, Waterloo, Wetteren, Wevelgem.

COMMUNE, BELGIQUE (n. p.). (9 lettres). Anderlues, Assebroek, Auderghem, Beringeen, Breendonk, Carnières, Frameries, Grivegée, Harelbeke, Herentals, Houthalen, Kalmthout, Merelbeke, Meulebeke, Montegée, Quaregnon, Quiévrain.

COMMUNE, BELGIQUE (n. p.). (10 lettres). Anderlecht, Brasschaat, Brmissard, Borgerhout, Brasschaat, Courcelles, Farciennes, Grimbergen, Liedekerke, Marcinelle, Waarschoot, Willebroek.

COMMUNE, BELGIQUE (n. p.). (11 lettres). Denderleeuw, Lodelinsart.

COMMUNE, BELGIQUE (n. p.). (12 lettres). Blankenberge, Ingelmunster.

COMMUNE, CORSE (n. p.). Aléria.

COMMUNE, FRANCE (3 lettres) (n. p.). Aix, Ars, Buc, Èze, Hem, Ifs.

COMMUNE, FRANCE (4 lettres) (n. p.). Alet, Anor, Arès, Auby, Avon, Barp, Biot, Bono, Boué, Crès, Elne, Étel, Faaa, Gets, Igny, Isle, Liré, Lons, Loos, Maxe, Paéa, Rézé, Riec, Sers, Teil, Tudy, Vais.

COMMUNE, FRANCE (5 lettres) (n. p.). Anzin, Avion, Auris, Auzat, Avord, Aydat, Berck, Binic, Cenon, Cléon, Cours, Croix, Cruas, Culoz, Déchy, Déois, Erquy, Gelos, Grigny, Horme, Imphy, Indre, Jarny, Kembs, Laxou, Leers, Lomme, Marly, Murol, Noves, Oiron, Orbey, Passy, Quend, Revin, Roncq, Saran, Talzé, Trait, Yport.

COMMUNE, FRANCE (6 lettres) (n. p.). Abscon, Aléria, Amilly, Anglet, Aniche, Arches, Arques, Auboué, Auchel, Barlin, Barsac, Bègles, Bidart, Boucau, Boulou, Carnac, Cassis, Caudry, Clusaz, Coteau, Crotoy, Daluis, Division, Donges, Fenain, Fouras, Froges, Fuveau, Golbey, Grenay, Harnes, Houlme, Indret, Jougne, Juilly, Lépine, Liesse, Ligugé, Mégève, Mutzig, Nieppe, Oissel, Olivet, Palais, Persan, Pibrac, Pompey, Portel, Pradet, Renazé, Quessy, Renage, Rombas, Ruelle, Somain, Thoiry, Turbie, Unieux, Uriage, Vimory, Volnay, Volvic, Wawrin.

COMMUNE, FRANCE (7 lettres) (n. p.). Annezin, Aussois, Benodet, Bihorel, Bouscat, Bussang, Cabourg, Capvern, Cerbère, Chambly, Chantilly, Collioure, Comines, Conquet, Coueron, Cransac, Cravant, Crespin, Crozant, Donzère, Dourges, Éparges, Épernon, Etrétat, Fouard, Lloirac, Folgoet, Fraisse, Fresnes, Halluin, Hendaye, Houches, Hourtin, Jallieu, Jeumont, Jouarre, Lacanau, Laffrey, Loctudy, Lorette,

Lormont, Luzenac, Machine, Margaux, Mettray, Miramas, Moirans, Morienval, Morzine, Mougins, Mourenx, Mourèze, Mouvaux, Mulatière, Mureaux, Noisiel, Oignies, Onnaing, Orcival, Ottange, Oullins, Outreau, Padirac, Pfastatt, Pomerol, Pommard, Quierzy, Raismes, Riorges, Ronchin, Roscoff, Sillerey, Sochaux, Sorgues, Souchez, Talence, Trélazé, Trignac, Tronche, Turckheim, Uckange, Voreppe, Vougeot, Waziers, Wingles.

COMMUNE, FRANCE (8 lettres) (n. p.). Algrange, Allassac, Barbizon, Barentin, Bougival, Boussens, Canteleu, Carolles, Chambord, Combloux, Connerré, Couronne, Esperaza, Feignies, Fontaine, Formigny, Fourmies, Fréteval, Gavarnie, Guérigny, Jumièges, Gentilly, Guéthary, Guipavas, Harfleur, Houlgate, Inzinzac, Jurançon, Knutange, Lanester, Lavardin, Locronan, Longueau, Lourches, Louvroll, Maillane, Malaunay, Mandeure, Marspich, Mercurey, Mérindol, Migennes, Morhange, Nilvange, Penmarch, Pérouges, Ploemeur, Pontigny, Pontmain, Quesnain, Rethondes, Sangatte, Solesmes, Tergnier, Terville, Thourotte, Valdahon, Vauquois, Wimereux.

COMMUNE, FRANCE (9 lettres) (n. p.). Aiguillon, Amnéville, Bazeilles, Bischheim, Bruniquel, Cauterets, Champagné, Cornimont, Coulmiers, Dampierre, Deauville, Gradignan, Guiscriff, Guivinec, Ferrières, Homecourt, Isbergues, Lalouvesc, Locquirec, Madeleine, Marignane, Maroilles, Méricourt, Merlebach, Merlimont, Meursault, Montesson, Montriond, Pluméliau, Pornichet, Pouliguen, Rosendael, Salindres, Sauternes, Talloires, Tiffauges, Trégastel, Vermelles, Vézeronce, Villerupt, Wasquehal, Wattrelos.

COMMUNE, FRANCE (10 lettres) (n. p.). Ambleteuse, Annoeullin, Chancelade, Courrières, Gravelotte, Hagondange, Lambersart, Libercourt, Malzéville, Mondeville, Montataire, Montsoreau, Ouistreham, Pérenchies, Plainfaing, Plougasnou, Pontcharra, Préfailles, Rezonville, Riedisheim, Rocamadour, Seloncourt, Septmoncel, Thérouanne, Vénissieux, Villepreux, Villequier, Wattighies.

COMMUNE, FRANCE (11 lettres) (n. p.). Biscarrosse, Chamalières, Champaubert, Graissessac, Pierrefonds, Sallaumines, Sarrancolin, Taillebourg, Tourlaville, Valentigney, Wambrechies, Wittelsheim.

COMMUNE, SUISSE (3 lettres) (n. p.). Bex, Ems, Wil.

COMMUNE, SUISSE (4 lettres) (n. p.). Nyon, Onex, Uster.

COMMUNE, SUISSE (5 lettres) (n. p.). Arbon, Arosa, Baden, Davos, Emmen, Flims, Kries, Lancy, Rolle, Spiez, Stans, Uster.

COMMUNE, SUISSE (6 lettres) (n. p.). Airolo, Brigue, Coppet, Glaris, Gosseau, Gtsaad, Horgen, Leysin, Littau, Meyrin, Prilly, Riehen, Sarnen, Sierre, Thonex.

COMMUNE, SUISSE (7 lettres) (n. p.). Chiasso, Granges, Langnau, Liestal, Monthey, Payerne, Reinach, Vernier, Wattwil.

COMMUNE, SUISSE (8 lettres) (n. p.). Dietikon, Martigny.

COMMUNE, SUISSE 9 lettres) (n. p.). (Allschwil.

COMMUNE, SUISSE (10 lettres) (n. p.). Interlaken, Porrentruy.

COMMUNE, SUISSE (11 lettres) (n. p.). Kreuzlingen.

COMMUNÉMENT. Couramment, fréquemment, généralement, habituellement, ordinairement, vulgairement.

COMMUNICABLE. Communicatif, contagieux, épidémique, contagiosité, héréditaire, infectieux, transmissible.

COMMUNICANT. Communicateur, orateur, vase.

COMMUNICATEUR. Avocat, baratineur, causeur, cicérone, communicant, conférencier, débatteur, diseur, foudre, harangueur, orateur, prêcheur, prédicateur, rhéteur, tribun.

COMMUNICATIF. Causant, contagieux, démonstratif, épidémique, expansif, extraverti, exubérant, ouvert, renfermé.

COMMUNICATION. Adresse, anastomose, annonce, communiqué, confidence, correspondance, déclaration, dépêche, échange, idiome, information, lettre, liaison, note, passerelle, pont, rocade, shunt, transmission.

COMMUNION. Agape, calice, cène, ciboire, échange, hostie, pale, pâques, partage, patène, rite, union.

COMMUNIQUÉ. Annonce, avertissement, avis, communication, conseil, contagieux, déclaration, dénonciation, éveil, explication, idée, info, message, note, notification, opinion, préavis, préface, proclamation, révélé, véhiculé.

COMMUNIQUER. Aimanter, annoncer, aviser, commander, correspondre, dire, écrire, enflammer, enfiévrer, exciter, imprimer, infuser, inoculer, magnétiser, publier, relier, révéler, téléphoner, transmettre, véhiculer.

COMMUNISME. Babouvisme, bolchevisme, collectivité, égalitarisme, étatisme, léninisme, marxisme, socialisme, spartakiste.

COMMUNISTE (n. p.). Andropov, Barbusse, Berlinguer, Brejnev, Buffet, Cachin, Carrillo, Ceausescu, Chou En-Lai, Cunhal, Dubcek, Duclos, Engels, Gorbatchev, Gottwald, Gramsci, Hikmet, Hodja, Hue, Husak, Jivkov, Kadar, Khrouchtchev, Lénine, Lin Biao, Longo, Makarenko, Mao Tsé-Toung, Marcos, Marchais, Marx, Marty, Milosevic, Nagy, Novotny, Péri, Reich, Rochet, Semprun, Slansky, Staline, Tchermenko, Thorez, Tito, Togliatti, Trotski, Ulbrick, Varga, Zinoviev.

COMMUNISTE. Bolchevique, bolcho, collectiviste, communiste, léniniste, marxiste, progressiste, révolutionnaire, rouge, social-démocrate, socialiste.

COMMUTABLE. Changeable, commuable, interchangeable, permutable, remplaçable, substituable, transposable.

COMMUTATEUR. Bouton, clé, combinateur, commande, conjoncteur, contact, coupleur, discontacteur, disjoncteur, interrupteur, inverseur, manostat, poussoir, réducteur, rotacteur, sélecteur, télécommande.

COMMUTATIF. Abélien, anneau, contrat, égal, loi.

COMMUTATION. Échange, interversion, inversion, mutation, permutation, remplacement, renversement, substitution.

COMORES, VILLE (n. p.). Anjouan, Joanna, Moroni, Mutsamudu.

COMPACITÉ. Callosité, consistance, corps, corpulence, densité, dureté, empâtement, épaisseur, fermeté, graisse, lourdeur, profondeur, résistance, solidité, tranche.

COMPACT. Concis, concret, consistant, dense, dru, épais, ferme, fourni, lié, lourd, mat, pesant, plein, serré.

COMPACT DISC. CD, DC.

COMPACTAGE. Bachotage, ballastage, bourrage, bourre, bourrer, capitonnage, damage, délayage, densification, embourrure, fourrage, garnissage, garniture, intoxication, matelassage, matraquage, ouatage, propagande, rembourrage, remplissage, tassage, verbiage.

COMPACTER. Cylindrer, damer, entasser, pilonner, plomber, prendre, presser, rouler, serrer, tasser.

COMPACTEUR. Brise-mottes, compresseur, croskill, dame, émotteur, engin, hérisson, plombeur, rondeau, rouleau.

COMPAGNE (n. p.). Beauvoir, Béjart, Braun, Iseult, Iseut, Petaci.

COMPAGNE. Amie, camarade, collègue, conjointe, consœur, copine, épouse, femme, maîtresse.

COMPAGNIE (n. p.). Baie d'Hudson, Cent Associés, Nouvelle-France, Jésus, Saint-Gobain, Saint-Sacrement, Saint-Sulpice.

COMPAGNIE. Accompagnateur, amie, appui, assemblée, appui, avec, biribi, Cie, collège, comité, commensal, comparse, compère, complice, conseil, crs, entourage, gavot, mie, moitié, réunion, sociable, société, troupe.

COMPAGNON. Acolyte, allié, alter ego, ami, associé, camarade, coéquipier, collègue, commensal, compère, complice, concubin, condisciple, confrère, conjoint, copain, intime, mari, mec, mouton, pote, rieur.

COMPAGNON ACHILLE (n. p.). Patrocle.

COMPAGNON BONAPARTE (n. p.). Junot, Leclerc.

COMPAGNON COLOMB (n. p.). Pinzón.

COMPAGNON COOK (n. p.). Banks.

COMPAGNON DAVID (n. p.). Éléazar.

COMPAGNON GUILLAUME TELL (n. p.). Fürst.

COMPAGNON HENRI IV (n. p.). Ambigné, Caumont, La Force.

COMPAGNON JEANNE D'ARC (n. p.). La Fayette, La Hire, Rais, Rays, Retz, Saintrailles, Xaintrailles, Yvré.

COMPAGNON JOSUÉ (n. p.). Caleb.

COMPAGNON LÉNINE (n. p.). Kamenev.

COMPAGNON MAHOMET (n. p.). Al-A, Amr, Ibn.

COMPAGNON PANTAGRUEL (n. p.). Panurge.

COMPAGNON PIZARRO (n. p.). Orellana, Soto, Valdivia.

COMPAGNON SAINT-PAUL (n. p.). Barnabé, Luc, Marc.

COMPAGNON STALINE (n. p.). Timochenko.

COMPAGNONNAGE. Accompagnement, association, devoir, fraternité, labadens, syndicat, trust.

COMPARABLE. Analogue, approchant, assimilable, comme, équivalent, ressemblant, similaire, voisin.

COMPARAISON. Analogie, aussi, calibration, comme, conformité, confrontation, degré, entre, mieux, moins, parabole, parallèle, rapport, rapprochement, relation, relativement, tel, tel quel.

COMPARAÎTRE. Citer, comparoir, comparution, contumace, déposer, présenter, témoigner, venir.

COMPARATIVEMENT. Collationnement, confrontation, corrélativement, proportionnément, relativement,

COMPARER. Analyser, apprécier, assimiler, balancer, collationner, conférer, confronter, degré, différencier, échantillonner, étalonner, évaluer, examiner, gabarier, peser, rapprocher, étalonner, vidimer.

COMPARSE. Acolyte, acteur, affilié, comédien, compère, complice, congénère, consorts, figurant.

COMPARTIMENT. Alvéole, ballast, box, bulge, caillette, caisson, case, casier, casse, cassetin, cellule, chambrette, classeur, coffre, division, horst, loge, réduit, rumen, soute, stalle, subdivision, tiroir, voûte.

COMPARTIMENTATION. Catégorisation, classification, compartimentage, hiérarchie, hiérarchisation, nomenclature, séparation, systématique, taxinomie, taxologie, terminologie, typologie.

COMPARTIMENTAGE. Catégorisation, classification, compartimentation, hiérarchie, hiérarchisation, nomenclature, séparation, systématique, taxinomie, taxologie, terminologie, typologie.

COMPARTIMENTER. Analyser, arracher, casser, cliver, cloisonner, couper, déboîter, démettre, disjoindre, disloquer, diviser, écarter, écrémer, éloigner, enlever, épurer, espacer, exfolier, exiler, fendre, isoler, scier, séparer, trancher, trier, zester.

COMPARUTION. Citation, comparoir, contumace, déposition, présentation, témoignage.

COMPAS. Balustre, boussole, carte, compasser, gyrocompas, gyropilote, maître-à-danser, rose, rouanne, tête.

COMPASSÉ. Affecté, apprêté, artificiel, composé, contraint, empesé, étudié, gourmé, guindé, mesuré, navré.

COMPASSION. Apitoiement, attendrissement, bodhisattva, charité, cœur, commisération, compatissant, déplorable, empathie, intéresser, miséricorde, plaindre, quel, pitié, sensibilité, sympathie, tendresse.

COMPATIBILITÉ. Accord, affinité, amitié, communion, complicité, concordance, harmonie, sympathie.

COMPATIBLE. Conciliable, concordant, convenable, convergent, correspondant, interconnectable, possible.

COMPATIR. Admettre, apitoyer, compassionner, complaindre, condoléancer, plaindre, sensible.

COMPATISSANT. Accueillant, accommodant, altruiste, apaisant, charitable, conciliant, humain, sensible.

COMPATISSER. Accueillir, accommoder, accorder, allier, concilier, déplorer, intéresser, plaindre, réunir.

COMPATRIOTE. Concitoyen, patriote, pays.

COMPENDIEUSEMENT. Abondamment, bref, brièvement, court, densément, elliptiquement, laconiquement, minutieusement, rapidement, résumé, schématiquement, sommairement, succinctement.

COMPENDIEUX. Bref, concis, condensé, court, dense, diffus, laconique, précis, ramassé, serré, sommaire, succinct.

COMPENDIUM. Abrégé, aide-mémoire, épitomé, guide, mémento, résumé, synopsis, vade-mecum.

COMPENSATEUR. Censeur, correcteur, correctif, corrigeur, critique, examinateur, interrogateur, monocle, observateur, questionneur, redresseur, réviseur, testeur, vérificateur, vérifieur, verre.

COMPENSATION. Amende, bonification, caution, consolation, contrepartie, contrepoids, correction, dédommagement, dommage, échange, indemnité, pondération, prestation, récompense, remboursement, réparation, revanche.

COMPENSER. Balancer, consoler, contrebalancer, corriger, couvrir, dédommager, égaler, égaliser, équilibrer, expier, indemniser, neutraliser, niveler, ouiller, pondérer, racheter, rattraper, réparer, venger.

COMPÉRAGE. Accord, acoquinement, collusion, complicité, connivence, entente, intelligence.

COMPÈRE. Acolyte, camarade, compagnon, comparse, complice, copain, loriot, luron, orgelet, parrain.

COMPÈRE-LORIOT. Ardilleux, bouton, chalazion, furoncle, grive dorée, merle d'or, orgelet, paupière.

COMPÉTENCE. Aptitude, attributions, autorité, capacité, connaissances, contenance, culture, domination, mérite, polyvalence, pouvoir, prépondérance, qualification, ressort, savoir-faire, science, supériorité.

COMPÉTENT. As, averti, calé, capable, connaisseur, doué, émérite, expérimenté, expert, habile, instruit, priseur, qualifié, sapiteur.

COMPÉTITEUR. Adversaire, candidat, challenger, concurrent, émule, ennemi, joueur, participant, prétendant, rival.

COMPÉTITIF. Affriolant, aguichant, aimable, alléchant, appât, attachant, attirable, attirant, attracteur, attractif, attrait, attrayant, captivant, charmant, concurrentiel, engageant, fascinateur, magnétique, performant, piquant, ravissant, séduisant, sexy, tentant.

COMPÉTITION. Affrontement, bagarre, bravade, challenge, championnat, combat, concours, concurrence, conflit, coupe, course, critérium, débat, duel, émulation, épreuve, guerre, joute, lutte, match, match-play, omnium, open, rallye, rencontre, rivalité, test, tournoi.

COMPÉTITIONNER. Cannibaliser, concourir, concurrencer, défier, disputer, égaler, lutter, menacer, rivaliser.

COMPIL. Album, anthologie, assortiment, best of, choix, collection, compil, florilège, recueil, sélection, talmud.

COMPILATEUR. Assembleur, contrefacteur, copieur, copiste, interpréteur, notateur, plagiaire, traducteur.

COMPILATION. Album, anthologie, bêtisier, best of, choix, collection, compilation, florilège, recueil, sélection, talmud.

COMPILER. Assembler, calquer, caricaturer, collecter, contrefaire, copier, emprunter, entasser, imiter, jouer, mime, mimer, modeler, onomatopée, parodier, pasticher, picorer, pirater, plagier, répéter, reproduire, réunir, simuler, singer, travestir, veiner.

COMPISSER. Arroser, évacuer, miction, pipi, pisser, pissoter, pissouiller, plaisant, pollakiurie, urine, uriner.

COMPLAINTE. Blues, chanson, chant, doléances, gémissement, goualante, lamentation, refrain, rengaine, thrène.

COMPLAIRE. Accorder, choyer, condescendre, contenter, convenir, croupir, gâter, mirer, plaire, satisfaire, sourire.

COMPLAISAMMENT. Adorablement, affablement, agréablement, aimablement, amicalement, bien, chaleureusement, chouettement, cordialement, délicatement, gentiment, poliment, sympathiquement.

COMPLAISANCE. Amabilité, indulgence, fatuité, obligeance, politesse, prétention, prévenance, serviabilité.

COMPLAISANT. Accommodant, aimable, amical, arrangeant, attentionné, bienveillant, bon, charitable, conciliant, coulant, facile, gentil, indulgent, mignon, obligeant, prévenant, serviable, sociable, souple.

COMPLANTER. Argenter, barder, beurrer, cacher, cocher, coiffer, combler, consteller, couvercle, couvrir, dissimuler, empierrer, enchausser, enduire, enfaîter, engluer, enrubanner, enterrer, envelopper, garantir, habiller, housser, immuniser, inonder, iodurer, métalliser, moisir, napper, ombrager, paner, parsemer, peindre, placarder, planter, plâtrer, prémunir, préserver, recouvrir, revêtir, rocher, salpêtrer, semer, terrer, vêtir, voiler.

COMPLÉMENT. Addenda, additif, ajout, alexine, appendice, appoint, datif, objet, quoi, rection, supplément.

COMPLÉMENTAIRE. Accessoire, additionnel, adventice, ajouté, angle, annexe, auxiliaire, complexité, excédent, intercalaire, pendant, recyclage, supplémentaire, supplétif, surplus, surtitre.

COMPLET. Absolu, accompli, adéquat, circonstancié, consommé, costard, costume, entier, exhaustif, fin, fini, intégral, mûr, parfait, plein, plénier, ras, rempli, révolu, terminé, total, tout, unanime, universel, vendu.

COMPLÈTEMENT. Absolument, entièrement, exhaustivement, foncièrement, intégralement, totalement, tout à fait.

COMPLÉTER. Achever, adjoindre, ajouter, améliorer, arrondir, assortir, combler, conclure, couronner, embellir, enrichir, finir, garnir, parachever, parfaire, perfectionner, rajouter, rapporter, réaliser, remplir, renseigner, suppléer, terminer.

COMPLÉTUDE. Aboutissement, accomplissement, achèvement, apothéose, but, chapeau, chute, clôture, complémentarité, conclusion, consommation, couronnement, dénouement, fin, finition, parachèvement, perfectionnement, terme.

COMPLEXE. Abscons, alambiqué, bigarré, compliqué, composé, composite, confus, contourné, délicat, difficile, emberlificoté, embrouillé, entortillé, hétérogène, intrigue, obscur, oedipe, timide, varié.

COMPLEXÉ. Audacieux, craintif, farouche, gauche, gêné, hésitant, honteux, humble, humilité, incertain, indécis, inhibé, maladroit, peureux, pudibond, réservé, timide, timoré, transi, vague, vaporeux.

COMPLEXER. Apeurer, bloquer, bluffer, comminatoire, effaroucher, gêner, glacer, influencer, inhiber, intimidateur, intimider, paralyser, troubler.

COMPLEXIFICATION. Accentuation, accroissement, affermissement, aggravation, ah, certainement, consolidation, croissance, da, durcissement, intensification, même, recrudescence, renforcement, resserrement, risée.

COMPLEXIFIER. Brouiller, caler, compliquer, confus, difficile, embrouiller, entortiller, mêler, simplifier, tarabiscoter.

COMPLEXION. Accroc, anicroche, apparence, condition, conformation, constitution, diathèse, difficulté, empêchement, état, forme, habitude, labyrinthe, nature, naturel, pâte, résistance, santé, tempérament, vitalité.

COMPLEXITÉ. Aporie, complication, confusion, délicatesse, difficulté, imbroglio, insolubilité, intrication, obscurité, subtilité.

COMPLICATION. Brouillamini, chinoiserie, complexité, confusion, difficulté, labyrinthe, nœud, pépin.

COMPLICE. Acolyte, affidé, auxiliaire, comparse, compère, connivence, mèche, suspect, supporteur, suppôt, tremper.

COMPLICITÉ. Accord, aide, avec, collusion, connivence, entente, entre, intelligence, recel, union.

COMPLIMENT. Acclamation, civilité, congratulation, discours, éloge, fadeur, félicitation, louange, politesse.

COMPLIMENTER. Adresser, applaudir, approuver, congratuler, féliciter, flatter, louanger, louer.

COMPLIMENTEUR. Acclamateur, adulateur, complaisant, courtisan, flagorneur, flatteur, louangeur, obséquieux.

COMPLIQUÉ. Aisé, alambiqué, apprêté, ardu, biscornu, calé, chinois, complexe, composé, confus, contourné, détaillé, difficile, embarrassé, embrouillé, emmêlé, entortillé, implexe, inextricable, rococo, tarabiscoté, tordu.

COMPLIQUER. Brouiller, caler, confus, difficile, embrouiller, entortiller, mêler, simplifier, tarabiscoter.

COMPLOT. Association, attentat, brigue, cabale, coalition, concert, conspiration, intrigue, ligue, machination.

COMPLOTER. Briguer, cabaler, coaliser, combiner, concerter, concourir, conjurer, conspirer, fomenter, intriguer, liguer, machiner, manigancer, mijoter, organiser, ourdir, préparer, projeter, terminer, tramer.

COMPLOTEUR. Agitateur, conjurateur, conjuré, conspirateur, émeutier, factieux, fomenteur, instigateur, insurgé, intrigant, meneur, mutin, pactiseur, partisan, rebelle, révolté, séditieux, subversif, trublion.

COMPONCTION. Attrition, contrition, gravité, honte, pénitence, regret, remords, repentir, solennité.

COMPORTEMENT. Action, agissements, allure, apathie, ataraxie, béat, brusquerie, charlatanerie, charlatanisme, comporter, conduite, détendu, directivisme, dinguerie, fair-play, flegme, indifférence, indolence, infantilisme, ludisme, mœurs, original, pacifique, paranoïa, placide, procédé, raptus, réaction, sagesse.

COMPORTEMENTALISME. Agissements, allure, apathie, ataraxie, béat, behaviorisme, charlatanerie, charlatanisme, comportement, comporter, conduite, détendu, directivisme, dinguerie, fair-play, flegme, indifférence, indolence, infantilisme, ludisme, mœurs, original, pacifique, paranoïa, placide, procédé, raptus, réaction, sagesse.

COMPORTER. Agir, avoir, composer, comprendre, compter, conduire, constituer, contenir, constituer, inclure, produire, rédiger.

COMPOSACÉE (5 lettres). Aster, aunée, cirse, inule, jacée, radié, souci.

COMPOSACÉE (6 lettres). Arnica, aulnée, bleuet, cardon, dahlia, endive, laitue, picris, safran, soleil, tagète, zinnia.

COMPOSACÉE (7 lettres). Agérate, armoise, bardane, barbeau, chardon, maroute, œillet, romaine, scarole, séneçon, witloof.

COMPOSACÉE (8 lettres). Absinthe, achillée, ageratum, anthémis, centaure, chicorée, escarole, laiteron, pyrèthre, salsifis, sarrette, solidage, tanaisie.

COMPOSACÉE (9 lettres). Artichaut, astéracée, camomille, centaurée, cinéraire, composée, edelweiss, épervière, eupatoire, gaillarde, hélianthe, lampourde, marouette, pulicaire, rudbeckia, rudbeckie, santoline, serratule, tournesol, tussilage.

COMPOSACÉE (10 lettres). Citrouille, gaillardie, marguerite, matricaire, pâquerette, xéranthème.

COMPOSACÉE (11 lettres). Citronnelle, mignonnette, synanthérée.

COMPOSACÉE (12 lettres). Chrysanthème, millefeuille.

COMPOSANT. Composante, constituant, corps, diode, élément, globalisme, ingrédient, partie, testeur.

COMPOSANTE. Base, constituant, coordonnée, corps, diode, élément, étoupe, fragment, ingrédient, martensite, membre, module, morceau, organe, partie, pièce, portance, principe, terme, unité.

COMPOSE. Composeuse, composition, linotype, linotypie, linotypiste, machine, monotype, typo.

COMPOSÉ. Amide, astéracée, chélate, combinaison, compliqué, composant, étudié, grégeois, indole, isomère, mélange, mercaptan, mixte, molécule, nitré, résine, terpinol, thiol, tutti frutti.

COMPOSÉ BASIQUE. Alanine, amine, aminogène, aniline, arylamine, cystine, cystéine, diamine, histamine, histidine, monoamine, tyrosine, valine, xylidine.

COMPOSÉ CHIMIQUE. Acétylénique, cétone, électrolyte, énol, imine, oxime, polysulfure.

COMPOSER. Agencer, apprêter, arranger, associer, céder, compiler, constituer, créer, écrire, élucubrer, faire, former, imaginer, imprimer, improviser, inventer, lever, mélanger, produire, rédiger, transiger, travestir, versifier.

COMPOSEUSE. Composition, linotype, linotypie, linotypiste, machine, monotype, typo.

COMPOSITE. Campane, cermet, complexe, disparate, divers, hétéroclite, hétérogène, mélangé, mêlé.

COMPOSITEUR. Auteur, écrivain, infographe, maestro, mélodiste, musicien, psalmiste, symphoniste, typographe.

COMPOSITEUR ALLEMAND (n. p.). Aichinger, Agricola, Bach, Beethoven, Brahms, Bulow, Buxtehude, Cousser, Cramer, Flotow, Froberger, Fux, Gluck, Haendel, Hasse, Hassier, Hassler, Henze, Hindemith, Hoffmann, Hummel, Humperdinck, Henze, Keiser, Kerll, Klempere, Kusser, Martini, Mendelssohn, Meyerbeer, Offenbach, Orff, Pachelbel, Pfitzner, Praetorius, Quantz, Reger, Rosenmüller, Scheidt, Schein, Shein, Schnebel, Scherchen, Schumann, Schütz, Stamitz, Stockhausen, Strauss, Telemann, Wagner, Weber, Weill, Zimmermann.

COMPOSITEUR AMÉRICAIN (n. p.). Barber, Basie, Bechet, Berlin, Bernstein, Brown, Cage, Carter, Casadesus, Charles, Coleman, Copland, Dylan, Ellington, Evans, Gershwin, Getz, Glass, Goodman, Gould, Hampton, Herrmann, Hindemith, Horst, Ives, Joplin, Krenek, Maazel, Menotti, Mingus, Mitropoulos, Monk, Nikolais, Oliver, Parker, Porter, Reich, Riley, Shepp, Stokowski, Stravinski, Taylor, Varese, Wallerm, Weill, Zappa.

COMPOSITEUR ANGLAIS (n. p.). Arne, Beatles, Blow, Boyce, Britten, Bull, Byrd, Clapton, Dowland, Dunstable, Elgar, Ferneyhough, Gibbons, Morley, Purcell, Tippett, Vaughan.

COMPOSITEUR ARGENTIN (n. p.). Gardel, Ginastera, Kagel, Piazzolla.

COMPOSITEUR AUTRICHIEN (n. p.). Albrechtsberger, Berg, Biber, Böhm, Bruckner, Cerha, Czerny, Fux, Harnoncourt, Haydn, Hummel, Lehar, Ligeti, Mahler, Mozart, Muffat, Pleyel, Schönberg, Schubert, Strauss, Webern, Weill, Wolf, Zemlinski.

COMPOSITEUR BELGE (n. p.). Absil, Bartholomée, Brel, Degeyter, Gevaert, Gombert, Jongen, Lassus, Lekeu, Monte, Pousseur, Willaert, Ysaye.

COMPOSITEUR BRÉSILIEN (n. p.). Jobim, Villa-Lobos.

COMPOSITEUR BRITANNIQUE (n. p.). Bowie, Britten, Clapton, Elgar, John, Purcell, Tippett, Townsend.

COMPOSITEUR CANADIEN (n. p.). Charlebois, Desève, Leclerc, Lelièvre, Léveillé, Mathieu, Pelletier, Perrault, Vigneault.

COMPOSITEUR CORÉEN (n. p.). Yun.

COMPOSITEUR DANOIS (n. p.). Buxtehude, Nielsen.

COMPOSITEUR ÉGYPTIEN (n. p.). Abdel Wahab.

COMPOSITEUR ESPAGNOL (n. p.). Albéniz, Cabezon, Casals, Encina, Espinel, Falla, Granados, Halffter, Iriarte, Morales, Pablo, Pedrell, Sarasate, Turina, Victoria, Yepes.

COMPOSITEUR FINLANDAIS (n. p.). Sibelius

COMPOSITEUR FLAMAND (n. p.). Binchois, Isaak, Monte, Ockeghem, Willaert.

COMPOSITEUR FRANÇAIS (n. p.). Adam, Alain, Alkan, Amy, Andrieu, Anglebert, Auber, Auric, Aznavour, Bach, Bacilly, Baillot, Balbastre, Barraqué, Barraud, Berlioz, Bernier, Bizet, Blavet, Boëly, Boieldieu, Boismortier, Bordes, Boucourechliev, Boulez, Brassens, Brossard, Bruneau, Cambert, Campra, Caplet, Chabrier, Chambonnières, Charpentier, Chausson, Christiné, Clément, Clérambault, Colasse, Constant, Costeley, Couperin, Dalayrac, Dao, David, Debussy, Delalande, Delerue, Delibes, Delvincourt, Désaugiers, Desmarets, Dufay, Dukas, Duparc, Dupré, Durand, Duruflé, Dutilleux, Eloy, Emmanuel, Fauré, Ferrari, Ferrat, Ferré, Franck, Gainsbourg, Gaubert, Gilles, Gossec, Gaudimel, Gounod, Grétry, Grigny, Guignon, Hahn, Halévy, Henry, Hérold, Hervé, Ibert, Indy, Janequin, Jarre, Jaubert, Jolas, Jolivet, Koechlin, Kosma, Kreutzer, Lalo, Lambert, Landowski, Langlais, Lebègue, Leclair, Lecocq, Legrand, Leibowitz, Lesueur, Lulli, Lully, Magnard, Malec, Marais, Marchand, Massé, Massenet, Méhul, Messager, Messiaen, Milhaud, Monsigny, Montéclair, Monteux, Mouret, Murail, Nat, Niedermeyer, Offenbach, Ohana, Pérotin, Philidor, Pierné, Planquette, Portal, Poulenc, Rabaud, Rameau, Ravel, Rebel, Reicha, Reinhardt, Renaud, Rivier, Ropartz, Saint-Saëns, Satie, Sauguet, Schaeffer, Schmitt, Scotto, Taillefer. Titelouze, Tournemire, Trenet, Vierne, Widor, Xenakis.

COMPOSITEUR GREC (n. p.). Aperghis, Kalomiris, Theodorakis, Xenakis.

COMPOSITEUR HONGROIS (n. p.). Bartok, Kodaly, Kurtag, Lajtha, Lehar, Ligeti, Liszt.

COMPOSITEUR INDIEN (n. p.). Shankar.

COMPOSITEUR IRLANDAIS (n. p.). Field.

COMPOSITEUR ITALIEN (n. p.). Albinoni, Allegri, Amati, Animuccia, Arrigo, Bellini, Berio, Boccherini, Boito, Bononcini, Busoni, Bussotti, Caccini, Caldara, Carissimi, Casella, Cavalieri, Cavalli, Cesti, Cherubini, Cimarosa, Clementi, Corelli, Dallapiccola, Donatoni, Donizetti, Duni, Durante, Frescobaldi, Gabrieli, Galuppi, Gasparini, Geminiani, Guignon, Ingegneri, Jommelli, Legrenzi, Leoncavallo, Locatelli, Lulli, Maderna, Malipiero, Marcello, Marenzio, Markevitch, Martini, Mascagni, Menotti, Mercadante, Monteverdi, Nono, Paer, Paesiello, Paganini, Palestrina, Pasquini, Pergolèse, Pincinni, Puccinni, Porpora, Puccini, Respighi, Rossi, Rossini, Rota, Sacchini, Salieri, Savinio, Scarlatti, Scelsi, Spontini, Stradella, Tartini, Torelli, Toscanini, Verdi, Viotti, Vitali, Vivaldi, Zarlino.

COMPOSITEUR JAPONAIS (n. p.). Takemitsu.

COMPOSITEUR MEXICAIN (n. p.). Mingus.

COMPOSITEUR NÉERLANDAIS (n. p.). Leonhardt, Sweelinck, Van Anrooy.

COMPOSITEUR NORVÉGIEN (n. p.). Grieg.

COMPOSITEUR POLONAIS (n. p.). Chopin, Lutoslawski, Moniuszko, Paderewski, Penderecki, Szymanowski.

COMPOSITEUR QUÉBÉCOIS (n. p.). Charlebois, Desève, Gagnon, Jones, Leclerc, Lelièvre, Lefebvre, Léveillé, Mathieu, Pelletier, Perrault, Peterson, Vigneault.

COMPOSITEUR ROUMAIN (n. p.). Enesco, Enescu, Lipatti, Mihalovici.

COMPOSITEUR RUSSE (n. p.). Balakirev, Borodine, Chostakovich, Cui, Denisov, Glazounov, Glière, Glinka, Gretchaninov, Khatchatourian, Moussorgski, Prokofiev, Rachmaninov, Rimski-Korsakov, Rubinstein, Schnittke, Scriabine, Skriabine, Stravinski, Tchaïkovski.

COMPOSITEUR SUÉDOIS (n. p.). Rangström, Rosenberg.

COMPOSITEUR SUISSE (n. p.). Honegger, Huber, Kubelik, Martin, Niedermeyer, Oboussier.

COMPOSITEUR TCHÈQUE (n. p.). Dussek, Dvorak, Janacek, Martinu, Moscheles, Reicha, Smetana, Stamitz.

COMPOSITEUR VÉNÉZUÉLIEN (n. p.). Hahn.

COMPOSITEUR VÉNITIEN (n. p.). Lotti.

COMPOSITEUR VIETNAMIEN (n. p.). Dao.

COMPOSITEUR WALLON (n. p.). Du Mont.

COMPOSITION. Ballet, canon, cantate, cantique, chant, cire, concerto, construction, duo, encre de Chine, fard, fugue, galée, image, lied, madrigal, motet, motif, octuor, opéra, oratorio, pan, pièce, plan, portail, potée, quatuor, ré, rapsodie, rhapsodie, sextuor, sonate, stras, strass, stratus, texte, vitrail.

COMPOST. Amendement, apport, boue, chanci, chaux, craie, cyanamide, débris, engrais, falun, fertilisant, fumier, gadoue, gadouille, guano, humus, mélange, nourrain, poudrette, purin, soutrage, terreau, urée.

COMPOSTAGE. Abonnissement, amélioration, amendement, assolement, bonification, chaulage, déchaumage, écobuage, engraissage, engraissement, enrichissement, ensemencement, épandage, fertilisation, fumage, fumaison, fumigation, fumure, irrigation, jachère, limonage, marnage, phosphatage, plâtrage, soufrage, sulfatage, terreautage.

COMPOSTER. Améliorer, amender, engraisser, étamper, marquer, percer, perforer, tamponner, tuer, valider.

COMPOSTEUR. Horloge, horodateur, horodatrice, marqueur, perforateur, poinçonneur, pointeuse, règle.

COMPOTE. Beurre, bouillie, bourtouillade, capilotade, charpie, chausson, confiote, confiture, épice, gelée, marmelade, meurtri, miettes, morceaux, poire, pomme, poussière, prune, purée, ragoût, rob.

COMPRÉHENSIBILITÉ. Accessibilité, clarté, compréhension, évidence, facilité, intelligibilité, intercompréhension, limpidité, lisibilité, luminosité, netteté, normalité, pénétrabilité, transparence.

COMPRÉHENSIBLE. Abscons, abstrait, abstrus, accessible, adéquat, clair, cohérent, concevable, défendable, déchiffrable, explicable, facile, intelligible, naturel, normal, pardonnable, pénétrable, saisissable, simple.

COMPRÉHENSIF. Bienveillant, bon, clément, compatissant, facile, généreux, humain, indulgent, large, libéral, tolérant.

COMPRÉHENSION. Conception, connaissance, déclic, discernement, entendement, entente, esprit, faculté, inaccessible, intellect, intelligence, irénisme, jugement, perspicacité, raison, tilt, tolérance.

COMPRENDRE. Agile, comporter, compter, concevoir, consister, contenir, décoder, démêler, embrasser, enfermer, entendre, inclure, lire, pénétrer, percer, piger, réaliser, renfermer, saisir, sous-entendu, suivre, tilt, vite.

COMPRENETTE. Compréhension, comprenoire, intelligence.

COMPRESSE. Antiphlogistique, cataplasme, diachylon, diachylum, emplâtre, hémostatique, magdaléon, pansement, résolutif, résolutoire, révulsif, sinapisme, sparadrap, topique, vésicatoire.

COMPRESSER. Compacter, condenser, défalquer, damer, diminuer, écourter, entasser, pilonner, prendre, presser.

COMPRESSIBILITÉ (n. p.). Boyle, Mariotte, Regnault.

COMPRESSIBILITÉ. Coercibilité, condensabilité, élasticité, piézomètre, réductibilité, souplesse.

COMPRESSIBLE. Coercible, comprimable, condensable, diminution, élastique, possible, réductible.

COMPRESSION. Agglomérat, allégement, amenuisement, amoindrissement, compactage, concentration, condensation, décompression, digitopuncture, entassement, froid, précontraint, réduction, restriction.

COMPRIMABLE. Coercible, compressible, condensable, élastique, possible, réductible.

COMPRIMÉ. Air, cachet, coercible, dragée, glossette, linguette, pastille, pellet, pilule, pressé, sucrette.

COMPRIMER. Appuyer, compresser, condenser, diminuer, écourter, écraser, entasser, épais, esquicher, étrangler, laminer, masser, presser, pressurer, pétrir, rabaisser, raccourcir, réduire, refouler, resserrer, restreindre, serrer, tasser.

COMPRIS. Admis, assimilé, englobé, enregistré, entendu, inclus, intelligible, interprété, pigé, reçu, saisi, su, vu.

COMPROMETTANT. Accablant, accusateur, calomniateur, délateur, demandeur, dénonciateur, encombrant, espion, mouchard, nécessitant, plaignant, réclamant, révélateur, revendicateur, sycophante.

COMPROMETTRE. Assombrir, aventurer, commettre, éclabousser, déconsidérer, desservir, discréditer, ébranler, éclabousser, engager, galvauder, hasarder, impliquer, jouer, mouiller, nuire, obérer, porter, préjudice, risquer, salir.

COMPROMIS. Accommodement, accord, arbitrage, arrangement, chancelant, conciliation, contrat, convention, cote, entente, forfait, intermédiaire, loi, marché, marqué, obéré, pacte, règle, traité, transaction, union.

COMPROMISSION. Accommodement, approbativité, bassesse, cajolerie, complaisance, flatterie, obséquiosité, servilité.

COMPTABILISATION. Archivage, enregistrement, immatriculation, inscription, matricule, mention

COMPTABILISER. Archiver, cataloguer, classer, compter, enregistrer, indexer, inscrire, mentionner, ranger, répertorier.

COMPTABILITÉ. Audit, chiffrier, comptable, compte, dû, écriture, garant, quipou, quipu, reçu, teneur, tenue, trésorier.

COMPTABLE. Agent, audit, C, CGA, CI, CMA, commercial, commis, commissaire, crédit, débit, dû, économe, facturier, garant, gestionnaire, impôt, ordonnateur, payeur, redû, responsable, solidaire, ventilation.

COMPTAGE. Catalogue, chiffrage, décompte, déduction, dénombrement, défalcation, relevé, retranchement, soustraction.

COMPTANT. Argent, biffeton, billet, blé, cash, coupure, espèces, fafiot, fric, liquide, roque, sonnant.

COMPTE. Actif, analyse, avare, avoir, barème, bilan, calcul, crédit, débit, dénombrement, état, eude, facture, lésé, note, passif, quantité, rapport, rat, solde, talon, taux, taxe, total, verbatim, zéro.

COMPTE-FILS. Bésicles, lentille, loupe, microcosme, oculaire, quart-de-pouce.

COMPTE-GOUTTES. Chichement, parcimonieusement, pipette, stilligoutte, tube.

COMPTER. Attendre, calculer, boulier, boulier, chiffrer, déduire, dénombrer, dépouiller, escompter, espérer, estimer, évaluer, exister, fier, figurer, inventorier, miser, nombrable, nombrer, recenser, reposer, spéculer, supposer, tabler.

COMPTE RENDU. Analyse, attachement, bilan, critique, diagnostic, exposé, procès-verbal, rapport, récit, verbatim.

COMPTEUR. Boulier, chiffreur, codeur, cryptographe, encodeur, enregistreur, horodateur, indicateur, magnétophone, mouchard, péritéléphonie, pointeur, tachymètre, taximètre, volucompteur.

COMPTINE. Anecdote, bavardage, bluette, chanson, chronique, conte, écrit, épopée, exposé, fable, histoire, historiette, légende, mémoire, mythe, narration, nouvelle, parabole, racontar, rapport, récit, relation, roman, saga, tableau, version.

COMPTOIR (n. p.). Canton, Chandernagor, Cochin, Daman, Damgo, Diu, Inde, Karikal, Oc-Èo, Saint-Blaise.

COMPTOIR. Bar, bergerie, buvette, caisse, emporia, emporium, établissement, guichet, loge, magasin, table, zinc.

COMPULSÉ. Chausson, consulté, dariole, dartois, examiné, feuilleté, lu, pâtisserie, strudel, survolé.

COMPULSER. Bouquiner, consulter, dépouiller, examiner, feuilleter, jeter, lire, parcourir, survoler.

COMPULSIF. Compulsionnel, gageur, impulsionnel, joueur, maniaque, miseur, obsessionnel, parieur.

COMPULSION. Affection, aptitude, attirance, conation, disposition, faiblesse, goût, habitude, impulsion, inclinaison, instinct, penchant, pente, prédilection, prédisposition, préférence, propension, tendance, vocation.

COMTÉ. Arrondissement, baronnie, canton, châtellenie, circonscription, cité, délimiter, dème, division, district, domaine, doyenné, éparchie, finage, igamie, localiser, pagus, préfecture, restreindre, secteur, zone.

COMTÉ DU QUÉBEC, CHAMBRE DES COMMUNES (n. p.). Abitibi, Ahuntsic, Anjou-Rivière-des-Prairies, Argenteuil-Papineau, Beauce, Beauharnois-Salaberry, Beauport-Montmorency-Orléans, Bellechasse, Blainville-Deux-Montagnes, Bonaventure-Îles-de-la-Madeleine, Bourassa, Brome-Missisquoi, Chambly, Champlain, Charlesbourg, Charlevoix, Châteauguay, Chicoutimi, Drummond, Frontenac, Gaspé, Gatineau-Le-Lièvre, Hochelaga-Maisonneuve, Hull-Aylmer, Lachine-Lac-Saint-Louis, Lac-Saint-Jean, Laprairie, LaSalle-Émard, Laurentides, Laurier-Sainte-Marie, Laval-Centre, Laval-Est, Laval-Ouest, Lévis, Longueuil, Lotbinière, Louis-Hébert, Manicouagan, Matapédia-Matane, Mégantic-Compton-Stanstead,

Mercier, Mont-Royal, Notre-Dame-de-Grâce, Outremont, Papineau-Saint-Michel, Pierrefonds-Dollard, Pontiac-Gatineau-Labelle, Portneuf, Québec, Québec-Est, Richelieu, Richmond-Wolfe, Rimouski-Témiscouata, Roberval, Rosemont, Saint-Denis, Saint-Henri-Westmount, Saint-Hubert, Saint-Hyacinthe-Bagot, Saint-Jean, Saint-Laurent-Cartierville, Saint-Léonard, Saint-Maurice, Shefford, Sherbrooke, Témiscamingue, Terrebonne, Trois-Rivières, Vaudreuil, Verchères, Verdun-Saint-Paul.

COMTÉ, ANGLETERRE (n. p.). Avon, Bedfordshire, Berkshire, Buckinghamshire, Cambridgeshire, Chester, Cleveland, Cornouailles, Cumbria, Derbyshire, Devon, Durham, Essex, Hampshire, Hertfordshire, Humberside, Kent, Lancashire, Leicestershire, Lincolnshire, Merseyside, Midlands, Norfolk, Northumberland, Shropshire, Somerset, Suffolk, Surrey, Sussex, Warwickshire, Wight, Wiltshire, Worcester, Yorkshire.

COMTÉ, ASSEMBLÉE NATIONALE, QUÉBEC (n. p.). Abitibi-Est, Abitibi-Ouest, Anjou, Argenteuil, Arthabaska, Beauce-Nord, Beauce-Sud, Beauharnois-Huntingdon, Bellechasse, Berthier, Bertrand, Blainville, Bonaventure, Borduas, Bourassa, Bourget, Brome-Missisquoi, Chambly, Champlain, Chapleau, Charlesbourg, Charlevoix, Châteauguay, Chauveau, Chicoutimi, Chomedey, Chutes-de-la-Chaudière, Crémazie, D'Arcy-McGee, Deux-Montagnes, Drummond, Dubuc, Duplessis, Fabre, Frontenac, Gaspé, Gatineau, Gouin, Groulx, Hochelaga-Maisonneuve, Hull, Iberville, Îles-de-la-Madeleine, Jacques-Cartier, Jeanne-Mance, Jean-Talon, Johnson, Joliette, Jonquière, Kamouraska-Témiscouata, Labelle, L'Acadie, Lac-Saint-Jean, Lafontaine, La Peltrie, La Pinière, Laporte, Laprairie, L'Assomption, Laurier-Dorion, Laval-des-Rapides, Laviolette, Lévis, Limoilou, Lotbinière, Louis-Hébert, Marguerite-Bourgeoys, Marguerite-d'Youville, Marie-Victorin, Marquette, Maskinongé, Masson, Matane, Matapédia, Mégantic-Compton, Mercier, Mille-Îles, Montmagny-L'Islet, Montmorency, Mont-Royal, Nelligan, Nicolet-Yamaska, Notre-Dame-de-Grâce, Orford, Outremont, Papineau, Pointe-aux-Trembles, Pontiac, Portneuf, Prévost, Richelieu, Richmond, Rimouski, Rivière-du-Loup, Robert-Baldwin, Roberval, Rosemont, Rousseau, Rouyn-Noranda-Témiscamingue, Saguenay, Saint-François, Saint-Henri-Sainte-Anne, Saint-Hyacinthe, Saint-Jean, Saint-Laurent, Sainte-Marie-Saint-Jacques, Saint-Maurice, Salaberry-Soulanges, Sauvé, Shefford, Sherbrooke, Taillon, Taschereau, Terrebonne, Trois-Rivières, Ungava, Vachon, Vanier, Vaudreuil, Verchères, Verdun, Viau, Viger, Vimont, Westmount-Saint-Louis.

COMTÉ, ÉCOSSE (n. p.). Dumbarton, Nairn, Peebles, Stirling.

COMTÉ, FRANCE (n. p.). Angoulême, Anjou, Armagnac, Artois, Auvergne, Bar, Berry, Bretagne, Hainaut, Maine, Provence, Périgord.

COMTÉ, IRLANDE (n. p.). Antrim, Clare, Lancashire, Neath.

COMTESSE. Baronne, châtelaine, duchesse, homosexuel, marquise, noble.

COMTESSE (n. p.). Agoult, Aulnoy. Barry, Báthory, Blessington, Castiglione, Caylus, Eugénie, Genlis, Gyp, Hanska, Houdetot, Jacoba, Jacqueline, Manciwi, Niailles, Rémusat, Ségur, Senso, Walewska.

COMTOISE. Horloge, horloge de parquet, morbier.

CON. Abruti, bête, borné, conard, conneau, crétin, débile, enflé, étourdi, idiot, imbécile, inepte, niais, sot, stupide.

CONARD. Andouille, ballot, balourd, cloche, con, conasse, crétin, cruche, fieffé, imbécile.

CONCASSAGE. Bocardage, broiement, broyage, écangage écrabouillage, écrasement, pilage, pilonnage.

CONCASSER. Briser, broyer, casser, concasseur, écraser, égrener, égruger, moudre, piler, réduire.

CONCASSEUR. Broyeur, concasser, déchiqueteur, moulin, triturateur.

CONCAVE. Cambrer, cavet, convexe, creuser, creux, gorge, incurvé, palanche, renforcement, talon.

CONCAVITÉ. Antre, aven, cambrure, caverne, cavité, cloup, conque, coquille, coupure, courbe, courbure, creux, cul-de-four, ensellé, excavation, fente, fontis, fossé, fouille, grotte, mine, puits, trou.

CONCÉDER. Abandonner, accorder, adjuger, admettre, allouer, amodier, attribuer, avouer, céder, octroyer, permettre.

CONCENTRATION. Abréviation, absorption, amas, assemblage, cartel, cétonémie, contemplation, cuite, densité, effort, kaliémie, natrémie, natrum, urbanisation, uricémie.

CONCENTRÉ. Absorbé, attentif, condensé, essence, épais, extrait, quintessence, réduit, réfléchi, sirop.

CONCENTRER. Abréger, aérer, assembler, conciser, focaliser, focusser, polariser, rallier, ramasser, regrouper, réunir.

CONCENTRIQUE. Arrondissement, centre, centripète, cercle, cerne, disque, sphère, tholos, zoné.

CONCEPT. Abstraction, air, aperçu, catégorie, chimère, dada, dyade, ébauche, idée, intellect, notion, noumène.

CONCEPTEUR. Affichiste, ancêtre, architecte, connaisseur, créateur, dieu, idéateur, ingénieur, initiateur, père, théoricien.

CONCEPTION. Accouchement, art, centrisme, création, désir, embryon, enfantement, entendement, fœtus, idée, manichéisme, notion, opinion, prévision, savoir, sein, sens, solipsisme, théorie, utopie, vue.

CONCEPTUALISATION. Abstraction, annihilation, dématérialisation, désincarnation, essentialisation, idéalisation, sublimation.

CONCEPTUEL. Abstractif, abstrait, cérébral, idéel, immatériel, intellectuel, notionnel, spéculatif, théorique.

CONCERNANT. À propos de, rapport, relatif, relativement, rubrique, sujet, touchant, vis-à-vis.

CONCERNÉ. Aviaire, cause, correspondant, fagnard, intéressé, mensural, multimédia, thymique, visé.

CONCERNER. Appliquer, azonal, correspondre, dépendre, engager, impliquer, intéresser, porter, propre, rapport, rapporter, réel, référer, regarder, relever, ressortir, toucher, viser, votre.

CONCERT. Accord, aubade, audition, chant, duettiste, duo, ensemble, harmonie, mélodie, récital, sérénade, union.

CONCERTATION. Bavardage, causerie, causette, chuchoterie, colloque, conciliabule, conversation, dialogue, discussion, échange, entretien, interview, jasette, médisance, palabres, potin, pourparlers, tête-à-tête.

CONCERTER. Coaliser, combiner, comploter, entendre, fomenter, machiner, manigancer, préparer.

CONCERTO (n. p.). Bach, Brahms, Brandebourg, Chopin, Gould, Haydn, Mozart, Paganini, Prokofiev, Rachmaninov, Ravel, Schuman, Strauss, Tchaïkovski, Telemann, Vivaldi.

CONCERTO. Brandebourgeois, composition, concertina, concertini, concertino, grosso, ripieno, symphonie.

CONCESSION. Abandon, approbation, autorisation, avantage, boutique, cadeau, certes, claim, commerce, contrat, don, droit, entreprendre, faveur, grâce, largesse, octroi, offrande, quoique, subside, tenure, tolérance.

CONCESSIONNAIRE. Acheteur, amodiataire, bailleur, commanditaire, créancier, distributeur, intermédiaire, loueur, opérateur, preneur, prêteur, propriétaire, représentant, sponsor, titulaire.

CONCETTI. Affectation, emphase, maniérisme, marivaudage, mignardise, préciosité, purisme, subtilité.

CONCEVABLE. Admissible, applicable, compétitif, compréhensible, douteux, espérance, éventuel, exécutable, facile, facultatif, faisable, hasardeux, incertain, libre, loisible, permis, plausible, possible, potentiel, pouvoir, praticable, probable, réalisable, virtuel, vraisemblable.

CONCEVOIR. Apercevoir, architecte, bâtir, cogiter, comprendre, compter, construire, créer, croire, désirer, échafauder, édifier, élaborer, entrevoir, ériger, former, idéer, imaginer, penser, prévoir, réaliser, saisir, sentir.

CONCHYLICULTURE. Coquillage, huître, moule, mytiliculture, nacroculture, ostréiculture, pecticulture.

CONCIERGE. Cerbère, conciergerie, gardien, geôlier, huissier, loge, pipelet, portier, suisse.

CONCIERGERIE. Abord, accès, accueil, approche, attitude, bienvenue, contact, hospitalité, immeuble, local, prison, réception, service, traitement.

CONCILIABLE. Compatible, concordant, convenable, convergent, correspondant, interconnectable, possible.

CONCILIABULE. Colloque, complot, contestation, conversation, débat, discussion, entretien, entrevue, négociation, réunion.

CONCILIANT. Accommodant, adoucir, arrangeant, arrangement, comprendre, coulant, facile, indulgent, souple.

CONCILIATEUR. Arbitre, indulgent, intercesseur, intermédiaire, interposé, médiateur, négociateur, pacificateur, truchement.

CONCILIATION. Accommodement, accord, amiable, arbitrage, arrangement, entente, entremise, intervention, médiation, voie.

CONCILIATOIRE. Amiable, compatible, conciliable, concordant, convenable, convergent, correspondant, interconnectable, possible.

CONCILIER. Accommoder, accorder, allier, amiable, arbitrager, arbitrer, arranger, harmoniser, raccommoder, réunir.

CONCIS. Bref, compendieux, concentré, condensé, court, dense, dépouillé, incisif, laconique, lapidaire, lumineux, nerveux, net, précis, ramassé, résumé, sec, serré, sobre, sommaire, succinct, tendu, vigoureux.

CONCISION. Brachylogie, brièveté, densité, diffus, interjection, laconisme, lapidaire, sobriété, sommaire.

CONCITOYEN. Citoyen, compagnon, compatriote, confédéré, patriote, pays.

CONCLAVE. Amphictyonie, arène, aréopage, assemblée, bal, club, comice, comité, concile, congrès, consistoire, convention, cortes, diète, douma, ecclésial, fête, législature, meeting, mercuriale, mir, panégyrie, parlement, plaid, quorum, regroupement, réunion, séance, sénat, synagogue, synode.

CONCLUANT. Conclusif, convaincant, décisif, définitif, éloquent, irrésistible, positif, probant, tranchant.

CONCLURE. Achever, arguer, arrêter, clore, déduire, démontrer, entendre, finir, fixer, induire, inférer, régler, résoudre, sceller, signer, terminer, toper, traiter, transiger.

CONCLUSION. Aboutissement, analyse, argument, but, coda, conséquence, déduction, dénouement, dilemme, donc, enfin, enseignement, épilogue, extrapolation, fin, finir, issue, leçon, morale, péroraison, terme, terminaison.

CONCOCTER. Bichonner, cajoler, câliner, chouchouter, choyer, couver, couveuse, dorloter, élaborer, entretenir, fomenter, gâter, incubateur, incuber, mignoter, mijoter, mûrir, nourrir, orchestrer, organiser, préparer, soigner.

CONCOMBRE. Anglais, aubergine, bêche-de-mer, coloquinte, cornichon, courge, cucumère, cucurbitacées, ecballium, élatérion, holothurie, melon, pépon, péponide, zucchette, zuchette.

CONCOMBRE DE MER. Bêche-de-mer, bichlamar, échinoderme, holothurie, invertébré, trident.

CONCOMITANCE. Accord, affinité, avenant, cadence, chœur, concert, concordance, conformité, correspondance, équilibré, fanfare, harmonie, isochronie, mélodie, musique, orchestre, rapport, rythme, simultanéité, symétrie.

CONCOMITANT. Coexistant, coïncidence, coïncident, griot, recoupe, remoulage, simultané, synchrone.

CONCORDANCE. Accord, affinité, avenant, cadence, chœur, cohérence, concert, concomitance, conformité, correspondance, équilibré, fanfare, harmonie, mélodie, musique, orchestre, rapport, rythme, symétrie.

CONCORDANT. Adéquat, analogue, approprié, coïncident, compatible, conciliable, congruent, convenable, convergent, correspondant, égal, idoine, juste, propre, semblable, similaire, synonyme.

CONCORDAT. Accord, argument, bestiaire, convention, cours, discours, dissertation, entente, essai, étude, livre, loi, manuel, marché, mémoire, mérisme, notions, ordre, ouvrage, pacte, proposition, réciprocité, règle, thèse, traité, union.

CONCORDE. Accord, affinité, amitié, communion, compatibilité, entente, fraternité, harmonie, paix, union.

CONCORDER. Accorder, adapter, associer, assortir, cadrer, coïncider, coller, compatir, convenir, converger, correspondre, harmoniser, marier, matcher, recouper, rejoindre, répondre, rimer, synchroniser.

CONCOURANT. Amiable, compatible, conciliable, conciliatoire, concordant, convenable, convergent, correspondant, interconnectable, même, possible, série, sousmissionneur, synergie.

CONCOURIR. Aider, affronter, collaborer, conspirer, contribuer, coopérer, engager, mesurer, participer.

CONCOURISTE. Absurde, abusif, adversaire, adverse, antagoniste, anti, antithèse, antonyme, autrement, concurrent, conflictuel, contradictoire, contraire, divergent, envers, étrange, illégal, incompatible, inverse, licencieux, malsonnant, opposé, paradoxe, provocation, tendu.

CONCOURS. Aide, affluence, apport, appui, as, assistance, coïncidence, collaboration, compétition, concourir, concurrence, conjoncture, contribution, coopération, examen, lauréat, loge, quiz, reçu.

CONCRET. Abstrait, chosifier, épais, manifeste, manne, objet, perceptible, positif, réel, tangible, visible.

CONCRÈTEMENT. Effectivement, empiriquement, expérimentalement, matériellement, objectivement, physiquement, positivement, pratiquement, prosaïquement, réalistement, réellement, tangiblement.

CONCRÉTION. Accrétion, accumulation, aégagropile, agglomérat, agglutinat, agrégat, amas, ambre-gris, bézoard, bloc, calcul, coprolithe, masse, nodule, oolithe, oolite, otolithe, pierre, pisolite, pisolithe, sédiment, stalactite, tophus.

CONCRÉTISATION. Actualisation, actuation, chosification, expression, incarnation, personnification, réalisation.

CONCRÉTISER. Accomplir, calculer, congeler, créer, cristalliser, exécuter, matérialiser, pétrifier, réaliser, solidifier.

CONCUBIN. Adorateur, amant, ami, amoureux, béguin, berger, bien-aimé, calinaire, calinière, céladon, chéri, compagne, compagnon, conjoint, copain, coquin, couple, favori, flirt, galant, gigolo, greluchon, idole, jules, mec, soupirant, tourtereau.

CONCUBINAGE. Accord, accotage, acoquinement, association, attache, cohabitation, collage, collusion, compérage, complicité, connivence, entente, fréquentation, liaison, lien, rapport, rapprochement, union.

CONCUPISCENCE. Convoitise, corruption, débauche, dépravation, désir, duopole, immodestie, impudicité, impureté, indécence, lascivité, libertinage, licence, lubricité, luxure, salacité, sensualité, stupre, vice.

CONCUPISCENT. Débauché, dévergondé, indécent, lascif, libertin, libidineux, lubrique, sensuel, vicieux.

CONCURREMMENT. Bloc, conjointement, concert, ensemble, simultanément, total, tout.

CONCURRENCE. Affrontement, belligérance, bravade, challenge, championnat, combat, compétition, concours, conflit, coupe, course, débat, duel, émulation, épreuve, intervention, guerre, joute, lutte, match, omnium, open, rivalité, test, tournoi.

CONCURRENCER. Cannibaliser, compétitionner, concourir, défier, disputer, égaler, lutter, menacer, rivaliser.

CONCURRENT. Adversaire, candidat, challenger, compétiteur, concourant, émule, ennemi, favori, leader, opposant, outsider, participant, prétendant, rival.

CONCURRENTIEL. Affriolant, aguichant, aimable, alléchant, appât, attachant, attirable, attirant, attracteur, attractif, attrait, attrayant, captivant, charmant, compétitif, engageant, fascinateur, magnétique, performant, piquant, ravissant, séduisant, sexy, tentant.

CONCUSSION. Brigandage, déprédation, exaction, extorsion, forfaiture, malversation, péculat, prévarication, rapine.

CONCUSSIONNAIRE. Accusé, coupable, criminel, délinquant, fautif, inculpé, innocent, irresponsable, responsable.

CONDAMNABLE. Blâmable, coupable, criminel, critiquable, damnable, délictueux, fautif, répréhensible.

CONDAMNATION. Accusation, anathème, ban, bannissement, blâme, censure, convict, damnation, déportation, exil, expatriation, expulsion, forçat, internement, peine, pénitencier, prison, proscription, renvoi, vergobret.

CONDAMNÉ. Bagnard, banni, contraint, damné, détenu, fichu, forçat, foutu, gracié, incurable, inguérissable, perdu.

CONDAMNER. Abolir, anathémiser, astreindre, bannir, blâmer, damner, excommunier, maudire, punir, réprouver.

CONDÉ. Cogne, flic, flicard, gendarme, keuf, perdreau, policier, poulet, renseignement, ripou, roussin, sbire.

CONDENSABLE. Coercible, compressible, comprimable, diminution, élastique, liquéfiable, possible, réductible.

CONDENSATEUR. Accu, accumulateur, armature, batterie, condenseur, flatulence, machine, pile, sulfatation, trimmer.

CONDENSATION. Accumulation, brume, buée, cohobation, fusion, givre, nuage, pression, rosée, saturation.

CONDENSÉ. Abrégé, compact, comprimé, concentré, concis, dense, digest, figé, ramassé, résumé, schématique, succinct.

CONDENSER. Abréger, compact, compacter, comprimer, concentrer, concret, défalquer, distiller, figer, résumer.

CONDENSEUR (n. p.). Abbe, Watt.

CONDENSEUR. Aérocondenseur, bouilleur, centrifugeuse, condensateur, échangeur, liquéfacteur, optique.

CONDESCENDANCE. Arrogance, charité, complaisance, crânerie, cynisme, dédain, dégoût, dérision, discrédit, fi, hauteur, indulgence, injure, litière, mépris, misérable, morgue, moue, snobisme, vilipender.

CONDESCENDANT. Arrogant, dédaigneux, hautain, méprisant, outrecuidant, paternaliste, protecteur, supérieur.

CONDESCENDRE. Abaisser, accepter, consentir, daigner, plier, prêter, vouloir.

CONDIMENT. Achards, ail, alénois, aromate, assaisonnement, câpre, cerfeuil, chutney, ciboule, ciboulette, cive, coriandre, cresson, cumin, échalote, épice, gingembre, girofle, harissa, huile, ketchup, laurier, macis, moutarde, muscade, NaCl, nasitort, nuoc-mâm, paprika, pili-pili, poivre, raifort, sassafras, sel, tapenade, vinaigre, vinaigrette.

CONDISCIPLE. Acolyte, adjoint, affilié, agrégé, ami, associé, camarade, collaborateur, collègue, compagnon, compère, complice, confrère, covendeur, membre, mutuelle, partenaire, proche, syndiqué, uni.

CONDITION. Clause, climat, contrat, disposition, esclavage, état, exigence, fange, ghetto, loi, marasme, modalité, moyennant, négritude, noble, pourvu que, qualité, rang, roture, sceau, si, situation, sort, sorte, ultimatum, vie.

CONDITIONNÉ. Climatisé, déterminé, emballé, empaqueté, enveloppé, fixé, mené, porté, préparé.

CONDITIONNEL. Aléatoire, casuel, conjectural, doute, douteux, hypothétique, mode, potentiel, restrictif, si.

CONDITIONNEMENT. Aérosol, dressage, emballage, influence, merchandising, packaging, présentation.

CONDITIONNER. Commander, déterminer, dicter, emballer, empaqueter, fixer, influencer, influer, préparer.

CONDITIONNEUR. Après-shampoing, climatiseur, emballeur, préparateur, revitalisant, shampoing.

CONDOLÉANCES. Affirmation, aménité, amitié, attestation, aveu, déclaration, déroulement, gage, grâce, gratitude, hommage, indice, merci, narration, preuve, rapport, récit, reconnaissance, relation, remerciements, signe, sympathie, témoignage, test.

CONDOM. Caoutchouc, capote, chapeau, contraceptif, diaphragme, pessaire, précaution, préservatif, stérilet.

CONDOMINIUM. Communauté, condo, copropriété, divise, immeuble, indivise, indivision, multipropriété.

CONDOTTIERE (n. p.). Borgia, Carmagnola, Charès, Colleoni, Doria, Gattamelata, Hawkwood, Piccinino, Sforza, Trivulce.

CONDOTTIERE. Aventurier, chef, grivois, intrigant, mercenaire, soudard.

CONDUCTANCE. Conductibilité, conductivité, ohm, perditance, résistance, siemens.

CONDUCTEUR. Aurige, automédon, automobiliste, cariste, chauffard, chauffeur, chef, cocher, cornac, écraseur, écuyer, fil, habile, isolant, mécanicien, métal, musagète, nautonier, nocher, or, pilote, piroguier, pontier, postillon, routier, voiturier.

CONDUCTIBILITÉ. Conductance, conductivité, ohm, perditance, résistance, siemens.

CONDUCTION. Dépolarisation, diffusion, location, émanation, fluide, influence, influx, neurotransmetteur, transmission.

CONDUIRE. Aboutir, accompagner, administrer, agir, aiguiller, aller, amener, conduite, diriger, draver, dribbler, emmener, entraîner, gérer, gouverner, guider, induire, manœuvrer, mener, orienter, piloter, présider, régenter, router, surveiller, téléguider.

CONDUIT. Allée, ânier, avenue, boyau, bronche, canal, canalisation, chemin, cheminée, collecteur, drain, égout, évent, fil, goulotte, guide, oura, ouverture, oviducte, méat, mène, métal, mû, pharynx, pierrée, pipe, tube, tuyau, tuyère, uretère, va, wagon.

CONDUITE. Action, addiction, agissement, amenée, autopunition, buse, canal, comportement, décente, dévergondage, direction, égout, émissaire, frasque, geste, incartade, manège, manière, mœurs, moralité, ouverture, procédé, reillère, ton, turpitude, tuyau.

CONDYLOME. Anus, crête-de-coq, papillome, passe-velours, rhinanthe, sainfoin, tumeur, verrue.

CÔNE. Adventif, avalanche, bouclier, cocotte, conifère, conique, conirostre, conoïde, coquillage, cornet, couchoir, dé, entonnoir, gastéropode, if, molette, pain de sucre, pive, pomme de pin, strobile.

CONFABULATION. Conception, créativité, évasion, fantaisie, fantasme, fiction, imagination, inventivité, supposition, virtuel.

CONFECTION. Bradage, broderie, composition, conception, couture, création, exécution, fabrication, façon, œuvre, ouvrage, paternité, piqure, pive, prêt-à-porter, production, réalisation, synthèse, taille, usinage.

CONFECTIONNER. Broder, coudre, élaborer, exécuter, fabriquer, faire, inventer, ourler, ouvrer, piquer, tailler.

CONFECTIONNEUR. Apprenti, arpète, casquettier, alottier, chapelier, modiste, cousette, couturier, couturière, midinette.

CONFÉDÉRATION. Alliance, allié, cédétiste, centrale, confédéral, décapode, fédération, ligue, union.

CONFÉDÉRÉ. Allié, ami, apparenté, appui, auxiliaire, camarade, concitoyen, fédéré, intime, parent, partenaire, proche, soutien.

CONFER. Cf, conf, indication, renvoi.

CONFÉRENCE (n. p.). Algésiras, Bandoeng, Bandung, CNUCED, C.S.C.E., Doullens, Ialta, Lambeth, Potsdam, Yalta.

CONFÉRENCE. Assemblée, causerie, colloque, congrès, conseil, consultation, conversion, dire, entretien, expliquer, exposé, orateur, palabre, parler, pourparler, réunion, séance, séminaire, sermon, symposium.

CONFÉRENCIER. Avocat, baratineur, causeur, cicérone, débatteur, diseur, foudre, harangueur, orateur, prêcheur, prédicateur, rhéteur, tribun.

CONFÉRER. Accorder, adouber, allouer, anoblir, attribuer, baptiser, bavarder, causer, comparer, conférer, déférer, dialoguer, dire, discuter, donner, doter, fonction, habiliter, octroyer, parler, sacrer, tonsurer.

CONFESSER. Admettre, attrition, avouer, déballer, déclarer, dévoiler, dire, pénitent, remords, reconnaître, repentir.

CONFESSEUR (n. p.). Bea, Cisneros, Coton, Édouard, Fleury, La Chaise, Le Tellier, Sorbon.

CONFESSEUR. Affidé, ami, confident, darioler, dépositaire, fauteuil, intime, prêtre, siège, vicaire, vis-à-vis.

CONFESSION (n. p.). Augsbourg, Camerarius, Melanchthon, Smalkalde.

CONFESSION. Accusation, acte, affirmation, annonce, attrition, aveu, coulpe, déballage, déclaration, déposition, discours, expiation, foi, notification, pénitence, promesse, reconnaissance, religion, sacrement, témoignage.

CONFETTI. Cotillon, farandole, jupon, papillote, rondelle, sarabande, serpentin.

CONFIANCE. Aplomb, assurance, attente, candeur, certitude, conviction, créance, crédit, crédulité, croire, croyance, espérance, espoir, fiabilité, foi, ingénuité, naïveté, sécurité, sentiment, sincérité, sournois.

CONFIANT. Assuré, communicatif, féal, hardi, liant, naïf, optimiste, ouvert, présomptueux, rassurant, sûr.

CONFIDENCE. Ami, annonce, aveu, confession, déballage, déclaration, dévoilement, divulgation, ébruitement, fuite, indiscrétion, initiation, instruction, proclamation, publication, reconnaissance, révélation, secret, tuyau.

CONFIDENT DE LOUIS XI (n. p.). Le Dain.

CONFIDENT. Affidé, ami, confesseur, darioler, dépositaire, fauteuil, intime, siège, vis-à-vis.

CONFIDENTIEL. Abscons, anonyme, caché, clandestin, discret, intime, personnel, privé, secret.

CONFIDENTIELLEMENT. Anonymement, catimini, clandestinement, discrètement, doucement, furtivement, incognito, maronner, occultement, secrètement, sourdement, subrepticement, tapinois.

CONFIER. Abandonner, acheter, assurer, avouer, céder, commettre, communiquer, conférer, confidence, croire, déléguer, déposer, entreposer, épancher, fier, laisser, livrer, mandater, ouvrir, prêter, remettre, sous-traiter, transmettre.

CONFIGURATION. Agencement, allure, arrangement, aspect, conformation, disposition, distribution, économie, épistémè, êtres, forme, ordonnancement, organisation, répartition, site, structure, tour, tournure.

CONFIGURER. Bâtir, constituer, créer, dénoter, édifier, être, façonner, faire, fait, fixer, fonder, former, monter, robuste.

CONFINÉ. Assigné, banni, cantonné, cloîtré, déporté, écarté, enfermé, exilé, isolé, reclus, renfermé, retraité.

CONFINEMENT. Captivité, claustration, détention, emprisonnement, enfermement, isolement, réclusion.

CONFINER. Approcher, assigner, avoisiner, bannir, border, cantonner, cloîtrer, côtoyer, déporter, écarter, enfermer, exiler, friser, isoler, jeter, limiter, longer, reléguer, restreindre, retraiter, suivre, tangenter, toucher.

CONFINS. Aboutissement, bord, bordure, borne, délimitation, extrémité, frontière, ligne, limite, seuil, terme.

CONFIRMATION. Approbation, appui, certitude, marraine, parrain, ratification, renfort, théorie, visa.

CONFIRMÉ. Affirmé, agréé, chevronné, éprouvé, exercé, expérimenté, jurisprudence, qualifié, senior.

CONFIRMER. Affermir, affirmer, agréer, appuyer, assurer, attester, autoriser, avérer, certifier, cimenter, corroborer, entériner, garantir, homologuer, légaliser, officialiser, plaider, prouver, ratifier, sceller, valider, vérifier, viser.

CONFISCATION. Annexion, appropriation, blocus, commise, désapprovisionnement, embargo, exécution, expropriation, gel, immobilisation, mainmise, prise, privation, saisie, séquestre, suppression.

CONFISERIE. Baklava, bêtise, bonbon, calisson, cédrat, chocolat, crotte, douceur, dragée, fondant, friandise, gomme, guimauve, halva, lisse, loukoum, nougat, nougatine, pâté, papillote, pistache, praline, sucette, suçon.

CONFISEUR. Biscuitier, chocolatier, glacier, pâtissier.

CONFISQUER. Accaparer, arracher, déposséder, écumer, enlever, ôter, prendre, retirer, saisir, tenir.

CONFITEOR. Attrition, aveu, confession, contrition, mea-culpa, peccavi, pécheur, prière, regret.

CONFITURE. Azerole, beurre, compote, conserve, cotignac, gelée, marmelade, orangeat, pâte, poire, pomme, prune, prunelée, purée, raisiné, roquille, tournures.

CONFLAGRATION. Bouleversement, changement, embrasement, conflit, explosion, feu, guerre, incendie.

CONFLICTUEL. Absurde, abusif, adversaire, adverse, antagoniste, anti, antithèse, antonyme, autrement, concurrent, contradictoire, contraire, divergent, envers, étrange, illégal, incompatible, inverse, licencieux, malsonnant, opposé, paradoxe, provocation, tendu.

CONFLIT. Accrochage, antagonisme, brandon, choc, clash, combat, compétition, contestation, crise, débat, désaccord, différend, dispute, guerre, guéguerre, lutte, mêlée, opposition, querelle, rivalité, tiraillement, tiraillerie.

CONFLUENCE. Abouchement, accolement, confluent, connexion, convergence, jonction, rencontre, réunion.

CONFLUENT. Affluent, alluvion, amont, anaclinal, aval, bec, canal, caniveau, confluence, confluer, cours d'eau, crue, défluent, émissaire, épi, étiage, fleuve, flottage, gué, jonction, lac, oued, quai, rencontre, rivière, ru, ruisseau, ruisselet, torrent, tributaire.

CONFLUER. Affluer, converger, joindre, masser, rassembler, rejoindre, rencontrer, réunir, unir.

CONFONDANT. Ahurissant, bouleversant, déconcertant, étonnant, renversant, stupéfiant, suffocant.

CONFONDRE. Assimiler, démasquer, identifier, incorporer, mélanger, mêler, mixer, percer, sosie, unir.

CONFORMATION. Anatomie, apparence, configuration, constitution, contour, forme, nature, tracé, vitalité.

CONFORME. Accord, adapté, classique, constitutionnel, convenable, correct, exact, hiérarchique, juste, légal, logique, loyal, moral, naturel, normal, orthodoxe, ponctuel, précis, réglo, régulier, rituel, scrupuleux, standard, sûr, vrai.

CONFORMÉMENT. Conséquence, fidèlement, forme, légitimement, même, selon, suivant, vrai.

CONFORMER. Accord, accorder, adapter, ajuster, aligner, approprier, attribuer, complaire, diriger, équerrer, étalonner, former, lester, modeler, nettoyer, observer, orienter, régler, sacrifier, soumettre, vidimer.

CONFORMISME. Conservatisme, droite, droitisme, intégrisme, modération, orthodoxie, passéisme, suivisme, traditionalisme.

CONFORMISTE. Académiste, anglican, bien-pensant, bourgeois, conservateur, conventionnel, hétérodoxisme, indépendant, individualiste, intégriste, nativiste, orthodoxe, panurgien, passéiste, suiviste, traditionaliste.

CONFORMITÉ. Accord, affinité, alignement, analogie, bien-fondé, canonicité, concordance, correction, harmonie, isonomie, juste, justesse, légalité, légitimité, normalité, parité, régularité, rituel, similitude, union, unisson, unité, validité.

CONFORT. Aise, bien-être, commodité, confortabilité, douillet, mieux-être, ouaté, soulagement, standing.

CONFORTABLE. Agréable, aisance, aisé, bourgeois, commode, considérable, coquet, cossu, cosy, doucet, douillet, important, moelleux, pépère, souple.

CONFORTABLEMENT. Adroitement, agréablement, aisément, alertement, avantageusement, couramment, disert, douillettement, facilement, flexible, moelleusement, sensible, simplement.

CONFORTER. Affermir, asseoir, cimenter, confirmer, consoler, encourager, fortifier, raffermir, renforcer.

CONFRÈRE. Acolyte, adjoint, affilié, agrégé, alter ego, associé, camarade, collaborateur, collègue, compagnon, compère, complice, condisciple, consœur, copain, covendeur, membre, mutuelle, syndiqué, uni.

CONFRÉRIE. Archiconfrérie, bannière, communauté, congrégation, corporation, derviche, luperque, ordre.

CONFRONTATION. Abordage, accident, affrontement, assaut, attaque, cahot, charge, choc, collision, comparaison, conciliabule, conflit, confrontation, contrecoup, coup, émotion, heurt, ictus, impact, lutte, percussion, secousse, traumatisme.

CONFRONTER. Balancer, comparer, dialoguer, différencier, gabarier, peser, rapprocher, témoigner.

CONFUCIANISME (n. p.). Confucius, Mencius, Xunsi, Zhu Xi.

CONFUCIANISME. Caodaïsme, confucianiste, confucéen, confucien, philosophie, spiritualisme.

CONFUS. Ambigu, brouillamini, chaotique, compliqué, contrit, déconfit, désolé, embarrassé, ennuyé, galimatias, gêné, honteux, incohérent, indistinct, mêlé, nébuleux, nuageux, obscur, pathos, penaud, piteux, quinaud, sot, trouble, vaseux.

CONFUSÉMENT. Abstraitement, évasivement, imprécisément, indistinctement, obscurément, pêle-mêle, vaguement.

CONFUSION. Abondance, affluence, agitation, amas, anachronisme, anarchie, armada, armée, babélisme, chaos, chienlit, cohue, délire, désordonné, confusion, désordre, embrouillamini, erreur, essaim, fouillis, foule, honte, imbroglio, masse, mêlée, méprise, meute, monde, multitude, nuée, pagaïe, pagaille, pêle-mêle, pétaudière, peuple, populace, presse, tale, tas.

CONGA. Danse, musique, tambour.

CONGÉ. Absence, acquit, amen, approuvé, campo, délassement, détente, escale, été, exeat, halte, ite, loisir, mi-temps, pause, permission, pont, récréation, relâche, renvoi, repos, sabbat, vacances, vacant, week-end.

CONGÉDIEMENT. Congé, débauchage, destitution, expulsion, licenciement, limogeage, renvoi, révocation.

CONGÉDIER. Balancer, bourlinguer, chasser, débarquer, débaucher, dehors, destituer, éconduire, éjecter, éloigner, envoyer, expédier, flanquer, licencier, lourder, pousser, remercier, renvoyer, sacquer, virer.

CONGÉLATEUR. Conservateur, cryostat, frigidaire, frigorifique, glacière, réfrigérateur, refroidisseur, surgélateur.

CONGÉLATION. Cryoconservation, cryométrie, gelée, glace, grêle, neige, solidification, surgélation, vitrification.

CONGELER. Coaguler, décongeler, figer, frapper, frigorifier, geler, glacer, incongelable, prendre, regeler, surgeler.

CONGÉNÈRE. Acolyte, comparse, compère, complice, espèce, homologue, jumeau, même, parent, semblable.

CONGÉNITAL. Ancestral, atavique, foncier, gêne, génétique, héréditaire, inconscient, infus, inhérent, inné, instinctif, malformation, naissance, natif, naturel, originaire, originel, personnel, profond, spontané, viscéral.

CONGÈRE. Amas, amas de neige, avalanche, banc de neige, blanc, blizzard, charrue, chenu, enneigé, gonfle, grêle, héroïne, menée, neige, neigeux, névé, obier, perce-neige, poudrerie, viorne.

CONGESTION. Afflux, apoplexie, attaque, bouchon, érythème, fourbure, gel, hypérémie, révulsion, rhinite, stase.

CONGESTIONNER. Alourdir, apoplectiser, bloquer, boucher, embouteiller, encombrer, empourpré, obstruer.

CONGLOMÉRAT. Accrétion, agglomérat, agrégat, amas, bloc, brèche, keiretsu, poudingue, roche, trust.

CONGLOMÉRATION. Accrétion, accumulation, agglomérat, agglutinat, agrégation, concentration, concrétion.

CONGLOMÉRER. Agglomérer, agglutiner, agglutir, agréger, assembler, cimenter, coller, conglutiner, épaissir, lier, réunir, souder, unir.

CONGLUTINATION. Caillement, coagulation, congélation, cristallisation, cryoconservation, cryométrie, durcissement, épaississement, gelée, glace, grêle, neige, solidification, surgélation, vitrification.

CONGLUTINER. Agglomérer, agglutiner, assembler, coller, conglomérer, épaissir, lier, réunir, souder.

CONGO BRAZZA, CAPITALE (n. p.). Brazzaville.

CONGO BRAZZA, LANGUE. Français, kikongo, lingala.

CONGO BRAZZA, MONNAIE. Franc.

CONGO BRAZZA, VILLE (n. p.). Boko, Bomassa, Brazzaville, Buta, Ewo, Goma, Kinkala, Léopoldville, Masa, Ngo, Okoyo, Sembe, Zanaga.

CONGO, RÉPUBLIQUE DÉMOCRATIQUE, CAPITALE (n. p.). Kinshasa.

CONGO, RÉPUBLIQUE DÉMOCRATIQUE, LANGUE. Français.

CONGO, RÉPUBLIQUE DÉMOCRATIQUE, MONNAIE. Franc.

CONGO, RÉPUBLIQUE DÉMOCRATIQUE, VILLE (n. p.). Bandudu, Beni, Boma, Bukawu, Kananga, Kindu, Kinshasa, Kutu, Likasi, Moba, Mushie, Niangara, Watsa.

CONGRATULATION. Acclamation, adresse, applaudir, compliment, félicitation, politesse, remerciement.

CONGRATULER. Adresser, applaudir, complimenter, congratuler, féliciter, remercier, témoigner, vanter.

CONGRE. Anguille, anguille de mer, carnivore, congrité, leptocéphale, poisson, téléostéen.

CONGRÉGATION. Communauté, compagnie, congréganiste, corps, fraternité, frère, hospitalier, institut, missionnaire, moine, monial, ordre, père, prêtre, religieux, religion, réunion, salésien, salésienne, silenciaire, société, sœur, théatin.

CONGRÉGATION RELIGIEUSE, FEMME (n. p.). Augustine, Bénédictine, Carmélite, Clarisse, Fille de la Charité, Fille du Calvaire, Fille de Marie-Auxiliatrice, Fille Réparatrice du Divin-Coeur, Petite fille de Saint-Joseph, Petite Franciscaine de Marie, Petite Sœur des Pauvres, Religieuse du Sacré-Cœur, Sœur adoratrice du Précieux-Sang, Sœur de la Divine Providence, Sœur de la Miséricorde, Sœur de la Providence, Sœur de l'Assomption de la Sainte-Vierge, Sœur de Notre-Dame de Charité du Bon-Pasteur, Sœur de Notre-Dame des Anges, Sœur de Notre-Dame-du-Bon-Conseil, Sœur de Notre-Dame-du-Perpétuel-Secours, Sœur Grise, Sœur missionnaire de l'Immaculée Conception, Sœur missionnaire du Christ-Roi, Sœur Oblate, Ursuline.

CONGRÉGATION RELIGIEUSE, HOMME (n. p.). Assomptionniste, Bénédictin, Capucin, Carme, Clerc de Saint-Viateur, Dominicain, Eudiste, Franciscain, Frère de la Charité, Frère de l'Instruction chrétienne, Frère des Écoles chrétiennes, Frère du Sacré-Cœur, Frère Mariste, Jésuite, Oblat, Missionnaire d'Afrique, Père Blanc d'Afrique, Père du Saint-Sacrement, Père Mariste, Prêtre de Saint-Sulpice, Rédemptoriste, Théatin, Trappiste.

CONGRÈS. Accouplement, assemblée, assise, congressiste, convention, rencontre, réunion, symposium.

CONGRU. Adéquat, approprié, compétent, congruent, convenable, distinctif, judicieux, juste, justifié, modulo, nain, nombre, opportun, pauvre, pertinent, propre, revenu, traitement.

CONGRUENCE. Accord, acceptation, alliance, amitié, amour, approbation, approuver, arpège, arrangement, assentiment, autorisation, collusion, communication, compérage, complicité, compromis, concert, concorde, connivence, consensus, consentement, contrat, convenance, convenir, convention, discorde, do, entente, fraternité, harmonie, intelligence, la, marché, musique, oui, pacte, paix, permission, protocole, refus, règlement, rime, soit, syllepse, sympathie, traité, transaction, unanimité, union, unisson, unité.

CONGRUENT. Adéquat, analogue, approprié, coïncident, compatible, conciliable, concordant, convenable, convergent, correspondant, égal, idoine, juste, propre, semblable, similaire, synonyme.

CONGRÛMENT. Adéquatement, bien, convenablement, correctement, décemment, juste, justement, pertinemment, proprement, raisonnablement, sainement, valablement, validement.

CONICINE. Alcaloïde, cicutine, conine, grande ciguë, vireux.

CONICITÉ. Arçonnage, arcure, arrondi, bombage, cambrure, cintrage, concavité, convexité, courbure, galbe.

CONIFÈRE. Araucaria, arbre, callitris, cèdre, cône, cryptomeria, cupressacées, cycadacée, cyprès, douglas, éphédra, épicéa, épinette, genévrier, ginkgo, gymnosperme, if, mélèze, pesse, pin, pinacée, pruche, résineux, sapin, séquoia, taxacée, taxiodium, taxode, taxodiacée, taxus, thuya, torreya, tsuga, wellingtonia.

CONIQUE. Cône, corne, ellipse, épite, hyperbole, ogive, panicule, parabole, pointeau, taxodium, triboulet, vésicule.

CONJECTURAL. Admis, affirmé, apocryphe, attribué, censé, cru, douteux, emprunt, espéré, estimé, factice, faux, imaginaire, incertain, point, présage, présumé, prétendu, pseudo, putatif, si, soi-disant.

CONJECTURALEMENT. Abstraitement, accessoirement, éventuellement, idéalement, imaginairement, hypothétiquement, possiblement, spéculativement, théoriquement.

CONJECTURE. Apriorisme, attente, augure, condition, doute, extrapolation, hypothèse, intuition, maxime, opinion, préjugé, prémonition, pronostic, présage, présomption, prévision, prophétie, soupçon, supposition.

CONJECTURER. Augurer, croire, hypothèse, imaginer, juger, penser, présager, présumer, soupçonner, supposer.

CONJOINT. Associé, compagnon, concubin, consort, époux, futur, légitime, mari, moitié, monogame.

CONJOINTEMENT. Bloc, collectivement, collégialement, concert, concurremment, de concert, de conserve, de front, de pair, en bloc, en chœur, en commun, ensemble, simultanément, total, tout.

CONJONCTEUR. Bouton, bouton-poussoir, clé, combinateur, commande, commutateur, contact, coupleur, discontacteur, disjoncteur, interrupteur, manostat, poussoir, sélecteur, télécommande.

CONJONCTION. Adonc, adoncques, ainsi, aussi, car, cependant, comme, donc, et, interférence, lorsque, mais, ne, néanmoins, ni, or, ou, pourquoi, pourtant, puisque, quand, que, quoique, si, sinon, soit, suit, toutefois, union.

CONJONCTIVITE. Collagène, collyre, flegmon, inflammation, ophtalmie, phlegmon, trachome.

CONJONCTURE. Cas, circonstance, climat, concours, condition, contexte, occasion, préjuger, situation.

CONJUGAISON. Aoriste, association, déclinaison, er, grammaire, ir, latine, oir, paradigme, passé, re, verbe.

CONJUGAL. Adultère, dotal, hyménéal, légitime, luxurieux, mari, marital, matrimonial, nuptial.

CONJUGALEMENT. Maritalement, matrimonialement, nuptialement.

CONJUGUER. Allier, adjoindre, associer, combiner, énumérer, fléchir, fusionner, joindre, réunir, unir.

CONJURATEUR. Agitateur, comploteur, conjuré, conspirateur, émeutier, factieux, fomentateur, fomenteur, instigateur, insurgé, intrigant, meneur, mutin, partisan, rebelle, révolté, séditieux, subversif, trublion.

CONJURATION. Agissement, cabale, combinaison, complot, conspiration, déprécation, incantation, magie, prière.

CONJURÉ. Agitateur, comploteur, conjurateur, conspirateur, émeutier, factieux, insurgé, mutin, rebelle, révolté, séditieux, subversif, trublion.

CONJURER. Adjurer, adorer, briguer, charmer, chasser, comploter, crier, écarter, empêcher, éviter, évoquer, exorciser, exorciste, implorer, insister, invoquer, parer, prévenir, prier, solliciter, supplier, tramer.

CONNAISSANCE. Abc, ami, connu, conscience, culture, éducation, érudition, évidence, expérience, gnose, gnosie, idée, ignorance, instruction, lumière, notion, omniscience, ontologie, prescience, savoir, savoir-faire, sciemment, science, sens, su, teinture, théorie, vu.

CONNAISSANT. Alem, alma, averti, avisé, calé, chercheur, clerc, cultivé, docte, éclairé, éfendi, effendi, érudit, expert, fort, informé, instruit, lettré, mage, philosophe, sage, savant, savoir, scientifique, spécialiste, versé.

CONNAISSEMENT. Accueilli, acquit, apurement, baptisé, bulletin, convention, décharge, état, eu, facture, libération, primé, quittance, quitus, récépissé, reconnaissance, reçu, tonsuré, warrant.

CONNAISSEUR. Amateur, as, averti, calé, collectionneur, compétent, docte, expert, instruit, savant, spécialiste.

CONNAÎTRE. Apprendre, cognitif, compétent, curieux, ferré, lire, loi, notoire, posséder, pressentir, savoir, sentir.

CONNEAU. Abruti, aliéné, bête, borné, con, conard, connard, crétin, débile, dérangé, détraqué, fou, idiot, imbécile.

CONNECTER. Aboucher, abouter, aboutir, accoler, ajointer, ajuster, brancher, emboîter, embrancher, empatter, enter, épisser, joindre, lier, raccorder, raccrocher, rattacher, relier, réunir, souder, unir.

CONNECTEUR. Alternative, conjonction, disjonction, équivalence, implication, incompatibilité, prise, rejet.

CONNERIE. Ânerie, bêtise, bourde, délibilité, énormité, esprit, fadaise, finesse, idiotie, ignorance, imbécilité, ineptie, ingéniosité, innocence, insipidité, intelligence, niaiserie, sornette, sottise, stupidité, subtilité.

CONNÉTABLE (n. p.). Arthur, Bourbon, Bourbonnais, Chandos, Chantilly, Châtillon, Chevreuse, Clisson, Écouen, Formigny, Gueslin, Lesdiguières, Luna, Monfort, Montmorency, Nesle, Richemont.

CONNEXE. Adhérent, afférent, analogue, dépendant, joint, lié, proche, rattaché, uni, voisin.

CONNEXION. Abouchement, accolement, affinité, bluetooth, câbler, connexité, court-circuit, liaison, rapport, relation.

CONNEXITÉ. Accord, affinité, analogie, aspect, braquet, bulletin, calibre, causalité, clairance, connexion, cote, densité, dossier, droit, équin, expertise, fruit, impôt, indice, intervalle, juger, latitude, lien, méridien, modal, natalité, parenté, pi, pour, produit, rapport, ratio, relation, ressemblance, revenu, terme.

CONNIVENCE. Accord, association, clin d'œil, collusion, compérage, complice, complicité, entente.

CONNOTATION. Amélioration, analogie, compréhension, degré, dénotation, désignation, péjoration.

CONNOTER. Accorder, allier, apparenter, assembler, associer, coaliser, combiner, dénoter, évoquer, exprimer, inspirer, joindre, liguer, marier, mêler, rappeler, rapprocher, réaliser, ressembler, unir.

CONNU. Apprécié, attesté, célèbre, commun, connaissance, découvert, donné, éprouvé, escient, évident, exotérique, incognito, insu, lu, notoire, personnalité, populaire, reconnu, renommé, répandu, réputé, su, sujet, vu.

CONQUE. Antre, aven, bénitier, caverne, cavité, cloup, coquillage, concavité, coquille, coupure, creux, cul-de-four, fente, fontis, fossé, fouille, grotte, lambis, mine, puits, trompe, trou, vulve.

CONQUÉRANT. Champion, conquistador, dédaigneux, dominateur, dompteur, élu, fier, gain, gagnant, guerrier, jeu, lauréat, lot, nominé, occupant, outsider, séducteur, sortant, travailleur, triomphant, vainqueur, victorieux.

CONQUÉRANT ACHÉMÉNIDE DE PERSE (n. p.). Darios, Darius.

CONQUÉRANT ARMÉNIEN (n. p.). Héraclides, Tigrane.

CONQUÉRANT ÉGYPTIEN (n. p.). Amr.

CONQUÉRANT ESPAGNOL (n. p.). Cortès.

CONQUÉRANT FRANÇAIS (n. p.). Charles, Napoléon.

CONQUÉRANT HONGROIS (n. p.). Arpad.

CONQUÉRANT INDIEN (n. p.). Akbar.

CONQUÉRANT MUSULMAN (n. p.). Omar, Umar.

CONQUÉRANT SASSANIDE DE PERSE (n. p.). Châhpuhr, Sapor, Shâpur.

CONQUÉRANT TURC (n. p.). Timur.

CONQUÉRIR. Acquérir, anéantir, asservir, assujettir, bousculer, charmer, culbuter, défaire, disperser, dominer, domestiquer, emparer, empiéter, envahir, gagner, occuper, remporter, séduire, soumettre, vaincre.

CONQUÊTE. Appropriation, assujettissement, butin, capture, clé, clef, ciseau, courailler, dispute, domination, emprise, enlèvement, gain, guerre, levée, moyen, prise, proie, querelle, rafle, saisie, scène, unité, victoire.

CONQUIS. Assujetti, déférent, discipliné, docile, humble, imposé, obéissant, rampant, résigné, séduit, soumis, souple, testé, usiné vaincu.

CONQUISTADOR. Aventurier, conquérant, encomienda, navigateur, noble.

CONQUISTADOR ESPAGNOL (n. p.). Aguirre, Almagro, Alvarado, Balboa, Cortés, Diego, Garcilaso, Pirazzo, Pizarre, Soto, Valdivia, Velasquez.

CONQUISTADOR PÉRUVIEN (n. p.). Garcilaso.

CONQUISTADOR PORTUGAIS (n. p.). Albuquerque, Almeida.

CONSACRANT. Archevêque, célébrant, iacre, épistolier, évêque, officiant, prêtre, sous-diacre, vicaire.

CONSACRÉ. Béni, conventionnel, dédié, dévoué, habituel, officiel, oint, reconnu, rituel, sacré, traditionnel, usuel.

CONSACRER. Bénir, dédier, donner, entériner, investir, livrer, mettre, oindre, ordonner, sacrer, spécialiser, vouer.

CONSANGUIN. Agnat, aïeul, aïeux, aîné, allié, analogue, ancêtre, apparenté, ascendant, bru, cadet, cognat, collatéral, consort, cousin, cousine, dabe, époux, famille, frère, gendre, géniteurs, germain, grand-mère, grand-père, mari, mère, neveu, nièce, oncle, parent, père, proche, procréateur, sang, siens, sœur, tante, tata, utérin, vioc, vioque, voisin.

CONSANGUINITÉ. Agnation, alliance, ascendance, branche, cognation, cousinage, degré, descendance, endogamie, famille, filiation, hérédité, lignage, origine, parentage, parenté, race, sang, souche.

CONSCIEMMENT. Délibérément, exprès, intentionnellement, lucidement, résolument, sciemment, volontairement.

CONSCIENCE (n. p.). Abel, Caïn.

CONSCIENCE. Âme, attention, cerveau, cognition, conation, connaissance, crépusculaire, étourdissement, expérience, for, impression, intuition, lucidité, morale, notion, obnubilation, scrupule, sentiment, soin.

CONSCIENCIEUSEMENT. Attentivement, correctement, exactement, fidèlement, honnêtement, loyalement, méticuleusement, minutieusement, précisément, proprement, religieusement, scrupuleusement.

CONSCIENCIEUX. Délibéré, exact, exprès, honnête, méticuleux, minutieux, scrupuleux, sérieux, tatillon.

CONSCIENT. Averti, délibéré, éveillé, intentionnel, lucide, médité, prémédité, réfléchi, volontaire, voulu.

CONSCIENTISER. Agacer, allumer, amener, amorcer, bouleverser, braver, causer, chercher, convier, déclencher, défier, émouvoir, engendrer, entraîner, évaporer, éveiller, exciter, halluciner, indiquer, ioniser, irriter, naître, plaire, provoquer, sensibiliser, soulever, stresser, susciter, tenter, tétaniser.

CONSCRIPTION. Enrôlement, embrigadement, engagement, levée, racolage, recensement, recrutement.

CONSCRIT. Adepte, appelé, bleu, engagé, incorporé, novice, pierrot, recrue, soldat, vétéran.

CONSÉCRATION. Aboutissement, accomplissement, apothéose, bénédiction, confirmation, couronnement, dédicace, entérinement, inauguration, onction, ratification, sacre, sanction, triomphe, validation.

CONSÉCUTIF. Bis, engendré, file, issu, né, quant, résultant, séquentiel, successif, ultérieur, volée.

CONSÉCUTION. Alignement, association, chaîne, chapelet, colonne, combinaison, cordon, enchaînement, enfilade, énumération, file, gamme, guirlande, ligne, liste, rang, rangée, séquence, série, succession, suite, tissu, travée.

CONSÉCUTIVEMENT. Alternativement, périodiquement, rythmiquement, successivement, tour à tour.

CONSEIL. Assemblée, avertissement, avis, défenseur, divan, idée, leçon, motion, opinion, suggestion.

CONSEIL DE LA REINE. CR.

CONSEILLER (n. p.). Adam, Azif, Cabal, Chunibert, Clerc, Colas, Doyat, Engel, Gentz, Isaïe, Joinville, Morel, Ouen, Pot, Suger, Sully, Vidal, Witt.

CONSEILLER. Adjoint, aulique, avertir, aviseur, déconseiller, défendre, détourner, diriger, dissuader, édile, égérie, éminence, guide, inspirateur, interdire, mentor, orienter, orienteur, proposeur, recommander, réorienter, sage, sherpa, suggérer.

CONSEILLÈRE. Égérie, évocatrice, excitatrice, incitatrice, initiatrice, inspiratrice, instigatrice, locomotive, modèle, muse.

CONSENSUEL. Accord, acte, agrégation, bail, billet, contrat, convention, donation, emprunt, entente, forfait, gage, gageure, hypothèque, louage, métayage, mise, nantissement, pacte, papier, pari, parole, pignoratif, police, prêt, promesse, résolution, testament.

CONSENSUS. Accommodement, accord, alliance, arrangement, compromis, concordat, consentement, contrat, convention, engagement, entente, marché, pacte, protocole, traité, transaction.

CONSENTANT. Abandonné, cédé, délaissé, esseulé, inachevé, inculte, inexécuté, inexploité, ingouverné, insecourable, isolé, laissé, quitté, renié, sauvage, seul, seulet, seulette, solitaire, unique, vacant, vendu, vide.

CONSENTEMENT. Acceptation, accord, accréditation, acquiescement, adhésion, admission, agrément, approbation, assentiment, autorisation, aveu, complaisance, consensus, gré, O.K., opposition, permission, refus, ronron, unanimité.

CONSENTIR. Accéder, accepter, accorder, adhérer, céder, donner, octroyer, permettre, prêter, toper, vouloir.

CONSÉQUEMMENT. Adonc, adoncques, ainsi, alors, c'est-à-dire, conséquent, donc, ergo, or, partant, suite.

CONSÉQUENCE. Aboutir, alors, assumer, aussi, cause, contrecoup, déduction, éclaboussure, effet, engendrer, ensuivre, fruit, générer, genèse, impact, implication, incidence, inconvénient, ipso facto, logique, onde de choc, produire, rebondir, répercussion, résultat, retombée, séquelle, suite, tel.

CONSÉQUENT. Ainsi, cohérent, conforme, considérable, dès donc, ergo, lors, lors, logique, partant.

CONSERVATEUR. Anglais, formol, gardien, modéré, préservateur, progressif, réactionnaire, stabilisateur, tan, tory.

CONSERVATION. Confirmation, conserve, consignation, ensilage, entretien, froid, garde, maintien, mémorisation, prestance, protection, recel, réparation, saumurage, sel, surveillance, tutelle, vigilance, vital.

CONSERVATISME. Conformisme, droite, droitisme, intégrisme, modération, passéisme, suivisme, traditionalisme.

CONSERVATOIRE. Art, collection, école, galerie, musée, muséum, peinture, pinacothèque, salon.

CONSERVE. Boucan, choucroute, confit, corned-beef, ensemble, lunette, paneterie, pec, pemmican, salé, saur, séché, secours, singe, sor.

CONSERVER. Confire, congeler, détenir, entretenir, enveloppe, garantir, garder, maintenir, mémoriser, ménager, préserver, protéger, réserver, retenir, saler, saumurer, saurer, sauvegarder, soigner, stocker, surveiller, veiller.

CONSIDÉRABLE. Abondant, ample, beau, beaucoup, colossal, démesuré, effroyable, éléphantesque, énorme, géant, grand, gros, immense, immensité, imposant, impressionnant, infini, insensé, minime, monumental, notable, substantiel.

CONSIDÉRABLEMENT. Abondamment, amplement, beaucoup, énormément, notablement, vastement.

CONSIDÉRANT. Ajoure, ajourer, attendu, bêtise, cause, comment, considération, décision, dessein, excuse, explication, figue, fin, finalité, fondement, grief, intention, justification, leitmotiv, mobile, moteur, motif, objet, ove, prétexte, propos, raison, si, sujet, sur, thème, torsade, uni, vain, vu.

CONSIDÉRATION. Attention, but, déférence, développement, égard, estime, examen, faveur, hère, honneur, honorable, intention, irrecevable, mince, pensée, pour, raison, réflexion, respect, sire, soin, vue.

CONSIDÉRÉ. Accueilli, admiré, admissible, apprécié, censé, certain, classique, contrôlé, coté, cru, envisagé, espéré, estimé, honorable, isolé, présumé, jugé, regardé, réputé, respecté, supposé, total, trouvé, vu.

CONSIDÉRER. Admirer, apprécier, attribuer, contempler, contrôler, croire, dédaigner, égard, envisager, espérer, estimer, évaluer, examiner, expertiser, goûter, isoler, juger, observer, présumer, regarder, tolérer, trouver, voir.

CONSIGNATAIRE. Agent, cerbère, commissionnaire, concierge, conservateur, dragon, eunuque, garde, gardian, gardien, gaucho, geôlier, guetteur, huissier, mandataire, maton, négociant, pion, policier, portier, receleur, sentinelle, surveillant, thesmothète, transitaire, tuteur, veilleur, vigie.

CONSIGNATION. Assurance, aval, caution, charge, dépôt, enregistrement, gage, garantie, obligation, provision, transit.

CONSIGNE. Avertissement, citation, commande, dépôt, directive, écrit, instruction, mot d'ordre, note, ordre, punition.

CONSIGNER. Accaparer, arrêter, assigner, citer, commander, constater, déposer, dépôt, garder, enregistrer, noter.

CONSISTANCE. Diluer, fermeté, fluidité, fondement, force, onctueux, pultacé, scléreux, sclérosé, solidité, texture.

CONSISTANT. Autosuffisant, copieux, dense, dur, épais, ferme, fondé, gelé, gluant, massif, régulier, solide.

CONSISTER. Comporter, composer, comprendre, épaissir, gésir, présenter, reposer, résider, solidifier.

CONSISTOIRE. Assemblée, concile, conciliabule, conclave, congrégation, discrétoire, rabbin, symposium, synode.

CONSŒUR. Collègue, confrère.

CONSOLANT. Apaisant, calmant, consolateur, consolatif, diversion, lénifiant, lénitif, rassurant, réconfortant.

CONSOLATION. Allégement, baume, compensation, joie, prix, réconfort, secours, soulagement, soutien.

CONSOLE. Appui, corbeau, encorbellement, meuble, pied-de-table, pupitre, table, terminal.

CONSOLÉ. Apaisé, calmé, déridé, distraire, égayé, guérit, là, na, réconforté, remonté, va.

CONSOLER. Alléger, apaiser, calmer, dérider, diminuer, distraire, réconforter, remonter, soulager.

CONSOLIDATION. Affermissement, amélioration, ancrage, rééchelonnement, renfort, réparation, stabilisation.

CONSOLIDER. Affermir, ancrer, assurer, cimenter, conforter, fortifier, haubaner, raffermir, renforcer, soutenir.

CONSOMMABLE. Baisable, comestible, croquable, denrée, hygiénique, mangeable, possible.

CONSOMMATEUR. Acheteur, acquéreur, cessionnaire, client, habitué, pratique, preneur, prospect.

CONSOMMATION. Accomplissement, alcool, bière, boisson, bouillon, denrée, dépense, emploi, fin, godet, jus, liqueur, perpétration, pot, rafraîchissement, rasade, ration, réalisation, santé, usage, utilisation, verre.

CONSOMMÉ. Absorbé, accompli, acheté, achevé, bouillon, bu, chaudeau, commettre, court-bouillon, détruire, dévoré, épuisé, fini, lavure, mangé, parachevé, parfait, perpétré, potage, sec, tari, vidé, usé.

CONSOMMER. Absorber, accomplir, acheter, boire, bouffer, commettre, dépenser, économiser, employer, épargner, épuiser, finir, gaspiller, grignoter, manger, ménager, perpétrer, prendre, user, utiliser.

CONSOMPTION. Affaiblissement, cachexie, dépérissement, épuisement, langueur, maigreur, minceur.

CONSONANCE. Assonance, concordance, contrassonance, écho, harmonie, homonymie, rime, unisson.

CONSONNE. Affriquée, alvéolaire, aspirée, bilabiale, bléser, claquante, constrictive, dentale, épenthèse, fricative, géminée, glottale, gutturale, implosif, labial, labiodentale, lettre, médial, nasale, rétroflexe, tenue, voisé, yod.

CONSORTIUM. Blastomère, cercle, club, comité, corporation, covenant, fédération, fusion, guilde, hanse, jumelage, ligue, macle, mafia, ordre, pacte, parti, regroupement, société, syndicalisation, triumvirat, union.

CONSORTS. Acolyte, acteur, affilié, comédien, comparse, compère, complice, congénère, figurant.

CONSOUDE. Borraginacée, langue-de-vache, pied-d'alouette, plante, pulmonaire, symphytum.

CONSPIRATEUR (n. p.). Babington, Balue, Byron, Catesby, Caussin, Cinq-Mars, Duclos, Fieschi, Jarry, Lentulus, Mazzini, Montpensier, Morey, Orsini, Pépin, Ravaillac, Roche, Russell, Wyatt.

CONSPIRATEUR. Agitateur, comploteur, conjurateur, conjuré, émeutier, factieux, fomentateur, fomenteur, instigateur, insurgé, intrigant, meneur, mutin, partisan, rebelle, révolté, séditieux, subversif, trublion.

CONSPIRATION. Association, attentat, brigue, cabale, coalition, complot, intrigue, ligue, machination.

CONSPIRER. Comploter, concourir, entendre, fomenter, méditer, organiser, ourdir, projeter, tendre, tramer.

CONSPUER. Abaisser, attaquer, chahuter, honnir, hou, huer, manifester, mépriser, salir, siffler, vilipender.

CONSTAMMENT. Assidûment, cesse, continuellement, fermement, fréquemment, relâche, toujours.

CONSTANCE. Assidu, continuation, courage, énergie, fermeté, habitude, inégalité, même, patience, persévérance.

CONSTANT. Assidu, certain, conforme, continue, continuel, durable, égal, éternel, évident, ferme, fidèle, fixe, franc, genre, immuable, inaltérable, isobare, isochore, masse, placide, persévérant, positif, vérité, vertu.

CONSTANTE. Âge, algèbre, armada, arrondir, beaucoup, chiffre, compte, densité, effectif, entier, fréquence, harmonie, millier, multiplicité, nombre, numéro, quantité, quorum, rondeur, score, surnombre, tant, tirage, vie.

CONSTANTINE (n. p.). Cirta, Constance, Rummel.

CONSTANTINOPLE (n. p.). Bosphore, Byzance, Istanbul.

CONSTAT. Analyse, attestation, bilan, conclusion, déclaration, examen, procès-verbal, protêt, rapport.

CONSTATATION. Absolution, acte, expertise, observation, procès-verbal, rapport, réflexion, vérification.

CONSTATER. Apparoir, assister, certifier, consigner, dévisager, enregistrer, épier, étudier, examiner, fixer, noter, observer, réaliser, réel, regarder, remarquer, sensible, surveiller, tangible, trouver, vérifier, voir.

CONSTELLATION. Apex, astérisme, astéroïde, étoile, galaxie, groupe, planète, pléiade, zodiaque.

CONSTELLATION (ABRÉVIATION INTERNATIONALE) (n. p.). Aigle (Aql), Andromède (And), Autel (Ara), Balance (Lib), Baleine (Cet), Bélier (Ari), Boussole (Pyx), Bouvier (Boo), Burin (Cae), Caméléon (Cha), Cancer (Cnc), Capricorne (Cap), Carène (Car), Cassiopée (Cas), Centaure (Cen), Céphée (Cep), Chevelure de Bérénice (Com), Chiens de chasse (Cvn), Cocher (Aur), Colombe (Col), Compas (Cir), Corbeau (Crv), Coupe (Crt), Couronne australe (Cra), Couronne boréale (Crb), Croix du Sud (cru), Cygne (Cyg), Dauphin (Del), Dorade (Dor), Dragon (Dra), Écu (Sct), Eridan (Eri), Flèche (Sge), Fourneau (For), Gémeaux (Gem), Girage (Cam), Grand Chien (Cma),

Grande Ourse (Uma), Grue (Gru), Hercule (Her), Horloge (Hor), Hydre femelle (Hya), Hydre mâle(Hyi), Indien (Ind), Le Sextant (Sex), Lézard (Lac), Licorne (Mon), Lièvre (Lep), Lion (Leo), Loup (Lup), Lynx (Lyn), Lyre (Lyr), Machine pneumatique (Ant), Microscope (Mic), Mouche (Mus), Octant (Oct), Oiseau du paradis (Aps), Orion (Ori), Paon (Pav), Pégase (Peg), Peintre (Pic), Persée (Per), Petit Cheval (Equ), Petit Chien (Cmi), Petite Ourse (Umi), Petit Lion (Lmi), Petit Renard (Vul), Phénix (Phe), Poisson austral (Psa), Poisson volant (Vol), Poissons (Psc), Poupe (Pup), Règle (Nor), Réticule (Ret), Sagittaire (Sgr), Scorpion (Sco), Sculpteur (Scl), Serpent (Ser), Serpentaire (Oph), Table (men), Taureau (Tau), Télescope (Tel), Toucan (Tuc), Triangle austral (Tra), Triangle Boréal (Tri), Verseau (Aqr), Vierge (Vir), Voiles (Vel).

CONSTELLER. Agrémenter, couvrir, cribler, disperser, émailler, étoiler, orner, pailleter, parsemer, recouvrir.

CONSTER. Découler, dépendre, dériver, émaner, partir, procéder, provenir, résulter.

CONSTERNANT. Affligeant, atterrant, attristant, bouleversant, changeant, chagrinant, chavirant, déplorable, dérégler, désespérant, désolant, douloureux, émouvant, navrant, ravageant, renversant, saccageant, troublant.

CONSTERNATION. Abattement, accablement, atterrant, chagrin, désolation, douleur, mélancolie, stupéfaction, tristesse.

CONSTERNÉ. Abasourdi, ahuri, assommé, baba, déconfit, ébahi, ébaubi, éberlué, effarant, épaté, époustouflé, estomaqué, étonné, étourdi, interdit, interloqué, médusé, pantois, pétrifié, sidéré, scié, soufflé, surpris, stupéfait, surpris.

CONSTERNER. Abattre, accabler, affliger, anéantir, atterrer, attrister, bouleverser, briser, catastropher, chagriner, désespérer, désoler, émouvoir, épouvanter, navrer, renverser, stupéfier, terrasser, troubler.

CONTIPATION. Convection, écume, échauffement, énervement, engouement, entraînement, fermentation, inflammation, iléus, irritation, liquation, occlusion, réchauffement, surexcitation.

CONSTIPÉ. Anxieux, compassé, complexé, échauffé, embarrassé, gêné, inhibé, pogné, refoulé, timide.

CONSTIPER. Cailler, coaguler, congeler, épaissir, figer, fixer, glacer, immobiliser, pétrifier, scléroser, transir.

CONSTITUANT. ADN, atome, caractéristique, composant, constitutif, durain, élément, ergol, essentiel, feuillet, fondamental, fragment, ingrédient, membre, module, morceau, mucine, stéarine.

CONSTITUER. Attester, bâtir, caractériser, composer, créer, dénoter, édifier, élaborer, ériger, établir, être, faire, fait, fixer, fonder, former, instaurer, monter, nuire, organiser, rassembler, représenter, robuste.

CONSTITUTIF. Caractéristique, essentiel, foncier, fondamental, immanent, inhérent, interne, intrinsèque, propre.

CONSTITUTION. Acte, composition, désignation, édit, élu, loi, nature, règlement, rescrit, roi, texture.

CONSTITUTIONNALITÉ. Canonicité, conformité, correction, juste, justesse, légalité, légitimité, validité.

CONSTITUTIONNEL. Assermenté, jureur, légal, organique, parlementaire, réglementaire, régulier.

CONSTRICTEUR. Anatomie, boa, constrictor, muscle, orifice, reptile, serpent, sphincter.

CONSTRICTIF. Constricteur, fricatif, prononciation, spirant.

CONSTRICTION. Contraction, contracture, contraire, convulsion, crampe, crispation, épreinte, étranglement, fibrillation, impatiences, ligature, myalgie, pression, spasme, striction, tension, trisme, trismus.

CONSTRICTOR. Anatomie, boa, constricteur, muscle, orifice, reptile, serpent, sphincter.

CONSTRUCTEUR. Architecte, artisan, avionneur, bâtisseur, entrepreneur, fabricant, faiseur, industriel, ingénieur, maître d'œuvre, manufacturier, producteur, promoteur, tabulé.

CONSTRUCTEUR AUTOMOBILE (n. p.). BMW, Bollée, Brabham, Chevrolet, Chrysler, Ferrari, Ford, Général Motors, Honda, Hyundai, Jaguar, Kia, Lada, Mazda, Mercedes, Nissan, Panhard, Porsche, Renaud, Saab, Subaru, Suzuki, Toyota, Volkswagen, Volvo.

CONSTRUCTEUR AVION (n. p.). Blériot, Bombardier, Dassault, De Havilland, Dewoine, Farman, Fokker, Iliouchine, Leduc, Nieuport, Potez.

CONSTRUCTIF. Actif, activité, affairé, agissant, attitude, créateur, dynamique, énergique, animé, diligent, dynamique, efficace, force, optimiste, pep, positif, tonicité, vitalité.

CONSTRUCTION. Aire, autel, baraque, bâtiment, bâtisse, brise-glace, bungalow, ciste, composition, dôme, édicule, encorbellement, érection, étrésillon, expression, faré, hypogée, imagination, inversion, lanterneau, maison, massif, nid, nymphée, pergola, phraséologie, pont, radeau, retable, rhétorique, rouf, serre, soubassement, structure, termitière, tour, trullo.

CONSTRUIRE. Architecturer, assembler, bâtir, charpenter, claver, concevoir, créer, disposer, dresser, édifier, élaborer, élever, enlier, ériger, ficeler, fonder, maçonner, monter, nidifier, réaliser, rebâtir, staffer, taluter, tisser.

CONSUBSTANTIALITÉ. Coexistence, corporalité, substance, substantialité, théologique, unicité.

CONSUBSTANTIATION. Calvinisme, cène, communion, eucharistie, hostie, impanation, luthérien.

CONSUBSTANTIELLEMENT. Étroitement, indéfectiblement, indestructiblement, indivisiblement, intimement.

CONSUL (n. p.). Bonaparte, Caton, Cicéron, Cincinnatus, Cinna, Claudius Caecus, Condé, Crassus, Ducos, Duilius, Fabricius, Flamininus, Lebrun, Lesseps, Manrius, Munmius, Murena, Napoléon, Nordling, Pavie, Pénicaud, Pritchard, Pydna, Regulus, Scipion, Sénèque, Sulla, Sylla, Symmaque, Tacite, Varron.

CONSUL. Afer, agent, ambassadeur, chancelier, cheval, consulaire, diplomate, édile, symphonie, tribunaux.

CONSULAT. Ambassade, chancellerie, consul, magistrature, représentation, résidence.

CONSULTABLE. Abscons, abstrait, abstrus, accessible, adéquat, atteignable, attrapable, clair, compréhensible, concevable, défendable, explicable, facile, intelligible, interrogeable, naturel, normal, pardonnable, pénétrable, possible, saisissable, simple, touchable.

CONSULTANT. Audit, aulique, avocat, conseiller, éminence, malade, mentor, orienteur, patient, sage.

CONSULTATION. Élection, enquête, examen, fatwa, plébiscite, référendum, scrutin, sondage, visite, vote.

CONSULTE. Assemblée, chambre, congrès, conseil, consistoire, constituante, cour, tribunat.

CONSULTER. Avis, conférer, concerter, compulser, délibérer, demander, dépouiller, écouter, étudier, examiner, feuilleter, interroger, lire, pouls, puiser, questionner, rechercher, référendum, référer, voir.

CONSULTEUR. Casuiste, consulteur, docteur, gnostique, ouléma, scolastique, soufi, théologien, uléma.

CONSUMABLE. Aliment, anthacite, bois, boulet, briquette, butane, carburant, charbon, coke, combustible, diesel, ergol, fioul, fuel, gaillette, gazol, gazoline, houille, huile, ignifuge, impétueux, inflammable, mazout, méta, moxa, naphte, semi-coke, tourbe.

CONSUMER. Absorber, affaiblir, anéantir, brûler, consommer, détruire, dévorer, épuiser, miner, ronger.

CONTACT. Borne, communication, correspondance, heurter, liaison, plot, rapport, recevoir, relation, toucher.

CONTACTER. Appeler, atteindre, injoignable, joindre, rejoindre, rencontrer, retremper, téléphoner, toucher.

CONTACTEUR. Bouton, bouton-poussoir, clé, combinateur, commande, commutateur, conjoncteur, contact, coupleur, discontacteur, disjoncteur, interrupteur, manostat, poussoir, rotateur, sectionneur, sélecteur, télécommande.

CONTAGIEUX. Communicable, communicatif, épidémique, contagiosité, héréditaire, infectieux, transmissible.

CONTAGION. Choléra, communication, gale, peste, propagation, rubéole, transmission, variole, virus.

CONTAMINATION. Altération, contagion, corruption, gangrène, infection, mélange, moisi, pédiculose, transmission.

CONTAMINER. Atteindre, contagion, corrompre, donner, gâter, empester, empoisonner, empuantir, envenimer, indemne, infecter, maculer, mélanger, propager, salir, souiller, toucher, transférer, transmettre.

CONTE. Anecdote, annale, aventure, bobard, chronique, commentaire, discours, éphéméride, épopée, fable, feuilleton, flirt, histoire, historiette, légende, mytje, nouvelle, polar, récit, roman, souvenir.

CONTE DE PERRAULT (n. p.). Barbe-bleue, Belle au bois dormant, Carabosse, Cendrillon, Chat botté, Maître chat, Peau d'âne, Petit chaperon rouge, Petit poucet, Riquet à la houppe.

CONTEMPLATEUR. Extatique, idéaliste, méditatif, poète, rêvasseur, rêveur, songeur, utopiste, visionnaire.

CONTEMPLATIF. Absent, absorbé, aviseur, carmélite, chartreuse, clarisse, distrait, léger, méditatif, moniale, occupé, penseur, pensif, préoccupé, rêveur, songeur, soucieux, visionnaire.

CONTEMPLATION. Attention, conception, entendement, extase, méditation, mysticisme, pensée.

CONTEMPLATIVEMENT. Pensivement, rêveusement, songeusement, soucieusement.

CONTEMPLER. Admirer, considérer, dévisager, examiner, méditer, mépriser, mirer, penser, regarder.

CONTEMPORAIN. Actuel, contemporanéité, moderne, présent, réalité, témoin.

CONTEMPTEUR. Calomniateur, calomnieux, colporteur, débineur, dénigrant, dénigreur, dépréciateur, détracteur, diffamant, diffamateur, diffamatoire, infamant, médisant, potineur, potinier, rossard, vipère.

CONTENANCE. Air, allure, are, attitude, capacité, contenu, cubage, cylindrée, dégaine, démarche, dose, étendue, jauge, maintien, mesure, mine, port, posture, quantité, récipient, superficie, ton, tonnage, volume.

CONTENANT. Boîte, bouteille, boîtier, caisse, caissette, canon, carton, casse, coffre, custode, écrin, écuelle, emballage, enceinte, enveloppe, étui, figure, jatte, litre, pot, récipient, sac, sachet, têt, trousse, vase.

CONTENEUR. Bâche, benne, boîte, cadre, cagnotte, caisse, caissette, caisson, carrosserie, carton, cave, coffre, coffret, colis, fût, harasse, huche, koto, maie, malle, paquet, tambour, tare, tiroir, tiroir-caisse.

CONTENIR. Accueillir, arrêter, avoir, comporter, dominer, dompter, endiguer, enfermer, englober, enserrer, inclure, limiter, maintenir, maîtriser, mesurer, modérer, posséder, receler, renfermer, retenir, tenir.

CONTENT. Aisé, béat, bienheureux, claironnant, comblé, enchanté, fat, fiérot, gai, gavé, heureux, joice, jouasse, jouisseur, joyeux, jubilant, orgueilleux, présomptueux, radieux, rassasié, ravi, réjoui, repu, satisfait, triomphant.

CONTENTEMENT. Aisé, autosatisfaction, bonheur, chic, fatuité, fierté, hilare, joie, plaisir, satisfaction, veine.

CONTENTER. Accommoder, assouvir, borner, combler, exaucer, exiger, nier, rassasier, résigner, satisfaire, suffire.

CONTENTIEUX. Affrontement, conflit, démêlé, différend, dispute, litige, litigieux, juridique, procédure.

CONTENTION. Application, attention, concentration, contrainte, discussion, effort, plâtre, strapping, tension.

CONTENU. Assiettée, augée, baril, boîte, bock, bolée, casserolée, ci-inclus, contenance, cuillérée, cuvée, dedans, hottée, inclus, jatte, latent, litre, panerée, pelletée, plein, pochée, poêlée, resserré, retenu, sérum, tasse, teneur.

CONTER. Brosser, décrire, dépeindre, fleureter, flirter, narrer, peindre, raconter, rapporter, réciter, relater, retracer.

CONTESTABLE. Critiquable, déniable, discutable, douteux, litigieux, niable, opposable, plaidable, reniable.

CONTESTATAIRE. Activiste, agitateur, anarchiste, cordelier, desperado, émeutier, ergoteur, extrémiste, factieux, frondeur, futuriste, gauchiste, insurgé, insurrectionnel, militant, nihiliste, novateur, putschiste, rebelle, révolté, révolutionnaire, séditieux, subversif, terroriste, trublion.

CONTESTATION. Arbitrage, chicane, conflit, contradiction, débat, démêlé, désaccord, désapprobation, différend, dispute, discussion, litige, mésentente, négation, non, opposition, querelle, raï, récusation, refus.

CONTESTER. Arguer, batailler, chicaner, contredire, controverser, débattre, décrier, dénier, disconvenir, discuter, disputer, douter, ergoter, étriver, litigueux, manifester, nier, opposer, plaider, pointiller, quereller, réclamer, récuser, renier.

CONTEUR (n. p.). Brantôme, Creanga, Des Périers, Drda, Gras, Halek, Hauff, La Sale, La Salle, Nazor, Sacchetti, Timmermans, Ugarte.

CONTEUR. Anecdotier, auteur, chansonnier, compositeur, créateur, diseur, dramaturge, écrivain, essayiste, glossateur, historien, librettiste, narrateur, nouvelliste, parolier, poète, préfacier, prosateur, raconteur, romancier, satiriste, scénariste, scripteur.

CONTEXTE. Circonstance, climat, concordance, condition, conjoncture, environnement, paysage, position, situation.

CONTEXTURE. Accommodation, agencement, ajustement, aménagement, armure, composition, constitution, élaboration, entrecroisement, narration, organisation, rédaction, structure, texture, tissu.

CONTIGU. Aboutant, adjacent, attenant, direct, fréquent, joint, jouxté, proche, proximité, touchant, voisin.

CONTIGUÏTÉ. Application, argutie, attention, conscience, contact, détail, diligence, exactitude, importance, lésinerie, mesquinerie, méticulosité, minutie, mitoyenneté, parcimonie, poussé, précision, protocolaire, proximité, purisme, regardant, rien, soin, sollicitude, scrupule, valeur, vigilance, voisinage.

CONTINENCE. Abstinence, ascétisme, chasteté, fermeté, innocence, jeûne, privation, pucelage, pureté, virginité.

CONTINENT (n. p.). Afrique, Amérique, Antarctique, Asie, Atlantide, Eurasie, Europe, Gondwana, Laurasie, Océanie, Pangée.

CONTINENT. Abstinent, ascétique, chaste, ferme, innocent, monde, part, puceau, pur, quota, transcontinental, vierge.

CONTINGENCE. Accident, aléa, aléatoire, astreinte, autonomie, aventure, chance, choix, circonstance, disponibilité, droit, espèces, faculté, fonds, hasard, indépendance, liberté, loisir, permission, possibilité, pouvoir.

CONTINGENT. Accidentel, casuel, classe, conscription, contingenter, fortuit, part, quota, relatif, répartition.

CONTINGENTÉ. Borné, confiné, délimité, limité, rationné, régulé, réparti, restreint, sélectionné.

CONTINGENTEMENT. Alésage, assiduité, autorégulation, compression, contrôle, critique, diminution, doute, économie, équivoque, limitation, ponctualité, rationnement, réduction, régularisation, répartition, réserve, restriction, réticence.

CONTINGENTER. Borner, confiner, délimiter, limiter, pool, rationner, répartir, restreindre.

CONTINU. Assidu, constant, continuel, durable, fidèle, hectique, incessant, ininterrompu, intense, lié, ligne, non-stop, permanent, persévérant, persistant, régulier, soutenu, successif, suivi, voisin.

CONTINUATEUR. Aîné, bélouga, béluga, cétacé, dauphin, delphinologie, épaulard, flasque, fromage, globicéphale, gouttière, héritier, inia, jottereau, marsouin, menin, monseigneur, orque, platiniste, prince, proxénète, souffleur, successeur.

CONTINUATION. Continuité, incessant, maintien, permanent, perpétuel, poursuite, série, stabilité, suite.

CONTINUEL. Constant, continu, durable, éphémère, éternel, fréquent, immémorial, incessant, indéfectible, infinité, ininterrompu, invariable, même, passager, permanent, perpétuel, persistant, régulier, sempiternel.

CONTINUELLEMENT. Assidûment, chroniquement, constamment, continûment, éternellement, incessant, toujours.

CONTINUER. Durer, ininterrompre, perdurer, perpétuer, persévérer, persister, poursuivre, rester, suite.

CONTINUITÉ. Continuation, égalité, hiatus, ininterruption, permanence, poursuite, reprise, suite, tradition.

CONTINÛMENT. Assidûment, constamment, continuellement, également, exactement, infiniment, localement, monotonement, permanence, platement, ponctuellement, recta, régulièrement, semblablement, uniformément.

CONTORSION. Acrobatie, bistournage, courbure, distorsion, expression, froncement, grimace, torsion.

CONTORSIONNER. Courber, désarticuler, désosser, disloquer, distordre, grimacer, poser, torde.

CONTORSIONNISTE. Acrobate, annéliste, antipodiste, barriste, bateleur, bâtonniste, batoude, cascadeur, culbuteur, équilibriste, fantassin, fildefériste, funambule, gymnaste, jongleur, matassin, pétauriste, pilote, psylle, salvateur, soldat, trapéziste, voltigeur.

CONTOUR. Arête, bord, bordure, cadre, cerne, circonférence, clôture, côté, dessin, forme, frange, galbe, ligne, limite, lisière, orée, ourlet, périphérie, périmètre, pourtour, profil, rebord, rive, tour, trace.

CONTOURNÉ. Affecté, alambiqué, compliqué, frisé, maniéré, précieux, profil, recherché, rococo, tarabiscoté, tors.

CONTOURNEMENT. Dérivation, déroutage, déroutement, détour, détournement, déviation, évitement.

CONTOURNER. Border, déborder, détour, dissiper, échapper, esquiver, éviter, friser, gauchir, tourner.

CONTRA. Combattant, contre, franc-tireur, guérillero, maquisard, partisan, pistolero, résistant.

CONTRACEPTIF. Abortif, anovulant, anticonceptionnel, capote, condom, diaphragme, pilule, préservatif, stérilet.

CONTRACEPTION (n. p.). Knauss, Ogino, Veil.

CONTRACEPTION. Anticonceptionnel, avortement, malthusianisme, orthogénie, préservatif, tension.

CONTRACTÉ. Angoissé, crampé, crispé, inquiet, noué, préoccupé, raide, rigide, stressé, tendu, tourmenté.

CONTRACTER. Attraper, choper, clore, convulser, crisper, diminuer, emprunter, engager, enrhumer, gagner, lier, pincer, piquer, plisser, prendre, raidir, resserrer, rétracter, rétrécir, rigide, serrer, tendre, tordre.

CONTRACTION. Agitation, angoisse, antipéristaltique, clonie, clonique, convulsion, crampe, crase, crispation, éternuement, extrasystole, fibrillation, hoquet, rétraction, rictus, ride, sanglot, spasme, tension, tétanie, tétanos, tic, tonus, trisme, trismus, vaginisme.

CONTRACTUEL. Aubergine, auxiliaire, consensuel, consentement, mutuel, pervenche, pigiste, transactionnel, vacataire.

CONTRACTURE. Astriction, constriction, contraction, crampe, crispation, spasme, spasmophilie, tétanie, tension.

CONTRADICTEUR. Accusateur, adversaire, débatteur, défenseur, frondeur, improbateur, objecteur, opposant.

CONTRADICTION. Absurdité, ambivalence, antilogie, antinomie, aporie, barrière, boulet, contraire, contraste, démenti, discordance, impasse, incohérence, incompatibilité, obligation, obstacle, opposition.

CONTRADICTOIRE. Absurde, codicille, contraire, dirimant, nécessitant, opposé, paradoxal, rebours.

CONTRAGESTIF. Abortif, anticipé, hâtif, matinal, précipité, précoce, prématuré, prémices, pressant, pressé, urgent.

CONTRAIGNANT. Accablant, aliénant, asservissant, assujettissant, astreignant, contraignant, écrasant, étouffant, étroit, exigeant, impitoyable, lourd, oppressant, pénible, pesant, restreignant, rigide, strict.

CONTRAINDRE. Asservir, encarcaner, exiger, forcer, gêner, imposer, lier, obliger, sommer, taxer, violenter.

CONTRAINT. Astreint, artificiel, coercitif, embarrassé, emprunté, forcé, gauche, gêné, imposé, obligé.

CONTRAINTE. Assujettissement, botte, carcan, coaction, coercition, compression, défense, entrave, esclavage, gêne, joug, loi, nécessité, norme, obligation, obligée, obstacle, ordre, pression, règle, servitude.

CONTRAIRE. Absurde, abusif, adversaire, adverse, antagoniste, anti, antithèse, antonyme, autrement, barbare, concurrent, contradictoire, dénaturé, divergent, envers, étrange, fol, folle, fou, hérésie, illégal, incompatible, inverse, licencieux, malsonnant, opposé, paradoxe, tort.

CONTRAIREMENT. Alias, anciennement, antan, autre, autrement, désaccord, différemment, dissemblablement, diversement, immémorial, jadis, mal, naguère, opposition, ou, rebours, sans quoi, sinon.

CONTRALTO, CHANTEUSE (n. p.). Beaulieu, Catudal, Champagne, Couture, Dumontet, Ferland, Ferrier, Forester, Gignac, Jalbert, Lambert, Lanouette, Paquet, Parent, Puiu, Rioux.

CONTRALTO. Alto, chanteuse, mezzo-soprano, voix.

CONTRARIANT. Acariâtre, agaçant, chiant, décevant, déplaisant, dérangeant, désespérant, embêtant, empoisonnant, ennuyeux, fâcheux, fastidieux, importun, insupportable, intolérable, marri, râlant, vexant.

CONTRARIÉ. Agacé, affligé, amer, attristé, chagriné, chiffonné, combattu, contrecarré, déçu, déjoué, désolé, embêté, ennuyé, entravé, fâché, freiné, froissé, insatisfait, irrité, marri, peiné, sec, tracassé, vexé.

CONTRARIER. Agacer, asticoter, attrister, barrer, blesser, chagriner, chiffonner, choquer, contrecarrer, contrer, décevoir, déplaire, désespérer, désoler, embêter, empêcher, ennuyer, fâcher, heurter, indisposer, irriter, mécontenter, opposer, vexer.

CONTRARIÉTÉ. Abstrusion, affliction, aporie, chagrin, complication, confusion, corvée, dépit, désagrément, désobligé, désolation, difficulté, ennui, incommodité, mécontentement, ouïe, ouille, souci, tracas, tristesse.

CONTRASTANT. Autre, bigarré, composite, différent, disparate, disparité, dissemblable, distinct, divers, diversifié, hétérogène, hybride, involution, mélangé, mixte, multiplié, opposé, panaché, pluriel, varié.

CONTRASTE. Antithèse, changement, conflit, combat, conflit, contraire, défiance, désaccord, déséquilibre, différence, discordance, disharmonie, disparate, disparité, heurt, ironie, ironique, opposition, refus.

CONTRASTÉ. Adverse, affronté, antagoniste, cru, délaché, différent, marqué, opposé, tranché, varié.

CONTRASTER. Détacher, détonner, discorder, dissoner, heurter, jurer, opposer, ressortir, trancher.

CONTRAT. Accord, acte, agrégation, bail, billet, consensuel, convention, donation, emprunt, entente, forfait, gage, gageure, hypothèque, louage, marchandage, métayage, mise, nantissement, pacte, papier, pari, parole, pignoratif, police, prêt, promesse, résolution, testament.

CONTRAVENTION. Amende, contredanse, entorse, infraction, peine, papillon, procès-verbal, prune, p.v., ticket, violation.

CONTRE. Anti, auprès, haro, juxtaposé, malgré, nonobstant, opposé, par, pour, protester, sur, tort, vice, voix, vs.

CONTRE-ATTAQUE. Allegro, ardemment, beaucoup, brusquement, brutalement, chauffer, durement, embraser, fortement, fulgurant, intensément, phtalène, précipitamment, pressant, prestement, profondément, promptement, rapidement, réactif, riposte, sèchement, vite, vivement.

CONTRE-ATTAQUER. Argumenter, attaquer, combattre, confondre, contredire, critiquer, démentir, démontrer, détruire, infirmer, nier, objecter, opposer, prouver, raisonner, rebiffer, réfuter, renvoyer, répliquer, répondre, riposter.

CONTREBALANCER. Compenser, égaler, équilibrer, moquer, neutraliser, pondérer, rééquilibrer, stabiliser.

CONTREBANDE. Anonyme, braconnage, cacher, clandestin, commerce, contrefaçon, fraude, illégal, illicite, interlope, marché noir, noir, pègre, pirate, rave, secret, trafic, trabendo, tromperie.

CONTREBANDIER (n. p.). Mandrin.

CONTREBANDIER. Aventurier, bandit, bandolier, bootlegger, clandestin, passeur, pirate, saunier, trafiquant.

CONTREBASSE. Basse, bassiste, basson, bombarde, bombardon, contrebasson, corde, hélicon, saxhorn.

CONTREBASSISTE (n. p.). Mingus.

CONTRECARRER. Attrister, barrer, chagriner, contrarier, contredire, contrer, déjouer, déranger, empêcher, ennuyer, entraver, fâcher, gâcher, gêner, indisposer, mécontenter, neutraliser, nuire, opposer, vexer.

CONTRECŒUR. Amertume, bâillement, chagrin, contrariété, dégoût, déplaisir, désagrément, ennui, froissement, gêne, insatisfaction, irritation, langueur, mécontentement, offense, regret, répugnance, scandale, vide, vilenie.

CONTRECOUP. Conséquence, éclaboussure, rebondissement, répercussion, retour, ricochet, séquelle, suite.

CONTREDANSE. Amende, astreinte, contrainte, contravention, pastourelle, peine, quadrille, rigodon, set carré.

CONTREDIRE. Contester, contrecarrer, critiquer, dédire, démentir, dénier, désavouer, nier, réfuter, renier, vexer.

CONTREDIT. Assurément, certainement, évidemment, incontestablement, indubitablement, manifestement.

CONTRÉE (n. p.). Achaïe, Aoudh, Arcadie, Argolide, Bactriane, Béotie, Circassie, Doride, Éolide, Éolie, Germanie, Hyrcanie, Iapygie, Idumée, Iturée, Laconie, Locride, Médie, Mésie, Mysie, Numidie, Palestine, Pamphylie, Pannomie, Paphlagonie, Pérée, Phocide, Phrygie, Rhétie, Sarmatie, Sogdiane, Troade.

CONTRÉE. Brousse, coin, défiée, district, endémie, étendue, lieu, patrie, pays, région, tribu, verte.

CONTRE-ÉPREUVE. Analyse, apurement, confirmation, considération, contrôle, critique, démonstration, enquête, épluchage, épreuve, essai, étude, évaluation, examen, expérience, expertise, filtrage, inspection, justification, observation, pointage, recensement, récolement, reconnaissance, révision, revue, surveillance, test, vérification.

CONTREFAÇON. Caricature, copie, faux, fraude, démarquage, imitation, parodie, plagiat, trucage.

CONTREFACTEUR. Compilateur, contrefacteur, copieur, copiste, démarqueur, épigone, falsificateur, faussaire, faux-monnayeur, imitateur, mystificateur, pasticheur, picoreur, piqueur, plagiaire, travesti, voleur.

CONTREFAIRE. Affecter, calquer, caricaturer, copier, déformer, déguiser, difformer, faire, falsifier, feindre, imiter, mimer, moquer, parodier, pasticher, plagier, reproduire, singer, trafiquer, travestir, truquer.

CONTREFAIT. Avorton, bancroche, boiteux, bossu, bot, déformé, difforme, faux, imitation, malfait, modifié.

CONTREFICHE. Aide, appui, béquille, câble, cale, chevalet, cordage, épontille, étai, étançon, jambe de force, soutien.

CONTREFICHER. Aigreur, amertume, bisque, bouder, cependant, chagrin, contrariété, crève-cœur, dam, déception, dépit, désappointement, enrager, envers, envie, humeur, jalousie, malgré, nonobstant, rageant, rancœur, saperlipopette, vexer, zut.

CONTRE-FILET. Aiguillette, aloyau, bavette, cordon, épaule, ferret, lacet, orphie, romsteak, t-bone, volaille.

CONTREFORT. Appui, arc-boutant, assiette, assise, base, butée, constitution, colonne, création, culée, épaulement, fondation, enfoncement, établissement, fondement, formation, pilier, soutènement, soutien.

CONTREFOUTRE. Bouder, contrebalancer, désintéresser, ignorer, méconnaître, mépriser, moquer.

CONTRE-INDICATION. Accident, anomalie, anormalité, contre-exemple, dérogation, exception, restriction.

CONTRE-INDIQUER. Admonester, déconseiller, décourager, dégoûter, détourner, dissuader, renoncer.

CONTRE-JOUR. Brouillon, clair, clair-obscur, clarté, éclairage, éclat, embrasement, flou, foué, jour, limpidité, louche, lueur, lumière, luminosité, nébuleux, nébulosité, netteté, nuageux, obscurité, précision, troublé.

CONTREMAÎTRE. Chef, maîtrise, piqueur, porion, prote, responsable, sous-maître, surveillant.

CONTRE-OFFENSIVE. Allegro, ardemment, beaucoup, brusquement, brutalement, chauffer, contre-attaque, durement, embraser, fortement, fulgurant, intensément, phtalène, précipitamment, pressant, prestement, profondément, promptement, rapidement, réactif, riposte, sèchement, vite, vivement.

CONTREMANDER. Annuler, arrêter, décommander, déprier, rapporter, revenir, révoquer.

CONTREPARTIE. Amende, bonification, caution, compensation, consolation, contrepoids, correction, dédommagement, dommage, échange, indemnité, pondération, prestation, récompense, remboursement, réparation, revanche.

CONTREPET. Anastrophe, contrepèterie, interversion, inversion, métathèse, permutation, saphisme, transposition.

CONTRE-PIED. Antithèse, contraire, contrepartie, contresens, encontre, envers, inverse, opposé, rebours.

CONTREPOIDS. Équilibrant, équilibrateur, équilibreur, modérateur, pondérateur, régulateur, stabilisateur.

CONTREPOISON. Acétylcystéine, alexipharmaque, amyle, antidote, atropine, déféroxamine, dérivatif, dimercaprol, diversion, exutoire, leucovorine, mithridatisation, naloxone, physostigmine, phytonadione, pralidoxime, protamine, remède, succimer, thériaque.

CONTRE-REMBOURSEMENT. Cr.

CONTRERÉVOLUTIONNAIRE (n. p.). Bonald, Bourbon, Burke, Charrette.

CONTRERÉVOLUTIONNAIE. Antirévolutionnaire, partisan.

CONTRESEING. Admissibilité, authenticité, bien-fondé, certitude, conformité, contresigner, estampille, faux, greffier, inauthencité, ita, légalisation, légaliser, paillette, réalité, seing, sic, sincérité, véracité, véridique, vérité, visa, vrai.

CONTRESENS. Aberration, absurdité, contre-pied, erreur, faux-sens, non-sens, paradoxe, rebours, travers.

CONTRETEMPS. Absence, accroc, anicroche, complication, difficulté, empêchement, ennui, obstacle, problème.

CONTRE-TÉNOR. Haute-contre, voix.

CONTRE-TÉNOR, CHANTEUR (n. p.). Lagranade, McLean.

CONTRE-TORPILLEUR. Bateau, bâtiment, destroyer.

CONTREVALLATION. Abysse, ahah, boyau, brook, bunker, canal, caveau, cavité, charnier, creux, douve, émissaire, excavation, feuillée, fossé, gap, graben, haha, oubliette, purot, retard, rift, rigole, ruisson, saut-de-loup, sautoir, séparation, silo, tinette, tombe, tranchée, trou, watergang.

CONTREVENANT. Coupable, criminel, délinquant, fautif, infracteur, pécheur, responsable, transgresseur.

CONTREVENIR. Blesser, déroger, désobéir, enfreindre, manquer, pécher, transgresser, violer.

CONTREVENT. Déflecteur, extrados, intrados, jalousie, persienne, volet.

CONTRE-VÉRITÉ. Aberration, absurdité, apagogie, bêtise, contradiction, contresens, déraison, énormité, extravagance, folie, idiotie, illogisme, incohérence, incongruité, ineptie, inertie, non-sens, ridicule, sottise, stupidité.

CONTRIBUABLE. Assujetti, censitaire, corvéable, imposable, imposé, prestataire, redevable, taillable.

CONTRIBUER. Adhérer, afférent, aider, apporter, collaborer, concourir, coopérer, cotiser, engendrer, multiplier, participer, payer, perpétuer, procréer, soutenir.

CONTRIBUTION. Aide, appoint, apport, collaboration, concours, cotisation, dépense, écot, gabelou, imposition, impôt, matrice, obole, part, prestataire, quota, quote-part, rat-de-cave, souscription, taxe, tribut.

CONTRISTER. Affliger, arracher, attrister, chagriner, consterner, désespérer, désoler, fâcher, navrer.

CONTRIT. Confus, ennuyé, honteux, marri, navré, penaud, pénitent, regret, repentant.

CONTRITION. Attrition, componction, couple, pénitence, regret, remords, repentir, résipiscence, tension.

CONTRÔLABLE. Analysable, comparable, constatable, domptable, maîtrisable, répressible, testable, vérifiable.

CONTRÔLE. Analyse, apurement, arbitre, arraisonnement, audit, censure, confirmation, émoi, examen, expertise, filtrage, filtre, ire, orthogénie, self-control, souverain, suivi, taste-vin, tâte-vin, test, testage, vérification.

CONTRÔLER. Analyser, arraisonner, censurer, confirmer, confronter, dénombrer, dominer, dompter, église, encadrer, examiner, filtrer, observer, pointer, pouvoir, réviser, superviser, tester, vaincre, volonté.

CONTRÔLEUR. Agréeur, aiguilleur, audit, auditeur, auneur, inspecteur, mouchard, tâteur, vérificateur.

CONTRORDRE. Abolition, abrogation, annulation, caducité, cassation, casse, casser, dénonciation, diriger, dispense, dissolution, divorce, éteindre, infirmation, invalidation, irritant, lésion, nullité, oblitération, rature, réforme, rescision, résiliation, résolution, résoudre, révocation, rupture.

CONTROUVÉ. Apocryphe, authentique, exact, fabriqué, fantaisiste, faux, fictif, forgé, imaginé, imaginaire, inauthentique, inexistant, inventé, juste, mensonger, réel, véritable, vrai.

CONTROVERSABLE. Attaquable, contestable, controversé, critiquable, discutable, douteux, fragile, litigieux, vulnérable.

CONTROVERSE. Apologétique, avéré, contestation, débat, discussion, dispute, éristique, polémique.

CONTROVERSER. Argumenter, attaquer, batailler, cautionner, chicaner, contester, critiquer, disconvenir, discuter, disputer, douter, ergoter, manifester, nier, plaider, pointiller, polémiquer, renier.

CONTUMACE. Absence, acabit, aloi, anomalie, anoxémie, asialie, aspect, athrepsie, atrophie, bêtise, défaut, défectuosité, déficience, devers, dureté, étroitesse, faible, gauche, illégitimité, imperfection, inadaptation, inadvertance, incurie, inadvertance, inexistence, insensibilité, instabilité, lunure, malfaçon, malformation, manque, mésentente, mort, nasillement, paille, paresse, préfixe, prosaïsme, raideur, retassure, ridicule, sottise, tare, verbosité, verdeur, vice.

CONTUSION. Arnica, attrition, bigne, blessure, bleu, bosse, cassin, charlot, contus, coquard, coup, ecchymose, embarrure, escarre, hématome, lésion, mâchure, meurtrissure, morsure, pinçon, plaie, pochon.

CONTUSIONNER. Blesser, bosser, cabosser, fouler, léser, mâcher, meurtrir, pincer, plaquer, presser, taler.

CONVAINCANT. Concis, concluant, démonstratif, dissuadeur, éloquent, entraînant, persuasif, probant.

CONVAINCRE. Amener, assurer, décider, démontrer, dissuader, éloquent, entraîner, expliquer, pénétrer, persuader.

CONVAINCU. Assuré, certain, crédule, disert, éloquent, entreprenant, pénétré, persuadé, probant, sûr.

CONVALESCENCE. Amélioration, analepsie, apaisement, cicatrisation, cure, délitescence, efflorescence, guérison, postcure, rémission, répit, résurrection, rétablissement, salut, soulagement, traitement.

CONVALESCENT. Faible, fatigué, incommodé, indisposé, malade, patraque, porteur, souffrant.

CONVECTEUR. Bassinoire, calorifère, chauffe-pieds, chauffe-plats, chaufferette, plinthe, poêle, radiateur.

CONVENABLE. Acceptable, adéquat, allé, approprié, bon, conforme, congru, correct, décent, dire, honorable, idoine, indu, juste, judicieux, nécessaire, net, opportun, pertinent, plaire, présentable, raisonnable, requis, séant, seoir, sied, va, vrai.

CONVENABLEMENT. Approbation, aptitude, bien, conformément, congrûment, décemment, dignement.

CONVENANCE. Accord, adaptation, affinité, assortiment, déplacé, gré, mode, sans-façon, tact, utilité.

CONVENIR. Accorder, adapter, agréer, aller, appliquer, approprier, arranger, avouer, botter, cadrer, coller, décider, dire, entendre, entendu, faire, inadéquat, messeoir, nier, noter, plaire, reconnaître, seoir, sied, stipuler, va.

CONVENTION. Abonnement, académique, accord, alliance, armistice, bail, capitulation, cartel, clause, compromis, concordat, condition, contrat, ducroire, écrit, entente, fiançailles, forfait, marché, orale, pacte, pollicitation, règle, restriction, traité.

CONVENTIONNALISME. Adventiste, anglican, baptiste, calviniste, conformiste, darbysme, évangéliste, fondamentaliste, hérétique, huguenot, luthérien, mennonite, méthodiste, morave, mormon, orangiste, pentecôtiste, piétiste, presbytérien, protestant, puritain, quaker, réformé, revival.

CONVENTIONNEL (n. p.). Barbaroux, Barras, Buzot, Cambacérès, Cambon, Carnot, Carrier, Cavaignac, Cloots, Couthon, Danton, Desmoulins, Ducos, Fouché, Fourcron, Lakanal, Marat, Merlin, Reubell, Rewbell, Robespierre, Tallien, Vegniaud.

CONVENTIONNEL. Académique, admis, arbitraire, banal, bien-pensant, bourgeois, classique, conformiste, convenu, conservateur, figé, formaliste, intrinsèque, nominal, primitif, stéréotypé, symbole, traditionnel.

CONVENTIONNELLEMENT. Académiquement, arbitrairement, classiquement, habituellement, traditionnellement.

CONVENTUEL. Ascétique, cénobitique, claustral, communautaire, couvent, monacal, monastique, monial, puritain, religieux.

CONVENU. Admis, artificiel, confession, conventionnel, décidé, déclaration, dit, entendu, reconnu.

CONVERGENCE. Abouchement, aboutage, accolement, accouplage, affinité, analogie, assemblage, concordance, confluence, conformité, dioptrie, foyer, fuite, hypermétropie, loupe, rapprochement, similitude, strabisme.

CONVERGENT. Adéquat, analogue, approprié, coïncident, compatible, conciliable, concordant, concourant, congruent, convenable, correspondant, égal, harmonieux, idoine, juste, propre, semblable, similaire, synonyme.

CONVERGER. Aboutir, aller, concentrer, concorder, concourir, confluer, focaliser, mener, rencontrer, tendre.

CONVERS (n. p.). Ravaillac.

CONVERS. Domestique, frère, lai, religieux, servant, sœur, tourier.

CONVERSATION. Aparté, badinage, bribe, cancan, causerie, causette, colloque, commérage, conférence, débat, devis, dialogue, discours, discussion, échange, entretien, exècre, fiel, fil, muet, oaristys, palabre, parlote, sel, verbiage.

CONVERSATIONNEL. Causerie, colloque, conversation, dialogique, dialogue, discussion, entretien, interactif, parlementer, sketch, tenson.

CONVERSER. Bavarder, causer, causette, conférer, deviser, dialoguer, discuter, entretenir, jaser, nouer, parler.

CONVERSION. Abjuration, adhésion, apocatastase, apostasie, changement, évangélisation, métamorphose, modification, mutation, oaristys, ossification, panification, reniement, transformation, virement.

CONVERTI. Acidifiable, alcoolisable, catéchumène, initié, morisque, néophyte, prosélyte, ramené.

CONVERTIBLE. Canapé-lit, changeable, conversible, convertissable, escamotable, métamorphosable, modifiable, pliant, rabattable, repliable, transformable, transmuable, transmutable.

CONVERTIR. Acétifier, altérer, assimiler, canaliser, carrer, changer, commuer, endoctriner, évangéliser, gagner, lapidifier, malter, métamorphoser, monnayer, muer, muter, rallier, réaliser, seoir, transformer, transmuter, tréfiler.

CONVERTISSEUR. Apôtre, bessemer, éolienne, évangélisateur, mutateur, ondulateur, missionnaire, transformateur.

CONVEXE. Arrondi, bombé, bombement, busqué, courbe, creux, dos, galbé, pansu, quart-de-rond, renflé, talon.

CONVEXITÉ. Arrondi, bombement, busqué, cambrure, cintrage, circularité, courbure, gonflement, renflement.

CONVICTION. Assurance, certitude, confiance, croyance, évidence, foi, opinion, persuasion, religion.

CONVIENT. Ad hoc, adonne, afférent, approprier, habillé, hominem, idoine, impropre, messeoir, préférable, rêvé, seyant, sied, va.

CONVIER. Appeler, convoquer, demander, engager, inciter, inviter, mander, prier, réunir, semondre, traiter.

CONVIVE. Banqueteur, commensal, convié, écornifleur, hôte, invité, parasite, pique-assiette, soupeur.

CONVIVIAL. Accueillant, affable, aimable, amabilité, amène, bienveillant, bon, chaleureux, charmant, civil, cordial, complaisant, convivial, courtois, doux, engageant, ergonomique, facile, familier, gentil, liant, poli, politesse, sociable.

CONVIVIALITÉ. Bienveillance, commensal, complaisance, compréhension, condescendance, convivial, facilité, humanité, indulgence, invitation, laxisme, libéralisme, lupanar, mansuétude, ouverture, patience, permissivité, tolérance.

CONVOCATION. Appel, assignation, avertissement, ban, citation, indication, invitation, levée, sommation.

CONVOI. Caravane, charroi, cordée, cortège, enterrement, file, funérailles, obsèques, rame, train.

CONVOIEMENT. Accompagnement, acheminement, amélioration, avancée, avancement, convoyage, développement, élévation, envol, essor, évolution, pas, perfectionnement, processus, progrès, progression, promotion, propagation, sélection, succès, traînée.

CONVOITER. Ambitionner, appéter, aspirer, avide, briguer, décider, demander, désirer, envier, envisager, espérer, exiger, guigner, incliner, lorgner, loucher, mirer, obstiner, prétendre, rechercher, rêver, viser, vouloir.

CONVOITEUR. Avide, cupide, envieux, exclusif, jaloux, inquiet, méfiant, ombrageux, possessif, rival, soupçonneux, tentant, tigresse, zoïle.

CONVOITISE. Ambition, appétit, aspiration, attrait, avidité, concupiscence, cupidité, désir, désiré, envie.

CONVOLER. Allier, assortir, caser, contracter, épouser, établir, maquer, marier, nocer, réunir, unir.

CONVOLUTÉ. Bégu, bugle, corne, cornet, cornettiste, crème, éperon, gobelet, huchet, publier, trompe.

CONVOLVULACÉES. Belle-de-jour, cuscute, ipomée, jalap, liseron, patate, volubilis.

CONVOLVULUS. Arvensis, belle-de-jour, calystegia, convolvulacée, daurica, ipomée, liseron, pubescent, scammonia, sepium, siculus, soldanella, tuguriorum, volubilis, vrillée.

CONVOQUER. Appeler, attirer, citer, convier, inviter, mander, rappeler, rassembler, réunir, solliciter.

CONVOYAGE. Accompagnement, acheminement, amélioration, avancée, avancement, convoiement, développement, élévation, envol, essor, évolution, pas, perfectionnement, processus, progrès, progression, promotion, propagation, sélection, succès, traînée.

CONVOYER. Accompagner, appeler, charrier, citer, déplacer, escorter, mener, porter, protéger, surveiller, véhiculer.

CONVOYEUR. Accompagnateur, diplodocus, escorteur, guide, stéréoduc, toboggan, transporteur.

CONVULSER. Agacer, bouleverser, contracter, crisper, décomposer, déformer, ébranler, énerver, impatienter, irriter, mouvementer, perturber, resserrer, secouer, spasme, sursauter, tendu, tension, tirailler, tordre.

CONVULSIF. Haché, heurté, intermittent, involontaire, nerveux, pulsatile, saccadé, spasmodique, spastique.

CONVULSION. Agitation, chorée, clonique, colère, contraction, craquètement, crise, éclampsie, épilepsie, geste, hystérie, muscle, remous, saccade, secousse, soubresaut, spasme, tic, toux, transe.

CONVULSIONNER. Bailler, bouleverser, crisper, grimacer, mouvementer, raidir, sursauter, tousser, trembler.

CONVULSIVEMENT. Anxieusement, bouleversement, fébrilement, fiévreusement, frénétiquement, hystériquement, impatiemment, nerveusement, spasmodiquement, sursautement, vivement.

COOKIE. Biscuit, gâteau, pâtisserie.

COOL. Accommodant, calme, complaisant, conciliant, décontracté, dégagé, désinvolte, détendu, libre, naturel, relax, zen.

COOLIE. Crocheteur, nervi, portageur, portefaix, porteur, sherpa, travailleur.

COOPÉRATEUR. Associé, collaborateur, collègue, compagnon, condisciple, confrère, égal, pair, partenaire.

COOPÉRATION. Aide, appoint, apport, appui, assistance, association, collaboration, concours, participation, service.

COOPÉRATISME. Autogestion, babouvisme, bolchevisme, chartisme, collectivisme, collégialité, communisme, dirigisme, égalitarisme, gauchisme, léninisme, maoïsme, marxisme, mutualisme, réformiste, socialisme, stalinisme, syndicalisme.

COOPÉRATIVE. Artel, association, coop, coopé, coopérative, kibboutz, kolkhoz, kolkhoze, mutuelle, ristourne.

COOPÉRER. Aider, associer, collaborer, concourir, contribuer, engager, impliquer, partager, participer.

COOPTATION. Adoption, choix, décision, détermination, écrémage, élection, plébiscite, prédilection, suffrage.

COOPTER. Admettre, adopter, aimer, arbitre, choisir, décider, départager, désigner, déterminer, distinguer, échantillonner, élire, embrasser, engager, fixer, mandater, nommer, opter, sélectionner, tirer, trier, voter.

COORDINATION. Combinaison, conjonction, copulative, et, ni, ou, planification, praxie, synchronisation.

COORDONNÉE. Abscisse, adresse, cote, emplacement, méridien, norme, parallèle, position, réglé, situation.

COORDONNER. Agencer, associer, combiner, conjuguer, enchaîner, harmoniser, organiser, synchroniser, tergiverser.

COPAIN. Acolyte, amant, ami, branche, camarade, coéquipier, collègue, compagnon, confrère, consœur, pote.

COPEAU. Brin, bûchille, chips, contre-fer, coupeau, frison, morceau, paille de fer, râpe, rebide, tournure.

COPÉPODES. Calanidé, calanus, chondracanthus, crustacé, cyclope, harpacticidé, nauplius, xenocoeloma.

COPERMUTER. Aérer, altérer, améliorer, amender, arrière, changer, commuer, convertir, décaler, dégénérer, déliter, désaffecter, dévier, échanger, émigrer, évoluer, falsifier, fluctuer, innover, inverser, lignifier, métamorphoser, modifier, momifier, muer, muter, ossifier, permuter, pétrifier, pirouetter, raviser, remanier, remplacer, remuer, revenir, saccharifier, tourner, transformer, troquer, varier, virer, zapper.

COPERNIC (n. p.). Galilée, Kepler, Osiander.

COPERNIC. Astronome, astronomie, copernicien, héliocentrisme.

COPIAGE. Calquage, calque, caricature, contrefaçon, copie, démarquage, emprunt, imitation, pillage, plagiat.

COPIE. Ampliatif, calque, cinéma, cliché, clone, contrefaçon, double, duplicata, écrire, épreuve, exemplaire, extrait, fac-similé, feuille, grosse, imitation, imprimerie, même, minute, photocopie, pille, placet, plagiat, pseudo, réplique, rushes, sauvegarde, sosie, texte, tirage.

COPIER. Acter, calquer, contrefaire, dupliquer, écrire, feuille, imiter, inimiter, mimer, noter, photocopier, pirater, plagier, pseudo, recopier, relever, reproduire, singer, transcrire, tricher.

COPIEUR. Ara, contrefacteur, copieur, copiste, démarqueur, épigone, falsificateur, faussaire, faux-monnayeur, imitateur, mystificateur, pasticheur, picoreur, piqueur, plagiaire, ronéo, suiveur, télécopieur, travesti, voleur.

COPIEUSEMENT. Abondamment, abondant, amplement, beaucoup, considérablement, diablement, diantrement, énormément, flopée, foison, foule, gros, kyrielle, masse, multitude, nuée, profusion, quantité.

COPIEUX. Abondant, ample, beaucoup, consistant, fécond, fertile, généreux, gueuleton, large, plantureux, riche.

COPINAGE. Acception, chouchoutage, clientélisme, combine, dorlotement, entente, entraide, faveur, favoritisme, flatterie, népotisme, partialité, partisannerie, passe-droit, patronage, piston, pistonnage, préférence.

COPINER. Amitié, camaraderie, entente, entraide, familiarité, liaison, privauté, solidarité, sympathie, union.

COPION. Agenda, aide-mémoire, almanach, antisèche, calepin, carnet, éphéméride, mémento, mémo, pompe, précis, plagiat.

COPISTE. Bullaire, bureaucrate, copieur, écrivain, gratteur, greffier, imitateur, logographe, scribe, secrétaire.

COPPA. Charcuterie, échine de porc, saucisson.

COPRA. Albumen, amande, coco, coprah, fruit, huile.

COPROLITHE. Besoins, bouse, bran, bren, caca, calcul, chiasse, chiure, colombin, coprophage, crotte, crottin, déchet, diarrhée, étron, excrément, fèces, fiente, guano, merde, ordure, scatophile, selle, stercoraire, stercoral, troches, urine.

COPROPHILE. Biophage, coprophage, excréments, sarcophage, scathophage, scatophile, stercoraire.

COPROPRIÉTÉ. Communauté, condo, condominium, divise, immeuble, indivise, indivision, multipropriété.

COPS. Bobine, broche, cannelle, canette, fuseau, fusette, navette, nilles, rochet, roquetin, rouleau, section, solénoïde.

COPTE. Égyptien, langue, rite.

COPULATIF. Accoupler, coït, et, liaison, ou, rapports, rut, saillie, sexe.

COPULATION. Accouplement, appareillage, coït, fornication, pénétration, rapports, saillie, union.

COPULER. Accoupler, baiser, coïter, forniquer, fourrer, foutre, lier, piner, posséder, sauter, taper.

COPYRIGHT. Apostille, brevet, citation, commémoraison, décoration, dire, endos, énonciation, historique, indication, inscription, mention, note, précision, propriété, rappel, rapport, signalement, témoignage.

COQ. Bankiva, boxe, camail, chapon, cochelet, cochet, cocorico, coq-à-l'âne, coqueleux, coqueriquer, crête, cuisinier, éperon, ergot, fanfaron, gallinacé, grouse, perle, phénix, poule, poulet, rupicole, tétras, tétras-lyre.

COQ-À-L'ÂNE. Absurde, bafouillage, chaotique, confus, contradictoire, décousu, désordonné, dispersé, divagation, fatras, hiatus, illogique, incohérent, inconséquent, inconstant, insensé, irrationnel, radoteur, songe.

COQUART. Benêt, blessure, bleu, charlot, cocard, contusion, coquard, coup, ecchymose, épanchement, guérir, œdème, œil au beurre noir, plaie, poché, poche-œil, robert, sucette, tache.

COQUE. Bateau, bogue, cale, cap, carène, coquille, écorce, étambot, livet, navire, oothèque, test, tréhala.

COQUECIGRUE. Absurdité, animal, arrête-bœuf, baliverne, bugrane, chanson, chimère, monstre, ononis.

COQUELET. Chapon, chaponneau, châtré, coq, gallinacé, jeune, pain, poule, poulet, poussin.

COQUELICOT. Andrinople, danebrogii, gravesolle, hookeri, papavéracée, pavot, ponceau, rouge, umbrosum.

COQUELUCHE. Beauté, célèbre, chloramphénicol, favori, gloire, idole, maladie, préféré, star, toquade.

COQUEMAR. Bombe, bouilloire, bouillotte, canard, coquemar, marabout, pot, samovar.

COQUERELLE. Accrocheur, blatte, cafard, cancrelat, crampon, gêneur, importun, indésirable, intrus, meuble.

COQUERET. Alkékenge, amour-en-cage, coquelourde, fruit, infusion, physalis.

COQUERIE. Coq, cuisine.

COQUERON. Baraque, bauge, bicoque, bouge, cabane, cagibi, cambuse, chenil, clapier, compartiment, débarras, écurie, gatelas, giole, gourbi, logement, remise, réservoir, tanière, taudis, trou, turne.

COQUET. Agaçant, confortable, coqueter, délicat, élégant, fier, galant, important, joli, mignon, pimpant, soigné.

COQUETER. Badiner, courtiser, draguer, flatter, flirter, galantiser, minauder, mugueter, pavaner, poser.

COQUETIER. Auge, avelanède, chope, cocassier, drague, gobelet, godet, oeuffier, œufrier, pli, pot, récipient, support, tasse, timbale, vase, verre, volailler.

COQUETTE. Aguicheuse, allumeuse, charmeuse, enjôleuse, flambeuse, intrigante, mignonne, pimbêche

COQUETTEMENT. Adroitement, agréablement, bien, élégamment, gracieusement, habillement, harmonieusement, joliment, magnifiquement, mignardement, mignonnement, plaisamment, superbement.

COQUETTERIE. Amabilité, aménité, amour, attention, baratin, civilité, complaisance, compliment, courtoisie, délicatesses, douceur, élégance, empressement, fadaise, fleurette, flirt, galanterie, gentillesse, gracieuseté, madrigal, marivaudage, politesse, prévenance, séduction.

COQUILLAGE (n. p.). Clovisse, Shell, Vénus.

COQUILLAGE. Bigorneau, buccin, bulot, carapace, cauri, cauris, clam, clovisse, colimaçon, cône, conque, coque, coquille, couteau, crustacé, escargot, huître, mollusque, moule, ormet, oursin, pagure, perle, praire, troche, test, vénus.

COQUILLARD. Bandit, brigand, coquillart, détrousseur, œil, gangster, kleptomane, pierre, pillard, pilleur, truand, voleur.

COQUILLE. Burgau, burgo, carapace, carène, cauris, columelle, conche, conchoïdal, conque, corail, écaille, écale, enveloppe, erreur, faute, format, imprimerie, ostracisme, ostracon, pèlerin, perle, plume, senestre, test, testacé, valve.

COQUIN. Astucieux, bandit, bélître, canaille, chenapan, crapule, drille, drôle, égrillard, espiègle, faquin, fripon, garnement, gredin, gueux, malicieux, maraud, vaurien, vif, voyou.

COQUINERIE. Canaillerie, carambouille, charlatanerie, crapulerie, enjôlement, escroquerie, fraude, friponnerie, malhonnêteté, maquignonnage, mystification, supercherie, tricherie, tromperie, usurpation.

COR. Ampoule, andouiller, blessure, bois, branche, cal, cerf, clarinette, cri, cuivre, durillon, époi, hautbois, huchet, perche, œil-de-perdrix, oignon, olifant, oliphant, pavillon, rameau, ramure, sonneur, trochure, trompe.

CORACIADIFORME. Calao, guêpier, huppe, martin-chasseur, martin-pêcheur, rolle, rollier, todier.

CORAIL. Andrinople, atoll, banc, corailleur, corallin, polype, puntarelle, purpurine, salabre, serpent, toraille.

CORALLIN. Andrinople, carmin, coquelicot, corail, cramoisi, écarlate, fraise, garance, ponceau, rouge, rubis, vermillon.

CORALLINE. Algue, colorant, floridée, rhodomélacée, rhodophycée, rouge.

CORAN (n. p.). Averroès, Caalas, Farabi, Grosjean, Kaaba, Mahomet, Mardrus, Uthman.

CORAN. Alcoran, bible, charia, chiisme, coufique, houri, kufique, livre, sourate, surate, verset.

CORANIQUE. École, islamique, loi, musulman, talibé.

CORBEAU. Casse-noix, choucas, corbac, corbillat, corbin, corneille, crave, croassement, freux, grole.

CORBEILLE. Cadeau, campane, canéphore, ciste, couffin, dot, faisselle, flein, ibéride, ibéris, manne, mezzanine, moïse, osier, paneton, panier, panière, parquet, parterre, plante.

CORBEILLE D'ARGENT. Alysse, alysson, arbette, corbeille-d'or, ibéride, ibéris, tabouret, téraspic, thlaspi.

CORBILLARD. Astéracée, caveau, cénoraire, cénotaphe, cercueil, char, cinéraire, cippe, columbarium, composacée, fosse, jacobée, fourgon, koubba, mastaba, mausolée, monument, pierre, sarcophage, séneçon, sépulcre, sépulture, spéos, stèle, tombe, tombeau, van, voiture, urne.

CORBLEU. Blasphème, damnation, diantre, jarnicoton, juron, morbleu, mot, parbleu, pardi, pardieu, sabre, sacre, sacrebleu, sacristi, saperlipopette, sapristi, tonnerre, tudieu.

CORDAGE. Agrès, alfa, amarre, amure, aussière, bastin, bitord, bosse, bout, câble, câblot, caret, corde, cravate, drailte, drisse, écoute, élingue, erse, estrope, étai, filin, garant, gerseau, glène, grelin, guinderesse, haussière, laguis, lien, lisin, lisse, liure, lusin, luzin, merlin, orin, palan, pantoire, raban, ralingue, ride, ridoir, saisine, sauvegarde, sciasse, tamis, tresse, trévire.

CORDE. Arc, brin, câble, catgut, chanterelle, cordeau, cordelette, cordon, danseur, élingue, étendoir, ficelle, frette, guiderope, guitare, guzzla, hart, lacet, lâche, laisse, lasso, licol, licou, lien, liure, loch, longe, marguerite, musique, nodal, nœud, pendoir, potence, ring, sisal, stère, teille, théâtre, toue, violon.

CORDEAU. Bickfort, corde, empile, gaine, libouret, ligne, mèche, mèche lente, simbleau.

CORDELER. Allure, balancer, corder, cordonner, détourner, embarrasser, friser, hésiter, manger, onduler, remuer, subtiliser, tordre, tortiller, tourner, tresser.

CORDELETTE. Bandereau, bolduc, brin, chapelière, corde, cordeau, cordelière, cordon, cordonnet, émouchette, ficelle, fil, filin, galon, lacet, laisse, lasso, monnaie, pandanus, quipo, quipou, quipu, tirette, tire-veille.

CORDELIER. Franciscain, religieux.

CORDELIÈRE. Ceinture, ceste, chasteté, corde, écharpe, fourragère, passementerie, tresse, zone.

CORDER. Accumuler, amasser, attacher, classer, empiler, entasser, entendre, mesurer, stère, tordre.

CORDERIE. Atelier, câblerie, coir, commettage, épissure, fabrique, polypropylène.

CORDIAL. Accueillant, affable, aimable, amical, bienveillant, bon, chaleureux, clair, courtois, cru, direct, entier, fortifiant, franc, gentil, indulgent, loyal, naturel, net, oc, ouvert, parfait, pur, roi, rond, sincère, vif, vrai.

CORDIALEMENT. Adorablement, affablement, aimablement, amicalement, chaleureusement, serviablement.

CORDIALITÉ. Affabilité, agrément, amabilité, bienveillance, bonté, chaleur, franchise, gentillesse, hospitalité, sympathie.

CORDILLÈRE (n. p.) Blue Moutain, Bucaramanga, Medellin.

CORDON. Corde, cordonnet, crénelage, dragonne, embrasse, enguichure, fibule, fil, frein, funicule, galon, ganse, grènetis, guirlande, insigne, lacet, lichette, lido, lien, natte, nerf, pédoncule, queue, raban, rang, rangée, ruban, tirant, tirette, tors, tresse.

CORDON-BLEU. Chef, coq, cuisinier, cuistot, gâte-sauce, maître queux, marmiton.

CORDONNER. Balancer, cordeler, corder, détourner, embarrasser, friser, hésiter, manger, onduler, remuer, subtiliser, tordre, tortiller, tourner, tresser.

CORDONNET. Câble, corde, cordelette, cordon, ficelle, fouet, ganse, lacet, lien, nerf, prolonge, tirant, tirette.

CORDONNIER (n. p.) Fox.

CORDONNIER. Alène, astic, bottier, bouif, buis, carreleur, chausseur, chaussure, cordonnerie, gnaf, pignouf, poinçon, point, ressemeleur, ribouis, rivetier, saint-crépin, savetier, soulier, tire-pied, tranchet.

CORÉE DU NORD, CAPITALE (n. p.). Pyongyang.

CORÉE DU NORD, LANGUE. Coréen.

CORÉE DU NORD, MONNAIE. Won.

CORÉE DU NORD, VILLE (n. p.). Anju, Chongiin, Haeju, Hamhung, Hungnam, Iwon, Kaesong, Kanggye, Kimchaek, Manpo, Munchon, Musan, Nampo, Panmunjon, Pyongyang, Sinuiju, Tanchon, Wonsan.

CORÉE DU SUD, CAPITALE (n. p.). Séoul.

CORÉE DU SUD, LANGUE. Coréen.

CORÉE DU SUD, MONNAIE. Won.

CORÉE DU SUD, VILLE (n. p.). Andong, Anyang, Chemulpo, Chinju, Chongiu, Chonan, Chonju, Fusan, Inchon, Kunsan, Kwangju, Kyongju, Masan, Mokpo, Pohang, Pusan, Séoul, Songnam, Suwon, Taegu, Taejon, Ulsan, Wando, Yangyang, Yosu.

CORÉGONES. Bondelle, féra, gravenche, lavaret, palée, pointu, poisson, salmonidé, salmoniforme.

CORIACE. Dur, entêté, intrépide, obstiné, persévérant, résistant, semelle, sévère, tenace, tendineux, têtu.

CORIANDRE. Aromate, condiment, épice, fine herbe, herbe, huile, infusion, nuoc-mâm, persil arabe, plante.

CORINDON. Abrasif, aigue-marine, alumine, émeri, améthyste, minéral, œil-de-chat, pierre, saphir.

CORMIER. Alisier, arbre, cornouiller, mascou, mascouabina, micocoulier, rosacée, sorbier, ulmacée.

CORMOPHYTE. Algue, bactérie, champignon, charale, charophyte, embryophyte, lichen, thallophyte.

CORMORAN. Croquemort, harle, nigaud, oiseau, palmipède, phalacrocoracidaes, plongeur.

CORNAC. Aviateur, barreur, capitaine, chasseur, chauffeur, cicérone, commandant, conducteur, copilote, guide, lamaneur, ligne, locman, marin, mentor, nautonier, nocher, pilote, requin, responsable, skipper, timonier, ulmiste.

CORNACÉES. Aucuba, cornouiller, griselinia, helwingia, maxtixia, mélanophylla, ombellule, toricalla, toricellia.

CORNAGE. Borborygme, boucan, bourdonnement, brouhaha, bruissement, bruyant, cancan, chahut, clapotis, clappement, coup, crépitation, crépitement, cri, déclic, détonation, drelin, ébrouement, écho, éclat, esclandre, fracas, friture, galop, gargouillement, gazouillement, grabuge, grincement, huée, hurlement, murmure, pet, pétard, potin, râle, respiration, ronflement, ronron, ronronnement, rot, rumeur, sifflage, son, stridulation, tac, tapage, tic, tintamarre, toc, tocsin, tonnerre, tumulte, vacarme.

CORNAQUER. Accompagner, conduire, diriger, gouverner, guider, manager, mener, piloter, téléguider.

CORNARD. Adultère, adultérin, amant, bigame, cocu, cocuage, cocufiage, complice, concubin, coquage, débauche, fornication, infidèle, infidélité, liaison, maîtresse, marimélard, onobate, polygame, trahison, tromperie.

CORNE (n. p.). Amalthée, Corne d'or, Fortune, Io.

CORNE. Abondance, acère, bois, cerf, coin, cor, cornu, défense, écorner, encorner, ergot, espar, gazelle, issue, mât, pic, rhyton, sirène.

CORNÉE. Astigmatique, bec, iris, kératoplastie, kératotomie, leucome, néphélion, ongle, plié, sclère, taie, xérophtalmie.

CORNÉENNE. Contact, lentille, kératoplastie, loupe, oculaire, roche, verre.

CORNEILLE (n. p.). Agésilas, Andromède, Attila, Caffieri, Cid, Cinna, Horace, Nicomède, Matamore, Polyeucte.

CORNEILLE. Bec, choucas, corbeau, corbillat, corbin, croassement, freux, graille, graillement, grole, grolle, taie.

CORNEMENT. Acouphène, borborygme, bourdonnement, bruissement, feulement, gargouillement, grondement, murmure, réprimande, ronflement, roulement, sifflement, tintement, tonnerre.

CORNEMUSE. Biniou, bombarde, cabrette, chabrette, chevrie, dondaine, loure, musette, pilbrockveuze, vèze.

CORNER. Annoncer, claironner, clamer, entente, faute, klaxonner, parler, plier, proclamer, répéter, sonner.

CORNET. Bégu, bugle, convoluté, cor, corne, cornettiste, crème, éperon, gobelet, huchet, publier, trompe.

CORNETTE. Bigouden, béguin, bonnet, cale, chapeau, coiffe, coiffure, collinette, étendard, pâte, pavillon, perruque, têtière.

CORNETTISTE (n. p.). Armstrong, Beiderbecke, Oliver.

CORNIAUD. Abruti, ahuri, andouille, âne, cave, chien, corneau, cornichon, idiot, imbécile, sot, stupide.

CORNICHE. Architrave, atalante, chapiteau, cimaise, escarpement, frise, génoise, larmier, ove, statue, télamon.

CORNICHON. Bête, con, concombre, connard, cucurbitacées, élève, épais, holothurie, imbécile, niais, nigaud.

CORNIÈRE. Abri, buissonneux, chargé, couvert, enterré, épineux, équerre, erbue, farineux, grenu, gris, herbue, ioduré, lanugineux, lépreux, nacré, nuageux, ombre, ridé, salpêtreux, table, té, tomenteux, ulcéreux, vaisselle, vaseux, vêtement, vêtu, voilé.

CORNOUILLER. Benthamia, cormier, sanguin, sanguinelle, stolonifère, svida, thelycrania.

CORNU. Abondance, acère, biscornu, bois, cerf, coin, cor, corne, défense, écorner, encorner, ergot, ergoté, issue, mât, pic, sirène.

COROLLAIRE. Action, conclusion, conséquence, contrecoup, effet, efficacité, fonction, impact, réaction, résultat.

COROLLE. Apétale, bilabié, buglosse, calice, campanule, circée, clochette, couronne, enveloppe, labiée, lacinié, lagéniforme, lèvre, ligulée, muflier, papilionacée, pentapétale, pétale, plantain, urcéolé.

CORONAIRE. Angine, aorte, artère, coronarien, infarctus.

CORONELLE. Anguille, bisse, colubridé, couleuvre, élaphis, nasique, ophidien, serpent, vipérin.

COROSSOL. Annone, anonacée, anone, artabotrys, corossolier, fruit, ilang-ilang, uvariopsis, ylang-ylang.

COROZO. Albumen, ivoire, ivoire végétal, palmier, phytéléphas, rônier.

CORPORATION. Association, collège, confrérie, congrégation, corps, fédération, guilde, métier, ordre, profession.

CORPOREL. Asomatognosie, art, bien, charnel, châtiment, matériel, naturel, physique, préjudice, somatique.

CORPORELLEMENT. Concrètement, effectivement, empiriquement, expérimentalement, matériellement, objectivement, physiquement, positivement, pratiquement, réalistement, réellement, tangiblement.

CORPS. Aile, aine, aisselle, allure, aqueduc, arditi, astre, basoche, bouée, cadavre, caisse, carcasse, chair, cube, échine, écu, giron, grain, momie, nœud, objet, organe, ozone, périnée, planète, solide, soma, substance, tabor, torse, tronc, yeomen.

CORPULENCE. Adipose, adiposité, ampleur, embonpoint, envergure, grosseur, obésité, rondeur, volume.

CORPULENT. Adipeux, bouffi, charnu, empâté, fort, gras, grassouillet, gros, large, obèse, pesant, poussah, rond.

CORPUS. Bibliographie, bibliologie, catalogue, données, liste, littérature, nomenclature, référence, répertoire.

CORPUSCULE. Aleurone, atome, centriole, chloroplaste, chondriome, contriole, corpusculaire, électron, élément, fragment, hémoconie, ion, molécule, parcelle, particule, poudre, poussière, proton, spicule, spore, stigma.

CORRAL. Clôture, courtine, enclos, jardin, kraal, mur, pacage, paddock, parc, pâturage, toril, vivier.

CORRASION. Corrosion, érosion, sable, vent.

CORRECT. Acceptable, bien, chaste, conforme, convenable, décent, doxa, exact, honnête, juste, loyal, moral, moyen, normal, poli, politiquement, potable, propre, pur, régló, régulier, satisfaisant, scrupuleux, séant, spicule.

CORRECTEMENT. Congrûment, convenablement, décemment, exactement, honnêtement, justement, régulièrement.

CORRECTEUR. Censeur, compensateur, correctif, corriger, critique, examinateur, interrogateur, monocle, observateur, questionneur, redresseur, réviseur, testeur, vérificateur, vérifieur, verre.

CORRECTIF. Adoucissement, amélioration, amendement, antidote, atténuation, changement, correction, erratum, rappel, recours, rectification, relecture, remarque, remémorisation, révision, revue, vérification.

CORRECTION. Biffure, châtiment, dégelée, erratum, erreur, faute, fessée, fouet, guide, pâtée, peignée, raclée, rature, refonte, réparation, repentir, retouche, révision, rossée, surcharge, tannée, tatouille, trempe.

CORRÉLATIF. Accord, aide, alliance, bilatéral, concomitant, correspondant, démixtion, échange, entraide, entre, marché, mutuel, osmose, pacte, pareille, protocole, réciproque, relatif, respectif, solidaire, traité, transaction.

CORRÉLATION. Association, connexion, connexité, correspondance, covariance, dépendance, filiation, interaction, interdépendance, liaison, lien, pont, rapport, rapprochement, réciprocité, relation, solidarité.

CORRÉLATIVEMENT. Collationnement, comparativement, confrontation, proportionnément, relativement,

CORRESPONDANCE. Accord, courriel, courrier, dépêche, échange, épistolaire, lettre, missive, pneu, poste.

CORRESPONDANCIER. Animateur, annonceur, chroniqueur, columniste, commentateur, correspondant, courriériste, critique, écrivain, éditorialiste, envoyé, journaliste, nouvelliste, pigiste, poète, publiciste, rédacteur, reporter, romancier.

CORRESPONDANT (n. p.). Brentano, Clarke, Colet, Coulanges, Drouet, Hanska, Sévigné.

CORRESPONDANT. Dépendant, envoyé, équivalent, homologue, journaliste, représentant, semblable.

CORRESPONDRE. Addition, adresser, application, coïncider, communiquer, conforme, courriel, courrier, écrire, envoyer, multiplication, projection, réciproque, recoucouvrir, rédiger, rimer, signifier, soustraction.

CORRÈZE, VILLE (n. p.). Allassac, Argentat, Beynat, Bort-les-Orgues, Brive-la-Gaillarde, Donzenac, Égletons, Juillac, Laguenne, Lapleau, Larches, Lubersac, Meynac, Meyssac, Naves, Neuvic, Objat, Peadine, Sornac, Treignac, Tulle, Turenne, Uzerche, Ussel.

CORRIDA. Agitation, faena, frairie, matador, novillada, olé, ollé, picador, précipitation, tauromachie, tintamarre.

CORRIDOR. Allée, artère, avenue, couloir, coursive, dégagement, galerie, passage, portique, vestibule.

CORRIGÉ. Barré, bas, biffé, caviardé, doux, effacé, éliminé, faible, falot, humble, insignifiant, modèle, modeste, obscur, ombrageux, orgueilleux, petit, plan, puni, quelconque, rayé, simple, solution, terne, timide, timoré, vaniteux.

CORRIGEABLE. Arrangeable, biffable, corrigible, perfectible, rectifiable, remédiable, réparable.

CORRIGER. Améliorer, amender, châtier, dresser, fesser, punir, rattraper, réajuster, rectifier, réformer, réviser, revoir.

CORRIGIBLE. Arrangeable, compensable, corrigeable, organisable, perfectible, rectifiable, remédiable, réparable.

CORROBORATION. Affirmation, assurance, attestation, certification, certitude, confirmation, démonstration, gage, manifestation, marque, preuve, ratification, témoignage, vérification.

CORROBORER. Affermir, assurer, attester, certifier, confirmer, fortifier, garantir, prouver, témoigner, vérifier.

CORRODANT. Acide, brûlant, caustique, corrosif, érodant, minant, mordant, rongeant, sapant, usant.

CORRODER. Altérer, attaquer, consumer, dégrader, détruire, entamer, éroder, manger, mordre, ronger.

CORROI. Apprêt, aspic, boudin, cataplasme, conception, corroyage, cosmétique, crème, émulsion, encre, escabèche, gestation, hachis, jus, marinade, mégie, mousse, muire, organisation, pain, pâte, potion, pralin, préparatifs, préparation, projet, purée, recette, rillettes, salé, sauce, saumure, sauris, soluté, rosat, tarama, timbale, vin.

CORROMPRE. Abîmer, acheter, altérer, avarier, avilir, croupir, débaucher, défigurer, démoraliser, dénaturer, dépraver, empester, endommager, entacher, flatter, gâter, graisser, pervertir, pourrir, putréfier, rancir, séduire, soudoyer, vicier.

CORROMPU. Abîmé, aigre, altéré, avarié, bas, dépravé, dissolu, éventé, faux, frelaté, gangrené, immoral, impur, mangé, mercenaire, piqué, pourri, putréfié, rance, sain, soudoyé, stipendié, stipendieux, taré, vendu.

CORROSIF. Acide, âcre, acrimonieux, affilé, causticité, caustique, mordant, potasse, sublimé, usable, virulent.

CORROSION. Brûlure, désagrégation, destruction, effritement, érosion, karst, ravinement, rouille, usure.

CORROYER. Apprêter, boutoir, cingler, cuir, écru, enduire, forger, frapper, marguerite, vache.

CORRUPTEUR. Asphyxiant, dangereux, délétère, dépravant, immoral, irrespirable, malfaisant, malsain, mauvais, nocif, nuisible, pernicieux, pervers, pervertisseur, séducteur, suborneur, toxique.

CORRUPTIBLE. Altérable, biodégradable, caduc, court, décomposable, destructible, éphémère, fongible, fragile, fugace, incertain, instable, mortel, passager, périssable, précaire, putréfiable, putrescible, vénal.

CORRUPTION. Avilissement, débauche, dégradation, dépravation, moisissure, perversion, pourriture, vénalité, vice.

CORSAGE. Basquine, blouse, buste, bustier, canezou, caraco, chemise, chemisier, corset, jaquette, plastron.

CORSAIRE (n. p.). Barberousse, Bart, Cassard, Dampier, Dragut, Drake, Duguay-Trouin, Surcouf.

CORSAIRE. Aventurier, bandit, boucanier, brigand, câpre, écumeur, flibustier, forban, pirate, requin, surcouf.

CORSE, VILLE (n. p.). Ajaccio, Aléria, Bastelica, Bastia, Bonifacio, Borgo, Calvi, Cervione, Corte, Figari, Ghisonaccia, Lama, La Porta, Luri, Moita, Murato, Muro, Nonza, Piana, Porto-Vecchio, Propriano, Rogliano, Sagone, Saint-Florent, Salice, Sartène, Sermaqno, Solenzara, Vescovato, Vico, Zicavo.

CORSÉ. Compliqué, dur, épicé, excessif, fort, gonflé, libre, poivré, relevé, salé, scabreux, trapu, vin.

CORSELET. Buste, cœur, corps, écu, estomac, hanche, pectoral, pectoraux, poitrine, prothorax, sein, thorax, torse, tronc.

CORSER. Assaisonner, augmenter, compliquer, condimenter, épicer, pimenter, poivrer, relever, renforcer, saler.

CORSET. Busc, bustier, cadre, ceinture, combiné, corsage, corselet, gaine, guêpière, lacet, lombostat, orthèse.

CORSETÉ. Accoté, aidé, apprêté, appuyé, armaturé, coincé, constipé, compassé, constipé, corset, empesé, encroué, épaulé, gêné, gourmé, guindé, inhibé, pincé, raide, secondé, serré, soutenu, timide.

CORSO. Cavalcade, canon, canyon, cérémonie, chevauchée, cluse, col, cortège, coulée, couloir, défilé, déplacement, enfilade, faille, file, filée, gorge, marche, mascarade, noria, parade, pas, passage, passe, pèlerinage, port, porte, présentation, procession, revue, série, suite, théorie.

CORTÈGE. Accompagnement, caravane, convoi, cour, défilé, deuil, escorte, monôme, procession, ribambelle, suite.

CORTEX. Agnosie, alpha, aphasie, astéréognosie, cérébral, cerveau, corticale, écorce, encéphale, médulla.

CORTICALE. Cérébral, cortex, cortisone, écorce, enveloppe, gruau, sous-corticale.

CORTINAIRE. Agaricale, basidiomycètes, Berkeley, champignon.

CORTISOL. Anti-inflammatoire, glucocorticoïde, hormone, hydrocortisone, immunosuppresseur, stéroïde.

CORTON. Bourgogne, vin.

CORUSCANT. Brillant, éblouissant, éclatant, étincelant, lumineux, radieux, rutilant.

CORVÉABLE. Assujetti, censitaire, contribuable, imposé, mainmortable, prestataire, redevable, serf, taillable, vassal.

CORVÉE. Affaire, besogne, devoir, ergomanie, étude, fonte, impôt, journée, labeur, maçonnerie, mal, obligation, occupation, œuvre, ouvrage, peine, pensum, pige, sueur, tâche, travail, tri, trime.

CORVETTE. Bateau, bâtiment, chasseur, éclaireur, escorteur, frégate, tirailleur, vaisseau.

CORVIDÉS. Casse-noix, chocard, choquard, choucas, corbeau, corneille, crave, drongo, freux, geai, pie.

CORYBANTE. Prêtre.

CORYLACÉE. Arbuste, avelinier, bétulacée, charme, coudrier, noisetier.

CORYMBE. Bouton, camomille, capitule, chaton, coiffure, cône, conique, conoïde, cyme, ensemble, épi, fleur, glomérule, grappe, inflorescence, ombelle, reine-des-prés, spadice, sureau.

CORYPHÉE. Chef, chef de chœur, conducteur, danseur, deuxième, entraîneur, gourou, guide, guru, leader, magistère, mahatma, maître, meneur, pandit, pasteur, phare, rassembleur, sage, pape.

CORYZA. Affection, allergie, catarrhe, écoulement, grippe, inflammation, morve, rhinite, rhume, virus.

COS. Cosinus, kos, sol, tangente, transcendant.

COSAQUE (n. p.). Iermak, Pougatchev, Razine, Stenka, Tarass Boulba, Zaporogues.

COSIGNER. Autographier, consécration, consacrer, dédicacer, invoquer, parapher, signer.

COSINUS. Algèbre, angle, circulaire, cos, géométrie, kos, scalaire, sinus, sinusoïde, trigométrie.

COSMÉTIQUE. Brillantine, conditionneur, crème, fard, gel, laque, mascara, mousse, onctueux, pommade.

COSMIQUE. Astral, cosmobiologie, infini, lunaire, méson, rayon, sidéral, solaire, spatial, stellaire, universel.

COSMOGONIE. Astronomie, astrophysique, équatorial, formation, genèse, science, théorie.

COSMOGRAPHE (n. p.). Behaim.

COSMONAUTE (n. p.). Avdeïev, Aldrin, Armstrong, Carpenter, Cooper, Gagarine, Glenn, Grissom, Leonov, Manarov, Poliakov, Shepard, Terechkova, Titov.

COSMONAUTE. Astronaute, pilote, spationaute, taïkonaute.

COSMOPOLITE. Apatride, international, multiculturel, multiethnique, pluriethnique, ubiquiste.

COSMOS. Ciel, création, dao, espace, étoile, galaxie, infini, macrocosme, monde, tout, univers, universel.

COSSARD. Fainéant, flâneur, flemmard, indolent, molasse, musard, négligent, nonchalant, paresseux.

COSSE. Bogue, brou, cossette, écale, écalure, enveloppe, garniture, gousse, œillet, paresse, tégument.

COSSU (n. p.). Biedermeier, Crésus, Pérou.

COSSU. Abondant, aisé, cossu, fortuné, grenu, huppé, milliardaire, millionnaire, multimillionnaire, nanti, nourri, opulent, parvenu, possédant, pourvu, or, pactole, pauvre, rentier, riche.

COSSUS. Cossidé, gâte-bois, lépidoptère, papillon.

COSTA RICA, CAPITALE (n. p.). San José.

COSTA RICA, LANGUE. Anglais, créole, espagnol.

COSTA RICA, MONNAIE. Colón.

COSTA RICA, VILLE (n. p.). Cartago, Golfito, Heredia, Limón, Neily, Pital, Puntarenas, Quesada, San José, Santa Cruz, Tilaran.

COSTAUD. Athlétique, balèze, fort, frêle, hercule, mastard, puissant, résistant, robuste, solide, vigoureux.

COSTUME. Complet, costard, déguisement, dolman, domino, effets, ensemble, ganse, habit, halloween, kilt, livrée, loup, masque, pièce, polonaise, sari, scapulaire, smoking, spenger, tailleur, tenue, toilette, tutu, uniforme, vêtement.

COSTUMER. Accoutrer, couvrir, déguiser, dissimuler, enfiler, habiller, masquer, revêtir, travestir, vêtir.

COSTUMIER. Habilleur, technicien.

COTATION. Charge, cherté, cours, coût, criée, dépense, estimation, estimé, évaluation, prix, revient, tarif, taux.

COTE. Accise, charge, contribution, droit, excise, fisc, impôt, nombre, numéro, prix, taxe, valeur.

CÔTE. Adresse, auprès, carde, code, côtelette, côtier, cuesta, épigramme, hauteur, marque, matricule, montée, pile, plantain, recto, revers, ridelle, rivage, sabre, unilatéral, versant, verso.

CÔTÉ. Aile, amure, angle, auprès, avers, bâbord, bande, bord, contour, contribuable, cour, destination, direction, égarer, envers, face, facette, flanc, latéral, lieu, lof, montoir, pan, paroi, pile, près, profil, revers, ridelle, surface, tranche, travers, tribord, vue.

COTEAU (n. p.). Fourvière, Hermitage, Rhône.

COTEAU. Aspre, calade, colline, déclination, drumlin, monticule, raidillon, rampant, rampe, talus, versant.

CÔTE-D'IVOIRE, CAPITALE (n. p.). Yamoussoukro.

CÔTE-D'IVOIRE, LANGUE. Baoulé, bété, dioula, français, sénoufo.

CÔTE-D'IVOIRE, MONNAIE. Franc.

CÔTE-D'IVOIRE, VILLE (n. p.). Abengourou, Abidjan, Ayame, Bako, Bouaké, Bouna, Dabou, Daloa, Dianra, Divo, Fresco, Gagnoa, Grabo, Korhogo, Man, Nassian, San Pedro, Tai, Vavoua, Yamoussoukro.

CÔTE-D'OR, VILLE (n. p.). Auxonne, Auxous, Beaune, Buxerolles, Châtillon-sur-Seine, Chenôve, Citeaux, Clos-Vougeot, Daloa, Dan, Dijon, Dioula, Fixin, Fontenais, Francheville, Genlis, Is-sur-Tille, Laignes, Longvic, Merdrignac, Meursault, Montbard, Montrachet, Nolay, Nuits, Pommard, Quetigny, Saulieu, Selongey, Seurre, Sombernon, Talant, Vix, Volnay, Vougeot.

COTER. Apprécier, attribuer, estimer, évaluer, fixer, folioter, inscrire, noter, numéroter, porter, reporter.

COTERIE. Bande, cabale, camarilla, caste, chapelle, clan, clique, équipe, gang, groupe, mafia, secte, tribu.

CÔTES D'ARMOR, VILLE (n. p.). Bégard, Binic, Bourriac, Brehat, Broons, Callac, Caulnes, Collinée, Corlay, Dinan, Erquy, Étables-sur-Mer, Evran, Gouarec, Guingamp, Lamballe, Lamian, Langueux, Lannion, Loudeac, Matignon, Merdrignac, Mur-de-Bretagne, Paimpol, Perros-Guirec, Plancoët, Plérin, Plouagat, Plouaret, Ploubalay, Ploufragan, Plouguenast, Plouha, Pontrieux, Prat, Quintin, Rostrenen, Saint-Brieuc, Trégastel, Tréguier, Uzel.

COTHURNE. Bottine, brodequin, chaussure, coturne, espadrille, godasse, godillot, socque.

CÔTIER. Abyssal, benthique, bornage, cabotage, littoral, marine, maritime, nautique, naval.

COTILLON. Bande, confettis, farandole, jupe, jupon, mirlitons, sarabande, serpentins.

COTIR. Altérer, corrompre, cosser, décomposer, meurtrir, pourrir, putréfier.

COTISANT. Adhérent, adjoint, affilié, carbonaro, compagnon, inféodé, membre, participant, partisan, souscripteur.

COTISATION. Apport, contribution, écot, financement, participation, quote-part, ristourne, rôle.

COTISER. Acheter, acquitter, appointer, casquer, contribuer, corrompre, débourser, décaisser, défrayer, fournir, participer, payer, quote-part, raquer, régler, rembourser, rémunérer, rétribuer, salarier, soudoyer, stipendier, surpayer.

CÔTOIEMENT. Attache, communication, compagnie, contact, correspondance, coudoiement, entourage, familiarité, fréquentation, habitude, intelligence, intimité, liaison, lien, relation, voisinage.

COTON. Arçon, ardu, byssinose, cretonne, denim, difficile, duvet, fulmicoton, jumel, laine, noces, ouate, pénible, piqué, seersucker, tissu, toile.

COTONÉASTER. Arbre de Moïse, arbuste, buisson-ardent, pyracantha, pyracanthe, rosacée.

COTONNADE. Andrinople, batiste, bombasin, boucassin, calicot, cellular, chintz, circassienne, cretonne, éponge, finette, futaine, guinée, guingan, indienne, jaconas, lustrine, percale, perse, piqué, textile, velvet.

COTONNER. Boule, boulocher, frotter, pelucher, tricoter.

COTONNEUX. Calicot, duvet, duveté, duveteux, edelweiss, flanelle, floconneux, gilet, laine, laineux, madapolam, molletonneux, ouate, pelucheux, percaline, perse, pilou, satin, tissu, toile, tomenteux, voile.

CÔTOYER. Aborder, accoster, approcher, border, caboter, connaître, côtoiement, coudoyer, entourer, fréquenter, friser, frôler, heurter, longer, marcher, peler, raser, tondre, vivre.

COTRE. Bateau à voile, cutter, dandy, foc, ketch, sloop, trinquette, voilier.

COTRIADE. Bouillabaisse, bouillie, chaudrée, matelote, mouclade, pauchouse, rémunération, soupe.

COTTAGE. Abri, aile, bannière, belvédère, berne, bungalow, chalet, cor, drapeau, étendard, fromage, gloriette, guérite, guidon, kiosque, maison, muette, oreille, pavillon, rotonde, tente, tonnelle, tourelle, villa.

COTTE. Arme, bleu, chabot, combinaison, haubert, jaseran, journade, jupe, salopette, tunique, vêtement.

COTYLÉDON. Antéhypophyse, aracée, aromischus, blé, cacaloïde, crassulacée, echeveria, épigé, hypogé, lobe, lobule, macrantha, orbiculata, placenta, posthypophyse, scutellum, teretifolia, undulata.

COU. Bouteille, capuchon, cervical, col, colback, collet, cravate, crin, encolure, fanon, fichu, foulard, goitre, gorge, gosier, goulot, hyoïde, jabot, kiki, lavallière, licol, licou, minerve, nuque, scalène, tête, torticolis, vertèbre.

COUAC. Ânerie, bavure, bêtise, bévue, blague, boulette, bourde, brioche, canard, clerc, connerie, difficulté, erreur, étourderie, faute, gaffe, gourance, gourante, impair, imprudence, maladresse, maldonne, manœuvre, méprise, quiproquo, son, sottise.

COUARD. Capon, craintif, dégonflé, faible, frileux, lâche, mou, peureux, pleutre, poltron, veule.

COUARDISE. Anxiété, caponnade, crainte, dégonflage, effroi, émoi, faiblesse, frayeur, frousse, fuite, lâcheté, mollesse, peur, phobie, pleutrerie, poltronnerie, pusillanimité, souleur, suée, terreur, trac, transe, trouille, veinette.

COUCHAGE. Alitement, coucher, débauche, dodo, duvet, literie, sac, vernis.

COUCHAILLER. Accoupler, aventure, baisouiller, cavaler, coucher, couchotter, courailler, courir.

COUCHANT. Brunante, brune, chien, crépuscule, direction, océan, occident, ouest, ponant, soleil.

COUCHÉ. Accombant, affalé, alité, allongé, courbé, étalé, étendu, gisant, papier, penchant, repos.

COUCHE. Assise, banc, cerne, chape, crépi, croûte, cuticule, derme, écorce, ectoderme, enduit, enrobage, enrobement, étage, étamure, exobase, exosphère, feuillet, git, gîte, givre, hétérosphère, homosphère, hyménium, ionosphère, lamelle, lange, lit, magnétosphère, matelas, mésopause, mésosphère, meule, moie, moye, nappe, niveau, pli, pruine, repos, sauce, sial, sieste, sima, sphère, stratosphère, strate, thalamus, thermosphère, tropopause, troposphère, uvée.

COUCHER. Accoupler, affaler, aliter, allonger, blottir, consigner, courber, couver, découcher, dormir, étaler, étendre, gésir, gîter, glisser, incliner, inscrire, noter, pencher, pieuter, prosterner, tapir, vautrer, verser.

COUCHERIE. Bacchanale, beuverie, débauche, excès, libation, orgie, overdose, prodigalité, profusion, rapport.

COUCHE-TARD. Fêtard, lève-tard, noctambule, nuitard.

COUCHETTE (n. p.). Procuste.

COUCHETTE. Alèse, bannette, bassinette, ber, chevet, ciel, coite, couchis, couette, divan, dodo, drap, épi, grabat, hamac, jar, jard, justice, lire, lit, litière, mariage, pageot, pieu, pucier, ravin, ru, ruelle, ruisseau, sofa, sultane.

COUCHEUR. Baiseur, chicanier, débauché, difficile, hargneux, mauvais, querelleur.

COUCHIS. Assise, forme, garniture, lattis, lit, thune, tunage, tune.

COUCI-COUCA. Ainsi, aussitôt, autant, comme, de même, dito, id, idem, instar, itou, même, modérément, moitié-moitié, moyennement, pareil, pareillement, pas mal, passablement, pour, quand, tel, tièdement.

COUCOU. Avion, bonjour, émeraude, grimpeur, gris, horloge, locomotive, pendule, primevère, voiture, zinc.

COUCOUMELLE. Agaric, amanite, champignon, ciguë, engainée, grisette, oronge, vaginée.

COUDE. Accouder, angle, busc, courbe, cubital, détour, genou, ivrogne, méandre, olécrane, retour, saillie.

COUDÉE. Arpent, aune, brasse, empan, encablure, lieue, main mètre, parsec, perche, pipée, toise.

COU-DE-PIED. Atteloire, axe, cabillot, cheville, chevillette, chevron, clavette, clou, épite, esse, fausset, fiche, goujon, goupille, gournable, malléole, mollet, ouvrière, pléonasme, tee, tourillon, trenail.

COUDER. Arquer, arrondir, cambrer, cintrer, courber, incurver, plier, tordre, voûter.

COUDIÈRE. Alaise, alèse, coite, couche, couette, coussin, cubitière, doubler, drap, drap-housse, duvet, futon, grabat, matelas, matelassier, matelassure, paillasse, plume, rembourrer, sommier, tampico.

COUDOIEMENT. Attache, communication, compagnie, contact, correspondance, côtoiement, entourage, familiarité, fréquentation, habitude, intelligence, intimité, liaison, lien, promiscuité, relation, voisinage.

COUDOYER. Approcher, côtoyer, coudoiement, frayer, fréquenter, frotter, heurter, rencontrer, voir.

COUDRAIE. Coudrette, coudrier, noiseraie, noisetterie, plantation.

COUDRE. Assembler, bâtir, border, brocher, broder, coulisser, découdre, faufiler, fil, linger, machine, monter, nerf, noisetier, ourler, paumoyer, piquer, raccommoder, ralinguer, rapiécer, suturer, tailler, unir.

COUDRIER. Aveline, avelinier, baguette, bétulacée, corylacée, coudraie, noisetier.

COUENNE. Bacon, barde, crépine, croûte, cuir, graillon, imbécile, lard, lardon, panne, peau, porc.

COUENNEUX. Abruti, andouille, crétin, cruche, débile, demeuré, gâteux, idiot, imbécile, membraneux, nouille.

COUETTE. Couvre-lit, couvre-pied, douillette, édredon, épi, lulu, mèche, natte, peau, queue, toupet, tresse.

COUFFIN. Banne, berceau, bourriche, cabas, cageot, casse, cloyère, corbeille, corbillon, dépensier, dilapidateur, élite, flein, gabion, gaspilleur, gouffre, hotte, manne, mannequin, moïse, nacelle, nasse, panier, rasse, ruche, scouffin, van.

COUGUAR. Carnassier, carnivore, cougar, cougouar, eyra, félidé, lion, ocelot, once, puma.

COUILLE. Accident, accroc, albuginée, amoretas, avatar, ennui, scrotum, séminome, testicule, testostérone.

COUILLON. Abruti, benêt, bête, borné, crétin, demeuré, hébété, idiot, imbécile, niais, nigaud, obtus, sot, stupide.

COUILLONNADE. Arnaque, artifice, attrape, chiqué, dol, duperie, escroquerie, erreur, fausseté, feinte, fourberie, fraude, imposture, lapsus, leurre, manège, mensonge, méprise, mystification, perfidie, ruse, sottise, tricherie, tromperie.

COUILLONNER. Arnaquer, attraper, duper, escroquer, feinter, frauder, leurrer, tricher, tromper.

COUILLU. Ardent, audacieux, brave, couard, courageux, craintif, énergique, fier, gonflé, hardi, héroïque, intrépide, lâche, lion, peureux, poltron, téméraire, timoré, vaillant, valeureux.

COUINEMENT. Aigu, bruit, bruxisme, bruxomanie, cri, crissement, ferraillement, grésillement, grincement, parasite.

COUINER. Chialer, chigner, crier, geindre, gémir, grincer, larmoyer, piailler, piorner, pleurnicher, pleurer.

COULAGE. Blanchissage, coulée, criblage, déprédation, filtrage, gabegie, gâchis, gaspillage, perte, tirage.

COULANT. Aisé, anneau, aqueux, caloporteur, clair, conciliant, courant, diffusion, eau, effluent, émersion, éther, fluide, flux, fréon, gaz, glissoir, humeur, indulgent, liquide, nœud, passant, phlogistique, stolon.

COULE AU BANGLADESH (n. p.). Gange.

COULE AU BRÉSIL (n. p.). Amazone, Araguaya, Parana, Tocantins.

COULE AU CAMEROUN (n. p.). Sanaga.

COULE AU CANADA (n. p.). Churchill, Fraser, Hamilton, Mackenzie, Nelson, Rupert, Saint-Laurent.

COULE AU GHANA (n. p.). Volta.

COULE AU KAZAKHSTAN (n. p.). Emba.

COULE AU LANGUEDOC (n. p.). Orb.

COULE AU MAROC (n. p.). Sebou, Sous.

COULE AU PÉROU (n. p.). Amazone.

COULE AU PORTUGAL (n. p.). Douro, Duero, Guadiana, Minho, Mondego.

COULE AU PROCHE-ORIENT (n. p.). Euphrate, Oronte.

COULE AU SÉNÉGAL (n. p.). Casamance, Saloum.

COULE AU VENEZUELA (n. p.). Orénoque.

COULE AU VIETNAM (n. p.). Rouge.

COULE AUX ÉTATS-UNIS (n. p.). Arkansas, Canadian, Colorado, Connecticut, Delaware, Hudson, Merrimack, Mississippi, Missouri, Mobile, Oregon, Potomac.

COULE DANS LES PYRÉNÉES (n. p.). Tech.

COULE EN AFGHANISTAN (n. p.). Hilmand.

COULE EN AFRIQUE (n. p.). Ouellé, Nil, Uélé.

COULE EN ALASKA (n. p.). Yukon.

COULE EN ALBANIE (n. p.). Drin.

COULE EN ALGÉRIE (n. p.). Chelif, Macta, Rummel, Seybouse, Tafna.

COULE EN ALLEMAGNE (n. p.). Danube, Eider, Elbe, Ems, Peene, Rhin, Trave, Weser.

COULE EN AMÉRIQUE DU NORD (n. p.). Columbia.

COULE EN AMÉRIQUE DU SUD (n. p.). Amazone, Parana, Uruguay.

COULE EN ANGLETERRE (n. p.). Eden, Mersey, Ouse, Severn, Tamise, Tees, Tyne.

COULE EN ARGENTINE (n. p.). Colorado, Negro, Salado.

COULE EN ASIE (n. p.). Brahmapoutre, Ili, Salouen, Yalu.

COULE EN AUSTRALIE (n. p.). Murray.

COULE EN BELGIQUE (n. p.). Escaut, Meuse, Yser.

COULE EN BIÉLORUSSIE (n. p.). Niemen.

COULE EN BIRMANIE (n. p.). Irraouaddi, Irrawaddy.

COULE EN BULGARIE (n. p.). Danube, Iskar, Maritza, Strymon.

COULE EN CHINE (n. p.). Houai, Huai, Huanghe, Tarim, Xijiang, Yalu, Yang-Tsê-Kiang.

COULE EN COLOMBIE (n. p.). Atrato, Magdalena.

COULE EN CORÉE DU SUD (n. p.). Naktong.

COULE EN CORSE (n. p.). Golo.

COULE EN ÉCOSSE (n. p.). Clyde, Forth, Spey, Tay.

COULE EN ÉGYPTE (n. p.). Nil.

COULE EN ENFER (n. p.). Achéron, Cocyte, Léthé, Styx.

COULE EN ESPAGNE (n. p.). Douro, Èbre, Ebro, Genil, Guadiana, Jucar, Minho, Rio, Tage, Tinto.

COULE EN EUROPE (n. p.). Danube, Dniepr, Dniestr, Dvina, Elbe, Escaut, Rhin.

COULE EN EXTRÊME-ORIENT (n. p.). Amour.

COULE EN FRANCE (n. p.). Aa, Adour, Agly, Arc, Argens, Arve, Aude, Aulne, Authie, Belon, Bidassoa, Blavet, Bresle, Canche, Charente, Couesnon, Dives, Douve, Élorn, Escaut, Garonne, Hérault, Lay, Leyre, Loire, Meuse, Orb, Orne, Rance, Rhin, Rhône, Seine, Seudre, Somme, Tech, Têt, Touques, Var, Vidourie, Vilaine, Vire, Yser.

COULE EN GRANDE-BRETAGNE (n. p.). Tamise.

COULE EN GUINÉE (n. p.). Konkouré, Mbini.

COULE EN GUYANE (n. p.). Essequibo, Maroni, Oyapoc, Oyapock, Sinnamary.

COULE EN INDE (n. p.). Brahmapoutre, Gange, Godavéri, Indus, Kistna, Mahanadi, Narbada, Sind.

COULE EN INDOCHINE (n. p.). Lancangjiang, Mékong, Salouen.

COULE EN IRLANDE (n. p.). Erne, Shannon.

COULE EN ITALIE (n. p.). Adige, Arno, Asti, Brenta, Garigliano, Isonzo, Métaure, Ofanto, Piave, Pô, Tagliamento, Tibre, Volturno.

COULE EN LAPONIE (n. p.). Torne.

COULE EN MONGOLIE (n. p.). Ienisseï.

COULE EN NORVEGE (n. p.). Glama, Glommen.

COULE EN PALESTINE (n. p.). Jourdain.

COULE EN POLOGNE (n. p.). Oder, Odra, Vistule.

COULE EN ROUMANIE (n. p.). Olt.

COULE EN RUSSIE (n. p.). Alma, Don, Dniéper, Kama, Kouban, Lena, Néva, Niémen, Ob, Obi, Onéga, Oural, Petchora, Volga.

COULE EN SCANDINAVIE (n. p.). Tana.

COULE EN SIBÉRIE (n. p.). Anadyr, Indighirka, Ienisse, Ienisseï, Kolyma, Léna, Ob, Obi.

COULE EN SLOVÉNIE (n. p.). Isonzo.

COULE EN SUÈDE (n. p.). Angerman, Göta, Lule, Pité, Rhone, Torné, Ume.

COULE EN SUISSE (n. p.). Aar, Aare, Reuss, Rhône.

COULE EN TCHÉCOSLOVAQUIE (n. p.). Odra.

COULE EN THAÏLANDE (n. p.). Ménam.

COULE EN TURQUIE (n. p.). Menderes, Sakarya, Tigre.

COULE EN UKRAINE (n. p.). Boug, Bug, Prout, Prut.

COULE EN YOUGOSLAVIE (n. p.). Isondo, Vardar.

COULE EN, AFRIQUE (n. p.). Casamance, Chari, Congo, Djouba, Dra, Draa, Gabon, Gambie, Limpopo, Medjerda, Niger, Nil, Ogoué, Orange, Sénégal, Zambèze.

COULÉE. Aa, arcot, calmage, cheire, écriture, fausset, lahar, lave, mésa, ruisseau, sentier, sucre.

COULEMELLE. Agaricacée, axe, champignon, chevalier, comestible, filleul, golmote, golmotte, lépiote.

COULER. Aboutir, affluer, ale, arroser, baigner, caler, courir, découler, dégouliner, déverser, écouler, épancher, filer, filtrer, fleuve, fluer, immerger, introduire, jaillir, répandre, rivière, ruisseler, saborder, sombrer, verser.

COULEUR (2 lettres). Or, us.

COULEUR (3 lettres). Bai, bis, thé, ton, uni, vin.

COULEUR (4 lettres). Azur, bleu, brun, café, cyan, doré, écru, embu, fluo, gris, hâle, inde, jais, kaki, noir, ocre, pers, poil, robe, rose, roux, vert.

COULEUR (5 lettres). Ambre, atout, azuré, beige, blond, carné, chiné, clair, cœur, ébène, élavé, fauve, foncé, grège, guède, jaune, irisé, lilas, mauve, olive, ombre, parme, pêche, perse, pique, prune, rouan, rouge, sable, sépia, tabac, tango, terne.

COULEUR (6 lettres). Acajou, auburn, aurore, azurer, bistre, bitume, carmin, carnée, cendré, citrin, citron, délavé, diapré, éburné, éosine, glacis, grenat, grigne, havane, indigo, louvet, marron, mastic, nuance, orange, paille, pâleur, rouget, safran, teinte, trèfle.

COULEUR (7 lettres). Abricot, algique, bigarré, blafard, carotte, carreau, céladon, chamois, chocolat, cinabre, citrine, corail, coloris, drapeau, frottis, garance, glauque, magenta, marengo, mordoré, nuancer, olivacé, pigment, platine, ponceau, pourpre, rougeur, sinople, soutenu, turquin, verdure, vermeil, violine.

COULEUR (8 lettres). Amarante, céruléen, chocolat, colombin, cramoisi, dichrome, éburnéen, écarlate, émeraude, étendard, incarnat, incolore, isabelle, lie-de-vin, lividité, noisette, olivâtre, outremer, panacher, pavillon, poignant, purpurin, rubicond, rubiette, rutilant, soutenu, teinture, tonalité, verdâtre, zinzolin.

COULEUR (9 lettres). Bariolage, bariolure, beigeasse, beigeâtre, bigarrure, carnation, grisaille, pervenche, roussâtre, rubescent, tricolore, truculent, unicolore, vermeille, vermillon.

COULEUR (10 lettres). Anthracite, autochrome, chromogène, monochrome, monocolore, omnicolore, polychrome, rhodopsine.

COULEUR (11 lettres). Tête-de-Maure, tête-de-nègre.

COULEUR (12 lettres). Chromatopsie, feuille-morte.

COULEUR (13 lettres). Gorge-de-pigeon, poil-de-carotte, ventre-de-biche.

COULEUVRE. Anguille, bisse, coronelle, couleuvreau, dasypeltis, élaphis, nasique, serpent, vipérin.

COULIS. Ailloli, aïoli, bisque, framboise, jus, mortier, potage, purée, sauce, vent.

COULISSE. Cantonade, coulure, dessous, glissière, mobile, plan, rideau, secret, support, théâtre, vanne.

COULISSER. Acclimater, amener, coucher, couler, désorganiser, engager, entrer, envahir, fourrer, glisser, immiscer, indexer, ingérer, innover, insérer, insinuer, insuffler, intercaler, intervenir, introduire, loger, mêler, mettre, passer, pénétrer, taper, verser.

COULISSIER. Boursier, cambiste, courtier, échelier, haussier, portefeuilliste, remisier, spéculateur, trésorier.

COULOIR. Allée, cheminée, corridor, coursive, défilé, diverticule, galerie, glissoir, passage, portique, rameau, rhodanien, seuil, soufflet, vestibule.

COULOMMIERS. Brie, fromage.

COULPE. Confession, culpabilité, faute, mea culpa, péché, regret, repentir.

COULURE. Avortement du raisin, coulisse, dégoulinade, millerandage, tache, trace, traînée.

COUNTRY. Bluegrass, chanson, contredanse, folk, folksong, musique, rock, western.

COUP. Appel, atémi, atout, besas, beset, blessure, boîte, botté, bourrade, charge, châtaigne, choc, claque, contrecoup, contusion, coquard, crochet, dentée, direct, drive, droite, estocade, événement, feinte, fendant, fessée, fla, frite, gifle, gnon, heurt, horion, lift, lob, marron, nasarde, œillade, pain, paf, pêche, piccolo, pichenette, punch, putsch, putt, ra, rafale, raté, revers, rouste, ruade, soudain, soufflet, ra, rouste, talmouse, taloche, tape, tarte, tonnerre, torgnole, tornade, vlan, uppercut, volée.

COUPABLE. Accusé, concussionnaire, criminel, délinquant, fautif, inculpé, innocent, irresponsable, responsable.

COUPAGE. Cisaillement, clivage, couper, coupure, crevasse, débitage, fendre, refendre, sciage, séparer, zigouiller.

COUPAILLER. Cisailler, couper, déchiqueter, ébarber, écharogner, élaguer, user, zigailler.

COUPANT. Acerbe, acéré, affilé, aigu, aiguisé, canif, couperet, couteau, criard, effilé, fin, glapissant, grêle, tranchant, vif.

COUPE (n. p.). America's cup, Davis, Stanley.

COUPE. Abattis, as, atout, baguier, censure, chape, chute, cratère, drageoir, émonde, fenaison, fend, gerbe, godet, grume, hache, hémistiche, jatte, œillère, patère, pérot, picot, point, ras, rogne, scinde, section, séparation, talon, tête, tranche, trophée, vase, vasque, vin.

COUPE-CHOU. Arme, bancal, batte, bélière, briquet, cimeterre, coupe-coupe, coutelas, épée, escrime, espadon, glaive, kandjar, latte, machette, mauresque, mensur, pommeau, poisson, rasoir, sabre, tsuba, yatagan.

COUPE-CIRCUIT. Fusible, plomb.

COUPE-FAIM. Abat-faim, anorexigène, casse-croûte.

COUPE-FEU. Écran, garde-barrière, garde-feu, obstacle, pare-étincelles, pare-feu, protection.

COUPE-JARRET. Assassin, brigand, cambrioleur, canaille, chapardeur, meurtrier, tueur, voleur.

COUPELLE. Capsule, coupe, creuset, cuilleron, inquartation, pot, rochage, tesson, test, têt, ustensile.

COUPE-PAPIER. Amassette, couperet, couteau, dague, écussonnoir, entoir, eustache, lisette, liseuse, opinel, plume, rasoir, saignoir, scramasaxe, signet, soie, solen, surin, tournefeuille.

COUPER. Amputer, aviver, châtrer, chaumer, cisailler, coupailler, croiser, déliter, détailler, diviser, ébarber, ébouqueter, ébouter, écimage, écouter, élaguer, émarger, émincer, émonder, entailler, entamer, ergoter, escaloper, essoriller, étêter, étraper, expurgation, faucher, fendre, hacher, inciser, limer, mâcher, massicoter, ôter, recéper, sectionner, raser, ratiboiser, recéper, rénetter, rogner, ronger, scier, sectionner, segmenter, tailler, tondre, tremper, trancher, tronçonner.

COUPERET. Ascia, bipenne, couteau, guillotine, hache, hachoir, hansart, machette, osselet.

COUPEROSE. Acné, affection, rosacée, rougeur, sulfate, télangiectasie, trogne, tronche, visage, vitriol, vultuosité.

COUPEUR. Chalumeur, chalumiste, chicanier, découpeur, ergoteur, faucardeur, faucheur, scieur, tailleur, voleur.

COUPE-VENT. Anorak, caban, ciré, doudoune, gabardine, kabig, imper, imperméable, parka, trench, veste.

COUPLAGE. Accouplement, appairage, appariement, assemblage, avec, coexistence, coïncidence, combiné, concomitance, jumelage, liaison, raccordement, rappariement, simultané, synchronisme, unisson, unité.

COUPLE. Alliance, appariement, deux, domino, doublet, duo, duumvirat, dyade, élément, énergie, force, glisseur, laisse, ménage, paire, pariade, patrilocal, quadrille, tandem, tension, thermocouple, torsion, union, valeur, vecteur, virilocal.

COUPLER. Accoupler, appareiller, apparier, assembler, attacher, géminer, jumeler, relier, unir.

COUPLET. Air, chanson, chant, épode, mélodie, poème, refrain, stance, strophe, tirade, toune, turtulette.

COUPLEUR. Bouton, bouton-poussoir, clé, clef, combinateur, commande, commutateur, conjoncteur, contact, discontacteur, disjoncteur, interrupteur, manostat, olive, poussoir, rotateur, sectionneur, sélecteur, télécommande.

COUPOLE. Académie, astrodôme, berceau, bulbe, dôme, pendentif, tambour, taste-vin, tholos, voûte.

COUPON. Action, billet, bon, carte, couturier, devise, entrée, fafiot, faux-monnayeur, jeton, lettre, marque, métrage, obligation, open, ordre, pièce, plaquette, poulet, tablette, tessère, ticket, titre, traite.

COUPURE. Ablation, blessure, billet, blessure, brisure, cassure, censure, cicatrice, cluse, coupe, enlevé, entaille, estafilade, fossé, havage, hiatus, incision, interruption, lacune, plaie, scarification, scission, section, suture, taillade.

COUQUE. Biscôme, brioche, chanoinesse, cuisinier, nonnette, pain, pain d'épice, pâtisserie.

COUR. Arrière-cour, assises, atrium, audiencia, aulique, avant-cour, cloître, côté, courée, courette, crime, droit, échiquier, impasse, instance, jardin, justice, pair, patio, préau, prétoire, soupirant, témoin, théâtre, tribunal.

COURAGE. Ardeur, audace, bravoure, cœur, confiance, constance, cran, crâne, décision, énergie, fermeté, fierté, force, hardiesse, héroïsme, intrépidité, oser, prouesse, robustesse, va, valeur, vaillance, virilité, vitalité, zèle.

COURAGEUSEMENT. Ardemment, audacieusement, bravement, crânement, énergiquement, fièrement, hardiment, héroïquement, intrépidement, pusillanimité, résolument, vaillamment, valeureusement, virilement.

COURAGEUX. Ardent, assuré, audacieux, battant, brave, confiant, constant, couard, craintif, énergique, fier, gonflé, hardi, héroïque, intrépide, lâche, lion, peureux, poltron, pusillanime, stoïcien, téméraire, timoré, vaillant, valeureux.

COURAILLAGE. Amourette, aventure, chalandage, courreries, lèche-vitrines, magasinage, transport.

COURAILLER. Abuser, attirer, congédier, débaucher, dépraver, dévergonder, enivrer, licencier, séduire, soûler.

COURAMMENT. Aisément, banalement, communément, facilement, fréquemment, habituellement, ordinairement, parfaitement, populairement, prosaïquement, souvent, trivialement, usuellement, vulgairement.

COURANT (n. p.). Aiguilles, Benguela, Brésil, Californie, Canarves, El Nino, Falkland, Groenland, Gulf Stream, Humbolt, Kuroshio, Labrador, Oyashio, Maelström, Malstrom, Nino, Somalie.

COURANT. Aération, ampérage, butô, chenal, commun, connaître, durant, écoulement, électrique, fil, fleuve, flot, fusion, habituel, informé, inusuel, inusité, jus, marée, mer, mousson, muralisme, normal, ordinaire, pendant, présent, quotidien, raz, réalisme, renseigné, rivière, savoir, sens, tarif, usité, usuel, vent.

COURANT ARTISTIQUE. Avant-garde, baroque, constructivisme, cubisme, expressionnisme, futurisme, modernisme, muralisme, naturalisme, préromantisme, réalisme, surréalisme, symbolisme.

COURANTE. Chiasse, chierie, colique, danse, diarrhée, eau, fluide, flux, foirade, main, usuelle.

COURANT-JET. Jet-stream, vent.

COURBATU. Ankylosé, courbaturé, endormi, engourdi, paralysé, perclus, moulu, otospongiose, raide, raqué, rouillé.

COURBATURE. Ankylose, arc, douleur, fatigue, flexion, moulure, rhumatisme, torsion.

COURBATURER. Abrutir, anéantir, ankyloser, briser, claquer, crever, démolir, engourdir, épuiser, éreinter, esquinter, estrapasser, exténuer, fatiguer, forcer, fourber, harasser, lasser, paralyser, recru, rendre, surmener, tuer, vanner, vider.

COURBÉ. Aquilin, arqué, arrondi, bombé, bourbonien, busqué, cambré, croche, crochu, déjeté, flexueux, foxé, galbé, gauchi, onguiforme, recourbé, renflé, tordu, tors, unciforme, unciné, voilé, voûté.

COURBE. Anse, aquilin, arc, arqué, arrondi, audiogramme, axe, busqué, cambré, cassé, cercle, cloche, concave, détour, ellipse, géométrie, hélice, hyperbole, infléchi, isogone, isohyète, lemniscate, myogramme, ondulation, orbe, orbite, osculatrice, ovale, ove, plie, pôle, spirale, sustentation, tors, tordu, voûte.

COURBEMENT. Arçonnage, bombage, cambrement, cintrage, courbure, pliement, ploiement, recourbement.

COURBER. Affaisser, arquer, arrondir, baisser, bomber, cambrer, céder, cintrer, coucher, couder, échine, fléchir, gauchir, incliner, incurver, infléchir, lordose, obéir, opprimer, plier, ployer, prosterner, saluer, tordre, voûter.

COURBETTE. Baisement, compliment, hommage, obséquiosité, platitude, politesse, révérence, salamalec, salut.

COURBURE. Arçonnage, arcure, arrondi, bosse, busqué, cambrure, cassure, cintrer, convexité, coude, ensellure, flexion, galbe, gibbosité, humiliation, lordose, méplat, pliure, renflure, ressaut, rondeur, tonture, voûte.

COURCAILLET. Aiche, appât, appeau, appelant, chanterelle, cri, embûche, leurre, mouvant, piège, pipeau, piperie, sifflet.

COURÉE. Accul, aporie, barrière, blocage, cour, cul-de-sac, danger, difficulté, impasse, obstacle, rue, ruelle, venelle.

COUREUR. Athlète, autruche, chameau, cycliste, débauché, dérâté, désert, dinornis, galopeur, grimpeur, jogger, joggeur, marathonien, pistard, poursuiteur, ratite, relais, rouleur, sprinter, sprinteur, stayer, trotteur, trottineur.

COUREUR (n. p.). Bambuck, Bikila, Jazy, Johnson, Ladoumègue, Lewis, Mimoun, Owens, Zatopek.

COUREUR AUTOMOBILE (n. p.). Carpentier, Clark, Fangio, Ferrari, Ickx, Lauda, Montoya, Piquet, Prost, Schumaker, Senna, Stewart, Tagliany, Villeneuve.

COUREUR CYCLISTE (n. p.). Anquetil, Armstrong, Bobet, Coppi, Hinault, Indurain, Lemond, Longo, Merckx, Pélissier, Pisiard, Poulidor, Thys.

COURGE. Citrouille, coloquinte, courgette, cucurbitacées, giraumon, giraumont, loofa, luffa, pâtisson, potimarron, potiron, zuchette.

COURIR. Accourir, ambler, battre l'estrade, bondir, bruit, cavaler, circuler, colique, courailler, court, dérâté, détaler, dévorer, dribbler, dropper, empresser, filer, fourvoyer, fuir, galipote, galoper, pédaler, poursuivre, précipiter, presser, trotter.

COURONNE. Abysse, abysson, auréole, bandeau, barbotin, caramel, carret, collet, coronal, crophiliste, diadème, émail, format, fritillaire, gloire, goura, guirlande, ivoire, lauré, pape, règne, roi, tiare, timbre, tortil.

COURONNÉ. Champion, conquérant, dominateur, dompteur, élu, gain, gagnant, lauré, lauréat, nominé, outsider, prétentieux, sortant, tombeur, travailleur, triomphant, triomphateur, vainqueur, victorieux.

COURONNEMENT. Aboutissement, accomplissement, amortissement, apothéose, baldaquin, bénédiction, chaperon, consécration, corniche, dédicace, entablement, intronisation, pinacle, rive, sacre, triomphe.

COURONNER. Achever, coiffer, conclure, consacrer, décerner, finir, honorer, introniser, orner, parachever, parfaire, récompenser, sacrer, sommer, surmonter, surplomber.

COURRIEL. Courrier, e-mail, mail, mél, message, messagerie, pourriel, télémessagerie.

COURRIER. Correspondance, courriel, dépêche, envoi, estafette, lettre, messager, missive, poste, rubrique.

COURRIÉRISTE. Animateur, annonceur, chroniqueur, columniste, commentateur, correspondancier, correspondant, critique, écrivain, éditorialiste, envoyé, journaliste, nouvelliste, pigiste, poète, publiciste, rédacteur, reporter, romancier.

COURROIE. Bande, bandoulière, bretelle, bride, brin, ceinture, culeron, dragonne, enguichure, enrênement, étrier, étrivière, fouet, harnais, laisse, lanière, licol, licou, lien, longe, mance, mancelle, martingale, mors, œillère, rêne, sangle, sanglon, tendeur, têtière.

COURROUCÉ. Acharné, agité, alouvi, déchaîné, délirant, dément, démonté, enragé, exacerbé, exalté, excessif, fâché, forcené, fou, frénétique, furax, furibard, furibond, furieux, irrité, possédé, ulcéré, violent.

COURROUCER. Choquer, colérer, déchaîner, exaspérer, exploser, fâcher, fulminer, irriter, provoquer, rager.

COURROUX. Agacement, atrabilaire, bilieux, chagrin, colère, exaspéré, fureur, furie, furieux, ire, rage.

COURS. Cheminement, classe, cote, courant, dans, dépassé, déroulement, enseignement, fil, leçon, rapide, taux, union.

COURS D'EAU. Affluent, alluvion, amont, anaclinal, aval, canal, caniveau, confluent, confluer, crue, défluent, émissaire, épi, étiage, fleuve, flottage, gué, lac, oued, quai, rivière, ru, ruisseau, ruisselet, torrent, tributaire.

COURSE. Achat, américaine, cheval, corrida, cross, derby, drag, épreuve, galopade, haie, hippodrome, incursion, jogging, keirin, lad, longueur, marathon, marche, omnium, poursuite, prix, promenade, racer, rallye, régate, relais, rodéo, ruée, sprint, stade, stand, steeple, steeple-chase, stud, sulky, tauromachie, tour, trajet, transat, trial, turf.

COURSER. Aspirer, asticoter, assiéger, briguer, chasser, continuer, courir, courre, courser, ester, foncer, forcer, harceler, importuner, intenter, justice, lièvre, lutiner, pourchasser, poursuivre, presser, rechercher, talonner, taquiner, traquer.

COURSIER. Bagagiste, chasseur, cheval, commissionnaire, courrier, envoyé, groom, livreur, messager.

COURSIVE. Arcade, assemblée, balcon, corridor, couloir, filon, galerie, hourd, hypogée, jubé, loge, mâchicoulis, passage, portique, préau, raucheur, salon, souterrain, spectateur, taupe, tranchée, tunnel, véranda, vestibule, voûte, xyste.

COURSON. Bois, branche, bras, brindille, chiffonne, corne, courçon, crossette, écotée, éperon, ergot, ès, feuillage, feuillard, frondaison, gluau, greffe, marcotte, membre, membrure, pipeau, plantard, planton, rameau, ramée, ramure, rejeton, rotin, scion, tronc, vinée.

COURT. Abrégé, bref, concis, courir, crépu, direct, drope, écourté, épaté, étêté, étroit, insuffisant, limité, large, long, mince, mini, petit, près, privé, raccourci, ragot, raidillon, ras, rétréci, rond, sagum, succinct, tassé, tennis, terrain, trapu.

COURTAGE. Comité, commission, délégation, légation, mandat, mission, pouvoir, procuration, rémunération, représentation.

COURTAUD. Atome, bambin, bas, bébé, chétif, considérable, court, élevé, exigu, faible, fluet, gnome, grand, haut, limité, minime, minuscule, mioche, nabot, nain, oison, petiot, petit, peu, pygmée, râblé, rabougri, rond, trognon.

COURT-BOUILLON. Aisy, bouillon, brouet, chabrol, chabrot, chaudeau, chaudrée, concentré, consommé, décoction, fond, france, fumet, gargote, godiveau, godron, lavure, potage, ramequin, soupe.

COURT-CIRCUIT. Abouchement, accolement, affinité, bluetooth, connexion, liaison, panne, rapport, relation.

COURTEPOINTE. Alaise, couette, couverture, couvre-pied, dessus-de-lit, douillette, édredon, fourre.

COURTIER. Agent, apériteur, assureur, coulissier, entremetteur, inspecteur, intermédiaire, représentant.

COURTILIÈRE. Fouisseur, gryllotalpa, insecte, laboureuse, orthoptère, taupe-grillon.

COURTINE. Clôture, corral, enclos, fortification, jardin, mur, paddock, parc, pâturage, rideau, tenaille, vivier.

COURTISAN (n. p.). Antin, Castiglione, Courtenay, Damoclès, Essex, La Fontaine, Lauzun, Leicester, Raleigh, Soubise.

COURTISAN. Acclamateur, admirateur, adorateur, cajoleur, caudataire, enjôleur, flatteur, hétaïre, prostitué.

COURTISANE (n. p.). Borgia, Dalida, De Lorme, Laïs, Lorme, Lucrèce, Marie, Phryné, Thaïs.

COURTISANE. Amazone, call-girl, catin, chipie, cocotte, fille, garce, grue, hétaïre, micheton, morue, odalisque, péripatéticienne, pétasse, poule, poupée, prostituée, putain, pute, racoleuse, radeuse, ribaude, roulure, salope, traînée.

COURTISANERIE. Adulation, allégeance, assujettissement, aveugle, bassesse, dépendance, discipline, docilité, fidélité, flagornerie, flatterie, joug, libre, obédience, obéissance, observance, passivité, servilité, soumission, subordination, sujétion, vœu.

COURTISER. Amadouer, badiner, baratiner, coqueter, cruiser, draguer, flatter, galantiser, mugueter.

COURT-MÉTRAGE. Actualité, bande, clip, film, métrage, pellicule, pince, projection, vidéoclip.

COURTOIS. Accueillant, affable, aimable, amène, arrogant, bien élevé, civil, correct, discourtois, galant, poli.

COURTOISEMENT. Adorablement, affablement, agréablement, aimablement, amiablement, amicalement, chaleureusement, cordialement, galamment, plaisamment, poliment, serviablement, sympathiquement.

COURTOISIE. Affabilité, amabilité, bienséance, civilité, convenance, délicatesse, discourtoisie, doigté, galanterie, hommage, impolitesse, joute, malgracieux, politesse, tact, urbanité.

COURU. Adonisé, affecté, aimé, après, apprêté, branché, certain, couru, désiré, étudié, examen, manière, mode, précieux, prévisible, primé, raffiné, rare, recherché, recouru, soigné, sûr, travaillé.

COUSETTE. Arpète, coupeuse, couturière, essayeuse, finisseuse, mannequin, midinette, première, répétition, tailleuse.

COUSEUR. Coupeur, cousette, couturier, faiseur, jupier, modéliste, muscle, tailleur, théâtre, trottin.

COUSIN. Arrière-cousin, culex, germain, insecte, maringouin, moustique, parent, petit-cousin, proche.

COUSINAGE. Agnation, alliance, ascendance, branche, cognation, consanguinité, degré, descendance, dynastie, extraction, famille, filiation, hérédité, lignage, origine, parentage, parenté, race, sang, souche.

COUSSIN. Airbag, boudin, bourrelet, carreau, coussinet, crin, duvet, édredon, faux-cul, fonçaille, laine, oreiller, plume, polochon, pouf, pulvinar, réserve, sac, sous-cul, sultan, têtière, traversin.

COUSSINET. Ataca, atoca, bague, bichon, bourrelet, coussin, empoise, godet, pelote, protection.

COÛT. Charge, cotation, cours, dépense, estimation, estimé, évaluation, prix, revient, tarif, taux.

COUTEAU. Amassette, arme, bistouri, canif, coupe-papier, couperet, couteau-scie, coutelas, dague, économe, écussonnoir, entoir, éplucheur, eustache, laguiole, lancette, machette, mollusque, navaja, opinel, plume, poignard, rasoir, saignoir, scalpel, scramasaxe, soie, solen, surin, vide-pomme.

COUTELAS. Arme, couperet, couteau, épée, eustache, machette, manche, mollusque, navaja, plume, poignard, rasoir, sabre, saccagne.

COUTELLERIE. Aiguière, argenterie, bougeoir, cafetière, chandelier, couteau, couvert, écrin, grosserie, taillanderie, vaisselle.

COÛTER. Atteindre, causer, égaler, entraîner, équivaloir, faire, fatiguer, mériter, peser, valoir.

COÛTEUSEMENT. Cher, chèrement, coûteux, dispendieusement, estimable, onéreusement, précieusement, prix, rare, ruineux, ruineusement, salé, surpayer.

COÛTEUX. Astronomique, cher, chérot, dispendieux, élevé, inabordable, luxueux, onéreux, ruineux, salé.

COUTIL. Coton, cotonnade, kaki, moleskine, pantalon, serge, toile, tissu.

COUTUME. Chartre, code, convention, errements, formule, habitude, habituel, lévirat, manie, mode, mœurs, norme, ordre, penchant, pratique, règle, rite, rituel, routine, sati, souloir, sunna, tontine, tradition, us, usage.

COUTUMIER. Abonné, accoutumé, apprivoisé, banal, commun, courant, fréquent, habitué, ordinaire, routinier.

COUTURE. Agrafe, aiguille, ajouré, baguer, bâti, biais, bobinage, bobine, border, bouillon, bouillonner, bourdon, boutonnière, bride, broder, broderie, brodeur, cafetan, camion, canette, canevas, chas, cintrer, confectionner, cordonnet, coude, coudre, coulisse, coupon, cousu, craie, crochet, croix, dé, doublure, draper, écheveau, éfaufiler, enfiler, enfourchure, épingle, faufil, faufiler, feston, fil, frange, fuseau, galon, ganse, godet, jour, lacet, laine, liseré, lisière, macramé, maille, main, mannequin, matelassé, mètre, mousse, navette, nid, œil, œillet, ourler, ourlet, passepoil, pelote, pince, piqûre, quenouille, raccommoder, rapiécer, remmaillage, rentraiture, rucher, smocks, soutache, surfil, suture, tambour, tisser.

COUTURIER (n. p.). Armani, Balenciaga, Balmain, Beretta, Bouchet, Cardin, Cardinal, Chanel, Courrèges, Dior, Doucet, Garneau, Gaultier, Gauthier, Grès, Klein, Lacoste, Lacroix, Lagerfeld, Lanvin, Laroche, Mortensen, Patou, Poiret, Rabanne, Saint-Laurent, Worth.

COUTURIER. Coupeur, cousette, couseur, faiseur, jupier, modéliste, muscle, tailleur, théâtre, trottin.

COUTURIÈRE (n. p.). Coco Chanel, Czerefkow, Grès, Vionnet.

COUTURIÈRE. Arpète, coupeuse, cousette, essayeuse, finisseuse, mannequin, midinette, première, répétition, tailleuse.

COUVAISON. Accouvage, accouveur, aviculture, couvage, couveuse, couvoir, éclore, incubation, maturation, œuf.

COUVÉE. Famille, œufs, oisillons, marmaille, nichée, ponte, portée, produit, progéniture, race, tribu.

COUVENT. Abbaye, cène, chartreuse, cloître, couventine, lai, laie, lama, lamaserie, léproserie, mère, monastère, moutier, nonne, pensionnat, prieur, ribat, scolasticat, séminaire, sœur, tourier.

COUVENTINE. Augustine, béguine, carmélite, clarisse, dévote, dominicaine, escot, grise, mante, mère, moniale, nonne, nonnette, odile, pâtisserie, pauline, pieuse, religieuse, sœur, tanka, tourière, ursuline, visitandine.

COUVER. Bichonner, cajoler, câliner, chouchouter, choyer, concocter, dorloter, entretenir, fomenter, gâter, incuber, incuver, mignoter, mijoter, mûrir, nicher, nidifier, nourrir, ourdir, préparer, soigner, tramer.

COUVERCLE. Capot, capsule, ciste, clapet, cloche, couvre-plat, couvrir, moraillon, obturateur, opercule, rabat.

COUVERT. Abri, buissonneux, chargé, cornière, emperlé, ennuagé, enterré, épineux, erbue, farineux, grenu, gris, herbu, herbue, hispide, ioduré, laineux, lanugineux, lépreux, moisi, moussu, nacré, nuageux, ombre, ridé, salpêtreux, table, testacé, tomenteux, ulcéreux, vaisselle, vaseux, velu, vêtement, vêtu, voilé.

COUVERTURE. Abri, aile, arêtier, auvent, bâche, Bret, bibi, cape, capote, châle, chape, chapeau, courtepointe, couvercle, couverte, dais, dôme, housse, jaquette, laine, libre, mante, pavage, plaid, prétexte, reliure, toit, toiture.

COUVEUSE. Accouvage, bulle, couvoir, éleveuse, incubateur, incubatrice, oiseau, poule, poussinière.

COUVRANT. Abstrus, clair, diaphane, émail, épais, fuligineux, grès, impénétrable, incompréhensible, jaspe, mystérieux, obscur, ombre, opacité, opaque, sibyllin, sombre, ténébreux, transparent, voilé.

COUVRE-CHAUSSURE. Caoutchouc, chaloupe, chouclaque, claque, guêtre.

COUVRE-CHEF. Bibi, bitos, bugne, camail, chapeau, coiffure, galure, galurin, képi, mézigue, moi, tromblon.

COUVRE-JOINT. Apprêt, badigeon, baume, ciré, couche, crépi, crépissure, dépôt, enduit, engobe, fard, galinot, glaçage, glaçure, gunite, incrustation, lut, mastic, mortier, onguent, peinture, pommade, protection, revêtement, solin, stuc, vernis.

COUVRE-LIT. Alaise, couette, courtepointe, couverture, couvre-matelas, couvre-pied, édredon, fourre.

COUVRE-LIVRE. Couverture, fourre, jaquette, liseuse, protection.

COUVRE-PIED. Couette, couvre-lit, douillette, édredon, épi, lulu, mèche, natte, peau, queue, toupet, tresse.

COUVRE-PLANCHER. Carpette, linoléum, marqueterie, moquette, prélart, tapis, tuile.

COUVREUR. Ardoisier, asseau, assette, bassicotier, football, hockey, tire-clou, triquet, zingueur.

COUVRIR. Abrier, argenter, barder, beurrer, cacher, caparaçonner, cocher, coiffer, combler, complanter, consteller, couvercle, dissimuler, draper, embuer, emperler, empierrer, enchausser, enduire, enfaîter, engluer, enneiger, ennuager, enrubanner, enterrer, envelopper, garantir, givrer, habiller, hérisser, housser, immuniser, incruster, inonder, ioder, iodurer, joncher, maculer, métalliser, moisir, napper, oblitérer, ombrager, paner, parsemer, peindre, placarder, plâtrer, prémunir, préserver, recouvrir, revêtir, rocher, saillir, salpêtrer, semer, terrer, vêtir, voiler.

COVENANT. Aelé, amicale, artel, association, blastomère, cercle, club, comité, congrégation, corporation, fédération, fusion, guilde, hanse, jumelage, ligue, macle, mafia, ordre, organisation, pacte, parti, regroupement, société, syndicalisation, tandem, triumvirat, union.

COVER-GIRL. Arlequin, bamboche, bouffon, clown, fantoche, figurine, guignol, jouet, joujou, mannequin, margotin, marionnette, modèle, pantalon, pantin, pin-up, play-girl, polichinelle, poupée, starlette, vedette.

COW-BOY (n. p.). Lucky Luke.

COW-BOY. Cavalier, far-west, gardien, gaucho, lasso, policier, vache, vacher, western, yankee.

COW-POX. Antivariolique, éruption, pis, pustule, vaccin, vaccine, vache, variole.

CRABE. Appelant, araignée-de-mer, brachyoure, cancre, chinois, crustacé, dormeur, enragé, étrille, eucaride, fantôme, fouisseur, limule, maïa, macrocheire, nageur, pinnothère, portune, poupart, sacculine, tourteau, vert.

CRABOTER. Accoupler, claboter, cocher, coïter, copuler, coupler, couvrir, frayer, joindre, jumeler, lutter, mâtiner, monter, réunir, saillir.

CRACHAT. Bave, broue, expulsion, glaviot, graillon, hémoptyse, morve, salivation, salive, sputation, venin.

CRACHEMENT. Bronchorrhée, crachotement, craquement, crépitement, expectoration, grésillement, hémoptysie.

CRACHER. Avouer, crachailler, crachoter, dédaigner, donner, expectorer, mépriser, payer, postillonner, vomir.

CRACHEUR. Aspic de Cléopâtre, bongare, bungare, cobra, hémoptysique, naja, serpent, serpent à lunettes, uræus.

CRACHIN. Averse, brouillard, brouillasse, bruine, goutte d'eau, nuée, pluie, poudrin, précipitation.

CRACHINER. Brouillasser, bruiner, mouillasser, pleuvasser, pleuviner, pleuvocher, pleuvoter, tomber.

CRACHOIR. Récipient, spitoune.

CRACHOTEMENT. Crachement, craquement, crépitement, expectoration, grésillement, hémoptysie, pétillement.

CRACHOTER. Cracher, crachouiller, crépiter, expectorer, glavioter, graillonner, grésiller, mollarder, postillonner.

CRACK. Aigle, as, champion, cheval, cocaïne, connaisseur, drogue, expert, favori, phénix, poulain, virtuose.

CRACKER. Amuse-gueule, apéritif, biscuit, biscuit soda, craquelin, déverrouiller, gâteau.

CRADINGUE. Cracra, crado, cradot, craspec, crasseux, dégoûtant, immonde, malpropre, noir, sale, sali, souillé.

CRADOT. Chiche, crade, cradingue, crado, crasseux, dégoûtant, dégueulasse, immonde, maculé, malpropre, noir, ordurier, sale, sali, souillé.

CRAIE. Agaric, arcanne, calcaire, calcite, chaux, crayon, marne, silicate, stuc, talc, tufeau, tuffeau.

CRAIGNOS. Abominable, affreux, atroce, attention, dangereux, déplorable, désagréable, exécrable, mauvais, minable, rebutant.

CRAINDRE. Appréhender, dangereux, épouvanter, éprouver, redoutable, redouter, terrible, trembler.

CRAINTE. Alarme, angoisse, anxiété, appréhension, brrr, cancérophobie, claustrophobie, danger, défiance, effroi, émoi, épouvante, éreuthophobie, érythrophobie, impavide, inquiétude, intuition, malaise, nosophobie, peur, phobie, préoccupation, redoute, soupçon, trac, zoophobie.

CRAINTIF. Apeuré, effrayé, embarrassé, inquiet, peureux, pleutre, poltron, prudent, terrifié, terrorisé, timoré.

CRAINTIVEMENT. Avilissement, bassement, complaisamment, frileusement, grossièrement, honteusement, indignement, lâchement, obséquieusement, platement, servilement, peureusement, timidement, vilement.

CRAMBE. Brassica, brassicacée, chou marin, crambidé, cruciféracée, crucifère, papillon des prairies.

CRAMER. Attacher, beuler, bronzer, brûler, calciner, carboniser, cautériser, chauffer, combustion, consommer, consumer, convoiter, crématoire, cuire, détruire, distiller, ébouillanter, échauder, embraser, enflammer, flamber, fondre, fumer, fusion, griller, hâler, havir, incendier, incinérer, phlogistiquer, rôtir, roussir, torréfier.

CRAMINE. Fret, fricasse, frisquet, froid, froideur, gelée, givre, verglas.

CRAMOISI. Amarante, bordeaux, carmin, coléreux, coloré, congestionné, couperosé, écarlate, émotif, ému, grenat, honteux, pourpre, rouge.

CRAMPANT. Agréable, alacrité, alerte, allègre, amusant, animé, badin, bon, boute-en-train, charmant, comique, content, dispos, divertissant, drôle, égrillard, éméché, encourageant, enjoué, épanoui, espiègle, éveillé, folâtre, folichon, gai, gaillard, gré, gris, guilleret, hilare, jeu, joie, jovial, joyeux, libre, luron, mutin, plaisant, pompette, réjouissant, ri, riant, rieur, rire, souriant, vaudeville, vif.

CRAMPE. Astriction, colique, contraction, constriction, crispation, érection, spasme, spasmophilie, tétanie.

CRAMPER. Amuser, badiner, éclater, esclaffer, glousser, marrer, moquer, pâmer, pouffer, ricaner, rire, tordre, tourner.

CRAMPILLON. Arrogant, camisard, carabin, cavalier, clou, crampe, désinvolte, estafette, étudiant, hardi, hautain, impertinent, inconsidéré, médecin, picador, reître, selle, sinapisé, soldat, spahi, vaisseaux.

CRAMPON. Accaparent, agrafe, attache, broche, clou, croc, crochet, grappin, griffe, happe, tenon.

CRAMPONNEMENT. Acharnement, agrippement, assiduité, empoigne, entêtement, fermeté, mordicus, obstination, opiniâtreté, persévérance, pertinacité, ténacité, vivacité, volition, volonté.

CRAMPONNER. Accrocher, agrafer, agriffer, agripper, happer, attacher, incruster, raccrocher, retenir, tenir.

CRAN. Ardeur, audace, bravoure, classe, cœur, confiance, constance, courage, décision, degré, échelle, énergie, étage, force, grandi, hardiesse, intrépidité, marche, oser, rang, sang-froid, stade, va, vaillance.

CRÂNE (n. p.). Tautavel, Tournai.

CRÂNE. Acrocéphalie, boîte, barycéphale, bourrage, brachycéphale, caboche, caillou, calotte, chauve, chef, citron, citrouille, cran, craniosténose, crête, dolichocéphale, embarrure, épicrânien, fier, front, hydrocéphale, lambda, oser, raie, tesson, têt, tête.

CRÂNEMENT. Ardemment, audacieusement, bravement, courageusement, énergiquement, fièrement, hardiment, héroïquement, intrépidement, résolument, vaillamment, valeureusement.

CRÂNER. Braver, cranter, défier, fanfaronner, entailler, frimer, gasconner, plastronner, poser, rengorger.

CRÂNERIE. Audace, bravade, bravoure, charlatanerie, fabulation, fanfaronnade, fier, fierté, vanité, vantardise.

CRÂNEUR. Bêcheur, cabot, fanfaron, faraud, flambard, frimeur, malin, prétentieux, ramenard, vaniteux.

CRANSON. Brassicacée, cochléaire, crucifère, plante, raifort.

CRANTER. Braver, craner, défier, fanfaronner, entailler, frimer, gasconner, plastronner, poser, rengorger.

CRAPAHUTER. Déplacer, marcher.

CRAPAUD. Accoucheur, agua, alyte, américain, amphibien, anoure, atélope, batracien, bave, bœuf, calamite, coasse de mer, cornu, criquet, défaut, doré, frai, géant, grenouille, fauteuil, houston, loche, pélobate, pélodyte, piano, pipa, pustule, rascasse, scorpène, tannant, têtard.

CRAPAUDINE. Blanchet, bougie, buvard, chausse, colature, couette, crépine, écran, épiaire, feutre, filtre, géotextile, gouttière, grille, infiltrer, labiacée, labié, narine, passoire, pigeon, rein, tamis.

CRAPOTEUX. Crasseux, crotté, dégoûtant, encrassé, ignoble, immonde, infâme, infect, sale, sordine.

CRAPULE. Aigrefin, arnaqueur, arsouille, canaille, débauché, fripouille, kleptomane, vaurien, vil, voyou.

CRAPULERIE. Abjection, bassesse, canaillerie, fripouillerie, gredinerie, infamie, malhonnêteté, scélératesse.

CRAPULEUSEMENT. Abjectement, adulateur, bassement, flagornement, ignoblement, indignement, lâchement, petitement, vil.

CRAPULEUX. Abjecte, bassesse, débauché, dégoûtant, ignoble, immonde, lâche, malhonnête, turpide, vicieux.

CRAQUAGE. Barbotage, conversion, dissolution, hâblerie, hydrocraquage, vapocraquage.

CRAQUANT. Adorable, agréable, attachant, attendrissant, croquant, croustillant, irrésistible, mignon.

CRAQUE. Bide, cigogne, conte, croustillant, farce, grue, hâblerie, mensonge, pointe, salade, vantardise.

CRAQUELAGE. Craquèlement, décrépitation, dégradation, faïençage, fendillement, fente, fissuration.

CRAQUELER. Casser, craquer, crevasser, crisser, crouler, fendiller, fissurer, gercer, lézarder, rompre.

CRAQUELIN. Bateau, biscuit, bretzel, cracker, gâteau, pâtisserie, soda.

CRAQUELURE. Cassure, cavité, cicatrice, coupure, craque, crevasse, déchirure, étoilement, faïençage, faille, fêlure, fendillement, fente, fissure, gercé, gerçure, larron, lézarde, malandre, mourusse, perâsse, pli, râpe, ride, rimaye.

CRAQUEMENT. Crachement, crachotement, crépitement, expectoration, grésillement, hémoptysie, pétillement.

CRAQUER. Bruit, casser, céder, claquer, craqueler, crisser, crouler, effondrer, fendiller, flancher, péter, rompre.

CRASE. Apocope, contraction, débit, diction, diérèse, élocution, prononciation, sandhi, synalèphe, synérèse.

CRASH. Accident, adversité, affaire, aléa, altéré, aspérité, atterrissage, attribut, avatar, aventure, bémol, calamité, carambolage, cas, catastrophe, contretemps, coup, déraillement, dièse, écrasement, ennui, épisode, esclandre, explosion, fraise, incident, lésion, malheur, naufrage, panne, pépin, péripétie, revers, toxémie, tuile, vicissitude.

CRASHER. Aplatir, battre, bocarder, briser, broyer, casser, concasser, écanguer, écraser, égruger, émietter, épaufrer, mâcher, mastiquer, molaire, moudre, piler, pilonner, râper, réduire, renverser, teiller, tiller, triturer.

CRASSE. Bassesse, bourre, chiche, chiure, épais, malpropre, malpropreté, ordure, rouille, saleté, scories.

CRASSEUX. Avare, chiche, cracra, crade, cradingue, crado, cradot, dégoûtant, dégueulasse, immonde, ladre, maculé, malhonnête, malpropre, mesquin, noir, ordurier, sale, sali, sordide, souillé, taquin, vilain.

CRASSIER. Abattis, abcès, adipeux, amas, banquise, bloc, boule, bourre, branchage, cal, chaton, colline, dune, éminence, empilement, empyème, entassement, fatras, fétras, feu, foule, filasse, jar, jard, liasse, lithiase, lot, masse, meule, mitraille, monceau, mousse, névé, noyau, nuage, ossuaire, pannicule, paquet, pierraille, pierre, pile, plexus, ruée, salage, scorie, sécas, sérac, sore, tas, terri, terril, tout, trésor.

CRASSULACÉE. Artichaut des murailles, byophyllum, crassula, joubarbe, ombilic, orpin, sedum, sempervivum.

CRATÈRE. Astroblème, caldeira, coupe, cratérisé, dépression, égueule, maar, orifice, trou, vase, volcan.

CRATÈRE DE LA LUNE (n. p.). Alphonse, Copernic, Joliot-Curie, Lomonossov, Tsiolkovski.

CRATÈRE SUR TERRE (n. p.). Araguainhai, Carswell, Charlevoix, Kara, Manicouagan, Popigai, Puchezh-Katunki, Siljan, Sudbury, Vredefort.

CRAVACHE. Aile, alinette, apex, archet, badine, fouet, garcette, knout, martinet, nerf, sangle, verge.

CRAVACHER. Attiser, battre, blesser, boxer, cingler, cogner, corriger, couper, estourbir, fesser, flageller, fouailler, fouetter, frapper, fustiger, naviguer, rouer, sangler, secouer, sévère, tabasser, taper, vexer.

CRAVATE. Barbette, commandeur, cordage, insigne, jabot, lavallière, ornement, papillon, rabat, régate.

CRAVATER. Abuser, arrêter, attaquer, capturer, coffrer, coiffer, coincer, cueillir, épingler, pincer, tromper.

CRAWL. Crawler, crawleur, nage.

CRAYEUX. Albuginé, argenté, blafard, blanc, blanchâtre, blême, chyle, cireux, écume, immaculé, ivoirin, lacté, lactescent, laiteux, lilial, livide, marmoréen, neigeux, opale, opalescent, opalin, pâle, palescent.

CRAYON. Ardoise, craie, dessin, ébauche, fusain, gomme, marqueur, mine, pastel, sanguine, stylo, trait.

CRAYONNAGE. Figure, gravure, iconographie, illustration, image, lustre, maquette, peinturage.

CRAYONNÉ. Canevas, crayon, croquis, déroulement, dessin, ébauche, écrit, entoilage, épure, esquisse, essai, modèle, ossature, peinture, plan, scénario, schéma, script, squelette, structure, tableau, toile, trame.

CRAYONNER. Brosser, dessiner, ébaucher, esquisser, gribouiller, griffonner, profiler, relever, tracer.

CRÉANCE. À-valoir, dette, gage, garantie, hypothèque, nantissement, provision, solde, solvable, traite.

CRÉANCIER. Amodiataire, bailleur, banque, commanditaire, concessionnaire, crédirentier, fiducie, gagiste, loueur, obligataire, preneur, prêteur, propriétaire, saisissant, sponsor.

CRÉATEUR (n. p.). Abel, Avery, Braque, Dali, Dieu, Ek, Gall, Jacob, Jarry, Peyo, Ptah, Röhm, Sée, Sinan, Starck.

CRÉATEUR. Artiste, auteur, bâtisseur, cause, concepteur, déité, déesse, dieu, essayiste, faiseur, fantaisiste, fondateur, générateur, géniteur, imaginatif, initiateur, innovant, inventeur, inventif, nez, père, producteur, promoteur.

CRÉATIF. Concepteur, créateur, fantaisiste, fertile, imaginatif, ingénieux, innovant, inventeur, inventif, productif, rêveur.

CRÉATION. Apparition, balbutiement, commencement, élaboration, enfantement, fantaisie, fiction, fondation, gémination, genèse, invention, monde, naissance, nature, œuvre, origine, réalisation, univers.

CRÉATIONNISME. Biogenèse, darwinisme, doctrine, évolutionnisme, fixisme, génétique, lamarckisme, mitchourinisme, mutationnisme, néodarwinisme, systématique, théorie, transformisme.

CRÉATIQUE. Astuce, brainstorming, création, découverte, idée, invention, nouveauté, rencontre, solution, trouvaille.

CRÉATIVITÉ. Conception, création, évasion, fantaisie, fantasme, fiction, imagination, inventivité, supposition, virtuel.

CRÉATURE. Androïde, ange, cyborg, étant, être, personne, poulain, protégé, robot, sasquatch, yeti.

CRÉCELLE. Ara, avocat, babillard, bavard, causant, causeur, commère, discoureur, discret, disert, indiscret, jacasseur, jaseur, long, loquace, margot, orateur, pie, pipelet, prolixe, silencieux, taciturne, verbeux, volubile.

CRÉCERELLE. Accipitridé, bavard, cliquette, émerillon, émouchet, falconidé, faucon, moulinet, oiseau, rapace.

CRÈCHE. Auge, chambre, écharpe, garderie, maison, mangeoire, maison, maternelle, orphelinat, pouponnière.

CRÉCHER. Demeurer, domicilier, gîter, habiter, loger, nicher, percher, résider, rester, vivre.

CRÉDENCE. Argentier, armoire, buffet, buffet-vaisselier, camion, chaperon, coffre, collège, desserte, dressoir, école, étagère, huche, lycée, maie, semainier, table, vaisselier.

CRÉDIBILITÉ. Acceptabilité, admissibilité, croyance, fiabilité, fidélité, plausibilité, représentativité, vraisemblance.

CRÉDIBLE. Acceptable, admissible, croyable, digne, fiable, plausible, possible, probable, sûr, vrai, vraisemblable.

CRÉDIRENTIER. Adjudicataire, affectataire, aliénataire, allocataire, attributaire, ayant droit, bénéficiaire, client, colégataire, confidentiaire, gagnant, héritier, légataire, nominataire, prestataire, récipiendaire.

CRÉDIT. Avance, ardoise, cr, créance, débit, dette, estime, faveur, prêt, saupoudrer, solde, vogue.

CRÉDITER. Attribuer, clabauder, débiter, déclamer, découper, dérouler, dire, écouler, énoncer, fendre, fournir, imputer, produire, prononcer, provisionner, psalmodier, réciter, reconnaître, répandre, scier, vendre.

CREDO. Approche, chemin, code, conviction, démarche, dogme, ensemble, évangile, foi, principe, règle.

CRÉDULE. Amulette, benêt, bon, candide, confiant, crétin, dadais, dupe, fou, gobeur, gogo, idiot, imbécile, inexpérimenté, ingénu, innocent, jeune, jobard, naïf, niais, nigaud, pur, ravi, simple, simplet, spontané.

CRÉDULITÉ. Candeur, confiance, dupe, espoir, foi, ingénu, jobarderie, jobardise, marcher, mystifier, naïveté.

CRÉER. Accomplir, accoucher, bâtir, causer, composer, concevoir, concrétiser, construire, donner, dresser, édifier, enfanter, engendrer, ériger, établir, faire, former, imaginer, innover, inventer, lancer, naître, sculpter.

CRÉMAGE. Amandié, anionique, émulsion, glaçage, latex, looch, margarine, mûrir, nappage, panchromatique.

CRÉMAILLÈRE. Baptême, commencement, consécration, crans, cric, début, dédicace, dents, étrenne, fête, funiculaire, inauguration, ouverture, parité, première, sacre, vernissage.

CRÉMATION. Brûlage, brûler, calcination, carbonisation, columbarium, combustion, crématoire, feu, incinération.

CRÉMATOIRE. Brûloir, four crématoire, fourneau, foyer, incinérateur, réchaud, torréfacteur.

CRÈME. Alexandra, cassate, choix, dessert, élite, esquimau, flan, fleur, frangipane, ganache, glace, gratin, mousse, onguent, pâtissière, pommade, sabayon, tarte.

CRÉMER. Baume, bénir, brûler, consacrer, écraser, enduire, enfoncer, frictionner, frotter, graisser, huiler, lessiver, oindre, oing, oint, onguent, lubrifier, massacrer, sacrer.

CRÉMERIE. Barattage, beurrerie, buron, cabaret, chantilly, fromagerie, laiterie, magasin.

CRÉMEUX. Adipeux, beurré, gélatineux, glissant, graissé, graisseux, gras, huileux, oléagineux, oléolat, visqueux.

CRÉMIER. Beurrier, commerçant, fromager, laitier.

CRÉMONE (n. p.). Amati, Guarneri, Guarnerius, Stradivarius.

CRÉMONE. Bifurcation, carrefour, croisée, croisement, double, embranchement, espagnolette, étoile, intersection, fenêtre, patte-d'oie, poignée, verrou.

CRÉNEAU. Embrasure, fenêtre, intervalle, mâchicoulis, marché, merlon, meurtrière, ouverture, segment, trou.

CRÉNELAGE. Balayette, bolduc, boucle, corde, cordon, cordonnet, ganse, gansette, embrasse, enguichure, fil, floche, funicule, insigne, lacet, lido, maille, œil, pédoncule, rang, tirant, tirette, tors, tresse.

CRÉNELÉ. Crête, déchiqueté, découpé, denté, dentelé, denticulé, écousure, engrêlé, frisé, morfil, pignon, rustique.

CRÉNELER. Balafrer, biseauter, blesser, ciseler, cocher, couper, cranter, crénage, denteler, ébrécher, échancrer, entailler, entamer, exciser, fendre, inciser, rainer, taillader, tailler.

CRÉNELURE. Coupure, découpure, dentelure, échancrure, encoche, encochement, entaille, ouverture.

CRÉOLE. Acra, anneau, antillais, béké, boulette, colonial, langue, métis, mulâtre, nègre, sabir, tafia.

CRÊPE. Blini, brassard, bretonne, brik, caoutchouc, crêpage, crêperie, crêpier, crêpière, crêpon, deuil, galette, gaufre, glaçon, matefaim, nem, pancake, pâté, ruban, sarrazin, soie, suzette, taco, tissu, tortilla.

CRÊPELÉ. Afro, bouclé, crépu, dentelé, fridolin, frisé, frisotté, natté, ondulé, permanenté.

CRÊPELURE. Accroche-cœur, boucle, bouclette, crêpelage, crespelage, crolle, éfrison, friser, frisette, frison, frisonnement, frisottis, frisou, frisure, guiche, mèche, ratinage, retroussis, rosette, rouflaquette.

CRÊPER. Arranger, bichonner, boucler, brosser, carder, chignon, coiffer, crêpeler, crépu, démêler, dénouer, friser, gonfler, houpper, peigner, quereller, soigner, testoner, volume.

CRÉPI. Béton, chaux, ciment, colcrete, gunite, joint, jointement, liant, lien, lut, mortier, mouchetis, plâtre, stuc.

CRÊPIÈRE. Brûleur, calorifère, chaleur, crêpe, cuisinière, dais, feu, four, fourneau, hypocauste, poêle, prose, réchaud, salamandre, téflon.

CRÉPINE. Barde, blanchet, bougie, buvard, chausse, colature, crapaudine, crépinette, écran, feutre, filtre, géotextile, grille, infiltrer, narine, passement, passoire, rein, tamis, toilette.

CRÉPINETTE. Atriau, boutargue, cervelas, chipolata, chorizo, coiffe, crépine, fricandeau, gayette, gendarme, hot-dog, mortadelle, renouée, rosette, salami, saucisse, saucisson, wienerli.

CRÉPIR. Appliquer, badigeonner, bitumer, cirer, couvrir, empoisser, encaustiquer, encoller, enduire, engommer, enrober, étaler, farter, gluer, gélatiner, gommer, luter, recouvrir, recrépir, résiner, revêtir, rustiquer, stuquer.

CRÉPISSAGE. Badigeonnage, cirage, encollage, encrage, engommage, renformis, résinage.

CRÉPITATION. Crachotement, craquement, craquètement, crépitement, décrépitation, grésillement, pétillement.

CRÉPITEMENT. Crachement, crachotement, craquement, expectoration, grésillement, hémoptysie, pétillement.

CRÉPITER. Bougonner, bruire, bruisser, chuchoter, clapoter, craquer, craqueter, geindre, gémir, grésiller, grogner, grommeler, gronder, marmonner, maronner, maugréer, murmurer, pétiller, râler, ronchonner, susurrer.

CRÉPU. Annelé, aplati, bichonné, bouclé, cannelé, frisé, frisotté, laine, lissé, moutonné, ondulé, permanente, rasé.

CRÉPUSCULAIRE. Abâtardi, conscience, corrompu, décadent, décrépit, dégénéré, déliquescent, dépravé, étiolé, géomètre, obnubilation, pyrale, ramolli, sénescent, sombre, vespéral.

CRÉPUSCULE. Aube, brunante, brune, crépusculaire, déclin, noir, ombre, pénombre, soir, soirée, tombée.

CRESCENDO. Accentuation, accrue, amplification, augmentation, boom, graduel, montée, renforcement.

CRESSON. Ache, alénois, cardamine, cressonnière, crucifèracée, infusion, nasiller, nasitort, véronique.

CRESSONNETTTE. Cardamine, cresson des prés, crucifèracée, dentaire, herbage, nasitort, pâtis, plante, pré.

CRÉSUS (n. p.). Cyrus, Lydie, Mermnade, Pactole, Sardes.

CRÉSUS. Financier, heureux, milliardaire, millionnaire, nabab, nanti, ploutocrate, richard, riche.

CRÊT. Abrupt, à-pic, cran, écorchis, épaulement, escarpement, falaise, mur, paroi, pic, sommet.

CRÊTE. Aiguille, apogée, bréchet, cime, col, condylome, contre-pente, dôme, dorsale, faîte, mamelon, parapet, pic, pinacle, piton, pointe, rhinanthe, saillie, serre, sommet, summum, tête, touffe, tumeur, zénith.

CRÊTE-DE-COQ. Amarantacée, condylome, esparcet, esparcette, passe-velours, rhinanthe, sainfoin, tumeur.

CRÉTIN. Abruti, andouille, bête, con, connard, fripon, idiot, imbécile, minus, niais, nul, obtus, sot, stupide.

CRÉTINERIE. Absurdité, ânerie, bafouillage, baliverne, balourdise, bêtise, bévue, bourde, cliché, connerie, divagation, fadaise, faribole, ignorance, ineptie, injure, insanité, niaiserie, nigauderie, sottise, stupidité.

CRÉTINISANT. Abrutissant, accablant, assourdissant, dégradant, écrasant, engourdissant, étourdissant, fatigant.

CRÉTINISATION. Abasourdissement, abêtissement, abrutissement, ahurissement, animalité, avilissement, bestialité, connerie, décadence, encroûtement, engourdissement, hébêtement, hébétude, idiotie.

CRÉTINISER. Abalourdir, abasourdir, abattre, abêtir, abrutir, accabler, affaiblir, altérer, animaliser, assoter, assourdir, bêtifier, débiliter, écerveler, écraser, énerver, engourdir, ennuyer, étourdir, fatiguer, hébéter, stupide, surmener.

CRÉTINISME. Ânerie, béotisme, bêtise, bornerie, connerie, débilité, dinguerie, idiotie, ignorance, imbécillité, ineptie, inintelligence, innocence, insipidité, lenteur, lourdeur, naïveté, niaiserie, nigauderie, simplicité, sottise, stupidité.

CREUSAGE. Affouillement, approfondissement, déblai, défoncement, forage, percement, riser, sonde.

CREÜSE (n. p.). Cassandre, Énée, Hector, Hélénos, Ion, Polyxène.

CREUSE, VILLE (n. p.). Ahun, Aubusson, Bonna, Borgo, Bourganeuf, Boussac, Creusois, Crocq, Crozant, Felletin, Gouzon, Guéret, Jouques, Pontarion.

CREUSÉ. Buriné, canaliculé, fatigué, marqué, ombiliqué, ravineux, ridé, vacuolaire, vieilli.

CREUSE. Affluent, huître, mine, rivière.

CREUSEMENT. Affouillement, amaigrissement, déchirement, évidement, excavation, exfoliation, forage.

CREUSER. Affouiller, amaigrir, bêcher, caver, champlever, chever, déchirer, échancrer, émacier, évider, excaver, fileter, forer, fouiller, fouiner, fouir, labourer, miner, percer, rainer, rainurer, raviner, saper, tailler, tarauder, térébrer, trou, vider, vriller.

CREUSET. Brasque, coupelle, cubilot, culot, endroit, expérience, fond, padelin, récipient, têt, varme, verre.

CREUX. Abîme, angle, anse, antre, arrondi, baie, bombé, cabosse, cave, cavité, convexe, enfonçure, évidure, fosse, fossette, gour, gousset, miné, mouille, obus, paume, pli, proéminent, ravin, rayé, rebondi, rentré, ridé, saillant, salière, sapé, silo, talweg, trou, val, vide.

CREVAISON. Déflagration, détonation, dispersion, éclatement, explosion, flat, pan, rupture, rustine, scission, spallation.

CREVANT. Accablant, agaçant, claquant, drôle, ennuyant, épuisant, éreintant, soûlant, tordant, tuant.

CREVARD. Affamé, anémique, chétif, crevé, débile, délicat, faible, famélique, fragile, maladif, souffreteux.

CREVASSE. Cassure, cavité, cicatrice, coupure, craque, craquelure, déchirure, étoilement, faille, fêlure, fente, fissure, gerce, gerçure, larron, lézarde, malandre, mourusse, perâsse, pli, râpe, ride, rimaye, tavelle.

CREVASSER. Craqueler, écailler, fêler, fendiller, fendre, fissurer, gercer, lézarder, sillonner, taveler.

CREVÉ. Abattu, abruti, accablé, affligé, agonisant, alourdi, aplati, assommé, atterré, blessé, broyé, camus, chargé, comblé, couvert, criblé, écrasé, engueulé, épaté, éploré, épuisé, éreinté, essoufflé, étouffé, fatigué, haletant, lassé, oppressé, opprimé, rué, surchargé, tondu, tué, vanné.

CRÈVE-CŒUR. Abattement, accablement, affliction, allongé, amertume, anéantissement, chagrin, déboire, déception, déconvenue, dépit, désappointement, désenchantement, désillusion, échec, mécompte, mésaventure.

CREVÉE. Ânerie, béotisme, bêtise, bornerie, bourde, connerie, crasse, déconné, énormité, erreur, esprit, fadaise, finesse, idiotie, imbécillité, ineptie, ingéniosité, intelligence, naïveté, niaiserie, pochetée, rien, sornette, sottise, stupidité, subtilité.

CRÈVE-LA-FAIM. Affamé, assisté, chétif, claquepatin, clochard, dénué, épave, famélique, fauché, gueux, hère, ilote, indigent, itinérant, loqueteux, mendiant, misérable, miséreux, pauvre, purotin, quêteux, robineux, ruiné.

CREVER. Accabler, ampoule, crevaison, déborder, déchirer, dénuer, éclater, épuiser, éreinter, fatiguer, impressionner, mourir, percer, répandre, rire, rompre.

CREVETTE (n. p.). Matane.

CREVETTE. Bouc, boucaud, bouquet, byzène, caridine, chevrette, cigale, crevettine, crustacé, eucaride, gammare, gamba, gambas, grise, krill, locuste, nettoyeuse, palémon, pistolet, prostituée, rose, salicoque, scampi, squille, zébrée.

CREVETTIER. Barque, bourraque, caudrette, épuisette, haveneau, havenet, filet, haveneau, truble.

CREVOTER. Affaiblir, anémier, consumer, dépérir, étioler, languir, user, végéter.

CRI. Aboi, acclamation, ahan, aïe, alléluia, appel, barrir, bêlement, beuglement, bis, braillement, braiment, bramer, bravo, clameur, cocorico, coquerico, couinement, croassement, cui-cui, dia, évoé, évohé, exclamation, glapissement, gloussement, grésillement, haïe, hallali, han, haro, hihan, hosanna, hourra, hourvari, hue, huée, hurlement, hurrah, jargon, miaou, piaulement, râlement, réclame, roucoulement, rugissement, sososo, taïaut, tayaut, tollé, vagissement, vocifération, youpi.

CRI D'ANIMAL. Aigle (glatit, trompette), alouette (grisolle), âne (brait, hi-han), bécasse (croule), bélier (blatère), bœuf (beugle, meugle, mugit), brebis (bêle), buffle (beugle, souffle), caille (carcaille, margaude, margote, margotte), canard (cancane, nasille), cerf (brame, rait, rée), chacal (jappe), chameau (blatère), chat (miaule), cheval (hennit), chèvre (bêle), chevreuil (brame, rait), chien (aboi, hurle, jappe), chouette (chuinte, hulule, ulule), cigale (craquette, stridule), cigogne (craquètement, craquette, craquettement, glottale), cochon (grogne), colombe (roucoule), coq (chante, cocorico), corbeau (croasse), corneille (crailler, grailler), crocodile (lamente, vagit), cygne (siffle, trompette), daim, (brame), dindon (glouglote, glougloute), éléphant (barète, barrit), faisan (criaille), faon (râle), geai (cajole), gélinotte (glousse), grenouille (coasse), grue (glapit, trompette), hibou (hue, hulule, ulule), hirondelle (gazouille, trisse), hyène (hurle, ricane), jars (jargonne), lagopède (cacabe), lapin (clapit, couinement), lièvre (couinement, vagit), lion (rugit), loup (hurle), marcassin (grogne), merle (siffle), moineau (pépie), mouche (bourdonne), mouton (bêle), oie (cacarde, criaille, rait, siffle), orignal (brame), ours (grogne), paon (braille, criaille), perdrix (cacabe), perroquet (parle), pie (jacasse, jase), pigeon (roucoule), pinson (ramage), pintade (criaille), porc (couinement), poule (caquette, glousse), poulet (piaule), poussin (pépie), ramier (roucoule), renard (glapit), rhinocéros (barrit), rossignol (chante), sanglier (grogne), serpent (siffle), souris (chicote), taureau (mugit), tigre (feule, miaule, rate, rauque), tourterelle (gémit, roucoule), vache (beugle, meugle, mugit), veau (beugle, meugle, mugit), yack (beugle, meugle, mugit), zèbre (hennit), zébu (beugle, meugle, mugit).

CRIAILLEMENT. Beuglement, braillement, cri, criaillerie, éclat, gloussement, hurlement, rugissement, vocifération.

CRIAILLER. Brailler, broncher, clabauder, crier, piailler, piauler, plaindre, protester, râler, récriminer, rouspéter.

CRIAILLERIE. Aboi, avertissement, braillement, clabaudage, clabauderie, cris, exclamation, holà, huchement, pépiement, piaillerie, protestation, querelle, récrimination, son, taïaut, tayaut, you-you.

CRIANT. Aigre, apparent, aveuglant, certain, choquant, clair, constant, drôle, éclatant, écrier, évident, flagrant, frappant, glapissant, honteux, hurlant, incontestable, manifeste, patent, révoltant, scandaleux, ululant, visible.

CRIARD. Aigre, aigu, braillard, brailleur, bruyant, clinquant, gueulard, hurlant, perçant, tapageur, voyant.

CRIBLAGE. Archivage, blutage, calibrage, catalogage, choix, classement, coulage, élimination, enlevé, filtrage, index, indexation, ordre, sassage, sassement, tamisage, taratage, triage, vannage, volet.

CRIBLE. Bâtée, blutoir, claie, filtre, grille, grille, sas, secoueur, tamis, tamiseur, tarare, trémie, trommel.

CRIBLER. Accabler, couvrir, filtrer, jeter, larder, passer, percer, sasser, tamiser, transpercer, trier, vanner.

CRIBLEUR. Calibreuse, décuscuteuse, plansichter, sasseur, secoueur, sélectionneur, tamiseuse, trieur.

CRIC. Bielle, biellette, cabestan, caliorne, craquement, levier, palan, rouleur, treuil, vérin, vindas.

CRICÉTIDÉ. Campagnol, hamster, lemming, rat musqué, souris.

CRICKET. Baseball, bat, batte, batteur, batton, insect, jeu, locuste, sport.

CRICRI. Acridien, acridoïde, criquet, grésillement, grillon, locuste, orthoptère, pèlerin, sauterelle, tritri.

CRI DE RALLIEMENT (n. p.). Montjoie.

CRIÉE. Adjudication, encan, enchère, halle, licitation, moins-disant, poissonnerie, surenchère, vente.

CRIER. Aboyer, acclamer, ameuter, appeler, avertir, bêler, beugler, brailler, braire, bramer, clabauder, chuinter, clamer, coasser, criailler, crouler, dire, écrier, égosiller, époumoner, gémir, glapir, grailler, grogner, gueuler, hennir, hululer, hurler, jaboter, meugler, mugir, pépier, piailler, piauler, raire, réer, tonner, trisser, ululer, vagir, vociférer.

CRIEUR. Aboyeur, annonceur, bonimenteur, camelot, clabaud, colporteur, dioula, héraut, huissier, peddleur.

CRIME. Abus, agression, assassinat, assises, atrocité, attentat, attouchement, brigandage, complot, cour, délit, empoisonnement, enlèvement, faute, faux, forfait, fratricide, harcèlement, justice, lèse-majesté, matricide, méfait, meurtre, piraterie, procès, rapt, viol.

CRIMINALISTE (n. p.). Beccaria, Bertillon, Ferri, Feuerbach, Gross, Heliée, Lombroso.

CRIMINALISTE. Arrêtiste, avocat, bâtonnier, jurisconsulte, juriste, légiste, ouléma, pénaliste, rau, uléma.

CRIMINALITÉ. Antigang, banditisme, brigandage, briganderie, concussion, délinquance, escroquerie, gangstérisme, pillage, piratage, truanderie.

CRIMINEL (n. p.) Landru.

CRIMINEL. Altruicide, assassin, autruicide, bandit, brigand, coupable, forban, forçat, fratricide, homicide, larron, mafioso, malfaiteur, matricide, mécréant, meurtrier, patricide, pirate, régicide, scélérat, tueur, voleur.

CRIMINEL DE GUERRE (n. p.). Bormann, Jodl, Goering, Göring, Hermann, Hess, Keitel.

CRIMINELLEMENT. Coupablement, frauduleusement, illégalement, illégitimement, illicitement, injustement.

CRIMINOLOGIE. Anthropologie, anthropométrie, criminalistique, psychiatrie, psychologie, sociologie, victimologie.

CRIMINOLOGUE (n. p.). Beccaria, Bertillon, Ferri, Feuerbach, Gross, Heliée, Lombroso.

CRIMINOLOGUE. Barreau, criminologiste, défenseur, fruit, maître, orateur, pénaliste, profileur, robin.

CRIN. Ardent, chevelure, cheveux, chignon, cilice, coiffure, convaincu, crinière, empile, fanon, florence, gant, haire, perruque, poil, résolu, souci, tampico, toison.

CRINCRIN. Alto, basse, contrebasse, esse, pochette, prison, rebec, viole, violon, violoncelle.

CRINIÈRE. Apex, cheval, chevelure, cheveux, fanon, friche, hyène, léoline, lion, tête, tignasse, toison.

CRINOÏDES. Comatule, échinoderme, encrine, entroque, holothurie, pentacrine, taxinomie.

CRINOLINE. Cotillon, cotte, écossaise, jupette, jupon, panier, paréo, robe, tournure, tutu, vertugadin.

CRIQUE. Anse, baie, barachois, brèche, brisure, calanque, crevasse, fente, fissure, golfe, ruisseau.

CRIQUET. Acridien, cheval, cricri, grillon, locuste, orthoptère, pèlerin, sauterelle, sexe, stridulation, vin.

CRIS. Braillement, chahut, huées, hurlement, rugissement, sifflets, tollé, vagissement, vocifération, youyou.

CRISE. Accès, aggravation, attaque, atteinte, aura, bouffée, changement, clastique, colère, colique, conflit, danger, dépression, éclampsie, embarras, insuffisance, krach, manifestation, manque, passion, pénurie, période, phase, récession, rupture, syncope, tension, tétanie.

CRISPANT. Agaçant, désagréable, énervant, exaspérant, excédant, impatient, impatientant, irritant.

CRISPATION. Baisse, contraction, contracture, courbure, crampe, déflexion, diminution, fléchissement, flexion, génuflexion, inclination, infléchissement, inflexion, irréductibilité, jointure, récession, sinuosité, spasme.

CRISPÉ. Agacé, assombri, chagriné, dépassé, excédé, fâché, fatigué, ennuyé, irrité, las, ras-le-bol, roué.

CRISPER. Agacer, contracter, convulser, énerver, impatienter, irriter, resserrer, spasme, tendre, tension.

CRISSEMENT. Bourdonnement, bruit, couinement, grincement, hiement, sillage, salement, son, stridulation.

CRISSER. Couiner, craquer, crier, crisper, frotter, geindre, gémir, grignoter, grinçant, grincer, grincher, larmoyer, piailler, piorner, pleurnicher, pleurer, strider, striduler.

CRISTAL. Baccarat, base, cristallin, cristallite, cristallogenèse, druse, épitaxine, face, géode, isoédrique, lame, macle, nicol, noces, noyau, œil, pendeloque, phénocristal, quartz, raphide, rhomboèdre, stras, strass, trémie, trichite, uniaxe, verre, verroterie, xénocristal.

CRISTALLERIE. Fabrique, gobeleterie, tremperie, usine, verrerie.

CRISTALLIN. Argentin, aragonite, gataracte, clair, hyalin, limpide, presbytie, pur, transparent, trigéminé.

CRISTALLISATION. Caillement, coagulation, conglutination, congélation, cryoconservation, cryométrie, durcissement, épaississement, gélation, gelée, glace, grêle, neige, solidification, surgélation, vitrification.

CRISTALLISE. Aciculaire, agave, api, candi, caramel, cassonade, chocolat, doux, fructose, galactose, glace, gelée, hexose, lactose, maltose, mélasse, melon, miel, nectar, punch, saccharol, sirop, sucre, tréhalose, vergeoise.

CRISTALLISER. Affermir, armer, candir, coaguler, concrétiser, congeler, dessiner, développer, durcir, figer, fixer, former, glacer, matérialiser, mûrir, prendre, préciser, renforcer, solidifier, stabiliser.

CRISTALLISOIR. Nacelle, réacteur, récipient, verre.

CRISTALLITE. Baccarat, base, cristal, cristallin, cristallogenèse, druse, épitaxine, face, géode, isoédrique, lame, macle, nicol, noces, noyau, œil, pendeloque, phénocristal, quartz, raphide, rhomboèdre, stras, strass, trémie, trichite, uniaxe, verre, verroterie.

CRISTAUX. Cadre, crème, dessert, douci, étamer, fêlure, fixe, frasil, froid, gelée, givre, givrure, glace, glaçon, granité, grésil, iceberg, icefield, liégeois, miroir, neige, névé, plombières, sérac, sorbet, tain, verglas, verre, vitre.

CRITÈRE. Apparence, classification, exemple, idée, indice, modèle, moyen, norme, pragmatisme, règle.

CRITÉRIUM. Challenge, compétition, conflit, coupe, course, cromalin, cycliste, difficulté, éliminatoire, ennui, épreuve, essai, examen, final, fumé, guerre, malheur, match, ordalie, raid, relais, rushes, spéciale, stage, test, tierce, tirage.

CRITICAILLER. Analyser, blâmer, calomnier, censurer, chialer, chicaner, commenter, critiquer, décrier, dénigrer, dire, discuter, éreinter, étriller, étudier, examiner, flinguer, gloser, jaser, récriminer, redire, réfuter, réprimander, reprocher, stigmatiser, vétiller.

CRITICISME. Nihilisme, positivisme, pragmatisme, probabilisme, relativisme, scepticisme, subjectivisme.

CRITIQUABLE. Attaquable, blâmable, condamnable, contestable, coupable, controversable, controversé, damnable, désavouable, discutable, éplucher, errements, incriminable, répréhensible, réprouvable.

CRITIQUE (n. p.). Adams, Alagarotti, Aristarque, Aubignac, Auger, Baretti, Baril, Barthes, Bauer, Bazin, Bielinski, Belinski, Bellesort, Blaze, Brandes, Bremond, Brion, Brunetière, Carduci, Carlyle, Chamfleury, Clarin, Croce, Curtius, Dubos, Dupin, Dupré, Duranty, Dryden, Eco, Fénéon, Feugère, Fréron, Geffroy, Grimm, Gros, Guillaume, Guillou, Gutierrez, Hazard, Hulme, Kemp, Lanson, Martel, Menéndez, Nisard, Ors, Pater, Paulhan, Pelletier, Planche, Poe, Poulet, Rivette, Ruskin, Sadoul, Schlegel, Starobinski, Suard, Taine, Thibaudet, Villemain, Vinet, Zoïle.

CRITIQUE. Analyse, ardu, bienséance, blâme, censeur, commentaire, commentateur, crucial, décisif, désespéré, détracteur, diatribe, difficile, dur, éreintage, éreinteur, étude, flèche, frondeur, glose, grave, juge, observateur, raillerie, reproche, sérieux, sévère, soupçonneux, zoïle.

CRITIQUER. Analyser, blâmer, calomnier, censurer, commenter, criticailler, décrier, dénigrer, dire, discuter, éreinter, étriller, étudier, examiner, flinguer, fustiger, gloser, jaser, matraquer, pinailler, récriminer, redire, réfuter, réprimander, reprocher, stigmatiser, vétiller.

CRITIQUEUR. Analyste, bougon, bougonneur, détracteur, éreinteur, grincheux, juge, négateur, récriminateur, réquisiteur.

CROASSER. Corbeau, crailler, crier, grailler, médire, pousser.

CROATIE, CAPITALE (n. p.). Zagreb.

CROATIE, LANGUE. Croate, hongrois, italien, serbe.

CROATIE, MONNAIE. Kuna.

CROATIE RÉGION (n. p.). Dalmatie, Istrie, Krajina, Slavonie.

CROATIE, VILLE (n. p.). Buje, Cabar, Crikvenica, Dubrovnik, Dvor, Fiume, Glina, Gospic, Lastovo, Ludbreg, Nin, Omis, Osijek, Pag, Pola, Pula, Rab, Rijeka, Salona, Salone, Sinj, Sisak, Solin, Valpovo, Zabok, Zadar, Zagreb, Zara.

CROBARD. Canevas, crayon, crayonné, crobar, croquis, dessin, ébauche, esquisse, projet, schéma.

CROC. Abcès, ancre, appétit, bouche, bridge, canine, carie, chaîne, couronne, défense, dent, dentelure, dentition, édenté, émail, gomphose, incisive, mâchoire, molaire, morfil, odontologie, or, osanore, pince, quenotte.

CROC-EN-JAMBE. Action, agrès, appareillage, arrondi, bosco, cabale, combine, croche-patte, croche-pied, dol, feinte, grenouillage, intrigue, manège, manigance, manœuvre, ouvrier, péon, pion, salarié, tactique, thème, thète.

CROCHE. Déloyal, demi-soupir, deux-seize, dévié, malhonnête, noire, note, ronde, salaud, trois-huit, véreux.

CROCHER. Aborder, achopper, accrocher, agrafer, agripper, aiche, atteler, attraper, cramponner, croc, èche, esche, ferrer, fixer, gaffe, gaffer, grappiner, happer, harponner, heurter, immobiliser, intéresser, obtenir, pendre, prendre, retenir, saisir, suspendre.

CROCHET. Agrafe, allonge, ancre, araignée, barbule, bec, crampon, croc, crochu, dent, détour, émerillon, érine, esse, grappin, hameçon, harpon, inerme, parasite, pélican, pendoir, portemanteau, rossignol, unciforme, unciné.

CROCHETER. Aérer, canaliser, clé, clef, crever, débarrer, déboucher, débouchonner, décalotter, décapsuler, démasquer, dépuceler, déverrouiller, écailler, éclore, entrouvrir, épanouir, éventrer, forcer, ouvrir, percer, pratiquer, soutirer.

CROCHETEUR. Bricole, coltineur, coolie, crocheteur, faquin, malfaiteur, phrygane, portefaix, porteur.

CROCHIR. Bistourner, contourner, courber, déformer, déjeter, dévier, distordre, gauchir, tordre, voiler.

CROCHU. Aquilin, arqué, bourbonien, busqué, courbe, onguiforme, recourbé, unciforme, unciné.

CROCKETT (n. p.). Alamo, Davy.

CROCODILE (n. p.). Lacoste, Orénoque, Siam.

CROCODILE. Alligator, caïman, croco, gavial, lamenter, morelet, saurien, sténéosaure, téléosaure, vagir, vagissement.

CROCODILIENS. Alligator, alligatoridé, caïman, crocodile, crocodylidé, dur, fafé, gavial, gavialidé, jacare.

CROCUS. Ancyrensis, asturicus, aureus, balansae, biflorus, byzantinus, chrysanthus, corsicus, dalmaticus, etruscus, hyemalis, iridacée, kotschyanus, longiflorus, medius, niveus, nudiflorus, ochroleucus, safran, sativus, speciosus, susianus, vernus, versicolor.

CROIRE. Accepter, admettre, avaler, bizarre, boire, confiance, considérer, espérer, estimer, fier, figurer, foi, gober, imaginer, juger, penser, persuader, présumer, représenter, simuler, souhaiter, supposer.

CROISADE (n. p.). Achaïe, André, Baudoin, Bohémond, Bouillon, Castelnau, Conrad, Courtenay, Dandolo, Eugène, Foulques, Frédéric, Guillaume, Louis, Morée, Richard, Saladin, Suger, Villehardouin.

CROISADE. Cabale, campagne, combat, djihad, équipée, expédition, guerre, propagande, prospection, publicité.

CROISÉ. Bâtard, croisillé, emmêlé, enchevêtré, escot, guillochis, hybride, mâtiné, mélangé, métisse, superposé.

CROISÉE. Bifurcation, carrefour, crémone, croisement, embranchement, étoile, intersection, fenêtre, patte-d'oie.

CROISEMENT. Asine, bardot, bifurcation, branchement, bretelle, carrefour, chiasma, chiasme, croisée, échangeur, fourche, hybridation, hybride, intersection, métis, métissage, mulâtre, mulet, nœud, quarteron.

CROISER. Coudoyer, couper, décroiser, entrecroiser, entrelacer, couper, enlacer, entrecroiser, harper, hybrider, mâtiner, mélanger, mêler, métisser, montrer, naviguer, passer, rencontrer, traverser, trouver, voir.

CROISÉS. Anacroisés, cavalerie, cruciverbiste, fer, grille, mots, potence, verbicruciste.

CROISETTE. Alphabet, botte, épée, croix, escrime, fer, fleuret, gaillet, mouche, plastron, tige.

CROISEUR. Bateau, cartagena, destroyer, frégate, hirondelle, hirondelle de mer, navire, plie, torpilleur.

CROISIÈRE. Balade, chevauchée, circuit, escale, excursion, expédition, mission, odyssée, tourisme, tournée, voyage.

CROISILLON. Barre, entrejambe, meneau, petit-bois, plombure, renforcement, résille, transept, traverse.

CROISSANCE. Amplification, augmentation, accroissement, aggravation, augmentation, nom, boom, développement, élévation, géotropisme, hypotrophie, poussée, rabougrir, rachitisme, recrudescence, venue.

CROISSANT. Corne, crescendo, galopant, gui, lune, lunule, luth, ménisque, pâtisserie, quartier, pain, vouge.

CROÎTRE. Accroître, augmenter, aviver, baisser, décliner, décroître, développer, dilater, diminuer, enfler, gagner, germer, grandir, hausser, invaginer, majorer, monter, naître, pousser, rabougrir, renaître, repousser, végéter.

CROIX. Blason, croisillon, crucifix, cruciforme, décoration, gammée, gibet, INRI, plus, potence, signe, svastika, swastika.

CROIX DE SAINT-ANTOINE. Tau.

CROIX SAINT-JACQUES. Amaryllis, belladona, crinium, lys, faux safran, griffinia, sautoir, sprekelia.

CROIX-ROUGE (n. p.). Ador, CRF, Croissant-Rouge, Dunant, Moynier, Suisse.

CROLLÉ. Afro, bouclé, calamistré, crépu, frisé, frisottant, frisotté, moutonné.

CRO-MAGNON. Homo Sapiens.

CROMLECH. Enceinte, mégalithe, menhir, monolithe, monument.

CRONOS (n. p.). Centaure, Déméter, Gaïa, Gê, Hadès, Hestia, Poséidon, Rhéa, Saturne, Titans, Zeus.

CROONER (n. p.). Cole.

CROONER. Chanteur.

CROQUANT. Campagnard, craquant, croquet, croustillant, habitant, paroissien, pâtisserie, paysan, rural.

CROQUE-AU-SEL. Brutal, cru, crudité, cuit, direct, écouté, leste, libre, net, osé, raide, rude, salé, selle.

CROQUE-MITAINE. Épouvantail, goule, lamie, loup-garou, menace, minotaure, ogre, spectre, stryge, vampire.

CROQUEMORT. Borniol, cormoran, croque, embaumeur, ensevelisseur, entrepreneur, fossoyeur, nécrophore.

CROQUENOT. Chaussure, croqueneau, écrase-merde, godillot, paysan, rustre, soulier.

CROQUER. Arrêter, attendre, brosser, broyer, concasser, croustiller, dépenser, dessiner, dilapider, ébaucher, écrabouiller, écraser, esquisser, gaspiller, gruger, manger, mastiquer, mordre, peindre, pocher, voler.

CROQUET. Arc, arceau, Biscuit, croquant, galon, jeu, mail, maillet, passement, ruban.

CROQUETTE. Boulette, cromesquis, foutou, fricadelle, godiveau, hâtelle, hâtelette, hâtereau, vitoulet.

CROQUEUR. Bourriche, casse, dépensier, dilapidateur, dissipateur, économe, élite, flambeur, flein, gabion, gaspilleur, gouffre, hotte, mange-tout, manne, panier percé, prodigue, scouffin, suc.

CROQUIGNOLE. Biscotin, biscuit, bonbon, biscotin, boudoir, bretzel, cracker, craquelin, croquant, croquet, galette, gâteau, gaufrette, macaron, massepain, porcelaine, sablé, soda, spéculaus, spéculoos, spéculos, toast.

CROQUIGNOLET. Adorable, avenant, beau, bien, charmant, chou, coquet, cute, délicieux, gentil, gentillet, gracieux, joli, mignard, mignon, mignonnet, plaisant, ravissant, trognon, vénuste.

CROQUIS. But, canevas, caricature, crobard, dessin, ébauche, esquisse, étude, griffonner, projet, topo.

CROSKILL. Bande, bâton, bigoudi, boa, bobine, boucharde, brise-mottes, cigare, compacteur, cylindre, déchargeoir, émotteur, émoteuse, ensouple, hérisson, herse, papier, quenelle, rondeau, rouleau.

CROSNE. Épiaire, labiacée, labiée, légume, légumineuse, plante, rhizome, stachys, tubercule.

CROSS. Chevauchée, compétition, corrida, course, critérium, cross-country, derby, drag, épreuve, galopade, handicap, incursion, longueur, marathon, marche, omnium, promenade, rodéo, sprint, steeple, sulky, tauromachie, trajet, turf.

CROSSE. Abacus, bâton, busc, canne, club, pédum, querelle, sceptre, sport, thyrse, tromperie, verge.

CROSSER. Balancer, battre, bercer, berner, brandiller, branler, chanceler, compenser, dandiner, dodeliner, frémir, glander, hésiter, jeter, masturber, osciller, peser, remuer, rouler, sauter, tripoter, vaciller, vibrer.

CROSSETTE. Aérosol, bout, bribe, brin, brique, brisure, chicot, coin, écharde, éclat, écusson, épave, épine, extrait, fraction, fragment, lambeau, météorite, miette, morceau, parcelle, part, partie, pas, pièce, récitatif, rien, segment, semoule, tronc.

CROTALE. Cascabelle, castagnette, cliquettes, encrine, entroque, massasauga, reptile, serpent, serpent à sonnette.

CROTON. Arbuste, cascarille, euphorbiacée, maurelle, poison, tournesol des teinturiers.

CROTTE. Besoins, boue, bourre, caca, chiure, crasse, crottin, débris, déchets, défécation, déjection, détritus, diarrhée, egesta, étron, excrément, fange, fèces, fiente, fumier, gadoue, merde, ordure, poussière, rebut.

CROTTÉ. Cochon, désordonné, malpropre, négligé, ordure, porc, sagouin, salaud, sale, saligaud, taché, vilain.

CROTTE. Besoins, bouse, bran, bren, caca, chiasse, chiure, colombin, coprolithe, coprophage, crottin, déchet, diarrhée, étron, excrément, fèces, fiente, guano, merde, ordure, scatophile, selle, stercoraire, stercoral, troches, urine.

CROTTER. Altérer, cochonner, contaminer, corrompre, dégueulasser, embouer, empoisonner, encrasser, infecter, maculer, noircir, polluer, profaner, salir, saloper, souiller, tacher, vicier.

CROTTIN. Algue, boue, crotte, déjection, excrément, fange, fiente, fromage, gadoue, ordure, saleté.

CROULANT. Âgé, bécasse, caduc, décrépit, délabré, dépassé, détérioré, gâteux, sénile, vétéran, vieux.

CROULER. Anéantir, craquer, débouler, défoncer, disparaître, ébouler, effondrer, finir, mourir, périr, ruiner.

CROUP. Angine, asphyxie, couenneuse, diphtérie, laryngite, maladie, streptomycine.

CROUPE. Arrière-train, avant, croupion, cul, derrière, extrémité, fesse, fessier, fond, postérieur, sommet.

CROUPI. Abominable, ase, croustillant, dégoûtant, écœurant, empesté, fétide, ignoble, immonde, infect, innommable, malodorant, méphitique, mercaptan, nauséabond, pourri, puant, putride, repoussant, répugnant, stagnant.

CROUPIER. Argentier, banquier, bonneteur, financier, mécène, ponte, preneur, remettant, sponsor, usurier.

CROUPIÈRE. Bacul, culeron, culière, difficulté, flaquière, garde-queue, harnachement.

CROUPION. Complaire, corrompre, cul, derrière, fesses, moisir, pétard, popotin, postérieur, séant, train, uropygium.

CROUPIR. Chancir, corrompre, encroûter, gâter, moisir, pourrir, rancir, séjourner, stagner, végéter, vivoter.

CROUPISSANT. Couvert, crasseux, encroûté, enduit, improductif, inactif, routinié, sclérosé, stagnant.

CROUPISSEMENT. Avilissement, blettissement, contamination, corruption, débauche, dégradation, dépravation, malandre, moisi, moisissure, perversion, pourrissement, pourriture, rancissement, vénalité, vice.

CROUSILLE. Banque, cagnotte, caisse, cochon, crapaud, grenouille, tirelire, tontine, tronc, voleur.

CROUSTILLANT. Affriolant, amusant, craquant, croquant, gaulois, grivois, libre, obscène, piquant.

CROUSTILLER. Arrêter, attendre, broyer, concasser, craquer, croquer, dépenser, dessiner, dilapider, ébaucher, écrabouiller, écraser, gaspiller, gruger, manger, mastiquer, mordre, voler.

CROÛTE. Bousin, calcin, craton, croustade, croustillon, croûton, crustacé, dartre, dessus, écaille, enveloppe, escarre, eschare, garniture, gratin, mie, morceau, peau, raclon, squame, tarte, tartre, tourte, vol-au-vent.

CROÛTER. Alimenter, becter, bouffer, bouletter, boustifailler, manger, nourrir, repaître, restaurer, sustenter.

CROÛTON. Aillade, borné, chapon, croustillon, croutillon, encroûté, entame, frottée, meurette, morceau, pain, routinier, tableau, talon, vieillard.

CROYABLE. Crédible, imaginable, impassible, inimaginable, pensable, possible, vraisemblable.

CROYANCE. Adhésion, animisme, certitude, conviction, créance, déisme, défiance, doctrine, dogme, doute, eschatologie, foi, illusion, incroyance, messianisme,

nihilisme, objectivisme, opinion, religion, savoir, superstition, tantrisme, totémisme, vampirisme.

CROYANT. Athée, bigot, cagot, déiste, dévot, fervent, fidèle, mystique, père, pieux, pratiquant, religieux.

CRU. Bleu, brutal, choquant, criard, croque-au-sel, crudité, cuit, direct, écouté, égrillard, grivois, grossier, intense, leste, libre, net, osé, pomerol, raide, réaliste, rude, saignant, salé, selle, tartare, vert, vif, vin, violent.

CRUAUTÉ. Amer, atrocité, barbarie, bestialité, brutalité, carnage, douleur, dureté, excès, férocité, furie, hostilité, humanité, mansuétude, masochisme, méchanceté, rudesse, sadisme, sauvagerie, sadomasochisme, tyran, tyrannie.

CRUCHE. Abruti, alcarazas, anse, bête, bouillotte, bouteille, buire, bure, cruchon, dame-jeanne, gargoulette, gourde, ignorant, imbécile, jaquelin, maladroit, niais, nigaud, pichet, pot, récipient, sot, stupide, vase.

CRUCHON. Alcarazas, balthazar, biberon, bidon, bocal, bombonne, bonbonne, bordelaise, bouteille, broc, cannette, carafe, col, cruche, cul, demi, dive, fillette, fiole, flacon, fond, gourde, if, jéroboam, litre, magnum, mathusalem, nabuchodonosor, panse, pichet, pot, quart, réhoboam, thermos, vase, verre.

CRUCIAL. Basal, basique, capital, concluant, convaincant, critique, décisif, définitif, délibératif, délicat, déterminant, essentiel, fondamental, important, irréfutable, nodal, prépondérant, probant, vital.

CRUCIFÉRACÉE. Alliaire, alysse, alysson, arabis, armoracia, bourse-à-pasteur, brassicacée, brassicale, brocoli, cabus, cakile, caméline, capselle, cardamine, chou, chou-navet, cochléaire, cochléaria, corbeille-d'argent, crambe, crassonnette, cresson, crucifère, cruciféracée, dentaire, giroflée, guède, herbe-aux-écus, ibéride, ibéris, isatis, julienne, lunaire, matthiole, monnaie-du-pape, moutarde, navet, navette, passerage, pastel, quarantaine, radis, raifort, rave, ravenelle, roquette, rose-de-Jéricho, rutabaga, sénevé, sisymbre, thlaspi, vélar.

CRUCIFÈRE. Alysse, cameline, cardamine, dentaire, drave, porte-croix, rouquette, sénevol.

CRUCIFIEMENT. Affliction, bûcher, croix, crucifixion, dam, douleur, écartèlement, enfer, estrapade, flammes, garrotte, géhenne, knout, lapidation, martyre, mortification, pal, peine, potence, question, roue, souffrance, supplice, torture, tourment.

CRUCIFIER. Châtier, macérer, martyriser, mater, mortifier, supplicier, tenailler, torturer, tourmenter.

CRUCIFIX (n. p.). Christ.

CRUCIFIX. Bigot, blason, couteau, croisillon, croix, cruciforme, décoration, gammée, gibet, INRI, pistolet, potence, ronde-bosse, signe, svastika, swastika.

CRUCIFIXION. Affliction, bûcher, croix, crucifiement, dam, déicide, douleur, écartèlement, enfer, estrapade, flammes, garrotte, géhenne, knout, lapidation, martyre, meurtre, mortification, pal, peine, potence, question, roue, souffrance, supplice, torture, tourment.

CRUCIVERBISTE. Amateur, crucinumériste, mots-croisiste, verbicrucist e, verbicruciste.

CRUDITÉ. Âpreté, atrocité, barbarie, bestialité, brusquerie, brutalité, coup, cruauté, dureté, férocité, grossièreté, précision, ratonade, ratonnade, réalisme, rudesse, sadisme, sauvagerie, sévices, verdeur, violence, vulgarité.

CRUE. Accrue, agrandissement, amplification, boom, croissance, débordement, essor, inondation, montée, osée.

CRUEL. Amer, atroce, barbare, boucher, brute, dur, féroce, impitoyable, implacable, inhumain, insupportable, maléfique, méchant, monstrueux, pénible, rigoureux, rude, sadique, saignant, sanglant, sanguinaire, sauvage, tigre, tyran.

CRUELLEMENT. Affreusement, atrocement, brutalement, douloureusement, durement, méchamment, péniblement, rudement.

CRUISER. Aguicheur, apprivoiseur, baratiner, charmeur, conquérant, draguer, enjôleur, ensorceleur, flirteur, yacht.

CRUISEUR. Aguicheur, allumeur, batifoleur, cavaleur, casanova, charmeur, conquérant, coureur, don juan, dragueur, enjôleur, ensorceleur, envoûteur, flambeur, flirteur, gino, macho, maquereau, phallocrate, séducteur, tentateur, tombeur.

CRÛMENT. Brutalement, carrément, durement, indécemment, net, nuement, nûment, rudement, sèchement.

CRURAL. Aine, bacul, baron, cuisse, cuisseau, cuissot, culote, fémoral, gigot, gigue, gîte, jambon, pilon, quasi, tranche.

CRUSTACÉ. Amphipode, anatife, anostracé, aselle, balane, brachiopode, branchiopode, brachyoure, céphalocaridé, cloporte, copépode, crabe, crevette, cyclope, daphnie, décapode, écrevisse, entomostracée, étrille, eucaride, galathée, gammare, homard, isopode, langouste, langoustine, lepidurus, ligie, malacostracé, mystacocarida, ostracode, pagure, portune, pouce-pied, remipédia, sacculine, squille, talitre, tantulocarida, zoé.

CRYPTAGE. Adressage, chiffrage, chiffrement, codage, codification, cryptographie, encodage, programmation.

CRYPTANALYSE. Compréhension, continent, déchiffrage, déchiffrement, découverte, décryptage, décryptement, décodage, décryptement, époque, lire, interprétation, paléongraphie, rébus, traduction.

CRYPTE. Abri, antre, baume, calcaire, caveau, caverne, cavité, chapelle, cimetière, grotte, hypogée, tanière.

CRYPTER. Calculer, chiffrer, coder, codifier, compter, cryptographier, encoder, encrypter, escompter, espérer, estimer, évaluer, mesurer, nombrer, numéroter, programmer, quantifier, régler.

CRYPTIQUE. Cabale, cabalistique, caché, clandestin, ectoplasme, énigmatique, ésotérique, hérésie, hermétique, impénétrable, inaccessible, incompréhensible, magie, mystérieux, occulte, secret, souterrain.

CRYPTOGAME. Algue, champignon, cistule, entomostracé, équisétinée, filicinée, fougère, isoète, lycopode, lycopodinée, mildiou, plante, ptéridophyte, prèle, presle, rouille, soie, sore, spore, stipe, urne.

CRYPTOGRAPHIE. Adressage, chiffrage, chiffrement, codage, codification, cryptage, encodage, programmation.

CRYPTONYME. Anagramme, hétéronyme, nom, plume, pseudonyme, sobriquet, surnom.

CSARDAS. Cracovienne, czardas, danse, folklorique, hongrois.

CTÉNAIRES. Béroé, cnidaire, coeloplana, cténophore, ctenoplana, cydippe, diploblastique, groseille de mer.

CUBA, CAPITALE (n. p.). La Havane.

CUBAIN (n. p.). Castro, Guevara, Marti.

CUBA, LANGUE. Espagnol.

CUBA, MONNAIE. Peso.

CUBA, VILLE (n. p.). Banes, Bauta, Bayamo, Camaguey, Cardenas, Caya Coco, Cienfuegos, Guantanamo, Guines, Holguín, La Havane, Marianao, Matanzas, Moa, Moron, Santiago, Varadero.

CUBAGE. Aptitude, attitude, capabilité, capacité, contenance, efficacité, efficience, énergie, faculté, force, grandeur, grosseur, litre, mesure, portée, possibilité, pouvoir, pu, puissance, saâ, savoir, science, talent, volonté, yu.

CUBE. Abacule, bloc, boîte, dé, élève, hexaèdre, litre, mosaïque, multiple, parallépipède, peintre, polyèdre, stère.

CUBER. Chiffrer, contenir, croître, évaluer, jauger, mesurer, multiplier, redoubler, tenir.

CUBILOT. Aire, alandier, arche, âtre, bouche, calcarone, calisson, carquaise, cuisinière, étuve, four, fournaise, fourneau, fournil, grille, incendie, insuccès, micro-ondes, oura, pipe-still, réverbère, tuile, tuyère, voûte.

CUBISTE AMÉRICAIN (n. p.). Feininger, Lipchitz.

CUBISTE ESPAGNOL (n. p.). Gargallo, Gris, Picasso.

CUBISTE FRANÇAIS (n. p.). Apollinaire, Gromaire, La Fresnaye, Marcoussis, Metzinger, Villon, Zadkine.

CUBISTE ITALIEN (n. p.). Severini.

CUBISTE MEXICAIN (n. p.). Rivera.

CUBISTE SOVIÉTIQUE (n. p.). Malevitch.

CUBITAL. Artère, coude, cubitus, muscle, nerf, olécrane, os, ulna, ulnaire.

CUBITUS. Avant-bras, bras, coude, cubital, humérus, olécrane, os, radius, ulna, ulnaire.

CUCUL. Âgé, ancien, antique, archaïque, arrière-garde, caduc, daté, démodé, dépassé, désuet, élimé, mode, obsolète, obsolescent, passé, périmé, ringard, rococo, rossignol, suranné, tacot, usé, vénérable, vétuste, vieux, vieillot.

CUCULLE. Béguin, bonde, bondon, bonnet, bouchon, caban, cagoule, camail, capot, capsule, capuce, capuche, capuchon, chapeau, chaperon, coiffe, coltin, couvercle, cupule, capulet, marette, tapador, tarbouche.

CUCURBITACÉES. Aubergine, bénincase, bryone, chaïote, chayole, citrouille, coloquinte, concombre, courge, courgette, ecballium, éponge, gourde, loofa, luffa, melon, momordique, pastèque, pâtisson, potiron.

CUEILLAISON. Annone, collecte, cueillement, cueillette, enlèvement, grapillage, ramassage, récolte.

CUEILLETTE. Annone, collectage, collecte, enlèvement, gaulage, grapillage, herborisation, ramassage, récolte.

CUEILLEUR. Employé, glaneur, moissonneur, ramasseur, récoltant, récolteur, vendangeur, vigneron.

CUEILLI. Arrêté, collecté, grappillé, moissonné, mûr, pincé, ramassé, récolté, recueilli, sec, suspect.

CUEILLIR. Accueillir, appréhender, arracher, arrêter, attraper, capturer, choper, coffrer, coiffer, coincer, collecter, dérober, embrasser, grappiller, moissonner, mûr, pincer, prendre, ramasser, récolter, recueillir, saisir.

CUEILLOIR. Bourriquet, cisaille, ciseau, cisoires, échenilloir, élagueuse, hachard, rognure, tailloir.

CUESTA. Côte, front, monoclinal, plateau, relief, revers, talus.

CUEVA. Cabaret, cuadro, danse, flamenco, sous-sol, taconeos.

CUI-CUI. Babil, chant, cri, gazouillement, gazouillis, pépiement, piaillement, piaulement, ramage, sifflement.

CUILLER. Casse, cuillère, cuilleron, écrémoir, écumoire, louche, mesurette, mouvette, poche, pucheux, truelle, ustensile.

CUIR. Affalter, agneau, alène, bâche, basané, box, chagrin, cirage, cordouan, corroyer, daim, halé, issue, kid, lapsus, leurre, liaison, maroquin, molletière, nubuck, peau, pécari, poulain, saladero, sangle, skaï, suède, surdos, tan, tanné, teigne, trépointe, vachette.

CUIRASSE. Arme, armature, armure, blindage, bouclier, carapace, corselet, cotte, couvert, cuir, dossière, doublure, écaille, écorce, égide, enveloppe, halecret, haubert, jaresan, pare-balles, plastron, réduit, sarrasine.

CUIRASSÉ (n. p.). Potemkine.

CUIRASSÉ. Aguerri, bateau, blindé, dreadnought, destroyer, dur, durci, endurci, escorteur, impénitent, implacable, inflexible, insensible, invétéré, irrécupérable, monitor, navire, protégé, sec, torpilleur.

CUIRASSER. Aguerrir, armer, barder, blinder, durcir, endurcir, fortifier, habituer, protéger, tremper.

CUIRASSIER. Archer, argoulet, armée, bleu, bushido, capitaine, cavalier, cipaye, colonel, conscrit, combattant, cosaque, dragon, éclaireur, estradiot, fusilier, général, GI, guerrier, homme, lancier, mercenaire, militaire, officier, papal, planton, poilu, pompier, ranger, recrue, réserviste, rônin, samouraï, sapeur, sentinelle, sergent, soldat, tirailleur, triaire, troufion, uhlan, vélite, vétéran, zouave.

CUIRE. Agiter, bouillir, bouillonner, braiser, brûler, chauffer, cuisiner, dauber, échauffer, étuver, fermenter, frémir, frire, griller, mijoter, mitonner, pocher, poêler, préparer, réchauffer, rissoler, rôtir, saisir, sauter.

CUIRETTE. Pégamoïd, pégamoïde, simili, similicuir, skaï.

CUISANT. Acerbe, âcre, affligeant, aigu, amer, âpre, ardu, brûlant, cruel, déchirant, désagréable, désolant, difficile, douloureux, dur, fâcheux, funeste, lamentable, mordant, pénible, pitoyable, poignant, vif.

CUISEUR. Autocuiseur, bouteillon, braisière, cocotte, cocotte-minute, crémaillère, daubière, faitout, huguenote, marmite, marmitée, pot, pot-au-feu, récipient.

CUISINE. Ail, bouffe, chef, coquerie, cordon-bleu, cuistance, cuistot, culinaire, évier, fourneau, gastronomie, gourmet, gril, île, marmite, mets, office, osso-buco, poêle, popote, queux, repas, sauge, sel, soupe, table, taboulé, tambouille, tex mex, ustensile.

CUISINER. Accommoder, assaisonner, blanchir, blondir, chef, clarifier, coller, concocter, cuire, cuistot, décanter, déglacer, dégraisser, gâte-sauce, influencer, interroger, marmiton, mitonner, préparer, questionner, saucier.

CUISINIER (n. p.). Bocuse, Carême, Chapel, Ducasse, Escoffier, Favre, Girardet, Gouffé, Greenaway, Jacquot, Loiseau, Maître, Oliver, Point, Robuchon, Savoy, Senderens, Taillevant, Taillevent, Troisgros.

CUISINIER. Chef, coq, cordon-bleu, cuire, cuistot, fricasseur, gargotier, gâte-sauce, maître, maître coq, maître d'hôtel, maître queux, marmiton, mitron, pizzaioli, poissonnier, queux, recette, rôtisseur, saucier, toque, traiteur.

CUISINIÈRE. Chaudière, cratère, creuset, étalage, four, fourneau, gazinière, gueule, piano, poêle, réchaud, té, ventre.

CUISSARD. Armure, barboteuse, bloomer, bobette, boucherie, boxer, bragues, braies, caleçon, charivari, collant, culotte, défaite, dessois, échec, froc, grègues, pantalon, protection, rhingrave, robe, salopette, short, slip, tassette, trousses, veste.

CUISSE (n. p.). Jupiter.

CUISSE. Aine, bacul, baron, coxal, crural, cul-de-jatte, cuissard, cuisseau, cuissot, culote, entrecuisse, fémoral, fémur, gigot, gigue, gîte, hampe, jambon, pilon, rouelle, quartier, quasi, sampot, tassette, tranche.

CUISSON. Al dente, bouillissage, braisage, coction, concordance, cuite, daube, douleur, étouffée, étuvée, mijotage, rôtissage.

CUISTANCE. Absorption, alimentation, consommation, cuisine, ingestion, ingurgitation, manducation, menu, nourrissement, nourriture, nutrition, ordinaire, popote, repas, sustentation.

CUISTOT. Chef, coq, cordon-bleu, cuire, cuisinier, fricasseur, gargotier, maître, marmiton, mitron, queux, recette, rôtisseur, saucier, soupier, traiteur.

CUISTRE. Bonze, grimaud, huile, lama, mandarin, pédant, personnalité, ponte, pontife, poseur, prétentieux, prêtre, religieux, ridicule, vaniteux.

CUISTRERIE. Affectation, didactisme, dogmatisme, érudition, fatuité, pédanterie, pédantisme, suffisance.

CUIT. Bleu, brûlé, calciné, cramé, échoué, étuvé, fait, fichu, gagné, gratiné, ivre, mijote, perdu, raté, ruiné, saignant.

CUITE. Alcoolisme, bacchante, bitture, biture, coction, cristallisation, cuisson, débauche, défonce, ébriété, emportement, enivrement, éthéromanie, éthylisme, griserie, ivresse, orgie, poivrade, ribote, soûlerie, vertige.

CUITER. Alcooliser, boire, bourrer, émécher, enivrer, étourdir, exalter, exciter, griser, noircir, poivrer, saouler, soûler.

CUIVRE. Billon, cor, Cu, cuprifère, cuprique, dinanderie, filigrane, laiton, musique, oripeau, teint, théâtre.

CUIVRER. Basaner, boësse, boucaner, bronzer, brunir, dorer, griller, hâler, matir, noircir, polir, poncer, tanner.

CUL. Anus, avant, cæcum, croupe, croupion, derrière, fesse, fessier, fond, pétard, popotin, séant, train.

CULBUTANT. Basculant, changeant, falzar, fendant, froc, futal, grimpant, pantalon, renversant, tombant.

CULBUTE. Cabriole, capotage, chute, cumulet, cupesse, dégringolade, galipette, pirouette, renversement, tonneau.

CULBUTER. Abattre, basculer, bouleverser, bousculer, capoter, chavirer, enfoncer, renverser, rompre, tomber.

CULBUTEUR. Acrobate, anneliste, antipodiste, baiseur, barriste, basculeur, bateleur, bâtonniste, batoude, cascadeur, contorsionniste, équilibriste, fantassin, fildefériste, funambule, gymnaste, jongleur, matassin, pétauriste, pilote, psylle, salvateur, soldat, trapéziste, voltigeur.

CUL-DE-FOUR. Antre, aven, caverne, cavité, cloup, concavité, conque, coquille, coupure, courbe, creux, ensellé, excavation, fente, fontis, fossé, grotte, mine, puits, trou, voûte.

CUL-DE-SAC. Accul, achoppement, anicroche, aporie, barrière, blocage, contretemps, courée, danger, difficulté, diverticule, impasse, obstacle, polype, reculée, rue, ruelle, traboul, venelle.

CULÉE. Acculée, appui, butée, contrebutement, contrefort, contre-mur, culement, enracinement, recul.

CULER. Avancer, battre, caler, caner, céder, décaler, déserter, distancer, éloigner, esquiver, éviter, enfuir, fuir, marche-arrière, perdre, plier, reculer, refluer, régresser, reléguer, replier, retirer, rétrograder, tirer.

CULEX. Arrière-cousin, cousin, germain, maringouin, moustique, parent, petit-cousin, proche.

CULINAIRE. Art, cuisine, borosilicaté, dariole, gastronomique, gobeleterie, gourmandise, gratin.

CULMINANT. Acmé, apogée, climax, comble, dominant, élevé, maximum, sommet, summum, zénith.

CULMINATION. Acmé, apex, apogée, apothéose, cime, climax, comble, culminant, excès, faîte, fin, fort, limite, maximum, meilleur, optimum, paroxysme, pinacle, plafond, point, sommet, summum, triomphe, zénith.

CULMINER. Avancer, couronner, couvrir, déborder, dépasser, devancer, dominer, plafonner, planer, régner, saillir, surplomber.

CULOT. Aplomb, assurance, audace, batholite, bravoure, confiance, courage, culotté, dépôt, effronterie, esbroufe, fond, fougue, gonflé, hardiesse, insolence, obus, osé, résidu, socket, soquet, toupet, témérité, toupet.

CULOTTÉ. Audacieux, brave, confiant, courageux, cynique, désobligeant, discourtois, disgracieux, effronté, fougueux, gonflé, grossier, hardi, impoli, impudent, inamical, incivil, inélégant, noirci, osé, rustre.

CULOTTE. Barboteuse, bloomer, bobette, boucherie, boxer, bragues, braies, caleçon, charivari, collant, cuissard, défaite, dessous, échec, froc, grègues, pantalon, rhingrave, robe, salopette, short, slip, trousses, veste.

CULOTTER. Embraguer, empantalonner, habiller, noircir, patiner, rembrailler, roder, salir, user, vêtir.

CULPABILISATION. Accusation, attaque, blâme, calomnie, charge, chasse, crime, critique, dénigrement, diatribe, diffamation, grief, imputation, incrimination, inculpation, médisance, plainte, poursuite, reproche, réquisitoire.

CULPABILISER. Accuser, arguer, charger, déférer, impliquer, incriminer, inculper, intimer, poursuivre.

CULPABILITÉ. Faute, imputabilité, innocence, juré, justiciabilité, peccabilité, responsabilité.

CULTE. Adoration, astrolâtrie, dieu, dulie, égotisme, fétiche, hommage, honorer, hyperdulie, idolâtrie, idole, latrie, liturgie, macumba, messe, mythologie, office, ophiolâtrie, piété, prêtre, raison, religion, respect, rite, tantra, service, vaudou.

CUL-TERREUX. Bouseux, broussard, cambroussard, campagnard, habitant, paroissien, paysan, rural.

CULTISME. Cultéranisme, gongorisme, maniérisme, préciosité.

CULTIVABLE. Arable, exploitable, fertile, labourable, meuble, nourricier, possible, rentable, riche.

CULTIVATEUR. Agriculteur, agronome, colon, colzatier, éleveur, exploitant, fermier, horticulteur, laboureur, maraîcher, métayer, paysan, planteur, pomiculteur, producteur, riziculteur, sylviculteur, viticulteur.

CULTIVÉ. Averti, connaissant, éclairé, érudit, évolué, exploité, ignorant, instruit, intellectuel, lettré, raffiné, savant.

CULTIVER. Amender, ameublir, arboriser, arracher, arroser, assoler, bêcher, biner, botteler, butter, chauler, cueillir, débroussailler, éduquer, entretenir, exercer, exploiter, former, jardiner, planter, rustiquer, soigner, travailler.

CULTURAL. Âcre, agraire, agrarien, agricole, agronomique, aratoire, are, arpent, foncier, perche, rural, terre, verge.

CULTURE. Agriculture, âne, aquiculture, arboriculture, assoler, axène, axénique, bagage, béotien, biner, connaissances, érudition, exploitation, formation, grossier, herse, ignare, instruction, monoculture, oléiculture, osiériculture, ray, riziculture, rural, savoir, sec, sot, spongiculture, travail, vaccin, vannier, viticulture.

CULTURISME. Actomyosine, body-building, exercice, exerciseur, gonflette, gymnastique, musculation, musculature, volume.

CUMIN. Aneth, anis, aromate, badiane, chervis, condiment, épice, faux anis, graine, ombellifère, plante.

CUMUL. Accaparement, accroissement, accumulation, appropriation, capitalisation, centralisme, énarchie, intégration, mainmise, monopolisation, spéculation, stockage, thésaurisation.

CUMULARD. Ambitieux, arriviste, calculateur, carriériste, grimpion, intrigant, magouilleur, mégalomane, maquignon.

CUMULER. Accumuler, amasser, assembler, charger, collecter, collectionner, concentrer, contracter, détenir, empiler, enlever, entasser, gagner, gerber, glaner, rafler, râteler, récolter, recueillir, relever, réunir, tapir.

CUMULET. Bond, bondissement, cabriole, chute, culbute, cupesse, enjambée, entrechat, galipette, gambade, plongeon, saut, sautage, sautillage, sautillement, somersette, voltige.

CUMULUS. Altocumulus, altostratus, brouillard, brume, cirrocumulus, cirrostratus, cirrus, ennui, nébulosité, nimbostratus, nimbus, nuage, nue, nuée, obnubiler, panne, stratus, vapeurs, voile.

CUNIMOND (n. p.). Alboïn, Roamonde.

CUNNILINGUS. Cunnilinctus, gamahucher, fellation, glottiner, lécher, lichette, minette, sucette, soixante-neuf.

CUPESSE. Bond, bondissement, cabriole, culbute, cumulet, désordre, enjambée, entrechat, faillite, galipette, gambade, plongeon, saut, sautage, sautillage, sautillement, somersette, voltige.

CUPIDE. Âpre, avare, avide, chiche, intéressé, mesquin, mercantile, mercenaire, rapace, rapiat, vénal.

CUPIDEMENT. Avarement, chétivement, chichement, maigrement, mesquinement, modestement, modiquement, parcimonieusement, pauvrement, petitement, prudemment, serré, sordidement, usurairement.

CUPIDITÉ. Ambition, âpreté, avarice, avidité, convoitise, désire, mercantilisme, possessivité, rapacité.

CUPIDON (n. p.). Cythère, Éros.

CUPIDON. Amour, arc, arcanson, archer, archerie, aster, décocheur, dieu, divinité, flèche, homosexuel, policier, putto, rebec, sagittaire, soldat, tireur.

CUPRESSACÉES. Arceuthos, cade, callitroïdée, cèdre, chamaecyparis, commun, cupressoïdée, cyprès, deppe, genièvre, genévrier, ginkgo, juniperus, occidental, pinchot, pleureur, polocarpe, sabine, tétraclinis, thuja.

CUPULE. Béguin, bonde, bondon, bonnet, bouchon, caban, cagoule, calotte, camail, capot, capsule, capuce, capuche, capuchon, chapeau, chaperon, coiffe, coltin, couvercle, cuculle, capulet, induvie, marette, organe, tapador, tarbouche, vélanède.

CUPULIFÉRACÉES. Avelanède, châtaignier, chêne, cupulifères, fagacée, fau, fayard, hêtre.

CUPULIFÈRES. Bétulacée, chêne, châtaignier, coupe, cupuliféracée, fagacée, fagale, hêtre, noisetier.

CURABLE. Améliorable, amendable, guérissable, perfectible, réformable, soignable.

CURAILLON. Abbé, archevêque, aumônier, bonze, célébrant, chaman, chanoine, clerc, confesseur, consacré, curé, cureton, diacre, directeur, druide, ecclésiastique, épulon, évêque, lama, mage, missionnaire, monseigneur, officiant, ordonné, pape, pasteur, père, pope, prêtre, sacrificateur, séculier, vicaire.

CURARISANT. Engourdissant, entravant, étouffant, glaçant, inhibant, intimidant, paralysant, pétrifiant.

CURATELLE. Administration, apartheid, autarcie, constitution, cure, despotisme, direction, état, étatisme, fascisme, gestion, gouvernement, régime, règle, surveillance, terrorisme, tutelle.

CURATEUR. Agent, bey, bureaucrate, cotuteur, employé, eurocrate, fonctionnaire, intendant, légat, magistrat, maimbour, moniteur, muezzin, préfet, protuteur, proviseur, scribe, sous-ministre, tabellion, tuteur.

CURATIF. Bon, efficace, héroïque, médical, médicamenteux, médicinal, souverain, thérapeutique, thérapique.

CURCUMA. Aromate, canna, cari, colorant, curry, épice, plante, scitaminacée, zingibéracée.

CURE. Analyse, bain, curable, curatif, curiste, guérison, lamaserie, médication, paroisse, passivation, postcure, presbytère, prêtre, recteur, sanatorium, sérothérapie, soin, thérapie, traitement, uvale.

CURÉ (n. p.). Ars, Aubry, Boucher, Cochin, Cousin, Dubreuil, Deguerry, Ferry, Foulques, Grandier, Labelle, Meslier, Newman, Olier, Rabelais, Roussel, Schleyer, Vianney, Wyclif, Zwingli.

CURÉ. Abbé, archevêque, aumônier, bonze, célébrant, chaman, chanoine, clerc, confesseur, consacré, curaillon, cureton, diacre, directeur, druide, ecclésiastique, épulon, évêque, lama, mage, missionnaire, monseigneur, officiant, ordonné, pape, pasteur, père, pope, prêtre, recteur, sacrificateur, séculier, vicaire.

CURÉE. Bête, fouaille, gibier, lancée, lutte, mouvement, meute, nourriture, pillage, ruée.

CURE-OREILLE. Bâtonnet, coton-tige.

CURER. Abraser, astiquer, cure-dent, draguer, décrasser, désencrasser, écurer, frotter, nettoyer, ruer.

CURETAGE. Blanchissage, décrassage, épluchage, lavage, lessivage, nettoyage, purge, rasage, savonnage, tararage.

CURETER. Abraser, approprier, astiquer, balayer, briquer, caréner, curer, décaper, décrasser, décrotter, dégourdir, dégrossir, déniaiser, déterger, écumer, écurer, émonder, énouer, épousseter, faire, fourbir, frotter, laver, lessiver, monder, nettoyer, ôter, polir, purger, racler, ramoner, ratisser, récurer, relaver, rincer, séparer.

CURETON. Berger, bigot, capelan, clerc, curé, corneille, curaillon, pasteur, poisson, prêtre, ratichon.

CURETTE. Étrille, excavateur, instrument, racle, raclette, racloir, rogne, rogne-pied, strigile.

CURIACES (n. p.). Albe, Albe la Longue, Camille, Corneille, David, Horace, Tulus.

CURIAL. Communautaire, couvent, parochial, paroissial, presbytéral, presbytère, puritain.

CURIE. Acte, an, bipartition, bissection, branche, bras, case, chapitre, ci, clan, clivage, coupure, déchirure, déci, décurie, dème, deux, dicastère, divis, division, embranchement, ène, épisode, ère, ese, foliole, ion, jeu, lobe, lotissement, macroute, méiose, mesure, mois, monosperme, nome, page, part, partition, pico, placentaire, quartier, saison, schisme, scission, séance, secteur, section, segmentation, sénat, set, siège, temps, thallophytes, tome, verset, zone.

CURIE (n. p.). Becquerel, Debierne, Irène, Joliot, Joliot-Curie, Marie, Perry, Pierre, Sklodowska.

CURIEUSEMENT. Baroquement, bizarrement, drôlement, étonnamment, étrangement, originalement, singulièrement.

CURIEUX. Anecdote, badaud, baroque, bizarre, collectionneur, drôle, envahissant, étonnant, étrange, fouinard, fouineux, furet, indiscret, inquisiteur, original, particulier, piquant, plaisant, rare, rigolo, singulier.

CURIOSITÉ. Attention, avidité, circonspection, désir, envie, examen, grossièeté, incuriosité, indiscrétion, inquisiteur, intérêt, intrigué, japonerie, rareté, recherche, reluqué, révélation, tentation, vigilance.

CURISTE. Août ien, bronzé, croisiériste, estivant, hivernant, touriste, vacancier, villégiateur, visiteur, voyageur.

CURIUM. Cm.

CURRICULUM VITAE. Antécédents, expérience, es, CV.

CURRY. Aromate, cari, carry, cary, condiment, curcuma, infusion, kari, paprika, piment, ragoût.

CURSEUR. Aperçu, compas, corne, décan, degré, échelon, empreinte, glissière, glossaire, grillé, index, jalon, joystick, liste, manche à balai, marque, mire, pointeur, repère, répertoire, signe, table, vernier.

CURSIF. Abrégé, abréviation, aide-mémoire, amoindri, aperçu, bref, compendium, concis, condensé, court, digest, diminué, écourté, ellipse, épitomé, etc., étêté, lecture, petit, plan, précis, raccourci, rapide, réduction, résumé, sténo, topo, trachée, traverse.

CURVILIGNE. Arqué, arrondi, cintré, contourné, courbé, incurvé, ogive, ondée, périphrase.

CUSTODE. Autel, boîte, ciboire, contenant, eucharistie, foyer, garde, glace, laraire, messe, montre, offrandes, orgueil, ostensoir, pavillon, pierre, protection, pyxide, religieux, reliquaire, reposoir, sacrifices, tabernacle, table.

CUSTOM. Automobile, moto.

CUTANÉ. Acné, adné, cuti, dermatose, derme, dermique, eczéma, épidermique, érythrasma, érythrodermie, favus, impétigo, intertrigo, lichen, lupus, peau, peaucier, pityriasis, prurigo, psoralène, psoriasis, puvathérapie.

CUTICULE. Arille, carapace, chitine, couche, cutine, peau, pellicule, pilosité, tegmen, tégument, test, végétal.

CUVE. Abîme, auge, bac, baignoire, bain, baquet, bassin, bassine, bassinet, bidet, brassin, citerne, comporte, cuveau, cuvette, cuvier, échaudoir, évier, hotte, lavabo, papier, pétrin, récipient, traille, tub, vendange.

CUVÉE. Année, baillée, bouche, contenu, date, fondement, majorité, millésime, millésimer, motif, origine, première, promotion, récolte, retraite, seconde, terminale, vigne, vin, vintage, yeux.

CUVELAGE. Boisage, consolidation, garnissage, muraillement, renforcement, soutènement, trousse.

CUVER. Agiter, assoupir, assouplir, barrer, bouillir, boucher, chauffer, cuve, digérer, dormir, effervescence, fermenter, gâter, germer, guiller, lever, mijoter, moût, soumettre, sur, tourner, travailler.

CUVETTE. Auge, bac, baille, baquet, bassin, bassine, bassinet, bassinette, bidet, caldeira, dépression, doline, évier, lavabo, lunette, nô, plomb, sapine, seillon, sotch, tub, urinoir, vasque, vavette, verrière, vidoir.

CYAN. Aigue-marine, béryl, bleu, bleuet, bleu-vert, bolet, céruléen, cobée, conservateur, couleur, guède, iode, indigo, induline, iris, lapis, lavande, lilas, marine, néophyte, nouveau, outremer, pâle, pers, safre, sauge, turquoise, zinc.

CYANÉE. Acalèphe, alcalèche, cnidaire, gorgonaire, méduse, scyphozoaire.

CYANOBACTÉRIE. Algue bleue, bactérie, chlorophycée, floridée, nostoc, oscillaire, rivulaire, spiruline.

CYANOSE. Anoxémie, anoxie, arrêt, asphyxie, blocage, étouffement, hypoxémie, hypoxie, oppression, oxygène, suffocation.

CYANURE. Bleu-de-Prusse, cyanhydrique, cyanure, prussiat, prussiate, prussique, sel.

CYBÈLE (n. p.). Attis, Atys, Cérès, Fertilité, Montan, Montanus, Vienne.

CYBÈLE. Ciste, corybante, déesse, prêtre, taurobole.

CYBERNÉTIQUE. Automation, automatisation, biomécanique, bionique, biophysique, cybernéticien, électronique, robotique.

CYCADÉE. Cycas, gymnosperme, palmier, rotang, sagou, zamia.

CYCLADES (n. p.). Andhros, Andros, Cos, Délos, Doriens, Ios, Milo, Mykonos, Naxos, Nios, Paros, Santorin, Sériphos, Syra, Syros, Tênos, Tinos, Zéa.

CYCLADES. Archipel, îles, cycladique.

CYCLAMATE. Adoucir, affadir, aspartame, édulcorant, mitiger, polyol, saccharine, sorbitol, sucrate, sucrette.

CYCLAMEN (n. p.). Afrique, Europe, Liban, Naples, Perse.

CYCLAMEN. Coum, elegans, fleur, lilas, mauve, parme, plante, primulacée, rose, vernale.

CYCLE. Célérifère, cursus, draisienne, époque, ère, poème, rond, tandem, tricycle, triporteur, vélo, vélocipède.

CYCLICITÉ. Cadence, chronicité, durée, périodicité, régularité, rythme, rythmicité, saisonnalité.

CYCLIQUE. Acyclique, alternant, alternatif, alterné, lactame, lactone, périodique, récurrent, réglé.

CYCLIQUEMENT. Euphoniquement, harmonieusement, harmoniquement, itérativement, mélodieusement, mélodiquement, musicalement, périodiquement, régulièrement, rythmiquement, symphoniquement.

CYCLISME. Critérium, grimpeur, lice, pistard, piste, poursuite, rouleur, routier, sport, tifosi, vélocipédie.

CYCLISTE (n. p.). Amstrong, Anquetil, Bobet, Coppi, Egg, Hinault, Lemond, Longo, Maertens, Merckx, Moser.

CYCLISTE. Cale-pied, coureur, cyclotouriste, demi-fond, descendeur, giro, grimpeur, omnium, pédaleur, pédard, pistard, poursuiteur, rickshaw, rouleur, routier, stayer, suiveur, vélodrome, vélopède.

CYCLOMOTEUR, Boguet, derny, meule, mobylette, moto, motocyclette, pétrolette, solex, trial, trottinette, vélomoteur, vespa.

CYCLONE. Baguio, bourrasque, hurricane, œil, orage, ouragan, tempête, tornade, tourmente, typhon.

CYCLONIQUE. Cyclonal, dépressionnaire.

CYCLOPE (n. p.). Acis, Gaia, Galatée, Ge, Ouranos, Polyphème, Ulysse.

CYCLOPE. Copédodes, crustacé, entomostracé.

CYCLOPÉEN. Acromégalie, colossal, comac, démesuré, éléphantesque, énorme, étonnant, excessif, géant, gigantesque, grand, gros, haut, immense, mahous, maous, monstrueux, monumental, titanesque.

CYCLO-POUSSE. Bécane, bi, bicross, bicycle, bicyclette, cadre, célérifère, clou, cycle, cyclomoteur, cyclotourisme, dérailleur, draisienne, fourche, monture, pédale, pousse-pousse, reine, rickshaw, tandem, triplette, triporteur, vélo, vélocipède, vélopousse.

CYCLORAMEUR. Bras, tricycle.

CYCLOSTOME. Agnathe, lamproie, myxine, myxiniforme, pétromysontiforme, sacabambaspis, vertébré.

CYCLOTRON. Accélérateur, bêtatron, bévatron, champignon, isotron, pédale, poignée, proliférateur, siccatif, synchrotron.

CYGNE (n. p.). Cygnos, Fénelon, Léda, Lohengrin, Virgile, Zeus.

CYGNE. Anatidé, ansériforme, buccinator, caystre, cucnus, cycnoïde, olor, palmipède, trompeter.

CYLINDRAGE. Calandrage, cylindreur, tassage.

CYLINDRAXE. Axone, prolongement.

CYLINDRE. Aléser, bigoudi, bobine, calandre, calibre, canette, cannette, cigarette, compound, culasse, délivreur, ensouple, ensoupleau, étireur, étui, meule, pompe, rouleau, tambour, treuil, tromblon, tube, virole, vis.

CYLINDRÉE. Air, allure, are, attitude, capacité, contenance, contenu, cubage, dégaine, démarche, dose, étendue, jauge, maintien, mesure, mine, port, posture, quantité, récipient, superficie, ton, tonnage, volume.

CYLINDRIQUE. Bitte, cylindroïde, iule, rond, rouleau, silo, tube, tubulaire, tubulé, tubuleux, turriculé.

CYMBALAIRE. Bâtard, linaire, mélampyre, muflier, ruine-de-Rome, scrofulariacée.

CYMBALE. Charleston, cymbalette, ding, instrument, musique, percussion, sonnaille, sonnette.

CYMBALUM. Balafon, clavecin, clavier, corde, czimbalum, dulcimer, mailloche, marimba, métallophone, percussion, simandre, tympanon, vibraphone, xylophone.

CYME. Bouton, camomille, capitule, cèpe, chaton, cône, conique, conoïde, corymbe, épi, fleur, glomérule, grappe, inflorescence, involucre, ombelle, parapluie, paraso, pédoncule, plateau, regroupement, renonce, spadice, tendon.

CYNIQUE (n. p.). Antisthène, Diogène, Ménippe.

CYNIQUE. Arrogant, chien, cruel, éhonté, immoral, impudent, indifférent, philosophe, satyre, satyrique, stoïque.

CYNIQUEMENT. Cavalièrement, effrontément, grossièrement, impoliment, impudemment, lestement, malhonnêtement.

CYNISME. Amoralité, brutalité, corruption, garcerie, immoralisme, impudence, lasciveté, laxisme, perversité, vice.

CYNOCÉPHALE. Babouin, cynocéphalidé, drill, gelada, hamadryas, mandrill, papion, singe.

CYNODON. Chiendent, graminée, pied-de-poule, herbe des Bermudes.

CYPÉRACÉE. Carex, herbacée, laîche, linaigrette, monocotylédone, papyrus, scirpe, souchet.

CYPERUS. Amande de terre, laiche, papyrus, scirpe, scirpel, souchet.

CYPRÈS. Arbre, cèdre, cipre, conifère, pin gris, taxaudier, taxaudium, taxodier, taxodium.

CYPRIN. Carassin, carpe, cyprinidé, cypriniforme, doré, hotu, poisson, poisson rouge, vandoise.

CYPRINIDÉ. Ablette, amble, amour-blanc, barbeau, barbote, bième, bouvière, brème, carpe, chevaine, chevenne, cloche, cyprin, doré, gardon, gardon-rouge, gougon, hotu, ide, loche, meunier, rotengle, tanche, vairon, vandoise.

CYPRIOTE. Achéen, arcadien, arcadocypriote, chypriote, méditerranéen.

CYPSÉLOS (n. p.). Bias, Chilon, Cléobule, Épiménide, Mytilène, Périandre, Phétécyde, Pittacos, Solon, Thalis.

CYRILLIQUE. Alphabet, bulgare, russe, serbe, slave, taldjik, ukrainien.

CYRUS (n. p.). Achéménides, Anabase, Babylone, Balthazar, Bardiya, Cambyse, Crésus, Cunava, Massagètes, Mèdes, Pasargades, Smerdis, Tissapherne.

CYSTIQUE. Aérocyste, angiocholite, bouton, cholécystite, cholédoque, liposome, otocyste, phlyctène, pustule, saccule, utricule, vésicule, vessie.

CYTISE. Aracée, arbuste, aubier, aubour, ébénier, faux acacia, faux ébénier, genêt, grappe, hérissonne, viorne.

CYTOLOGIE. Biologie, cellule, cytochimie, cytogénétique, cytomorphologie, cytophysiologie, fuchsine.

CYTOPLASME. Cellule, chondriome, dendrite, ectoplasme, endoplasme, eucaryote, hyaloplasme, organelle, organite, plasmode, protoplasme, sarcoplasme, syncitium, syncytium, vacuole.

CZAR. Bataille, césar, empereur, empire, gibelin, guelfe, impérial, kaiser, légat, mikado, monarque, oiseau, palmipède, régant, rescrit, roi, sénat, sire, sultan, titre, trône, tsar, tzar.

CZIMBALUM. Balafon, clavecin, clavier, corde, cymbalum, dulcimer, mailloche, marimba, métallophone, percussion, simandre, tympanon, vibraphone, xylophone.

D

DAB. Bonhomme, croulant, dabe, daron, papa, parâtre, parent, paternel, père, procréateur, vieux.

DABA. Arrachoir, binette, bineuse, déchaussoir, fossoir, gratte, houe, pioche, sape, sarclette, sarcloir, serfouette.

DACIE (n. p.). Dace, Décébale, Roumanie, Trajan.

DACRON. Fibre, fil, lurex, nylon, polyester, serge, synthétique, tergal, téréphtalate, tissu, xylène

DACTYLO. Armoire, bureau, claviste, copiste, dactylographe, doigt, écritoire, facturer, meuble, notaire, rédacteur, scribanne, scribe, scribouillard, secrétaire, serpent, serpentaire, taper, tapuscrit, télex.

DACTYLOGRAPHIER. Adresser, annoter, barbouiller, brouillon, calligraphier, composer, consigner, copier, dédicacer, écrire, écrivailler, écrivasser, gribouiller, griffonner, marquer, noter, orthographier, pondre, préfacer, rédiger, taper, tester, tracer, transcrire.

DADA. Ab, argument, caprice, cheval, délire, démence, égarement, fantaisie, folie, frénésie, goût, habituel, hobby, idée, lubie, manie, marotte, mode, occupation, passe-temps, passion, tâte, tic, toquade, trip.

DADAIS. Ballot, benêt, bêta, bozo, bugne, dandin, gauche, imbécile, niais, nicodème, nigaud, sot, zouf.

DADAÏSTE (n. p.). Aragon, Arp, Baargeld, Ball, Breton, Ernst, Grosz, Haussmann, Heartfield, Picabia, Ray, Richter, Roy, Schwitters, Tinguely, Tzara.

DAGOBERT (n. p.). Caribert, Childebert, Clotaire, Clovis, Éloi, Ouen, Sigebert, Thierry.

DAGUE. Alfange, arme, badelaire, bague, bancal, bandal, batte, bois, botte, brand, braquemart, brette, briquet, cape, carrelet, cimeterre, claymore, colichemarde, couteau, coutelas, coutille, croisette, dent, épée, espadon, estoc, estocade, estramaçon, fer, fil, flamberge, fleuret, glaive, haute-claire, joyeuse, lame, latte, levantine, scramasaxe, rapière, robe, sabre, schiavone, yatagan.

DAGUET. Axis, biche, bois, brame, bramer, brocard, cariacou, cerf, cervidé, chevreuil, cor, cuissot, dagard, daim, élan, époi, fanfare, faon, fauve, hallali, harde, hère, mazama, mégacéros, muette, muntjac, orignal, pseudaxis, raire, raller, ramure, rée, renne, sica, tayaut, wapiti.

DAHLIA. Arvor, aumônier, bacchanal, chandelon, composacée, dahl, fleur, furka, inuline, lilliputs, pompon.

DAIGNER. Abaisser, accepter, acquiescer, admettre, agréer, bonté, condescendre, consentir, dédaigner, vouloir.

DAIM. Brame, brocard, cervidé, daine, dama, daneau, dine, faon, hère, mégacéros, paumier, paumure, ramure.

DAÏMYO. Chef, damio, noble, seigneur.

DAIQUIRI. Blague, boisson, citron, cocktail, coup, dynamisme, humour, incisif, jus, liqueur, pep, punch, rhum, sucre, tonus, vitalité.

DAIS. Abat-voix, abri, baldaquin, chapiteau, ciborium, ciel, ciel de lit, lambrequin, pavillon, vélum, voûte.

DALAÏ-LAMA (n. p.). Lhasa, Lhassa, Tentin Gyatso, Tibet.

DALEAU. Adducteur, biseau, bisse, canal, conduit, dalot, drain, encaissement, étier, fossé, tranchée, watergang.

DALILA (n. p.). Gigliotti, Samson.

DALLAGE. Carreau, carrelage, catelle, dalle, mosaïque, pavage, planelle, revêtement, rudération, sol, tomette.

DALLE. Carreau, carrelage, céramique, couic, dallage, dalleur, faim, foyer, gorge, gosier, gouttière, lause, lauze, panneau, patio, pavage, pavé, pavement, pierre, plaque, radier, rien, seuil, tomette, tomette, tuile.

DALLER. Bâtir, briqueter, carreler, couvrir, daller, damer, décarreler, demoiselle, embriquer, empierrer, joncher, macadam, paver, recouvrir, repaver, revêtir.

DALMATIQUE. Angusticlave, aube, bliaud, bliaut, broigne, candoura, cappa, chape, chiton, cotte, dolman, endartère, éphod, kimono, laticlave, peau, pelure, pesque, redingote, robe, tissu, tunique, uvée, veste.

DALOT. Adducteur, biseau, bisse, canal, conduit, daleau, drain, encaissement, étier, fossé, tranchée, watergang.

DALTONISME. Achromat, achromatopsie, deutéranopie, dyschromatopsie, leucodermie, œil, optique.

DAM. Châtiment, damnation, dépit, détriment, dommage, préjudice, privation, punition, regret.

DAMAGE. Bachotage, ballastage, bourrage, bourre, bourrer, capitonnage, compactage, délayage, densification, embourrure, fourrage, garnissage, garniture, intoxication, matelassage, matraquage, ouatage, propagande, rembourrage, remplissage, verbiage.

DAMALISQUE. Addax, aepycérotiné, alcéphalus, algazelle, antilope, antilopidé, biche, bovidé, bubale, capricorne, catoblépas, cob, dorcade, éland, gazelle, gnou, guib, impala, kif, kob, mammifère, nilgaut, okapi, oryx, ourébi, saïga, springbok.

DAMAN. Arboricole, artiodactyle, catapulte, mammifère, œnothère, onagre, ongulé, périssodactyle, rhinocéros.

DAMAS. Acier, alliage, chemin, étoffe, porte-greffe, mirabelle, prunier, prunus, raisin, sabre, tissu.

DAMAS (n. p.). Paul, Syrie.

DAMASQUINER. Accrocher, buriner, cramponner, désincruster, entailler, graver, imprimer, inscrire, incruster, orner, xylographie.

DAMASSINE. Eau-de-vie, prune.

DAME. Bouteille, camériste, demoiselle, digue, douairière, épouse, femme, hie, hymen, lady, marraine, matrone, mégère, menine, mie, milady, ornithogale, ovale, patronnesse, pion, quatre, reine, señora, touret, virginité.

DAME-JEANNE. Balthazar, biberon, bidon, bocal, bombonne, bonbonne, bordelaise, bouteille, cannette, carafe, col, cul, demi, dive, fillette, fiole, flacon, fond, gourde, if, jaquelin, jéroboam, litre, magnum, mathusalem, mouilleur, nabuchodonosor, panse, pichet, quart, réhoboam, salmanazar, thermos, verre.

DAMER. Aplatir, battre, compacter, dominer, doubler, emporter, enfoncer, plomber, presser, surpasser, taller, tasser.

DAMIER. Arlequin, case, cochon, dame, échiquier, jacquet, marqueterie, revertier, tablier, trictrac, trou-madame.

DAMNABLE. Blâmable, condamnable, coupable, incriminable, punissable, répréhensible, reprochable.

DAMNATION. Châtiment, dam, enfer, malédiction, maudire, maudit, peine, perte, punition, réprouvé.

DAMNÉ. Dam, déchu, détestable, frappé, interdit, maudit, paria, rejeté, repoussé, réprouvé, satané.

DAMNER. Agacer, agiter, assaillir, bourreler, brutaliser, condamner, déchirer, envier, exaspérer, gêner, harceler, impatienter, infester, inquiéter, lanciner, maltraiter, moquer, mouvementer, obséder, occuper, oppresser, ronger, tanner, tarauder, tenailler, torturer, tourmenter, tracasser, vexer.

DAMOISEAU. Adolescent, adonis, apollon, chevalier, éphèbe, galant, gentilhomme, jeune, jouvenceau, noble.

DAMOISELLE. Damoiseau, demoiselle, jeune fille, fille, noble.

DANAÉ (n. p.). Acrisios, Argos, Eurydice, Gossaert, Gossart, Persée, Zeus.

DANCING. Alcool, bal, bar, bistrot, boîte, brasserie, buvette, cabaret, café, comptoir, débit, débit-de-boisson, discothèque, estaminet, lubin, maquis, pression, rade, saloon, taverne, troquet, zinc.

DANDIN. Amant, bafoué, berné, blousé, branchevé, cocu, cocufié, coiffé, corard, déhanché, gauche, naïf, niais, trompé.

DANDINEMENT. Balancement, bercement, dandinage, déhanchement, dodelinement, fluctuation, hésitation, larsen, libration, mouvement, oscillation, roulis, tangage, variation, vibration.

DANDINER. Agiter, balancer, balloter, battre, bazarder, bercer, berner, branler, brimbaler, centrer, chanceler, compenser, déhancher, dodeliner, dodiner, frémir, hésiter, jeter, lancer, osciller, peser, remuer, rouler, sauter, vaciller.

DANDY. Affecté, charmant, chic, cocodès, coquebin, coquet, dandysme, délicat, distingué, élégant, fat, gandin, gentlemen, gommeux, gracieux, homme, mondain, raffiné, sapeur, sélect, smart, stylé.

DANDY ANGLAIS (n. p.). Brummell.

DANDYSME. Affectation, ambition, apparence, crânerie, fatuité, infatuation, orgueil, présomption, prétention.

DANEMARK, CAPITALE (n. p.). Copenhague.

DANEMARK, LANGUE. Danois.

DANEMARK, MONNAIE. Couronne.

DANEMARK, VILLE (n. p.). Aalborg, Aarhus, Abenra, Alborg, Arhus, Assens, Bramminge, Copenhague, Duppel, Ebeltoft, Ejby, Elseneur, Esbjerg, Fakse, Frederiksberg, Give, Grena, Hals, Hillerod, Hobro, Ikast, Maribo, Mildelfart, Odder, Odense, Randers, Ribe, Ringe, Roskilde, Saeby, Silkeborg, Skive, Sonderborg, Soro, Tonder, Varde, Vejle.

DANGER. Abîme, alarme, aléa, alerte, anodin, brise-cou, casse-cou, casse-gueule, chausse-trappe, détresse, écueil, embûche, gravité, guêpier, inconvénient, menace, nocuité, nuisance, perdition, péril, piège, risque.

DANGEREUSEMENT. Défavorablement, désavantageusement, dramatiquement, funestement, gravement, grièvement, imprudemment, mal, malencontreusement, nuisiblement, sérieusement, terriblement.

DANGEREUX. Aléatoire, affolant, audacieux, aventureux, brûlant, critique, délicat, difficile, férin, glissant, hasardeux, imprudent, malsain, mauvais, meurtrier, néfaste, nocif, nocuité, périlleux, risqué, sain, scabreux, traître.

DANGEROSITÉ. Danger, destructivité, édacité, létalité, léthalité, nocivité, nocuité, nuisibilité, perniciosité.

DANOIS. Cheval, chien, dogue, langue, race, viking.

DANS. Avec, avertissement, chez, dedans, en, entre, environ, intérieur, intra, milieu, pendant, sein, selon.

DANSE (n. p.). Avignon, Saint-Guy.

DANSE (3 lettres). Bal, bop, pas, pop, ska.

DANSE (4 lettres). Butô, java, jazz, jerk, jeté, jota, plié, rock, slow, trio, yé-yé, zouk.

DANSE (5 lettres). Bamba, be-hop, blues, conga, galop, gigue, gopak, hopak, loure, mambo, opera, polka, ronde, rumba, salsa, samba, smurf, spléa, tango, twist, valse, volte.

DANSE (6 lettres). Ballet, boléro, boston, cancan, chorée, maloya, manège, menuet, redowa, shimmy.

DANSE (7 lettres). Aérobic, ballade, biguine, bourrée, cadence, calypso, chacone, csardas, czardas, figures, forlane, fox-trot, gavotte, lambada, mazurka, milonga, one-step, rigodon, sardane, sirtaki, tamoure, zorongo.

DANSE (8 lettres). Anglaise, assemblé, bamboula, cachucha, cakewalk, chaconne, cotillon, fandango, flamenco, gambille, habanera, hussarde, machiche, matelote, mérengué, rigaudon, sauterie, taconeos.

DANSE (9 lettres). Allemande, assemblée, bossa-nova, cha-cha-cha, claquette, classique, entrechat, farandole, gaillarde, kathakali, matchiche, pasodoble, polonaise, rythmique, sarabande, tambourin, zapateado.

DANSE (10 lettres). Breakdance, charleston, mouvements, passacaille, seguidilla, seguidille, tarentelle.

DANSE (11 lettres). Bergamasque, contredanse, cracovienne, folklorique, roch and roll, varsovienne.

DANSE (12 lettres). Boogie-woogie, chassé-croisé, chorégraphie, french cancan, gargouillade.

DANSER. Compas, coryphée, dansotter, évoluer, exécuter, gambiller, giguer, guincher, swinger, twister, valser.

DANSEUR. Baladin, bayadère, boléro, boy, cavalier, coryphée, derviche, équilibriste, étoile, farandoleur, funambule, gambilleur, gigoteux, gigueux, gincheur, matassin, mime, partenaire, patineur, pétauriste, plokiste, tourneur, twisteur, valseur.

DANSEUR AFRICAIN (n. p.). Cranko.

DANSEUR ALLEMAND (n. p.). Jooss, Kreutzberg, Van Dijk.

DANSEUR AMÉRICAIN (n. p.). Ailey, Astaire, Baryshnikov, Cole, Cunningham, Donen, Fosse, Joffrey, Kelly, Limon, Massine, Mattox, Mitchell, Neumeier, Robbins, Shawn, Taylor, Weidman.

DANSEUR ANGLAIS (n. p.). Ashton, Coward, Cranko, Dolin, Fonteyn, MacMillan, Tudor.

DANSEUR ARGENTIN (n. p.). Donn.

DANSEUR AUSTRALIEN (n. p.). Helpmann.

DANSEUR AUTRICHIEN (n. p.). Elssler, Hilferding, Hilverding.

DANSEUR BRITANNIQUE (n. p.). Ashton, Cranko, Dolin, MacMillan, Noureïev, Shearer, Tudor.

DANSEUR DANOIS (n. p.). Bournonville.

DANSEUR ESPAGNOL (n. p.). Escudero, Gades.

DANSEUR FRANÇAIS (n. p.). Beauchamp, Béjart, Casado, Coralli, Dauberval, Decouflé, Didelot, Dupont, Dupré, Feuillet, Franchetti, Gallotta, Gardel, Lazzini, Lifar, Mérante, Noverre, Peracin, Perrot, Petipa, Petit, Preljocaj, St-Léon, Sallé, Vestris.

DANSEUR HONGROIS (n. p.). Milloss.

DANSEUR ITALIEN (n. p.). Angiolini, Blasis, Bortoluzzi, Cecchetti, Galeotti, Milloss, Taglioni, Vestris.

DANSEUR RUSSE (n. p.). Balanchine, Barychnikov, Barysnikov, Fokine, Gerdt, Gorski, Grigorovich, Ivanov, Kniaseff, Lapaouri, Lavrovski, Massine, Messerer, Moïsseïev, Nijinski, Noureïev, Rubonstein, Serghéïev, Vassiliev, Zakharov.

DANSEUR SOVIÉTIQUE (n. p.). Lavrovski.

DANSEUR SUÉDOIS (n. p.). Ek.

DANSEUR TCHÈQUE (n. p.). Kylian.

DANSEUSE. Acrobate, aimée, almée, ballerine, bayadère, étoile, girl, partenaire, pétauriste, rat, tutu.

DANSEUSE ALLEMANDE (n. p.). Bausch, Wigman.

DANSEUSE AMÉRICAINE (n. p.). Carlson, Charisse, De Mille, Duncan, Farrell, Fuller, Graham, Hightower, Humphrey, Jamison, Makarova, Moore, St-Denis, Tallchief.

DANSEUSE ANGLAISE (n. p.). Devalois, Markova, Rambert.

DANSEUSE AUTRICHIENNE (n. p.). Elssler.

DANSEUSE CANADIENNE (n. p.). Chiriaeff.

DANSEUSE CUBAINE (n. p.). Alonso.

DANSEUSE ESPAGNOLE (n. p.). Argentina, Hoyos, Imperio.

DANSEUSE FRANÇAISE (n. p.). Camargo, Charrat, Chauviré, Darsonval, Duncan, Goulue, Guillem, Rayet, Sallé, Verdy.

DANSEUSE INDIENNE (n. p.). Apsara.

DANSEUSE ITALIENNE (n. p.). Grisi.

DANSEUSE NÉERLANDAISE (n. p.). Mata Hari.

DANSEUSE ORIENT (n. p.). Almée.

DANSEUSE RUSSE (n. p.). Karsavina, Pavlova, Plissetskaïa, Rubinstein, Semionova, Spesssivtseva, Toumanova, Trefilova, Vaganova, Vyroubova.

DANSEUSE SUÉDOISE (n. p.). Cullberg.

DANSOTER. Danser, dansotter, gauchement, mal, maladroitement, malhabilement, sautiller.

DANTE (n. p.). Alighieri, Béatrice, Cavalcanti, Gatti, Latini, Portinari, Ravenne.

DANTESQUE. Affreux, apocalyptique, effrayant, effroyable, extraordinaire, grandiose, terrifiant, tourmenté.

DANUBE, AFFLUENT (n. p.). Drave, Ems, Enns, Inn, Isar, Iskar, Lech, Leitha, Morava, Nab, Olt, Prout, Prut, Save, Siret, Tisza, Vah.

DAPHNÉ. Arbrisseau, arbuste, bois-gentil, garou, lauréole, malherbe, passerine, sainbois, thyméléacées.

DARAISE. Bonde, bondon, déversoir, empellement, évacuateur, tampon, vanne.

DARBOUKA. Baguette, ban, batterie, bongo, breloque, broderie, caisse, chamade, clique, conga, derbouka, fanfare, fla, pigeon, ra, rataplan, ta, tambour, tambourin, tam-tam, timbale, timbre, tom, trompette.

DARD. Abeille, aiguille, aiguillon, angon, banderille, flèche, foudre, harpon, javeline, pointe, poisson, vandoise.

DARDANELLES (n. p.). Amade, Chersonèse, Gallipoli, Gökçeada, Hellespont, Imroz, Marmara, Sestos.

DARDER. Aiguillonner, catapulter, cracher, créer, débuter, décocher, diriger, éjaculer, émettre, envoyer, éructer, établir, flanquer, harponner, instaurer, jeter, lâcher, lancer, larguer, piquer, pointer, porter, projeter, tirer, vitrioler.

DARE-DARE. Brusquement, empressement, hâte, hâtivement, précipitamment, prompt, rondement, sauvette, vite.

DARIUS (n. p.). Alexandre, Codoman, Darios, Issos, Okhos, Perse, Xerxès.

DARMSTADTIUM. Ds.

DARSE. Abri, auge, bac, bassin, bassine, ber, claire, cuvette, darce, dépression, dock, étang, étier, évier, fesse, fonts, gare, golfe, naumachie, pataugeoire, pelvien, pelvis, piscine, port, purgeoir, rade, réservoir, retenue, rond, sacrum, sas, tin, tub, vasque.

DARNLEY (n. p.). Bothwell, Hepburn, Morton, Rizzio, Stuart.

DARTOIS. Baba, biscôme, bûche, cake, clafoutis, couque, éclair, feuilleté, frangipane, galette, gâteau, gaufre, génois, génoise, gougère, kouglof, kugelholf, macaron, millas, millefeuille, moka, nougat, opéra, pâtisserie, pudding, ramequin, roulé, sablé, saint-honoré, savarin, tourte, tourteau, vacherin.

DARWINISME. Biogenèse, doctrine, évolutionnisme, génétique, lamarckisme, mitchourinisme, mutationnisme, néodarwinisme, systématique, théorie, transformisme.

DATATION. Chronologie, datage, dendrochronologie, géochronologie, reconnaissance, téphrochronologie.

DATCHA. Âtre, baraque, bastide, bâtiment, bâtisse, bercail, bicoque, bordel, boutique, cabane, cagna, cambuse, case, cassine, chalet, château, chaumière, coron, couvent, demeure, domicile, échoppe, école, ermitage, famille, faré, foyer, gîte, habitation, hôtel, institution, insula, intérieur, isba, logement, logis, lupanar, maison, maisonnette, mas, masure, ménage, monastère, motel, niche, nid, pension, résidence, soue, toit, tripot, villa.

DATE. Ajournement, an, année, anticipé, antidate, chronologie, délai, échéance, en, époque, événement, hier, jour, millésime, moment, période, postdaté, quantième, rendez-vous, rubrique, saint glinglin, temps.

DATER. Antidater, compter, différer, marquer, postdater, proroger, reconnaître, remonter, reporter, repousser.

DATEUR. Cadran, composteur, flamme, horodateur, tampon, timbre dateur.

DATIF. Cas, cour, crime, droiture, équité, ester, forme, huis clos, interlocutoire, judiciaire, juge, juridiction, justice, liaison, magistrat, nommé, partie, procès, pureté, salle, siège, sûreté, traduire, tribunal, tutelle, tuteur.

DATION. Allocation, apport, assistance, aumône, bénédiction, charité, décerner, disposition, distribution, don, donner, faveur, grâce, hommage, indemnité, obole, paiement, prestation, secours, subside, legs.

DATTE. Aliment, baie, dattier, denrée, fruit, jujubier, lithodome, palmier, raisin, rhamnacée, rien.

DATTIER. Arec, aréquier, borasse, borassus, cocotier, cycas, doum, élacis, éléis, éaeis, jonc, kentia, latanier, nipa, palmier, palmiste, phénix, phœnix, raphia, rondier, rônier, rotang, rotin, sang-dragon, tallipot.

DATURA. Fleur, herbe à taupe, jusquiame du Pérou, narcotique, pomme épineuse, stramoine, stramonium.

DAUBE. Atténué, cuisson, essoufflé, estouffade, étouffée, étranglée, étuvée, mode, sourd.

DAUBER. Attaquer, bafouer, battre, calomnier, critiquer, débiner, déblatérer, déchirer, décrier, dénigrer, déprécier, discréditer, endauber, éreinter, esquinter, étriller, gloser, médire, moquer, noircir, railler, ridiculiser.

DAUBIÈRE. Autocuiseur, bouteillon, braisière, chaudron, cocotte, cocotte-minute, couscoussier, crémaillère, cuiseur, faitout, huguenote, marmite, marmitée, pot, pot-au-feu, soupière.

DAUPHIN. Aîné, bélouga, béluga, cétacé, continuateur, delphinologie, épaulard, flasque, fromage, globicéphale, gouttière, héritier, inia, jottereau, marsouin, menin, monseigneur, orque, plataniste, prince, proxénète, souffleur, successeur.

DAUPHINELLE. Consoude, delphinium, herbe-aux-poux, patte-d'alouette, pédiculaire, pied-d'alouette, staphisaigre.

DAURADE. Beryx, canthère, coryphène, dorade, griset, pageau, pagel, pageot, pagre, poisson, rousseau, sar, sparidé, sparus, téléostéen.

DAVANTAGE. Au-dessus, beaucoup, bis, doublement, encore, excès, item, longtemps, maximum, mieux, outre, par-dessus, plus, prime, rab, supérieur, surplus, surtout, sus, trop.

DAVID (n. p.). Abigaïl, Absalon, Adonias, Amon, Bethsabée, Goliath, Grande, Jessé, Joab, Michol, Ourse, Philistin, Salomon, Saül, Tamat, Thamar, Urie.

DAVIER. Appendice, barre, barrette, bec-de-cane, bigoudi, bras, casse-noix, clamp, clip, dent, épiloir, épincette, épingle, frisoir, fronce, hémostatique, incisive, levier, main, outil, pince, pincette, pli, réa, tenaille, trétoire.

DAZIBAO. Affiche, chinois, journal, manuscrit, mural, placard, tabloïd.

DÉ. As, besas, beset, boîte, cochonnet, cornet, coup, cube, doigtier, doublet, fourreau, hasard, jeu, main, palamède, parallélogramme, pipé, poker, quine, rafle, rampeau, rillon, six, terne, tope, toton, trictrac, va-tout, zanzi.

DEAL. Accord, acceptation, alliance, amitié, amour, approbation, approuver, arpège, arrangement, assentiment, autorisation, collusion, communication, compérage, complicité, compromis, concert, concorde, congruence, connivence, consensus, consentement, contrat, convenance, convenir, convention, discorde, do, entente, fraternité, harmonie, intelligence, la, marché, musique, oui, pacte, paix, permission, protocole, refus, règlement, rime, soit, syllepse, sympathie, traité, transaction, unanimité, union, unisson, unité.

DEALER. Ambitieux, arriviste, attentiste, calculateur, combinard, contrebandier, drogue, fricoteur, intrigant, maniganceur, maquignon, margoulin, mercanti, opportuniste, profiteur, revendeur, revendre, scalper, spéculateur, trafiquant, trafiquer.

DÉAMBULATION. Baguenaude, course, déplacement, égarement, errance, flânage, flânerie, glandage, instabilité, marche, nomadisme, pérégrination, promenade, randonnée, rêverie, vagabondage, voyage.

DÉAMBULATOIRE. Accotement, banquerette, bas-côté, berme, bord, bordure, caniveau, collatéral, fossé, galerie, promenoir, pourtour, rond-point, trottoir.

DÉAMBULER. Aller, arpenter, arquer, avancer, balader, cheminer, clopiner, courir, enjamber, errer, flâner, fouler, longer, marcher, mener, musarder, passer, pavaner, piéter, rôder, suivre, trainasser, trotter, trottiner, vagabonder.

DÉBÂCLE. Bouscueil, chute, crash, débandade, défaite, dégel, déroute, diarrhée, incontinence, krach, rupture.

DÉBÂCLER. Briser, débloquer, décoincer, dégager, dégeler, dégripper, délirer, déménager, dérider, dérouter, détendre, divaguer, effondrer, libérer, ôter, ouvrir, permettre, retraiter.

DÉBAGOULER. Asséner, cracher, déballer, débiter, éructer, jeter, lancer, proférer, raconter, vomir.

DÉBALLAGE. Aveu, confession, confidence, décachetage, décaissage, déclaration, dépaquetage, déshabillage, désordre, dévoilement, divulgation, fuite, ouverture, proclamation, révélation, vérification.

DÉBALLER. Avouer, confier, défaire, emballer, étaler, exposer, montrer, ouvrir, parler, retirer, sortir.

DÉBALLONNER. Dégonfler, céder, diminuer, faiblir, flancher, minimiser, mollir, rabaisser, renoncer.

DÉBANDADE. Chute, crach, débâcle, défaite, dégel, déroute, désordre, dispersion, krach, rupture, sauve-qui-peut.

DÉBANDER. Calmer, décontracter, délasser, détendre, disperser, lâcher, redevenir, relâcher, reposer, rompre.

DÉBARBOUILLAGE. Astiquage, bichonnage, briquage, décrassage, décrottage, détachage, épongeage, essuyage, frottage.

DÉBARBOUILLER. Baigner, blanchir, brosser, décrasser, délaver, dépêtrer, disculper, doucher, éluer, justifier, laver, lessiver, nettoyer, plonger, prouver, réhabiliter, rehausser, réprimander, réussir, rincer, tuer.

DÉBARBOUILLETTE. Carré-éponge, débarbouillette, essuie-mains, gant, guenilles, linge, serviette, torchon.

DÉBARCADÈRE. Appontement, cale, dock, embarcadère, gare, jetée, mole, ponton, quai, réception.

DÉBARDAGE. Accession, afflux, anode, apparition, approche, approchement, arrivage, arrivée, avènement, avent, bienvenue, commencement, débarquement, début, déchargement, descente, entrée, gare, naissance, subit, survenance, survenue, venue.

DÉBARDER. Acharner, aller, amener, brouetter, camionner, charrier, charroyer, coltiner, débarquer, décharger, déplacer, emporter, exulter, mener, porter, promener, ravir, rempoter, transbahuter, transférer, transplanter, transporter, trimarder, trimballer, véhiculer.

DÉBARDEUR. Aconier, bagagiste, arrimeur, coltineur, déchargeur, docker, laptot, lesteur, maillot, marcel.

DÉBARQUE. Banqueroute, chute, confusion, contrition, crasch, croulement, débâcle, débandade, déconfiture, découragement, défaite, dégelée, déroute, désespoir, effondrement, embarras, faillite, fiasco, krach, naufrage, ruine, victoire.

DÉBARQUEMENT. Accession, afflux, anode, apparition, approche, approchement, arrivage, arrivée, avènement, avent, bienvenue, commencement, débardage, début, déchargement, descente, entrée, gare, naissance, subit, survenance, survenue, venue.

DÉBARQUER. Abandonner, accoster, arriver, débarder, décharger, destituer, embarquer, sortir, venir.

DÉBARRAS. Appentis, bûcher, cabanon, cagibi, cahute, cave, fourre-tout, gatelas, réduit, remise, resserre.

DÉBARRASSER. Alléger, arracher, balayer, bazarder, brader, déblayer, décaféiner, décharger, déchlorurer, dégager, délivrer, dénicotiniser, dépiauter, dératiser, désencombrer, désulfiter, écaler, écharner, écurer, égoutter, énouer, émonder, énouer, épamprer, épouiller, épucer, éravillonner, essorer, évacuer, extirper, guérir, jeter, laver, lessiver, libérer, nettoyer, ôter, purger, purifier, sarcler, sécher, semer, soulager, stériliser, supprimer, vider.

DÉBARRER. Aérer, canaliser, clé, clef, crever, crocheter, débouchonner, décapsuler, démasquer, déverrouiller, écailler, éclore, entrouvrir, épanouir, éventrer, forcer, ouvrir, percer, pratiquer, soutirer.

DÉBAT. Cas, conflit, contestation, contreverse, conversation, délibération, démêlé, dilemme, discussion, explication, face-à-face, huis clos, objection, polémique, procès, querelle, séance, talk-show.

DÉBATTEUR. Avocat, baratineur, causeur, conférencier, défenseur, discoureur, diseur, foudre, harangueur, intervenant, orateur, parleur, participant, péroreur, prêcheur, prédicant, prédicateur, rhéteur, rhétoricien, tribun, verve.

DÉBATTRE. Affronter, agiter, colleter, contester, défendre, délibérer, démener, discuter, disputer, échanger, empoigner, examiner, informer, lutter, marchander, négocier, parlementer, parler, procès, traiter.

DÉBATTUE. Crevasse, engelure, engourdissement, érythème, froidure, gelure, grappe, onglée, rougeur.

DÉBAUCHAGE. Congé, congédiement, destitution, dévergondage, libertinage, licenciement, limogeage, pression, renvoi, révocation, sollicitation.

DÉBAUCHÉ. Alcoolique, amoral, arsouille, cochon, concupiscent, crapuleux, dépravé, dévergondé, dévoyé, dissipé, dissolu, goton, inaccoutumé, ivrogne, pervers, perverti, pochard, putain, roué, vicieux.

DÉBAUCHE. Abus, bamboche, dévergondage, excès, galipote, libertinage, luxure, noce, orgie, ribaud, ripaille, stupre, vice.

DÉBAUCHER. Abuser, attirer, congédier, courailler, dépraver, dévergonder, enivrer, licencier, séduire, soûler.

DÉBECTER. Débecqueter, dégoûter, dégueuler, déplaire, rebuter, repousser, répugner, vomir.

DÉBET. Alloc, allocation, argent, arrhes, à-valoir, budget, chiffre, compendium, dédit, dépôt, dette, dormir, dû, enchère, enjeu, ensemble, fonds, intérêt, jeton, mise, monnaie, montant, obole, pécule, pension, pot-de-vin, prêt, prime, provision, quantité, rançon, redevance, résultat, revenu, roupillon, scalaire, sieste, somme, sou, soulte, surestarie, surloyer, total, tout.

DÉBILE. Arriéré, bête, cacochyme, chancelant, chétif, con, conneau, délicat, demeuré, égrotant, enflé, étourdi, faible, fluet, fragile, grave, grêle, idiot, imbécile, malingre, nul, taré.

DÉBILEMENT. Absurdement, bêtement, follement, idiotement, imbécilement, naïvement, sottement, stupidement.

DÉBILITANT. Affaiblissement, alanguissant, amollissant, anémiant, consomptif, démoralisant, déprimant, tuant.

DÉBILITÉ. Abattement, aboulie, adynamie, anémie, arriération, asthénie, atonie, faiblesse, incapacité, insuffisance.

DÉBILITER. Abattre, accabler, affaiblir, anéantir, atterrer, consterner, couper, décourager, démanteler, démâter, démoraliser, démolir, démonter, démoraliser, dépérir, déprimer, dérober, descendre, désespérer, détruire, épuiser, étaler, fatiguer, faucher, miner, raser, renverser, ruiner, saper, terrasser, tomber, tuer, zigouiller.

DÉBINE. Appauvrissement, besoin, dèche, dénuement, dépourvu, détresse, embarras, gêne, gouffre, indigence, manque, mendicité, misère, mouise, nécessité, opulence, pauvreté, pénurie, privation, purée.

DÉBINER. Attaquer, critiquer, décrier, dénigrer, descendre, enfuir, étriller, médire, partir, sauver, vilipender.

DÉBINEUR. Calomniateur, calomnieux, colporteur, contempteur, critique, dénigrant, dénigreur, dépréciateur, détracteur, diffamant, diffamateur, diffamatoire, infamant, médisant, potineur, potinier, rossard, vipère.

DÉBIRENTIER. Acheteur, affecteur, aliénateur, astreinte, cofidéjusseur, coobligé, débiteur, dette, detteur, emprunteur, escompte, obligé, paye, quérable, redevable, reliquataire, saisi, terme, vendre.

DÉBIT. Assommoir, bar, bistro, bistrot, buvette, cabaret, café, cafetier, crédit, dette, doit, écoulement, élocution, estaminet, étiage, flux, fuite, guinguette, irrigation, magasin, pinte, quantité, ru, somme, taverne, vente.

DÉBITABLE. Découpage, dépeçage, divisible, équarrissable, fendable, partage, sciable, tronçonnable.

DÉBITAGE. Abrasion, cisaillement, ciselage, clivage, corrosion, coupage, couper, coupure, crevasse, découpage, dosse, érosion, fendre, frai, patine, plot, refendre, rongeage, sciage, séparer, zigouiller.

DÉBITANT. Bistrot, bistrotier, buraliste, cafetier, commerçant, détaillant, mastroquet, patron, tenancier.

DÉBITER. Clabauder, couper, créditer, déclamer, découper, dérouler, détailler, dévider, dire, écouler, énoncer, fendre, fournir, offrir, produire, prononcer, psalmodier, réciter, répandre, scier, tronçonner, vendre.

DÉBITEUR. Acheteur, affecteur, aliénateur, astreinte, cofidéjusseur, coobligé, débirentier, dette, detteur, emprunteur, escompte, obligé, paye, quérable, redevable, reliquataire, saisi, terme, vendre

DÉBLAI. Débris, décharge, décombre, dépôt, fouille, gravats, gravois, plâtras, terrassement, terre.

DÉBLAIEMENT. Aplanissement, débarras, débarrasser, déblayage, décharger, dégagement, déneigement, préparation.

DÉBLATÉRER. Accuser, attaquer, bavarder, baver, calomnier, cancan, clabaudage, commérage, critiquer, débiner, décrier, démolir, dénigrer, déprécier, discréditer, éreinter, invectiver, médire, récriminer, vitupérer.

DÉBLAYER. Débarrasser, débroussailler, décongestionner, défricher, dégager, dégrossir, délivrer, déneiger, désencombrer, désobstruer, dragline, enlever, évacuer, libérer, nettoyer, préparer, terri, vider.

DÉBLOQUER. Débarrasser, débourrer, décintrer, décoincer, décombrer, dégager, dégeler, dégripper, délirer, déménager, déraisonner, dérider, desserrer, détendre, disposer, divaguer, lever, libérer, permettre, remettre.

DÉBOBINER. Clastique, débosser, déboucler, déboulonner, déconcerter, déconnecter, défaire, dégager, démantibuler, démonter, dérouler, désarçonner, désassembler, désosser, dévider, disloquer, embarrasser, monter, séparer, troubler.

DÉBOIRE. Arrière-goût, déception, déconvenue, désappointement, désillusion, dessillé, échec, ennui, épreuve, malchance, mésaventure, réussite, satisfaction, succès, tristesse.

DÉBOISEMENT. Abattage, abattis, chablis, chaplis, coupe, déforestation, dépeuplement, rompis, ventis.

DÉBOISER. Abattre, couper, déforestation, défricher, dégarnir, déplanter, dessoucher, éclaircir, essarter.

DÉBOÎTEMENT. Claquage, déboîtage, désarticulation, dislocation, élongation, entorse, foulure, luxation.

DÉBOÎTER. Déclinquer, démancher, démantibuler, démettre, détraquer, disjoindre, disloquer, fausser, luxer, séparer.

DÉBONDER. Confier, décharger, éclater, épancher, livrer, ouvrir, répandre, soulager, verser, vider.

DÉBONNAIRE (n. p.). Alphonse IV, Louis 1er.

DÉBONNAIRE. Accommodant, bénin, bête, bienveillant, bon, bonasse, bonhomme, brave, candide, clément, complaisant, coulant, docile, doux, faible, indulgent, mou, niais, patient, soumis, tolérant.

DÉBONNAIRETÉ. Affabilité, bénignité, bienveillance, bonté, douceur, faiblesse, indulgence, mansuétude.

DÉBORD. Cataclysme, crue, débordement, déferlement, déluge, dépassant, dépassement, dérivement, diffusion, écoulement, embarras, excédent, excès, expansion, explosion, flot, flux, inondation, ire, irruption, passepoil, pléonasme, sortie, trop-plein.

DÉBORDANT. Abondant, actif, animé, coulant, enthousiaste, éruptif, expansif, exubérant, exultant, gonflé.

DÉBORDÉ. Accaparé, avancé, dépassé, noyé, répandu, ressorti, submergé, surchargé, surmené, suroccupé.

DÉBORDEMENT. Cataclysme, crue, débord, déferlement, déluge, dépassement, dérivement, diffusion, écoulement, embarras, excès, expansion, explosion, flot, flux, inondation, ire, irruption, pléonasme, sortie, trop-plein.

DÉBORDER. Crever, déchaîner, déconcerter, déferler, dégorger, dépasser, empiéter, exulter, regorger, saillir.

DÉBOUCHAGE. Débouchement, désoblitération, désobstruction, nettoiement, ouverture, sortie.

DÉBOUCHANT. Aboutissant, accomplissement, achèvement, apothéose, but, circonstance, fruit, issue, ouverture, produit, prospection, sortie, tenant.

DÉBOUCHÉ. Chemin, clientèle, corridor, issue, marché, perspective, possibilité, rue, sortie, suite, voie.

DÉBOUCHEMENT. Débouchage, désoblitération, désobstruction, nettoiement, ouverture, sortie.

DÉBOUCHER. Aboutir, apparaître, canaliser, éclore, émerger, entrouvrir, éventrer, issu, manifester, ouvrir, soutirer.

DÉBOUCHOIR. Ciseau, déchargeoir, dégorgeoir, déversoir, gargouille, siphon, souillard, trop-plein.

DÉBOUCLER. Clastique, débobiner, débosser, déboulonner, déconcerter, déconnecter, défaire, défriser, dégager, dégrafer, démantibuler, démonter, dérouler, désarçonner, désassembler, désosser, dévider, disloquer, embarrasser, monter, séparer, troubler.

DÉBOULER. Débarquer, débusquer, dégringoler, déguerpir, descendre, dévaler, résoudre, retentir, tomber.

DÉBOULONNER. Abattre, chasser, débouliner, démolir, démonter, enfuir, renverser, ruiner, tomber, vider.

DÉBOUQUER. Aboutir, apparaître, bouque, canaliser, déboucher, éclore, émerger, entrouvrir, éventrer, gagner, issu, manifester, ouvrir, sortir, soutirer.

DÉBOURBER. Curer, débarrasser, décanter, désembourber, désenvaser, dévaser, draguer, ôter.

DÉBOURRER. Bourgeonner, dépiler, déplier, ébourrer, nettoyer, ôter, ouvrir, pêter, purifier, vider.

DÉBOURS. Contribution, cotisation, déboursé, déboursement, décaissement, dépense, frais, paiement, sortie.

DÉBOURSÉ. Contribution, cotisation, coût, déboursement, défrayé, dépense, frais, paiement, payé, remboursement.

DÉBOURSEMENT. Appoint, apport, collaboration, contribution, cotisation, dépense, écot, gabelou, imposition, impôt, matrice, obole, part, prestataire, quota, quote-part, rat-de-cave, souscription, taxe, tribut.

DÉBOURSER. Casquer, consommer, cracher, décaisser, dépenser, employer, lâcher, payer, utiliser, verser.

DÉBOUSSOLÉ. Azimuté, confondu, déconcerté, décontenancé, désorienté, ébranlé, embarrassé, interloqué, troublé.

DÉBOUSSOLER. Déconcerter, décontenancer, démonter, désarçonner, désemparer, désorienter, déstabiliser, troubler.

DEBOUT. Allure, aplomb, astasie, carré, contraire, dormir, dressé, droit, en danseuse, en pied, érigé, garde-à-vous, levé, métatarse, orthostatique, redresser, stèle, sur pied, sur des jambes, vertical, verticalement.

DÉBOUTÉ. Contre-rejet, cyclosporine, éjection, enjambement, évacuation, excrétion, gustation, jugement, mal-aimé, négation, paria, plaideur, pousse, recrû, refus, rejet, rejeton, spirée.

DÉBOUTEMENT. Accusation, ban, bannissement, blâme, censure, condamnation, convict, damnation, déportation, exil, expatriation, expulsion, forçat, internement, peine, pénitencier, prison, proscription, renvoi, vergobret.

DÉBOUTONNER. Abandonner, confier, débraguetter, défaire, dégrafer, dévêtir, épancher, ouvrir, payer.

DÉBRAILLÉ. Abandonné, déjeté, délaissé, dépoitraillé, désordonné, manqué, négligé, oublié, relâché.

DÉBRANCHEMENT. Déconnexion, désaccord, désunion, disjonction, interruption, rupture, scission, séparation

DÉBRANCHER. Couper, débrayer, déconnecter, décrocher, désunir, interrompre, rompre, séparer, trier.

DÉBRAYAGE. Affrontement, arrêt, bord, cessation, conflit, côte, désembrayage, embrayage, grève, jeûne, littoral, lock-out, interruption, piquetage, plage, rivage, suspension, tas.

DÉBRAYER. Cesser, désembrayer, dételer, interrompre, manipuler, manœuvrer, piqueter, séparer.

DÉBRIDÉ. Absence, absurde, déchaîné, délirant, démentiel, déraisonnable, dingue, effréné, enthousiaste, excessif, excité, exubérant, extravagant, fou, frénétique, incroyable, insensé, sectionné.

DÉBRIDEMENT. Affolement, agitation, colère, confusion, déchaînement, désarroi, émotion, fièvre, frénésie, libération, mouvement, passion, violence.

DÉBRIDER. Couper, crever, déchaîner, exciser, inciser, manger, ouvrir, percer, sectionner.

DÉBRIS. Avalanche, brandon, brisé, calcin, calein, chute, déblai, déchet, décombres, détritus, éclat, épave, fragment, gaize, gravats, guano, gratture, immondice, miette, moraine, poussière, rebut, reliquat, relief, relique, reste, rognure, ruine, tesson.

DÉBRÔLER. Défaire, déglinguer, démonter, déranger, dérégler, désajuster, détraquer, fucker.

DÉBROUILLAGE. Achèvement, conclusion, démêlement, dénouement, épilogue, fin, solution, terme.

DÉBROUILLARD. Adroit, astucieux, dégourdi, déluré, démerdant, démerdard, éveiller, fortiche, futé, habile, intelligent, malin, roublard.

DÉBROUILLARDISE. Adresse, cautèle, défiance, incrédulité, finesse, méfiance, prudence, rouerie, ruse.

DÉBROUILLER. Assainir, clarifier, décanter, défricher, dégager, démêler, distinguer, éclaircir, élucider, purifier.

DÉBROUSSAILLER. Arracher, couper, défricher, dégager, démêler, éclaircir, élucider, essarter, expliquer, tailler.

DÉBROUSSER. Arracher, cultiver, débroussailler, défricher, dégrossir, démêler, éclaircir, essarter, essoucher, fertiliser, jachère, ratisser, sarcler.

DÉBUSQUER. Attaquer, balayer, bannir, bouter, braconner, déboulonner, débucher, chasser, déloger, dissiper, écarter, éliminer, éloigner, exclure, exiler, exorciser, expulser, oust, ouste, piéger, pousser, rejeter, renvoyer, repousser, sacquer, sortir, trouver, vider, voler.

DÉBUT (n. p.). Our, Ur.

DÉBUT. Abc, âge, allô, alpha, aura, areu, avènement, balbutiement, blettissement, commencement, départ, en-tête, entrée, ère, exorde, fondu, gong, idée, inauguration, initiale, liminaire, matin, nouaison, novice, origine, ouverture, préambule, premier, puberté, ré, seuil, tête, un.

DÉBUTANT. Apprenti, arpète, aspirant, béotien, bleu, déb, écolier, élève, inexercé, inexpérimenté, initié, jeune, junior, marmiton, mitron, neuf, néophyte, nouveau, novice, pilotin, poulain, recrue, stagiaire.

DÉBUTER. Amorcer, attaquer, commencer, déclencher, démarrer, ébaucher, enclencher, engager, engrener, entamer, entonner, entreprendre, esquisser, étrenner, fonder, inaugurer, partir, préluder.

DEC. Attestation, brevet, certificat, deck, diplôme, policier.

DEÇA. Antérieur, après, attendu, au-delà, avant, avec, ça, chez, cis, concernant, contre, dans, de, delà, depuis, derrière, dès, devant, durant, en, entre, envers, ès, excepté, fors, hormis, hors, jusque, malgré, moyennant, négation, outre, par, parmi, passé, pendant, plein, pour, près, proche, sans, sauf, selon, sous, suivant, supposé, sur, touchant, trans, vers, via, vu.

DÉCA. Café, da, décaféiné, deka, dix.

DÉCACHETER. Briser, cacheter, déboucher, déplomber, dépouiller, dépuceler, desceller, ouvrir, rompre.

DÉCADE. Décadi, décennie, duodi, nonidi, octidi, primidi, quartidi, quintidi, septidi, sextidi, tridi.

DÉCADENCE. Abaissement, affaiblissement, affaissement, chute, commencement, crépuscule, crise, déchéance, déclin, décrépitude, dégénérescence, dégradation, dégringolade, déliquescence, dépérissement, descente, destruction, glas, prestige, ruine.

DÉCADENT. Abâtardi, corrompu, crépusculaire, décrépit, dégénéré, déliquescent, dépravé, étiolé, ramolli, sénescent.

DÉCAFÉINÉ. Déca, café, da, deka.

DÉCAISSEMENT. Contribution, cotisation, débours, déboursé, déboursement, dépense, frais, paiement, sortie.

DÉCAISSER. Acheter, acquitter, appointer, casquer, corrompre, cotiser, déballer, débourser, défrayer, dépenser, ouvrir, payer, quote-part, raquer, régler, rembourser, rémunérer, rétribuer, salarier, sortir, soudoyer, sous-payer, stipendier, surpayer.

DÉCALAGE. Aberrance, contournement, contraste, déflexion, déphasage, désaccord, déviation, différence, discordance, disparité, dissemblance, dissonance, distance, écart, gap, hiatus, rupture, variation.

DÉCALÉ. Déphasé, déplacé, détourné, égaré, individualiste, marginal, minoritaire, perdu, retardé.

DÉCALER. Arrêter, canon, déplacer, déranger, différer, éloigner, ralentir, reculer, retarder, retenir, tarder.

DÉCALITRE. Dal.

DÉCALOTTER. Aérer, canaliser, clé, clef, crever, crocheter, débarrer, déboucher, débouchonner, décapsuler, décoiffer, découvrir, démasquer, dépuceler, déverrouiller, écailler, éclore, entrouvrir, épanouir, éventrer, forcer, ouvrir, percer, pratiquer, soutirer.

DÉCALQUE. Calque, copie, double, duplicata, duplication, exemplaire, fac-similé, image, imitation, plagiat, reproduction.

DÉCALQUER. Calquer, contrefaire, copier, dessiner, doubler, emprunter, exprimer, imiter, imprimer, peindre, produire, recopier, refléter, répéter, reporter, reprendre, représenter, reproduire, retranscrire, ronéoter, ronéotyper, singer, tirer, transcrire.

DÉCAMÈTRE. Angström, borne, dam, mètre, micron, millimicron.

DÉCAMPER. Abandonner, déguerpir, défiler, déguerpir, déloger, dénier, détaler, échapper, éclipser, éloigner, enfuir, envoler, esquiver, évader, filer, fuir, large, partir, plier, quitter, récuser, sauver, sortir, trisser.

DÉCANILLESR. Barrer, calter, caner, céder, décamper, décéder, dégonfler, déguerpir, déloger, détaler, disparaître, enfuir, esquiver, expirer, flancher, fuir, mourir, partir, reculer, retirer, sauver, succomber, tirer.

DÉCANTATION. Centrifugation, clarification, éclaircissement, élucidation, lévigation, soutirage, transvasage.

DÉCANTER. Abaisser, débourber, décuver, éclaircir, épurer, filtrer, purifier, soutirer, transvaser, verser.

DÉCAPAGE. Découverture, décapement, dépolissage, dépolissement, grenaillage, nettoyage, ponçage, sablage.

DÉCAPANT. Abrasif, acerbe, acéré, acide, acrimonieux, aigre, blessant, bort, carbonado, carborundum, caustique, cinglant, corindon, corrosif, diamant, diatomite, émeri, grésoir, sablé, stimulant, tordant, vin.

DÉCAPER. Abraser, astiquer, aviver, blanchir, brosser, curer, décrasser, nettoyer, poncer, sabler.

DÉCAPEUR. Chlorhydrique, nettoyeur, ponceur, sableur, scraper.

DÉCAPITATION. Décollation, détroncation, échafaud, exécution, guillotinage, guillotine, hache, suppression.

DÉCAPITÉ (n. p.). Argyl, Barbaroux, Barbe, Barnave, Beauharnais, Biron, Boleyn, Calais, Carmagnola, Chalais, Charles, Coconnas, Coconnat, Couthon, Cromwell, Cyprien, Denis, Desmoulin, Danton, Egmont, Falier, Faliero, Fisher, Gensonné, Guadet, Holopherne, Hoorne, Hornes, Howard, La Barre, La Mole, Luna, Marie-Antoinette, Marillac, Montgomery, Montmorency, Morton, Norfolk, Robespierre, Saint-Denis, Saint-Jean-Baptiste, Saint-Jean-Fisher, Saint-Juste, Strunsee, Thou, Wallace.

DÉCAPITER. Couper, décoller, écimer, étêter, exécuter, guillotiner, raccourcir, supplicier, trancher, tuer.

DÉCAPODE. Bélemnite, calamar, calmar, crabe, crevette, écrevisse, encornet, homard, langouste, langoustine, seiche.

DÉCAPOLE (n. p.). Abila, Alsace, Colmar, Damas, Dion, Gadara, Gérasa, Haguenau, Hippos, Kanatha, Kaysersberg, Landau, Mulhouse, Munster, Obernai, Pella, Rosheim, Scythopolis, Sélestat, Turckheim, Wissebourg.

DÉCAPOTABLE. Cabriolet, découvrable, hippomobile, phaéton, roadster, toit ouvrant, torpédo, voiture.

DÉCAPOTER. Abaisser, blottir, border, courber, découvrir, friser, froncer, gercer, ourler, ouvrir, plier, plisser, ployer, rabattre, raisonner, relever, replier, reployer, retrousser, rider, trousser.

DÉCAPSULER. Aérer, canaliser, clé, clef, crever, crocheter, débarrer, déboucher, débouchonner, décalotter, démasquer, dépuceler, déverrouiller, écailler, éclore, entrouvrir, épanouir, éventrer, forcer, ouvrir, percer, pratiquer, soutirer.

DÉCAPSULEUR. Outil, ouvre-boîte, ouvre-bouteille, tire-bouchon.

DÉCARCASSER. Agiter, débattre, décarcasser, démancher, démener, dépenser, échiner, évertuer, remuer.

DÉCATIR. Défraîchir, déglacer, délustrer, faner, flétrir, perdre, usé, vaporiser, vieillir, vieux.

DÉCAUSER. Attaquer, calomnier, critiquer, décrier, dénigrer, déprécier, diffamer, gloser, médire, noircir.

DÉCAVAILLONNAGE. Aération, ameublissement, bêchage, billonnage, billonnement, binage, charruage, culture, déchaussage, déchaussement, culture, écroûtage, émottage, hersage, labour, labourage, tassage.

DÉCÉDÉ. Cadavre, coma, décès, défunt, dépouille, dernier, dormition, deuil, disparu, éteint, étranglé, euthanasie, fatigué, feu, fin, glas, héritage, jeu, létal, macchabée, mat, morgue, mort, nécrose, noyade, noyer, obit, obituaire, occis, perte, posthume, rage, restes, testament, tombe, tombeau, trépas, trépassé, trucidé, victime.

DÉCÉDER. Abolir, aplanir, couler, décéder, dérober, disparaître, dissiper, effacer, éliminer, enfuir, éradiquer, estomper, éteindre, évanouir, évaporer, expirer, fuir, mort, mourir, ôter, partir, passer, perdre, périr, plonger, résorber, soustraire, trépasser, tuer, voiler, volatiliser.

DÉCELABLE. Apercevable, apparent, clair, détectable, discernable, distinct, localisable, net, ostensible, perceptible, possible, précis, repérable, vice, visible, voyant.

DÉCÈLEMENT. Découverte, dénichement, dépistage, détection, détermination, diagnostic, identification, localisation, positivité, pronostic, récognition, reconnaissance, repérage, révélation, spatialisation.

DÉCELER. Apercevoir, comprendre, constater, découvrir, dégoter, dénicher, dépister, détecter, déterminer, diagnostiquer, discerner, galvanomètre, montrer, pénétrer, remarquer, saisir, trouver, voir.

DÉCÉLÉRATION. Accélération, diminution, freinage, ralentissement, retardation, rétrogradation.

DÉCÉLÉRER. Ancrer, arrêter, borner, buter, caler, camper, cesser, clore, couper, épingler, fixer, freiner, interrompre, juguler, limiter, maintenir, pincer, ralentir, rayer, réfréner, régler, reposer, retenir, stagner, stopper, suspendre, tarir, tenir.

DÉCEMMENT. Angéliquement, chastement, convenablement, correctement, discrètement, exclusivement, honnêtement, intégralement, moralement, pudiquement, purement, raisonnablement, saintement, totalement, uniquement, vertueusement, virginalement.

DÉCENCE. Bienséance, chasteté, congruité, convenance, dignité, discrétion, pudeur, réservé, retenue, vertu.

DÉCENNIE. Décade, décadi, duodi, nonidi, octidi, primidi, quartidi, quintidi, septidi, sextidi, tridi.

DÉCENT. Approprié, bien, bienséant, bon, chaste, convenable, correct, correction, couvert, digne, fréquentable, honnête, honorable, immaculé, leste, moral, présentable, séant, sentiment, suffisant, tenue.

DÉCENTRAGE. Décentration, décentrement, défaut, excentration.

DÉCENTRALISATION. Affranchissement, autonomie, autonomisme, décolonisation, déconcentration, délocalisation, désannexion, indépendantisme, nationalisme, partitionnisme, régionalisation, séparatisme.

DÉCENTRALISER. Affranchir, délocaliser, décoloniser, désannexer, disséminer, émanciper, libérer, régionaliser.

DÉCENTREMENT. Décentrage, excentration.

DÉCENTRER. Déplacer, désaxer, déséquilibrer, excentrer.

DÉCEPTION. Amertume, contrariété, déboire, décevoir, déchanter, déconvenue, désagrément, désappointement, désenchantement, désillusion, dessillé, douche, mécompte, mésaventure, rancœur, regret, tristesse.

DÉCÉRÉBRATION. Abrutissement, hébétement, interruption, lobotomie, opération, neurologie.

DÉCÉRÉBRER. Abêtir, abrutir, bêtifier, crétiniser, décerveler, décortiquer, hébéter, idiotiser, rabêtir.

DÉCERNER. Accorder, adjuger, affecter, allotir, allouer, annexer, appliquer, assigner, attacher, attribuer, conférer, couronner, délivrer, diplômer, donner, impartir, louanger, louer, octroyer, ordonner, remettre.

DÉCERVELER. Abêtir, abrutir, bêtifier, crétiniser, décérébrer, décortiquer, hébéter, idiotiser, rabêtir.

DÉCÈS. Deuil, disparu, faire-part, feu, fin, mort, mortalité, nécrologie, perte, posthume, restes, trépas.

DÉCEVANT. Contrariant, désappointant, ennuyeux, frustrant, insatisfaisant, mensonger, rôlant, trompeur.

DÉCEVOIR. Abuser, amuser, attraper, attrister, berner, chagriner, circonvenir, contrarier, défriser, dégoûter, dépiter, désappointer, désenchanter, désespérer, duper, frustrer, illusionner, leurrer, manquer, peiner, trahir, tromper.

DÉCHAÎNÉ. Démonté, effréné, enragé, exalté, excité, frénétique, furieux, impétueux, outré, surchauffé, surexcité, violent.

DÉCHAÎNEMENT. Catastrophe, colère, débridement, emportement, excitation, explosion, exubération, frénésie, fureur, furie, ire, ouragan, provocation, rage, soulèvement, tourmente, transport, violence.

DÉCHAÎNER. Colère, déclencher, démuseler, emporter, exciter, fureur, furie, ire, libérer, provoquer, soulever, violence.

DÉCHANT. Chant, contraire, contrepoint, mélodie, note.

DÉCHANTER. Attrister, chagriner, décevoir, déçu, désappointer, désenchanter, désillusionner, doucher, modérer, navrer, peiner, perdre, rabattre, tomber.

DÉCHARGE. Arc, balle, bordée, boulet, cartouche, catharsis, chevrotine, coup, éclair, feu, flamme, foudre, reçu, salve, tir, volée.

DÉCHARGEMENT. Aconage, débardage, débarquement, désamorçage, délestage, lestage, livraison.

DÉCHARGEOIR. Ciseau, débouchoir, dégorgeoir, déversoir, gargouille, siphon, souillard, trop-plein.

DÉCHARGER. Alléger, avouer, débarder, déblayer, dégager, dégrever, éjaculer, exonérer, libérer, licencier, renvoyer.

DÉCHARNÉ. Amaigri, efflanqué, émacié, étique, gras, gros, hâve, maigre, nu, osseux, pauvre, sec, squelettique.

DÉCHARNER. Amaigrir, creuser, dépouiller, dessécher, efflanquer, émacier, exténuer.

DÉCHAUMAGE. Abonnissement, amélioration, amendement, assolement, bonification, chaulage, compostage, écobuage, engraissage, engraissement, enrichissement, ensemencement, épandage, fertilisation, fumage, fumaison, fumigation, fumure, irrigation, jachère, limonage, marnage, phosphatage, plâtrage, soufrage, sulfatage, terreautage.

DÉCHAUSSEMENT. Aération, ameublissement, bêchage, billonnage, binage, charruage, débuttage, décavaillonnage, déchaussage, dénudation, culture, écroûtage, émottage, hersage, labour, labourage, tassage.

DÉCHAUSSOIR. Arrache-racine, arrachoir, binette, bineuse, daba, fossoir, gratte, houe, hoyau, pioche, ratissoire, sape, sarclette, sarcloir, serfouette.

DÈCHE. Besoin, débine, déchéance, dénuement, gêne, indigence, médiocrité, misère, nécessité, pauvreté, pénurie.

DÉCHÉANCE. Abaissement, atimie, avilissement, bannissement, cassation, chute, décadence, dèche, déclassement, décrépitude, dégradation, déposition, destitution, disgrâce, enfer, forclusion, honte, prescription, ruine.

DÉCHET. Blousse, bourrette, bran, bride, cendre, chute, copeau, débris, déperdition, détritus, épluchure, étron, freinte, immondice, limaille, ordure, pelure, perte, raclure, rebut, reliquat, résidu, riblon, rognure, sciure, scorie, urée.

DÉCHIFFONNER. Calandrer, défriper, défroisser, déplisser, lisser, repasser.

DÉCHIFFRABLE. Clair, compréhensible, décodage, décryptage, lecture, lisible, traduisable, traduisible.

DÉCHIFFRAGE. Analyse, décodage, déchiffrement, décryptage, décryptement, épellation, lecture, traduction.

DÉCHIFFREMENT. Adaptation, analyse, déchiffrage, décodage, décryptage, décryptement, explication, interprétation, lecture, paraphrase, sous-titre, thème, traduction, translation, transposition, version.

DÉCHIFFRER. Analyser, apprendre, comprendre, décoder, décrypter, lecture, lire, lisible, lu, relire, traduire.

DÉCHIQUETAGE. Bandage, bouillie, capilotage, charcutage, charpie, compote, déchirement, défilage, destruction, dilacération, hachage, hachement, lacération, marmelade, miettes, morceaux, poussière, purée.

DÉCHIQUETÉ. Arraché, broyé, coupé, déchiré, découpé, dentelé, dépecé, digité, divisé, échancré, éclaté, effiloché, feuille, haché, lacéré, saucisson, scindé, section, segment, silhouette, taillé.

DÉCHIQUETER. Arracher, broyer, chocoter, couper, déchirer, découper, dépecer, effilocher, hacher, lacérer.

DÉCHIQUETEUR. Bocard, brisoir, broyeur, concasseur, ébogueuse, égrugeoir, macquoir, moulin, moulinette, triturateur.

DÉCHIQUETURE. Accroc, déchirure, écorchure, égratignure, éraflement, éraflure, éraillure, érosion, excoriation, griffure.

DÉCHIRANT. Adieu, aigu, bouleversant, douloureux, dramatique, navrant, pathétique, perçant, poignant, tragique.

DÉCHIREMENT. Arrachement, blessure, charcutage, claquage, conflit, déchiquetage, déchirure, destruction, désunion, dilacération, discorde, dissension, division, hachage, hachement, lacération, tiraillement, tourment.

DÉCHIRER. Balafrer, casser, chagrin, chagriner, charpie, couper, crever, dilacérer, diviser, écarteler, écharper, écorcher, égratigner, entailler, entamer, érafler, érailler, lacérer, mâchurer, percer, souffrir, trouer.

DÉCHIRURE. Accroc, crevasse, division, éraflure, éraillure, fente, fragment, morsure, plaie, rupture, scission, trouée.

DÉCHOIR. Abaisser, affaiblir, amoindrir, avilir, baisser, crapuler, déclasser, décliner, décroître, dégrader, déposséder, dégringoler, démériter, déroger, descendre, dévier, diminuer, rétrograder, rouler, tomber, vieillir.

DÉCHRONOLOGIE. Contrechoc, convalescence, écho, flash-back, palingénésie, parousie, rebuse, recrudescence, regain, renaissance, renouveau, renouvellement, rentrée, renvoi, ressac, résurrection, retour, réveil, rime.

DÉCHU. Déclassé, dégradé, démon, déposé, destitué, exclus, forclos, misérable, prescrit, radié, révoqué, réprouvé.

DÉCIBEL. Bruit, db, son.

DÉCIDABLE. Complétude, démontrable, déterminable, possible, résoluble, soluble, théorie.

DÉCIDÉ. Assuré, audacieux, brave, carré, convaincu, courageux, crâne, déterminé, fixé, indécis, prêt, résolu, téméraire.

DÉCIDÉMENT. Activement, assurément, certainement, en définitive, franchement, manifestement, résolument, vraiment.

DÉCIDER. Arbitrer, arrêter, assumer, choisir, conclure, convaincre, convenir, décréter, définir, délibérer, déterminer, dirimer, disposer, édicter, fixer, juger, opter, régler, résoudre, statuer, trancher, vider, voter.

DÉCIDEUR. Administrateur, cadre, chef, commandant, décisionnaire, directeur, dirigeant, employeur, gestionnaire, gouvernant, leader, maître, meneur, ordonnateur, patron, propriétaire, responsable, supérieur.

DÉCIGRADE. Dgr.

DÉCILITRE. Dl.

DÉCIMAL. Déca, décade, décadi, décaèdre, décagone, décalitre, décalobe, décalogue, décamètre, décan, décapode, décapole, décathlon, décennal, décennie, déci, décigrade, décilitre, décimal, décimètre, décimo, décupler, dénaire, dîme, dix, dixième, mantisse, messidor, reste, surplus.

DÉCIMALISER. Apprécier, arrêter, calculer, codifier, décider, délimiter, détailler, déterminer, estimer, évaluer, expliciter, fixer, identifier, localiser, mesurer, normaliser, organiser, quantifier, présenter, préciser, rationnaliser, régir, réglementer, situer, spécifier, stipuler, systématiser.

DÉCIMATION. Amer, atrocité, barbarie, bestialité, brutalité, carnage, châtiment, cruauté, douleur, dureté, excès, férocité, furie, hostilité, humanité, mansuétude, masochisme, méchanceté, ravage, rudesse, sadisme, sauvagerie, sadomasochisme, tyran, tyrannie.

DÉCIMER. Anéantir, battre, détruire, exterminer, faucher, immoler, massacrer, moissonner, ravager.

DÉCIMÈTRE. Dm.

DÉCISIF. Basal, basique, capital, central, concis, concluant, convainquant, critique, crucial, décisoire, définitif, déterminant, dominant, éloquent, essentiel, fondamental, important, péremptoire, probant, tranchant.

DÉCISION. Acte, arrêt, arrêté, bien-jugé, caprice, casser, choix, délibération, fait, irrévocable, jugement, mesurette, non-lieu, oracle, oukase, psychologie, relate, relaxe, résolution, sentence, sort, sursis, oukase, ukase, ultimatum, verdict, vote.

DÉCISIONNAIRE. Administrateur, cadre, décideur, directeur, dirigeant, gestionnaire, patron, prescripteur, responsable.

DÉCLAMATEUR. Diseur, emphatique, gonflé, grandiloquent, orateur, phraseur, réciteur, rhéteur, théâtral.

DÉCLAMATION. Ardeur, art, articulation, bagout, brillant, brio, chaleur, charme, conviction, débit, diction, dire, écrire, élocution, éloquence, énonciation, faconde, muse, orateur, oratoire, rhétorique, verve.

DÉCLAMATOIRE. Académique, affecté, bouffi, emphatique, grandiloquent, hyperbolique, prétentieux, ronflant.

DÉCLAMER. Affirmer, annoncer, ânonner, chanter, débiter, déclarer, dire, énoncer, invectiver, prononcer, réciter.

DÉCLARATION. Acte, affidavit, affirmation, allégation, annonce, argument, argumentation, attestation, aveu, ban, confession, déballage, démenti, déposition, dire, discours, énonciation, législation, message, révélation, verdict.

DÉCLARER. Acquitter, affirmer, annoncer, annuler, apprendre, assurer, attester, avouer, celé, communiquer, confesser, dire, divulguer, jurer, inavouer, insu, intimer, invalider, né, proclamer, professer, protester, reconnaître, renier, révoquer, tu, vilipender.

DÉCLASSÉ. Catalogué, classé, classifié, déchu, décri, dégradé, déplacé, démon, déposé, dérangé, destitué, disposé, exclus, forclos, misérable, obsolescent, prescrit, radié, rangé, rétrogradé, révoqué, réprouvé.

DÉCLASSEMENT. Abaissement, atimie, avilissement, bannissement, cassation, chute, décadence, dèche, déchéance, décrépitude, dégradation, déposition, destitution, disgrâce, enfer, forclusion, honte, prescription, ruine.

DÉCLASSER. Abaisser, brouiller, déchoir, déplacer, déprécier, déranger, déroger, discréditer, mêler, rétrograder.

DÉCLENCHEMENT. Alpha, amorce, arrivée, aube, aurore, avènement, blet, bout, commencement, de, début, départ, embryon, entrée, germe, initial, lever, matin, naissance, natif, novice, orée, origine, ouverture, prémices, principe, seuil, source, tête.

DÉCLENCHER. Amorcer, déchaîner, décliquer, déterminer, engager, entraîner, exécuter, initier, lancer, provoquer, soulever, tilter.

DÉCLENCHEUR. Antivol, catalyseur, déclic, détonateur, incidentiel, initiateur, inspirateur, tilt.

DÉCLIC. Agitateur, alarme, antivol, appui(e)-tête, articulation, attelage, balise, bande, bruit, caméra, capteur, clabot, compréhension, dispositif, frein, instinct, lecteur, machine, mécanisme, nicol, procédé, radar, séparation, stabilisateur, tilt, vernier, viseur.

DÉCLIN. Âge, agonie, automne, baisse, brunante, chute, crépuscule, décadence, déchéance, déclinant, décours, décrépitude, dégénérescence, dégradation, détérioration, diminution, disparition, ruine, soir.

DÉCLINAISON. Angle, boussole, déclivité, dégénérescence, grammaire, paradigme, pente, solstice.

DÉCLINANT. Baisse, déclin, décours, décroissement, décroît, décrue, descendant, diminuant, faiblissant.

DÉCLINER. Abaisser, abréger, agoniser, aléser, alléger, altérer, amaigrir, amoindrir, amputer, ariser, atrophier, atténuer, attiédir, baisser, céder, écourter, décarburer, déchoir, décroître, détendre, diluer, élégir, faiblir, péricliter, rapetisser, réduire, restreindre, rétrécir, rogner, ronger, user.

DÉCLIVE. Incliné, oblique, penchant, pente, pentu, plan, revers, talus, toit.

DÉCLIVITÉ. Angle, déclinaison, dénivelé, dénivellation, descente, dévers, inclinaison, oblique, penchant, pente.

DÉCLOISONNER. Amalgamer, assaillir, attaquer, célérité, chauffer, dégeler, dégivrer, déglacer, délayer, désagréger, dissoudre, fondre, fusible, infuser, infusible, liquéfier, maigrir, précipitation, unifier, unir, vitrifier.

DÉCOCHER. Adresser, balancer, darder, démouler, encocher, envoyer, jeter, lancer, ruer, tirer.

DÉCOCTION. Apozème, boisson, bouillon, colature, émultion, hydrolé, infusion, racinage, remède, tisane.

DÉCODAGE. Déchiffrage, déchiffrement, décryptage, décryptement, lecture, paléographie, traduction, transcription.

DÉCODER. Arranger, colmater, comprendre, déchiffrer, décrypter, guérir, interpréter, lire, pacifier, raffermir, ramener, ranimer, rebondir, reconstituer, refaire, régénérer, réinstaller, réintégrer, relever, renouveler, réparer, replacer, restaurer, restituer, rétablir, retaper, sauver, traduire.

DÉCODEUR. Analyste, déchiffreur, décrypteur, encodeur, lecteur, récepteur, traducteur, transcripteur.

DÉCOIFFER. Décalotter, décapeler, découronner, découvrir, dépeigner, ébouriffer, écheveler, hérisser, touiller.

DÉCOINCER. Débarrer, débloquer, décomplexer, décongestionner, décrisper, défendre, dégager, dégeler, dégêner, dégripper, délivrer, déprendre, dérider, désinhiber, desserrer, extraire, libérer, retirer, rouvrir.

DÉCOLLAGE. Appareillage, commencement, commencer, choisir, choix, début, démarrage, départ, do, envol, envolée, essor, exil, exode, fuite, go, jato, la, méhul, origine, partance, partir, premier, ré, ur.

DÉCOLLEMENT. Désagrégation, disjonction, dislocation, dispersion, division, répartition, scission, séparation.

DÉCOLLER. Décapiter, délier, démarrer, détacher, envoler, partir, pemphigus, phlyctène, séparer, tuer.

DÉCOLLETÉ. Brûlé, connu, dégagé, dette, échancré, échancrure, éventé, gorge, nu, repère, révélé.

DÉCOLONISATION. Acquittement, affranchissement, délivrance, désaliénation, élargissement, émancipation, évacuation, indépendance, libération, manumission, merci, rachat, racheter, ramener, rédemption, salut.

DÉCOLORANT. Blanchissant, délavé, embu, émoi, enfumé, éteint, fade, flétri, javellisant, terne.

DÉCOLORATION. Altération, blancheur, déteinte, étiolement, matité, noircissement, oxygénation, tache, ternissement.

DÉCOLORER. Affadir, altérer, défraîchir, délaver, déteindre, éclaircir, effacer, éteindre, étioler, faner, flétrir, oxygéner, pâlir, passer, ternir.

DÉCOMBRES. Ciguë, déblais, débris, décharge, éboulis, épave, gravats, gravois, restes, rudéral, ruines, vestiges.

DÉCOMMANDER. Annuler, canceller, contremander, déprier, déprogrammer, désinviter, rapporter, refuser, résilier.

DÉCOMPENSER. Altérer, décompresser, décomprimer, décontracter, défaire, défouler, délacer, délasser, desserrer, détendre, élargir, lâcher, laisser, libérer, pourrir, réduire, relâcher, relaxer, reposer, respirer.

DÉCOMPLEXER. Débloquer, décoincer, décontracter, défouler, dégeler, dégêner, désinhiber, libérer.

DÉCOMPOSABLE. Altérable, biodégradable, caduc, corruptible, court, décolorer, délébile, destructible, effaçable, effacer, éphémère, falot, fongible, fragile, fugace,

incertain, instable, mortel, passager, périssable, précaire, putréfiable, putrescible, vénal.

DÉCOMPOSER. Altérer, analyser, anatomiser, blettir, cliver, corrompre, débloquer, déflagrer, déliter, désagréger, désintégrer, dissocier, dissoudre, diviser, électrolyser, épeler, fuser, ion, iriser, pourrir, putrifier, réduire, résoudre, saponifier, spectre.

DÉCOMPOSITION. Ablation, altération, analyse, blet, blette, blettissement, blettissure, biodégradation, corruption, cracking, dégradation, dénitrification, désagrégation, désintégration, division, fermatation, humus, photolyse, pourriture, ptomaïne, putréfaction, pyrolyse, séparation, tmèse.

DÉCOMPRESSER. Décomprimer, détendre, diminuer, lâcher, récupérer, réduire, relâcher, relaxer, souffler.

DÉCOMPRESSEUR. Air, appareil, caloporteur, clair, coulant, courant, débimètre, détendeur, diffusion, eau, effluent, émersion, éther, fluide, flux, fréon, gaz, humeur, liquide, manodétenteur, manomètre, phlogistique, plasma, rhéomètre, soupape, viscosimètre.

DÉCOMPRESSION. Dépressuration, détente, dilatation, diminution, expansion, réduction, suppression.

DÉCOMPRIMER. Décompresser, décontracter, défaire, délacer, délasser, desserrer, détendre, élargir, lâcher, laisser, libérer, réduire, relâcher, relaxer, reposer, respirer.

DÉCOMPTE. Catalogue, chiffrage, comptage, déduction, dénombrement, défalcation, relevé, retranchement, soustraction.

DÉCOMPTER. Compter, déduire, défalquer, dénombrer, enlever, énumérer, ôter, rabattre, retenir, retrancher, soustraire.

DÉCONCENTRATION. Affranchissement, autonomie, autonomisme, décentralisation, décolonisation, délocalisation, désannexion, indépendantisme, nationalisme, partitionnisme, régionalisation, séparatisme.

DÉCONCENTRER. Décourager, démobiliser, démoraliser, démotiver, disperser, disséminer, distraire, éparpiller.

DÉCONCERTANT. Bizarre, confondant, curieux, démontant, dépassant, dépaysant, dérangeant, déroutant, étonnant, étrange, imprévu, inattendu, incompréhensible, sidérant, surprenant, troublant.

DÉCONCERTÉ. Confondu, confus, consterné, déconfit, décontenancé, défait, déferré, démonté, dépaysé, dérouté, désarçonné, désemparé, désorienté, ébahi, embarrassé, étourdi, imprévu, inquiet, interdit, pantois, penaud, surpris.

DÉCONCERTER. Abasourdir, abattement, confondre, décontenancer, démonter, dérouter, désarçonner, désorienter, déstabiliser, ébranler, embarrasser, étonnement, interloquer, renverser, sidérer, surprendre, troubler.

DÉCONDITIONNER. Déprogrammer, dérouter, désaccoutumer, désadapter, désintoxiquer, libérer, sevrer.

DÉCONFIT. Confondu, confus, contrarié, contrit, déconcerté, décontenancé, défait, déferré, démonté, dépaysé, dépité, dérouté, désarçonné, désemparé, embarrassé, gêné, honteux, interloqué, penaud, perturbé.

DÉCONFITURE. Banqueroute, chute, confusion, contrition, crasch, croulement, débâcle, débandade, découragement, défaite, dégelée, déroute, désespoir, effondrement, embarras, faillite, fiasco, krach, naufrage, ruine, victoire.

DÉCONGESTIONNER. Débloquer, déboucher, dégager, dégorger, désencombrer, désengorger, désobstruer.

DÉCONNAGE. Ânerie, bavure, bêtise, bévue, blague, boulette, bourde, brioche, clerc, connerie, couac, erreur, étourderie, faute, gaffe, gourance, impair, imprudence, maladresse, maldonne, manœuvre, méprise, quiproquo, radotage, sottise.

DÉCONNECTER. Couper, débrancher, dégrouper, désunir, détacher, disjoindre, dissocier, écarter, éloigner, isoler, séparer.

DÉCONNER. Blaguer, débloquer, déjanter, délirer, dérailler, déraisonner, divaguer, extravaguer, radoter, rigoler.

DÉCONNEXION. Débranchement, désaccord, désunion, disjonction, interruption, rupture, scission, séparation

DÉCONSEILLER. Admonester, contre-indiquer, décourager, dégoûter, détourner, dissuader, renoncer.

DÉCONSIDÉRATION. Arrogance, condescendance, crânerie, cynisme, dédain, défaveur, dégoût, dérision, discrédit, disgrâce, fi, heu, impopularité, injure, litière, mépris, misérable, moue, vilipender.

DÉCONSIDÉRER. Décrier, dénigrer, déprécier, déshonorer, diffamer, discréditer, flétrir, perdre, rabaisser, ravaler.

DÉCONSIGNER. Affranchir, blanchir, dédouaner, disculper, innocenter, justifier, libérer, racheter, récupérer, réhabiliter, rembourser, retirer.

DÉCONTAMINATION. Antisepsie, asepsie, aseptisation, assainissement, désinfection, étuvage, formolage, prophylaxie, stérilisation.

DÉCONTAMINER. Aseptiser, assainir, assécher, dépolluer, désactiver, désinfecter, drainer, éliminer, épurer, équilibrer, nettoyer, purifier, réduire, rétablir, stabiliser, stériliser.

DÉCONTENANCÉ. Accablé, bizarre, confondu, déconcerté, déconfit, déçu, défait, démonté, dérouté, désappointé, désarçonné, désemparé, désorienté, éconduit, embarrassé, étonné, gêné, importuné, incompris, interdit, interloqué, malpris, pantois, penaud, surpris, troublé.

DÉCONTENANCER. Confondre, décevoir, déconcerter, démonter, dépiter, dérouter, désarçonner, désemparer, désorienter, déstabiliser, embarrasser, interdire, interloquer, renverser, surprendre, troubler.

DÉCONTRACTÉ. Cool, désinvolte, détendu, impassible, paisible, placide, pondéré, posé, relax, tendu, zen.

DÉCONTRACTER. Calmer, cool, désinvolture, détendre, relâcher, relaxer, reposer, serein, tranquille.

DÉCONTRACTION. Aisance, dégagement, désinvolture, détente, diastole, ébats, relaxation, souple.

DÉCONVENIR. Chagriner, consterner, décevoir, déchanter, décourager, dégoûter, démoraliser, désappointer, désillusionner.

DÉCONVENUE. Abattement, accablement, affliction, allongé, amertume, anéantissement, chagrin, déboire, déception, dépit, désappointement, désenchantement, désillusion, échec, mécompte, mésaventure.

DÉCOR. Accessoire, agrément, arrière-plan, atmosphère, cadre, ciselure, décoration, détail, embossé, en bosse, enjolivement, figure, filigrane, fioriture, fond, frise, gypserie, kitch, milieu, ornement, pantalon, parure, paysage, praticable, zellige.

DÉCORATEUR (n. p.). Adam, Aleijadinho, Bakst, Boffrand, Boucher, Braquemond, Caron, Cassandre, Chagall, Chareau, Churriguera, Coecke, Colin, De Tirtoff, Domergue, Dufy, Erté, Fini, Gibbons, Guimard, Jourdain, Juvara, Kantor, Ken, Koetsu, Labisse, Lebrun, Leni, Mackintosh, Majorelle, Meissonnier, Menzies, Morris, Nancy, Natoire, Oppenordt, Oudry, Pellan, Percier, Perréal, Peruzzi, Poiret, Prouvé, Rosso, Ruhlmann, Sambin, Servandoni, Tiepolo, Trauner, Van deVelde, Van Orley.

DÉCORATEUR. Antiquaire, architecte, carpettier, designer, dessinateur, ensemblier, esthéticien, garnisseur, haute-lissier, licier, modéliste, peintre, scénographe, tapissier, technicien, tisserand.

DÉCORATIF. Accessoire, anecdotique, annexe, beau, design, esthétique, incident, ornemental, utilitaire.

DÉCORATION. Croix, écusson, enluminure, guirlande, insigne, ornement, ove, palme, pyrogravure, rosette, ruban, sautoir, sgraffite.

DÉCORDER. Briser, déballer, débarrasser, débâtir, déboucler, déclouer, décommettre, découdre, dédoubler, défaire, défalquer, déficeler, délacer, délier, démêler, dériver, détacher, détruire, dévisser, effiler, égrainer, émailler, ôter.

DÉCORÉ. Brodé, étoilé, fleuri, gemmé, historié, illustré, image, lauré, médaillé, orné, ouvragé, ouvré, paré, tarabiscoté.

DÉCORER. Agrémenter, aster, embellir, enjoliver, enrubanner, flatter, garnir, honorer, médailler, orner, ouvrer, parer, rebroder, récompenser, revêtir, styliser.

DÉCORTIQUER. Analyser, ausculter, critiquer, décérébrer, décomposer, démonter, désosser, écaler, écorcer, écorcher, écosser, éplucher, éreinter, étudier, examiner, gratter, historier, lessiver, lire, nettoyer, peler.

DÉCORUM. Apparat, bienséance, cérémonial, cérémonie, convenance, étiquette, protocole, rite, usage.

DÉCOTE. Abattement, accablement, affaiblissement, affliction, anéantissement, chagrin, coma, consternation, découragement, déduction, dégoût, dégrèvement, dépression, déprime, désespoir, écœurement, effondrement, énervation, ennui, épuisement, faiblesse, fatigue, inertie, lâcheté, lassitude, mélancolie, neurasthénie, prostration, torpeur.

DÉCOUCHER. Accoupler, affaler, aliter, allonger, blottir, consigner, coucher, courber, couver, déloger, dormir, étaler, étendre, gésir, gîter, glisser, incliner, inscrire, noter, pencher, prosterner, tapir, vautrer, verser.

DÉCOUDRE. Battre, débâtir, dépiquer, dessiller, épée, étriper, gagner, obtenir, remporter, vaincre.

DÉCOULER. Argument, couler, dépendre, dériver, effet, émaner, ensuivre, procéder, résulter, tenir, venir.

DÉCOUPAGE. Carottage, ciselage, clivage, débitage, découpure, dépeçage, équarrissage, sciage, tronçonnage.

DÉCOUPÉ. Déchiqueté, dentelé, digité, divisé, échancré, éclaté, feuille, saucisson, scindé, section, segment, silhouette.

DÉCOUPE. Coupe, empiècement, flipot, hachure, happement, parement, part, patte, redenté, segment.

DÉCOUPER. Chantourner, charcuter, ciseler, couper, débiter, délisser, denteler, dépecer, dessiner, détacher, détailler, échancrer, équarrir, festonner, hacher, lacérer, profiler, rogner, taillader, tailler, trancher.

DÉCOUPEUR. Coupant, découpoir, dépeceur, emporte-pièce, feuilletis, fil, pastilleur, taille, tranchant.

DÉCOUPLER. Affecter, arracher, cueillir, déconnecter, découper, défaire, dégrafer, dégraisser, délacer, déléguer, délier, dénouer, déprendre, desceller, désintéresser, désinvolte, désunir, détacher, dételer, dévisser, égrainer, égrapper, égrener, éloigner, enlever, isoler, libérer, nettoyer, ressortir, scalper, séparer, supprimer, unir.

DÉCOUPURE. Barbille, dent, dentelure, échancrure, entaille, hachure, incisure, lobe, mouchette, redan, redent.

DÉCOURAGÉ. Abattu, affaibli, cafardeux, débiné, déforcé, démoralisé, déprimé, désarmant, écœuré, effondré, triste.

DÉCOURAGEANT. Accablant, affligeant, démoralisant, désespérant, écœurant, épuisant, glaçant, marasme, navrant, rebutant.

DÉCOURAGEMENT. Abattement, affaiblissement, cafard, déception, dissuasion, lassitude, marasme.

DÉCOURAGER. Abattre, accabler, affaiblir, arrêter, briser, céder, débiliter, dégoûter, démobiliser, démoraliser, déprimer, désespérer, dissuader, écœurer, effrayer, entraver, lasser, perdre, rebuter, révolter.

DÉCOURONNER. Décapiter, découronnement, destituer, écimer, élaguer, étêter, guillotiner.

DÉCOURS. Abaissement, agranulocytose, amenuisement, amnésie, amortissement, anémie, anhépatie, anosmie, collapsus, décroissance, détente, détumescence, encroûtement, frai, hypochlorhydrie, hypoglycémie, hypotonie, leucopénie, oligurie, paralysie, presbytie, réduction, retrait, soulagement, surdité, xérophtalmie.

DÉCOUSU. Chaotique, confus, débâti, désordonné, disloqué, incohérent, incompréhensible, inconséquent.

DÉCOUSURE. Accroc, blessure, crevasse, déchirure, éraflure, éraillure, fente, morsure, plaie, rupture, scission, trouée.

DÉCOUVERT. Avance, bourse, brûlé, connu, crédit, décolleté, dégagé, dette, éventé, nu, repère, révélé.

DÉCOUVERTE. Astuce, exploration, eurêka, fouille, furetage, invention, nue, prospection, science, trouvaille.

DÉCOUVREUR. Aventurier, chercheur, dénicheur, dépisteur, explorateur, inventeur, trouveur, savant.

DÉCOUVREUR ANGLAIS (n. p.). Baffin, Cook, Frobisher, Hudson, Nicholson, Vancouver.

DÉCOUVREUR BRITANNIQUE (n. p.). Cook, Crick, Ross.

DÉCOUVREUR ESPAGNOL (n. p.). Colomb, Ojeta, Nunez, Torres.

DÉCOUVREUR FLORENTIN (n. p.). Vespucci.

DÉCOUVREUR FRANÇAIS (n. p.). Cartier, Champlain, Jolliet, Lamy, La Salle, La Vérendrye, Maisonneuve, Marquette.

DÉCOUVREUR GÉNOIS (n. p.). Colomb.

DÉCOUVREUR ITALIEN (n. p.). Cabot.

DÉCOUVREUR NÉERLANDAIS (n. p.). Barentz.

DÉCOUVREUR NORVÉGIEN (n. p.). Amundsen, Érik Le Rouge.

DÉCOUVREUR PORTUGAIS (n. p.). Cam, Cao, Dias, Gama, Magellan.

DÉCOUVRIR. Apercevoir, chercher, comprendre, déceler, décoiffer, dégager, dégoter, dégotter, démasquer, dénicher, dénuder, dépister, deviner, dévoiler, enlever, épier, éventer, exonder, inventer, laisser, mettre à nu, ôter, pénétrer, percer, rechercher, repérer, révéler, saisir, trouver, voir.

DÉCRASSER. Curer, dégrossir, dérocher, désencrasser, écurer, frotter, gratter, laver, nettoyer, récurer.

DÉCRÉDIBILISER. Abaisser, accuser, attaquer, baver, blâmer, critiquer, dauber, débiner, déblatérer, décrier, dénigrer, déprécier, détracter, diminuer, discréditer, médire, mépriser, noircir, rabaisser, vilipender, vitupérer.

DÉCRÉPIT. Abîmé, affaibli, âgé, amoché, ancien, antique, archaïque, caduc, dégradé, usé, vétuste, vicié, vieux.

DÉCRÉPITATION. Crachotement, craquement, craquètement, crépitation, crépitement, grésillement, pétillement.

DÉCRÉPITUDE. Décadence, déchéance, déclin, décomposition, dégénérescence, dégradation, délabrement, déliquescence, gâtisme, gérontisme, longévité, ruine, sénescence, sénilisme, sénilité, vieillesse, vieillissement.

DECRESCENDO. Diminuendo, intensité, musique, rythme, son.

DÉCRET. Amnistie, attentat, bienfait, bill, dahir, déclinatoire, droit, écrit, écrou, effort, forfaiture, formalité, fraude, injustice, loi, offre, ordonnance, oukase, prédestination, protêt, qualité, ratification, réescompte, rescrit, rite, sceau, seing, sujet, testament, texte, titre, trahison, ukase, union.

DÉCRÉTER. Affirmer, classer, commander, consigner, décerner, décider, déclarer, dicter, dire, disposer, édicter, harmoniser, imposer, mander, obliger, ordonner, organiser, prescrire, régler, sommer, vouloir.

DÉCRI. Déchu, déclassé, dégradé, démon, déposé, destitué, exclus, forclos, misérable, prescrit, radié, révoqué, réprouvé.

DÉCRIER. Accuser, attaquer, blâmer, calomnier, charger, critiquer, débiner, dénigrer, dénoncer, déshonorer, détracter, diffamer, dire, discréditer, honnir, injurier, médire, mépriser, noircir, rabaisser, raconter, salir.

DÉCRIRE. Analyser, blason, blasonner, brosser, dépeindre, dessiner, détailler, développer, dire, ébaucher, énumérer, esquisser, expliquer, exposer, insinuer, parcourir, peindre, raconter, représenter, serpenter, signaler, tracer.

DÉCRISPATION. Apaisement, décontraction, décrispation, délassement, détente, gâchette, loisir, oasis, récréation, relâchement, relaxation, répit, repos.

DÉCRISPER. Débarrer, débloquer, décoincer, décomplexer, décongestionner, défendre, dégager, dégeler, dégêner, dégripper, délivrer, déprendre, dérider, désinhiber, desserrer, extraire, libérer, retirer, rouvrir.

DÉCROCHAGE. Abandon, abdication, défection, délaissement, démission, dépendage, désengagement, désertion, désintérêt, désistement, détachement, forfait, lâchage, largage, recul, repli, retrait, retraite.

DÉCROCHEMENT. Abandon, décrochage, dépendage, détachement, faille, redan, redent, retrait.

DÉCROCHER. Abdiquer, avoir, céder, confier, délaisser, dépendre, déserter, évacuer, flancher, fuir, jeter, lâcher, laisser, larguer, livrer, luxure, négliger, oublier, partir, rancard, rancart, rencard, rencart, renier, renoncer, semer, trahir, vider.

DÉCROISSANCE. Abaissement, agranulocytose, amenuisement, amnésie, amortissement, anémie, anhépatie, anosmie, collapsus, décours, détente, détumescence, encroûtement, frai, hypochlorhydrie, hypoglycémie, hypotonie, leucopénie, oligurie, paralysie, presbytie, réduction, retrait, soulagement, surdité, xérophtalmie.

DÉCROISSANT. Baisse, déclin, déclinant, décours, décroissement, décroît, décrue, descendant, diminuant, faiblissant.

DÉCROISSEMENT. Baisse, déclin, déclinant, décours, décroît, décrue, descendant, diminuant, faiblissant.

DÉCROÎT. Baisse, déclin, déclinant, décours, décroissement, décrue, descendant, diminuant, faiblissant.

DÉCROÎTRE. Affaiblir, amoindrir, baisser, déchoir, décliner, décours, diminuer, estomper, éteindre, tomber.

DÉCROTTER. Abraser, approprier, astiquer, balayer, briquer, caréner, curer, cureter, décaper, décrasser, dégourdir, dégrossir, déniaiser, déterger, écumer, écurer, émonder, énouer, épousseter, faire, fourbir, frotter, laver, lessiver, monder, nettoyer, ôter, polir, purger, racler, ramoner, ratisser, récurer, relaver, rincer, séparer.

DÉCROTTEUR. Blanchisseur, buandier, cireur, curandier, grattoir, lavandier, lavandière, laveur, lessiveur, nettoyeur, plongeur, pressing, raton, teinturier.

DÉCRUE. Baisse, chute, creux, déclin, décroissance, dégression, diminution, éclipse, étiage, réduction.

DÉCRYPTAGE. Compréhension, continent, cryptanalyse, déchiffrage, déchiffrement, découverte, décryptement, décodage, décryptement, époque, lire, interprétation, paléographie, rébus, traduction.

DÉCRYPTER. Arranger, colmater, comprendre, déchiffrer, décoder, découvrir, guérir, interpréter, lire, pacifier, pénétrer, raffermir, ramener, ranimer, rebondir, reconstituer, refaire, régénérer, réinstaller, réintégrer, relever, renouveler, réparer, replacer, restaurer, restituer, rétablir, retaper, sauver, traduire.

DÉÇU. Déception, déchanté, dégoûté, dépité, désabusé, difficile, écœuré, fatigué, ignoble, las, nausée, sec.

DÉCULOTTÉE. Banqueroute, capitulation, chute, débâcle, défaite, déroute, échec, faillite, pile, raclée.

DÉCULOTTER. Contredire, dédire, désavouer, enlever, nier, raviser, renier, renoncer, reprendre, rétracter, retirer, revenir.

DÉCULPABILISATION. Amende, décharge, dédouanement, défense, dégagement, disculpation, explication, justification, motif, pardon, raison, regret, réhabilitation, ressource.

DÉCUPLER. Augmenter, cloner, devenir, dix, doubler, entasser, gonfler, quadrupler, peupler, propager, multiplier, redoubler, répéter, sextupler, tripler.

DÉCUVAISON. Dépotage, décuvage, dépotement, soutirage, transvasage, transvasement, transvidage.

DÉDAIGNER. Bêcher, Cracher, délaisser, dénigrer, faire fi de, mépriser, récuser, refuser, repousser, saboter, snober.

DÉDAIGNEUX. Altier, arrogant, condescendant, distant, fier, hautain, lointain méprisant, sarcastique, supérieur.

DÉDAIN. Arrogance, condescendance, crânerie, cynisme, déconsidération, dégoût, dérision, discrédit, fi, fierté, hauteur, heu, injure, litière, mépris, mésestime, misérable, morgue, moue, snobisme, taratata, vilipender.

DÉDALE (n. p.). Ariane, Icare, Minos, Minotaure, Thésée.

DÉDALE. Bayou, complication, confusion, coude, courbe, détour, écheveau, embrouillamini, enchevêtrement, labyrinthe, lacis, maquis, méandres, méandrique, réseau, sinuosité, zigzag.

DÉDALÉEN. Embrouillé, emmêlé, enchevêtré, énigmatique, impénétrable, incompréhensible, inextricable, inintelligible, labyrinthien, labyrinthique, mystérieux, obscur, ténébreux.

DEDANS. Âme, arrière-fond, arrière-pensée, céans, centre, cœur, conscience, corps, coulisse, dans, dessous, fond, ici, inclus, inséré, intérieur, intimité, intra, intrinsèque, intro, milieu, parmi, sein, tuf.

DÉDICACE. Autographe, bénédiction, consécration, envoi, hommage, inscription, manuscrit, signature.

DÉDICACER. Autographier, consécration, consacrer, dédier, invocation, invoquer, parapher, signer.

DÉDIER. Adresser, consacrer, dédicacer, destiner, dévouer, don, employer, envoi, offrir, présenter, vouer.

DÉDIRE. Contredire, désavouer, nier, raviser, renier, renoncer, reprendre, rétracter, retirer, revenir.

DÉDIT. Compensation, dédommagement, désaveu, frais, indemnité, manque, manquement, négation, réparation.

DÉDOMMAGEMENT. Compensation, consolation, contrepartie, correctif, dédit, indemnité, réparation.

DÉDOMMAGER. Compenser, contrebalancer, désintéresser, indemniser, indemnité, payer, réparer, venger.

DÉDOUANEMENT. Amende, décharge, déculpabilisation, dédouanage, défense, dégagement, disculpation, explication, justification, motif, pardon, raison, regret, réhabilitation, ressource.

DÉDOUANER. Blanchir, disculper, innocenter, justifier, libérer, racheter, réhabiliter, relever, rétablir.

DÉDOUBLEMENT. Atomisation, découpage, démembrement, dépècement, désagrégation, détail, deux, dispersion, division, écartèlement, éparpillement, fractionnement, fragmentation, graduation, hydrolyse, jumeau, morcellement, partage, personnalité, séparation.

DÉDOUBLER. Abstraire, analyser, arracher, casser, cliver, cloisonner, couper, décomposer, défaire, déplier, désunir, détacher, disjoindre, disloquer, diviser, écarter, écrémer, éloigner, enlever, épurer, espacer, exfolier, exiler, fendre, isoler, morceler, partager, rompre, scier, scinder, séparer, sérancer, trancher, trier, zester.

DÉDRAMATISER. Adoucir, amoindrir, amortir, atténuer, calmer, dégonfler, dépassionner, diluer, diminuer, minimiser, minorer, modérer, ôter, rapetisser, réduire, retirer, voiler.

DÉDUCTIF. Cartésien, démonstratif, discursif, intuitif, logique, méthodique, rationnel, récit, systématique.

DÉDUCTION. Abattement, conclusion, défalcation, mathématique, raisonnement, réflexion, soustraction.

DÉDUIRE. Abattement, arguer, arracher, biffer, conclure, décompter, défalquer, enlever, énoncer, extrapoler, inférer, ôter, percevoir, ponctuer, prélever, rabattre, raisonner, retenir, retirer, retrancher, soustraire, suite.

DÉDUIT. Agrément, amusement, amusette, bagatelle, batifolage, délassement, dérivatif, distraction, diversion, divertissement, ébats, entrain, gaieté, goguette, jeu, joie, leurre, loisir, passe-temps, plaisir, rationnel, récréation, réjouissance, sourire, tromperie.

DÉESSE (n. p.). Aglaé, Alecto, Amaterasu, Amphitrite, Aphrodite, Artémis, Ashtart, Astaroth, Astarté, Astrée, Athéna, Beauté, Bellone, Belphegor, Cérès, Coré, Cybèle, Déméter, Diane, Eir, Épona, Erinyes, Faune, Flore, Fortune, Frigg, Frigga, Gaïa, Gé, Gorgones, Hébé, Hécate, Héra, Io, Ishtar, Isis, Junon, Kali, Maât, Mégère, Minerve, Mnémosyne, Nathor, Némésis, Néréides, Ops, Pallas, Parques, Pénates, Perséphone, Promone, Proserpine, Psyché, Rati, Sémêlé, Tanit, Tethys, Tezcatlipoca, Thalie, Thémis, Tisiphoné, Vénus, Vesta, Vlore.

DÉESSE. Allure, apsara, apsaras, beauté, cabira, déité, dive, divinité, fée, femme, grâce, kère, muse, nymphe, naïade, ondine, parque, sirène, walkyrie.

DÉESSE DE L'AMOUR (n. p.). Aphrodite, Ashtart, Astarté, Ishtar.

DÉESSE DE LA BEAUTÉ (n. p.). Aphrodite, Vénus, Vénus de Milo.

DÉESSE DE LA CHASSE (n. p.). Artémis, Diane.

DÉESSE DE LA FAMILLE (n. p.). Isis.

DÉESSE DE LA FÉCONDITÉ (n. p.). Cybèle, Érice.

DÉESSE DE LA FÉMINITÉ (n. p.). Junon.

DÉESSE DE LA FERTILITÉ (n. p.). Cérès, Tanit.

DÉESSE DE LA GUERRE (n. p.). Bellone.

DÉESSE DE LA JEUNESSE (n. p.). Hébé.

DÉESSE DE LA JUSTICE (n. p.). Thémis.

DÉESSE DE LA LUNE (n. p.). Hécate, Phébé, Trivia.

DÉESSE DE LA MATERNITÉ (n. p.). Héra.

DÉESSE DE LA MÉMOIRE (n. p.). Mnémosyne.

DÉESSE DE LA MER (n. p.). Amphitrite, Diane, Ino, Tethys.

DÉESSE DE LA MORT (n. p.). Kali.

DÉESSE DE LA SAGESSE (n. p.). Athéna, Minerve.

DÉESSE DE LA SANTÉ (n. p.). Hygie.

DÉESSE DE LA TERRE (n. p.). Antée, Déméter, Gaia, Gê.

DÉESSE DE LA VÉGÉTATION (n. p.). Flore.

DÉESSE DE LA VENGEANCE (n. p.). Alecto, Erinyes, Érinnyes, Furies, mégère, Némésis, tisiphonée.

DÉESSE DE LA VOLUPTÉ (n. p.). Rati.

DÉESSE DE L'AGRICULTURE (n. p.). Cérès, Ploutos, Plutus, Proserpine.

DÉESSE DE L'AMOUR (n. p.). Aphrodite, Vénus.

DÉESSE DES FLEURS (n. p.). Flore.

DÉESSE DES FORÊTS (n. p.). Dryade.

DÉESSE DES FRUITS (n. p.). Pomone.

DÉESSE DES JARDINS (n. p.). Pomone.

DÉESSE DES MOISSONS (n. p.). Cérès.

DÉESSE DU FEU (n. p.). Vesta.

DÉESSE DU FOYER (n. p.). Vesta.

DÉESSE DU MARIAGE (n. p.). Héra, Isis.

DÉESSE ÉGYPTIENNE (n. p.). Hathor, Isis.

DÉESSE ÉTRUSQUE (n. p.). Junon.

DÉESSE GERMANIQUE (n. p.). Walkyrie.

DÉESSE GRECQUE (n. p.). Amphitrite, Aphrodite, Artémis, Astrée, Athéna, Chloris, Déméter, Éos, Érinnyes, Érinyes, Hébé, Héra, Hestia, Hygie, Ino, Iris, Mnémosyne, Némésis, Perséphone, Proserpine, Sémélé, Thémis, Téthys.

DÉESSE HINDOUE (n. p.). Apsara, Apsaras, Douga, Kali.

DÉESSE ITALIQUE (n. p.). Bellone, Junon, Minerve.

DÉESSE MARINE (n. p.). Ino.

DÉESSE NORDIQUE (n. p.). Walkyrie.

DÉESSE ROMAINE (n. p.). Bellone, Cérès, Diane, Flore, Furies, Junon, Lucine, Minerve, Pallas, Pomone, Proserpine, Vénus, Vesta.

DÉESSE SAXONNE (n. p.). Ostara.

DÉESSE SCANDINAVE (n. p.). Walkyrie.

DÉFAILLANCE. Absence, affection, défaut, détresse, évanouissement, faiblesse, fiasco, lacune, oubli, pâmoison.

DÉFAILLANT. Chancelant, faible, fragile, glissant, incertain, instable, labile, menacé, précaire, vacillant.

DÉFAILLIR. Affaiblir, céder, craquer, évanouir, faiblir, fiabilité, flancher, lacune, pâmer, tomber, trébucher.

DÉFAIRE. Briser, déballer, débarrasser, débâtir, déboucler, déclouer, découdre, dédoubler, défalquer, déficeler, délacer, délier, démêler, dériver, détacher, détruire, dévisser, effiler, égrainer, égrener, enfoncer, ennemi, ôter, ouvrir, sacrifier, vaincre.

DÉFAIT. Abattu, altéré, amaigri, brisé, débarrassé, décousu, dédoublé, démêlé, déterré, épuisé, exténué.

DÉFAITE (n. p.). Dettingen, Sedan, Waterloo.

DÉFAITE. Banqueroute, débâcle, débandade, déconfiture, déculottée, dégelée, déroute, désastre, dessous, échec, écrasement, faillite, fessée, fiasco, fuite, insuccès, pâtée, raclée, ratage, retraite, réussite, revers, rincée, rouste, tannée, vaincu, veste.

DÉFAITISME. Alarmisme, capitulateur, catastrophisme, inquiétude, négativisme, pessimisme, scepticisme.

DÉFAITISTE (n. p.). Cassandre.

DÉFAITISTE. Alarmiste, capitulard, cassandre, démoralisateur, déprimé, inquiet, pessimiste, sceptique.

DÉFALCATION. Décompte, déduction, ponction, précompte, prélèvement, réquisition, retenue, saignée, saisie, soustraction.

DÉFALQUER. Déduire, dénouer, diminuer, écourter, laminer, ôter, rabattre, raccourcir, retrancher, soustraire, tarer.

DÉFATIGUER. Décompenser, décompresser, décomprimer, décontracter, défaire, défouler, délacer, délasser, desserrer, détendre, élargir, lâcher, laisser, libérer, relâcher, relaxer, reposer, respirer.

DÉFAUSSER. Améliorer, cabrer, cambrer, corriger, débarrasser, décharger, défeutrer, dégauchir, dévoiler, dresser, écarter, fuir, jouer, lever, quiller, rectifier, redresser, réformer, relever, réparer, squeezer.

DÉFAUT. Absence, acabit, aloi, anomalie, anoxémie, asialie, aspect, athrepsie, atrophie, bêtise, blèsement, blésité, bogue, contumace, crapaud, défectuosité, déficience, devers, dureté, étroitesse, faible, gauche, gendarme, gourmandise, illégitimité, imperfection, inadaptation, inadvertance, inconvénient, incurie, inadvertance, inconvénient, inexistence, insensibilité, instabilité, lunure, malfaçon, malformation, malnutrition, manque, mésentente, mort, nasillement, paille, paresse, préfixe, prosaïsme, raideur, retassure, ridicule, sottise, tare, travers, vanité, verbosité, verdeur, vice, vrille, zézaiement.

DÉFAVEUR. Arrogance, condescendance, crânerie, cynisme, déconsidération, décote, décri, dédain, défaveur, défiance, dégoût, dérision, discrédit, disgrâce, fi, heu, impopularité, injure, litière, mépris, misérable, moue, vilipender.

DÉFAVORABLE. Adversaire, adverse, altération, attentoire, blâme, contraire, désavantageux, ennemi, funeste, hostile, malsain, mauvais, mitigé, néfaste, négatif, nuisible, opposé, péjoratif, pernicieux.

DÉFAVORABLEMENT. Dangereusement, désavantageusement, dramatiquement, funestement, gravement, grièvement, imprudemment, mal, malencontreusement, nuisiblement, sérieusement, terriblement.

DÉFAVORISÉ. Assisté, démuni, déshérité, fauché, indigent, misérable, nécessiteux, pauvre, pouilleux.

DÉFAVORISER. Compromettre, désavantager, déshériter, desservir, frustrer, handicaper, léser, nuire.

DÉFECTION. Abandon, capitulation, débandade, dérobade, désertion, désobéissance, fuite, mutinerie, reculade, trahison.

DÉFECTUEUSEMENT. Abusivement, erronément, faussement, fautivement, imparfaitement, improprement, inadéquatement, incorrectement, inexactement, partiellement, vicieusement.

DÉFECTUEUX. Bancal, boiteux, brisé, cassé, défaut, déficient, déréglé, faible, faute, fautif, imparfait, inadéquat, incorrect, inexact, infirme, insuffisant, mal, manque, mauvais, raté, taré, vicieux, vulnérable.

DÉFECTUOSITÉ. Asialie, aspect, bêtise, contumace, défectuosité, déficience, devers, dureté, étroitesse, faible, illégitimité, imperfection, inadaptation, inadvertance, incurie, inexistence, insensibilité, instabilité, lunure, manque, mésentente, paresse, prosaïsme, raideur, retassure, ridicule, sottise, tare, verbosité, verdeur, vice, zézaiement.

DÉFENDABLE. Compréhensible, excusable, humain, justifiable, légitime, naturel, normal, soutenable.

DÉFENDEUR. Avocat, estafier, intimé, jules, mac, maquereau, marlou, mec, mécène, pim, proxénète, souteneur.

DÉFENDRE. Abriter, aider, appuyer, assister, bastion, contribuer, couvrir, empêcher, excuser, fortifier, garantir, garder, intercéder, interdire, intervenir, justifier, plaider, préserver, protéger, sauvegarder, secourir, soutenir.

DÉFENDU. Abrité, ahuri, anathème, censure, couvert, défense, embargo, empêché, empêchement, fortifié, fruit, gardé, illégal, illicite, interdit, irrégulier, permettre, prohibé, protégé, secouru, soutenu, stupéfait, tabou.

DÉFENESTRER. Congédier, éjecter, évacuer, évincer, expulser, jeter, lancer, projeter, rejeter, sortir, tomber, vider.

DÉFENSE (n. p.). Abwehr, DCA.

DÉFENSE. Aide, alibi, apologie, bastion, broche, corne, corporatisme, dague, déni, dent, esquive, fortification, interdiction, ivoire, mire, nier, parade, plaidoirie, plaidoyer, prohibition, protection, réaction, rempart, repli, retranchement, secours, soutien.

DÉFENSEUR (n. p.). Ackermann, Arnault, Barnave, Benda, Bessarion, Bielinski, Cartier, Champfleury, Charlemagne, Clemenceau, Costa, Derby, Desèze, Dickens, Duranty, Eck, Eucken, Gregh, Hafiz, Hector, Iriarte, Jdanov, Justinien, Léon, Massada, Napoléon, Orr, Österling.

DÉFENSEUR. Allié, ange, apôtre, arrière, avocat, avoué, bloqueur, conseiller, défense, gardien, justicier, libéro, partisan, pilier, plaideur, procurateur, procureur, protecteur, redresseur, soutien, tenant, tuteur, zélateur.

DÉFENSIF. Dissuasif, fortification, parade, plaidoirie, préstratégique, protection, rempart, réserve, stratégie.

DÉFÉQUER. Besoin, chier, clarifier, crotter, coller, décanter, épurer, expulser, faire, purifier, soulager.

DÉFÉRENCE. Admiration, cérémonie, considération, égard, estime, galanterie, politesse, respect, supplétoire.

DÉFÉRENT. Aimable, attentif, attentionné, bienveillant, bon, brave, charitable, civil, complaisant, empressé, galant, obéissant, obligeant, officieux, poli, respectueux, serviable, utile.

DÉFÉRER. Accuser, acquiescer, attribuer, céder, conférer, dénoncer, inculper, obéir, respecter, soumettre.

DÉFERLEMENT. Abondance, affluence, afflux, attaque, avalanche, averse, bombardement, bordée, cascade, charge, courant, déluge, flot, flux, grêle, invasion, mascaret, mouvement, torrent, vague.

DÉFERLER. Briser, déborder, déployer, élancer, foncer, fondre, larguer, précipiter, presser, répandre, ruer.

DÉFET. Agenda, album, cahier, calepin, carnet, cartable, chauderet, encart, farde, fascicule, feuillet, imprimé, livre, livret, ouvrage, registre.

DÉFEUILLAISON. Alopécie, cabriole, cascade, cataracte, chute, culbute, défaite, défloraison, défoliation, dégringolade, descente, desquamation, éboulement, écroulement, effeuillaison, effeuillement, effondrement, exfoliation, gadin, glissade, plongeon, pluie, ptôse, ramassé, saut, tombé.

DÉFEUILLER. Arracher, chuter, défolier, dépouiller, effeuillage, effeuiller, ôter, perdre, strip-tease.

DÉFI. Appel, bravade, crânerie, chiche, compétition, fanfaronnade, gageure, insulte, menace, provocation.

DÉFIANCE. Cautèle, crainte, disgrâce, doutance, doute, incrédulité, jalousie, méfiance, ombrage, paranoïa, précaution, prévention, prudence, réserve, scepticisme, soupçon, surveillance, suspection, suspicion, vigilance.

DÉFIANT. Cauteleux, craintif, dissimulé, incrédule, jaloux, louche, méfiant, ombrageux, prévenu, prudent, rusé, sceptique, soupçonneux, sournois, suspect, suspicieux, timoré, véreux.

DÉFICELER. Briser, déballer, débarrasser, débâtir, déboucler, déclouer, découdre, dédoubler, défaire, défalquer, délacer, délier, démêler, dériver, détacher, détruire, dévisser, effiler, égrainer, ennemi, ôter, ouvrir, vaincre.

DÉFICIENCE. Agrammatisme, arriération, asystolie, carence, défaut, faiblesse, hypoplasie, idiotie, impéritie, inaptitude, incapacité, incompétence, insuffisance, lacune, manque, médiocrité, myxœdème, pauvreté, supplétoire, tolérance, urémie, vicariant.

DÉFICIENT. Asocial, bancal, boiteux, défaut, défectueux, faible, faute, fautif, handicapé, imparfait, imploré, impropre, inadapté, inadéquat, inapproprié, incorrect, inexact, infirme, insuffisant, mal, manque, mauvais, raté, taré, vicieux, vulnérable.

DÉFICIT. Aliénation, amnésie, analgésie, anorexie, apraxie, carence, coma, créance, décès, dette, deuil, échec, hémorragie, insuffisance, ire, mal, mali, manque, mue, naufrage, pénurie, rareté, ruine.

DÉFICITAIRE. Lymphocyte, séropositif, sida, sidatique, sidéen, syndrome immuno déficitaire acquis.

DÉFIER. Affronter, attaquer, braver, contrecarrer, contrer, crâner, douter, inciter, narguer, pousser, provoquer.

DÉFIGURER. Amocher, atrophier, changer, cicatriser, déformer, dénaturer, distordre, enlaidir, mutiler, vitrioler.

DÉFILÉ. Calvacade, canon, canyon, cérémonie, chevauchée, cluse, col, corso, cortège, coulée, couloir, déplacement, enfilade, faille, file, filée, gorge, marche, mascarade, noria, parade, pas, passage, passe, pèlerinage, port, porte, présentation, procession, revue, série, suite, théorie.

DÉFILEMENT. Cavalcade, débobinage, déroulage, déroulement, dévidage, dévirage, mentisme, tavelage, tracanage.

DÉFILER. Décamper, dérober, éclipser, effiler, effilocher, esquiver, éviter, fuir, marcher, ôter, parader, succéder.

DÉFINI. Décidé, défini, déterminé, dosé, ferme, fixé, parfait, passé, précis, résolu, sûr, vague, vrai.

DÉFINIR. Caractériser, cerner, cibler, délimiter, déterminer, exposer, fixer, légaliser, préciser, qualifier, spécifier.

DÉFINITEUR. Délégué, religieux.

DÉFINITIF. Arrêté, conclusion, décisif, déterminé, ferme, final, fixe, imago, immuable, inaltérable, irrémédiable, irrévocable, net, ne varietur, radical, réglé, rogne, sine die, tournure, ultimatum, ultime.

DÉFINITION. Acception, énoncé, essence, nature, principe, réalignement, sens, signification, valeur.

DÉFINITIVEMENT. Aucun, bannissement, décidément, décisivement, durablement, écartement, irrémédiablement, irréparablement, irrévocablement, jamais, nul, onc, onques, sans, toujours, zéro.

DÉFISCALISER. Abriter, absoudre, acquitter, amnistier, décharger, dégrever, détaxer, dispenser, écarter, épargner, excuser, exempter, exonérer, garantir, gracier, libérer, pardonner, sortir.

DÉFLAGRANT. Amorce, bruit, déflagrateur, détonant, étincelle, étoupille, explosif, fulminant, menaçant, pet.

DÉFLAGRATEUR. Amorçage, amorce, bruit, détonateur, étincelle, étoupille, explosion, fulminant, pet.

DÉFLAGRATION. Accident, apocalypse, calamité, cataclysme, catastrophe, combustion, consternation, coulée, dénouement, désastre, détonation, drame, éclatement, éruption, explosion, fléau, guerre, inondation, insurrection, malheur, mutinerie, révolte, ruine, tragédie.

DÉFLAGRER. Altérer, analyser, anatomiser, cliver, corrompre, débloquer, décomposer, désagréger, désintégrer, dissocier, dissoudre, diviser, électrolyser, épeler, fuser, ion, iriser, pourrir, réduire, résoudre, saponifier, spectre.

DÉFLATION. Abaissement, agueusie, agranulocytose, amenuisement, amortissement, anhépatie, amnésie, anémie, anhidrose, anidrose, anosmie, collapsus, contrôle, déclin, désinflation, détente, détumescence, diminution, encadrement, encroûtement, entraînement, frai, hypochlorhydrie, hypoglycémie, hypotonie, inflation, leucopénie, oligurie, paralysie, presbytie, rabais, recoupement, réduction, remise, retrait, séparation, soulagement, surdité, xérophtalmie.

DÉFLÉCHIR. Ajuster, altérer, aménager, amender, changer, corriger, décaler, défaire, déguiser, détourner, dévier, manier, métamorphoser, minéraliser, modifier, rajuster, réaménager, rectifier, relever, remanier, remodeler, réviser, toiletter, transformer, varier.

DÉFLEXION. Déformation, déviation, diffraction, diffusion, dispersion, distraction, modification, réfraction.

DÉFLORAISON. Avilir, blâmer, chiffonner, condamner, déflorer, défoliation, dépucelage, dessécher, enlaidir, étioler, fanaison, faner, flétrissure, marcescent, marcescible, plier, ployer, ratatiner, rider, salir, stigmatiser, ternir, traumatiser, vieillot, violer.

DÉFLORATION. Agression, attentat, contrainte, dépucelage, forcement, profanation, vandalisme, viol, violence.

DÉFLORER. Avilir, blâmer, chiffonner, condamner, défleurir, défloraison, dépuceler, dessécher, dévirginiser, enlaidir, étioler, faner, flétrir, gâter, marcescent, marcescible, plier, ployer, ratatiner, rider, salir, stigmatiser, ternir, traumatiser, vieillot, violer.

DÉFOLIANT. Amibe, anticryptogamique, aryloxyacide, atrazine, bromacil, carbamate, désherbant, diallate, diazine, diquat, diuron, fongicide, herbicide, killex, lénacile, linuron, monalide, monuron, néburon, paraquat, phytocide, simazine.

DÉFOLIATION. Alopécie, cabriole, cascade, cataracte, chute, culbute, défaite, défeuillaison, défloraison, dégringolade, descente, desquamation, éboulement, écroulement, effeuillaison, effeuillement, effondrement, exfoliation, gadin, glissade, plongeon, pluie, ptôse, ramassé, saut, tombé.

DÉFONCÉ. Brisé, camé, crevé, drogué, enfoncé, étourdi, étripé, évaporé, éventré, rompu, shooté.

DÉFONCER. Briser, crever, détériorer, droguer, effronder, enfoncer, éventrer, forcer, fracturer, rompre.

DÉFONCEUSE. Araire, brabant, butteur, buttoir, charrue, chisel, cultivateur, déchaumeuse, fossoir, fouilleuse, houe, motoculteur, piocheuse, polysoc, pulvériseur, ripper, rooter, sarcloir, trisoc.

DÉFORCER. Abattre, abrutir, adoucir, affadir, affaiblir, alanguir, altérer, amoindrir, amollir, amortir, anémier, atténuer, aveulir, baisser, briser, casser, débiliter, déchoir, décliner, dégrader, dépérir, déprimer, diluer, diminuer, ébranler, édulcorer, émousser, énerver, épuiser, éteindre, étioler, lasser, miner, pâlir, ronger, ruiner, sénilité, user, vaciller.

DÉFORESTATION. Abattage, abattis, chablis, chaplis, coupe, déboisement, dépeuplement, rompis, ventis.

DÉFORMATION. Altération, anamorphose, bossellement, bosselure, bot, contorsion, cypho-scoliose, distorsion, équin, faute, flambage, flexion, fluage, gauchissement, gondolage, gondolement, mongolisme, mutilation, orniérage, plissement, poche, torsion.

DÉFORMÉ. Anormal, avachi, bancal, bossu, bot, contrefait, courbé, croche, crochu, démoli, dévié, difforme, distordu, éculé, estropié, fané, gauche, infirme, laid, mou, prisme, ratatiné, tordu, tors, trapu, usé, voilé.

DÉFORMER. Affaiblir, altérer, bosser, cabosser, caricaturer, défigurer, dénaturer, détériorer, dévier, distordre, écorcher, éculer, endommager, engoncer, estropier, falsifier, fausser, gondoler, laminer, massacrer, modifier, mutiler, tordre, transformer, travestir, triturer.

DÉFOULEMENT. Abréaction, automatique, cafouillage, catharsis, comateux, décharge, évanoui, fou, ignorant, inconscient, insensible, insouciant, instinctif, involontaire, irraisonné, irréfléchi, irresponsable, léger, machinal, réminiscence, spontané, subconscient.

DÉFOULER. Débloquer, décompenser, décompresser, décomprimer, décontracter, défaire, délacer, délasser, desserrer, détendre, élargir, extérioriser, lâcher, laisser, libérer, relâcher, relaxer, reposer, respirer.

DÉFOULOIR. Adéquat, astuce, calmant, combine, convenable, échappatoire, expédient, exutoire, indiqué, moyen, opportun, palliatif, ressource, solution, truc.

DÉFOURAILLER. Agoniser, allonger, amener, arguer, attirer, augurer, canarder, canonner, créer, déduire, dégainer, dépêtrer, déterrer, distendre, écosser, éfaufiler, émaner, enlever, éveiller, flinguer, haler, imprimer, inférer, jouer, jouir, hisser, naître, ôter, partir, piger, profiter, reculer, remorquer, retirer, rétracter, réveiller, saigner, sauver, sonner, souquer, tirailler, tirer, tracer, tracter, traîner, traire, utiliser, venger, viser.

DÉFRAÎCHI. Décoloré, déformé, délavé, fané, fatigué, flétri, passé, rossignol, terni, usé, vieilli, vieux.

DÉFRAÎCHIR. Décolorer, déformer, délaver, déteindre, éculer, étioler, fatiguer, ternir, usager, user.

DÉFRAYER. Acheter, acquitter, appointer, casquer, corrompre, cotiser, débourser, décaisser, dépenser, indemniser, payer, quote-part, raquer, régler, rembourser, rémunérer, rétribuer, salarier, soudoyer, sous-payer, stipendier, surpayer.

DÉFRICHEMENT. Abattage, abattis, arrachis, brûlis, chablis, chaplis, coupe, déboisement, débroussaillage, déforestation, dépeuplement, essartage, essartement, rompis, ventis.

DÉFRICHER. Arracher, cultiver, déblayer, déboiser, débrouiller, débroussailler, débrousser, dégrossir, démêler, éclaircir, essarter, essoucher, étudier, fertiliser, jachère, préparer, ratisser, sarcler.

DÉFRICHEUR. Bâtisseur, colon, colonial, créateur, débroussailleur, découvreur, pionnier, promoteur.

DÉFRIPER. Affiler, affûter, aiguiser, calandrer, déchiffonner, décrêper, défriser, défroisser, déplisser, émorfiler, émoudre, fer, gendarme, lisser, mémoriser, planche, relire, repasser, retourner, revenir.

DÉFRISER. Contrarier, déboucler, décevoir, décrêper, dépiter, déplaire, désappointer, défriper, lisser.

DÉFROISSER. Améliorer, arranger, calandrer, déchiffonner, décorer, défriper, déplisser, embellir, enjoliver, enrichir, garnir, parer, rafistoler, remettre, réparer, repasser, retaper, taper, tirer.

DÉFROQUE. Accoutrement, carcasse, chair, corps, déguisement, friperie, frusquess, guenilles, haillon, hardes, vêtement.

DÉFROQUER. Abandonner, appareiller, coller, débarquer, décamper, déguerpir, déloger, déserter, émigrer, essaimer, évacuer, expatrier, filer, fuir, lâcher, laisser, obliquer, quitter, partir, renoncer, requitter, rompre, semer, sortir.

DÉFRUITER. Abandonner, arracher, dégarnir, démunir, dénuder, dénuer, dépiauter, dépiler, déplumer, dépouiller, déposséder, ébourrer, ébrancher, écorcher, égermer, élaguer, équeuter, étronçonner, frustrer, lessiver, nettoyer, ôter, piller, plumer, priver, renoncer, rober, spolier, tondre, voler.

DÉFUNT. Avertissement, bière, bûcher, cadavre, catafalque, décédé, disparu, enterré, éteint, exposé, feu, incinéré, litre, mort, nécrologie, obit, obituaire, requiem, repos, R.I.P., trépassé, tué, urne.

DÉGAGÉ. Cavalier, débloqué, décoincé, découvert, dégourdi, dépris, désinvolte, insolent, léger, libre.

DÉGAGEMENT. Corridor, couloir, déblaiement, délestage, désengagement, émanation, issu, production, rochage, sortie.

DÉGAGER. Avancer, débarrasser, déblayer, débloquer, déchausser, décoincer, décongestionner, délier, délivrer, dépêtrer, détacher, distiller, émaner, exhaler, extraire, fumer, isoler, libérer, obligation, ôter, pétiller, retirer, rétracter, spiritualiser.

DÉGAINE. Air, allure, apparence, aspect, attitude, contenance, démarche, manière, port, touche, tournure.

DÉGAINER. Agoniser, allonger, amener, arguer, attirer, augurer, canarder, canonner, créer, déduire, défourailler, dépêtrer, déterrer, distendre, écosser, éfaufiler, émaner, enlever, éveiller, flinguer, haler, imprimer, inférer, jouer, jouir, hisser, naître, ôter, partir, piger, profiter, reculer, remorquer, retirer, rétracter, réveiller, saigner, sauver, sonner, souquer, tirailler, tirer, tracer, tracter, traîner, traire, utiliser, venger, viser.

DÉGARNIR. Absence, débarrasser, déboiser, découvrir, dédoubler, délarder, démâter, déménager, démeubler, démunir, dépailler, dépaver, dépeupler, dépouiller, dénuder, dessaisir, dévoiler, élaguer, émonder, enlever, ôter, tailler, vider.

DÉGÂT. Abîmer, avarie, casse, détériorer, dévasté, dommage, grabuge, méfait, pillage, préjudice, ravage, ruine.

DÉGAUCHIR. Aplanir, décourber, défausser, doler, dresse, égaliser, niveler, planer, raboter, redresser.

DÉGEL. Apaisement, bouscueil, débâcle, fonte, progrès, raspoutitsa, regain, regel, relance, solifluxion.

DÉGELÉE. Châtiment, correction, fessée, pâtée, peignée, pile, rincée, rossée, tannée, trempe, volée.

DÉGELER. Débloquer, décoincer, décongeler, décrisper, déglacer, dérider, détendre, fondre, liquéfier.

DÉGÉNÉRÉ. Abâtardi, arriéré, débile, décadent, déficient, dégradé, déliquescent, idiot, imbécile, minus, taré.

DÉGÉNÉRER. Abâtardir, abêtir, aboutir, aggraver, avilir, biser, changer, déchoir, dégrader, détériorer, dévaloriser, égarer, envenimer, espèce, forligner, noircir, perdre, poudrière, résulter, tomber, tourner.

DÉGÉNÉRESCENCE (n. p.). Alzheimer, Magnan.

DÉGÉNÉRESCENCE. Abaissement, affaiblissement, affaissement, athétose, cancérisation, chute, crépuscule, crise, décadence, déchéance, déclin, décrépitude, dégradation, dégringolade, déliquescence, dépérissement, descente, destruction, glas, môle, ruine, stéatose.

DÉGLACER. Amalgamer, assaillir, célérité, dégeler, dégivrer, délayer, désagréger, dissoudre, enlever, fondre, infuser, liquéfier, maigrir, précipitation, unifier, unir, vitrifier.

DÉGLINGUER. Abîmer, casser, démantibuler, démolir, désarticuler, détraquer, disloquer, rompre.

DÉGLUER. Débarrasser, défaire, dégager, délivrer, dépêtrer, désengluer, extirper, libérer, sortir, tirer.

DÉGLUTIR. Absorber, accepter, admettre, aspirer, avaler, boire, croire, dévorer, dysphagie, enfourner, engamer, engloutir, engouffrer, gober, humer, ingérer, ingurgiter, manger, ravaler, sec, siffler, sucer, user, vider.

DÉGLUTITION. Absorption, aérophagie, alimentation, assimilation, avaler, concentration, consommation, délitescence, désorption, diffusion, dissolution, épiglotte, fusion, ingestion, inhalation, percutané, prise, puvathérapie, malabsorption, rachat, résorption, uvule.

DÉGOBILLAGE. Dégueulée, dégueulis, dégurgitation, émétique, flegme, hématémèse, humeur, mérycisme, pituite, régurgitation, renard, renvoyage, vomi, vomissement, vomissure.

DÉGOBILLER. Chasser, cracher, débagouler, dégorger, dégueuler, dégurgiter, détester, évacuer, expectorer, expulser, gerber, régurgiter, rejeter, renarder, rendre, renvoyer, restituer, vomir.

DÉGOISER. Affirmer, biner, chuchoter, citer, conter, crier, débiter, déclarer, dire, décrire, échapper, écrier, épancher, expliquer, mentir, murmurer, nier, opiner, oraliser, papoter, parler, plaisanter, proférer, prononcer, psalmodier, raconter, réciter, reprocher, rêver.

DÉGOMMAGE. Bannissement, délogement, désinsertion, destitution, disgrâce, élimination, exclusion.

DÉGOMMER. Congédier, démettre, destituer, limoger, relever, renverser, révoquer, supplanter, vider.

DÉGONFLAGE. Anxiété, caponnade, couardise, crainte, effroi, émoi, faiblesse, frayeur, frousse, fuite, lâcheté, mollesse, peur, phobie, pleutrerie, poltronnerie, pusillanimité, souleur, suée, terreur, trac, transe, trouille, veinette.

DÉGONFLARD. Couard, craintif, faible, frileux, lâche, mou, peureux, pleutre, poltron, timoré, veule.

DÉGONFLÉ. Abattu, à-plat, bas, capon, cerf, chieux, couard, craintif, détendu, faible, froussard, fuyard, lâche, lâcheur, mou, pétochard, peureux, pleutre, poltron, timoré, trembleur, trouillard, vague, vil.

DÉGONFLER. Déballonner, dédramatiser, désenfler, diminuer, flancher, minimiser, mollir, rabaisser, renoncer.

DÉGORGEMENT. Ascite, aveu, confiance, déversement, ecchymose, écoulement, effusion, épanchement, évacuation, expansion, hémarthrose, hématome, hydrocèle, pneumopéritoine, prothorax, suffusion.

DÉGORGEOIR. Ciseau, débouchoir, déchargeoir, déversoir, gargouille, siphon, souillard, trop-plein.

DÉGORGER. Couler, déboucher, dégager, déverser, désopiler, évacuer, purger, rejeter, répandre, vidanger.

DÉGOTER. Découvrir, décrocher, dégotter, dénicher, détecter, déterrer, pêcher, rapercher, repérer, trouver.

DÉGOULINADE. Coulisse, coulure, goutte, liquide, millerandage, tache, trace, traînée.

DÉGOULINANT. Coulant, dégouttant, ruisselant, saignant, sanguinolent, suintant, trempé.

DÉGOULINER. Couler, dégoutter, échapper, écouler, exsuder, filer, filtrer, fuir, gouttelettes, goutter, parfait, perfection, perler, pleurer, ruisseler, suer, suinter, transpirer, transsuder.

DÉGOURDI. Actif, adroit, attisé, conscient, délié, déluré, espiègle, éveillé, lutin, mutin, ravivé, revigoré, réchauffé, vif.

DÉGOURDIR. Activer, aérer, dégauchir, dégrossir, délurer, déniaiser, dérouiller, dessaler, détendre, éveiller.

DÉGOÛT. Abominable, anorexie, antipathie, aversion, blasement, berk, beurk, chagrin, écœurement, éloignement, ennui, fastidieux, fi, haut-le-cœur, horreur, inappétence, las, lassitude, mélancolie, nausée, pouah, repoussant, répugnance, répulsion, saleté.

DÉGOÛTAMMENT. Dégoûtant, impurement, malproprement, négligemment, répugnamment, salement, sordidement.

DÉGOÛTANT. Abject, cochon, coulant, crasseux, dégueulasse, écœurant, fade, honteux, ignoble, immonde, infâme, infect, innommable, odieux, malpropre, mouillé, nauséabond, nauséeux, pouah, puant, rebutant, repoussant, répugnant, révoltant, ruisselant, saignant, sale, sordide, trempé.

DÉGOÛTATION. Abomination, allergie, aversion, écœurement, haine, horreur, indigestion, ordure.

DÉGOÛTÉ. Blasé, déçu, dépravé, difficile, écœuré, fatigué, ignoble, las, lassé, nausée, repu, sevré.

DÉGOÛTER. Affadir, blaser, choquer, débecter, débecqueter, décourager, démoraliser, déplaire, désespérer, écœurer, las, lasser, puer, rebuter, rejeter, répugner, révolter, révulser, saouler, soûler, vomir.

DÉGOUTTANT. Abject, affreux, cochon, coulant, détrempé, mouillé, ruisselant, saignant, trempé.

DÉGOUTTER. Couler, dégouliner, distiller, exhaler, fluer, ruisseler, suer, suinter, tomber.

DÉGRADANT. Abaissant, abrutissant, avilissant, déshonorant, honteux, humiliant, infamant, rabaissant.

DÉGRADATION. Abrutissement, altération, avilissement, bris, corruption, déchéance, décomposition, dégât, délabrement, dommage, effritement, éraflure, érosif, érosion, fermentation, mutilation, pollution, ruine, stigmate, usure.

DÉGRADÉ. Abîmé, affaibli, âgé, avili, caduc, défraîchi, détérioré, fondu, ruiné, usé, vétuste, vieux.

DÉGRADER. Abaisser, abîmer, affaiblir, altérer, avilir, décomposer, délabrer, déshonorer, destituer, détériorer, éculer, égratigner, élimer, empirer, endommager, envenimer, éroder, pervertir, polluer, prostituer, rouir, salir, saper, souiller, user.

DÉGRAFER. Affecter, arracher, cueillir, débrocher, déconnecter, découper, découpler, défaire, dégraisser, délacer, déléguer, délier, dénouer, déprendre, desceller, désintéresser, désinvolte, désunir, détacher, dételer, dévisser, égrainer, égrapper, égrener, éloigner, enlever, isoler, libérer, nettoyer, ressortir, scalper, séparer, unir.

DÉGRAISSAGE. Dessuintage, économie, épargne, nettoyage, rationalisation, réserve, restriction, réticence.

DÉGRAISSANT. Acétone, alcool, anesthésique, antiseptique, bleu, détachant, diluant, dissolvant, esprit de bois, isoprène, liquide, méthyle, méthylène, nettoyant, polaire, radical, soluté, solvant, thiazine, thionine.

DÉGRAISSER. Alléger, amaigrir, amincir, délarder, déshuiler, dessuinter, détacher, diminuer, nettoyer.

DÉGRAISSEUR. Blanchisserie, blanchisseur, buanderie, laverie, lavoir, lavomat, nettoyeur, pressing, teinturerie, teinturier.

DEGRÉ (n. p.). Cardan, Celsius, Diophante, Fahrenheit, Gay-Lussac, Hermite, Kelvin, Tartaglia.

DEGRÉ. Angle, catégorie, cote, cran, dan, échelon, escalier, étage, étape, excellence, grade, gradation, gradin, graduation, graduel, hiérarchie, lissé, marche, marchepied, niveau, nuance, paroxysme, perron, quelque, rang, rangée, salement, sixte, sommet, stade, superlatif, teinte, ton, zénith.

DEGRÉER. Abandonner, arracher, défruiter, dégarnir, dégreyer, démunir, dénuder, dénuer, dépiauter, déplumer, déposséder, dépouiller, ébourrer, ébrancher, écorcher, égermer, élaguer, équeuter, étronçonner, frustrer, lessiver, nettoyer, ôter, piller, plumer, priver, renoncer, rober, spolier, tondre, voler.

DÉGRESSION. Baisse, chute, creux, déclin, décroissance, décrue, diminution, éclipse, étiage, réduction.

DÉGRÈVEMENT. Abattement, baisse, bradage, décompte, diminution, exonération, réduction, remise.

DÉGREVER. Accorder, adoucir, aérer, aider, alléger, améliorer, amincir, apaiser, calmer, consoler, décharger, dégager, délester, déréglementer, diminuer, dispenser, dorer, éclaircir, écrémer, élégir, excuser, exempter, exonérer, sarcler, soulager.

DÉGRIFFÉ. Ad litem, confiné, déficient, démarqué, fini, limité, restreint, solde, sot.

DÉGRINGOLADE. Alopécie, cabriole, cascade, cataracte, chute, culbute, décadence, défaite, défeuillaison, défloraison, défoliation, descente, desquamation, éboulement, écroulement, effeuillaison, effeuillement, effondrement, exfoliation, gadin, glissade, plongeon, pluie, ptôse, ramassé, ruine, saut, tombé.

DÉGRINGOLER. Baisser, basculer, choir, chuter, culbuter, débouler, déguiller, descendre, dévaler, diminuer, ébouler, écrouler, effondrer, glisser, périr, pleuvoir, rouler, succomber, tomber, valdinguer.

DÉGRIPPER. Débarrer, débloquer, décoincer, décomplexer, décongestionner, décrisper, défendre, dégager, dégeler, dégêner, délivrer, déprendre, dérider, désinhiber, desserrer, extraire, libérer, retirer, rouvrir.

DÉGRISEMENT. Abattement, accablement, affliction, amertume, bleus, blues, cafard, chagrin, découragement, démoralisation, démotivation, dépression, déprime, mélancolie, neurodépresseur, obsolescent, prostration.

DÉGRISER. Décevoir, délasser, dépâqueter, désenchanter, désenivrer, dessoûler, distraire, divertir.

DÉGROSSIR. Débrouiller, débroussailler, décanter, décrasser, défricher, dégourdir, déniaiser, éclaircir, épanneler, limer.

DÉGROSSISSAGE. Achèvement, affinage, amaigrir, corroyage, décarburation, dégrossissement, dépuration, diminuer, ébauchage, épuration, façonnage, limage, meulage, raffinage, ressuage, scriblage, smillage.

DÉGROUILLER. Activer, courir, empresser, dépêcher, grouiller, hâter, magner, précipiter, presser.

DÉGROUPER. Couper, débrancher, déconnecter, dégrouper, démembrer, désunir, détacher, disjoindre, disperser, dissocier, diviser, écarter, éloigner, fractionner, isoler, répartir, scinder, séparer, subdiviser.

DÉGUENILLÉ. Culcul, déguenillé, dépenaillé, étriqué, guenillou, gueux, haillonneux, hère, lamentable, loqueteux, minable, minus, misérable, miteux, pauvre, piètre, piteux, pitoyable, vil.

DÉGUERPIR. Abandonner, aller, cavaler, chenailler, cheniquer, débarrasser, décamper, décaniller, défiler, déloger, départ, détaler, droper, émigrer, enfuir, exiler, filer, fuir, partir, quitter, rogner, sauver, sortir.

DÉGUEULASSE. Cochon, crasseux, dégoûtant, malpropre, moche, pourri, répugnant, salaud, sale, salopé.

DÉGUEULASSER. Altérer, cochonner, contaminer, corrompre, crotter, embouer, empoisonner, encrasser, infecter, maculer, noircir, polluer, profaner, salir, saloper, souiller, souillonner, tacher, vicier.

DÉGUEULATOIRE. Apomorphine, émétine, émétique, ipéca, nauséeux, répugnant, russule, tartrate, tartre, vératre, vomitif.

DÉGUEULER. Débagouler, dégobiller, dégurgiter, gerber, régurgiter, renarder, rendre, restituer, vomir.

DÉGUEULIS. Dégobillage, dégueulée, émétique, flegme, hématémèse, humeur, mérycisme, pituite, renvoyage, régurgitation, renard, vomi, vomissement, vomissure.

DÉGUILLER. Abattre, baisser, basculer, choir, chuter, culbuter, débouler, dégringoler, descendre, dévaler, diminuer, ébouler, écrouler, effondrer, glisser, périr, pleuvoir, rouler, succomber, tomber, valdinguer.

DÉGUISEMENT. Accoutrement, affublement, artifice, attifage, camouflage, chienlit, comédie, costume, dissimulation, duplicité, fard, feinte, fraude, hypocrisie, mascarade, nuement, nûment, panoplie, travestissement.

DÉGUISER. Arranger, cacher, camoufler, celer, contrefaire, costumer, couvrir, dénaturer, dissimuler, enfouir, enrober, envelopper, farder, habiller, maquiller, masquer, mentir, modifier, simuler, transformer, travestir, voiler.

DÉGURGITATION. Dégobillage, dégueulée, dégueulis, émétique, flegme, hématémèse, humeur, mérycisme, pituite, régurgitation, renard, renvoyage, vomi, vomissement, vomissure.

DÉGURGITER. Débagouler, dégobiller, dégueuler, gerber, régurgiter, renarder, rendre, restituer, vomir.

DÉGUSTATEUR. Boutillier, crédencier, échanson, goûteur, goûteux, serdeau, sommelier, tâteur.

DÉGUSTATION. À l'aveugle, coquillage, fromage, gastronomie, huître, menu, spécialité, vin.

DÉGUSTER. Boire, délecter, gobichonner, gourmand, goûter, manger, régaler, savourer, siroter, subir, tâter.

DÉHANCHEMENT. Balancement, bercement, dandinage, dandinement, dodelinement, fluctuation, hésitation, larsen, libration, mouvement, oscillation, roulis, tangage, variation, vibration.

DÉHANCHER. Agiter, balancer, balloter, battre, bazarder, bercer, berner, branler, brimbaler, centrer, chanceler, compenser, dandiner, dodeliner, dodiner, frémir, hancher, hésiter, jeter, lancer, osciller, peser, remuer, rouler, sauter, tortiller, vaciller.

DEHORS. Air, allure, apparence, arrangement, aspect, brillant, chasser, configuration, congédier, contour, croûte, dessus, disposition, écorce, éjection, enveloppe, extérieur, externe, extra, façade, hors, sortir.

DÉICIDE. Assassinat, crime, crucifixion, égorgement, empoisonnement, étranglement, étripage, fratricide, hécatombe, homicide, matricide, meurtre, parricide, régicide, suicide, tuerie.

DÉIDAMIE (n. p.). Achille, Néoptolème, Pyrrhos.

DÉIFIER. Admirer, adorer, aduler, apothéose, diviniser, exalter, glorifier, idéaliser, idolâtrer, vénérer.

DÉITÉ. Ciel, créateur, culte, dagon, déesse, démon, déo, dieu, divin, divinité, éden, élu, éternel, faune, hade, idole, immortel, lare, laron, père, saint, théisme, théiste.

DÉJÀ. Ajout, antérieurement, attaché, auparavant, avance, avant, avec, certes, ci-joint, encarté, enfin, hyponyme, inclus, inséré, intercalé, intérieur, joint, ores, préalable, précédent, préliminaire, tôt, vite.

DÉJANIRE (n. p.). Héraclès, Iole, Méléagre, Nessos, Nessus.

DÉJANTÉ. Cinglé, débloqué, déparlé, déraillé, déraisonné, dérangé, divagué, fêlé, fou, gâteux, troublé.

DÉJANTER. Débloquer, déconner, délirer, déparler, dérailler, déraisonner, divaguer, élucubrer, extravaguer, radoter.

DÉJECTION. Crotte, défécation, étron, excrément, excrétion, exonération, fèces, fiente, matière, selle.

DÉJETÉ. Bancal, bancroche, cagneux, circonflexe, contourné, contracté, convulsif, contrefait, courbé, décati, difforme, entortillé, gauche, hart, recroquevillé, retors, ronce, sinueux, tordu, tors, tortillé, tortis, tortu, tortueux, vrillé.

DÉJETER. Bistourner, contourner, courber, crochir, déformer, dévier, distordre, gauchir, tordre, voiler.

DÉJEUNER. Brunch, causerie, céréale, lunch, manger, menu, mets, plat, premier, repas, soleil.

DÉJOUER. Abuser, berner, décevoir, dol, duper, échouer, égarer, enjôler, errer, flouer, frauder, gourer, gruger, induire, léser, leurrer, mentir, méprendre, piper, posséder, refaire, rouler, trahir, tricher, truc.

DELÀ. Après, attendu, au, avant, avec, chez, concernant, contre, dans, de, deçà, depuis, derrière, dès, devant, durant, en, entre, envers, ès, excepté, fors, hormis, hors, jusque, malgré, moyennant, négation, outre, par, parmi, passé, pendant, plein, postérieur, pour, près, proche, sans, sauf, selon, sous, suivant, supposé, sur, touchant, trans, vers, via, vu.

DÉLABRÉ. Abîmer, amoindri, brisé, cassé, dégradé, détérioré, endommagé, esquinté, magané, mutilé, tourné, usé.

DÉLABREMENT. Abandon, affaiblissement, décrépitude, dégradation, dépérissement, désuétude, ruine.

DÉLABRER. Abîmer, amocher, amoindrir, décomposer, dégrader, détériorer, endommager, gâter, ruiner.

DÉLABYRINTHER. Clarifier, débrouiller, débroussailler, démêler, désembrouiller, élucider.

DÉLACER. Affecter, arracher, cueillir, déconnecter, découper, découpler, défaire, dégrafer, dégraisser, déléguer, délier, dénouer, déprendre, desceller, désintéresser, désinvolte, désunir, détacher, dételer, dévisser, égrainer, égrapper, égrener, éloigner, enlever, isoler, libérer, nettoyer, ressortir, scalper, séparer, unir.

DÉLAI. Amnistie, appel, arrêt, atermoiement, crédit, date, dilatoire, échéance, grâce, libérer, limite, moratoire, préavis, prolongation, relâche, remise, répit, repos, retard, retardement, starie, sursis, temps, terme.

DÉLAISSÉ. Abandonné, dernier, déserté, dropé, ermite, esseulé, évacué, exclusif, isolé, laissé, négligé, oublié, parti, premier, quitté, reclus, retiré, sacrifié, seul, seulement, solitaire, solo, un, unique.

DÉLAISSEMENT. Abandon, abdication, cession, déguerpissement, démission, isolement, renonciation.

DÉLAISSER. Abandonner, amuser, déserter, droper, dropper, esseuler, évacuer, lâcher, laisser, désintéresser, divertir, jouer, lâcher, négliger, oublier, partir, quitter, récréer, renoncer, sacrifier, seul.

DÉLARDER. Alléger, allégir, amaigrir, amenuiser, amincir, corroyer, dégarnir, dégraisser, diminuer, enlever, larder, maigrir.

DÉLASSANT. Adoucissant, amusant, apaisant, balsamique, calmant, distractif, distrayant, émollient, lénifiant, lénitif, ludique, récréatif, rassurant, relaxant, reposant, sédatif, tranquillisant.

DÉLASSEMENT. Amusement, détente, distraction, divertissement, hobby, loisir, occupation, passe-temps, pause, prélassement, promenade, récréation, répit, repos.

DÉLASSER. Amuser, calmer, décontracter, détendre, dissiper, distraire, divertir, marrer, récréer, relâcher, reposer.

DÉLATEUR. Accusateur, calomniateur, dénonciateur, espion, indic, indicateur, judas, mouchard, sycophante, traître.

DÉLATION. Accusation, allégation, attaque, critique, dénonciation, imputation, mensonge, rumeur.

DÉLAVÉ. Décoloré, défraîchi, déteint, éteint, fade, fané, humecté, pâle, pâli, passé, terne, terni.

DÉLAVER. Affadir, décolorer, détremper, éclaircir, diluer, éclaircir, enlever, faner, javelliser, laver, mouiller.

DÉLAYAGE. Bla-bla, délavage, dissolution, gâchage, longueur, remplissage, verbiage.

DÉLAYÉ. Bavard, causant, diffus, discoureur, jacasseur, loquace, paraphrase, phraseur, prolixe, redondant, succinct, verbeux, volubile.

DÉLAYER. Ajouter, amalgamer, couler, détremper, détruire, diluer, étendre, gâcher, incorporer, laver, mélanger.

DÉLÉBILE. Altérable, biodégradable, caduc, corruptible, court, décolorer, décomposable, destructible, effaçable, effacer, éphémère, falot, fongible, fragile, fugace, incertain, instable, mortel, passager, périssable, précaire, putréfiable, putrescible, vénal.

DÉLECTABLE. Agréable, délicat, délicieux, excellent, exquis, friand, gastronomique, savoureux, succulent.

DÉLECTATION. Bonheur, complaisance, contentement, délice, jouissance, plaisir, ravissement, volupté.

DÉLECTER. Charmer, combler, déguster, enchanter, exaucer, festoyer, plaire, régaler, réjouir, savourer.

DÉLÉGATAIRE. Agent, ambassadeur, attaché, commissaire, consul, correspondant, délégué, député, diplomate, émissaire, envoyé, légat, missionnaire, nonce, représentant.

DÉLÉGATION. Ambassade, bureau, commission, mandat, mission, députation, procuration, représentation.

DÉLÉGUÉ. Administrateur, agent, ambassadeur, attaché, candidat, commissaire, correspondant, député, diplomate, émissaire, envoyé, estafette, légat, mandataire, messager, nonce, représentant, sénateur.

DÉLÉGUER. Attribution, confier, dépêcher, détacher, envoyer, mandater, remplacer, représenter, transmettre.

DÉLESTAGE. Concision, dégagement, densité, dépouillement, évanescence, fugacité, fugitivité, laconisme, rapidité.

DÉLESTER. Alléger, calmer, cambrioler, dérober, dévaliser, écrémer, élégir, soulager, supprimer, voler.

DÉLÉTÈRE. Asphyxiant, corrupteur, dangereux, irrespirable, mauvais, néfaste, nocif, nuisible, toxique.

DÉLÉTION. Aberration, absurdité, ânerie, astigmatisme, bêtise, bévue, démence, destruction, divagation, égarement, errement, erreur, extravagance, faute, folie, fourvoiement, hérésie, idiotie, irisation, maldonne, méprise, perte, quiproquo, rupture, stupidité.

DÉLIBÉRATIF. Affidavit, caution, décisif, décisoire, jurer, leude, parjure, promesse, serment, souverain, vœu.

DÉLIBÉRATION. Avis, conseil, débat, décision, discussion, examen, jugement, lecture, pensée, vote.

DÉLIBÉRÉ. Assuré, cherché, conscient, débat, décidé, déterminé, discussion, discuté, examen, exprès, ferme, hardi, intention, intentionnel, libre, pensé, prémédité, proposition, réfléchi, résolu, volontaire, voulu.

DÉLIBÉRÉMENT. Consciemment, exprès, intentionnellement, résolument, sang-froid, sciemment, volontairement.

DÉLIBÉRER. Avis, cogiter, concerter, consulter, débattre, décider, délibérant, démêler, discuter, disputer, examiner, jongler, levée, méditer, penser, président, raisonner, réfléchir, ruminer, songer, spéculer.

DÉLICAT. Bon, difficulté, doux, exquis, faible, filiforme, fin, finesse, fluet, fragile, frêle, friand, galant, gentil, gracile, grossier, léger, malingre, mignon, mince, petit, pur, raffiné, ravissant, robuste, scabreux, vigoureux.

DÉLICATEMENT. Doucement, élégamment, finement, gentiment, légèrement, précaution, subtilement.

DÉLICATESSE. Adresse, agrément, amabilité, civisme, civilité, discrétion, douceur, éducation, élégance, étiquette, finesse, gentillesse, goût, gros, hussarde, inélégant, prévenance, pudeur, rudesse, sensibilité, tact.

DÉLICE (n. p.). Capoue, Éden, Eldorado, Élysée, Titus.

DÉLICE. Blandice, bon, bonheur, charme, épicurisme, euphorie, hédonisme, oasis, plaisir, régal.

DÉLICIEUSEMENT. Absurdement, agréablement, bouffon, bouffonnement, burlesquement, comiquement, dérisoirement, drôlement, facétieusement, grotesquement, joliment, plaisamment, ridiculement, risiblement.

DÉLICIEUX. Adorable, agréable, attrayant, bon, charmant, délice, divin, exquis, joie, nanan, savoureux, suave.

DÉLIÉ. Dégagé, détaché, effilé, filiforme, fin, grêle, ingénieux, menu, mince, réchauffé, subtil, svelte, ténu.

DÉLIEMENT. Débrayage, déliage, désarrimage, détachement, dételage, libération, retraite, ripage, ripement.

DÉLIER. Absoudre, défaire, dégager, désunir, détacher, disjoindre, élargir, libérer, pardon, relever, séparer.

DÉLIMITATION. Abonnage, abornage, abornement, bornage, borne, cabotage, cadre, ceinture, démarcation, encadrement, frontière, jalonnement, limitation, limite, mur, précision, séparation, tracé, zone.

DÉLIMITER. Borner, cantonner, cerner, circonscrire, contingenter, définir, déterminer, fixer, intercepter, jalonner.

DÉLIMITEUR. Arbitre, câble, chaîneur, guipage, isolant, laine, perlite, séparateur, thermos.

DÉLINÉAMENT. Arrondi, cintrage, contour, courbure, galbe, ligne, panse, profil, silhouette, trace, trait.

DÉLINQUANCE (n. p.). Heuyer.

DÉLINQUANCE. Antigang, banditisme, brigandage, briganderie, concussion, criminalité, escroquerie, gangstérisme, infraction, juvénile, pillage, piratage, truanderie, victimologie.

DÉLINQUANT. Arsouille, cas, coupable, dévoyé, loubar, loubard, malfaiteur, receleur, usurier, voyou.

DÉLIQUESCENCE. Abaissement, décadence, décomposition, décrépitude, dégénérescence, délabrement, ruine.

DÉLIQUESCENT. Abâtardi, conscience, corrompu, crépusculaire, décadent, décrépit, dégénéré, dépravé, étiolé, gâteux, géomètre, liquéfiable, obnubilation, pyrale, ramolli, sénescent, sénile, sombre, vespéral.

DÉLIRANT. Absurde, agité, bouillonnant, débridé, déchaîné, démentiel, déraisonnable, dingue, échevelé, effervescent, effréné, enthousiaste, excité, exubérant, extravagant, fébrile, fou, frénétique, incroyable, insensé.

DÉLIRE. Agitation, aliénation, confusion, déraisonnable, divagation, égarement, enthousiasme, exaltation, excitation, exultation, folie, frénésie, hallucination, hystérie, inspiration, mégalomanie, onirisme, perturbation, transport.

DÉLIRER. Débloquer, déborder, déménager, dérailler, déraisonner, divaguer, extravaguer, rêver, vaticiner.

DÉLISSER. Chantourner, débiter, déchirer, découper, défaire, défiler, effiler, effilocher, effranger, lacérer.

DÉLIT. Abus, affront, chantage, complice, complicité, connivence, crime, délictueux, escroquerie, excès, faute, forfait, grivèlerie, infraction, larcin, manquement, méfait, offense, outrage, recel, tromperie, usure, vagabondage, vice, vol.

DÉLITER. Changer, cliquer, débiter, décomposer, désagréger, détacher, enlever, fragmenter, ôter.

DÉLITESCENCE. Amélioration, apaisement, cicatrisation, convalescence, cure, efflorescence, guérison, mieux-être, rémission, répit, résorption, résurrection, rétablissement, salut, soulagement, traitement.

DÉLIVRANCE. Accouchement, débarras, élaboration, enfantement, libération, livraison, remise, soulagement.

DÉLIVRE. Arrière-faix, billettiste, capteur, enveloppe, gargousse, gousse, péricarde, placenta.

DÉLIVRER. Accréditer, affranchir, débarrasser, déchaîner, décharger, décoincer, défaire, dégager, désensorceler, désintoxiquer, éviter, exeat, guérir, libérer, livrer, purger, quitter, racheter, remettre, secourir, soulager, tirer.

DÉLOCALISATION. Affranchissement, autonomie, autonomisme, décentralisation, décolonisation, déconcentration, désannexion, indépendantisme, nationalisme, partitionnisme, régionalisation, séparatisme.

DÉLOCALISER. Affranchir, décentraliser, décoloniser, déconcentrer, départementaliser, déplacer, désannexer, disséminer, émanciper, libérer, provincialiser, régionaliser, transférer.

DÉLOGEMENT. Bannissement, dégommage, déménagement, désinsertion, destitution, disgrâce, élimination, exclusion.

DÉLOGER. Bannir, chasser, débusquer, dénicher, éjecter, évacuer, exiler, quitter, renvoyer, vider, virer.

DÉLOT. Bouchon, calfat, calfateur, coin, dé, doigtier, étoupe, goudron, patarasse, poix, poucier, résine.

DÉLOYAL. Captieux, félon, faux frère, hypocrite, infidèle, judas, perfide, renégat, salaud, subreptice, traître.

DÉLOYALEMENT. Artificieusement, captieusement, fallacieusement, hypocritement, insidieusement, insincèrement, machiavéliquement, perfidement, sournoisement, traîtreusement, trompeusement.

DÉLOYAUTÉ. Duplicité, fausseté, félonie, forfaiture, fourberie, malhonnêteté, parjure, perfidie, trahison, traîtrise.

DELPHES (n. p.). Apollon, Athéna, Hercule, Œdipe, Parnasse, Phocide, Pythie, Python.

DELPHINIDÉ. Baleine, cétacé, dauphin, épaulard, globicéphale, mammifère, marsouin, orque.

DELPHINIUM. Consoude, dauphinelle, herbe aux poux, pédiculaire, pied d'alouette, renonculacée, staphisaigre.

DELTA. Aber, aile, alluvion, alphabet, avion, bayou, deltoïde, dépôt, embouchure, estuaire, fjord, lettre, liman, littoral, loess, plaine, plan, sima, talonnière, toundra, triangulaire, zone.

DELTAPLANE. Aérodyne, aile, anti-vrille, cerf-volant, parachute, parapente, planeur, ultraléger.

DÉLUGE (n. p.). Baucis, Deucalion, Genèse, Gilgamesh, Noé, Philémon, Pyrrha, Woolley, Zeus.

DÉLUGE. Abondance, averse, cataclysme, crue, débord, déferlement, diluvien, expansion, flux, pluie.

DÉLURÉ. Actif, conscient, débrouillard, dégourdi, délié, effronté, espiègle, éveillé, lutin, mâtin, mutin, vif.

DÉLURER. Débrouiller, dérouiller, comprendre, dégourdir, dégrossir, déniaiser, dépuceler, dessaler, initier.

DÉLUSTRER. Décatir, déglacer, dépolir, enlever, faner, flétrir, repasser, ternir, usé, vieillir, vieux.

DÉMAGNÉTISER. Désaimanter, supprimer.

DÉMAGOGUE ATHÉNIEN (n. p.). Aristophane, Cléon.

DÉMAGOGIE. Action, allure, attitude, carrure, conduite, contenance, contorsion, crânerie, décubitus, dogmatisme, éclectisme, ethos, hanchement, ligne, maintien, manière, morgue, négativisme, pantomime, port, pose, position, positivisme, posture, prestance, procédé, raciste, sexisme, tenue, ton, tournure, triomphalisme, utopisme.

DÉMAIGRIR. Alléger, amaigrir, amenuiser, amincir, corroyer, dégraisser, dégrossir, délarder, élégir.

DÉMAILLER. Défaire, défalquer, défixer, dégager, délacer, délier, démêler, dénouer, détacher, éclaircir, expliquer, filer, peigner, résoudre, séparer, trier.

DEMAIN. Après-demain, avenir, bientôt, futur, illico, incessamment, jour, lendemain, veille.

DÉMANCHER. Briser, casser, déboîter, défaire, démener, démettre, désarticuler, disloquer, remuer.

DEMANDE. Adjuration, appel, commande, exigence, instance, lune, mayday, placet, plainte, prière, question, quête, réclamation, reconvention, requête, requis, revendication, rogatoire, signal, sirène, sollicitation, somme, SOS, supplique, trompe, vœu.

DEMANDER. Chercher, commander, consulter, exiger, implorer, insister, interroger, mendier, nécessiter, postuler, prier, questionner, quêter, réclamer, requérir, réquisitionner, revendiquer, solliciter, sommer, sonder, supplier.

DEMANDEUR. Appelant, chômeur, poursuivant, quémandeur, requérant, serveur, solliciteur, tapeur.

DÉMANGEAISON. Agacement, agnosie, aigreur, aura, chaleur, chatouillement, émoi, émotion, euphorie, excitation, fatigue, fourmillement, froid, gale, gratte-dos, hallucination, impression, malaise, nausée, odeur, oppression, perception, pesanteur, phosphène, plaisir, picotement, prurit, sensation, sensibilité, sentiment, son, surprise, tact, tiraillement, trombidiose, vertige.

DÉMANGER. Brûler, chatouiller, désirer, fourmiller, gratter, grattouiller, griller, picoter, piquer, titiller.

DÉMANTÈLEMENT. Décomposition, démembrement, désagrégation, dislocation, dissolution, effondrement, ruine.

DÉMANTELER. Abattre, anéantir, annihiler, démantibuler, démolir, détruire, disloquer, liquider, raser, supprimer.

DÉMANTIBULER. Briser, casser, déglinguer, démancher, démonter, détraquer, disloquer.

DÉMARCATION. Différenciation, délimitation, frontière, limite, partage, partition, séparation.

DÉMARCHAGE. Courtage, dégingandé, mailing, porte-à-porte, prospection, publipostage, vente.

DÉMARCHE. Air, allure, aspect, attitude, boitement, claudication, course, dégaine, dégingandé, demande, effort, intercession, manière, marche, pas, tentative, titubation, utilitaire.

DÉMARCHEUR. Bonimenteur, camelot, colporteur, coulissier, courtier, dioula, étalagiste, marchand, opérateur, peddleur, porte-à-porte, propagateur, publipostage, représentant, vendeur.

DÉMARIER. Arracher, déboiser, débroussailler, déclouer, délainer, déplanter, déraciner, détacher, déterrer, divorcer, échardonner, éclaircie, éclaircissage, écobuer, édenter, effeuiller, emporter, enlever, épiler, essarter, essoucher, extirper, extorquer, extraire, ôter, plumer, priver, raciner, rompre, sarcler, séparer, soutirer, soustraire, tirer.

DÉMARQUE. Contrefaçon, copie, coulage, différence, écoulement, escompte, liquidation, solde.

DÉMARQUER. Acquitter, apurer, bonifier, brader, copier, différencier, écouler, escompter, libérer, limiter, liquider, payer, pilonner, plagier, purer, régler, reproduire, solder, vendre.

DÉMARQUEUR. Contrefacteur, copieur, copiste, faussaire, imitateur, mystificateur, pasticheur, plagiaire, voleur.

DÉMARRAGE. Allumage, anticabreur, antidémarreur, combustion, contact, départ, enclencher, partir, redémarrer.

DÉMARRER. Aligner, amorcer, attaquer, commencer, débuter, déclencher, ébaucher, embarquer, embaucher, embrayer, enclencher, engager, entamer, entreprendre, initier, lancer, partir, redémarrer.

DÉMASQUER. Brûler, confondre, déceler, découvrir, démêler, dénouer, dévoiler, griller, livrer, montrer.

DÉMATÉRIALISATION. Abstraction, annihilation, conceptualisation, désincarnation, essentialisation, idéalisation, sublimation.

DÉMÊLÉ. Altercation, contestation, débat, désaccord, différend, discussion, dispute, inextricable, litige, querelle.

DÉMÊLEMENT. Achèvement, conclusion, démêlage, dénouement, épilogue, fin, solution, terme.

DÉMÊLER. Assainir, clarifier, carder, contester, débrouiller, dénouer, distinguer, éclaircir, expliquer, peigner, trier.

DÉMÊLOIR. Affinoir, brosse, carde, drège, ébauchoir, garde, grège, peigne, râteau, ros, séran, sourdine, stoff.

DÉMEMBREMENT. Découpage, dislocation, division, fractionnement, maintien, morcellement, partage.

DÉMEMBRER. Arracher, couper, découper, dépecer, disloquer, diviser, écarteler, morceler, partager.

DE MÊME. Ainsi, aussitôt, autant, comme, couci-couça, dito, id, idem, instar, itou, même, pareil, pareillement, pour, quand, tel.

DÉMÉNAGEMENT. Bannissement, déportation, émigration, évasion, exil, expatriation, extradition, péril, quitter.

DÉMÉNAGER. Bannir, chasser, débarrasser, déraisonner, divaguer, éjecter, évacuer, exiler, renvoyer, virer.

DÉMÉNAGEUR. Ânée, bagagiste, coltineur, commissionnaire, coolie, courrier, coursier, débardeur, déchargeur, détenteur, estafette, facteur, laptot, livreur, messager, nervi, portefaix, porteur, sherpa, transporteur.

DÉMENCE (n. p.). Alzheimer, Creutzfeldt-Jacob, Maupassant, Seguin.

DÉMENCE. Aliéné, bizarre, cacolalie, démentiel, égarement, folie, hébéphrénie, ineptie, insanité, loufoque.

DÉMENER. Agiter, débattre, décarcasser, démancher, dépenser, échiner, évertuer, peiner, remuer.

DÉMENT. Aliéné, cinglé, demeuré, déraisonnable, désaxé, dingue, extravagant, fol, fou, insensé, nie, sénile.

DÉMENTI. Ambivalence, antinomie, aporie, contradiction, contraire, dénégation, déni, désaveu, discordance, incohérence, incompatibilité, infirmation, négation, offense, opposition, réfutation, reniement.

DÉMENTIEL. Absurde, agité, débridé, déchaîné, délirant, démesuré, déraisonnable, dingue, échevelé, effervescent, effréné, enthousiaste, excité, exubérant, extravagant, fébrile, fou, frénétique, incroyable, insensé.

DÉMENTIR. Cesser, contester, contredire, couper, dédire, dénier, disconvenir, infirmer, nier, réfuter.

DÉMERDARD. Adroit, astucieux, combinard, débrouillard, déluré, fin, finaud, futé, habile, malin.

DÉMERDER. Affûter, arranger, débarbouiller, débrouiller, démêler, dépatouiller, dépêtrer, nager.

DÉMÉRITE. Blâme, damnable, désapprobation, fâcheux, faute, horrible, imperfection, pendable, triste.

DÉMESURÉ. Colossal, dépassé, déraisonnable, disproportionné, effréné, énorme, exagéré, excessif, exorbitant, extraordinaire, gargantuesque, gigantesque, immense, indécent, outrance, outré, scandaleux.

DÉMESURE. Déséquilibre, différence, dionysiaque, disconvenance, disparité, disproportion, dissemblance, excès, exubérance, foisonnement, illimité, inégalité, outrance, usure, violence.

DÉMESURÉMENT. Abusement, énormément, exagérément, excessivement, immensément, outrageusement.

DÉMÉTER (n. p.). Cérès, Caronos, Éleusis, Hadès, Héra, Hestia, Perséphone, Poséidon, Rhéa, Triptolème, Zeus.

DÉMÉTRIOS (n. p.). Antigonos, Phalère, Poliorcète, Rodogune, Samothrace, Sôter, Stratonice.

DÉMETTRE. Abandonner, abdiquer, casser, déboîter, débetonner, débouter, démancher, démissionner, déplacer, déposer, désarticuler, destituer, disloquer, luxer, quitter, renoncer, retirer, révoquer, séparer.

DÉMEUBLER. Absence, débarrasser, déboiser, découvrir, dédoubler, dégarnir, démâter, déménager, démeubler, démunir, dépailler, dépaver, dépeupler, dépouiller, dénuder, dessaisir, dévoiler, élaguer, émonder, enlever, ôter, tailler, vider.

DEMEURÉ. Aliéné, arriéré, attardé, bête, débile, fol, fou, handicapé, idiot, imbécile, insensé, retardé.

DEMEURE. Adresse, case, château, château fort, domicile, est, foyer, gîte, habitation, hôtel, igloo, logement, logis, maison, manoir, motel, nid, palais, permanence, résidence, reste, séjour, sommation, tanière, toit, tombeau, ultimatum.

DEMEURER. Attendre, casanier, coller, continuer, coucher, domicilier, dormir, durer, établir, être, gîter, habiter, incruster, loger, nocher, persister, pieuter, résider, rester, river, séjourner, stationner, subsister, tarder, vivre.

DEMI. Bière, bock, chope, entrouvert, fillette, mi, moitié, partiellement, presque, semi, sérieux, tango, verre.

DEMI-CEINTURE. Dos, martingale, vêtement.

DEMI-CERCLE. Arc, caveçon, demi-lune, fer, gorge, hémicycle, méridien, rapporteur, serre-tête, venet, voûte.

DEMI-DIEU. Brave, champion, conquérant, demi-dieu, épique, froussard, guerrier, héros, idole, noble, satyre, valeureux.

DEMI-DIEUX (n. p.). Héraclès.

DEMI-DOUZAINE. Six.

DEMI-FRÈRE. Consanguin, demi-sœur, utérin.

DEMI-JOUR. Ambiguïté, chaos, clair-jour, clair-obscur, confusion, crépuscule, doute, incertitude, noir, noirceur, nuage, nuée, nuit, obscurité, ombrage, ombre, opacité, pénombre, soir, soirée, ténèbres, vague.

DÉMILITARISATION. Baisse, découragement, dénucléarisation, désarmement, neutralisation, relâchement.

DEMI-LUNE (n. p.). Vachon.

DEMI-LUNE. Abside, agora, arc, caveçon, demi-cercle, fer, fortification, gâteau, gorge, hémicycle, méridien, rapporteur, ravelin, rond-point, semi-circulaire, demi-lune, triangulaire, tribunal, venet, voûte.

DEMI-PINTE. Caquelon, chopine, mesure, vin.

DEMI-PIQUE (n. p.). Esponton.

DEMI-SANG. Cheval, cob, palefroi, poney, tarzan, trotteur.

DEMI-SOMMEIL. Apathie, assoupissement, assouplissement, engourdissement, hypnagogique, inertie, léthargie, mollesse, somnolence, torpeur.

DEMI-SPHÈRE. Abside, agora, arc, caveçon, demi-cercle, demi-lune, dôme, gorge, hémicycle, hémisphère, méridien, poche, rapporteur, ravelin, rond-point, voûte.

DÉMISSION. Abandon, abdication, défection, délaissement, départ, désister, fonction, quitter, résigner.

DÉMISSIONNER. Abandonner, abdiquer, caler, capituler, débarquer, dégommer, démettre, désister, destituer, lâcher, limoger, quitter, remettre, renoncer, renvoyer, résigner, retirer, sauter, vider, virer.

DEMI-TEINTE. Acrocyanose, carnation, chromatisme, coloration, coloriage, coloris, couleur, degré, ictère, nuance, patine, peinture, pigmentation, robe, teinte, teinture, ton, tonalité.

DEMI-TON. Bémol, chromatique, diatonique, dièse, gamme, intervalle, musique, semi-ton.

DEMI-TOUR. Cabriole, chaintre, pirouette, rebrousser, retournement, revenir, tour, virage en u, volte-face.

DEMI-UNITÉ. Demi.

DÉMIURGE. Créateur, enrichissant, enseignant, entraîneur, formateur, instructif, profitable, utile.

DÉMOBILISATEUR. Débilitant, décourageant, démoralisateur, démotivant, déprimant, désespérant, flippant, pessimiste.

DÉMOBILISATION. Baisse, découragement, démilitarisation, dénucléarisation, désarmement, relâchement.

DÉMOBILISER. Abattre, débiliter, décourager, démoraliser, démotiver, déprimer, écœurer, lasser.

DÉMOCRATE (n. p.). Carter, Clinton, Jackson, Johnson, Kennedy, Roosevelt, Truman.

DÉMOCRATE. Bousingot, démagogue, démophile, égalitaire, jacobin, libéral, républicain, universel.

DÉMOCRATIQUE. Commun, égalitaire, égalitariste, jacobin, légal, ochlocratie, plébéien, populaire.

DÉMOCRATIQUEMENT. Équitablement, honnêtement, impartialement, justement, lucidement, objectivement.

DÉMOCRATISER. Agrainer, arroser, couvrir, dégager, départir, déverser, diffuser, disperser, disséminer, ébruiter, éclairer, émaner, émerger, emplir, envahir, épandre, éparpiller, essaimer, étaler, étendre, exhaler, fleurer, fluer, généraliser, massifier, paver, pleurer, populariser, propager, répandre, ressemer, semer, sentir, sortir, surgir, verser, vulgariser, universaliser.

DÉMODÉ. Âgé, ancien, antique, archaïque, arrière-garde, caduc, cucul, daté, dépassé, désuet, élimé, mode, obsolète, obsolescent, passé, périmé, ringard, rococo, rossignol, suranné, tacot, tarabiscoté, usé, vénérable, vétuste, vieux, vieillot.

DÉMODEX. Acarien, arachnide, parasite.

DÉMODULATEUR. Discriminateur, modem, syntoniseur, tuner.

DÉMODULATION. Capteur, découvreur, dénicheur, détecteur, sonar, trouveur.

DÉMOGRAPHE (n. p.). Bertillon, Cantillon, Dumont, Sauvy.

DEMOISELLE. Agrion, bélier, célibataire, dame, femme, fille, hie, libellule, miss, odonate, señorita, touret.

DÉMOLI. Achesse, anormal, avachi, bancal, bossu, bot, contrefait, crochu, déformé, difforme, éboulé, écroulé, éculé, effondré, estropié, fané, fatigué, hachasse, infirme, laid, ratatiné, tordu, tors, trapu, usé.

DÉMOLIR. Abattre, abîmer, anéantir, battre, bousiller, casse la baraque, casser, décliner, déglinguer, démanteler, démantibuler, détruire, éliminer, éreinter, esquinter, raser, rétamer, ruiner, saper, vandaliser.

DÉMOLISSAGE. Démolissage, destruction, épuisement, éreintage, éreintement, lassitude, médisance.

DÉMOLISSEUR. Creuseur, destructeur, fossoyeur, naufrageur, saboteur, TNT. DÉMOLITION. Absorption, anéantissement, annihilation, déconstruction, destruction, dévastation, disparition, effacement, élimination, enlèvement, éradication, fin, gommage, liquidation, mort, néantisation, suppression.

DÉMON (n. p.). Abraxas, Asmodée, Asuras, Azazel, Béhémoth, Bélial, Belzébuth, Cercopes, Éblis, Faust, Iblis, Lilith, Lucifer, Méphistophélès, Satan, Très-Bas.

DÉMON. Andropause, démone, diable, diableteau, diablotin, diabolique, diantre, djinn, dragon, enfer, génie, goule, incube, lamie, lutin, malin, maudit, misérable, possédé, poulpican, sirène, succube, suppôt.

DÉMONÉTISER. Amoindrir, couler, déconsidérer, décrier, dénigrer, déprécier, dévaloriser, dévaluer, diminuer, discréditer, médire, minimiser, perdre, rabaisser, raccourcir.

DÉMONIAQUE. Diable, diabolique, génie, infernal, luciférien, pervers, possédé, satanique, turbulent.

DÉMONSTRATEUR. Animateur, commentateur, présentateur, serveur, spécimen.

DÉMONSTRATIF. Çà, ce, ceci, cela, celle, celles, celui, ces, cestuy, cet, cette, ceux, ci, communicatif, icelle, icelui, logique, modèle, montre, sète.

DÉMONSTRATION. Argumentation, conclusion, démo, déploiement, étalage, fantasia, frime, justification, lemme, levée, manifestation, marque, postulat, preuve, protestation, raisonnement, réfutation, réjouissance, signe, synthèse, témoignage.

DÉMONTABLE. Clastique, décomposable, désorganisable, destructible, possible, séparable, transportable.

DÉMONTAGE. Abandon, abolition, anesthésie, anurie, aphérèse, coupure, décomposition, diète, éclaircie, élision, ellipse, éradication, étêtement, pincement, privation, rabattage, radiation, régime, suppression.

DÉMONTÉ. Agité, déchaîné, déconcerté dérouté, désorienté, embarrassé, embêté, houleux, troublé.

DÉMONTER. Clastique, débobiner, débosser, déboucler, déboulonner, déconcerter, déconnecter, défaire, dégager, démantibuler, désarçonner, désassembler, désosser, disloquer, embarrasser, établir, monter, séparer, troubler.

DÉMONTRABLE. Contrôlable, décidable, déterminable, possible, résoluble, soluble, testable, vérifiable.

DÉMONTRER. Adorer, aimer, apprendre, citer, considérer, établir, expliquer, justifier, montrer, prouver, réfuter.

DÉMORALISANT. Décourageant, démotivant, déprimant, désespérant, écœurant, épuisant, exténuant, flippant.

DÉMORALISATEUR. Débilitant, décourageant, démobilisateur, démotivant, déprimant, désespérant, flippant, pessimiste.

DÉMORALISATION. Abattement, accablement, affliction, amertume, bleus, blues, cafard, chagrin, découragement, démotivation, dépression, déprime, mélancolie, neurodépresseur, obsolescent, prostration.

DÉMORALISÉ. Abattu, accablé, débiné, découragé, dégoûté, démotivé, déprimé, désespéré, écœuré.

DÉMORALISER. Abattre, accabler, décourager, dégoûter, déprimer, désespérer, écœurer, répugner, révolter.

DÉMORDRE. Abandonner, abdiquer, accommoder, baisser, céder, capituler, chamade, déchocher, démissionner, déposer, entêter, incliner, lâcher, paix, quitter, reddition, rendre, renoncer, soumettre.

DÉMOSTHÈNE (n. p.). Athènes, Démade, Eschine, Hypéride, Isée, Isocrate, Lycurgue, Phocion.

DÉMOSTHÈNE. Athénien, atticisme, éloquent, général, orateur, philippique, politicien.

DÉMOTIVANT. Débilitant, décourageant, démobilisant, démoralisant, déprimant, désespérant, flippant.

DÉMOTIVATION. Abattement, accablement, anéantissement, attaque, catalepsie, dépression, effondrement, engourdissement, hébétude, léthargie, marasme, neurasthénie, paralysie, prostration, sidération, stupeur.

DÉMOTIVER. Abattre, accabler, débiliter, débiner, déconcentrer, déconforter, décourager, déforcer, démobiliser, démoraliser, déprimer, disperser, disséminer, distraire, écœurer, éparpiller, lasser.

DÉMUNI. Abandonné, défavorisé, dénué, dépouillé, indigent, nécessiteux, nu, pané, pauvre, privé.

DÉMUNIR. Dégarnir, dénuder, déposséder, dépouiller, dessaisir, perdre, panne, priver, quitter, séparer, vider.

DÉMYSTIFIER. Banaliser, décriminaliser, déculpabiliser, démythifier, dépersonnaliser, désabuser, désaffecter, détourner, détromper, éclairer, édifier, embourgeoiser, uniformiser.

DÉNATALITÉ. Décroissance, dépeuplement, dépopulation, diminution, disparition, naissance.

DÉNATIONALISER. Dépouiller, désétatiser, perdre, privatiser, restituer.

DÉNATURATION. Accident, agnosie, altération, armature, atteinte, avarie, bécarre, bémol, changement, corruption, déformation, dégradation, détérioration, dièse, écaillage, évent, falsification, flétrissure, graisse, lésion, maladie, malformation, modification, nuance, perversion, pourriture, scotome, soif.

DÉNATURÉ. Altéré, changé, corrompu, cruel, déformé, déguisé, dépravé, gâté, indigne, marâtre, pervers.

DÉNATURER. Altérer, biaiser, calomnier, changer, corrompre, défigurer, déformer, défigurer, déguiser, dépraver, difformer, falsifier, fausser, frelater, gâter, gauchir, mélanger, modifier, trahir, travestir, triturer.

DÉNÉGATION. Abandon, contestation, controverse, démenti, déni, désaveu, refus, reniement, rétractation.

DÉNEIGER. Balayer, débarrasser, déblayer, débroussailler, décongestionner, défricher, dégager, dégrossir, délivrer, désencombrer, désobstruer, dragline, enlever, évacuer, gratter, libérer, nettoyer, ôter, pelleter, préparer, terri, vider.

DÉNI. Abjuration, dédit, démenti, dénégation, déniement, désaveu, négation, non, palinodie, refus, rétractation.

DÉNIAISER. Débrouiller, dérouiller, comprendre, dégourdir, dégrossir, délurer, dépuceler, initier, virginité.

DÉNICHEMENT. Décèlement, découverte, dépistage, détection, détermination, diagnostic, identification, localisation, positivité, pronostic, récognition, reconnaissance, repérage, révélation, spatialisation.

DÉNICHER. Admirer, citer, considérer, découvrir, dégoter, dénigrer, dépister, déprécier, désigner, deviner, éprouver, figurer, indiquer, inventer, pêcher, récupérer, relever, rencontrer, résoudre, sentir, surprendre, trouver, voir.

DÉNICHEUR. Aventurier, chercheur, dépisteur, découvreur, détecteur, explorateur, inventeur, trouveur, savant, trouveur.

DÉNIER. Argent, arrhes, contester, dédire, démentir, désavouer, intérêt, malversation, nier, refuser, réfuter.

DÉNIGREMENT. Accusation, allégation, attaque, cafardage, calomnie, critique, délation, dénonciation, dépréciation, détraction, dévalorisation, diffamation, imputation, insinuation, médisance, plainte, rabaissement, réquisitoire, trahison.

DÉNIGRER. Abaisser, accuser, attaquer, baver, blâmer, calomnier, critiquer, dauber, débiner, déblatérer, décrier, déprécier, détracter, diminuer, discréditer, médire, mépriser, noircir, rabaisser, vilipender, vitupérer.

DÉNIGREUR. Calomniateur, calomnieux, contempteur, débineur, dénigrant, dépréciateur, détracteur, diffamant, diffamateur, diffamatoire, infamant, médisant, placoteux, potinier, rossard, vipère.

DENIM. Bleu, blue-jean, coton, jean, jeans, salopette, sergé, tissu.

DÉNIVELÉ. Angle, déclinaison, déclivité, dénivellation, descente, dévers, inclinaison, oblique, penchant, pente.

DÉNIVELLATION. Abaissée, angle, brisure, cassis, déclivité, décrochement, dénivelé, dénivellement, dévers, déversement, dévoiement, différence, inclinaison, inégalité, obliquité, pente, ridain, rupture.

DÉNOMBRABLE. Appréciable, calculable, chiffrable, comptabilisable, estimable, évaluable, mesurable, quantifiable.

DÉNOMBREMENT. Catalogue, cens, chiffrage, comptage, compter, décompte, détail, économétrie, énumération, état, évaluation, inventaire, liste, litanie, numération, recensement, revue, rôle, statistique.

DÉNOMBRER. Calculer, chiffrer, compter, dresser, énumérer, évaluer, inventorier, nombrer, recenser.

DÉNOMINATEUR. Aliquote, centésimal, commun, diviseur, fraction, numérateur, sous-multiple.

DÉNOMINATION. Appellation, désignation, étiquette, marque, mot, nom, qualification, titre, vocable.

DÉNOMMER. Appeler, baptiser, désigner, intituler, nommer, qualifier, représenter, signifier, taxer.

DÉNONCER. Accuser, balancer, cafard, cafarder, annuler, donner, donneur, dénoter, fourguer, infirmer, livrer, manger, moucharder, plainte, pointer, raccuser, rapporter, révéler, rompre, se mettre à table, signaler, trahir, vendre.

DÉNONCIATEUR. Accusateur, balance, cafard, cafardeur, cafteur, calomniateur, délateur, détracteur, diffamateur, donneur, espion, faux frère, indic, indicateur, judas, mouchard, rapporteur, renégat, sycophante.

DÉNONCIATION. Accusation, allégation, délation, dénigrement, espion, mouchardage, plainte, poursuite, révélation.

DÉNOTATIF. Analogique, compréhensif, connotatif, désignatif, extensif, mélioratif, péjoratif, référentiel.

DÉNOTATION. Amélioration, analogie, compréhension, connotation, degré, désignation, extension, péjoration, référence.

DÉNOTER. Accuser, annoncer, assigner, attester, citer, découvrir, dénoncer, désigner, déterminer, dévoiler, dire, divulguer, exposer, indiquer, marquer, montrer, prouver, révéler, signaler, témoigner, trahir.

DÉNOUEMENT. Achèvement, conclusion, débrouillage, démêlement, épilogue, fin, solution, terme.

DÉNOUER. Défaire, défalquer, délacer, délier, démêler, détacher, éclaircir, expliquer, peigner, résoudre, trier.

DÉNOYAUTAGE. Assainissement, assèchement, drainage, enlèvement, énoyautage, énucléation.

DENRÉE. Aliment, analeptique, bouillon, brouet, cétogène, comestible, datte, édule, fromage, manne, mets, nourriture, pain, pitance, poison, prétexte, provision, salaison, sauté, soupe, subsistance, sucre, vivre.

DENSE. Bref, compact, concis, condensé, consistant, délayage, dru, épais, fourni, gros, nuée, plein, ramassé, riche.

DENSÉMENT. Abondamment, bref, brièvement, compendieusement, court, elliptiquement, intensément, laconiquement, minutieusement, rapidement, résumé, schématiquement, sommairement, succinctement.

DENSIFICATION. Bachotage, ballastage, bourrage, bourre, bourrer, capitonnage, compactage, damage, délayage, embourrure, fourrage, garnissage, garniture, intoxication, matelassage, matraquage, ouatage, propagande, rembourrage, remplissage, verbiage.

DENSIFIER. Accabler, aggraver, alourdir, améliorer, appesantir, augmenter, charger, compliquer, embarrasser, empâter, engourdir, engraisser, enrichir, envenimer, épaissir, exaspérer, garnir, gonfler, grossir, lester, plomber, renforcer, surcharger.

DENSIMÈTRE. Acidimètre, alcoomètre, aréomètre aréométrie, glucomètre, instrument, lactomètre, oléomètre, pèse-acide, pèse-alcool, pèse-esprit, pèse-liqueur, pèse-sel, pèse-sirop, uromètre.

DENSITÉ. Compacité, concentration, concision, consistance, concrétion, degré, épaisseur, opacité, richesse.

DENT. Abcès, appétit, bouche, bridge, canine, carie, cément, chaîne, couronne, croc, défense, dentelure, dentition, édenté, émail, engrenage, gomphose, incisive, mâchoire, molaire, morfil, odontologie, or, osanore, pince, pissenlit, prémolaire, quenotte, rancune, redan, redent, sagesse, salade, surdent, talion.

DENTAIRE. Carieux, dental, dentiste, implantologie, jusquiame, mandibulaire, pédodontie, pulpe.

DENT-DE-LION. Barabant, bédane, composée, chiroux, pissenlit, plante, salade, taracanum.

DENTÉ. Crénelé, crête, déchiqueté, découpé, décousure, dentelé, denticulé, frisé, morfil, pignon, rustique.

DENTELÉ. Crénelé, crête, déchiqueté, découpé, denté, denticulé, décousure, engrêlé, frisé, morfil, pignon, rustique.

DENTELLE. Bisette, blonde, bride, broderie, canevas, dentellière, engrêlure, fichu, filet, gaze, guipure, jabot, laie, macramé, malines, passement, picot, point, réseau, striquer, tavaïolle, tissu, toilage, tulle, valenciennes, vélin, voile.

DENTELURE. Coupure, créneau, crénelure, décoration, découpure, dent, échancrure, encoche, encochement, entaille, faille, feston, incisure, indentation, morfil, motif, ouverture, sinuosité.

DENTIER. Appareil, bridge, implant, orthèse, orthodontie, palais, partiel, prothèse, râtelier.

DENTINE. Albâtre, blanc, blanchâtre, carie, cément, corozo, dame, dent, éburné, éburnée, éléphant, émail, gomme, ivoire, jeton, morfil, morse, opalin, porcelaine, rohart.

DENTISTE. Arracheur, boucher, chirurgien, odontalgiste, ondontologiste, orthodondiste, praticien, stomatologue.

DENTISTERIE. Chirurgie, chirurgie-dentaire, odontologie, ondonto-stomatologie, orthodontie, parodontologie, pédodontie, stomatologie.

DENTITION. Abcès, appétit, aspérité, barbe, bouche, bridge, canine, carie, chaîne, clavier, croc, couronne, défense, dent, dentelure, denture, édenté, émail, gomphose, incisive, mâchoire, molaire, morfil, odontologie, osanore, pince, quenotte.

DÉNUCLÉARISER. Désatomiser, interdire, limiter, nucléaire.

DÉNUDÉ. À poil, aride, chauve, clairsemé, dégarni, déshabillé, désolé, dépouillé, dévêtu, nu, pelé, ras.

DÉNUDER. Chauve, découvrir, défaire, dégarnir, déminer, dépouiller, dévêtir, dévoiler, nu, ôter, peler, tonsure.

DÉNUÉ. Aliéné, bébête, bête, borné, concis, crétin, découvert, dégarni, démuni, dénudé, dépouillé, dépourvu, déshabillé, destitué, dévoilé, fou, infondé, miséreux, nécessiteux, nu, pauvre, privé, sobre, sot, tondu.

DÉNUEMENT. Appauvrissement, besoin, débine, dèche, dépourvu, détresse, embarras, gêne, gouffre, indigence, manque, mendicité, misère, mouise, nécessité, opulence, pauvreté, pénurie, privation, ruine.

DÉNUER. Chasser, crever, démettre, démunir, déposer, dépouiller, dépourvoir, destituer, détrôner, évincer, exempter, fonction, frustrer, libérer, limoger, manquer, priver, révoquer, sauter, sevrer, suspendre.

DÉNUTRITION. Carence, déficience, épuisement, kwashiorkor, malnutrition, marasme, sous-alimentation.

DÉONTOLOGIE. Bien, conduite, conscience, conseil, devoir, droit, éthique, mœurs, morale, moralité, obligation, prescription, principes, règle, serment, surmoi, vertu.

DÉPANNAGE. Calfatage, carénage, colmatage, consolidation, dépannage, entretien, gril, lancis, maintenance, marouflage, raccommodage, radouage, radoub, rafistolage, raison, réfection, réparation, restauration.

DÉPANNER. Aider, appuyer, assister, épauler, remorquer, réparer, seconder, secourir, soutenir.

DÉPANNEUR. Débit, épicerie, pharmacie, magasin, rhabilleur, réparateur, tabac, tabagie, variété.

DÉPAQUETER. Briser, déballer, débâtir, déboucler, déclouer, découdre, défaire, déficeler, desserrer, détacher, détruire, développer, dévisser, effiler, lâcher, neutralisation, ôter, ouvrir, pulpectomie, tomber.

DÉPAREILLER. Décompléter, dégarnir, déparier, déparler, désaccoupler, désappareiller, désapparier, désassortir.

DÉPARER. Abîmer, altérer, défigurer, déformer, embellir, enjoliver, enlaidir, gâter, laidir, rendre.

DÉPARIER. Dégarnir, déparler, dépareiller, désaccoupler, désappareiller, désapparier, désassortir.

DÉPARLER. Buter, déraisonner, divaguer, égarer, élucubrer, enfarger, extravaguer, radoter, trébucher.

DÉPART (n. p.). Ur.

DÉPART. Adieu, appareillage, choisir, commencement, commencer, début, décollage, démarrage, do, évacuation, envol, envolée, exode, fuite, go, la, méhul, origine, partance, partir, premier, quitter, ré, retraite, séparer, starter.

DÉPARTEMENT. Branche, champ, division, domaine, ministère, portefeuille, province, région, service.

DÉPARTEMENT FRANÇAIS (n. p.) (3 lettres). Ain, Lot, Var.

DÉPARTEMENT FRANÇAIS (n. p.) (4 lettres). Aude, Cher, Eure, Gard, Gers, Jura, Nord, Oise, Orne, Tarn.

DÉPARTEMENT FRANÇAIS (n. p.) (5 lettres). Aisne, Aubes, Doubs, Drôme, Indre, Isère, Loire, Marne, Meuse, Paris, Rhône, Seine, Somme, Yonne.

DÉPARTEMENT FRANÇAIS (n. p.) (6 lettres). Ariège, Cantal, Creuse, Guyane, Landes, Loiret, Lozère, Manche, Nièvre, Sarthe, Savoie, Vendée, Vosges.

DÉPARTEMENT FRANÇAIS (n. p.) (7 lettres). Allier, Ardèche, Aveyron, Bas-Rhin, Belfort, Corrèze, Côte-d'Or, Essonne, Gironde, Hérault, Mayenne, Moselle, Réunion, Vaucluse, Vienne.

DÉPARTEMENT FRANÇAIS (n. p.) (8 lettres). Ardennes, Calvados, Charente, Dordogne, Haut-Rhin, Morbihan, Val-d'Oise, Yvelines.

DÉPARTEMENT FRANÇAIS (n. p.) (9 lettres). Finistère.

DÉPARTEMENT FRANÇAIS (n. p.) (10 lettres). Corse-du-Sud, Deux-Sèvres, Eure-et-Loir, Guadeloupe, Haute-Corse, Haute-Loire, Haute-Marne, Haute-Saône, Loir-et-Cher, Martinique, Puy-de-Dôme, Saint-Denis, Val-de-Marne.

DÉPARTEMENT FRANÇAIS (n. p.) (11 lettres). Côtes-du-Nord, Hautes-Alpes, Haute-Savoie, Haute-Vienne, Pas-de-Calais.

DÉPARTEMENT FRANÇAIS (n. p.) (12 lettres). Haute-Garonne, Hauts-de-Seine, Indre-et-Loire, Lot-et-Garonne, Maine-et-Loire, Saône-et-Loire, Seine-et-Marne.

DÉPARTEMENT FRANÇAIS (n. p.) (13 lettres). Ille-et-Vilaine, Seine-Maritime, Tarn-et-Garonne.

DÉPARTEMENT FRANÇAIS (n. p.) (14 lettres). Alpes-Maritimes, Bouches-du-Rhône, Hautes-Pyrénées.

DÉPARTEMENT FRANÇAIS (n. p.) (15 lettres). Loire-Atlantique.

DÉPARTEMENT FRANÇAIS (n. p.) (16 lettres). Charente-Maritime, Meurthe-et-Moselle.

DÉPARTEMENT FRANÇAIS (n. p.) (18 lettres). Pyrénées-Orientales.

DÉPARTEMENT FRANÇAIS (n. p.) (19 lettres). Pyrénées-Atlantiques.

DÉPARTEMENT FRANÇAIS (n. p.) (20 lettres). Alpes-de-Haute-Provence.

DÉPARTEMENTALISER. Affranchir, décentraliser, décoloniser, déconcentrer, délocaliser, déplacer, désannexer, disséminer, émanciper, libérer, provincialiser, régionaliser, transférer.

DÉPARTIR. Abandonner, accorder, allouer, attribuer, distribuer, donner, impartir, mesurer, renoncer.

DÉPASSANT. Cataclysme, crue, débord, débordement, déferlement, déluge, dépassement, dérivement, diffusion, écoulement, embarras, excédent, excès, expansion, explosion, flot, flux, inondation, ire, irruption, passepoil, pléonasme, saillie, sortie, trop-plein.

DÉPASSÉ. Anachronique, archaïque, arrière-garde, caduc, débordé, démodé, désuet, enchéri, excédé, inactuel, noyé, obsolète, out, périmé, rétro, rétrograde, ringard, submergé, suranné, surclassé, tassé, vieilli, vieillot.

DÉPASSEMENT. Cataclysme, crue, débord, débordement, déferlement, déluge, dérivement, diffusion, écoulement, embarras, excédent, excès, expansion, explosion, flot, flux, gain, inondation, ire, irruption, magasin, matériel, pléonasme, pléthore, sortie, surplus, trop-plein

DÉPASSER. Abuser, enchérir, déborder, devancer, distancer, dominer, doubler, enchérir, exagérer, excéder, franchir, lâcher, larguer, outrepasser, passer, saillir, semer, supplanter, surclasser, surpasser, transcender, trémater.

DÉPASSIONNER. Adoucir, amoindrir, amortir, apaiser, atténuer, calmer, dégonfler, dédramatiser, diluer, diminuer, minimiser, minorer, modérer, rapetisser, réduire, voiler.

DÉPATOUILLER. Affûter, arranger, débarbouiller, débrouiller, démêler, démerder, dépêtrer, nager.

DÉPAYSÉ. Confondu, confus, consterné, déconcerté, déconfit, décontenancé, défait, déferré, démonté, dérouté, désarçonné, désemparé, désorienté, ébahi, embarrassé, étourdi, inadapté, inquiet, interdit, pantois, penaud, perdu, surpris.

DÉPAYSER. Déboussoler, déconcerter, décontenancer, dérouter, désorienter, égarer, embarrasser, troubler.

DÉPECER. Couper, débiter, découper, démembrer, disloquer, diviser, équarrir, fragmenter, morceler, partager.

DÉPÊCHE. Annonce, appel, avis, billet, câble, communication, communiqué, correspondance, courrier, décret, information, lettre, message, missive, nouvelle, pneu, poste, télégramme, télégraphie, télex.

DÉPÊCHER. Accélérer, accourir, activer, envoyer, expédier, grouiller, hâter, immédiatement, poster, tuer.

DÉPEIGNER. Décheveler, décoiffer, ébouriffer, écheveler, emmêler, hérisser, mêler, touiller.

DÉPEINDRE. Brosser, décrire, dessin, détailler, dire, exposer, montrer, parler, peindre, raconter, retracer, tracer.

DÉPENAILLÉ. Débraillé, déguenillé, dépoitraillé, guenillesux, guenillou, haillonneux, loqueteux, négligé.

Dépendance

(n. p.). Aldabra, Amirantes, Amirauté, Anglo-Normandes, Aruba, Bouvet, Christmas, Gex, Gonâve, Gustavia, Loyauté, Man, Mariannes du Nord, Papouasie, Perim, Pescadores, Porto Rico, Pribilof, Prince-Edouard, Saint-Barthélemy, Saint-Martin, Socotora, Socotra, Vanikoro.

DÉPENDANCE. Aide, appui, asservir, assuétude, assistance, auspice, autorité, bénédiction, couverture, défense, égide, esclave, éventualité, garantie, obédience, patronage, protection, servitude, solidarité, subalterne, support, tutelle, vampiriser.

DÉPENDANT. Accessoire, accro, alcoolique, asilaire, asservi, corrélatif, correspondant, drogué, esclave, grabataire, hétéronome, inférieur, interdépendant, invalide, relatif, soumis, subordonné, sujet, tributaire, vassal.

DÉPENDEUR. Alcoolique, balèze, buveur, drogué, incapable, infirme, ivrogne, toxicomane, tributaire.

DÉPENDRE. Appartenir, arbitraire, commander, conditionner, découler, décrocher, dépens, dériver, détacher, éventuel, inféoder, obéir, procéder, provenir, rattacher, relever, reposer, résulter, selon, tenir, venir.

DÉPENS. Charge, commensale, compte, convié, convive, crochet, frais, hôte, invité, parasite, prix.

DÉPENSE. Armoire, cambuse, cellier, contribution, coût, frais, garde-manger, impense, onéreux, réserve, revient.

DÉPENSER. Calculer, compter, consommer, débourser, démener, dilapider, donner, écouler, employer, épuiser, flamber, gaspiller, gruger, impenses, mettre, payer, placer, prodiguer, régler, ruiner, sortir, user, utiliser.

DÉPENSIER. Bourriche, casse, croqueur, dilapidateur, dissipateur, économe, élite, flambeur, flein, gabion, gaspilleur, gouffre, hotte, mange-tout, manne, panier percé, prodigue, scouffin, suc.

DÉPERDITION. Bourrette, bran, bride, cendre, chute, copeau, débris, déchet, détritus, diminution, écaille, épluchure, épuisement, freinte, immondice, limaille, manteau, ordure, papier, peau, pelure, perdre, perte, raclure, rebut, reliquat, résidu, riblon, rognure, sciure, scorie, tunique, urée, vêtement, vin.

DÉPÉRIR. Affaiblir, altérer, atrophier, consumer, étioler, faner, flétrir, fondre, languir, maigrir, mourir, périr, sécher.

DÉPÉRISSEMENT. Accablement, affaiblissement, anémie, décadence, délabrement, nostalgie, phtisie.

DÉPERSONNALISER. Aliéner, banaliser, décriminaliser, déculpabiliser, démystifier, désabuser, désaffecter, désindividualiser, déstructurer, détourner, détromper, éclairer, édifier, embourgeoiser, massifier, uniformiser.

DÉPÊTRER. Débarrasser, défaire, dégager, délivrer, déprendre, désengluer, extirper, libérer, sortir, tirer.

DÉPEUPLÉ. Abandonné, as, bled, délaissé, désert, écarté, éloigné, ermite, esseulé, fiche, île, isolé, inhabité, lointain, oasis, pâté, premier, reclus, reculé, retiré, rouir, ségrais, sélectif, séparé, seul, seulet, trié, un, vide.

DÉPEUPLEMENT. Abattage, abattis, arrachis, brûlis, chablis, chaplis, coupe, déboisement, débroussaillage, déforestation, défrichement, dépopulation, déruralisation, essartage, essartement, rompis, ventis.

DÉPEUPLER. Abandonner, débarrasser, déblayer, dégager, dégarnir, délester, déserter, désertifier, éclaircir, écoper, enlever, épuiser, étriper, évacuer, éviscérer, extirper, nettoyer, ôter, pisser, pissoter, priver, siphonner, soulager, uriner, verser, vidanger, vider.

DÉPHASAGE. Arriéré, décalage, désorientation, désynchronisation, hystérésis, largage, perdu, retard.

DÉPHASÉ. Anticonformiste, décalé, déplacé, désorienté, individualiste, marginal, minoritaire, retardé.

DÉPIAUTER. Abandonner, analyser, arracher, débarrasser, défruiter, dégarnir, démunir, dénuder, dénuer, déplumer, déposséder, dépouiller, ébourrer, ébrancher, écorcher, égermer, élaguer, éplucher, équeuter, étronçonner, frustrer, lessiver, nettoyer, ôter, piller, plumer, priver, renoncer, rober, spolier, tondre, voler.

DÉPIGMENTATION. Achromie, albinisme, albinos, dyschromie, leucodermie, mélanine, vitiligo.

DÉPILAGE. Abattage, arrachage, cuir, débourrage, défruitage, ébourrage, épilage, pelage, poil.

DÉPILER. Arracher, bourgeonner, débourrer, défruiter, dépiler, déplier, ébourrer, enlever, épiler, exploiter, nettoyer, ôter, ouvrir, pêter, provoquer, purifier, racler, vider.

DÉPISTAGE. Chasse, décèlement, découverte, dénichement, détection, détermination, diagnostic, écholocation, identification, localisation, positivité, pronostic, récognition, reconnaissance, repérage, révélation, spatialisation.

DÉPISTER. Découvrir, démasquer, dérouter, dévoiler, diagnostiquer, identifier, reconnaître, repérer.

DÉPIT. Aigreur, amertume, bisque, bouder, cependant, chagrin, contrariété, crève-cœur, dam, déception, désappointement, enrager, envers, envie, humeur, jalousie, malgré, nonobstant, rageant, rancœur, saperlipopette, vexer, zut.

DÉPITÉ. Confondu, contrarié, déconcerté, déconfit, décontenancé, déçu, démonté, dérouté, désemparé, désappointé, désarçonné, désarmé, désorienté, déstabilisé, enragé, jaloux, mécontent, penaud, vexé.

DÉPITER. Abuser, amuser, attraper, attrister, berner, chagriner, circonvenir, contrarier, décevoir, défriser, dégoûter, désappointer, désenchanter, désespérer, duper, frustrer, illusionner, leurrer, manquer, peiner, trahir, tromper.

DÉPLACE. Ambulant, baguenaude, course, déplacement, égarement, errance, flânage, flânerie, glandage, instabilité, marche, nomadisme, pérégrination, promenade, randonnée, rêverie, vagabondage, volant, voyage.

DÉPLACÉ. Ambulant, amovible, avancé, bouleté, change, choquant, décrochement, grossier, impertinent, impudent, incongru, inconvenant, itinérant, malvenu, muté, part, pas, puéril, remarque, rend, scabreux, va.

DÉPLACEMENT. Abaissement, aberration, avance, cinèse, déboîtement, décaler, démanché, démettre, dérive, détaler, élution, estivage, excentration, excentrer, filage, glissement, itinérant, labile, luxation, manutention, migration, mouvement, report, ripage, ripement, souffle, tournée, transfert, transhumance, virement, vol, voyage.

DÉPLACER. Abaisser, aller, avancer, bouger, changer, circuler, décaler, décentrer, déhaler, délocaliser, démettre, dépointer, déranger, dériver, dévier, éloigner, éluer, excentrer, grouiller, luxer, mouvoir, muter, pousser, reculer, remuer, riper, tasser, tirer, transférer.

DÉPLAIRE. Agacer, attrister, blesser, choquer, contrarier, coûter, désobliger, ennuyer, fâcher, froisser, gêner, importuner, indisposer, irriter, offusquer, mécontenter, peiner, rebuter, répugner, riper, tiquer, vexer.

DÉPLAISANT. Acariâtre, acerbe, aigri, antipathique, âpre, blessant, contrariant, dégoutant, désagréable, désobligeant, ennuyeux, fâcheux, gênant, incommodant, ingrat, laid, odieux, pénible, répugnant, vilain.

DÉPLAISIR. Amertume, bâillement, chagrin, contrariété, dégoût, désagrément, ennui, froissement, gêne, insatisfaction, irritation, langueur, mécontentement, offense, regret, répugnance, scandale, vide, vilenie.

DÉPLANTER. Arracher, déboiser, débroussailler, déclouer, délainer, démarier, déraciner, détacher, déterrer, divorcer, échardonner, éclaircissage, écobuer, édenter, effeuiller, emporter, enlever, épiler, essarter, essoucher, extirper, extorquer, extraire, ôter, plumer, priver, raciner, rompre, sarcler, scarification, séparer, soutirer, soustraire, tirer.

DÉPLIANT. Affiche, annonce, avis, brochure, catalogue, imprimé, feuille, promotion, prospectus, tract, volet.

DÉPLIER. Allonger, dédoubler, déployer, développement, étalement, étaler, étendre, expliquer, ouvrir.

DÉPLISSER. Affiler, affûter, aiguiser, calandrer, déchiffonner, décrêper, défriper, défriser, défroisser, émorfiler, émoudre, fer, gendarme, lisser, mémoriser, planche, relire, repasser, retourner, revenir.

DÉPLOIEMENT. Affinement, allongement, défilé, étalage, étendue, exhibition, faste, montre, opulence.

DÉPLORABLE. Fâcheux, lamentable, mauvais, misérable, piteux, pitoyable, regrettable, scandaleux, triste.

DÉPLORABLEMENT. Dérisoirement, désastreusement, lamentablement, minablement, misérablement, piteusement, tristement.

DÉPLORER. Apitoyer, brailler, braire, chanter, chialer, chigner, compatir, couiner, crier, geindre, gémir, implorer, lamenter, larmoyer, miauler, plaindre, pleurer, pleurnicher, réclamer, regretter, sangloter, vagir, zerver.

DÉPLOYER. Afficher, agrandir, allonger, arborer, dérouler, développer, distendre, étaler, étendre, opposer.

DÉPLUMÉ. Chauve, découvert, dégarni, dénudé, dépouillé, désert, déshabillé, dévêtu, dévoilé, impudique, nu, pauvre, ver, vérité, vide.

DÉPLUMER. Délester, dépouiller, détrousser, dévaliser, plumer, ratiboiser, ratisser, soulager, voler.

DÉPOITRAILLÉ. Abandonné, débraillé, déjeté, délaissé, désordonné, manqué, négligé, oublié, relâché.

DÉPOLI. Amati, bistre, blafard, cocagne, diaphane, fade, fané, fini, gui, livide, mat, mousseline, perdu, reflex, sourd, tapecul, terminé, terne, terni, translucide, transparence, usé.

DÉPOLIR. Amatir, décatir, déglacer, délustrer, faner, flétrir, mater, matir, sabler, ternir, translucide, usé, vieillir, vieux.

DÉPOLLUER. Aseptiser, assainir, assécher, clarifier, décontaminer, désactiver, désinfecter, drainer, écumer, éliminer, épurer, équilibrer, nettoyer, purifier, réduire, rétablir, stabiliser, stériliser, supprimer.

DÉPOLLUTION. Aseptisation, clarification, décontamination, désactivation, désinfection, écumage, épuration.

DÉPOPULATION. Abattage, abattis, arrachis, brûlis, chablis, chaplis, coupe, déboisement, débroussaillage, déforestation, défrichement, dénatalité, dépeuplement, déruralisation, disparition, essartage, essartement, rompis, ventis.

DÉPORT. Décote, dégrever, démission, dispenser, exempter, exonération, impôt, libérer, ôter, soulager.

DÉPORTATION. Bannissement, déracinement, émigration, exil, expatriation, expulsion, interdiction, proscription, relégation.

DÉPORTEMENT. Baraudage, débauche, dérapage, dérèglement, écart, embardée, patinage, ripage, ripement.

DÉPORTER. Abandonner, bannir, chasser, contraindre, exiler, expatrier, expulser, interner, reléguer.

DÉPOSANT. Accusateur, assistant, auditeur, caution, citation, débris, fossile, garant, jurer, observateur, parrain, preuve, recors, remettant, reste, second, souvenir, spectateur, témoin, vagulation, visu, voir.

DÉPOSER. Abattre, abdiquer, confier, consigner, découronner, démettre, désarmer, descendre, désister, destituer, détrôner, déverser, droper, dropper, enregistrer, entreposer, mettre, miser, motionner, pondre, poser, renoncer.

DÉPOSITAIRE. Concessionnaire, consignataire, détenteur, entrepositaire, garde, gardien, possesseur, séquestre.

DÉPOSITION. Attestation, comparution, déchéance, déclaration, destitution, détrônement, laitonnage, témoignage.

DÉPOSSÉDER. Aliéner, confisquer, déchoir, déplumer, dépouiller, déshériter, destituer, détrôner, dilapider, égarer, évincer, exproprier, frustrer, ôter, perdre, plumer, priver, ruiner, saisir, spolier, tondre, voler.

DÉPOSSESSION. Éjaculation, éjection, élimination, éviction, évincement, exclusion, expulsion, renvoi, supplantation.

DÉPÔT. Agglomérat, allaise, amas, argenture, arsenal, boue, calcin, cellulite, cinérite, consignation, fange, gage, gain, incrustation, insémination, lie, limon, mise, néritique, pile, ponton, précipité, sédiment, suie, tartre, tas, travertin, tuf, vase, versement.

DÉPOTAGE. Décuvaison, décuvage, dépotement, soutirage, transvasage, transvasement, transvidage.

DÉPOTER. Décanter, décharger, dépotage, dépotement, déraciner, déterrer, déverser, efficace, entonnoir, frelater, larguer, ôter, productif, siphonner, soutirer, transférer, transplanter, transvaser, transvider, verser.

DÉPOTOIR. Cloaque, décharge, déchet, déchetterie, dépôt, dompe, fourrière, ruclon, usine, vidoir, voirie.

DÉPOUILLE. Butin, cadavre, carcasse, charnier, charogne, corps, exuvie, goule, hyène, macchabée, momie, mort, mue, noyé, ossements, peau, pendu, proie, récolte, restes, sujet.

DÉPOUILLÉ. Abandonné, arraché, austère, chenu, clean, dégarni, démuni, dénudé, dénué, défruité, dénudé, écorché, écrémé, effeuillé, indigent, lessivé, mu, nu, ôt, pauvre, pelé, plumé, privé, simple, tondu, vide, volé.

DÉPOUILLEMENT. Analyse, austérité, dépossession, examen, nudité, sévérité, simplicité, sobriété.

DÉPOUILLER. Abandonner, arracher, défruiter, dégarnir, démunir, dénuder, dénuer, dépiauter, déplumer, déposséder, détrousser, ébarber, ébourrer, ébrancher, écorcher, égermer, élaguer, équeuter, étronçonner, frustrer, lessiver, nettoyer, ôter, piller, plumer, priver, renoncer, rétamer, rober, spolier, tondre, voler.

DÉPOURVU. Apode, aptère, aride, balourd, civil, déminé, dénué, détaché, édenté, endormi, exempt, exsangue, froid, gêné, glabre, idiot, imbécile, inanimé, indolent, inerte, ladre, laid, négatif, pauvre, plat, privé, rigide, tendu, vain, vide.

DÉPOUSSIÉRER. Actualiser, épousseter, essuyer, moderniser, nettoyer, rajeunir, raviver, renouveler, rénover.

DÉPRAVANT. Asphyxiant, corrupteur, dangereux, délétère, immoral, irrespirable, malfaisant, malsain, mauvais, nocif, nuisible, pernicieux, pervers, pervertisseur, séducteur, suborneur, toxique, vicieux.

DÉPRAVATION. Amoralité, avilissement, corruption, cynisme, débauche, dégradation, dénaturé, déshonneur, laxisme, luxure, péché, perdition, perversion, perversité, perversion, profanation, tare, vice.

DÉPRAVÉ. Altéré, cochon, concupiscent, corrompu, débauché, dénaturé, dévergondé, dissipé, dissolu, faisandé, immoral, libertin, libidineux, noceur, pervers, perverti, sain, sybarite, vaurien, vicieux, viveur.

DÉPRAVER. Altérer, avarier, avilir, conduite, corrompre, débaucher, défigurer, déminer, dénaturer, déprécier, enlaidir, fausser, flétrir, gâter, immoral, licence, perdre, pervertir, pourrir, putrifier, salir, tarer, vicier.

DÉPRÉCATION. Contrition, exercice, invocation, litanie, méditation, obsécration, oraison, orémus, patenôtre, prière, recueillement, rhétorique, souhait, soumission, supplication.

DÉPRÉCIATEUR. Calomniateur, calomnieux, contempteur, débineur, dénigrant, dénigreur, détracteur, diffamant, diffamateur, diffamatoire, infamant, médisant, placoteux, potinier, rossard, vipère.

DÉPRÉCIATIF. Adversaire, adverse, altération, blâme, contraire, défavorable, désavantageux, ennemi, funeste, hostile, malsain, mauvais, minoratif, mitigé, néfaste, négatif, nuisible, opposé, péjoratif, pernicieux.

DÉPRÉCIATION. Abaissement, affaiblissement, critique, dégât, déplétion, dévalorisation, discréditation, perte.

DÉPRÉCIE. Abaisse, amorti, avachi, classique, coutume, déprime, détracteur, jetable, méprise.

DÉPRÉCIÉ. Abaissé, abîmé, baissé, consommé, culotté, déchiré, déclassé, déformé, défraîchi, délavé, décalqué, dimunié, épuisé, estropié, méprisé, obsolète, obsolescent, sous-estimé, suranné, thèse, us, usé, vieil, vieux.

DÉPRÉCIER. Abaisser, abîmer, avilir, baisser, critiquer, débiner, déclasser, décrier, démonétiser, dénigrer, dépriser, détracter, dévaloriser, dévaluer, diminuer, discréditer, mépriser, mésestimer, obsolète, rabaisser, ravaler.

DÉPRÉDATEUR. Destructeur, destructif, dévastateur, nuisible, ravageur, receleur, vandale, voleur.

DÉPRÉDATION. Compromission, corruption, dégât, dégradation, destruction, détérioration, détournement, dévastation, dilapidation, dommage, exaction, extorsion, fraude, malversation, pillage, saccage, vol.

DÉPRENDRE. Débloquer, décoincer, dégager, dégripper, détacher, échapper, émaner, exhaler, libérer.

DÉPRESSIF. Atrabilaire, bilieux, cafardeux, déprimé, hypocondre, hypocondriaque, mélancolique, neurasthénique.

DÉPRESSION (n. p.). Aquitain, Aquitaine, Boulonnais, Bray, Buys-Ballot, Chergui, Djérid, Fayoum, Ghab, Gharb, Ghor, Glen More, Hodna, Kansai, Kinsi, Lowlands, Manytch, Malghir, Melghir, No, Plaghat, Rhab, Sillon, Transsylvanie, Weald.

DÉPRESSION. Abattement, burnout, caldeira, cavité, chott, col, cratère, creux, crise, cuvette, découragement, doline, fovéa, enfoncement, macula, marasme, mélancolie, neurasthénie, pli, ravin, récession, sinuosité, sotch, tirage, torpeur, tristesse, trou, val, vallée, vallon.

DÉPRESSIONNAIRE. Atmosphérique, cyclonal, cyclonique, zone

DÉPRIMANT. Affaiblissement, débilitant, décourageant, démoralisant, démotivant, désespérant, écœurant, ennuyeux, épuisant, exténuant, flippant, grisâtre, maussade, monotone, morne, plat, terne.

DÉPRIMÉ. Abattu, accablé, affligé, anéanti, brisé, claqué, consterné, coupé, découragé, dégoûté, démoli, démoralisé, désolé, détruit, effondré, énervé, faible, inerte, las, morne, morose, mou, prostré, scié, sombre, vaincu, zigouillé.

DÉPRIME. Abattement, accablement, affliction, aigreur, amertume, bleus, blues, cafard, chagrin, découragement, démoralisation, dépression, désolation, mélancolie, neurodépresseur, obsolescent, prostration.

DÉPRIMER. Abattre, accabler, débiliter, décourager, démoraliser, diminuer, enfoncer, éreinter, fatiguer, flipper.

DÉPRISE. Abandon, abdication, acquittement, défection, délaissement, délivrance, démission, désertion, désintérêt, dessaisissement, droppage, forfait, parachutage, recul, lâchage, largage, rachat, résignation.

DÉPRISER. Déprécier, inférioriser, méconnaître, mésestimer, minimiser, minorer, rabaisser, sous-estimer, sous-évaluer.

DÉPROGRAMMATION. Abnégation, abolition, abrogation, ajournement, annulatif, annulation, cassation, cessation, commissoire, coupure, destruction, disparition, dissolution, effacement, extinction, rédhibitoire, renon, report, retrait, révocatoire, rupture, suppression.

DÉPROGRAMMER. Abolir, abroger, ajourner, annuler, casser, cesser, couper, décommander, résilier.

DÉPUCELAGE. Avilir, blâmer, chiffonner, condamner, défloraison, défoliation, dessécher, enlaidir, étioler, fanaison, faner, flétrissure, marcescent, marcescible, plier, ployer, ratatiner, rider, salir, stigmatiser, ternir, traumatiser, vieillot, violer.

DÉPUCELER. Avilir, blâmer, chiffonner, condamner, défleurir, déflorer, dessécher, dévirginiser, enlaidir, étioler, faner, flétrir, gâter, marcescent, marcescible, plier, ployer, ratatiner, rider, salir, stigmatiser, ternir, traumatiser, vieillot, violer.

DEPUIS. Dernièrement, de, dès, durée, lors, naguère, nouvellement, récemment, sur, voici, voilà.

DÉPURATIF. Bardane, cathartique, diaphorétique, diurétique, lampourde, laxatif, livèche, purgatif, salsepareille.

DÉPURER. Absterger, affiner, candi, clarifier, coller, décanter, déféquer, filtrer, fumiger, purger, purifier.

DÉPUTATION. Ambassade, apostolat, charge, commission, délégation, devoir, église, émissaire, espionnage, espionner, évangélisation, fonction, guetteur, légat, mandat, mission, organisation, patrouille.

DÉPUTÉ. Ambassadeur, amphictyon, délégué, élu, envoyé, mandataire, nonce, parlementaire, représentant, sénateur.

DÉPUTER. Abandonner, acheter, assurer, avouer, céder, communiquer, confidence, confier, croire, déléguer, dépêcher, détacher, envoyer, épancher, laisser, livrer, mandater, ouvrir, prêter, remettre, transmettre.

DÉRACINÉ. Abattu, émigrant, émigré, exilé, expatrié, immigrant, immigré, importé, migrant, transplanté.

DÉRACINEMENT. Arrachement, arrachis, bannissement, déportation, exil, expatriation, extirpation, extraction.

DÉRACINER. Arracher, déplanter, déterrer, essoucher, exiler, expatrier, extirper, extraire, supprimer.

DÉRAGER. Abandonner, accorder, arrêter, briser, cesser, classer, couper, débrayer, décolérer, défâcher, désemplir, dételer, expirer, fin, finir, lever, interrompre, mourir, négliger, ôter, perdre, priver, renoncer, retirer, sevrer, tarir, vaguer.

DÉRAIDIR. Assouplir, décontracter, dégourdir, dérouiller, désengourdir, détendre, relâcher, relaxer.

DÉRAILLEMENT. Accident, adversité, affaire, aléa, altéré, aspérité, attribut, avatar, aventure, bémol, calamité, carambolage, cas, catastrophe, contretemps, coup, crash, dièse, écrasement, ennui, épisode, esclandre, explosion, fraise, incident, lésion, malheur, naufrage, panne, pépin, péripétie, revers, toxémie, tuile, vicissitude.

DÉRAILLER. Débloquer, déjanter, délirer, déménager, déraisonner, divaguer, élucubrer, extravaguer, radoter.

DÉRAILLEUR. Braquet, déclic, dispositif, échangeur, embrayage, engrenage, mécanisme, renvoi, rouage.

DÉRAISON. Aberration, absurdité, affolement, folie, illogisme, imbécillité, insanité, ivresse, témérité.

DÉRAISONNABLE. Aberrant, absurde, alogique, délire, dément, démesuré, énorme, extravaguant, fou, idiot, illogique, imbécile, inconscient, inepte, insane, insensé, irrationnel, niais, ridicule, sot, stupide, téméraire.

DÉRAISONNABLEMENT. Abusivement, démesurément, énormément, exagérément, excessivement, extrêmement, grandement, suprêmement, surabondamment, terriblement, torride, trop, usurairement, vertigineusement.

DÉRAISONNEMENT. Aberrance, aberration, absurdité, aliénation, délire, divagation, égarement, extravagance.

DÉRAISONNER. Affoler, débloquer, déconner, déjanter, délirer, déménager, dérailler, divaguer, radoter, rêver, tromper.

DÉRANGÉ. Aliéné, bizarre, caractériel, cinglé, débauché, dément, derche, déréglé, derge, désaxé, déséquilibré, détraqué, dévoyé, dingue, embarrassé, fou, malade, piqué, tapé, timbré, toqué, troublé, zinzin.

DÉRANGEANT. Acariâtre, agaçant, chiant, contrariant, déplaisant, désespérant, embêtant, empoisonnant, ennuyeux, fâcheux, fastidieux, fatigant, importun, insupportable, intolérable, lassant, râlant, tannant, vexant.

DÉRANGEMENT. Affolement, agitation, alarme, bouleversement, bruit, chambardement, confusion, désajustement, désalignement, désarroi, désordre, gêne, indisposition, pagaille, perturbation, tracas, trouble.

DÉRANGER. Achaler, brouiller, chambarder, changer, déclasser, décoiffer, dépeigner, déplacer, dérégler, désaxer, détraquer, distraire, ennuyer, gêner, importuner, nuire, ôter, perturber, rompre, tanner, troubler.

DÉRAPAGE. Cabriole, cascade, cataracte, chute, culbute, défaite, défeuillaison, défloraison, défoliation, dégringolade, dérive, descente, desquamation, éboulement, écroulement, effeuillaison, effeuillement, effondrement, exfoliation, gadin, glissade, plongeon, pluie, ramassé, saut, tacle, tombé.

DÉRAPER. Antidérapant, bannir, chasser, chirer, chuter, couler, culbuter, débusquer, déloger, déplacer, détrôner, écarter, exclure, filer, glisser, limoger, patiner, renvoyer, riper, survirer, tomber, virer, voler.

DERBY. Chaussure, corrida, cross, course, démolition, drag, épreuve, galopade, incursion, jogging, marathon, marche, omnium, poursuite, prix, racer, régate, relais, rodéo, ruée, sprint, stade, tauromachie, tour, trajet, trial.

DERCHE. Anus, après, arrière, arrière-train, assis, coulisse, croupion, cul, derrière, dos, ensuite, envers, fesses, fessier, fessu, pétard, popotin, postérieur, revers, séant, tain.

DÉRÉEL. Adage, âme, autistique, axiome, but, cauchemar, cœur, compréhension, concept, dogme, entendement, esprit, idée, intelligence, ionisme, méditation, noème, noèse, pensée, raison, réflexion, rêvasserie, rêverie, rhétorique, sentiment.

DÉRÉGLÉ. Aliéné, arriéré, bouleversé, dérangé, dissolu, égaré, excès, habitude, libertin, régler, troublé.

DÉRÈGLEMENT. Aliénation, asile, avertin, bouleversement, crise, dada, débauche, délire, dérangement, détraquement, excès, folie, fou, grelot, humorisme, imagination, ire, lubie, lycanthropie, manie, marotte, tic, vésanie.

DÉRÉGLEMENTATION. Allègement, changement, déplanification, dérégulation, libéralisation, renouvellement.

DÉRÉGLEMENTER. Accorder, adoucir, aérer, aider, alléger, améliorer, amincir, apaiser, calmer, consoler, décharger, dégager, dégrever, délester, diminuer, dorer, éclaircir, écrémer, élégir, excuser, exonérer, sarcler, soulager.

DÉRÉGLER. Altérer, bouleverser, déclinquer, déranger, déséquilibrer, détraquer, perturber, troubler.

DÉRÉLICTION. Abandon, bulle, chagrin, cocon, dégoût, délaissement, désert, éloignement, exil, ghettoïsation, isolation, isolement, quarantaine, réclusion, retraite, retranchement, séparation, solitude, tanière.

DÉRIDER. Amuser, badiner, désopiler, éclat, égayer, gai, glousser, hilarité, joie, marrer, moquer, pâmer, pouffer, quolibet, railler, ri, ricaner, rictus, rigoler, rioter, ris, risée, risette, risorius, sourire, zygomatique.

DÉRISION. Dérisoire, épigramme, huée, ironie, mépris, moquerie, persiflage, raillerie, sarcasme, sobriquet.

DÉRISOIRE. Anodin, bagatelle, infime, insignifiant, ironique, médiocre, minime, modique, négligeable, piètre, ridicule.

DÉRISOIREMENT. Absurdement, agréablement, bouffon, bouffonnement, burlesquement, comiquement, délicieusement, drôlement, facétieusement, grotesquement, joliment, plaisamment, ridiculement, risiblement.

DÉRIVATIF. Changement, distraction, divertissement, diversion, entracte, exutoire, hobby, intermède.

DÉRIVATION. Adduction, bief, contournement, délestage, dérive, déroutage, détournement, déviation, shunt, stomie.

DÉRIVE. Cyphose, déflexion, détour, déviation, dévoiement, diffraction, distance, écart, évitement, flèche, gauche, gauchissement, hétérophorie, intervalle, loucherie, scoliose, sinuosité, superstition, tortueux, valgus.

DÉRIVER. Abandonner, calculer, conter, découler, dégager, dépendre, dériveter, dériveur, descendre, détourner, dévier, écarter, émaner, issu, naître, partir, procéder, provenir, rattacher, résulter, sortir, suivre, venir.

DÉRIVEUR. Délogeur, disloqueur, drifter, écarteur, érigne, érine, finn, fourreur, quillard, sharpie, snipe, voilier.

DERMATITE. Actinite, coup de soleil, dermite, érésipèle, inflammation, peau, radiodermite, séborrhéique.

DERMATOLOGUE (n. p.). Kaposi.

DERMATOSE. Acné, adné, candiose, cutané, derme, dyskératose, ecthyma, eczéma, érythrasma, érythrodermie, érythrose, favus, furonculose, gale, ichtyose, impétigo, intertrigo, kératose, leucoplasie, lichen, lupus, peau, pédiculose, pityriasis, prurigo, psoralène, psoriasis, puvathérapie, sclérodermie, ulcère.

DERME. Cuir, dermatite, dermatose, dermite, ectoderme, endoderme, épiderme, mésoderme, patte d'oie, peau, pétéchie, ride, ridule, serge, tissu.

DERMITE. Actinite, coup de soleil, dermatite, érésipèle, inflammation, peau, radiodermite, séborrhéique.

DERNIER. Affinage, agonie, antépénultième, apois, après, bout, cadet, der, dessert, extrême, extrémité, fin, final, in extremis, limite, morasse, nouvelle, passé, queue, reste, retour, soir, suprême, tardillon, terme, terminus, testament, tierce, ultime, ultimo, volonté.

DERNIÈREMENT. Anciennement, depuis, fraîchement, jeunement, naguère, nouvellement, récemment.

DERNY. Boguet, cyclomoteur, meule, mob, mobylette, moto, motocyclette, pétrolette, solex, trottinette, vélomoteur, vespa.

DÉROBADE. Alibi, cachette, désertion, échappatoire, escalier, excuse, fuir, fuite, insu, reculade, vol, voler.

DÉROBÉ. Abscons, anonyme, arcane, arrière-fond, caché, cachotterie, charade, chipé, clandestin, clé, clef, confidentiel, discret, dissimulé, énigme, état, furtif, in petto, intime, latent, mèche, obscur, professionnel, recette, sceau, secret, ténébreux, tréfonds, truc.

DÉROBÉE. Abri, antre, cache, cachette, cape, catimini, clandestin, discrètement, fuite, furtivement, invisible, planque, recoin, secrètement, tapinois.

DÉROBER. Chiper, choper, chouraver, chourer, délester, dévaliser, disparaître, dissimuler, dissiper, échapper, éclipser, éluder, escamoter, esquiver, faiblir, fléchir, kleptomane, prendre, soustraire, subtiliser, ôter, voiler, voler.

DÉROCHEMENT. Dérochage, enlèvement, épierrage, érochage, nettoyage, pierre, roche.

DÉROGATION. Accroc, autorisation, dispense, écart, entorse, infraction, licence, manquement, violation.

DÉROGER. Abaisser, condescendre, contrevenir, déchoir, enfreindre, manquer, transgresser, violer.

DÉROUILLÉE. Battre, coup, défaite, dégelée, essor, fessée, flopée, raclée, rincée, rossée, roulée, saucée, tabassée, tannée, tripotée, volée.

DÉROUILLER. Dégourdir, déguster, écoper, encaisser, prendre, ramasser, recevoir, réveiller, souffrir.

DÉROULAGE. Cavalcade, débobinage, défilement, déroulement, dévidage, dévirage, tavelage, tracanage.

DÉROULEMENT. Cafouillage, cafouillis, cheminement, cours, débobinage, défilement, déroulage, développement, dévidage, écoulement, enchaînement, évolution, fil, marche, scénario, succession, suite, tavelage, tracanage.

DÉROULER. Arborer, cours, débiter, débobiner, déployer, dévider, étaler, étendre, étirer, évoluer, film, suite, tourner.

DÉROULEUSE. Caret, dérouleur, dévideur, dévidoir, enrouleur, moulinet, raboteuse, touret, tournette, treuil.

DÉROUTAGE. Contournement, dérivation, déroutement, détour, détournement, déviation, évitement.

DÉROUTANT. Bizarre, confondant, curieux, déconcertant, embarrassant, embêtant, éruptif, étonnant, étrange, imprévisible, imprévoyable, imprévu, inattendu, inespéré, inquiétant, stupéfiant, surprenant, troublant.

DÉROUTE. Bouscueil, chute, débâcle, débandade, défaite, dégel, dispersion, fuite, krach, panique, retraite.

DÉROUTEMENT. Contournement, dérivation, dérive, déroutage, détournement, déviation, évitement.

DÉROUTER. Abasourdir, déboussoler, déconcerter, décontenancer, démonter, dépayser, dépister, désarçonner, désemparer, désorienter, déstabiliser, détourner, dévier, écarter, égarer, embarrasser, interloquer, troubler.

DERRIÈRE. Anus, après, arrière, arrière-train, assis, aubin, coulisse, croupion, cul, derche, dos, ensuite, envers, fesses, fessier, fessu, par-derrière, passé, pétard, popotin, postérieur, revers, séant, sous, tain.

DERVICHE. Cérémonie, danseur, fakir, hurleur, musulman, pratiquant, religieux, tourneur, valseur, vêture.

DÉS. Bezet, bob, brelan, crabs, jacquet, momon, passedix, poker, rafle, rillons, sonnez, terne, zanzi, zanzibar.

DÈS. Aussitôt, depuis, désormais, donc, illico, immédiat, instantané, maintenant, moment, ores, sitôt, tenant.

DÉSABUSÉ. Acariâtre, acrimonieux, aigri, blasé, boudeur, bourru, chagrin, chagriné, déçu, désagréable, désenchanté, détrompé, ennuyeux, grincheux, gringe, gris, grognon, hargneux, insipide, insupportable, massacrant, maussade, mélancolique, morne, morose, pisse-vinaigre, rabat-joie, renfrogné, revêche, rit, sombre, terne, triste.

DÉSABUSEMENT. Abattement, accablement, affliction, amertume, anéantissement, chagrin, consternation, déboires, déception, déconvenue, découragement, dégoût, dépit, désespoir, échec, ennui, lassitude, peine, regret, revers, tristesse.

DÉSABUSER. Blaser, dégoûter, désenchanter, détromper, écœurer, fatiguer, lasser, rassasier, soûler.

DÉSACCORD. Bisbille, brouille, chicane, conflit, contestation, démêlé, désuni, différend, digression, discorde, dispute, dissension, divergence, division, divorce, heurt, mésentente, mutinerie, opposition, rupture, séparation, tension, zizanie.

DÉSACCORDÉ. Absurde, anormal, boiteux, décousu, dérangé, discordant, disparate, dissonant, faux, grinçant.

DÉSACCORDER. Brouiller, déchirer, désolidariser, désunir, détruire, diviser, fâcher, opposer, troubler.

DÉSACCOUPLER. Abandonner, brouiller, chicaner, contester, découpler, démêler, désavouer, désolidariser, désunir, disjoindre, disputer, dissocier, diviser, interrompre, lâcher, opposer, rompre, séparer.

DÉSACCOUTUMANCE. Débarras, défaite, délivrance, déshabitude, désintoxication, détachement, guérison, libération, sevrage.

DÉSACCOUTUMER. Défaire, délivrer, déshabituer, désintoxiquer, détacher, guérir, libérer, sevrer.

DÉSACRALISATION. Agnosticisme, apostasie, athéisme, blasphème, doute, froideur, gentilité, hérésie, impiété, incrédulité, incroyance, indifférence, infidélité, irréligion, libertinage, matérialisme, paganisme, panthéisme, péché, polythéisme, profanation, reniement, sacrilège, scandale, scepticisme.

DÉSACTIVATION. Asphyxie, blocage, décontamination, engourdissement, enraiement, entrave, immobilisation, immobilisme, impuissance, inhibition, neutralisation, obstruction, paralysie, ralentissement, sclérose, stagnation.

DÉSACTIVER. Aseptiser, assainir, assécher, débarrasser, décontaminer, dépolluer, désinfecter, diminuer, drainer, épurer, équilibrer, nettoyer, neutraliser, purifier, rétablir, stabiliser, stériliser.

DÉSADAPTÉ. Anaplasie, anomalie anormal, arriéré, bizarre, caractériel, désaxé, déséquilibre, excitation, fou, handicapé, impulsion, inadapté, inhabituel, insolite, instable, irrégularité, irrégulier, mérycisme, norme, phénoménal, rare, sain, subnormal.

DÉSAFFECTION. Désamour, désintéressement, désintérêt, détachement, fraîcheur, froideur, indifférence.

DÉSAGRÉABLE. Acariâtre, acerbe, acide, aigre, amer, âpre, atroce, blessant, criard, déplaisant, déplorable, détestable, dissonant, ennuyeux, épouvantable, exécrable, fâcheux, ingrat, laid, mauvais, méchant, rêche, rude, sale, scrabeux, tièdasse, tuile, vilain.

DÉSAGRÉABLEMENT. Âcrement, âprement, brutalement, cruellement, désobligeamment, difficilement, durement, méchamment, péniblement, rudement, sèchement, sévèrement, vertement, vilement.

DÉSAGRÉGATION. Décomposition, délitescence, désintégration, destruction, morcellement, rupture, séparation.

DÉSAGRÉGER. Aplatir, atomiser, broyer, cloisonner, concasser, crever, décomposer, déliter, dépareiller, désintéger, détruire, disloquer, diviser, éclater, effriter, égrener, émietter, imploser, sauter, scinder.

DÉSAGRÉMENT. Accident, aria, catastrophe, chagrin, contrariété, damné, déboire, déconfiture, déplaisir, désastre, désavantage, difficulté, échec, embêtement, ennui, mécontentement, peine, pépin, rançon, souci, tracas.

DÉSAJUSTEMENT. Affolement, agitation, alarme, bouleversement, bruit, chambardement, confusion, dérangement, désalignement, désarroi, désordre, gêne, indisposition, pagaille, perturbation, tracas, trouble.

DÉSAJUSTER. Déborder, défaire, déglinguer, démonter, déranger, dérégler, détraquer.

DÉSALIÉNATION. Acquittement, affranchissement, débarras, décolonisation, délivrance, élargissement, émancipation, évacuation, libération, manumission, rachat, rédemption, relâchement, salut.

DÉSALTÉRER. Abreuver, apaiser, assouvir, boire, calmer, combler, contenter, étancher, rafraîchir, soulager.

DÉSAMORÇAGE. Aconage, débardage, débarquement, déchargement, délestage, lestage, livraison.

DÉSAMORCER. Adoucir, céder, décontenancer, désarmer, désemparer, déséquilibrer, enrayer, fléchir, renoncer, toucher.

DÉSAMOUR. Désaffection, désintéressement, désintérêt, détachement, fraîcheur, froideur, indifférence.

DÉSAPER. Découvrir, dégarnir, dénuder, dépoiler, déshabiller, dévêtir, dévoiler, enlever, nu.

DÉSAPPARIER. Dégarnir, dépareiller, déparier, déparler, désappareiller, désassortir, ôter, paire.

DÉSAPPOINTANT. Contrariant, décevant, ennuyeux, frustrant, insatisfaisant, mensonger, râlant, trompeur.

DÉSAPPOINTEMENT. Aigreur, amertume, bisque, bouder, cependant, chagrin, contrariété, crève-cœur, dam, déception, déconvenue, dépit, désillusion, enrageant, envers, envie, humeur, jalousie, malgré, nonobstant, rageant, rancœur, vexer, zut.

DÉSAPPOINTER. Chagriner, contrarier, décevoir, déçu, défriser, désillusionner, mécontenter, tromper.

DÉSAPPRENDRE. Barrer, biffer, caviarder, corriger, décolorer, détruire, échopper, effacer, élider, éliminer, enlever, falot, gommer, gratter, ignorer, indélébile, laver, modeste, oblitérer, obstruer, ôter, oublier, radier, raturer, rayer, user.

DÉSAPPROBATEUR. Acariâtre, boudeur, bougon, bougonneur, bourru, briscard, criailleur, chialeur, critiqueur, grincheux, grognard, grogneur, grogneux, grognon, grondeur, improbateur, maussade, mécontent, morose, râleur, récriminateur, renfrogné, réprobateur, ronchon.

DÉSAPPROBATION. Blâme, condamnation, contestation, contradiction, déception, négation, opposition, réserve.

DÉSAPPROUVER. Blâmer, condamner, critiquer, désapprobateur, désapprobation, désavouer, improuver, incriminer, désarmer, flétrir, incriminer, reprendre, réprimander, réprouver, stigmatiser, vitupérer.

DÉSAPPROVISIONNEMENT. Annexion, appropriation, blocus, confiscation, embargo, exécution, expropriation, gel, immobilisation, mainmise, prise, privation, saisie, séquestre, suppression.

DÉSARÇONNER. Confondre, déconcerter, décontenancer, démonter, dérouter, embarrasser, vider.

DÉSARGENTÉ. Cassé, fauché, gêné, indigent, malheureux, miséreux, nécessiteux, panné, pauvre, raide.

DÉSARMANT. Attachant, attendrissant, émouvant, étonnant, poignant, prenant, touchant.

DÉSARMÉ. Démilitarisé, démobilisé, dénucléarisé, dépité, désemparé, faible, impuissant, vulnérable.

DÉSARMEMENT. Baisse, découragement, démilitarisation, dénucléarisation, neutralisation, relâchement.

DÉSARMER. Adoucir, céder, décontenancer, désamorcer, désemparer, déséquilibrer, fléchir, renoncer, toucher.

DÉSARRIMAGE. Chute, déliage, déliement, déplacement, détachement, dételage, ripage, ripement.

DÉSARROI. Agitation, angoisse, arroi, désespéré, détresse, émotion, glas, moral, profond, tocsin, trouble, SOS.

DÉSARTICULER. Amputer, assoupir, déboîter, déglinguer, démettre, démonter, disjoindre, disloquer.

DÉSASSEMBLER. Clastique, débobiner, débosser, déboucler, déboulonner, déconcerter, démonter, déconnecter, défaire, dégager, démantibuler, démonter, dérouler, désarçonner, désosser, désunir, dévider, disjoindre, disloquer, embarrasser, monter, séparer, troubler.

DÉSASSORTIR. Dégarnir, déparier, déparler, dépareiller, désappareiller, désapparier, détruire.

DÉSASTRE. Abîme, accident, banqueroute, calamité, cataclysme, catastrophe, chagrin, contrariété, déboire, déception, déconfiture, désolation, destruction, détresse, deuil, dévastation, enfer, ennui, foirade, malheur, précipice, ruine.

DÉSASTREUSEMENT. Déplorablement, dérisoirement, lamentablement, minablement, misérablement, piteusement, tristement.

DÉSASTREUX. Affligeant, calamiteux, catastrophique, déplorable, désolant, destructif, ennuyeux, épouvantable, funeste, lamentable, létal, malheureux, mauvais, mortel, navrant, néfaste, nuisible, ruineux, tragique.

DÉSATOMISER. Dénucléariser, priver.

DÉSAVANTAGE. Dommage, handicap, inconvénient, infériorité, infirmité, pénalisation, préjudice, rançon, tare.

DÉSAVANTAGER. Défaire, défaut, défavoriser, déshériter, déposséder, désavouer, handicaper, infériorité, léser.

DÉSAVANTAGEUSEMENT. Dangereusement, défavorablement, dramatiquement, funestement, gravement, grièvement, imprudemment, mal, malencontreusement, nuisiblement, sérieusement, terriblement.

DÉSAVANTAGEUX. Adverse, attentatoire, contraire, défavorable, dommageable, hostile, inconvénient, nuisible, pernicieux, préjudiciable.

DÉSAVEU. Abjuration, dédit, démenti, dénégation, déni, déniement, négation, non, palinodie, rétractation.

DÉSAVOUER. Blâmer, contester, dédire, démentir, dénier, mentir, nier, refuser, réfuter, renier, répudier, rétracter.

DÉSAXÉ. Aliéné, amoureux, barjo, braque, cerveau, cinglé, cinoque, cintré, dément, détraqué, dingue, enragé, fada, fêlé, fol, forcené, fou, frappé, frénétique, furieux, givré, idiot, imbécile, insane, insensé, interné, ire, maboul, marotte, marteau, mental, nase, naze, niais, sain, sinoque, siphonné, sonné, sot, taré, toqué, tordu, transvasé, triboulet, vidé.

DÉSAXER. Changer, déjeter, dépeigner, déphaser, déplacer, dérégler, désemparer, déséquilibrer, déstabiliser, détraquer, dévier, ébranler, écarter, égarer, fragiliser, gêner, importuner, infléchir, nuire, perturber.

DESCELLER. Arracher, briser, décacheter, découpler, dégrafer, délacer, détacher, détériorer, ouvrir, rompre.

DESCENDANCE. Enfant, extraction, filiation, fils, ligne, lignée, maison, postérité, race, sang, testage.

DESCENDANT. Agnat, enfant, épigone, famille, filiation, fils, génération, héritier, hoirie, issu, lignée, mémoire, nadir, né, phylum, postérité, progéniture, race, rejeton, souche, successeur, succession, suite.

DESCENDEUR. Ascenseur, biathlonien, complaisance, cycliste, élévateur, fondeur, liftier, monte-charge, monte-plats, monte-sacs, retour, service, skieur, spécialiste, ustensile.

DESCENDRE. Abaisser, abattre, aborder, affaler, ariser, avatar, baisser, bute, buter, butter, couler, débarquer, débouler, dégringoler, dévaler, diminuer, échafaud, éreinter, escalier, pendre, plonger, remonte, retirer, roi, sauter, skier, tuer, vriller.

DESCENDU. Abaissé, avalé, buté, débarqué, déboulé, dégringolé, issu, plongé, sauté, tombé, tué.

DESCENTE. Abaissement, aval, avatar, baisse, bobsleigh, colpocèle, dégringolade, dépréciation, fermeture, moquette, pente, pentecôte, police, ptôse, raft, rafting, schuss, slalom, tapis, toboggan, tombée, vrille.

DESCRIPTIF. Abrégé, aperçu, canevas, détail, dessin, devis, diagramme, document, ébauche, esquisse, exposé, forme, formule, graphique, image, manifeste, plan, récit, schéma, schème, structure, tracé.

DESCRIPTION. Angiographie, caricature, carte, devis, énumération, holographie, halologie, hématologie, image, monographie, nosographie, ophiographie, ophiologie, peinture, plan, portrait, radiographie, recette, signalement, topographie, tracé, trait.

DÉSÉCHOUER. Afflouer, conserver, débiner, échapper, éluder, enfuir, évader, éviter, flot, fuir, garantir, garder, garer, guérir, libérer, réchapper, remettre, renflouer, sauver.

DÉSEMBOUTEILLER. Débarrasser, déblayer, débroussailler, décongestionner, défricher, dégager, dégrossir, délivrer, déneiger, désencombrer, désobstruer, dragline, enlever, évacuer, libérer, nettoyer, préparer, terri, vider.

DÉSEMBROUILLER. Clarifier, débrouiller, débroussailler, délabyrinther, démêler, élucider.

DÉSEMPARÉ. Avarié, confondu, contrarié, déconcerté, déconfit, décontenancé, démonté, dépaysé, dépité, dérouté, désarçonné, désarmé, désorienté, déstabilisé, interdit, penaud, privé, rasséréné, sot.

DÉSEMPARER. Confondre, contrarier, déconcerter, décontenancer, démonter, dépayser, dérouter, désarçonner, désorienter, désarmer, déstabiliser, disloquer, embarrasser, interdire, interloquer, surprendre, troubler.

DÉSEMPLIR. Abandonner, accorder, arrêter, briser, cesser, classer, couper, débrayer, décolérer, dételer, expirer, fin, finir, lever, interrompre, mourir, négliger, ôter, perdre, priver, renoncer, retirer, sevrer, tarir, vaguer, vider.

DÉSENCHANTÉ. D Accablé, bizarre, confondu, déconcerté, déconfit, déçu, défait, démonté, dérouté, décontenancé, désappointé, désarçonné, désemparé, désorienté, éconduit, embarrassé, étonné, gêné, importuné, incompris, interdit, interloqué, malpris, pantois, penaud, surpris, troublé.

DÉSENCHANTEMENT. Abattement, accablement, affliction, allongé, amertume, anéantissement, chagrin, déception, déconvenue, dégoût, dépit, désappointement, désillusion, échec, mécompte, mésaventure.

DÉSENCHANTER. Abuser, amuser, attraper, attrister, berner, chagriner, circonvenir, contrarier, décevoir, défriser, dégoûter, dépiter, désabuser, désappointer, désespérer, désillusionner, duper, frustrer, illusionner, leurrer, manquer, peiner, trahir, tromper.

DÉSÉNERVER. Atténuer, calmer, débander, décompresser, délasser, desserrer, détendre, distraire, lâcher, relâcher, relaxer.

DÉSENGAGEMENT. Abandon, abdication, défection, délaissement, démission, désertion, désintérêt, désistement, détachement, forfait, inachèvement, indifférence, recul, renoncement, repli, retrait, retraite.

DÉSENGAGER. Affranchir, décharger, dégager, délier, délivrer, dispenser, excuser, exempter, soustraire.

DÉSENGORGER. Déboucher, décongestionner, dégager, dégorger, désencombrer, désobstruer, vider.

DÉSENIVRER. Décevoir, dégriser, délasser, dépâqueter, désenchanter, dessoûler, distraire, divertir.

DÉSENSORCELER. Adjurer, chasser, conjurer, délivrer, désenvoûter, exorciser, obsécrer, purifier.

DÉSENTORTILLER. Affecter, arracher, cueillir, débrouiller, déconnecter, découper, découpler, défaire, dégrafer, dégraisser, délacer, déléguer, délier, démêler, dénouer, déprendre, desceller, désintéresser, désinvolte, désunir, détacher, dételer, dévisser, égrainer, égrapper, égrener, éloigner, enlever, isoler, libérer, nettoyer, ressortir, scalper, séparer, unir.

DÉSENVOÛTEMENT. Adjuration, conjuration, délivrance, désenchantement, désensorcellement, exorcisation, exorcisme, obsécration, purification, raison, retour, supplication.

DÉSENVOÛTER. Adjurer, chasser, conjurer, délivrer, désensorceler, exorciser, obsécrer, purifier.

DÉSÉQUILIBRÉ. Aliéné, anormal, cinglé, dément, désaxé, détraqué, forcené, fou, furieux, inflation, instable, interné, loufoque, mondide, morbide, névropathe, névrosé, piqué, psychopathe, timbré, toqué.

DÉSÉQUILIBRE. Baloud, contraste, démesure, désaccord, différence, disconvenance, discordance, disharmonie, disparité, disproportion, disparité, dissemblance, distorsion, excès, incompatibilité, inégalité, malnutrition, usure.

DÉSÉQUILIBRER. Changer, contraster, démesurer, dépeigner, déplacer, dérégler, désaxer, déstabiliser, détraquer, différencier, disconvenir, disproportionner, distordre, gêner, importuner, nuire, perturber.

DÉSERT (n. p.). Air, Atacama, Bédoin, Chaco, Dahna, Ermenonville, Gibson, Gobi, Kalahari, Kyzylkoum, Libye, Lout, Mohave, Mojave, Nafoud, Namib, Nubib, Nufud, Rub Al-Khali, Sahara, Sahel, Sertao, Sinaï, Syrie, Takla-Mahan, Taklimakan, Tanami, Tanezrouft, Ténéré, Thar, Ziph.

DÉSERT. Abandonné, aride, bled, caravane, désolé, dune, erg, hamada, inexploré, inhabité, manne, mirage, néant, oasien, oasis, reg, retraite, rocheux, sable, sauvage, seul, simoun, solitaire, solitude, steppe, thébaïde, vide, vierge.

DÉSERTER. Abandonner, délaisser, évacuer, insoumission, lâcher, laisser, larguer, quitter, renier, trahir.

DÉSERTEUR. Apostat, dissident, espiègle, insoumis, mutin, réfractaire, renégat, révolté, séditieux, traître, transfuge.

DÉSERTIFIER. Abandonner, débarrasser, déblayer, dégager, dégarnir, délester, dépeupler, déserter, éclaircir, écoper, enlever, épuiser, étriper, évacuer, éviscérer, extirper, nettoyer, ôter, pisser, pissoter, priver, siphonner, soulager, uriner, verser, vidanger, vider.

DÉSERTION. Abandon, abdication, aliénation, apostasie, arrêt, capitulation, cessation, cession, confiance, défection, démission, départ, désuétude, détente, divorce, don, donation, épave, exposition, forfait, fuite, insoumission, lâchage, luxure, nonchalance, passation, plaquage, reculade, rejet, reniement, renonciation, suspension, trahison.

DÉSERTIQUE. Aride, axène, bréhaigne, désert, désolé, desséché, épuisé, improductif, inculte, infécond, infertile, ingrat, intérêt, inutile, maigre, nul, oiseux, pauvre, sec, stérile, upérisé, vain.

DÉSESPÉRANCE. Abattement, accablement, découragement, désenchantement, détresse, lassitude, tristesse.

DÉSESPÉRANT. Affligeant, atterrant, attristant, chagrinant, décourageant, déprimant, désolant, navrant.

DÉSESPÉRÉ. Abois, affligé, attristé, désolé, détresse, espoir, extrême, hallali, misérable, navré, perdu, quia.

DÉSESPÉRÉMENT. Absolument, acharnement, complètement, incorrigiblement, incurablement.

DÉSESPÉRER. Affliger, chagriner, contrarier, décourager, dégoûter, démoraliser, désoler, navrer.

DÉSESPOIR. Abattement, accablement, affliction, consternation, découragement, désespérance, désolation, détresse.

DÉSÉTATISER. Dénationaliser, privatiser, réduire, supprimer.

DÉSHABILLAGE. Burlesque, cabaret, danseuse, déballage, déculottage, effeuillage, striptease.

DÉSHABILLÉ. Découvert, dégarni, dénudé, dévêtu, douillette, jaquette, kimono, négligé, nuisette, peignoir, pyjama.

DÉSHABILLER. Découvrir, dégarnir, dénuder, dépoiler, désaper, dévêtir, dévoiler, enlever, nu.

DÉSHABITUER. Défaire, délivrer, désacclimater, désaccoutumer, désintoxiquer, détacher, guérir, libérer, sevrer.

DÉSHERBAGE. Ameublissement, bêchage, billonnage, binage, charruage, culture, émottage, hersage, sarclage.

DÉSHERBANT. Amibe, anticryptogamique, aryloxyacide, atrazine, bromacil, carbamate, défoliant, diallate, diazine, diquat, diuron, fongicide, herbicide, killex, lénacile, linuron, monalide, monuron, néburon, paraquat, phytocide, simazine.

DÉSHERBER. Arracher, biner, débroussailler, décuscuter, défricher, détruire, échardonner, effardocher, enlever, essarter, extirper, nettoyer, sarcler, serfouir.

DÉSHÉRITÉ. Affligé, évincé, exclu, gueux, infortuné, malchanceux, malheureux, miséreux, paria, radié, réprouvé.

DÉSHÉRITER. Défavoriser, déposséder, dépouiller, désavantager, évincer, exhéréder, frustrer, priver, voler.

DÉSHONNÊTE. Grivois, immoral, inconvenant, indécent, licencieux, malhonnête, obscène, vilain.

DÉSHONNEUR. Affront, déconsidération, honte, honteux, humiliation, ignominie, indignité, infamie, réputation.

DÉSHONORANT. Avilissant, dégradant, flétrissant, honteux, ignoble, ignominieux, infamant, infâme, sale.

DÉSHONORER. Avilir, dégrader, dénigrer, éclabousser, nuire, salir, séduire, souiller, ternir, violenter, violer.

DÉSHUILER. Alléger, amaigrir, amincir, dégraisser, délarder, dessuinter, détacher, diminuer, nettoyer.

DÉSHUMANISER. Avilir, chosification, chosifier, dépersonnaliser, instrumentaliser, marchandiser, réifier.

DÉSHUMIDIFICATION. Assainissement, assèchement, déshydratation, dessèchement, dessification, drainage, écopage, égouttage, étanchement, évaporation, mâchefer, séchage, tarissement, wateringue.

DÉSHYDRATATION. Anhydrie, aridité, assèchement, déshumidification, dessèchement, dessiccation, égouttage, étanchement, évaporation, flétrissure, lyophilisation, sec, séchage, tarissement.

DÉSHYDRATER. Assécher, assoiffer, dessécher, essorer, lyophiliser, oléum, privation, priver, sec, sécher.

DÉSIDÉRABILITÉ. Aimant, attirance, attraction, attrait, avantage, bénéfice, bienfait, charisme, charme, commodité, convenance, efficacité, envoûtement, fascination, fonction, intérêt, magie, magnétisme, mérite, nécessité, profit, recours, séduction, sex-appeal, usage, utilité, valeur.

DESIDERATA. Désir, doléance, lacune, prétention, réclamation, revendication, souhait, vœu.

DESIDERATUM. Adjuration, appel, demande, démarche, exorcisme, imploration, invocation, obsécration, prière.

DESIGN. Artistique, beau, beauté, esthétique, harmonie, harmonieux, joli, plastique, sculptural, style.

DÉSIGNATION. Altesse, appellation, baron, chah, comte, duc, éminence, émir, étiquette, frontispice, iman, lord, maestro, maître, marquis, médaille, messire, nom, prince, révérend, revue, sainteté, sir, sire, sultan, titulaire, titre.

DESIGNER (n. p.). Aalto, Ashley, Aulenti, Behrens, Bill, Bleuer, Bonetti, Botta, Branzi, Breur, Chareau, Dubuisson, Eames, Gehry, Jacobsen, Kupka, Lissitzky, Loewy, Ponti, Prouvé, Putman, Saarinen, Sottsass, Starck, Tallon.

DÉSIGNER. Assigner, citer, choisir, dénommer, dessinateur, déterminer, donner, élire, énumérer, indiquer, intituler, marquer, montrer, nommer, parachuter, pointer, qualifier, signaler, symboliser, titrer, trahir, vendre, voici.

DÉSILLUSION. Affliction, déboires, déception, déconvenue, désappointement, désenchanté, dessillé, mécompte, tristesse.

DÉSILLUSIONNER. Attrister, blaser, chagriner, décevoir, déchanter, dégoûter, dégriser, dépiter, désappointer, désenchanter, doucher, frustrer, navrer, peiner, perdre, trahir, tromper.

DÉSINCARNATION. Ablation, abstraction, annihilation, conceptualisation, dématérialisation, essentialisation, idéalisation, indifférence, intellectualisation, mentalisation, renoncement, spiritualisation, sublimation.

DÉSINCARNÉ. Éthéré, immatériel, impalpable, incorporel, intangible, intemporel, platonique, pur, spirituel, vaporeux.

DÉSINCRUSTATION. Dénitrage, détartrage, élimination, exclusion, expulsion, excrétion, menstruation, radiation.

DÉSINCRUSTER. Abolir, amovible, arracher, confisquer, couper, débarrasser, débâtir, décalcariser, déclore, décortiquer, déflorer, déglacer, délainer, délester, démieller, dénicher, dénoyauter, dépiauter, dépoussiérer, dépulper, desservir, détacher, détartrer, ébarber, ébavurer, éborgner, écaillage, écaler, écimer, écorcher, écrêter, écumer, effacer, égrener, élider, éliminer, emmener, émorfiler, emporter, enlever, énouer, épépiner, épierrer, épiler, éplucher, érater, essorer, essuyer, étêter, évider, éviscérer, exciser, exfolier, kidnapper, laver, ôter, peler, racler, ravir, retirer, sauner, soustraire, supprimer, tuer, vider.

DÉSINENCE. Achèvement, apothéose, cas, conjugaison, déclinaison, fin, flexion, queue, régir, terminaison.

DÉSINFECTANT. Antiputride, antiseptique, assainissant, benzonaphtol, chlore, créosote, crésyl, dakin, dégraissant, déodorant, dépolluant, désodorisant, formol, javel, méthylène, nettoyeur, phénol, stérilisant.

DÉSINFECTER. Absterger, aseptiser, assainir, dakin, étuver, fumiger, nettoyer, purger, purifier, stériliser.

DÉSINFECTION. Antisepsie, asepsie, aseptisation, assainissement, désinfecter, étuve, purification, stérilisation.

DÉSINFORMATEUR. Aguicheur, cajoleur, charmeur, embobineur, enjôleur, ensorceleur, fabulateur, fourreur, menteur, mythomane, patelin, racoleur, saladier, séducteur, trompeur.

DÉSINFORMATION. Bide, bidon, bobard, fable, imposture, intoxication, mensonge, menterie, salade.

DÉSINHIBER. Décoincer, décomplexer, décontracter, défouler, dégêner, lever, libérer.

DÉSINSERTION. Bannissement, dégommage, délogement, destitution, disgrâce, élimination, exclusion.

DÉSINTÉGRATION. Altération, désagrégation, désorganisation, destruction, dislocation, transmutation.

DÉSINTÉGRER. Anéantir, annihiler, atomiser, corrompre, décomposer, dégager, dématérialiser, désagréger, désorganiser, détruire, disjoindre, dissocier, diviser, exploser, fractionner, fragmenter, pulvériser, séparer.

DÉSINTÉRESSÉ. Altruiste, bénévole, détaché, généreux, gratuit, honnête, impartial, indifférent, pur.

DÉSINTÉRESSEMENT. Abnégation, altruisme, charité, compensation, dédommagement, désintérêt, détachement, dévouement, générosité, humanité, indemnisation, philanthropie, renoncement, réparation.

DÉSINTÉRESSER. Contenter, dédommager, ficher, foutre, indemniser, moquer, négliger, payer.

DÉSINTÉRÊT. Abandon, abdication, défection, délaissement, démission, désengagement, désertion, désistement, détachement, forfait, inachèvement, indifférence, recul, renoncement, repli, retrait, retraite.

DÉSINTOXICATION. Débarras, défaite, délivrance, désaccoutumance, déshabitude, désintox, détachement, finir, guérison, libération, postcure, purification, sevrage, traitement.

DÉSINTOXIQUER. Affranchir, débarrasser, déchaîner, décharger, décoincer, défaire, dégager, délivrer, désensorceler, éviter, exeat, guérir, libérer, livrer, purger, quitter, racheter, remettre, secourir, soulager, tirer.

DÉSINVOLTE. Cavalier, chic, dégagé, dégourdi, déluré, détendu, élégance, impertinent, insolent, libre, naturel.

DÉSINVOLTURE. Aisance, assurance, caprice, décontraction, détachement, distinction, facilité, familiarité, frivolité, grâce, impertinence, impudence, insolence, laisser-aller, légèreté, liberté, négligence, sans-façon, sans-gêne, souplesse.

DÉSIR. Affriolant, ambition, appel, appétence, appétit, aspiration, attente, attirance, attrait, avidité, besoin, but, caprice, convoitise, cupidité, curiosité, démangeaison, desiderata, envie, éros, faim, imagination, libido, nostalgie, rêve, soif, souhait, tendance, tentation, troublant, vœu, volonté, vouloir.

DÉSIRABLE. Affriolant, aguichant, alléchant, appétissant, attirant, attrayant, bandant, engageant, enviable, excitant, intéressant, invitant, irrésistible, nécessaire, ragoûtant, séduisant, souhaitable, tentant, voulu.

DÉSIRER. Aimer, allumer, ambitionner, anticiper, appéter, aspirer, brûler, commander, convoiter, décider, demander, entendre, envier, escompter, espérer, exiger, prétendre, rêver, souhaiter, soupirer, vouloir.

DÉSIREUX. Affamé, altéré, ambitieux, anxieux, âpre, assoiffé, avare, avide, concupiscent, convoite, cupide, curieux, désir, envieux, friand, glouton, goulu, impatient, insatiable, intéressé, jaloux, mercenaire, passionné, pressé, rapace, rapiat, vorace.

DÉSISTEMENT. Abandon, abdication, défection, délaissement, démission, désengagement, désertion, désintérêt, dessaisissement, forfait, inachèvement, recul, renoncement, repli, retrait, retraite.

DÉSISTER. Abandonner, abdiquer, capituler, céder, confier, décrocher, délaisser, démettre, démissionner, départir, dériver, déserter, donner, droper, dropper, évacuer, flancher, fuir, jeter, lâcher, laisser, larguer, léguer, lézarder, livrer, luxure, négliger, oublier, partir, plaquer, prélasser, quitter, rancart, renier, renoncer, retirer, semer, séparer, succomber, trahir, vider.

DESMAN. Anatidé, bièvre, castor, harle, loutre, palmipède, piette, ragondin, rat musqué, rivière, rongeur, taupe.

DÉSOBÉIR. Blesser, braver, contrevenir, déroger, enfreindre, manquer, refuser, transgresser, violer.

DÉSOBÉISSANCE. Affront, autonomie, émancipation, indépendance, indiscipline, individualisme, indocilité, insoumission, insubordination, liberté, manquement, refus, résistance, sécession, servitude, violation.

DÉSOBÉISSANT. Coquin, difficile, espiègle, indiscipliné, indocile, luron, lutin, malicieux, peste, polisson.

DÉSOBLIGENCE. Abaissement, abjection, anéantissement, avilissement, baisse, chute, décadence, déchéance, déclin, dégénération, dégradation, dépréciation, dérasé, descente, dévalorisation, dévaluation, diminution, écrasement, ensellement, fermeture, flexion, gelé, humiliation, hypothermie, platitude, provision, renoncement.

DÉSOBLIGEANT. Acariâtre, acerbe, blessant, choquant, cru, désagréable, leste, libre, osé, raide, salé, sec.

DÉSOBLIGER. Blesser, choquer, cingler, déplaire, égratigner, fâcher, froisser, indisposer, offenser, vexer.

DÉSOBSTRUER. Déboucher, décongestionner, dégager, dégorger, désencombrer, désengorger, vider.

DÉSOCCUPÉ. Absent, absorbé, accablé, accaparé, actif, affairé, assisté, assujetti, chargé, démobilisé, désoeuvré, écrasé, empêché, employé, engagé, inactif, indisponible, malade, occupé, pris, réformé, squatté, tenu, vétéran.

DÉSODORISANT. Assainisseur, déodorant, dépollueur, nettoyeur, ozone, parfum, sent-bon.

DÉSŒUVRÉ. Désoccupé, fainéant, flâneur, inactif, inoccupé, musard, musardine, oisif, paresseux, végétatif.

DÉSŒUVREMENT. Chômage, ennui, farniente, flânerie, inaction, inoccupation, oisiveté, paresse, sinécure.

DÉSOLANT. Affligeant, consternant, contrariant, déplorable, embêtant, ennuyeux, fâcheux, lamentable, navrant.

DÉSOLATION. Affliction, avarie, chagrin, consternation, débâcle, dégradation, déprédation, destruction, détérioration, détresse, dévastation, dommage, douleur, peine, ravage, ruine, saccage, tristesse.

DÉSOLÉ. Affligé, aride, attristé, chagriné, confus, contrarié, dépeuplé, désert, embêté, ennuyé, éploré, fâché, inhabité, marri, morne, navré, peiné, ravagé, reg, regret, triste, vide.

DÉSOLER. Affliger, attrister, chagriner, consterner, contrarier, contrister, décevoir, désespérer, détruire, dévaster, ennuyer, éplorer, fâcher, grever, lamenter, navrer, peiner, plaindre, ravager, ruiner, saccager.

DÉSOLIDARISER. Abandonner, désavouer, désunir, disjoindre, dissocier, diviser, interrompre, lâcher, rompre, séparer.

DÉSOPILANT. Amusant, bouffon, burlesque, comique, drôle, hilarant, impayable, marrant, rigolo, risible.

DÉSOPILER. Amuser, désobstruer, distraire, divertir, ébaudir, égayer, glousser, récréer, réjouir, rire.

DÉSORDONNÉ. Capricant, dévoyé, échevelé, effréné, égaré, épars, étourdi, impoli, inégal, méli-mélo, obscur.

DÉSORDONNER. Brouiller, confondre, découdre, désorganiser, disparate, emmêler, étourdir, inorganiser.

DÉSORDRE. Anarchie, art, bastringue, bazar, bordel, boucan, bousculade, broussaille, capharnaüm, chahut, chambard, chambardement, chaos, chenis, chenit, chienlit, cohue, confusion, cupesse, décousu, dégât, dérangement, déroute, désarroi, dissipation, embrouillamini, envers, épars, fatras, fouillis, foutoir, gabegie, gâchis, incohérence, inculte, merdier, pagaïe, pagaille, pêle-mêle, perturbation, pétaudière, sarabande, tohu-bohu, vrac.

DÉSORGANISATION. Dérangement, désagencement, désagrégation, désarroi, désordre, destruction, trouble.

DÉSORGANISER. Bouleverser, bousculer, déranger, déséquilibrer, déstructurer, perturber, troubler.

DÉSORIENTATION. Arriéré, décalage, déphasage, désynchronisation, hystérésis, largage, perdu, retard.

DÉSORIENTÉ. Déboussolé, déconcerté, décontenancé, dépaysé, dérouté, détourné, dévoyé, éberlué, écarté, égaré, embarrassé, errant, fourvoyé, harpaillé, hésitant, indécis, perdu, perturbé, trompé.

DÉSORIENTER. Déboussoler, déconcerter, dépayser, déphaser, dépister, dérouter, désaxer, détourner, dévier, éberluer, écarter, égarer, éloigner, embarrasser, embrouiller, étonner, perdre, semer, troubler.

DÉSORMAIS. Aujourd'hui, avenir, demain, dorénavant, futur, horizon, lendemain, maintenant, ores, suite.

DÉSOSSÉ. Agréable, aimable, amène, bénin, câlin, caressant, charitable, clément, désarticulé, disloqué, doucereux, doux, docile, facile, gentil, indulgent, lâche, langoureux, liant, moelleux, mol, mou, ouaté, pacifique, paisible, riant, satin, sirupeux, sociable, souple, soyeux, suave, sucré, tempéré, tendre, tranquille, velouté.

DÉSOSSER. Décortiquer, défaire, démonter, désarticuler, désassembler, disséquer, enlever, éplucher, séparer.

DESPERADO. Bandit, coupable, criminel, délinquant, hors-la-loi, malfaiteur, pendard, révolutionnaire, transgresseur.

DESPOTE (n. p.). Agathocle, Archias, Arkhias, Gélon, Hipparque, Hippias, Nabis, Néron, Ugolin.

DESPOTE. Administrateur, amman, as, autocrate, caïd, calife, chambrier, chancelier, cheik, curion, dey, dictateur, duc, duce, économe, émir, factotum, gérant, hérésiarque, iman, intendant, maire, maître, ovate, pacha, pape, parrain, père, potentat, proconsul, prote, rapin, régisseur, sachem, satan, shah, shérif, roi, tête, tyran, vizir.

DESPOTIQUE. Absolu, absolutiste, arbitraire, autocratique, autoritaire, césarien, despote, dictatorial, directif, dominateur, hautain, hégémonique, illégal, impérieux, jupitérien, satrape, totalitaire, tranchant, tyrannique.

DESPOTIQUEMENT. Absolument, arbitrairement, dictatorialement, discrétionnairement, tyranniquement, unilatéralement.

DESPOTISME. Absolu, absolutisme, autocratie, autoritarisme, césarisme, communisme, dictatorial, dictature, domination, fascisme, franquisme, impérialisme, junte, thermidorien, totalitarisme, tsarisme, tyrannie.

DESQUAMATION. Collecte, déflation, démasclage, dépilage, écaille, enlèvement, évidemment, exodermie, ichtyose, kidnapping, otage, prise, pityriasis, ramassage, rapt, raptus, ravissement, razzia, squame, violence.

DESQUAMER. Débarrasser, dégarnir, dépouiller, dérober, détacher, écailler, écorcer, écorcher, éplucher, excorier, exfolier, muer, ôter, peler, pleumer, racler, rober.

DESSAISIR. Abandonner, débarrasser, défaire, démunir, déposséder, dépouiller, enlever, priver, renoncer, séparer.

DESSAISISSEMENT. Abandon, abdication, décrochage, défection, délaissement, démission, déprise, désengagement, désertion, désintérêt, désistement, forfait, lâchage, largage, recul, repli, résignation, retrait, retraite.

DESSALAGE. Basculement, chavirage, culbutage, culbutement, naufrage, renversement, retournement, revirement, volte-face.

DESSALÉ. Chaviré, coquin, culbuté, débrouillard, dégourdi, déluré, déniaisé, effronté, fripon, initié, renversé.

DESSALER. Basculer, chavirer, capoter, dégourdir, déniaiser, dessalage, dessalaison, dessalement, extraire.

DESSAOULER. Décevoir, dégriser, délasser, dépâqueter, désenchanter, désenivrer, dessoûler, distraire, divertir.

DESSÉCHANT. Brûlant, chaud, canicule, cuisant, débridé, déshydratant, étouffant, froid, torride, tropical.

DESSÉCHÉ. Décati, décoloré, délustré, échaudé, fané, flétri, fripé, noirci, pelé, ratatiné, ridé, terne, vieilli.

DESSÈCHEMENT. Assèchement, dépérissement, déshumidification, déshydratation, dessiccation, égouttage, endurcissement, étiolement, évaporation, momification, racornissement, sclérose, séchage, tarissement.

DESSÉCHER. Aride, assécher, brûler, copra, décharner, défraîchir, épuiser, étancher, étioler, évaporer, faner, flétrir, griller, hâler, insensibiliser, luffa, moere, momie, ortie, peler, pemmican, racornir, rôtir, salep, saur, sec, sécher, tarir.

DESSEIN. But, canevas, conception, diagramme, idée, intention, ligue, malveillance, maquette, modèle, objet, plan, préméditation, projet, réalisation, résolution, schéma, squelette, visée, voie, volonté, vue.

DESSERRER. Abandonner, casser, céder, débloquer, défaire, dégager, détendre, dévisser, dilater, flancher, fléchir, lâcher, laisser, larguer, livrer, parachuter, quitter, reculer, relâcher, rompre, semer.

DESSERT. Compote, crème, dernier, feuillantine, fin, flan, fruit, gâteau, lèse, nuit, pâtisserie, sorbet, tarte, terminus, tort.

DESSERTE. Argentier, armoire, buffet, buffet-vaisselier, camion, chaperon, coffre, collège, convoi, crédence, dressoir, envoi, étagère, huche, maie, semainier, servante, service, table, transport, vaisselier.

DESSERVANT. Archevêque, célébrant, curé, diacre, ecclésiastique, épistolier, évêque, officiant, prêtre, sous-diacre, vicaire.

DESSERVIR. Aider, commander, conduire, débarrasser, défavoriser, enlever, nuire, obédiencier, ôter.

DESSICCATION. Assèchement, déshydratation, dessèchement, égouttage, fanage, fenaison, foin, lyophilisation.

DESSILLER. Battre, débâtir, découdre, dépiquer, désabuser, détromper, éclairer, étriper, gagner, obtenir, remporter, vaincre.

DESSIN. Canevas, charbonnée, coupe, croquis, design, ébauche, écusson, élévation, épure, esquisse, étude, filigrane, fusain, graphisme, gribouillage, gribouillis,

illustration, image, lavis, ligne, manga, mire, motif, œuvre, onde, pastel, paysage, peinture, poncif, portrait, racinage, relevé, représentation, sanguine, satire, schéma, sepia, silhouette, tatouage, tracé, veine.

DESSINATEUR. Affichiste, caricaturiste, concepteur, compas, crayonneur, designer, équerre, fusiniste, graveur, illustrateur, imitateur, jardiniste, modéliste, ornemaniste, règle, scénariste, styliste, té, traçoir.

DESSINATEUR ALLEMAND (n. p.). Bechrens, Bellme, Busch, Grosz, Hergé, Holbein, Wols.

DESSINATEUR AMÉRICAIN (n. p.). Avery, Caniff, Crumb, Disney, Foster, Gehry, Grosz, Hogarth, Kirby, Kurtzman, McCay, Outcault, Pascin, Raymond, Schulz, Spiegelman, Steinberg.

DESSINATEUR ANGLAIS (n. p.). Beardsley, Caldecott, Cruikshank, Faithorne, Flaxnan, Kent, Rowlandson, Searle.

DESSINATEUR AUTRICIEN (n. p.). Schiele.

DESSINATEUR BELGE (n. p.). Dotremont, Folon, Franquin, Greg, Hergé, Jacobs, Jijé, Minne, Morris, Peyo, Schuiten, Tilleux, Vandersteen.

DESSINATEUR BULGARE (n. p.). Pascin.

DESSINATEUR ESPAGNOL (n. p.). Picasso.

DESSINATEUR FRANÇAIS (n. p.). Arp, Berain, Bilal, Bretécher, Cabu, Callot, Carlu, Caran d'Ache, Carmontelle, Chaval, Chéret, Christophe, Clouet, Cochin, Cohl, Copi, Daumier, Delaune, Devéria, Doré, Druillet, Dubout, Effel, Eisen, Erté, Faisant, Forain, Forest, François, Fred, Gassier, Gavarni, Gill, Giraud, Goscinny, Gotlib, Grandville, Gravelot, Guys, Hansi, Ipousteguy, Klossowski, Largillière, Laurens, Lenôtre, Loisel, Lorrain, Maillot, Marquet, Masson, Millet, Monnier, Moreau, Morris, Nanteuil, Othon, Oudry, Pétillon, Peynet, Plantu, Poulbot, Raffet, Redon, Reiser, Reynaud, Robida, Saint-Aubin, Saint-Ogan, Sempé, Seurat, Silvestre, Steinlen, Tardi, Topor, Trondheim, Uderzo, Ungerer, Vercors, Watteau, Wolinski.

DESSINATEUR ITALIEN (n. p.). Finiguerra, Parmesan, Piazzeta, Pratt.

DESSINATEUR JAPONAIS (n. p.). Hiroshige, Hokusai, Sharaku, Tezuka Osamu.

DESSINATEUR NÉERLANDAIS (n. p.). Saenredam, Swarte, Van Heemskerck, Vredeman.

DESSINATEUR RUSSE (n. p.). Erté, De Tirtoff.

DESSINATEUR SUISSE (n. p.). Toepffer, Zep.

DESSINATEUR TCHÈQUE (n. p.). Kupka, Mucha.

DESSINER. Calquer, chiner, colorier, croquer, figurer, grabouiller, gribouiller, griffonner, lever, maquiller, ombrer, pasteller, planifier, profiler, projeter, relever, représenter, reproduire, saillir, silhouetter, tatouer, tirer, tracer.

DESSOUDER. Abattre, assassiner, buter, débraser, descendre, éliminer, exécuter, supprimer, tuer.

DESSOUS. Au-dessous, bas, bobette, bonnerie, carte, conscience, coulisse, dedans, fond, infériorité, intimité, gratification, jupon, litote, moindre, repli, secret, semelle, sournois, sous, sous-jacent, table, tout, tréfond.

DESSUINTER. Alléger, amaigrir, amincir, dégraisser, délarder, déshuiler, détacher, diminuer, nettoyer.

DESSUS. Amont, as, au-dessus, avantage, ciel, cime, couronnement, crête, croûte, élite, empeigne, épi, haut, hors, hyper, premier, supériorité, supra, sur, surpasser, supérieurement, sus, timbre, toit, ultra, vaincre.

DESSUS DE LIT. Alaise, couette, courtepointe, couverture, couvre-pied, douillette, édredon, fourre.

DÉSTABILISANT. Activiste, agitateur, anarchiste, contestataire, cordelier, desperado, émeutier, extrémiste, factieux, frondeur, futuriste, gauchiste, insurgé, insurrectionnel, militant, nihiliste, novateur, perturbateur, putschiste, rebelle, révolté, révolutionnaire, séditieux, subversif, terroriste, trublion.

DÉSTABILISER. Affaiblir, agiter, balancer, bouleverser, bousculer, chanceler, commotionner, déséquilibrer, désorganiser, ébranler, étonner, perturber, remuer, ruiner, saper, secouer, traumatiser, troubler.

DESTIN. Aléa, astrologie, avenir, aventure, chance, condition, destinée, étoile, fatalité, fatidique, fatum, fortuit, fortune, futur, hasard, imprévu, karma, lot, malédiction, numérologie, providence, sort, vie, vocation.

DESTINATAIRE. Acheteur, acquéreur, adjudicataire, allocutaire, auditeur, cessionnaire, chaland, client, consommateur, décodeur, interlocuteur, preneur, récepteur, soumissionnaire, sujet.

DESTINATION. But, de, direction, en, expédition, fin, groupage, ligne, orientation, pour, rendu, sud, usage, vocation.

DESTINÉE. Avenir, chance, destin, étoile, fatalité, fatum, fin, fortune, futur, lot, partage, sort, vie, voyant.

DESTINER. Aboutir, affecter, arriver, dédier, définir, désigner, déterminer, fatum, prédire, réserver, vouer.

DESTITUER. Casser, chasser, congédier, dégommer, dégrader, démettre, dénuer, déposer, déposséder, détrôner, disgracier, évincer, fonction, libérer, licencier, limoger, priver, relever, renvoyer, révoquer, sauter, suspendre.

DESTITUTION. Cassation, congé, congédiement, débauchage, déchéance, dégradation, déposition, détrônement, élimination, exclusion, expulsion, interdiction, licenciement, limogeage, renvoi, révocation.

DESTRIER. Alezan, allure, amble, anglo-arabe, anglo-normand, ars, arzel, aubère, bai, baillet, balzan, barbe, bas-jointé, bégu, bouleté, bourrin, brassicourt, cagneux, canasson, canon, carcan, carne, cavale, cavalier, cavecé, châtaigne, cheval, cob, courbatu, coursier, court-jointé, crinière, croupe, dada, demi-sang, embarre, encastré, encolure, ensellé, équin, étalon, galop, garrot, genet, goussaut, haridelle, hippocampe, hongre, hunter, isabelle, jarret, limonier, mésair, mézair, monture, mors, mule, mustang, outsider, palefroi, panard, percheron, piaffeur, pinçard, poitrail, polo, poney, pur-sang, racer, ramingue, relais, rosse, rouan, roussin, rubican, ruer, sabot, sommier, stepper, steppeur, tarpan, trot, trotteur, turf, yearling, zain.

DESTRUCTEUR. Destructif, dévastateur, iconoclaste, meurtrier, nihiliste, nuisible, ravageur, subversif.

DESTRUCTIBLE. Altérable, biodégradable, caduc, corruptible, court, décolorer, décomposable, délébile, effaçable, éphémère, falot, fongible, fragile, fugace, incertain, instable, mortel, passager, périssable, précaire, putréfiable, putrescible, vénal.

DESTRUCTIF. Affligeant, calamiteux, catastrophique, déplorable, désastreux, désolant, ennuyeux, épouvantable, funeste, lamentable, létal, malheureux, mauvais, mortel, navrant, néfaste, nuisible, ruineux, tragique.

DESTRUCTION. Abolition, anéantissement, annulation, antiseptie, autolyse, carie, cataclysme, corrosion, démantèlement, démolition, dératisation, désinfection, effondrement, effritement, hémolyse, naufrage, ruine, sabotage, sape, suicide.

DÉSUET. Anachronique, ancien, antédiluvien, antique, archaïque, arriéré, caduc, daté, démodé, dépassé, fossile, inactuel, mode, obsolète, passé, périmé, ringard, rococo, rossignol, suranné, tacot, vieillot, vieux.

DÉSUÉTUDE. Abandon, âge, anachronisme, ancienneté, antiquité, archaïsme, caducité, décrépitude, délabrement, désaffection, obsolescence, survivance, usure, vétusté, vieillesse, vieillissement.

DÉSUNION. Brouille, désaccord, discorde, dispute, diviseur, fractionnel, grabuge, heurt, mésentente, trouble, zizanie.

DÉSUNIR. Brouiller, couper, délier, déranger, disjoindre, disloquer, dissocier, diviser, saillir, séparer.

DÉTACHABLE. Amovible, dégraissage, déplaçable, interchangeable, mobile, modifiable, nettoyage, praticable.

DÉTACHANT. Acétone, alcool, anesthésique, antiseptique, bleu, dégraissant, détergent, détersif, diluant, dissolvant, esprit de bois, isoprène, liquide, méthyle, méthylène, nettoyant, polaire, radical, soluté, solvant, thiazine, thionine.

DÉTACHÉ. Affranchi, blasé, dégagé, dégoûté, délié, dépris, désincarné, désintéressé, désinvolte, envieux, flegmatique, impartial, indifférent, insouciant, isolé, lointain, neutre, pizzicato, séparé, staccato, tiède.

DÉTACHEMENT. Abandon, anesthésie, commando, désaffection, désintérêt, désinvolture, escorte, formation, indifférence, insensibilité, insouciance, intérêt, nirvana, oubli, patrouille, plastron, renoncement, sommeil.

DÉTACHER. Affecter, arracher, cueillir, déconnecter, découper, découpler, défaire, dégrafer, dégraisser, délacer, déléguer, délier, dénouer, déprendre, desceller, désintéresser, désinvolte, désunir, dételer, dévisser, égrainer, égrapper, égrener, éloigner, enlever, épeler, isoler, larguer, libérer, nettoyer, ressortir, scalper, séparer, unir.

DÉTACHEUR. Blanchisseur, buandier, cireur, curandier, décrotteur, dégraisseur, détachant, grattoir, lavandier, lavandière, laveur, lessiveur, nettoyeur, plongeur, pressing, raton, teinturier.

DÉTAIL. Débit, devis, élément, étude, iota, méticuleux, minutie, note, particularité, ponctuel, précision, public, revue, tatillon.

DÉTAILLANT. Bijoutier, bistrot, bouquetier, commerçant, crieur, débitant, diamantaire, disquaire, drapier, étalier, forain, fourreur, grossiste, huilier, imagier, lunetier, marchand, mastroquet, négociant, négrier, opticien, pinardier, quincaillier, troquet, vendeur, zinc.

DÉTAILLÉ. Analytique, approfondi, catégorique, circonstancié, clair, clé, clef, compréhensible, eidétique, explicite, formel, limpide, minutieux, net, particularisé, précis.

DÉTAILLER. Cataloguer, ciseler, décortiquer, découper, dénombrer, développer, dire, énoncer, énumérer, escaloper, étudier, noter, raconter, relever, spécifier, vendre.

DÉTALER. Barrer, cavaler, débiner, décamper, déguerpir, enfuir, filer, fuir, pousser, sauver, tailler, tirer.

DÉTARTRER. Abolir, amovible, arracher, confisquer, couper, débarrasser, débâtir, décalcariser, déclore, décortiquer, déflorer, déglacer, délainer, délester, démieller, dénicher, dénoyauter, dépiauter, dépoussiérer, dépulper, désincruster, desservir, détacher, ébarber, ébavurer, éborgner, écaillage, écaler, écimer, écorcher, écrêter,

écumer, effacer, égrener, élider, éliminer, emmener, émorfiler, emporter, enlever, énouer, épépiner, épierrer, épiler, éplucher, érater, essorer, essuyer, étêter, évider, éviscérer, exciser, exfolier, kidnapper, laver, ôter, peler, racler, ravir, retirer, sauner, soustraire, supprimer, tuer, vider.

DÉTAXATION. Autorisation, dérogation, dispense, exemption, exonération, franchise, immunité, permission, sursis.

DÉTAXER. Abriter, absoudre, acquitter, amnistier, décharger, défiscaliser, dégrever, dispenser, écarter, épargner, excuser, exempter, exonérer, garantir, gracier, libérer, pardonner, sortir.

DÉTECTABLE. Apercevable, apparent, clair, décelable, détection, discernable, distinct, localisable, net, ostensible, percevable, possible, précis, repérable, visible, voyant.

DÉTECTER. Déceler, découvrir, dégoter, dépister, deviner, localiser, prédire, pressentir, remarquer, repérer, trouver.

DÉTECTEUR. Capteur, découvreur, dénicheur, dépisteur, fumée, hydrophone, radar, son, sonar, voleur.

DÉTECTION. Asdic, découverte, échosondeur, écoute, idée, invention, nouveauté, radar, radiesthésie, sonar, trouvaille.

DÉTECTIVE (n. p.). Bogart, Burma, Carter, Colombo, Homes, Leroux, Lupin, Marlowe, Poirot, Rouletabille, Winsey.

DÉTECTIVE. Agent, ange, argousin, bobby, chien, cogne, condé, constable, enquêteur, flic, garde, gardien, gendarme, îlotier, inspecteur, lieutenant, limier, police, policier, poulet, ripou, roman, rousse, roussin, sbire, sentinelle, sûreté.

DÉTEINDRE. Affadir, décharger, décolorer, défraîchir, élaver, faner, flétrir, influencer, influer, peser, répercuter.

DÉTEINT. Décoloré, défraîchi, délavé, élavé, éteint, fade, fané, humecté, pâle, pâli, passé, terne, terni.

DÉTELAGE. Débrayage, déliage, déliement, désarrimage, détachement, libération, retraite, ripage, ripement.

DÉTELER. Abandonner, arrêter, casser, cesser, débrayer, décrocher, détacher, mûrir, relâcher, séparer.

DÉTENDRE. Atténuer, battre, calmer, débander, décompresser, décomprimer, décontracter, décrisper, délasser, déraidir, désarmer, desserrer, distraire, épanouir, étirer, lâcher, mollir, promener, relâcher, relaxer, reposer.

DÉTENDU. Apaisé, ballant, calme, cool, débandé, décontracté, délassé, desserré, distrait, euphorique, flasque, heureux, lâche, largué, libre, paresseux, relâché, relax, relaxe, reposé, serein, tranquille.

DÉTENIR. Avoir, celer, conserver, cumuler, détenteur, emprisonner, garder, incarcérer, posséder, pourvu, retenir, séquestrer.

DÉTENTE. Apaisement, décontraction, décrispation, dégel, délassement, ébats, gâchette, lâchage, loisir, myorelaxant, oasis, plongeon, réaction, récréation, relaxation, répit, repos, rire, sécurité, silencieux.

DÉTENTEUR. Dictateur, dirigeant, gérant, maître, porteur, possesseur, propriétaire, tenant, titulaire, usufruitier.

DÉTENTION. Captivité, emprisonnement, enfermement, incarcération, prévention, prison, réclusion.

DÉTENU. Bagnard, captif, cep, codétenu, condamné, déporté, écroué, enfermé, esclave, eu, forçat, galérien, kapo, incarcéré, interné, otage, prisonnier, relégué, septembrisades, séquestré, taulard, tôlard, transporté.

DÉTERGENT. Buandier, buée, détersif, exclusion, lavage, lessive, nettoyeur, nettoyage, nettoyant, perborate, produit, purification, récurage, savon, shampouineur.

DÉTÉRIORATION. Âge, altération, alzheimer, avarie, bris, brisure, corrosion, déchirure, dégât, dégradation, délabrement, dommage, fragilité, gel, niellage, pourriture, sabotage, saccage, usure, vermoulu, vétuste.

DÉTÉRIORÉ. Abîmé, brisé, cassé, dégradé, délabré, endommagé, esquinté, magané, mutilé, tourné, usé.

DÉTÉRIORER. Abîmer, altérer, amocher, avarier, bousiller, briser, déchirer, déglinguer, dégrader, délaborer, délabrer, démolir, détérioration, détraquer, détruire, ébrécher, éculer, empirer, endommager, escagasser, esquinter, gâter, geler, manger, miner, mutiler, percer, pourrir, raguer, ravager, rayer, ronger, ruiner, saboter, trouer, user, vétuste.

DÉTERMINANT. Basal, basique, capital, central, concis, concluant, convainquant, critique, crucial, décisif, décisoire, définitif, dominant, éloquent, essentiel, fondamental, important, péremptoire, prépondérant, probant, tranchant, un.

DÉTERMINATIF. Adjectif, adjectival, déterminant, épithète, explicatif, locution, possible, syntagme.

DÉTERMINATION. Aréométrie, arrêter, centrer, datation, décider, définir, doser, estimation, estimer, évaluation, fixer, identifier, incidence, limiter, peser, rationaliser, régir, tarification, titrage, titrer, volonté.

DÉTERMINÉ. Arrêté, carré, certain, ciblé, convaincu, décidé, défini, délimité, dièdre, dosé, établi, ferme, fixé, hardi, inbranlable, parfait, précis, né, réglé, résolu, sûr, vrai.

DÉTERMINER. Apprécier, arrêter, calculer, dater, décider, délimiter, détailler, estimer, évaluer, expliciter, fixer, identifier, localiser, mesurer, organiser, quantifier, préciser, présenter, préciser, rationaliser, régir, régler, repérer, situer, spécifier, stipuler.

DÉTERMINISME. Analité, causalité, effectualité, efficacité, efficience, finalité, fondement, implication, instigation.

DÉTERREMENT. Déplantation, dépotage, déracinement, déterrage, exhumation, extirpation.

DÉTERRER. Arracher, découvrir, défouir, dénicher, déraciner, exhumer, hyène, ôter, ressortir, sortir.

DÉTERSIF. Abstergent, buandier, buée, détachant, détergent, dissolvant, exclusion, javel, javellisant, lavage, lessive, nettoyant, nettoyeur, nettoyage, purification, récurage, savon, savonnette.

DÉTESTABLE. Abominable, antipathique, damné, exécrable, foutu, haïssable, horrible, mauvais, odieux, repoussant.

DÉTESTABLEMENT. Affreusement, amèrement, atrocement, brutalement, cruellement, déplaisamment, désagréablement, douloureusement, durement, ennuyeusement, fâcheusement, mal, méchamment, péniblement, rudement.

DÉTESTATION. Abomination, animosité, aversion, dégoût, exécration, haine, horreur, répugnance, répulsion.

DÉTESTÉ. Abhorré, abominé, affreux, craint, épouvantable, exécrable, haï, haïssable, horripilé, ressenti, souffert.

DÉTESTER. Abhorrer, abominer, aversion, exécrer, haïr, honnir, maudire, réprouver, répugner, ressentir, sacquer, saquer.

DÉTONANT. Amorçage, amorce, bruit, déflagrateur, étincelle, étoupille, explosif, fulminant, menaçant, pet.

DÉTONATEUR. Amorçage, amorce, bruit, déflagrateur, étincelle, étoupille, explosion, fulminant, pet.

DÉTONATION. Bang, bruit, conflagration, éclatement, explosion, fulminant, moteur, pet, pétarade, pif, rire.

DÉTONER. Contraster, éclater, exploser, fulminer, fuser, jurer, partie, péter, pétiller, sauter, tonner, voler.

DÉTONNER. Arbitrer, arrêter, choisir, conclure, contraster, convenir, couper, décapiter, décider, décréter, définir, délibérer, déterminer, disposer, diviser, émincer, finir, hacher, juger, ordonner, prononcer, régler, répondre, résoudre, rogner, sectionner, séparer, simplifier, solutionner, statuer, trancher, vider.

DÉTOUR. Ambages, angle, biais, boucle, carrément, contour, coude, courbe, crochet, dédale, déviation, fuite, labyrinthe, manège, méandre, périphrase, repli, retour, ruse, sinuosité, tour, tournant, virage, zigzag.

DÉTOURNÉ. Dérivé, dévié, écarté, égaré, éloigné, élusif, idéalisé, indirect, paré, rêvé, rusé, songé, viré, volé.

DÉTOURNEMENT. Concussion, dérivation, éloignement, évitement, malversation, péculat, prévarication, vol.

DÉTOURNER. Abandonner, affecter, biaiser, conjurer, déconseiller, décourager, défléchir, dériver, dérouter, détacher, dévier, dévoyer, dissuader, distraire, écarter, égarer, éloigner, éluder, gauchir, infléchir, ranger, soustraire.

DÉTOXICATION. Débarras, défaite, délivrance, désaccoutumance, déshabitude, désintox, désintoxication détachement, finir, guérison, libération, postcure, purification, sevrage, traitement.

DÉTRACTE. Alvin, chiasse, courante, débâcle, diarrhée, dysenterie, entérite, foire, flux, foire, logorrhée, tourista.

DÉTRACTER. Attaquer, baver, blâmer, calomnier, clabauder, cracher, critiquer, dauber, déblatérer, déchirer, décrier, dénigrer, déprécier, détraction, diffamer, discréditer, insinuer, médire, mépriser, noircir, raconter, ternir.

DÉTRACTEUR. Accusateur, adversaire, blâme, calomniateur, contempteur, critiqueur, dénigreur, dépréciateur, ennemi.

DÉTRACTION. Accusation, allégation, attaque, cafardage, calomnie, critique, délation, dénigrement, dénonciation, dépréciation, dévalorisation, diffamation, imputation, insinuation, médisance, plainte, rabaissement, réquisitoire, trahison.

DÉTRAQUÉ. Aliéné, caractériel, cinglé, dément, dérangé, déréglé, désaxé, déséquilibré, dingue, fou, malade, piqué, troublé.

DÉTRAQUEMENT. Bouleversement, dérangement, dérèglement, désordre, désorganisation, perturbation.

DÉTRAQUER. Abîmer, brouiller, déglinguer, démolir, déranger, dérégler, détériorer, disloquer, esquinter, troubler.

DÉTREMPER. Arroser, baigner, décolorer, délaver, délayer, imbiber, jaunissage, mouiller, pétrir, tremper.

DÉTRESSE. Angoisse, berne, crise, désarroi, désespéré, désespoir, glas, malheur, misère, SOS, tocsin, trouble.

DÉTRIMENT. Absence, atteinte, dam, dégât, désavantage, dommage, perte, préjudice, ravage, tort.

DÉTRITUS. Débris, déchet, excrément, fange, immondices, lie, ordure, rebut, résidu, reste, saleté, souille.

DÉTROIT (n. p.). Antioche, Bab al-Mandab, Bab el-Mandeb, Balabac, Bali, Bass, Bayou, Beagle, Belle-Isle, Belt, Béring, Blanchard, Bonifacio, Bosphore, Breton, Bristol, Cabot, Calais, Cattégat, Cook, Corée, Dardanelles, Davis, Drake, Floride, Foveaux, Foxe, Fromentine, Géorgie, Gibraltar, Hormuz, Hudson, Ijssel, Kattégat, Lancaster, La Sonde, Magellan, Makassar, Malacca, Manche, Maumusson, Menai, Messine, Mozambique, Nord, Northumberland, Oresund, Ormuz, Otrante, Padma, Palk, Pas-de-Calais, Sérasan, Singapour, Skagerrak, Sund, Tartarie, Tiran, Torres, Tsugaru, Waal, Yucatan.

DÉTROIT. Bras-de-mer, canal, chenal, goulet, gué, kertch, manche, pas, passage, passe, pertuis, raz.

DÉTROMPER. Avertir, aviser, banaliser, décriminaliser, déculpabiliser, démystifier, démythifier, dépersonnaliser, désabuser, désaffecter, désillusionner, dessiller, détourner, éclairer, édifier, embourgeoiser, uniformiser.

DÉTRÔNEMENT. Cassation, congé, congédiement, débauchage, déchéance, dégradation, déposition, destitution, élimination, exclusion, expulsion, interdiction, licenciement, limogeage, renvoi, révocation.

DÉTRÔNER. Chasser, déchu, découronner, dégommer, dégoter, déposer, dépouiller, destituer, supplanter.

DÉTROUSSEMENT. Appropriation, assassinat, brigandage, cambriolage, crime, déprédation, détournement, enlèvement, entôlage, extorsion, flibusterie, grappillage, kleptomanie, larcin, malversation, pillage, piraterie, racket, rafle, razzia, saccage, spoliation, subtilisation, vol.

DÉTROUSSER. Délester, dépouiller, dévaliser, escamoter, escroquer, entôler, essor, filouter, gruger, piller, plumer, prendre, rafler, rincer, rosser, soustraire, spolier, subtiliser, tanner, usurper, vider, voler.

DÉTROUSSEUR. Bandit, brigand, cambrioleur, coquillard, gangster, kleptomane, pillard, pilleur, truand, voleur.

DÉTRUIRE. Abattre, abîmer, abolir, abroger, anéantir, annihiler, aviner, bousiller, briser, broyer, brûler, casser, chat, consumer, décimer, défaire, défleurir, démanteler, démolir, déniveler, dératiser, désinfecter, désintégrer, dévorer, exterminer, faucher, gâter, infirmer, massacrer, moissonner, ôter, raser, ratiboiser, rayer, réfuter, renverser, révoquer, ruiner, saborder, saboter, saper, supprimer, torpiller, triturer, tuer, user.

DETTE. Acquit, ardoise, argent, arriéré, bilan, billet, charge, chèque, crédit, criarde, débit, dîme, drapeau, dû, échéance, emprunt, engagement, impayé, obligation, passif, prêt, redevance, reste, solde, somme, tribut.

DEUCALION (n. p.). Déluge, Hellên, Prométhée, Pyrrha.

DÉTUMESCENCE. Abaissement, agueusie, agranulocytose, amenuisement, amortissement, anhépatie, amnésie, anémie, anhidrose, anidrose, anosmie, collapsus, déclin, déflation, détente, diminution, encroûtement, frai, hypochlorhydrie, hypoglycémie, hypotonie, leucopénie, oligurie, paralysie, presbytie, rabais, recoupement, réduction, remise, retrait, soulagement, surdité, xérophtalmie.

DEUIL. Berne, chagrin, duetto, endeuiller, enterrement, funérailles, inhumation, mort, noir, tristesse.

DEUSIO. Après, bis, deuxièmement, deuzio, postérieurement, second, secondement, secundo, suivant.

DEUX. Alternative, ambe, bâtard, bi, bicolore, bilingue, bine, bis, bivalent, couple, di, didactyle, division, double, doublé, doubler, dual, duo, géminé, hybride, II, jumeaux, métis, paire, postérieur, réciproque, recto verso, second, secundo, sexe, suivant.

DEUX CHOPINES. Pinte.

DEUXIÈMEMENT. Après, deusio, deuzio, postérieurement, second, secondement, secundo, suivant.

DEUX-PIÈCES. Bikini, costume, maillot, logement, tailleur, vêtement.

DEUX POINTS. Tréma.

DEUZIO. Après, deusio, deuxièmement, postérieurement, second, secondement, secundo, suivant.

DÉVALER. Basculer, choir, chuter, culbuter, débouler, dégringoler, descendre, ébouler, écrouler, glisser, neiger, périr, pleuvoir, précipiter, rouler, soir, souscrire, succomber, tomber, valdinguer.

DÉVALISER. Cambrioler, choper, délester, dépouiller, dérober, détrousser, entôler, essor, filouter, gruger, piller, prendre, rafler, rincer, rosser, soustraire, spolier, subtiliser, tanner, usurper, vider, voler.

DÉVALOIR. Chable, châbleau, charpente, chemin, chute, cordage, couloir, déchet, glissoir, vidoir.

DÉVALORISANT. Abaissement, abjection, anéantissement, avilissement, baisse, chute, décadence, déchéance, déclin, dégénération, dégradation, dépréciation, déraser, descente, dévalorisation, dévaluation, diminution, écrasement, ensellement, fermeture, flexion, humiliation, hypothermie, platitude, provision, renoncement.

DÉVALORISATION. Abaissement, baisse, chute, creux, déclin, décrue, dépréciation, descente, éclipse, réduction.

DÉVALORISER. Amoindrir, avilir, couler, déconsidérer, décrier, démonétiser, dénigrer, déprécier, dévaluer, diminuer, discréditer, inférioriser, médire, minimiser, perdre, rabaisser, raccourcir, rapetisser, ravaler.

DÉVALUATION. Abaissement, abjection, anéantissement, avilissement, baisse, chute, décadence, déchéance, déclin, dégénération, dégradation, dépréciation, déraser, descente, dévalorisation, diminution, écrasement, ensellement, fermeture, flexion, gelé, humiliation, hypothermie, platitude, provision, renoncement.

DÉVALUER. Avilir, démonétiser, dénigrer, déprécier, dévaloriser, diminuer, inférioriser, rabaisser, rapetisser.

DEVANAGARI. Brâhmî, écriture, graphie, hindi, indo-arien, indo-aryen, nagari, sanskrit.

DEVANCEMENT. Anticipation, à-valoir, avance, avancement, avenir, empiétement, futurologie, prénotion, présage, prescience, présomption, prévision, prolepse, pronostic, prospective, science-fiction, usurpation.

DEVANCER. Anticiper, distancer, écarter, informer, précéder, prévenir, primer, semer, surclasser, surpasser.

DEVANCIER. Aïeul, aîné, ancêtre, annonciateur, avant-gardiste, initiateur, innovateur, introducteur, inventeur, messager, novateur, pionnier, précurseur, prédécesseur, préparateur, prophète, visionnaire.

DEVANT. Avant, derrière, devancer, envers, étrave, face, front, guide, haton, poitrail, par-devant, présence, proue.

DEVANTURE. Avant-scène, esbroufe, étal, étalage, façade, faste, front, frontispice, fronton, parade, vitrine.

DÉVASTATEUR. Anticonformiste, barbare, destructeur, iconoclaste, pillard, ravageur, saccageur, vandale.

DÉVASTATION. Absorption, cyclone, dégât, destruction, fléau, ouragan, perte, ravage, ruine, sac, torrent.

DÉVASTER. Anéantir, détruire, écumer, endommager, gâter, infester, piller, raser, ravager, ruiner, saccager.

DÉVEINE. Accident, cerisier, fatalité, guigne, guignon, infortune, malchance, malheur, poisse, vicissitude.

DÉVELOPPÉ. Abondant, ample, commun, considérable, copieux, délitescent, dense, dru, efflorescent, épais, épanouit, excessif, exubérant, fécond, fertile, foisonnant, fourni, fructueux, généreux, giboyeux, gros, large, luxuriant, mûr, nombreux, opulent, plantureux, pléthorique, pluvieux, pullulant, riche, surabondant, volubile, volumineux.

DÉVELOPPEMENT. Adventif, agénésie, anaplasie, aoûtement, apogamie, boom, bourgeonnement, croissance, déploiement, déroulement, diatribe, digression, embryogenèse, embryogénie, épiage, essai, essor, évolution, expansion, explication, exposé, feu, gemmation, genèse, germination, gigantisme, gynécomastie, hirsutisme, hypergenèse, hypertrophie, lyrique, morula, narration, nouaison, nouure, ontogenèse, passage, pilosisme, polysarcie, pousse, progrès, prolongement, rudimentaire, suite, tératogenèse, tératogénie, traitement, végétation.

DÉVELOPPER. Accroître, aguerrir, amplifier, augmenter, croître, cultiver, déduire, définir, déplier, déployer, dérouler, élargir, enrichir, épanouir, étaler, étendre, étoffer, éveiller, expliquer, exposer, fleurir, germer, mûrir, traiter, végéter.

DÉVELOPPEUR. Accélérateur, amplificateur, analyste, booster, civilisateur, concepteur, impulseur, informaticien, lanceur, photographe, pousseur, programmeur, propulseur, renforcement, société, stimulateur.

DEVENIR. Abêtir, affiner, allonger, amaigrir, amuïr, blondir, calmir, émacier, enrichir, étioler, évoluer, jaunir, momifier, muer, mûrir, pâlir, passer, racornir, raidir, ramollir, rancir, rendre, rosir, rougir, surir, tiédir, transformer, verdir, verdoyer.

DEVENU. Accompli, accru, ancien, antan, aoriste, autrefois, avant, conjugaison, décoloré, défraîchi, défunt, dernier, écoulé, ex, hier, jadis, mort, omis, passé, précédent, prétérit, rétroactif, révolu, tradition, veille.

DÉVERGONDAGE. Débauche, dépravation, excentricité, immoralité, inconduite, libertinage, licence, vice.

DÉVERGONDÉ. Arsouille, concupiscent, coureur, débauché, dépravé, déréglé, garce, libertin, salope.

DÉVERGONDER. Abuser, attirer, courailler, débaucher, déniaiser, dépraver, dévergonder, enivrer, libertiner, licence, scandaliser, séduire, suborner, soûler, vice.

DÉVERROUILLER. Aérer, canaliser, clé, clef, crever, crocheter, débarrer, débouchonner, décapsuler, démasquer, écailler, éclore, entrouvrir, épanouir, éventrer, forcer, ouvrir, percer, pratiquer, soutirer.

DÉVERS. Absence, agio, amplitude, bémol, contraste, dénivellation, dénivellement, déversement, différence, discordance, dissemblance, dissentiment, distinction, divergence, diversité, écart, fourchette, inclinaison, inégalité, nuance, opposition, pente, sexe, tension, variété.

DÉVERSEMENT. Débordement, dégorgement, dénivellation, écoulement, effusion, épanchement, infiltration, résurgence.

DÉVERSER. Couler, déborder, décharger, déferler, dégager, diffuser, disperser, épancher, évacuer, tomber, verser.

DÉVERSOIR. Bonde, bondon, daraise, déchargeoir, dégorgeoir, empellement, tampon, trop-plein, vanne.

DÉVÊTIR. Découvrir, défrusquesr, dénuder, dépoiler, dépouiller, désaffubler, désaper, déshabiller, dévoiler.

DÉVÊTU. À poil, découvert, dégarni, dénudé, dépouillé, déshabillé, enlevé, nu, ôté, retiré.

DÉVIANCE. Abjection, adultère, altération, anomalie, avarice, bestialité, corruption, débauche, dépravation, dérèglement, déviation, égarement, folie, masochisme, méchanceté, perversion, sadisme, stupre, vice.

DÉVIANT. Aberrant, absurde, anormal, atypique, déraisonnable, faux, idiot, illogique, inepte, insensé, ridicule.

DÉVIATION. Anatomie, anomalie, cyphose, déflexion, dérive, détour, détourment, dévoiement, diffraction, distance, écart, évitement, flèche, gauche, gauchissement, hétérophorie, intervalle, loucherie, scoliose, sinuosité, superstition, tortueux, valgus.

DÉVIATIONNISME. Abandon, adultère, apostasie, dédit, déloyauté, dérogation, désaveu, déviation, écart, entorse, erreur, fantaisie, félonie, forfaiture, fugue, hétérodoxie, hérésie, inconstance, inexactitude, infidélité, ingratitude, inobservation, liaison, manquement, parjure, passade, perfidie, reniement, rupture, sacrilège, scélératesse, trahison, traîtrise, transgression, tromperie, violation.

DÉVIATIONNISTE. Dissident, gréviste, hérétique, indocile, insoumis, insurgé, mutin, rebelle, résistant, révolté, révolutionnaire, scissionniste.

DÉVIDER. Bobiner, débobiner, dérouler, désembobiner, envider, ourdir, peloter, tortiller, tourner, voluter.

DÉVIDOIR. Aspe, asple, caret, dérouleur, dévideur, écheveau, enrouleur, roquetin, séchoir, touret, tracanoir.

DÉVIER. Bannir, biaiser, déporter, dériver, écarter, éliminer, éloigner, évincer, isoler, retirer, tordre.

DEVIN (n. pr.). Amphiaraus, Balaam, Calchas, Ovate, Pythie, Tirésias.

DEVIN. Aruspice, astrologue, augure, auspice, boa, cartomancien, charlatan, chiromancien, constrictor, divinateur, eubage, féticheur, graphologue, haruspice, jour, nécromancien, oniromancien, oracle, prophète, sacré, sorcier, vaticinateur, vaticineur.

DEVINABLE. Acceptable, admissible, apparent, conjecturable, éventuel, évident, facile, plausible, possible, présumable, présumable, présumer, prévisible, probable, putatif, rationnel, vraisemblable.

DEVINER. Annoncer, anticiper, augurer, calculer, comprendre, conjecturer, déchiffrer, découvrir, dévoiler, entrevoir, espérer, flairer, imaginer, interpréter, intuition, juger, pile, pénétrer, prédire, préjuger, présager, pressentir, prévenir, prévoir, pronostiquer, prophétiser, reconnaître, rencontrer, résoudre, révéler, sonder, soupçonner, subodorer, transparaître, trouver, vaticiner.

DEVINERESSE (n. pr.). Cassandre, Piazzetta, Pythie.

DEVINERESSE. Cartomancienne, cassandre, diseuse, prophétesse, pythie, pythonisse, sibylle, sorcière, voyante.

DEVINETTE. Annonce, astuce, calcul, charade, colle, demande, dessin, divination, énigme, interprétation, jeu, logogriphe, présage, pronostic, prophétie, question, rébus, silhouette, solution, transparent, trouvaille.

DÉVIRAGE. Cavalcade, débobinage, défilement, déroulage, déroulement, dévidage, tavelage, tracanage.

DÉVIRGINISER. Avilir, blâmer, chiffonner, condamner, défleurir, déflorer, dépuceler, dessécher, déviriliser, efféminer, enlaidir, étioler, faner, flétrir, gâter, marcescent, marcescible, plier, ployer, ratatiner, rider, salir, stigmatiser, ternir, traumatiser, vieillot, violer.

DÉVIRILISER. Dameret, démasculiniser, efféminer, émasculer, féminiser, mièvre, uranien.

DEVIS. Aperçu, appréciation, approximation, calcul, estimation, évaluation, expertise, facture, métré, plan.

DÉVISAGER. Considérer, contempler, détailler, examiner, fixer, fouiller, observer, regarder, scruter.

DEVISE. Armes, armoiries, billet, cause, emblème, eurodevise, eurodollar, figure, maxime, monnaie, pesée, signe, slogan, symbole.

DEVISER. Babiller, bavarder, causer, converser, dialoguer, discuter, entériner, entretenir, papoter, parler.

DÉVISSER. Briser, déballer, débâtir, déboucler, déclouer, découdre, défaire, déficeler, desserrer, détacher, détruire, effiler, filer, lâcher, neutralisation, ôter, ouvrir, pulpectomie, tomber, tuer.

DÉVITALISATION. Asphyxie, blocage, décontamination, engourdissement, enraiement, entrave, immobilisation, immobilisme, impuissance, inhibition, neutralisation, obstruction, paralysie, ralentissement, sclérose, stagnation.

DÉVOIEMENT. Angle, déclivité, dénivelé, dérive, dérivation, dévers, écart, égarement, inclination, obliquité.

DÉVOILÉ. Apparu, connu, découvert, dénudé, manifesté, nu, reconnu, révélé, su, transparent.

DÉVOILEMENT. Annonce, aveu, confession, confidence, déballage, déclaration, divulgation, ébruitement, fuite, indiscrétion, initiation, instruction, mea culpa, quiescence, proclamation, publication, reconnaissance, révélation.

DÉVOILER. Apparaître, cacher, déceler, découvrir, démasquer, expliquer, manifester, montrer, nu, révéler.

DEVOIR. Bien, charge, chemin, composition, corvée, déontologie, dette, droit, dû, élève, exercice, falloir, fonction, obligation, office, ost, pensum, prévarication, rédaction, redevoir, tâche, tenir, tirer, travail, vertu.

DÉVOISÉ. Agréable, aimable, amène, amorti, assourdi, bénin, câlin, caressant, charitable, clément, docile, doucereux, doux, étouffé, feutré, gentil, indulgent, langoureux, liant, moelleux, mol, mou, ouaté, paisible, riant, satin, sirupeux, sociable, souple, soyeux, suave, sucré, tendre, tranquille, velouté.

DÉVOLU. Acquis, attribué, bénéfice, choix, conquis, bagage, compétence, culture, datif, décharge, destiné, échu, fixer, imparti, infus, inné, jeter, natif, né, prétendre, quittance, réservé, savoir, vaincu.

DÉVOLUTION. Acquisition, carrousel, cession, cliquetis, échelle, ensuite, escalier, évolution, gamme, hérédité, héritage, hiatus, hoirie, kaléidoscope, legs, mortelle, nystagmus, patrimoine, rafale, rotation, roulement, succession, tintement, train, série, suite.

DEVON. Abet, aiche, allécher, amorce, appât, attirer, boëtte, comté, èche, esche, filet, grappe, hameçon, leurre, manne, mouche, pêche, piège, rapala, rogue, ver.

DÉVONIEN. Carbonifère, céphalaspis, ichtyostéga, période, polypier, primaire, ptérygote, silurien.

DÉVORANT. Ardent, avide, brûlant, dévastateur, dévoreur, inapaisable, insatiable, ravageur, vorace.

DÉVORÉ. Absorbé, avalé, brûlé, bu, consommé, consumé, croqué, englouti, engouffré, ingéré, lu, ingurgité, mangé.

DÉVORER. Absorber, alimenter, brûler, consumer, engloutir, lire, manger, mordre, piquer, ronger.

DÉVOREUR. Avaleur, bouffeur, gargantua, glouton, gobeur, goinfre, goulu, gourmand, mangeur, ogre, vorace.

DÉVOT. Béat, bigot, cagot, chauvin, croyant, exalté, fervent, piété, pieux, pratiquant, religieux, tartufe.

DÉVOTEMENT. Amèrement, amoureusement, âprement, cher, chèrement, chrétiennement, durement, moralement, mystiquement, onéreusement, pieusement, religieusement, respectueusement, tendrement.

DÉVOTION. Bigoterie, bondieuserie, cagoterie, dulie, fanatisme, ferveur, latrie, neuvaine, piété, religion, zèle.

DÉVOUÉ. Affectionné, attaché, botte, féal, fidèle, généreux, large, libéral, lige, loyal, noble, séide, sensible, zélé.

DÉVOUEMENT. Abnégation, affection, amour, ardeur, bienveillance, bonté, héroïsme, sacrifice, séide, zèle.

DÉVOUER. Consacrer, dédier, désâmer, donner, livrer, offrir, prodiguer, sacrer, sacrifier, saigner, vouer.

DÉVOYÉ. Arsouille, aventurier, corrompu, débauché, délinquant, dépravé, déréglé, dévergondé, dissipé, dissolu, léger, libertin, loubard, malfaisant, perverti, relâché, sacripant, scélérat, vaurien, voyou.

DÉVOYER. Corrompre, débaucher, démoraliser, dépraver, déranger, dérégler, détourner, empester, pervertir.

DEXTÉRITÉ. Adresse, agilité, aisance, art, brio, doigté, habileté, ingéniosité, maestria, talent, virtuosité.

DEXTRE. Adextre, adroit, ambidextre, bâbord, blason, coquillage, droit, gauche, main, paluche, patoche, senestre, tribord.

DEXTREMENT. Adroitement, agréablement, aisément, alertement, avantageusement, confortablement, couramment, disert, douillettement, facilement, flexible, moelleusement, sensible, simplement.

DEXTROSE. Dextrogyre, esculine, fructose, glucose, glycémie, glycérol, hypoglycémie, maïs, ouabaïne, saccharine, saccharose, salicine, saponine, sorbitol.

DIABÈTE. Biguanide, bronzé, diabétologue, glycosurie, insipide, insuline, polydipsie, rein, sucré.

DIABÉTIQUE. Glycémique, glycosurique, hyperglycémique, insulinique, insulinodépendant.

DIABLE (n. p.). Asmodée, Belzébuth, Lucifer, Méphistophélès, Satan, Talleyrand.

DIABLE. Bélial, chariot, démon, diablin, diablotin, empuse, enfer, esprit, génie, loin, mal, malin, voiture.

DIABLEMENT. Affreusement, bougrement, drôlement, extrêmement, rudement, terriblement, très.

DIABLERIE. Charme, enchantement, espièglerie, intrigue, machination, maléfice, mystère, sorcellerie, sortilège.

DIABLESSE. Démone, femme, fillette, furie, harpie, méchante, mégère, remuante, rusée, succube.

DIABLOTIN. Badin, bonbon, coquin, dégourdi, déluré, démon, désobéissant, diable, empuse, enfant, enfantin, espiègle, fripon, gai, galopin, gamin, garnement, larve, licencieux, luron, lutin, malicieux, mièvre, mutin, peste, polisson, vif.

DIABOLIQUE. Démoniaque, infernal, machiavélique, mal, maléfique, méchant, méphistophélique, pervers, satanique.

DIABOLISER. Appâter, captiver, charmer, conjurer, convaincre, corrompre, enchanter, encharmer, enjôler, ensorceler, envoûter, fasciner, hypnotiser, marabouter, passionner, plaire, ravir, séduire, subjuguer, suborner.

DIABOLO. Avant-train, bobine, boisson, dolly, drain, jeu, jouet, limonade, otite, tympan.

DIACHRONIQUE. Diachronie, évolutif, historique, linguistique, statique, synchronique.

DIACHYLON. Adhésif, antiphlogistique, bande, cataplasme, compresse, emplâtre, magdaléon, mouche, pansement, résolutif, résolutoire, révulsif, sinapisme, sparadrap, toile, topique, vésicatoire.

DIACRE (n. p.). Dioscore, Étienne, Laurent, Pâris, Philippe.

DIACRE. Archidiacre, cardinal-diacre, célébrant, clerc, commis, desservant, diaconal, diaconat, employé, épistolier, laïc, ministre, officiant, ordre, prêtre, sacre, secrétaire, sous-diacre, sous-diaconat, tabellion, tunique.

DIADÈME. Bandeau, bijou, coiffure, épeire, ferronnière, frontal, fronteau, joyau, parure, serre-tête, turban.

DIAGNOSTIC. Appel, appréciation, approbation, arrêt, arrêté, attendu, avis, ban, blâme, censure, décision, décret, écervelé, entendement, erreur, évaluation, inconscience, indulgence, jugement, jugeote, justice, opinion, ordalie, prise, procès, raison, sens, sentence, subir, verdict, vu.

DIAGNOSTIQUER. Auditionner, connaître, consulter, créditer, déceler, découvrir, dépister, déterminer, discerner, donner, écouter, examiner, identifier, présentation, présenter, réciter, reconnaître, vérifier.

DIAGONAL. Arête, bissectrice, bras, côté, coup, cour, dextre, diagonal, diamètre, droite, hue, ligne, médiane, médiatrice, parallèle, perpendiculaire, transversale, tribord, vertical.

DIAGONALE. Barré, biais, ligne, oblique, ogive, rapidement, transversale, superficiellement.

DIAGRAMME. Abaque, courbe, croquis, enregistrement, graphique, mandala, plan, schéma, tracé.

DIALECTE. Alsacien, argot, biscaïen, calo, cantonais, castillan, champenois, corse, dorien, erse, francien, gallo, gallot, gan, hakka, idiome, ionien, jargon, joual, koinè, ladin, langage, langue, lorrain, mandarin, min, nissart, normand, oc, oïl, patois, pékinois, picard, slang, stichomythie, toscan, timée, tupi, wallon, wu, xiang.

DIALECTICIEN. Argumentateur, logicien, mathématicien, sémanticien, sémiologue, sémioticien.

DIALECTIQUE. Analyse, apagogie, argumentation, considération, déduction, discussion, logique, raisonnement.

DIALOGUE. Causerie, colloque, conversation, dialogique, discussion, entretien, parlementé, sketch, tenson.

DIALOGUER. Bavarder, causer, confronter, converser, discuter, entretenir, jaser, négocier, papoter, parler.

DIALYPÉTALE. Bégonias, cactacées, câprier, ciste, cornacées, crucifère, fleur, fumariacée, gamopétale, lauracée, malvacée, mimosacée, myrtacée, onagracée, résédacée, rhamnacée, rosacée, rutacée, violacée.

DIAMANT (n. p.). Borgehout, Braaschaat, Ekeren, Freetown, Hanau, Kimberley, Mbuji-Mayi, Mirnyï, Natanya, Netanya, Rhodes.

DIAMANT. Adamantin, bort, brillant, carbonado, culminant, diamantin, diamantifère, égrisé, facette, joyau, K, marguerite, noces, parangon, pierreries, régent, renflé, retaille, rivière, rose, solitaire, tête-de-clou, zircon.

DIAMANTAIRE. Adamantin, aiguilleur, bijoutier, brillant, chaînetier, drille, dur, gemmologiste, horloger, joaillier, lapidaire, orfèvre, pendulier, régulateur, tas, triboulet.

DIAMÉTRALEMENT. Absolument, carrément, complètement, entièrement, foncièrement, littéralement, nécessairement, opposé, parfaitement, pleinement, radicalement, rigoureusement, totalement.

DIAMÈTRE. Aléser, ampleur, amplitude, axe, calibre, cercle, droite, empan, jauge, ligne, module, pi, rayon, sinus.

DIANE (n. p.). Actéon, Artémis, Bèze, Éphèse, Érostrate, Henri, Saint-Vallier.

DIANE. Appel, avertissement, ban, batterie, chasse, clairon, rappel, réveil, roulement, signal, sonnerie.

DIANTRE. Admiration, diable, étonnement, interjection, irritation, juron, sacre.

DIAPASON. Accent, accord, adapter, air, bruit, chant, clé, clef, corde, couleur, do, écho, façon, gamme, genre, grave, hauteur, intonation, la, musique, mode, niveau, note, nuance, parole, registre, sol, son, tien, timbre, ton, tonique, verbe, voix.

DIAPHANE. Blafard, blême, clair, limpide, pâle, pellucide, translucide, transparent, vaporeux, vitreux.

DIAPHONIE. Accès, alternance, averse, bouffée, boutade, conjonction, discontinuité, discordance, échappée, fréquence, giboulée, interaction, interférence, onde, ondée, rafale, rémission, rencontre, superposition.

DIAPHORÈSE. Anhidrose, anidrose, antisudoral, antisudorifique, étuve, évaporation, exsudé, perspiration, ruisselé, sudation, suée, sueur, transpiration, transpiré.

DIAPHRAGME. Estomac, hampe, hoquet, iris, muscle, pessaire, photographie, phrénique, sanglot, septum.

DIAPHRAGMATIQUE. Contraction, diaphragme, innervation, nerf, phrénique.

DIAPOSITIVE. Achrome, album, carrousel, cliché, diapo, diaporama, diathèque, écran, épreuve, film, instantané, microfilm, photo, photocopie, photographie, photostat, portrait, pose, posemètre, tirage, vue.

DIAPRÉ. Agatisé, bariolé, bigarré, chamarré, changeant, chatoyant, irisé, miroitant, moiré, nuancé, versicolore.

DIAPRER. Barbouiller, barioler, bigarrer, chamarrer, colorer, disparate, diversifier, jasper, marbrer, mélanger, mêler, nuancer, orner, panacher, parer, peinturer, rayer, tacher, taveler, tigrer, varier, veiner, zébrer.

DIAPRURE. Bariolage, bigarrure, chamarrure, disparité, diversité, hétérogénéité, jaspure, mélange, tavelure, variété.

DIARRHÉE. Alvin, chiasse, chierie, cholériforme, colique, colite, courante, débâcle, diarrhéique, dysenterie, encoprésie, entérite, foirade, foire, flux, foire, lientérie, logorrhée, sprue, tourista, turista, va-vite.

DIASTASE. Amidon, amylase, arthritisme, ase, carboxylase, émulsine, entérokinase, enzyme, érepsine, invertase, invertine, laccase, lactase, lipase, maltase, myrosine, oxydase, papaïne, pepsine, protéase, ptyaline, saccharase, sucrase, thrombine, trypsine, zymase.

DIASTOLE. Alternant, artère, battement, cadence, cœur, contraction, déconcentration, décontraction, diastolique, dicrote, dilatation, formicant, périsystole, pouls, pulsation, repos, systole.

DIATHÈSE. Apparence, condition, conformation, constitution, état, forme, nature, prédisposition, santé, terrain, vitalité.

DIATOMÉE. Algue, bacillariale, bacillariophycée, biddulphiale, cyclotella, navicule, pennale, protiste.

DIATONIQUE. Bémol, chromatique, demi-ton, dièse, do, gamme, intervalle, la, mi, musique, ré, semi-ton, si, sol.

DIATRIBE. Accusation, anathème, critique, épigramme, factum, mazarinade, pamphlet, reproche, satire.

DIAULE. Aller-retour, bec, course, fifre, fistule, flageolet, fluette, flûte, flûtiau, galoubet, larigot, mie, mirliton, moniale, nay, ney, octavin, pain, pan, piccolo, pipeau, syrinx, traversière, turlututu.

DICHLORODIPHÉNYLTRICHLORÉTHANE. DDT.

DICHOTOMIE. Antilogie, antinomie, antipode, antithèse, bifurcation, contradiction, contraire, contraste, divergence, division, envers, inverse, opposé, opposite, opposition, partage, polarité, réciproque, vis-à-vis.

DICLINE. Fleur, plante, unisexué.

DICOTYLÉDONE. Acanthacée, acéracée, amarantacée, ampélidacée, angiosperme, anonacée, apétale, araliacée, arbousier, azalée, balata, balsamine, bruyère, buxacée, cactacées, célastracée, dipsacée, droséracée, éricacée, gamopétale, ginseng, grain, haricot, hédéracée, labiée, lin, linacée, litchi, méliacée, monocotylédone, myrtille, panax, plante, pois, pyrole, ranale, renonculacée, réséda, rhododendron, savonnier, salicacée, sésame, tiliacée, urticale, verbénacée.

DICTAME. Adoucissement, aurantiacée, baume, calmant, fraxinelle, herbe, labiacée, origan, plante, rutacée.

DICTAPHONE. Compteur, encodeur, enregistreur, indicateur, magnétophone, mouchard, pointeur.

DICTATEUR (n. p.). Amin Dada, Antonescu, Aquino, Balaguer, Camille, Castro, César, Cincinnatus, Condylis, Duvalier, Franco, Manlius, Pizarro, Prado, Rienzo, Somoza, Sulla, Sylla, Tisza, Titus, Torquatus, Véies.

DICTATEUR. Autocrate, césar, chef, despote, gouverneur, oppresseur, potentat, souverain, tyran.

DICTATORIAL. Absolu, absolutiste, arbitraire, autocratique, autoritaire, césarien, despote, despotique, directif, dominateur, hautain, hégémonique, impérieux, jupitérien, totalitaire, tranchant, tyrannique.

DICTATORIALEMENT. Absolument, arbitrairement, despotiquement, discrétionnairement, tyranniquement, unilatéralement.

DICTATURE. Absolu, absolutisme, autocratie, autoritarisme, césarisme, communisme, despotisme, dictatorial, domination, fascisme, impérialisme, junte, thermidorien, totalitaire, totalitarisme, tsarisme, tyrannie.

DICTÉ. Commandé, décrété, imposé, influence, nuncupatif, ordonné, prescription, son, soumettre, sténo.

DICTÉE. Acrobatie, action, conférence, entraînement, étirement, exercice, gymnastique, loi, pratique, salve, sténographie, sténotypie, thème, version, voltige, xyste.

DICTER. Dictaphone, dictée, imposer, inspirer, intimer, obliger, ordonner, prescrire, secrétaire, sténographe, susciter.

DICTION. Apocope, articulation, crase, débit, déclaration, diérèse, élocution, énonciation, prononciation.

DICTIONNAIRE (n. p.). Augé, Bailly, Bayle, Bescherelle, Bloch, Boissière, Boiste, Calepino, Chambers, Corneille, Darmesteter, Dauzat, Estienne, Grimal, Hachette, Hatzfeld, Johnson, Larousse, Littré, Nodier, Quicherat, Robert, Wartburg.

DICTIONNAIRE. Abrégé, dico, encyclopédie, glossaire, gradus, index, lexique, nomenclature, livre.

DICTON. Adage, aphorisme, apophtegme, brocard, élocution, formule, maxime, mot, proverbe, sentence.

DICTYOPTÈRE. Blatte, cafard, cancrelat, coquerelle, empuse, kakerlak, insecte, mante, meunier.

DIDACTIQUE. Discours, éducatif, éducationnel, ludoéducatif, méthode, pédagogique, scolaire, théorie.

DIDACTISME. Affectation, cuistrerie, dogmatisme, érudition, fatuité, pédanterie, pédandisme, suffisance.

DIDELPHIDÉ. Coloco, coucou, dasyure, kangourou, koala, koola, marsupial, numbat, opossum, os, péramèle, pétrogale, phalanger, phascolome, philander, sarigue, thylacine, wallabie, wallaby, wombat, yapock, yapok.

DIE. Sans date, sine.

DIEFFENBACHIA. Aracée, aroïdacée, celsoni, picta, régina, rex, seguine.

DIÉLECTRIQUE. Cache-prise, ébonite, guipage, isolant, marette, opposé, presspahn, pyralène.

DIENCÉPHALE. Anatomie, cerveau, épiphyse, épithalamus, hypothalamus, prosencéphale, thalamus, ventricule.

DIÈNE. Alcène, caoutchouc, dioléfine, hydrocarbure, isoprène, oléfine.

DIERGOL. Biergol, ergol, lithergol, monergol, propergol.

DIÈSE. Armature, énarde, bouterolle, bouton, clé, clef, combinateur, commande, contact, demi-ton, diatonique, do, enharmonique, fa, forure, molette, mystère, outil, panneton, passe-partout, rossignol, serrurier, signe, sol, solution, sûreté, tricoises, trousseau, ut.

DIESEL. Alcène, carburant, combustible, diéséliste, gasoil, gazole, hydrocarbure, inflammable, moteur.

DIÈTE. Abstinence, assemblée, dextrine, grappe, jeûne, modération, neutralité, partiel, régime, soin.

DIÉTÉTICIEN (n. p.). Parmentier.

DIÉTÉTICIEN. Diététiste, médecin, nutritionniste, spécialiste.

DIEU (n. p.). Adonis, Agni, Allah, Amon, Anou, Anubis, Arès, Ases, Attis, Atys, Baal, Bêl, Civa, Éole, Esculape, Éros, Ésus, Ganeça, Horus, Mars, Morphée, Neptune, Nérée, Odin, Osiris, Pan, Pénates, Râ, Rama, Rê, Seigneur, Sérapis, Siva, Thor, Tlaloc, Tor, Vulcain, Wotan, Zeus.

DIEU. Apsara, çakti, ciel, créateur, culte, dagon, déesse, déité, déo, devi, divin, divinité, éden, élu, éternel, faune, hade, lare, laron, kami, katchina, immortel, lutin, père, saint, thisme, théiste, toutatis, vaudou, walkyrie.

DIEU ALGONQUIN (n. p.). Michabou.

DIEU AMÉRINDIEN (n. p.). Grand Esprit, Grand Manitou, Manitou, Totem.

DIEU ASSYRIEN (n. p.). Anou, Anu, Assur, Bêl, Ea, Enlil, Mardouk.

DIEU AVEUGLE (n. p.). Amour, Cupidon, Éros.

DIEU AZTÈQUE DE LA PLUIE (n. p.). Tlaloc.

DIEU BABYLONIEN (n. p.). Anou, Anu, Assur, Bêl, Ea, Enlil, Mardouk, Nabu.

DIEU BERGER (n. p.). Hermès, Pan.

DIEU BOUDDHISTE (n. p.). Bouddha, Bodhisattva.

DIEU CHINOIS (n. p.). Fo.

DIEU CHRÉTIEN (n. p.). Jahvé Jésus, Trinité, Yahvé.

DIEU DE CHALDÉE (n. p.). Adonis, Ashtart, Astarté, Baal, Gilgamesh, Mardouk, Shamash.

DIEU DE LA DESTRUCTION (n. p.). Shiva.

DIEU DE LA GUERRE (n. p.). Arès, Mars, Odin, Teutatès, Thor, Tor, Toutatis, Wotan.

DIEU DE LA LUMIÈRE (n. p.). Hélios, Uriel.

DIEU DE LA MÉDECINE (n. p.). Asclépios, Esculape.

DIEU DE LA MER (n. p.). Neptune, Nérée, Poséidon, Triton.

DIEU DE LA MORT (n. p.). Anubis.

DIEU DE L'AMOUR (n.p.) Cupidon, Éros, Kama.

DIEU DE L'OLYMPE (n. p.). Aphrodite, Apollon, Arès, Artémis, Athéna, Cronos, Dionynos, Hadès, Héphaïstos, Héra, Hermès, Hestia, Poséidon, Zeus.

DIEU DE LA PLUIE (n. p.). Tlaloc, Viracocha.

DIEU DE LA RICHESSE (n. p.). Mammon.

DIEU DES BERGERS (n. p.). Pan.

DIEU DES MARCHANDS (n. p.). Hermès.

DIEU DES SONGES (n. p.). Morphée.

DIEU DES VENTS (n. p.) Borée, Éole, Rue.

DIEU DES VOLEURS (n. p.) Hermès.

DIEU DES VOYAGEUR (n. p.) Hermès.

DIEU DU FEU (n. p.). Agni, Prométhée, Vulcain.

DIEU DU FOYER (n. p.). Lare.

DIEU DU SOLEIL (n. p.). Amon, Amon-Rê, Hélios, Ra, Rê.

DIEU DU TONNERRE (n. p.). Tor.

DIEU DU VIN (n. p.). Bacchus, Dionysos.

DIEU ÉGYPTIEN (n. p.). Ammon, Amon-Rê, Anubis, Apis, Aton, Bès, Ganesa, Hathor, Horus, Isis, Osiris, Ptah, Râ, Rê, Sérapis, Seth, Thôt, Uraeus.

DIEU FÉCONDITÉ (n. p.). Priape.

DIEU FERTILITÉ (n. p.). Dagan.

DIEU GAULOIS (n. p.). Bélénus, Ésus, Ogmius, Taranis, Teutatès.

DIEU GERMANIQUE (n. p.). Freyr, Odin, Thor, Tor, Walhalla, Wotan.

DIEU GREC (n. p.). Apollon, Arès, Asclépios, Attis, Atys, Borée, Cronos, Dionysos, Éole, Éros, Esculape, Hadès, Hélios, Héphaïstos, Hermès, Hyménée, Hypnos, Morphée, Nérée, Ouranos, Pan, Phébus, Ploutos, Pluton, Poséidon, Priape, Protée, Sérapis, Thanatos, Triton, Uranus, Zeus.

DIEU GUERRIER (n. p.). Ases, Bellone, Ésus, Mars, Teutatès, Thor, Tor.

DIEU HINDOU (n. p.). Brahma, Civa, Ganesha, Kama, Krishna, Rama, Shiva, Siva, Vishnu.

DIEU HINDOUISTE (n. p.). Brahma, Çiva, Krishna, Parvati, Skanda, Vishnu.

DIEU INDIEN (n. p.). Grand Esprit, Grand Manitou, Kama, Manitou, Totem.

DIEU ISLAMISTE (n. p.). Allah.

DIEU ITALIE ANCIENNE (n. p.). Lupercus.

DIEU JUDAÏQUE (n. p.). Christ, Jahvé, Jehovah, Messie, Yahvé, Yaveh.

DIEU JUIF (n. p.). Adonai.

DIEU MARIN (n. p.). Nérée.

DIEU MÉSOPOTAMIEN (n. p.). Bêl, Enki.

DIEU MEXICAIN (n. p.). Tlaloc.

DIEU MORTUAIRE (n. p.). Anubis.

DIEU MUSULMAN (n. p.). Allah.

DIEU NORDIQUE (n. p.). Ase, Balder, Cambrinus, Eir, Freyja, Freyr, Frigg, Gambrinus, Heimdal, Holder, Loki, Odin, Thor, Walkyrie.

DIEU PHÉNICIEN (n. p.). Adonis, Baal, Bétyle, Dagon, Moloch.

DIEU PHRYGIEN (n. p.). Attis, Atys.

DIEU ROMAIN (n. p.). Bacchus, Cupidon, Éole, Esculape, Faune, Jupiter, Lares, Mars, Mercure, Neptune, Pénates, Pluton, Plutus, Priape, Saturne, Sylvain, Vertumne, Vulcain.

DIEU SCANDINAVE (n. p.). Ases, Odin, Thor, Tor, Wotan.

DIEU SOLAIRE (n. p.). Aton, Hathor, Horus, Râ, Rê.

DIFFAMANT. Calomniateur, calomnieux, contempteur, débineur, dénigrant, dénigreur, dépréciateur, détracteur, diffamateur, diffamatoire, infamant, médisant, mensonger, placoteux, potinier, rossard, vipère.

DIFFAMATEUR. Accusateur, cafardeur, calomniateur, délateur, dénonciateur, détracteur, diffamant, espion, indic, indicateur, médisant, mensonger, mouchard, porte-panier, rapporteur, sycophante, vitupérateur.

DIFFAMATION. Accusation, allégation, attaque, cafardage, calomnie, critique, délation, dénigrement, dénonciation, dépréciation, dévalorisation, imputation, insinuation, médisance, plainte, rabaissement, réquisitoire, trahison.

DIFFAMATOIRE. Absurde, affecté, altéré, apocryphe, archifaux, artificiel, cabotin, calomnieux, captieux, chimérique, contrefait, copié, diffamant, double, douteux, erroné, factice, fallacieux, falsifié, fardé, faucard, faute, fautif, faux, feint, félon, fictif, fourbe, hypocrite, illicite, inexact, irréel, mensonge, mensonger, parjure, plagié, postiche, pseudo, simili, simulé, tartufe, toc, trompeur, truqué, usurpé, vain.

DIFFAMER. Abaisser, accusation, anecdote, atrocité, attaque, bavardage, calomnier, cancan, clabaudage, commérage, débiner, décrier, dénigrer, déprécier, déshonorer, diminuer, discréditation, mal, médire, noircir, nuire.

DIFFÉRÉ. Guéri, rediffusion, remis, reprise, rétabli, retardé, retransmission, suspendu, urgent.

DIFFÉREMMENT. Alias, anciennement, antan, autre, autrement, contrairement, dissemblablement, diversement, immémorial, inégalement, jadis, mal, naguère, ou, sans quoi, sinon.

DIFFÉRENCE. Absence, agio, amplitude, bémol, contraste, déphasage, dénivellation, dénivellement, dévers, discordance, dissemblance, dissentiment, distinction, divergence, diversité, écart, fourchette, inégalité, marnage, nuance, opposition, sexe, tension, variante, variété.

DIFFÉRENCIATION. Analyse, démarcation, dérivation, discrimination, distinction, distinguo, nuance, séparation.

DIFFÉRENCIER. Aliéner, altérer, caractériser, compliquer, contrarier, croiser, déroger, différer, distinguer, dissocier, hurler, illustrer, individualiser, jurer, mélanger, mêler, nuancer, partager, reconnaître, varier.

DIFFÉREND. Affrontement, antagonisme, argument, autre, combat, compétition, conflit, contestation, débat, désaccord, démêlé, discorde, dispute, distinct, divers, écart, heurt, juger, litige, malentendu, procès, querelle.

DIFFÉRENT. Allopathie, alternance, anormal, arbitre, autre, autrement, bâtard, comparable, contraire, controverse, dissident, distant, distinct, divergent, divers, être, inégal, nouveau, nuance, opposé, singulier, us, vairon, varié.

DIFFÉRENTIEL. Affeurage, barème, bordereau, cadre, catalogue, demi-tarif, écart, échelle, engrenage, étalon, graduation, livre, intégrale, prix, recueil, répertoire, spécifique, table, tarif, taux, transmission.

DIFFÉRER. Ajourner, arriérer, atermoyer, attendre, caractériser, diverger, écarter, inrerrompre, opposer, ralentir, reculer, remettre, renvoyer, reporter, repousser, retarder, suspendre, surseoir, tarder, temporiser.

DIFFICILE. Abscons, abstrait, abstrus, accablant, acrobatique, aisé, ardu, aride, chinois, complexe, compliqué, confus, coriace, coton, délicat, dur, effort, épineux, exigeant, facile, indigeste, ingrat, laborieux, malaisé, pénible, raide, rare, résistant, rétif, rude, siby, sibyllin, soutenu, tarte, tenace, trapu, vache.

DIFFICILEMENT. Âcrement, âprement, brutalement, cruellement, désagréablement, désobligeamment, durement, laborieusement, malaisément, méchamment, péniblement, rudement, sèchement, sévèrement, vertement, vilement.

DIFFICULTÉ. Acinésie, akinésie, apepsie, aporie, asthénie, complexité, corrida, danger, dyslexie, dyspnée, dysurie, éblouissement, écueil, embûche, emmerde, emmerdement, entrave, épine, épreuve, gendarme, hic, inconvénient, insomnie, lala, mouise, nœud, obstacle, os, piège, problème, tirage, tiraillement, tracasserie.

DIFFICULTUEUX. Chicaneur, compliqué, difficile, dur, épineux, laborieux, pénible, pointilleux, rude.

DIFFORME. Affreux, biscornu, bossu, bot, bote, contrefait, éclopé, forme, hideux, laid, tors, tortueux.

DIFFORMITÉ. Acholie, anomalie, bec-de-lièvre, bot, bote, déformation, disgrâce, distorsion, dysmélie, gnome, goitre, handicap, infirmité, malformation, nanisme, palmature, pygmée, rachitisme, strabisme, tordu, vice.

DIFFRACTION. Anatomie, biréfringence, cyphose, déflexion, dérive, détour, déviation, dévoiement, dispersion, distance, écart, évitement, flèche, gauche, gauchissement, hétérophorie, intervalle, loucherie, scoliose, sinuosité, superstition, tortueux, valgus.

DIFFUS. Bavard, dépoli, disséminé, émaillé, ennuyeux, éparpillé, épars, prolixe, redondant, succinct, verbeux.

DIFFUSÉ. Albédo, avancé, créé, dit, divulgué, émis, énoncé, jeté, lui, paru, promulgué, prononcé, publié, SOS.

DIFFUSER. Dégager, dire, dispenser, disperser, dissiper, distribuer, émettre, émission, exprimer, formuler, produire, propager, proposer, radiodiffuser, répandre, répartir, retransmettre, tirer, transmettre.

DIFFUSEUR. Agent, camelot, cédant, charlatan, colporteur, commerçant, commis, dépositaire, détaillant, éditeur, employé, étalagiste, exportateur, grossiste, marchand, négociant, représentant, vendeur, voyageur.

DIFFUSION. Délayage, di, dis, distribution, émission, invasion, média, multidiffusion, osmose, radotage, samizdat, verbiage.

DIGÉRER. Absorber, accepter, assimiler, avaler, digeste, élaborer, endurer, indigeste, léger, lourd, transformer.

DIGEST. Annonce, apparition, ban, bimensuel, bulletin, dénonciation, divulgation, édition, gazette, hebdo, hebdomadaire, ISBN, Issn, journal, lancement, livre, magazine, mensuel, mois, numéro, organe, ouvrage, parution, proclamation, promulgation, publication, quotidien, recueil, rédactionnel, résumé, revue, sortie, tabloïd, tirage.

DIGESTE (n. p.). Justinien, Pendectae, Tribonien.

DIGESTE. Aisé, clair, code, docile, enfantin, épineux, facile, friable, léger, lent, malaisé, nanan, rire, ru, simple, usuel.

DIGESTIBILITÉ. Adresse, aptitude, art, bosse, capacité, disposition, don, doué, endurance, esprit, esthésie, facilité, faculté, fécondité, finesse, génie, goût, habilitation, habilité, infus, inné, miscibilité, natif, né, oreille, penchant, prédisposition, propension, qualification, qualité, réceptivité, sensualité, siccativité, talent, tendance, test, vocation.

DIGESTIF. Achalasie, aliment, endoderme, entérovirus, estomac, œsophage, pousse-café, rincette, tube.

DIGESTION. Absorption, anabolisme, apepsie, assimilation, chyle, coction, dyspepsie, eupepsie, ingestion, rumination.

DIGIT. Acalculie, arabe, binon, bit, calcul, caractère, chiffre, digiti, digito, doigt, marque, millésime, nombre, note, numéro, retenue, romain, tomer, unité.

DIGITAL. Annulaire, auriculaire, audionumérique, bague, bijou, castagnettes, chiffre, dé, digitopuncture, doigt, doigté, doigtier, douze, empan, index, majeur, montrer, nilless, numérique, ongle, orteil, palmé, phalange, phalangette, pouce, shiatsu, syndactyle, su.

DIGITALE. Calcéolaire, cymbalaire, euphraise, gantelée, ganteline, gantillier, herbe-aux-poux, limoselle, linaire, maurandie, mélampyre, muflier, paulownia, pavée, pédiculaire, rhinanthe, scrofulariacée, unité, velvote, véronique.

DIGITALISER. Chiffrer, codifier, convertir, numériser, scanner.

DIGNE. Altissime, auguste, considérable, convenable, déplorable, ennoblir, enviable, épiscopat, équitable, fier, honnête, imposant, louable, mémorable, mériter, méritoire, misérable, noble, pape, royal, séant.

DIGNEMENT. Bravement, crânement, courageusement, fièrement, honorablement, justement, noblement.

DIGNITAIRE. Aga, agha, archichancelier, autorité, ban, camérier, chancelier, éfendi, effendi, figure, hiérarque, huile, métropolite, notabilité, notable, patrice, personnage, personnalité, ponte, reis, voïévodat, voïévode, voïvode.

DIGNITAIRE ECCLÉSIASTIQUE. Archevêque, archidiacre, camérier, cardinal, chanoine, éminence, évêque, monseigneur, pape, prélat, prêtre.

DIGNITAIRE OTTOMAN. Efendi, reis.

DIGNITÉ. Archontat, caïdat, chapellenie, dogat, droit, émir, émirat, ennoblir, éphorat, épiscopat, ethnarchie, grade, grand, grandesse, hiérarque, honneur, imamat, khalifat, larve, majesté, nabab, noble, orgueil, pairie, palatinat, papauté, patrice, pontificat, prêtrise, prieuré, rang, royauté, sacerdoce, tiare, titre, vidame.

DIGON. Angon, bâton, bident, fer, hampe, harpon, javelot, palis, pigouille, pique, poisson, trabe, trique.

DIGRESSION. Aventure, circonstance, délire, développement, dévié, divagation, écart, épisode, événement, excursion, excursus, hallucination, hors-d'œuvre, incident, parenthèse, péripétie, récit, trouble.

DIGUE. Barrage, batardeau, brise-lame, écluse, endiguer, estacade, jetée, levée, môle, musoir, turcie.

DILACÉRATION. Bandage, bouillie, capilotage, charcutage, charpie, compote, déchiquetage, déchirement, défilage, destruction, hachage, hachement, lacération, marmelade, miettes, morceaux, poussière, purée.

DILAPIDADEUR. Croqueur, dépensier, dissipateur, gaspilleur, panier percé, prodigue.

DILAPIDATION. Coulage, déprédation, dissipation, engloutissement, gabegie, gâchage, gaspillage, perte, profusion.

DILAPIDER. Croquer, dépenser, dévorer, dissiper, donner, engloutir, flamber, gaspiller, manger, prodiguer.

DILATABILITÉ. Agilité, aisance, anélasticité, diplomatie, ductile, ductilité, élasticité, élastique, étirable, extensible, flexibilité, légèreté, liant, malléabilité, maniabilité, moulabilité, pandémie, plasticité, rénitence, ressort, rouiller, souple, souplesse, sveltesse.

DILATABLE. Accommodant, allongeable, bande, caoutchouc, complaisant, compressible, ductile, élastique, expansible, extensible, flexible, gomme, jarretelle, jarretière, ressort, souple, variable.

DILATATION. Augmenter, ballonnement, béance, bronchectasie, chaleur, dilatomètre, distension, divulsion, emphysème, enflure, étendre, expansion, gaz, gonflement, intumescence, mégacôlon, mydriase, varice.

DILATER. Atropine, bander, cathéter, distendre, élargir, enfler, épanouir, étendre, évaser, expansif, gonfler, rire.

DILATOIRE. Atermoiement, attentisme, dérobade, évasif, hésitation, lenteur, opportunisme, préfixtion, retardateur, retardement, taponnage, temporisateur, temporisation.

DILECTION. Adoration, affection, amitié, amour, attachement, bonté, caresse, cœur, complaisance, dévotion, dévouement, douceur, effusion, égards, flamme, gentillesse, humanité, inclination, passion, prédilection, sensibilité, sentiment, sympathie, tendresse, zèle.

DILEMME. Alias, alternative, ambigu, ba, battement, bis, cap, choix, complexe, copie, couple, crémone, deux, dualité, duplicata, enroue, faux, fla, géminé, jumeau, ombre, méiose, option, pli, préférence, rein, remplace, répété, siamois, sosie, sournois, té, tréma.

DILETTANTE. Amateur, attitude, dilettantisme, fantaisie, fumiste, goût, négligence, plaisantin, plaisir.

DILETTANTISME. Amateurisme, attrape, barigoule, blague, bouffonnerie, canular, clownerie, facétie, facétieux, farce, fumisterie, godiveau, niche, plaisanterie.

DILIGENCE. Activité, attention, coche, empressement, hâte, minutie, promptitude, rapidité, soin, zèle.

DILIGENT. Actif, affairé, appliqué, assidu, dynamique, efficacité, empressé, expéditif, prompt, rapide, zélé.

DILIGENTER. Accélérer, accroître, activer, appletter, augmenter, avancer, courir, démarrer, dépêcher, exciter, expédier, grouiller, hâter, magner, manier, pousser, précipiter, presser, sprinter, stimuler.

DILOGIE. Ambiguïté, ambivalence, amphibologie, double, énigme, équivoque, incertitude, obscurité, polysémie.

DILUER. Anéantir, couler, délaver, délayer, détremper, dissoudre, étendre, liquéfier, mélanger, tremper.

DILUTION. Caryotype, délayage, dérèglement, dissolution, divorce, fusion, résiliation, résolution, séparation.

DILUVIEN. Abondance, averse, cataclysme, crue, débord, déferlement, déluge, expansion, flux, pluie, torrentiel.

DIMANCHE (n. p.). Fête-Dieu, Pâques, Pentecôte, Quasimodo, Quinquagésime, Septuagésime.

DIMANCHE. Avent, calendrier, dominical, endimanché, oculi, missel, pâque, prône, rameau, saint.

DÎME. Capitation, charge, contribution, cote, droit, exaction, excise, fiscalité, impôt, levée, prime, taxe.

DIMENSION. Ampleur, calibre, encolure, énormité, envergure, épaisseur, espace, étendue, format, grandeur, grosseur, hauteur, immense, importance, inétendu, largeur, longueur, mensuration, mesure, miniature, pointure, profondeur, proportion, superficie, taille.

DIMÈRE. Atome, corpuscule, élément, flavine, ligand, molécule, particule, peptide, protéine, récepteur.

DIMINUÉ. Abaissé, adouci, affaibli, amenuiser, amoindri, comprimé, décati, dégradé, gaga, réduit, rétréci.

DIMINUENDO. Affaiblissement, decrescendo, expressivité, intensité, rythme, smorzando, son.

DIMINUER. Abaisser, abréger, adoucir, aléser, alléger, altérer, amaigrir, amenuiser, amoindrir, amplifier, amputer, ariser, arriser, atrophier, atténuer, attiédir, baisser, céder, ébrécher, écourter, décarburer, déchoir, décroître, dégonfler, dégraisser, délarder, délarger, dénigrer, descendre, détendre, dévaloriser, diluer, écourter, élégir, émarger, laminer, minorer, mollir, raccourcir, ramener, rapetisser, raréfier, réduire, refroidir, restreindre, rétrécir, rogner, ronger, soulager, tempérer, user.

DIMINUTIF. Doucet, et, hypocoristique, limitatif, nom, prohibitif, répressif, restrictif, strict, surnom, tantine.

DIMINUTION. Abaissement, abrègement, adynamie, agueusie, agranulocytose, amenuisement, amortissement, anaphrodisie, anhépatie, amnésie, anémie, anhidrose, anidrose, anosmie, anoxie, atrophie, collapsus, déclin, décroissance, déflation, dégradé, dégrèvement, détente, détumescence, encroûtement, frai, hypochlorhydrie, hypoglycémie, hypotonie, ischémie, leucopénie, oligurie, paralysie, presbytie, rabais, recoupement, réduction, relâchement, remise, retrait, smorzando, soulagement, sténose, surdité, xérophtalmie.

DINDE. Absurde, andouille, âne, béjaune, benêt, bêta, bête, borné, buse, con, crétin, dadais, dindon, dindonneau, étourdi, fada, fat, glouglouter, glousser, grue, idiot, ignorance, imbécile, inepte, infatué, naïf, nase, navet, niais, niaiseux, nigaud, nunuche, oie, poire, ridicule, simple, sot, stupide, valeur, urubu.

DINDON. Caroncule, dindonneau, dupe, fraise, gallinacé, glouglou, goura, omnivore, pigeon, volaille, urubu.

DINDONNER. Abuser, amuser, appât, appâter, arnaquer, avoir, berner, capter, duper, embobiner, empiler, enjôler, entuber, escroquer, filouter, flouer, gruger, lentille, leurrer, mensonge, mentir, pigeonner, piper, rouler, tromper, voler.

DÎNER. Agape, banquet, bombance, brunch, buffet, casse-croûte, cène, collation, déjeuner, dînatoire, dînette, en-cas, festin, frichti, frugal, gala, gastronomie, gourmandise, goûter, gueuleton, lippée, lunch, médianoche, menu, orgie, pique-nique, popote, réfection, régal, repas, reste, réveillon, ripaille, soupe, souper, tétée, thé.

DÎNETTE. Agape, banquet, bombance, brunch, buffet, casse-croûte, cène, collation, déjeuner, dîner, en-cas, festin, frichti, frugal, gala, gastronomie, gourmandise, goûter, gueuleton, lippée, lunch, médianoche, menu, orgie, pique-nique, popote, réfection, régal, repas, reste, réveillon, ripaille, soupe, souper, tétée, thé.

DING. Alarme, anaconda, appel, avertisseur, bélière, campane, carillon, clarine, cloche, clochette, crotale, cymbale, drelin, dring, glas, grelot, klaxon, serpent, sonnaille, sonnerie, sonnette, timbre, tympanon, vibrateur, vibreur.

DINGHY. Baleinière, barque, batelet, berthon, bombard, canadienne, canoéiste, canoïste, canoë, canot, canotier, chaloupe, esquif, flette, kayak, plate, pirogue, podoscaphe, rabaska, racer, runabout, tapecul, yacht, yole, zodiac.

DINGO. Barjo, bizarre, braque, charlot, chien, cinglé, dégénéré, dingue, farfelu, fêlé, fondu, fou, foufou, givré, siphonné, toqué.

DINGUE. Absurde, aliéné, amoureux, barjo, braque, cerveau, cinglé, dément, désaxé, détraqué, fada, fêlé, fol, fou, furieux, givré, idiot, imbécile, inouï, insensé, interné, ire, mental, niais, sonné, sot, toqué, tordu, triboulet.

DINGUER. Bouler, éconduire, paître, projeter, rabrouer, repousser, tomber, valdinguer, valser, tomber.

DINGUERIE. Ânerie, béotisme, bêtise, folie, idiotie, imbécillité, ineptie, insipidité, loufoquerie, niaiserie, sottise.

DINORNIS. Aptéryx, autruche, autruchon, casoar, coureur, échassier, émeu, épyornis, kiwi, moa, nandou, ratite, repyornis, sotte, struthio, struthionidé.

DINOSAURE. Allosaure, amylosaure, ankylosaure, atlantosaure, avipelviens, brachiosaure, brontosaure, carnosaure, coelurosaure, deinonychus, diplodocus, iguanodon, ornithomimus, protoceratops, scélidosaure, sauropode, séimosaure, stégosaure, tricératops, tyrannosaure, velociraptor.

DINOSAURIENS. Avipelvien, brontosaure, dinosaure, diplodocus, iguanodon, ornithischien, sauripelvien, stégosaure, tricératops, tyrannosaurus.

DIOCÉSAIN. Adepte, ami, attaché, attachement, bon, conforme, constant, correct, dévot, dévoué, éprouvé, féal, fidèle, honnête, juste, lige, loyal, ouaille, paroissien, probe, sincère, solide, sûr, véridique, vrai.

DIOCÈSE. Archevêché, archidiaconé, archidiacre, diocésain, archidiocèse, écolâtre, évêché, évêque, exeat, ordo.

DIODE. Anaphorèse, anode, baguette, bêta, borne, cathode, drain, électrode, grille, ignitron, kénotron, klystron, lampe, magnétron, penthode, photocathode, photodiode, pôle, rayon, tétrode, triode, valve, wehnelt.

DIOGÈNE. Cynique, fanal, lanterne, philosophe, tonneau.

DIOLÉFINE. Alcène, caoutchouc, diène, hydrocarbure, isoprène, oléfine.

DIOMEDEIDÉ. Albatros, palmipède.

DIONÉE. Attrape-mouches, carnivore, droséra, droséracée, gobe-mouches, herbacée, plante.

DIONYSOS (n. p.). Ariane, Bacchantes, Bacchus, Dionysies, Herculanum, Hermès, Ino, Midas, Praxitèle, Priape, Ptolémée, Sémélé, Silène, Zeus.

DIONYSOS. Dionysiaque, divinité, thyrse, vigne.

DIORAMA. Peinture, spectacle, tableau, toile, trompe-l'œil.

DIOSCORÉACÉE. Amaryllidacée, dioïque, herbe-aux-femmes, igname, monocotylédone, tamier.

DIOULA. Bonimenteur, camelot, colporteur, commerçant, coulissier, courtier, démarcheur, étalagiste, marchand, musulman, opérateur, peddleur, propagateur, représentant, vendeur.

DIOXYDE. Anhydride, bioxyde, carboglace, étain, oxyde, oxygène, oxylithe, polianite, pyrolusite.

DIPHTÉRIE (n. p.). Behring, Bretonneau, Klebs-Loeffler, Roux.

DIPHTÉRIE. Bacille, croup, laryngienne, myocardite, néphrite, sérothérapie, streptomycine, suffocante.

DIPHTONGUE. Ae, crase, diphtongaison, diphtonguer, oe, oi, tréma, triphtongue, voyelle.

DIPLOCOQUE. Bactérie, cocci, entérocoque, gonocoque, méningocoque, pneumocoque.

DIPLODOCUS. Convoyeur, dinosaure, dinosaurien, jurassique, reptile, saurien, tapis, tyrannosaure.

DIPLOMATE. Ambassadeur, consul, émissaire, envoyé, légat, nonce, plénipotentiaire, pudding, représentant.

DIPLOMATE AMÉRICAIN (n. p.). Barlow, Kellogg, Kissinger.

DIPLOMATE ANGLAIS (n. p.). Dalrymple, Elgin, Salisbury, Sidney, Temple, Wyat, Wyatt.

DIPLOMATE AUTRICHIEN (n. p.). Berchtold, Coudenhove, Kallergi, Klestil, Ligne, Scwarzenberg, Waldheim

DIPLOMATE BRITANNIQUE (n. p.). Cross, Elgin.

DIPLOMATE CANADIEN (n. p.). Bouchard, Chrétien, Leduc, Léger, Pearson.

DIPLOMATE ÉGYPTIEN (n. p.). Boutros-Ghali.

DIPLOMATE ÉQUATORIEN (n. p.). Carrera.

DIPLOMATE ESPAGNOL (n. p.). Cellamare, Madariaga, Mendoza.

DIPLOMATE FINLANDAIS (n. p.). Ahtisaari.

DIPLOMATE FRANÇAIS (n. p.). Baïf, Barante, Bassompierre, Bassville, Bellièvre, Benedetti, Berthelot, Bourienne, Breteuil, Callières, Cambon, Castelnau, Caulaincourt, Chevigny, Choiseul, Claudel, Colbert, Denon, Dubos, Estrades, Flahaut, Gobineau, Gramont, Jeannin, Lesseps, Lionne, Mazarin, Nicot, Paléologue, Pavis, Pibrac, Praslin, Sillery, Sger, Tencin, Thouvenel, Torcy, Vergennes.

DIPLOMATE GREC (n. p.). Politis, Séféris.

DIPLOMATE HOLLANDAIS (n. p.). Grotius.

DIPLOMATE ITALIEN (n. p.). Castiglione, Rossi.

DIPLOMATE PÉRUVIEN (n. p.). Calderon, Prez de Cuellar.

DIPLOMATE RUSSE (n. p.). Giers, Griboïedov, Igniatiev, Kourakine, Menchikov, Nesselrode, Tioutchev.

DIPLOMATE SUISSE (n. p.). Kern.

DIPLOMATIE. Adresse, ambassade, circonspection, doigté, finesse, habileté, maladroit, souplesse, tact.

DIPLOMATIQUE. Adroit, adroitement, ambassadorial, astucieusement, diplomate, diplomatiquement, faufiler, finement, habile, habilement, insinuer, politique, politiquement, prudent, savamment, semer.

DIPLÔMÉ. Approuvé, bachelier, breveté, certifié, docteur, émoulu, garanti, licencié, maître, promu, universitaire.

DIPLÔME. Attestation, bac, brevet, B.T.S., certificat, DEC, degré, grade, honoris causa, licence, mastère, papier, parchemin, titre.

DIPLÔMER. Accorder, adjuger, affecter, allouer, attribuer, breveter, conférer, confirmer, couronner, décerner, délivrer, donner, impartir, louanger, louer, octroyer, ordonner, remettre.

DIPODIDÉ. Dipus, gerboise, mammifère, rongeur, souris sauteuse.

DIPÔLE. Borne, charge, couple, debye, doublet, opposé, paire, pierre, réactaire, réseau, résistance.

DIPSACACÉE. Cardère, dicotylédone, dipsacacée, fleur, gamopétale, plante, scabieuse, veuve.

DIPTÈRE. Brachycère, insecte, mouche, moustique, myiase, nématocère, phlébotome, puce, simulie, taon.

DIRE. Affirmer, biner, chuchoter, citer, conter, crier, débiter, déclarer, décrier, décrire, dégoiser, échapper, écrier, épancher, expliquer, maronner, mentir, murmurer, niaiser, nier, opiner, oraliser, papoter, plaisanter, proférer, prononcer, psalmodier, raconter, réciter, reprocher, rêver, roucouler.

DIRECT. À la ligne, ambages, brutal, coup, cru, de plein fouet, droit, franc, honnête, immanent, immédiat, naturel, prochain, rectiligne, subit, uppercut.

DIRECTEMENT. Abruptement, brusquement, brutalement, carrément, crûment, droit, fermement, franc, franchement, hardiment, immédiatement, net, nettement, raide, résolument, tout de go, vertement.

DIRECTEUR. Administrateur, cadre, chef, décideur, décisionnaire, dircom, dirigeant, gérant, principal, recteur.

DIRECTIF. Absolu, absolutiste, arbitraire, autocratique, autoritaire, césarien, despote, despotique, dictatorial, dominateur, hautain, hégémonique, illégal, impérieux, jupitérien, satrape, totalitaire, tranchant, tyrannique.

DIRECTION. Acheminement, administration, auspices, autorité, axe, biais, cap, commandement, conduite, côte, destination, dircom, est, fil, gestion, mihrab, nadir, nord, orientation, ouest, qibla, route, sens, stratégie, sud, tête, vers, visée, voie, zénith.

DIRECTIONNEL. Direct, directif, droit, figure, ligne, normatif, rectiligne, unidirectionnel.

DIRECTIVE. Citation, commande, commandement, donnée, indication, instruction, ordre, recommandation.

DIRECTIVITÉ. Absolu, absolutisme, arbitraire, artificiel, caprice, conventionnel, despotique, discrétionnaire, discutable, équitable, gratuit, illégal, immotivé, injuste, injustice, injustifié, irrégulier, libre, pige, tyrannique.

DIRIGÉ. Accompagné, agent, conducteur, épi, guide, lit, meneur, oriente, plongeant, porteur, senestre.

DIRIGEABLE. Aérodyne, aéronef, aéroplane, aérostat, autogire, avion, ballon, birotor, cz, enveloppe, giravion, gouvernail, hélicoptère, largeur, maniable, manœuvrable, nacelle, semi-rigide, zeppelin.

DIRIGEANT. Administrateur, amman, as, caïd, calife, chancelier, chef, cheik, curion, despote, dey, duc, duce, émir, gérant, gouvernant, hérésiarque, iman, leader, maire, maître, meneur, ovate, pacha, pape, parrain, patron, père, prote, rapin, sachem, satan, shah, shérif, roi, tête, vizir.

DIRIGER. Accompagner, acheminer, ajuster, aller, animer, avertir, axer, baisser, conduire, fixer, gêner, gérer, gouverner, guider, manier, mener, orienter, pointer, porter, pousser, présider, régenter, réorienter, router, senestrer, styler, tenir, tenter, viser, voguer.

DIRIGISME. Autogestion, babouvisme, bolchevisme, chartisme, collectivisme, collégialité, communisme, égalitarisme, étatisme, gauche, léninisme, maoïsme, marxisme, mutualisme, nationalisme, progressisme, stalinisme, trotskisme.

DIRIMANT. Absurde, annulatif, codicille, contradictoire, contraire, empêchement, incompatible, infirmatif, interruptif, mariage, nécessitant, nul, obstacle, opposé, paradoxal, prohibitif, rebours, suspensif.

DISCALE. Botrytis, champignon, chlorosplenium, discomycète, euascomycète, helvelle, morille, pezize, truffe.

DISCERNABLE. Appréciable, distinct, identifiable, perceptible, reconnaissable, saisissable, sensible.

DISCERNEMENT. Aveuglement, bon escient, circonspection, discrimination, distinction, finesse, flair, identification, jugement, prudence, réflexion.

DISCERNER. Apercevoir, appréhender, comprendre, constater, déceler, découvrir, démêler, dépister, distinguer, entrevoir, expliquer, flairer, goûter, lire, percevoir, reconnaître, remarquer, repérer, saisir, trier, voir.

DISCIPLE (n. p.). Arrien, Baruch, Dion, Épigone, Maur, Milon de Crotone, Nicodème, Orose, Timothée, Tite.

DISCIPLE. Adepte, adhérent, allié, ami, apôtre, élève, épigone, militant, partisan, satori, talibé, zététique.

DISCIPLINAIRE. Auburnien, biribi, carcéral, cellulaire, enseignement, peine, pénitentiaire, règle, soumission, taulard.

DISCIPLINE. Anachorétisme, ascèse, ascétisme, cilice, contrepoint, dressage, enseignement, érémitisme, fouet, géométrie, gériatrie, haire, matière, monarchisme, mortification, musicologie, nosologie, nutrition, ordre, phlébologie, règle, rigueur, solfège, yoga.

DISCIPLINÉ. Apprivoisé, dissipé, docile, doux, facile, maniable, mortifié, obéissant, réglé, sage, soumis, souple, têtu.

DISCIPLINER. Dompter, dresser, enseigner, maîtriser, mater, modérer, ordonner, policer, régler.

DISC-JOCKEY. Animateur, cueva, dancing, disco, discothèque, disque-jockey, DJ, salsathèque.

DISCOMYCÈTE. Botrytis, discale, euascomycète, chlorosplenium, helvelle, morille, pezize, truffe.

DISCONTACTEUR. Bouton, bouton-poussoir, clé, combinateur, commande, commutateur, conjoncteur, contact, coupleur, disjoncteur, interrupteur, manostat, poussoir, rotateur, sectionneur, sélecteur, télécommande.

DISCONTINU. Brisé, discret, éclipse, erratique, intermittent, irrégulier, larvé, momentané, rémittent.

DISCONTINUATION. Cessation, élancement, éternel, éternité, fixation, freinage, interminable, intermittent, interruption, limitation, long, permanent, pincement, rature, règlement, suspension, tarissement.

DISCONTINUER. Ancrer, arrêter, borner, buter, caler, camper, cesser, clore, couper, épingler, fixer, freiner, interrompre, juguler, limiter, maintenir, pincer, rayer, régler, reposer, retenir, stagner, stopper, suspendre, tarir, tenir.

DISCONTINUITÉ. Accès, alternance, averse, bouffée, boutade, brisure, cassure, coupure, discordance, échappée, fossé, giboulée, hiatus, interférence, interruption, lacune, ondée, rafale, rémission, rupture.

DISCONVENANCE. Contraste, démesure, désaccord, déséquilibre, différence, discordance, disharmonie, disparité, disproportion, différence, disparité, dissemblance, excès, incompatibilité, inégalité, usure.

DISCONVENIR. Argumenter, attaquer, batailler, cautionner, chicaner, contester, controverser, critiquer, démentir, discuter, disputer, douter, ergoter, manifester, nier, plaider, pointiller, polémiquer, rejeter, renier.

DISCORDANCE. Conflit, dispute, dissociation, divorce, émeute, incompatibilité, lutte, rupture, schisme, zizanie.

DISCORDANT. Absurde, anormal, boiteux, criard, décousu, dérangé, disparate, dissonant, grinçant.

DISCORDE. Brouille, chicane, choc, conflit, controverse, crise, désaccord, désunion, dispute, dissension, dissidence, division, divorce, guerre, incompatibilité, lutte, mêlée, mésentente, querelle, zizanie.

DISCOTHÈQUE. Alcool, bal, bar, bistrot, boîte, brasserie, buvette, cabaret, café, club, comptoir, dancing, débit, débit-de-boisson, disc-jockey, discothèque, estaminet, lubin, maquis, night-club, pression, rade, saloon, taverne, troquet, zinc.

DISCOUNT. Agio, avance, boni, discount, escompte, net, prime, rabais, réduction, remise, ristourne.

DISCOUREUR. Avocat, baratineur, bavard, causeur, conférencier, débatteur, défenseur, diseur, foudre, harangueur, intervenant, orateur, parleur, participant, péroreur, phraseur, prêcheur, prédicant, prédicateur, rhéteur, rhétoricien, tribun, verve.

DISCOURIR. Causer, disserter, épiloguer, laïusser, parler, pérorer, plaider, prêcher, présenter, raisonner, réciter.

DISCOURS. Allocution, amphigouri, ampoulé, antienne, apologie, baratin, blasphème, boniment, déclaration, dissertation, dit, éloge, énigme, entortillage, exorde, exposé, galimatias, hâblerie, harangue, homélie, laïus, long, mensonge, mercuriale, oraison, panégyrique, parole, pataquès, péroraison, pérorer, phrase, plaidoyer, prêche, prose, satire, sermon, soliloque, sornette, soûlant, speech, tirade, topo.

DISCOURTOIS. Culotté, cynique, désobligeant, disgracieux, grossier, impoli, inamical, incivil, inélégant, rustre.

DISCOURTOISEMENT. Cavalièrement, cyniquement, déplaisamment, effrontément, grossièrement, hardiment, impertinemment, impoliment, impudemment, inamicalement, lestement, malhonnêtement.

DISCOURTOISIE. Affabilité, amabilité, civilisé, disgrâce, galanterie, grossièreté, hommage, impolitesse, incivilité, inconvenance, inélégance, joute, malgracieux, malhonnête, politesse.

DISCRÉDIT. Arrogance, baisse, charité, complaisance, condescendance, crânerie, cynisme, déconsidération, dédain, défaveur, dégoût, dérision, fi, hauteur, indulgence, injure, litière, mépris, misérable, morgue, moue, snobisme, vilipender.

DISCRÉDITER. Avilir, brûler, cslomnier, couler, déclasser, déconsidérer, décrédibiliser, décrier, dénigrer, déprécier, déshonorer, diffamer, entacher, griller, imputer, insinuer, médire, noircir, rabaisser, ravaler, salir, tacher.

DISCRET. Circonspect, délicat, distant, énergumène, pudique, réservé, retenu, secret, silencieux, sobre.

DISCRÈTEMENT. Austèrement, catimini, délicatement, frugalement, légèrement, mesurément, modérément, sobrement.

DISCRÉTION. Chasteté, décence, honneur, honte, modération, pudeur, pureté, réserve, retenue, secret, vertu.

DISCRÉTIONNAIRE. Absolu, absolutisme, ad nutum, arbitraire, artificiel, caprice, conventionnel, despotique, discutable, équitable, gratuit, illégal, illimité, immotivé, injuste, injustice, injustifié, irrégulier, libre, pige, tyrannique.

DISCRIMINATEUR. Arbitre, circuit, démodulateur, modem, syntoniseur, tuner.

DISCRIMINATION. Âgisme, analyse, apartheid, acuité, distinction, racisme, ségrégation, séparation.

DISCRIMINATOIRE. Absurde, abusif, adversaire, adverse, antagoniste, anti, antithèse, antonyme, autrement, concurrent, contradictoire, contraire, divergent, envers, étrange, illégal, incompatible, inverse, licencieux, malsonnant, opposé, paradoxe.

DISCRIMINER. Analyser, démêler, différencier, discerner, distinguer, reconnaître, séparer.

DISCULPATION. Absolution, absoudre, absoute, acquittement, amnistie, condamner, excuser, expier, grâce, gracier, non-lieu, oublier, pardon, relaxe, remettre, reprendre, réprimander, réprouver, souffrir, stigmatiser.

DISCULPER. Blanchir, décharger, défendre, excuser, innocenter, justifier, laver, réhabiliter, résigner.

DISCURSIF. Abscisse, cartésien, cogito, déductif, esprit, logique, méthodique, rationnel.

DISCUSSION. Conciliabule, contestation, controverse, conversation, critique, débat, délibération, démêlé, dissertation, empoignade, entretien, étude, examen, explication, face-à-face, huis clos, négociation, procès, querelle, scène.

DISCUTABLE. Ambigu, apocryphe, attaquable, casuel, contestable, controversable, douteux, envisageable, faux, fragile, gratuit, hypothétique, incertain, louche, obel, obèle, obscur, putatif, risqué, suspect, véreux

DISCUTAILLER. Argumenter, discuter, épiloguer, ergoter, gloser, philosopher, ratiociner, subtiliser.

DISCUTÉ212. Assuré, cherché, conscient, contesté, controversé, critiqué, débat, décidé, délibéré, déterminé, discussion, examen, exprès, ferme, hardi, intention, intentionnel, libre, pensé, prémédité, proposition, réfléchi, résolu, volontaire, voulu.

DISCUTER. Arguer, argumenter, chicaner, conférer, converser, critiquer, débattre, délibérer, dialoguer, dire, discourir, ergoter, étudier, examiner, exprimer, marchander, négocier, palabrer, parlementer, parler, raisonner.

DISCUTEUR. Braillard, brailleur, chicaneur, chicanier, critiqueur, critiqueux, débatteur, frustré, insatisfait, mécontent, plaignard, raisonneur, rechignard, rechigneux, récriminateur, regimbeur, rouspéteur, vitupérateur.

DISERT. Bavard, convaincant, éloquent, entraînant, expressif, fluent, parlant, persuasif, probant, révélateur, significatif, verveux.

DISETTE. Absence, besoin, dénuement, faim, famine, gêne, indigence, manque, pénurie, rareté, rationnement.

DISETTEUX. Aisé, appauvri, chétif, clochard, cossu, démuni, fauché, fortuné, gueux, hère, indigent, ladre, minable, miséreux, nécessiteux, pauvre, riche, ruiné.

DISEUR. Astrologue, causeur, conteur, chiromancien, devin, informateur, narrateur, parleur, voyant.

DISGRÂCE. Adversité, affliction, aman, calamité, cataclysme, catastrophe, chagrin, coton, déchéance, défaveur, difformité, fatalité, fléau, funeste, glas, infortune, ingratitude, laideur, malchance, malheur, revers, tocsin.

DISGRACIÉ. Agrès, disgracieux, épouvantail, ingrat, laid, macaque, merdeux, mocheté, monstre, repoussoir.

DISGRACIER. Casser, chasser, congédier, dégommer, dégrader, démettre, dénuer, déposer, déposséder, destituer, détrôner, évincer, fonction, libérer, limoger, priver, relever, révoquer, sauter, suspendre.

DISGRACIEUX. Affreux, déplaisant, désagréable, détestable, discourtois, impoli, ingrat, laid, vilain.

DISHARMONIE. Contraste, désaccord, différence, disconvenance, discordance, disparité, disproportion, démesure, déséquilibre, différence, disparité, dissemblance, excès, incompatibilité, inégalité, usure.

DISJOINDRE. Analyser, arracher, casser, cliver, cloisonner, couper, déboîter, démettre, disloquer, diviser, écarter, écrémer, éloigner, enlever, épurer, espacer, exfolier, exiler, fendre, isoler, scier, séparer, trancher, trier, zester.

DISJOINT. Autre, bigarré, composite, différent, disparate, disparité, dissemblable, distinct, divers, diversifié, hétérogène, hybride, intervalle, involution, mélangé, mixte, multiplié, panaché, pluriel, séparé, varié.

DISJONCTER. Couper, entrecouper, entrelarder, entremêler, hacher, interrompre, larder, mêler, sauter.

DISJONCTEUR. Bouton, bouton-poussoir, clé, combinateur, commande, commutateur, conjoncteur, contact, contacteur, coupleur, discontacteur, interrupteur, manostat, poussoir, rotateur, sectionneur, sélecteur, télécommande.

DISJONCTION. Bifurcation, débranchement, décision, déconnexion, désaccord, désunion, disjonctif, dislocation, divorce, écartement, interruption, liaison, rupture, scission, séparation, somme logique.

DISLOCATION. Atomisation, claquage, déboîtement, décomposition, découpage, démembrement, désagrégation, désarticulation, dispersion, dissolution, division, élongation, entorse, foulure, luxation.

DISLOQUÉ. Dadais, dégingandé, escogriffe, flandrin, garçon, gauche, géant, goliath, grand, mince, mou.

DISLOQUER. Abîmer, briser, casser, déboîter, défaire, déclinquer, déglinguer, démancher, démantibuler, démembrer, démettre, démolir, démonter, désarticuler, désemparer, destituer, éliminer, fausser, fouler, luxer.

DISPARAÎTRE. Abolir, aplanir, cesser, couler, décéder, dérober, dissiper, effacer, éliminer, enfuir, éradiquer, escamoter, estomper, évanouir, évaporer, filer, fuir, mort, mourir, néantiser, ôter, partir, passer, perdre, périr, plonger, résorber, soustraire, tuer, voiler, volatiliser.

DISPARATE. Bigarré, complexe, composite, contraste, discordant, dissemblance, dissemblant, divers, diversifié, éclectique, hétéroclite, hétérogène, hybride, mélangé, mêlé, mixte, multiple, panaché, pluriel, varié.

DISPARITÉ. Autre, bigarré, composite, contraste, différence, différent, disparate, dissemblable, dissemblance, distinct, divers, diversifié, hétérogène, hétérogénéité, hybride, involution, mélangé, mixte, multiplié, panaché, pluriel, varié.

DISPARITION. Absence, agonie, agranulocytose, analgésie, anergie, ankylose, décès, déclin, délitescence, départ, deuil, dissolution, dystrophie, éclipse, éloignement, évanoui, fin, fondu, fugue, guérison, mort, occultation, paralysie, rémission, sédation, retrait.

DISPARU (n. p.). Guillaumet, Mohican, Roufs, Saint-Exubéry, Tabarly.

DISPARU. Absent, absorbé, bu, défunt, éteint, évanoui, évaporé, mort, naufragé, noyé, perdu, péri, trépassé.

DISPATCHER. Automate, diffuseur, distributeur, facteur, orienter, pompiste, répartir, répartiteur, ventilation.

DISPENDIEUSEMENT. Cher, chèrement, coûteusement, coûteux, estimable, onéreusement, précieusement, prix, rare, ruineux, ruineusement, salé, surpayer.

DISPENDIEUX. Cher, chèrement, coûteux, estimable, onéreux, précieux, prix, rare, ruineux, salé, surpayer.

DISPENSAIRE. Clinique, hôpital, hospice, maternité, médical, polyclinique, préventorium, refuge, thérapeutique.

DISPENSATEUR (n. p.). Jupiter.

DISPENSATEUR. Aspe, asple, caret, dérouleur, dévideur, dévidoir, distributeur, écheveau, enrouleur, octroyeur, répartiteur, roquetin, séchoir, touret, tracanoir.

DISPENSE. Autorisation, dérogation, exemption, exonération, franchise, dégrèvement, immunité, permission, sursis.

DISPENSÉ. Accordé, débarrassé, délivré, donné, distribué, exempt, exonéré, libre, quitte, permis.

DISPENSER. Abstenir, affranchir, amnistier, annuler, autoriser, congé, décharger, dégager, distribuer, éviter, excuser, exempter, exonérer, faire grâce, libérer, partager, permettre, préserver, prodiguer, professer, surseoir.

DISPERSAL. Argamasse, balcon, belvédère, échafaud, estrade, étage, galerie, gradin, hune, nid, palier, plancher, plateau, plate-forme, plongeoir, podium, ponton, programme, quai, ras, tablier, terrasse, vigie.

DISPERSÉ. Chassé, clairsemé, disséminé, dissipé, éclaté, égalisé, égayé, émaillé, émietté, épars, rayonné, semé.

DISPERSEMENT. Diffusion, dispersion, dissémination, émiettement, ensemencement, éparpillement, séparation.

DISPERSER. Avoir, balayer, clairsemer, dénébuler, dénébuliser, diluer, disloquer, disperser, disposer, disséminer, dissiper, diviser, égailler, égaliser, émailler, émietter, épandre, éparpiller, épars, jeter, parsemer, perdre, répandre, semer, séparer.

DISPERSION. Aérosol, atomisation, diaspora, diffraction, diffusion, dislocation, fuite, solaire, spectre.

DISPONIBILITÉ. Agrément, astreinte, autonomie, choix, commodité, confort, contingence, droit, espèces, faculté, fonds, franchise, hasard, indépendance, liberté, licence, loisir, permission, possibilité, pouvoir.

DISPONIBLE. Accessible, approchable, disposé, inoccupé, intérim, libre, ouvert, prêt, vacant, vague, vide.

DISPOS. Agile, alerte, allègre, délassé, détendu, dynamique, frais, gaillard, ingambe, reposé, souple, vif.

DISPOSANT. Abandonnateur, affectateur, aliénateur, apporteur, bienfaiteur, débirentier, donateur, souscripteur, testateur.

DISPOSÉ. Agile, annelé, apte, avoir, capable, dresser, enclin, eu, fatigue, favorable, forme, garnir, géminé, infus, léger, mettre, motivé, mûr, possédé, porté, préparer, prêt, rangé, santé, soumis, souple, tenu.

DISPOSER. Agencer, ajuster, aménager, anneler, arranger, arrimer, avoir, combiner, croiser, décider, draper, dresser, enlier, étager, étaler, étirer, géminer, imbriquer, liaisonner, mannequiner, masser, nuer, organiser, orner, ourdir, placer, prédisposer, prêter, tendre, tisser.

DISPOSITIF. Agitateur, alarme, ampoule, antivol, appuie-tête, articulation, attelage, balise, bande, capteur, clabot, crémone, daguerréotype, déclic, delco, détonateur, écran, émulateur, étendoir, extincteur, feu, frein, lampadaire, lecteur, machine, manipulateur, mouton, nicol, obturateur, paratonnerre, photopile, pince, procédé, radar, repose-tête, ridoir, souris, stabilisateur, starter, stérilet, vernier, verrouillage, vidange, viseur.

DISPOSITION. Acrimonie, agencement, altruisme, aptitude, arrangement, bosse, clause, cœur, demi-mesure, dévouement, diathèse, distribution, don, écusson, esprit, état, êtres, feuillaison, foliation, forme, frein, gisement, humeur, infus, inné, irascibilité, legs, moral, natif, né, nervation, nonchalance, obligeance, obturateur, penchant, permissivité, perversité, placentation, plan, préfloraison, ramescence, rang, rythme, soumission, structure, tendance, vice.

DISPROPORTION. Comble, débauche, débordement, démesure, dépassement, déséquilibre, différence, disconvenance, disparité, dissemblance, énormité, excédent, excès, inégalité, surcharge, usure.

DISPROPORTIONNÉ. Débordé, démesuré, dépassé, déséquilibré, énormité, excessif, illégal, surdimensionné.

DISPUTAILLER. Argumenter, disputer, épiloguer, ergoter, gloser, philosopher, ratiociner, subtiliser.

DISPUTE. Algarade, altercation, bisbille, brouille, chamaille, chamaillerie, chicane, conflit, débat, démêlé, discorde, discussion, escarmouche, fâcherie, grabuge, lice, lutte, mésentente, noise, opposition, orage, querelle, rixe, scène, tempête, tournoi, violence.

DISPUTER. Admonester, chamailler, chicaner, discuter, engueuler, expliquer, gronder, opposer, quereller.

DISQUALIFICATION. Absorption, anéantissement, annihilation, déconstruction, destruction, dévastation, disparition, effacement, élimination, enlèvement, éradication, fin, gommage, liquidation, mort, néantisation, suppression.

DISQUALIFIER. Brûler, couler, déconsidérer, discréditer, distancer, éliminer, exclure, griller, perdre.

DISQUE (n. p.). Aton, Discobole, Râ, Rê.

DISQUE. Anneau, aréole, bobèche, cd, cd-rom, cercle, cicatricule, compact, compilation, DC, discoïdal, discoïde, discophile, enregistrement, flan, frisbee, galette, iris, microsillon, palet, pigeon, piston, plage, plateau, pois, rayon, réticule, rondelle, roue.

DISSECTION. Analyse, anatomie, chirurgie, découpage, démembrement, désossage, développement, examen, zootomie.

DISSEMBLABLE. Autre, bigarré, composite, différent, disparate, disparité, dissimilaire, distinct, divers, diversifié, hétérogène, hybride, inégal, involution, mélangé, mixte, multiplié, panaché, pluriel, varié.

DISSEMBLABLEMENT. Alias, anciennement, antan, autre, autrement, contrairement, désaccord, différemment, diversement, immémorial, jadis, mal, naguère, opposition, ou, rebours, sans quoi, sinon.

DISSEMBLANCE. Contraste, différence, disparate, disparité, dissimilitude, diversité, hétérogénéité, variété.

DISSÉMINATION. Diffusion, dispersement, dispersion, éparpillement, propagation, raréfaction, vulgarisation.

DISSÉMINER. Balayer, chasser, décentraliser, déconcentrer, diffuser, disperser, dissiper, diviser, émietter, éparpiller, parsemer, propager, répandre, semer, vulgariser.

DISSENSION. Chicane, conflit, déchirement, désaccord, discorde, dissentiment, dispute, divorce, épars, guerre, haine, lutte, mésintelligence, opposition.

DISSENTIMENT. Absence, agio, amplitude, bémol, conflit, contraste, désaccord, dénivellation, dénivellement, dévers, déversement, différence, discordance, dissemblance, distinction, divergence, diversité, écart, fourchette, inclinaison, inégalité, mésintelligence, nuance, opposition, pente, sexe, tension, variété.

DISSÉQUER. Analyser, anatomiser, couper, décomposer, découper, démembrer, désosser, éplucher, scalpel, sujet.

DISSERTATION. Argument, augmentation, discours, essai, étude, exposé, mémoire, rédaction, traité.

DISSERTER. Baratiner, discourir, épiloguer, laïusser, palabrer, pérorer, pontifier, prêcher, vaser.

DISSIDENCE. Désobéissance, déviation, divergence, hétérodoxie, raskol, révolte, schisme, scission, sécession.

DISSIDENT. Déviationniste, gréviste, hérétique, indocile, insoumis, insurgé, mutin, rebelle, résistant, révolté, révolutionnaire, scissionniste.

DISSIMILITUDE. Abîme, altérité, changement, désaccord, déviance, différence, dissemblance, distance, distinction, divergence, diversité, division, divorce, écart, fossé, gouffre, inégalité, intervalle, marginalité, nuance, séparation, variante, variation, variété.

DISSIMULATEUR. Antéchrist, bluffeur, charlatan, hypocrite, imposteur, menteur, simulateur, usurpateur.

DISSIMULATION. Astuce, camouflage, comédie, déguisement, détournement, duplicité, fausseté, feinte, feintise, fiction, fourberie, grimace, hypocrisie, ouvertement, ruse, simulation, sournoiserie, soutenu, tricherie.

DISSIMULÉ. Cachottier, chafouin, faux, fourbe, gangue, hypocrite, narquois, pseudonyme, secret, simulé, sournois.

DISSIMULER. Abrier, atténuer, boisseau, cacher, camoufler, celer, costumer, couvrir, déguiser, embusquer, enfouir, enrober, feinte, feintise, fourber, inavouer, masquer, mentir, occulter, renfermer, secret, sournois, taire, tricher, voiler.

DISSIPATEUR. Avare, avaricieux, hache, cupide, dépensier, économe, gaspilleur, gredin, grigou, grimelin, grippe-sou, harpagon, ladre, lésineur, liard, liardeur, malpropre, pingre, pouacre, prodigue, radin, rapiat, rat, sale, séraphin, serré, vautour, vil, vilain.

DISSIPATION. Agitation, débauche, dilapidation, gaspillage, indiscipline, libertinage, licence, turbulence.

DISSIPÉ. Agité, débauché, désobéissant, dévergondé, dissolu, indiscipliné, indocile, léger, libertin, turbulent.

DISSIPER. Absorber, amuser, chahuter, chasser, claquer, dégriser, dénébuler, dénébuliser, dépenser, détourner, dilapider, disparaître, disperser, écarter, écouler, édifier, éparpiller, évanouir, évaporer, gâcher, manger, ôter, percer, rassurer.

DISSOCIABLE. Atomisable, divisible, isolable, morcelable, partageable, sécable, séparable, subdivisible.

DISSOCIATION. Annuler, atomisation, décomposition, dissoudre, électrolyse, ion, métal, voltamètre.

DISSOCIER. Couper, décoller, déconnecter, découdre, dégrouper, désolidariser, désunir, détacher, dételer, disjoindre, disloquer, dissoudre, distinguer, écarter, éloigner, isoler, scinder, séparer, trier.

DISSOLU. Corrompu, débauché, dépravé, déréglé, dévergondé, dévoyé, dissipé, léger, libertin, perverti, relâché.

DISSOLUTION (n. p.). Auvergne.

DISSOLUTION. Atomisation, caryotype, dérèglement, divorce, fusion, résiliation, résolution, séparation.

DISSOLVANT. Acétone, alcool, anesthésique, antiseptique, bleu, décapant, dégraissant, diluant, esprit de bois, isoprène, liquide, méthyle, méthylène, nettoyant, polaire, radical, soluté, solvant, subversif, thiazine, thionine.

DISSONANCE. Bruit, cacophonie, charivari, contradiction, désaccord, discordance, inharmonie, opposition.

DISSONANT. Cacophonique, contradictoire, contraire, criard, discordant, faux, incompatible, inharmonieux.

DISSONER. Contraster, cru, détacher, détonner, discorder, heurter, hurler, jurer, opposer, ressortir, trancher.

DISSOUDRE. Délayer, décomposer, déglacer, délayer, détruire, diluer, fondre, gazéifier, liquéfier, lixivier, résorber, soluble.

DISSUADER. Affecter, biaiser, conjurer, conseiller, déconseiller, décourager, défléchir, dériver, dérouter, détacher, détourner, dévier, dévoyer, distraire, dissuader, écarter, éloigner, éluder, infléchir, ranger, soustraire.

DISSUASIF. Défensif, fortification, parade, plaidoirie, préstratégique, protection, rempart, réserve, stratégie.

DISSUASION. Abattement, affaiblissement, cafard, déception, découragement, lassitude, marasme, prévention.

DISSYMÉTRIE. Anomalie, anormalité, asymétrie, biscornu, boitement, caprice, clopin-clopant, crochet, difforme, erreur, exception, faute, fractal, illégalité, inégalité, irrégularité, particularité.

DISTANCE. Absence, aspect, aversion, bordée, chevauchée, dissimilitude, écart, éloignement, empan, envergure, espace, espacement, intervalle, kilomètre, lointain, longueur, parsec, portée, poste, profondeur, recul, sème, trotte, volée.

DISTANCER. Anticiper, déborder, décoller, décrocher, dépasser, devancer, disqualifier, doubler, écarter, éloigner, espacer, franchir, isoler, forlancer, outrepasser, passer, précéder, prévenir, saillir, semer, surpasser.

DISTANCIATION. Déphasage, déviation, distance, écart, écartement, éloignement, entraxe, entrevoie.

DISTANT. Avance, dédaigneux, écarté, éloigné, froid, hautain, réservé, sauvage, traquenard, turf.

DISTENDRE. Augmenter, allonger, ballonner, élargir, élonger, enfler, étendre, étirer, gonfler, tendre, tirer.

DISTENSION. Ballonnement, bombement, bosse, claquage, gonflement, hydronéphrose, laxité, vergeture.

DISTILLATEUR. Athanor, bec, bouilleur, brandevinier, brasero, brûleur, cassolette, chaudière, débitant, hypocauste, lampe, liquoriste, pharillon, réchaud, torréfacteur.

DISTILLAT. Carburant, diésel, essence, fioul, gazoline, hydrocarbure, kérosène, naphta, octane, pétrole.

DISTILLATION. Brai, chauffe, cohobation, distillat, ébouilleur, évaporation, flegme, rectification, réduction.

DISTILLER. Alambic, cohober, condenser, élaborer, épancher, exsuder, hydrolat, répandre, sécréter, suppurer.

DISTILLERIE. Alambic, alcool, bouillerie, brûlerie, chaufferie, gaz, genièvrerie, liquide, rhumerie.

DISTINCT. Absolu, autre, clair, différent, divers, hétérogène, isolé, net, pur, rare, rarissime, séparé, seul, unique.

DISTINCTEMENT. Clairement, consciencieusement, exactement, fidèlement, justement, manifestement, méticuleusement, nettement, perceptiblement, précisément, proprement, religieusement, scrupuleusement, vaguement.

DISTINCTIF. Caractéristique, déterminant, particulier, pertinent, propre, significatif, spécifique, typique.

DISTINCTION. Accessit, argutie, décoration, délicatesse, différence, dignité, distinguo, division, égards, élégance, faveur, galon, grâce, honneur, honoris causa, insigne, médaille, molière, nettement, palme, respect, sélect, séparé.

DISTINGUÉ. Affable, agréable, aimable, aristocrate, aristocratique, as, beau, bon, brillant, chic, choisi, élégant, élite, élu, émérite, éminent, gentleman, noble, prestigieux, racé, raffiné, sélect, ultrachic, vu.

DISTINGUER. Apercevoir, choisir, connaître, découvrir, démêler, différencier, discerner, dissocier, éclairer, illustrer, isoler, marquer, percevoir, préciser, préférer, sceau, séparer, signaler, signe, singulariser, voir.

DISTINGUO. Analyse, décoration, délicatesse, différence, dignité, distinction, division, égards, élégance, faveur, galon, grâce, honneur, honoris causa, insigne, médaille, nettement, respect, sélect, séparé.

DISTOME. Cercaire, douve, rédie, sabelle, ver.

DISTORDRE. Bistourner, contourner, courber, crochir, déformer, déjeter, dévier, gauchir, tordre, voiler.

DISTORSION. Aberration, altération, anamorphose, aplatissement, contraction, convulsion, courbure, crampe, décalage, déformation, déséquilibre, déviation, disparité, gauchissement, goutte, hoquet, spasme, tic, transformation, travestissement.

DISTRACTION. Absence, amusement, attraction, défaillance, délassement, dérivatif, détente, diversion, divertissement, étourderie, évasion, inattention, irréflexion, jeu, loisir, oubli, plaisir, récréation, rêverie.

DISTRAIRE. Amuser, déconcentrer, délasser, détourner, dissiper, divertir, ébaudir, égayer, évader, tromper.

DISTRAIT. Absent, absorbé, amusé, délassé, dissipé, diverti, écervelé, égayé, étourdi, inattentif, préoccupé, rêveur.

DISTRAITEMENT. Anonymement, cachette, catimini, clandestinement, confidentiellement, dérobée, discrètement, furtivement, incognito, maronné, secrètement, sourdement, sourdine, sournoisement, subrepticement, tapinois.

DISTRAYANT. Adoucissant, amusant, apaisant, balsamique, calmant, délassant, distractif, divertissant, émollient, lénifiant, lénitif, ludique, récréatif, rassurant, relaxant, reposant, sédatif, tranquillisant, tripant.

DISTRIBUER. Accorder, agencer, attribuer, départir, dispenser, diviser, donner, emménager, partager, répandre, répartir.

DISTRIBUTEUR. Automate, diffuseur, dispensateur, facteur, fontaine, machine, pompiste, portage, répartiteur.

DISTRIBUTION. Attribution, classification, congiaire, curée, disposition, don, donne, expansion, partage, répartition, tri.

DISTRICT. Canton, charge, circonscription, commune, comté, division, étendue, province, quartier.

DIT. Alias, autrement, bref, concis, convenir, court, discours, émis, émit, lapidaire, mince, précis, présumé, succinct.

DITHYRAMBE. Cantique, dithyrambique, éloge, enthousiasme, flatterie, hymne, panégyrique, poème.

DITHYRAMBIQUE. Admiratif, apologétique, apologie, élogieux, enthousiaste, flatteur, glorificateur, laudatif, louangeur.

DITHYRAMBISTE. Acclamateur, admirateur, adorateur, adulateur, apologiste, approbateur, caudataire, complaisant, complimenteur, courtisan, flatteur, glorificateur, laquais, laudateur, patelin, valet.

DITO. Aussi, autant, également, encore, ibidem, idem, infra, itou, même, pareil, pareillement, supra, susdit.

DIURÈSE. Acholie, anurèse, bile, biligenèse, civette, copahu, crachat, eau, excrétion, glaire, humeur, lactation, lait, larme, miction, morve, mucus, pis, présure, prolactine, salive, sébum, sécrétion, sérum, sialorrhée, suc, sueur, urine, venin.

DIURÉTIQUE. Bourrache, dépuratif, diurèse, excrétion, furosémide, genêt, lin, maté, mélitte, piloselle, plante, prèle, remède, salidiurétique, terpine, thé, théobromine, théophylline, thym, tisane, urine.

DIURNE. Aberration, adonis, apollon, autour, buse, épervier, faucon, nocturne, papillon, rapace, vautour.

DIVA (n. p.). Callas, Castafiore, Turner.

DIVA. Cantatrice, célébrité, chanteuse, cigale, divette, mezzo, opéra, prima donna, rainette, soprano.

DIVAGATION. Délire, égarement, élucubration, errements, extravagance, incohérence, rêverie, vagabondage.

DIVAGUER. Débloquer, délirer, déménager, dérailler, déraisonner, élucubrer, errer, rabâcher, radoter, rêver.

DIVAN (n. p.). Castafiore, Martineau, Turquie.

DIVAN. Berçante, berceuse, bergère, cabriolet, canapé, causeuse, chaise, confident, cosy, crapaud, duchesse, fauteuil, filanzane, lit, méridienne, meuble, ouvreuse, palanquin, selle, siège, sofa, transat, trône, violoné.

DIVE. Boisson, bouteille, divin, rivière, vin.

DIVERGENCE. Coupure, désaccord, différence, différent, discordance, disparité, dispersion, écart, fossé, rayon.

DIVERGENT. Absurde, abusif, adversaire, adverse, antagoniste, anti, antithèse, antonyme, autrement, biconcave, concurrent, contradictoire, contraire, différent, éloigné, envers, étrange, illégal, incompatible, inverse, licencieux, malsonnant, opposé, paradoxe.

DIVERGER. Contredire, controverser, désaccord, différer, discorde, dissidence, écarter, éloigner, opposer.

DIVERS. Autre, différent, différent, distinct, hétérogène, inégal, maint, mélange, mixte, plusieurs, us, varié.

DIVERSEMENT. Alias, anciennement, antan, autre, autrement, contrairement, désaccord, différemment, dissemblablement, immémorial, inégalement, jadis, mal, naguère, opposition, ou, rebours, sans quoi, sinon.

DIVERSIFICATION. Alternance, analyse, biodiversification, démarcation, dérivation, différenciation, discrimination, distinction, distinguo, nuance, option, pluralité, possibilité, recherche, séparation, variation.

DIVERSIFIÉ. Assorti, bigarré, choisi, différencié, différent, mélangé, mêlé, mixé, mixte, pluriel, varié, variété.

DIVERSIFIER. Alterner, assortir, bigarrer, changer, commuer, déplacer, différencier, discorder, diversifier, évoluer, fluctuer, mélanger, mêler, mixer, modifier, moirer, nuancer, osciller, panacher, transformer, varier.

DIVERSIFORME. Hétéromorphe, hétéromorphie, multiforme, polymorphe, protéiforme, variable, varié.

DIVERSION. Agrément, amusement, amusette, bagatelle, batifolage, déduit, délassement, dérivatif, distraction, divertissement, entrain, gaieté, goguette, jeu, joie, leurre, loisir, passe-temps, plaisir, récréation, réjouissance, sourire, tromperie.

DIVERSITÉ. Assortiment, choix, différence, éclectisme, hétérogénéité, mélange, mixture, multiplicité, variété.

DIVERTICULE. Angle, anglet, appendice, arête, carre, cavité, coin, corne, coude, détour, encoignure, écoinçon, enfourchement, follicule, pan, pustule, racoin, recoin, retour, saillant, sinus, tournant, utricule.

DIVERTIR. Amuser, délasser, distraire, ébattre, ébaudir, égayer, esbaudir, jouer, marrer, plaire, recréer, rire.

DIVERTISSANT. Adoucissant, amusant, apaisant, balsamique, calmant, délassant, distractif, distrayant, émollient, lénifiant, lénitif, ludique, plaisant, récréatif, rassurant, récréatif, relaxant, reposant, sédatif, tranquillisant, tripant.

DIVERTISSEMENT. Agrément, amusement, amusette, carnaval, délassement, dérivatif, distraction, ébat, ébattement, égaiement, évasion, intermède, jeu, joute, karaoké, loisir, ludisme, no, partie, plaisir, récréation, réjouissance, rigolade, spectacle, télé.

DIVETTE. Cantatrice, chanteuse, cigale, diva, mezzo, opéra, prima donna, rainette, soprano.

DIVIDENDE. Agio, amortissement, avantage, bénéfice, boni, canonicat, casuel, commission, émolument, excédent, faveur, gain, intérêt, martingale, obédience, part, privilège, profit, rabais, remise, rente, reste, revenu, ristourne, trop-perçu.

DIVIN. Adorable, augure, céleste, charmant, déesse, délicieux, dieu, diva, divinité, excellent, exquis, grandiose, merveilleux, messe, nimbe, parfait, puissant, pur, sacré, saint, sublime, sibylle, surnaturel.

DIVINATEUR. Aruspice, astrologue, augure, auspice, boa, cartomancien, charlatan, chiromancien, clairvoyant, constrictor, devin, eubage, féticheur, graphologue, haruspice, jour, nécromancien, oniromancien, oracle, pénétrant, perspicace, prophète, sorcier, tireur, vaticineur, voyant.

DIVINATION. Apothéose, astrologie, augure, cabale, cartomancie, conjecture, extase, géomancie, horoscope, intuition, mancie, numérologie, oniromancie, oracle, ornithomancie, panthéisme, prédiction, présage, prescience, pronostic.

DIVINEMENT. Admirablement, excellemment, merveilleusement, parfaitement, souverainement, suprêmement.

DIVINISATION. Adoration, déification, exaltation, glorification, magnification, panthéisme, sacralisation, sanctification.

DIVINISER. Adorer, déifier, exalter, glorifier, idolâtrer, magnifier, sacraliser, sanctifier, tabouiser, vénérer.

DIVINITÉ. Cabire, déesse, déise, déité, dieu, demi-dieu, esprit, évhémérisme, faune, hymen, idole, kami, logos, manitou, naïade, numen, oracle, oréade, pénates, poliade, prier, ris, sylvain, tétragramme, tiki, vaudou, voue, walkyrie.

DIVINITÉ (n. p.). Athéna, Atlas, Belzébuth, Çiva, Éros, Gaia, Gê, Hestia, Isis, Osiris, Rê, Satyre, Siva, Thétis, Triton.

DIVINITÉ ALGONQUINNE (n. p.). Michabou.

DIVINITÉ AMÉRINDIENNE (n. p.). Grand Esprit, Grand Manitou.

DIVINITÉ BABYLONIENNE (n. p.). Anu, Bêl, Ea, Enlil, Mardouk.

DIVINITÉ DE LA MER (n. p.). Neptune, Néréides, Okeanos, Poséidon, Triton.

DIVINITÉ DE L'AMOUR (n. p.). Cupidon, Éros, Kama.

DIVINITÉ DE LA NATURE (n. p.). Artémis, Pan.

DIVINITÉ DE LA TERRE (n. p.). Ge.

DIVINITÉ DES RIVIÈRES (n. p.). Naïade.

DIVINITÉ DES VENTS (n. p.). Borée, Éole, Rue.

DIVINITÉ DU FOYER (n. p.). Lare.

DIVINITÉ DU SOLEIL (n. p.). Amon, Amon-Rê, Ra, Rê.

DIVINITÉ DU VIN (n. p.). Bacchus, Dionysos.

DIVINITÉ ÉGYPTIENNE (n. p.). Amon, Anubis.

DIVINITÉ GAULOISE (n. p.). Bélénus, Ogmius, Teutatès.

DIVINITÉ GRECQUE (n. p.). Apès, Aphrodite, Apollon, Arès, Artémis, Asclépios, Astrée, Athéna, Core, Cronos, Déméter, Dionysos, Éole, Éros, Esculape, Hadès, Hécate, Hélios, Héphaïstos, Héra, Hermès, Hestia, Hyménée, Hypnos, Ge, Morphée, Nérée, Pan, Phébus, Ploutos, Poséidon, Priape, Protée, Thanatos, Triton, Uranus, Zeus.

DIVINITÉ HINDOUE (n. p.). Civa, Kama, Krishna, Shiva, Siva.

DIVINITÉ ITALIQUE (n. p.). Junon.

DIVINITÉ JUIVE (n. p.). Adonai.

DIVINITÉ MARINE (n. p.). Poséidon, Triton.

DIVINITÉ MONDE SOUTERRAIN (n. p.). Coré, Perséphone, Prospérine.

DIVINITÉ MUSULMANE (n. p.). Allah.

DIVINITÉ ROMAINE (n. p.). Bacchus, Cupidon, Éole, Esculape, Jupiter, Lares, Mars, Mercure, Neptune, Pénates, Pluton, Plutus, Priape, Saturne, Sylvain, Vertumne, Vulcain.

DIVINITÉ SHINTOÏSTE (n. p.). Kami.

DIVIS. Atomisation, dédoublement, découpage, démembrement, dépècement, désagrégation, dispersion, division, écartèlement, éparpillement, fractionnement, fragmentation, graduation, morcellement, partage, séparation.

DIVISÉ. Cloisonné, coupé, débité, décomposé, découpé, dédoublé, délité, démembré, diminué, divis, endetté, fissile, gradué, granuleux, indivis, losangé, métamérisé, multifide, partagé, parti, scissile, sporadique, tripartite.

DIVISER. Allotir, classer, cliver, cloisonner, couper, débiter, déchirer, découper, déliter, démembrer, dépecer, disjoindre, disperser, dissocier, éclater, fendre, fractionner, fragmenter, graduer, granuleux, lotir, morceler, pair, partager, ramifier, saucissonner, scier, scinder, segmenter, séparer, sérancer, tomer.

DIVISEUR. Aliquote, commun, dénominateur, fraction, importun, numérateur, pgcd, sous-multiple.

DIVISIBLE. Dissociable, divisible, isolable, morcelable, pair, partageable, sécable, séparable, subdivisible.

DIVISION. Acte, an, article, bipartition, bissection, branche, bras, case, chapitre, clan, clivage, coupure, curie, déchirure, déci, décurie, degré, dème, deux, divis, embranchement, ène, épisode, ère, ese, fission, foliole, fragmentation, frette, ion, jeu, livre, lobe, lotissement, macroute, méiose, mesure, mitose, mois, monosperme, nome, once, opération, page, part, partition, pico, placentaire, quartier, ramification, règne, saison, schisme, scission, scissiparité, séance, section, segmentation, set, temps, thallophytes, tome, trimestre, verset, vilayet, zone.

DIVISIONNISTE. Impressif, impressionniste, mobilité, paysagiste, peintre, personnel, pointilliste, subjectif.

DIVORCE. Clivage, conflit, désaccord, discordance, dissension, divergence, opposition, répudiation, rupture, séparation.

DIVORCER. Balayer, bannir, chasser, déposséder, désunir, disgracier, écarter, éliminer, éloigner, excepter, exiler, exclure, excommunier, expulser, index, ôter, prohiber, proscrire, radier, rayer, rejeter, renvoyer, repousser, répudier, rompre, séparer.

DIVULGATEUR. Apostolat, apôtre, colporteur, défenseur, disciple, diffuseur, évangélisateur, informateur, missionnaire, partisan, prédicateur, propagateur, prosélyte, révélateur, semeur, vulgarisateur.

DIVULGATION. Annonce, aveu, confession, confidence, déballage, déclaration, dévoilement, ébruitement, fuite, indiscrétion, initiation, instruction, mea culpa, proclamation, propagation, publication, reconnaissance, révélation.

DIVULGUER. Colporter, dévoiler, diffuser, dire, ébruiter, éventer, imprimer, propager, publier, révéler, trahir.

DIX. Déca, décade, décadi, décaèdre, décagone, décalitre, décalobe, décalogue, décamètre, décan, décapode, décapole, décathlon, décennal, décennie, déci, décigrade, décilitre, décimal, décimètre, décimo, décupler, dîme, dixième, messidor.

DIXIÈME. Cohorte, décadi, decies, décigrade, décigramme, décime, dîme, encablure, loterie, messidor.

DIZYGOTE. Biovulaire, bivitellin, faux jumeau, jumeaux, monozygote, univitellin.

DJEBEL (n. p.). Aïssa, Amour, Ansarriyyah, Chambi, Chelia, Gelboé, Grouz, Marra, Menzel, Minouna, Moussa, Onk, Ouenza, Toubkal.

DJEBEL. Adrar, avant-mont, dôme, druze, mont, montagne, montagnette, puy, volcan.

DJELLABA. Alezan, arzel, aube, aubère, bai, bringé, cafetan, caftan, chiton, costume, épitoge, escoc, fourreau, froc, gandoura, gogot, haïk, jupe, lamée, manteau, mini, peau, peignoir, péplum, poil, rabat, robe, rochet, sari, simarre, soutane, surplis, survêtement, toge, toilette, traîne, troussis, tunique, vêtement, zain.

DJIBOUTI, CAPITALE (n. p.). Djibouti.

DJIBOUTI, LANGUE. Arabe, français.

DJIBOUTI, MONNAIE. Franc.

DJIBOUTI, VILLE (n. p.). Aba, Ambabo, Andoli, Arta, Balho, Bondara, Digri, Djibouti, Dorra, Godoria, Mousso, Obock, Randa, Sakhisso, Teoao, Yoboki.

DJINN. Cupidon, démon, efrit, elfe, génie, gnome, gobelin, katchina, kobold, nixe, ondine, sylphe, sylphide.

DO. Bémol, C, contre-do, dièse, dos, gamme, majeur, mineur, note, ut.

DOCILE. Apprivoisé, discipliné, doux, facile, gentil, maniable, obéissant, sage, soumis, souple, têtu.

DOCILEMENT. Correctement, exactement, fidèlement, honnêtement, loyalement, minutieusement, précisément, scrupuleusement.

DOCILITÉ. Adresse, aisance, apathie, discipline, fidélité, obéissance, sagesse, servilité, soumission, souplesse.

DOCK. Accul, appontement, bassin, darce, débarcadère, entrepôt, flottant, port, servitude, silo.

DOCKER. Aconier, arrimeur, bagagiste, chargeur, coltineur, commissionnaire, courrier, coursier, débardeur, déchargeur, estafette, facteur, laptot, lesteur, livreur, messager, nervi, ouvrier, porteur.

DOCTE. Cuistre, doctoral, doctrinaire, érudit, instruit, pédant, pontifiant, professoral, sage, savant.

DOCTEUR. Chercheur, connaisseur, découvreur, didascal, doctorat, dr, es, esdras, expert, grade, mandarin, médecin, mollah, ORL, ouléma, rabbin, santé, savant, scribe, taleb, théologien, thèse, titre, uléma.

DOCTEUR DE L'ÉGLISE (n. p.). Ambroise, Augustin, Bède, Bellarmin, Bernard, Cyrille, Damien, Éphrem, François.

DOCTORAL. Docte, doctrinaire, ex cathedra, magistral, pédant, pédantesque, pontifiant, professoral, sentencieux, solennel.

DOCTORANT. Affirmation, argument, étudiant, idée, opinion, soutenance, système, théorie, thésard, thèse.

DOCTRINAIRE. Dogmatique, fanatique, idéologue, intransigeant, pédant, sectaire, sentencieux, systématique.

DOCTRINAL. Abstrait, conceptuel, hypothétique, idéal, idéologique, imaginaire, rationnel, scientifique, spéculatif, systématique, théorique, vaseux.

DOCTRINE. Abolitionnisme, adamisme, anarchisme, arianisme, athéisme, baptisme, bouddhisme, calvinisme, chiisme, classicisme, corporatisme, credo, déterminisme, dogme, école, égalitarisme, eschatologie, étatisme, eudémonisme, évangile, évhémérisme, fascisme, fatalisme, galénisme, gnosticisme, hédonisme, hérésie, humanisme, iconoclasme, idéologie, innéisme, jansénisme, léninisme, machiavélisme, maoïsme, marxisme, nazisme, nestorianisme, nicolaisme, nudisme, organicisme, ouléma, papisme, péripatéticien, quiétisme, saktisme, savoir, scepticisme, secte, sionisme, socialisme, soufisme, spiritisme, stalinisme, stoïcisme, suc, système, tantrisme, taoïsme, théisme, théologie, théorie, thèse, uléma, volontarisme.

DOCUMENT. Annales, annexe, archive, badge, billet, bon, dossier, écrit, enseignement, fiche, horodaté, justificatif, lettre, original, page web, papier, passeport, pièce, rectificatif, scénario, source, témoignage, texte, titre, trombinoscope, visa.

DOCUMENTAIRE. Actualité, bande, film, informatif, instantané, métrage, nanar, navet, projection, sérial, vidéo.

DOCUMENTARISTE (n. p.). Depardon, Grierson.

DOCUMENTARISTE. Auteur, bibliographe, cinéaste, cinéma, concepteur, créateur, documentaliste, exécuteur, fichiste, film, historiographe, mécanographe, metteur en scène, producteur, réalisateur, vidéaste.

DOCUMENTATION. Affirmation, allégation, argument, assertion, déclaration, dire, expression, parole, proposition.

DOCUMENTÉ. Accoté, accoudé, adossé, appuyé, avalisé, étayé, informé, lourd, pressant, renseigné, soutenu.

DOCUMENTER. Apporter, armer, assortir, atteler, débiter, dispenser, donner, doter, entretenir, financer, fournir, garnir, informer, livrer, lotir, meubler, monter, munir, nantir, nipper, nourrir, pourvoir, procurer, ravitailler, rechercher, servir, verser, vêtir.

DODÉCAPHONIQUE. Atonal, douze, éteint, faible, harmonie, inerte, morne, mou, neutre, sériel.

DODÉCASYLLABE. Alexandrin, douze.

DODELINER. Balancer, baller, brandiller, branler, changer, dodiner, hésiter, osciller, tanguer.

DODINE. Ballotine, ballottine, charcuterie, dodine, galantine, mets, minoune, rôti, sauce, volaille.

DODO. Anesthésie, assoupissement, colombiforme, dindon, dormir, dronte, hypnose, inaction, léthargie, lit, oiseau, raphidé, repos, roupillon, sieste, somme, sommeil, somnolence, stupéfiant, torpeur.

DODU. Adipeux, arrondi, bouffi, charnu, corpulent, décharné, embonpoint, empâté, épais, étique, étoffé, fort, graisse, gras, gros, huileux, lard, maigre, obèse, onctueux, pansu, pâteux, plantureux, plein, potelé, replet, taché.

DOGE (n. p.). Adorno, Barbarigo, Boccanegra, Bucentaure, Contarini, Cornaro, Corner, Dandolo, Dix, Falier, Faliero, Foscari, Fregoso, Gradenigo, Mocenigo, Morosini, Tintoret, Venise.

DOGMATIQUE. Affirmatif, autoritaire, catégorique, doctrinaire, ex cathedra, impérieux, péremptoire, sectaire, tranchant.

DOGMATIQUEMENT. Carrément, catégoriquement, explicitement, formellement, franchement, irréfutablement.

DOGMATISME. Action, allure, attitude, carrure, conduite, contenance, contorsion, crânerie, décubitus, démagogie, éclectisme, ethos, hanchement, ligne, maintien, manière, morgue, négativisme, pantomime, port, pose, position, positivisme, posture, prestance, procédé, raciste, sexisme, tenue, ton, tournure, triomphalisme, utopisme.

DOGME. Affirmation, certitude, conception, credo, croyance, décisif, doctrine, évangile, foi, idée, opinion.

DOGUE. Bouledogue, boxer, carlin, chien, coléreux, danois, doguin, hargneux, mastiff, molosse, terrier.

DOIGT. Annulaire, auriculaire, bague, bijou, castagnettes, dé, digital, digitopuncture, doigté, doigtier, douze, empan, index, majeur, médius, montrer, nilless, ongle, orteil, palmé, pentadactyle, phalange, phalangette, pouce, shiatsu, syndactyle, su.

DOIGTÉ. Adresse, aisance, aptitude, brio, délicatesse, dextérité, frappe, habileté, tact, touche, virtuosité.

DOIGTIER. Bas, bélière, boîte, bouterolle, dard, dé, dégainer, délot, digitale, douille, élytre, enveloppe, étui, fonte, fourreau, gaine, manchon, nu, porte-épée, poucier, rengainer, robe.

DOIT. Actif, arriéré, charge, compte, créance, crédit, débet, débit, découvert, déficit, dette, dû, due, faut, passif.

DOL. Artifice, attrape, blague, captation, couillonnade, duperie, falsification, farce, feinte, fraude, gabegie, hypocrisie, leurre, manège, mensonge, mystification, panneau, ruse, tricherie, tromperie, vol.

DOLCE VITA. Désœuvrement, éclat, fainéantise, farniente, inaction, inoccupation, loisir, oisiveté, paresse.

DOLÉANCE. Adjuration, cri, grief, lamentation, murmure, pétition, plainte, pleur, récrimination, reproche.

DOLENT. Amer, deuil, gémissant, larmoyant, morne, morose, pensif, plaintif, pleureur, pleurnichard, triste.

DOLER. Amincir, aplanir, décourber, dégauchir, dresser, planer, raboter, redresser, replanir, varloper.

DOLICHOCÉPHALE. Brachycéphale, crâne, dolichocrâne, magdalénien, prognathisme, stégocéphale.

DOLINE. Auge, bac, baille, baquet, bassin, bassine, bassinet, bassinette, bidet, cuvette, dépression, évier, lavabo, lunette, nô, plomb, sapine, seillon, sotch, tub, urinoir, vasque, vavette, verrière, vidoir.

DOLLAR. Cent, eurodollar, huard, huart, monnaie, narcodollar, pétrodollar, piastre, unité.

DOLMAN. Anorak, blazer, blouson, boléro, brandebourg, caban, cabi, canadienne, cardigan, carmagnole, chandail, costume, défaite, doudoune, échec, gilet, hoqueton, jaquette, pourpoint, pull, saharienne, spencer, sweater, tunique, vareuse, veste, veston, vêtement.

DOLMEN. Cromlech, dolmen, mégalithe, menhir, monolithe, monument, obélisque, stèle.

DOLOIRE. Bipenne, blason, cognée, hache, merlin, outil, pelle, tonnelier.

DOLOMIE. Albâtre, brocatelle, calcaire, cargneule, carrare, chaux, cipolin, dalle, dolomitique, granit, granite, griotte, gypse, jaspe, liais, lumachelle, marbre, marmoréen, onyx, ophite, paros, portor, roche, sarrancolin, stuc, table, tarso, terrazo, tuile, turquin, zinc.

DOMAINE. Aire, apanage, bief, bien, champ, château, département, discipline, échiquier, eu, fazenda, ferme, fief, garenne, habitation, hacienda, matière, métairie, monde, possession, pré, propriété, secteur, seigneurie, spécialité, sphère, terrain, terre, territoire, univers, villa.

DÔME. Bulbe, calotte, cathédrale, coupole, église, galbe, lanternon, oratoire, radôme, toit, verrière, voûte.

DOMESTICABLE. Alibile, analogue, animalisable, apparenté, apprivoisable, approchant, assimilable, comparable, conforme, contigu, digérable, digeste, digestible, équivalent, eupeptique, indigeste, léger, ressemblant, semblable.

DOMESTICATION. Abaissement, allégeance, apprivoisement, asservissement, assujettissement, captivité, dépendance, esclavage, obéissance, obligation, servitude, soumission, subordination, sujétion, vassalité.

DOMESTICITÉ. Dépendance, engagement, équipage, gens, livrée, personnel, service, tenure, train, valetaille.

DOMESTIQUE (n. p.). Damiens, Hestia, Jacques, Passepartout, Ravaillac, Vista.

DOMESTIQUE. Apprivoisé, bonne, boy, chasseur, cocher, convers, cuisinier, familial, familié, foyer, gardien, jardinier, lad, larbin, maison, majordome, nurse, page, palefrenier, servante, serveur, serviteur, valet.

DOMESTIQUER. Affaiter, apprivoiser, asservir, assujettir, dominer, dompter, dresser, enchaîner, former.

DOMICILE. Aître, baraque, bastide, bercail, bicoque, cambuse, cassine, chalet, coron, couvent, demeure, école, ermitage, famille, foyer, habitation, hôtel, gîte, institution, isba, itinérant, logis, lupanar, maison, maisonnette, mas, masure, ménage, nid, pension, soue, toit, tripot, villa.

DOMINANCE. Ascendance, contagion, épistasie, génotype, hérédité, latéralisation, latéralité, phénotype.

DOMINANT. Capital, essentiel, fondamental, premier, prépondérant, primordial, principal, régnant.

DOMINATEUR. Absolu, absolutiste, arbitraire, arbitre, autoritaire, impérieux, joug, maîtrise, possessivité.

DOMINATION. Ascendant, autorité, contrôle, dictature, empire, emprise, épistasie, griffe, hégémonie, impérialisme, influence, joug, maîtrise, oppression, pouvoir, prépondérance, règne, sujétion, suprématie, tyrannie, union.

DOMINER. Aplatir, asservir, assujettir, commander, contrôler, dépasser, devancer, diriger, distancer, dompter, doubler, emporter, exagérer, excéder, gouverner, mater, maîtriser, régenter, régner, soumettre, surplomber, vaincre.

DOMINICAIN (n. p.). Angelico, Antonin, Balagner, Bartolomeo, Batalha, Bruno, Cajetan, Campanella, Carmel, Carré, Chenu, Clément, Dominique, Eckart, Hyacinthe, Jacobin, Labat, Lacordaire, Lagrange, Luther, Pire, Tetzel, Torquemada.

DOMINICAIN. Antillais, costume, jacobin, ordre, prêcheur, religieux.

DOMINO. As, camail, capuchon, costume, cube, dé, dominotier, effet, jeu, marque, robe, travesti, vêtement.

DOMISME. Accommodation, accommodement, agencement, ajustement, aménagement, arrangement, cadrage, canalisation, développement, disposition, distribution, équipement, garnissage, installation, ordonnance, organisation.

DOMMAGE. Atteinte, avarie, bavage, bavure, blessure, calamité, dam, dégât, dégradation, délit, déprédation, destruction, détérioration, détriment, endommagement, grief, lésé, lésion, mal, perte, préjudice, ravage, ruine, tant pis, tort, tribut.

DOMMAGEABLE. Antithétique, contraire, dangereux, défavorable, désavantageux, fâcheux, fatal, funeste, hostile, inverse, malin, malsain, mauvais, nocif, nuisible, pernicieux, préjudiciable, sinistre, subversif.

DOMPTABLE. Analysable, comparable, constatable, contrôlable, maîtrisable, répressible, testable, vérifiable.

DOMPTAGE. Affaitage, affaitement, apprivoisement, discipline, dressage, fauconnerie, montage, planage.

DOMPTER. Apprivoiser, dresser, former, maîtriser, mâter, neutraliser, régenter, soumettre, surmonter, vaincre.

DOMPTEUR. Apprivoiseur, belluaire, bestiaire, charmeur, combattant, dresseur, gladiateur, lutteur, mirmillon, pugiliste, rétiaire.

DOMPTE-VENIN. Asclépiadacée, asclépiade, plante.

DON. Aptitude, art, attribut, attribution, aumône, bienfait, bosse, cadeau, divination, donation, donner, dotation, étrenne, facilité, faculté, geste, inné, largesse, legs, libéralité, lot, naissance, octroi, offrande, présent, qualité, récompense, talent, ubiquité, voyance.

DONATEUR. Affectateur, altruiste, apporteur, bienfaiteur, bon, charitable, compatissant, désintéressé, fournisseur, généreux, humain, humanitaire, mécène, miséricordieux, protecteur, souscripteur, testateur.

DONATION. Attribution, cadeau, étrennes, largesse, legs, libéralité, octroi, offrande, pourboire, présent, récompense, secours.

DONAX. Clam, gastropode, lamellibranche, mollusque, olive, palourde, picholine, pignon, trialle.

DONC. Adonc, adoncques, ainsi, alors, c'est-à-dire, conséquemment, conséquent, ergo, or, partant, suite.

DONJON (n. p.). Beaugency, Bragance, Carrouges, Châteaudun, Chévreuse, Dourdan, Échauguette, Étampes, Houdan, Loches, Loudun, Molsheim, Moncontour, Montrichard, Niort, Orthez, Sancerre, Uzès, Vincennes.

DONJON. Ballon, casemate, château, citadelle, clocher, dôme, éperon, fort, forteresse, fortification, fortin, guète, herse, ligne, minaret, mur, muraille, oppidum, orillon, phare, prison, pylône, ravelin, redan, redent, redoute, rempart, sarrasine, tenaillon, tour.

DON JUAN. Aguicheur, allumeur, batifoleur, cavaleur, casanova, charmeur, conquérant, coureur, cruiseur, dragueur, enjôleur, ensorceleur, envoûteur, flambeur, flirteur, gino, macho, maquereau, phallocrate, séducteur, tentateur, tombeur.

DONNANT. Altruiste, bienfaisant, bienfaiteur, bon, charitable, compatissant, désintéressé, donateur, généreux, humain, humanitaire, mécène, miséricordieux, philanthrope, protecteur.

DONNÉE. Argument, banque, base, centile, circonstance, élément, énoncé, fondement, graphique, hypothèse, idée, input, lecteur, notion, opérande, output, paramètre, présent, principe, renseignement, soignant, titre.

DONNER (3 lettres). Don.

DONNER (4 lettres). Dire, ruer.

DONNER (5 lettres). Aérer, aider, animer, armer, aviser, biner, biser, catir, céder, chiner, citer, coller, corser, crier, doter, faire, filer, fixer, gaver, gîter, jeter, jouer, loger, louer, roser, rosir, taper, typer, voter, vouer.

DONNER (6 lettres). Animer, araser, aviser, aviver, battre, brader, carrer, causer, cogner, coller, corser, croire, élever, ériger, ficher, foutre, fréter, gifler, iriser, lainer, léguer, livrer, marier, mettre, moirer, nacrer, nommer, offrir, ouvrir, passer, plaire, ployer, porter, prêter, rendre, saluer, servir, tendre, titrer, tomber, vendre, verser.

DONNER (7 lettres). Abouler, achever, adonner, adoucir, affaler, alerter, allouer, altérer, avancer, bailler, balayer, bécoter, cintrer, colorer, combler, confier, définir, dégeler, dévouer, droguer, échiner, émettre, engager, éponyme, étendre, exercer, exposer, fausser, fournir, frapper, gigoter, heurter, imposer, laisser, limiter, lustrer, mesurer, montrer, occuper, onduler, publier, refiler, réjouir, relever, renoter, rénover, rythmer, sembler, soigner, suriner, tapoter, teinter, tiercer, traiter, troquer, veiller.

DONNER (8 lettres). Accorder, allonger, apporter, arabiser, arrondir, assigner, attacher, attaquer, baptiser, calotter, chuinter, coaguler, concéder, conférer, délivrer, dénoncer, échanger, enfanter, enhardir, ennoblir, employer, entendre, érotiser, exprimer, façonner, flanquer, fouetter, gréciser, indiquer, insinuer, notifier, octroyer, opaliser, percuter, procurer, produire, rajeunir, rallumer, recevoir, relancer, remettre, répandre, retercer, romancer, salarier, suggérer, suicider, supposer, susciter, tonifier, vivifier.

DONNER (9 lettres). Appliquer, approcher, approuver, attribuer, autoriser, becqueter, chouriner, congédier, consacrer, consentir, déboucher, défigurer, dispenser, échauffer, engendrer, épiloguer, faisander, féminiser, idéaliser, intituler, organiser, permettre, politiser, présenter, prétendre, prodiguer, provoquer, rancarder, rencarder, rapporter, rehausser, renforcer, rétribuer, sacrifier, surélever, travestir, urbaniser, valoriser, warranter.

DONNER (10 lettres). Angliciser, annualiser, apparenter, configurer, contribuer, développer, distancer, distribuer, escagasser, germaniser, manifester, métalliser, moderniser, prostituer, renseigner, satisfaire, téléphoner.

DONNER (11 lettres). Communiquer, cristalliser, occasionner, ordonnancer, ravitailler, représenter.

DONNER (12 lettres). Américaniser, masculaniser, médicamenter, miniaturiser, prolétariser, transfigurer.

DONNEUR. Accusateur, balance, bridge, cafard, cafardeur, cafteur, calomniateur, délateur, dénonciateur, détracteur, diffamateur, donateur, espion, faux frère, indic, indicateur, judas, mouchard, rapporteur, renégat, sycophante.

DON QUICHOTTE (n. p.). Bialik, Cervantès, Coypel, Doré, Dulcinée, Sancho Panca.

DON QUICHOTTE. Chimérique, hidalgo, idéaliste, irréaliste, justicier, poète, redresseur, rêveur, romanesque, rossinante, utopiste, visionnaire.

DONZELLE. Demoiselle, femme, fille, fillette, mademoiselle, mijaurée, pécore, pimbêche, rombière.

DOPAGE. Addition, anabolisant, antidopage, doping, érythpoléïtine, stimulant.

DOPANT. Additif, aiguillon, analeptique, anabolisant, caféine, cola, cordial, énergisant, entraînant, éperonnant, excitant, fortifiant, incitation, kolam, motivation, ranimant, réconfortant, reconstituant, remontant, stimulant, stimulus, tonique.

DOPE. Accro, acide, came, cannabis, cocaïne, dealer, drogue, ecstasy, goure, haschich, héroïne, intoxiqué, LSD, marihuana, marijuana, mixtion, morphine, mortier, neige, onguent, opium, orviétan, pot, remède, séné, seng, sniffer, speed, THG, trip.

DOPER. Activer, augmenter, camer, défoncer, droguer, dynamiser, piquer, réveiller, sniffer, stimuler.

DORADE. Beryx, canthère, coryphène, daurade, griset, pageau, pagel, pageot, pagre, poisson, rousseau, sar.

DORAGE. Au, aurifère, carat, claim, clinquant, doré, dorure, lingot, métal, monnaie, noces, or, orfèvre, oripeau, paillette, revêtement, richesse, veau, vermeil.

DORDOGNE, VILLE (n. p.). Bars, Beaumont, Belves, Bergerac, Bourdeilles, Cadouin, Carlux, Domme, Eymet, Hautefort, Mareuil, Montignac, Mussidan, Neuvic, Ribérac, Salignac, Sarla, Trelissac, Vergt, Villamlard.

DORÉ. Ambre, argenture, aurore, blanc, bleu, blond, cerfeuil, cresson, cyprin, dorage, euphémisme, flavescent, jaune, lumière, miellé, mordoré, noir, pâtisserie, plaqué, or, topaze.

DORÉE. Brioche, croûte, pêche, pierre, pilule, poisson, saint-pierre, zée, zée-forgeron

DORÉNAVANT. Aujourd'hui, avenir, dans, demain, désormais, futur, horizon, lendemain, maintenant, ores, suite.

DORER. Ambré, badigeonner, basaner, blondir, bronzer, brunir, embellir, griller, hâler, jaunir, mordorer, or, orner.

DOREUR (n. p.). Gouthière.

DORIS (n. p.). Galatée, Lessing, Nérée, Néréides, Océanides, Océanos, Tétys.

DORLOTEMENT. Acception, chouchoutage, clientélisme, combine, copinage, entente, entraide, faveur, favoritisme, flatterie, népotisme, partialité, partisannerie, passe-droit, patronage, piston, pistonnage, préférence.

DORLOTER. Bouchonner, cajoler, câliner, caresser, chouchouter, choyer, cocoler, couver, gâter, materner, mignoter, mitonner, pouponner, soigner.

DORMANCE. Engourdissement, estivation, hibernation, quiescence, sommeil.

DORMANT. Battée, calme, endormi, fixe, immobile, imposte, inerte, rail, roupillant, stable, stagnant.

DORMEUR. Crabe, dormant, loir, martyr, requin, ronfleur, roupilleur, rouspilleur, somnambule, tourteau.

DORMIR (n. p.). Morphée.

DORMIR. Anesthésique, assoupir, cuver son vin, écraser, narcolepsie, narcose, narcotique, opium, pavot, pioncer, reposer, ronfler, roupiller, sieste, somme, sommeiller, somnifère, somnoler, soporifique, stupéfiant, traîner, tsé-tsé, vierge.

DORTOIR. Alcôve, bat-flanc, box, chambre, chambrée, cité-dortoir, crèche, dormitorium, galanterie, lit, niche, piaule, réduit, renfoncement, ruelle, salle, taule, ville-dortoir.

DORURE. Au, aurifère, bruni, carat, claim, clinquant, dédorer, dorage, doré, doreur, lingot, métal, monnaie, noces, or, orfèvre, oripeau, paillette, ramender, revêtement, richesse, veau, vermeil.

DOS. Arrière, bât, cariatide, carrure, cassis, colonne, derrière, dorsal, dorsalgie, échine, endosser, lombes, mantelé, on, programme, râble, rachis, ralentisseur, reins, religieuse, revers, sac, télamon, verso.

DOSAGE. Aloi, chlorométrie, comparaison, dimension, équilibre, format, grandeur, harmonie, mélange, mesure, moyen, pièce, posologie, pourcentage, proportion, quantité, rapport, sur, titre, vaste.

DOSE. Baby, gray, gy, mesure, overdose, part, posologie, proportion, quantité, rad, ration, rem, surdose, teinte.

DOSER. Apprécier, aérer, arpenter, auner, cadastrer, calculer, calibrer, chaîner, combiner, compasser, compter, corder, cuber, évaluer, gicleur, jauger, juger, mêler, mesurer, métrer, niveler, palper, peser, proportionner, raser, régler, stérer, toiser.

DOSSARD. Carré, carreau, case, coin, équipollé, étoffe, foulard, lange, morceau, mouchoir, numéro, panosse, parterre, pièce, plastron, quadrilatère, quadrillé, ravioli, rectangle, set.

DOSSERET. Contrefort, godendard, jambage, musique, piédroit, pilastre refrain, rengaine, sauteuse, scie, scieur, sciotte, trait.

DOSSIER. Chemise, divan, farde, observation, parafeur, parapher, parapheur, retable, sac, sellette, violoné.

DOSSISTE. Crawl, crawlé, dos, nageur.

DOT. attribut, attribution, aumône, bienfait, cadeau, don, donation, donner, dotal, dotation, étrenne, facilité, faculté, geste, inné, kabin, largesse, legs, libéralité, lot, mariage, morgengabe, paraphernal, naissance, octroi, offrande, présent, qualité, récompense.

DOTATION. Allocation, apport, attribution, avantageux, commandite, contingent, contribution, distribution, équipement, favorisant, gratifiant, pension, remise, revalorisant, satisfaisant, traitement, valorisant.

DOTÉ. Acquis, doué, équipé, gratifié, muni, nanti, orné, pourvu, revêtu, structuré, surmonté, vêtu.

DOTER. Acheter, acquérir, apostiller, assigner, donner, douer, électrifier, équiper, fournir, gratifier, médicaliser, motoriser, munir, nantir, odoriser, orner, pensionner, pourvoir, réarmer, structurer, surmonter, vêtir.

DOUAIRE. Alleu, ayant, bien, coutume, déshérence, dot, douairière, espérance, franc-fief, hérédité, héritage, hoir, hoirie, légataire, legs, magot, mort, noble, patrimoine, possession, recueillir, roture, saisine, successeur, succession, testament, us, veuf, veuve, vieille, vieux.

DOUAIRIÈRE. Dame, duchesse, femme, lady, milady, reine, veuve, vieille.

DOUANCE. Adresse, appellation, aptitude, art, bosse, capacité, compétence, digestibilité, disposition, don, endurance, esprit, facilité, faculté, fécondité, finesse, génie, goût, habilitation, habilité, infus, inné, natif, né, oreille, penchant, qualification, prédisposition, propension, qualité, réceptivité, sensualité, talent, tendance, test, titre.

DOUANE. Barrière, bordure, borne, confin, court, étroit, excès, fin, frein, frontière, hydrant, illimité, koudourrou, limite, lisière, mesuré, obtus, orée, passavant, pôle, poste, rétréci, terme.

DOUANIER. Accisien, agent, brigadier, commis, ermin, frontière, gabelou, inspecteur, péager, rat-de-cave.

DOUBLAGE. Abouchement, aboutage, accouplage, ajustage, application, apposition, assemblage, dédoublage, doublon, épithète, faute, juxtaposition, multiplication, parataxe, pose, postsynchronisation.

DOUBLÉ. Alternative, bi, bicolore, bilingue, bine, bis, bivalent, couple, deux, di, didactyle, divalent, division, dual, duettiste, duetto, duo, hybride, jumeaux, métis, paire, plurivalent, réciproque, second, secundo, suivant, tandem, vanisé.

DOUBLE. Alias, ambigu, ba, battement, bis, cap, complexe, copie, couple, crémone, deux, dilemme, dualité, duplicata, enroue, faux, fla, géminé, jumeau, ombre, méiose, pli, rein, remplace, répété, siamois, sosie, sournois, té, tréma.

DOUBLEAU. Anse, arbalète, arc, arcade, arceau, arche, arçon, arc-doubleau, arme, arqué, berceau, cercle, côte, courbe, degré, écoinçon, grade, halo, intrados, iris, lancéolé, lancette, lierne, minot, ogive, portique, sinus, spire, stupa, tiers-point, torana, verse, voûte.

DOUBLEMENT. Copie, double, duplexage, duplication, gémination, redondance, redoublement, réduplication.

DOUBLER. Augmenter, damer, dépasser, devancer, dominer, étendre, fourrer, gratter, jumeler, matelasser, mise, multiplier, ouater, ouatiner, répéter.

DOUBLET. Couple, cristal, dipôle, dyade, électron, fausse pierre, homonyme, paire, paronyme, stras, strass.

DOUBLEUR. Bague, boulon, cube, faute, pistole, multiplicateur, objectif, redoublant, redoubleur, répétition.

DOUBLIER. Auge, cage, crèche, dentier, gaine, hémitropie, mâchicoulis, mangeoire, molleton, musette, nappe, napperon, pyramide, râteau, râtelier, sous-nappe, sous-tapis, thibaude, tissu, trapillon, trémie.

DOUBLIS. Avant-toit, battellement, bord, rive.

DOUBLON. Agneau, brebis, doublage, erreur, faute, génisse, monnaie, poulain, répétition, réunion, veau.

DOUBLURE. Bouche-trou, cascadeur, coiffe, comédien, cuirasse, dédoubler, histrion, ouatine, parementure, velet.

DOUBS, VILLE (n. p.). Amancey, Audeux, Audincourt, Baume-les-Dames, Besançon, Clerval, Dole, Étupes, Hérimoncourt, Isle-sur-le-Doubs, Jougne, Levier, Maîche, Mandeure, Métabief, Montbéliard, Morteau, Mouthe, Ornans, Pontarlier, Pont-de-Roide, Quincey, Rougemont, Roulans, Russy, Seloncourt, Sochaux, Valdahon, Valentigney, Vercel, Villers-le-Lac.

DOUCE. Amène, brute, câline, caressante, clémente, délectable, délicieuse, duveteuse, exquise, fine, lisse, moelleuse, morelle, riante, rugueuse, satinée, savoureuse, souple, soyeuse, suave, succulente, sucrée.

DOUCEÂTRE. Benoît, doucereux, emmiellé, fade, hypocrite, mielleux, mièvre, paterne, sournois, sucré.

DOUCEMENT. Adagio, bas, décanter, délicatement, faiblement, graduellement, insinuer, légèrement, lentement, mollement, mollo, paisiblement, pianissimo, piano, posément, tâter, tendrement, tranquillement.

DOUCEREUSEMENT. Benoîtement, fadement, mielleusement, mièvrement, onctueusement, simplement, tranquillement.

DOUCEREUX. Benoît, doux, emmiellé, fade, hypocrite, mielleux, mièvre, paterne, sournois, sucré.

DOUCETTE. Aigu, blanchet, blanquette, clair, clairette, feinte, mâche, mince, rampon, valérianelle, vin.

DOUCEUR. Affabilité, agrément, aménité, baume, bénignité, bisou, bonbon, bonté, câlin, clémence, doucet, exquis, friandise, gâterie, liqueur, mélodie, miel, mignardise, nanan, onction, ouaté, parole, sec, suave, suavité, tendresse.

DOUCHE. Bain, débarbouillage, déception, désappointement, désillusion, écossaise, lavage, réprimande.

DOUCHER. Arroser, décevoir, dégriser, éteindre, modérer, mouiller, refroidir, rincer, saucer, tremper.

DOUCIN. Aigrin, baccata, coronaria, douçain, malus, oursin, pathos, pommier, prunifolia, pumila, sylvestri.

DOUCINE. Bouvet, colombe, feuilleret, gorget, guillaume, guimbarde, menuisier, mouchette, moulure, pestum, rabot, riflard, sabot, varlope.

DOUCIR. Brunir, cirer, dégrossir, égriser, finir, frotter, gréser, limer, lisser, polir, poncer, ragréer, retoucher, ribler, unir.

DOUCISSAGE. Abrasement, abrasion, adoucissage, adoucissement, brunissage, buffage, éclaircissage, égrisage, finissage, finition, grésage, poinçage, polissage, polissure, ragréage, ragrément, sassage, surfaçage.

DOUDOUNE. Anorak, blazer, blouson, boléro, caban, cabi, canadienne, cardigan, carmagnole, chandail, défaite, dolman, gilet, hoqueton, jaquette, pourpoint, pull, saharienne, sweater, tunique, vareuse, veste, veston, vêtement.

DOUDOUNES. Flotteur, jos, lolo, néné, nibard, nichon, robert, rotoplot, sein, téton.

DOUÉ. Animé, bon, brillant, énergique, fort, génie, inductif, intelligent, intuitif, parlant, prodige, sagace, talentueux.

DOUELLE. Ais, aissante, aisseau, ancelle, bardeau, bardot, chanlatte, dosse, douve, douvelle, essente, extrados, intrados, parement, planchette, tavillon.

DOUER. Animer, aptitude, as, capable, don, doter, habiliter, intelligent, partager, pourvoir, talentueux.

DOUILLE. Baïonnette, cartouche, coussinet, embouchoir, enveloppe, étui, extracteur, fourreau, gaine, jack.

DOUILLER. Allonger, banquer, casquer, chiffrer, débourser, décaisser, dépenser, dépocher, payer, raquer, verser.

DOUILLET. Confort, confortable, délicat, doux, fin, fragile, moelleux, ouaté, sensible, tendre, vulnérable.

DOUILLETTE. Boudin, couette, coussin, couvre-pied, crin, duvet, édredon, laine, oreiller, pardessus.

DOUILLETTEMENT. Adroitement, agréablement, aisément, alertement, avantageusement, confortablement, couramment, disert, facilement, flexible, moelleusement, sensible, simplement.

DOULEUR. Affliction, aïe, algie, amer, arthralgie, bobo, brachialgie, brûlure, cardialgie, cervicalgie, chagrin, colique, courbature, crampe, cystalgie, deuil, dolorisme, dorsalgie, élancement, entéralgie, épreuve, fouet, fulgurante, gastralgie, gémir, hélas, hémialgie, hépatalgie, irritation, larme, lombago, lumbago, mal, martyre, migraine, myalgie, névralgie, ostéalgie, otalgie, ouïe, ouille, peine, plaie, pleurodynie, poignante, privilège, proctalgie, pyrosis, rachialgie, rage, remords, sciatique, tarsalgie, tourment, souffrance, supplice, ténesme.

DOULOUREUSEMENT. Affreusement, amèrement, atrocement, brutalement, cruellement, déplaisamment, désagréablement, durement, ennuyeusement, fâcheusement, mal, méchamment, péniblement, rudement.

DOULOUREUX. Accablant, âcre, affligeant, algique, amer, chagrin, cruel, cuisant, déchirant, difficile, dur, endolori, éprouvant, lancinant, malheureux, navrant, pénible, poignant, préoccupant, sensible, triste.

DOUM. Africain, alfa, arbre, arécacée, chamaerop, égyptien, hypphaene, nain, palmier, rotang, sparte.

DOUTE. Bah, bof, critique, dubitatif, énigme, euh, hem, hésitation, heu, hum, hypothèse, incertitude, incrédule, indécision, irrésolution, litige, méfiance, ouais, peut-être, scepticisme, si, soupçon, suspicion, taratata, vraisemblablement.

DOUTER. Contester, critiquer, défier, désespérer, flairer, hésiter, incertain, interroger, méfier, soupçonner, suspecter.

DOUTEUR. Agnostique, athée, dubitatif, impie, incrédule, incroyant, mécréant, méfiant, perplexe, sceptique.

DOUTEUX. Aléatoire, ambigu, apocryphe, casuel, conditionnel, conjectural, discutable, faux, fragile, gratuit, hasardeux, hypothétique, improbable, incertain, louche, obel, obèle, obscur, problématique, putatif, risqué, suspect, véreux.

DOUVE. Aissette, bonde, cercaire, douelle, douvelle, excavation, fossé, jable, merrain, trématode, ver.

DOUX. Agnelet, agréable, aimable, amène, bénin, câlin, caressant, charitable, clément, doucereux, docile, facile, gentil, indulgent, langoureux, liant, moelleux, mol, mou, onctueux, ouaté, pacifique, paisible, riant, rugueux, satin, sirupeux, sociable, souple, soyeux, suave, sucré, tempéré, tendre, tiède, tranquille, velouté.

DOUZAINE. Demi-douzaine, douze, grosse.

DOUZE (n. p.). César, Hercule.

DOUZE. Alexandrin, an, année, apôtres, cicéro, décembre, duodécimal, duodénum, grosse, mois, once, pence, penny, pied, poète, porte, pouce, shilling, XII.

DOYEN. Âgé, aîné, ancien, ans, archiprêtre, avancé, briscard, caduc, capiscol, chenu, décanat, déclassé, démodé, doyenneté, gâteux, maturité, nonagénaire, patriarche, sénile, tard, temps, usé, vétéran, vieillard, vieux.

DOYENNETÉ. Comice, décanat, doyen, poire.

DRAA (n. p.). Algérie, Dra, Haut Atlas, Maroc.

DRABE. Beige, beigeâtre, bis, brun, champagne, coquille d'œuf, crème, écru, grège, ivoire, mastic, sable, vanilles.

DRACHE. Averse, cataracte, déluge, douche, giboulée, grain, lavasse, ondée, pluie, rincée, sauce, saucée.

DRACHER. Mouiller, pleuvoir, roiller.

DRACONIEN. Contraignant, drastique, dur, énergique, léonin, radical, rigoureux, rigueur, sévère, strict.

DRAG. Chasse, chevauchée, corrida, course, cross, derby, drag-queen, épreuve, exercice, galopade, incursion, longueur, mail-coach, marathon, marche, omnium, promenade, rodéo, simulacre, sprint, steeple, sulky, tauromachie, trajet, turf.

DRAGÉE. Anis, cachet, capsule, comprimé, confiserie, dragéifier, drageoir, fourrage, gélule, pilule.

DRAGEOIR. Boîte, bonbonnière, chocolatière, coffret, coupe, vase.

DRAGEON. Agassin, axillaire, bourgeon, bouton, bouture, bulbille, caïeu, cayeu, chaton, chou palmiste, coulant, embryon, gemme, gemmule, germe, greffe, greffon, maille, œil, pousse, rejeton, scion, stolon, surgeon, tendron, tige, turion.

DRAGON. Acariâtre, amphiptère, animal, autoritaire, camisard, chimère, dent, étoile, gardien, serpentin, soldat.

DRAGONNE. Boucle, bouffette, cocarde, cordon, courroie, galon, ganse, gansette, lanière, passement, ski.

DRAGUE. Charme, conquête, draguette, enchantement, engin, ensorcellement, envoûtement, filet, parade, séduction.

DRAGUER. Aborder, baratiner, courtiser, curer, débourber, désenvaser, flirter, pêcher, racler, tenter.

DRAGUEUR. Aguicheur, apprivoiseur, bateau, charmeur, conquérant, coq, coureur, cruiseur, don juan, enchanteur, enjôleur, ensorceleur, envoûteur, flambeur, flirteur, pêcheur, séducteur, suborneur, tentateur, tombeur.

DRAILLE. Allée, avenue, banquette, cavée, chemin, cordage, coulée, coursière, erse, erseau, glissoire, laie, layon, lé, ligne, passage, piste, raccourci, raidillon, rime, sente, sentier, tortille, traverse, voie.

DRAIN. Adducteur, canule, cathéter, conduit, diabolo, égout, électrode, fosse, français, séton, sonde, tube.

DRAINAGE. Assainissement, assèchement, collecte, déshumidification, déshydratation, dessèchement, dessification, écopage, égouttage, étanchement, évaporation, mâchefer, méchage, séchage, tarissement, wateringue.

DRAINE. Affût, becfigue, chasse, civet, cuissot, dépister, fumet, gagnage, gélinotte, gibier, giboyeux, grive, grouse, hallier, lièvre, pâturage, potence, rabattre, râle, ressui, retraite, tétras, tire, traquer, venaison.

DRAINER. Affluer, assainir, assécher, attirer, égoutter, émissaire, pomper, purger, sécher, sonder, tirer.

DRAISIENNE (n. p.). Drais, Sauerbronn.

DRAISIENNE. Bicyclette, célérette, célérifère, cycle, cursus, engin, époque, ère, poème, rond, tandem, tricycle, triporteur, véhicule, vélo, vélocipède, voiture.

DRAKKAR. Bateau, navire, normand, scandinave, snekkja, viking.

DRAMATIQUE. Crucial, difficile, émouvant, épisode, grave, joruri, pénible, pièce, poignant, théâtral, tragique.

DRAMATIQUEMENT. Dangereusement, défavorablement, désavantageusement, funestement, gravement, grièvement, imprudemment, mal, malencontreusement, nuisiblement, scéniquement, sérieusement, terriblement, théâtralement.

DRAMATISANT. Alarmiste, angoissant, catastrophiste, défaitiste, démoralisateur, jongleur, pessimiste.

DRAMATISATION. Alourdissement, amplification, développement, emphase, exagération, outrance, psychodrame, redondance, sociodrame, symbolisation.

DRAMATISER. Abuser, accentuer, amplifier, attiger, caricatural, charrier, corser, enfler, exagérer, forcer, gonfler, grossir, outrer, pathétiser, présenter, rajouter, théâtrale.

DRAMATURGE (n. p.). Anouilh, Arden, Beckett, Behan, Claus, Cocteau, Cruz, Csiky, Cumming, Davenant, Davies, Dorst, Dubé, Fonvizine, Galsworthy, Greene, Hacks, Krleza, Lamb, Lao She, Marlow, Massinger, Messenius, Molière, Senefelder, Sudermann, Swinburne, Tremblay, Troyat, Verdi, Vidal, Vitrac, Walcott, Weiss, White.

DRAMATURGIE. Acteur, comédie, drame, film, malheur, mélodrame, muses, théâtre, tragédie.

DRAME (n. p.). Arlésienne, Coriolan, Faust, Hamlet, Lear, Orfeo, Orphée, Macbeth, Othello.

DRAME. Acteur, apocalypse, bouleversement, calamité, catastrophe, chorédrame, cinéma, comédie, film, fléau, hilarodie, malheur, mélo, mélodrame, nô, œuvre, opéra, oratorio, pièce, plat, sotie, sottie, tragédie, zarzuela.

DRAP. Alaise, alèse, bâche, bure, carde, couette, courtepointe, couverture, débarrasser, drapier, elbeuf, étoffe, feu, habit, lé, linceul, lit, literie, marengo, mort, pagon, poêle, ratine, sedan, striquer, tissu, tontisse.

DRAPEAU. Anar, arborer, bannière, berne, couleurs, dette, enseigne, étendard, fanion, fleurdelisé, gonfalon, gonfanon, guidon, hampe, labarum, manche, noir, oriflamme, pavillon, pavois, symbole, trabe, trophée, vexillologie, vexillographie.

DRAPER. Agencer, ajuster, aménager, anneler, arranger, arrimer, combiner, couvrir, croiser, décider, disposer, draper, enlier, envelopper, étager, étaler, étirer, géminer, habiller, imbriquer, joindre, lainer, liaisonner, mannequiner, masser, nuer, organiser, orner, ourdir, placer, prédisposer, prêter, prévaloir, tendre, tisser.

DRAPERIE. Canevas, cantonnière, gobelin, portière, rideau, store, tapisserie, tenture, tissu, toile.

DRAPIER (n. p.). Artevelde, Bruges, Elbeuf, Flandre, Gand, Lille, Marcel, Norwich, Rembrandt, Rouien, Schulz, Swift.

DRASTIQUE. Contraignant, draconien, dur, énergique, léonin, purgatif, radical, rigoureux, rigueur, sévère, strict.

DRAVE. Crucifère, dicotylédone, draver, draveur, flottage, herbacée, plante, rivière.

DRAVEUR. Flotteur, maître-draveur, ouvrier.

DRAVIDIEN. Canara, kannara, langue, malayalam, permien, tamoul, télougou, télugu.

DRÈGE. Ableret, affinoir, démêloir, drégeur, dreige, dreigeur, filet, outil, peigne, ros.

DRELIN. Alarme, anaconda, appel, avertisseur, bélière, campane, carillon, chamade, clarine, cloche, clochette, crotale, cymbale, glas, grelot, klaxon, serpent, sonnaille, sonnerie, sonnette, timbre, tympanon, vibrateur, vibreur.

DRESSAGE. Affaitage, affaitement, assemblage, discipline, domptage, installation, montage, planage.

DRESSER. Affaiter, apprendre, apprivoiser, arborer, cabrer, chauvir, dompter, élever, érectile, ériger, établir, exercer, fixer, former, formuler, hérisser, hisser, lamer, layer, lever, mater, meuler, meute, nerver, oiseler, rebiquer, rédiger, riper, styler, tendre, tente, verbaliser.

DRESSEUR. Apprivoiseur, belluaire, bestiaire, charmeur, combattant, dompteur, fauconnier, gladiateur, lutteur, mirmillon, pugiliste, rétiaire.

DRESSING. Salade, vestiaire.

DRESSOIR. Argentier, armoire, buffet, buffet-vaisselier, coffre, crédence, desserte, étagère, huche, maie, semainier, service, table, vaisselier.

DRÈVE. Accès, allée, avenue, boulevard, charmille, chemin, contre-allée, cours, course, démarche, déplacement, labyrinthe, laie, layon, ligne, mail, nacette, oullière, passage, promenade, ruelle, tortille, trajet, visite, voie.

DRILL. Cercopithécidé, cynocéphale, entraînement, exercice, papion, singe.

DRILLE. Batifoleur, blagueur, bouffon, bougre, boute-en-train, comique, espiègle, farceur, gai, gaillard, garçon, gars, homme, jovial, joyeux, lascar, loustic, luron, insouciant, misérable, numéro, outil, plaisantin, soldat, vagabond.

DRILLER. Creuser, échancrer, enlever, éroder, évider, forer, gruger, manger, miner, refouiller, ronger, vider.

DRINGUELLE. Bakchich, gratification, paraguante, pièce, pourboire, service, récompense, tip.

DRINK. Alcool, boisson, breuvage, café, cocktail, consommation, eau, élixir, infusion, rafraîchissement, thé, verre.

DRISSE. Bigue, cabestan, caliorne, chevalet, chèvre cordage, grue, guinde, mât, palan, sapine, têtière.

DRIVER. Club, conduire, diriger, driveur, fer, golf, jockey, jouer, joueur, lecteur, logiciel.

DROGUE. Acide, came, cannabis, chnouf, cocaïne, coke, crack, dealer, dope, ecstasie, ecstasy, EPO, goure, hasch, haschich, héroïne, LSD, marihuana, marijuana, mixtion, morphine, mortier, neige, onguent, opium, orviétan, pot, remède, schnouf, séné, seng, sniffer, speed, THG, toxico, trip.

DROGUÉ. Accro, camé, cocaïnomane, coke, dealer, défoncé, éthéromane, freak, gelé, héroïnomane, intoxiqué, junk, junkie, junky, morphinomane, opiomane, pharmacodépendant, poudré, séné, toxicomane.

DROGUER. Activer, augmenter, camer, défoncer, doper, dynamiser, intoxiquer, piquer, réveiller, sniffer, stimuler.

DROGUET. Andrinople, batiste, bombasin, boucassin, calicot, cellular, chintz, circassienne, cotonnade, cretonne, éponge, finette, futaine, guinée, guingan, indienne, jaconas, lustrine, percale, perse, piqué, textile, velvet.

DROIT. Affouage, aînesse, autorité, canon, créance, cuissage, de jure, direct, dr, entrée, ermin, fief, héritage, honnête, hypoténuse, impôt, intérêt, juriste, justice, loi, octroi, parallèle, péage, pénal, permission, privilège, probe, quillage, priorité, propriété, rectiligne, rectitude, riveraineté, sain, saisine, titre, usage, usufruit, usus, vertical.

DROITE. Amusant, arête, bissectrice, bras, capitaliste, conservateur, côté, coup, cour, dextre, diagonal, diamètre, dictature, gauche, hue, italique, ligne, main, médiane, médiatrice, parallèle, perpendiculaire, théâtre, transversale, tribord, verticale.

DROITEMENT. Carrément, clairement, crûment, franchement, franco, hautement, librement, loyalement, net, nettement, ostensiblement, ouvertement, publiquement, simplement, sincèrement, très, vraiment.

DROITISME. Conformisme, conservatisme, droite, intégrisme, modération, passéisme, suivisme, traditionalisme.

DROITURE. Équité, foi, franchise, honnêteté, impartialité, justice, loyauté, netteté, perfidie, rectitude, rigueur.

DROLATIQUE. Amusant, bouffon, burlesque, cocasse, comique, curieux, désopilant, drôle, plaisant, récréatif.

DRÔLE. Agréable, amusant, bizarre, bouffon, burlesque, cocasse, comique, crevant, désopilant, drôlet, enfant, enjoué, étonnant, farce, fendant, gai, gamin, hilarant, marrant, poilant, rigolo, rire, risible, tordant, urinal.

DRÔLEMENT. Beaucoup, bien, bizarrement, bougrement, comiquement, grotesquement, super, très, vachement.

DRÔLERIE. Anomalie, anormalité, bizarrerie, bouffonnerie, chinoiserie, cocasserie, curiosité, étrangeté, excentricité, extravagance, fantaisie, fantasmagorie, folie, loufoquerie, originalité, pitrerie, singularité.

DROMADAIRE. Baraquer, cambrai, camélidé, chameau, laid, mammifère, méhara, méhari.

DRÔME, VILLE (n. p.). Bourg-de-Péage, Bourg-Lès-Valence, Buis-les-Baronnies, Chabeuil, Crest, Die, Dieulefit, Diois, Donzère, Grignan, Hauterives, Loriol-sur-Drôme, Marsanne, Montélimar, Nyons, Pierrelatte, Portes-Lès-Valence, Saint-Vallier, Tain-l'Hermitage, Valence, Valréas, Vassieux-en-Vercors, Vélines.

DROME. Apiquer, balancine, balestron, beaupré, bôme, corne, espar, gui, levier, mât, tangon, vergue.

DROMICÉIDÉ. Émeu, émou, ratite, struthioniforme.

DRONE. Aérodyne, avion, missile, téléguider.

DRONTE. Colombiforme, dodo, oiseau, raphus.

DROPER. Abandonner, courir, délaisser, déposer, dropper, enfuir, filer, fuir, larguer, négliger, parachuter.

DROPPAGE. Abandon, abdication, acquittement, défection, délaissement, délivrance, démission, déprise, désertion, désintérêt, dessaisissement, forfait, parachutage, recul, lâchage, largage, rachat, résignation.

DROSERA. Attrape-mouche, binata, capensis, carnivore, intermedia, longifolia, rossolis, rotundifolia, spathulata.

DROSÉRACÉE. Aldrovanta, attrape-mouche, dicotylédone, dionée, droséra, drosophyllum, plante, rossolis.

DROSSE. Câble, chaîne, cordage, dérive, filin, gouvernail, poussoir.

DRU. Abondant, compact, dense, épais, fort, fourni, garni, hérissé, hirsute, huppé, pressé, serré, touffu.

DRUIDE. Barde, cairn, celte, devin, dolmen, ésotériste, eubage, gnose, guérisseur, hermétiste, illuminé, kabbale, magicien, menhir, mystérieux, ovate, prêtre, psychomancien, radiesthésien, spiritiste, tumulus.

DRUMLIN. Aspre, calade, colline, coteau, déclination, monticule, raidillon, rampant, rampe, talus, versant.

DRUPE. Abricot, amande, cerise, drupéole, fruit, myrobalan, noix, noyau, olive, pêche, prune, pruneau.

DRY. Champagne, cocktail, extra-dry, martini, sec.

DRYADE. Déesse, hamadryade, hyades, naïadacée, naïade, napée, neek, néréide, nymphe, océanide, oréade.

DÛ. Arriéré, échéance, débit, dette, devoir, facture, impayé, indu, payer, redevance, somme, taxe.

DUALISME. Dédoublement, enseignement, magisme, manichéisme, mazdéisme, parsisme, religion, zoroastrisme.

DUALITÉ. Ambigu, ambiguïté, ambivalence, aporie, athymie, bogomile, coexistence, contradictoire, démence, deux, double, dual, duel, dyade, janus, manichéen, mazdéisme, paranoïde, schizoïde, schizophrénie.

DUBITATIF. Critique, défiance, doute, énigme, euh, hem, hésitation, heu, hum, hypothèse, incertitude, incrédule, incroyant, indécision, irrésolution, litige, méfiance, peut-être, scepticisme, sceptique, si, soupçon, suspicion.

DUBITATIVEMENT. Assurément, catégoriquement, certainement, certes, effectivement, évidemment, formellement, interrogativement, réellement, sceptiquement, sûrement, véritablement, vraiment.

DUBNIUM. Db.

DUC (n. p.). Amédée, Anjou, Augereau, Boleslav, Boufflers, Casimir, Caxias, Charles, Dunois, Eude, Ferdinand, Gédymin, Guillaume le Grand, Lannes, Lesdiguières, Louis, Ludovic, Luxembourg, Mieszko, Ney, Palafox, Philibert, Raoul, Seymour, Sforza, Stuart, Sully, Tassilon, Ulric, Ulrich, Vencelas, Vitry, Wenceslas, Wurtemberg.

DUC. Architecte, cacagouèche, ducal, duché, hibou, maréchal, noble, prince, rapace, scops, souverain, voiture.

DUCASSE. Célébration, ducasse, encan, festival, festivité, fête, foire, frairie, kermesse, réjouissance.

DUCAT. Centesini, grano, lire, monnaie, paoli, pièce, scudo, sequin, soldo, testone, zecchino.

DUCE (n. p.). Führer, Mussolini.

DUCHÉ (n. p.). Acciaiuoli, Albret, Alençon, Anhalt, Anjou, Aquitaine, Auvergne, Bar, Bavière, Berg, Berry, Bismarck, Bohême, Bourbon, Bourbonnais, Bourgogne, Brabant, Bretagne, Broglie, Brunswick, Clèves, Cobourg, Courlande, Este, Farnèse, Ferrare, Fontainebleau, Franconie, Gascogne, Gotha, Guise, Hesse, Hohenzollern, Holstein, Howard, Juliers, Lavenburg, Limousin, Lorraine, Luxembourg, Masovie, Mecklembourg, Merano, Modène, Moulins, Nassau, Naxos, Nemours, Oldenbourg, Orléans, Parme, Penthièvre, Plaisance, Poitou, Prusse, Reichstadt, Rennes, Rhénanie, Rouen, Savoie, Saxe, Septimanie, Sforza, Souabe, Spolète, Styrie, Thouars, Tournai, Urbino, Vannes, Westphalie, Wurtemberg.

DUCHESSE (n. p.). Abrantès, Aiguillon, Aliénor, Berry, Châteauroux, Chevreuse, Coigny, Fontanges, Kéroualle, La Vallière, Longueville, Maine, Mancini, Marie Tudor, Montpensier, Polignac.

DUCHESSE. Canapé, chaise, divan, ducale, fruit, méridienne, ottomane, pimbêche, poire, récamier, sofa.

DUCROIRE. Assurance, aval, caution, cautionnement, charge, consignation, consigne, couverture, engagement, gage, garant, garantie, nantissement, obligation, parrainage, promesse, salut, stick, sponsorat, warrant.

DUCTILE. Accommodant, allongeable, bande, caoutchouc, complaisant, compressible, dilatable, doux, élastique, étirable, expansible, extensible, flexible, fragile, gomme, jarretelle, jarretière, ressort, souple, variable.

DUCTILITÉ. Calorisation, cémentation, chauffage, chromisation, cyanuration, shérardisation, sulfinisation.

DUÈGNE. Bonne, bonniche, chaperon, domestique, femme, gouvernante, nourrice, nurse, responsable, servante.

DUEL. Combat, compétition, défi, duelliste, escrime, lame, lice, lutte, pré, rencontre, second, spadassin, terrain.

DUELLISTE. Bretteur, duel, épéiste, escarmoucheur, escrimeur, essayiste, ferrailleur, fleurettiste, sabreur, tireur.

DUGONG. Herbivore, dugongidé, lamantin, mammifère, rhytine, sirénien, vache, vache marine.

DUIT. Barrage, barrière, batardeau, borne, centrale, chaussée, clôture, cordon, déversoir, digue, écluse, écran, embâcle, épi, estacade, évacuateur, guideau, jetée, levée, lit, obstacle, réservoir, ressaut, retenue, réservoir, serrement, truyère.

DULCIFIER. Adoucir, affaiblir, amortir, apaiser, arrêter, assagir, assouplir, atténuer, attiédir, borner, calmer, corriger, diminuer, lénifier, mesurer, modérer, raisonner, régler, simplifier, sobriété, tempérer.

DULCINÉE. Amie, amour, amoureuse, belle, bien-aimée, chérie, compagne, favorite, mignonne, valentine.

DULIE. Adoration, amour, astrolâtrie, culte, dévotion, dieu, égotisme, fétiche, hommage, honorer, hyperdulie, idolâtrie, idole, latrie, liturgie, messe, mythologie, office, ophiolâtrie, piété, prêtre, religion, respect, rite, service, vaudou, vénération.

DÛMENT. Canoniquement, conformément, correctement, loyalement, officiellement, selon, validement.

DUNCAN (n. p.). Macbeth, Malcolm.

DUNE. Aspre, barkhane, butte, colline, côte, coteau, élévation, erg, hauteur, mont, montagne, monticule, nebka, oyat.

DUNETTE. Arc, arche, bac, butée, culée, entrepont, gaillard, gué, jetée, livet, passerelle, péage, pont-levis, pile, pont, ponton, roof, rouf, superstructure, tablier, teugue, tillac, trigone, viaduc, voûte.

DUO. Alternative, bi, bicolore, bilingue, bine, bis, bivalent, couple, deux, di, didactyle, divalent, division, double, doublé, doubler, dual, duettiste, duetto, hybride, jumeaux, métis, paire, plurivalent, postérieur, réciproque, second, secundo, sexe, suivant, tandem.

DUODÉNUM. Bourrelet, caroncule, excroissance, fraise, halerons, intestin, lacrymale, protubérance.

DUPE. Bêta, cave, chocolat, crédule, dindon, gobeur, gogo, gribouille, jobard, morron, naïf, niais, nigaud, pigeon, trompé, victime.

DUPER. Abuser, amuser, appât, appâter, arnaquer, avoir, berner, capter, dindonner, embobiner, empiler, enjôler, entuber, escroquer, feinter, filouter, flouer, gruger, lentille, leurrer, mensonge, mentir, niquer, pigeonner, piper, rouler, tromper, voler.

DUPERIE. Artifice, couillonnade, fraude, gabegie, manège, mensonge, mystification, panneau, ruse, tromperie.

DUPEUR. Abuseur, bonimenteur, cabotin, captieux, chafouin, charlatan, décevant, déloyal, exploiteur, fallacieux, faux, feinteur, fraudeur, hypocrite, illusoire, mensonger, menteur, perfide, tricheur, trompeur.

DUPLEX. Appartement, atelier, bauge, calla, flat, garçonnière, gynécée, habitation, harem, HLM, hypne, loft, logement, logis, meublé, niche, penthouse, pièce, salle, salon, studio, suite, taudis, triplex, verre, vestibule, zénana.

DUPLEXER. Calquer, caricaturer, compiler, copier, contrefaire, copier, doubler, dupliquer, emprunter, imiter, jouer, mime, mimer, modeler, onomatopée, parodier, pasticher, picorer, pirater, plagier, redoubler, répéter, reproduire, ressembler, simuler, singer, transmettre, travestir, veiner.

DUPLICATA. Calque, copie, double, duplication, exemplaire, fac-similé, imitation, réplique, reproduction.

DUPLICATEUR. Copieur, dédoubleur, doubleur, photocopieur, polycopieur, reproducteur.

DUPLICATION. Copie, double, doublement, duplexage, gémination, redondance, redoublement, réduplication.

DUPLICITÉ. Ambiguïté, dédoublement, dissimulation, équivoque, fausseté, fourberie, hypocrisie, mensonge, tartuferie.

DUPLIQUER. Calquer, caricaturer, compiler, copier, contrefaire, copier, doubler, duplexer, emprunter, imiter, jouer, mime, mimer, modeler, onomatopée, parodier, pasticher, picorer, pirater, plagier, redoubler, répéter, reproduire, ressembler, simuler, singer, transmettre, travestir, veiner.

DUR. Acéré, amer, ardu, brutal, calleux, carne, chien, consistant, coriace, costaud, cruel, épais, ferme, impitoyable, implacable, inexorable, insensible, métallique, rassis, résistant, rigide, robuste, roc, rossard, rosse, rude, sec, sévère, solide, vache.

DURABILITÉ. Aplomb, assiette, assise, certitude, consistance, constance, continu, continuité, durée, équilibre, fermeté, fixité, immuabilité, longévité, pérennité, permanence, persistance, prégnance, stabilité.

DURABLE. Ancré, chronique, constant, continuel, endémique, enraciné, établi, éternel, gravé, immuable, implanté, inaltérable, indéfectible, invariable, pérenniser, permanent, perpétuel, persistant, stable, tenace.

DURABLEMENT. Aucun, beaucoup, décidément, décisivement, définitivement, infiniment, irrémédiablement, irréparablement, irrévocablement, jamais, lentement, nul, onc, onques, sans, toujours.

DURAIN. Abattage, anthracite, anthracose, boghead, boulet, briquette, charbon, clarain, coke, combustible, crochon, diamant, escarbille, fusain, gailleterie, gaillette, gril, houille, lavoir, lignite, maladie, noisette, tourbe.

DURAMEN. Bois, cœur, imputrescible, xylème.

DURANT. Assidu, courant, deçà, delà, durable, ferme, fidèle, fixe, immuable, milieu, par, pendant, tombant.

DURCIR. Affermir, concrétiser, endurcir, geler, glacé, glacer, névé, raidir, rassir, scléroser, sténosage.

DURCISSEMENT. Artériosclérose, athérome, glaucome, nitruration, sclérose, solidification, sténose, xérodermie.

DURE. Constant, continuel, impérissable, incessant, indéfectible, ininterrompu, longtemps, longuet, pendant, pérennité, temporellement, vertu.

DURÉE. Âge, an, année, archontat, bout, bref, brièveté, cours, court, cycle, délai, en, éternité, grossesse, heure, instant, jour, journée, minute, mois, moment, note, nuit, nuitée, papauté, pérenne, permanence, perpétuité, phase, pour, quelque, règne, scolaire, seconde, siècle, soir, temps, user, vie.

DUREMENT. Âprement, brutalement, cruellement, désagréablement, désobligeamment, difficilement, incommodément, laborieusement, mal, méchamment, péniblement, rudement, sèchement, sévèrement, vertement.

DURER. Conserver, continuer, demander, détenir, entrer, étaler, éterniser, garder, immobiliser, loger, occuper, perdurer, perpétrer, perpétuer, persister, porter, posséder, prolonger, ralentir, rester, retenir, soutenir, tenir.

DURETÉ. Brutalité, cruauté, fermeté, implacable, inexorable, mol, mou, rigueur, rosse, rudesse, sévérité, vigueur.

DURHAM. Bovin, gouverneur, race, shorthorn.

DURILLON. Cal, callosité, calus, cor, corne, fic, induration, œil-de-perdrix, oignon, verrucosité, verrue.

DURIT. Boyau, buse, canal, canalisation, conduit, conduite, durite, gaine, gargouille, indication, indice, information, orgue, pipe, renseignement, riser, sarbacane, truc, tube, tuyau.

DUVET. Bourre, coton, édredon, cotonneux, duveteux, eider, follet, kapok, laine, lanifère, lanigère, lanugineux, linter, lit, plume, plumule, poil, pubescent, tomenteux.

DUVETÉ. Calicot, cotonneux, duvet, duveteux, edelweiss, flanelle, floconneux, gilet, laine, laineux, madapolam, molletonneux, ouate, pelucheux, percaline, perse, pilou, satin, tissu, toile, tomenteux, velouté.

DUVETEUX. Doux, floconneux, laineux, lanugineux, molletonneux, pubescent, tomenteux, velouté.

DYKE. Colonne, filon, lave, magma, magmatique, muraille, neck, pierre, piton, roche, volcan.

DYN. Barye, dine, dynamique, dynamisme, erg, mécanique.

DYNAMIQUE. Actif, activité, affairé, agissant, ardent, assuré, audacieux, battant, confiant, constant, décidé, énergique, animé, courageux, diligent, efficace, force, industrieux, pep, sthénique, tonicité, vitalité.

DYNAMIQUEMENT. Activement, ardemment, avidement, chaudement, énergiquement, force, fortement, fougueusement, furieusement, gloutonnement, passionnément, soupirer, vigueur, vivement, voracement.

DYNAMISANT. Fortifiant, reconstituant, remontant, revigorant, stimulant, tonifiant, tonique, vivifiant.

DYNAMISER. Activer, animer, augmenter, camer, défoncer, doper, droguer, piquer, réveiller, sniffer, stimuler.

DYNAMISME. Allant, animation, efficacité, énergie, entrain, pep, punch, ressort, tension, tonus, vigueur, vitalité.

DYNAMITE (n. p.). Nobel.

DYNAMITE. Amorce, bombe, cheddite, cordite, détonation, dynamique, explosif, glycérine, hexogène, ladite, mèche, mélinite, mine, nitroglycérine, obus, panclastite, pentrite, poudre, roburite, t.n.t., tolite.

DYNAMO (n. p.). Faraday, Gramme.

DYNAMO. Alternateur, dynamoélectrique, excitatrice, force, génératrice, moteur, oscillateur.

DYNANTRIE. Chaudronnerie, emboutissage, estampage, martelage, poêlerie, rivetage, soudage.

DYNASTIE. Agnation, alliance, ascendance, chef, empereur, famille, hockey, knie, race, roi, sassanide.

DYNASTIE ALLEMANDE (n. p.). Ascanienne, Hanovre, Hohenstaufen, Hohenzollern, Krupp.

DYNASTIE ANGLAISE (n. p.). Plantagenêt.

DYNASTIE ARABE (n. p.). Abbadides, Abbassides, Aghlabides, Arhlabides, Hachémites, Nasrides, Omeyyades, Umayyades.

DYNASTIE AUTRICHIENNE (n. p.). Habsbourg, Knie.

DYNASTIE BERBÈRE (n. p.). Abdalwadides, Almohades, Almoravides, Hafsides, Hammadides, Marinides, Mérinides, Zirides.

DYNASTIE BYZANTINE (n. p.). Amorion, Anges, Isauriens, Paléologue.

DYNASTIE CHIITE (n. p.). Fatimides, Séfévides.

DYNASTIE CHINOISE (n. p.). Chang, Han, Hia, Mandchous, Ming, Qin, Qing, Shang, Song, Souei, Sui, Tang, Ts'in, Ts'ing, Xia, Yuan.

DYNASTIE CYRÈNES (n. p.). Battiades.

DYNASTIE ÉCOSSAISE (n. p.). Stuart.

DYNASTIE ÉGYPTIENNE (n. p.). Lagides, Mamelouks, Ramsès, Sénousret, Thoutmès, Thoutmôsis, Tulunides.

DYNASTIE FRANÇAISE (n. p.). Anjou, Bourbon, Capétiens, Carolingiens, Couperin, Mérovingiens, Orléans, Robertiens, Séguier.

DYNASTIE GERMANIQUE (n. p.). Arnoul, Arnulf, Hohenstaufen, Lombards.

DYNASTIE HELLÉNISTIQUE (n. p.). Antigonides, Attalides, Lagides, Séleucides.

DYNASTIE HONGROISE (n. p.). Zapoly, Zapolya.

DYNASTIE INDIENNE (n. p.). Acoka, Asoka, Andhra, Calukya, Chalukya, Cola, Gupta, Maurya, Moghols, Pala, Pallava, Satavahana.

DYNASTIE IRANIENNE (n. p.). Achéménides, Arsacides, Ghurides, Rhurides, Pahlavi, Samanides, Sassanides, Séfévides, Tahirides.

DYNASTIE IRAKIENNE (n. p.). Abbassides.

DYNASTIE IRLANDAISE (n. p.). O'Neill.

DYNASTIE JAPONAISE (n. p.). Ashikaga.

DYNASTIE MACÉDONIENNE (n. p.). Antigonides.

DYNASTIE MAROCAINE (n. p.). Alaouites, Alawites, Idrisides, Idrissides, Marinudes, Saadiens, Wattasides.

DYNASTIE MONGOLE (n. p.). Yuan.

DYNASTIE MUSULMANE (n. p.). Aghlabides, Almohades, Almoravides, Ayyubides, Ghaznévides, Ghourides, Rhaznévides.

DYNASTIE ORIENT (n. p.). Achéménides, Chakri, Han, Ming, Qing, Shang, Sui, Tang, Yuan

DYNASTIE PALESTINIENNE (n. p.). Asmonéens, Hasmonéens.

DYNASTIE PERSANE (n. p.). Achéménides, Arsacides, Ghurides, Rhurides, Pahlavi, Samanides, Sassanides, Séfévides.

DYNASTIE POLONAISE (n. p.). Jagellons, Piast.

DYNASTIE PORTUGAISE (n. p.). Aviz, Bourgogne, Bragance.

DYNASTIE ROMAINE (n. p.). Antonins, Flaviens, Julio-Claudiens, Sévères.

DYNASTIE RUSSE (n. p.). Riourikides, Romanov.

DYNASTIE SERBE (n. p.). Karadjordjevic, Karageorgévitch, Nemanjic, Obrenovic, Obrénovitch.

DYNASTIE TCHÈQUE (n. p.). Premyslides.

DYNASTIE TURQUE (n. p.). Ghaznevides, Husaynides, Ottoman, Qadjars, Rhaznévides, Seldjoukides.

DYNASTIE TURCO-MONGOLE (n. p.). Timurides, Timourides.

DYNE. Accélération, barye, DIN, dyn, erg, force.

DYSBOULIE. Abattement, aboulie anémie, apathie, débilité, dysboulique, faiblesse, fragilité, impotence, mou.

DYSENTERIE. Amibien, amibienne, bacillaire, détracte, diarrhée, dysentérique, nopal, parasitaire.

DYSFONCTIONNEMENT. Affection, altération, anomalie, cafouillage, cafouillis, déclenchement, défaillance, déficience, embarras, enclenchement, fiabilité, fonctionnement, jeu, manualité, raté.

DYSPEPSIE. Absorption, anabolisme, apepsie, assimilation, chyle, coction, digestion, eupepsie, ingestion, rumination.

DYSPLASIE. Anomalie, dysembryoplasie, dysgénésie, dystrophie, hyperplasie, hypoplasie.

DYSPNÉE. Asystolie, dyspnéique, essoufflement, étouffement, gêne, oppression, orthopnée.

DYSPROSIUM. Dy.

DYSTOCIE. Accouchement, difficulté, eutocie, grossesse, parturition.

DYSTROPHIE. Anormal, déficience, dégénérescence, dysgénésie, dysplasie, malformation, myopathie.

DYTICIDÉ. Carnassier, coléoptère, dytique, haliple, hydrophile, hydropore, insecte.

E

ÉACIDE (n. p.). Achille, Ajax, Jupiter, Néoptolème, Pélée, Pyrrhus, Télamon.

ÉAQUE (n. p.). Achille, Égine, Enfers, Minos, Pélée, Rhadamanthe, Télamon, Thétis, Zeus.

ÉAQUE. Champion, conquérant, épique, guerrier, héros, juge, valeureux.

EAU (n. p.). Amontons, Badoit, Cana, Cavendish, Charrier, Évian, Javel, Neptune, Priestley, Seltz, Uélé, Urey, Vergèze, Vichy, Volvic.

EAU. Aqua, aquacole, aqueux, baille, boisson, bouée, cascade, endoréisme, étang, exoréisme, filet, fleuve, flots, glace, hydrolat, lac, lavure, limpidité, lotion, lustrale, mare, mer, minérale, morte, muire, nappe, neige, onde, ondée, perhydrol, pluie, régale, rinçure, rivière, ru, ruisseau, ruisson, saumure, seltz, soda, suage, torrent.

EAU-DE-VIE. Abricotine, alcool, aquavit, arac, arack, arak, armagnac, bovkha, brandevin, brandy, brûlot, calva, calvados, cherry, cognac, fine, genièvre, gin, gnaule, gniole, gnôle, grappa, kirsch, marc, mêlé-cass, mêlécasse, mêlé-cassis, raki, rhum, rikiki, rincette, riquiqui, rogomme, rye, schnaps, scotch, tafia, tord-boyaux, vodka, whisky.

ÉBAHI. Abasourdi, ahuri, assommé, baba, déconfit, ébaubi, éberlué, effarant, épaté, époustouflé, estomaqué, étonné, étourdi, interdit, interloqué, médusé, pantois, pétrifié, sidéré, scié, soufflé, surpris, stupéfait, surpris.

ÉBAHIR. Abasourdir, ahurir, aveugler, ébaubir, éberluer, éblouir, émerveiller, épater, époustoufler, estomaquer, étonner, étourdir, impressionner, interdire, méduser, pétrifier, renverser, sidérer, stupéfier, surprendre.

ÉBAHISSANT. Abasourdissant, ahurissant, bouleversant, confondant, décoiffant, ébouriffant, échevelant, effarant, époustouflant, étonnant, extraordinaire, incroyable, inimaginable, inouï, invraisemblable, renversant, stupéfiant.

ÉBAHISSEMENT. Abasourdissement, ahurissement, bouleversement, éblouissement, effarement, engourdissement, épatement, émerveillement, étonnement, immobilité, saisissement, stupéfaction, stupeur, surprise.

ÉBARBER. Arrondir, couper, débarrasser, dégrossir, dépouiller, diminuer, ébavurer, échancrer, écourter, éjointer, émarger, enlever, éroder, limer, massicoter, pester, polir, rager, retrancher, roder, user.

ÉBARBOIR. Amassette, bistouri, boëste, canif, couteau, eustache, grattoir, jambette, laguiole, lame, machette, navaja, onglet, opinel, poignard, solen, surin.

ÉBATS. Agrément, amusement, amusette, batifolage, déduit, délassement, détente, divertissement, jeux, partouze.

ÉBATTRE. Amuser, batifoler, bondir, cabrioler, caracoler, divertir, folâtrer, fringuer, gambader, jouer, sauter.

ÉBAUBI. Abasourdi, ahuri, confondu, ébahi, éberlué, estomaqué, étonné, interdit, stupéfait, surpris.

ÉBAUCHAGE. Affinage, amaigrir, dégrossage, dégrossissage, dégrossissement, diminuer, limage, scriblage, smillage.

ÉBAUCHE. Amorce, aperçu, canevas, carcasse, crayon, crobard, croquade, croquis, dessin, embryon, épure, esquisse, essai, germe, graphide, grossier, idée, jet, linéament, maquette, plan, projet, rudiment, vague.

ÉBAUCHER. Amorcer, apparaître, attaquer, brosser, commencer, crayonner, croquer, débuter, déclencher, dégrossir, dessiner, engager, entamer, entreprendre, esquisser, galeter, griffonner, inaugurer, naître, percer, poindre.

ÉBAUDIR. Abasourdir, amuser, ahurir, distraire, divertir, ébahir, éberluer, éblouir, égayer, émerveiller, épater, époustoufler, esbroufer, estomaquer, étonner, halluciner, hébéter, interdire, marrer, médiser, ravir, récréer, réjouir, remarquer, renverser, saisir, scier, sidérer, surprendre.

ÉBAVURAGE. Ébarbage.

ÉBÉNACÉE. Aracée, arbre, caque, ébénier, figue, figuecaque, fruit, kaki, plaquemine, plaqueminier.

ÉBÈNE. Aubours, bois, charbonneux, cytise, ébénier, fuligineux, ipé, macassar, noir, sillet, vrai.

ÉBÉNIER. Cytise, ébène, faux ébénier, genêt, plaquementier.

ÉBÉNISTE. Bois, marqueteur, menuisier, ouvrier, pestum, rabot, sergent, tabletier, varlope, vis.

ÉBÉNISTE ALLEMAND (n. p.). Roentgen.

ÉBÉNISTE ANGLAIS (n. p.). Chippendale, Hepplewhite, Sheraton.

ÉBÉNISTE BRITANNIQUE (n. p.). Chippendale, Hepplewhite, Sheraton.

ÉBÉNISTE FRANÇAIS (n. p.). Boulle, Cressent, Demay, Oeben, Gallé, Jacob, Levasseur, Majorelle, Oeben, Oppenordt, Riesener, Ruhlmann.

ÉBÉNISTERIE. Ambre, avodiré, madré, marqueterie, menuiserie, palissandre, santalacée, tabletterie.

ÉBERLUÉ. Abasourdi, ahuri, baba, confondu, ébahi, effarant, estomaqué, étonné, pantois, sidéré, stupéfait.

ÉBERLUER. Abasourdir, ahurir, ébahir, époustoufler, étonner, méduser, renverser, stupéfier, surpris.

ÉBLOUIR. Abuser, aveugler, blesser, bluffer, briller, éberluer, émerveiller, enorgueillir, épater, étonner, étourdir, fasciner, frapper, hypnotiser, illusionner, impressionner, offusquer, séduire, surprendre, troubler.

ÉBLOUISSANT. Admirable, aveuglant, brillant, éclatant, enchanteur, époustouflant, étincelant, étourdissant, excellent, fabuleux, fantastique, fascinant, fulgurant, impressionnant, merveilleux, somptueux, splendide.

ÉBLOUISSEMENT. Berlue, contre-jour, émerveillement, étonnement, fascination, malaise, mirage, vertige.

ÉBONITE. Buna, caoutchouc, crêpe, durit, élastique, ficus, gomme, hévéa, latex, néoprène, vulcanisation.

ÉBORGNER. Borgne, détartrer, ébourgeonner, éloigner, enlever, épamprer, ôter, supprimer, yeux.

ÉBOUEUR. Boueur, boueux, bougonnier, bourrier, col bleu, ouvrier, ramasseur, vidangeur.

ÉBOUILLANTER. Blanchir, bouillir, brûler, échauder, excuser, innocenter, justifier, laver, pâlir, résigner.

ÉBOULEMENT. Affaissement, chute, dosse, éboulis, écroulement, étrésillon, fondis, foudroyage, pierre, ruine, tomber.

ÉBOULER. Abattre, affaisser, choir, crouler, dégringoler, dévaler, écrouler, effondrer, éventrer, succomber, tomber.

ÉBOULIS. Amas, déblais, débris, décharge, décombres, éboulement, fatras, liasse, monceau, ruine.

ÉBOURGEONNER. Détartrer, éborgner, éloigner, enlever, épamprer, épincer, ôter, supprimer, yeux.

ÉBOURIFFANT. Abasourdissant, ahurissant, bouleversant, confondant, décoiffant, échevelant, effarant, époustouflant, étonnant, extraordinaire, incroyable, inimaginable, inouï, invraisemblable, renversant, stupéfiant.

ÉBOURIFFÉ. Broussailleux, déchevelé, dressé, échevelé, embroussaillé, hérissé, hirsute, inculte, poilu.

ÉBOURIFFER. Décoiffer, dépeigner, ébahir, écheveler, dépeigner, étonner, hérisser, hirsute, stupéfier, surprendre.

ÉBOURRER. Abandonner, arracher, débourrer, défruiter, dégarnir, démunir, dénuder, dénuer, dépiauter, dépiler, déplumer, dépouiller, déposséder, ébrancher, écorcher, égermer, élaguer, équeuter, étronçonner, frustrer, lessiver, nettoyer, ôter, piller, plumer, priver, renoncer, rober, spolier, tondre, voler.

ÉBRANCHAGE. Éboutage, ébranchement, élagage, élaguement, émondage, nettoyage, ravalement, taille.

ÉBRANCHER. Aérer, couper, dégager, éclaircir, élaguer, émonder, étêter, houppier, serper, tailler.

ÉBRANCHOIR. Celte, ciseau, courbet, croissant, échenilloir, élagueur, émondoir, épieu, fauchard, faucille, guisarme, hallebarde, hast, pertuisane, pieu, sécateur, serpe, serpette, vouge.

ÉBRANLEMENT. Agitation, commotion, flageolement, frisson, mouvement, secousse, sursaut, traumatisme, tremblement.

ÉBRANLER. Affaiblir, agiter, atteindre, balancer, chanceler, choc, commotionner, émouvoir, entamer, étonner, étourdir, imperturbable, inébranlable, inflexible, lézarder, marteler, remuer, ruiner, saper, secouer, séismal, toucher, traumatiser.

ÉBRASER. Accroître, agrandir, aléser, arrondir, développer, dilater, écarter, élargir, épater, étendre, évaser, grossir, libérer.

ÉBRÉCHER. Abîmer, affaiblir, altérer, amocher, amoindrir, attenter, avarier, briser, brûler, carier, casser, dégrader, détériorer, diminuer, échancrer, écorner, égueuler, endommager, entailler, entamer, réduire.

ÉBRÉCHURE. Brèche, brisure, cassure, classe, craque, craquelure, crevasse, déchirure, éclat, écornure, entaille, faille, fêlure, fendillement, fente, fissure, fragment, gerçure, lambel, miette, morceau, nugget, or, parcelle, pépite, poussière.

ÉBRIÉTÉ. Alcoolisme, débauche, enivrement, éthylisme, griserie, ivre, ivresse, schlass, vertige.

ÉBROUER. Agiter, ballotter, bousculer, cahoter, ébranler, exhaler, expirer, hocher, secouer, souffler.

ÉBRUITEMENT. Annonce, aveu, confession, confidence, déballage, déclaration, dévoilement, divulgation, fuite, indiscrétion, initiation, instruction, mea culpa, proclamation, publication, reconnaissance, révélation.

ÉBRUITER. Annoncer, colporter, divulguer, étouffer, éventer, percer, propager, répandre, taire, transpirer.

ÉBULLITION. Bouillir, distillation, effervescence, éruption, évaporation, gazéification, hypsomètre, point, surchauffe.

ÉBURNÉ. Albâtre, albuginé, blanc, blanchâtre, brillant, cément, corozo, dame, dent, dentine, éburnéen, éburnifié, éléphant, émail, ivoire, ivoirin, jeton, morfil, morse, nacre, opalin, poli, porcelaine, rohart.

ÉBURNÉEN. Albâtre, albuginé, blanc, blanchâtre, brillant, cément, corozo, dame, dent, dentine, éburné, éburnifié, éléphant, émail, ivoire, ivoirin, jeton, morfil, morse, nacre, opalin, poli, porcelaine, rohart.

ÉCACHER. Abrutir, accabler, anéantir, aplatir, bousiller, briser, broyer, comprimer, écorcher, écrabouiller, écraser, éteindre, fraiser, fraser, gruger, lessiver, mater, moudre, mouliner, piler, réduire, subir, surcharger, vaincre.

ÉCAILLE. Coccolite, coquille, fente, lèpre, pelure, plaque, scalure, squama, squame, squamifère, squamule.

ÉCAILLER. Abraser, curer, cureter, effacer, égratigner, émeriser, enlever, entamer, fouiller, frotter, gratter, lésiner, liarder, nettoyer, piquer, plectre, racler, râper, raser, ratisser, regratter, riper, veloutine.

ÉCAILLEUX. Bastionné, bômé, équipé, ergoté, fourni, garni, muni, pourvu, scarieux, squamé, squameux, squamifère.

ÉCAILLURE. Bande, cellophane, couche, cuticule, écalure, éclat, enveloppe, épaisseur, épiderme, lamelle, membrane, parcelle, peau, pellicule, pépie, squameux.

ÉCALE. Arachide, bogue, brou, coque, coquille, cosse, écalot, écalure, écorce, efflorescence, enveloppe, épicarpe, gousse, noix, peau, pellicule, pelure, pruine, robe, tégument, zeste.

ÉCALER. Décortiquer, écosser, émonder, enlever, éplucher, gratter, lire, monder, nettoyer, peler, plumer.

ÉCANG. Brisoir, broie, broyeur, chanvre, écangue, lin, macque, maque, outil.

ÉCANGAGE. Bocardage, broiement, broyage, concassage, écrasement, effoirage, pilage, pilonnage.

ÉCANGUER. Aplatir, battre, bocarder, briser, broyer, casser, concasser, écraser, égruger, émietter, épaufrer, mâcher, mastiquer, molaire, moudre, piler, pilonner, râper, réduire, renverser, teiller, tiller, triturer.

ÉCARLATE. Andrinopie, carmin, colorié, congestionné, corail, couperosé, cramoisi, empourpré, enflammé, enlumé, garance, miniaturisé, rouge, rougeaud, rubescent, rubicond, rubis, sanguin, vermeil, vermillon.

ÉCART. Abîme, anomalie, danse, détour, déviation, différence, distance, éloignement, embardée, empan, espace, esseulé, extravagance, faute, folie, fossé, fourchette, frasque, fredaine, gap, incartade, intervalle, lieu-dit, loin, marge, parcours, plage, retiré, trajet.

ÉCARTÉ. Aberrant, absent, carte, délirant, dépaysé, dérivé, dérouté, désorienté, détourné, déviant, effaré, égaré, éloigné, entr'ouvert, esseulé, exclu, fou, hagard, halluciné, isolé, marginalisé, perdu, reculé, retiré, triomphe.

ÉCARTELÉ (n. p.). Châtel, Damiens, Ravaillac, Razine.

ÉCARTELÉ. Blason, divisé, indépendance, musique, partition, reprise, séparation, tableur, tourmenté.

ÉCARTÈLEMENT. Atomisation, conflit, dédoublement, découpage, démembrement, dépècement, désagrégation, détail, deux, dispersion, division, éparpillement, fractionnement, fragmentation, graduation, hydrolyse, jumeau, morcellement, partage, personnalité, séparation, tiraillement.

ÉCARTELER. Agacer, agiter, déchirer, diviser, envier, gêner, harceler, infester, lanciner, moquer, mouvementer, partager, quartier, ronger, solliciter, tanner, tenailler, tirailler, tirer, torturer, tourmenter, vexer.

ÉCARTEMENT. Abduction, ancre, dislocation, distance, éloignement, épar, épart, longueur, portée, séquestration.

ÉCARTER. Abstraire, anéantir, balayer, bannir, bousculer, carte, déporter, déraper, dériver, désunir, détacher, détourner, détruire, dévier, disjoindre, diviser, égarer, éliminer, éloigner, espacer, évincer, isoler, pousser, raffûter, refuser, reléguer, repousser, retirer, supplanter.

ÉCARTEUR. Abducteur, délogeur, dériveur, dilatateur, disloqueur, érigne, érine, fourreur, rétracteur.

ECCHYMOSE. Blessure, bleu, contusion, coquard, coquart, épanchement, guérir, œdème, plaie, suçon, tache.

ECCLÉSIASTIQUE. Abbé, aumônier, barrette, bref, camail, chronologie, clerc, clergé, écolâtre, église, frère, laïc, lévite, liturgie, ordo, ordre, mosette, prélat, prêtre, religieux, religion, rote, sacerdotal, sœur, synode, tribunal.

ECCLÉSIASTIQUE ANGLO-SAXON (n. p.). Bède.

ECCLÉSIASTIQUE ESPAGNOL (n. p.). Gongora.

ECCLÉSIASTIQUE FRANÇAIS (n. p.). Alzon, Duchesne, Grandier, Grégoire, Lemire, L'Épée, Libermann, Migne, Olier, Pâris, Prades, Racine, Renan, Terray, Titelouze.

ECCLÉSIASTIQUE HONGROIS (n. p.). Horvath.

ECCLÉSIASTIQUE ITALIEN (n. p.). Borromée.

ECCLÉSIASTIQUE SLOVAQUE (n. p.). Tiso.

ÉCERVELÉ. Aliéné, braque, brouillon, dérangé, distrait, ébervigé, étourdi, étourneau, évaltonné, évaporé, éventé, fol, fofolle, fou, foufou, frivole, hurluberlu, imprudent, inattentif, insouciant, irréfléchi, léger, malade.

ÉCHAFAUD. Billot, cataste, décapitation, échafaudage, estrade, gibet, guillotine, hache, hune, potence, son.

ÉCHAFAUDAGE. Amoncellement, échafaud, écoperche, étamperche, étemperche, fixe, instable, maladroit, mobile, monceau, perche, pyramide, tas.

ÉCHAFAUDER. Amonceler, bâtir, construire, doser, dresser, édifier, élaborer, façonner, monter, praliner, trousser.

ÉCHALAS. Bâton, carassonne, démailloner, hautain, hautin, jalon, marquant, paisseau, pieu, piquet, tuteur.

ÉCHALIER. Bande, barbelés, barbelure, barricade, barrière, cancel, chancel, claie, claire-voie, clôture, échelle, enclos, escabeau, espalier, étrier, grillage, grille, haie, moucharabieh, palis, treillage, triquet.

ÉCHALOTE. Ail, allium, ascalonite, caïeu, cayeu, condiment, gousse, mince, oignon, ravigote, rocambole.

ÉCHANCRÉ. Anfractuosité, baie, déchiqueté, décolleté, découpé, découpure, dentelé, digité, divisé, éclaté, émarginé, feuille, golf, indenté, ouvert, saucisson, scindé, section, segment, silhouette, taillé.

ÉCHANCRER. Casser, déchiqueter, décolleter, découper, émarginer, entailler, évider, indenter, mire, ouvert, sectionner, tailler.

ÉCHANCRURE. Anse, baie, calanque, creux, découpure, entaille, entournure, indentation, habit, onglet.

ÉCHANGE. Achat, avantage, câlin, change, chassé-croisé, commerce, contrepartie, conversation, discussion, fusillade, hématose, marché, mue, mutuel, permutation, recevoir, rechange, réciproque, relais, remettre, retour, rhubarbe, roucoulade, séné, soulte, soute, traite, troc.

ÉCHANGER. Aliéner, brocanter, changer, commuer, copermuter, correspondre, discuter, permuter, relayer, remplacer, transformer, troquer, vendre.

ÉCHANGEUR. Aération, bifurcation, branchement, bretelle, carrefour, colloque, condenseur, croisée, croisement, dérailleur, embranchement, enfourchure, étoile, forum, fourche, intersection, patte-d'oie, rencontre, réunion, rond-point, symposium, ventilation.

ÉCHANSON (n. p.). Ganypède, Grimod.

ÉCHANSON. Boutillier, crédentier, dégustateur, échansonnerie, goûteur, goûteux, serdeau, sommelier, tâteur.

ÉCHANTILLON. Aperçu, approximation, choix, exemplaire, gabarit, idée, mignonnette, modèle, panel, patron, prototype, sample, spécimen, type.

ÉCHANTILLONNAGE. Calibrage, choix, décision, désignation, détermination, étalonnage, numérisation.

ÉCHANTILLONNER. Assimiler, balancer, choisir, collationner, comparer, conférer, confronter, degré, déterminer, différencier, étalonner, gabarier, peser, rapprocher, étalonner, prélever, réunir, vidimer.

ÉCHAPPATOIRE. Alibi, allégation, décharge, défense, dérobade, disculpation, esquive, excuse, expédient, explication, évitement, faux-fuyant, issue, justification, moyen, porte, prétexte, raison, regret, subterfuge.

ÉCHAPPÉ. Coulé, dérobé, dispersé, fuite, évadé, évitement, filature, fugitif, sauvetage, sortie.

ÉCHAPPÉE. Cavale, dégagement, équipée, escapade, évasion, fugue, fuite, incartade, liberté, marronnage.

ÉCHAPPEMENT. Déversoir, éclipse, évacuateur, escapade, fugue, fuite, inaperçu, sauf, selle, spiracle, tuyau.

ÉCHAPPER. Cavaler, couler, dérober, disperser, dissiper, éluder, enfuir, envoler, esbigner, esquiver, évader, évanouir, éviter, filer, frôler, fuir, glisser, parer, perdre, réchapper, salut, sauver, sortir.

ÉCHARDE. Aiguillon, arête, berbéris, broussaille, cactées, chèche, difficulté, ébréchure, échine, éclisse, écornure, ennui, épine, esquille, essart, gibbosité, nerprun, os, paliure, piquant, queue, rachis, spinelle, spinule.

ÉCHARDONNER. Arracher, déboiser, débroussailler, déclouer, délainer, démarier, déplanter, déraciner, détacher, déterrer, écobuer, édenter, effeuiller, emporter, enlever, épiler, essarter, essoucher, extirper, extorquer, extraire, ôter, plumer, priver, raciner, rompre, sarcler, soutirer, soustraire, tirer.

ÉCHARNER. Débarrasser, dérayer, drayer, écharneur, écharnoir, écharnure, mégisserie, nettoyer, tanner.

ÉCHARNOIR. Couteau, drayeur, drayoire, écharnage, écharneur, écharnure, mégisserie.

ÉCHAROGNER. Cisailler, coupailler, couper, déchiqueter, ébarber, élaguer, user, zigailler.

ÉCHARPE. Arc-en-ciel, boa, cache-col, cache-nez, châle, chèche, étole, fichu, foulard, guimpe, iris, mantille.

ÉCHARPER. Déchiqueter, démolir, descendre, éreinter, esquinter, lyncher, massacrer, traîner, vilipender.

ÉCHASSE. Bécasseau, bordure, canapé, durable, étendu, grand, grêle, jambe, long, macro, maxi, menu, pérenne.

ÉCHASSIER. Aigrette, autruche, avocette, barge, bécasse, bécasseau, bihoreau, butor, cagou, chevalier, cigogne, courlis, flamant, foulque, gallinule, gambette, glaréole, grue, héron, héronnière, ibis, kamichi, oiseau, ombrette, outarde, pluvier, poule, râle, sanderling, spatule, tantale, vanneau.

ÉCHAUBOULURE. Allergie, boursouflure, éruption, fièvre, irritation, purpura, quincke, urticaire.

ÉCHAUDÉ. Décati, décoloré, délustré, desséché, fané, flétri, fripé, gâteau, noirci, pâle, ratatiné, ridé, terne, vieilli.

ÉCHAUDER. Affadir, affaiblir, agacer, alanguir, amollir, assommer, aveulir, blanchir, brûler, champi, crisper, ébouillanter, échauffer, énerver, exacerber, exaspérer, excéder, exciter, fatiguer, horripiler, irriter, stresser, surexciter, titiller, ulcérer.

ÉCHAUDOIR. Abattoir, assommoir, boucherie, bouvril, écorcherie, équarrissoir, fondoir, tueur, tuerie.

ÉCHAUFFEMENT. Actinite, caléfaction, calorification, constipation, convection, écume, énervement, entraînement, étirement, étuvage, fermentation, inflammation, irritation, liquation, réchauffement, surexcitation, thermogénie.

ÉCHAUFFER. Animer, brûler, chauffer, colère, ébouillanter, enflammer, exalter, exciter, exercice, irriter.

ÉCHAUFFOURÉE. Accrochage, assaut, bagarre, bataille, combat, escarmouche, mêlé, querelle, rififi, rixe.

ÉCHAUGUETTE. Abri, abribus, aile, antre, asile, auvent, baraque, baraquement, blockhaus, cabane, cagna, casemate, chenil, couvert, dais, égide, fortification, fortin, gabion, gare, gîte, guérite, hangar, havre, hutte, igloo, iglou, kan, khan, niche, parapluie, parasol, poivrière, port, poulailler, protection, quicageon, quiquajon, rade, refuge, retraite, ruche, serre, taud, taude, tente, têt, toit, tutelle.

ÈCHE. Aiche, amorce, appât, appeau, attrape, cage, danger, difficulté, écueil, embûche, embuscade, esche, filet, gluau, guet-apens, insidieux, leurre, nasse, obstacle, os, panneau, piège, ratière, rets, ruse, souricière, syllabe, trappe, traquet.

ÉCHÉANCE. Adieu, annuité, borne, bout, but, congé, crédit, date, délai, encours, expiration, fin, final, limite, loyer, mensualité, mesure, mot, mythologie, nuance, pôle, signe, terme, texte, thèse, trimestre.

ÉCHÉANCIER. Calendrier, délais, horaire, minutage, planification, programme, projet, registre, planning.

ÉCHEC. Adouber, avortement, banqueroute, berger, bide, blanc, cavalier, clouer, colonne, culotte, dame, damer, déboire, déconfiture, défaite, déveine, échiquier, échouer, faillite, fiasco, flop, foirade, fou, four, gambit, insuccès, mat, noir, pat, perte, pièce, pion, prise, ratage, reine, revers, roc, roi, roque, simultanée, suicidaire, tour, veste.

ÉCHEC, JOUEUR (n. p.). Alekhine, Botvinnik, Capablanca, Euwe, Fischer, Karpov, Kasparov, Lasker, Lautier, Lesiège, Morphy, Petrossian, Polgar, Smyslov, Spasski, Steinitz, Tal.

ÉCHELETTE. Comptabilité, échelle, espalier, grimpereau, grimpeur, oiseau, passereau, ridelle, tichodrome.

ÉCHELIER. Classe, cran, degré, dimension, échalier, échelle, échelon, escabeau, escalier, étage, étrier, gamme, gradin, hiérarchie, indice, iso, jacob, levant, marche, mesure, métrique, modalité, rancher, rapport, registre.

ÉCHELLE (n. p.). Baade, Beaufort, Binet-Simon, Carrillo, Cassini, Celsius, Fahrenheit, Haba, ISO, Jacob, Kelvin, Levant, Mercalli, Mohs, Réaumur, Richter, SAE.

ÉCHELLE. Classe, cran, degré, dimension, échalier, échelier, échelon, escabeau, escalier, espalier, étage, étrier, gamme, gradin, hiérarchie, indice, iso, jacob, levant, marche, mesure, métrique, modalité, mode, rancher, rapport, registre, triquet.

ÉCHELON. Amplitude, barreau, cran, dan, degré, échelle, espace, étage, étape, étoile, grade, marche, niveau, nuance, ordre, palier, pas, phase, podium, point, position, quadrille, ranche, rang, rangée, rayon, stade.

ÉCHELONNEMENT. Affermissement, amélioration, ancrage, dispersion, espacement, exposition, fractionnement, rééchelonnement, répartition, stabilisation.

ÉCHELONNER. Arborer, déployer, espacer, étager, étaler, étirer, graduer, palier, phase, ranger, répartir.

ÉCHENILLOIR. Bec-de-corbin, bédane, berceau, biseau, bouchard, burin, cisaille, ciselet, cisoir, entablure, gouge, gradine, matoir, molette, mouchette, onglet, planoir, poinçon, riflard, rondelle, sécateur.

ÉCHEVEAU. Cul-de-sac, dédale, détour, embrouillamini, enchevêtrement, imbroglio, labyrinthe, lacis.

ÉCHEVELÉ. Bacchante, déchaîné, décoiffé, dépeigné, ébouriffé, enragé, furie, hérissé, hirsute, mégère.

ÉCHEVELER. Décalotter, décapeler, décoiffer, découronner, découvrir, dépeigner, ébouriffer, hérisser, hirsute, touiller.

ÉCHEVIN. Alcade, bourgmestre, capitoul, conseiller, échevinal, magistrat, maïeur, maire, scabinal.

ÉCHEVINAL. Bourgeoisial, communal, édilitaire, magistrature, municipal, public, urbain, vicinal.

ÉCHIFFRE. About, ajustage, assemblage, charpente, échauguette, échiffe, emboîtement, emboîture, embout, embrèvement, guérite, joint, limon, mur, raccord, rempart, soutien.

ÉCHINE. Colonne, coppa, dorsale, dos, épine, faux-filet, longe, plier, rachis, souple, surlonge, vertébrale.

ÉCHINER. Ahaner, assommer, briser, casser, claquer, crever, déformer, endormir, énerver, ennuyer, époumoner, épuiser, éreinter, escrimer, esquinter, évertuer, fatiguer, harceler, importuner, incommoder, lasser, peser, surmener, tirer, tuer, user, vider.

ÉCHINODERMES. Anémone, astéride, astérie, astérozoa, bêche-de-mer, châtaigne de mer, comatule, concombre de mer, crinoïde, encrine, étoile, étoile de mer, hérisson de mer, holothurie, lis de mer, oursin, pentacrine, stelléride.

ÉCHIQUIER. Carré, carroyage, case, cour, damier, échec, lice, paysage, quadrillage, scène, tablier.

ÉCHO. Évocation, impact, lot, nouvelle, propagation, propos, reflet, réflexion, répandre, répercuter, répercussion, répétition, résonance, réponse, résonance, résonnement, retentissement, retour, réverbération, rubrique.

ÉCHOGRAPHIE. Dual, échocardiographie, échotomographie, émulation, irrigation, méthode, stéréophonie.

ÉCHOIR. Advenir, appartenir, dévolu, échéance, expirer, incomber, obtenir, revenir, suranner, tomber.

ÉCHOPPAGE. Burinage, ciselage, cisellement, ciselure, gravure, parfaire, sculpture, toreutique, tri.

ÉCHOPPE. Bédane, boutique, burin, charnière, ciseau, drille, édicule, étal, guilloche, maison, pointe.

ÉCHOPPER. Barrer, biffer, buriner, caviarder, corriger, décolorer, détruire, effacer, élider, éliminer, enlever, éteindre, falot, gommer, gratter, ignorer, indélébile, laver, modeste, oblitérer, obstruer, ôter, oublier, radier, raturer, rayer, user.

ÉCHOTIER. Auteur, columniste, écrivain, écriveur, essayiste, journaliste, nègre, rédacteur, reporter, scénariste.

ÉCHOUER. Accoster, achopper, assabler, avorter, buser, caluger, cuit, déconvenue, échec, embouquer, engraver, enliser, ensabler, envaser, fiasco, foirer, heurter, louper, manquer, mort-né, obstacle, rater, rétamer, torpiller.

ÉCHU. Accompli, achevé, acquis, arrivage, arrivé, dévolu, dû, échéance, encours, escompte, exigible, expiré, incombe, installé, né, parvenu, quérable, reconnu, rendu, résolu, survenu, terme, venu.

ÉCIMER. Amputer, aviver, châtrer, chaumer, cisailler, coupailler, couper, croiser, décapiter, découronnement, découronner, détailler, diviser, ébarber, ébouqueter, ébouter, écimage, écouter, élaguer, émarger, émincer, émonder, entailler, entamer, essoriller, étêter, étraper, expurgation, fendre, guillotiner, hacher, inciser, limer, mâcher, ôter, recéper, sectionner, raser, ratiboiser, recéper, rénetter, rogner, ronger, scier, sectionner, segmenter, tailler, tondre, tremper, trancher, tronçonner.

ÉCLABOUSSEMENT. Baignade, bouillonnement, compromis copinage, débordement, ébullition, écoulement, émission, éruption, évacuation, explosion, extrusion, giclée, jaillissement, jet, sortie, surgissement

ÉCLABOUSSER. Arroser, asperger, baigner, compromettre, cracher, délaver, déshonorer, détremper, doucher, entacher, flétrir, gicler, humecter, inonder, noircir, rade, sécher, suer, touer, tremper.

ÉCLABOUSSURE. Contrecoup, marque, noircissure, piqûre, point, saleté, salissure, souillure, tache.

ÉCLAIR. Chalin, déchirure, épar, épars, épart, explosion, feu, flash, foudre, fulguration, idée, lacération, orage, tonnerre, trait, zébrure.

ÉCLAIRAGE. A giorno, angle, brillance, chélidoine, clarté, diaphanoscopie, éclaircissement, embrasure, étincelle, herse, illumination, insolation, lampe, lumière, lustre, lux, luxmètre, néon, phare, plafonnier, rayonnement, spot, zénithal.

ÉCLAIRANT. Annotation, apostille, commentaire, exemplificateur, explicatif, glose, illustratif, note, remarque, scoliaste.

ÉCLAIRCIE. Accalmie, adoucissement, amélioration, embellie, paix, réchauffement, répit, trouée.

ÉCLAIRCIR. Assainir, clarifier, débrouiller, décanter, décolorer, démêler, élucider, expliquer, gloser, polir, racler, tailler, tousser.

ÉCLAIRCISSAGE. Arracher, déboiser, débroussailler, déclouer, délainer, démarier, déplanter, déraciner, détacher, déterrer, divorcer, échardonner, éclaircie, écobuer, édenter, effeuiller, emporter, enlever, épiler, essarter, essoucher, extirper, extorquer, extraire, ôter, plumer, priver, raciner, rompre, sarcler, scarification, séparer, soutirer, soustraire, tirer.

ÉCLAIRCISSEMENT. Analyse, clarification, commentaire, critique, définition, élucidation, embellissement, explication, exposé, exposition, glose, illustration, justification, note, raclage, raclement, renseignement.

ÉCLAIRÉ. Appris, averti, avisé, capable, clair, compétent, connaisseur, cultivé, éclatant, expérimenté, instruit, judicieux, luire, luisant, lumineux, lux, prévenu, prévu, radieux, rayonnant, resplendissant, savant, ver.

ÉCLAIREMENT. Découverte, explication, flash, information, instruction, invention, lux, phot, renseignement.

ÉCLAIRER. Allumer, animer, apporter, briller, clarifier, édifier, égayer, ensoleiller, illuminer, instruire, luire.

ÉCLAIRETTE. Chélidoine, clair-bassin, dill, épinard, fausse renoncule, ficaire, herbe au fic, jauneau, petit éclair.

ÉCLAIREUR (n. p.). Buffalo Bill, Carson.

ÉCLAIREUR. Balance, cheftaine, corvette, délateur, dénonciateur, enquêteur, espion, goum, guetteur, guide, louveteau, indicateur, informateur, inspecteur, mouchard, observateur, pisteur, rapporteur, scout, surveillant, tirailleur.

ÉCLANCHE. Amict, ars, bras, buste, carré, cou, épaule, froc, garrot, lever, longe, mouton, omoplate, saie, saye, soutient.

ÉCLAT. Adamantin, brillant, bruit, coloris, couleur, crevaison, cri, éblouissant, éclair, éclisse, écornure, épaufrure, éteint, étincellement, fade, feu, gris, lueur, luisance, lustre, magnificence, mat, morceau, œil, oripeau, ors, pâle, panache, papillotement, pétillement, poli, prestigieux, radieux, rayonnement, rehausser, relief, stras, strass, terne, vernis, vif.

ÉCLATANT. Admirable, ardent, brillant, éblouissant, étincelant, flamboyant, fracassant, insigne, lumineux, perçant, pétulant, radieux, rayonnant, resplendissant, retentissant, rutilant, sonore, spectaculaire, tonitruant, tonnant, vif.

ÉCLATEMENT. Crevaison, déflagration, détonation, dispersion, explosion, pan, scission, spallation.

ÉCLATER. Briser, casser, colère, crever, écuisser, exploser, fulminer, péter, pouffer, rompre, sauter, tirer.

ÉCLECTIQUE. Bigarré, complexe, composite, discordant, disparate, dissemblance, dissemblant, divers, diversifié, hétéroclite, hétérogène, hybride, mélangé, mêlé, mixte, multiple, panaché, pluriel, varié.

ÉCLECTISME. Action, allure, attitude, carrure, conduite, contenance, contorsion, crânerie, décubitus, démagogie, dogmatisme, ethos, hanchement, ligne, maintien, manière, morgue, négativisme, pantomime, port, pose, position, positivisme, posture, prestance, procédé, raciste, sexisme, tenue, ton, tournure, triomphalisme, utopisme.

ÉCLIPSE. Défection, disparition, dissipation, émersion, entrée, immersion, retour, solstice, sortie.

ÉCLIPSER. Cacher, camoufler, dérober, disparaître, dissimuler, dominer, escamoter, esquiver, évaporer, éviter, filer, intercepter, masquer, obscurcir, occulter, offusquer, partir, retirer, sauver, surclasser, tirer, voiler.

ÉCLISSE. Attelle, bandage, ceinture, clisse, écharde, lame, pièce, plaque, réunion, stras, strass, union, volette.

ÉCLOPÉ. Accidenté, bancal, béquillard, blessé, boiteux, boitillant, claudicant, contusionné, écorché, encorné, estropié, étripé, froissé, gelé, handicapé, infirme, lésé, mordu, mutilé, navré, offensé, ulcéré, vexé.

ÉCLORE. Apparaître, commencer, culot, épanouir, fleurir, manifester, naître, ouvrir, percer, sortir.

ÉCLOS. Apparu, commencé, début, épanoui, éveil, fleuri, issu, naissance, né, percé, prémonitoire, sorti.

ÉCLOSION. Amorce, apparition, avènement, création, début, épanouissement, éveil, floraison, naissance.

ÉCLUSE. Abée, amenée, barrage, bief, bonde, busc, canal, fermeture, obstruction, purgeur, retenue, sas, sasse, vanne.

ÉCLUSER. Biberonner, boire, chopiner, imbiber, passer, picoler, pinter, poncer, robiner, sasser, trinquer.

ÉCOBUAGE. Abonnissement, amélioration, amendement, assolement, bonification, chaulage, compostage, déchaumage, engraissage, engraissement, enrichissement, ensemencement, épandage, fertilisation, fumage, fumaison, fumigation, fumure, irrigation, jachère, limonage, marnage, phosphatage, plâtrage, soufrage, sulfatage, terreautage.

ÉCŒURANT. Alléchant, dégoûtant, fade, fétide, infecte, malodorant, malpropre, nauséabond, révoltant.

ÉCOEURANTERIE. Canaillerie, cochonceté, cochonnerie, coprolalie, cynisme, gaillardise, gauloiserie, gravelure, grivoiserie, grossièreté, impudeur, inconvenance, indécence, malpropreté, obscénité, pornographie, saleté, saloperie.

ÉCŒUREMENT. Abattement, aversion, berk, beurk, découragement, dégoût, démoralisation, haine, haut-le-cœur, horreur, lassitude, mépris, naupathie, nausée, ras-le-bol, répugnance, répulsion, soulèvement.

ÉCŒURER. Choquer, colère, crier, décourager, dégoûter, démobiliser, démoraliser, estomaquer, fatiguer, horrifier, indigner, insurger, lasser, mutiner, outrer, rebeller, rebuter, répugner, révolter, saturer, scandaliser.

ÉCOINÇON. Angle, anglet, arc, arête, carre, carne, coin, corne, coude, diverticule, doubleau, encoignure, enfourchement, maçonnerie, menuiserie, pan, noue, racoin, recoin, retour, saillant, torana, tournant.

ÉCOLE. Amicale, buissonnière, collège, conservatoire, cours, couvent, doctrine, félibrige, hésychasme, institution, lycée, manécanterie, maternelle, mouvement, pension, polyvalente, système, tala, zen.

ÉCOLIER. Apprenti, ardoise, cadet, cahier, cancre, cartable, collégien, débutant, dictée, disciple, élève, érige, étudiant, externe, gibecière, interne, lycéen, maître, novice, pensionnaire, pilotin, pupille, scolaire.

ÉCOLO. Biologiste, contestataire, écologiste, écologue, environnementaliste, naturel, partisan, vert.

ÉCOLOGISTE (n. p.). Dorst, Greenpeace, Voynet.

ÉCOLOGISTE. Biologiste, contestataire, écolo, écologue, environnementaliste, naturel, partisan, vert.

ÉCONDUIRE. Bouler, chasser, congédier, écarter, rabrouer, reconduire, refuser, repousser, valdinguer.

ÉCONOME. Administrateur, ange, avare, avaricieux, cellérier, chérubin, chiche, couteau, cupide, dépensier, dissipateur, épargnant, éplucheur, gaspilleur, gredin, grigou, grimelin, grippe-sou, harpagon, ladre, lésineur, liard, liardeur, parcimonieux, pingre, pouacre, prodigue, radin, rapiat, rat, regardant, séraphin, serré, vautour, vil, vilain.

ÉCONOMIE. Abondance, autarcie, avarice, banque, baron, bas de laine, boursicot, caisse, cochon, épargne, finance, gain, inflation, lésine, magot, pactole, parcimonie, pécule, prévoyance, réserve, tirelire.

ÉCONOMIQUE. Autarcie, avantageux, dépression, financier, inflation, intéressant, prospérité, troc.

ÉCONOMISER. Épargner, gratter, lésiner, liarder, mégoter, ménager, parcimonie, piler, rogner, thésauriser, tirelire.

ÉCONOMISTE. Administrateur, comptable, conjoncturiste, financier, intendant, marché, questeur, zinzin.

ÉCONOMISTE ALLEMAND (n. p.). Lassalle, List, Marx, Schmoller, Sombart, Weber.

ÉCONOMISTE AMÉRICAIN (n. p.). Arrow, Becker, Buchanan, Carey, Debreu, Fisher, Friedman, Galbraith, Klein, Koopmans, Kuznets, Leontief, Lucas, Markowitz,

Miler, Modigliani, Morgenstern, Nader, Polanyi, Rostow, Samuelson, Schultz, Simon, Solow, Stigler, Taylor, Tobin, Veblen.

ÉCONOMISTE ANGLAIS (n. p.). Bagehot, Beveridge, Coase, Cobden, Hawtrey, Hayek, Hicks, Hobson, Jevons, Kaldor, Keynes, Lewis, Malthus, Marshall, Meade, Mill, Pigou, Polanyi, Ricardo, Sinclair, Smith, Stone, Webb.

ÉCONOMISTE AUTRICHIEN (n. p.). Böhm-Bawerk, Menger, Schumpeter.

ÉCONOMISTE BELGE (n. p.). Brouckère.

ÉCONOMISTE BRÉSILIEN (n. p.). Castro, Furtado.

ÉCONOMISTE BRITANNIQUE (n. p.). Bagehot, Beveridge, Clark, Coase, Cobden, Edgeworth, Hawtrey, Hayek, Keynes, Hicks, Hobson, Jevons, Kaldor, Lewis, Malthus, Marshall, Meade, Mill, Pigou, Ricardo, Sinclair, Smith, Stone, Webb.

ÉCONOMISTE CANADIEN (n. p.). Fortin, Mundell.

ÉCONOMISTE ÉCOSSAIS (n. p.). Smith.

ÉCONOMISTE ÉGYPTIEN (n. p.). Amin.

ÉCONOMISTE ESPAGNOL (n. p.). Bernacer.

ÉCONOMISTE FRANÇAIS (n. p.). Aftalion, Allais, Barre, Bastiat, Baudeau, Bettelheim, Blanqui, Boisguilbert, Chevalier, Condorcet, Considérant, Cournot, Delors, Divisia, Dubreuil, Du Pont de Nemours, Enfantin, Fourastié, Fourier, Gélinier, Gide, Gournay, Jouvenel, Juglar, Laffemas, Landry, Lebret, Le Play, Levasseur, Malinvaud, Mirabeau, Monnet, Montchrestien, Passy, Pecqueur, Perroux, Quesnay, Reybaud, Rist, Rodrigues, Rossi, Roy, Rueff, Saint-Simon, Sauvy, Say, Siegfried, Simiand, Turgot, Walras.

ÉCONOMISTE HONGROIS (n. p.). Kornai.

ÉCONOMISTE INDIEN (n. p.). Sen.

ÉCONOMISTE IRLANDAIS (n. p.). Cantillon.

ÉCONOMISTE ISRAÉLIEN (n. p.). Patinkin.

ÉCONOMISTE ITALIEN (n. p.). Beccaria, Bonesana, Cernuschi, Einaudi, Gratien, Pareto, Prodi, Rossi, Sraffa.

ÉCONOMISTE NÉERLANDAIS (n. p.). Tinbergen.

ÉCONOMISTE NORVÉGIEN (n. p.). Frisch, Haavelmo.

ÉCONOMISTE PÉRUVIEN (n. p.). Toledo.

ÉCONOMISTE QUÉBÉCOIS (n. p.). Bourassa, Fortin, Parizeau.

ÉCONOMISTE RUSSE (n. p.). Boukharine, Kantorovitch, Kondratiev, Léontief, Varga.

ÉCONOMISTE SOVIÉTIQUE (n. p.). Boukharine, Kantorovitch.

ÉCONOMISTE SUÉDOIS (n. p.). Myrdal, Ohlin, Wicksell.

ÉCONOMISTE SUISSE (n. p.). Sismondi.

ÉCONOMISTE TCHÈQUE (n. p.). Klaus, Malthus, Marshall, Webb.

ÉCOPE. Bêche, coupe, drague, épuisette, escope, étrier, godet, houlette, grattoir, palette, palon, pelle, râble, raille, ramassette, ramassoire, récipient, sasse, spatule.

ÉCOPER. Avaler, boire, déguster, dérouiller, empocher, encaisser, éprouver, étrenner, pelleter, prendre, ramasser, recevoir, sanctionner, sasse, souffrir, subir, trinquer, vider.

ÉCOPERCHE. Échafaud, échafaudage, étamperche, étemperche, perche, treuil.

ÉCORCE. Angustura, angusture, arbre, bourgaine, brou, cannelle, cortex, cortical, croute, écale, épluchure, enveloppe, extérieur, houx, liège, macis, panama, peau, quercitron, regros, tan, teille, test, tille, zeste.

ÉCORCER. Décortiquer, dégarnir, démascler, dépouiller, dérober, desquamer, écailler, écorcher, éplucher, excorier, exfolier, muer, ôter, peler, pleumer, prononcer, racler, récolter, rober, supplicier.

ÉCORCHER. Abîmer, accrocher, balafrer, blesser, choquer, déchirer, dépiauter, dépouiller, égratigner, entailler, entamer, éplucher, érafler, érailler, excorier, griffer, grume, labourer, lacérer, peler, racler, voler.

ÉCORCHERIE. Abattoir, assommoir, boucherie, bouvril, échaudoir, équarrissoir, fondoir, tueur, tuerie.

ÉCORCHEUR. Assassin, bourreau, criminel, dépouilleur, égorgeur, espada, estampeur, étouffeur, étrangleur, éventreur, faucheur, massacreur, meurtrier, nervi, sabreur, sicaire, spadassin, surineur, tueur, zigouilleur.

ÉCORCHIS. Abrupt, aplomb, à-pic, cran, crêt, crête, dénivellement, épaulement, escarpement, falaise, mur, paroi.

ÉCORCHURE. Accroc, atteinte, blessure, bleu, choc, déchirure, ecchymose, égratignure, entaille, éraflure, éraillement, éraillure, escare, estafilade, excoriation, griffure, lacération, lésion, meurtrissure, rayure, taillade.

ÉCORNER. Abîmer, amputer, briser, broyer, décorner, ébrécher, écraser, endommager, entamer, épaufrer.

ÉCORNIFLER. Carotter, épier, érafler, grappiller, griveler, guetter, observer, rafler, resquiller, surveiller.

ÉCORNIFLEUR. Banqueteur, commensal, convive, hôte, invité, parasite, pique-assiette, soupeur, voyeur.

ÉCORNURE. Brèche, brisure, cassure, classe, craque, craquelure, crevasse, déchirure, ébréchure, éclat, entaille, faille, fêlure, fendillement, fente, fissure, fragment, gerçure, lambel, miette, morceau, nugget, or, parcelle, pépite, poussière.

ÉCOSSAIS (n. p.). Ayr, Bannockburn, Calédonie, Covenanters, Erse, Scotland.

ÉCOSSAIS. Cairn, clan, erse, esterlin, filibeg, haggis, kilt, laird, loch, pibrock, plaid, presbytérien, scotch, scottish, tissue, tweed, whisky.

ÉCOSSAISE (n. p.). Philibeg.

ÉCOSSAISE. Jupe, kilt.

ÉCOSSE, CAPITALE (n. p.). Edimbourg.

ÉCOSSE RÉGION (n. p.). Grampian, Highlands, Lowlands.

ÉCOSSE, VILLE (n. p.). Aberdeen, Ayr, Dundee, East Kilbride, Edimbourg, Glasgow, Grangemouth, Greenock, Inverness, Nairn, Paisley, Perth, Saint Andrews, Stirling.

ÉCOSSER. Analyser, ausculter, batteuse, blé, critiquer, décérébrer, décomposer, décortiquer, démonter, désosser, dévider, écaler, écorcer, écorcher, égrapper, égrener, émietter, éplucher, éreinter, étudier, examiner, gratter, lessiver, lire, nettoyer, peler, pois.

ÉCOSYSTÈME. Atmosphère, biocénose, biogéographie, biomasse, biome, biosphère, écosphère, environnement.

ÉCOT. Apport, commandite, contingent, contribution, écoté, quota, quote-part, part, rameau, tronc.

ÉCOULEMENT. Bave, canal, dalot, débit, débord, débouché, décharge, drain, égout, égouttement, épanchement, éruption, évier, flux, gourme, hématidrose, hémorragie, jet, jetage, laps, larmoiement, leucorrhée, lochies, onde, otorragie, otorrhée, pérenne, phléborragie, reflux, saignement, stillation, suintement, torrent, vente.

ÉCOULER. Affluer, arroser, baigner, cascadeller, couler, débarrasser, débiter, déborder, découler, dégorger, déverser, émaner, épancher, épuiser, évacuer, fluer, fuir, liquider, passer, refiler, suinter, vendre, vider.

ÉCOURTER. Abréger, amoindrir, compendieux, condenser, comprimer, couper, diminuer, épitamer, etc., exposer, extraire, raccourcir, rapetisser, ratatiner, réduire, resserrer, restreindre, résumer, rétrécir, tronquer.

ÉCOUTE. Aguet, audience, auditeur, ausculte, BBM, casque, psy, psychanalyste, psychiatre, psychologue, surveillance.

ÉCOUTER. Accomplir, accueillir, audition, ausculter, baster, boire, câble, cru, déférer, dresser, entendre, esgourder, exaucer, exécuter, incliner, obéir, ouïr, parlementer, prêter, satisfaire, soigner, soumettre, suivre.

ÉCOUVILLON. Aspirateur, balai, balayette, brosse, coco, écouvette, écouvillon, épi, époussette, épuration, escoube, faubert, goret, goupillon, guipon, houssoir, lave-pont, plumard, plumeau, ramon, rubis, tête de loup, torchon, vadrouille.

ÉCOUVILLONNER. Balayer, brosser, épousseter, épurer, laver, torcher, nettoyer, ramoner, vadrouiller.

ÉCRABOUILLAGE. Bocardage, broiement, broyage, concassage, écangage, écrabouillement, écrasement, pilonnage.

ÉCRABOUILLER. Abrutir, accabler, anéantir, aplatir, bousiller, briser, broyer, comprimer, écacher, écorcher, écraser, éteindre, fraiser, fraser, gruger, lessiver, mater, moudre, mouliner, piler, réduire, subir, surcharger, vaincre.

ÉCRAN. Abri, antre, asile, cacher, cadre, cinéma, cloison, éventail, filtre, moniteur, mur, panneau, paravent, pare-étincelles, pare-soleil, prétexte, refuge, retraite, rideau, séparation, surface, télé, télévision, toit.

ÉCRASANT. Accablant, aliénant, asservissant, assujettissant, astreignant, brûlant, chaud, contraignant, étouffant, exigeant, impitoyable, lourd, onéreux, oppressant, pénible, pesant, suffocant, torride, tropical.

ÉCRASÉ. Abattu, abruti, accablé, affligé, agonisant, alourdi, aplati, assommé, atterré, blessé, broyé, camus, chargé, comblé, couvert, crevé, criblé, engueulé, épaté, éploré, épuisé, éreinté, essoufflé, étouffé, fatigué, haletant, lassé, oppressé, opprimé, rué, surchargé, tondu, tué, vanné.

ÉCRASEMENT. Abaissement, abjection, anéantissement, avilissement, baisse, chute, crash, décadence, déchéance, déclin, dégénération, dégradation, déraser, descente, dévaluation, diminution, ensellement, fermeture, flexion, gelé, humiliation, hypothermie, platitude, renoncement.

ÉCRASER. Abrutir, accabler, anéantir, aplatir, bousiller, briser, broyer, comprimer, écacher, écorcher, écrabouiller, éteindre, fraiser, fraser, gruger, lessiver, mater, moudre, mouliner, piler, réduire, subir, surcharger, vaincre.

ÉCRASEUR. Automobiliste, caboteur, chauffard, chauffeur, cocher, conducteur, déformeur, moulin.

ÉCRÉMAGE. Affinage, blanchissage, bloom, calmage, épuration, façonnage, finition, perchage, raffinage, sursoufflage.

ÉCRÉMER. Adopter, affiner, blanchir, choisir, décider, désigner, déterminer, raffiner, résoudre, trier, voter.

ÉCRÊTER. Abaisser, abattre, aplanir, araser, bloquer, dégarnir, déniveler, dépouiller, écrêtement, égaler, égaliser, enlever, étêter, niveler, polir, rabaisser, rabattre, saturer, supprimer, tempérer, unir.

ÉCREVISSE. Astacidé, bouquet, buisson, cancre, crustacé, décapode, hallier, langoustine, patte, pince.

ÉCRIN. Argenterie, baguier, boîte, carquois, cassette, coffre, coffret, écriture, épi, ménagère, pyxide, tiroir.

ÉCRIRE. Adresser, annoter, brouillonner, calligraphier, composer, consigner, dactylographier, dédicacer, écrivailler, écrivasser, gribouiller, griffonner, marquer, noter, orthographier, pondre, préfacer, rédiger, taper, tester, tracer, transcrire.

ÉCRIT. Acte, amphigouri, article, barbouillage, barbouillis, billet, braille, brouillon, certificat, dire, échotier, écriture, éloge, factum, graphisme, gribouillage, grimoire, journal, libelle, minute, nécrologie, nègre, nota, ordure, pamphlet, papier, pétition, placet, prose, récépissé, rôle, satire, scatologie, script, sel, style, tête, torchon, zend.

ÉCRITEAU. Affiche, affichette, annonce, avis, enseigne, étiquette, INRI, mural, pancarte, placard, poster, réclame.

ÉCRITOIRE. Affiche, annonce, armoire, bureau, coffre, copiste, dactylo, dactylographe, enseigne, étui, meuble, notaire, plumier, rédacteur, scribanne, scribe, scribouillard, secrétaire, serpent, serpentaire.

ÉCRITURE. Atonalité, bâtarde, brahmi, braille, calligraphie, caractère, cunéiforme, cursif, devanagari, gothique, gribouillage, gribouillis, kana, nagari, ogham, oncial, paléographie, paperasserie, plume, prose, ronde, script, scriptural, sténo, sténographie, style, tablature, texte.

ÉCRIVAILLER. Adresser, annoter, barbouiller, brouillon, calligraphier, composer, consigner, dactylographier, dédicacer, écrire, écrivasser, gribouiller, griffonner, marquer, noter, orthographier, pondre, préfacer, rédiger, taper, tester, tracer, transcrire.

ÉCRIVAILLEUR. Barbouilleur, écrivassier, écrivaillon, écrivassier, grimaud, plumitif, sténo, sténographe.

ÉCRIVAIN. Académicien, auteur, cénacle, conteur, échotier, dramaturge, écrivailleur, écrivaillon, épistolier, félibre, grimaud, ironiste, journaliste, lettre, littérateur, nègre, plumitif, poète, pseudonyme, rédacteur, romancier, scribe, scribouilleur, styliste.

ÉCRIVAIN ALGÉRIEN (n. p.). Dib, Farès, Feraoun, Kateb, Mimouni.

ÉCRIVAIN ALLEMAND (n. p.). Andersch, Arnim, Baedeker, Bamberger, Benjamin, Benn, Bettelheim, Böll, Brentand, Curtius, Döblin, Durrenmatt, Eckermann, Eichendorf, Enzensberger, Ernst, Goethe, Gottsched, Grass, Grimm, Fallada, Fischart, Fontane, Görres, Gryphius, Gutzkou, Hamann, Hamsun, Hartling, Hauptmann, Hegel, Hein, Heine, Hermlin, Hesse, Immermann, Jung, Jünger, Kleist, Klinger, Klopstock, Kotzebue, La Motte-Fouque, Laube, Lenz, Lessing, Mann, Marx, Mörike, Moritz, Moses, Nietzche, Raabe, Richter, Sachs, Schiller, Schlegel, Schwitters, Singer, Storm, Strauss, Süskind, Tieck, Walser, Wiechert, Wieland, Zweig.

ÉCRIVAIN AMÉRICAIN (n. p.). Anderson, Asimov, Auden, Auster, Baldwin, Bellow, Bowles, Bradbury, Brunner, Burroughs, Caldwell, Capote, Carnegie, Chandler, Clancy, Clarke, Clavell, Cook, Coonts, Crane, Crichton, Cumming, Cussler, Daley, DeMille, Dick, Dos Passos, Dreiser, Du Bois, Ellroy, Fante, Faulkner, Fitzgerald, Follett, Forsyth, Fuller, Gernsback, Gray, Green, Greene, Hawkes, Hailey, Hawthorne, Hemingway, Herbert, Higgins, Himes, Hitchcock, King, Lawrence, Lovecraft, Ludlum, Mailer, Malamud, Melville, Michener, Miller, Miloz, Moody, Nabokov, Norris, Poe, Puzo, Pynchon, Roth, Salinger, Saroyan, Segal, Sinclair, Singer, Steinbeck, Styron, Thoreau, Twain, Updike, Warren, Wells, West, Wiesel, Wilde, Wilder, Williams, Wilson, Wolfe, Wright.

ÉCRIVAIN ANGLAIS (n. p.). Addison, Ainsworth, Beckett, Browne, Bunyan, Coleridge, Cowley, Defoe, Dekker, Doyle, Dryden, Fielding, Gascoigne, Gay, Goldsmith, Greene, Lawrence, Lyly, Malory, Mansfield, Marston, Marvell, Maugham, Morris, Nash, Nashe, Peacock, Pepys, Priestley, Ralegh, Raleigh, Sidney, Somers, Sterne, Stevenson, Temple, Wells, Wilde, Williams.

ÉCRIVAIN ARGENTIN (n. p.). Bianciotti, Borges, Cortazar, Guiraldes, Lugones, Psellos, Sabato, Sarmiento, Yupanqui.

ÉCRIVAIN AUSTRALIEN (n. p.). West, White.

ÉCRIVAIN AUTRICHIEN (n. p.). Musil, Rilke, Rosegger, Werfel, Weinheber, Zweig.

ÉCRIVAIN BELGE (n. p.). Baillon, Boschère, Bosschère, Brialmont, Buysse, Claus, Conscience, Daisne, De Coster, Demolder, Eekhoub, Hellens, Lemonnier, Materlinck, Mertens, Mockel, Norge, Nougé, Plisnier, Poulet, Ray, Rodenbach, Simenon, Steeman, Thiry, Timmermans, Vivier, Walschap.

ÉCRIVAIN BRÉSILIEN (n. p.). Alencar, Amado, Andrade, Azevedo, Soâres.

ÉCRIVAIN BRITANNIQUE (n. p.). Arnoll, Auden, Barrie, Beddoes, Burgess, Burke, Butler, Byron, Canetti, Carlyle, Carroll, Chase, Cherterfield, Chesterton, Chetney, Dahl, De La Mare, De Quincey, Dickens, Doyle, Defoe, Durrell, Eliot, Fielding, Fry,

Galsworth, Gay, Godwin, Golding, Goldsmith, Gray, Greene, Hardy, Huxley, James, Johnson, Kingsley, Kipling, Koestler, Lamb, Lawrence, Le Carré, Lewis, Lowry, Lytton, Maugham, Meredith, Morris, Naipaul, Orwell, Osborne, Pater, Peacock, Powys, Reade, Reid, Richardson, Rushdie, Ruskin, Scott, Sillitoe, Smollett, Southey, Sterne, Stevenson, Strachey, Swinburne, Thackeray, Tolkien, Trollope, Walpole, Waugh, Wells. White, Wilson, Zangwill.

ÉCRIVAIN BULGARE (n. p.). Botev, Drumev, Karavelov, Slavejkov, Vazov.

ÉCRIVAIN BYZANTIN (n. p.). Blemmidès, Blemmydès, Bessarion, Psellos.

ÉCRIVAIN CANADIEN (n. p.). Beauchemin, Chauveau, Cohen, Cousture, Crémazie, Davies, Ducharme, Ferron, Fréchette, Garneau, Gadbout, Grandbois, Grignon, Hertel, Leclerc, Lemelin, Monette, Nelligan, Ondaajie, Roy, Savard, Tremblay.

ÉCRIVAIN CATALAN (n. p.). Lulle.

ÉCRIVAIN CHILIEN (n. p.). Bello.

ÉCRIVAIN COLOMBIEN (n. p.). Garcia Marquez.

ÉCRIVAIN CUBAIN (n. p.). Carpentier, Marti.

ÉCRIVAIN DANOIS (n. p.). Abell, Andersen, Branner, Drachmann, Gjellerup, Grundtvig, Helberg, Holberg, Jacobsen, Jensen, Nexo, Oehlenschläger, Pontoppidan, Rifbjerg.

ÉCRIVAIN ÉCOSSAIS (n. p.). Arbuthnot, Barry, Macpherson, Scott, Smollett, Stevenson.

ÉCRIVAIN ÉGYPTIEN (n. p.). Hakim, Haykal, Husayn, Hussein, Manfouz, Manfuz.

ÉCRIVAIN ÉQUATORIEN (n. p.). Icaza, Montalvo.

ÉCRIVAIN ESPAGNOL (n. p.). Alarcon, Alberti, Aleman, Arrabal, Azorin, Balaguer, Baroja, Bergamin, Cela, Cervantès, Clarin, Espinel, Espriu, Espronceda, Ganivet, Gracian, Hernandez, Iriarte, Larra, Madariaga, Ors, Pla, Rivas, Rojas, Semprun, Unamuno.

ÉCRIVAIN FINLANDAIS (n. p.). Aho, Jarnefelt, Kivi, Rintala, Runeberg, Sillanpaa.

ÉCRIVAIN FRANÇAIS (n. p.). About, Adam, Alain-Fournier, Apollinaire, Aragon, Arène, Aron, Attali, Aymé, Balzac, Barbusse, Barres, Baudelaire, Bazin, Beaumarchais, Berger, Bernanos, Bloy, Bodard, Borel, Bosco, Brion, Butor, Camus, Carco, Céline, Chateaubriand, Clavel, Cocteau, Corneille, Dabit, Daninos, Daudet, Déon, Descartes, Diderot, Dorgeles, Druon, Ducis, Dumas, Exbrayat, Faret, Féval, Feydeau, Flaubert, France, Frossard, Gallo, Gary, Genet, Gide, Giono, Giraudoux, Green, Gringoire, Gringore, Hémon, Hugo, Ionesco, Jaccard, Janin, Jarry, Jouve, Karr, Kessel, Kock, Laborit, La Fontaine, Lamartine, Leblanc, Leroux, Lévy, Loti, Macé, Malot, Malraux, Maupassant, Mauriac, Maurois, Mérimée, Méry, Molière, Montaigne, Monteilhet, Montesquieu, Montherland, Musset, Nerval, Nizan, Nourissier, Péguy, Pérec, Perrault, Piron, Prévert, Prévost, Proust, Rabelais, Racine, Radiguet, Renan, Renard, Retz, Rolland, Romains, Rostand, Rousseau, Sade, Saint-Exupéry, Sartre, Segrais, Stendhal, Sue, Sulitzer, Troyat, Urfé, Vercors, Verlaine, Verne, Vian, Villon, Voltaire, Zola.

ÉCRIVAIN GREC (n. p.). Athénée, Coraï, Épiphane, Eusèbe, Évhémère, Kazantzakis, Korais, Longus, Lucien de Samosate, Myrivilis, Palamas, Pausanias, Plutarque, Srabon, Theotokis, Tricoupis, Xénophon.

ÉCRIVAIN GUINÉEN (n. p.). Laye.

ÉCRIVAIN HAÏTIEN (n. p.). Depestre, Lhérisson, Métellus, Roumain.

ÉCRIVAIN HOLLANDAIS (n. p.). Erasme, Hooft, Slauerhoff, Van Mander.

ÉCRIVAIN HONGROIS (n. p.). Dery, Füst, Illyes, Katona, Koestler, Madach, Morick, Rakosi.

ÉCRIVAIN INDIEN (n. p.). Bana, Chatterji, Dhanpatray, Ghalib, Nawabray, Prem Cand, Tabore.

ÉCRIVAIN IRLANDAIS (n. p.). Beckett, Behan, Hamilton, Joyce, Maturin, Shaw, Steele, Swift, Wilde, Yeats.

ÉCRIVAIN ISRAÉLIEN (n. p.). Agnon, Oz.

ÉCRIVAIN ITALIEN (n. p.). Alfieri, Annunzio, Aretin, Arioste, Azeglio, Bandello, Bassani, Bene, Boccace, Boito, Buzzati, Calvino, Carducci, Casonova, Cassola, Casti, Castiglione, Cennini, Cesarotti, Colledi, D'Annuzio, Dante, De Amicis, Eco, Florian, Fo, Fogazzaro, Foscolo, Gadda, Galilée, Giordani, Gozzi, Gramsci, Guarini, Léopardi, Le Trissin, Levi, Luzi, Machiavel, Maffei, Malaparte, Manzoni, Manuce, Marivetti, Moravia, Nievo, Panzini, Papini, Pasolini, Pavese, Pellico, Pirandello, Pogge, Pratolini, Riccoboni, Saba, Sacchetti, Sciascia, Silone, Svevo, Tassoni, Trissino, Vasari, Verga, Vinci, Vittorini.

ÉCRIVAIN JAPONAIS (n. p.). Abe Kobo, Akinari, Bakin, Ihara, Mori Ogai, Natsume, Shimazaki, Tanizaki, Tsubouchi.

ÉCRIVAIN LATIN (n. p.). Apulée, Arnobe, Augustin, Cassiodore, Columelle, Macrobe, Nepos, Pétrone, Pline, Sénèque, Varron, Végèce.

ÉCRIVAIN MALIEN (n. p.). Bâ.

ÉCRIVAIN MEXICAIN (n. p.). Azuela, Fuentes, Paz, Reyes.

ÉCRIVAIN NORVÉGIEN (n. p.). Bjornson, Bojer, Duun, Garborg, Hamsun, Ibsen, Lie, Undset, Vesaas, Weihaven, Wildenvey.

ÉCRIVAIN PERSAN (n. p.). Djami, Ghalib, Mirkhond.

ÉCRIVAIN PÉRUVIEN (n. p.). Alegria, Arguedas, Bruce-Echenique, Llosa Vargas, Palma.

ÉCRIVAIN POLONAIS (n. p.). Andrzejewski, Gombrowicz, Iwaszkiewicz, Krasicki, Krasinski, Milosz, Mrozer, Niemcewicz, Potowicz, Prus, Putrament, Rej, Reymont, Rozewicz, Rudnicki, Schulz, Sienkiewicz, Slowacki, Witkacy, Witkiewivz, Zelenski, Zeromski.

ÉCRIVAIN PORTUGAIS (n. p.). Antunes, Braga, Ferreira, Herculano, Morais, Quental, Sa-Carneiro, Sa de Miranda, Saramago, Torga, Vieira.

ÉCRIVAIN PRUSSIEN (n. p.). Arnim, Radowitz.

ÉCRIVAIN QUÉBÉCOIS (n. p.). Acquelin, Angers, Archambault, Assiniwi, Audet, Baillargeon, Baillie, Barcelo, Beauchamp, Beauchemin, Beaudet, Beaudoin, Beaudry, Bessette, Bigras, Blackburn, Bonenfant, Brassard, Brouillette, Bussières, Cossette, Dor, Ducharme, Duguay, Fournier, Francoeur, Gaboury, Germain, Gobeil, Gratton, Gravel, Graveline, Grignon, Jasmin, Kattam, Kemp, Laferrière, Lalonde, Languirand, Laplante, Lemelin, Lemieux, Lévesque, Malenfant, Marchand, Martin-Laval, Mathieu, Meunier, Miron, Monette, Montmorency, Morissette, Noël, Ohl, Poissant, Poliquin, Poulin, Poupart, Pratte, Prieur, Proulx, Smith, Soucy, Soulières, Stanké, Thériault, Tremblay, Turgeon, Vallières, Vanasse, Vastel, Vigneault, Zumthor.

ÉCRIVAIN ROUMAIN (n. p.). Alecsandri, Arghezi, Calinescu, Caragiale, Eliade, Eminescu, Ionesco, Iorga, Istrati, Negruzzi.

ÉCRIVAIN RUSSE (n. p.). Abramovitz, Aksakov, Andreïev, Avvakoum, Babel, Bielyï, Boulgakov, Bounine, Chklovski, Chouvalov, Choloknov, Dostoïevski, Evtouchenko, Fadelev, Gogol, Gorki, Guertsen, Herzen, Karamzine, Khebnikov, Khomiakov, Korolenko, Krylov, Leonov, Lermontov, Leskov, Lomonossov, Mandelstam, Merejkovski, Nekrassov, Ouspenski, Pissemski, Pouchkine, Remizov, Soljénitsyne, Tchekhov, Thernychevski, Tolstoï, Tourgueniev.

ÉCRIVAIN SUÉDOIS (n. p.). Ahlin, Almquist, Dagerman, Gyllensten, Hallstrom, Lagerkvist, Levertin, Martinson, Norén, Soderberg, Strindberg, Weiss.

ÉCRIVAIN SUISSE (n. p.). Amiel, Andersch, Bodmer, Bouvier, Buache, Chappaz, Cherbuliez, Chessex, Cingria, Cohen, Dürrenmatt, Frisch, Haldas, Jaccottet, Jomini, Hesse, Keller, Lavater, Meyer, Ramuz, Rod, Töpffer, Voisard, Walser, Zermatten, Zorn.

ÉCRIVAIN TCHÈQUE (n. p.). Capek, Chelcicky, Drda, Hasek, Hrabal, Kafka, Kohout, Kundera, Macha, Olbracht, Thapek.

ÉCRIVAIN TURC (n. p.). Hikmet, Kemal, Makal, Seyfettin.

ÉCRIVAIN YOUGOSLAVE (n. p.). Andric, Kis, Krleza, Nazor.

ÉCRIVAINE ALLEMANDE (n. p.). Frank.

ÉCRIVAINE AMÉRICAINE (n. p.). Chase-Riboud, French, Higgins-Clark, Jong, Kubler-Ross, Lessing, Maclaine, McCullough, Nin, Oates, Rendell, Steel, Stein, Susann, Taylor-Bradford.

ÉCRIVAINE ANGLAISE (n. p.). Brontë, Cartland, Christie, Cornwell, Highsmith, James, Westmacott, Woolf.

ÉCRIVAINE CHILIENNE (n. p.). Allende.

ÉCRIVAINE FRANÇAISE (n. p.). Arnothy, Avril, Boissard, Bourin, Cardinal, Chapsal, Charles-Roux, Colette, Collange, Deforges, Dolto, Dorin, Frain, Groult, Lacamp, Laclos, Le Varlet, Mallet-Joris, Monsigny, Pisier, Rivoyre, Sagan, Sand.

ÉCRIVAINE QUÉBÉCOISE (n. p.). Aubry, Baillargeon, Bersianik, Bissonnette, Blais, Bombardier, Brossard, Bussières, Claudais, Cousture, Cyr, De Gramont, De Lamirande, Desrochers, Ferretti, Ferron, Gagnon, Gauvin, Grisé, Harvey, Laberge, Lacasse, Lanctôt, Larouche, Larue, Lasnier, Lemieux, Lévesque, Loranger, Marchessault, Miville-Deschênes, Ouellette, Ouellette-Michalska, Ouvrard, Payette, Proulx, Ruel, Sarfati, Sauriol, Villemaire, Villeneuve.

ÉCROU. Borgne, boulon, contre-écrou, coussinet, emprisonnement, filet, hélice, libération, noix, pale, papillon, prison, propfan, spirale, spire, rotor, taraud, tire-bouchon, tors, turbine, vis, volute, vrille.

ÉCROUELLES. Abcès, adénite, adénopathie, goitre, humour, inflammation, pustule, scrofule, strume.

ÉCROUER. Affaisser, anéantir, arrêter, coffrer, détenir, emprisonner, enfermer, incarcérer, interner, séquestrer.

ÉCROUISSAGE. Aplatissement, collapsus, compression, dépression, érosion, étirage, fasciation, forge, laminage.

ÉCROULEMENT. Abaissement, affaissement, chute, dépression, destruction, éboulement, ruine.

ÉCROULER. Affaisser, crouler, dégrader, démolir, désagréger, ébouler, effriter, effondrer, enfoncer, ruiner.

ÉCROÛTAGE. Aération, ameublissement, bêchage, billonnage, billonnement, binage, charruage, culture, décavaillonnage, déchaussage, déchaussement, culture, émottage, hersage, labour, labourage, tassage.

ÉCROÛTER. Amender, ameublir, bêcher, biner, charrue, défoncer, effondrer, égratigner, émotter, émouvoir, fouiller, gratter, herser, houe, labourer, mobiliser, piocher, remuer, replier, retourner, scarifier, tourner.

ÉCRU. Âge, an, beige, brillant, brut, cati, clinquant, crème, cru, décati, écati, éclat, feu, fleur, fraîcheur, glacé, gloire, grège, lampadaire, lustre, ivoire, mastic, naturel, panache, pendeloque, poli, vanilles.

ECTOPIE. Anomalie, coquecigrue, cryptorchidie, insuffisance, monstre, organe, position.

ECTOPLASME. Apparition, double, enveloppe, esprit, fantôme, ombre, périsprit, revenant, spectre, vision, zombie.

ECTOPROCTE. Aviculaire, bryozoaire, flustre, cyphonaute, gymnolème, phylactolème, plumatelle, vibraculaire, zoocie.

ECTROPION. Anastrophe, entropion, éversion, interversion, inversion, renversement, ruine.

ÉCU. Aigle, aiglette, alaisé, alésé, alézé, argent, arme, azur, barre, blason, bouclier, champagne, chevalier, écusson, emblème, format, greffe, monnaie, papier, pointe, rusquin, senestre, thorax, tiercé, vulve.

ÉCUBIER. Ancre, câble, chaîne, étrave, gatte, ouverture, passage.

ÉCUEIL (n. p.). Calvados, Minquiers, Morbihan, Scylla, Sein.

ÉCUEIL. Accroc, achoppement, adversité, anicroche, barrage, barrière, basse, batture, brisant, danger, difficulté, écore, embarras, embuche, étoc, obstacle, péril, piège, récif, rocher, sain, sèche, traverse, vigie.

ÉCUELLE. Assiette, batée, gamelle, gironne, plat, sébile, soucoupe, truble, trouble, troubleau, vaisselle, vaisselerie.

ÉCULÉ. Anormal, avachi, bancal, bossu, bot, contrefait, courbé, croche, crochu, déformé, défraîchi, démoli, dévié, difforme, distordu, estropié, fané, gauche, infirme, laid, mou, ratatiné, rebattu, ressassé, tordu, tors, trapu, usé.

ÉCULER. Abîmer, abraser, abuser, amoindrir, araser, biaiser, corroder, effacer, effriter, élimer, émeri, émousser, entamer, épointer, épuiser, érafler, éroder, fatiguer, finasser, gâter, laminer, limer, meuler, miner, mordre, râper, rayer, roder, ronger, ruser, saper, servir, user, vider.

ÉCUMAGE. Aseptisation, clarification, décontamination, dépollution, désactivation, désinfection, épuration.

ÉCUMANT. Abondant, absolu, ample, animé, âpre, bondé, bon enfant, bourré, chargé, comble, complet, couvert, débordant, dense, dodu, entier, étoffé, farci, fort, furieux, gras, gros, imbu, imprégné, infatué, ivre, massif, nourri, pénétré, pétri, plantureux, plein, potelé, ras, rempli, replet, rond, saturé, seul, spumescent, spumeux, total, vidé.

ÉCUME (n. p.). Anadyomène, Vénus.

ÉCUME. Arcot, bave, bouillons, broue, chiasse, colère, crachat, épaulard, ferment, levure, moiteur, mousse, mouton, pirate, rebut, salive, scorie, sépiolite, silicate, spumescent, spumeux, sueur, transpiration.

ÉCUME DE MER. Carbone, écume, écume de mer, émeri, giobertite, magnésite, magnésium, sépiolite, silicate, pierre de savon, pipe.

ÉCUMER. Baver, bouillir, bouillonner, crémer, enrager, mousser, moutonner, piller, rager, saliver, trier.

ÉCUMEUR. Aigrefin, aventurier, bandit, boucanier, brigand, contrebandier, corsaire, escroc, filou, flibustier, forban, fripouille, intrigant, pillard, pirate, pirater, requin, voleur.

ÉCUMEUSE. Baveuse, couvert, crémeuse, effervescence, mousseuse, spumeuse.

ÉCUMEUX. Avocat, baveur, baveux, coulant, grossier, journal, malveillant, mousseux, omelette, savon, sournois, spumeux.

ÉCUMOIRE. Bas, blanchet, chausse, chaussette, cuillère, culotte, étamine, filtre, guêtre, jambière, passoire, tamis.

ÉCURER. Abraser, approprier, astiquer, brosser, caréner, curer, décaper, déterger, écumer, énouer, épinceter, épousseter, faire, fourbir, laver, lessiver, monder, nettoyer, ôter, plumeau, polir, purger, racler, ratisser, récurer, rincer, sablonner.

ÉCUREUIL. Anomalure, arboricole, bauge, burunduk, chikaree, commun, sciuridé, douglas, fouquet, grêle, gris, hudson, mammifère, noir, pétauriste, petit-gris, polatouche, rat-palmiste, rongeur, souslik, spermophile, suisse, sunda, tamia, volant, xérus.

ÉCURIE (n. p.). Augias, Prost.

ÉCURIE. Abri, auto, automobile, bat-flanc, bauge, bergerie, bouge, bouverie, box, cavalerie, cheval, chevaux, cycliste, éditeur, ensemble, équipe, étable, gatelas, grange, hangar, haras, lad, porcherie, remise, stalle.

ÉCUSSON. Blason, cartouche, dessin, écu, emblème, fragment, mésothorax, morceau, panonceau, plaque, soutache.

ÉCUSSONNAGE. Allogreffe, bouture, ente, enture, greffage, greffe, greffon, porte-greffe, scion, transplant.

ÉCUSSONNER. Adjoindre, ajouter, bouturer, drageonner, écussonnoir, enter, entoir, fixer, greffage, greffer, greffoir, marcotter, marquer, orner, provigner, regreffer, tailler, transplanter.

ÉCUSSONNOIR. Amassette, coupe-papier, couperet, couteau, dague, entoir, eustache, greffoir, lisette, liseuse, opinel, plume, rasoir, saignoir, scramasaxe, signet, soie, solen, surin, tournefeuille.

ÉCUYER (n. p.). Castelnau, Cinq-Mars, Poton, Saintrailles, Sancho Pança, Scapin, Xaintrailles.

ÉCUYER. Automédon, cavalier, cocher, conducteur, crispin, jonkheer, lad, laquais, larbin, serviteur, valet.

ÉCUYÈRE. Amazone, cavalière, cheval, courtisane, hétaïre, jupe, paréo, péripatéticienne, prostituée, traînée.

ECZÉMA. Dermatose, dermique, dyshidrose, dysidrose, eczémateux, épidermique, érythémateux, prurigineux.

EDAM. Boule, fromage, gouda, mimolette, paraffine, rouge, tête de maure, tête de moine.

EDELWEISS. Astéracée, composacée, cotonneux, duveteux, étoile-d'argent, immortelle des neiges, pied-de-lion.

ÉDEN (n. p.). Bible, Délices, Eldorado, Olympe.

ÉDEN. Béatitude, jaïnisme, jardin des délices, édénique, félicité, hinayana, nirvâna, paradis, sérénité.

ÉDÉNIQUE. Divin, éden, enchanteur, féerique, idyllique, irréel, merveilleux, paradisiaque, sublime.

ÉDENTÉ. Aï, brèche-dent, dent, fourmilier, glyptodon, mammifère, mégathérium, oryctérope, pangolin, paresseux, pholidote, porte-muse, priodonte, tamandua, tamanoir, tatou, tortue, unau, tubulidenté, xénarthre.

ÉDICTER. Commander, décréter, fixer, légiférer, ordonner, prescrire, promulguer, publier, sanctionner.

ÉDICULE. Abribus, cella, chalet, exèdre, kiosque, naos, pavillon, pissotière, sanisette, urinoir, vespasienne.

ÉDIFIANT. Aperçu, copie, duplicata, échantillon, épreuve, exemplaire, gabarit, honnête, justificatif, modèle, moral, moralisateur, parangon, parfait, patron, polycopie, prototype, réplique, triplicata, saint, spécimen, vertueux.

ÉDIFICATEUR. Éducateur, enseignant, formateur, instituteur, moniteur, moralisateur, précepteur, prof, professeur, rééducateur.

ÉDIFICATION. Composition, conception, constitution, construction, création, éducation, élaboration, élévation, érection, établissement, exécution, fabrication, formation, genèse, gestation, information, instruction, mégalithisme.

ÉDIFICE. Ante, arène, chapelle, construction, dôme, épure, établissement, étage, étai, fanum, faîte, hôtel, labyrinthe, maison, mosquée, musée, naos, odéon, ordre, pagode, périptère, prytanée, rotonde, sanctuaire, saper, socle, synagogue, temple, tétrastyle, vue.

ÉDIFIER. Bâtir, conduite, construire, créer, dresser, élaborer, élever, ériger, établir, faire, fonder, instruire, renseigner.

ÉDILE. Alcade, archonte, bailli, conseiller, consul, échevin, édilitaire, édilité, magistrat, maire, préfet, sénat, triumvir.

ÉDILITAIRE. Bourgeoisial, communal, échevinal, municipal, public, urbain, vicinal.

ÉDIT (n. p.). Alès, Amboise, Caracalla, Farines, Hadrien, Milan, Nantes, Zénon.

ÉDIT. Acte, décret, firman, loi, nouvelle, ordonnance, oukase, règlement, talion, ukase, union.

ÉDITER. Émettre, imprimer, lancer, légiférer, livre, paraître, publier, rééditer, réviser, sortir, tirer.

ÉDITEUR. Coéditeur, composeur, copyright, correcteur, chromiste, graphiste, imprimeur, lithographe, office, packager, pressier, programme, réviseur, rewriter, surremise.

ÉDITEUR AMÉRICAIN (n. p.). Kurtzman.

ÉDITEUR AUTRICHIEN (n. p.). Pleyel.

ÉDITEUR BRITANNIQUE (n. p.). Macmillan.

ÉDITEUR CANADIEN (n. p.). Beauchemin, Péladeau, Stanké.

ÉDITEUR FRANÇAIS (n. p.). Albin Michel, Augé, Bottin, Cazin, Colin, Dargaud, Didot, Estienne, Fayard, Flammarion, Gallimard, Garnier, Grasset, Hachette, Hatier, Hetzel, Julliard, Lafon, Laffont, Larousse, Latouche, Masson, Migne, Nadeau, Nora, Perrin, Plon, Robert, Seghers, Solar, Vermot.

ÉDITEUR NÉERLANDAIS (n. p.). Luchtmans.

ÉDITION. Composition, digest, écurie, ed, exemplaire, hebdomadaire, impression, librairie, magazine, mensuel, ne varietur, paragon, parution, pilon, publication, réédition, réimpression, revue, tirage, typographie.

ÉDITORIAL. Article, billet, chronique, éditeur, édito, éditorialiste, entrefilet, opinion, vitriol.

ÉDITORIALISTE (n. p.). Kagan, Revel.

ÉDITORIALISTE. Annonceur, chroniqueur, columniste, commentateur, correspondant, courriériste, critique, écrivain, envoyé, journaliste, nouvelliste, pigiste, poète, publiciste, rédacteur, reporter, romancier.

EDOM (n. p.). Édomites, Idumée, Iduméen, Palestine.

ÉDOUARD (n. p.). Clarence, Ed., Gloucester, Seymour.

ÉDREDON. Alaise, bâche, boudin, caparaçon, catogan, couette, courtepointe, coussin, couverture, couvre-pied, couvre-pieds, crapaudine, crin, déguisement, douillette, duvet, garantie, housse, laine, oreiller.

ÉDUCATEUR. Andragogue, cicérone, édificateur, enseignant, éveilleur, façonneur, formateur, instituteur, instructeur, maître, mentor, moralisateur, orienteur, précepteur, prof, professeur, rééducateur.

ÉDUCATEUR FRANÇAIS (n. p.). Campan, Chiron, Coubertin, Genet, Haüy, Hébert, Lhomond.

ÉDUCATIF. Didactique, édifiant, enrichissant, formateur, instructif, pédagogique, profitable, scolaire.

ÉDUCATION. Édification, élève, enseignement, formation, goujat, instruction, malotru, mufle, politesse, savoir-vivre.

ÉDUCATIONNEL. Didactique, discours, éducatif, ludoéducatif, méthode, pédagogique, scolaire, théorie.

ÉDULCORANT. Adoucir, affadir, aspartame, polyol, saccharine, sorbitol, sucrant, sucrate, sucrette, sucrose.

ÉDULCORATION. Adoucir, adoucissement, affadir, cyclamate, mitiger, sucrage, sucrate, sucrer.

ÉDULCORÉ. Adouci, affadi, affaibli, atrophié, avachi, avili, corrompu, dégénéré, miellé, mitigé, soft, sucré.

ÉDULCORER. Adoucir, affadir, affaiblir, atténuer, dulcifier, emmieller, mitiger, modérer, nuancer, sucrer, tempérer.

ÉDUQUER. Apprendre, développer, dresser, édifier, élever, façonner, former, instruire, prêcher, soigner.

ÉFAUFILER. Agoniser, allonger, amener, arguer, attirer, augurer, canarder, canonner, créer, déduire, défaufiler, défourailler, dégainer, dépêtrer, déterrer, distendre, écosser, effiler, effilocher, émaner, enlever, éveiller, flinguer, haler, imprimer, inférer, hisser, naître, ôter, partir, piger, profiter, reculer, remorquer, retirer, rétracter, réveiller, saigner, sauver, sonner, souquer, tirailler, tirer, tracer, tracter, traîner, traire, utiliser, venger, viser.

EFFAÇABLE. Altérable, biodégradable, caduc, corruptible, court, décolorer, décomposable, délébile, destructible, effacer, éphémère, falot, fongible, fragile, fugace, incertain, instable, mortel, passager, périssable, précaire, putréfiable, putrescible, vénal.

EFFACÉ. Barré, bas, biffé, caviardé, corrigé, doux, délébile, éliminé, faible, falot, humble, indélébile, insignifiant, modeste, obscur, ombrageux, orgueilleux, petit, quelconque, rayé, simple, terne, timide, timoré, vaniteux.

EFFACEMENT. Abnégation, abolition, abrogation, ajournement, annulatif, annulation, cassation, cessation, commissoire, coupure, destruction, disparition, dissolution, extinction, rédhibitoire, renon, report, retrait, révocatoire, rupture, suppression.

EFFACER. Barrer, biffer, caviarder, corriger, décolorer, détruire, échopper, élider, éliminer, enlever, éteindre, falot, gommer, gratter, ignorer, indélébile, laver, modeste, oblitérer, obstruer, ôter, oublier, radier, raturer, rayer, user.

EFFARANT. Effrayant, épouvantable, extraordinaire, incroyable, inimaginable, inouï, stupéfiant, terrifiant, troublant.

EFFARÉ. Affolé, ahuri, apeuré, effrayé, égaré, épouvanté, figé, glacé, horrifié, terrifié, terrorisé, troublé.

EFFAREMENT. Abasourdissement, ahurissement, bouleversement, ébahissement, éblouissement, effroi, émerveillement, épatement, étonnement, saisissement, stupéfaction, stupeur, surprise, trouble.

EFFARER. Abasourdir, ahurir, effaroucher, effrayer, épouvanter, hagard, horrifier, terrifier, terroriser, troubler.

EFFAROUCHER. Affoler, alarmer, angoisser, apeurer, choquer, craindre, effarer, effrayer, épouvanter, fuir, inquiéter, intimer, intimider, offusquer, paniquer, terrifier, tourmenter, traumatiser.

EFFARVATTE. Effarvatte, fauvette, fauvette des marais, fauvette des roseaux, passereau, rousserolle des roseaux.

EFFECTIF. Actuel, concret, efficace, existant, positif, quantité, réel, renfort, solide, troupe, vrai.

EFFECTIVEMENT. Concrètement, empiriquement, expérimentalement, guère, matériellement, objectivement, positivement, pratiquement, réalistement, réellement, sûrement, tangiblement, véritablement, vraiment.

EFFECTUALITÉ. Causalité, déterminisme, efficacité, efficience, finalité, fondement, implication, instigation.

EFFECTUER. Accomplir, bruiter, exécuter, faire, gemmer, migrer, opérer, réaliser, router, souder, trafiquer.

EFFÉMINÉ. Émasculé, éon, femelle, féminin, homosexuel, mièvre, mou, pédéraste, pédophile, travesti, uranien.

EFFÉMINISER. Dameret, démasculiniser, déviriliser, efféminer, émasculer, féminiser, mièvre, uranien.

EFFÉRENT. Adhérent, afférent, analogue, connexe, joint, hors, lié, nerf, proche, rattaché, uni, vaisseau.

EFFERVESCENCE. Agitation, bouillonnement, chaleur, conflagration, ébullition, échauffement, emballement, émoi, énervement, étourdissement, exaltation, fermentation, fermenter, passion, pétillement, trouble.

EFFERVESCENT. Agité, bouillonnant, délirant, échevelé, embrasé, fébrile, frénétique, surexcité, trépidant.

EFFET. Action, agir, agissements, bagage, brûlure, cause, choc, coloris, conséquence, fin, gag, impression, influence, intoxication, lift, mandat, mémoire, morsure, nu, nul, opérer, plaisir, ralenti, ravage, résultat, retentissement, rétro, scandale, slice, son, sort, théâtral, trucage, truquage, vain, valeur, vêtement.

EFFEUILLAGE. Burlesque, cabaret, danseuse, déballage, déculottage, déshabillage, effeuillage, épamprage, strip-tease.

EFFEUILLER. Arracher, défeuiller, défolier, dégarnir, dépouiller, effaner, effeuillage, strip-tease, tomber.

EFFEUILLEUSE. Strip-teaseuse.

EFFICACE. Actif, agissant, dynamique, efficient, énergique, fonctionnel, opérant, puissant, radical, utile.

EFFICACEMENT. Avantageusement, fertilement, lucrativement, profitablement, salutairement, utilement.

EFFICACITÉ. Absolu, action, agissant, conclusion, conséquence, énergie, palliatif, positif, punch, utilité.

EFFICIENCE. Bénéfice, capacité, dynamisme, effet, efficacité, performance, productivité, rendement, utilité.

EFFICIENT. Actif, affairé, agissant, allant, ardent, battant, bilan, chaleur, diligent, dynamique, efficace, énergique, entreprenant, increvable, laborieux, militant, monnaie, passif, pétulant, remuant, titre, transitif, travailleur, vif, violent, zélé.

EFFIGIE. Angle, carte, chaîne, cône, dame, dièdre, face, frimousse, géométrie, idole, image, litote, logique, ovale, peinture, rhétorique, roi, rond, sphère, strophe, tau, tête, tonneau, tourteau, transi, trope, type, valet, visage.

EFFILAGE. Effilochage, étirage, extrusion, faufilure, folage, filature, parfilage, tirage, transfilage, tréfilage.

EFFILÉ. Acéré, allongé, aigu, aminci, délié, effiloché, fin, fuselé, maigre, mince, pointu, ténu, tranchant.

EFFILER. Acérer, aiguiser, amincir, atténuer, défaire, défiler, délier, effilocher, effranger, mince.

EFFILOCHAGE. Broyage, défilage, délissage, effilage, effrangement, étirage, folage, extrusion, faufilure, filature, parfilage, tirage, transfilage, tréfilage.

EFFILOCHER. Amincir, arracher, atténuer, broyer, chocoter, couper, déchiqueter, déchirer, découper, défaire, défiler, effilocher, délier, dépecer, écarder, éfaufiler, effiler, effranger, hacher, lacérer, surfiler.

EFFLANQUÉ. Amaigri, amenuisé, aminci, cachectique, carcan, carcasse, cheval, décharné, élancé, émaciation, étique, étisie, grêle, maigre, marasme, mince, osseux, sec, squelettique.

EFFLEUREMENT. Attouchement, caresse, délicatement, doucement, douceur, faiblement, frivolement, frôlement, frugalement, futilement, imperceptiblement, imprudemment, inconsidérément, légèrement, moitié, molte, sobrement, superficiellement, taquiner, vaguement.

EFFLEURER. Caresser, égratigner, érafler, friser, frôler, frotter, lécher, raser, rater, serrer, tâter, toucher.

EFFLORAISON. Anthèse, éclosion, efflorescence, épanouissement, fleur, fleurissement, floraison.

EFFLORESCENCE. Délitescence, éclosion, effleurir, épanouissement, éruption, exanthème, floraison, luxuriance, pulvérulence, salpêtre.

EFFLORESCENT. Abondant, ample, commun, considérable, copieux, délitescent, dense, développé, dru, épais, épanouit, excessif, exubérant, fécond, fertile, foisonnant, fourni, fructueux, généreux, giboyeux, gros, large, luxuriant, nombreux, opulent, plantureux, pléthorique, pluvieux, pullulant, riche, surabondant, volubile, volumineux.

EFFLUENCE. Agréable, arôme, bouffée, dégagement, ectoplasme, effluve, émanation, exhalaison, ichor, miasme, mofette, moufette, odeur, parfum, radiation, radon, senteur, source.

EFFLUENT. Coulant, cours, décharge, décompresseur, défluent, eaux, émissaire, fluide, issu, pied.

EFFLUVE. Arôme, dégagement, émanation, exhalaison, fluide, fumet, miasmes, odeur, parfum, senteur, vapeur.

EFFOIRER. Affaler, avachir, écouler, écraser, écrouler, effondrer, étaler, évacher, tomber, trévirer, vautrer.

EFFONDRÉ. Abattu, accablé, anéanti, atterré, brisé, catastrophé, consterné, découragé, prostré, terrassé.

EFFONDREMENT. Affaissement, anéantissement, cavité, chute, creux, crevasse, débâcle, décadence, dépression, disparition, éboulement, écroulement, épirogenèse, fin, fossé, fosset, graben, rift, ruine.

EFFONDRER. Affaisser, ameublir, anéantir, bêcher, biner, céder, chuter, craquer, crouler, défoncer, détruire, disparaître, ébouler, ébranler, écrouler, écroûter, émotter, herser, ruiner, sombrer, tomber.

EFFORCER. Acharner, appliquer, attacher, chercher, combattre, contraindre, dépenser, employer, escrimer, essayer, évertuer, forcer, ingénier, obliger, œuvrer, peiner, persévérer, tâcher, tenter, travailler, vouloir.

EFFORT. Ahan, ahaner, application, attention, concentration, contention, difficulté, essai, excessif, fatigué, forcing, han, hernie, mobilisation, peine, pesée, réaction, rush, sacrifice, tension, tentative, travail, violence.

EFFRACTION. Brigandage, bris, cambriolage, extorsion, forcement, hémorragie, pillage, racket, raid, rapine, tire, vol.

EFFRAIE. Chat-huant, chouette, fresaie, hibou, hulotte, oiseau, rapace, strigiforme, tytonidaes.

EFFRANGEMENT. Défilage, délissage, effilage, effilochage, étirage, folage, extrusion, faufilure, filature, parfilage, tirage, transfilage, tréfilage.

EFFRANGER. Arracher, broyer, chocoter, couper, déchiqueter, déchirer, découper, défiler, dépecer, éfaufiler, effiler, effilocher, hacher, lacérer, surfiler.

EFFRAYANT. Abominable, affolant, affreux, alarmant, atroce, cauchemardesque, démesuré, effroyable, épeurant, épouvantable, frémissant, horrible, monstrueux, redoutable, terrible, terrifiant, vertigineux.

EFFRAYÉ. Affolé, alarmé, angoissé, apeuré, craintif, épouvantail, épouvanté, inquiet, terrifié, timoré.

EFFRAYER. Affoler, agiter, alarmer, angoisser, apeurer, craindre, effarer, effaroucher, énerver, épeurer, épouvanter, figer, horrifier, inquiéter, inspirer, intimider, oppresser, peur, ressentir, terrifier, terroriser.

EFFRÉNÉ. Abusif, débridé, déchaîné, délire, démesuré, déréglé, échevelé, endiablé, enragé, érinye, excessif, fanatisme, frein, frénésie, furieux, immodéré, impétueux, ivresse, pythie, rage, rager, violence.

EFFRITEMENT. Affaiblissement, atomisation, dégradation, désagrégation, diminution, dislocation, séparation.

EFFRITER. Affaiblir, amenuiser, décomposer, défaire, désagréger, diminuer, émier, émietter, émousser.

EFFROI. Affolement, crainte, épouvante, frayeur, glacé, horreur, panique, peur, sinistre, stupéfaction, terreur.

EFFRONTÉ. Apathique, audacieux, cavalier, culotté, cynique, déluré, drôle, éhonté, galopin, gonflé, grossier, hardi, impertinent, impoli, imprudent, impudent, inconvenant, indolent, insolent, osé, polisson, téméraire.

EFFRONTÉMENT. Cavalièrement, cyniquement, grossièrement, hardiment, impoliment, impudemment, lestement, malhonnêtement.

EFFRONTERIE. Aplomb, audace, bagou, culot, cynisme, gouaille, hardiesse, impudence, indiscrétion, insolence, irrespect, osée, pétulence, sans-gêne, toupet.

EFFROYABLE. Affreux, atroce, cauchemardesque, effrayant, épouvantable, horrible, terrible, tragique.

EFFROYABLEMENT. Affreusement, atrocement, beaucoup, extrêmement, sinistrement, terriblement, tristement.

EFFUSION. Aveu, déversement, enthousiasme, épanchement, exaltation, ferveur, répandre, sang, transport.

ÉFRIT. Capacité, démon, diable, djinn, don, elfe, esprit, farfadet, fée, follet, génie, gnome, harpie, imagination, incube, intelligence, lutin, lyre, monstre, muse, nain, nature, nixe, ondin, penchant, ondin, sirène, succube, sylphe, talent, troll.

ÉGAIEMENT. Agrément, amusement, amusette, carnaval, délassement, dérivatif, distraction, divertissement, ébat, ébattement, intermède, jeu, joute, loisir, ludisme, no, partie, plaisir, récréation, réjouissance, spectacle.

ÉGAILLER. Amuser, animer, baguenauder, batifoler, délasser, dérider, distraire, divertir, drôle, ébaudir, égayer, endormir, folâtrer, goguette, hochet, jeu, jouer, lambiner, lanterner, marrer, musarder, orner, railler, récréer, réjouir, rire, sourire, traîner, vétiller.

ÉGAL. Aussi, constant, content, équidistant, équivalent, ex æquo, identique, impartial, inchangé, indifférent, invariable, iso, isobare, isocèle, lisse, même, niveau, pair, pareil, plat, régulier, similaire, tel, uni, uniforme, uniment.

ÉGALEMENT. Analogiquement, aussi, balancement, comme, comparable, conformément, continuation, de plus, équivalent, identiquement, item, même, nivellement, pareillement, plus, semblablement, similairement.

ÉGALER. Atteindre, balancer, compenser, correspondre, équipoller, équivaloir, répartir, rivaliser, valoir.

ÉGALISATION. Analogiquement, aussi, balancement, comme, comparable, conformément, continuation, également, équivalent, identiquement, item, même, nivellement, pareillement, plus, semblablement, similairement.

ÉGALISER. Affleurer, aplanir, aplatir, araser, balancer, contrebalancer, dégauchir, doubler, drayer, écrêter, équilibrer, gratter, laminer, limer, niveler, parangonner, polir, racler, rader, régaler, taquer, tempérer.

ÉGALITAIRE. Bousingot, démagogue, démocrate, démophile, jacobin, libéral, républicain, universel.

ÉGALITARISME. Attachement, autogestion, babouvisme, bolchevisme, chartisme, collectivisme, collégialité, communisme, dirigisme, doctrine, étatisme, gauche, impérialisme, léninisme, maoïsme, marxisme, mutualisme, nationalisme, patriotisme, progressisme, stalinisme, trotskisme.

ÉGALITÉ. Aussi, autant, conformité, disparité, équation, iso, niveau, pair, parité, ressemblance, symétrie.

ÉGARD. Admiration, affabilité, aînesse, assiduité, attention, considération, courtoisie, déférence, estime, galanterie, gentillesse, hommage, ménagement, nonobstant, politesse, préférence, respect, révérence, soin, vis-à-vis, vu.

ÉGARÉ. Adiré, affolé, clairsemé, dépravé, dévoyé, désaxé, désorienté, dispersé, disséminé, effaré, émaillé, éparpillé, épars, éperdu, errant, fol, fou, fourvoyé, hagard, halluciné, hébété, ivre, perdu, sporadique, troublé.

ÉGAREMENT. Aberration, aliénation, délire, dérèglement, déroute, désordre, digression, divagation, écartement, effarement, élucubration, erreur, folie, hallucination, ivresse, mémoire, oubli, trouble, vertige.

ÉGARER. Abuser, adirer, affoler, aliéner, clairsemer, détourner, dérouter, désaxer, désorienter, détourner, dévoyer, disperser, disséminer, écarter, émailler, errer, fourvoyer, ivre, paumer, perdre, pervertir, tromper.

ÉGAYER. Amuser, animer, baguenauder, batifoler, délasser, dérider, distraire, divertir, drôle, ébaudir, égailler, endormir, folâtrer, goguette, hochet, jeu, jouer, lambiner, lanterner, marrer, musarder, orner, railler, récréer, réjouir, rire, sourire, traîner, vétiller.

ÉGÉRIE. Conseillère, évocatrice, excitatrice, incitatrice, initiatrice, inspiratrice, instigatrice, locomotive, modèle, muse.

ÉGIDE (n. p.). Athéna, Minerve, Zeus.

ÉGIDE. Aide, appui, assistance, auspices, bouclier, chapeautage, cuirasse, garantie, patronage, protection.

ÉGISTHE (n. p.). Agamemnon, Atrée, Atride, Clytemnestre, Électre, Mycène, Oreste, Pélopia, Thyeste.

ÉGLANTIER. Cynorhodon, églantine, hallier, infusion, rosacée, rose, rosier des haies, rosier sauvage.

ÉGLEFIN. Aiglefin, aigrefin, cabillaud, gade, gadidé, haddock, mélanogrammus, morue, morue noire, poisson.

ÉGLISE. Abbatiale, abside, ambon, arrière-chœur, basilique, cathédrale, chapelle, chœur, clergé, couvent, dîme, doctrine, dogme, dôme, église-halle, épiscopat, fabrique, jubé, liturgie, maronite, nef, oratoire, pastoral, prieuré, retable, sacerdoce, sanctuaire, secte, stalle, temple, transept.

ÉGLOGUE (n. p.). Camoëns, Chénier, Dante, Marot, Pétrarque, Ronsard, Théocrite, Virgile.

ÉGLOGUE. Bergerie, bucolique, géorgique, idylle, pastorale, pastourelle, poème, poésie, rustique, villanelle.

EGO. Âme, bibi, empathie, être, individu, intérêt, je, me, mien, moi, orgueil, personnel, soi, vanité, vous.

ÉGOCENTRIQUE. Autistique, déréel, égoïste, indifférent, individualiste, introverti, narcissiste, nombriliste.

ÉGOCENTRISME. Égoïsme, égotisme, indépendance, individualisme, narcissisme, non-conformisme, personnel.

ÉGOÏNE. Air, dosseret, godendard, mouche, musique, refrain, rengaine, sauteuse, scie, scieur, sciotte, trait.

ÉGOÏSME. Amour-propre, audolâtrie, avarice, captativité, égocentrisme, égolâtrie, égotisme, indifférence, individualisme, insensibilité, intérêt, introversion, je, moi, narcissisme, nombrilisme, personnel, soi-même.

ÉGOÏSTE. Altruiste, désintéressé, dévoué, égocentriste, généreux, individualiste, intéressé, moi, oisif.

ÉGORGEMENT. Abattage, assassinat, assommement, crime, déicide, crucifixion, empoisonnement, étranglement, étripage, fratricide, hécatombe, homicide, matricide, meurtre, parricide, régicide, suicide, tuerie.

ÉGORGER. Dépouiller, écorcher, engorgement, entretuer, étrangler, juguler, plumer, saigner, tuer, zigouiller.

ÉGORGEUR. Assassin, bourreau, criminel, dépouilleur, écorcheur, espada, estampeur, étouffeur, étrangleur, éventreur, faucheur, massacreur, meurtrier, nervi, sabreur, sicaire, spadassin, surineur, tueur, zigouilleur.

ÉGOSILLER. Babiller, beugler, brailler, crier, époumoner, gazouiller, gueuler, hurler, pépier, piailler, tonitruer.

ÉGOTISME. Amour-propre, captivité, égocentrisme, individualisme, narcissisme, personnel, vanité.

ÉGOUT. Bouche, bourbier, canal, cloaque, collecteur, égoutier, ordure, puisard, regard, sentine, trou.

ÉGOUTTEMENT. Abusif, bave, canal, dalot, débit, débord, débouché, décharge, drain, durable, écoulement, égout, épanchement, éruption, évier, flux, gourme, hématidrose, jet, jetage, laps, larmoiement, leucorrhée, long, longtemps, onde, otorragie, otorrhée, pérenne, permanent, phléborragie, saignement, stillation, suintement, torrent, vente.

ÉGOUTTER. Assainir, assécher, clisse, couler, dégoutter, drainer, fromager, goutter, passoire, suinter.

ÉGOUTTOIR. Cagerotte, caget, caseret, caserette, casier, claie, clayon, clisse, couloir, cuiller, éclisse, faisselle, friteuse, hérisson, if, panier, passoire, porte-bouteilles, tamis, sas, ustensile, vaisselle.

ÉGRAPPER. Affecter, arracher, batteuse, blé, cueillir, déconnecter, découper, découpler, défaire, dégrafer, dégraisser, délacer, déléguer, délier, dénouer, déprendre, desceller, désintéresser, désinvolte, désunir, détacher, dételer, dévider, dévisser, écosser, égrainer, égrener, éloigner, émietter, enlever, isoler, libérer, nettoyer, ressortir, scalper, séparer, supprimer, unir.

ÉGRATIGNER. Blesser, critiquer, déchirer, dénigrer, écorcher, effleurer, entailler, épingler, érafler, érailler, excorier, froisser, grafigner, gratter, griffer, heurter, labourer, médire, piquer, rayer, strier.

ÉGRATIGNURE. Accroc, blessure, bobo, déchirure, écorchure, éraflure, gratte, griffe, griffure, vexation.

ÉGRENAGE. Battage, dépiquage, égrainage, égrappage, égrènement, éparpillage, récolte.

ÉGRENER. Absenter, aliéner, allonger, arracher, bannir, batteuse, blé, détacher, détirer, dévider, disparaître, distancer, écarter, écosser, égrapper, éloigner, émietter, épandre, étaler, étendre, étirer, évincer, exiler, fuir, gap, isoler, lever, partir, paver, reléguer, repousser, retirer, semer, séparer, tirer.

ÉGRILLARD. Coquin, épicé, gaillard, gaulois, grivois, libertin, libre, luron, osé, paillard, polisson, salé.

ÉGRISAGE. Abrasement, abrasion, adoucissage, adoucissement, brunissage, buffage, doucissage, éclaircissage, finissage, finition, grésage, poinçage, polissage, polissure, ragréage, ragrément, sassage, surfaçage.

ÉGRISER. Adoucir, astiquer, brunir, cirer, dégrossir, doucir, finir, frotter, gréser, lécher, limer, lisser, parfaire, peaufiner, perfectionner, polir, poncer, ragréer, retoucher, ribler, unir.

ÉGROTANT. Fragile, impur, insalubre, maladif, malsain, morbide, pourri, sain, souffrant, souffreteux.

ÉGRUGEOIR. Broyeur, broyeuse, déchiqueteur, mortier, moulin, pilon, poivre, sel, triturateur.

ÉGRUGER. Aplatir, battre, bocarder, briser, broyer, casser, concasser, écanguer, écraser, émietter, épaufrer, mâcher, mastiquer, molaire, moudre, piler, pilonner, pulvériser, râper, réduire, renverser, teiller, tiller, triturer.

ÉGUEULER. Accroître, agrandir, allonger, arrondir, augmenter, bander, briser, croître, déformer, démesurer, détériorer, développer, dilater, doubler, ébrécher, élargir, élever, enfler, étendre, étirer, évaser, gonfler, grandir, grossir, hausser, mandriner, pousser.

ÉGYPTE (n. p.). Apis, Apopis, Horus, Ibis, Isis, Khédive, Nil, Nitocris, Nomarque, Osiris, Pschent, Râ, Ramsès, Sésostris, Tanît, Thébaïde, Thot, Uraeus.

ÉGYPTE, CAPITALE (n. p.). Le Caire.

ÉGYPTE, LANGUE. Arabe.

ÉGYPTE, MONNAIE. Livre.

ÉGYPTE, VILLE (n. p.). Aboukir, Adfu, Alexandrie, Assiout, Assouan, Asyut, Baris, Bawiti, Benna, Biba, Bulaq, Damanhur, Edfou, Esneh, Girga, Idfu, Isna, Le Caire, Louqsor, Louxor, Mut, Qena, Saïs, Suez, Tanis, Tantah, Tima.

ÉGYPTE. Biblique, bohémien, égyptologie, khamsin, nome, plaie, pyramide, soudon, typographique.

ÉGYPTIEN. Alexandrin, arabe, bohémien, copte, crue, doum, fellah, hiéroglyphe, momie, nome, obélisque, papyrus, pharaon, pyramide, sphinx, stèle.

ÉGYPTOLOGUE (n. p.). Brugsch, Chabas, Champollion, Dunham, Maspero, Moret, Noblecourt, Posener.

ÉHONTÉ. Cynique, désinvolte, effronté, familier, honteux, impertinent, impudent, insolent, scandaleux.

ÉHONTÉMENT. Cavalièrement, cyniquement, déplaisamment, discourtoisement, effrontément, grossièrement, hardiment, impertinemment, impoliment, impudemment, inamicalement, lestement, malhonnêtement.

EIDER. Canard, eider-duck, moyac, palmipède.

EINSTEINIUM. Es.

EISENHOWER (n. p.). Alexander, Dulles, Ike, Ridgway, Tedder, Wilson.

ÉJACULATION. Aspermatisme, aspermie, coït, décharge, éjection, élimination, évincement, exclusion, expulsion, gerbe, giclée, jaillissement, jet, orgasme, pollution, renvoi, souillure, spermatozoïde, sperme.

ÉJACULER. Arracher, balancer, décharger, déponer, déponner, éjecter, envoyer, lâcher, projeter, soulager, tirer.

ÉJECTER. Bannir, chasser, congédier, écarter, éconduire, éjaculer, éliminer, éloigner, envoyer, évacuer, évincer, exclure, expulser, jeter, lancer, pousser, projeter, propulser, rejeter, renvoyer, sortir, vidanger, vider.

ÉJECTION. Catapultage, évacuation, éviction, expulsion, forclusion, jet, lancement, protubérance, rejet, renvoi.

ÉJOINTER. Arrondir, casser, couper, débarrasser, dépouiller, diminuer, ébarber, ébavurer, échancrer, écourter, émarger, enlever, éroder, limer, massicoter, pester, rager, retrancher, rogner, user.

EKTACHROME. Ekta, film, photo, photographie.

ÉLABORATION. Conception, enfantement, exécution, fabrication, genèse, isopathie, mellification, production.

ÉLABORÉ. Assimilable, conçu, échafaudé, exécuté, fabriqué, imaginé, pensé, perfectionné, recherché, sophistiqué.

ÉLABORER. Assembler, combiner, concevoir, concocter, confectionner, construire, créer, digérer, distiller, échafauder, exécuter, fabriquer, imaginer, nouer, œuvrer, ouvrer, produire, réaliser, synthétiser, tricoter.

ÉLAGAGE. Calibre, cambrure, carrure, ceinture, charpente, coupe, crayon, dimension, ébranchage, émondage, émondement, envergure, format, grandeur, gravure, grosseur, guêpe, hauteur, importance, longueur, mesure, nanisme, nettoyage, port, ravalement, serpe, stature, svelte, taille, taillis, tournure.

ÉLAGUEMENT. Éboutage, ébranchage, ébranchement, élagage, émondage, nettoyage, ravalement, taille.

ÉLAGUER. Aérer, assarmenter, découper, ébrancher, couper, croissant, dégager, diviser, ébrancher, écimer, éclaircir, écot, émonder, étêter, morceler, scinder, sectionner, supprimer, tailler, trancher, tronçonner.

ÉLAGUEUR. Cisaille, croissant, ébranchoir, émondeur, émondoir, fauchard, serpe, tailleur, tronqueur, vouge.

ÉLAM (n. p.). Assurbanipal, Suse, Susiane.

ÉLAN. Antilope, ardeur, aspiration, bond, cerf, cervidé, envolée, enthousiasme, erre, essor, foucade, fougue, furia, furie, geste, impétuosité, impulsion, mouvement, orignal, passion, poussif, progrès, pulsion, rondade, saut, toquade, tremplin, zèle.

ÉLANCÉ. Aigu, allongé, délicat, délié, effilé, élégant, épais, étroit, fil, filiforme, fin, fluet, folié, fragile, frêle, fuselé, gracile, grêle, gros, lame, large, long, maigre, menu, mince, petit, pincé, pruine, ru, svelte, ténu.

ÉLANCEMENT. Affliction, calvaire, douleur, lancination, martyre, souffrances, supplice, tiraillement.

ÉLANCER. Bondir, engouffrer, foncer, fondre, garrocher, jaillir, jeter, lancer, piquer, précipiter, ruer, sauter.

ÉLANÇON. Étai.

ÉLAND. Addax, algazelle, antilope, bubale, damalisque, gazelle, gnou, harle, taurotragus.

ÉLARGIR. Accroître, agrandir, aléser, amplifier, arrondir, croître, desserrer, développer, dilater, ébraser, écarter, enforcir, épater, étendre, étoffer, évaser, fructifier, grossir, libérer, ouvrir, relâcher, relaxer.

ÉLARGISSEMENT. Acquittement, affranchissement, agrandissement, décolonisation, délivrance, désaliénation, émancipation, empaumure, évacuation, libération, manumission, merci, rachat, racheter, ramener, rédemption, salut, stomatoplastie.

ÉLASTHANNE. Buna, caoutchouc, crêpe, durit, ébonite, élastique, élastomère, ficus, gomme, hévéa, latex, lycra, néoprène, polymère, synderme, vulcanisation.

ÉLASTICITÉ. Agilité, aisance, anélasticité, dilatabilité, diplomatie, ductilité, étirable, flexibilité, légèreté, liant, malléabilité, maniabilité, moulabilité, plasticité, propriété, rénitence, ressort, rouiller, souplesse, sveltesse.

ÉLASTIQUE. Accommodant, adaptable, altérable, bande, caoutchouc, changeable, complaisant, compressible, ductile, extensible, flexible, gomme, jarretelle, jarretière, mobile, ressort, souple, variable.

ÉLASTOMÈRE. Buna, caoutchouc, crêpe, durit, ébonite, élasthanne, élastique, ficus, gomme, hévéa, latex, néoprène, synderme, vulcanisation.

ELBOT. Flétan, halibut, légine, pleuronectidé, poisson.

ELDORADO (n. p.). Amazone, Orénoque, Pérou.

ELDORADO. Abondance, délice, éden, paradis, patrie, pays de cocagne, pays de rêve, trésor.

ÉLECTEUR. Cardinal, censitaire, électorat, membre, membre, suffragant, suffragette, supporter, votant.

ÉLECTIF. Alternative, anthologie, appareillement, choisir, choix, crème, décision, dilemme, échelle, élection, élimination, élite, éventail, facultatif, gratin, option, ou, recueil, sélectif, sélection, tri, variété.

ÉLECTION. Adoption, bulletin, choix, consultation, décision, désignation, écrémage, électif, opinion, plébiscite, préférence, proclamation, référendum, scrutin, suffrage, tour, urne, voix, votation, vote.

ÉLECTRE (n. p.). Agamemnon, Baïf, Cacoyannis, Clytemnestre, Dardanos, Égisthe, Eschyle, Euripide, Giraudoux, Hofmannsthal, Iphigénie, Jancso, O'Neil, Oreste, Pylade, Sophocle, Strauss, Yourcenar.

ÉLECTRICIEN. Artisan, commerçant, ingénieur, ouvrier, physicien, technicien.

ÉLECTRICIEN ALLEMAND (n. p.). Ruhmkorff.

ÉLECTRICIEN BELGE (n. p.). Gramme.

ÉLECTRICITÉ. Alternateur, ampère, borne, condensateur, circuit, coulomb, courant, électrobiogenèse, électrochoc, électron, énergie, faraday, hertz, ion, isolant, joule, jus, ohm, pile, pôle, proton, volt, watt.

ÉLECTRIQUE. Accumulateur, ampère, annone, capteur, dissociation, hydro, ohm, siemens, survolté, volt.

ÉLECTRISANT. Admirable, captivant, charmant, éblouissant, emballant, enchanteur, engouement, enivrant, ensorceleur, enthousiasment, exaltant, excitant, grisant, palpitant, passionnant, réjouissant.

ÉLECTRISE. Allume, anime, électret, embrase, enflamme, exalte, excite, galvanise, transporte.

ÉLECTRISER. Allumer, animer, chauffer, embraser, enflammer, éveiller, exciter, galvaniser, passionner.

ÉLECTROCHOC. Commotion, coup, électronarcose, électricité, schizophrénie, secousse, sismothérapie, traumatisme.

ÉLECTROCUTER. Exécuter, foudroyer, frapper, mourir, soudain, terrasser, tuer, vaincre.

ÉLECTROCUTION. Anode, anodisatrode, exécution, faradisation, foudroiement, galvanisation, penthode, voltaïsation.

ÉLECTRODE. Anode, baguette, base, borne, cathode, collecteur, conducteur, diode, drain, émetteur, lampe, gâchette, grille, grille-écran, ignitron, penthode, plaque, pôle, tétrode, transistor, triode, wehnelt.

ÉLECTROLYTE. Acétylénique, ampholyte, cétone, composé, faraday, imine, ion, oxime, Pk.

ÉLECTROMÉNAGER. Appareil, aspirateur, cuisinière, grille-pain, lave-vaisselle, laveuse, réfrigérateur, sécheuse.

ÉLECTRON. Anion, atome, boson, corpuscule, dépisome, Ev, gluon, ion, ka, kaon, lepton, méson, micelle, micron, microsonde, morceau, mu, muon, négaton, neutrino, neutron, nucléon, oc, oui, particule, positon, positron, poudre, van, vice, volt, von, wehnelt.

ÉLECTRONARCOSE. Commotion, coup, électrochoc, électricité, schizophrénie, secousse, sismothérapie, traumatisme.

ÉLECTRONIQUE. Automation, automatisation, biomécanique, bionique, biophysique, cybernétique, puce, robotique.

ÉLECTROPHONE. Chaîne, juke-box, phono, phonocapteur, phonographe, pick-up, platine, tourne-disque.

ELECTROVOLT. Ev.

ÉLECTUAIRE. Catholicon, diascordium, épithème, miel, opiat, orviétan, poudre, remède, thériaque.

ÉLÉGAMMENT. Adroitement, agréablement, bien, coquettement, gracieusement, habilement, harmonieusement, joliment, magnifiquement, mignardement, mignonnement, plaisamment, superbement.

ÉLÉGANCE. Agrément, allure, attrait, beauté, charme, chic, classe, commun, cri, délicatesse, distinction, finesse, goût, grâce, grossier, lourd, luxe, mode, pimpance, pureté, racé, vétusté, vulgaire.

ÉLÉGANT. Agréable, beau, bichonné, chic, coquet, dandy, délicat, distingué, élancé, endimanché, fashionable, fringant, gracieux, harmonieux, joli, maja, majo, parfait, pimpant, racé, sélect, smart, snob, soigné.

ÉLÉGIE. Diminution, élégiaque, mélancolie, muse, nostalgie, plainte, poème, pontique, tristesse, vers.

ÉLÉGIR. Alléger, amaigrir, amenuiser, amincir, corroyer, dégraisser, dégrossir, délarder, démaigrir, diminuer, maigrir.

ÉLÉIS. Arbre, élaeis, élais, graine, huile de palme, palmier, rotang.

ÉLÉMENT. Air, broutille, carénage, carte, catalyseur, cellule, chaînon, composant, détail, eau, emprunt, étrésillon, facteur, fragment, feu, îlot, infixe, ingrédient, îlot, ion, isotope, item, joker, lèse, milieu, néphron, notion, paramètre, particule, partie, pétale, pièce, pivot, pixel, préfixe, principe, prisonnier, rabatteur, rivet, rouage, rudiment, substance, synthèse, tuyère, unité.

ÉLÉMENT CHIMIQUE. Actinium (ac), aluminium (al), américium (am), antimoine (sb), argent (ag), argon (ar), arsenic (as), astate (at), azote (n), baryum (ba), berkélium (bk), béryllium (be), bismuth (bi), bore (b), brome (br), cadmium (cd), calcium (ca), californium (cf), carbone (c), celtium (ct), cérium (ce), césium (cs), chlore (cl), chrome (cr), cobalt (co), colombium (cb), cuivre (cu), curium (cm), dubnium (db), dysprosium (dy), einsteinium (es), erbium (er), étain (sn), europium (eu), fer (fe), fermium (fm), fluor (f), francium (fr), gadolinium (gd), gallium (ga), germanium (ge), hafnium (hf), hahnium (ha), hassium (hs), hélium (he), holmium (ho), hydrogène (h), indium (in), iode (i), iridium (ir), kourchatovium (ku), krypton (kr), lanthane (la), lawrencium (lr), lithium (li), lutécium (lu), magnésium (mg), manganèse (mn), meitnerium (mt), mendélévium (md), mercure (hg), molybdène (mo), néodyme (nd), néon (ne), neptunium (np), nickel (ni), niobium (nb), nobélium (no), nutrium (nu), or (au), osmium (os), oxygène (o), palladium (pd), phosphore (p), platine (pt), plomb (pb), plutonium (pu), polonium (po), potassium (k), praséodyme (pr), prométhéum (pm), protactinium (pa), radium (ra), radon (rn), rhénium (re), rhodium (rh), rubidium (rb), ruthénium (ru), samarium (sm), scandium (sc), seaborgium (sg), sélénium (se), silicium (si), sodium (na), soufre (s), strontium (sr), tantale (ta), technétium (tc), tellure (te), terbium (tb), thallium (tl), thorium (th), thulium (tm), titane (ti), tungstène (w), uranium (u), vanadium (v), xénon (xe), ytterbium (yb), yttrium (y), zinc (zn), zirconium (zr).

ÉLÉMENTAIRE. Abécédaire, enfantin, essentiel, indispensable, notion, primitif, rudimentaire, simple, sommaire.

ÉLÉPHANT. Barreter, barrissement, cornac, éléphanteau, ivoire, mammouth, mastodonte, pachyderme, proboscidien, trompe.

ÉLÉPHANTESQUE. Colossal, corpulent, énorme, excessif, gigantesque, immense, ongulé, mastodonte, monumental.

ÉLÉPHANTIASIS. Anasarque, asystolie, enflure, gonflement, myxœdème, œdème, quincke, tuméfaction, tumeur.

ÉLEVAGE. Agropastoral, apicole, apiculture, aquiculture, aquariophilie, auge, avicole, aviculture, cuniculiculture, cuniculture, embouche, estancia, ganaderia, héliciculture, ostréiculture, nursery, parc, pastoral, pastoralisme, pisciculture, salmoniculture, terrarium, trotting, trutticulture, zootechnie.

ÉLÉVATEUR. Ascenseur, complaisance, cric, descendeur, élévatoire, engin, levant, liftier, monte-charge, monte-plats, monte-sacs, muscle, noria, plate-forme, pompe, réa, retour, service, skip, transpalette, treuil, vérin.

ÉLÉVATION. Altitude, anagogie, arsis, ascension, assomption, augmentation, bosse, butte, côte, crue, élevé, éminence, enseuillement, fièvre, grandeur, haut, hauteur, hyperthermie, marnage, messe, mont, montagne, montée, monticule, motte, noblesse, poulie, progression, réa, seuil, sublime, tertre.

ÉLEVÉ. Accru, altissime, apothéotique, augmenté, beau, bon, cher, dignité, éduqué, élévation, éminent, fier, formé, grade, grand, haut, hauteur, héroïque, hissé, noble, poulie, promu, soutenu, sublime, supérieur.

ÉLÈVE. Âne, apprenti, archicube, arriéré, attardé, cadet, cancre, carabin, carré, cégépien, collégien, disciple, écolier, énarque, érige, étudiant, externe, flottard, interne, lycéen, maître, mésadapté, pensionnaire, pilotin, rapin, rat, séminariste, tapir, taupin, universitaire.

ÉLÈVE DE CANOVA (n. p.). Bosio.

ÉLÈVE DE INGRES (n. p.). Flandrin.

ÉLÈVE DE LE BRUN (n. p.). Coypel.

ÉLÈVE DE LE CORBUSIER (n. p.). Candilis, Jacobsen, Maekawa, Niemeyer, Sert.

ÉLÈVE DE LYLLY (n. p.). Marais, Rebel.

ÉLÈVE DE MESSIAEN (n. p.). Charpentier, Constant.

ÉLÈVE DE MOZART (n. p.). Hummel.

ÉLÈVE DE PASTEUR (n. p.). Duclaux, Roux.

ÉLÈVE DE PHIDIAS (n. p.). Alcamène.

ÉLÈVE DE RAVEL (n. p.). Delage.

ÉLÈVE DE REMBRANDT (n. p.). Dou.

ÉLÈVE DE RIMSKI-KORSAKOV (n. p.). Arensky, Assafiev.

ÉLÈVE DE RODIN (n. p.). Claudel.

ÉLÈVE DE RUBENS (n. p.). Faydherbe, Van Dyck.

ÉLÈVE DE SCHÖNBERG (n. p.). Cage.

ÉLÈVE DE SOCRATE (n. p.). Alcibiade, Critias.

ÉLÈVE DE VINCENT D'INDY (n. p.). Canteloube, Capdevielle, Varèse.

ÉLEVER. Adorer, augmenter, bâtir, construire, crier, déifier, dénoncer, dispenser, dresser, édifier, éduquer, ennoblir, ériger, exalter, exhausser, fonder, former, grouper, hausser, hisser, idolâtrer, instituer, lever, monter, nourrir, poétiser, promouvoir, protester, soulever.

ÉLEVEUR. Aviculteur, faisandier, herbager, oiseleur, oiselier, magnanier, nourrisseur, pasteur, sériciculteur, zootechnicien.

ÉLEVURE. Abcès, adénite, apostume, apostume, bouton, bulle, budon, chancre, clou, confluence, dépôt, écrouelles éruption, impétigo, lèpre, militaire, psora, psore, pustule, pustuleux, suçon, tumeur, vésicule.

ELFE (n. p.). Alberon, Oberon.

ELFE. Démon, diable, djinn, don, éfrit, esprit, farfadet, fée, follet, génie, gnome, harpie, imagination, incube, lutin, lyre, monstre, muse, nain, nature, nixe, ondin, ondin, sirène, succube, sylphe, talent, troll.

ÉLIDER. Abattre, abolir, abroger, annuler, biffer, couper, déplafonner, ébourgeonner, écrêter, élaguer, éliminer, enlever, épiler, éradiquer, occire, ôter, ragréer, raser, rayer, rogner, scier, sucrer, supprimer, tuer, virer.

ÉLIE (n. p.). Achab, Élisée, Jézabel, Ochozias.

ÉLIMÉ. Aminci, cucul, défraîchi, démodé, éculé, égrugé, fatigué, limé, mûr, poli, râpé, usagé, usé.

ÉLIMER. Abîmer, abraser, abuser, amincir, amoindrir, araser, biaiser, corroder, défraîchir, éculer, effacer, effriter, égruger, émeri, émousser, entamer, épointer, épuiser, érafler, éroder, fatiguer, finasser, gâter, laminer, limer, meuler, miner, mordre, pulvériser, râper, rayer, roder, ronger, ruser, saper, servir, user, vider.

ÉLIMINATION. Affinage, ammoniurie, dénitrage, détartrage, épuration, évacuation, exclusion, excrétion, expulsion, lavage, lessivage, mélaena, méléna, menstruation, nycturie, purge, radiation, sphacèle.

ÉLIMINATOIRE. Challenge, compétition, coupe, course, critérium, cromalin, ennui, épreuve, essai, examen, final, fumé, guerre, malheur, match, ordalie, raid, relais, spéciale, série, stage, test, tirage.

ÉLIMINER. Abstraire, anéantir, balancer, balayer, bannir, chasser, débarrasser, déterger, détourner, détruire, écarter, enlever, épurer, évincer, excréter, lessiver, liquider, néantiser, ôter, rayer, rouir, sabrer, sortir, suer, supplanter, supprimer, tirer, trier, tuer, urée.

ÉLINGUE. Amarre, aussière, bitord, bitte, brayer, cabillot, câble, chaumard, cordage, corde, embossure, étrive, filin, garcette, haussière, jarretière, larguer, liure, organeau, sabaille, sabaye, suspente.

ÉLINGUER. Ceindre, ceinturer, cerner, contenir, corseter, encercler, enclore, enfermer, entourer, immobiliser, serrer.

ÉLIRE. Adopter, choisir, désigner, fixer, nommer, opter, plébisciter, préférer, réélire, trier, voter.

ÉLISABETH (n. p.). Babington, Devereux, George, Henri, Marie Stuart, Philippe, Tudor, Windsor, Zacharie.

ÉLISION. Abandon, abattre, abolition, anesthésie, anurie, aphérèse, apostrophe, article, coupure, démontage, diète, éclaircie, ellipse, éradication, étêtement, pincement, privation, rabattage, radiation, régime, suppression.

ÉLITE. Aristocratie, as, choix, classe, crème, élitaire, éminent, fleur, garde, gotha, gratin, grenadier, guide, lie, meilleur, noblesse, notable, pléiade, premier, qualifié, qualité, quantité, troupe, sélectif, sérail, supérieur, tireur.

ÉLITISME. Anarchie, campagne, centrisme, doctrine, nep, népotisme, parlementaire, politique, poujadisme, tract.

ÉLITISTE. Acolyte, adepte, adhérent, admirateur, affidé, affilié, aide, allié, ami, associé, attaché, dévoué, disciple, fan, fanatique, favorable, féal, fidèle, gibelin, guelfe, hussite, libertaire, lige, membre, militant, orienté, parti, partial, partisan, pro, rasta, rastafari, recrue, sectaire, sectateur, séide, supporter, tenant, ultraroyaliste, vériste.

ÉLIXIR. Boisson, breuvage, essence, magistère, médicament, philtre, quintessence, remède, sirop, teinture.

ELLÉBORE. Fleur, hellébores, herbacée, mellifère, plante, purge, renonculacée, rose de Noël, vératre.

ELLE. Éon, femme, fille, lui, soi.

ELLIPSE. Allusion, courbe, fait, insinuation, ovale, parataxe, raccourci, soit, sous-entendu, zeugme.

ELLIPTIQUE. Abrégé, allusif, détourné, laconique, lapidaire, ovale, ovoïde, ramassé, succinct, télégraphique.

ELME (n. p.). Érasme, Saint-Elme.

ÉLODÉE. Aquarium, hélodée, hydrocharidacée, morène, Nuttall, plante.

ÉLOCUTION. Adage, articulation, débat, débit, diction, maxime, parler, parole, prononciation, verbe, verbiage.

ÉLOGE. Adulation, apologie, apothéose, célébration, compliment, congratulations, dithyrambe, encens, encensement, enthousiasme, félicitation, flatter, glorifié, louange, méritant, panégyrique, pinacle, triomphe.

ÉLOGIEUX. Adorateur, adulateur, applaudisseur, cajoleur, caresseur, courtisan, dithyrambique, encenseur, endormeur, enjôleur, flagorneur, flatteur, laudatif, lèche-botte, lèche-cul, lécheur, los, louangeur, menteur, thuriféraire.

ÉLOIGNE. Abandon, apifuge, bardage, délaissement, déréliction, éloignement, exil, ghettoïsation, isolation, isolement, insonorisation, quarantaine, réclusion, retraite, séparation, solitude, vêtage, vêture.

ÉLOIGNÉ. Détourné, distant, distance, écarté, espacé, immémorial, isolé, loin, lointain, perdu, reculé, retiré, solitaire.

ÉLOIGNEMENT. Absence, décalage, dégoût, disparition, distance, écart, gap, nostalgie, recul, sûreté.

ÉLOIGNER. Absenter, aliéner, allonger, arracher, bannir, détacher, détirer, disparaître, distancer, écarter, égrener, épandre, étaler, étendre, étirer, évincer, exiler, fuir, gap, isoler, lever, partir, paver, reléguer, repousser, retirer, semer, séparer, tirer.

ÉLONGATION. Abscisse, allongement, amplitude, claquage, distance, écart, entorse, étirement, foulure.

ÉLONGER. Agrandir, allonger, déloyer, dérouler, développer, distendre, épandre, étendre, étirer.

ÉLOQUENCE. Ardeur, art, bagout, bien-dire, brillant, brio, chaleur, charme, conviction, débit, déclamation, dire, écrire, élégance, expression, faconde, muse, orateur, oratoire, parole, persuasion, rhétorique, verve.

ÉLOQUENT. Bavard, convaincant, disert, entraînant, expressif, parlant, persuasif, probant, révélateur, significatif.

ÉLU. Bienheureux, canonisable, censitaire, choisi, député, glorieux, papable, plébiscité, saint, sénateur, staroste.

ÉLUCIDATION. Analyse, clarification, commentaire, critique, définition, éclaircissement, embellissement, explication, exposé, exposition, glose, illustration, justification, note, raclage, raclement, renseignement.

ÉLUCIDER. Assainir, clarifier, débroussailler, débrouiller, déchiffrer, découvrir, dégoter, délabyrinther, démêler, dénicher, éclaircir, éclairer, embrouiller, enquêter, expliquer, obscurcir, purifier, résoudre.

ÉLUCUBRATION. Argutie, byzantinisme, caprice, casuitisme, chicane, distinguo, divagation, ergotage, excentricité, extravagance, idée, folie, frasque, incartade, loufoquerie, lubie, manie, marotte, toquade.

ÉLUCUBRER. Composer, déjanter, délirer, déménager, déparler, dérailler, déraisonner, divaguer, extravaguer, radoter.

ÉLUDER. Contourner, détour, détourner, escamoter, esquiver, éviter, négation, nier, non, soustraire, tourner.

ÉLUSIF. Éluder, enfuir, évasif, éviter, fuir, fuyant, imprécis, obvier, pallier, parer, partir, vague.

ELVIS (n. p.). Aron, Gladys, Graceland, Gratton, Lisa-Marie, Memphis, Mississippi, Presley, Priscilla, Tupelo, Vermon.

ELVIS. Pelvis.

ÉLYTRE. Abri, aile, aileron, aliforme, aviateur, coléoptère, enveloppe, épaulière, flanc, orthoptère, pale, penne, plume, régime, réticulé, spoiler, tache, talonnière, voile, voilure, voler.

ÉMACIATION. Amaigrissement, anorexie, athrepsie, cachexie, consomption, dépérissement, dessèchement, émaciement, étésie, fragilité, gracilité, immatérialité, maigreur, marasme, minceur, rachitisme.

ÉMACIÉ. Amaigri, amenuisé, aminci, cachectique, carcan, carcasse, décharné, desséché, efflanqué, émaciation, étiage, étique, étisie, grêle, gringalet, hâve, maigre, maigrelet, maigrichon, maigriot, marasme, mince, sauterelle, sciène, sec, squelettique.

ÉMACIER. Amaigrir, amincir, creuser, décharner, dessécher, efflanquer, exténuer, maigrir.

E-MAIL. Adresse, arobas, arobase, courriel, courrier, mail, mél, pourriel, web.

ÉMAIL. Allumé, azur, cloisonné, décoration, émaillure, équipolé, glaçure, métal, nielle, porcelaine, vernis.

ÉMAILLER. Agrémenter, appliquer, colorer, consteller, couvrir, décorer, enjoliver, orner, pailleter, parsemer.

ÉMAILLEUR (n. p.). Courteys, Guilbert, Limosin, Palissy, Pénicaud.

ÉMANATION. Agréable, arôme, bouffée, buée, dégagement, ectoplasme, effluence, effluve, exhalaison, fumée, fumerolle, ichor, miasme, mofette, moufette, odeur, parfum, radiation, radon, senteur, source.

ÉMANCIPATEUR. Bienfaiteur, délivreur, donateur, gratificateur, libérateur, messie, munificent, sauveur.

ÉMANCIPATION. Acquittement, affranchissement, chartisme, décolonisation, délivrance, désaliénation, élargissement, évacuation, indépendance, libération, manumission, merci, rachat, racheter, ramener, rédemption, salut.

ÉMANCIPÉ. Acquitté, adulte, affranchi, décolonisé, dégagé, délié, désaliéné, détaché, libéré, libre, relâché.

ÉMANCIPER. Affranchir, changer, décentraliser, décoloniser, déconcentrer, délocaliser, départementaliser, déplacer, désaliéner, désannexer, disséminer, libérer, mainmettre, provincialiser, régionaliser, transférer.

ÉMANER. Découler, dégager, dériver, élever, exhaler, inhaler, origine, partir, provenir, pulvériser, résulter, sortir.

ÉMARGEMENT. Aval, contreseing, endos, endossement, estampille, griffe, paraphe, sceau, scel, seing, signature, souscription, tag, visa.

ÉMARGER. Annoter, apposer, attester, diminuer, endosser, estampiller, griffer, massicoter, parapher, priver, recevoir, rogner, sceller, signer, souscrire, toucher, viser.

ÉMASCULATION. Abâtardissement, ablation, affaiblissement, amollissement, castration, orchidectomie.

ÉMASCULER. Affaiblir, bistourner, bretauder, castrer, chaponner, châtrer, couper, démascler, mutiler, stériliser.

EMBÂCLE. Amoncellement, atrésie, barrage, congestion, dame, débâcle, digue, éboulis, écluse, embolie, empêchement, engorgement, engouement, glissement, iléus, oblitération, obstacle, obstruction, occlusion, opposition, résistance.

EMBALLAGE. Ballot, ballotin, berlingot, blister, boîte, cageot, cagette, caisse, carton, casseau, cassot, clayette, colis, cornet, empaquetage, enveloppe, flein, malle, pack, panier, paquet, récipient, sac, tine, tube, vrac.

EMBALLANT. Admirable, captivant, charmant, éblouissant, électrisant, enchanteur, engouement, enivrant, ensorceleur, enthousiasmant, exaltant, excitant, grisant, palpitant, passionnant, réjouissant.

EMBALLÉ. Agité, charmé, emporté, enchanté, ensorcelé, enthousiasmé, heureux, joyeux, ravi, réjoui.

EMBALLEMENT. Admiration, adoration, adulation, ah, beau, délire, éblouissement, eh, émerveillement, enchantement, engouement, enthousiasme, épatant, extase, fanatique, flatterie, frénésie, ho, merveille, narcissisme, ravissement, snobisme, tocade.

EMBALLER. Attacher, blister, conditionner, emboîter, engouer, entourer, envelopper, ravir, remballer.

EMBALLEUR. Conditionneur, empaqueteur, ensacheur, layetier, paqueteur, préparateur.

EMBARBOUILLER. Embarrasser, emberlificoter, embrouiller, empêtrer, perdre, perturber, troubler.

EMBARCADÈRE. Appontement, cale, débarcadère, dock, gare, jetée, môle, ponton, quai, wharf.

EMBARCATION. Accon, acon, allège, bachot, balancelle, baleinière, barge, barque, bateau, bélandre, caic, caïque, canoë, canot, catamaran, chaland, chaloupe, coquille de noix, doris, drakkar, esquif, flette, gabare, gondole, kayak, nacelle, oumiak, pédalo, périssoire, pinasse, pirogue, prame, rafiot, sampan, skiff, vedette, verchère, yacht, yole, youyou, zodiac.

EMBARDÉE. Déflexion, déportement, dérapage, déviation, écart, échappée, escapade, faute, patinage.

EMBARGO. Arrêt, angarie, bannir, blocus, boycott, boycottage, confiscation, déconcerter, défendre, défense, embarrasser, empêchement, interdire, interdit, mesure, saisie, suspension.

EMBARQUEMENT. Appareillage, chargement, début, départ, embarcadère, engagement, exode, partance.

EMBARQUER. Débarquer, empêtrer, emporter, engager, entraîner, épingler, monter, partir, rembarquer.

EMBARRAS. Aria, charrette, chiqué, complication, danger, difficulté, doute, échappatoire, euh, enchifrènement, ennui, esbroufe, euh, gêne, heu, honte, incertitude, inquiétude, irrésolution, malaise, pépin, pétrin, pose, snob, souci, tintouin, tracas, trouble.

EMBARRASSANT. Délicat, difficile, encombrant, ennuyant, ennuyeux, épineux, gênant, malencontreux, obstacle, pétrin.

EMBARRASSÉ. Confus, constipé, contourné, contraint, décidé, décontenancé, démonté, égaré, encombré, emprunté, étonné, filandreux, gauche, gêné, hardi, honteux, indécis, interdit, pâteux, penaud, perdu, perplexe, résolu, sot, timide.

EMBARRASSER. Décontenancer, dérouter, désarçonner, embarbouiller, empêtrer, encombrer, engorger, entraver, gêner, obstruer, patauger, troubler.

EMBARRER. Barricader, calfeutrer, cantonner, claquemurer, claustrer, cloîtrer, confiner, emmurer, emprisonner, encager, enclore, enclure, enfermer, isoler, murer, reclure, renfermer, séquestrer, terrer, verrouiller.

EMBARRURE. Apocope, blessure, bris, brisure, cal, cassure, comminutif, contusion, crâne, esquille, fêlure, fente, fissure, fraction, fracture, maçonnerie, os, pseudarthrose, rupture, scellement.

EMBASEMENT. Assiette, assise, base, empattement, fondation, fondement, infrastructure, pied, soubassement.

EMBASTILLER. Boucler, coffrer, écrouer, emballer, emprisonner, encelluler, enfermer, incarcérer, verrouiller.

EMBAUCHE. Appel, cas, chance, croyance, débouché, éventualité, faculté, force, hypothèse, indication, loisir, moyen, occasion, opportunité, permission, possibilité, pouvoir, probabilité, sursis, virtualité.

EMBAUCHER. Demander, embrigader, employer, engager, enjôler, enrôler, inciter, louer, recruter, traiter.

EMBAUCHEUR. Boss, employeur, enrôleur, négrier, patron, patronat, rabatteur, racoleur, recruteur.

EMBAUCHOIR. Abducteur, délogeur, dériveur, dilatateur, disloqueur, écarteur, érigne, forme, fourreur, rétracteur.

EMBAUMEMENT. Assèchement, dépérissement, déshumidification, déshydratation, dessèchement, dessiccation, égouttage, endurcissement, étiolement, évaporation, momification, racornissement, sclérose, séchage, tarissement, thanatopraxie.

EMBAUMER. Aromatiser, croque-mort, dessécher, embaumeur, momie, momifier, natron, natrum, parfumer, thanatopraxie.

EMBAUMEUR. Borniol, cormoran, croquemort, ensevelisseur, entrepreneur, fossoyeur, nécrophore, thanatologue.

EMBECQUER. Absorber, avaler, becter, bouffer, brouter, consommer, croquer, déguster, dévorer, dîner, gaver, gorger, goûter, grignoter, happer, ingérer, mâcher, paître, pignocher, ronger, sustenter, vider.

EMBÉGUINER. Acoquiner, affectionner, aimer, amouracher, bégin, coiffer, enamourer, endoctriner, engouer, entêter, enticher, éprendre, friand, infatuer, passionner, préférer, raffoler, toquer.

EMBELLIE. Abonnissement, accalmie, amélioration, aménagement, anoblissement, bonification, changement, décoration, détente, éclaircie, embellissement, guérison, impenses, mieux, ornement, perfectionnement, progrès, réforme, réparation, révision.

EMBELLIR. Améliorer, amplifier, border, broder, croître, décorer, dorer, émailler, emplumer, enjoliver, enluminer, enrichir, flatter, fleurir, fleurissement, garnir, idéaliser, ornementer, orner, parer, poétiser.

EMBELLISSEMENT. Amélioration, amplification, arrangement, décoration, emplumage, enjolivement, fioriture, flattement, garniture, idéalisation, ornement, parement, parure.

EMBERIZIDÉ. Bruant, cardinal, carouge, dickcissel, goglu, junco, oriole, paruline, passerin, quiscale, sturnelle, tangara, tohi, vacher.

EMBERLIFICOTER. Embarrasser, embobiner, embrouiller, empêtrer, enjôler, entortiller, séduire, tromper.

EMBÊTANT. Affligeant, agaçant, assommant, barbant, contrariant, déplaisant, désagréable, désolant, emmerdant, empoisonnant, ennuyeux, enquiquinant, fâcheux, gênant, importunant, navrant, rasoir.

EMBÊTEMENT. Accroc, agacement, contrariété, déplaisir, emmerdement, ennui, inquiétude, souci, tracas.

EMBÊTER. Agacer, assiéger, assommer, contrarier, cramponner, crisper, déranger, emmerder, emmieller, énerver, ennuyer, enquiquiner, exaspérer, excéder, importuner, obséder, persécuter, peser, raser, suer, tanner, taquiner.

EMBLAVAGE. Barjelade, culture, engazonnement, ensemencement, épandage, fécondation, fruit, germe, grain, graine, insémination, pépin, propagation, reproduction, semailles, semence, semis, sperme.

EMBLAVER. Blé, bléer, cultiver, diaprer, disperser, emblavure, engazonner, ensemencer, épandre, jeter, parsemer, propager, répandre, remblaver, ressemer, revêtir, semer, sursemer.

EMBLÉMATIQUE. Allégorique, caractéristique, représentatif, révélateur, symbolique, symptomatique, typique.

EMBLÈME. Armoiries, attribut, balance, banderole, blason, bouclier, caducée, cocarde, drapeau, écu, écusson, étendard, fanion, figure, fuscine, icône, image, insigne, laurier, lis, médaille, myrte, nef, olivier, phrygien, signe, symbole, tiroir.

EMBOBELINER. Cajoler, emberlificoter, embobiner, enjôler, enrouler, entortiller, ficeler, flatter, mensonge, tromper.

EMBOBINER. Bobiner, circonvenir, emberlificoter, embobeliner, enjôler, enrouler, entortiller, ficeler, séduire.

EMBOÎTÉ. Ajout, ajusté, articulé, assemblé, chevauchant, enchâssé, équitant, gigogne, imbriqué, matriochka, télescopique.

EMBOÎTEMENT. Aboutage, aboutement, ajustage, articulation, assemblage, emboîture, embrayage, encastrement, enchâssement, imbrication, incrustation, insertion, jonction, marqueterie, mosaïque, moyeu, sertissure.

EMBOÎTER. Abouter, ajuster, assembler, copier, encastrer, enchâsser, enficher, engager, entrer, envelopper, glisser, imbriquer, imiter, infiltrer, insérer, insinuer, introduire, mouler, pénétrer, remboîter, suivre.

EMBOLIE. Apoplexie, attaque, caillot, cataplexie, cérébrale, congestion, embâcle, engorgement, grumeau, hémorragie, hyperémie, ictus, oblitération, obstruction, phlébite, pléthore, pulmonaire, résistance, thrombose.

EMBONPOINT. Adiposité, ampleur, brioche, corpulence, dondon, enflure, graisse, grassouillet, gros, grosseur, gourmandise, obésité, opulence, pléthore, replet, réplétion, rondelet, rondeur, rondouillard, rotondité, surcharge.

EMBOSSER. Amarrer, ancrer, diriger, étriver, imprimer, installer, maintenir, mouiller, protéger.

EMBOUCHE. Agrostide, agrostis, alpage, brome, cardamine, champ, colchique, engane, friche, herbage, lande, nard, noue, pacage, pampa, parc, pâtis, pâturage, pelouse, prairie, pré, savane, steppe, vallée.

EMBOUCHÉ. Désagréable, discourtois, effronté, grossier, impoli, impudent, incivil, inconvenant, injurieux, insolent, malappris, malhonnête, ostrogot, ostrogoth, rustaud, rustre, sans-gêne, saugrenu.

EMBOUCHER. Claironner, élever, embourber, endoctriner, engraisser, introduire, mors, verser.

EMBOUCHOIR. Baïonnette, cartouche, coussinet, douille, enveloppe, étui, extracteur, fourreau, gaine, jack.

EMBOUCHURE. Bocal, bouche, delta, embouchoir, entrée, estuaire, fjord, golfe, grau, lagune, liman, tétine.

EMBOURBER. Barboter, embarrasser, emberlificoter, emboucher, empêtrer, enferrer, enfoncer, engager, engluer, enliser, enneiger, envaser, gêner, patauger, perdre.

EMBOUT. About, aiguillon, bout, charnière, ferrage, ferret, ferrure, fiche, penture, serrure, té, tétine, tige.

EMBOUTEILLAGE. Affluence, afflux, bouchon, congestion, encombrement, engorgement, obstruction, retenue.

EMBOUTEILLER. Boucher, bouchon, congestionner, embarrasser, encombrer, entasser, obstruer, saturer, surproduire.

EMBOUTIR. Cabosser, calfater, caramboler, choquer, cogner, défoncer, démolir, emplafonner, enfoncer, étendre, fermer, frapper, frotter, heurter, marteler, oindre, percuter, rentrer, tamponner, taper, télescoper.

EMBRANCHEMENT. Bifurcation, carrefour, chemin, cténaire, fourche, partie, phanérogame, ver.

EMBRANCHER. Abouter, accoler, ajointer, ajuster, brancher, connecter, diviser, emboîter, empatter, fourcher, joindre, lier, opérer, raccorder, rattacher, relier, réunir, souder.

EMBRAQUER. Amurer, bander, border, contracter, cordage, crisper, durcir, empeser, engourdir, étarquer, fixer, raidir, rider, roidir, tendre, tirer.

EMBRASEMENT. Ardeur, crémation, fermentation, feu, flamboiement, flamme, incendie, sinistre.

EMBRASER. Activer, agacer, agiter, allumer, altérer, animer, apitoyer, attirer, attiser, aviver, brûler, causer, charmer, émoustiller, énerver, enflammer, éveiller, exalter, exciter, piquer, remuer, soulever, sus, va.

EMBRASSADE. Accolade, accouplement, baisé, caresse, coït, enlacement, enserrement, étau, étreinte, serrement.

EMBRASSEMENT. Accolade, baisemain, baisement, baiser, bec, bécot, bise, caresse, enlacement, étreinte.

EMBRASSER. Adopter, baiser, bécoter, biser, choisir, contenir, englober, enlacer, étreindre, prendre, serrer.

EMBRASURE. Accès, baie, brèche, carreau, créneau, fenêtre, fenestrage, fenestration, fronteau, lanterne, lanterneau, lanternon, lucarne, lumière, mosaïque, ouverture, puits, table, verre, verrière, vitrail, vitre, vue.

EMBRAYAGE. Aboutage, ajustage, articulation, assemblage, axe, emboîtement, emboîture, encastrement, enchâssement, essieu, imbrication, incrustation, insertion, jonction, marqueterie, mosaïque, moyeu, roue, sertissure.

EMBRAYER. Asseoir, avance, baser, bâtir, camper, commencer, constater, créer, ériger, fixer, fonder, forjeter, inaugurer, instaurer, instituer, instrumenter, justifier, mettre, nouer, placer, ponter, poster, préétablir, prouver, unir.

EMBRIGADEMENT. Conscription, enrôlement, engagement, levée, racolage, recensement, recrutement.

EMBRIGADER. Conscrire, demander, engager, enjôler, enrégimenter, enrôler, inciter, louer, recruter, traiter.

EMBRINGUER. Aventurer, embarquer, embarrasser, empêtrer, engager, entraîner, fourrer, mêler.

EMBROCATION. Balsamique, baume, cérat, crème, embroc, huile, liniment, onguent, pâte, pommade.

EMBROCHER. Blesser, brocheter, empaler, enfiler, étayer, joindre, maintenir, piquer, renforcer, transpercer, traverser.

EMBROUILLAGE. Anarchie, complication, confusion, embrouillement, enchevêtrement, imbroglio.

EMBROUILLAMINI. Anarchie, bourbier, cafouillis, chaos, confusion, désordre, imbroglio, mélange, micmac.

EMBROUILLE. Canaillerie, charlatanerie, crapulerie, désordre, escroquerie, fraude, mystification, supercherie, tricherie.

EMBROUILLEMENT. Anarchie, bourbier, cafouillage, chaos, complication, confusion, désordre, embrouillamini, emmêlement, enchevêtrement, fouillis, imbrication, imbroglio, interpénétration, intrication, labyrinthe, mélange.

EMBROUILLER. Amalgamer, brouiller, cafouiller, compliquer, ébouriffer, élucider, embarrasser, emmêler, enchevêtrer, entortiller, empêtrer, imbroglio, mélanger, mêler, merdoyer, mixer, patauger, tromper, troubler.

EMBROUSSAILLER. Brouiller, compliquer, embrouiller, emmêler, enchevêtrer, entortiller, entremêler, obscurcir.

EMBRUMER. Assombrir, attrister, aveugler, brouiller, confondre, obnubiler, obscurcir, troubler, voiler.

EMBRUN. Averse, bruine, crachin, déluge, drache, eau, flopée, giboulée, gouttelette, grain, grêle, grésil, nuée, ondée, orage, pluie, poudrin, revolin, rincée, saucée, vague, vent, verglas.

EMBRYON. Agénésie, allantoïde, bourgeon, commencement, ébauche, ectoderme, endoderme, fœtus, frai, germe, grain, graine, kyste, larve, mésoderme, métamère, morula, naissain, neurula, œuf, ovule, placenta, plantule, plumule, semence, somite, sperme, spore, tératogène, tigelle.

EMBRYONNAIRE. Allantoïde, amnios, chorion, commençant, fivete, fœtal, gastrula, germe, endoblaste, endoderme, état, gonocyte, initial, larvaire, larve, mésoblaste, mésoderme, métencéphale, morphogenèse, naissant, neurula, ouraque, primitif, squelettique, synergide.

EMBÛCHE. Aiche, appât, appeau, attrape, cage, danger, difficulté, écueil, embuscade, esche, filet, gluau, guet-apens, insidieux, leurre, nasse, obstacle, os, panneau, piège, ratière, rets, ruse, souricière, syllabe, trappe, traquet.

EMBUER. Arroser, baigner, bassiner, humecter, humidifier, moitir, mouiller, saucer, tremper, vaporiser, voiler.

EMBUSCADE. Aiche, appât, appeau, attrape, cage, danger, difficulté, écueil, embûche, esche, filet, gluau, guet-apens, insidieux, leurre, machination, nasse, obstacle, os, panneau, piège, ratière, rets, ruse, souricière, syllabe, trappe, traquenard, traquet.

EMBUSQUÉ. Anxieux, audacieux, brave, caché, camouflé, capon, couard, courageux, craintif, dégonflé, froussard, fuyard, héros, pétochard, peureux, pleutre, poltron, tapi, timide, trouillard, vaillant, valeureux.

EMBUSQUER. Affecter, atténuer, cacher, camoufler, celer, costumer, couvrir, déguiser, dissimuler, enfouir, enrober, feinte, feintise, fourber, inavouer, mentir, occulter, planquer, renfermer, secret, sournois, taire, tricher, voiler.

ÉMÉCHÉ. Chaud, chaudasse, émoustillé, enivré, gai, goguette, gris, grisé, ivre, pompette, saoul, soûl, soûlé.

ÉMÉCHER. Alcooliser, arsouiller, aviner, beurrer, biturer, bitturer, boire, bourrer, camphrer, chopiner, cocarder, cuiter, défoncer, émoustiller, enivrer, étourdir, exalter, exciter, griser, noircir, poivrer, rétamer, saouler, soûler.

ÉMERAUDE. Aigue-marine, béryl, gemme, morillon, noces, pierre, silicate, smaragdin, tourmaline, vert.

ÉMERGENCE. Absence, affleurement, agio, contraste, dénivellation, dénivellement, discordance, dissemblance, distinction, divergence, diversité, écart, inégalité, nuance, opposition, sexe, tension, variété.

ÉMERGER. Apparaître, commencer, dégager, exprimer, flotter, imposer, jaillir, manifester, montrer, naître, nager, paraître, percer, produire, ressurgir, retenir, saillir, sortir, source, surgir, venir.

ÉMERI. Abrasif, alumine, borné, corindon, décapant, élimer, émeriser, grésoir, papier, polir, potée, sabler, stupide.

ÉMERILLON. Boucle, crécerelle, crochet, épervier, falconidé, faucon, hobereau, oiseau, rapace.

ÉMERILLONNÉ. Alerte, dégourdi, déluré, éveillé, impétueux, intense, leste, mutin, pétulant, rapide, vif, vigilant.

ÉMÉRITE. Adroit, brillant, chevronné, compétent, distingué, éminent, éprouvé, expérimenté, expert, habile, habitué, honoraire, insigne, invétéré, magistrat, novice, professeur, remarquable, retraité, supérieur.

ÉMERSION. Affleurage, affleurement, éclipse, émergence, mouvement, réapparition, saillie, surgissement.

ÉMERVEILLE. As, bollé, crack, dépensier, doué, étonnement, excellent, génie, incroyable, magie, magique, merveille, miracle, perfection, phénix, phénomène, précoce, prestige, prodige, rare, surdoué, virtuose.

ÉMERVEILLÉ. Charmé, ébahi, éberlué, ébloui, emballé, enchanté, épaté, étonné, fasciné, médusé, ravi, surpris.

ÉMERVEILLEMENT. Admiration, éblouissement, emballement, enchantement, engouement, enthousiasme, ravissement.

ÉMERVEILLER. Charmer, ébahir, éberluer, éblouir, emballer, enchanter, étonner, fasciner, séduire, surprendre.

ÉMÉTINE. Alcaloïde, apomorphine, dégueulatoire, émétique, expectorant, ipéca, ipécacuana, nauséeux, russule, tartrate, tartre, vératre, vomitif.

ÉMÉTIQUE. Algaroth, dégobillage, dégueulée, dégueulis, dégurgitation, hématémèse, humeur, mérycisme, oxychlorure, pituite, régurgitation, renard, renvoyage, vomi, vomissement, vomissure, vomitif, vomitique.

ÉMETTEUR. Cb, cébiste, destinateur, locuteur, radiodiffuseur, télédiffuseur, télégraphiste, tireur.

ÉMETTRE. Articuler, aspirer, briller, claqueter, créer, diffuser, dire, éditer, énoncer, éructer, exprimer, extérioriser, formuler, jeter, lâcher, lancer, luire, pousser, proférer, prononcer, ronronner, sortir, striduler, tirer.

ÉMEU. Émou, dromicéidé, oiseau, ratite, rhéiformes.

ÉMEUTE. Agitation, bouillonnement, excitation, insurrection, jacquerie, meute, mutinerie, pogrom, pogrome, rébellion, résignation, résistance, revendication, révolte, sédition, soulèvement, surexcitation, trouble, turbulence.

ÉMEUTIER. Activiste, agitateur, anarchiste, contestataire, cordelier, desperado, extrémiste, factieux, frondeur, futuriste, gauchiste, insurgé, insurrectionnel, militant, mutin, nihiliste, novateur, putschiste, rebelle, révolté, révolutionnaire, séditieux, subversif, terroriste, trublion.

ÉMIER. Atomiser, royer, disperser, disséminer, égrener, émietter, éparpiller, fragmenter, paner, répandre.

ÉMIETTEMENT. Atomisation, décomposition, découpage, désagrégation, dislocation, dispersion, fraction.

ÉMIETTER. Atomiser, brésiller, broyer, disperser, disséminer, égrener, émier, éparpiller, fragmenter, paner, répandre.

ÉMIGRANT. Abattu, déraciné, émigré, exilé, expatrié, immigrant, immigré, importé, migrant, réfugié, transplanté.

ÉMIGRATION. Départ, déportation, exil, exode, expatriation, fuite, immigration, migration, relégation.

ÉMIGRÉ. Déraciné, émigrant, exilé, expatrié, immigrant, immigré, importé, migrant, réfugié, transplanté.

ÉMIGRER. Essaimer, exiler, exiler, expatrier, immigrer, fuir, migrer, or, rapatrier, rat, réfugier, transmigrer.

ÉMINCER. Arbitrer, arrêter, choisir, conclure, contraster, convenir, couper, décapiter, décréter, définir, délibérer, déterminer, détonner, disposer, diviser, finir, hacher, juger, ordonner, prononcer, régler, résoudre, rogner, sectionner, séparer, solutionner, statuer, trancher, vider.

ÉMINEMMENT. Affreusement, bien, exceptionnellement, extrêmement, notamment, parfaitement, particulièrement, principalement, remarquablement, spécialement, spécifiquement, supérieurement, surtout.

ÉMINENCE. Archiprêtre, cardinal, colline, curé, ecclésiastique, élévation, ém., évêque, excellence, grise, hauteur, mont, montagne, monticule, papille, prêtre, protubérance, saillie, téocalli, tertre, tumeur, tumulus, vicaire.

ÉMINENT. Brillant, célèbre, certain, considérable, criant, distingué, élevé, élite, émérite, évident, excellence, extraordinaire, fameux, flagrant, grand, haut, illustre, important, incontestable, indéniable, patent, renommé, réputé, supérieur.

ÉMIR (n. p.). Abderame, Abdullah, Idris, Maktoum, Makum, Rabah, Tamerlan, Timur, Zangi.

ÉMIR. Calife, chef, commandeur, dirigeant, émirat, gouvernant, gouverneur, prince, souverain, titre.

ÉMIRAT (n. p.). Adjman, Asir, Bahreïn, Chardja, Cordoue, Dubaï, Dubayy, Koweït, Nadjd, Nedjd, Transjordanie.

ÉMIS. Avancé, créé, diffusé, dit, divulgué, énoncé, jeté, lui, paru, promulgué, prononcé, publié, SOS.

ÉMISSAIRE (n. p.). Nelson, Richelieu, Saint-François, Saint-Laurent.

ÉMISSAIRE. Agent, ambassadeur, bouc, canal, chargé, conduite, délégué, député, envoyé, espion, fossé.

ÉMISSION. Antenne, diffusion, éclatement, écoulement, édition, éjaculation, émanation, énurésie, éructation, éruption, fumerolle, irradiation, jet, lâchée, luminescence, multiplex, rot, ruissellement, surémission, tribune, vesse.

ÉMISSOLE. Acanthias, aiguillat, chien de mer, émissole, poisson, requin, saumonette, sagre, squale.

EMMAGASINAGE. Accumulation, entreposage, magasinage, manutention, remisage, rentrage, stockage.

EMMAGASINER. Accumuler, amasser, condensateur, engranger, entasser, entreposer, réunir, stocker.

EMMAILLOTER. Bobiner, cacher, couvrir, encercler, enrouler, envider, langer, serpenter, tordre, tortiller.

EMMANCHER. Adapter, ajuster, amorcer, assembler, battre, commencer, débuter, démarrer, emboîter, engager, entamer, envelopper, fixer, miser, monter, prendre, présenter, remmancher, rouler.

EMMANCHURE. Aisselle, échancrure, emboîtement, emmanchement, entournure, tournure.

EMMARCHEMENT. Contremarche, échappée, échiffre, escalier, giron, limon, marchepied.

EMMÊLEMENT. Confusion, embrouillamini, embrouillement, enchevêtrement, enlacement, fouillis, imbrication, imbroglio, interpénétration, intrication, labyrinthe, plaque, réseau, treillis.

EMMÊLER. Brouiller, confondre, confusion, embrouiller, enchevêtrer, entrelacer, mélanger, mêler, perruquer.

EMMÉNAGEMENT. Agencement, arrangement, aménagement, arrangement, campement, équipement, établissement, installation, intronisation, investiture, motorisation, organisation, pose, secteur.

EMMÉNAGER. Accorder, agencer, attribuer, départir, dispenser, diviser, donner, installer, partager, répartir.

EMMENER. Amener, conduire, cueillir, diriger, emporter, enlever, entraîner, guider, laisser, lever, mener, piloter, prendre, ramasser, ravir, remmener, remorquer, reprendre, sortir, traîner, transporter.

EMMENTHAL. Emment, emmental, fondue, fromage, gruyère, suisse, vallée.

EMMENTHAL (n. p.). Berne, Emme, Suisse.

EMMERDANT. Agaçant, assommant, barbant, chiant, contrariant, embêtant, énervant, ennuyeux, fâcheux, rasant.

EMMERDE. Accident, accroc, anicroche, aria, difficulté, emmerdement, ennui, souci, tracas, trouble.

EMMERDEMENT. Apepsie, aporie, asthénie, complexité, danger, difficulté, dyslexie, dyspnée, dysurie, éblouissement, écueil, embûche, emmerde, ennui, entrave, épine, épreuve, gendarme, hic, inconvénient, insomnie, mouise, nœud, obstacle, os, piège, problème, souci, tirage, tiraillement, tracas, trouble.

EMMERDER. Agacer, amuser, barber, canuler, distraire, divertir, égayer, embêter, emmieller, emmouscailler, énerver, ennuyer, enquiquiner, importuner, lasser, récréer, réjouir, tanner, tartir, vexer.

EMMERDEUR. Casse-pieds, chieur, ennuyeux, enquiquineur, fâcheux, gêneur, importun, raseur.

EMMIELLER. Adoucir, agacer, crisper, édulcorer, embêter, emmerder, énerver, ennuyer, exaspérer, importuner.

EMMITONNER. Armer, assembler, barder, caparaçonner, chauffer, circonvenir, couvrir, cuirasser, déguiser, emboîter, encastrer, enchâsser, enficher, engager, entrer, envelopper, garnir, gâter, mal, protéger, recouvrir.

EMMITOUFLER. Abouter, ajuster, assembler, couvrir, déguiser, emboîter, emmitonner, encastrer, enchâsser, enficher, engager, entrer, envelopper, glisser, habiller, imbriquer, imiter, infiltrer, insérer, insinuer, introduire, mouler, pénétrer, réencadrer, réencastrer, réinsérer, réintroduire, remboîter.

EMMOUSCAILLER. Amuser, barber, canuler, distraire, divertir, égayer, embêter, emmieller, emmerder, ennuyer, enquiquiner, importuner, lasser, récréer, réjouir, tanner, tartir, vexer.

EMMUREMENT. Bagne, captivité, claustration, collocation, détention, écrou, emmurage, emprisonnement, enfermement, fermer, incarcération, internement, prison, réclusion, renfermement, séquestration, tôle.

EMMURER. Bloquer, boucler, cacher, ceindre, claquemurer, claustrer, cloîtrer, coffrer, confiner, emprisonner, encercler, enclore, enfermer, enserrer, fermer, fourrer, inclus, isoler, interner, murer, noyer, priver, ranger, retenir, séquestrer, serrer, traquer, verrouiller.

ÉMOI. Affolement, agitation, bouillonnement, bouleversement, désarroi, effervescence, émotion, trouble.

ÉMOLLIENT. Adoucissant, adoucit, analgésique, antispasmodique, apaisant, baume, calmant, calme, diacode, dictame, laudanum, lénifiant, lénitif, mauve, morphine, mou, opium, populéum, relâche, relaxant, sédatif, thridace, tranquillisant.

ÉMOLUMENT. Appointements, cachet, commission, droit, gages, gain, honoraire, rétribution, salaire.

ÉMONCTION. Déjection, délivrance, écoulement, éjection, élimination, émission, éruption, évacuation, excrétion, expulsion, méléna, péril, purge, retrait, sécrétion, sialorrhée, uriner, vidange, vomique.

ÉMONCTOIRE. Antidote, anus, assainir, débarrasser, dérivatif, diversion, exutoire, narine, soupape, ulcération.

ÉMONDAGE. Coupe, éborgnage, éboutage, ébranchage, élagage, émondement, épamprage, ravalement.

ÉMONDER. Assarmenter, couper, décortiquer, ébrancher, élaguer, jardiner, monder, nettoyer, tailler, têtard.

ÉMONDEUR. Celte, ciseau, courbet, croissant, ébranchoir, échenilloir, élagueur, émondoir, épieu, fauchard, faucille, guisarme, hallebarde, hast, pertuisane, pieu, sécateur, serpe, serpette, vouge.

ÉMONDOIR. Celte, ciseau, courbet, croissant, ébranchoir, échenilloir, élagueur, émondeur, épieu, fauchard, faucille, guisarme, hallebarde, hast, pertuisane, pieu, sécateur, serpe, serpette, vouge.

ÉMOTIF. Affectif, ardent, colérique, cramoisi, hypersensible, impressionnable, nerveux, sensible, sentimental, vibrant.

ÉMOTION. Affect, affection, agitation, alarme, bouleversement, choc, commotion, coup, cri, émoi, émouvant, ému, éperdu, excitation, fièvre, frémissement, frisson, hétéronomie, ire, pantelant, passion, sensation, sentiment, souci, transe, trauma, traumatisme, trouble.

ÉMOTIONNANT. Attendrissant, bouleversant, déchirant, émotif, émouvant, impressionnant, navrant, pantelant, passionnant, pathétique, poète, poignant, prenant, saisissant, sensible, touchant, troublant, vibrant.

ÉMOTIONNEL. Affectif, émotif, immaturation, impressionnable, nerveux, romantique, sensitif, sensoriel.

ÉMOTIONNER. Affecter, agiter, amadouer, angoisser, choquer, commotionner, émouvoir, troubler.

ÉMOTIVITÉ. Affection, compassion, délicatesse, esthésie, éveil, finesse, impressionnabilité, influençabilité, nervosité, romantisme, sensibilité, sensiblerie, sentiment, vibralité, vulnérabilité.

ÉMOTTAGE. Aération, ameublissement, bâchage, billonnage, billonnage, binage, charruage, commérage, culture, décavaillonnage, déchaussage, déchaussement, culture, écroûtage, hersage, labour, labourage, tassage.

ÉMOTTER. Amender, ameublir, bêcher, biner, charrue, défoncer, écroûter, effondrer, égratigner, émouvoir, fouiller, gratter, herser, houe, labourer, messe, mobiliser, piocher, remuer, replier, retourner, sarcler, scarifier, tourner.

ÉMOUDRE. Acérer, activer, affiler, affûter, agacer, aiguillonner, aiguiser, appointer, blanchir, broyer, chever, dégrossir, écacher, émorfiler, exciter, fusil, meule, meuler, meulette, queue, rectifier, repassage, repasser, tranchant, usiner.

ÉMOUCHET. Ableret, autour, crécerelle, épervier, faucon, hobereau, oiseau, rapace, rouge.

ÉMOUSSEMENT. Affaiblissement, corrosion, effilochage, effritement, érosion, excessif, exploitation, ostéolyse, profil, usure.

ÉMOUSSER. Affaiblir, arrondir, atténuer, blaser, énerver, épointer, gâter, morner, moucheter, paralyser, user.

ÉMOUSTILLANT. Affriolant, aguichant, alléchant, aphrodisiaque, appétissant, bandant, caféine, enivrant, enthousiasmant, érotique, exaltant, galvanisant, grisant, nicotine, passionnant, provocant, sexy, stimulant, troublant.

ÉMOUSTILLÉ. Agacé, amusé, charmé, ébloui, émerveillé, énervé, étonné, éveillé, excité, fasciné, gai, réjoui.

ÉMOUSTILLER. Affrioler, agiter, aguicher, aiguiser, animer, attiser, échauffer, embraser, enflammer, enivrer, étourdir, éveiller, exacerber, exciter, griser, piquer, pousser, provoquer, stimuler, susciter, tenter.

ÉMOUVANT. Alanguissant, apitoyant, attendrissant, bouleversant, déchirant, émotionnant, impressionnant, navrant, passionnant, pathétique, poète, poignant, prenant, saisissant, touchant, troublant, vibrant.

ÉMOUVOIR. Affecter, agiter, amadouer, apitoyer, attendrir, bouleverser, chavirer, choquer, émotionner, empoigner, fléchir, imperturbable, impressionner, perturber, remuer, retourner, saisir, sympathiser, toucher, vibrer.

EMPAILLAGE. Bourrage, cannage, cataplasme, drapement, emballage, emmaillotement, empaillement, enveloppage, enveloppement, étayage, naturalisation, rempaillage, robage, taxidermie.

EMPAILLÉ. Ahuri, bête, empoté, endormi, imbécile, indolent, inerte, inertie, jobard, naturalisé, niais.

EMPAILLER. Bourrer, canner, couvrir, envelopper, garnir, naturaliser, pailler, rempailler.

EMPAILLEUR. Botaniste, bourreur, canneur, cannier, erpétologiste, naturaliste, rempailleur, taxidermiste, zoologiste, zoologue.

EMPALER. Blesser, embrocher, étayer, joindre, maintenir, percer, piquer, renforcer, transpercer, tuer.

EMPALMER. Cacher, embaumer, empalmage, empaumer, escamoter, manipuler, truquer.

EMPAN. Alépine, alun, basin, batik, batiste, bord, bure, casimir, cati, cotonnade, drap, escot, étamine, feutre, gaze, grain, granité, lé, laine, linge, mérinos, mohair, moire, ottoman, pan, ras, ratine, rep, satin, satinette, sergé, soie, suédine, surah, taffetas, tarlatane, tartan, tenture, textile, tissu, trentain, tulle, tussor, un, uni, velours, zénana.

EMPAQUETAGE. Ballotin, berlingot, blister, bottelage, cageot, conditionnement, cornet, emballage, embarillage, emboîtage, emmaillotage, enveloppe, ensachage, flein, récipient, sac, tine, tube.

EMPAQUETER. Commander, conditionner, déterminer, emballer, envelopper, fixer, influencer, influer, préparer, trousse.

EMPAQUETEUR. Conditionneur, emballeur, ensacheur, ficeleur, habilleur, paqueteur, préparateur.

EMPARER. Accaparer, approprier, arracher, attraper, capturer, écrémer, enlever, prendre, ravir, saisir, usurper.

EMPÂTÉ. Adipeux, arrondi, baveux, beurre, bouffi, charnu, corpulent, décharné, dodu, étique, étoffé, fort, graisse, gras, gros, huileux, lard, maigre, obèse, onctueux, pansu, pâteux, plein, potelé, replet, taché.

EMPÂTEMENT. Ballonnement, bouffissure, boursouflure, emphase, enflure, gonflement, grandiloquence, pompe.

EMPÂTER. Arrondir, augmenter, ballonner, bomber, boucler, bouffer, bouffir, boursouffler, cloquer, dilater, enfler, engraisser, épaissir, exagérer, gonfler, grossir, regonfler, rengorger, surcharger.

EMPATHIE. Altruisme, apitoiement, assistance, bénévolat, bienveillance, charité, cœur, commisération, compassion, complaisance, convivialité, déplorable, intéressement, quel, pitié, sensibilité, sympathie, tendresse.

EMPATTEMENT. Assise, base, couche, dosseret, étage, étagement, fondement, hampe, hérisson, infrastructure, jambage, margelle, moie, moye, niveau, pied, pied-droit, solage, strate, subdivision, tambour, trait.

EMPAUMER. Conquérir, duper, empalmer, escamoter, gouverner, rouler, séduire, tromper, voler.

EMPÊCHEMENT. Achoppement, accroc, barrière, blocus, contretemps, difficulté, digue, dirimant, écueil, embargo, embarras, entrave, garde-fou, gêne, interruption, modération, muselière, obstacle, opposition, traverse.

EMPÊCHER. Abstenir, arrêter, barrer, coincer, consigner, couvrir, délester, déranger, entraver, éviter, fatalité, fermer, gêner, immobiliser, interdire, maintenir, mater, modérer, museler, naniser, neutraliser, opposer, réprimer, restreindre, retenir, séparer, tolérer.

EMPÊCHEUR. Casse-pieds, emmerdeur, ennuyeux, fâcheux, gêneur, importun, rabat-joie, trouble-fête.

EMPENNAGE. Aile, ailette, arc, archer, aster, avion, bois, brocard, canard, carquois, carreau, dard, empenne, épigramme, flèche, javelot, lance, lazzi, penne, plume, pointe, sagaie, sagette, sagittal, sagitté, tombolo, trait, vireton.

EMPEREUR. Basileus, bataille, césar, empire, gibelin, guelfe, impérial, kaiser, khan, légat, mikado, monarque, oiseau, palmipède, régant, rescrit, roi, sénat, sire, sultan, trône, tsar, tzar.

EMPEREUR ALLEMAND (n. p.). Adolphe de Nassau, Arnoul, Barberousse, Conrad, François, Frédéric, Guillaume, Joseph, Léopold, Otton, Robert le Bref, Rodolphe, Venceslas.

EMPEREUR AUTRICHIEN (n. p.). Charles, Ferdinand, François.

EMPEREUR AZTÈQUE (n. p.). Cuauhtémoc, Moctezuma, Montezuma.

EMPEREUR BRÉSILIEN (n. p.). Pierre.

EMPEREUR BULGARE (n. p.). Basileus, Boris, Ivajlo, Léon, Samuel, Siméon.

EMPEREUR BYZANTIN (n. p.). Alexis, Anastase, Andronic, Bardane, Basile, Basileus, Constantin, Héraclius, Isaac, Jean, Justin, Justinien, Léon, Manuel, Maurice, Michel, Nicéphore, Romain, Théodore, Théodebald, Thibaud.

EMPEREUR CHINOIS (n. p.). Chen-Tsong, Cixi, Hongwu, Lieou Pang, Qjanlong, Taizong, Yao.

EMPEREUR ÉTHIOPIEN (n. p.). Sélassié, Théodore, Théodoros.

EMPEREUR FRANÇAIS (n. p.). Bonaparte, Napoléon.

EMPEREUR GERMANIQUE (n. p.). Charles, François, Frédéric, Lothaire, Mathias, Maximilien.

EMPEREUR GREC (n. p.). Romain, Théodose.

EMPEREUR HAÏTIEN (n. p.). Dessalines, Soulouque.

EMPEREUR INCA (n. p.). Atahualpa.

EMPEREUR INDIEN (n. p.). Akbar, Asoka, Aurangzeb.

EMPEREUR IRANIEN (n. p.). Pahlavi.

EMPEREUR ITALIEN (n. p.). Otton.

EMPEREUR JAPONAIS (n. p.). Akihito, Hirohito, Meiji, Mikado, Taisho, Tenno.

EMPEREUR MÉSOPOTAMIEN (n. p.). Assyrie.

EMPEREUR MEXICAIN (n. p.). Iturbide, Maximilien.

EMPEREUR MONGOL (n. p.). Akbar, Kubilay Khan, Ogoday.

EMPEREUR OCCIDENTAL (n. p.). Anthémius, Arnoul, Arnulf, Augustulus, Avitus, Charles, Constantius, Glycérius, Honorius, Julius, Lothaire, Majorien, Nepos, Olybrius, Pétrone, Romulus, Sévère, Valentin.

EMPEREUR ORIENTAL (n. p.). Anastase, Arcadius, Arsène, Héraclius, Léon, Marcian, Theodosius, Zénon.

EMPEREUR ROMAIN (n. p.). Alexandre, Antonin, Apostolat, Auguste, Aurélien, Balbin, Balbinus, Caligula, Caracalla, Carin, Carus, Claude, Commode, Constance, Constant, Constantin, Decius, Didius, Dioclétien, Domitien, Élagabal, Émilien, Eugène, Florien, Galba, Galère, Gallien, Gallus, Geta, Gordien, Gratian, Hadrien, Héliogabale, Jovien, Julianus, Licinius, Marc-Aurèle, Macrin, Magnence, Maxence, Maxime, Maximien, Maximin, Néron, Nerva, Numérien, Octave, Othon, Pertinax, Philippe l'Arabe, Probus, Pupien, Septime Sévère, Tacite, Théodose, Tibère, Titus, Trajan, Valens, Valentinien, Valérien, Vérus, Vespasien, Vittelius, Zénon.

EMPEREUR RUSSE (n. p.). Alexandre, Chouiski, Fédor, Fedorovitch, Fiodor, Godounov, Mikhaïlovitch, Nicolas, Paul, Pierre, Pierre le Grand, Vassili.

EMPEREUR VIETNAMIEN (n. p.). Baodai, Gialong, Tuduc.

EMPESAGE. Amidonnage, apprêt, apprêtage, dur, étude, lissage, manières, raidir, repassage.

EMPESÉ. Affecté, apprêté, artificiel, compassé, composé, emprunté, étudié, gourmé, guindé, pincé, raide.

EMPESER. Affecter, aguerrir, amidonner, amurer, apprêter, armer, artificiel, bander, blinder, durcir, embraquer, endurcir, engourdir, empois, fixer, geler, imprégner, mouiller, raidir, tendre, tirer.

EMPESTER. Empoisonner, empuantir, enfumer, dégager, exalter, infecter, puer, renfermé, sentir, vicier.

EMPÊTRÉ. Andouille, balourd, brise-fer, brise-tout, empoté, gaffeur, gauche, godichon, grossier, inapte, incapable, inconsidéré, inhabile, lourd, lourdaud, maladroit, malavisé, malhabile, niais, pataud, sot.

EMPÊTRÉ. Ampoulé, confus, coriace, délayé, diffus, dur, embarrassé, emberlificoté, embrouillé, enchevêtré, entortillé, fibreux, filandreux, fumeux, gauche, indigeste, maladroit, nerveux, obscur, tarabiscoté.

EMPÊTRER. Gauche, embarrasser, emberlificoter, embourber, embrouiller, entraver, lier, merdoyer, vasouiller.

EMPHASE. Affectation, ampoule, boursouflure, emphatique, enflure, exagération, excès, grandiloquence, hyperbole, ithos, naturel, pathos, pompe, pompeux, pompier, prétention, rhéteur, simplicité, solennité.

EMPHATIQUE. Académique, affecté, ampoulé, apprêté, bombastique, bouffi, boursouflé, cérémonieux, compliqué, creux, enflé, gonflé, grand, grandiloquent, guindé, naturel, pompeux, rhéteur, ronflant, solennel.

EMPIÈCEMENT. Basquine, bavette, blouse, buste, bustier, canezou, caraco, chemise, chemisette, chemisier, corsage, corset, cuirasse, détachement, escrime, guimpe, jabot, jaquette, pièce, plastron, veste.

EMPIERRER. Argenter, barder, beurrer, boucher, cacher, caillouter, cocher, coiffer, combler, complanter, consteller, couvercle, couvrir, déguiser, dissimuler, enchausser, enduire, enfaîter, engluer, enrubanner, enterrer, envelopper, garantir, graveler, habiller, housser, immuniser, inonder, iodurer, macadamiser, maquiller, métalliser, moisir, napper, ombrager, paner, parsemer, peindre, placarder, plâtrer, prémunir, préserver, recharger, recouvrir, réparer, revêtir, rocher, salpêtrer, semer, terrer, vêtir, voiler.

EMPIÉTEMENT. Appropriation, captation, chevauchement, croisement, dol, enlèvement, escroquerie, intersection, nœud, occupation, prise, recoupement, recouvrement, rencontre, superposition, usurpation.

EMPIÉTER. Anticiper, chasser, déborder, dépasser, envahir, exagérer, mordre, outrepasser, usurper, violer, voler.

EMPIFFRER. Abîmer, absorber, avaler, bâfrer, bouffer, claquer, consumer, couler, croquer, dépenser, dévorer, dilapider, disparaître, dissiper, enforner, engouffrer, enfourner, ensevelir, gaspiller, gaver, goinfrer, ingurgiter, manger, perdre, sombrer, submerger.

EMPILEMENT. Abattis, abcès, adipeux, amas, amoncellement, banquise, bloc, boule, bourre, branchage, cal, chaton, dune, empyème, entassement, fatras, fétras, feu, filasse, foule, jar, jard, liasse, lithiase, lot, masse, meule, mitraille, monceau, mousse, névé, noyau, nuage, ossuaire, pannicule, paquet, pierraille, pierre, pile, plexus, ruée, salage, sécas, sérac, sore, superposition, tas, terri, terril, tout, trésor.

EMPILER. Accumuler, amasser, amonceler, duper, entasser, gerber, piler, stocker, superposer, tromper, voler.

EMPIRE (n. p.). Achéménides, Akkad, Annam, Assyrie, Aztèques, Bornou, Byzantin, Élam, Hittites, Inca, Kmers, Mali, Marathes, Maya, Mèdes, Moche, Mochica, Occident, Parthes, Perse, Reich, Romain, Vijayanagar.

EMPIRE. Abeille, autorité, britannique, byzantin, dominion, empereur, inca, orient, pouvoir, puissance, romain, royaume.

EMPIRER. Aggraver, aigrir, augmenter, aviver, corser, détériorer, envenimer, infecter, péricliter, pire.

EMPIRIQUE. Acritique, expérimental, modèle, naïf, pilote, pragmatique, pratique, rationnel, routinier.

EMPIRISME. Activisme, associationnisme, athéisme, cynique, doctrine, évolutionnisme, extrémisme, lockisme, matérialisme, opportunisme, philosophie, pragmatisme, prosaïsme, sensualisme, terrorisme.

EMPLACEMENT. Abri, canton, chaintre, coin, endroit, étal, gatte, lieu, linéaire, local, localité, locus, parage, part, place, point, position, poste, rayon, sautoir, séjour, site, situation, solarium, stalle, stand, terrain.

EMPLAFONNER. Cabosser, calfater, caramboler, choquer, cogner, défoncer, démolir, emboutir, enfoncer, étendre, fermer, frapper, frotter, heurter, oindre, percuter, rentrer, tamponner, télescoper.

EMPLÂTRE. Antiphlogistique, calmant, cataplasme, compresse, dessicatif, diachylon, épispastique, fondant, magdaléon, mou, onguent, résolutif, résolutoire, révulsif, sédatif, sinapisme, sparadrap, thapsia.

EMPLETTE. Achat, acquêt, acquisition, action, appropriation, chaland, commande, commissions, conquêt, course, échange, fiducie, magasinage, mémorisation, obtention, provision, usucapion.

EMPLIR. Baigner, bonder, bourrer, charger, combler, encombrer, enfumer, engrener, envahir, farcir, garnir, gorger, infester, inonder, insérer, meubler, occuper, parfumer, remplir, satisfaire, saturer, truffer.

EMPLISSAGE. Bachotage, bourrage, capitonnage, compactage, damage, densification, embourrure, fourrage, garnissage, habillage, intoxication, matelassage, matraquage, ouatage, propagande, rembourrage, remplissage.

EMPLOI. Agenda, attributions, boulot, carrière, charge, chômage, cumul, dopage, fonction, gagne-pain, gaspillage, horaire, job, loisir, métier, occupation, place, planque, poste, profession, rôle, secrétariat, sinécure, situation, titre, travail, usage.

EMPLOYABLE. Blanchiment, convivial, récupérable, recyclable, renouvelable, réinsertion, réutilisable, utilisable.

EMPLOYÉ. Agent, bedeau, cadre, cheminot, clerc, commis, croque-mort, croupier, cueilleur, domestique, facteur, forestier, gabelou, gratte-papier, groom, job, lampiste, livreur, perle, peseur, postier, préposé, répartiteur, rond-de-cuir, salarié, scribe, sert, sous-fifre, suisse, traminot, trieur, usé, usité, utilisé.

EMPLOYER. Action, aménager, donner, embaucher, engager, faire, ménager, occuper, user, utiliser, zèle.

EMPLOYEUR. Boss, embaucheur, enrôleur, négrier, patron, patronat, rabatteur, racoleur, recruteur.

EMPLUMER. Border, broder, décorer, dorer, embellir, enjoliver, enluminer, garnir, ornementer, orner, parer.

EMPOCHER. Accepter, accueillir, adopter, agréer, avoir, capter, cuir, écoper, émarger, essuyer, gagner, héberger, hériter, initier, loger, obtenir, palper, percevoir, prendre, récolter, sentir, souffrir, subir, toucher, voir.

EMPOIGNADE. Accident, accrochage, altercation, barrage, cognement, collision, démêlé, discussion, dispute, engueulade, épinglage, escarmouche, fixation, friction, happement, harpage, harponnage, heurt, impact, incident, querelle.

EMPOIGNANT. Affolant, attachant, attrayant, bouleversant, captivant, électrisant, émouvant, enivrant, exalte, excitant, impressionnant, palpitant, passionnant, prenant, ravissant, saisissant, séduisant.

EMPOIGNER. Affronter, agripper, attraper, colleter, disputer, émouvoir, lutter, prendre, saisir, serrer.

EMPOIS. Amidon, apprêt, colle, colloïdal, gélose, glu, ichtyocolle, isinglass, maroufle, papin, pesanteur.

EMPOISONNANT. Agaçant, assommant, assoupissant, barbant, casse-pieds, contrariant, dégoûtant, embêtant, emmerdant, ennuyant, ennuyeux, enquiquinant, importun, puant, rasant, rasoir, tuant, upas.

EMPOISONNÉ. Empesté, envenimé, gâté, infecté, intoxiqué, malveillant, mauvais, toxique, vénéneux.

EMPOISONNEMENT. Avanie, avatar, botulisme, ennui, envenimation, infection, intoxication.

EMPOISONNER. Contaminer, corrompre, déranger, embêter, emmerder, ennuyer, envenimer, gâcher, gangrener, gâter, empester, empuantir, importuner, infecter, intoxiquer, pervertir, puer, raser, tanner, tuer.

EMPOISONNEUR (n. p.). Borgia, Brinvilliers, Castaing, Locuste, Néron, Pallas.

EMPOISONNEUR. Assommeur, casse-pieds, emmerdeur, enquiquineur, fâcheux, importun, raseur.

EMPOISSONNER. Aleviner, emblaver, ensemencer, peupler, remblaver, ressemer, semailles, semer, semis.

EMPORT. Cargaison, charge, chargement, contenu, faix, fret, lest, nolis, pacotille, poids, transport.

EMPORTÉ. Acharné, coléreux, colérique, déchaîné, enragé, excité, fanatique, furieux, impétueux, passionné, vif, violent.

EMPORTEMENT. Accès, acharnement, avertin, colère, déchaînement, élan, emmener, entraîner, envolée, foucade, fougue, frénésie, fureur, furie, impétuosité, ire, passion, rage, scène, sortie, véhémence, violence, vivacité.

EMPORTE-PIÈCE. Acerbe, acéré, acide, acidulé, âcre, agressif, aigre, aigu, âpre, brûlant, caustique, collant, corrosif, cuisant, découpoir, épicé, grinçant, incisif, mordant, pastilleur, piquant, ronger, satirique, sur, vif, virulent.

EMPORTER. Anéantir, arracher, charrier, charroyer, colérer, comporter, dominer, embarquer, emmener, enlever, entraîner, impliquer, obtenir, ôter, prendre, primer, rafler, renfermer, rouler, submerger, transporter.

EMPOTÉ. Empaillé, empêtré, épais, gauche, godiche, guindé, imbécile, incapable, maladroit, pattu, paysan.

EMPOURPRÉ. Coloré, colorié, congestionné, cramoisi, écarlate, enflammé, enjolivé, enluminé, miniaturisé, rouge, rougeaud, rouget, rougi, rougissant, rubescent, rubicond, sanguin, turgide, vermeil, vineux, vultué.

EMPOURPRER. Colorer, dorer, écidie, ensanglanter, limonite, mûrir, regretter, rosir, rouge, rougir, rubéfier.

EMPREINDRE. Cacheter, écrire, estamper, graver, imprimer, marquer, pénétrer, plomber, poinçonner, sceller, timbrer.

EMPREINT. Abondant, ample, animé, bondé, bourré, chargé, comble, complet, couvert, débordant, dense, dodu, étoffé, farci, fort, gras, gros, ivre, massif, morne, nourri, plein, potelé, ras, rempli, replet, rond, saturé, senti, seul, sévère, vidé.

EMPREINTE. Cachet, caractère, coin, ectype, estampage, flan, fossile, fumé, griffe, impression, majoration, marque, médaille, morne, moulage, moule, oblitération, pas, piste, sceau, surcharge, trace, type, vestige.

EMPRESSÉ. Affairé, aimable, ardent, assidu, attentif, attentionné, bienveillant, civil, complaisant, déférent, dévoué, diligent, exact, galant, impatient, minutieux, obligeant, prévenant, prompt, serviable, zélé.

EMPRESSEMENT. Ardeur, chaleur, dare-dare, diligence, élan, galanterie, hâte, précipitation, zèle.

EMPRESSER. Accélérer, accourir, affairer, courir, démener, dépêcher, galant, hâter, obséquieux.

EMPRISE. Ascendant, autorité, domination, empire, influence, mainmise, poids, pouvoir, pression, prestige.

EMPRISONNÉ. Bouclarès, bouclé, caché, cadenassé, captif, cloîtré, coffré, confiné, contraint, détenu, écroué, emmuré, encerclé, enfermé, fermé, incarcéré, interné, muré, otage, reclus, séquestré, verrouillé.

EMPRISONNEMENT. Bagne, captivité, châtiment, claustration, collocation, détention, écrou, emmurage, emmurement, enfermement, fermer, incarcération, internement, prison, réclusion, séquestration, tôle.

EMPRISONNER. Attacher, boucler, claustrer, claquemurer, cloîtrer, coffrer, confiner, détenir, écrouer, encelluler, enchaîner, enfermer, enserrer, fermer, incarcérer, interner, isoler, reclure, renfermer, séquestrer, verrouiller.

EMPRUNT (n. p.). Necker, Pinay.

EMPRUNT. Anglicisme, calquage, compilation, embarras, facticité, idiotisme, imitation, prêt, rente, vol.

EMPRUNTÉ. Affecté, artificiel, contraint, débité, embarrassé, imité, gauche, pris, renouvelé, tiré.

EMPRUNTER. Artificiel, calquer, caricaturer, compiler, débiter, embarrassé, guinder, imiter, obtenir, parodier, péage, plagier, prendre, prêter, prime, pseudonyme, puiser, taper, tauper, tirer, user, voler.

EMPRUNTEUR. Assimilateur, compilateur, copieur, copiste, débiteur, débirentier, mime, obligé, tapeur.

EMPUANTI. Abject, cochon, dégueulasse, dégoûtant, écœurant, empesté, grossier, fétide, horrible, ignoble, infect, irrespirable, malodorant, nauséabond, nauséeux, puant, rebutant, renfermé, répugnant, sale, vireux.

EMPUANTIR. Abîmer, cochonner, contaminer, corrompre, dégager, dégoûter, empester, empoisonner, envenimer, gangrener, gâter, imprégner, infecter, intoxiquer, irriter, méphisiser, puer, rancir, sentir, vicier.

EMPUSE. Champignon, diable, diablotin, dictyoptère, insecte, moisissure, mucor, orthoptère, phasme, vampire.

EMPYÈME. Abcès, adénite, anthrax, bourbillon, bouton, chancre, clou, fistule, furoncle, infection, inflammation, kyste, orgelet, panaris, papule, parulie, phlegmon, pneumonie, pus, pustule, scrofule, tumeur.

EMPYRÉE (n. p.). Olympe.

EMPYRÉE. Astre, azur, calotte, céleste, ciel, cieux, climat, coupole, dais, éden, éther, exil, firmament, frise, infini, là-haut, lit, mythologie, nirvâna, oasis, olympe, paradis, parnasse, séjour, voûte, walhalla.

ÉMU. Agité, cramoisi, dérangé, déréglé, émotion, gris, grisé, impressionné, ivresse, noir, parti, passionné, perturbé, remué, rond, saoul, sensible, soûl, touché, troublé, vibre.

ÉMULATION. Antagonisme, assaut, combat, compétition, concurrence, course, à l'envi, jalousie, lutte, zèle.

ÉMULE. Adversaire, antagoniste, candidat, challenger, challengeur, concurrent, ennemi, prétendant, rival.

ÉMULER. Batailler, combattre, concourir, concurrencer, défier, disputer, égaler, lutter, rivaliser, simuler.

ÉMULSIF. Émulsifiant, émulsionnant, huile, lotion.

ÉMULSION. Amandié, anionique, crémage, latex, looch, margarine, mûrir, panchromatique.

ÉMULSIONNER. Additionner, crémer, émulsifier, graisser, huiler, liquéfier, lubrifier, oindre, tartiner.

EN. Alors, avec, comme, dans, date, dedans, en-avant, en-cas, es, par, pendant, pour, préposition, sur.

ÉNANTHÈME. Acné, couperose, crueur, ébullition, eczéma, éruption, exanthème, herpès, impétigo, lichen, lunule, miliaire, poussée, purpura, rash, roséole, rougeur, sortie, tache, urticaire, vaccinelle, vaccinide.

ÉNARQUE. Commissaire, élève, énarchie, eurocrate, fonctionnaire, ministre, synarque, technicien, technocrate.

ENCABANER. Boucler, cacher, caserner, ceindre, claquemurer, claustrer, cloîtrer, coffrer, confiner, emmurer, emprisonner, encaserner, encercler, enclore, enfermer, enserrer, fermer, fourrer, inclus, interner, loger, murer, priver, ranger, retenir, séquestrer, serrer, traquer, verrouiller.

ENCADRÉ. Acte, citation, contenu, contexte, écrit, énoncé, exergue, formule, libellé, peinture, texte.

ENCADREMENT. Bande, bord, cadre, chambranle, côté, guimberge, marge, passe-partout, zone.

ENCADRER. Border, ceindre, ceinturer, clôturer, encercler, enserrer, entourer, insérer, marger, ourler.

ENCAGER. Claquemurer, claustrer, cloîtrer, confiner, emmurer, emprisonner, enfermer, isoler, murer, séquestrer, verrouiller.

ENCAISSE. Addition, argent, caisse, chiffre, ensemble, fonds, montant, reçu, reste, solde, somme, valeur.

ENCAISSEMENT. Emballage, encaissage, perception, recouvrement, recette, rentrée, retour, trésorerie.

ENCAISSER. Boxeur, émarger, embourser, empocher, encadrer, endurer, essuyer, entourer, morfler, recevoir, rentrée, resserrer, rivière, route, subir, supporter, toucher.

ENCAN. Adjudication, criée, enchère, licitation, inflation, moins-disant, paroli, surenchère, vente.

ENCANAILLER. Acoquiner, avilir, côtoyer, courtiser, flirter, fréquenter, hanter, lier, pratiquer, voir, voisiner.

ENCANTEUR. Aboyeur, adjudicateur, annonceur, annonciateur, chantre, chaouch, commissaire-priseur, crieur, estimateur, évaluateur, greffier, hérault, huissier, massier, messager, notaire, tabellion, vendeur.

ENCART. Cahier, catalogue, feuille, feuillet, folio, forme, marge, nota, page, paginer, papier, recto, rôle, signet.

ENCARTAGE. Amarrage, ancrage, arrimage, attache, calage, épinglage, étrive, ferrement, fixage, fixation, implantation, inclusion, insertion, intercalation, lamanage, ligature, lusin, nouage, nouement, sanglage.

ENCARTER. Emboîter, encadrer, enchâsser, enficher, fixer, inclure, incruster, insérer, intercaler, introduire.

EN-CAS. À-côté, additif, ajout, casse-croûte, condom, extra, ombrelle, parapluie, parasol, rajout, supplément.

ENCASERNER. Boucler, cacher, caserner, ceindre, claquemurer, claustrer, cloîtrer, coffrer, confiner, emmurer, emprisonner, encercler, enclore, enfermer, enserrer, fermer, fourrer, inclus, interner, loger, murer, priver, ranger, retenir, séquestrer, serrer, traquer, verrouiller.

ENCASTRER. Ajuster, emboîter, enchâsser, enclaver, enficher, inclure, incruster, insérer, intercaler.

ENCAUSTIQUE. Ambre, batik, cérat, cérifère, cire, fart, ozocérite, paraffine, polir, rayon, ruche, stéarine.

ENCAUSTIQUER. Appliquer, bitumer, briller, cirer, couvrir, crépir, encrer, enduire, engommer, étaler, farter, frotter, gluer, gommer, lustrer, peindre, peinturer, polir, recouvrir, résiner, revêtir.

ENCEINDRE. Cerner, encercler, enclore, enfermer, engrosser, entourer, envelopper, investir.

ENCEINTE. Baffe, bornage, bulle, ceinture, cirque, cloque, clos, clôture, contour, douve, écran, enclos, entouré, étuve, fortification, gésine, grossesse, mur, muraille, parc, péribole, pourpris, rempart, ring, salle, toril, venet.

ENCENS. Clerc, éloge, encensoir, flatteur, galipot, louange, navette, odeur, oliban, parfum, résine.

ENCENSEMENT. Adulation, apologie, apothéose, célébration, compliment, congratulations, dithyrambe, éloge, enthousiasme, félicitation, flatter, glorifié, louange, méritant, panégyrique, pinacle, triomphe.

ENCENSER. Aduler, aimer, éloge, iconolâtrie, flagorner, flatter, glorifier, idolâtrer, ignocoler, honorer, vénérer.

ENCENSEUR. Adorateur, adulateur, applaudisseur, cajoleur, caresseur, courtisan, élogieux, endormeur, enjôleur, flagorneur, flatteur, lèche-botte, lèche-cul, lécheur, los, louangeur, menteur, thuriféraire.

ENCENSOIR. Adoration, adulation, brûle-parfum, cassolette, flatterie, récipient, thuriféraire, vase.

ENCÉPHALE. Céphalorachidien, cerveau, cervelle, crâne, hypophyse, hypothalamus, spinal, thalamus, ventricule.

ENCÉPHALITE. Inflammation, kuru, léthargique, maladie, méningée, morbilleuse, traumatique.

ENCERCLEMENT. Bandage, blocus, bouclage, boycott, ceinturage, confiscation, embargo, encadrement, enclavement, enfermement, enveloppement, gel, investissement, mainmise, quadrillage, siège.

ENCERCLER. Assiéger, barricader, blocus, bloquer, border, boucler, ceindre, ceinturer, cerner, clore, clôture, encerclement, enclore, emglober, enserrer, entourer, envelopper, environner, fermer, investir.

ENCHAÎNEMENT. Avenir, concaténation, conséquence, déroulement, destin, destinée, engrenage, fil, intrigue, karma, liaison, lien, processus, prolongement, succession, successivité, suite, tachypsychie.

ENCHAÎNER. Appréhender, attacher, continuer, écrouer, emprisonner, joindre, lier, menotter, river, suivre, unir.

ENCHANTÉ. Content, ébahi, ébloui, ensorcelé, enthousiaste, envoûté, fasciné, magique, ravi, séduit.

ENCHANTEMENT. Bonheur, charme, émerveillement, ensorcellement, envoûtement, fascination, fée, filiation, griserie, ivresse, joie, liaison, magie, paradis, processus, ravissement, séduction, série, sortilège, succession, suite.

ENCHANTER. Attirer, captiver, charmer, conquérir, dominer, emballer, émerveiller, enivrer, ensorceler, envoûter, fasciner, féerer, gagner, griser, heureux, imposer, intéresser, plaire, ravir, séduire, subjuger.

ENCHANTEUR (n. p.). Brocéliande, Merlin.

ENCHANTEUR. Attachant, charmant, intéressant, magicien, paradisiaque, passionnant, séduisant, séducteur, séjour.

ENCHÂSSÉ. Ajout, ajusté, articulé, assemblé, chevauchant, emboîté, équitant, gigogne, imbriqué, matriochka, serti.

ENCHÂSSEMENT. Aboutage, aboutement, ajustage, articulation, assemblage, emboîture, embrayage, encastrement, imbrication, incrustation, insertion, jonction, marqueterie, montage, mosaïque, moyeu, sertissure.

ENCHÂSSER. Assembler, certisser, emboîter, encadrer, encastrer, enchâssement, enchâssure, enchatonner, enclaver, fixer, gouper, inclure, insérer, intercaler, jable, joindre, lier, monter, rejoindre, reliquaire, réunir, sertir, unir.

ENCHATONNER. Certisser, emboîter, encadrer, encastrer, enchâssement, enchâsser, enchâssure, enclaver, fixer, inclure, insérer, intercaler, jable, joindre, lier, monter, reliquaire, sertir, unir.

ENCHAUSSER. Butter, chausser, complanter, couvrir, empierrer, paillassonner, pailler, plâtrer, terrer.

ENCHÈRE. Adjudication, criée, encan, inflation, licitation, moins-disant, paroli, surenchère, vente.

ENCHÉRIR. Ajouter, augmenter, dépasser, hausser, majorer, rajouter, remettre, renchérir, surenchérir.

ENCHÉRISSEUR. Acquéreur, adjudicataire, affectataire, allocataire, attributaire, cessionnaire, client, consommateur.

ENCHEVÊTRÉ. Compliqué, confondu, embarrassé, emmêlé, empêtré, filandreux, plaque, tissu, trame.

ENCHEVÊTREMENT. Attitude, chaos, confusion, embrouillamini, embrouillement, emmêlement, enlacement, entrecroisement, fouillis, imbrication, imbroglio, interpénétration, intrication, labyrinthe, plique, réseau.

ENCHEVÊTRER. Assembler, brouiller, compliquer, confondre, désordre, embarrasser, embrouiller, emmêler, empêtrer, engager, entrelacer, entremêler, erg, imbriquer, intriquer, mélanger, mêler, munir, tisser, tresser, unir.

ENCHIFRÈNEMENT. Anhélation, apnée, asthme, dyspnée, embarrassement, essoufflement, étouffement, halètement, han, malaise, oppression, rhume, ronflement, sibilation, stertor, stridor, suffocation.

ENCLAVE. Arrondissement, canton, circonscription, commune, contrée, diocèse, finage, inclusion, lopin, lot, lotissement, no man's land, parcelle, paroisse, province, région, territoire, terroir, xénolite, zone.

ENCLAVE ANGOLA (n. p.). Cabinda.

ENCLAVE AUSTRALIE (n. p.). Canberra.

ENCLAVE ESPAGNE (n. p.). Llivia, Melilla.

ENCLAVE NATAL (n. p.). Kumazulu.

ENCLAVE PORTUGAL (n. p.). Macao,

ENCLAVE SUISSE (n. p.). Appenzell.

ENCLAVER. Encarter, encercler, enchâsser, enficher, entourer, inclure, incorporer, incruster, insérer, intercaler.

ENCLENCHE. Adent, brèche, coche, coupure, cran, créneau, crevasse, échancrure, égratignure, encoche, engravure, entaille, épaufrure, faille, fente, hoche, incision, marque, mortaise, moucheture, onglet, raie, rainure, rayure, scarification, sillon.

ENCLENCHER. Amorcer, commencer, déclencher, démarrer, engager, entamer, entreprendre, initier, lancer, passer.

ENCLIN. Attiré, conduit, déterminé, géant, jouette, lascif, malin, penchant, pervers, porté, satirique, sujet.

ENCLORE. Ceinturer, cercler, cerner, clôturer, encadrer, enceindre, encercler, enclaver, enfermer, enserrer, entourer.

ENCLOS. Clos, clôture, corral, courtine, enceinte, jardin, kraal, mur, paddock, parc, pâturage, secco, vivier.

ENCLUME. Bigorne, billot, dé, embase, enclumeau, enclumot, forge, oreille, osselet, ressaut, suage, tas.

ENCOCHE. Adent, becquetage, coche, coupure, cran, crevasse, dame, échancrure, empennage, enclenche, engravure, entaillure, entaille, éraflure, faille, fente, hoche, onglet, raie, rainure, ruinure, surlé.

ENCODAGE. Adressage, chiffrage, chiffrement, codage, codification, cryptage, cryptographie, programmation.

ENCODER. Code, code-barres, coder, cryptage, décalogue, décoder, deutéronome, programmer, titre.

ENCODEUR. Boulier, chiffreur, codeur, compteur, cryptographe, enregistreur, horodateur, indicateur, magnétophone, mouchard, péritéléphonie, pointeur, tachymètre, taximètre, volucompteur.

ENCOIGNURE. Amure, angle, anglet, angrois, arête, biseau, cachet, caractère, carre, coin, corne, coude, diverticule, écoinçon, empreinte, enfourchement, estampille, marque, meuble, poinçon, recoin, sceau.

ENCOLLER. Adhérer, apprêter, appuyer, attacher, coller, empoisser, enduire, gluer, plaquer, tenir.

ENCOLURE. Cervical, cheval, col, colback, collet, cou, frivolité, jabot, parementure, poitrail, rouvieux.

ENCOMBRANT. Embarrassant, énervant, éreintant, fatigant, frustrant, gênant, importun, pesant, tuant, usant, volumineux.

ENCOMBRÉ. Bourré, débordant, embouteillé, enflé, envahi, farci, gras, imbu, imprégné, pénétré, plein, rempli, saturé.

ENCOMBREMENT. Accumulation, affluence, amas, barda, bouchon, congestion, décongestionnement, désordre, dimension, embâcle, embarras, embouteillage, encombre, entassement, saturation, volume.

ENCOMBRER. Accumuler, amas, barda, barrer, bloquer, boucher, bouchonner, congestionner, embarrasser, embouteiller, engorger, entasser, farcir, gêner, obstruer, occuper, saturer, surcharger, surproduire.

ENCONTRE. Antithèse, contraire, contrairement, contre-courant, contre-jour, contraire, contrepartie, contre-pied, contre-poil, contresens, démentir, envers, inverse, obstacle, opposé, rebours, revanche.

ENCORE. Ainsi, aussi, autant, bis, davantage, derechef, même, plus, répétition, quand, quoique, toujours.

ENCORNER. Abîmer, amocher, blesser, contusionner, écharper, écorcher, égratigner, entaille, esquinter, estropier, étriper, froisser, geler, léser, luxer, meurtrir, mordre, mortifier, mutiler, navrer, offenser, ulcérer, vexer.

ENCORNET. Architeuthis, calmar, calamar, décapode, gastéropode, gastropode, histioteuthis, mollusque.

ENCOUBLE. Chaînes, embarras, empêchement, entrave, fer, frein, gêne, joug, obstacle, saboteur, tribart, trousse-pied.

ENCOUBLER. Arrêter, bloquer, briser, buter, cesser, embarrasser, empêcher, empêtrer, endiguer, enfarger, enrayer, entraver, étouffer, freiner, gêner, juguler, modérer, saboter, suspendre, trébucher.

ENCOURAGEANT. Incitateur, incitatif, mobilisateur, motivant, prometteur, réconfortant, stimulant, stimulateur.

ENCOURAGEMENT. Aide, applaudissement, approbation, appui, incitation, olé, ollé, soutien, stimulant.

ENCOURAGER. Aider, animer, applaudir, apporter, approuver, appuyer, conforter, décider, engager, enhardir, exalter, exciter, exhorter, favoriser, flatter, inciter, inviter, olé, piquer, porter, pousser, quête, stimuler.

ENCOURIR. Attirer, blâmes, chercher, demander, digne, donner, écoper, exiger, exposer, gagner, mériter, obtenir, occasionner, oser, passible, peines, réclamer, remporter, reproches, risquer, valoir, voler.

ENCRASSER. Abîmer, barbouiller, encrouter, entacher, entartrer, obstruer, salir, souiller, tacher, ternir.

ENCRE. Bavure, buvard, cartouche, dessin, écrire, encrer, encrier, lavis, moine, pâté, ponce, toner, typographie.

ENCRINE, Crimoïdes, échinoderme, entroque, lis, lis de mer, lys, plante.

ENCROÛTÉ. Accoutumé, arriéré, couvert, crasseux, croupissant, enduit, routinié, sclérosé, stagnant.

ENCROÛTEMENT. Abasourdissement, abêtissement, abrutissement, ahurissement, animalité, avilissement, bestialité, connerie, crétinisation, décadence, engourdissement, hébétement, hébétude, idiotie.

ENCROÛTER. Accoutumer, couvrir, croupir, encrasser, enduire, routinier, scléroser, stagner, végéter.

ENCULAGE. Accouplement, coït, copulation, dourine, fornication, liaison, rapports, rut, saillie, sexe, sodomie.

ENCULÉ. Baveux, baisé, câliné, dégueulasse, enfoiré, fumier, goujat, homosexuel, ignoble, immonde, infâme, malpropre, méchant, méprisable, pédé, salaud, saligaud, salopard, vilain, voyou.

ENCULER. Accoupler, baiser, câliner, coïter, copuler, forniquer, foutre, lier, pénétrer, sodomiser, unir, voir.

ENCULEUR. Abstracteur, alambiqueur, homosexuel, pinailleur, réducteur, sodomite, théoricien.

ENCYCLIQUE. Ablégat, ambassadeur, apostolique, bref, chef, concile, conclave, induit, légat, nonce, nonciature, œcuménique, pape, père, poncif, représentant, rescrit, Saint-Siège, serviteur, tiare, vicaire.

ENCYCLOPÉDIE (n. p.). Alembert, Argenson, Avicenne, Cassiodore, Concordet, Diderot, Dumarchais, Helvetius, Holbach, Jaucourt, Lamarck, Marmontel, Marsais, Morellet, Panckoucke, Pasquier, Prades.

ENCYCLOPÉDIE. Dictionnaire, glossaire, index, lexique, terminologie, thesaurus, vocabulaire.

ENCYCLOPÉDISTE (n. p.). Alembert, Bayle, Biruni, Chambers, Choiseul, Deffand, Fréron, Helvétius, Mas'udï, Raynal, Rousseau, Trévoux.

ENDÉMIQUE. Chronique, communicatif, constant, contagieux, épidémique, pandémique, permanent.

ENDETTER. Accabler, alourdir, charger, contracter, devoir, encroumer, grever, obérer, surcharger.

ENDEUILLER. Affecter, affliger, assombrir, attrister, chagriner, contrarier, dépiter, désoler, éplorer, navrer, peiner.

ENDÊVER. Aspirer, asticoter, assiéger, briguer, chasser, colère, continuer, courir, courser, ester, enrager, fâcher, foncer, forcer, harceler, importuner, intenter, lutiner, pourchasser, poursuivre, presser, rager, rechercher, talonner, taquiner, tourmenter, traquer.

ENDIABLÉ. Débridé, déchaîné, effréné, fougueux, frénétique, impétueux, indiscipliné, infernal, insupportable, vif.

ENDIABLER. Acharner, aigrir, bisquer, chevrier, délire, écumer, endêver, enrager, exaspéré, fanatisme, frénésie, fumer, furax, furieux, gronder, grogner, irriter, ivresse, offenser, passionner, rage, rager, taquiner, tourmenter, violence.

ENDIGUER. Brider, canaliser, contenir, enrayer, entraver, freiner, juguler, maîtriser, refréner, retenir.

ENDIMANCHER. Attifer, bichonner, habiller, mignoter, panser, parer, pomponner, toiletter.

ENDIVE. Astéracée, bourgeon, chicon, chicorée de Bruxelles, chicorée de Witloof, composacée, trévise.

ENDOCRINIEN. Endocrine, exocrine, génale, hypophyse, ovaire, surrénale, testicule, thyroïde.

ENDOCTRINEMENT. Apostolat, campagne, catéchèse, catéchisation, croisade, évangélisation, intoxication, missionnerait, pastorale, persuasion, prédication, propagande, propagation, prosélytisme.

ENDOCTRINER. Catéchiser, catholiciser, christianiser, convertir, édifier, enrôler, influencer, matraquer.

ENDOLORI. Blessé, contusionné, douloureux, irrité, meurtri, sensible, souffrant, souffreteux, triste.

ENDOLORIR. Blesser, contusionner, cotir, déchirer, mâchurer, massacrer, meurtrir, navrer, taler.

ENDOMMAGÉ. Abîmé, arsin, assisté, avarié, besogneux, brisé, caduc, cassé, décrépit, défavorisé, dommage, éraillé, erre, esquinté, faible, fractionné, gragmenté, nase, naze, pauvre, rompu, saccagé, séné.

ENDOMMAGEMENT. Atteinte, avarie, bavage, bavure, blessure, calamité, dam, dégât, dégradation, délit, destruction, détérioration, détriment, dommage, grief, lésé, lésion, mal, perte, préjudice, ravage, ruine, tort.

ENDOMMAGER. Abîmer, avarier, bigorner, bousiller, briser, écorner, détériorer, gâter, grêler, léser, nuire, ruiner, user.

ENDOPTÉRYGOTE. Chrysope, fourmi, insecte, mouche, papillon, phrygane, puce, scarabée.

ENDORÉISME. Caractère, cours d'eau, eau, endoréique, exoréisme, lac, région.

ENDORMANT. Anesthésique, assommant, berçant, calmant, diacode, ennuyeux, hypnotique, narcotique, œillette, opium, penthiobarbital, phénobarbital, prométhazine, rasant, somnifère, soporifique.

ENDORMEUR. Amorphe, apathique, applaudisseur, dormir, élogieux, encenseur, flatteur, lent, somnifère, tsé-tsé.

ENDORMI. Amorphe, apathique, assoupi, empaillé, engourdi, ensuqué, indolent, lent, mou, somnolent.

ENDORMIR. Adoucir, anesthésier, ankyloser, apaiser, assommer, assoupir, bercer, chloroformer, dormir, engourdir, ennuyer, fatiguer, hypnotiser, illusionner, insensibiliser, lasser, provoquer, soulager, tromper.

ENDORMISSEMENT. Assoupissement, coma, dormir, engourdissement, hypnose, sommeil, somnolence, sopor, torpeur.

ENDOSCOPE. Bronchoscope, canule, cathéter, clysoir, cystoscope, embryoscopie, fibroscope, gastroscope, rectoscope.

ENDOSCOPIE. Cœlioscopie, cystoscopie, embryoscopie, fibroscopie, gastroscopie, rectoscopie.

ENDOSMOSE. Absorption, alunage, imbibition, imprégnation, incération, infiltration, insalivation, pénétration, percolation.

ENDOSSEMENT. Acceptation, accusé, aval, charge, encaissement, endos, garant, garantie, ordre, signature.

ENDOSSER. Accepter, assumer, avaliser, charger, garantir, mettre, prendre, revêtir, signer, vêtir.

ENDOSSEUR. Accréditeur, assurance, aval, avaliseur, avaliste, caution, correspondant, défenseur, gage, garant, garantie, gardien, otage, parrain, preuve, protecteur, redevable, répondant, responsable, témoignage.

ENDROIT. Affût, arrêt, asile, au-loin, auprès, capharnaüm, cédraie, cinéma, clairière, coin, corral, creuset, emplacement, entrée, envers, flottaison, fourré, germoir, glaisière, gué, héronnière, ibid, ibidem, ici, intersection, là, là-bas, légumier, lieu, mangeure, melonnière, melting-pot, noiseraie, œillet, où, parage, paysage, place, pondoir, précipice, près, recto, resserre, rouissoir, rucher, secteur, séjour, silo, site, soudure, source, stand, tabagie, tir, tout-près, vasière.

ENDUIRE. Appliquer, badigeonner, bitumer, cimenter, cirer, couvrir, crépir, empoisser, encaustiquer, encoller, encrer, engommer, enrober, étaler, farter, gluer, gélatiner, gommer, luter, recouvrir, résiner, revêtir, stuquer.

ENDUIT. Apprêt, badigeon, baume, ciré, couche, couverte, crépi, crépissure, dépôt, englué, engobe, fard, galinot, glaçage, glaçure, gunite, gominé, incrustation, lut, mastic, mortier, onguent, peinture, pommade, protection, revêtement, solin, stuc, vernis.

ENDURABLE. Buvable, facile, passable, possible, soutenable, supportable, tenable, tolérable, vivable.

ENDURANCE. Constance, contenance, fermeté, patience, persévérance, résistance, stoïque, ténacité, trempé.

ENDURANT. Consistant, coriace, dur, ferme, fort, increvable, infatigable, inusable, invulnérable, irréductible, patient, rebelle, rénitent, résistant, résistif, robuste, rustique, solide, tenace, têtu, vivace.

ENDURCI. Aguerri, blindé, cuirassé, dur, durci, impénitent, implacable, inflexible, insensible, invétéré, irrécupérable, sec.

ENDURCIR. Accoutumer, aguerrir, amurer, armer, bander, blinder, cuirasser, durcir, empeser, engourdir, fixer, fortifier, geler, ossifier, racornir, raffermir, tendre, tirer, tremper.

ENDURCISSEMENT. Acclimatement, accoutumance, accroc, adaptation, adduction, aguerrissement, analgésie, anesthésie, assuétude, barbituromanie, besoin, dépendance, dessèchement, endurance, habituation, immunisation, insensibilisation, résistance, tolérance, toxicomanie.

ENDURER. Assimiler, boire, digérer, essuyer, pâtir, souffrir, soutenir, subir, supporter, tolérer.

ENDYMION (n. p.). Diane, Lune, Séléné, Zeus.

ENDYMION. Berger, clochette des bois, fleur, hyacinthe, jacinthe des bois, liliacée.

ÉNÉE (n. p.). Anchise, Aphrodite, Ascagne, Creüse, Didon, Élissa, Énéide, Iule, Julia, Lavinium, Lepautre, Lutrin, Purcell, Troie, Virgile.

ÉNÉIDE (n. p.). Berlioz, Didon, Énée, Iliade, Odyssée, Virgile.

ÉNERGÉTIQUE. Calorifique, calorique, frigorifique, joule, thermique, thermogène, thermogénique, thermopompe, watt.

ÉNERGIE. Atome, cœur, courage, dynamisme, efficacité, effort, électricité, éolienne, ev, faiblesse, fermeté, fluide, force, inerte, libido, ka, mollasson, mollesse, mordant, pep, pétrole, photon, pile, pulsion, raplapla, ressort, solaire, tonus, vertu, vigueur, vitalité, watt.

ÉNERGIQUE. Actif, amorphe, apathique, décidé, déterminé, dynamique, efficace, faible, ferme, flasque, fort, indolent, mollachu, mollasson, mollasse, mou, moule, pusillanime, résolu, tonique, veule, vigoureux, viril.

ÉNERGIQUEMENT. Ardemment, fermement, fortement, résolument, vigoureusement, violemment.

ÉNERGISANT. Aiguillon, analeptique, caféine, cola, cordial, dopant, entraînant, éperonnant, excitant, fortifiant, incitation, kolam, motivation, ranimant, réconfortant, reconstituant, remontant, stimulant, stimulus, tonique.

ÉNERGISER. Animer, doper, entraîner, exciter, fortifier, motiver, réconforter, revigorer, stimuler, tonifier.

ÉNERGUMÈNE. Agité, asocial, emporté, exalté, excité, fanatique, forcené, fou, furieux, hurluberlu.

ÉNERVANT. Agaçant, contrariant, crispant, désagréable, embêtant, éreintant, exaspérant, fatigant, horripilant, insupportable, irritant, navrant, obsédant, oppressant, provoquant, stressant, suant, surexitant, trépidant.

ÉNERVÉ. Agacé, anxieux, exaspéré, excité, fébrile, fougueux, horripilé, irrité, nerveux, piaffeur, stressé, tendu, vibrant.

ÉNERVEMENT. Affaiblissement, agacement, agitation, échauffement, effervescence, énervation, exaspération, excitation, impatience, irritation, nervosité, oh lala, possédé, surexcitation.

ÉNERVER. Affadir, affaiblir, agacer, alanguir, amollir, assommer, aveulir, champi, crisper, échauder, échauffer, exacerber, exaspérer, excéder, exciter, fatiguer, horripiler, irriter, stresser, surexciter, titiller, ulcérer.

ENFAÎTEAU. Arêtière, argile, barre, biscuit, brique, faîte, faîtière, imbriqué, toit, toiture, tuile.

ENFANCE. Aube, aurore, commencement, gâteux, gosserie, impuberté, origine, puéril, toxicose.

ENFANT. Amour, ange, angelot, bara, bébé, champi, chérubin, clergeon, démon, diable, diablotin, doux, fille, fils, gamin, garnement, gone, gosse, héritier, kid, lardon, loupiot, marmot, mioche, môme, moricaud, moutard, négrillon, noireau, nouveau-né, oblat, orphelin, part, patapouf, peste, petit, polisson, poison, poulbot, poupard, poupon, puéril, rejeton, sagouin, scout, têtard, titi, vaurien.

ENFANT D'ALI (n. p.). Hassan, Husayn.

ENFANT DE CLAUDE (n. p.). Britannicus, Octane.

ENFANT DE CYTHÈRE (n. p.). Cupidon.

ENFANT DE KHADIDJA (n. p.). Fatima.

ENFANT DE LAÏOS (n. p.). Œdipe.

ENFANT DE LYCAON (n. p.). Callisto.

ENFANT DE MESSALINE (n. p.). Britannicus, Octane.

ENFANT D'OURANOS (n. p.). Cyclope, Titan.

ENFANT DE PYRRHUS (n. p.). Molosse.

ENFANT DE TANTALE (n. p.). Niobée.

ENFANT DE THÉNARDIER (n. p.). Gavroche.

ENFANT DE ZEUS (n. p.). Apollon, Artémis, Castor, Héraclès, Héraclès, Hercule, Pollux.

ENFANTEMENT. Accouchement, création, délivrance, élaboration, engendrement, gestation, production.

ENFANTER. Accoucher, agneler, cochonner, concevoir, créer, engendrer, générer, pouliner, procréer, produire, vêler.

ENFANTILLAGE. Badinerie, babillage, caprice, espièglerie, frivolité, gaminerie, niaiserie, momerie, puérilité.

ENFANTIN. Abordable, accessible, aisé, candide, clair, commode, élémentaire, espiègle, facile, faisable, immature, infantile, limpide, na, niais, niaiseux, nono, novice, puéril, réalisable, simple, simplet, tata.

ENFER (n. p.). Achéron, Éaque, Érèbe, Dante, Lucifer, Minos, Rhadamante, Styx, Tartare, Satan.

ENFER. Abîme, abysse, averne, barathre, barathum, châtiment, chthonienne, damnation, damné, diable, fleuve, géhenne, infernal, léviathan, limbes, licencieux, pandémonium, parque, sulfureux, supplice.

ENFERME. Armature, armure, bande, bandeau, barde, brou, calice, cangue, cerceau, chemise, chorion, cocon, coque, coquille, dé, écorce, empaquetage, enveloppe, étui, fourreau, gaine, genouillère, giron, glume, guêtre, housse, interne, membrane, paquetage, peau, pelure, placenta, poche, pot, récipient, robe, sac, sachet, sacoche, sarcophage, taie, tégument, test, tombe, tombeau, tunique, vareuse, vêtement.

ENFERMÉ. Bagnard, captif, condamné, déporté, détenu, cloîtré, confiné, emmuré, emprisonné, esclave, forçat, galérien, interné, otage, prisonnier, reclus, relégué, renfermé, séquestré, taulard, tôlard.

ENFERMEMENT. Bagne, captivité, claustration, collocation, détention, écrou, emmurage, emmurement, emprisonnement, fermer, incarcération, internement, prison, réclusion, renfermement, séquestration, tôle.

ENFERMER. Boucler, cacher, ceindre, claquemurer, claustrer, cloîtrer, coffrer, confiner, emmurer, emprisonner, encercler, enclaver, enclore, enserrer, fermer, fourrer, inclus, interner, murer, noyer, priver, ranger, séquestrer, serrer, tapir, traquer, verrouiller.

ENFERRER. Aléser, creuser, crever, cribler, déboucher, embrouiller, enfoncer, fenêtrer, forer, larder, mandriner, ouvrir, pénétrer, percer, perforer, piquer, réussir, saborder, saigner, transpercer, trouer.

ENFEU. Arcade, attrape, cabane, cavité, chien, facétie, farce, maison, mihrab, niche, renforcement.

ENFIÉVRER. Activer, agacer, agiter, aiguillonner, allumer, altérer, animer, apitoyer, attirer, attiser, aviver, brocher, causer, charmer, chatouiller, embraser, émoustiller, encourager, énerver, enivrer, enlever, enthousiasmer, éperonner, éveiller, exalter, exhorter, exciter, inciter, intriguer, piquer, provoquer, ranimer, réchauffer, remuer, soulever, stimuler, sus, tenter, titiller, va.

ENFILADE. Accompagnement, caravane, chapelet, colonne, continuation, cordon, cortège, défilé, ensemble, escorte, file, haie, ligne, part, procession, queue, rang, rangée, remorqueur, suite, tir, tisse, train.

ENFILER. Accompagner, avaler, boire, embrocher, engloutir, engouffrer, envoyer, ingurgiter, revêtir.

ENFIN. Bref, cependant, conclusion, déjà, dernier, fin, finalement, issue, ressort, somme, tôt.

ENFLAMMÉ. Ardent, bouillant, bouillonnant, brandon, brûlant, empourpré, fanatique, fayot, hypergolique, incendiaire, irrité, lance-flammes, passionné, pétillant, pyrophore, véhément.

ENFLAMMER. Allumer, ardeur, brûler, colère, électriser, embraser, enthousiasmer, exalter, exciter, passionner.

ENFLÉ. Ampoulé, bouffi, boursouflé, emphatique, gonflé, grandiloquent, gros, redondant, ronflant, tuméfié.

ENFLEMENT. Arrondi, bombement, busqué, cambrure, cintrage, circularité, convexité, courbure, gonflement, renflement.

ENFLER. Amplifier, ampouler, augmenter, ballonner, bouffir, dilater, distendre, gonfler, grossir, ru, tuméfier.

ENFLURE. Ballonnement, bosse, boursouflure, congestion, emphase, exagération, grosseur, œdème, tuméfaction.

ENFOIRÉ. Âne, bêta, bête, borné, con, conard, couillon, crétin, débile, dégénéré, demeuré, enflure, fat, gourde, idiot, imbécile, inepte, ignorant, maladroit, mollusque, naïf, poire, salaud, sot, stupide, taré, tourte.

ENFONCÉ. Calé, cavité, coulé, creux, embourbé, enfoui, enterré, envasé, fiché, incarné, introduit, niche, renforcement.

ENFONCEMENT. Alcôve, baissière, concave, creux, crique, dépression, golfe, salière, trou.

ENFONCER. Absorber, affaisser, aggraver, caler, céder, cheviller, couler, culbuter, damer, défaire, écrouler, embourber, enferrer, enficher, enfouir, enfourcher, enliser, ensiler, entrer, envaser, ficher, forcer, fourcher, fourrer, incruster, insister, introduire, mettre, noyer, passer, piquer, pivoter, planter, plonger, pousser, rentrer, surpasser, vaincre.

ENFONÇURE. Abîme, angle, anse, antre, arrondi, baie, bombé, cabosse, cave, cavité, convexe, creux, évidure, gouffre, gour, gousset, miné, mouille, obus, paume, pli, proéminent, ravin, rayé, rebondi, rentre, ridé, saillant, salière, sapé, silo, sombre, talweg, trou, val, vide.

ENFOUIR. Blottir, cacher, caleter, dissimuler, enfoncer, ensevelir, enterrer, inhumer, plonger, terrer.

ENFOURCHEMENT. Angle, anglet, appendice, arête, carre, cavité, coin, corne, coude, détour, diverticule, encoignure, écoinçon, follicule, pan, pustule, racoin, recoin, retour, saillant, sinus, tournant, utricule.

ENFOURCHER. Blesser, califourchon, cheval, chevaucher, dada, enfoncer, enjamber, mettre, monter.

ENFOURCHURE. Aération, bifurcation, branchement, bretelle, carrefour, colloque, condenseur, croisée, croisement, dérailleur, échangeur, embranchement, étoile, forum, fourche, intersection, patte-d'oie, rencontre, réunion, rond-point, symposium, ventilation.

ENFOURNER. Abîmer, absorber, avaler, claquer, consumer, couler, croquer, dépenser, dévorer, dilapider, disparaître, dissiper, empiffrer, engouffrer, enfourner, ensevelir, gaspiller, gaver, ingurgiter, manger, perdre, sombrer, submerger.

ENFREINDRE. Attenter, contourner, contrevenir, déroger, désobéir, faillir, forcer, forfaire, manquer, observer, opposer, outrepasser, parjurer, rebeller, résister, respecter, suivre, transgresser, tricher, violer.

ENFUIR. Abandonner, blottir, cacher, calter, cavaler, décamper, déguerpir, déloger, dérober, détaler, disparaître, droper, dropper, échapper, éclipser, éloigner, envoler, esbigner, évader, filer, fuir, partir, sauver.

ENFÛTER. Bonder, bourrer, charger, combler, couvrir, embourrer, emplir, encombrer, enfumer, enfutailler, engrener, entonner, envahir, farcir, garnir, gonfler, infester, insérer, occuper, remplir, saturer, truffer.

ENGAGEANT. Abordable, accommodant, affable, agréable, aguichant, aimable, amène, attirant, attrayant, avenant, charmant, charmeur, encourageant, insinuant, plaisant, prometteur, séducteur, sympathique, tentant.

ENGAGÉ. Absent, absorbé, accablé, accaparé, actif, affairé, assujetti, chargé, démobilisé, désoccupé, écrasé, empêché, employé, indisponible, malade, occupé, pris, réformé, squatté, tenu, vétéran.

ENGAGEMENT. Accrochage, affirmation, embauche, entreprise, fiançailles, foi, mariage, trahison, vœu.

ENGAGER. Affecter, appeler, attacher, avancer, aventurer, commencer, compromettre, conseiller, contracter, demander, dialoguer, donner, embaucher, emboîter, embourber, embrigader, embringuer, emmancher, empêtrer, employer, enclencher, encourager, enfiler, enrôler, entamer, entrer, impliquer, inciter, jurer, louer, mêler, orienter, promettre, recruter, traiter.

ENGAINER. Emmancher, entamer, envelopper, fourreau, gaine, miser, rengainer, rentrer, serrer.

ENGAZONNER. Cultiver, diaprer, disperser, emblaver, enherber, ensemencer, épandre, gazon, gazonner, jeter, parsemer, pelouse, propager, répandre, ressemer, revêtir, semer, semis, sursemer, tourber.

ENGEANCE. Acabit, bas-fonds, caste, catégorie, cédule, classe, coq, couche, degré, duel, espèce, genre, grade, léger, lourd, ordre, plume, racaille, ramassis, rang, rubrique, série, sorte, variété, vermine.

ENGELURE. Crevasse, enflure, érythème, froidure, gelure, gerçure, onglée, lésion, malandre, peau, rougeur.

ENGENDREMENT. Âge, ascendance, biogénèse, création, descendance, descendant, formation, génération, lignée, postérité, production, progéniture, race, rejeton, scissiparité, sexe.

ENGENDRER. Accoucher, causer, comprendre, concevoir, créer, déterminer, donner, échafauder, enfanter, faire, féconder, générer, immaginer, intriguer, inventer, occasionner, père, procréer, produire, saisir, supposer.

ENGIN. Agrès, appareil, arme, bâtiment, bulldozer, chargeuse, chariot, chenillestte, compacteur, draisienne, excavateur, fusée, instrument, machine, mine, niveleuse, outil, piège, ripper, rouleau, taupe, trimmer, tunnelier, zinzin.

ENGLOBER. Amalgamer, annexer, comprendre, contenir, embrasser, enclaver, joindre, réunir.

ENGLOUTINER. Absorber, avaler, consumer, croquer, déglutir, engloutir, entonner, gober, sombrer.

ENGLOUTIR. Abîmer, absorber, avaler, claquer, consumer, couler, croquer, dépenser, dévorer, dilapider, disparaître, dissiper, empiffrer, enfourner, engouffrer, ensevelir, gaspiller, gaver, ingurgiter, manger, noyer, perdre, sombrer, submerger.

ENGLUER. Coller, croupir, embarrasser, embourber, empêtrer, enfoncer, enliser, envaser, poisser, régresser, stagner.

ENGONCER. Affaiblir, altérer, bosser, cabosser, caricaturer, défigurer, déformer, dénaturer, détériorer, dévier, distordre, écorcher, éculer, endommager, estropier, falsifier, fausser, gondoler, laminer, massacrer, modifier, mutiler, tordre, transformer, travestir, triturer.

ENGOBER. Aluminer, cacher, chromer, coiffer, couvrir, dorer, enchevaucher, enduire, engraver, enrober, entoiler, étamer, laquer, masquer, napper, nickeler, paver, plaquer, recouvrir, revêtir, tapisser, tuiler, voiler, zinguer.

ENGORGEMENT. Accumulation, bouchon, congestion, embâcle, infarctus, lampas, obstruction, œdème.

ENGORGER. Barrer, bloquer, boucher, bouchonner, dégorger, embarrasser, embouteiller, encombrer, encrasser, enneiger, envaser, fermer, oblitérer, obstruer, opiler, saturer, surcharger.

ENGOUÉ. Acoquiné, coiffé, emballé, embéguiné, entêté, entiché, étouffé, féru, fou, snob, toqué.

ENGOUEMENT. Admiration, amour, caprice, emballement, émerveillement, engorgement, enivrement, entichement, enthousiasme, folie, goût, inspiration, mode, obstruction, passade, passion, tocade, toquade, vogue.

ENGOUER. Acoquiner, admirer, emballer, enthousiasmer, enticher, étouffer, étrangler, passionner, toquer.

ENGOUFFRÉ. Avalé, bouffé, bu, dévoré, empiffré, englouti, entré, envahi, introduit, mangé, pris.

ENGOUFFRER. Avaler, boire, bouffer, dépenser, dévorer, disparaître, engloutir, entrer, envahir, manger, pénétrer.

ENGOULEVENT. Bois-pourri, caprimulgidé, caprimulgiforme, carinate, insectivore, oiseau, passereau, tête-chèvre.

ENGOURDI. Ankylosé, endormi, figé, froid, gelé, gourd, impassible, lent, morfondu, transi.

ENGOURDIR. Ankyloser, apaiser, assoupir, anesthésier, atténuer, bloquer, endormir, figer, geler, gêner, glacer, hiberner, hypnotiser, immobiliser, insensibiliser, intimider, lent, paralyser, somnoler, transir.

ENGOURDISSEMENT. Alourdissement, anesthésie, ankylose, apathie, atonie, consomption, dolent, épuisement, hibernation, insensibilisation, langoureux, langueur, morne, onglée, paralysie, paresse, torpeur.

ENGRAIS. Amendement, apport, biologique, compost, crotte, crottin, cyanamide, fertilisant, fiente, fumier, fumure, gadoue, guano, humus, lisier, nourrain, poudrette, purin, terreau, urée, urine, wagage.

ENGRAISSEMENT. Abonnissement, amélioration, amendement, assolement, bonification, chaulage, compostage, déchaumage, écobuage, embouche, engraissage, enrichissement, ensemencement, épandage, épandeur, fertilisation, fumage, fumaison, fumigation, fumure, irrigation, jachère, limonage, marnage, phosphatage, plâtrage, pouture, soufrage, sulfatage, terreautage.

ENGRAISSER. Alimenter, améliorer, amender, appâter, bourrer, empâter, enrichir, épaissir, faluner, grossir.

ENGRAISSEUR. Agrarien, agriculteur, agronome, areur, betteravier, colon, cultivateur, éleveur, épandeur, exploitant, fermier, gaveur, horticulteur, jardinier, labour, laboureur, maraîcher, nourrisseur, partiaire, pasteur, paysan, paysannat, planteur, producteur, serriste, terrien.

ENGRANGEMENT. Conservation, conserve, ensilage, entretien, fourrage, mémorisation, sel, silotage, stockage, tutelle, vital.

ENGRANGER. Accumuler, amasser, condensateur, emmagasiner, entasser, entreposer, réunir, stocker.

ENGRAVER. Aluminer, cacher, chromer, coiffer, couvrir, dorer, enchevaucher, échouer, enduire, engober, enrober, ensabler, entoiler, étamer, laquer, masquer, napper, nickeler, parsemer, paver, plaquer, recouvrir, revêtir, tapisser, terreauter, tuiler, voiler, zinguer.

ENGRÊLÉ. Blason, bordé, crêpelé, échiqueté, découpé, denté, dentelé, dentelle, digité, divisé, échancré, éclaté, feuille, frisé, muscle, orné, saucisson, scindé, section, segment, silhouette, taillé.

ENGRENAGE. Arbre, came, dent, doigt, enchaînement, escalade, hypoïde, liaison, roue, spirale, transmission.

ENGRENER. Alimenter, améliorer, amender, appâter, bourrer, empâter, engraisser, enrichir, épaissir, faluner, grossir.

ENGROSSER. Accroître, agrandir, augmenter, bander, bomber, bouffer, croître, développer, dilater, distendre, empâter, enfler, engraisser, épaissir, étendre, gonfler, grandir, grossir, outrer, regrossir, souffler.

ENGUEULADE. Accrochage, accusation, admonestation, algarade, altercation, avertissement, blâme, censure, critique, désapprobation, diatribe, dispute, grief, remontrance, réprimande, savon, scène.

ENGUEULER. Accabler, admonester, corriger, disputer, enguirlander, incendier, injurier, jurer, réprimander.

ENGUIRLANDER. Attraper, corriger, disputer, engueuler, enjoliver, flatter, gourmander, gronder, houspiller, incendier, injurier, invectiver, jurer, louer, orner, réprimander, reprocher, savonner, tancer.

ENHARDIR. Aider, aiguillonner, animer, applaudir, apporter, approuver, appuyer, conforter, décider, encourager, engager, exalter, exciter, exhorter, favoriser, flatter, inciter, inviter, olé, piquer, porter, pousser, quête, stimuler.

ENHERBER. Cultiver, diaprer, disperser, emblaver, engazonner, ensemencer, épandre, gazon, gazonner, jeter, parsemer, pelouse, planter, propager, répandre, ressemer, revêtir, semer, semis, sursemer, tourber.

ÉNIGMATIQUE. Ambigu, caché, embêtant, équivoque, ésotérique, étrange, impénétrable, indéchiffrable, inexplicable, insondable, logogriphe, mystérieux, nébuleux, noir, obscur, secret, sibyllin.

ÉNIGME (n. p.). Christie, Œdipe, Poe, Sphinx.

ÉNIGME. Amphigouri, cacher, charade, demande, devinette, logogriphe, mystère, problème, question, secret.

ENIVRANT. Capiteux, captivant, emballant, exaltation, grisant, griserie, ivresse, prenant, saoulant, soûlant, transport.

ENIVRÉ. Abreuvé, alcoolisé, amant, anisé, arsouillé, aviné, beurré, bituré, bourré, éméché, enthousiasmé, étourdi, euphorisé, exalté, gris, grisé, ivre, noir, passionné, poivré, saoul, saoulé, soûl, soûlé.

ENIVREMENT. Béatitude, bonheur, enthousiasme, euphorie, exaltation, griserie, ivresse, ivrognerie, vertige.

ENIVRER. Alcooliser, arsouiller, aviner, beurrer, biturer, bitturer, boire, bourrer, camphrer, chopiner, cocarder, cuiter, défoncer, émécher, étourdir, exalter, exciter, griser, noircir, poivrer, promouvoir, rétamer, saouler, soûler.

ENJAMBÉE. Allure, danse, empiété, espace, étape, foulée, jalon, marche, pas, préséance, progrès, promenade, seuil.

ENJAMBER. Empiéter, escalader, franchir, marcher, passer, rejeter, sauter, superposer, traverser, usurper.

ENJEU. Action, banco, but, carre, cave, gageure, jeu, masse, mise, momon, pari, paroli, pot, poule, relance.

ENJOINDRE. Assigner, avertir, aviser, diriger, endosser, intimer, ordonner, prescrire, signifier, sommer.

ENJÔLEMENT. Canaillerie, carambouillage, charlatanerie, charlatanisme, crapulerie, duperie, escroquerie, fraude, grivèlerie, imposture, maquignonnage, mystification, supercherie, tricherie, tromperie, usurpation.

ENJÔLER. Amadouer, appâter, attirer, cajoler, charmer, emberlificoter, embobeliner, embobiner, ensorceller, entortiller, flatter, mensonge, pateliner, séduire, tromper.

ENJÔLEUR. Aguicheur, cajoleur, charmeur, embobineur, ensorceleur, menteur, patelin, racoleur, séducteur, trompeur.

ENJOLIVER. Agrémenter, angéliser, broder, décorer, émailler, embellir, exagérer, idéaliser, orner, parer.

ENJOLIVEUR. Chapeau de roue, garniture, lolo, moyeu, nichon, plaque, pneu, roue, sein.

ENJOLIVURE. Art, calligraphie, coufique, décoration, doigté, écriture, enluminure, figure, kufique, main.

ENJOUÉ. Agaillardi, allègre, amusant, animé, badin, batifoleur, content, enlevé, épris, folâtre, gai, goguette, grave, jovial, joyeux, léger, ludique, marotique, primesautier, riant, rieur, sautillant, sévère, souriant, spitant.

ENJOUEMENT. Alacrité, allégresse, entrain, follement, gaieté, gaillardise, joie, jovialité, spitant, vivacité.

ENLACEMENT. Agrippement, amplexion, caresse, embrassement, étreinte, entrelacement, nœud.

ENLACER. Embrasser, enchevêtrer, entourer, entrecroiser, entrelacer, étreindre, nouer, presser, serrer.

ENLAIDIR. Abîmer, défigurer, déformer, dégrader, déparer, embellir, enjoliver, gâter, laidir, nuire.

ENLEVANT. Alléchant, attachant, attirant, attrayant, avantageux, bon, brillant, captivant, curieux, éminent, émouvant, fructueux, important, intéressant, juteux, lucratif, oiseux, palpitant, payant, pimenté, poignant, prenant, remarquable, rémunérateur, rentable, séduisant, touchant, utile.

ENLEVÉ. Ablation, arrachement, benne, déracinement, enfleurage, énucléation, évultion, exérèse, exécuté, extirpation, extraction, fonte, lixiviation, métallurgie, naissance, né, noble, origine, ôté, sous-produit, tiré.

ENLÈVEMENT. Ablation, arrachage, collecte, cueillette, déblai, déflation, démasclage, dépilage, desquamation, évidemment, extraction, kidnapping, otage, prise, ramassage, rapt, raptus, ravissement, razzia, violence.

ENLEVER. Abolir, amovible, arracher, baguer, confisquer, couper, débarrasser, débâtir, déclore, décortiquer, déflorer, déglacer, délainer, délasser, délester, démieller, dénicher, dénoyauter, désosser, dépiauter, dépoussiérer, dépulper, desservir, détacher, détartrer, dévêtir, ébarber, ébavurer, éborgner, écaillage, écaler, écimer, écorcher, écrêter, écroûter, écumer, effacer, égrener, élider, éliminer, emmener, émorfiler, emparer, emporter, énouer, énucléer, épépiner, épierrer, épiler, éplucher, érater, essorer, essuyer, étêter, évider, éviscérer, exciser, exfolier, kidnapper, laver, ôter, peler, racler, ravir, retirer, retrancher, robotiser, sauner, soustraire, supprimer, tuer, vider.

ENLIER. Agencer, ajuster, aménager, anneler, arranger, arrimer, combiner, croiser, décider, disposer, draper, étager, étaler, étirer, géminer, imbriquer, joindre, liaisonner, mannequiner, masser, nuer, organiser, orner, ourdir, placer, prédisposer, prêter, tendre, tisser.

ENLIGNER. Aiguiller, aligner, axer, bornoyer, canaliser, centrer, conduire, désirer, diriger, disposer, exposer, finaliser, guider, lieu, lorgner, mirer, orienter, pointer, reconnaître, regarder, repérer, tourner, viser.

ENLISEMENT. Ambition, appel, aspiration, attrait, besoin, désir, élan, espérance, espoir, fumigation, inhalation, inspiration, penchant, prise, reniflement, respiration, rêve, souhait, succion, tendance, vœu, vote.

ENLISER. Croupir, embarrasser, embourber, empêtrer, enfoncer, engluer, ensabler, envaser, régresser, stagner.

ENLUMINÉ. Coloré, colorié, congestionné, cramoisi, écarlate, empourpré, enflammé, enjolivé, miniaturisé, rouge, rougeaud, rouget, rougissant, rubescent, rubicond, sanguin, turgide, vermeil, vineux, vultué.

ENLUMINER. Barbouiller, barioler, bistrer, bleuter, bleuter, colorer, colorier, dorer, empourprer, encrer, farder, historier, iriser, nuancer, ocrer, orner, panacher, peindre, pigmenter, rehausser, relever, rosir, rougir, safraner, teindre, teinter.

ENLUMINEUR (n. p.). Bellechose, Bourdichon, Fouquet, Jacquemart, Limbourg.

ENLUMINEUR. Artiste, enluminure, graphiste, historieur, miniaturiste, peintre, rubricateur.

ENNEIGÉ. Avalanche, blanc, blanchâtre, blizzard, charrue, chenu, congère, couvert, crayeux, grêle, héroïne, immaculé, laiteux, marmoréen, neige, neigeux, névé, nivicole, obier, opale, opalin, perce-neige, poudrerie, viorne.

ENNEIGER. Barrer, bloquer, boucher, bouchonner, dégorger, embarrasser, embourber, embouteiller, encombrer, encrasser, enfoncer, engorger, enliser, envaser, fermer, oblitérer, obstruer, opiler, salir, saturer, surcharger.

ENNEMI (n. p.). Capulet, Heinsius.

ENNEMI. Adversaire, antagoniste, butin, capitulation, concurrent, mortel, opposant, ratier, rival, traître.

ENNOBLIR. Accorder, améliorer, anoblir, baronifier, baroniser, conférer, distinguer, élever, emmarquiser, emparticuler, grandir, idéaliser, noblesse, rehausser, sublimer, surélever, titre, transposer.

ENNOBLISSEMENT. Abonnissement, amélioration, amendement, assolement, bonification, chaulage, compostage, décharge, déchaumage, dépotoir, écobuage, engraissage, engraissement, enrichissement, ensemencement, épandage, fertilisation, fumage, fumaison, fumigation, fumure, irrigation, jachère, limonage, marnage, phosphatage, plâtrage, soufrage, sulfatage, terreautage.

ENNUAGER. Assombrir, attrister, brouiller, couvrir, éclipser, morpionner, obscurcir, ouvrir, voiler.

ENNUI. Anicroche, aria, avanie, avaro, avatar, cafard, contrariété, déboire, dégoût, désagrément, difficulté, embarras, embêtement, enquiquinement, épine, épreuve, gêne, hic, lacune, lassitude, os, panne, pépin, souci, tracas, tracasserie, tuile.

ENNUYANT. Agaçant, assommant, barbant, barbifiant, embêtant, emmerdant, empoisonnant, endormant, ennuyeux, enquiquinant, fastidieux, fatigant, lancinant, lassant, mortifère, plat, rasant, rebutant.

ENNUYÉ. Assommé, confus, contrarié, désolé, embêté, emmerdé, fâché, fatigué, las, rasé, tanné.

ENNUYER. Agacer, amuser, assommer, barber, barbifier, bassiner, biaiser, canuler, cavaler, contrarier, distraire, divertir, égayer, embêter, emmerder, endormir, enquiquiner, fâcher, fatiguer, importuner, languir, lasser, marrir, morfondre, raser, récréer, réjouir, tanner, tartir, vexer.

ENNUYEUX. Agaçant, assommant, barbant, canulant, chiant, désagréable, embarrassant, embêtant, emmerdant, empoisonnant, endormant, éteignoir, fâcheux, fade, fastidieux, fatigant, insipide, lassant, long, maussade, monotone, morose, mortel, pisse-froid, pisse-vinaigre, rasant, raseur, rasoir, rebutant, sciant, suant, vexant.

ÉNONCÉ. Affirmation, allégation, aoriste, aphorisme, articulation, assertion, axiome, doxologie, explicite, expression, formulé, lexis, loi, maxime, morphème, postulat, précepte, principe, proposition, protocole, proverbe.

ÉNONCER. Affirmer, alléguer, articuler, avancer, débiter, déclarer, déduire, définir, dire, écrire, émettre, énumérer, exposer, exprimer, former, formuler, juger, lire, narrer, présenter, prononcer, raconter, réciter, relater, stipuler.

ÉNONCIATION. Affirmation, articulation, déclaration, donnée, élocution, énoncé, mention, prononciation.

ENORGUEILLIR. Chatouiller, enfler, flatter, glorifier, honorer, prévaloir, rengorger, targuer, vanter.

ÉNORME. Beaucoup, colossal, considérable, cyclopéen, démesuré, déraisonnable, éléphantesque, excessif, extraordinaire, géant, gigantesque, grand, gros, immense, incommensurable, insensé, insurmontable, mastodonte, monumental, monstre, obèse.

ÉNORMÉMENT. Amplement, considérablement, excessivement, extraordinairement, extrêmement, grandement, immensément, large, largement, spacieusement, très, vastement.

ÉNORMITÉ. Balourdise, bêtise, gigantisme, grandeur, extravagance, immensité, invraisemblance, sottise.

ÉNOTHÈRE. Anogre, bergamote, calypholis, chylismia, kneiffia, lavauxia, megapterium, raimannia, sphaerostigma, taraxia.

ÉNOUER. Abraser, approprier, astiquer, brosser, caréner, curer, décaper, déterger, écumer, écurer, épinceter, épousseter, faire, fourbir, laver, lessiver, monder, ôter, plumeau, polir, purger, racler, ratisser, récurer, rincer.

ENQUÉRIR. Affranchir, chercher, demander, enquêter, informer, inquiéter, rancarder, rechercher, renseigner.

ENQUÊTE. Accusation, étude, inquisition, panel, perquisition, recherche, reportage, scrutin, sondage, turbe.

ENQUÊTER. Accuser, enquérir, examiner, indaguer, perquisitionner, questionner, rechercher, sonder.

ENQUÊTEUR. Agent, ange, argousin, bobby, chien, cogne, condé, constable, détective, flic, garde, gardien, gendarme, îlotier, inspecteur, limier, policier, poulet, ripou, roman, rousse, roussin, sbire, sentinelle, sondeur, sûreté.

ENQUIQUINANT. Agaçant, crispant, désagréable, embêtant, énervant, exaspérant, excédant, ennuyant, ennuyeux, fatigant, harcelant, importun, inopportun, insupportable, irritant, sciant, suant, vexant.

ENQUIQUINER. Agacer, assommer, crisper, embêter, endormir, énerver, ennuyer, exaspérer, excéder, fatiguer, hérisser, impatienter, importuner, irriter, lasser, raser, récréer, réjouir, tanner, tartir, vexer.

ENQUIQUINEUR. Achalant, emmerdeur, fâcheux, fatigant, gêneur, importun, indésirable, intrus, raseur.

ENRACINÉ. Adné, amitié, amarré, ancré, arrêté, arrimé, ars, assujetti, attaché, boucle, calé, chaîne, collé, corde, épris, et, fixé, fortifié, hart, invétéré, lacé, laisse, lie, lien, ligament, noué, rivé, vissé.

ENRACINEMENT. Affermissement, amélioration, ancrage, cimentation, consolidation, durcissement, fixation, fortification, garantie, protection, radicalisation, raffermissement, raidissement, renforcement, renfort, stabilisation.

ENRACINER. Amarrer, ancrer, arrêter, arrimer, assujettir, attacher, caler, claveter, clouer, coincer, déterminer, entoiler, établir, évaluer, fermer, ficher, figer, fixer, graver, imprimer, installer, lier, mémoriser, pendre, préfixer, reclouer, régler, retenir, river, sine die, suspendre, terminer, visser.

ENRAGÉ. Endiablé, énergumène, exalté, excité, fan, fanatique, forcené, fou, fougueux, furieux, mordu, passionné.

ENRAGEANT. Agaçant, blessant, brisant, cinglant, contrariant, endêver, énervant, fâcheux, froissant, frustrant, gêneur, horripilant, humiliant, importun, mortifiant, pis, pléthore, rageant, râlant, sot, tic, tuile, vexant.

ENRAGER (n. p.). Érinye, Pythie.

ENRAGER. Acharner, aigrir, bisquer, chevrer, délire, écumer, endêver, endiabler, exaspéré, fanatisme, frénésie, fumer, furax, furieux, groncer, grogner, irriter, ivresse, offenser, passionner, rage, rager, taquiner, tourmenter, violence.

ENRAYAGE. Arrêt, asphyxie, blocage, coinçage, décontamination, désactivation, engourdissement, enraiement, entrave, freinage, grippage, immobilisation, immobilisme, impuissance, inhibition, neutralisation, obstruction, paralysie, ralentissement, sclérose, stagnation.

ENRAYER. Arrêter, bloquer, briser, cesser, endiguer, entraver, étouffer, freiner, gêner, juguler, modérer, suspendre.

ENRÉGIMENTER. Adhérer, affilier, conscrire, demander, embreteller, embrigader, endoctriner, engager, enjôler, enrôler, inciter, incorporer, lever, louer, mobiliser, persuader, racoler, recruter, traiter.

ENREGISTREMENT. Accès, action, archivage, audio, comptabilisation, contrôle, démo, doitage, dolby, fichage, formalité, immatriculation, inscription, lexication, listage, listing, mémorisation, plage, pointage, quadri, quadriphonie, saisie.

ENREGISTRER. Conserver, consigner, écrire, filmer, fixer, graver, immatriculer, lexicaliser, noter, pointer, tourner.

ENREGISTREUR. Aquastat, barocepteur, compteur, encodeur, indicateur, magnétophone, mouchard, pointeur.

ENRHUMÉ. Catarrheux, enchifrené, grippé, nasillard, rhume, tousseur, toussoteur.

ENRICHI. Abondant, aisé, argenté, argenteux, aristo, cossu, étoffé, fertile, fortuné, galetteux, grenu, huppé, ladre, milliardaire, millionnaire, multimillionnaire, nanti, nourri, opulent, or, pactole, parvenu, pauvre, possédant, pourvu, rentier, riche, richissime, rupin, samit.

ENRICHIR. Abondance, augmenter, embellir, engraisser, étoffer, gain, meubler, orner, prospérer, rehausser.

ENRICHISSANT. Avantageux, bénéfique, bon, bonifiant, efficace, favorable, fécond, fertile, fructifiant, fructueux, gagnant, intéressant, juteux, lucratif, payant, précieux, productif, profitable, rémunérateur, rentable, salutaire, utile.

ENRICHISSEMENT. Acquisition, approfondissement, développement, eutrophisation, progrès, valorisation.

ENROBÉ. Bedonnant, bouffi, corpulent, dodu, gras, grassouillet, gros, potelé, replet, rond, rondelet, rondouillard.

ENROBER. Adoucir, cacher, couvrir, déguiser, dissimuler, emmailloter, entourer, envelopper, glacer, paner, voiler.

ENRÔLEMENT. Conscription, embrigadement, engagement, levée, racolage, recrutement.

ENRÔLER. Embaucher, embreteller, embrigader, engager, enrégimenter, lever, persuader, racoler, recruter.

ENRÔLEUR. Boss, embaucheur, employeur, négrier, patron, patronat, rabatteur, racoleur, recruteur.

ENROUÉ. Âpre, éraillé, graillé, guttural, râpeux, rauque, rocailleux, rogomme, rude, sauvage, vélaire, voilé.

ENROUEMENT. Chat, dysphonie, éraillement, extinction, graillement, râlement, raucité, toux, voilement.

ENROUER. Affaiblir, affecter, aliéner, appauvrir, érailler, feuler, gronder, guttural, râpeux, rauquer, voiler.

ENROULEMENT. Bobinage, bobinement, boucle, circonvolution, cops, coquille, embobinement, emmaillotage, emmaillotement, entortillement, papillote, serpentement, spirale, spire, volute, vrille.

ENROULER. Bobiner, caneter, embobiner, emmailloter, emmitoufler, entortiller, entourer, envelopper, envider, lover, peloter, rembobiner, renvider, rouleau, rouler, serpenter, tordre, tortiller, vriller.

ENRUBANNER. Ailler, aillier amorcer, appâter, armer, baguer, boiser, border, bourrer, canner, clisser, décorer, doubler, ferrer, fournir, garnir, gréer, hérisser, lotir, matelasser, mâter, meubler, munir, orner, ouater, parer, tapisser.

ENSABLER. Aciérer, dorer, échouer, enduire, engraver, enliser, enrober, étamer, paver, percevoir, rattraper, ravoir, reconquérir, recouvrir, récupérer, redorer, regagner, renaître, retrouver, revêtir, tapisser, toucher, vernir.

ENSACHAGE. Ballotin, berlingot, blister, bottelage, cageot, conditionnement, cornet, emballage, embarillage, emboîtage, emmaillotage, empaquetage, enveloppe, flein, récipient, sac, tine, tube.

ENSACHEUR. Conditionneur, emballeur, empaqueteur, layetier, paqueteur, préparateur.

ENSANGLANTÉ. Bleu, coup, cruenté, dégoulinant, dégouttant, menstrué, saignant, sanglant, sanguinolent.

ENSANGLANTER. Cramoisir, entacher, maculer, ravager, rosir, rougir, saigner, salir, souiller, tacher.

ENSEIGNANT. Chargé de cours, corps, grammairien, éducateur, insti, instit, instituteur, maître, moniteur, pédagogue, précepteur, privat-docent, prof, professeur, théoricien, tuteur, universitaire, vulgarisateur.

ENSEIGNE. Affiche, bannière, drapeau, écusson, emblème, enquérir, étendard, fanion, gonfanion, indice, labarum, maître, marque, objet, officier, oriflamme, panneau, panonceau, professeur, preuve, symbole.

ENSEIGNEMENT. Acquisition, apprentissage, chaire, classe, collège, conclusion, cours, didactique, discipline, école, éducation, formation, instruction, leçon, matière, pédagogie, précepte, professorat, règle, scolaire.

ENSEIGNER. Annoncer, apprendre, démontrer, éduquer, inciter, inculquer, initier, instruire, maître, montrer.

ENSEMBLE (3 lettres). Art, ban, kit, loi, paf, uni.

ENSEMBLE (4 lettres). Agio, amas, avec, bloc, cour, éros, état, gare, jury, main, race, site, soma, tout.

ENSEMBLE (5 lettres). Actif, armée, avoir, décor, gotha, litée, pool, ramée, smala, total, tutti, unité, vulve.

ENSEMBLE (6 lettres). Accord, assise, bordée, chœur, chorus, climat, clique, couple, écurie, ethnie, flotte, genèse, germen, massif, necton, négoce, nichée, notice, noulet, parure, pistil, réseau, rituel, smalah, urémie, varech.

ENSEMBLE (7 lettres). Arsenal, barreau, brassin, cabinet, câblage, centile, chorale, cohorte, concert, culture, décorum, dossier, éthique, famille, fratrie, ombrage, opinion, ripieno, septuor, tractus, unisson, vannerie.

ENSEMBLE (8 lettres). Activité, aéroport, appareil, archipel, armement, arrachis, attelage, attirail, banlieue, batterie, capitaux, couronne, fressure, gréement, ligature, mosaïque, panoplie, racaille, toilette, vitellus, volaille.

ENSEMBLE (9 lettres). Biosphère, catégorie, clientèle, collectif, idéologie, protocole, vélodrome, verroterie.

ENSEMBLE (10 lettres). Aiguillage, ascendance, assemblage, bastringue, consonance, périphérie, peuplement.

ENSEMBLE (11 lettres). Achalandage, ameublement, capitalisme, inclassable, main-d'œuvre, maintenance, vocabulaire.

ENSEMBLE (12 lettres). Appartenance, constitution, iconographie, nomenclature, phraséologie, terminologie.

ENSEMBLE (13 lettres). Agglomération, bibliographie, climatisation, documentation, saint-frusquin.

ENSEMBLIER. Architecte, décorateur, designer, entreprise, esthéticien, praticien, technicien.

ENSEMENCEMENT. Abonnissement, amélioration, amendement, assolement, bonification, chaulage, compostage, décharge, déchaumage, dépotoir, écobuage, engraissage, engraissement, enrichissement, épandage, fertilisation, fumage, fumaison, fumigation, fumure, irrigation, jachère, limonage, marnage, phosphatage, plâtrage, soufrage, sulfatage, terreautage.

ENSEMENCER. Aleviner, emblaver, empoissonner, remblaver, ressemer, semailles, semer, semis.

ENSERRER. Ceindre, ceinturer, cerner, contenir, corseter, encercler, enclore, enfermer, entourer, immobiliser, prendre, serrer.

ENSEVELI. Abruti, assommé, assoupi, endormi, ensuqué, hypnagogique, reposé, somnolent, torpeur, vaseux.

ENSEVELIR. Cacher, enfouir, enlinceuler, entasser, enterrer, entomber, funérailles, inhumer, sépulture.

ENSEVELISSEMENT. Cérémonie, convoi, deuil, enfouissement, enterrement, funérailles, inhumation, mort.

ENSILAGE. Conservation, conserve, engrangement, entretien, fourrage, mémorisation, sel, silotage, stockage, tutelle, vital.

ENSILER. Approvisionner, conserver, emmagasiner, engranger, ensiloter, entreposer, sac, stocker.

ENSOLEILLÉ. Agréable, allumé, chaud, clair, éclairé, enflammé, gai, illuminé, insolé, orienté, soleilleux.

ENSOLEILLER. Allumer, animer, briller, chatoyer, délasser, délecter, dérider, distraire, éblouir, éclairer, égayer, embraser, enjoliver, étinceler, fêter, illuminer, insoler, luire, miroiter, pétiller, reluire, visionner.

ENSOMMEILLÉ. Acide, analgésique, anesthésié, apathique, aride, blasé, desséché, détaché, dur, endormi, endurci, engourdi, ferme, flegmatique, froid, gelé, glacé, inaccessible, inanimé, indolent, inexorable, insensible, raide, réfractaire, somnolent, sourd.

ENSORCELANT. Attirant, captivant, charmant, embobinant, envoûtant, fascinant, séduisant, troublant.

ENSORCELER. Amadouer, cajoler, captiver, charmer, embobiner, enchanter, envoûter, flatter, séduire, tromper.

ENSORCELEUR. Aguicheur, amadoueur, charmeur, enchanteur, séducteur, sorcier, tombeur, vamp.

ENSORCELLEMENT. Charme, conjuration, enchantement, envoûtement, magie, maléfice, séduction, sort, sortilège.

ENSUITE. Alors, après, et, puis, subséquemment, succession, suite, suivant, ultérieurement.

ENSUIVRE. Apparaître, apparoir, arriver, découler, déduire, dégager, dépendre, dériver, entraîner, impliquer, issu, naître, procéder, provenir, ressortir, résulter, sortir, suivre, tenir, trouver, venir.

ENSUQUÉ. Abruti, assommé, assoupi, endormi, hypnagogique, reposé, somnolent, torpeur, vaseux.

ENTABLEMENT. Architrave, atlante, corniche, couronnement, dos d'âne, enchevauchement, frise, mutule.

ENTACHER. Abîmer, anachronique, avarier, ensanglanter, maculer, noir, réputation, salir, souiller, tache.

ENTAILLADE. Cisaillage, cisaillement, coupe, crantage, débitage, dépècement, entaillage.

ENTAILLE. Adent, coche, coupure, cran, crevasse, dame, échancrure, égratignure, encoche, éraflure, estafilade, faille, fente, gravure, incision, onglet, raie, rainure, ride, ridule, ruinure, saignée, sillon, surlé, taillade, vaguelette, veine, veinure.

ENTAILLER. Balafrer, biseauter, blesser, ciseler, cocher, couper, cranter, crénage, créneler, creuser, ébrécher, échancrer, encocher, entamer, exciser, fendre, inciser, mortaiser, rainer, taillader, tailler.

ENTAME. Béance, bout, brèche, bridge, carte, commencement, croûton, levée, morceau, pain, pertuis, premier.

ENTAMÉ. Accessible, accueillant, béant, déclaré, délabré, éclos, entrouvert, épanoui, évasé, fendu, fente, franc, inauguré, large, libéral, libre, orifice, ouvert, percé, stomatoscope, tolérant, troué.

ENTAMER. Amorcer, attaquer, commencer, corroder, couper, débuter, démarrer, ébrécher, écorcher, écorner, émécher, enclencher, engager, entreprendre, érafler, mâchurer, manger, mordre, ouvrir, ronger, saper, tailler, toucher.

ENTASSEMENT. Abattis, abcès, adipeux, amas, banquise, bloc, boule, bourre, branchage, cal, chaton, dune, empilement, empyème, fatras, fétras, feu, filasse, foule, jar, jard, liasse, lithiase, lot, masse, meule, mitraille, monceau, mousse, névé, noyau, nuage, ossuaire, pannicule, paquet, pierraille, pierre, pile, plexus, ruée, salage, sécas, sérac, sore, tas, terri, terril, tout, trésor.

ENTASSER. Accumuler, agglomérer, amasser, amonceler, empiler, ensevelir, multiplier, presser, serrer, tasser.

ENTE. Allogreffe, bouture, écussonnage, enter, enture, greffage, greffe, greffon, porte-greffe, prune, scion.

ENTENDEMENT. Compréhension, concept, conception, intellect, intelligence, jugement, raison, raisonnement.

ENTENDRE. Accepter, accorder, admettre, attraper, audition, auditionner, comprendre, concevoir, dissonant, écouter, embrasser, fraterniser, imaginer, insinuer, ouïr, percevoir, portugaise, prêter, saisir, tonnerre, ultrason, union, unir, vouloir.

ENTENDU. Accepté, accord, approbation, assurément, capable, compétent, compris, convenu, cru, inouï, ouï.

ENTÉNÉBRÉ. Abscons, amphigourique, assombri, brumeux, caché, chargé, confus, couvert, embrouillé, embrumé, énigmatique, épais, ésotérique, foncé, fumeux, hermétique, inconnu, indistinct, inexploré, ignoré, méconnu, nébuleux, noir, nuageux, obscur, obscurci, ombreux, opaque, secret, sibyllin, sombre, ténébreux, terne, touffu, vague, vaseux, voilé.

ENTÉNÉBRER. Accabler, affecter, affliger, assombrir, atterrer, attrister, brouiller, cacher, chagriner, contrarier, couvrir, embrumer, ennuager, foncer, noircir, obnubiler, obscurcir, ombrager, ombrer, opacifier.

ENTENTE. Accord, amitié, amour, approuver, arpège, camaraderie, coalition, collusion, complicité, concert, concorde, connivence, convenir, convention, discorde, do, harmonie, la, marché, musique, oui, pacte, refus, rime, traité, unanimité, union, unisson.

ENTER. Abouter, accoler, accroître, additionner, ajouter, assembler, bouturer, greffer, joindre, transplanter.

ENTÉRINEMENT. Acceptation, accord, acquiescement, adhésion, adoption, agrément, amen, applaudir, applaudissement, approbation, approuver, assentiment, autorisation, aval, aveu, avis, ban, bien, bon, bravo, chorus, concession, confirmation, consentement, convenir, cri, déclaration, entendu, homologation, mais, oui, permission, ratification, sanction, soit, suffrage, visa.

ENTÉRINER. Approuver, avaliser, confirmer, consacrer, enregistrer, homologuer, plébisciter, ratifier, sanctionner, valider.

ENTÉRITE. Colite, détracte, diarrhée, entérocolite, gastro-entérite, inflammation, maladie, strongylose.

ENTERREMENT. Calendrier, cérémonie, convoi, deuil, ensevelissement, funérailles, mort.

ENTERRER. Abandonner, anéantir, cacher, ci-gît, cimetière, confiner, détruire, enfermer, enfouir, engloutir, enliser, ensevelir, entasser, fossoyeur, inhumer, isoler, planter, retirer, sépulture, terrer.

ENTÊTANT. Capiteux, enivrant, étourdissant, grisant, harcelant, lancinant, obsédant, persistant.

ENTÊTÉ. Acharné, buté, cabochard, coriace, exalté, exclusif, ferme, hutin, incorrigible, indocile, intraitable, mule, obstiné, opiniâtre, persévérant, raide, sectaire, systématique, tenace, tête de cochon, têtu.

ENTÊTEMENT. Acharnement, caprice, engouement, fermeté, obstination, préjugé, ténacité, volonté.

ENTÊTER. Acharner, buter, continuer, étourdir, griser, obstiner, opiniâtrer, persévérer, tenir.

ENTHOUSIASMANT. Captivant, électrisant, emballant, enivrant, exaltant, excitant, grisant, palpitant, passionnant.

ENTHOUSIASME. Admiration, apathie, ardeur, brio, délire, dithyrambe, élan, énergie, entrain, extase, fanatisme, flegme, frénésie, fureur, galvaniser, indifférence, ivresse, tiède, transport, vigueur, violence, youpi, zèle.

ENTHOUSIASMER. Admirer, délirer, échauffer, élancer, électriser, emballer, émerveiller, enfiévrer, enflammer, engouer, enivrer, exalter, exciter, extasier, griser, pâmer, ravir, rêver, transporter, zéler.

ENTHOUSIASTE. Admirateur, adoratif, ardent, blasé, brûlant, charmé, chaud, chauvin, dévot, emballé, émerveillé, énergumène, enragé, exalté, excité, fan, fana, fanatique, forcené, fou, furia, mordu, passionné, zélé.

ENTICHÉ. Amouraché, amoureux, coiffé, engoué, épris, fana, fanatique, féru, fou, infatué, toqué.

ENTICHEMENT. Amourette, aventure, bricole, caprice, chimère, coquetterie, engouement, envie, extravagance, faible, fantaisie, flirt, idylle, liaison, marivaudage, passade, passion, tocade, toquade.

ENTICHER. Amouracher, embéguiner, embobeliner, embobiner, enjouer, enjôler, passionner, tacher, toquer.

ENTIER. Absolu, aliquote, catégorique, complet, emporte-pièce, entêté, ferme, franc, global, inentamé, in extenso, intact, intégral, inviolé, obstiné, molaire, parfait, plein, plénier, raide, têtu, total, tout, un.

ENTIÈREMENT. Absolument, absorbant, complètement, dominé, exclusif, fermé, franc, globalement, hémi, intégral, lot, mi, moitié, part, pleinement, possédé, quart, radicalement, semi, systématique, têtu, tiers, totalement, tout.

ENTIÈRETÉ. Absoluité, constance, fermeté, intégralité, parfait, plénitude, raideur, totalité, volonté.

ENTITÉ (n. p.). Avogadro.

ENTITÉ. Capital, caractère, classe, élément, essence, état, être, nature, objet, pôle, substrat, tenseur, unité.

ENTÔLAGE. Appropriation, brigandage, cambriolage, déprédation, détournement, détroussement, enlèvement, extorsion, grappillage, kleptomanie, larcin, malversation, pillage, piraterie, racket, rafle, razzia, saccage, spoliation, subtilisation, vol.

ENTÔLER. Barboter, chiper, choper, chouraver, chourer, dérober, détrousser, dévaliser, embarquer, escroquer, estamper, filouter, flouer, frauder, gruger, piller, prendre, rafler, rapiner, rincer, rosser, sauter, soustraire, spolier, subtiliser, tanner, tromper, usurper, voler.

ENTOMOLOGIE. Entomologiste, entomologue, fourmis, insecte, myrmécologie, zoologie.

ENTOMOLOGISTE (n. p.). Brossard, Fabre, Forel, Frisch, Henning, Legrand, Swammerdam, Usinger.

ENTOMOSTRACÉ. Anatife, branchiopode, cirripède, copépode, crustacé, cyclode, daphnie, prèle, sacculine.

ENTONNER. Avaler, boire, célébrer, chanter, commencer, enfutailler, enfûter, louer, remplir, vanter.

ENTONNOIR. Autoclave, bassin, bassinet, boudinière, cavité, chantepleure, chausse, cirque, cornet, couloir, culot, cuvette, excavation, infundibulum, perloir, siphon, tourbillon, trémie, tromblon, verveux.

ENTORSE. Claquage, déboîtement, distorsion, écart, effort, élongation, foulure, lésion, lumbago, luxation.

ENTORTILLEMENT. Bobinage, bobinement, boucle, circonvolution, cops, coquille, embobinement, emmaillotage, emmaillotement, enroulement, papillote, serpentement, spirale, spire, volute, vrille.

ENTORTILLER. Affecter, alambiquer, amphigouriquer, cacher, circonvenir, compliquer, confus, contourner, couvrir, emberlificoter, embrouiller, emmailloter, enrouler, entourer, envelopper, séduire, tarabiscoter, tordu, tortiller.

ENTOUR. Abord, alentour, approximatif, approximativement, auprès, autour, avoisinant, bordure, entourage, environnement, environs, imprécis, parage, près, proche, proximité, quelque, relatif, vaguement, voisinage.

ENTOURAGE. Ambiance, arroi, bordure, cadre, cercle, cour, entour, milieu, monde, sérail, trémus.

ENTOURÉ. Admiré, aidé, bichonné, cerné, dorloté, encerclé, enclos, environné, île, lac, lardé, recherché, soutenu.

ENTOURER. Assiéger, auréoler, bichonner, border, butter, ceindre, ceinture, cercler, cerner, clore, clôturer, couronner, couver, dorloter, encadrer, enceindre, encercler, enclore, enserrer, environner, épier, épiner, fermer, garnir, gencive, île, investir, lac, langer, larder, ligaturer, lover, materner, murer, nimber, rober, terreauter, tortiller.

ENTOURLOUPETTE. Arnaque, attrape, camouflage, carambouillage, carambouille, carottage, entourloupe, escroquerie, estampage, farce, filouterie, frasque, manœuvre, piraterie, tour, tromperie, vol.

ENTOURNURE. Anse, baie, calanque, creux, découpure, échancrure, entaille, indentation, habit, onglet.

ENTRACTE. Arrêt, divertissement, interlude, intermède, intermezzo, interruption, intervalle, pause.

ENTRAIDE. Aide, adjoint, alun, appui, assistance, assistant, aumône, auxiliaire, avance, bourse, cadeau, canne, charité, collaborateur, complice, concours, contribution, coopération, don, engrais, grâce, incitation, mutualité, prêt, renfort, ressource, second, seconder, secours, service, servir, solidarité, SOS, soutien, subside, subvention.

ENTRAIDER. Aider, appuyer, conseiller, encourager, épauler, exhorter, intervenir, patronner, pistonner, pousser, prêcher, préconiser, prôner, protéger, recommander, référer, soutenir, supporter.

ENTRAILLES. Abats, appendice, boyaux, cœur, courage, cran, éviscérer, flanc, giron, intestins, sein, tripes, viscères.

ENTRAIN. Activité, allacrité, allant, animation, ardeur, brio, chaleur, cœur, dynamisme, élan, enthousiasme, feu, fougue, gaieté, joie, mordant, mouvement, tonus, vie, vigueur, vivacité, zèle.

ENTRAÎNABLE. Commode, démontable, facile, influençable, malléable, maniable, manipulable, transportable.

ENTRAÎNANT. Adoucisseur, alacrité, amadoueur, attirant, captivant, convaincant, décisif, éblouissant, éloquent, émouvant, enjôlant, excitant, exhortant, gagnant, grave, inculquant, insinuant, inspirant, persuasif, saisissant, séducteur, stimulant, touchant, vivace.

ENTRAÎNÉ. Aguerri, amené, attiré, charrié, conduit, déplacé, emmené, emporté, familiarisé, halé, marché, mené, rampé, remorqué, rompu, tiré, toué, tracté, traînassé, traîné, trimbalé.

ENTRAÎNEMENT. Chaleur, déflation, élan, emballement, engrenage, enthousiasme, entraîneur, erre, exaltation, exercice, faiblesse, habitude, migration, mouvement, poussé, surentraînement, training, transmission.

ENTRAÎNER. Abuser, actionner, amener, attirer, causer, charrier, corrompre, débaucher, embarquer, embaucher, emmener, emporter, enlever, habituer, impliquer, induire, inviter, occasionner, perdre, rentraîner, traîner.

ENTRAÎNEUR. Animateur, chef, coach, conducteur, conseillé, instructeur, manager, meneur, moniteur.

ENTRAÎNEUR DES CANADIENS (n. p.). Blake, Bowman, Burns, Carbonneau, Demers, Gainey, Irving, Julien, Ruel, Therrien, Tremblay, Vigneault.

ENTRAÎNEUSE. Aguicheuse, allumeuse, entremetteuse, escorte, fille, locomotive, soupeuse, taxi-girl.

ENTRAIT. Clairsemé, dispersé, disséminé, entretoise, éparpillé, épars, étrésillon, poutre, tirant.

ENTRAVE. Abat, abot, assujettissement, attache, billot, boulet, carcan, cep, chaîne, contrainte, embarras, empêchement, fer, frein, gêne, joug, libre, lien, obstacle, saboteur, tribart, trousse-pied.

ENTRAVER. Achopper, arrêter, caler, contraindre, contrarier, embarrasser, empêcher, empêtrer, enrayer, freiner, gêner.

ENTRAXE. Déphasage, déviation, distance, distanciation, écart, écartement, éloignement, entrevoie.

ENTRE. Avancer, comparaison, dans, demi, entre-temps, ingrédient, inter, intermédiaire, intervalle, milieu, moitié, moyen, notamment, parmi, particulièrement, réciprocité, spécialement, tiède, travers.

ENTREBÂILLEMENT. Bouterolle, brisure, cassure, coupure, crevasse, creux, enture, espace, faille, fêlure, fente, filon, fissure, fuite, gerce, gerçure, grigne, hiatus, jour, ouverture, péristome, raie, ride, seime, strie, trace, trou, voie, vue.

ENTREBÂILLER. Craquer, crocheter, déboucher, déboutonner, décacheter, déverrouiller, entrouvrir, ouvrir.

ENTRECHAT. Bond, bondissement, cabriole, culbute, danse, enjambée, gambade, pas, plongeon, saut, sautillage, sautillement, voltige.

ENTRECHOQUEMENT. Accrochage, choc, cognement, collision, coup, heurt, impact, percussion, rencontre, secousse.

ENTRECHOQUER. Accrocher, battre, blesser, buter, choquer, cogner, combattre, cosser, emboutir, ferrailler, frapper, froisser, heurter, livrer, percuter, rencontrer, tamponner, taper, télescoper, tosser, vexer.

ENTRECÔTE. Bifteck, biftèque, bœuf, cannibale, carré, côtelette, frites, grillade, mongol, nomade, pavé, rôti, sauce, steak, tartare, t-bone, tranche, venaison, viande.

ENTRECOUPÉ. Continu, déréglé, discontinu, haché, intermittent, interrompu, momentané, rémittent, saccadé.

ENTRECOUPEMENT. Abolition, abrogation, annulation, caducité, cassation, casse, casser, dénonciation, diriger, dispense, dissolution, divorce, éteindre, infirmation, invalidation, irritant, lésion, nullité, oblitération, rature, réforme, rescision, résiliation, résolution, résoudre, retrait, révocation, rupture.

ENTRECOUPER. Couper, enlacer, entrelarder, entremêler, hacher, interrompre, larder, mêler.

ENTRECROISEMENT. Croisement, croix, enlacement, entrelacs, nœud, réseau, tissure, treillis.

ENTRECROISER. Embrouiller, emmêler, enchevêtrer, enlacer, entortiller, entrelacer, entremêler, mêler.

ENTRECUISSE. Aine, enfourchure, entrejambe, entretoise, érythrasma, inguinal, sexe, traverse, vulve.

ENTRE-DEUX. Bande, dentelle, distance, entrecuisse, espace, intermédiaire, milieu, moyen, raie.

ENTRÉE. Accès, admission, boucau, caviar, col, début, exorde, gorge, hors-d'œuvre, immigration, incursion, introduction, irruption, nomenclature, parvis, passage, plat, porche, portail, porte, portique, seuil, tapas, vestibule, zakouski.

ENTREFAITE. Adonc, adoncques, alors, donc, intervalle, là-dessus, lorsque, même, moment.

ENTREFILET. Article, billet, chronique, courrier, écho, écrit, éditorial, essai, feuille, journal, reportage.

ENTREGENT. Adresse, diplomatie, dextérité, doigté, facilité, habileté, intrigant, ruse, savoir-faire, souplesse.

ENTREJAMBE. Aine, enfourchure, entrecuisse, entretoise, érythrasma, inguinal, sexe, traverse, vulve.

ENTRELACEMENT. Armure, croisé, croisement, enchevêtrement, énigme, lacé, lacis, natte, nœud, réseau, tresse.

ENTRELACER. Croiser, enchevêtrer, enlacer, entrecroiser, épisser, lacer, natter, nouer, tisser, tramer, tresser.

ENTRELACS. Chiffre, croisé, croisement, enchevêtrement, énigme, entrelacement, initial, lacé, lacis, lacs, motif, natte, nœud, ornement, réseau, tresse.

ENTRELARDER. Bonder, bourrer, charger, combler, emplir, encombrer, entrelacer, entremêler, envahir, farcir, fourrer, garnir, gonfler, hachis, insérer, larder, mêler, niche, piquer, remplir, supporter, surcharger.

ENTREMÊLER. Embrouiller, enchevêtrer, entrecouper, imbriquer, intriquer, mélanger, mêler.

ENTREMETS. Bavarois, blanc-manger, charlotte, compote, crème, flottant, île, lissé, mont-blanc, pâtisserie, sabayon, sorbet, soufflé, tiramisu.

ENTREMETTEUR. Agent, courtier, intermédiaire, jules, maquillon, médiateur, pim, proxénète, souteneur.

ENTREMETTRE. Défendre, immiscer, ingérer, intercéder, intercepter, interposer, intervenir, parler, prier, réclamer.

ENTREMISE. Aide, canal, degré, intercession, intermédiaire, intervention, levier, médiation, moyen, truchement, voie.

ENTREPOSAGE. Allotissement, emmagasinage, engrangement, magasinage, manutention, remisage, stockage.

ENTREPOSER. Accumuler, amasser, approvisionner, conserver, déposer, emmagasiner, engranger, ensiler, ensiloter, garer, provisionner, ranger, remiser, réserver, sac, stocker, transporter.

ENTREPÔT. Bâtiment, cellier, chai, dépôt, dock, entreposage, entreposeur, entrepositaire, étape, fondouk, halle, hangar, lieu, loft, magasin, mûrisserie, parc, réserve, sainte-barbe, silo.

ENTREPRENANT. Actif, agissant, allant, ardent, audacieux, aventureux, brave, casse-cou, courageux, diligent, efficace, énergique, hardi, increvable, laborieux, militant, pétulant, remuant, transitif, vif, zélé.

ENTREPRENDRE. Agir, attaquer, atteler, attenter, baratiner, brasser, commencer, créer, débuter, déroger, disposer, embrayer, enclencher, engager, engrener, entamer, essayer, hasarder, intenter, oser, tenter.

ENTREPRENEUR (n. p.). Barnum, Perret, Schumpeter.

ENTREPRENEUR. Acconier, aconier, artisan, camionneur, commerçant, constructeur, industriel, maquignon, métreur, patron, sous-traitant, tâcheron.

ENTREPRISE. Affaire, agence, amiral, aventure, cartel, casse-gueule, commerce, compagnie, consortium, cul-de-sac, dessein, engagement, ensemblier, essai, établissement, firme, œuvre, poste, régie, tentée, trust, tuilerie, voltige.

ENTRER. Aborder, accéder, adapter, adhérer, aller, allier, annexer, apparaître, cogner, commencer, compatir, embrasser, enfoncer, engager, envahir, ficher, frapper, garer, heurter, insérer, intégrer, introduire, mêler, mettre, parlementer, pénétrer, pourrir, rentrer, resquiller.

ENTRETENIR. Alimenter, assister, attiser, caresser, causer, choyer, converser, conférer, couver, deviser, durer, élever, flatter, flirter, fomenter, garder, maintenir, nourrir, parler, prolonger, réparer, sustenter, tenir, vivre.

ENTRETENU. Assujetti, astreint, cocotte, contraint, gigolo, giton, obligé, paré, petite, tenir, tenu.

ENTRETIEN. Aparté, colloque, demande, devis, dialogue, élevage, pourparler, radoub, sevrage, tête-à-tête, traite.

ENTRETOISE. Clairsemé, dispersé, disséminé, entrait, entre-jambe, éparpillé, épar, épart, étrésillon, traverse.

ENTREVOIE. Déphasage, déviation, distance, distanciation, écart, écartement, éloignement, entraxe.

ENTREVOIR. Annoncer, anticiper, apercevoir, augurer, calculer, comprendre, conjecturer, déchiffrer, découvrir, deviner, dévoiler, espérer, flairer, imaginer, interpréter, intuition, juger, pénétrer, pile, prédire, préjuger, présager, pressentir, prévenir, prévoir, pronostiquer, prophétiser, reconnaître, rencontrer, résoudre, révéler, sonder, soupçonner, transparaître, trouver, vaticiner, voir.

ENTREVUE. Audience, colloque, congrès, entretien, palabre, rencontre, réunion, tête-à-tête, visite.

ENTROUVRIR. Craquer, crocheter, déboucher, déboutonner, décacheter, déverrouiller, entrebâiller, ouvrir.

ENTUBER. Abuser, berner, décevoir, dol, duper, égarer, enjôler, errer, escroquer, flouer, frauder, gourer, gruger, induire, léser, leurrer, mentir, piper, posséder, refaire, rouler, trahir, tricher, tromper, truc.

ENTURE. Assemblage, bouture, brèche, cassure, cheville, coupure, crevasse, ente, espace, faiblesse, faille, fêlure, fente, fissure, gerçure, greffe, grigne, hiatus, ouverture, rupture, scion, séisme, trouée.

ÉNUCLÉER. Anéantir, arracher, déraciner, détruire, enlever, éradication, éradiquer, extirper, extraire, inextirpable, ôter.

ÉNUMÉRATION. Articulation, bordereau, catalogue, cens, ci, comptable, comptage, compte, décompte, démographie, dénombrement, description, détail, dito, etc., évaluation, item, liste, litanie, primo, secundo, tertio.

ÉNUMÉRER. Cataloguer, compter, conjuguer, décliner, décompter, dénombrer, détailler, inventorier, lister, recenser.

ÉNURÉSIE. Débauche, débit, diarrhée, encoprésie, excès, incontinence, maladie, regorgement, volubilité.

ENVAHI. Absorbé, accaparé, bondé, bourré, coincé, colonisé, importuné, infesté, occupé, trichiné.

ENVAHIR. Approprier, adapter, arroger, assaut, attribuer, coloniser, conquérir, déborder, emparer, emplir, encercler, entrer, gagner, infecter, inonder, investir, occuper, parasiter, prendre, répandre, submerger, usurper.

ENVAHISSANT. Accaparant, curieux, débordant, dévorant, fouinard, importun, indiscret, irruption, parasite.

ENVAHISSEMENT. Débarquement, débordement, emprise, incursion, invasion, irruption, prolifération.

ENVAHISSEUR (n. p.). Ahmès, Ahmosis, Attila, Cumes, Dioclétien, Ferré, Huns, Hyksos, Tartares, Tatars.

ENVAHISSEUR. Agresseur, cananéen, colon, colonisateur, despote, dictateur, dominateur, doryphore, ennemi, impérialiste, occupant, oppresseur, persécuteur, potentat, tortionnaire, touriste, tyran, usurpateur.

ENVASER. Barrer, bloquer, boucher, bouchonner, dégorger, embarrasser, embourber, embouteiller, encombrer, encrasser, enfoncer, engorger, enliser, enneiger, fermer, oblitérer, obstruer, opiler, salir, saturer, surcharger.

ENVELOPPANT. Agréable, aimable, alléchant, attirant, attrayant, beau, brillant, captivant, charmant, désirable, enchanteur, enivrant, enjôleur, flatteur, florissant, intéressant, joli, passionnant, prenant, ravissant, séduisant, tentant.

ENVELOPPE. Albuginée, ampoule, arille, baie, bale, barder, bogue, brou, calice, capsule, chemise, chorion, clisse, cocon, coque, coquille, cosse, couverture, dé, délivre, écale, écalure, écorce, endocarpe, épicarpe, étui, fourreau, gaine, gangue, gargousse, genouillère, giron, glume, glumelle, housse, légume, membrane, méninge, mésocarpe, momie, peau, périanthe, péricarpe, périsprit, placenta, pli, pochette, récipient, rétine, robe, sac, scrotum, taie, tégument, test, tunique, zoécie.

ENVELOPPEMENT. Cataplasme, drapement, emballage, emmaillotement, empaillage, robage, sparadrap.

ENVELOPPER. Baigner, bander, barder, cacher, cerner, couvrir, déguiser, draper, emballer, emmitoufler, empaqueter, encercler, enrober, inclure, investir, langer, nouer, obnubiler, obscurcir, recouvrir, rouler, vêtir.

ENVENIMER. Accroître, aggraver, alourdir, amplifier, ardeur, augmenter, charger, compliquer, dégénérer, détériorer, développer, empirer, enflammer, exaspérer, exciter, infecter, irriter, pire, récidiver.

ENVERGURE. Ampleur, calibre, carrure, classe, dimension, distance, étoffe, étroit, gabarit, importance, largeur, longueur, minable, minus, poids, portée, qualité, riquiqui, spacieux, spaciosité, stature, taille, vaste, vol.

ENVERS. Arrière, avec, dépit, derrière, dos, endos, endroit, médaille, pour, renverser, revers, ubac, verso, vis-à-vis.

ENVIABLE. Affriolant, appétissant, attirant, attrayant, bandant, concupiscible, consommable, convoitable, désirable, estimable, excitant, intéressant, mettable, nécessaire, séduisant, souhaitable, tentant, voulu.

ENVIDER. Bobiner, cacher, caneter, couvrir, dévider, emmailloter, embobiner, encercler, enrouler, langer, rebobiner, rembobiner, renvider, serpenter, tordre, tortiller, tourner.

ENVIE. Alléchant, appétence, appétit, besoin, désir, désireux, enviable, épreintes, faim, goût, haut-le-cœur, inclination, jalousie, libido, nausée, péché, repos, salive, soif, sommeil, tare, tentant, tentation, vice.

ENVIER. Agacer, agiter, baver, convoiter, décourager, désirer, dissuader, gêner, guigner, haïr, harceler, infester, lanciner, moquer, mouvementer, ronger, saliver, souhaiter, tanner, tenailler, torturer, vexer, vouloir.

ENVIEUX. Avide, cupide, exclusif, jaloux, inquiet, méfiant, ombrageux, possessif, rival, soupçonneux, tentant, tigresse, zoïle.

ENVIRON. Approximatif, approximativement, avoisinant, dans, entour, imprécis, près, proche, quelque, relatif, vaguement.

ENVIRONNANT. Adjacent, ambiant, approchant, attenant, auprès, avoisinant, circonvoisin, contigu, immédiat, imminent, instant, jouxte, juxtaposé, limitrophe, parent, près, prochain, proche, rapproché, récent, ressemblant, semblable, sur, voici, voisin.

ENVIRONNEMENT. Ambiance, atmosphère, biosphère, décor, écolo, écologie, entourage, environ, luxe.

ENVIRONNEMENTAL. Biologiste, écolo, écologique, écologue, environnementaliste, naturel, vert.

ENVIRONNER. Border, ceindre, ceinturer, cerner, embrasser, encadrer, encercler, enfermer, entourer.

ENVIRONS. Abords, alentour, ambiance, autour, banlieue, cadre, climat, dans, environnement, parages, proche.

ENVISAGEABLE. Allumable, bâtissable, concevable, imaginable, pensable, possible, réaliste, satisfaisant.

ENVISAGER. Concevoir, considérer, examiner, juger, penser, prévoir, projeter, réfléchir, regarder, songer.

ENVOI. Chargement, colis, consignation, dédicace, don, lancement, livraison, paquet, passe, renvoi.

ENVOL. Avion, décollage, décolle, départ, développement, envolée, essaim, essor, pas, relance, reprise, vol.

ENVOLÉE. Avion, déclic, délire, élan, fureur, grâce, idéation, inspiration, oral, passé, perdu, vol, volée.

ENVOLER. Aller, aspirer, aviver, commander, conduire, décoller, déterminer, disparaître, disperser, dissiper, échapper, éclipser, écouler, effacer, enfuir, envol, essor, évanouir, partir, passer, vol, voler.

ENVOÛTANT. Aimable, attachant, attirant, captivant, ensorcelant, fascinant, magnétique, séduisant.

ENVOÛTEMENT. Charme, conquête, enchantement, ensorcellement, fascination, hypnotisme, magie, magnétisme, maléfice, séduction, sortilège, subjugation.

ENVOÛTER. Appâter, captiver, charmer, conjurer, convaincre, corrompre, diaboliser, enchanter, en charmer, enjôler, ensorceler, fasciner, hypnotiser, marabouter, passionner, plaire, ravir, séduire, subjuguer, suborner.

ENVOÛTEUR. Alchimiste, astrologue, charmeur, enchanteur, mage, magicien, séducteur, sorcier, vamp.

ENVOYÉ. Ablégat, accusé, agent, article, délégué, député, diplomate, émissaire, émissif, internonce, justificatif, légat, mahdi, mandataire, message, messager, messie, messive, représentant, spam.

ENVOYER. Adresser, balader, couler, débrancher, déléguer, dépêcher, détacher, diriger, éloigner, émettre, expédier, ficher, lancer, livrer, porter, promener, propulser, quérir, recommander, renvoyer, télécopier, tuer.

ENVOYEUR. Commerçant, expéditeur, exportateur, manutentionnaire, négociant, vendeur.

ENZYME. Amylase, ase, autolyse, biocatalyseur, cellulase, coenzyme, desmolase, diastase, émulsine, entérokinase, enzymatique, érepsine, estérase, insulinase, invertase, invertine, isomérase, kinase, lactase, ligase, lipase, lucifèrase, lysozyme, maltase, myrosine, nucléase, papaïne, pénicillinase, pepsine, pepsonine, protéase, présure, ptyaline, rénine, saccharase, styaline, synase, synthétase, thrombine, trypsine, tyrosinase, urokinase, zymase.

ÉOLE (n. p.). Ader, Sisyphe.

ÉOLIDE. Asie mineure, Éolie.

ÉOLIEN. Aéromoteur, convertisseur, éolienne, girouette, harpe, mutateur, ondulateur, transformateur, vent

ÉON. Agent, chevalier, efféminé, équivoque, espion, esprit, éventail, gnostique, officier, secret, temps, travesti.

ÉONISME. Abjection, altération, anomalie, avarice, corruption, débauche, dépravation, dérèglement, déviance, déviation, égarement, folie, méchanceté, perversion, sadisme, stupre, travestisme, vice.

ÉOSINE. Azurant, colorant, coloris, couleur, gaude, indigo, mauvaine, ocre, orseille, réséda, rocou, smalt, thiamine.

ÉOSINOPHILE. Acidophile, centromose, cirrhose, éosine, éosinophilie, granulocyte, leucocyte, nodosité.

ÉPAGNEUL. Arrêt, barbet, chien, cocker, king-charles, levretté, setter, springer.

ÉPAIR. Aspect, papier, qualité, structure, transparence.

ÉPAIS. Abondant, aéré, andouille, brume, clairet, compact, concret, condensé, consistant, délié, dense, dru, dur, empâté, fin, fort, fourni, garni, gluant, gras, gros, grossier, lard, large, lourd, mastoc, menu, mince, opaque, pâteux, pesant, renflé, touffu, serré.

ÉPAISSEUR. Callosité, carre, compacité, consistance, corps, corpulence, couche, densité, embrasure, empâtement, empattement, enlevure, graisse, lourdeur, plaquette, profondeur, rive, tranche.

ÉPAISSIR. Cailler, concentrer, cristalliser, élargir, élégir, figer, floculer, grossir, grumeler, lier.

ÉPAISSISSANT. Affable, agglomérant, agglutinant, aimable, amène, avenant, engageant, legato, liant, sociable.

ÉPAISSISSEMENT. Callosité, caryosome, cellosité, empattement, grosseur, pachydermie, ptérygion.

ÉPANCHEMENT. Ascite, aveu, confiance, dégorgement, déversement, ecchymose, écoulement, effusion, expansion, hémarthrose, hématome, hydrocèle, pneumopéritoine, pyothorax, suffusion.

ÉPANCHER. Confier, couler, débonder, décharger, déverser, exhaler, expansif, libérer, livrer, ouvrir, répandre, soulager, verser.

ÉPANDAGE. Abonnissement, amélioration, amendement, assolement, bonification, chaulage, compostage, décharge, déchaumage, dépotoir, écobuage, engraissage, engraissement, enrichissement, ensemencement, fertilisation, fumage, fumaison, fumigation, fumure, irrigation, jachère, limonage, marnage, phosphatage, plâtrage, soufrage, sulfatage, terreautage.

ÉPANDRE. Arroser, couler, déverser, distiller, entonner, épancher, étaler, infuser, instiller, larmoyer, mettre, payer, pleurer, répandre, semer, servir, soutirer, transfuser, transvaser, transverser, transvider, verser, vider.

ÉPANNELER. Affiner, apprêter, débourrer, débrouiller, débroussailler, débrutir, décanter, décrasser, défricher, dégauchir, dégourdir, dégrossir, déniaiser, ébaucher, éclaircir, épanner, limer, tailler.

ÉPANOUI. Allègre, badin, détendu, développé, dilaté, éclos, efflorescent, épanouissant, équilibré, éveillé, fleur, folâtre, gai, guilleret, hilare, jovial, joyeux, léger, plantureux, plein, radieux, réjoui, riant, rieur, souriant.

ÉPANOUIR. Amuser, déployer, dérider, dilater, éclore, embellir, fleurir, floraison, ouvrir, ravir, réjouir.

ÉPANOUISSEMENT. Anthèse, dilatation, éclosion, efflorescence, essor, éveil, floraison, joie, maturité.

ÉPAR. Bâcle, barre, barlotière, boulin, croisillon, écarteur, entre-jambe, entremise, entretoise, épart, traverse.

ÉPARCHIE. Archevêché, archidiaconé, commende, diocèse, évêché, exarchat, patriarcat, suburbicaire, vidame.

ÉPARGNANT. Avare, camérier, camerlingue, cellérier, économe, épargneur, parcimonieux, regardant.

ÉPARGNE. Économie, grâce, lésine, lésinerie, magot, masse, parcimonie, pécule, thésaurisation, tirelire.

ÉPARGNER. Économiser, exempter, éviter, faire grâce, garder, lésiner, ménager, parcimonieux, pardonner, prodiguer.

ÉPARPILLEMENT. Atomisation, désordre, dispersion, dissémination, dissipation, émiettement, sporadicité.

ÉPARPILLER. Dilapider, disperser, disséminer, dissiper, égailler, émailler, émietter, épandre, étaler, fragmenter, gaspiller, grouper, jeter, morceler, parsemer, prodiguer, rassembler, répandre, réunir, saupoudrer, semer.

ÉPARQUE. Éparchie, gouverneur, magistrat, préfet.

ÉPARS. Clairsemé, constellé, désordre, disparate, dispersé, disséminé, dissocié, éclair, épandu, séparé.

ÉPART. Bâcle, barre, barlotière, boulin, croisillon, écarteur, entre-jambe, entremise, entretoise, épar, traverse.

ÉPARVIN. Capelet, épervin, exostose, jarde, jarret, javart, suros, tumeur, vessigon.

ÉPATANT. Admirable, chouette, extra, formidable, génial, merveilleux, sensationnel, splendide, super, tonnerre.

ÉPATÉ. Abasourdi, ahuri, aplati, camus, déconcerté, ébahi, écrasé, étonné, interloqué, nez, stupéfait, surpris.

ÉPATEMENT. Abasourdissement, ahurissement, consternation, consternement, ébahissement, ébaubure, effarement, engourdissement, étonnement, saisissement, stupéfaction, stupeur, surprise.

ÉPATER. Abasourdir, ahurir, consterner, ébahir, éberluer, éblouir, écraser, effarer, étendre, étonner, imposer, impressionner, interloquer, méduser, renverser, saisir, scier, sidérer, stupéfier, zigoto.

ÉPATEUR. Affabulateur, blagueur, bluffeur, cabotin, esbroufeur, fanfaron, frimeur, hâbleur, vantard.

ÉPAUFRER. Aplatir, battre, bocarder, briser, broyer, casser, concasser, croquer, écanguer, écorner, écraser, égruger, émietter, érafler, mâcher, mastiquer, molaire, moudre, piler, pilonner, râper, réduire, renverser, teiller, tiller, triturer.

ÉPAULARD. Baleine, cétacé, dauphin, delphinidé, écume, mammifère, marsouin, mégaptère, orque, rorqual.

ÉPAULE. Aisselle, amict, ars, bras, buste, carré, circumduction, châle, cou, dos, éclanche, endosses, froc, garrot, jambon, lever, longe, omoplate, paleron, palette, saie, saye, scapulaire, soutient, tête.

ÉPAULEMENT. Banquette, bouche à feu, contrefort, cran, crêt, dénivellement, écorchis, rempart, renfort.

ÉPAULER. Aider, appuyer, assister, dévisser, guider, protéger, renforcer, seconder, secourir, soutenir, subvenir.

ÉPAULETTE. Bande, bourrelet, bretelle, bricole, ornement, passement, patte, rembourrage, superposition.

ÉPAUTRE. Amidonnier, argent, blé, carie, céréale, écidie, épeautre, farine, foin, froment, gerbe, grain, gruau, ivraie, maïs, minot, moucheté, orge, pain, pâte, raccard, roupie, sarrasin, son, touselle, triticale, triticum, urédospore.

ÉPAVE. Clochard, débris, déchet, décombres, épaviste, lagan, loque, raté, robineux, ruine, ventouse.

ÉPAVISTE. Briseur, cambrioleur, casseur, destructeur, ferrailleur, hooligan, saboteur, vandale, voleur.

ÉPEAUTRE. Amidonnier, argent, blé, carie, céréale, écidie, épautre, farine, foin, froment, gerbe, grain, gruau, ivraie, maïs, minot, moucheté, orge, pain, pâte, raccard, roupie, sarrasin, son, touselle, triticale, triticum, urédospore.

ÉPÉE (n. p.). Brenn, Brennus, Damoclès, Durandal, Durendal, Roland, Zorro.

ÉPÉE. Alfange, arme, badelaire, bague, bancal, bandal, batte, botte, brand, braquemart, brette, briquet, cape, carrelet, cimeterre, claymore, colichemarde, coutelas, coutille, croisette, dague, espadon, estoc, estocade, estramaçon, fer, fil, flambe, flamberge, fleuret, glaive, haute-claire, joyeuse, lame, latte, rapière, robe, sabre, Schiavone, yatagan.

ÉPEICHE. Becquebois, charpentier, colapte, cul-rouge, damette, percebois, pic, picot, pic-vert, pique-bois, pivert.

ÉPEIRE. Anthropode, arachnide, araignée, aranéide, araneus, argiope, diadème, fascié, insecte, lycose, mygale.

ÉPÉISME. Assaut, botte, discussion, épée, escrime, fleuret, garde, lame, ligne, lutte, maître d'armes, passe, sabre.

ÉPÉISTE. Bâtonniste, bretteur, duelliste, épée, escarmoucheur, escrimeur, ferrailleur, fleurettiste, sabreur, tireur.

ÉPELER. Appeler, attirer, baptiser, bénir, caser, citer, crier, décoder, décomposer, élever, énoncer, enrôler, héler, lettre, lire, interpeller, intimer, maudire, nommer, rappeler, recruter, syllaber, syllabiser.

ÉPENDYME. Anatomie, canal, épithélium, membrane, moelle, parois, péritoine, tissu, ventricule.

ÉPERDU. Affolé, agité, égaré, ému, endiablé, exalté, extrême, fou, passionné, troublé, vif, violent.

ÉPERDUMENT. Abondamment, amplement, ardemment, beaucoup, extrêmement, fanatiquement, ferventment, follement, frénétiquement, furieusement, passionnément, royalement, violemment, vivement.

ÉPERON. Aiguillon, avant-bec, bride, broche, collet, dard, dent, ergot, étrier, excitant, molette, nectaire, ongle, pique, piqûre, plateau, pointe, rosette, rostral, rostre, remontant, saillie, stimulant, tonique.

ÉPERONNER. Activer, agacer, agiter, aiguillonner, allumer, altérer, animer, apitoyer, attirer, attiser, aviver, brocher, causer, charmer, chatouiller, embraser, émoustiller, encourager, énerver, enfiévrer, enivrer, enlever, enthousiasmer, éveiller, exalter, exhorter, exciter, inciter, intriguer, piquer, provoquer, ranimer, réchauffer, remuer, soulever, stimuler, sus, tenter, titiller, va.

ÉPERVIER (n. p.). Horus.

ÉPERVIER. Ableret, accipitridé, aigle, autour, belliciste, belliqueux, chasse, émerillon, émouchet, faucon, falconiforme, filet, graviter, militariste, nasse, oiseau, rapace, sphinx, tiercelet, vautour, volerie.

ÉPERVIÈRE. Astéracée, chouette, composacée, diurétique, herbe, myosotis, piloselle, plante.

ÉPERVIN. Capelet, éparvin, exostose, jarde, javart, suros, tumeur, vessigon.

ÉPEURANT. Abominable, affolant, affreux, alarmant, atroce, cauchemardesque, démesuré, effroyable, épouvantable, fort, frémissant, horrible, monstrueux, rapide, redoutable, terrible, terrifiant, vertigineux.

ÉPEURER. Affoler, alarmer, angoisser, apeurer, effarer, effaroucher, effrayer, épouvanter, inquiéter.

ÉPHÈBE. Ado, adolescent, adonis, apollon, bachelier, béjaune, blanc-bec, cadet, chérubin, damoiseau, éphébie, galopin, garçon, hymen, jeune, jouvenceau, jouvencelle, novice, nymphette, page, puceau, scout, teen-ager, tendron.

ÉPHÉMÈRE. Bref, court, fragile, fugace, fugitif, imago, insecte, lueur, momentané, passager, provisoire, temporaire.

ÉPHÉMÉRIDE. Agenda, almanach, annales, annuaire, astronomie, bottin, calendrier, chronologie, comput, cours, déroulement, échéancier, gourmette, jour, ménologe, mois, nivôse, programme, semainier, table, tableau.

ÉPHÉSIEN (n. p.). Artémis, Érostrate, Paul.

ÉPHOD. Ardillon, bande, banlieue, bauquière, ceinture, ceinturon, ceste, châtelaine, cilice, cordelière, cordon, corset, dan, écharpe, entoure, estrope, gaine, giron, obi, pagne, ruban, sangle, soutien, taillole, tunique.

ÉPI. Arête, bale, barbe, blé d'Inde, chaton, cheveux, cloison, crib, écaille, épillet, groupe, inflorescence, loge, mèche, obliquement, ornement, panicule, rachis, spica, spicule, ouvrage.

ÉPIAIRE. Crapaudine, crosne, labiacée, labiée, légume, légumineuse, plante, rhizome, stachys, tubercule.

ÉPICARPE. Bogue, brou, carpe, coque, coquille, cosse, cossette, écale, écalure, écorce, efflorescence, enveloppe, feuillet, fruit, peau, pellicule, pelure, péricarpe, pruine, robe, tégument, zeste.

ÉPICÉ. Cochon, coquin, croustillant, cru, égrillard, gaillard, gaulois, gras, graveleux, grivois, léger, leste, libidineux, libre, licence, licencieux, obscène, osé, paillard, polisson, raide, salace, salé, vert, vulgaire.

ÉPICE. Absinthe, ail, aneth, angélique, anis, aspic, badiane, basilic, cannelle, cardamome, cari, carry, carvi, cary, cayenne, céleri, cerfeuil, chile, ciboulette, coriandre, cumin, curcuma, curry, échalote, estragon, fenouil, genièvre, gingembre, girofle, hysope, laurier, livèche, macis, maniguette, marjolaine, mélisse, menthe, moutarde, muscade, oignon, origan, paprika, persil, piment, poivre, romarin, safran, sarriette, sauge, sel, serpolet, sésame, thym.

ÉPICÉA. Abiès, abiétacée, abiétinée, araucaria, arbre, arolle, cèdre, cembro, cèdre, chermès, cône, conifère, épinette, mélèze, pesse, pignet, pignon, pin, pinacée, résineux, sapin, sapinette, spruce, stuga.

ÉPICER. Agrémenter, ailler, ajouter, apprêter, assaisonner, corser, pimenter, poivrer, relever, saler.

ÉPICERIE (n. p.). Casino, Coop, Docks, Familistère, Félix Potin, IGA, Métro, Provigo.

ÉPICERIE. Alimentation, coopérative, débit, dépanneur, magasin, self-service, supérette, tabagie.

ÉPICURIEN. Ataraxie, charnel, hédoniste, jouisseur, passionné, philosophe, secte, sensuel, sybarite, voluptueux.

ÉPIDÉMIE. Apparition, bacille, choléra, contagion, endémie, enzootie, épizootie, fléau, grippe, lèpre, maladie, manie, pandémie, peste, pian, prémonitoire, propagation, rubéole, suette, trousse-galant, typhus, variole, vomito.

ÉPIDÉMIQUE. Communicatif, contagieux, endémique, épizootique, pandémique, récurrent.

ÉPIDERME. Cal, callosité, cutané, desquamation, durillon, ectoderme, endoderme, gale, kératine, mésoderme, peau, peler, pellicule, poil, squame.

ÉPIDERMIQUE. Apparent, cutané, instinctif, irréfléchi, léger, spontané, squame, superficiel.

ÉPIER. Attendre, cafarder, écornifler, espionner, examiner, épieur, filer, fouiner, guet, guetter, inspecter, mater, moucharder, observer, pister, regarder, reluquerm, rôder, suivre, surprendre, surveiller, voir, zieuter.

ÉPIEU. Arme, bardiche, bâton, corsèque, dard, gourdin, javelot, hast, lance, pieu, pique, sagaie, vouge.

ÉPIGONE. Adepte, agnat, continuateur, descendant, disciple, famille, héritier, hoirie, issu, lignée, mémoire, né, phylum, postérité, progéniture, race, rejeton, souche, successeur, succession, suite.

ÉPIGRAMME. Brocard, flèche, lazzi, moquerie, pasquin, pointe, quolibet, raillerie, sarcasme, satire, trait.

ÉPIGRAPHE. Adhésion, affiche, affiliation, avant-propos, catalogue, devise, écriteau, en-tête, épitaphe, exergue, graffiti, INRI, inscription, légende, manchette, matricule, plaque, préambule, préface, rôle, sigle, titre.

ÉPIGRAPHISTE (n. p.). Deschamps, Desjardins, Knorozov, Rossi.

ÉPILEPSIE. Aura, comitial, comitialité, convulsion, éclampsie, épileptoïde, mal, grand mal.

ÉPILER. Arracher, déboiser, débroussailler, déclouer, délainer, démarier, déplanter, déraciner, détacher, déterrer, échardonner, écobuer, édenter, effeuiller, emporter, enlever, essarter, essoucher, extirper, extorquer, extraire, ôter, plumer, priver, raciner, rompre, sarcler, soutirer, soustraire, tirer.

ÉPILLET. Barbe, chaton, épi, épillet, gerbe, glane, glume, grappe, maïs, ornement, panicule, rachis.

ÉPILOGUE. Commentaire, conclusion, dénouement, fin, issue, observation, péroraison, solution.

ÉPILOGUER. Chicaner, conclure, critiquer, discourir, disserter, ergoter, expliquer, gloser, palabrer, prologue.

ÉPIMÉTHÉE (n. p.). Atlas, Clyméné, Japet, Pandore, Prométhée, Pyrrha.

ÉPINAIE. Ardu, aubépine, brûlant, délicat, difficile, difficulté, embarrassant, épineux, incommode, laborieux, ronce.

ÉPINAL (n. p.). Bussang, Charmes, Moselle, Plombières-les-Bains, Remiremont, Vosges.

ÉPINAL. Basilique, icône, image, imagerie, spinalien.

ÉPINARD. Amarante, arroche, baselle, célosie, chénopodiacée, chénopode, éclairette, légume, quinoa, pariétaire, tétragone.

ÉPINCER. Dégrossir, ébourgeonner, énouer, épiler, épinceter, époutir, nettoyer, tailler, tisser.

ÉPINCETER. Abraser, approprier, astiquer, brosser, caréner, curer, décaper, déterger, écumer, écurer, énouer, épousseter, faire, fourbir, laver, lessiver, monder, nettoyer, ôter, plumeau, polir, purger, racler, ratisser, récurer, rincer, sablonner.

ÉPINE. Aiguillon, arête, berbéris, broussaille, cactées, difficulté, écharde, échine, dorsale, ennui, essart, filet, gibbosité, haie, inerme, nerprun, os, paliure, piquant, queue, rachis, roseraie, spinelle, spinule.

ÉPINETTE (n. p.). Japon, Norvège.

ÉPINETTE. Arbre, blanche, bleue, brewer, cage, clavecin, engelmann, épicéa, mue, noire, résineux, rouge, sitka, virginal.

ÉPINEUX. Ardu, aubépine, brûlant, délicat, difficile, difficulté, embarrassant, épinaie, incommode, laborieux, ronce.

ÉPINGLAGE. Amarrage, ancrage, arrimage, attache, calage, encartage, étrive, ferrement, fixage, fixation, implantation, inclusion, insertion, intercalation, lamanage, ligature, lusin, nouage, nouement, sanglage.

ÉPINGLE. Agrafe, attache, barrette, bigoudi, broche, camion, clips, fibule, fichoir, imperdable, sixtus.

ÉPINGLER. Accrocher, adhérer, agrafer, alpaguer, appréhender, arrêter, attacher, cueillir, fixer, ligature.

ÉPINGLETTE. Agrafe, attache, boucle, broche, clip, crampe, crochet, épingle, fermail, fermoir, ferret, fibule, pin's.

ÉPINIER. Ardent, bois, bosquet, brande, broussaille, buisson, écrevisse, églantier, épinaie, fourré, haie, hallier, hayette, pyracantha, roncier, roncière, scrub, sousbois, taillis, théridion.

ÉPIPHYTE. Aéricole, broméliacée, fougère, lichen, orchidée, platycerium, rhododendron, sorbier, végétal.

ÉPIQUE. Chant, élevé, épopée, extraordinaire, geste, grandiose, héroïque, homérique, mémorable, rare.

ÉPISCOPAL. Apostolique, basilique, canonique, cathédrale, église, presbytérien, siège, temple, vitrail.

ÉPISODE. Avatar, aventure, calamité, circonstance, digression, événement, péripétie, pont, rapsodie.

ÉPISODIQUE. Accessoire, anecdotique, contingent, épisode, galérer, intermittent, marginal, secondaire.

ÉPISODIQUEMENT. Aléatoirement, anormalement, capricieusement, intermittence, irrégulièrement, sporadiquement.

ÉPITAPHE. Adhésion, affiche, affiliation, avant-propos, catalogue, ci-gît, devise, écriteau, en-tête, épigraphe, exergue, graffiti, INRI, inscription, légende, liste, manchette, matricule, plaque, préambule, préface, tombeau.

ÉPITHÉLIOMA. Cancer, carcinome, cylindrome, épithéliome, mélanome, sarcome, squirre, squirrhe, tumeur.

ÉPITHÈTE. Adjectif, apposition, attribut, déterminant, éloge, épiphane, injure, invective, louange, qualificatif, qualification.

ÉPITOMÉ. Abrégé, abréviation, aide-mémoire, amoindri, aperçu, bref, compendium, concis, condensé, court, cursif, digest, diminué, écourté, ellipse, etc., étêté, petit, plan, précis, raccourci, réduction, résumé, sténo, topo, trachée, traverse.

ÉPÎTRE. Bible, dépêche, héroïde, lecture, lettre, message, missive, mot, pape, pétition, pli, p.s., texte.

ÉPIZOOTIE. Animal, brucellose, choléra, contagion, enzootie, épidémie, grippe, lèpre, maladie, manie, pandémie, peste, pian, prémonitoire, rubéole, suette, troussegalant, typhus, variole, vomito.

ÉPLORÉ. Abattu, abruti, accablé, affligé, agonisant, alourdi, assommé, atterré, attristé, chargé, comblé, couvert, crevé, criblé, désolé, écrasé, engueulé, épuisé, éreinté, essoufflé, étouffé, fatigué, haletant, larmoyant, lassé, oppressé, opprimé, surchargé, tondu, triste, tué, vanné.

ÉPLOYÉ. Agrandissement, allonge, augmentation, circonscrire, déplié, déployé, détente, développé, développement, distension, empiètement, entorse, essor, étalé, étendue, extension, pandémie, phagédénisme, plan, propagation, stretching, traction.

ÉPLOYER. Agrandir, allonger, augmenter, coucher, déplier, déployer, dérouler, détirer, développer, disperser, élargir, émailler, épandre, éparpiller, espacer, étaler, étendre, étirer, généraliser, laminer, lever, périmètre, paver, semer, vaste.

ÉPLUCHER. Écorcher, critiquer, décortiquer, dépiauter, dépouiller, ébouter, écaler, écosser, enlever, examiner, gratter, lire, nettoyer, peler, plumer, rechercher, relire.

ÉPLUCHEUR. Couteau-éplucheur, économe, épluche-légumes, épluchoir, zesteur.

ÉPLUCHURE. Blousse, bourrette, bran, bride, cendre, chute, copeau, débris, déchet, déperdition, détritus, étron, freinte, immondice, limaille, ordure, pelure, perte, pluche, raclure, rebut, reliquat, résidu, riblon, rognure, sciure, scorie, urée.

ÉPODE. Catilinaire, couplet, diatribe, discours, écrit, dessin, esprit, factum, libelle, moquerie, pamphlet, poème, satire.

ÉPOI. Andouiller, bois, branche, cerf, cor, dague, empaumure, enfourchure, panache, ramification, trochure.

ÉPOINTER. Arrondir, blaser, broyer, casser, craqueler, émousser, énerver, gâter, paralyser, user.

ÉPONGE. Amnistie, cotonnade, étanche, euplectelle, euplectille, fongueux, gerbi, grâce, halichondrie, loofa, luffa, oscule, pardon, polype, poreux, spicule, spongia, spongiaire, spongieux, spongible, spongille, tumeur, zoophyte.

ÉPONGEAGE. Astiquage, bichonnage, briquage, débarbouillage, décrassage, décrottage, détachage, essuyage, frottage.

ÉPONGER. Acquitter, combler, écoper, effacer, essuyer, étancher, payer, régler, résorber, sécher, tamponner.

ÉPONTILLE. Affût, bipied, bougeoir, bras, cariatide, chevalet, cintre, colonne, essieu, faste, faucre, gaine, lampadaire, mât, patère, patin, piédestal, pilier, pivot, pylône, socle, soutien, stencil, support, télamon, tin, trépied, tréteau, vau.

ÉPOPÉE. Aventure, byline, cas, chronique, dénouement, épique, événement, histoire, odyssée, poème, saga.

ÉPOQUE. Âge, agnelage, an, canicule, cervaison, cycle, date, défloraison, en, épiage, ère, essaimage, étape, fenaison, frai, frondaison, fructification, gemmation, période, pondaison, moment, saunage, saunaison, semailles, siècle, solstice, terme, tonte.

ÉPOUMONER. Ahaner, anhéler, aspirer, bâiller, égosiller, essouffler, étouffer, exhaler, expirer, fatiguer, haleter, inhaler, inspirer, oppresser, panteler, poumon, pousser, ronfler, souffler, soupirer, suffoquer.

ÉPOUSAILLES. Accord, alliance, ban, carte, dirimant, divorce, dot, endogamie, épithalame, époux, hétérogamie, homogamie, hymen, hyménée, lien, lit, mariage, mésalliance, morganatique, nef, noces, oui, sacrement, union.

ÉPOUSE. Bobonne, bourgeoise, bru, choisi, compagne, concubine, conjointe, dogaresse, femme, future, germaine, légitime, madame, maîtresse, ménagère, moitié, pairesse, patronne, poule, préciput, régulière, sororal.

ÉPOUSE ABRAHAM (n. p.). Sara, Sarah.

ÉPOUSE ACHAB (n. p.). Jézabel.

ÉPOUSE ADAM (n. p.). Ève.

ÉPOUSE ADMÈTE (n. p.). Alceste.

ÉPOUSE AGAMEMNON (n. p.). Clytemnestre.

ÉPOUSE ALEXANDRE LE GRAND (n. p.). Rhôxane, Roxane.

ÉPOUSE AMPHION (n. p.). Niobé.

ÉPOUSE AMPHITRYON (n. p.). Alcmène.

ÉPOUSE ASSUÉRUS (n. p.). Esther.

ÉPOUSE ATHAMAS (n. p.). Ino.

ÉPOUSE BOOZ (n. p.). Ruth.

ÉPOUSE CÉPHÉE (n. p.). Cassiopée.

ÉPOUSE CHAMPLAIN (n. p.). Hélène.

ÉPOUSE CRONOS (n. p.). Rhéa.

ÉPOUSE DEUCALION (n. p.). Pyrrha.

ÉPOUSE ÉNÉE (n. p.). Créüse, Lavinia.

ÉPOUSE ÉPIMÉTHÉE (n. p.). Pandore.

ÉPOUSE HECTOR (n. p.). Andromaque.

ÉPOUSE HÉRACLÈS (n. p.). Déjanire, Iole, Mégara, Omphale.

ÉPOUSE HIPPOMÈNE (n. p.). Atalante.

ÉPOUSE JACOB (n. p.). Léa, Lia, Rachel.

ÉPOUSE JASON (n. p.). Médée.

ÉPOUSE JUPITER (n. p.). Junon, Héra.

ÉPOUSE LAÏOS (n. p.). Jocaste.

ÉPOUSE MÉNÉLAS (n. p.). Hélène.

ÉPOUSE MINOS (n. p.). Pasiphaé.

ÉPOUSE ORPHÉE (n. p.). Eurydice.

ÉPOUSE OURANOS (n. p.). Gaïa, Gê.

ÉPOUSE PÉLÉE (n. p.). Thétis.

ÉPOUSE PERSÉE (n. p.). Andromède.

ÉPOUSE POSÉIDON (n. p.). Amphitrite.

ÉPOUSE PRIAM (n. p.). Hécube.

ÉPOUSE PYRRHUS (n. p.). Hermione.

ÉPOUSE TÉRÉE (n. p.). Philomène.

ÉPOUSE THÉSÉE (n. p.). Hippolyte, Phèdre.

ÉPOUSE TYNDARE (n. p.). Léda.

ÉPOUSE ULYSSE (n. p.). Pénélope.

ÉPOUSE ZEUS (n. p.). Danaé, Héra.

ÉPOUSER. Adapter, allier, attacher, caser, choisir, coller, conforme, convoler, demander, embrasser, fiancer, former, galber, marier, mésallier, modeler, mouler, partager, rallier, redorer.

ÉPOUSEUR. Accordé, amoureux, beau-fils, bien-aimé, fiancé, gendre, prétendant, soupirant.

ÉPOUSSETAGE. Abrasion, balayage, bouchonnage, bouchonnement, brossage, écouvillonnage, embrocation, érosion, friction, frottage, frottement, frottis, grattage, grattement, massage, onction, raclage, ramonage, râpage, ripage, ripement, traînement, trituration.

ÉPOUSSETER. Abraser, approprier, astiquer, brosser, caréner, curer, décaper, déterger, écumer, écurer, énouer, faire, fourbir, laver, lessiver, monder, ôter, plumeau, polir, purger, racler, ratisser, récurer, rincer.

ÉPOUSTOUFLANT. Astronomique, bœuf, colossal, démesuré, effarant, étonnant, extraordinaire, fabuleux, fantastique, faramineux, fou, gigantesque, méchant, miraculeux, mirifique, phénoménal, prodigieux, rare, stupéfiant, surprenant.

ÉPOUSTOUFLER. Abasourdir, épater, estomaquer, étonner, méduser, miraculeux, rare, scier, sidérer, stupéfier.

ÉPOUTIR. Débarrasser, dégrossir, ébourgeonner, énouer, épiler, épincer, épinceter, nettoyer, tailler, tisser.

ÉPOUVANTABLE. Abominable, affreux, apocalypse, atroce, désagréable, effrayant, effroi, étrange, terrible.

ÉPOUVANTABLEMENT. Abominablement, affreusement, atrocement, horriblement, monstrueusement, sinistrement, très.

ÉPOUVANTAIL. Babouin, croque-mitaine, fantôme, loup-garou, mannequin, menace, ogre, spectre.

ÉPOUVANTE. Affolement, affres, alarme, angoisse, appréhension, consternation, crainte, effarement, effroi, émotion, épeurement, frayeur, horreur, inquiétude, panique, peur, phobie, sirène, stupeur, terreur.

ÉPOUVANTER. Affoler, alarmer, angoisser, apeurer, effrayer, horrifier, inquiéter, stupéfier, terrifier, terroriser.

ÉPOUX. Compagnon, conjoint, consort, ex, futur, homme, jules, légitime, maître, mari, moitié, seigneur.

ÉPOUX D'AGRIPPINE (n. p.). Germanicus.

ÉPOUX D'ALCESTE (n. p.). Admète.

ÉPOUX D'ALCMÈNE (n. p.). Amphitryon.

ÉPOUX D'AMALADONTE (n. p.). Théodat.

ÉPOUX D'AMPHITRITE (n. p.). Poséidon.

ÉPOUX D'ANDROMAQUE (n. p.). Hector.

ÉPOUX D'ANTIOPE (n. p.). Thésée.

ÉPOUX D'ANDROMÈDE (n. p.). Persée.

ÉPOUX D'ATALANTE (n. p.). Hippomène.

ÉPOUX D'ATHALIE (n. p.). Joram.

ÉPOUX DE DESDÉMONE (n. p.). Othello.

ÉPOUX DE FATIMA (n. p.). Ali.

ÉPOUX DE BETHSABÉE (n. p.). Urie.

ÉPOUX DE CASSIOPÉE (n. p.). Céphée.

ÉPOUX DE CLODIDE (n. p.). Amalaric.

ÉPOUX DE CLYTEMNESTRE (n. p.). Agamemnon.

ÉPOUX DE CRÉÜSE (n. p.). Énée.

ÉPOUX DE JOSÉPHINE (n. p.). Beauharnais, Bonaparte.

ÉPOUX DE LAVINIA (n. p.). Énée.

ÉPOUX DE PÉNÉLOPE (n. p.). Ulysse.

ÉPOUX DE PROCNÉE (n. p.). Térée.

ÉPOUX DE PROSERPINE (n. p.). Pluton.

ÉPOUX DE PYRRHA (n. p.). Deucalion.

ÉPOUX DE RASOHERINA (n. p.). Radama.

ÉPOUX DE RÉBECCA (n. p.). Isaac.

ÉPOUX DE RHÉA (n. p.). Cronos.

ÉPOUX DE RUTH (n. p.). Booz.

ÉPOUX DE SÉMIRAMIS (n. p.). Ninos.

ÉPOUX D'EUGÉNIE (n. p.). Napoléon.

ÉPOUX D'EURYDICE (n. p.). Orphée.

ÉPOUX D'HÉCUBE (n. p.). Priam.

ÉPOUX D'HÉLÈNE (n. p.). Ménélas.

ÉPOUX D'HERMIONE (n. p.). Pyrrhus.

ÉPOUX D'ISIS (n. p.). Osiris.

ÉPREINDRE. Appuyer, attacher, bourrer, broyer, comprimer, essorer, presser, rincer, serrer, tordre.

ÉPREINTES. Bouse, colique, crotte, crottin, diarrhée, excrément, fèces, fiente, laissées, merde, ténesme.

ÉPRENDRE. Aimer, amouracher, attacher, emballer, embéguiner, embraser, enticher, passionner, toquer.

ÉPREUVE. Biathlon, brimade, calvaire, challenge, compétition, conflit, coupe, course, critérium, cromalin, déboire, difficulté, éliminatoire, ennui, essai, étape, examen, final, fumé, guerre, lancer, match, morasse, ordalie, positif, poule, raid, relais, repêchage, rush, spéciale, stage, test, tierce, tirage.

ÉPRIS. Amoureux, attaché, entiché, fanatique, féru, fou, groupie, passionné, polarisé, séduit, toqué.

ÉPROUVANT. Accablant, crevant, épuisant, éreintant, exténuant, fatigant, harassant, pénible, tuant, usant.

ÉPROUVÉ. Accablé, angoissé, défavorisé, eu, fidèle, frappé, malheureux, misandre, oppressé, ressenti, sûr.

ÉPROUVER. Aimer, avoir, bisquer, brimer, brûler, concevoir, craindre, désirer, endurer, enrager, essayer, expérimenter, exulter, flairer, goûter, jubiler, pâtir, peiner, percevoir, plaindre, recevoir, régaler, regretter, ressentir, sentir, subir, tâter, trembler, tressaillir.

ÉPROUVETTE. Bouteille, capsule, coupelle, cupule, cylindre, réchaud, récipient, tesson, têt, tube.

ÉPUISANT. Abrutissant, accablant, brisant, crevant, éreintant, exténuant, fatigant, harassant, lassant, surmenant, tuant, usant.

ÉPUISÉ. Anéanti, avalé, bu, crevé, dévoré, échiné, écopé, écoulé, éreinté, exténué, fatigué, flapi, forfait, fourbu, harassé, intarissable, knock-out, k.-o., las, livre, mangé, recru, rétamé, sassé, sec, tari, tuant, tué, usant, usé, vidé.

ÉPUISEMENT. Abattement, accablement, anémie, appauvrissement, asthénie, courbature, débilité, éreintement, exhaure, exténuation, fatigue, harassement, lassitude, prostration, raréfaction, tarissement, usure.

ÉPUISER. Abattre, accabler, affaiblir, anémier, assécher, briser, consumer, crever, dénoyer, dépenser, écouler, exténuer, fatiguer, harasser, lasser, lessiver, miner, rétamer, ronger, tarir, user, vendre, vider.

ÉPUISETTE. Aveiniau, bêche, drague, écope, étrier, filet, filoche, fraloche, godet, haveneau, houlette, palette, palon, grattoir, pelle, puche, râble, raille, ramassette, ramassoire, sasse, spatule.

ÉPULIDE. Épulie, épulis, gencive, gingival, gingivite, parulie, tumeur, ulite.

ÉPULON. Banquet, confesseur, curaillon, curé, desservant, festin, prêtre, romain, septemvir, vicaire.

ÉPURATEUR. Blanchet, bougie, buvard, censeur, chausse, colature, crapaudine, crépine, écran, décanteur, feutre, filtre, géotextile, grille, infiltrer, justicier, narine, passoire, purificateur, raffineur, rein, tamis.

ÉPURATION. Coup de torchon, déjection, écoulement, éjection, émission, éruption, expulsion, nettoyage, péril, purge, sialorrhée, uriner, vomique.

ÉPURE. Canevas, charbon, charbonnée, coupe, croquis, design, dessin, ébauche, élévation, esquisse, étude, fusain graphisme, illustration, image, lavis, œuvre, onde, pastel, paysage, peinture, plan, portrait, racinage, relevé, représentation, sanguine, schéma, silhouette, tatouage, tracé, veine.

ÉPUREMENT. Amélioration, blancheur, candeur, chasteté, clarté, continence, droiture, eau, épuration, fraîcheur, idéal, innocence, innocent, intégrité, limpidité, netteté, propreté, pudeur, pur, pureté, virginité, vertu.

ÉPURER. Affiner, apurer, assainir, clarifier, châtier, décanter, décaper, déféquer, dépurer, éclaircir, écrémer, écumer, éliminer, épuration, exclure, expurger, filtrer, purger, purifier, raffiner, rectifier.

ÉPURGE. Acalypha, acalyphe, aleurite, bancoulier, croton, ésule, euphorbe, euphorbiacées, foirole, hévéa, intisy, kamala, macenillier, manioc, médicinier, mercuriale, réveil, ricin, riciville, sapinette.

ÉQUANIMITÉ. Calme, flegme, impassibilité, philosophie, sang-froid, sérénité, tranquillité.

ÉQUARRIR. Biseauter, ciseler, cliver, couper, débiter, découper, dépecer, diminuer, échancrer, écharper, écimer, élaguer, émonder, étêter, fuseler, hacher, parallélépipède, partir, raccourcir, rafraîchir, recouper, retailler, sculpter, smiller, tailler, tondre, topiaire, tuer.

ÉQUATEUR, CAPITALE (n. p.). Quito.

ÉQUATEUR, LANGUE. Espagnol, quechua, shuar.

ÉQUATEUR, MONNAIE. Sucre.

ÉQUATEUR, VILLE (n. p.). Ambato, Auca, Balao, Banos, Canar, Cayambe, Chone, Cuenca, Daule, Esmeraldas, Fanny, Guano, Loja, Macas, Machala, Manta, Milagro, Pasaje, Pinas, Puyo, Quevedo, Quito, Sacha, Salcedo, Tena, Tulcan, Yaguachi, Zumba.

ÉQUATION. Algèbre, algébrique, égalité, formule, nombre, puissance, résolvante, symbole, théorie, traité.

ÉQUATORIAL. Astronomie, astrophographie, astrophysique, azimut, climat, cosmogonie, cosmologie, équateur, lunette, planétologie, radioastronomie, sélénologie, sidérostat, télescope, tropical.

ÉQUERRE. Biveau, blason, biveau, cornière, escarre, esquarre, graphomètre, niveau, règle, sauterelle, té.

ÉQUESTRE. Cabriole, cheval, chevalier, dressage, équitation, fantasia, hippique, hippisme, selle, turf.

ÉQUIDÉS. Âne, ânesse, ânon, bidet, bourricot, cheval, dourine, épihippus, hémione, hipparion, jument, mésaxonien, mule, mulet, onagre, orohippus, périssodactyle, poulain, pouliche, solipède, zèbre.

ÉQUILIBRAGE. Ajustement, cadrage, focus, réglage, régularisation, synchronisation, syntonisation, zérotage.

ÉQUILIBRANT. Contrepoids, équilibrateur, équilibreur, modérateur, pondérateur, régulateur, stabilisateur.

ÉQUILIBRE. Accord, aplomb, appui, attitude, balance, basculer, boiter, égalité, harmonie, isostasie, isotonie, lest, maintien, niveau, pondération, raison, sain, santé, stabilité, stable, sustentation, symétrie.

ÉQUILIBRÉ. Apériodique, apte, assiette, assuré, balancé, chargé, égal, ému, épanoui, ferme, ivre, judicieux, modéré, niveau, pondéré, raisonnable, rationnel, réfléchi, sain, sage, sensé, solide, stable.

ÉQUILIBRER. Balancer, ballaster, boucler, centrer, compenser, contrebalancer, contrepeser, corriger, gymnastique, harmoniser, immobile, neutraliser, niveler, otolithe, pondérer, sain, sensé.

ÉQUILIBREUR. Contrepoids, équilibrant, équilibrateur, modérateur, pondérateur, régulateur, stabilisateur.

ÉQUILIBRISTE. Acrobate, anneliste, barriste, danseur, fildefériste, funambule, jongleur, perchiste.

ÉQUILLE. Ammodyte, anguille de sable, brocheton, lançon, poisson, téléostéen, vive.

ÉQUINOXE (n. p.). Pâque, Pâques.

ÉQUINOXE. Automne, équateur, équinoxial, été, hiver, marée, printemps

ÉQUIPAGE. Apparat, appareil, arroi, arsenal, attirail, bagage, équipe, escorte, navire, suite, train, vautrait.

ÉQUIPE. Armateur, associé, brigade, camp, coalition, écurie, escouade, esprit, formation, gang, groupe, leader, quadrette, relève, staff, suite, supporter, supporteur, team, tifosi, train, troupe.

ÉQUIPÉE. Armée, aventure, écart, échappée, escapade, évasion, frasque, fredaine, promenade, sortie.

ÉQUIPEMENT. Apparaux, aria, armement, arsenal, bagage, barda, bidule, chose, fatras, fourbi, navire, outillage.

ÉQUIPER. Alimenter, appareiller, armer, assortir, doter, douer, fournir, munir, nantir, outiller, pourvoir.

ÉQUIPIER. Ailier, allié, avant, bloqueur, buteur, centre, cerbère, défenseur, demi, garde, gardien, lanceur, voltigeur.

ÉQUISÉTALE. Calamite, équisétinée, prèle, queue-de-cheval, queue-de-rat.

ÉQUITABLE. Arbitraire, aristarque, droit, égal, impartial, injuste, juste, légitime, loyal, objectif, partial, profitable, raisonnable.

ÉQUITABLEMENT. Démocratiquement, honnêtement, impartialement, justement, lucidement, objectivement.

ÉQUITATION. Cabriole, cheval, chevalier, dressage, équestre, fantasia, hippique, hippisme, selle, turf, tutoyer.

ÉQUITÉ. Convenable, droiture, impartialité, intégrité, justice, légalité, objectivité, partial, probité.

ÉQUIVALENCE. Annuité, égalité, identité, isodynamie, modulo, ou, parité, similitude, valeur.

ÉQUIVALENT. Compensation, égal, égalité, homologue, pareil, semblable, synonyme, vaut.

ÉQUIVALOIR. Balancer, correspondre, égaler, égaliser, équipoller, représenter, revenir, rivaliser, valoir.

ÉQUIVOQUE. Ambigu, ambiguïté, amphibologique, catégorique, clair, douteux, énigmatique, éon, évasif, faux, imbroglio, imprécis, incertain, indécis, interlope, janotisme, louche, micmac, net, obscur, précis, suspect, trouble.

ÉRABLE (n. p.). Floride, Japon, Norvège, Pennsylvanie.

ÉRABLE. Acer, acéracée, acériculture, argenté, blanc, campestre, champêtre, circiné, épis, ginnala, grosseri, japonicum, montagne, négondo, négundo, noir, palmé, plaine, platane, platanoïde, rouge, saccharinum, saccharum, sirop, sucre, sycomore, tire.

ÉRABLIÈRE. Acériculture, arbre, bois, cabane à sucre, concession, eau, érable, forêt, sève, sirop, sucre, sucrerie.

ÉRADICATION. Arrachage, arrachement, avulsion, excision, extirpation, extraction, suppression.

ÉRADIQUER. Arracher, déraciner, éliminer, exclure, expurger, extirper, extraire, prélever, radier, supprimer.

ÉRAFLEMENT. Accroc, déchiqueture, déchirure, écorchure, égratignure, éraflure, éraillure, érosion, excoriation, griffure.

ÉRAFLER. Abîmer, blesser, déchirer, écorcher, égratigner, entailler, entamer, érailler, grafigner, griffer, racler.

ÉRAFLURE. Entaille, barre, biais, contour, droite, écorchure, égratignure, griffure, hachure, raie, rayure, scion, segment, strie, trace, trait.

ÉRAILLÉ. Abîmé, avachi, cassé, décrépit, défraîchi, égratigné, enroué, éraflé, griffé, rauque, rayé, usé, voilé.

ÉRAILLEMENT. Échancrure, écorchure, égratignement, égratignure, enrouement, entaille, éraflure, fente.

ÉRAILLER. Blesser, déchirer, écorcher, égratigner, entailler, entamer, érafler, érafler, grafigner, rayer.

ÉRAILLURE. Coupure, déchiqueture, déchirure, échancrure, écorchure, éraflure, égratignure, rayure.

ÉRASME (n. p.). Anderlescht, Badius, Elme, Pénicaud, Reuchlin.

ÉRASME. Érudit, humaniste, moraliste, philosophe, savant, saint, syncrétiste.

ERBIUM. Er, erbine.

ÈRE. Airain, bronze, cambrien, chronologie, crétacé, cuivre, cycle, époque, fer, glaciaire, glaciation, hégire, histoire, industrielle, jurassique, miocène, moderne, néocomien, néogène, période, permien, précambrien, temps, tertiaire, trias.

ÈRE PRÉCAMBRIENNE. Algonquin, antécambrien, briovérien, pentévrin, précambrien.

ÈRE PRIMAIRE. Cambrien, carbonifère, dévonien, ordovicien, permien, silurien.

ÈRE QUATERNAIRE. Anthropozoïque, cénozoïque, holocène, mindel, moustérien, pléistocène, riss, würm.

ÈRE SECONDAIRE. Crétacé, jurassique, trias.

ÈRE TERTIAIRE. Éocène, miocène, oligocène, nummulitique, néogène, paléogène, pliocène.

ÉRECTION. Anérection, bander, construire, dressage, élévation, ériger, fondation, fugacité, priapisme, tension.

ÉREINTANT. Accablant, crevant, épuisant, esquintant, exténuant, fatigant, harassant, lassant, tuant.

ÉREINTÉ. Critiqué, démoli, épuisé, fatigué, fourbu, las, lassé, lessivé, liquidé, moulu, recru, rompu, tué.

ÉREINTEMENT. Abattement, démolissage, déprime, épuisement, éreintage, fatigue, lassitude, médisance.

ÉREINTER. Accabler, blâmer, claquer, critiquer, démolir, fatiguer, fourbir, lasser, lessiver, liquider, tuer.

ÉREINTEUR. Calomniateur, critiqueur, dénigrant, dénigreur, détracteur, diffamant, diffamateur, infamant, médisant.

ÉRÉMITIQUE. Anachorétique, ascétique, austère, cénobial, cénobitique, claustral, conventuel, frugal, janséniste, monacal, monastique, monial, puritain, rigide, rigoriste, rigoureux, sévère, spartiate.

ÉRÉTHISME. Agitation, aigreur, appel, ardeur, chaleur, colère, cunnilingus, enthousiasme, érogène, évocation, excitation, fébrilité, fumée, hypermnésie, ivresse, nervosité, orgasme, parlant, rage, significatif, stimuli, stimulus, suggestif, survoltage.

ÉRÉTHIZONTIDÉ. Échinoderme, hérisson, hystricoïde, mammifère, porc-épic, rongeur.

ERG. Joule.

ERGASTULE. Bagne, cabane, cachot, cage, carcéral, cellule, écrou, forçat, forteresse, geôle, ham, in pace, latomies, oubliette, pénitencier, plombs, ponton, preau, prison, ratière, taule, tôle, trou, violon, volière.

ERGOL. Anthacite, bois, boulet, briquette, butane, carburant, charbon, coke, combustible, diesel, fioul, fuel, fuel-oil, gaillette, gazol, gazole, gazoline, houille, huile, inflammable, mazout, méta, moxa, naphte, semi-coke, soute, tourbe.

ERGOT. Aiguillon, crochet, dent, doigt, éperon, ergotine, griffe, histamine, lysergique, ongle, sclérote, serre.

ERGOTAGE. Argutie, byzantinisme, caprice, casuistisme, chicane, distinguo, divagation, élucubration, excentricité, extravagance, idée, folie, frasque, incartade, loufoquerie, lubie, manie, marotte, toquade.

ERGOTER. Chicaner, chinoiser, chipoter, contester, discuter, ergotage, ergoterie, pinailler, vétiller.

ERGOTERIE. Argument, caprice, chicane, dada, délire, démence, discussion, égarement, ergotage, fantaisie, folie, frénésie, goût, habitude, habituel, hobby, manie, marotte, passion, réunionnite, tâte, tic, tocade.

ERGOTEUR. Argumentateur, chicaneur, plaideur, pinailleur, procédurier, raisonneur, rhétoricien, vendeur.

ERGOTHÉRAPEUTE. Ergothérapie, kiné, kinésithérapeute, masseur, physio, physiothérapeute.

ERGOTHÉRAPIE. Ergothérapeute, infirmité, invalidité, kinésithérapie, physiothérapie, rééducation, traitement.

ERGOTISME. Accro, ardent, botulisme, drogue, empoisonnement, endoctrination, férulisme, hydrargie, intox, intoxication, ophidisme, poison, propagande, tabagisme, thébaïsme, urémie.

ÉRICACÉES. Airelle, arbousier, azalée, bleuet, bruyère, busserole, canneberge, dicotylédone, gamopétale, gaultheria, gaulthérie, myrtille, plante, rhododendron, rosage.

ÉRIDAN (n. p.). Pô.

ÉRIDAN. Constellation, fleuve.

ÉRIGÉ. Bâti, construit, créé, dressé, édifié, élevé, établi, fondé, instauré, institué, promu, systématique, promu.

ÉRIGER. Bâtir, codifier, construire, créer, dresser, édifier, élever, établir, fonder, instaurer, instituer, promouvoir.

ÉRIGÉRON. Herbacée, herbage, composée, infusion, pâquerette, plante, vergerette, vergerolle.

ÉRIGNE. Crochet, délogeur, dériveur, disloqueur, écarteur, érine, esse, étoquiau, fourreur, instrument.

ÉRIN (n. p.). Eire, Irlande.

ÉRINYES (n. p.). Alecto, Érinnyes, Euménides, Furies, Mégères, Némésis, Oreste, Tisiphoné.

ÉRINYES. Bienveillante, mégère, vengeance.

ERMINETTE. Aisseau, arme, bipenne, cochoir, cognée, doleau, fauve, fourrure, francisque, hache, herminette, laye, merlin, minerve, rustique, tille, tomahawk.

ERMITAGE. Abandon, abri, cachot, célibat, individualisme, isolement, quarantaine, réclusion, solitude.

ERMITE (n. p.). Antoine, Carmel, Casimir, Cloud, Hypérion, Macaire, Pierre, Sakuntala, Séverin, Thaïs, Timon.

ERMITE. Anachorète, ascète, insociable, moine, reclus, seul, solitaire, starets, stariets, stylite.

ÉRODER. Affouiller, corroder, dégrader, élimer, émousser, manger, miner, ronger, saper, user.

ÉROS (n. p.). Amour, Aphrodite, Cupidon, Freud, Marcuse, Patmore, Psyché, Roche, Rozycki, Songe.

ÉROS. Action, désir, énergie, ensemble, libido, pulsion, thanatos, vie.

ÉROSION. Baisse, corrasion, corrosion, dégradation, dépréciation, érosif, ravinement, terrigène, usure.

ÉROTIQUE. Aphrodisiaque, cochon, lascif, libidineux, luxure, obscène, sensuel, sexy, torride, vicieux.

ÉROTISME. Charnalité, chair, concupiscence, débauche, délectation, délice, désir, enivrement, épectase, ivresse, jouissance, orgasme, plaisir, pornographie, strape, sensualité, sexe, sexualité, sybaritisme, volupté.

ÉROTOMANE. Érotomaniaque, maniaque, nymphomane, obsédé, satyriasique, satyre.

ÉROTOMANIE. Apparence, erreur, ésotérisme, fantasme, gnose, goétie, hermétisme, idée, illusion, leurre, magie, mirage, occultisme, phantasme, prestidigitation, rêve, songe, talisman, théosophie, théurgie, utopie.

ERRANCE. Baguenaude, course, déambulation, déplacement, égarement, flânage, flânerie, galvaudage, glandage, instabilité, marche, nomadisme, pérégrination, promenade, randonnée, rêverie, rodage, vagabondage, voyage

ERRANT. Ambulant, aventurier, buissonnier, égaré, fugitif, gitan, itinérant, nomade, robineux, rônin.

ERRATA. Bévue, erreur, faute, fourvoiement, inattention, malentendu, méprise, quiproquo,

ERRATIQUE. Brisé, discontinué, fièvre, inconstant, instable, intermittent, irrégulier, mobile, mouvant, variable.

ERRATUM. Bévue, errata, erreur, faute, fourvoiement, inattention, malentendu, méprise, quiproquo, rectificatif.

ERRE. Allure, élan, envolée, escousse, essor, glande, lancée, manière, marche, trace, train, vitesse.

ERREMENTS. Aberrations, égarements, erreurs, flottements, folies, hésitations, indécisions, irrésolutions.

ERRER. Aller, baguenauder, battre le pavé, déambuler, divaguer, écarter, égarer, flâner, flotter, glander, glandouiller, hasard, lambiner, marcher, musarder, passer, promener, rôder, traînailler, traînasser, traîner, vadrouiller, vagabonder, vaguer.

ERREUR. Aberration, abus, anachronisme, ânerie, bavure, bévue, blague, bourde, certitude, coquille, correction, courante, doublon, écart, égarement, errements, faute, fourvoiement, gaffe, gourance, illusion, inexactitude, loupé, maldonne, mastic, mécompte, méprise, orthodoxie, oubli, perle, quiproquo, réalité, sophisme, tort, vérité, vice.

ERRONÉ. Absurde, affecté, âge, apocryphe, boiteux, cabotin, double, douteux, équivoque, falsifié, faute, fautif, faux, félon, fourbe, inexact, irréel, mensonger, pseudo, toc, truqué, vain, vrai.

ERRONÉMENT. Abusivement, défectueusement, faussement, fautivement, improprement, inadéquatement, incorrectement, inexactement, vicieusement.

ERS. Bonnette, fève, gourgane, lenticule, lentigo, lentille, nævus, pois, pois chiche, vesce, volet.

ERSATZ. Aspartame, compensation, remplacement, saccharine, substitut, succédané.

ERSE. Anneau, aviron, canot, dame, écossais, erseau, nageoire, pagaie, pale, rame, régate, rowing, scull, tolet.

ERSEAU. Anneau, aviron, canot, dame, écossais, erse, nageoire, pagaie, pale, rame, régate, rowing, scull, tolet.

ÉRUBESCENCE. Changement, rouge, rougeoiement, rougeolement, rougeur, rougissement, rubéfaction.

ÉRUCTATION. Exhalaison, gaz, hoquet, injure, interpellation, invective, nausée, refoulement, renvoi, rot.

ÉRUCTER. Baver, hurler, lancer, proférer, rejeter, renvoi, renvoyer, roter, soulager, vomir.

ÉRUDIT. Calé, compétent, cultivé, docte, éclairé, expert, informé, initié, instruit, lettré, mandarin, omniscient, savant.

ÉRUDIT ALSACIEN (n. p.). Fischart.

ÉRUDIT ANGLAIS (n. p.). Rolfe.

ÉRUDIT ANGLO-SAXON (n. p.). Alcuin, Bède.

ÉRUDIT BRITANNIQUE (n. p.). Swinburne.

ÉRUDIT BYZANTIN (n. p.). Photios, Photius, Planude.

ÉRUDIT CANADIEN (n. p.). Berthelot.

ÉRUDIT FRANÇAIS (n. p.). Barthélemy, Bérard, Brosses, Cange, Châtelet, Chevalier, Clairambault, Dacier, Dangeau, Danou, Daremberg, Du Cange, Fabre, Fichet, Gaignières, Huet, Jaucourt, Lambert, Lhomond, Mabillon, Martineau, Ménage, Montfaucon, Moreri, Naudé, Nicot, Paris, Poussin, Rémusat, Saumaise, Ste-Marthe, Tournemine, Volney.

ÉRUDIT GREC (n. p.). Lascaris, Laskaris.

ÉRUDIT HOLLANDAIS (n. p.). Érasme.

ÉRUDIT ITALIEN (n. p.). Algarotti, Latini, Muratori, Praz.

ÉRUDIT JUIF (n. p.). Massorète.

ÉRUDIT LATIN (n. p.). Aulu-Gelle, Cassiodore, Celse, Varron.

ÉRUDIT MOLDAVIE (n. p.). Catemir.

ÉRUDIT PRUSSIEN (n. p.). Humboldt.

ÉRUDITION. Bagage, clergie, compétence, connaissance, encyclopédique, expertise, recherche, savoir.

ÉRUPTION. Acné, bouillonnement, débordement, ébullition, émission, énanthème, exanthème, herpès, impétigo, lichen, miliaire, poussée, purpura, rash, roséole, sortie, urticaire, vaccinelle, vaccinide, vulcanien.

ÉRYSIPÈLE. Amibiase, dermite, érésipèle, infection, maladie.

ÉRYTHÈME. Érubescence, érythémateux, érythrose, frayement, livedo, pourpre, rougeur, rubéfaction.

ÉRYTHRÉE, CAPITALE (n. p.). Asmara.

ÉRYTHRÉE, LANGUE. Afar, arabe, bilein, tigré, tigrinya.

ÉRYTHRÉE, MONNAIE. Nakfa.

ÉRYTHRÉE, VILLE (n. p.). Addigrat, Agordat, Asmara Assab, Keren, Massaoua, Tessenai.

ÉRYTHROBLASTE. Cellule, érythroblastose, germen, hématie, mégaloblaste, moelle.

ÉRYTHROCYTE. Hématie, globule, globule rouge, macrocyte, mégalocyte, réticulocyte, rouge.

ÉRYTHROPOÏÉTINE. Adrénaline, auxine, calcitonine, cortisone, dhea, EPO, estrogène, folliculine, gibbérelline, gonadotrophine, hormone, insuline, lutéine, ocytocine, œstrogène, estrogène, mélatonine, œstrogène, parathormone, parathyrine, phytohormone, progestérone, sécrétine, somatotrope, stéroïde, stimuline, testostérone, thyroxine.

ÉSAÜ (n. p.). Édom, Édomites, Genèse, Isaac, Jacob, Rebecca.

ESBIGNER. Abandonner, blottir, cacher, cavaler, décamper, décomposer, déguerpir, déloger, dérober, détaler, disparaître, droper, dropper, échapper, éclipser, éloigner, enfuir, envoler, évader, filer, fuir, partir, sauver.

ESBROUFE. Blague, bluff, bravade, chiqué, crânerie, craque, embarras, épate, étonnant, fanfaronnade, fla-fla, forfanterie, frime, gasconnade, hâblerie, jactance, parade, rodomontade, vanité, vantardise.

ESBROUFER. Abasourdir, ahurir, bluffer, ébahir, ébaudir, éberluer, éblouir, émerveiller, épater, époustoufler, estomaquer, étonner, halluciner, hébéter, impressionner, interdire, médiser, ravir, remarquer, renverser, saisir, scier, sidérer, surprendre.

ESBROUFEUR. Blagueur, bluffeur, fanfaron, frimeur, galéjeur, gascon, hâbleur, matamore, tartarin, vantard.

ESCABEAU. Agenouilloir, échalier, escabelle, escalier, marche, marchepied, passet, siège, tabouret.

ESCADRE. Abondance, armada, armée, bataillon, escadrille, escadron, essaim, flotte, force, régiment, troupe.

ESCADRILLE. Bataillon, brigade, centurie, chambrée, cohorte, combat, escadre, escadron, flotille, groupe, quartier, raid, régiment, soldat, troupe, unité.

ESCADRON. Armée, bataillon, brigade, caravane, cellule, collectif, colonie, corps, équipe, escouade, essaim, fournée, groupe, harde, harpaille, horde, lot, meute, noyau, peloton, régiment, troupe, unité, volée.

ESCALADE. Aggravement, ascension, augmentation, croissance, grimpette, intensification, montée, surenchère, varappe.

ESCALADER. Ascendre, ascensionner, enjamber, franchir, gravir, grimper, monter, passer, ramoner, traverser.

ESCALATOR. Colimaçon, degré, échelle, escabeau, escalier, gat, gémonies, giron, marche, siège, tabouret.

ESCALE. Arrêt, bateau, cessation, congé, délassement, détente, échelle, étape, halte, hivernage, intermittence, interruption, pause, port, purge, rade, ré, récupération, relâche, répit, repos, suspension, trêve.

ESCALIER. Colimaçon, contremarche, degré, descente, échappée, échelle, échiffre, escabeau, escadrin, escalator, limon, gât, gémonies, giron, main, marche, montée, perron, rampe, siège, tabouret.

ESCALOPE. Barde, biscotte, bord, canapé, côté, coupe, darne, émincé, fil, fraction, lamelle, lèche, milanaise, morceau, parmagiana, part, partie, paupiette, portion, quartier, rond, rondelle, rôtie, rouelle, toast, tranche.

ESCALOPER. Amputer, aviver, châtrer, chaumer, cisailler, coupailler, couper, croiser, déliter, détailler, diviser, ébarber, ébouqueter, ébouter, écimage, écouter, élaguer, émarger, émincer, émonder, entailler, entamer, ergoter, essoriller, étêter, étraper, expurgation, faucher, fendre, hacher, inciser, limer, mâcher, massicoter, ôter, recéper, sectionner, raser, ratiboiser, recéper, rénetter, rogner, ronger, scier, sectionner, segmenter, tailler, tondre, tremper, trancher, tronçonner.

ESCAMOTABLE. Abaissable, rabattable, relevable, rentrant, repliable, rétractable, rétractile, télescopique.

ESCAMOTAGE. Canaillerie, carambouillage, carottage, charlatanerie, crapulerie, duperie, enjôlement, escroquerie, fraude, grivèlerie, maquignonnage, mystification, supercherie, tricherie, tromperie, usurpation.

ESCAMOTER. Attraper, avaler, cacher, celer, contourner, déposséder, dérober, détériorer, disparaître, dissiper, effacer, élider, éluder, esquiver, évader, éviter, néantiser, rentrer, replier, soustraire, subtiliser, supprimer, taire, tourner.

ESCAMOTEUR. Acrobate, illusionniste, jongleur, magicien, pickpocket, pitre, prestidigitateur, voleur.

ESCAMPETTE. Abstenir, cavaler, conjurer, contourner, crayonner, défiler, dérober, détourner, disparaître, dissiper, écarter, éluder, enfuir, esquiver, éviter, fuite, pallier, parer, partir, poudre, tracer.

ESCAPADE. Absence, aventure, bordée, caprice, dérobade, échappée, équipée, évasion, fugue, fuite.

ESCARBELLE. Banc, siège.

ESCARBILLE. Bluette, brandon, charbon, étincelle, flammèche, grésillon, poussière, tison.

ESCARBOT. Barbeau, barbue, bousier, cétoine, ciron, coléoptère, hanneton, mange-aiguilles, ténébrion.

ESCARBOUCLE. Almandin, almandine, carboncle, carboucle, fleurdelisé, grenat, passereau, rais, rouge.

ESCARCELLE. Agiot, aide, argent, aumônière, avance, besace, bourse, capselle, coteur, don, enveloppe, gibecière, haussier, parquet, poche, portefeuille, prêt, prime, réticule, sac, sacoche, secours, subside, tirant.

ESCARGOT. Bigorneau, cagouille, colimaçon, coquillage, entrée, escalier, escargotière, gastéropode, hélice, héliciculteur, héliciculture, hélix, limace, limaçon, luma, mollusque, petit-gris, tortillon, vignau, vignot.

ESCARMOUCHE. Accident, accrochage, algarade, altercation, assaut, carambolage, chamaillerie, combat, dispute, échauffourée, embuscade, engagement, lutte, querelle, propos.

ESCARPÉ. Abrupt, accore, à pic, ardu, difficile, malaisé, montant, montueux, raide, roide, vaurien.

ESCARPEMENT. Calade, cap, combe, crêt, déclive, falaise, mur, muraille, paroi, pente, précipice.

ESCARPIN. Babouche, botte, bottine, chaussure, chouclaque, cothurne, derby, espadrille, galoche, godasse, gougoune, grole, grolle, mocassin, mule, pantoufle, sabot, salomé, sandale, savate, soulier, tennis.

ESCARPOLETTE. Balancelle, balançoire, baliverne, bascule, baliverne, brandilloire, branloire, sornette, tapecul.

ESCARRE. Cautère, cautérisation, contusion, croûte, équerre, eschare, esquarre, gangrène, sphacèle, ulcère.

ESCHE. Abet, abouète, achée, achet, aguiche, aguichage, aiche, allécher, amorce, appât, asticot, attirer, bloche, boëtte, bouillette, devon, èche, filet, grappe, leurre, manne, mouche, pêche, piège, rogue, ver.

ESCHER. Affriander, affrioler, aguicher, allécher, amadouer, amorcer, apigeonner, appâter, attirer, attraper, avaler, charmer, convaincre, corrompre, enjôler, ensorceler, envoûter, fasciner, gaver, gober, leurrer, mordre, plaire, séduire, tenter.

ESCLAFFEMENT. Bidonnage, blague, frôle, éclat, enjouement, fou rire, foutaise, gaieté, hilarité, plaisanterie, raillerie, ricanement, rictus, rigolade, rire, ris, risée, risette, sourire.

ESCLAFFER. Dérider, désopiler, éclater, glousser, hennir, moquer, pâmer, pouffer, rire, sourire, tordre.

ESCLANDRE. Algarade, barouf, bastringue, bousin, bruit, chambard, choc, désordre, éclaboussement, éclat, émotion, étonnement, honte, indignation, léger, querelle, papafard, passif, ramdam, scandale, scène.

ESCLAVAGE. Asservir, captivité, contrainte, exploitation, servile, servitude, subordination, vassalité, vasselage.

ESCLAVAGISTE (n. p.). Buchanan, Rabah.

ESCLAVAGISTE. Despote, dictateur, dominateur, envahisseur, négrier, persécuteur, sudiste, tortionnaire, tyran.

ESCLAVE (n. p.). Agar, Aisse, Androclès, Antar, Calixte, Callite, Cassandre, Christophe, Dessalines, Épictète, Hiérodule, Llivia, Omphale, Roustan, Seide, Sosie, Térence.

ESCLAVE. Affranchi, anagnoste, asservi, assujetti, capsaire, captif, domestique, eunuque, fer, galérien, hiérodule, hilote, ilote, marron, nègre, odalisque, pantin, prisonnier, rime, séid, serf, serve, servile, sujétion, tributaire, valet.

ESCOBAR. Dissimulé, effronté, fallacieux, faux, fourbe, fripon, hypocrite, impudent, rusé, sournois, trompeur.

ESCOGRIFFE. Colosse, dégingandé, échalas, flandrin, géant, goliath, grand, hercule, mastodonte, titan.

ESCOMPTE. Abattement, agio, avance, baisse, boni, bradage, discount, net, prime, réduction, remise.

ESCOMPTER. Abaisser, accompagner, anticiper, attendre, avancer, billet, compter, conserver, déduire, devancer, épargner, espérer, hypothéquer, payer, prévenir, prévoir, réduire, réescompter, tabler.

ESCOPETTE. Arme, arquebuse, artillerie, busc, carabine, chassepot, chien, crosse, espingole, flingue, fusil, hammerless, infanterie, lebel, mitraillette, mousquet, mousqueton, pétoire, rifle, tromblon.

ESCORTE. Ami, cavalier, cortège, croiseur, défilé, destroyer, entourage, frégate, prostitué, putain, suite.

ESCORTER. Accompagner, chaperonner, conduire, convoyer, défiler, entourer, flanquer, protéger, suivre.

ESCORTEUR. Accompagnateur, aviso, bateau, cavalier, convoyeur, corvette, croiseur, frégate, patrouilleur.

ESCOT. Alépine, alun, basin, batiste, batik, bord, bure, casimir, cati, châle, cotonnade, drap, étamine, étoffe, feutre, gaze, grain, granité, laine, lé, linge, madras, mérinos, mohair, moire, muleta, ottoman, pan, peluche, piqué, ras, ratine, reps, sari, sarong, satin, satinette, sergé, soie, suédine, surah, taffetas, tarlatane, tartan, tenture, textile, tiretaine, tissu, trentain, tulle, tussor, un, uni, velours, veloutine, zénana.

ESCOUADE. Brigade, caravane, cellule, colonie, équipe, escadron, groupe, horde, meute, peloton, troupe.

ESCOURGEON. Arête, barbe, bière, blé, céréale, cervoise, drêche, écourgeon, froment, grain, graminée, hordéine, malt, méat, orge, paumelle, scotch, seigle, whisky.

ESCRIME. Assaut, botte, discussion, épée, épéisme, fente, fleuret, garde, lame, ligne, lutte, maître d'armes, passe, sabre.

ESCRIMER. Acharner, appliquer, discuter, efforcer, essayer, évertuer, lutter, persévérer, suer.

ESCRIMEUR (n. p.). Gaudin, Oriola.

ESCRIMEUR. Bretteur, duelliste, épéiste, essayiste, ferrailleur, fleurettiste, sabreur, tireur.

ESCROC. Aigrefin, arnaqueur, bandit, canaille, carotteur, carottier, crapule, estampeur, faisan, filou, flibustier, fraudeur, fripon, gangster, gredin, larron, malfaiteur, pègre, pirate, requin, tricheur, truand, voleur.

ESCROQUER. Arnaquer, cacher, celer, escamoter, entuber, estamper, pirater, plumer, refaire, truander, voler.

ESCROQUERIE. Arnaque, carambouillage, carambouille, carottage, entourloupette, estampage, filouterie, fraude, friponnerie, piraterie, vol.

ESCULAPE (n. p.). Asclépios.

ESCULAPE. Couleuvre, médecin, divinité, docteur, esculape, médecin, médecine, praticien, thérapeute, toubib.

ÉSÉRINE. Alcaloïde, poison.

ESGOURDE. Étiquette, feuille, oreille, pavillon, radar.

ÉSON (n. p.). Jason, Pélias.

ÉSOTÉRIQUE. Abscons, cabalistique, gnome, hermétique, initiatique, obscur, occulte, secret, sibyllin.

ÉSOTÉRISME. Alchimie, astrologie, cabale, gnose, hermétisme, magie, occulte, occultisme.

ESPACE. Agora, an, année, arène, barre, bimillénaire, cage, camp, ciel, cosmos, cour, créneau, crypte, durée, époque, empan, enceinte, enclos, enjambée, entre-nœud, estran, étage, fontanelle, glabelle, green, ilot, interstice, intervalle, journée, lacune, laos, laps, longueur, ludotèque, lunaison, lustre, marge, médiastin, moment, nagée, normé, nuitée, oasis, ouverture, période, plate-bande, puits, ruelle, soirée, spatial, stand, temps, terrain, territoire, tonsure, travée, trémie, trottoir, volume, vide, vie, zone.

ESPACEMENT. Alinéa, blanc, distance, écart, espace, interligne, interstice, intervalle, marge, spanioménorrhée.

ESPACER. Aérer, allonger, clairsemer, distancer, écarter, échelonner, étager, étendre, ouvrir, séparer.

ESPADA. Assassin, bourreau, criminel, dépouilleur, écorcheur, égorgeur, estampeur, étouffeur, étrangleur, éventreur, faucheur, massacreur, matador, meurtrier, nervi, sabreur, sicaire, spadassin, surineur, torero, tueur, zigouilleur.

ESPADON. Claymore, empereur, épée, marlin, poisson, poisson-épée, rostre, téléostéen.

ESPADRILLE. Babouche, bas, botte, bottine, chaussure, chouclaque, cothurne, derby, escarpin, galoche, godasse, gougoune, grole, grolle, mocassin, mule, pantoufle, patin, sabot, sandale, savate, socque, soulier, tennis, tige, tong.

ESPAGNE (n. p.). Ibérie, Ifni.

ESPAGNE, CAPITALE (n. p.). Madrid.

ESPAGNE, LANGUE. Basque, castillan, catalan, espagnol, galicien, valencien.

ESPAGNE, MONNAIE. Peseta.

ESPAGNE, RÉGION (n. p.). Andalousie, Aragon, Asturies, Baléares, Basque, Canaries, Cantabrique, Castille, Catalogne, Ifni, Navarre, Rioja.

ESPAGNE, VILLE (n. p.). Albacete, Alcantara, Alcoy, Almaden, Andujar, Antequera, Aranjuez, Astorga, Avila, Badajoz, Badalona, Bailen, Baracaldo, Barcelone, Baza, Bilbao, Cadix, Carthagène, Cuenca, Elche, Gérone, Grenade, Irun, Jaca, Jaen, Len, Leon, Lérida, Linares, Lorca, Lugo, Madrid, Malaga, Mieres, Orense, Oviedo, Palencia, Palos, Pampelune, Reus, Séville, Soria, Teruel, Tolède, Tuy, Valence, Vich, Vigo.

ESPAGNOL. Alfa, andalou, calo, castagnan, castillan, don, espagnol, hispanique, hispanophone, olé, rio, soie.

ESPAGNOLETTE. Ajour, cadenas, crémone, fenêtre, ferment, fermeture, poignée, soupirail, vasistas.

ESPALIER. Accolage, candélabre, cordon, échelle, gymnastique, mur, palissade, palmette, rameur, rangée.

ESPAR. Apiquer, balancine, balestron, beaupré, bôme, corne, drome, gui, levier, mât, poutre, tangon, vergue.

ESPARCET. Bourgogne, condylome, crête-coq, esparcette, passe-velours, rhinanthe, sainfoin.

ESPÈCE. Acabit, animal, argent, aspect, cash, catégorie, cène, classe, commensal, congénère, essence, état, genre, gent, manière, myrmécophile, nature, ordre, paire, plante, race, sexe, sonnante, sorte, sporadique, style, type.

ESPÉRANCE. Aspiration, assurance, attente, certitude, confiance, croyance, déception, désillusion, désir, espoir, foi, illusion, inattendu, mécompte, mirage, promesse, rêve, songe, utopie.

ESPÉRANTO (n. p.). Zamenhof.

ESPÉRER. Allécher, aspirer, attendre, attendu, compter, désespérer, escompter, persévérer, repaître, souhaiter.

ESPERLUETTE. Addition, comparaison, conjonction, et, opposition, ou, signe, simultanéité.

ESPIÈGLE. Badin, coquin, dégourdi, déluré, démon, désobéissant, diable, diablotin, enfantin, fripon, gai, galopin, gamin, garnement, licencieux, luron, lutin, malicieux, mièvre, mutin, peste, polisson, vif.

ESPIÈGLERIE. Attrape, babiole, démoniaque, diablerie, farce, friponnerie, malice, niche, plaisanterie, polissonnerie.

ESPINGOLE. Arquebuse, artillerie, busc, carabine, chassepot, chien, crosse, escopette, flingue, fusil, hammerless, haquebute, infanterie, lebel, mitraillette, mousquet, mousqueton, pétoire, rifle, tromblon.

ESPION (n. p.). CIA, Éon, Esterhazy, Mata-Hari, Vidocq.

ESPION. Affidé, agent, argus, cafard, curieux, délateur, émissaire, épieur, miroir, mouchard, taupe, traître.

ESPIONNAGE. Filature, fileterie, filoche, furetage, garde, gardiennage, guet, îlotage, inspection, monitorage, observation, patrouille, renseignement, ronde, sentinelle, surveillance, veille, vigie, vigilance.

ESPIONNE (n. p.). Mata Hari.

ESPIONNER. Cafarder, éclairer, épier, filer, guetter, inspecter, moucharder, observer, rapporter, rechercher, surveiller, trahir.

ESPLANADE. Alleu, aratoire, bien, boue, champ, continent, contrée, domaine, duché, emblavure, erbue, gâtine, gadoue, gâtine, géo, glaise, globe, guéret, herbue, herbus, héritage, humus, île, jachère, labour, latérite, monde, nife, noue, ocre, parvis, pays, place, planète, poussière, propriété, région, seigneurie, sial, sima, sol, tenure, terre, terrain, terrasse, terreau, territoire, turf.

ESPOIR. Attente, confiance, crédulité, croyance, désespéré, espérance, foi, inquiétant, promesse, si, sombre.

ESPRIT (n. p.). Dieu, Manitou, Matchi, Mithra, Satan.

ESPRIT. Âme, âne, ange, ataraxie, bête, bon, caractère, causticité, cérébral, cœur, criant, démon, diable, djinn, élite, éon, être, fantôme, fin, finesse, génie, humour, idée, idiot, jeu, lutin, méninge, moi, niais, ombre, paraclet, rassis, saillie, sel, sens, sot, souffle, soupir, spirite, spirituel, strige, sujet, vin.

ESQUICHER. Comprimer, confiner, empiler, enfermer, entasser, garer, parquer, presser, serrer, stationner, tasser.

ESQUIF. Barque, batelet, canot, embarcation, frêle, navire.

ESQUILLE. Bribe, brisure, charpie, coupure, débris, écharde, éclat, fraction, fragment, grain, granule, havrit, lambeau, limaille, miette, morceau, parcelle, parie, part, particule, pépite, portion, quartier, reste.

ESQUIMAU. Aléoute, art, culture, eskimo, eskimo, igloo, iglou, innu, inuit, renne, sculpture.

ESQUINTANT. Abrutissant, accablant, épuisant, éreintant, exténuant, fatigant, harassant, surmenant.

ESQUINTÉ. Abîmé, accidenté, amoché, brisé, cassé, claqué, crevé, délabré, démoli, détérioré, détraqué, épuisé, estrapassé, exténué, fatigué, flapi, fourbu, harassé, las, lessivé, magané, moulu, recru, rendu.

ESQUINTER. Abîmer, bousiller, briser, casser, claquer, crever, critiquer, déglinguer, démolir, descendre, détériorer, endommager, épuiser, éreinter, exténuer, fatiguer, harasser, tuer, user.

ESQUISSE. Aperçu, canevas, carcasse, commencement, crayon, croquis, description, dessin, ébauche, essai, étude, forme, griffonnage, idée, linéament, maquette, plan, pochade, projet, schéma.

ESQUISSER. Amorcer, crayonner, croquer, dessiner, ébaucher, griffonner, indiquer, parer, pocher, tracer.

ESQUIVE. Aide, alibi, apologie, bastion, broche, corne, dague, défense, déni, dent, fortification, interdiction, ivoire, mire, nier, parade, plaidoirie, plaidoyer, prohibition, protection, réaction, rempart, repli, retranchement, secours, soutien.

ESQUIVER. Abstenir, cavaler, conjurer, contourner, crayonner, croquer, défiler, dérober, dessiner, détourner, disparaître, dissiper, écarter, éluder, enfuir, évasif, éviter, fuir, non, obvier, pallier, parer, partir, pocher, tracer.

ESSAI. Confrontement, épreuve, examen, expérience, recherche, répétition, stage, tâtonnement, tentative, test.

ESSAIM. Abeillon, armée, colonie, foule, fourmis, groupe, multitude, nuée, possession, protectorat, ruche.

ESSAIMER. Agrainer, arroser, couvrir, dégager, démocratiser, déverser, diffuser, disperser, disséminer, ébruiter, éclairer, émaner, émerger, emplir, envahir, épandre, éparpiller, épartir, étaler, étendre, exhaler, fleurer, fluer, paver, pleurer, populariser, propager, répandre, ressemer, semer, sentir, sortir, surgir, verser, vulgariser, universaliser.

ESSANGER. Blaireau, blanchir, décrasser, engueuler, gourmander, laver, nettoyer, réprimander, savonner, tancer.

ESSART. Abats, abattis, arrachis, coupe, déboisement, défriche, désert, essartage, foie, fressure, intestin, langue, layer, machette, mou, renversis, rognon, sart, tripe, volaille.

ESSARTAGE. Abattage, abattis, arrachis, brûlis, chablis, chaplis, coupe, déboisement, débroussaillage, déforestation, défrichage, défrichement, dépeuplement, effardochage, essartement, rompis, ventis.

ESSARTER. Débroussailler, décuscuter, défricher, désherber, échardonner, effardocher, sarcler.

ESSAYER. Avancer, chercher, efforcer, entreprendre, éprouver, escrimer, évertuer, expérimenter, goûter, hésiter, ingénier, oser, préluder, risquer, sonder, supputer, tâcher, tâter, tâtonner, tendre, tenter, tester.

ESSAYEUR. Contrôleur, couturier, fonctionnaire, inspecteur, tailleur, testeur, vérificateur, vérifieur, visiteur.

ESSAYISTE. Auteur, compositeur, écrivain, expérimentateur, modiste, romancier, testeur.

ESSAYISTE (n. p.). Alain, Alvaro, Aron, Balzac, Bassani, Béguin, Benda, Benjamin, Berdiaeff, Bergamin, Berl, Bertolt, Billy, Bonnard, Brecht, Brion, Burniaux, Burton, Cálinescu, Carman, Cechi, Charpentrat, Chklovski, Cioran, Cortázar, Cowley, Cunha, Curtius, Davignon, Delcourt, Diderot, Diop, Dürrenmatt, Dutourd, Edschmid, Fangen, Faure, Feijoo, Fontainas, Fosca, Gallo, Genette, Ghyka, Gourmont, Guéhenno, Guez, Hazlitt, Heiberg, Hermlin, Houssaye, Illich, Irving, Iwaszkiewicz, Jaccottet, Jensen, Jones, Jouvenel, Lamb, Landolfi, Leavis, Malraux, Martineau, Mauclair, Menéndez, Mercanton, Ors, Paz, Péguy, Peiper, Piestley, Pound, Pourtalès, Praz, Rachilde, Read, Revel, Reynold, Rosenkranz, Rougemont, Sartre, Sidney, Simon, Steele, Strachey, Suarès, Tanizaki, Thérive, Traz, Unamuno, Vassilikos, Vestdijk, Viereck, Walden, Zermatten.

ESSE. Atteloire, axe, cabillot, cheville, chevillette, chevron, clavette, clou, crochet, épite, fausset, fiche, goujon, goupille, gournable, malléole, mollet, ouïe, ouverture, ouvrière, pléonasme, tee, tige, tourillon, trenail.

ESSENCE. Absinthe, anis, arbre, cajeput, captieux, entité, éthylène, être, fond, gaz, gazoline, huile, indol, indole, lampe, mirbane, napalm, nature, néroli, nizère, octane, oléolat, principe, propre, rhodinol, suc.

ESSENTIALISATION. Ablation, abstraction, annihilation, conceptualisation, dématérialisation, désincarnation, idéalisation, indifférence, intellectualisation, mentalisation, renoncement, spiritualisation, sublimation.

ESSENTIALITÉ. Abstraction, abstrait, brièveté, cérébralité, évanescence, fugacité, futilité, idéalité, immatérialité, impalpabilité, imperceptibilité, intangibilité, irréalité, spiritualité, subtilité, volatilité.

ESSENTIEL. Absolu, accessoire, accidentel, adventice, anecdotique, besoin, capital, caractéristique, casuel, central, clé, clef, constitutitif, contingent, détail, élémentaire, éventuel, fait, fond, fondamental, fortuit, important, incontournable, indispensable, inhérent, intrinsèque, inutile, moelle, nécessaire, nœud, obligatoire, occasionnel, prépondérant, primordial, principal, principe, secondaire, superflu, vital, vrai.

ESSENTIELLEMENT. Absolument, capitalement, fondamentalement, grandement, notamment, particulièrement, primordialement, principalement, singulièrement, spécialement, surtout, vraiment.

ESSEULÉ. Abandonné, anachorète, délaissé, dernier, détaché, écarté, éloigné, ermite, exclusif, isolé, perdu, premier, reclus, reculé, retiré, sauvage, séparé, seul, seulement, solitaire, solo, un, unique.

ESSIEU. Arbre, axe, bielle, biellette, bissel, boggie, hampe, ligne, moyeu, pivot, pôle, rachis, tige, vecteur.

ESSONNE, VILLE (n. p.). Arpajon, Cerny, Crosne, Dourvan, Évry, Grigny, Igny, Lardy, Limours, Linas, Maisse, Massy, Mennecy, Morangis, Orsay, Saclay, Ulis, Yerres.

ESSOR. Activité, agrandissement, avancement, croissance, décollage, développement, élan, envol, envolée, extension, impulsion, progrès, progression, prospérité, relance, reprise, vol, volée.

ESSORER. Bistourner, boudiner, cintrer, comprimer, contourner, cordeler, corder, courber, croiser, déformer, distordre, entortiller, épreindre, étrangler, fausser, gauchir, mailler, organiser, rincer, rouler, tire-bouchonner, serrer, tordre, tortiller, tourner, triturer, voiler, vriller.

ESSOREUSE. Aérateur, ailette, aube, auget, centrifugeuse, centrifuge, centripète, épulpeur, extracteur, hématocrite, presse-agrumes, presse-fruits, presse-jus, peltron, presse-orange, rotor, turboréacteur, tuyère, turbine.

ESSOUFFLÉ. Époumoné, étouffé, fatigué, haleine, haletant, oppressé, pantelant, pompé, ralentir, régressé, suffoqué.

ESSOUFFLEMENT. Ahanement, anhélance, anhélation, apnée, asthme, dyspnée, étouffement, halètement, han, oppression, orthopnée, pantellement, polypnée, pousse, ronflement, sibilation, stertor, stridor, suffocation, tachypnée.

ESSOUFFLER. Ahaner, anhéler, aspirer, bâiller, époumoner, étouffer, exhaler, expirer, fatiguer, haleter, inhaler, inspirer, oppresser, panteler, poumon, pousser, ronfler, souffler, soupirer, suffoquer.

ESSUIE-MAINS. Débarbouillette, guenilles, linge, manuterge, sèche-mains, serviette, torchon.

ESSUIE-PIEDS. Abrivent, brise-vent, carpette, grillage, lattis, moquette, natte, paillasson, tapis.

ESSUYAGE. Ablution, bain, batée, cuvée, débarbouillette, douche, eau, élavé, élution, énéma, flocon, gant, lavage, lessive, liquide, lotion, machine, nettoyage, pain, plongeur, purification, récurant, rinçage, savon, savonnette, shampooing.

ESSUYER. Astiquer, balayer, bichonner, blanchir, brosser, cirer, effacer, éponger, essorer, étancher, étrenner, frotter, malmener, nettoyer, recevoir, refus, résorber, ressuyer, sécher, subir, supporter, tamponner, torcher.

EST. Alizé, devient, été, être, existe, levant, orient, ouest, plage, vit.

ESTACADE. Barrage, barrière, batardeau, borne, butée, centrale, clôture, cordon, déversoir, digue, duit, écluse, écran, embâcle, épi, évacuateur, guideau, jetée, levée, mur, obstacle, ope, paroi, pile, quai, réservoir, ressaut, retenue, réservoir, serrement, truyère, voûte.

ESTAFETTE. Armée, artilleur, cadet, casernier, courrier, déserteur, envoyé, exprès, fantassin, galon, gendarme, général, gi, goumier, grade, guerrier, hastati, hussard, légionnaire, martial, messager, milicien, militaire, officier, ost, rata, recrue, serval, service, soldat, soldatesque, stratégique, supplétif, traîneur, troupier.

ESTAFIER. Amant, gorille, homme, jules, laquais, maquereau, mec, pim, proxénète, souteneur, spadassin, valet.

ESTAFILADE. Balafre, blessure, cicatrice, coupure, égratignure, entaille, fente, maille, taillade.

ESTAMINET. Auberge, bar, bistrot, brasserie, brassette, buvette, cabaret, café, gargote, restaurant, taverne.

ESTAMPAGE. Anaglyphe, bas-relief, diptyque, emboutissage, empreinte, escroquerie, gravure, large, matriçage, malversation, médaillon, méplat, plane, plaquette, rude, sculpture, tragus, vol.

ESTAMPE. Burin, eau-forte, épreuve, gravure, image, imagier, imprimé, planche, trait, vignette.

ESTAMPER. Arnaquer, avoir, escroquer, filouter, frapper, imager, imprimer, tracer, tromper, voler.

ESTAMPEUR. Aigrefin, arnaqueur, escroc, filou, frappeur, graveur, illustrateur, imprimeur.

ESTAMPILLE. Cachet, empreinte, griffe, label, marque, oblitération, marque, sceau, signature.

ESTARIE. Ayde, ais, aises, alaise, alèse, appui, arbre, couche, dessin, dosse, dur, écoin, frise, image, latte, madrier, merrain, palanque, planche, plinthe, recours, reproduction, ressource, scène, secours, selle, soutien, starie, support, tableau, tablette, théâtre, tremplin, tuile, vaigre, voilure, volige.

ESTE. Bungalow, cabanon, chalet, chartreuse, cottage, datcha, estonien, maison, pavillon, tivoli, villa.

ESTER. Acétate, benzoate, butyrine, carbonate, corps, esprit, éther, gaïacol, glycéride, intenter, lactone, méthacrylate, oléate, oxalate, polyuréthane, poursuivre, présenter, sel, stéarate, triester, trister, uréthane, uréthanne.

ESTÉRASE. Diastase, enzyme, invertase, invertine, lipase, phosphatase, saponase.

ESTHÉSIE. Émotivité, excitabilité, impression, irritabilité, kinesthésie, oléine, réceptivité, sensation, sensibilité, urate.

ESTHÈTE. Admirable, adorable, affreux, bath, beau, beauf, bel, coquet, divin, élégant, épouvantable, gai, gendre, gentil, hideux, horrible, ignoble, joli, laid, magnifique, mignon, moche, monstrueux, paraître, sexe, superbe, vilain.

ESTHÉTICIEN (n. p.). Bayer, Du Fresnoy, Hanslick, Huyghe, Loewy.

ESTHÉTICIEN. Coiffeur, coloriste, cosmétologue, designer, ensemblier, manucure, maquilleur, pédicure, styliste, visagiste.

ESTHÉTIQUE. Artistique, beau, beauté, design, harmonie, harmonieux, joli, plastique, sculptural, style.

ESTIMABLE. Chiffrage, convenable, estimation, inventaire, jauge, louable, mesure, respectable.

ESTIMATEUR. Appréciateur, arbitre, commissaire-priseur, connaisseur, déclaré, dégustateur, encanteur, enquêteur, évaluateur, expert, irréconciliable, irréductible, juge, jurat, juré, jury, sapiteur.

ESTIMATIF. Appréciatif, approchant, approché, approximatif, arrondi, calculif, chiffré, détaillé, environ, estimatoire, évaluatif, exact, imprécis, précis, prévision, relatif, rigoureux, strict, suppitatif, vague.

ESTIMATION. Aperçu, appréciation, cotation, devis, dire, évaluation, expertise, prisée, surestimation, valeur.

ESTIMÉ. Admiré, arbitré, calculé, compté, considéré, coté, cru, déterminé, égard, évalué, expertisé, hommage, honneur, mérite, mesuré, navigué, orgueil, préféré, prisé, respecté, taxé, vénéré, vogue.

ESTIME. Appréciation, contentement, dédain, dignité, distance, fierté, gloire, hardiesse, hauteur, honneur, humilité, infatuation, joie, morgue, orgueil, privilège, satisfaction, suffisance, superbe, triomphe, vanité.

ESTIMER. Apprécier, calculer, compter, considérer, coter, croire, déprécier, déterminer, évaluer, expertiser, goûter, honorer, jauger, juger, noter, peser, préférer, priser, ramas, rapin, réputer, soupeser, trouver, vénérer.

ESTIVAL. Balnéaire, curiste, estivant, été, saison, solstice, thermidor, touriste, vacancier.

ESTIVANT. Août ien, bronzé, croisiériste, curiste, touriste, vacancier, villégiateur, visiteur, voyageur.

ESTIVATION. Dormance, engourdissement, hibernation, léthargie, quiescence, sommeil, somnolence, torpeur.

ESTIVE. Alpage, alpe, champ, embouche, enclos, friche, herbage, kraal, lande, lest, mayen, noue, ouche, pacage, paddock, paissance, pâquis, parc, parcours, parquet, passage, pâtis, pâturage, pâture, prairie, pré, remue.

ESTOC. Alfange, alumelle, badelaire, braquemart, bran, branc, brand, brant, braquemart, braquet, colichemarde, dague, épée, estocade, estoquer, fleuret, glaive, lame, poignard, race, racine, scramasaxe, souche.

ESTOCADE. Atémi, atout, attaque, besas, beset, blessure, botte, bourrade, charge, châtaigne, choc, claque, contrecoup, contusion, coquard, coup, crochet, dentée, direct, drive, droite, feinte, fendant, fessée, frite, gifle, gnon, heurt, horion, lift, lob, nasarde, œillade, paf, piccolo, punch, putsch, ra, rafale, raté, ruade, soufflet, talmouse, taloche, tape, tarte, tornade, uppercut, volée.

ESTOMAC. Abomasum, bedaine, bile, bonnet, buste, caillette, chyme, cœur, feuillet, gaster, gastrectomie, gésier, hiatal, io, jabot, meulette, mulette, panse, poche, queue, rumen, sac, sein, tripe, ulcère, urogastre, ventre, ventricule.

ESTOMAQUÉ. Abasourdi, abruti, ahuri, confondu, ébahi, éberlué, ébloui, émerveillé, hébété, épaté, époustouflé, étonné, hagard, idiot, interloqué, médusé, ravi, renversé, soufflé, stupéfait, stupide, surpris.

ESTOMAQUER. Abasourdir, ahurir, ébahir, ébaudir, éberluer, éblouir, émerveiller, épater, époustoufler, esbroufer, étonner, halluciner, hébéter, interdire, médiser, ravir, remarquer, renverser, saisir, scandaliser, scier, sidérer, stupéfier, suffoquer, surpris.

ESTOMPE. Dessin, douceur, flou, gomme, image, imprécis, papier, peau, réduit, tortillon, voile.

ESTOMPER. Adoucir, affaiblir, atténuer, confondre, décroître, diminuer, édulcorer, effumer, éteindre, expirer, faiblir, gazer, gommer, indéfiniser, modérer, mourir, ombrer, pâlir, passer, tamiser, voiler.

ESTONIE (n. p.). Eesti.

ESTONIE, CAPITALE (n. p.). Tallinn.

ESTONIE, LANGUE. Estonien, russe.

ESTONIE, MONNAIE. Couronne, euro, kroon.

ESTONIE, VILLE (n. p.). Athme, Ikla, Johvi, Narva, Osel, Parnou, Reval, Revel, Sarema, Tallinn, Tapa, Tartou, Torma, Turi, Valga, Voru.

ESTONIEN. Este.

ESTOURBIR. Abasourdir, abattre, assommer, barber, battre, boxer, châtier, corriger, ennuyer, étourdir, fesser, fouetter, frapper, gauler, K.-O., malmener, maltraiter, molester, rosser, rouer, sonner, tuer.

ESTRADE. Catafalque, chaire, échafaud, échafaudage, hourd, plancher, podium, ring, tréteau, tribune.

ESTRADIOT. Argoulet, carabin, carabinier, cavalier, chevalier, mercenaire, soldat, stradiot, stradiote.

ESTRAGON. Absinthe, achillée, armoise, aromate, artemisia, dragonne, fargon, infusion, serpentine.

ESTRAMAÇON (n. p.). Excalibur.

ESTRAMAÇON. Alfange, arme, badelaire, bague, bancal, bandal, batte, botte, brand, braquemart, brette, briquet, cape, carrelet, cimeterre, claymore, colichemarde, coutelas, coutille, croisette, dague, épée, espadon, estoc, estocade, fer, fil, flamberge, fleuret, glaive, haute-claire, joyeuse, lame, latte, rapière, robe, sabre, yatagan.

ESTRAN. Baie, batture, berge, bord, côte, grève, lais, laisse, littoral, marée, plage, platier, quai, rive.

ESTRAPADE. Boissoir, crucifiement, crucifixion, gibet, mât, patibulaire, potence, supplice, tortue.

ESTROPE. Agrès, amarre, amure, aussière, bastin, bitord, câble, câblot, caret, ceinture, cordage, corde, cravate, drisse, écoute, élingue, erse, étai, filin, ganse, gerseau, glèbe, grelin, guinderesse, haussière, laguis, lien, lisin, lisse, liure, lusin, luzin, merlin, palan, poulie, pantoire, ralingue, ride, ridoir, saisine, sciasse, tresse, trévire.

ESTROPIÉ. Amputé, boiteux, cul-de-jatte, distors, éclopé, handicapé, impotent, infirme, manchot, privé.

ESTROPIER. Abîmer, amputer, blesser, couper, diminuer, écloper, handicaper, mutiler, priver.

ESTUAIRE (n. p.). Clyde, Elorn, Foyle, Humber, Mersey, Tay.

ESTUAIRE. Aber, bouches, chenal, delta, embouchure, étier, fjord, golfe, grau, liman, ria, schorre.

ESTUDIANTIN. Carabin, collégien, écolier, élève, étudiant, externe, interne, lycéen, monôme, taliban.

ESTURGEON. Acipenséridé, bélouga, béluga, blanc, caviar, commun, oscière, sévruga, sterlet.

ET. Ainsi que, avec, ensuite, esperluette, ou, puis, plus.

ÉTABLE. Abri, bercail, bergamine, bergerie, bouverie, écurie, porcherie, soue, stalle, tect, vacherie.

ÉTABLI. Admis, ancré, arrivé, assis, attesté, authentique, banc, bardo, campé, certain, échafaudage, fixe, fondé, formé, menuisier, ordre, pélican, placé, plan, poste, préétabli, rangé, reconnu, respecté, sis, solide, stable, table, titre, varlet, vigie.

ÉTABLIR. Ancrer, asseoir, avance, baser, bâtir, camper, commencer, constater, créer, embrayer, ériger, fixer, fonder, forjeter, inaugurer, induire, instaurer, instituer, instrumenter, justifier, mettre, nouer, placer, ponter, poster, préétablir, prouver, rattacher, tarifer, unir.

ÉTABLISSEMENT. Aciérie, aérium, alumnat, ashram, asile, athénée, auberge, bagne, bains, brasserie, cabaret, cantonnement, casino, clinique, collège, conservatoire, crémerie, dancing, école, économat, entreprise, estancia, familistère, hammam, haras, institut, institution, internat, I.U.T., libre-service, lycée, medersa, mission, MIT, morgue, moulière, nourricerie, observatoire, orphelinat, polarisation, prison, prytanée, pub, restaurant, sana, sanatorium, self-service, solarium, strip-tease, succursale, usine, vivarium, yeshiva, zaouïa.

ÉTAGE. Attique, classe, cran, degré, échelle, échelon, entresol, escalier, étagiste, gradin, grenier, impériale, mezzanine, niveau, palier, plancher, premier, rang, rez-de-chaussée, rhétien, second, sous-sol, stade, trias, villafranchien.

ÉTAGEMENT. Assise, base, couche, dosseret, empattement, étage, fondement, hampe, hérisson, infrastructure, jambage, margelle, moie, moye, niveau, pied, pied-droit, solage, strate, subdivision, tambour, trait.

ÉTAGÈRE. Archelle, cageot, clayette, dressoir, fruitier, gradin, juchoir, tablar, tablard, tablette.

ÉTAI. Aide, appui, béquille, câble, cale, chevalet, contrefiche, cordage, épontille, étançon, pataras, soutien.

ÉTAIN. Channe, fer blanc, hauban, métal, noces, plomb, potée, sn, stanneux, stannifère, tain.

ÉTAL. Câble, chevalet, cordage, draille, échoppe, étalier, éventaire, hauban, magasin, table.

ÉTALAGE. Bravade, démonstration, déploiement, devanture, esbroufe, étal, étalagiste, éventaire, exhibition, exposition, faste, fla-fla, inventaire, montre, ostentation, parade, pédant, vitrine.

ÉTALAGEMENT. Affermissement, dispersion, échelonnement, espacement, exposition, répartition, stabilisation.

ÉTALAGISTE. Agent, camelot, cédant, charlatan, colporteur, commerçant, commis, dépositaire, détaillant, diffuseur, éditeur, employé, exportateur, forain, grossiste, marchand, négociant, représentant, vendeur, voyageur.

ÉTALE. Affermi, ancré, assis, atone, calme, coi, constant, dormant, équilibré, ferme, fixe, immobile, immuable, inactif, inchangé, inerte, invariable, passif, stable, stagnant, stationnaire, stupéfait, torpide.

ÉTALEMENT. Dispersion, échelonnement, étalage, éventaire, exposition, foire, galerie, répartition, salon, stand.

ÉTALER. Afficher, allonger, arborer, choir, chuter, déplier, déployer, dérouler, détirer, développer, dévider, distendre, échelonner, élonger, éployer, étendre, exhiber, exposer, montrer, répartir, tomber.

ÉTALIER. Bijoutier, bistrot, bouquetier, camelot, commerçant, crieur, détaillant, diamantaire, disquaire, drapier, forain, fourreur, grossiste, hanse, huilier, imagier, lunetier, marchand, négociant, négrier, opticien, pinardier, quincaillier, vendeur, zinc.

ÉTALON. Archétype, baiseur, baliveau, baudet, cheval, cheville, grignon, haras, jauge, mâle, matrice, mesure, modèle, or, pige, plan, raceur, référence, règle, reproducteur, standard, statère, type, unité.

ÉTALONNAGE. Calibrage, choix, décision, désignation, détermination, échantillonnage, numérisation.

ÉTAMBOT. Ais, arbalétrier, attache, bandage, bau, boulin, carène, chevêtre, étai, hec, jas, licou, linçoir, linsoir, lambourde, longeron, madrier, paille, pièce, pieu, planche, poutre, poutrelle, râblure, rameau, sapine, soffite, solive, tangon.

ÉTAMER. Abrier, abriter, armer, assurer, canne, étain, étamage, miroiter, protéger, rétamer, tain.

ÉTAMINE. Agame, androcée, anthère, blanchet, burat, chausse, écumoire, extrorse, filet, filtre, fleur, girouette, monandre, penon, pistil, pollen, polyandre, staminifère, staminal, staminée, staminode, tétradyname, tissu.

ÉTAMPE. Aquaterie, bouillon, burin, cliché, coulé, épreuve, estampe, fronce, galvano, gaufrage, godron, graveur, gravure, grené, icône, image, matrice, nielle, nielleur, ornement, ourlet, outil, pince, pli, poinçon, pointillé, rempli, repli, vignette.

ÉTAMPER. Buriner, chiffrer, ciseler, écrire, entailler, estamper, graver, imprimer, inscrire, sculpter, tailler.

ÉTAMPERCHE. Échafaud, échafaudage, écoperche, étemperche, perche, soutien, treuil.

ÉTAMPEUR. Aigrefin, arnaqueur, escroc, estampeur, filou, frappeur, graveur, illustrateur, imprimeur.

ÉTANCHE. Abscons, abstrus, clos, coqueron, énigmatique, ésotérique, fermé, garniture, hermétique, impénétrable, imperméable, incompréhensible, inintelligible, lut, mystérieux, obscur, opaque, scaphandre, sibyllin, waterproof.

ÉTANCHÉITÉ. Analgie, apathie, asphyxie, ataraxie, détachement, flegme, froideur, herméticité, impassibilité, imperméabilité, inaction, incompréhension, indifférence, inintérêt, insensibilité, nonchalance, paralysie, raideur, sommeil, stoïsme, stupeur.

ÉTANCHEMENT. Assainissement, assèchement, déshumidification, déshydratation, dessèchement, dessification, drainage, écopage, égouttage, évaporation, mâchefer, séchage, siccatif, tarissement, wateringue.

ÉTANCHER. Acquitter, boire, combler, désaltérer, effacer, éponger, essuyer, payer, résorber, sécher, tamponner.

ÉTANÇON. Appui, Bâton, béquille, cale, canne, chevalement, crosse, étai, houlette, makila, soutien, support, tin.

ÉTANÇONNEMENT. Chevalement, enchevalement, étai, étaiement, mine, molette, soutènement.

ÉTANÇONNER. Adosser, appuyer, béquiller, buter, caler, consolider, étayer, étrésillonner, fonder, soutenir, supporter.

ÉTANG (n. p.). Ayrolle, Berre, Casaux, Hossegor, Hourtin, Ingril, Lacanau, Leucate, Mauguio, Salses, Thau, Vaccarès, Vic.

ÉTANG. Alevinier, barbotière, bassin, bonde, by, canardière, chenal, chott, eau, grau, gravière, grenouillère, ide, lac, lagon, lagune, marais, mare, marécage, palustre, réservoir, rive, tourbière, triton, vivier.

ÉTANT (n. p.). Heidegger.

ÉTANT. Actuel, authentique, concavité, concret, effectif, existe, ontique, ontologique, palpable, présent, réel.

ÉTAPE. Arrêt, époque, escale, halte, kan, khan, lieu, palier, pas, pause, période, phase, relais, répit, stade.

ÉTARQUER. Abraquer, amurer, bander, border, contracter, crisper, darder, durcir, embraquer, empeser, engourdir, enraidir, fixer, guinder, hisser, raidir, retendre, rider, rigidifier, roidir, tendre, tirer.

ÉTASUNIEN. Américain, amerlo, amerloque, carpetbagger, cow-boy, gringo, nordiste, ricain, sammy, yankee.

ÉTAT. Abîmé, agité, agonie, aisé, bordereau, capable, cécité, cité, coma, crise, dans, émirat, en, énervé, espèce, espoir, humeur, incapacité, ignition, ivresse, limbes, liste, mentalité, mésaise, nanisme, neurasthénie, norme, ordre, pays, plus, prêt, réclusion, royaume, rut, santé, satiété, second, sédentarité, servitude, situation, soûl, sujet, sur, transe, trip, unité.

ÉTAT AFRIQUE (n. p.). Afrique du Sud, Algérie, Angola, Bénin, Botswana, Burundi, Cabinda, Cameroun, Cap, Comores, Congo, Djibouti, Égypte, Éthiopie, Gabon, Gambie, Ghana, Guinée, Kenya, Lesotho, Libéria, Libye, Madagascar, Mali, Maroc, Mauritanie, Mozambique, Namibie, Natal, Niger, Nigeria, Orange, Ouganda, Rhodésie, Rwanda, Sénégal, Somalie, Soudan, Swaziland, Tanganie, Tchad, Togo, Transvaal, Tunisie, Zaïre, Zambie, Zimbabwe.

ÉTAT ALLEMAGNE (n. p.). Bade, Bavière, Brandebourg, Hambourg, Hanovre, Hesse, Holstein, Mecklembourg, Prusse, Rhénanie, Saxe, Slesvig, Thuringe, Westphalie, Wurtemberg.

ÉTAT AMÉRIQUE CENTRALE (n. p.). Bahamas, Costa Rica, Cuba, Haïti, Honduras, Mexique, Nicaragua, Panama, République Dominicaine.

ÉTAT AMÉRIQUE DU NORD (n. p.). Canada, États-Unis, Mexique.

ÉTAT AMÉRIQUE DU SUD (n. p.). Argentine, Bolivie, Brésil, Chili, Colombie, Guyane, Pérou, Venezuela.

ÉTAT ANTILLES (n. p.). Antigua, Bahamas, Cuba, Grenade, Guadeloupe, Haïti, Jamaïque, Martinique, Montserrat, Porto Rico, République Dominicaine, Sainte-Lucie.

ÉTAT ARABE (n. p.). Arabie saoudite, Bahreïn, Émirats, Katar, Koweït, Oman, Qatar, Saoudite, Yémen.

ÉTAT ASIE (n. p.). Afghanistan, Arabie, Birmanie, Bornéo, Cambodge, Ceylan, Chine, Corée, Élam, Inde, Indonésie, Irak, Iran, Iraq, Japon, Laos, Malaisie, Mésopotamie, Mongolie, Népal, Oman, Pakistan, Palestine, Perse, Russie, Qatar, Singapour, Syrie, Taiwan, Thaïlande, Turquie, Vietnam, Yémen.

ÉTAT BALKANS (n. p.). Albanie, Bulgarie, Grèce, Roumanie, Turquie, Yougoslavie.

ÉTAT BRÉSIL (n. p.). Acre, Alagoas, Amapa, Amazonas, Bahia, Ceara, Espirito Santo, Goias, Maranhao, Mato Grosso, Mato Grosso do Sus, Minas Gerais, Para, Paraíba, Paraná, Pernambouc, Piaili, Rio de Janeiro, Rio Grande do Norte, Rio Grande do Sul, Rondônia, Roraima, Santa Catarina, São Paulo, Sergipe, Tocantins.

ÉTAT INDE (n. p.). Assam, Goa, Manipur, Orissa, Tripura.

ÉTAT INDOCHINE (n. p.). Birmanie, Cambodge, Laos, Malaisie, Thaïlande, Vietnam.

ÉTAT INDOCHINE FRANÇAISE (n. p.). Annam, Cambodge, Cochinchine, Guangzhouwan, Laos, Tonkin.

ÉTAT DES ÉTATS-UNIS (n. p.). Alabama, Alaska, Arizona, Arkansas, Californie, Caroline, Colorado, Connecticut, Dakota, Delaware, Floride, Georgie, Hawaii, Idaho, Illinois,

Indiana, Iowa, Kansas, Kentucky, Louisiane, Maine, Maryland, Massachusetts, Michigan, Minnesota, Mississippi, Missouri, Montana, Nebraska, New Hampshire, New Jersey, New York, New Mexico, Nouveau Mexique, Ohio, Oklahoma, Oregon, Pennsylvanie, Rhode Island, Tennessee, Texas, Utah, Vermont, Virginie, Washington, Wisconsin, Wyoming.

ÉTAT D'EUROPE (n. p.). Albanie, Allemagne, Angleterre, Autriche, Baltes, Belgique, Bulgarie, Croatie, Danemark, Eesti, Eire, Espagne, Estonie, Finlande, France, Grande-Bretagne, Grèce, Hongrie, Irlande, Islande, Italie, Lettonie, Luxembourg, Malte, Monaco, Norvège, Pologne, Portugal, Roumanie, Russie, Slovaquie, Suède, Suisse, Tchécoslovaquie, Turquie, Yougoslavie.

ÉTAT DU MEXIQUE (n. p.). Campeche, Chiapas, Chihuahua, Coahuila, Colima, Durango, Guadalajara, Guanajuato, Guerrero, Hidalgo, Jalisco, Mexico, Michoachan, Morelos, Nayarit, Nuevo Leon, Oaxaca, Puebla, Quintanaroo, San-Luis-Potosi, Sinaloa, Sonora, Tabasco, Tlaxacala, Vera Cruz, Yucatan, Zacatecas.

ÉTAT DU MOYEN-ORIENT (n. p.). Israël.

ÉTAT OCÉANIE (n. p.). Australie, Nouvelle-Zélande.

ÉTAT DU PROCHE-ORIENT (n. p.). Liban, Turquie.

ÉTATISATION. Dirigisme, nationalisation, réforme, socialisme.

ÉTATISER. Collectiviser, fusionner, nationaliser, socialiser, transférer.

ÉTATISME. Coordination, dirigisme, interventionnisme, lois.

ÉTATS-UNIS, CAPITALE (n. p.). Washington.

ÉTATS-UNIS, LANGUE. Anglais.

ÉTATS-UNIS, MONNAIE. Dollar.

ÉTATS-UNIS, VILLE (n. p.). Akron, Albany, Albuquerque, Allentown, Amarillo, Anaheim, Arlington, Atlanta, Austin, Baltimore, Beaumont, Bellingham, Berkeley, Bethlehem, Birmingham, Boston, Buffalo, Cambridge, Cheyenne, Chicago, Cincinnati, Cleveland, Concord, Dallas, Denver, Detroit, El Paso, Erie, Fresno, Hartford, Honolulu, Houston, Manchester, Memphis, Miami, Mobile, Montpelier, New York, Oakland, Omaha, Pasadena, Peoria, Phoenix, Pittsburgh, Portland, Providence, Reno, Sacramento, Salem, Seattle, Tampa, Toledo, Troy, Tucson, Tulsa, Washington, Wichita.

ÉTAU. Affluence, âne, bidet, bourrée, calanque, étreinte, mordache, mors, multitude, piège, presse, ramasse.

ÉTAYER. Adosser, appuyer, béquiller, buter, caler, étançonner, étrésillonner, fonder, soutenir, supporter.

ET CÆTERA. Abrégé, abréviation, aide-mémoire, amoindri, aperçu, bref, compendium, concis, condensé, court, cursif, digest, diminué, écourté, ellipse, épitomé, etc., et cetera, étêté, pétarade, petit, plan, précis, primo, raccourci, réduction, résumé, sténo, topo.

ET CETERA. Abrégé, abréviation, aide-mémoire, amoindri, aperçu, bref, compendium, concis, condensé, court, cursif, digest, diminué, écourté, ellipse, épitomé, etc., et cætera, étêté, pétarade, petit, plan, précis, primo, raccourci, réduction, résumé, sténo, topo.

ÉTÉ. Allé, est, estival, être, ex, feu, mai, participe, pétarade, rendu.

ÉTEIGNOIR. Amer, assombri, bougon, cafardeux, cône, entonnoir, importun, jaloux, pessimiste, pisse-froid, pisse-vinaigre, rabat-joie, triste, trouble-fête, ustensile.

ÉTEINDRE. Apaiser, calmer, cesser, clamser, crever, diminuer, endormir, estuver, étouffer, fermer, finir, juguler, mourir, nouer, obscurcir, périr, pompe, suffoquer, tarir, ternir, tison, trépasser.

ÉTEINT. Assombri, blafard, blême, couvre-feu, détruit, disparu, étouffé, mort, nul, pâle, terne, vitreux.

ÉTEMPERCHE. Amoncellement, échafaud, échafaudage, écoperche, étamperche, fixe, instable, maladroit, mobile, monceau, perche, pyramide, tas.

ÉTENDARD. Aigle, baucent, banderole, bannière, cornette, couleurs, croissant, drapeau, emblème, enseigne, fanion, fanon, gonfalon, gonfanon, guidon, labarum, marque, pavillon, pétale, turc, vexille.

ÉTENDOIR. Aspe, asple, caret, corde, dévidoir, écheveau, hâloir, ressui, roquetin, sèche-cheveux, séchoir, touret.

ÉTENDRE. Agrandir, allonger, augmenter, coucher, déplier, déployer, dérouler, détirer, développer, disperser, élargir, élonger, émailler, épandre, éparpiller, espacer, étaler, étirer, généraliser, laminer, lever, périmètre, paver, semer, vaste.

ÉTENDU. Ample, arène, district, expansible, extensible, forêt, gésir, gisant, grand, infini, large, limite, long, KO, mesure, plaine, prairie, pré, reg, reposé, registre, ressort, terre, traite, travers, universel, vaste, volume, vue.

ÉTENDUE. Aire, ampleur, amplitude, borne, contrée, dimension, district, erg, envergure, extension, friche, grandeur, île, immensité, importance, lagune, légation, nappe, océan, pierraille, plaine, portée, région, registre, spatial, superficie, surface, territoire, tessiture, traite, vaste, vue.

ÉTENDUE D'EAU. Étang, fleuve, lac, lagon, lagune, mare, mer, océan, rivière.

ÉTÉOCLE (n. p.). Adraste, Antigone, Jocaste, Œdipe, Polynice.

ÉTERNEL. Coéternel, constant, continuel, dieu, durable, éphémère, illimité, immémorial, impérissable, indéfectible, indestructible, infini, infinité, intemporel, même, passager, perpétuel, repos, salut, sempiternel.

ÉTERNELLEMENT. Assidûment, bientôt, constamment, continuellement, continûment, définitivement, futur, imprescriptible, incessamment, indéfiniment, perdurer, permanence, perpète, toujours.

ÉTERNISER. Allonger, demeurer, durer, immortaliser, pérenniser, perpétuer, prolonger, rester, traîner.

ÉTERNITÉ. Anticipation, avenir, conjugaison, destin, durée, futur, immortalité, pérennité, temps, ultérieur, vie.

ÉTERNUEMENT. Atchoum, échéance, expiration, fin, prescription, souffle, sternutation, terme, toux.

ÉTERNUER. Avorter, balayer, bannir, chasser, déféquer, déloger, ébrouer, écouler, éjaculer, éjecter, éliminer, éloigner, épurer, évacuer, évincer, exclure, exiler, expirer, expulser, mourir, projeter, quitter, renvoyer, sternutation, vider, virer.

ÉTÊTAGE. Ajouré, ciselage, décoration, ébauche, ébourgeonnage, ébranchage, écimage, étêtement, façonnage, gravure, grisaille, maquette, modelage, moulure, relief, repoussage, sculpture, taille, tête, torse, totem.

ÉTÊTEMENT. Ajouré, ciselage, décoration, ébauche, ébourgeonnage, ébranchage, écimage, étêtage, façonnage, gravure, grisaille, maquette, modelage, moulure, relief, repoussage, sculpture, taille, tête, torse, totem.

ÉTÊTER. Assarmenter, couper, décapiter, découronner, diminuer, écimer, écrêter, élaguer, guillotiner.

ÉTEUF. Ace, amorti, auget, balle, ballon, baseball, bastos, biscaïen, boule, but, cartouche, chevrotine, cible, colis, croquet, dum-dum, farde, golf, jeu, let, lob, marbre, net, pelote, plomb, polo, projectile, pruneau, slice, smash, tee, volée.

ÉTEULE. Brûlis, cabane, champ, chaume, chaumière, étrape, feurre, foin, glui, guéret, paille, tige, toit.

ÉTHANAL. Acétal, acétaldéhyde, alcool, aldéhyde, pipéronal.

ÉTHANOL. Acroléine, aldéhyde, alcool, esprit-de-vin, éthylique, niaule.

ÉTHER. Air, anisole, atmosphère, ciel, ester, fluide, gazoline, nitrocellulose, nitroglycérine, oxyde, uréthanne.

ÉTHÉRÉ. Aérien, céleste, délicat, divin, immatériel, léger, limpide, platonique, pur, quintessence, vaporeux.

ÉTHÉRISATION. Analgésie, anesthésie, chloroformisation, engourdissement, hémianesthésie, hypoesthésie, insensibilisation, insensibilité, narcose, rachianesthésie, subnarcose, tronculaire.

ÉTHÉROMANE. Accro, cocaïnomane, drogué, héroïnomane, morphinomane, opiomane, pharmacodépendant, toxicomane.

ÉTHIOPIE (n. p.). Abyssinie.

ÉTHIOPIE, CAPITALE (n. p.). Addis-Abeba.

ÉTHIOPIE, LANGUE. Afar, amharique, guragé, oromo, somali, tigrinya, wälayta.

ÉTHIOPIE, MONNAIE. Birr.

ÉTHIOPIE, VILLE (n. p.). Adoua, Addis-Abeba, Adwa, Assela, Axum, Dessie, Dolo, Goba, Maji, Waldia, Yabela.

ÉTHIOPIEN. Abyssin, amharique, falacha, guèze, nègre, sémétique.

ÉTHIQUE. Admonestation, bioéthique, capucinade, code, conduite, déontologie, devoir, éthologie, homélie, honnêteté, latitudinaire, leçon, maxime, mœurs, morale, obligation, parénèse, probité, règle, vertu.

ETHMOÏDE. Abduction, adduction, base, impair, médian, mésocarpe, milieu, os, plan, voûte.

ETHNARQUE (n. p.). Archélaos, Hyrcan, Makarios.

ETHNIE. Aulique, bande, clan, ethnocide, famille, gad, genre, groupe, horde, multiethnique, peuplade, peuple, phratrie, race, totem, tribal, tribu, vernaculaire.

ETHNOCIDE. Assassinat, élimination, éradication, extermination, génocide, holocauste, meurtre.

ETHNOLOGUE (n. p.). Arguedas, Boas, Dieterlen, Engels, Fleichmann, Fraser, Frobenius, Griaule, Hamy, Kroeber, Lacoursière, Leiris, Leroi-Gourhan, Leenhardt, Lewis, Lhote, Lowie, Malinowski, Mauss, Métraux, Morgan, Powell, Rivet, Rouch, Soustelle, Victor.

ÉTHOLOGISTE (n. p.). Fossey, Frisch, Goodall, Lorenz, Tinbergen.

ETHNONYME. Ethnique, gentilé, pays, région, ville.

ÉTHUSE. Ache des chiens, ciguë, aethuse, faux persil, ombellifère, petite ciguë, plante.

ÉTHYLÈNE. Alcène, butane, dialcool, essence, glycol, hydrocarbure, oléfine, vinyle.

ÉTHYLIQUE. Alcoolique, boit-sans-soif, buveur, débauché, éponge, ivrogne, pochard, poivrot, soûlard, soûlon.

ÉTHYLISME. Alcoolisme, bacchante, bitture, biture, cuite, débauche, ébriété, emportement, enivrement, enthousiasme, éthéromanie, euphorie, excitation, griserie, ivresse, ivrognerie, orgie, ribote, soûlerie, vapeur, vertige.

ÉTIAGE. Amaigri, amenuisé, aminci, baissant, cachectique, carcan, carcasse, décharné, décrue, desséché, efflanqué, émaciation, émacié, étique, étisie, grêle, gringalet, maigre, maigrelet, maigrichon, maigriot, marasme, mince, sauterelle, sciène, sec.

ÉTIER. Auge, canal, caniveau, estuaire, fossé, gouttière, lapié, rigole, ruisseau, ségala, sillon.

ÉTINCELANT. Brillant, chatoyant, coruscant, éblouissant, éclatant, flamboyant, fulgurant, incandescent, luisant, lumineux, miroitant, radieux, rayonnant, reluisant, resplendissant, rutilant, scintillant, terne.

ÉTINCELER. Briller, éblouir, éclairer, éclater, flamboyer, luire, pétiller, resplendir, scintiller.

ÉTINCELLE. Ardeur, bluette, cause, éclair, éclat, escarbille, flamme, flammèche, lueur, manifestation.

ÉTIOLÉ. Affaibli, anémié, anémique, atrophié, chétif, consomptif, chlorotique, débile, délicat, malingre, pâlot.

ÉTIOLEMENT. Affaiblissement, appauvrissement, atrophie, déclin, dépérissement, marcescence, ruine.

ÉTIOLER. Affaiblir, anémier, appauvrir, atrophier, débiliter, décliner, dépérir, étirer, faner, languir, rabougrir.

ÉTIQUE. Amaigri, décharné, desséché, efflanqué, émacié, famélique, gras, hâve, maigre, sec, squelettique.

ÉTIQUETER. Archiver, arranger, calibrer, cataloguer, catégoriser, classer, classifier, considérer, distribuer, grouper, inventorier, lister, numéroter, ordonner, ranger, répartir, répertorier, séparer, sérier, trier.

ÉTIQUETTE. Affiche, annonce, bienséance, convenance, décorum, écriteau, éducation, enseigne, épigraphe, inscription, marque, oreille, pancarte, politesse, protocole, savoir-vivre, vignette, vitrauphanie, vitrophanie.

ÉTIRABLE. Agilité, aisance, anélasticité, dilatabilité, diplomatie, ductile, ductilité, élasticité, élastique, extensible, flexibilité, légèreté, liant, malléabilité, maniabilité, moulabilité, plasticité, rénitence, ressort, rouiller, souplesse, sveltesse.

ÉTIRAGE. Broyage, corroyage, défilage, délissage, effilage, effilochage, effrangement, folage, forgeage, extension, extrusion, faufilure, filature, laminage, parfilage, tendage, tirage, transfilage, tréfilage.

ÉTIRÉ. Agrandi, allongé, asséné, couché, crochet, décontracté, détendu, effilé, elliptique, étendu, filé, fin, long, mince, nématoïde, oblong, ovulaire, ovale, ovalisé, ovoïde, profilé, repos, sieste, tendu, tiré.

ÉTIREMENT. Affinement, allégement, allongement, amaigrissement, amenuisement, amincissement, clonus, échauffement, entraînement, exercice, extension, gymnastique, laminage, rapetissement, stretching.

ÉTIRER. Agrandir, allonger, déployer, dérouler, distendre, ductile, égrener, élonger, étendre, protractile, tirer.

ÉTOC. Banc, bloc, boulder, brisant, caillasse, caillou, écueil, éminence, éperon, estoc, falaise, galet, massif, mollusque, montagne, murex, nunatak, pic, pierre, pourpre, récif, roc, roche, rocher, rupestre.

ÉTOFFE. Alépine, alun, basin, batiste, batik, bord, bure, casimir, catalogne, cati, châle, chantoung, cheviotte, coton, cotonnade, drap, droguet, escot, espèce, étamine, feutre, feutrine, fileté, gabardine, gaze, grain, granité, guipure, ikat, jute, lainage, laine, lasting, lé, linge, loque, lustrine, madras, maille, mérinos, mohair, moire, muleta, oripeau, ottoman, pan, panne, pectoral, peluche, piqué, ras, ratine, reps, sari, sarong, satin, satinette, serge, shantung, soie, soierie, suédine, surah, taffetas, tarlatane, tartan, tenture, textile, tiretaine, tissage, tissu, trentain, tricot, tulle, tussah, tussau, tussor, un, uni, valeur, velours, veloutine, zénana.

ÉTOFFER. Accroître, acquérir, aguerrir, amplifier, augmenter, croître, cultiver, déduire, définir, déplier, déployer, dérouler, développer, élargir, enforcir, enrichir, épanouir, étaler, étendre, éveiller, expliquer, exposer, fleurir, forcir, germer, mûrir, nourrir, traiter.

ÉTOILE (n. p.). Aldébaran, Alpha, Altaïr, Anémone, Antarès, Arcturus, Astérie, Barnard, Berger, Bételgeuse, Bethléem, Canopus, Capella, Castor, Centaure, Céphée, Dragon, Edelweiss, Lalande, Mizar, Pléiades, Procyon, Sirius, Véga, Vénus, Voie lactée, Wolf.

ÉTOILE. Artiste, aster, astre, astronomie, chariot, constellation, destin, destinée, divan, filante, fortune, galaxie, idole, météore, météorite, naine, nébuleuse, nova, pentacle, polaire, pulsar, quasar, rat, sidéral, soleil, star, stellaire, supergéante, supernova, titre, touchau, touchaud, toucheau, trèfle, vedette.

ÉTOILE DE MER. Anémone, astéride, astérie, échinoderme, holothurie, stelléride.

ÉTOILEMENT. Cassure, cavité, cicatrice, coupure, craque, craquelure, crevasse, déchirure, faïençage, faille, fêlure, fendillement, fente, fissure, gerce, gerçure, larron, lézarde, malandre, mourusse, perâsse, pli, râpe, ride, rimaye.

ÉTOILER. Brillancer, consteller, couvrir, disperser, disséminer, émailler, étendre, fêler, joncher, moucheter, orner, parsemer, propager, recouvrir, répandre, revêtir, saupoudrer, semer, tapisser.

ÉTOLE. Arc-en-ciel, boa, cache-col, cache-nez, châle, chèche, écharpe, fichu, foulard, guimpe, iris, mantille, pallium.

ÉTONNAMMENT. Admirablement, anormalement, baroquement, bizarrement, curieusement, drôlement, étrangement, excentriquement, extravagamment, formidablement, originalement, singulièrement.

ÉTONNANT. Ahurissant, bizarre, criant, drôle, éléphantesque, émouvant, énorme, époustouflant, étrange, extraordinaire, fabuleux, faramineux, gigantesque, immense, imprévu, inouï, merveilleux, miraculeux, mirifique, raide, renversant, renversement, sciant, vaste.

ÉTONNÉ. Ahuri, baba, déconcerté, ébahi, ébaubi, épaté, étonné, interloqué, renversé, stupéfait, surpris.

ÉTONNEMENT. Ahurissement, baba, bah, bée, bigre, ça, diantre, ébahissement, effroi, émouvant, étrangement, fabuleusement, fichtre, hé, heu, mazette, miracle, oh, quoi, stupéfaction, stupeur, surprise.

ÉTONNER. Abasourdir, ahurir, ébahir, ébaudir, éberluer, éblouir, émerveiller, épater, époustoufler, esbroufer, estomaquer, halluciner, hébéter, interdire, médiser, ravir, remarquer, renverser, saisir, scier, sidérer, surprendre, tiquer.

ÉTOUFFANT. Accablant, asphyxiant, bouillant, chaud, fumant, malsain, oppressant, pesant, suffocant.

ÉTOUFFE. Assourdi, braisière, couvre, dissimule, efface, éteignoir, étrangle, insonore, neutre, suffoque.

ÉTOUFFÉE. Atténué, cuisson, daube, essoufflé, estouffade, étranglée, étuvée, mode, sourd.

ÉTOUFFEMENT. Arrête, asphyxie, dissimulation, essoufflement, étranglement, répression, suffocation.

ÉTOUFFER. Amortir, arrêter, asphyxier, assourdir, couvrir, enrayer, éteindre, étrangler, étreindre, juguler, noyer, ouater, refréner.

ÉTOUFFEUR. Assassin, bourreau, criminel, dépouilleur, écorcheur, égorgeur, espada, étrangleur, éventreur, faucheur, massacreur, matador, meurtrier, nervi, sicaire, spadassin, surineur, torero, tueur, zigouilleur.

ÉTOUFFOIR. Brasero, brasier, braisière, chaudron, cocotte, daube, daubière, faitout, huguenote, marmite, soupière.

ÉTOUPE. Blond, bourre, broie, calfat, chanvre, clair, fil, filasse, lin, ouate, pâle, séran, sérance, serpillière, terne.

ÉTOUPILLE. Amorçage, amorce, artifice, bidonnage, déflagrateur, détonateur, fulminate, mèche.

ÉTOURDERIE. Bêtise, bévue, distraction, imprudence, inadvertance, inattention, irréflexion, maladresse, oubli.

ÉTOURDI. Abasourdi, absent, ahuri, attentif, braque, con, conneau, dissipé, distrait, ébahi, écervelé, enivré, étourneau, évaporé, éventé, fou, frivole, groggy, hurluberlu, idiot, irréfléchi, knock-out, léger, prévoyant, réfléchi, serin, sonné, vigilant.

ÉTOURDIMENT. Aveuglément, distraitement, imprudemment, inconsciemment, inconsidérément, indiscrètement, légèrement.

ÉTOURDIR. Abasourdir, abrutir, ahurir, assommer, assourdir, casser, chavirer, éberviger, encorner, enivrer, ennuyer, entêter, estourbir, fatiguer, griser, importuner, sonner, soûler, taper, tourner.

ÉTOURDISSANT. Abrutissant, assommant, assourdissant, éblouissant, époustouflant, exceptionnel, sonnant, stupéfiant.

ÉTOURDISSEMENT. Éblouissement, désarroi, déséquilibre, évanouissement, ivresse, oreille, saisissement, trouble, vertige.

ÉTOURNEAU. Corbigeau, écervelé, étourdi, jaseur, militaire, passereau, sansonnet, sot, sturnidé.

ÉTRANGE. Anormal, bannir, bizarre, comique, curieux, différent, étonnant, étranger, exceptionnel, extraordinaire, inaccoutumé, incompréhensible, indéfinissable, inexplicable, inouï, inquiétant, insolite, rigolo, saugrenu, singulier.

ÉTRANGEMENT. Anormalement, baroquement, bizarrement, caprice, curieusement, drôlement, étonnamment, étrangement, excentricité, extravagance, fantaisie, fantasmagorie, insolitement, singulièrement.

ÉTRANGER. Allochtone, allophone, apatride, aubain, autre, barbare, el, externe, gentil, gringo, heimatlos, horsain, huilander, immigrant, immigré, inconnu, laïc, laïque, métèque, rasta, rastaquouère, réfugié, tiers, touriste, vacancier, voyageur, xénophile, xénophobe.

ÉTRANGETÉ. Anomalie, bizarrerie, comique, curieux, drôle, extraordinaire, extravagant, farfelu, hétéroclite, inexplicable, inouïsme, insolite, lunatique, originalité, saugrenu, singularité, spécial.

ÉTRANGLEMENT. Asphyxie, astriction, astringence, choke, constriction, contraction, étouffement, garrot, paralysie, paraphimosis, pertuis, phimosis, resserrement, rétrécissement, suffocation, strangulation.

ÉTRANGLER. Assassiner, comprimer, égorger, éliminer, étouffer, pendre, réserver, resserrer, serrer, trucider, tuer.

ÉTRANGLEUR. Assassin, bourreau, déclencheur, égorgeur, obturateur, soupape, padassin, tueur.

ÊTRE. Aître, ange, autre, auxiliaire, centaure, chose, créateur, créature, durer, est, état, été, demeurer, force, forme, génie, genre, homme, individu, kami, katchina, maison, manière, microcosme, monstre, mutant, non-existence, ontologie, proie, régner, siéger, situer, verbe, vie, vivre.

ÉTRÉCIR. Abaisser, amenuiser, amincir, contracter, contracturer, décroître, dessécher, diminuer, écourter, étrangler, raccourcir, racornir, rapetisser, ratatiner, réduire, resserrer, restreindre, retirer, rétrécir.

ÉTREINDRE. Angoisser, caresser, embrasser, empoigner, enlacer, oppresser, presser, serrer, tenailler.

ÉTREINTE. Accolé, accouplement, baisé, caresse, coït, embrassade, enlacement, enserrement, étau, serrement.

ÉTRENNE. Cadeau, don, dot, envoi, gratification, largesse, offrande, pot-de-vin, présent, prime, prix, souvenir, surprise.

ÉTRÉSILLON. Appui, bâton, clairsemé, dispersé, disséminé, entrait, entrecroisé, entrejambe, entrelacement, entretoise, éparpillé, épars, étai, étançon, parois, soutien, traverse.

ÉTRIER. Appui, chape, cheval, éperon, étrivière, manilles, oreille, otospongiose, sautoir, selle, support, talonnière.

ÉTRILLE. Brosse, crabe, crabe à laine, crustacé, curette, portune, racle, raclette, racloir, strigile.

ÉTRILLER. Battre, bouchonner, brosser, critiquer, frotter, malmener, nettoyer, panser, rudoyer, soigner.

ÉTRIPER. Battre, blesser, découdre, entretuer, étripailler, éventrer, éviscérer, quereller, tuer, vider.

ÉTRIQUÉ. Ajusté, étroit, exigu, juste, limité, maigre, mesquin, minuscule, petit, restreint, rikiki, riquiqui, serré.

ÉTRIQUER. Boudiner, comprimer, entortiller, étouffer, extruder, ficeler, mailler, plier, serrer, tordre.

ÉTRIVE. Amarre, ancrage, aussière, bitord, bitte, cabillot, câble, chaumard, cordage, élingue, embossure, filin, garcette, haussière, jarretière, larguer, liure, organeau, sabaille, sabaye, suspente, taquet.

ÉTRIVIÈRE. Bande, bandoulière, bretelle, bride, brin, ceinture, courroie, culeron, dragonne, enguichure, étrier, fouet, harnais, laisse, lanière, licol, licou, lien, longe, mance, mancelle, mors, œillère, rêne, sangle, sanglon, têtière.

ÉTROIT. Aigu, ample, borné, collant, confiné, effilé, encaissé, étendu, étiré, étranglé, étriqué, exigu, fin, juste, large, menu, mince, ouvert, petit, resserré, rétréci, rigoureux, spacieux, stricto sensu, vaste.

ÉTROITEMENT. Conjointement, indissociablement, intimement, rigoureusement, scrupuleusement, strictement.

ÉTROITESSE. Atrésie, exiguïté, fanatisme, médiocrité, mesquinerie, parcimonie, petitesse, phimosis.

ÉTRON. Besoins, bouse, bran, bren, caca, chiasse, chiure, colombin, coprolithe, coprophage, crotte, crottin, déchet, diarrhée, excrément, fèces, fiente, guano, merde, ordure, scatologie, scatophile, selle, stercoraire, stercoral, troches, urine.

ÉTRUSQUE (n. p.). Caylus, Cerveteri, Chiusi, Fiesole, Gubbio, Pérouse, Porsenna, Rome, Tarquin, Tarquinia, Todi, Veies, Volterra.

ÉTUDE. Agronomie, algèbre, anatomie, biologie, cardiographie, classe, coprologie, cryométrie, cryoscopie, droit, écologie, embryologie, entomologie, épidémiologie, ergonomie, érotologie, erpétologie, esquisse, éthologie, géochimie, géographie, gérontologie, graphologie, hépatologie, herpétologie, hydrostatique, ichtyologie, iconographie, iconologie, laryngologie, macrographie, malacologie, mémoire, métallographie, métapsychique, monographie, morphologie, myologie, odontologie, oncologie, onirologie, onomastique, ontologie, orogénie, orographie, otologie, palynologie, parapsychologie, parasitologie, pétrographie, pharmacodynamie, philologie, phytopathologie, podologie, posologie, projet, psychiatrie, psychopathologie, rhinologie, science, scolarité, sélénologie, stage, stomatologie, téléologie, terminologie, toponymie, ufologie, urologie, vexillologie, zoogéographie.

ÉTUDIANT. Apprenti, auditeur, boursier, bûcheur, carabin, collégien, cours, degré, doctorant, écolier, élève, estudiantin, externe, interne, kot, lycéen, monôme, estudiantin, résident, sorbonnard, taliban, universitaire.

ÉTUDIÉ. Affecté, apprêté, artificiel, calculé, emprunté, médité, mûri, pensé, recherché, réfléchi, soigné, travaillé.

ÉTUDIER. Analyser, apprendre, approfondir, bûcher, comparer, creuser, débroussailler, délibérer, discuter, éplucher, examiner, explorer, fouiller, instruire, observer, pâlir, peser, potasser, scruter, sonder, travailler.

ÉTUI. Aiguillier, boîte, boîtier, carquois, cartouchière, cassette, cazette, coffin, dé, douille, écrin, écritoire, enveloppe, fourreau, gaine, gourde, holster, housse, onglon, nécessaire, phylactère, pochette, porte-clef, porte-clés, portefeuille, sac, taud, taude, trousse, tube.

ÉTUVAGE. Actinite, caléfaction, calorification, constipation, convection, échauffement, écume, énervement, entraînement, étirement, fermentation, inflammation, irritation, liquation, réchauffement, surexcitation, thermogénie.

ÉTUVE. Autoclave, bain, caldarium, four, fournaise, hammam, pasteurisateur, sauna, stérilisateur, touraille.

ÉTUVÉE. Bouillissage, cuisson, daube, douleur, estouffade, étouffée, mijotage, mode, rôtissage.

ÉTUVER. Cuire, déshydrater, désinfecter, dessécher, éteindre, étouffer, juguler, sécher, stériliser, suffoquer.

ÉTUVEUR. Autoclave, chaudière, digesteur, entonnoir, étuve, étuveuse, pression, récipient, stérilisation, touraille.

ÉTYMOLOGIE. Commencer, évolution, formation, grammaire, lexicologie, origine, racine, source.

EU. Acquis, avoir, éprouvé, obtenu, possédé, perçu, pu, reçu, ressenti, senti, trompé, vaincu, vu.

EUCALYPTUS. Arbre, gommier, huile, jambosier, myrtacée, plante.

EUCARIDE. Crabe, crevette, crustacé, décapode, euphasie, euphusiacé, krill, molacostracé, homard.

EUCHARISTIE. Agneau, célébration, cène, communion, impanation, messe, sacrement, tabernacle, viatique.

EUGÉNOL. Alcool, analgésique, antiputride, antiseptique, benjoin, benzonaphtol, collargol, créosote, désinfectant, formol, gaïacol, germicide, hexamidine, iode, médicament, mercurescéine, mercurochrome, naphtol, salicylique, salol.

EUGLÈNE. Algue, bacillariophycée, chlorophylle, coccidie, flagellé, hématozoaire, protiste, protozoaire.

EUMÈNE. Abeille, ammophile, corset, eumène, frelon, guêpe, guêpier, ichneumon, poliste, sphex.

EUNECTE. Anaconda, boa, serpent, sonnette.

EUNUQUE (n. p.). Candace, Narsès.

EUNUQUE. Agent, castrat, cerbère, châtré, concierge, conservateur, consignataire, dragon, eutrope, garde, gardian, gardien, gaucho, geôlier, guetteur, huissier, maton, pion, policier, portier, receleur, sentinelle, surveillant, thesmothète, tuteur, veilleur, vigie.

EUPATOIRE. Agérate, ageratum, cannabinacée, célestine, chanvre d'eau, composées, fleur, plante.

EUPEPSIE. Absorption, anabolisme, assimilation, biosynthèse, caillette, cellule, chimisme, coction, digestion, feuillet, ingestion, mérycisme, métabolisme, nutrition, phagocytose, rumination, transformation.

EUPHÉMISME. Adoucissement, antiphrase, atténuation, contrevérité, diminution, modération.

EUPHONIE. Acoustique, ampleur, cadence, harmonie, fidélité, musicalité, nombre, résonance, rythme, sonorité, stridence.

EUPHONIQUEMENT. Cycliquement, harmonieusement, harmoniquement, itérativement, mélodieusement, mélodiquement, musicalement, périodiquement, rythmiquement, symphoniquement.

EUPHORBE. Acalypha, acalyphe, cierge, épurge, ésule, intisy, petit-puis, réveil, ricin, ricivielle, sapinette.

EUPHORBIACÉES. Acalypha, acalyphe, aleurite, bancoulier, croton, épurge, euphorbe, foirole, herve aux verrues, hévéa, kamala, macenillier, manioc, médicinier, mercuriale, oyat, poinsettia, ricin.

EUPHORIE. Aise, allégresse, béatitude, bonheur, contentement, détente, enivrement, exaltation, extase, hallucinogène, ivresse, joie, manie, nicotine, opium, optimisme, plénitude, satisfaction, soulagement.

EUPHORIQUE. Apaisé, ballant, calme, cool, débandé, décontracté, délassé, desserré, détendu, distrait, flasque, heureux, lâche, largué, libre, paresseux, relâché, relax, relaxe, reposé, serein, tranquille.

EUPHORISANT. Antidépresseur, antidépressif, énergisant, psychoanaleptique, psychotonique.

EURASIEN. Asiatique, bâtard, corneau, corniaud, créole, espèce, eurasiatique, européen, hybride, mâtiné, mélange, mêlé, métis, mulard, mulâtre, octavon, zambo.

EURE, VILLE (n. p.). Alisay, Beaumesnil, Bernay, Breteuil, Broglie, Écos, Évreux, Gisors, Louviers, Nonancourt, Quillebeuf, Routot, Rugles, Vernon.

EURE-ET-LOIR, VILLE (n. p.). Anet, Authon, Bonneval, Brou, Bu, Chartres, Dreux, Luce, Montlandon, Thiron, Toury.

EURO (n. p.). Allemagne, Autriche, Belgique, Chypre, Danemark, Espagne, Estonie, Finlande, France, Grèce, Hongrie, Irlande, Italie, Lettonie, Lituanie, Luxembourg, Malte, Pays-Bas, Pologne, Portugal, République Tchèque, Royaume-Uni, Slovaquie, Slovénie, Suède.

EURO. Cent, centime, devise, écu, lire, monnaie.

EURODEVISE. Euromonnaie, eurodollar.

EUROPÉEN. Albanais, allemand, anglais, autrichien, belge, britannique, bulgare, corse, danois, écossais, espagnol, eurasien, finlandais, finnois, français, germain, germanique, grec, helvète, helvétique, hollandais, hongrois, ibérique, irlandais, islandais, italien, latin, letton, lituanien, luxembourgeois, magyar, maltais, monégasque, néerlandais, norvégien, polonais, portugais, roman, roumain, russe, scandinave, slave, soviétique, suédois, suisse, tchécoslovaque, tchèque, toubab, turc, yougoslave.

EUROPIUM. Eu.

EURYDICE (n. p.). Caccini, Danaé, Gluck, Liebermann, Orphée.

EURYSTHÉE (n. p.). Héraclès, Hercule.

EURYTHMIE. Battement, cadence, équilibre, harmonie, mesure, mouvement, musique, période, phrasé, pouls, pulsation, respiration, rythme, swing, tempo, vitesse.

EURYTOS (n. p.). Iole.

EUSTACHE. Amassette, arme, bistouri, canif, chasseur, couteau, grattoir, jambette, laguiole, lame, machette, mollusque, navaja, onglet, opinel, oreille, poignard, soie, solen, surin.

EUSTATISME. Alternance, alternative, amplitude, bifurcation, changement, chant, déviation, différence, écart, épirogenèse, évolution, fluctuation, fourchette, inégalité, innovation, modification, nuance, régression, remous, transgression, type, variation.

EUTERPE. Muse, musique.

EUTHANASIE. Cadavre, coma, décédé, décès, défunt, dépouille, dernier, dormition, deuil, disparu, éteint, étranglé, fatigué, feu, fin, glas, héritage, létal, macchabée, morgue, mort, nécrose, noyade, noyer, obit, obituaire, occis, perte, posthume, restes, séjour, testament, tombe, tombeau, trépas, trépassé, trucidé, victime.

EUTHÉRIEN. Carnassier, cétacé, chéiroptère, créodonte, curie, dermoptère, division, édenté, insectivore, lagomorphe, onglé, mammifère, membrane, placentaire, primate, rongeur, sirénien.

EUTOCIE. Accouchement, avortement, bas, crapaud, délivrance, dystocie, élaboration, enfantement, forceps, gésine, gestation, gravité, grossesse, maternité, naissance, obstétrique, part, parturition, puerpéral, réalisation, terme, tranchée, travail, trigémellaire.

EUX. Ils.

ÉVACUANT. Bourdaine, cathartique, dépuratif, lavement, laxatif, libératoire, lustral, mauve, psyllium, purgatif, purge, purificateur, purificatoire, rhubarbe, séné, senne, sorbitol, suppositoire, tamar, vidant.

ÉVACUATEUR. Barrage, bonde, chargeur, collecteur, daraise, déversoir, duit, éboueur, échappement, égoutier, épanchoir, esparcier, estacade, glaneur, ramasseur, selle, spiracle, train, vanne, vidangeur, videur.

ÉVACUATION. Débouché, décharge, dégorgement, dégoulinade, déjection, écoulement, éjection, émission, émonction, éruption, exhaure, expulsion, méléna, péril, purge, retrait, sialorrhée, uriner, vidange, vomique.

ÉVACUÉ. Abandonné, délaissé, déserté, dropé, ermite, esseulé, exclusif, isolé, laissé, négligé, oublié, parti, premier, quitté, reclus, renier, retiré, sacrifié, seul, seulement, solitaire, solo, un, unique.

ÉVACUER. Abandonner, cracher, déféquer, dégorger, déverser, éliminer, émettre, éternuer, excréter, expulser, pisser, quitter, rejeter, rendre, retirer, sortir, uriner, vidanger, vider, vomir

ÉVADÉ (n. p.). Latude, Vautrin.

ÉVADÉ. Banni, disparaît, échappé, éphémère, évanescent, fugace, fugitif, fuir, fuyard, passager, proscrit, réfugié.

ÉVADER. Cavaler, distraire, échapper, éclipser, enfuir, envoler, esquiver, évasion, fuir, libérer, sauver.

ÉVAGINATION. Épiphyse, éventration, éversion, saillie.

ÉVALUABLE. Appréciable, calculable, chiffrable, consistant, estimable, important, mesurable, notable, perceptible, pensable, pondérable, précieux, quantifiable, remarquable, sensible, substantiel, visible.

ÉVALUATEUR. Appréciateur, arbitre, brouillé, commissaire-priseur, connaisseur, déclaré, dégustateur, encanteur, enquêteur, estimateur, expert, irréductible, juge, jurat, juré, jury, sapiteur.

ÉVALUATION. Arpentage, bilan, chiffrage, décote, devis, estimation, estimé, inventaire, jauge, mesure, supputation, test.

ÉVALUER. Apprécier, calculer, chiffrer, comparer, compter, considérer, contrôler, coter, cuber, déterminer, estimer, expertiser, jauger, juger, mesurer, nombrer, peser, priser, réputer, soupeser, stérer, supputer, taxer, ventiler.

ÉVANESCENCE. Abstraction, abstrait, brièveté, cérébralité, essentialité, fugacité, futilité, idéalité, immatérialité, impalpabilité, imperceptibilité, intangibilité, irréalité, spiritualité, subtilité, volatilité.

ÉVANESCENT. Abstrait, bref, court, disparaît, échappé, efface, éphémère, fugace, fugitif, fuyard, intérimaire, momentané, passager, précaire, proscrit, provisoire, rapide, réfugié, temporaire, transitoire.

ÉVANGÉLIAIRE. Antiphonaire, bible, bréviaire, directoire, diurnal, eucologe, missel, none, ordinal, psautier.

ÉVANGÉLISATEUR (n. p.). Anschaire, Brunon, Cyrille, Denis, Jean, Egede, Eliot, Luc, Martin, Matthieu, Méthode, Martial, Oscar, Patrice, Patrick, Saint Martial, Ulfila, Ulfilas, Wufila.

ÉVANGÉLISATEUR. Apostolat, apôtre, colporteur, convertisseur, défenseur, disciple, diffuseur, divulgateur, évangéliste, missionnaire, partisan, prédicateur, propagateur, prosélyte, semeur.

ÉVANGÉLISATION. Apostolat, campagne, catéchèse, catéchisation, croisade, endoctrinement, intoxication, missionnariat, pastorale, persuasion, prédication, propagande, propagation, prosélytisme.

ÉVANGÉLISER. Catéchiser, christianiser, convertir, endoctriner, enseigner, moraliser, prêcher, rechristianiser, sermonner.

ÉVANGÉLISTE (n. p.). Jean, Jésus, Luc, Marc, Mathieu, Matthieu, Paul.

ÉVANGÉLISTE. Doctrinaire, homélie, imam, missionnaire, orateur, prédicateur, protestant, synoptique.

ÉVANGILE. Annonce, bible, catéchisme, dogme, évangéliaire, homélie, ladre, loi, mages, mission, règle.

ÉVANOUI. Disparu, empaillé, gisant, immobile, inanimé, inconscient, inerte, momie, mort, parti, vapes, zombi.

ÉVANOUIR. Défaillir, disparaître, dissiper, fading, mourir, pâmer, pâmoison, syncope, tomber dans les vapes.

ÉVANOUISSEMENT. Anéantissement, apoplexie, coma, défaillance, disparition, faiblesse, pâmoison, perte, syncope.

ÉVAPORATEUR. Aérographe, aérosol, atomiseur, bombe, bouilloire, brumisateur, dessiccateur, gicleur, inhalation, nébuliseur, pulvérisateur, rejaillissant, retombant, spray, vaporisateur.

ÉVAPORATION. Assainissement, assèchement, déshumidification, déshydratation, dessèchement, dessiccation, drainage, écopage, égouttage, étanchement, mâchefer, séchage, siccatif, tarissement, wateringue.

ÉVAPORÉ. Disparu, écervelé, étourdi, éventé, folâtre, frivole, inattentif, insouciant, léger, volatil.

ÉVAPORER. Dérober, disparaître, dissiper, éclipser, esquiver, étourdir, éventer, éviter, sécher, vaporiser, volatiliser.

ÉVASÉ. Ample, avare, béant, beaucoup, boulevard, campaniforme, caution, épaté, généreux, grand, gros, indulgent, large, largeur, litre, long, mer, mesquin, ouvert, partir, rat, spacieux, val, vaste.

ÉVASEMENT. Agrandissement, chapiteau, dilatation, élargissement, fraisement, fraisure, étampure.

ÉVASER. Agrandir, allonger, amplifier, arrondir, dilater, égueuler, élargir, étamper, fraiser, ouvrir, partir.

ÉVASIF. Abstrait, agitation, ambigu, confus, douteux, élusif, erre, général, imprécis, indécis, on, vague.

ÉVASION. Amen, amusement, belle, cavale, changement, détente, distraction, divertissement, échappée, escapade, été, exportation, fiscale, fuite, hémorragie, ite, lecture, plaisir, rêve.

ÉVASIVEMENT. Abstraitement, confusément, imprécisément, indistinctement, obscurément, pêle-mêle, vaguement.

ÉVASURE. Ampleur, amplitude, baraqué, calibre, carrure, diamètre, dimension, empan, envergure, étendue, format, gabarit, giron, grosseur, laize, large, largeur, lé, module, portée, râblé, stature, taille.

ÈVE. Adam, biblique, pomme, serpent.

ÉVÊCHÉ (3 lettres) (n. p.). Dax, Gap.

ÉVÊCHÉ (4 lettres) (n. p.). Agen, Évry, Metz, Nice, Sées, York.

ÉVÊCHÉ (5 lettres) (n. p.). Arras, Autun, Blois, Gaspé, Laval, Liège, Lille, Luçon, Meaux, Mende, Nancy, Nîmes, Reims, Rodez, Rouen, Tours, Tulle.

ÉVÊCHÉ (6 lettres) (n. p.). Amiens, Angers, Annecy, Bayeux, Belley, Cahors, Évreux, Fréjus, Le Mans, Maclou, Nantes, Nevers, Padoue, Québec, Tarbes, Toulon, Troyes, Vannes, Verdun.

ÉVÊCHÉ (7 lettres) (n. p.). Ajaccio, Bayonne, Belfort, Castres, Créteil, Fénelon, Hippone, Langres, Le Havre, Limoges, Lisieux, Lourdes, Moulins, Orléans, Pamiers, Quimper, Tournai, Valences, Viviers.

ÉVÊCHÉ (8 lettres) (n. p.). Beauvais, Chartres, Cracovie, Grenoble, Montréal, Nanterre, Pontoise, Rimouski, Soissons.

ÉVÊCHÉ (9 lettres) (n. p.). Angoulême, Coutances, Longueuil, Mautauban, Périgueux, Perpignan.

ÉVÊCHÉ (10 lettres) (n. p.). La Rochelle, Saint-Denis, Saint-Flour, Versailles.

ÉVÊCHÉ (11 lettres) (n. p.). Carcassonne, La Pocatière, Montbéliard, Saint-Brieuc, Saint-Claude, Saint-Jérôme, Valleyfield.

ÉVÊCHÉ (12 lettres) (n. p.). Le Puy-en-Velay, Saint-Étienne, Saint-Hyacinthe, Sherbrooke.

ÉVÊCHÉ (13 lettres) (n. p.). Trois-Rivières.

ÉVÊCHÉ (14 lettres) (n. p.). Digne-les-Bains.

ÉVÊCHÉ. Archevêché, archidiaconé, commende, diocèse, éparchie, exarchat, patriarcat, suburbicaire, vidame.

ÉVEIL. Alarme, alerte, apparition, commencement, début, fait, naissance, remémoration, satori.

ÉVEILLÉ. Actif, alerte, allumé, animé, benêt, conscient, débrouillard, décidé, dégagé, dégourdi, délié, déluré, espiègle, gai, guilleret, intelligent, lutin, malicieux, mutin, perspicace, pétillant, responsable, vif.

ÉVEILLER. Agacer, alerter, animer, frapper, lever, provoquer, ramener, ranimer, réveiller, tirer.

ÉVEILLEUR. Andragogue, cicérone, édificateur, éducateur, enseignant, façonneur, formateur, instituteur, instructeur, maître, mentor, moniteur, moralisateur, orienteur, précepteur, professeur, rééducateur.

ÉVÉNEMENT. Accident, acte, actualité, agitation, aléa, avatar, aventure, bénédiction, cas, chose, circonstance, crise, date, désastre, drame, épisode, épopée, fait, fastes, fléau, hasard, heur, mésaventure, misère, récit, scène, signe, sort, tragédie, tuile, vécu, vicissitude.

ÉVENT. Abîme, altération, antre, aven, bled, boire, brèche, caverne, cavité, chas, clapier, coupure, creux, crevasse, dalot, entonnoir, excavation, fente, fissure, fosse, larron, narine, naseau, normand, œil, œillet, ope, orifice, ouverture, passage, patelin, pénétrer, perforation, piqûre, puits, sténosé, terrier, trou, trouée, vide.

ÉVENTAIL. Assortiment, choix, flabellum, gamme, éon, éventoir, flabellum, panca, panka, punka, sélection.

ÉVENTAIRE. Corbeille, devanture, étal, étalage, exhibition, inventaire, montre, ostentation, parade, vitrine.

ÉVENTÉ. Archiconnu, connu, découvert, divulgué, écervelé, étourdi, évaporé, exposé, usé, venté.

ÉVENTER. Aérer, altérer, découvrir, divulguer, exposer, flairer, raconter, rafraîchir, répandre, révéler, tourner.

ÉVENTRÉ. Brisé, camé, crevé, défoncé, drogué, enfoncé, étourdi, étripé, évaporé, rompu, shooté.

ÉVENTRER. Aérer, altérer, blesser, dévhirer, découdre, découvrir, défoncer, divulguer, enfoncer, étriper, éventreur, fendre, gâter, hara-kiri, ouvrir, ventre, tuer.

ÉVENTREUR (n. p.). Jack.

ÉVENTREUR. Assassin, bourreau, criminel, dépouilleur, écorcheur, égorgeur, espada, étouffeur, étrangleur, faucheur, massacreur, matador, meurtrier, nervi, sicaire, spadassin, surineur, torero, tueur, zigouilleur.

ÉVENTUALITÉ. Alternative, applicabilité, calculabilité, cas, circonstance, continence, contingence, possibilité.

ÉVENTUEL. Aléatoire, casuel, circonstance, contingent, douteux, échéant, hypothétique, imprévisible, incertain, perspective, plausible, possibilité, possible, probable.

ÉVENTUELLEMENT. Abstraitement, accessoirement, idéalement, imaginairement, hypothétiquement, possiblement.

ÉVÊQUE. Auxiliaire, apostolique, avranche, coadjuteur, concile, crosse, dignitaire, éminence, épiscopat, évêché, homélie, mitre, monseigneur, nonce, ordre, pasteur, pontife, prélat, primat, remi, sacre, trône, vicaire.

ÉVÊQUE AFRIQUE (n. p.). Fulgence, Tutu.

ÉVÊQUE ALBI (n. p.). Bernis.

ÉVÊQUE ALET (n. p.). Pavillon.

ÉVÊQUE ALGER (n. p.). Lavigerie.

ÉVÊQUE ALLEMAGNE (n. p.). Adolphe, Boniface, Dalberg, Ratzinger.

ÉVÊQUE ANGER (n. p.). Freppel.

ÉVÊQUE ANGLETERRE (n. p.). Arundel, Ethelworld, Gardine, Latimer, Laud, Manning, Pole, Wisement, Wolsey.

ÉVÊQUE ANTIOCHE (n. p.). Ignace, Théophile.

ÉVÊQUE ARIEN (n. p.). Ulfila, Ulfilas, Wufila.

ÉVÊQUE ARLES (n. p.). Césaire, Hilaire, Honorat.

ÉVÊQUE ATHÈNES (n. p.). Denys.

ÉVÊQUE AUTRICHE (n. p.). Seipel.

ÉVÊQUE AUTUN (n. p.). Léger.

ÉVÊQUE AUXERRE (n. p.). Germain.

ÉVÊQUE AUXONNE (n. p.). Oréno.

ÉVÊQUE BAIE-COMEAU (n. p.). Labrie, Morissette.

ÉVÊQUE BEAUVAIS (n. p.). Cauchon, Lucien.

ÉVÊQUE BELGIQUE (n. p.). Albert, Cardijn, Jubert, Médard, Mercier.

ÉVÊQUE BÉNÉVENT (n. p.). Janvier.

ÉVÊQUE BESANÇON (n. p.). Claude.

ÉVÊQUE BOLOGNE (n. p.). Caprara.

ÉVÊQUE BORDEAUX (n. p.). Sourdis.

ÉVÊQUE BOURGES (n. p.). Sulpice.

ÉVÊQUE CANADA (n. p.). Laval.

ÉVÊQUE CANTERBURY (n. p.). Anselme, Arundel, Augustin, Austin, Becket, Cranmer, Dunstan, Edmont, Lanfranc, Langton, Pole.

ÉVÊQUE CARTHAGE (n. p.). Cyprien, Donat, Lavigerie.

ÉVÊQUE CÉSARÉE (n. p.). Basile le Grand, Eusèbe.

ÉVÊQUE CHAMPAGNE (n. p.). Remi, Remy.

ÉVÊQUE CHARTRES (n. p.). Fulbert, Yves.

ÉVÊQUE CHICOUTIMI (n. p.). Lamarche, Melançon, Racine.

ÉVÊQUE CLERMONT (n. p.). Massillon.

ÉVÊQUE CONDOM (n. p.). Bossuet.

ÉVÊQUE CONSTANTINOPLE (n. p.). Chrysostome.

ÉVÊQUE CRACOVIE (n. p.). Stanislas, Wojtyla.

ÉVÊQUE ESPAGNE (n. p.). Escriva, Priscilien.

ÉVÊQUE FLORENCE (n. p.). Antonin.

ÉVÊQUE FRANCE (n. p.). Ailly, Arnoul, Balu, Basin, Beaumont, Belsunce, Bernard, Bérulle, Bossuet, Briconnet, Camus, Cauchon, Chrodegans, Courcon, Duperron, Duprat, Fesch, Fillastre, Fléchier, Fleury, Frest, Gui, Irénée, Lamourette, Lemoine, Leu, Liénart, Lustiger, Martial, Mazenod, Oresme, Pavillon, Pothin, Richelieu, Rotgang, Sibour, Sully, Tencin.

ÉVÊQUE GASPÉ (n. p.). Gagnon, Ross.

ÉVÊQUE GATINEAU-HULL (n. p.). Proulx.

ÉVÊQUE IRLANDE (n. p.). Berkeley.

ÉVÊQUE ITALIE (n. p.). Alberoni, Ambroise, Antonelli, Bembo, Boromée, Caprara, Consalvi, Sadolet.

ÉVÊQUE JÉRUSALEM (n. p.). Cyrille.

ÉVÊQUE JOHANNESBURG (n. p.). Tutu.

ÉVÊQUE JOLIETTE (n. p.). Archambault, Audet, Forbes.

ÉVÊQUE LILLE (n. p.). Lienart.

ÉVÊQUE LIMOGES (n. p.). Martial.

ÉVÊQUE LISIEUX (n. p.). Oresme.

ÉVÊQUE LONDRES (n. p.). Laud.

ÉVÊQUE LONGUEUIL (n. p.). Grégoire, Hubert.

ÉVÊQUE LYON (n. p.). Irénée, Pothin, Remi.

ÉVÊQUE MARSEILLE (n. p.). Lazare, Mazenod.

ÉVÊQUE MEAUX (n. p.). Briçonnet, Vitry.

ÉVÊQUE METZ (n. p.). Arnoul.

ÉVÊQUE MILAN (n. p.). Ambroise.

ÉVÊQUE MONTRÉAL (n. p.). Bourget, Bruchesi, Léger, Racicot, Turcotte.

ÉVÊQUE MYRA (n. p.). Nicolas.

ÉVÊQUE NANCY (n. p.). Lavigerie.

ÉVÊQUE NICOLET (n. p.). Bruneault, Lafortune.

ÉVÊQUE NOUVELLE-FRANCE (n. p.). Auberivière, Baillargeon, Bégin, Briand, Couture, Denaut, Dosquet, Esglis, Hubert, Langlois, Laval, Mornay, Panet, Plessis, Pontbriand, Roy, Signay, St-Vallier, Taschereau, Turgeon.

ÉVÊQUE NOYON (n. p.). Acaire, Éloi, Médard.

ÉVÊQUE ORLÉANS (n. p.). Agnan, Aignan, Bernier, Dupanloup, Théodulf, Théodulfe.

ÉVÊQUE PARIS (n. p.). Denis, Marcel, Sully.

ÉVÊQUE QUÉBEC (n. p.). Baillargeon, Briand, Couture, Laval, Ouellet, Panet, Plessis, Roy, Savard, Signay, Taschereau, Turgeon, Vachon.

ÉVÊQUE REIMS (n. p.). Remi, Remy.

ÉVÊQUE RIMOUSKI (n. p.). Blanchet, Courchesne.

ÉVÊQUE ROUEN (n. p.). Dadon, Ouen, Prétextat.

ÉVÊQUE RUSSIE (n. p.). Alexis, Macaire.

ÉVÊQUE SAINT-HYACINTHE (n. p.). Decelles, Moreau.

ÉVÊQUE SAINT-JÉROME (n. p.). Cazabon, Frenette.

ÉVÊQUE SHERBROOKE (n. p.). Desranleau, Gaumond, Larocque.

ÉVÊQUE SMYRNE (n. p.). Polycarpe.

ÉVÊQUE STRASBOURG (n. p.). Rohan.

ÉVÊQUE SUD-AFRICAIN (n. p.). Tutu.

ÉVÊQUE THÉROIANNE (n. p.). Omer.

ÉVÊQUE TOULOUSE (n. p.). Saturnin, Sernin.

ÉVÊQUE TOURS (n. p.). Martin.

ÉVÊQUE TROIS-RIVIÈRES (n. p.). Cloutier, Laflèche.

ÉVÊQUE TROYES (n. p.). Leu, Loup.

ÉVÊQUE VALLEYFIELD (n. p.). Caza, Langlois.

ÉVÊQUE VIENNE (n. p.). Mamert.

ÉVÊQUE WORCESTER (n. p.). Latimer.

ÉVERSION. Anastrophe, ectropion, entropion, interversion, inversion, renversement, ruine.

ÉVERTUER. Appliquer, attacher, efforcer, épuiser, escrimer, essayer, fatiguer, ingénier, peiner, tâcher, tuer.

ÉVICTION. Dépossession, éjaculation, éjection, élimination, évincement, exclusion, expulsion, renvoi, supplantation.

ÉVIDÉ. Antre, aven, caverne, cavité, cloup, concavité, conque, coupure, creux, fente, fontis, fossé, fouille, grotte, mine, puits, trou.

ÉVIDEMENT. Âme, énucléation, évidage, éviscération, exentération, ouverture.

ÉVIDEMMENT. Absolument, à coup sûr, apertement, assurément, certitude, effectivement, et comment, immanquablement, incontestablement, indubitablement, infailliblement, irréfragablement, oui.

ÉVIDENCE. Apodictique, aveuglant, certitude, dégager, flagrance, frappant, indiscutable, lapalissade, manifeste, montrer, parbleu, ressortir, saisissant, sans doute, souligner, sûrement, trivial, truisme, vérité.

ÉVIDENT. Appert, assuré, certain, clair, constant, contestable, criant, discutable, douteux, flagrant, formel, frappant, incontestable, indiscutable, limpide, manifeste, net, notoire, obscur, obvie, palpable, patent, positif, sûr, trivial, visible.

ÉVIDER. Champlever, creuser, échancrer, enlever, éroder, forer, gruger, manger, miner, refouiller, ronger, vider.

ÉVIDURE. Abîme, angle, anse, antre, arrondi, baie, bombé, cabosse, cave, cavité, convexe, creux, enfonçure, fosse, fossette, gour, gousset, miné, mouille, obus, paume, pli, proéminent, ravin, rayé, rebondi, rentré, ridé, saillant, salière, sapé, silo, talweg, trou, val, vide.

ÉVIER. Abée, amenée, bassin, canal, canalisation, cuisine, cuve, cuvette, darse, doline, lavabo, tub.

ÉVINCEMENT. Dépossession, éjaculation, éjection, élimination, éviction, exclusion, expulsion, renvoi, supplantation.

ÉVINCER. Bannir, blackbouler, casser, chasser, congédier, dégrader, démettre, déposer, déposséder, destituer, détrôner, disgracier, écarter, éconduire, éjecter, éloigner, excepter, exiler, ôter, radier, rayer.

ÉVISCÉRATION. Âme, énucléation, évidage, évidement, exentération, ouverture.

ÉVISCÉRER. Débarrasser, déblayer, dégager, dégarnir, délester, dépeupler, désertifier, écoper, enlever, épuiser, étriper, évacuer, extirper, nettoyer, ôter, pisser, pissoter, priver, siphonner, soulager, uriner, verser, vidanger, vider.

ÉVITEMENT. Cyphose, déflexion, dérive, détour, déviation, dévoiement, diffraction, distance, écart, flèche, gauche, gauchissement, hétérophorie, intervalle, loucherie, scoliose, sinuosité, superstition, tortueux, valgus.

ÉVITER. Cartayer, chercher, conjurer, contourner, couper, dérober, dissiper, écarter, échapper, effacer, éluder, empêcher, escamoter, esquiver, évaporer, fuir, inéluctable, non-dit, obvier, parer, préserver, rechercher, soustraire, terrer, volte.

ÉVOCATEUR. Agitation, aigreur, appel, ardeur, chaleur, colère, cunnilingus, enthousiasme, éréthisme, érogène, excitation, fébrilité, fumée, hypermnésie, ivresse, nervosité, orgasme, parlant, rage, significatif, stimuli, stimulus, suggestif, survoltage.

ÉVOCATION. Acclamation, anamnèse, allusion, appel, commémoration, écho, incantation, magie, mémento, mémoire, mention, mobilisation, nécromancie, pensée, rappel, reflet, souvenance, souvenir.

ÉVOLUÉ. Affiné, avancé, civilisé, courtois, cultivé, dégrossi, développé, éclairé, éduqué, poli, policé.

ÉVOLUER. Caracoler, changer, dérouler, développer, devenir, glisser, graviter, innover, jouer, manœuvrer, marcher, métamorphoser, modifier, mouvoir, mûrir, parader, progresser, réformer, tendre, tourner.

ÉVOLUTIF. Authentique, célèbre, chronologie, connu, croissant, diachronique, fameux, gradué, grandissant, historial, historique, illustre, important, marquant, mémorable, monument, récit, réel, relevé, vrai.

ÉVOLUTION. Aggiornamento, amélioration, avancement, bond, changement, cours, degré, dérive, déroulement, développement, devenir, essor, étape, frémissement, manœuvre, marche, métamorphose, mutation, orthogenèse, progrès, rémittent.

ÉVOLUTIONNISME. Darwinisme, lamarckisme, mitchourinisme, mutationnisme, néodarwinisme, transformisme.

ÉVOLUTIONNISTE (n. p.). Owen, Spencer.

ÉVOQUER. Aborder, commémorer, décrire, raconter, rappeler, remémorer, retracer, souvenir.

ÉVULSION. Ablation, arrachement, benne, déracinement, enfleurage, enlevé, énucléation, exérèse, extirpation, extraction, fonte, lixiviation, métallurgie, naissance, né, noble, origine, sous-produit, tiré.

EVZONE. Artilleur, bidasse, cavalier, chasseur, fantassin, peltaste, péon, pion, soldat, voltigeur.

EX ABRUPTO. Abruptement, brûle-pourpoint, brusquement, impromptu, soudainement, vitement.

EXACERBATION. Aggravation, exaspération, intensification, paroxysme, recrudescence, redoublement.

EXACERBER. Aggraver, attiser, aviver, enflammer, exaspérer, exciter, intensifier, irriter, pousser, recrudescence.

EXACT. Assidu, certain, complet, conforme, congru, constant, convenable, correct, fiable, fidèle, fin, juste, minutieux, pétant, pile, ponctuel, précis, recta, réel, régulier, ric-rac, sonnant, strict, sûr, textuel, véridique, vrai.

EXACTEMENT. Exact, fidèlement, géométriquement, juste, littéralement, parfaitement, pile, pilepoil, ponctuellement, précisément, religieusement, régulièrement, ric-rac, rigoureusement, trait.

EXACTION. Brigandage, captation, concussion, corruption, extorsion, impôt, malversation, pillage, sévices.

EXACTITUDE. Assiduité, authenticité, certitude, concordance, conformité, congruence, convenance, correction, discrétion, fidélité, imprécision, justesse, négligence, ponctualité, précision, ric-rac, sourcilleux, vérité.

EXAGÉRATION. Abus, emphase, enflure, excès, hyperbole, outrance, paranoïa, sédation, nymphomanie.

EXAGÉRÉ. Abusif, astronomique, carabiné, chargé, démesuré, désordonné, excès, excessif, forcé, outré, polydipsie, salé, théâtral.

EXAGÉRÉMENT. Abusivement, démesurément, effrénément, excessivement, hyperboliquement, immodérément, large, outrageusement, outre mesure, surabondamment, trop.

EXAGÉRER. Abuser, accentuer, ambitionner, amplifier, attiger, bluffer, broder, caricatural, charger, charrier, dépasser, dramatiser, enfler, élucubrer, forcer, gonfler, grossir, outrer, rajouter, remettre, saler, vanter.

EXALTANT. Électrisant, encourageant, enivrant, excitant, extase, grisant, ivresse, stimulant, vivifiant.

EXALTATION (n. p.). Pythie, Sibylle.

EXALTATION. Apothéose, calme, éloge, emportement, enivrement, enthousiasme, éréthisme, euphorie, flegme, folie, frénésie, impassibilité, lyrisme, pondération, sang-froid, surexcitation, transe, véhémence, vertige.

EXALTÉ. Ardent, brûlé, convulsionnaire, délirant, énergumène, enivré, enragé, enthousiasmé, enthousiaste, extatique, excité, fanatique, frénétique, grisé, ivre, monté, passionné, romantique, surexcité, zélé.

EXALTE. Affolant, attachant, attrayant, captivant, électrisant, émouvant, empoignant, enivrant, excitant, impressionnant, palpitant, passionnant, prenant, ravissant, saisissant, séduisant.

EXALTER. Admirer, élever, embraser, enflammer, enivrer, enorgueillir, enthousiasmer, euphoriser, exciter, expirer, galvaniser, glorifier, griser, louanger, louer, magnifier, promouvoir, stimuler, surexciter, transporter, vanter.

EXAMEN. Adénogramme, analyse, autopsie, bac, baccalauréat, bachot, brevet, check-up, cœlioscopie, colle, colonoscopie, constat, consultation, contrôle, cystoscopie, débat, délibération, épreuve, essai, gastroscopie, microscopie, oral, otoscopie, rectoscopie, rhinoscopie, survol, test, théorique, visite, vue.

EXAMINATEUR. Correcteur, critique, interrogateur, juge, jury, observateur, testeur, vérificateur.

EXAMINER. Analyser, apprécier, approfondir, arraisonner, ausculter, comparer, contrôler, critiquer, débattre, discuter, envisager, éplucher, étudier, explorer, inspecter, langueyer, observer, parcourir, peser, regarder, réviser, revoir, scruter, sonder, survoler, tâter, vérifier, visionner, visiter, voir.

EXANTHÈME. Efflorescence, énanthème, éruption, rougeole, rougeur, rubéole, scarlatine.

EXARCHAT. Archevêché, archidiaconé, commende, diocèse, éparchie, évêché, patriarcat, suburbicaire, vidame.

EXARQUE. Cardinal, mitre, monsignore, nonce, pape, pontife, prélat, primat, tunicelle, vice-légat.

EXASPÉRANT. Agaçant, crispant, désagréable, énervant, excédant, fatigant, insupportable, irritant, rageant.

EXASPÉRATION. Agacement, aggravation, agitation, colère, comble, exacerbation, énervement, exacerbation, exaltation, excitation, horripilation, impatience, irritation, maximum, paroxysme, ras-le-bol.

EXASPÉRÉ. Agacé, agité, aigu, avivé, blessé, courroucé, énervé, enragé, être à cran, furieux, furibond, irrité, vif.

EXASPÉRER. Affoler, agacer, aggraver, aiguiser, assommer, crisper, damner, écumer, énerver, envenimer, exacerber, excéder, exciter, fâcher, fatiguer, gonfler, hérisser, horripiler, impatienter, irriter.

EXAUCEMENT. Accomplissement, achèvement, couronnement, exécution, performance, perpétration, réalisation.

EXAUCER. Accomplir, apaiser, calmer, combler, complaire, demande, écouter, satisfaire, vœu.

EX CATHEDRA. Autoritairement, docte, doctoral, doctrinaire, emphatique, gnomique, grave, magistral, moral, pédant, pédantesque, pompeux, pontifiant, professoral, sentencieux, solennel.

EXCAVATEUR. Bouteur, bulldozer, chargeuse, chouleur, excavatrice, pelle, pelleteuse, pépine, tractopelle.

EXCAVATION. Acétabule, antre, aven, caverne, cavité, cloup, concavité, conque, coupure, creux, crône, enfoncement, fente, fontis, fossé, fouille, grotte, hypogée, mine, ossuaire, puits, tranchée, trou.

EXCAVER. Affouiller, approfondir, bêcher, creuser, déblayer, enfoncer, évider, fouiller, ouvrir, vider.

EXCÉDANT. Agaçant, alcoolimie, crispant, désagréable, encombrement, énervant, exaspérant, fatigant, harcelant, importun, inopportun, insupportable, irritant, rageant, révoltant, surcharge.

EXCÉDÉ. Agacé, assombri, chagriné, crispé, dépassé, fâché, fatigué, ennuyé, irrité, las, ras-le-bol, roué.

EXCÉDENT. Augmentation, bagage, bénéfice, boni, complément, dépassement, différence, énormité, excès, gain, morfil, plus-value, prime, rab, rallonge, reliquat, restant, reste, solde, suite, superflu, surcroît, surplus.

EXCÉDENTAIRE. Abandonnataire, adjudicataire, affectataire, aliénataire, allocataire, attributaire, bénéficiaire, cessionnaire, client, gagnant, juteux, légataire, nominataire, prestataire, profitable, rentable.

EXCÉDER. Abuser, accabler, agacer, combler, crisper, déborder, dépasser, déplaire, énerver, ennuyer, éreinter, exaspérer, exciter, fatiguer, géant, importuner, irriter, lasser, outrepasser, surmener, surpasser.

EXCELLEMMENT. Admirablement, bien, divinement, extrêmement, parfaitement, remarquablement.

EXCELLENCE. Altesse, éminence, magistrat, perfection, précellence, prix, qualité, supériorité, suprématie, titre.

EXCELLENT. Absolu, accompli, beau, bien, bon, divin, éminent, fin, habile, parfait, qualité, supérieur, trésor.

EXCELLER. Améliorer, briller, distinguer, illustrer, raffiner, signaler, surclasser, surpasser, triompher.

EXCENTRICITÉ. Bizarrerie, dévergondage, extravagance, fantaisie, folie, olibrius, originalité, singularité.

EXCENTRIQUE. Anormal, baroque, bigarré, bizarre, cocasse, comique, curieux, désaxé, drôle, étrange, extravagant, farfelu, hétéroclite, hurluberlu, incroyable, inouï, insolite, lunatique, olibrius, original, phénomène, saugrenu, spécial.

EXCENTRIQUEMENT. Admirablement, anormalement, baroquement, beaucoup, bizarrement, curieusement, drôlement, étonnamment, étrangement, extravagamment, formidablement, originalement, singulièrement.

EXCEPTÉ. Abstraction, exciper, hormis, hors, moins, ôté, sauf, sinon, tous, tout, unanime.

EXCEPTER. Écarter, épargner, exciper, hormis, omis, ôté, pardonner, sauf, sinon, tous, tout.

EXCEPTION. Aberration, abstraction, accroc, anomalie, bizarrerie, dérogation, déviation, exclusion, hormis, irrégularité, licence, merveille, monstre, particularité, phénomène, réserve, restriction, singularité, spécial, supérieur, trouvaille, unique.

EXCEPTIONNEL. Accidentel, anormal, antinaturel, bizarre, clairsemé, curieux, difficile, éminent, étonnant, étourdissant, étrange, extra, extraordinaire, grand, hors-série, inouï, merveilleux, rare, remarquable, sensas, sensass, sensationnel, seul, unique.

EXCEPTIONNELLEMENT. Affreusement, bien, éminemment, extraordinairement, extrêmement, notamment, parfaitement, particulièrement, principalement, rarement, remarquablement, spécialement, spécifiquement, supérieurement, surtout.

EXCÈS. Abus, adipose, aérogastrie, blettissement, comble, débauche, dèche, démesuré, emphase, éréthisme, exagération, hyperchlorhydrie, hyperglycémie, intempérance, luxe, malnutrition, naïveté, obésité, orgie, outre mesure, plus, répétion, ribote, ripaille, surplus, trop, trop-plein.

EXCESSIF. Abusif, anormal, astronomique, avare, bigot, corsé, démesuré, déraisonnable, disproportionné, enfer, énorme, exagéré, excès, exorbitant, extravagant, extrême, fol, fou, immodéré, intempérant, intempestif, ladre, monstrueux, outrageux, outrancier, prude, rage, salé, torride, trop, violent.

EXCESSIVEMENT. Abusivement, démesurément, déraisonnablement, énormément, exagérément, extrêmement, grandement, suprêmement, surabondamment, terriblement, torride, trop, usurairement, vertigineusement.

EXCIPER. Affirmer, alléguer, apporter, appuyer, arguer, avancer, citer, déduire, déposer, fournir, inférer, invoquer, objecter, opposer, poser, prétendre, prétexter, prévaloir, produire, raisonner, rapporter.

EXCIPIENT. Absorption, julep, médicament, miel, pommade, saccharol, salep, sirop, vaseline, vin.

EXCISE. Accise, ad valorem, capitation, charge, contribution, décime, dégrèvement, dîme, droit, écotaxe, franc-fief, imposition, impôt, maltôte, patente, redevance, surtaxe, tarif, taux, taxation, tribut.

EXCISION. Abscision, ablation, amputation, clitoridectomie, coupé, enlèvement, exérèse, iridectomie, tomie.

EXCITABILITÉ. Esthésie, impression, irrabilité, réceptivité, sensation, sensibilité, susceptibilité.

EXCITABLE. Affligeable, chatouilleux, délicat, froissable, irritable, nerveux, réceptif, sensible, susceptible.

EXCITANT. Affriolant, aguichant, alléchant, aphrodisiaque, appétissant, attisant, caféine, émoustillant, enivrant, enthousiasmant, érotique, exaltant, galvanisant, grisant, nicotine, passionnant, pimenté, provocant, sexy, stimulant, troublant.

EXCITATEUR. Agitateur, factieux, fauteur, fomenteur, instigateur, meneur, provocateur, stimulateur.

EXCITATION. Agitation, aigreur, appel, ardeur, chaleur, colère, cunnilingus, enthousiasme, éréthisme, érogène, fébrilité, fouet, fumée, hypermnésie, ivresse, nervosité, orgasme, rage, stimulus, survoltage.

EXCITÉ. Activé, agacé, agité, allumé, animé, attisé, avivé, charmé, émoustillé, encouragé, énergumène, énervé, enfiévré, enivré, enragé, érogène, exalté, fébrile, fiévreux, nerveux, tenté.

EXCITE. Aiguillon, appétissant, arête, bâton, bec, bœuf, chas, colonne, crochet, dard, dent, éperon, épine, fémelot, fibule, incitation, inerme, motivation, œil, piquant, pique, puceron, punaise, rostre, spicule, stimulant, stimule.

EXCITER. Activer, agacer, agiter, aiguillonner, allumer, altérer, animer, apitoyer, attirer, attiser, aviver, causer, charmer, chatouiller, embraser, émoustiller, encourager, énerver, enfiévrer, enivrer, enlever, enthousiasmer, éperonner, éveiller, exalter, exhorter, fouetter, griser, inciter, indigner, intriguer, piquer, provoquer, ranimer, réchauffer, remuer, soulever, stimuler, sus, tenter, titiller, va.

EXCLAMATION. Acclamation, ah, aïe, allô, bah, bon, bravo, ça, chut, clameur, crac, cri, eh, eurêka, fi, ha, hé, hein, ho, hom, hourra, interjection, na, oh, olé, ouf, paf, pan, pécaïre, pif, vocifération, zut.

EXCLAMER. Acclamer, admirer, applaudir, clamer, crier, écrier, étonner, extasier, récrier.

EXCLU. Affligé, déshérité, évincé, gueux, infortuné, malchanceux, malheureux, miséreux, paria, radié, réprouvé.

EXCLUANT. Bannissement, caste, divorce, écartement, élimination, exception, monopole, seul.

EXCLURE. Balayer, bannir, chasser, déposséder, disgracier, disqualier, divorcer, écarter, éliminer, éloigner, excepter, exiler, excommunier, expulser, index, ôter, prohiber, proscrire, radier, rayer, rejeter, renvoyer, repousser, répudier, séparer.

EXCLUSIF. Caste, concessionnaire, égoïste, jaloux, monopole, personnel, possessif, pur, spécial, spécifique, unique.

EXCLUSION. Avortement, bannir, défécation, disgrâce, éjection, évacuation, éviction, exception, exil, expulsion, huissier, ipéca, lessive, paria, pauvreté, refus, rejet, renvoi, sans, sauf, seul, xénélasie.

EXCLUSIVEMENT. Angéliquement, chastement, décemment, discrètement, intégralement, moralement, pudiquement, purement, saintement, seulement, totalement, uniquement, vertueusement, virginalement.

EXCLUSIVITÉ. Apanage, avantage, avis, concession, droit, enquête, escient, faveur, indication, info, information, insu, message, monopole, nouvelle, précision, privilège, recherche, renseignement, scoop, sensation.

EXCOMMUNICATION. Anathématisation, anathème, bannissement, blâme, blasphème, condamnation, damnation, déprécation, exclusion, expulsion, imprécation, malédiction, ostracisation, renvoi.

EXCOMMUNIÉ (n. p.). Cervantès, Döllinger, Lefebvre, Loisy, Savonorole.

EXCOMMUNIER. Abîmer, accuser, anathématiser, bannir, blâmer, censurer, chasser, condamner, critiquer, dauber, désapprouver, exclure, flétrir, honnir, huer, incriminer, interdire, larder, nuire, proscrire, punir, reprendre, réprimander, reprocher, retrancher, saler, salir, sévir, stigmatiser, vitupérer.

EX-CONJOINT. Ex.

EXCORIATION. Accroc, déchiqueture, déchirure, écorchure, égratignure, éraflement, éraflure, éraillure, érosion, griffure.

EXCORIER. Abîmer, accrocher, balafrer, blesser, choquer, déchirer, dépouiller, écorcher, égratigner, entailler, entamer, éplucher, érafler, érailler, griffer, grume, labourer, lacérer, peler, racler, voler.

EXCRÉMENT. Besoins, bouse, bran, bren, caca, chiasse, chiure, colombin, coprolithe, coprophage, crotte, crottin, déchet, diarrhée, étron, fèces, fiente, guano, merde, ordure, scatologie, scatophile, scatophage, selle, stercoraire, stercoral, troches, urine.

EXCRÉTER. Abstraire, anéantir, balancer, balayer, bannir, chasser, débarrasser, déterger, détourner, détruire, écarter, éliminer, enlever, épurer, évincer, lessiver, liquider, néantiser, ôter, rayer, rouir, sabrer, sortir, suer, supplanter, supprimer, tirer, trier, tuer, urée.

EXCRÉTION. Déjection, délivrance, écoulement, éjection, élimination, émission, émonction, éruption, évacuation, expulsion, méléna, péril, purge, retrait, sécrétion, sialorrhée, uriner, vidange, vomique.

EXCROISSANCE. Acromion, apophyse, appendice, bédégar, bosse, broussin, caroncule, condylome, coque, corne, crête, épine, épineuse, évagination, fic, fongosité, fongus, galle, loupe, protubérance, saillie, tubercule, tumeur, verrucosité, verrue.

EXCURSION. Aventure, balade, croisière, digression, équipée, marche, promenade, raid, randonnée, sortie, tour, tournée, voyage.

EXCURSIONNISTE. Coureur, étranger, explorateur, globe-trotter, navigateur, nomade, passager, pèlerin, pigeon, pinto, promeneur, ravenala, représentant, routard, touriste, vacancier, vagabond, vendeur, visiteur, voyageur.

EXCUSABLE. Acceptable, admissible, compréhensible, justifiable, pardonnable, rémissible, véniel.

EXCUSE. Absolution, alibi, allégation, bourde, couverture, décharge, défense, disculpation, échappatoire, explication, faux-fuyant, indulgence, invocation, justification, motif, pardon, prétexte, raison.

EXCUSER. Absoudre, accepter, acquitter, admettre, adoucir, alléguer, blanchir, couvrir, décharger, défarguer, disculper, effacer, éluder, exciper, exempter, innocenter, justifier, laver, pallier, pardonner, tolérer.

EXEAT. Admittatur, autorisation, celebret, congé, créance, imprimatur, laissez-passer, permis, permission.

EXÉCRABLE. Abominable, affligeant, affreux, calamiteux, consternant, dégoûtant, déplorable, dérisoire, désagréable, désastreux, détestable, épouvantable, horrible, imbuvable, immangeable, immonde, infect, insupportable, lamentable, minable, misérable, navrant, nul, odieux, pitoyable, répugnant.

EXÉCRATION. Abomination, aversion, dégoût, détestation, haine, horreur, répugnance, répulsion.

EXÉCRÉ. Abject, abominable, affreux, atroce, catastrophique, contraire, défavorable, effrayant, haïssable, maudit.

EXÉCRER. Abhorrer, abominer, aversion, détester, haïr, horreur, horrifier, maudire, sacrer.

EXÉCUTABLE. Devinable, faisable, facile, jouable, maîtrisable, possible, praticable, réalisable, simple.

EXÉCUTANT. Anticipant, bricoleur, chanteur, joueur, ponceur, praticien, saboteur, technicien, tueur.

EXÉCUTÉ (n. p.). Antonescu, Atahualpa, Babington, Ball, Beria, Bhutto, Bonhoeffer, Boukharine, Brasillach, Brown, Calder, Canaris, Cavaillès, Ceausescu, Ciano, Clarence, Crésus, Crivelli, Darnand, Davel, Dominiquin, Dudley, Eichmann, Essex, Ferrer, Fieschi, Flaxman, Gentile, Halladj, Jodl, Kamenev, Keitel, Kun, Lally, La Marck, Lancastre, Landru, Laval, Menderes, Monmouth, Montrose, Mortimer, Müntzer, Münzer, Nagy, Oldenbarnevelt, Orsini, Parménion, Perpenna, Priscillien, Quisling, Rais, Ralegh, Raleigh, Rays, Retz, Ribbentrop, Rizal, Rosenberg, Seymour, Slansky, Stofflet, Strafford, Tiso, Vaillant, Vercingétorix.

EXÉCUTÉ. Accompli, assimilable, conçu, échafaudé, élaboré, électrocuté, fabriqué, fadé, héliporté, imaginé, lauréat, léché, pendu, pensé, perfectionné, réalisé, recherché, réussi, soigné, sophistiqué, stylé, succès, venu.

EXÉCUTER. Accomplir, anticiper, bourreau, bousiller, cochonner, électrocuter, enlever, évoluer, faire, fignoler, fusiller, guillotiner, hart, jouer, lécher, lyncher, moduler, mouler, opérer, pendre, perler, plafonner, réaliser, remplir, réussir, roder, saboter, saloper, supplicier, tirer, tricoter, triller, tuer.

EXÉCUTEUR. Assassin, barbare, boucher, bourreau, capeluche, dépravé, exécutant, fusilleur, guillotineur, meurtrier, monstre, psychopathe, réalisateur, sadique, sado, sanguinaire, testamentaire, tordu, tortionnaire, tourmenteur, tueur, valet.

EXÉCUTIF. Attitré, chargé, couvert, émissaire, empreint, équilibré, gouvernant, gouvernement, lesté, obscur, occupé, plein, politique, pouvoir, préposé, sénat, tarabiscoté, touffu.

EXÉCUTION. Achèvement, assassinat, attaque, bâclage, coconnage, création, effet, électrocution, faire, massacre, œuvre, opération, production, réalisation, rubato, sécheresse, sous-traitance, supplice.

EXÉCUTOIRE. Avis, bref, bulle, écrit, édit, formule, mandat, mandement, moratoire, restriction.

EXÈDRE. Amphithéâtre, antichambre, apadana, auditorium, aula, bauge, cabinet, cella, cénacle, chambre, cinéma, classe, dortoir, échaudoir, enceinte, entrée, étude, foyer, galerie, hall, iwan, loge, mégaron, mess, morgue, naos, odéon, parloir, pièce, planétarium, prétoire, réfectoire, salle, salon, séjour, studio, théâtre, trinquet, vivoir.

EXÉGÈSE. Analyse, annotation, commentaire, critique, définition, épilogue, explication, glose, herméneutique, interprétation, massorah, note, notule, observation, paraphrase, postface, préface, remarque, scolie.

EXÉGÈTE (n. p.). Bea, Bultmann, Lagrange, Loisy, Origène, Porphurios, Porphyre, Strauss.

EXÉGÈTE. Allégoriste, analyse, annotateur, censeur, commentateur, critique, crucial, décisif, diatribe, difficile, étude, glosateur, glossateur, grave, herméneute, juge, observateur, sérieux, soupçonneux, zoïle.

EXEMPLAIRE. Aperçu, copie, duplicata, échantillon, édifiant, édition, épreuve, gabarit, honnête, justificatif, modèle, moral, parangon, parfait, patron, polycopie, prototype, réplique, triplicata, saint, spécimen, vertueux.

EXEMPLARITÉ. Absoluité, complétude, entier, exhaustivité, globalité, infini, perfection, pureté, qualité, totalité.

EXEMPLE. Aperçu, archétype, argument, comme, contagion, échantillon, édification, émulation, imitation, inouï, instar, là, modèle, montrance, paradigme, parangon, preuve, règle, sillage, spécimen, type.

EXEMPT. Affranchi, aseptique, blanc, déchargé, dégagé, dépourvu, dispensé, exonéré, franc, immunisé, indemne, intact, libéré, libre, limpide, net, policier, préservé, propre, pur, quitte, sain, sauf, serein.

EXEMPTER. Abriter, absoudre, acquitter, affranchir, amnistier, décharger, dégager, dégrever, détaxer, dispenser, écarter, épargner, éviter, excuser, exonérer, garantir, gracier, immuniser, libérer, pardonner, préserver.

EXEMPTION. Abri, amnistie, décharge, diminution, dispense, exonération, faveur, franchise, remise.

EXERCÉ. Adroit, cotuteur, exerçant, expérimenté, expert, habile, inexercé, rétenteur, retrayant, versé.

EXERCER. Action, affecter, agir, commander, cumuler, devoir, diriger, dominer, écrire, entraîner, essayer, ester, faire, influer, manœuvre, occuper, plié, poursuivre, réagir, régner, remplir, répéter, sévir, siéger, sport, subjuguer, tenir, tirer, toréer, travailler, veiller, verser.

EXERCICE. Acrobatie, action, ascèse, conférence, dictée, entraînement, étirement, gymnastique, looping, manège, manœuvre, marche, mouvement, plier, pratique, salve, saut, sport, thème, tir, version, voltige, xyste.

EXERCISEUR. Bodybuilding, culturisme, exercice, extenseur, gonflette, gymnastique, musculation, musculature.

EXÉRÈSE. Abscision, ablation, amputation, arrachement, coupe, déracinement, enfleurage, enlevé, énucléation, évulsion, excision, extirpation, extraction, fonte, lixiviation, métallurgie, naissance, né, noble, opération, origine, sous-produit, tiré, tomie.

EXERGUE. Devise, épigramme, épigraphe, épitaphe, espace, évidence, ex, graffiti, inscription, texte.

EXFOLIATION. Chute, dartre, destruction, écaillement, effanage, gerçure, gommage, peeling, rhagade.

EXFOLIER. Cloisonner, dédoubler, défolier, dégarnir, dépouiller, dérober, desquamer, détartrer, disjoindre, écailler, écorcer, écorcher, enlever, éplucher, excorier, muer, ôter, peler, pleumer, racler, rober, séparer.

EXHALAISON. Arôme, effluve, émanation, fumet, méphitiser, miasme, odeur, parfum, puanteur, senteur, souffle, vapeur.

EXHALE. Dégage, émane, embaume, expire, exprime, fume, odorant, parfume, pue, répand, sent, sue.

EXHALER. Découler, dégager, dériver, émaner, épancher, fumer, puer, rendre, sentir, sortir, suer, transpirer.

EXHAUSSEMENT. Affleurement, billon, colmatage, écaillage, élévation, émeute, excitation, haussement, insurrection, levée, redressement, répulsion, révolte, révolution, saut, sédition, soulèvement, surélévation.

EXHAUSSER. Adorer, augmenter, bâtir, construire, crier, dispenser, dresser, édifier, éduquer, élever, ériger, exalter, fonder, former, grouper, hausser, hisser, idolâtrer, instituer, lever, monter, nourrir, poétiser, promouvoir, remonter, soulever, surélever.

EXHAUSTIF. Absolu, complet, entier, global, inconditionnel, intégral, parfait, plein, rigoureux, total.

EXHAUSTIVEMENT. Absolument, complètement, entièrement, foncièrement, intégralement, totalement, tout à fait.

EXHAUSTIVITÉ. Absoluité, complétude, généralité, globalité, total, totalité, tous, tout, ubiquité, universalité.

EXHÉRÉDER. Défavoriser, déposséder, dépouiller, désavantager, déshériter, évincer, frustrer, priver, voler.

EXHIBER. Afficher, arborer, braver, déballer, déployer, désigner, développer, énoncer, ensoleiller, étaler, éventer, exposer, formuler, indiquer, insoler, irradier, montrer, motiver, narrer, parader, saisir, traiter.

EXHIBITION. Déploiement, numéro, parade, présentation, représentation, salon, spectacle.

EXHIBITIONNISTE. Exhibo, impudent, nuvite, nuvitisme, perverti, satyre, streaker, vaniteux.

EXHORTATION. Admonestation, appel, excitation, invitation, recommandation, sermon.

EXHORTER. Encourager, engager, exciter, inciter, inspirer, intimer, mû, prier, suborner, suggérer, tenter.

EXHUMATION. Déplantation, dépotage, déracinement, déterrage, déterrement, exploration, extirpation.

EXHUMER. Découvrir, déterrer, extraire, produire, ranimer, rappeler, ressortir, ressusciter, sortir.

EXIGÉ. Arrangé, commandé, délibéré, désiré, fixé, médité, nécessaire, prescrit, réclamé, requis, souhaité, volontaire, voulu.

EXIGEANT. Absorbant, délicat, difficile, intraitable, nitrophile, pointilleux, précis, rigoureux, rosse, sévère.

EXIGENCE. Appétit, besoin, caprice, chinoiserie, désir, diktat, envie, faim, jeûne, laver, manque, misère, narcolepsie, nécessité, obligation, prétention, prier, privation, rigueur, soif, sommeil, ultimatum, urgence.

EXIGER. Assassiner, demander, imposer, indigner, nécessiter, obliger, prendre, prescrire, rançonner, réclamer, vouloir.

EXIGIBLE. Accompli, achevé, acquis, arrivage, arrivé, échu, dévolu, dû, échéance, encours, escompte, expiré, incombe, installé, né, nécessaire, parvenu, quérable, reconnu, rendu, résolu, strict, survenu, terme, venu.

EXIGU. Aigu, ample, bréviligne, chétif, collant, confiné, court, dérisoire, effilé, étendu, étriqué, étroit, faible, fin, juste, large, médiocre, menu, mince, minime, ouvert, petit, resserré, rétréci, spacieux, vaste.

EXIGUÏTÉ. Étroitesse, infimité, médiocrité, mesquinerie, modestie, modicité, parcimonie, petitesse.

EXIL. Ban, bannissement, déportation, expatriation, expulsion, ostracisme, pétalisme, relégation, renvoi.

EXILÉ. Banni, émigré, expatrié, expulsé, interdit, perdu, proscrit, réfugié, relégué, sans-papiers, tricard.

EXILER. Bannir, chasser, déporter, émigrer, expatrier, expulser, interdire, proscrire, rappeler, reléguer.

EXISTANT. Actuel, authentique, certain, concret, démontré, effectif, exact, factuel, palpable, présent, réel.

EXISTE. Admis, authentique, certain, es, est, été, être, fictif, imaginaire, incréé, inventé, mort, nul, vis, vit.

EXISTENCE. Concret, état, être, existentiel, matière, néant, présence, réalité, ressource, véracité, vérité, vie.

EXISTENTIALISTE (n. p.). Camus, Grenier, Sartre.

EXISTENTIALISTE. Élégant, essentialiste, excentrique, philosophe, zazou.

EXISTER. Abonder, agir, coexister, compatible, consacrer, consommer, croupir, dater, dévouer, durer, être, habiter, infester, précéder, pourrir, pulluler, régner, respirer, sommeiller, subsister, végéter, vivre.

EXIT. Aboutissement, accul, après, cul-de-sac, débouché, dégagement, émonctoire, entrée, fenêtre, fin, issue, ouverture, passage, porte, rade, résultat, réussite, solution, sortie, succès, terme, vomitoire.

EXOBIOLOGIE. Astrobiologie, astronomie, bioastrologie, biologie.

EXODE (n. p.). Moïse, Our, Pentateuque, Trek, Ur.

EXODE. Abandon, départ, dépeuplement, déplacement, désertion, émigration, évasion, fuite, migration, ré.

EXOGAMIE. Coutume, endogamie, exgomamique, mariage, obligation, règle, responsabilité.

EXONÉRATION. Abattement, affranchissement, allégement, décharge, déduction, dégrèvement, diminution, dispense, exemption, franchise, immunité, libération, liberté, prérogative, privilège, remise, vaccination.

EXONÉRER. Décote, déféquer, dégrever, dispenser, exempter, impôt, libérer, ôter, soulager.

EXORBITANT. Colossal, coûteux, démesuré, déraisonnable, dingue, dispendieux, énorme, estimable, exagéré, excès, excessif, extravagant, extrême, fou, onéreux, précieux, prix, rare, salé, surpayer.

EXORCISER. Adjurer, chasser, conjurer, désenvoûter, délivrer, désensorceler, purifier.

EXORCISME. Adjuration, conjuration, délivrance, désensorcellement, désenvoûtement, obsécration, purification, supplication.

EXORCISTE. Adjurer, adorer, briguer, charmer, chasser, comploter, conjurer, crier, écarter, empêcher, éviter, évoquer, exorciser, implorer, insister, invoquer, parer, prévenir, prier, solliciter, supplier.

EXORDE. Commencement, début, discours, introduction, préambule, préliminaires, prélude, prologue.

EXOSTOSE. Broussin, éparvin, épervin, forme, loupe, nodosité, os, ossification, suros, tumeur.

EXOTIQUE. Aborigène, caniculaire, équatorial, étrange, inhabituel, lointain, torride, tropical.

EXPANSIBLE. Accommodant, allongeable, bande, caoutchouc, complaisant, compressible, dilatable, ductile, élastique, extensible, flexible, gomme, jarretelle, jarretière, ressort, souple, variable.

EXPANSIF. Chaleureux, communicatif, confiant, démonstratif, explosif, franc, jubilatif, prospère, souple.

EXPANSION. Baside, boom, coquille, croissance, décompression, détente, développement, diffusion, dilatation, effusion, épanchement, épanouissement, essor, explosion, extension, propagation, rostre, tentacule.

EXPANSIONNISME. Absolutisme, annexionnisme, autoritarisme, colonialisme, despotisme, impérialisme, paternalisme.

EXPANSIVITÉ. Abondance, communicatif, débit, débordement, éloquence, emballement, expressivité, exubérance, facilité, incontinence, logomachie, luxuriance, manie, profusion, surabondance, vitalité.

EXPATRIATION. Bannissement, déménagement, déportation, émigration, évasion, exil, extradition, péril, quitter.

EXPATRIÉ. Banni, déplacé, émigré, exilé, expulsé, interdit, perdu, proscrit, réfugié, relégué, sans-papiers, tricard.

EXPATRIER. Abandonner, abdiquer, bannir, chasser, émigrer, exiler, expatriation, migrer, quitter.

EXPECTATIVE. Attente, espérance, espoir, expectance, expectation, opportunisme, patience, perspective.

EXPECTORANT. Acétylcystéine, antitussif, béchique, codéine, dextrométhorphane, expulsif, fluidifiant, gyaifénésine, hydrocodone, hydromorphine, kermès, poudre des chartreux, remède, sirop.

EXPECTORATION. Bronchorrhée, crachat, crachement, expulsion, glaviot, graillon, hémoptysie, mollard, toux.

EXPECTORER. Bâcler, cracher, crachoter, époumoner, éternuer, expulser, spasme, tousser, toussoter.

EXPÉDIENT. Accommodement, acrobatie, adéquat, astuce, combine, convenable, échappatoire, indiqué, intrigue, mesure, moyen, opportun, palliatif, procédé, ressource, rétablissement, ruse, solution, truc.

EXPÉDIER. Bâcler, céder, confier, envoyer, faire, fournir, lâcher, livrer, poster, rendre, torcher, trousser.

EXPÉDITEUR. Consignateur, destinateur, envoyeur, exportateur, manutentionnaire, négociant, vendeur.

EXPÉDITIF. Actif, agile, alerte, diligent, empressé, hâtif, précipité, prompt, rapide, sommaire, vif.

EXPÉDITION (n. p.). Abruzzes, Amundsen, Byrd, Ellworth, Hearst, Iermak, Nansen, Papanine, Parry, Peary, Scott, Shachleton, Wilkins.

EXPÉDITION. Campagne, chargement, chevauchée, consignation, copie, course, croisade, envoi, épreuve, étude, gare, greffe, grosse, mille, poste, raid, ratonnade, réalisation, safari, tuer, voyage.

EXPÉDITIVEMENT. Allegro, ardemment, brusquement, brutalement, durement, embrasement, fortement, fulgurant, hâtivement, intensément, précipitamment, pressant, prestement, profondément, promptement, rapidement, sèchement, vivement

EXPÉRIENCE. Acquis, connaissance, école, épreuve, éprouvette, essai, expérimentation, habileté, habitude, hier, maturité, nouveau, pratique, routine, sagesse, savoir, savoir-faire, science, test, usage, vécu.

EXPÉRIMENTAL. Acritique, empirique, modèle, naïf, pilote, pragmatique, pratique, rationnel, routinier.

EXPÉRIMENTALEMENT. Concrètement, effectivement, empiriquement, en fait, guère, matériellement, objectivement, positivement, pratiquement, quasiment, réalistement, réellement, tangiblement, véritablement, vraiment.

EXPÉRIMENTATION. Application, confrontement, constatation, épreuve, essai, expérience, test.

EXPÉRIMENTÉ. Adroit, apte, averti, bon, capable, chevronné, compétent, compétitif, consommé, dégourdi, distingué, émérite, éprouvé, essayé, exercé, expert, ferré, fort, habile, mûri, rompu, sage, savant, versé.

EXPÉRIMENTER. Aviser, chevronner, éprouver, essayer, goûter, observer, oser, risquer, subir, tenter, tester, verser.

EXPERT. As, capable, chartiste, compétent, connaisseur, expérimenté, habile, priseur, professionnel, sapiteur, savant.

EXPERTISE. Analyse, apurement, confirmation, considération, constatation, contrôle, critique, démonstration, enquête, enregistrement, épluchage, épreuve, essai, estimation, étude, évaluation, examen, expérience, filtrage, inspection, inventaire, justification, observation, pointage, recensement, récolement, reconnaissance, révision, revue, surveillance, test, vérification.

EXPERTISER. Apprécier, calculer, considérer, déterminer, estimer, évaluer, goûter, juger, peser, soupeser.

EXPIATION. Châtiment, peine, pénalité, pénitence, piaculaire, punition, rachat, réparation, sanction.

EXPIATOIRE. Asthme, compensatoire, expiateur, indemnitaire, piaculaire, réparatoire, satisfactoire.

EXPIER. Arranger, compenser, consolider, ébrouer, inexpié, infliger, payer, purgatoire, racheter, réparer, sévir.

EXPIRANT. Agonisant, déclinant, dissipant, finissant, moribond, mourant, respirant, soufflant, subclaquant.

EXPIRATION. Délai, échéance, éternuement, exhalation, fin, prescription, souffle, terme, toux.

ÉXPIRÉ. Claboté, décédé, disparu, échu, exhalé, passé, respiré, soufflé, succombé, trépassé, tué.

EXPIRER. Aspirer, échoir, éteindre, échoir, exalter, exhaler, finir, mourir, périr, respirer, souffler.

EXPLÉTIF. Attirail, en, exagéré, futile, inutile, légende, ne, redondant, superflu, surabondant, trop.

EXPLICABLE. Abscons, abstrait, abstrus, accessible, adéquat, clair, cohérent, compréhensible, concevable, défendable, déchiffrable, facile, intelligible, naturel, normal, pardonnable, pénétrable, saisissable, simple.

EXPLICATIF. Annotation, apostille, commentaire, éclairant, exemplificateur, glose, illustratif, note, remarque, scoliaste.

EXPLICATION. Avis, car, c'est-à-dire, éclaircissement, élucidation, exégèse, exposé, glose, hein, notice, oniromancie, raison, théorie.

EXPLICITE. Catégorique, clair, clé, clef, compréhensible, détaillé, formel, limpide, net, précis.

EXPLICITEMENT. Catégoriquement, clairement, expressément, formellement, nettement, positivement.

EXPLICITER. Affirmer, alléguer, articuler, avancer, clarifier, déclarer, définir, délimiter, détailler, déterminer, développer, énoncer, établir, exposer, fixer, formuler, particulariser, préciser, souligner, spécifier, stipuler.

EXPLIQUÉ. Allégorisé, annoncé, commenté, communiqué, défini, éclairé, enseigné, justifié, raconté.

EXPLIQUER. Commenter, décrire, définir, éclaircir, élucider, énoncer, enseigner, exposer, légender, lire, montrer.

EXPLOIT. Action, bravoure, geste, haut fait, performance, prestation, prouesse, raid, record, vaillantise.

EXPLOITABLE. Arable, cultivable, fertile, labourable, meuble, nourricier, possible, rentable, riche.

EXPLOITANT. Agriculteur, carrier, colon, consortage, cultivateur, métayer, saunier, serriste.

EXPLOITATION. Agricole, amodiation, borderie, carrière, charlatanisme, concession, earl, faire-valoir, ferme, fonderie, gérance, hacienda, kibboutz, kolkhoz, linux, métairie, orpaillage, puits, salin, sovkhoz, tenure.

EXPLOITER. Abuser, bénéficier, commercialiser, dépiler, escroquer, estamper, maquer, mercantiliser, pressurer, profiter, rouler, sous-exploiter, sous-payer, spolier, surexploiter, tondre, utiliser, veine, voler.

EXPLOITEUR. Abuseur, affameur, bonimenteur, cabotin, captieux, chafouin, charlatan, décevant, déloyal, dupeur, fallacieux, faux, feinteur, fraudeur, hypocrite, illusoire, mensonger, menteur, perfide, profiteur, sangsue, spoliateur, tricheur, trompeur.

EXPLORATEUR. Astronaute, broussard, chercheur, cosmonaute, découvreur, excursionniste, globe-trotter, navigateur, nomade, passager, pèlerin, promeneur, prospecteur, ravenala, touriste, visiteur, voyageur.

EXPLORATEUR ALLEMAND (n. p.). Barth, Behaim, Drygalski, Humboldt, Nachtigal.

EXPLORATEUR AMÉRICAIN (n. p.). Boone, Byrd, Ellsworth, Peary.

EXPLORATEUR ANGLAIS (n. p.). Baffin, Banks, Cameron, Chancellor, Cook, Dampier, Davis, Eyre, Franklin, Frobisher, Hooker, Hudson, Livingstone, McClure, Parry, Raleigh, Scott, Shackleton, Speke, Stanley, Willoughby.

EXPLORATEUR AUSTRALIEN (n. p.). Wilkins.

EXPLORATEUR BELGE (n. p.). Gerlache de Gomery.

EXPLORATEUR BRITANNIQUE (n. p.). Baker, Burton, Cook, Eyre, Franklin, Fraser, Frobisher, Hudson, McClure, Parry, Ross, Skackleton, Vancouver.

EXPLORATEUR CANADIEN (n. p.). Fraser, La Vérendrye, Marquette, Nicolet, Pavie.

EXPLORATEUR CARTHAGINOIS (n. p.). Hannon, Himilcon.

EXPLORATEUR CRÉTOIS (n. p.). Néarque.

EXPLORATEUR DANOIS (n. p.). Behring, Bering, Rasmussen.

EXPLORATEUR ÉCOSSAIS (n. p.). Clapperton, Livingstone, Mackenzie.

EXPLORATEUR ESPAGNOL (n. p.). Cano, Colomb, Fernandez, Grijalva, Ojeta, Orellana, Nunez, Pinzon, Torrès.

EXPLORATEUR FLORENTIN (n. p.). Vespucci.

EXPLORATEUR FRANÇAIS (n. p.). Binger, Bougainville, Brazza, Brûlé, Caillé, Cartier, Casteret, Champlain, Charcot, Chardin, Charlevoix, Chauminot, Chouart, Crevaux, Dablon, David-Néel, Duperrey, Duveyrier, Flatters, Foucauld, Foureau, Freycinet, Gentil, Groseilliers, Joliet, Jolliet, Lamy, Lasalle, Lemoyne d'Iberville, Lhote, Maisonneuve, Marchand, Marquette, Martel, Monfreid, Pavie, Radisson, Segalen, Victor.

EXPLORATEUR GÉNOIS (n. p.). Colomb.

EXPLORATEUR GREC (n. p.). Pausanias, Pythéas.

EXPLORATEUR IRLANDAIS (n. p.). McClintock.

EXPLORATEUR ITALIEN (n. p.). Cabot, Nobile, Verrazano, Vespucci.

EXPLORATEUR NÉERLANDAIS (n. p.). Barents, Barentz.

EXPLORATEUR NORMAND (n. p.). Béthencourt.

EXPLORATEUR NORVÉGIEN (n. p.). Amundsen, Érick Le Rouge, Heyerdahl, Nansen.

EXPLORATEUR PORTUGAIS (n. p.). Cabral, Cam, Cao, Castro, Covilham, Cunha, Dias, Gama, Magellan, Queiros, Tristam.

EXPLORATEUR PRUSSIEN (n. p.). Humboldt.

EXPLORATEUR RHODÉSIEN (n. p.). Livingstone.

EXPLORATEUR RUSSE (n. p.). Kotzebue, Papanine, Prjevalski, Przewalski, Severtsov.

EXPLORATEUR SUÉDOIS (n. p.). Nordenskjöld.

EXPLORATEUR SUISSE (n. p.). Burckhardt.

EXPLORATEUR VÉNITIEN (n. p.). Polo.

EXPLORATION. Analyse, approfondissement, détection, étude, examen, exhumation, expédition, fouille, invasif, invention, mission, prospection, recherche, sondage, succession, trouvaille, voyage.

EXPLORATOIRE. Auparavant, commencement, étude, exorde, introductif, introduction, préalable, préambule, préavis, précaution, préface, préliminaire, prélude, préparatoire, primitif, projet, prologue

EXPLORATRICE (n. p.). David-Neel.

EXPLORER. Balayer, chercher, étudier, examiner, fouiller, fouiner, palper, parcourir, scruter, sonder, tâter.

EXPLOSER. Déflagrer, détoner, détonner, éclater, fulminer, imploser, partir, percuter, péter, sauter.

EXPLOSIF (n. p.). Lydie.

EXPLOSIF. Amorce, bombe, butane, carburant, cheddite, comburant, cordite, détonation, dynamite, fusée, gaz, glycérine, hexogène, ladite, mèche, mélinite, mine, missile, obus, panclastite, pentrite, poudre, roburite, t.n.t., tolite.

EXPLOSION. Apparition, big bang, bruit, déflagration, détonation, éclatement, expansion, hilarité, humour, ire, joie, libération, manifestation, moteur, ouragan, pétarade, pouf, réaction, retardement, rire, tempête.

EXPORTATEUR. Commerçant, envoyeur, expéditeur, manutentionnaire, négociant, vendeur.

EXPORTATION. Commerce, dumping, expatriation, expédition, export-import, transit, vente.

EXPORTER. Commercialiser, embargo, envoyer, transfigurer, transformer, troquer, vendre.

EXPOSANT. Demandeur, exponentiel, logarithme, mantisse, népérien, puissance, représentant, table.

EXPOSÉ. Aéré, altéré, aperçu, énoncé, ensoleillé, éventé, explication, exposition, mémoire, mémorandum, narration, notice, notule, périlleux, plaidoirie, plan, rapport, récit, relation, sain, sommaire, sujet, synthèse, thèse, topo, versant.

EXPOSER. Aérer, aventurer, braver, compromettre, détonner, dévider, encourir, énoncer, ensoleiller, étaler, éventer, exhiber, expliciter, expliquer, formuler, hasarder, insolation, insoler, irradier, montrer, motiver, narrer, présenter, retracer, risquer, saisir, traiter, vilipender.

EXPOSITION. Biennale, clou, étalage, étalement, évent, éventaire, expo, foire, floralies, galerie, gémonies, insolation, kiosque, midi, pilori, présentation, protase, salon, salut, stand, showroom, vernissage.

EXPRÈS. Clair, conscient, délibéré, intention, intentionnel, messager, net, réfléchi, spécialement, volontairement.

EXPRESSÉMENT. Absolument, consciemment, délibérément, explicitement, exprès, intentionnellement, nettement, précisément.

EXPRESSIF. Animé, atone, bavard, cantabile, coloré, démonstratif, éloquent, énergique, espressivo, hot, jovial, mimique, mobile, parlant, phrasé, pittoresque, significatif, smiley, vif, vivant.

EXPRESSION. Accent, air, allégorie, âme, apax, art, aspect, binôme, caractère, cliché, élocution, émanation, énoncé, équation, figure, formule, hapax, juron, jus, lexie, litote, locution, lyrisme, mimique, mine, néologisme, physionomie, purée, raccourci, regard, sourire, style, théorème, ton, tournure, trait d'esprit, trivialité, verbe, voix.

EXPRESSIONNISTE (n. p.). Benn, Ensor, Gaigin, Grosz, Heckel, Heym, Lang, Lehmbruck, Leni, Macke, Matisse, Munch, Nolde, Orozco, Pascin, Smet, Stadler, Tamayo, Toller, Trakl, Unruh, Wiene, Zadkine.

EXPRESSIVITÉ. Abondance, communicatif, débit, débordement, éloquence, emballement, expansivité, exubérance, facilité, incontinence, logomachie, luxuriance, manie, profusion, surabondance, vitalité.

EXPRIMABLE. Affirmable, avouable, déclarable, dicible, énonçable, formulable, proclamable.

EXPRIMÉ. Dit, duratif, écrit, émis, énoncé, essoré, figure, implicite, peinture, souhait, suc, tacite, tapé.

EXPRIMER. Asséner, bêtifier, briller, camper, clamer, déclarer, déterminer, dire, écrire, émettre, énoncer, entortiller, extérioriser, formuler, gémir, marmonner, maudire, mimer, nuancer, numériser, opiner, parler, penser, presser, prier, rédiger, refléter, remercier, respirer, rire, signer, souhaiter, spécifier, témoigner, tonitruer, traduire, voter.

EXPROPRIATION. Appropriation, bannissement, blocus, confiscation, désapprovisionnement, embargo, exécution, expulsion, gel, immobilisation, mainmise, prise, privation, saisie, séquestre, suppression.

EXPROPRIER. Déchoir, déplumer, déposséder, dépouiller, déshériter, évincer, exécuter, ôter, priver, ruiner, saisir, spolier, tondre.

EXPULSÉ. Banni, déporté, exilé, expatrié, interdit, proscrit, réfugié, relégué, sans-papiers, tricard.

EXPULSER. Avorter, balayer, bannir, chasser, déféquer, déloger, écouler, éjaculer, éjecter, éliminer, éloigner, épurer, éternuer, évacuer, évincer, exclure, exiler, expirer, mourir, projeter, quitter, renvoyer, vider, virer.

EXPULSION. Avortement, bannir, défécation, déportation, disgrâce, éjection, éternuement, évacuation, éviction, exclusion, exil, extradition, huissier, interdiction, ipéca, pet, proscription, radiation, rejet, rot, xénélasie.

EXPURGER. Censurer, châtrer, clarifier, corriger, couper, décanter, épurer, filtrer, mutiler, retrancher.

EXQUIS. Adorable, agréable, bon, charmant, délectable, délicat, délicieux, divin, friandise, nanan, suave.

EXQUISÉMENT. Adorablement, agréablement, bon, délicieusement, savoureusement, suavement, voluptueusement.

EXSANGUE. Anémique, blafard, blanc, blême, blet, bleu, cadavérique, cireux, émacié, éteint, fade, faible, fané, gris, hâve, livide, maladif, mauve, pâle, pâlot, plat, plombé, terne, terreux, vert.

EXSUDAT. Écoulement, éosinophile, éruption, flux, globule, granulocyte, infiltrat, leucocyte, liquide, lymphocyte, manne, mastzelle, mononucléaire, myélocyte, polynucléaire, pus, sang, séreux, sérosité, transsudat.

EXSUDATION. Débordement, distillation, éruption, extravasation, flux, fuite, infiltration, inondation, miellée, miellure, naufrage, noyade, ravinement, sécrétion, submersion, sueur, transpiration.

EXSUDER. Couler, déborder, dégouliner, distiller, fuir, inonder, pleurer, sécréter, suer, suinter, transpirer.

EXTASE. Admiration, adoration, anagogie, béatitude, bonheur, chaman, charme, contemplation, émerveillement, enivrement, exaltation, félicité, ivresse, lévitation, mysticisme, ravissement, transport, yoga.

EXTASIÉ. Admiratif, contemplatif, ébahi, éberlué, ébloui, émerveillé, figé, ivre, pâmé, parti, prosterné, ravi, transi.

EXTASIER. Admirer, aduler, apprécier, bader, contempler, dédaigner, émerveiller, emballer, engouer, enthousiasmer, glorifier, goûter, groupie, louanger, mépriser, mirer, pâmer, piger, regarder, trouver.

EXTATIQUE. Ardent, chaleureux, chaud, contemplateur, enthousiasmé, enthousiaste, extasié, idéaliste, illuminé, irréaliste, méditatif, optimiste, poète, rêvasseur, rêveur, songeur, utopiste, visionnaire.

EXTATIQUEMENT. Agréablement, allègrement, béatement, bienheureusement, euphoriquement, gaiement, heureusement, jovialement, joyeusement, plaisamment, radieusement.

EXTENSEUR. Bodybuilding, culturisme, exercice, exerciseur, gonflette, gymnastique, muscle, musculation, musculature.

EXTENSIBLE. Agilité, aisance, anélasticité, dilatabilité, diplomatie, ductile, ductilité, élasticité, élastique, étirable, flexibilité, légèreté, liant, malléabilité, maniabilité, moulabilité, pandémique, plasticité, rénitence, ressort, rouiller, souple, souplesse, sveltesse.

EXTENSION. Agrandissement, allonge, augmentation, circonscrire, détente, développé, développement, distension, empiètement, entorse, essor, étendue, inflation, pandémie, phagédénisme, plan, propagation, stretching, traction.

EXTÉNUANT. Blâmant, claquant, critiquant, démolissant, déprimant, épuisant, éreintant, fatigant, usant.

EXTÉNUATION. Accablement, appauvrissement, asthénie, courbature, épuisement, éreintement, exhaure, fatigue, harassement, lassitude, lilote, ostéoporose, raréfaction, tarissement, usure.

EXTÉNUER. Accabler, affaiblir, atténuer, briser, épuiser, éreinter, fatiguer, harasser, miner, tarir, user, vider.

EXTÉRIEUR. Aile, air, allure, apparence, apparent, aspect, attitude, au dehors, brillant, caché, dehors, étranger, externe, extra-muros, extrinsèque, façade, hors, manifeste, périphérie, visible, zeste.

EXTÉRIEUREMENT. Apparemment, dehors, extrinsèquement, manifestement, superficiellement, visiblement.

EXTÉRIORISATION. Affirmation, communication, déclaration, démonstration, divulgation, élocution, énoncé, énonciation, explication, expression, formulation, mention, stipulation, verbalisation.

EXTÉRIORISER. Bâiller, démontrer, dire, divulguer, énoncer, exprimer, manifester, montrer, verbaliser.

EXTERMINATEUR. Anthropophage, atroce, barbare, boucher, bourreau, cannibale, cruel, féroce, herbe, meurtrier, monstre, ogre, papavéracée, sadique, sanglant, sanguinaire, sauvage, tigre, vampire, violent.

EXTERMINATION. Anéantissement, ethnocide, génocide, holocauste, liquidation, massacre, suppression.

EXTERMINER. Anéantir, annihiler, décimer, dératiser, détruire, éteindre, génocide, massacrer, supprimer, tuer.

EXTERNE. Aile, air, allure, apparence, apparent, aspect, attitude, au dehors, brillant, caché, dehors, étranger, extérieur, extra-muros, extrinsèque, façade, hors, manifeste, médecin, périphérie, visible, zeste.

EXTINCTION. Anéantir, anesthésie, aphonie, brûler, cessation, fin, finir, hypnose, nirvana, rachat, sommeil.

EXTIRPATEUR. Brise-mottes, croskill, déchaumeuse, écroûteuse, émotteuse, hérisson, herse, scarificateur.

EXTIRPATION. Ablation, amputation, arrachement, césarienne, destruction, énucléation, éradication, excision, exérèse.

EXTIRPER. Anéantir, arracher, décoquiller, dégager, déraciner, desceller, désincruster, dessertir, détruire, enlever, ●nucléer, éradication, éradiquer, escroquer, extirpation, extraire, inextirpable, ôter, sortir.

EXTORQUER. Arracher, détourner, enlever, escroquer, filouter, rançonner, ravir, soutirer, taxer, voler.

EXTORQUEUR. Aigrefin, arnaqueur, bandit, brigand, canaille, crapule, cuisinier, escroc, faisan, fraudeur, fricoteur, gangster, gredin, malfaisant, malfaiteur, pirate, profiteur, trafiquant, tripoteur, voleur, voyou.

EXTORSION. Chantage, compromission, concussion, corruption, déprédation, rachat, racket.

EXTRA. Épatant, étonnant, exceptionnel, formidable, merveilleux, personne, remarquable, sensationnel, service, super, supérieur, terrible.

EXTRACTEUR. Aérateur, ailette, aube, auget, centrifugeuse, centrifuge, centripète, épulpeur, essoreuse, hématocrite, presse-agrumes, presse-fruits, presse-jus, peltron, presse-orange, rotor, turboréacteur, tuyère, turbine.

EXTRACTION. Ablation, arrachement, avulsion, benne, déracinement, enfleurage, enlevé, énucléation, évulsion, exérèse, extirpation, fonte, lixiviation, métallurgie, naissance, né, noble, origine, racé, sang, sous-produit, tiré.

EXTRADOS. Aile, arc, avion, contrevent, courbe, douelle, face, hypogée, intrados, spoiler, surface, voûte.

EXTRAIRE. Arracher, carotter, décoquiller, dégager, déraciner, desceller, détacher, déviroler, distiller, enfleurer, enlever, essorer, exhumer, ôter, prélever, puiser, résiner, retirer, sauner, sortir, tirer, traire, vider.

EXTRAIT. Abrégé, analyse, aperçu, baptistaire, bribe, citation, compendium, copie, découpage, digest, diurnal, entrefilet, esprit, essence, iode, lactucarium, passage, quintessence, répons, rob, sérum, suc, sucre, thridace.

EXTRAORDINAIRE. Abracadabrant, bizarre, enfer, épatant, épique, étonnant, étourdissant, étrange, excessif, faramineux, gigantesque, hallucinant, héros, incroyable, inimaginable, inouï, magique, merveilleux, miraculeux, mirobolant, phénoménal, prodigieux, rare, sensationnel, surnaturel, unique.

EXTRAORDINAIREMENT. Affreusement, bien, dément, éminemment, exceptionnellement, extrêmement, faramineux, gratiné, monstre, notamment, parfaitement, particulièrement, principalement, rarement, remarquablement, spécialement, spécifiquement, supérieurement, surtout, très.

EXTRAPOLATION. Analogie, déduction, généralisation, globalisation, induction, supposition, systématisation.

EXTRAPOLER. Admettre, conjecturer, convertir, croire, dénoter, déplacer, généraliser, globaliser, imaginer, inventer, penser, poser, présumer, présupposer, si, supposer, systématiser, traduire, transposer, universaliser.

EXTRATERRESTRE. Étranger, intrus, martien, sélénite, supraterrestre, vénusien, visiteur.

EXTRAVAGAMMENT. Admirablement, anormalement, baroquement, beaucoup, bizarrement, curieusement, drôlement, étonnamment, étrangement, excentriquement, formidablement, originalement, singulièrement.

EXTRAVAGANCE. Absurdité, aliénation, bizarrerie, caprice, démence, divagation, écart, élucubration, erreur, excentricité, folie, frasque, incartade, louferie, loufoquerie, lubie, manie, marotte, toquade.

EXTRAVAGANT. Aberrant, abracadabrant, absurde, biscornu, bizarre, capricieux, délirant, dément, démentiel, déraisonnable, étrangeté, exagéré, excentrique, excessif, extraordinaire, farfelu, hurluberlu, incroyable, insensé, loufoque, lunaire, tordu, unique.

EXTRAVAGUER. Blaguer, débloquer, déconner, déjanter, délirer, dérailler, déraisonner, divaguer, radoter, rigoler.

EXTRAVASATION. Débordement, distillation, éruption, exsudation, flux, fuite, infiltration, inondation, miellée, miellure, naufrage, noyade, ravinement, sécrétion, submersion, sueur, transpiration.

EXTRAVASER. Couler, dégouliner, dégoutter, échapper, écouler, épancher, exsuder, filer, filtrer, fuir, gouttelettes, goutter, parfait, perfection, perler, pleurer, ruisseler, suer, suinter, transpirer, transsuder.

EXTRAVERTI. Causant, communicatif, contagieux, démonstratif, épidémique, expansif, exubérant, introverti, ouvert, renfermé.

EXTRÊME. Absolu, apogée, bout, dernier, désespéré, effarant, exagéré, excessif, extraordinaire, final, immodéré, infini, limite, outrance, pénurie, pouillerie, raffinement, sommet, summum, suprême, terminal, ultime, ultra.

EXTRÊMEMENT. Abominablement, absolument, affreusement, délicieux, désespérément, éminemment, enchanté, extraordinairement, infiniment, intensément, profondément, radicalement, très, vanné.

EXTRÉMISTE (n. p.). Ravaillac.

EXTRÉMISTE. Activiste, agitateur, anarchiste, contestataire, cordelier, desperado, émeutier, factieux, frondeur, futuriste, gauchiste, insurgé, insurrectionnel, militant, modéré, mutin, nihiliste, novateur, partisan, putschiste, rebelle, révolté, révolutionnaire, séditieux, subversif, terroriste, trublion, ultra.

EXTRÉMITÉ. Abois, about, abside, aile, aileron, airure, appendice, bec, bord, borne, bout, cap, cime, comble, confins, contour, croupion, croûte, délimitation, épi, épiphyse, éponge, externe, fin, flèche, frontière, gland, lance, limite, lisière, main, mort, mufle, œilleton, ongle, pelle, penne, pied, pôle, pulpe, queue, quignon, scion, scolex, sommité, talon, terme, terminal, tenon, tête, têteau, trayon.

EXTRINSÈQUE. Croûte, étranger, extérieur, externe, fictif, nominal, périphérie, théorique, valeur.

EXTRINSÈQUEMENT. Apparemment, dehors, extérieurement, manifestement, superficiellement, visiblement.

EXTRUDER. Bannir, boudiner, chasser, débarrasser, éjecter, évacuer, exiler, expulser, renvoyer.

EXTRUSION. Aiguille, bouillonnement, débordement, dôme, ébullition, éclaboussement, écoulement, émission, éruption, évacuation, explosion, filage, giclée, jaissement, jet, sortie, surgissement.

EXUBÉRANCE. Abondance, communicatif, débordement, expansivité, luxuriance, manie, profusion, surabondance, vitalité.

EXUBÉRANT. Abondant, communicatif, débordant, délirant, démonstration, expansif, luxuriant, pétillant, surabondant.

EXULCÉRATION. Abcès, aphte, cancer, cautère, chancre, exutoire, ladre, syphilide, tumeur, ulcération, ulcère.

EXULTANT. Abondant, actif, animé, coulant, débordant, enthousiaste, éruptif, expansif, exubérant, gonflé.

EXULTATION. Allégresse, débordement, éclatement, emballement, gaieté, joie, jubilation, liesse, transport.

EXULTER. Action, allégresse, applaudir, déborder, joie, jubiler, liesse, réjouir, transporter, ulcérer.

EXUTOIRE. Antidote, assainir, débarrasser, dérivatif, diversion, émonctoire, soupape, ulcération.

EXUVIE. Arthropode, cadavre, carcasse, charnier, charogne, corps, dépouille, goule, hyène, macchabée, momie, mort, mue, noyé, ossements, peau, pelure, pendu, proie, récolte, restes, serpent, sujet.

EX-VOTO. Anamnèse, don, image, inscription, mémoire, réminiscence, sanctuaire, souvenir, vœu.

EYE-LINER. Cosmétique, khôl, kôhl, kohol.

EYRA. Chat sauvage, cougouar, couguar, félin, jaguarondi, jaguarundi, léopard, panthère, puma.

ÉZÉCHIAS (n. p.). Achaz, Judas, Sennachérib.

F

FA. Clé, clef, contre-fa, gamme, note, ton.

FABLE. Allégorie, anecdote, apologue, conte, fabliau, fablier, fabuleux, fabuliste, fiction, folklore, histoire, intrigue, isopet, lavane, légende, mensonge, mimodrame, morale, mythe, parabole, récit, théogonie, ysopet.

FABLIAU. Anecdote, chantefable, chronique, conte, épopée, fable, fablier, fabuliste, histoire, historiette, intrigue, légende, monogatari, mythe, nouvelle, odyssée, poème, récit, recueil, roman, saga.

FABLIER. Chantefable, chronique, conte, épopée, fable, fabliau, fabuliste, isopet, poète, recueil, ysopet.

FABRICANT. Armurier, artisan, cirier, distillateur, dominotier, équipementier, façonnier, facteur, faiseur, faussaire, fromager, giletier, heaumier, huilier, lanternier, lunetier, luthier, manufacture, nattier, opticien, robinetier, sellier, tabletier, tulliste, vermicellier.

FABRICATEUR. Artisan, fabricant, falsificateur, faussaire, faux-monnayeur, foreur, inventeur.

FABRICATION. Agencement, confection, création, draperie, ébénisterie, exécution, façon, facture, fagotage, gainerie, grosserie, industrie, lustrerie, matériau, montage, panification, préparation, production, saunage, saunaison, sellerie, viniculture.

FABRICIEN. Arguillier, bedeau, bigot, fabrique, hiérodule, laïc, marguillier, missionnaire, porte-verge, sacristain.

FABRIQUE. Aluminerie, arsenal, atelier, bâtiment, câblerie, chemiserie, cidrerie, cimenterie, conseil, édifice, église, ferronnerie, griffe, huilerie, imagerie, laboratoire, malterie, poudrerie, saboterie, soierie, stéarinerie, tamiserie, tôlerie, tuilerie, tullerie, usine, verrerie.

FABRIQUER. Accomplir, arranger, composer, confectionner, créer, élaborer, façonner, faire, inventer, usiner.

FABULATEUR. Affabulateur, bellâtre, caractériel, hâbleur, menteur, mythomane, simulateur, voleur.

FABULATION. Affabulation, allégation, baratin, fable, fabuler, mythomanie, récit, rêvasserie, trame.

FABULER. Affabuler, amplifier, blaguer, broder, élaborer, exagérer, fabulation, hâbler, inventer, rêver.

FABULEUSEMENT. Beaucoup, excessivement, extraordinairement, extrêmement, incroyablement, prodigieusement.

FABULEUX. Admirable, certain, chimère, chimérique, colossal, énorme, étonnant, exact, excessif, extraordinaire, fable, fantastique, fiction, gigantesque, homérique, hydre, idéal, irréel, légendaire, légende, merveilleux, mythe, réel, vrai.

FABULISTE. Aède, auteur, barde, écrivain, fable, fablier, hâbleur, magicien, mythomane, poète.

FABULISTE ALLEMAND (n. p.). Hagedorn.

FABULISTE ANGLAIS (n. p.). Gay.

FABULISTE ARABE (n. p.). Bidpay, Pilpay.

FABULISTE ESPAGNOL (n. p.). Iriarte.

FABULISTE FRANÇAIS (n. p.). Florian, Franc-Nohain, La Fontaine, Perrault.

FABULISTE GREC (n. p.). Ésope.

FABULISTE ITALIEN (n. p.). Abstemius.

FABULISTE LATIN (n. p.). Phèdre.

FABULISTE MACÉDONIEN (n. p.). Phèdre.

FABULISTE RUSSE (n. p.). Dmitriev, Krylov.

FAC. Académie, campus, collège, école, faculté, idétisme, institut, intelligence, option, reproduction, université.

FACACÉES. Ajonc, arachide, baguenaudier, bugrane, coronilles, ers, érythrine, fayot, fève, fenugrec, genêt, glycine, haricot, légumineuse, lentille, lotier, lupin, luzerne, papilionacée, physostigma, pois, réglisse, robinier, sainfoin, sesbanie, soja, sophora, soya, téphrosie, trèfle, trigonelle, ulex, vesce.

FAÇADE. Apparence, avant, devant, devanture, entrée, étalage, front, frontispice, fronton, vitrine.

FACE. Angle, apparence, as, aspect, avant, avers, binette, bout, cinq, côté, débat, deux, échange, façade, faciès, figure, fraise, front, gueule, lit, museau, pan, plante, quatre, rencontre, ridé, six, tournure, trois, un, visage, vis-à-vis, vultueux.

FACE-À-FACE. Contestation, débat, démêlé, discussion, de front, échange, procès, querelle, vis-à-vis.

FACE-À-MAIN. Barnique, binocle, lunette, monocle, pince-nez, verres.

FACÉTIE. Acte, attrape, baliverne, barigoule, blague, bouffonnerie, burlesque, canular, clownerie, cocasserie, drôlerie, facétieux, farce, fumisterie, godiveau, mystification, niche, pitrerie, plaisanterie.

FACÉTIEUSEMENT. Absurdement, agréablement, bouffon, bouffonnement, burlesquement, comiquement, délicieusement, dérisoirement, drôlement, grotesquement, joliment, plaisamment, ridiculement, risiblement.

FACÉTIEUX. Blagueur, bouffon, comique, farceur, loustic, plaisant, plaisantin, spirituel, taquin.

FACETTE. Aile, amure, angle, aspect, auprès, avers, bâbord, bande, bord, contour, contribuable, côté, cour, destination, direction, égarer, envers, face, flanc, latéral, lieu, lof, pan, paroi, pile, près, profil, revers, surface, tranche, travers, tribord, versant, vue.

FÂCHANT. Acariâtre, agaçant, chiant, contrariant, décevant, déplaisant, dérangeant, désespérant, embêtant, empoisonnant, ennuyeux, fâcheux, fastidieux, importun, insupportable, intolérable, rậlant, vexant.

FÂCHÉ. Agacé, aigri, blessé, boudeur, brouillé, chagrin, chatouilleux, contrarié, courroucé, emporté, excité, froissé, indigné, irrité, marri, mécontent, offensé, repentant, triste, troublé, ulcéré, vexé.

FÂCHER. Agacer, aigrir, bouder, briser, brouiller, colère, déplaire, emporter, endêver, irriter, offenser, vexer.

FÂCHERIE. Bisbille, bisbrouille, bouderie, brouille, désaccord, dispute, froid, offense, trouille.

FÂCHEUSEMENT. Affreusement, amèrement, atrocement, brutalement, cruellement, déplaisamment, désagréablement, douloureusement, durement, ennuyeusement, mal, méchamment, péniblement, rudement.

FÂCHEUX. Agaçant, brisant, enrageant, déplorable, frustrant, gêneur, horripilant, importun, pis, pléthore, râlant, sot, tic, tuile.

FACHO. Fasciste.

FACIÈS. Abbevillien, acheuléen, aspect, atérien, aurignacien, azilien, capsien, chasséen, chelléen, danubien, face, facial, figure, magdalénien, micofien, natoufien, physionomie, sauveterrien, trait, urgonien, visage.

FACILE. Affable, aisé, clair, commode, convivial, digeste, docile, élémentaire, enfantin, épineux, faisable, fastoche, fluide, friable, léger, lent, malaisé, nanan, naturel, possible, rire, ru, simple, souple, tarte, usuel.

FACILEMENT. Agréablement, aisément, avantageusement, bien, bien-être, commodément, commodité, convenu, favorablement, fluide, honorablement, naturellement, précieusement, profitablement, simplement, souple, utilement.

FACILITÉ. Agilité, aider, aisance, fragilité, inconstance, maestria, marge, mobilité, naturel, routine, simple.

FACILITER. Aider, aplanir, arranger, assister, coagulant, débrouiller, déchiffrer, démêler, drainer, égaliser, élucider, émmétrer, expectorant, favoriser, lubrifier, mâcher, ménager, ouvrir, préparer, secourir, simplifier.

FAÇON. Ainsi, air, allure, ameublissement, art, biais, chiqué, comme, comment, corrol, coupe, en, est, été, évasion, fabrication, facture, forme, griffe, laconisme, main-d'œuvre, manière, méthode, mode, style, ton, tour, uniment.

FACONDE. Abondance, bagou, baratin, bavardage, éloquence, loquacité, mordache, prolixité, verve, volubilité.

FAÇONNAGE. Estampage, fabrication, façonnement, martelage, matage, modelage, sous-traitance.

FAÇONNÉ. Ajusté, biné, broché, damassé, fabriqué, formé, imbu, infatué, modelé, œuvré, ouvré, pénétré, pétri, plein, rempli, rustique, travaillé.

FAÇONNEMENT. Éducation, estampage, fabrication, façonnage, formation, martelage, matage, modelage, sous-traitance.

FAÇONNER. Ajuster, biner, équerrer, fabriquer, faire, former, modeler, orner, ouvrer, pétrir, sculpter, travailler.

FAÇONNIER. Affecté, artisan, cérémonieux, dominotier, façonneur, formaliste, maniéré, maniériste, ouvrier, précieux, protocolaire.

FAC-SIMILÉ. Calque, copie, double, duplicata, duplication, exemplaire, fax, photocopie, reproduction.

FACTAGE. Autobus, aviation, avion, bateau, brouettage, camionnage, car, cargo, cession, charroi, circulation, délégation, déplacement, expédition, extase, fret, héliportage, importation, ire, ligne, locomotive, manutention, messagerie, métro, passage, portage, roulage, route, train, transfert, transport, véhicule, via, voie, voiture.

FACTEUR. Accordeur, agent, cause, coefficient, commis, élément, information, luthier, musique, nuisance, porteur, postier, postillon, rapport, rhésus.

FACTEUR D'INSTRUMENTS DE MUSIQUE (n. p.). Besson, Bosendorfer, Boudreau, Cousineau, Cristofori, Érard, Gaveau, Nadermann, Sax, Steinway, Thierry, Wolf, Zimmermann.

FACTICE. Absurde, affecté, apocryphe, artificiel, bidon, double, douteux, emprunté, erroné, fabriqué, faute, fautif, faux, feint, fétiche, forcé, imité, irréel, postiche, pseudo, simulé, synthétique, toc.

FACTICITÉ. Calquage, contingence, copiage, déloyauté, dissimulation, duplicité, fausseté, félonie, fourberie, hypocrisie, imitation, perfidie, scélératesse, sournoiserie, trahison, traîtrise, tromperie.

FACTIEUX. Agitateur, assimilateur, compilateur, comploteur, conjuré, conspirateur, copieur, copiste, démarqueur, émeutier, idéiste, insurgé, mime, mutin, rebelle, révolté, séditieux, subversif, trublion.

FACTION. Agitation, attente, brigue, cabale, cabillaud, cabochien, complot, guet, hameçon, ligue, parti, surveillance.

FACTIONNAIRE. Épieur, garde, gardien, guetteur, militaire, planton, sentinelle, surveillant, vedette.

FACTITIF. Accessoire, accroc, causal, causant, causateur, causatif, corrélatif, correspondant, dépendant, déterminant, relatif, soumis, subordonné, sujet, tributaire, vassal.

FACTO. Automatiquement, convulsif, disjoncteur, forcé, immanquable, inconscient, inévitable, instinctif, involontaire, ipso, ipso facto, irréfléchi, machinal, obligatoirement, réflexe, spontané.

FACTORERIE. Bureau, comptoir, établissement, magasin.

FACTOTUM. Boy, cuisinier, domestique, garçon, groom, intendant, jardinier, lad, palefrenier, serviteur.

FACTUEL. Actuel, admis, assuré, attesté, authentique, certain, concret, démontré, effectif, établi, exact, existant, existentiel, fondé, historial, historique, observable, palpable, présent, réel, tangible.

FACTUM. Catilinaire, diatribe, écrit, épode, esprit, libelle, mémoire, moquerie, pamphlet, satire.

FACTURE. Addition, bordereau, ci, compte, dû, état, façon, griffe, manière, note, pro forma, salée, style.

FACTURER. Charger, consigner, déléguer, désigner, engager, imposer, lester, recharger, remplir.

FACTURIER. Audit, auditeur, commissaire, comptable, consultant, payeur, receveur, trésorier, vérificateur.

FACULTATIF. Alternative, anthologie, appareillement, choisir, choix, crème, décision, dilemme, échelle, électif, élection, élimination, élite, éventail, gratin, libre, option, optionnel, ou, recueil, sélectif, sélection, tri, variété.

FACULTATIVEMENT. Ad lib, ad libitum, au choix, éventuellement, librement, volontairement.

FACULTÉ. Académie, campus, collège, corps, discernement, école, eidétisme, empathie, énergie, entendement, es, fantaisie, imagination, institut, intelligence, intuition, mémoire, motricité, néantise, nyctalopie, option, parole, pensée, pouvoir, prévoyance, raison, sens, ubiquité, université, volonté, vue.

FADA. Abruti, ahuri, atypique, ballot, bêta, bête, braque, con, enfoiré, fou, imbécile, niais, original.

FADAISE. Amusette, bagatelle, baliverne, bêtise, bourde, brande, connerie, cortex, couillonnade, fagot, faribole, fascine, futilité, gerbe, habit, hart, niaiserie, paquet, plaisanterie, pirouette, sornette, traîne.

FADASSE. Aigre-doux, argon, azote, banal, eau, édulcorer, fade, inodore, insipide, mièvre, plat, terne.

FADE. Affadi, aigre-doux, dégoût, dégoûtant, délavé, décoloré, douceâtre, écoeurant, ennuyeux, fadasse, fastidieux, froid, insipide, languissant, mièvre, pâle, plat, refroidi, terne, terni, uni, vivace.

FADEMENT. Benoîtement, doucereusement, mielleusement, mièvrement, onctueusement, simplement, tranquillement.

FADEUR. Anémie, bêtise, blancheur, chlorose, galanterie, lividité, niaiserie, pâleur, pauvreté, platitude.

FADING. Défaillir, disparaître, dissiper, évanouir, évanouissement, mourir, pâmer, pâmoison, syncope, tomber.

FADO. Air, ballade, barcarolle, berceuse, canzone, chanson, chant, clip, complainte, comptine, couplet, estampie, hit, jota, lied, mélodie, parolier, poème, pot-pourri, refrain, rengaine, ritournelle, romance, ronde, tube, villanelle.

FAFIOT. Argent, biffeton, billet, comptant, coupure, lettre, liquide, message, mot, pli, papier-monnaie, réponse.

FAGACÉE. Arbre, avelanède, châtaignier, chêne, cupulifères, cupulidée, cupuliféracées, fau, fayard, hêtre.

FAGALE. Akène, amentifère, bétulacée, coupe, cupuliféracée, cupulifères, fagacée.

FAGNE. Acore, bayou, boue, cob, cistude, douve, étang, étier, gâtine, grisou, kob, lande, marais, mare, marécage, maremme, marigot, méthane, moere, noue, palud, palus, polder, salin, savane, tourbière, varaigne, vernier, vie.

FAGOT. Allume-feu, blèche, bourrée, brande, brassée, cortex, cotret, fadaise, fagotin, faisceau, falourde, fascine, fouée, fournilless, gerbe, habit, hardée, hart, javelle, ligot, margotin, paquet, rouette, sarment, traîne.

FAGOTAGE. Accoutrement, affiquet, affublement, ajustement, atours, attifage, attirail, caramantran, chienlit, costume, défroque, déguisement, fringue, habillement, harnachement, mascarade, vêtement.

FAGOTER. Accoutrer, affubler, arranger, caparaçonner, cochonner, costumer, ficeler, habiller, vêtir.

FAIBLARD. Affaiblir, anémie, bénin, blême, bon, chétif, débile, enclin, énervé, épuisé, éreinté, étiolé, faiblard, faible, fatigué, fluet, grêle, léger, menu, mince, mou, pâle, penchant, petit, porté, précaire, prédisposé, usé, veule, vil, vulnérable.

FAIBLE. Affaiblir, anémie, atone, bénin, blême, bon, chétif, débile, énervé, épuisé, éreinté, étiolé, faiblard, fatigué, fluet, grêle, impuissant, incapable, insuffisant, léger, médiocre, menu, mince, mi-voix, mou, pâle, penchant, petit, précaire, ramoli, sexe, usé, veule, vil, vulnérable.

FAIBLEMENT. Délicatement, doucement, indécision, légèrement, lointainement, mollement, peu, rosé.

FAIBLESSE. Abattement, adynamie, anémie, apathie, asthénie, atonie, cachexie, débilité, dépression, épuisement, faille, fatigue, fragilité, imperfection, inanition, infirmité, malaise, misère, syncope, vulnérabilité.

FAIBLIR. Abattre, abrutir, adoucir, alanguir, altérer, amoindrir, amollir, anémier, aveulir, briser, casser, défaillir, déprimer, diluer, diminuer, ébranler, épuiser, étioler, lasser, miner, pâlir, ronger, ruiner, sénilité, user.

FAIBLISSANT. Baisse, déclinant, décours, décroissement, décroît, décrue, descendant, diminuant.

FAÏENCE (n. p.). Gien, Jersey, Lunéville, Marseille, Moustiers, Nevers, Palissy, Quimper, Rouen, Strasbourg, Wedgwood.

FAÏENCE. Azuléjo, cailloutage, catelle, céramique, chien, maïolique, majolique, porcelaine, ramequin, trésaillée.

FAÏENCERIE (n. p.). Charolles, Gien, Lunéville, Marieberg, Montelupo, Nevers.

FAIGNANT. Acagne, cagne, fainéant, glandeur, loir, méchant, oisif, paresseux, rien, roi, rossard.

FAILLE. Brèche, brisure, cassure, clase, coupure, crevasse, éclat, entaille, enture, espace, faiblesse, fêlure, fente, fissure, flexure, fracture, fragment, gerçure, grigne, hiatus, ouverture, rupture, séisme, soierie, trouée.

FAILLIR. Déroger, échouer, fauter, gâcher, louper, manquer, omettre, pécher, plongeon, rater, tromper.

FAILLITE. Banqueroute, crise, culbute, cupesse, débâcle, déconfiture, déficit, déroute, désastre, échec, effondrement, failli, insuccès, krach, liquidation, naufrage, perte, plongeon, ruine, sinistre, trou.

FAIM. Amphétamine, appétit, boulimie, désir, fringale, miséreux, nourrir, pica, polyphagie, rassasié, repaître, repu.

FAINÉANT. Acagne, cagne, cossard, feignant, glandeur, indolent, loir, méchant, oisif, paresseux, rien, roi, rossard.

FAINÉANTER. Flâner, flemmarder, musarder, muser, paresser, rêvasser, traînasser, traîner.

FAINÉANTISE. Désoeuvrement, fortuit, indolence, inertie, inopiné, inutilité, oisiveté, paresse, repos.

FAIRE (4 lettres). Agir, lire, nuer, oser, tuer, user.

FAIRE (5 lettres). Aérer, airer, bâtir, biner, caver, cirer, coter, créer, dater, élire, finir, frire, garer, gaver, goder, haler, léser, luxer, mater, mener, nager, noyer, nuire, opter, périr, péter, plier, punir, ramer, rêver, rimer, roter, rôtir, rouer, saler, taler, tarir, tirer, trier, vider.

FAIRE (6 lettres). Ahaner, amener, avaler, bâcler, bluter, broder, bruire, cabrer, causer, cerner, conter, coudre, crâner, crever, dédier, draver, écoper, écrire, élever, épiler, ériger, ficher, fonder, forcer, former, fuguer, gercer, gommer, goûter, griser, hurler, lancer, médire, mettre, narrer, nicher, occire, obérer, offrir, opérer, ourler, ouvrir, panser, parier, passer, peiner, percer, perler, pincer, pocher, poucer, relier, rendre, sabrer, sauter, siéger, sinuer, sonner, strier, tester, tinter, tisser, tomber, tonner, trôner, trouer, vanter, vaquer, vendre, verser, uriner.

FAIRE (7 lettres). Abattre, accuser, affaler, annexer, annoter, apaiser, arrêter, avancer, avertir, bourrer, braiser, branler, brosser, chanter, claquer, croquer, creuser, crisser, débuter, décimer, déjouer, digérer, draguer, dresser, droguer, ébouler, éclater, effacer, égorger, égrener, émettre, enrôler, envoyer, essayer, estimer, étioler, évacuer, feindre, feutrer, fileter, filtrer, frapper, frauder, gratter, habiter, hausser, honorer, immoler, infuser, innover, laminer, languir, macérer, manquer, marcher, méditer, menacer, mijoter, minuter, montrer, niaiser, nuancer, oublier, pacager, pavaner, pédaler, plisser, potiner, pousser, publier, rallier, ramener, référer, remplir, retenir, réussir, révéler, revenir, saboter, saloper, simuler, stocker, suturer, tapager, tapiner, tourner, tousser, trotter.

FAIRE (8 lettres). Abaisser, abreuver, adresser, affecter, affilier, alterner, analyser, annoncer, assiéger, astiquer, besogner, bêtifier, bricoler, caresser, chahuter, chipoter, colliger, composer, cuisiner, déclarer, déconner, déglacer, dégriser, denteler, dérouter, dessiner, détruire, ébranler, écuisser, égrainer, éliminer, emboîter, employer, endiguer, enjamber, enquêter, épanouir, étatiser, éteindre, éternuer, étouffer, étourdir, étrenner, étriquer, exécuter, expédier, façonner, festoyer, fulminer, grimacer, imprimer, insinuer, intégrer, laïusser, lanciner, malfaire, marteler, minauder, molester, monnayer, notifier, parvenir, procréer, procurer, profaner, radouber, rallumer, réaliser, rebondir, recenser, rechuter, redonner, rééditer, réitérer, régenter, réitérer, relancer, renâcler, résorber, résoudre, rissoler, ressuyer, spéculer, susciter, suggérer, tartiner, tempêter, torturer, trucider, utiliser.

FAIRE (9 lettres). Abâtardir, accomplir, acquitter, amalgamer, cabotiner, civiliser, cliqueter, commencer, commenter, consommer, convoquer, critiquer, débusquer, dédicacer, dénombrer, distraire, effectuer, empiffrer, enraciner, entailler, escamoter, éterniser, étrangler, expliquer, exploiter, forlancer, godailler, grésiller, imprégner, inculquer, instiller, klaxonner, légiférer, légitimer, mobiliser, néantiser, perpétuer, pétarader, postposer, prolonger, propulser, raisonner, rapatrier, rapporter, rattacher, rehausser, renverser, replonger, réveiller, rimailler, ronronner, scarifier, sermonner, soumettre, supprimer, suspendre, taillader, témoigner, tenailler, tonitruer, torpiller, totaliser, trafiquer, versifier, violenter, vocaliser, zigzaguer.

FAIRE (10 lettres). Admonester, bourdonner, cavalcader, enclencher, exterminer, gazouiller, gesticuler, incorporer, interposer, introduire, manoeuvrer, polémiquer, précipiter, rapetisser, supplanter, supplicier, surcharger, transférer, travailler.

FAIRE (11 lettres). Assermenter, concrétiser, contrefaire, contrepeser, désarçonner, discréditer, éclabousser, effaroucher, empoisonner, émulsionner, enregistrer, frictionner, inventorier, relativiser, ressusciter, transmettre.

FAIRE (12 lettres). Ascensionner, complimenter, concurrencer, déstabiliser, entreprendre, instrumenter.

FAIRE (13 lettres). Comptabiliser, confectionner, conscientiser, contorsionner, personnaliser.

FAIR-PLAY. Clair, convenable, cordial, correct, cru, direct, droit, dur, entier, franc, franc-jeu, libre, loyal, naturel, net, ouvert, parfait, pur, régulier, sincère, sport, sportif, sportivité, vif, vrai.

FAISABILITÉ. Accessibilité, commodité, exécutable, faisable, possible, praticable, probable, réalisable.

FAISABLE. Admissible, applicable, compétitif, compréhensible, concevable, douteux, espérance, éventuel, exécutable, facile, facultatif, incertain, libre, loisible, permis, plausible, possible, potentiel, pouvoir, praticable, probable, réalisable, virtuel, vraisemblable.

FAISAN. Aigrefin, argus, avocette, coq, criailler, escroc, faisandé, faisandeau, flou, fripon, juchée, pouillard.

FAISANDAGE. Altération, biodégradation, boucanage, corruption, décomposition, fermentation, gangrène, mortification, pourrissement, pourriture, putréfaction, putrescence, putridité, suiffage, thanatomorphose.

FAISANDÉ. Abîmé, avancé, avarié, corrompu, décomposé, douteux, gangrené, gâté, humide, malsain, moisi, perverti, piqué, pluvieux, pourri, putride, ripou, suspect, tourné.

FAISANDER. Arôme, arrêter, bouquet, corrompre, fumet, mortifier, odeur, parfum, pourrir.

FAISCEAU. Accumulation, aigrette, amas, balai, botte, bouquet, bysse, byssus, câble, fagot, feston, flambeau, foudre, gerbe, grappe, ligament, lumière, pinceau, pyramidal, raphide, sémème, spot, tendon, torche, virgation.

FAISEUR. Bâtisseur, bêcheur, commerçant, couturier, escroc, fabricant, hâbleur, intrigant, tailleur, turlupin.

FAIT. Acte, action, apte, artisanal, bâcler, broutille, cas, chose, de facto, ellipse, épisode, événement, éventualité, exécuté, exemple, exploit, faire, geste, impromptu, initier, modalité, performance, point, prématuré, prouesse, réification, réussi, saisine, troussé, vérité.

FAÎTE. Alpinisme, apogée, arête, calotte, chaperon, cime, comble, crâne, crête, dent, enfaîtement, faîtière, haut, hauteur, maximum, montagne, paroxysme, pic, pinacle, sommet, sous-faîte, tête.

FAÎTIÈRE. Arêtière, argile, biscuit, brique, enfaîteau, faîte, imbriqué, lucarne, toit, toiture, tuile.

FAIT-TOUT. Bouteillon, braisière, cocotte, crémaillère, cuiseur, daubière, huguenote, marmite, pot, pot-au-feu.

FAIX. Bricole, charge, coltineur, coolie, crocheteur, faquin, fardeau, phrygane, poids, portefaix, porteur.

FAKIR. Aga, agha, alcoran, alem, aman, arabe, arch, ascète, ayatollah, bey, cadi, calife, charia, chiite, coran, émir, ère, gymnosophiste, hadj, harem, hégire, imam, iman, islamique, kadi, mahométan, maure, mollah, more, mudéjar, muezzin, musulman, raïa, ramadan, raya, religion, santon, soufi, sourate, sultan, sunna, sunnite, turc, uléma, vizir, yogi.

FALAISE (n. p.). Ajanta, Albion, Blanc-nez, Étretat, Fréhel, Lorelei, Ross.

FALAISE. Calade, cap, combe, crêt, déclive, escarpement, mur, muraille, paroi, pente, précipice.

FALBALA. Accessoire, affaire, affiquet, agrément, atour, fanfreluche, ornement, tralala, volant.

FALCONIDÉ. Aigle, aiglon, busard, buse, condor, crécerelle, émerillon, faucon, orfraie, pèlerin, serre, urubu, vautour.

FALDISTOIRE. Ambon, basilique, canthère, chaire, chaise, chœur, église, estrade, homilétique, jubé, minbar, pupitre, siège, stalle, tribune.

FALERNE. Pinard, vin.

FALLACIEUSEMENT. Artificiellement, captieusement, déloyalement, faussement, hypocritement, insidieusement, machiavéliquement, perfidement, sournoisement, traîtreusement, trompeusement.

FALLACIEUX. Absurde, apocryphe, artificieux, baveux, biaisé, cabotin, captieux, double, douteux, erroné, faute, fautif, faux, félon, fourbe, hypocrite, irréel, pseudo, spécieux, toc, tolérance, trompeur, vain.

FALLOIR. Bien, charge, chemin, composition, convenable, convenir, correct, corvée, dette, devoir, droit, dû, exercice, obligation, office, ost, pensum, prévarication, rédaction, redevoir, tâche, tenir, tirer, travail, vertu.

FALOT. Anodin, comique, effacé, fanal, humble, inconsistant, insignifiant, lanterne, médiocre, terne, tribunal.

FALOURDE. Attrape, bluff, bourrée, brande, brassée, camouflage, canular, cortex, cotret, fadaise, fagot, fagotin, fascine, gerbe, habit, hart, javelle, margotin, paquet, rouette, sarment, traîne, tromperie.

FALSIFIABLE. Attaquable, controversable, débile, discutable, énervé, épuisé, étiolé, faible, fatigué, fluet, grêle, léger, menu, mou, pâle, petit, précaire, réfutable, usé, veule, vil, vulnérable.

FALSIFICATEUR. Abuseur, adultérateur, altérateur, charlatan, contrefacteur, copieur, copiste, démarqueur, dupeur, esbroufeur, faussaire, fourbe, imitateur, imposteur, mystificateur, pasticheur, plagiaire, voleur.

FALSIFICATION. Adultération, alliage, appauvrissement, bricolage, contrefaçon, déformation, déguisement, fardage, faux, fraude, frelatage, imitation, maquillage, pastiche, postiche, tromperie, trucage.

FALSIFIÉ. Absurde, affecté, altéré, âge, apocryphe, archifaux, artificiel, bidon, cabotin, captieux, chimérique, contrefait, copié, diffamant, diffamatoire, double, douteux, erroné, factice, fallacieux, fardé, faucard, faute, fautif, faux, feint, félon, fictif, fourbe, hypocrite, illicite, impur, inexact, irréel, mensonge, mensonger, parjure, plagié, postiche, postposé, pseudo, simili, simulé, tartufe, toc, trompeur, truqué, usurpé, vain, vrai.

FALSIFIER. Adultérer, altérer, bidonner, changer, contrefaire, déformer, déguiser, droguer, fausser, forger, frelater, gourer, imiter, maquiller, modifier, sophistiquer, trafiquer, travestir, tromper, truquer.

FALUCHE. Basque, béret, calot, calotte, coiffure, galette, galons, toque.

FALUN. Amendement, apport, chanci, chaux, compost, craie, engrais, fertilisant, fumier, fumure, glaise, goémon, guano, limon, lisier, lumachelle, marne, paillé, plâtre, poudrette, pralin, purin, tangue, terreau.

FALZAR. Bénard, culbutant, culotte, fendant, froc, futal, grimpant, habit, pantalon, vêtement.

FAMAS. Arme, arquebuse, artillerie, briquet, busc, carabine, chassepot, chien, crosse, dum-dum, escopette, espingole, flingue, flingot, fusil, hammerless, infanterie, kalachnikov, lebel, mauser, mitraillette, mousquet, mousqueton, pétoire, rifle, tromblon.

FAMÉLIQUE. Affamé, crevard, décharné, efflanqué, émacié, étique, hâve, maigre, misérable, miséreux, squelettique.

FAMEUSEMENT. Beaucoup, diablement, énormément, furieusement, glorieusement, héroïquement, historiquement, magnifiquement, mémorablement, proverbialement, rudement, splendidement, superbement.

FAMEUX. As, célèbre, connu, émérite, extraordinaire, fier, illustre, notoire, remarquable, réputé, supérieur.

FAMILIAL. Agnatique, cognatique, domestique, maternel, matriarcat, ménager, paternel, patriarcat.

FAMILIARISER. Acclimater, accoutumer, adapter, apprivoiser, entraîner, habituer, rompre.

FAMILIARITÉ. Affabilité, amitié, camaraderie, connaissance, diminutif, fraternité, intimité, privautés, tu.

FAMILIER. Accoutumer, aisé, ancillaire, commun, courant, facile, habituel, propre, simple, tu, usuel.

FAMILIÈREMENT. Abandon, naturellement, nûment, privément, simplement, sobrement, tu.

FAMILLE. Achéen, aristocrate, belle-famille, bercail, chez, clan, este, ethnie, feu, foyer, généalogie, gens, groupe, maison, maisonnée, né, népotisme, noble, ordre, parent, parenté, patrimoine, phratrie, princière, race, rosacée, smala, smalah, tribu, type.

FAMINE. Bagatelle, besoin, dèche, dénuement, détresse, disette, épave, faim, indigence, malheur, misère, mistoufle, mouise, nécessité, panade, pauvreté, peine, pénurie, pépin, purée, rareté, ruine, stérilité.

FAN. Accro, amoureux, admirateur, ardent, chaud, dévot, emballé, enflammé, enragé, enthousiaste, exalté, fana, fanatique, fervent, forcené, fou, frénétique, furieux, groupie, idole, illuminé, inconditionnel, mordu, passionné, séide, star, voyant, zélé.

FANA. Accro, amoureux, admirateur, ardent, chaud, dévot, emballé, enflammé, enragé, enthousiaste, exalté, fan, fanatique, fervent, forcené, fou, frénétique, furieux, groupie, idole, illuminé, inconditionnel, mordu, passionné, séide, star, voyant, zélé.

FANAGE. Déshydratation, dessèchement, dessiccation, exfoliation, fenaison, foin, lyophilisation.

FANAL (n. p.). Diogène.

FANAL. Campanile, estomac, falot, feu, flambeau, phare, gosier, guillotine, lamparo, lampe, lampion, lanterne, lanternon, loupiote, lumière, lumignon, lupanar, lustre, phare, pharillon, réverbère, veilleuse.

FANATIQUE. Accro, amoureux, ardent, chaud, dévot, emballé, enflammé, enragé, enthousiaste, exalté, fana, fervent, forcené, fou, frénétique, furieux, illuminé, mordu, passionné, séide, voyant, zélé.

FANATIQUEMENT. Abondamment, amplement, ardemment, beaucoup, éperdument, extrêmement, fervemment, follement, frénétiquement, furieusement, passionnément, royalement, violemment, vivement.

FANATISER. Accélérer, aiguiser, attiser, augmenter, aviver, croître, décaper, déchaîner, embraser, enflammer, exalter, exciter, irriter, ouvrir, plâtrer, polir, ranimer, raviver, regaillardir, rouvrir, tisonner, vivifier.

FANATISME. Abnégation, conviction, dévotion, fureur, intolérance, passion, persécution, zèle.

FANCHON. Carré, châle, chéret, cuit, désagréable, écharpe, fâcheux, fichu, foulard, foutu, guimpe, irrémédiable, madras, mantille, marmotte, mouchoir, nase, pénible, perdu, pointe, râpé.

FANDANGO. Air, andalouse, castagnettes, danse, espagnol, guitare.

FANÉ. Décoloré, défraîchi, délavé, déteint, effanure, éteint, flétri, fripé, ratatiné, ridé, stigmatisé, terne, usé.

FANER. Altérer, défloraison, défraîchir, dessécher, enlaidir, flétrir, ratatiner, rider, stigmatiser, ternir.

FANFARE. Bastringue, clique, cors, cuivres, ensemble, groupe, harmonie, lyre, nouba, orphéon, trompes.

FANFARON (n. p.). Gassman, Olybrius, Rodomont, Scaramouche.

FANFARON. Bravache, brave, capitan, casseur, coq, crâneur, faraud, fendant, fier-à-bras, flambard, gascon, hâbleur, matamore, olibrius, orgueilleux, pan, prétentieux, rodomont, séducteur, tartarin, tranche-montagne, truculent, vantard.

FANFARONNADE. Blague, bluff, bravade, braverie, cabotinage, charlatanisme, crânerie, craque, esbroufe, forfanterie, gasconnade, hâblerie, jactance, parade, rodomontade, tromperie, vanité, vantardise.

FANFARONNER. Affabuler, amplifier, blaguer, braver, bluffer, crâner, craquer, fausser, tromper.

FANFRELUCHE. Alourdissement, ameublement, amplification, arabesque, bagatelle, boursouflure, broderie, cannetille, colifichet, dramatisation, falbala, filet, fioriture, incrustation, orfroi, oripeau, moresque, ornement, plumetis, point, pompon, ruban, tapisserie, toilette, verdurette, volant, volute.

FANGE. Bauge, boue, bouillasse, bourbe, débauche, gâchis, gadoue, ignominie, lie, limon, sanglier, vase.

FANGEUX. Abject, bouetteux, boueux, bourbeux, crapuleux, méprisable, saumâtre, trouble, vasard, vaseux.

FANION. Banderole, bannière, couleurs, drapeau, enseigne, étendard, gonfanon, labarum, pavillon.

FANON. Baïonnette, baleine, bêche, boulet, busc, canif, cheval, ciseau, corne, cou, couteau, crin, dague, dos, éclisse, épée, fer, fil, filtre, flot, flux, houle, interligne, lame, languette, médiator, onde, ongle, onglet, oripeau, paillette, paquet, patin, plectre, réglet, repli, scie, serpe, soc, touffe, tranchant, vague.

FANTAISIE. Caprice, désir, dévergondage, excentricité, goût, gré, humeur, idée, lubie, mode, pittoresque, volonté.

FANTAISISTE (n. p.). Blanche, Chevalier, Dranem, Kaye, Maclaine, Mayol, Ménard, Salvador, Toulet.

FANTAISISTE. Amuseur, baroque, bohème, bouffon, capricieux, changeant, excentrique, fantasque, farfelu, funambulesque, humoriste, original, pittoresque, rigolo, tordu, versatile.

FANTASIA. Cabriole, carrousel, cheval, chevalier, dressage, équestre, équitation, hippique, selle, turf.

FANTASMAGORIE. Artifice, bric-à-brac, drôlerie, éclat, étrangeté, fantasme, fantastique, féerie, illusion, magnificence, merveilleux, ornement, phantasme, spectacle, somptuosité, splendeur, surnaturel.

FANTASMAGORIQUE. Chimérique, fabuleux, fantastique, fictif, imaginaire, inexistant, irréel, légendaire, mythique, mythologique.

FANTASME. Chimère, créativité, fantôme, illusion, imagination, phantasme, rêve, utopie, vision.

FANTASMER. Affabuler, créer, croire, forger, imaginer, juger, fabuler, penser, phantasmer, rêver, supposer.

FANTASQUE. Abracadabrant, baroque, biscornu, bizarre, braque, capricieux, changeant, étrange, extravagant, fantaisiste, farfelu, fou, foufou, lunatique, mobile, original, pistolet, saugrenu, versatile, volage.

FANTASSIN. Anspessade, argyraspide, bidasse, biffin, chasseur, evzone, haidouk, hoplite, lansquenet, militaire, morion, peltaste, péon, piétaille, pion, piquier, soldat, tirailleur, voltigeur, zeugite.

FANTASTIQUE. Chimérique, dingue, effarant, extra, extraordinaire, farfelu, féerique, formidable, génie, monstre.

FANTASTIQUEMENT. Extraordinairement, formidablement, remarquablement, terriblement, très.

FANTOCHE. Automate, fantochin, guignol, mannequin, marionnette, pantin, polichinelle, poupée, pupazzo.

FANTOMATIQUE. Abscons, abstrait, abstrus, art, axiomatique, chimère, concret, confus, fictif, figuratif, fumeux, imaginaire, infiguratif, informel, irréel, isolation, paradoxe, profond, pur, spectral, spéculatif, subtil, théorique, utopie, vague, virtuel.

FANTÔME (n. p.). Opéra, Vaisseau.

FANTÔME. Apparition, défunt, esprit, génie, larve, lémure, mânes, mort, revenant, spectre, vampire, zombi.

FANTON. Ancre, bâcle, barlotière, barre, barreau, bâton, bielle, bloom, chenet, cintre, échelon, épar, fêle, fenton, gouge, gouvernail, huit, jas, levier, lierne, mors, obel, péri, témoin, tige, timon, tringle.

FANUM. Ante, chapelle, construction, dôme, édifice, épure, établissement, étage, étai, faîte, hôtel, labyrinthe, maison, mosquée, musée, odéon, ordre, pagode, périptère, saper, socle, synagogue, temple, tétrastyle.

FAON. Axis, biche, bois, brocard, cervidé, chevreuil, cor, daguet, daim, élan, époi, fauve, hallali, harde, hère, muntjac, orignal, râle, renne, sica, wapiti.

FAQUIN. Cible, coquin, impertinent, maraud, méprisable, méprisant, portefaix, serviteur, vil.

FAR. Breton, flan, hachis, pâtisserie, pruneau.

FARADISATION. Anode, anodisatrode, électrocution, exécution, foudroiement, galvanisation, penthode, voltaïsation.

FARAMINEUX. Astronomique, bœuf, colossal, démesuré, effarant, époustouflant, étonnant, extraordinaire, fabuleux, fantastique, fou, gigantesque, méchant, miraculeux, mirifique, phénoménal, prodigieux, rare, stupéfiant, surprenant.

FARANDOLE. Cavalcade, confetti, cotillon, danse, désordre, jupon, papillote, rondelle, sarabande, serpentin, vacarme.

FARAUD. Arrogant, doubleau, fanfaron, fat, fier, hâbleur, malin, matamore, prétentieux, vantard.

FARCE. Attrape, barigoule, blague, bouffonnerie, burlesque, canular, clownerie, comédie, facétie, frasque, fumisterie, godiveau, guignolade, hachis, niche, pasquinade, plaisanterie, ridicule, sotie, sottise, tour, tour pendable, tromperie.

FARCEUR. Baladin, banquiste, bateleur, bouffon, comique, facétieux, fumiste, loustic, palaisse, plaisantin, saltimbanque.

FARCI. Abondant, aillé, armé, bagué, barbelé, blindé, boisé, boulette, bourré, roquette, duxelles, empenné, far, farce, farcissure, ferré, fleuri, fourni, garni, godiveau, hachis, meublé, moussaka, plein, touffu.

FARCIR. Bourrer, emplir, entrelacer, entrelarder, fourrer, hachis, mêler, niche, remplir, supporter, surcharger.

FARD. Affectation, artifice, blanc, blush, brillant, couleur, déguisement, démaquillant, dissimulation, faux, fond, grimage, khôl, kohol, maquillage, nu, nuement, nûment, peinture, pommade, rimmel, rouge, trompe-l'œil, voile.

FARDAGE. Adultération, alliage, appauvrissement, bricolage, contrefaçon, déformation, déguisement, falsification, faux, fraude, frelatage, imitation, maquillage, pastiche, postiche, tromperie, trucage.

FARDE. Attirail, balle, ballot, balluchon, bande, barda, barillet, cahier, cartel, cartouche, chargeur, chemise, colis, culot, dossier, équipement, fourbi, fusil, giberne, grenadière, liasse, munitions, ornement, paquet.

FARDEAU. Charge, coltineur, cric, élévateur, faix, joug, lourd, main, poids, tortillon, treuil.

FARDER. Cacher, colorer, couvrir, déguiser, embellir, grimer, maquiller, peindre, recrépir, voiler.

FARDIER. Calèche, camion, chariot, prolonge, taxi, téléga, trinqueballe, triqueballe, voiture.

FARDOCHES. Arbuste, ardent, bartasse, bois, bosquet, broussaille, brousse, buisson, fourré, haie, taillis.

FARFADET. Démon, diable, djinn, don, elfe, éfrit, esprit, fée, follet, génie, gnome, harpie, imagination, incube, intelligence, lutin, lyre, monstre, muse, nain, nature, nixe, ondin, penchant, ondin, sirène, succube, sylphe, talent, troll.

FARFELU. Abracadabrant, barjo, barjot, baroque, biscornu, bizarre, écervelé, excentrique, extravagant, fantaisiste, fantasque, fofolle, foufou, funambulesque, hurluberlu, loufoque, original, saugrenu.

FARFINER. Ânonner, balancer, barguiner, branler, broncher, céder, chiner, danser, discuter, douter, hésiter, osciller, perplexe, procrastiner, reculer, renoncer, réticence, taponner, tâter, tâtonner, tergiverser, vaciller, vasouiller.

FARFOUILLER. Chercher, explorer, fouiller, fouiner, fourgonner, fourrager, fureter, trifouiller, tripoter.

FARFOUILLEUR. Chineur, curieux, envahissant, fouilleur, fouinard, fouineur, fureteur, indiscret, rat, rusé.

FARIBOLE. Amusette, bagatelle, baliverne, bêtise, billevesée, broutille, calembredaine, frivole, sornette.

FARIGOULE. Barigoule, frigoule, infusion, labiée, mignotise, plante, pote, pouilleux, serpolet, thym.

FARINE. Blé, bluter, bouillie, cassave, enfariné, farineux, fécule, foutou, gari, gluten, grésillon, griot, gruau, issue, lin, maïs, maïzena, millas, milliasse, minot, minoterie, mouture, pain, pâte, poudre, roux, salep, sasser, semoule, sinapisé, ténébrion.

FARINER. Blanchir, enfariner, émailler, givrer, mêler, persiller, saler, saupoudrer, talquer, verrer.

FARINEUX. Abri, buissonneux, chargé, cornière, couvert, enterré, épineux, équerre, erbue, grenu, gris, herbue, ioduré, lanugineux, lépreux, nacré, nuageux, ombre, ridé, salpêtreux, table, té, tomenteux, ulcéreux, vaisselle, vaseux, vêtement, vêtu, voilé.

FARLOUSE. Bédouïde, oiseau, passereau, pipit, pitpit, des prés.

FARNIENTE. Désœuvrement, dolce vita, fainéantise, inaction, inoccupation, loisir, oisiveté, paresse.

FARO. Ale, amidon, bibine, blonde, bière, bock, boisson, bouteille, brasserie, canette, cervoise, chope, demi, gueuse, houblon, lambic, malt, orge, pale, pale-ale, pils, porter, stout, tango, tchapalo.

FAROUCH. Herbacée, incarnat, lotier, ményanthe, papilionacées, trèfle.

FAROUCHE. Apprivoisé, hagard, insociable, intraitable, méfiant, misanthrope, sauvage, timide.

FAROUCHEMENT. Âprement, barbarement, bestialement, brutalement, cruellement, durement, férocement, impitoyablement, inhumainement, méchamment, rudement, sadiquement, sauvage, sauvagement.

FASCE. Architrave, archivolte, bâillon, bandeau, bandelette, blason, burèle, burelle, entablement, épistyle, équipolé, équipollé, diadème, frise, fronteau, linteau, plate-bande, poitrail, sommier, tailloir.

FASCIA. Aponévrose, fascia lata, gaine, membrane, muscle, organe, péritoine.

FASCICULE. Album, brochure, cahier, catalogue, imprimé, livre, livret, opuscule, plaquette, publication, recueil, volume.

FASCINANT. Attachant, charmant, enchanteur, ensorcelant, envoûtant, fascinateur, magique, magnétique.

FASCINATEUR. Affriolant, aguichant, aimable, alléchant, appât, attachant, attirable, attirant, attracteur, attractif, attrait, attrayant, captivant, charmant, engageant, magnétique, piquant, ravissant, séducteur, séduisant, sexy, tentant.

FASCINATION. Attrait, charme, enchantement, ensorcellement, envoûtement, magnétisme, séduction.

FASCINE. Bourrée, branchage, brande, claie, cotret, fagot, faisceau, falourde, gabion, javelle, ligot.

FASCINER. Attirer, captiver, charmer, dominer, éblouir, émerveiller, envoûter, épater, immobiliser, passionner, séduire.

FACISME. Absolutisme, autocratie, autoritarisme, autorité, despotisme, dictature, empire, influence, intolérance, joug, oppression, persécution, pouvoir, proscription, totalitarisme, tyrannie, usurpation.

FASCISTE (n. p.). Balilla, Mussolini, Pound.

FASCISTE. Cagoulard, chemise brune, dictateur, facho, faf, franquiste, hitlérien, nazi, réactionnaire, rexiste.

FASEYER. Battre, faseiller, fazéyer, flotter, ralinguer.

FASTE. Apparat, beau, éclat, fastueux, favorable, luxe, magnificence, opulent, pauvreté, pompe, simplicité, splendeur.

FASTES. Agenda, almanach, annuaire, armoire, bahut, bottin, bracelet, calendrier, chiffonnier, chronologie, comput, cours, crédence, déroulement, échéancier, éphéméride, gourmette, ides, jour, julien, ménologe, mois, nivôse, ordo, programme, semainier, table, tableau.

FASTIDIEUX. Assommant, barbant, dégoût, divertissant, ennui, ennuyeux, fatiguant, insipide, insupportable.

FASTOCHE. Aisé, clair, digeste, docile, enfantin, épineux, facile, léger, lent, malaisé, nanan, rire, ru, simple, usuel.

FASTUEUSEMENT. Abondamment, amplement, beaucoup, considérablement, énormément, fort, fortement, grandement, immensément, infiniment, luxueusement, princièrement, puissamment, richement, royalement, spacieusement, vastement.

FASTUEUX. Abondant, éclatant, luxueux, magnifique, opulent, princier, riche, royal, rupin, somptueux, splendide.

FAT. Altier, arrogant, avantageux, bellâtre, fier, important, poseur, prétentieux, satisfait, suffisant, vaniteux.

FATAL. Désastreux, destinal, fâcheux, fatalité, fatidique, funeste, immanquable, immuable, inéluctable, inévitable, invariable, irrémissible, létal, mortel, nécessaire, néfaste, obligé, prédestination, sûr, vamp.

FATALEMENT. Forcément, inéluctablement, inévitablement, létalement, mortellement, nécessairement, obligatoirement.

FATALISME. Abandon, acceptation, adjudication, allégeance, déterminisme, devis, inférieur, obédience, obéissance, offre, ordre, passivité, prédéterminisme, renoncement, résignation, servitude, soumission, victime.

FATALISTE. Abandonné, assujetti, conformiste, conquis, déférent, discipliné, docile, humble, imposé, indifférent, obéissant, passif, philosophe, rampant, réduit, résigné, soumis, souple, testé, usiné.

FATALITÉ. Aléa, destin, fatum, hasard, malédiction, maléfice, malheur, nécessaire, prédestiné, sort.

FATIDIQUE. Fatal, forcé, immanquable, imparable, inéluctable, inévitable, inexorable, obligé.

FATIGANT. Agaçant, assommant, barbant, claquant, crevant, embêtant, emmerdant, énervant, ennuyant, ennuyeux, épuisant, éreintant, esquintant, exténuant, fastidieux, foulant, harassant, lassant, pénible, rasant, raseur, rasoir, soûlant, tuant, usant.

FATIGUÉ. Abattu, accablé, amaigri, anéanti, anémie, asthénie, avachi, brisé, charge, crevé, échiné, élimé, ennui, épuisé, éreinté, exténué, faible, fardeau, flagada, fourbu, harassé, laneret, las, lassé, lassitude, nase, naze, peine, poids, recru, rendu, rétamé, surmené, tiré, tué, usé, vanné, vaseux.

FATIGUE. Abattement, abrutissement, accablement, affaissement, ahan, basta, baste, découragement, dégoût, dépit, déprime, désespérance, ennui, épuisement, éreintement, faiblesse, lassitude, satiété, spleen.

FATIGUER. Abrutir, aggraver, ahaner, assommer, briser, casser, claquer, crever, déformer, échiner, endormir, énerver, ennuyer, époumoner, épuiser, éreinter, escagasser, esquinter, étourdir, harceler, importuner, incommoder, lasser, peser, rétamer, surmener, tirer, user, vanner, vider.

FATIMA (n. p.). Ali, Fatimides, Hasen, Hassan, Hysayn, Khadîdja, Mahomet, Médine, Portugal, Qum.

FATRAS. Amas, amoncellement, anarchie, chaos, confusion, désordre, fouillis, masse, mélange, ramassis.

FATUITÉ. Autosatisfaction, infatuation, modestie, orgueil, outrecuidance, présomption, prétention, suffisance, vanité.

FATUM. Destin, fatalité, hasard, imprévu, malédiction, malheur, nécessaire, prédestiné, sort.

FAUBOURG (n. p.). Brou, Greenwich, Saint-Acheul, Saint-Antoine, Salé, Sakkarah, Saqqarah, Schönbrunn, Scutari.

FAUBOURG. Agglomération, alentours, banlieue, ceinture, environs, fessier, périphérie, village, ville.

FAUCARD. Absurde, affecté, altéré, âge, apocryphe, archifaux, artificiel, bidon, cabotin, captieux, chimérique, contrefait, copié, diffamant, diffamatoire, double, douteux, erroné, factice, fallacieux, falsifié, fardé, fauchon, faute, fautif, faux, feint, félon, fictif, fourbe, hypocrite, illicite, inexact, irréel, mensonge, mensonger, parjure, plagié, postiche, pseudo, simili, simulé, tartufe, toc, trompeur, truqué, usurpé, vain, vrai.

FAUCET. Arbre, têteau.

FAUCHAGE. Arrosage, bombardement, chaumage, canonnage, faucardage, fauchaison, fauche, mitraillage, pilonnage, torpillage.

FAUCHAISON. Coupe, dessiccation, fanage, fauchage, fauche, fenaison, foin, moisson, récolte.

FAUCHARD. Arme d'hast, ébranchoir, élagueur, faucille, faux, gouet, hallebarde, lance, serpe, serpette.

FAUCHÉ (n. p.). Job.

FAUCHÉ. Aisé, appauvri, chétif, clochard, cossu, décavé, dédoré, démuni, désargenté, failli, fortuné, gueux, hère, indigent, ladre, lessivé, liquidé, minable, miséreux, nettoyé, paumé, pauvre, riche, ruiné.

FAUCHER. Abattre, champ, chiper, couper, dérober, détruire, pré, renverser, saccager, sectionner, tailler, voler.

FAUCHETTE. Émoussoir, faucillon, guignette, serpe, serpette.

FAUCHEUR. Anthropode, arachnide, araignée, coupeur, faucheux, lycose, mygale, opilion.

FAUCILLE. Communisme, étrape, falciforme, faucillon, faux, sape, serpe, serpette, vouge.

FAUCON. Busard, buse, canon, crécerelle, émerillon, épervier, falco, falconidé, falconiforme, gerfaut, hobereau, huir, laneret, lanier, moineaux, oiseau, pèlerin, prairie, proie, rapace, réclame, sacre, sacret, tiercelet.

FAUCONNERIE. Affaitage, affaitement, apprivoisement, discipline, domptage, dressage, montage, planage, volerie.

FAUFIL. Aiguiser, basin, bâti, borne, brin, cannetille, cantatille, caret, caténaire, catgut, chalut, chambray, chas, conducteur, corde, cordon, coton, coupant, courant, cours, crin, cylindre, déroulement, duite, enchaînement, épée, fibre, fil, filament, filandre, filasse, filet, funicule, fusible, guide, laine, lice, ligne, ligneul, lisse, lurex, lusin, mercière, moule, poil, progression, réunissage, soie, solénoïde, spirale, suite, téléphone, tergal, trame, tranchant.

FAUFILER. Bâtir, couler, entrer, glisser, immiscer, insinuer, introduire, pénétrer, resquiller.

FAUFILURE. Bâti, couture, piquage, piqûre, rentraiture, surjet, suture, tranchefile, transfilage.

FAUNE. Animal, biote, chèvre-pied, faunesse, faunique, pied-fourchu, satyre, sessile, sylvain, vagile.

FAUSSAIRE. Bobardier, contrefacteur, captieux, copieur, copiste, déformateur, démarqueur, escroc, falsificateur, faux-monnayeur, fripon, imitateur, mystificateur, pasticheur, plagiaire, trompeur, voleur.

FAUSSEMENT. Approximativement, artificiellement, diplomatiquement, erronément, fabuleusement, fautivement, illicitement, improprement, incorrectement, inexactement, injustement, mal, prétendument, vicieusement.

FAUSSER. Altérer, contrefaire, copier, défigurer, déformer, démarquer, dénaturer, erroner, falsifier, feindre, forcer, gauchir, gourer, mailler, mentir, obnubiler, pervertir, simuler, travestir, tripatouiller, truquer, voiler.

FAUSSET. Atteloire, axe, cabillot, chantepleure, chanteur, cheville, chevillette, chevron, clavette, clou, épite, esse, fiche, goujon, goupille, gournable, guillon, malléole, mollet, ouvrière, pléonasme, poisson, registre, tee, ténorino, technique, tige, tourillon, trenail, voix.

FAUSSETÉ. Copie, déloyauté, exactitude, feinte, félonie, fourberie, franchise, hypocrisie, sincérité, vérité.

FAUTE. Ânerie, baraterie, barbarisme, bêtise, bévue, bourde, confusion, connerie, coquille, corner, cuir, délit, doublon, écart, en-avant, errata, erratum, errements, erreur, forfait, gaffe, haplologie, hors-jeu, lapsus, loup, mal, malversation, mastic, méprise, parachronisme, pataquès, peccadille, sinon, tort, vénielle, vice.

FAUTER. Déroger, désobéir, échouer, enfreindre, faillir, gâcher, louper, manquer, omettre, pécher, rater, tromper.

FAUTEUIL. Académie, berçante, berceuse, bergère, cabriolet, canapé, causeuse, chaise, confident, crapaud, divan, filanzane, ouvreuse, palanquin, récamier, selle, siège, sofa, transat, trône, violoné, vis-à-vis, voltaire.

FAUTEUR. Agitateur, complice, excitateur, factieux, fomenteur, instigateur, meneur, provocateur.

FAUTIF. Concussionnaire, coupable, criminel, défectueux, délinquant, erroné, incorrect, responsable.

FAUTIVEMENT. Approximativement, artificiellement, à tort, diplomatiquement, erronément, fabuleusement, faussement, illicitement, improprement, incorrectement, inexactement, injustement, mal, prétendument, tort, vicieusement.

FAUVE. Alezan, antre, bois, carnassier, élavé, fauverie, félin, féroce, hyène, léonin, lion, once, ressui, tanière, tigre.

FAUVETTE (4 lettres). Pins.

FAUVETTE (5 lettres). Bleue, grise, jaune, noire, rayée, sarde, verte.

FAUVETTE (6 lettres) (n. p.). Canada.

FAUVETTE (6 lettres). Azurée, colima, orphée, parula, tigrée, triste.

FAUVETTE (7 lettres) (n. p.). Mexique.

FAUVETTE (7 lettres). Blanche, calotte, cendrée, figuier, hybride, masquée, obscure, orangée.

FAUVETTE (8 lettres) (n. p.). Kentucky.

FAUVETTE (8 lettres). Becfigue, buissons, capuchon, couronne, croupion, grisette, kirtland, lunettes, parulidé, plastron, sylvette, sylviidé, swainson, townsend, verdâtre, virginia:

FAUVETTE (9 lettres). Bouscarle, moustache, passereau, phragmite, terrestre, vermivore.

FAUVETTE (10 lettres). Locustelle, polyglotte.

FAUVETTE (11 lettres). Flamboyante, rousserolle.

FAUVETTE (12 lettres). Passériforme, passerinette.

FAUX. Absurde, affecté, altéré, âge, apocryphe, archifaux, artificiel, bidon, cabotin, captieux, chimérique, clinquant, contrefait, copié, diffamant, diffamatoire, double, douteux, erroné, factice, fallacieux, falsifié, fardé, faucard, faute, fautif, feint, félon, fictif, fourbe, hypocrite, illicite, inexact, irréel, méninge, mensonge, mensonger, parjure, plagié, postiche, pseudo, simili, simulé, stras, strass, tartufe, toc, trompeur, truqué, usurpé, vain, vrai.

FAUX-FUYANT. Dérobade, détour, échappatoire, excuse, fuite, pirouette, prétexte, subterfuge.

FAUX-SEMBLANT. Affectation, altération, artifice, attrape, camouflage, comédie, dissimulation, doucet, duplicité, fard, feinte, fiction, frime, leurre, mouvement, prétexte, ruse, simulacre, tour, tromperie.

FAVELA. Baraquement, bas-fonds, bidonville, camp, campement, ghetto, quartiers, taudis, zone.

FAVEUR. Aide, amitié, appui, aumône, avantage, bénédiction, bénéfice, bienfait, cadeau, complaisance, don, grâce, gratification, indulgence, mercière, pardon, passe-droit, prébende, récompense, ruban, tolérance, vogue.

FAVORABLE. Accommodant, agréable, ami, anthropophile, atout, bénéfique, bénévole, bénit, bien, bienfaisant, bienveillant, bon, éclaircie, embellie, mécène, meilleur, opportun, optimal, pour, propice.

FAVORABLEMENT. Agréablement, avantageusement, bénéfiquement, bien, commodément, convenablement, facilement, heureusement, honorablement, positivement, précieusement, profitablement.

FAVORI (n. p.). Alberoni, Aman, Antinous, Buckinghan, Chabot, Chalais, Cinq-mars, Dudley, Entrague, Épernon, Essex, Estrée, Fersen, Giac, Joyeuse, La Trémoille, Laud, Lekain, Luna, Luynes, Mécène, Mignon, Narcisse, Neipperg, Olivares, Orlov, Pallas, Potemkine, Ralegh, Raleigh, Ruggieri, Séjan, Sorel.

FAVORI. Barbe, chéri, choisi, chouchou, doté, élu, gagnant, mécène, mignon, plutôt, prédilection, préféré, protégé, turf.

FAVORISANT. Allocation, apport, attribution, avantageux, commandite, contingent, contribution, distribution, dotation, équipement, gratifiant, pension, remise, revalorisant, satisfaisant, traitement, valorisant.

FAVORISÉ. Avantagé, chanceux, chouchou, don, doué, fortuné, impartial, loti, privilégié, protégé, soutenu.

FAVORISER. Aider, appuyer, avantager, chérir, choisir, chouchouter, choyer, contribuer, donner, doter, douer, élire, encourager, faciliter, lotir, pousser, préférer, privilégier, protéger, seconder, servir, sourire, soutenir.

FAVORITE. Amie, amoureuse, belle, bien-aimée, chérie, compagne, dulcinée, maîtresse, mignonne, valentine.

FAVORITISME. Chouchoutage, clientélisme, combine, copinage, népotisme, passe-droit, patronage.

FAVUS. Aglossa, calvitie, galerie, gerce, mégère, mite, papillon, rogne, tache, teigne, ténéidé, tille.

FAX. Copie, fac-similé, message, télécopie, télécopieur, téléscripteur, téléfax, transmission.

FAYARD. Hêtre. Cupuliféracée, fagacée, fau, fou, fouteau, foyard, gaïac, hêtre.

FAYOT. Assidu, dévoué, empressé, enflammé, fanatique, haricot, lèche-cul, sous-officier, zélé.

FÉAL. Adepte, affidé, affilié, allié, ami, compagnon, constant, droit, fébrifuge, fidèle, loyal, partisan.

FÉBRIFUGE. Acide acétylsalicylique, amidopyrine, angustura, angusture, antipyrine, antipyrétique, antithermique, apiole, aspirine, camphre de persil, cinchonine, fièvre, hyperthermie, quinine, quinquina.

FÉBRILE. Agité, ardent, énervé, excité, fiévreux, frénétique, impatient, nerveux, passionné, pondéré, typhose.

FÉBRILEMENT. Anxieusement, convulsivement, fiévreusement, impatiemment, nerveusement, spasmodiquement, vivement.

FÉBRILITÉ. Agitation, exaltation, excitation, fièvre, frénésie, impatience, nervosité, surexcitation.

FÉCAL. Défécation, étron, excrément, excrémentiel, fécalome, fèces, méconium, selle, tinette.

FÈCES. Bouse, bran, caca, chiasse, chiure, crotte, crottin, défécation, étron, excréments, fécal, lie, méconium, selle.

FÉCOND (n. p.). Nil.

FÉCOND. Abondant, avantageux, copieux, été, fertile, florissant, fructueux, gras, lapinisme, prolifique, riche.

FÉCONDATION. Accrescent, anisogamie, autogamie, chasmogamie, fertilité, fivète, insémination, in-vitro, superfécondation.

FÉCONDER. Améliorer, amender, appauvrir, bonifier, cultiver, engraisser, enrichir, fécondant, fertiliser, inséminer.

FÉCONDITÉ. Abondance, créativité, fertilité, générosité, inventivité, lapinisme, productivité, reproduction, richesse.

FÉCULE. Amylique, arrow-root, cassave, colocase, féculent, maïs, racahout, sagou, tapioca, taro.

FÉDÉRATION. Alliance, amphictyonie, coalition, confédération, société, syndicat, union.

FÉDÉRER. Affider, allier, assembler, associer, coaliser, confédérer, liguer, rassembler, regrouper, unir.

FÉE (n. p.). Carabosse, Korrigan, Mab, Mélusine, Urgande, Urgèle.

FÉE. Aspiole, féer, fougère, génie, korrigan, magicienne, mélusine, ondin, ondine, péri, sorcière, sylphide.

FEED-BACK. Âme, amour, autorégulation, béhaviorisme, caractère, contre-réaction, génétisme, mental, nativisme, pédologie, pénétration, prégnance, psychologie, rétroaction, rétrocontrôle.

FÉERIE. Éclat, fantasmagorie, fantastique, magnificence, merveilleux, monde, spectacle, somptuosité, splendeur, surnaturel.

FÉERIQUE. Enchanteur, fabuleux, fantastique, irréel, magique, magnifique, prodigieux, surnaturel.

FEIGNANT. Aboulique, aï, cancre, édenté, faignant, fainéant, flâneux, glandeur, indolent, inerte, lâche, lambin, lambineux, larve, mou, négligent, nonchalant, oisif, pacha, paresseux, singe, unau.

FEINDRE. Affecter, boiter, contrefaire, déguiser, déjouer, dissimuler, étudier, imiter, inventer, jouer, mentir, ruser, semblant, sembler, simuler, singer, tromper.

FEINT. Absurde, affecté, altéré, apocryphe, artificiel, étudié, factice, faux, fictif, imaginaire, simulé.

FEINTE. Affectation, artifice, cabotinage, cachotterie, comédie, déguisement, dissimulation, doucet, duplicité, fard, faux-semblant, fiction, frime, grimace, leurre, mouvement, ruse, simulacre, tour.

FEINTER. Abuser, amuser, berner, cocufier, décevoir, désappointer, dol, duper, égarer, enjôler, errer, flouer, frauder, frustrer, gourer, gruger, illusionner, induire, infaillible, léser, leurrer, lober, mentir, méprendre, pigeonner, piper, posséder, refaire, rouler, ruser, simuler, trahir, tricher, tromper, truc.

FEINTEUR. Abuseur, bonimenteur, cabotin, captieux, chafouin, charlatan, décevant, déloyal, dupeur, exploiteur, fallacieux, faux, fraudeur, hypocrite, illusoire, mensonger, menteur, perfide, tricheur, trompeur.

FELD-MARÉCHAL (n. p.). Bülow, Campbell, Golitsyn, Hindenburg, Hötzendorf, Keitel, Kluck, Kluge, Mackensen, Manteuffel, Menchikov, Moltke, Potemkine, Souvorov, Wilson, Wolseley, Yorck.

FELDSPATH. Albite, aluminosilicate, amazonite, arkose, bytownite, kaolin, labrador, lapis, lapis-lazuli, lazurite, microcline, oligoclase, orthose, perlite, pétunsé, plagioclase, syénite, trachyte.

FÊLÉ. Abîmé, aliéné, bouffon, dément, dérangé, ébréché, étoilé, fendu, fou, gâteux, troublé.

FÊLER. Craqueler, craquer, étoiler, fausser, fendiller, fendre, fissurer, raturer, rayer, rompre, strier.

FÉLIBRE. Barde, écrivain, fablier, fabuliste, félibrige, gras, majoral, mélode, mistral, oc, poète, prosateur.

FÉLIBRIGE (n. p.). Aubanel, Brunet, Giera, Gras, Jasmin, Mathieu, Mistral, Roumanilles, Tavan.

FÉLIBRIGE. Cénacle, écrivain, félibre, gras, majoral, mistral, oc, poète, prosateur.

FÉLICITATION. Acclamation, apologie, apothéose, applaudissement, bravo, célébration, compliment, congratulation, dithyrambe, éloge, encens, flatter, fleur, hourra, louange, panégyrique, satisfecit, triomphe.

FÉLICITÉ. Adversité, aise, amulette, aubaine, béatitude, bien-être, bonheur, calamité, chance, confort, délice, désastre, douceur, douleur, échec, extase, heur, infortune, joie, jouissance, malchance, misère, peine, plaisir, prospérité, rayonner, revers, satisfaction, souffrance, succès, veine.

FÉLICITER. Adresser, applaudir, approuver, complimenter, congratuler, louanger, témoigner, vanter.

FÉLIDÉS. Caracal, chat, cougouar, couguar, eyra, félin, guépard, haret, irbis, jaguar, juguarondi, jaguarundi, léopard, lion, loup-cervier, lynx, margay, ocelot, once, panthère, puma, serval, servalin, tigre.

FÉLIN. Affectueux, agile, aimant, amoureux, câlin, caracal, caressant, carnassier, chat, enjôleur, eyra, fauve, guépard, hypocrite, jaguar, léopard, lion, lynx, ocelot, once, panthère, puma, serval, souple, tigre.

FELLAH. Agricole, agriculteur, bouseux, campagnard, cocassier, cultivateur, fermier, gaucho, habitant, laboureur, manant, paysan, pecmot, péon, péquenot, plouc, plouk, poète, rural, rustaud, rustique, rustre, terrien, vilain.

FELLATION. Cunnilingus, fellatio, irrumation, irrumation, pipe, pompelard, pompier, sexe, sucette.

FÉLON. Bigot, cagot, déloyal, dissimulé, doucereux, escobar, faux, fourbe, franc, hypocrite, infidèle, judas, loyal, mielleux, papelard, perfide, pharisien, renégat, rusé, simulateur, sournois, tartufe, tartuffe, traître.

FÉLONIE. Abandon, adultère, apostasie, dédit, déloyauté, dérogation, désaveu, écart, entorse, erreur, fantaisie, félonie, forfaiture, fugue, hérésie, inconstance, inexactitude, infidélité, ingratitude, inobservation, liaison, manquement, parjure, passade, perfidie, reniement, rupture, scélératesse, trahison, traîtrise, transgression, tromperie, violation.

FÊLURE. Blessure, brèche, brisure, cassure, coupure, craquelure, craqûre, crevasse, enture, espace, étoile, étoilement, étonnure, faille, fente, fissure, fragment, givre, givrure, glace, hiatus, lézarde, mésentente, ouverture, trouée.

FEMELLE. Agami, agnelle, ânesse, biche, brebis, bufflesse, bufflette, bufflonne, cane, chamelle, chanterelle, chatte, chèvre, chevrette, chienne, coche, daine, dinde, épicène, faisande, faisane, guenon, hase, hérissonne, jument, laie, lapine, levrette, lice, lionne, louve, mère, merlette, meurette, mule, oie, ourse, paonne, perruche, pigeonne, pistil, poule, rate, reine, renarde, suitée, tigresse, truie, vache.

FEMME (3 lettres) (n. p.). Ève.

FEMME (3 lettres). Bru, fée, mie, mme, pie.

FEMME (4 lettres). Amie, dame, dona, elle, grue, lady, mémé, mère, meuf, môme, nana, rani, vamp.

FEMME (5 lettres). Atour, bonne, canon, catin, dinde, fatma, fille, furie, garce, gaupe, goton, harem, houri, lotta, morue, naine, perle, peste, poule, pin-up, reine, sœur, sotte, squaw.

FEMME (6 lettres). Ânière, beauté, boudin, cheval, chipie, congaï, déesse, dondon, doudou, duègne, égérie, épouse, gésine, gouine, guenon, harpie, lapine, lionne, margot, mégère, mémère, menine, moitié, mousmé, nabote, pécore, poupée, putain, rousse, sainte, salope, sirène, touffe, vahiné, virago.

FEMME (7 lettres). Amazone, avocate, bazenne, bécasse, béguine, bobonne, bringue, congaye, cocotte, commère, folache, frigide, gironde, héroïne, hôtesse, logeuse, lorette, luronne, marâtre, matrone, moukère, nénette, ogresse, préfète, rameuse, roulure, sibylle, soldate, sphinge, sultane, tanagra, traînée, tribade, tsarine, typesse, tzarine.

FEMME (8 lettres). Agalacte, bachante, bouchère, capeline, chaperon, comtesse, connasse, consœur, coquette, cornette, cotillon, drôlesse, duchesse, dulcinée, éleveuse, glaneuse, gonzesse, greluche, hommasse, laideron, mairesse, marquise, marraine, ménagère, menteuse, mouquère, pairesse, panthère, paysanne, pimbêche, poétesse, rombière, servante, sylphide, tigresse.

FEMME (9 lettres). Allumeuse, bacchante, batelière, belle-mère, caillette, cameriste, coiffeuse, débauchée, diablesse, écrivaine, maîtresse, maritorne, nullipare, odalisque, pimpesoué, pleureuse, prêtresse, soubrette.

FEMME (10 lettres). Aguichante, belle-fille, boulangère, cantinière, cendrillon, châtelaine, doctoresse, escrimeuse, filandière, ivrognesse, laideronne, lavandière, nymphomane, péronnelle, pétroleuse, prostituée, sauvagesse, vicomtesse.

FEMME (11 lettres). Chancelière, conseillère, entraîneuse, gourgandine, gouvernante, impératrice, jouvencelle, lieutenante, parturiente, prophétesse, spectatrice.

FEMME (12 lettres). Ambassadrice, effeuilleuse, prétentieuse, procuratrice.

FEMME (13 lettres). Archiduchesse, strip-teaseuse.

FEMME ADMÈTE (n. p.). Alceste.

FEMME AGAMEMNON (n. p.). Clytemnestre.

FEMME ALEXANDRE LE GRAND (n. p.). Rhôxane, Roxane.

FEMME AMPHION (n. p.). Niobé.

FEMME AMPHITRYON (n. p.). Alcmène.

FEMME ATHAMAS (n. p.). Ino.

FEMME BOOZ (n. p.). Ruth.

FEMME BIBLE (n. p.). Esther, Ève, Judith, Rébecca, Ruth.

FEMME CÉPHÉE (n. p.). Cassiopée.

FEMME CHAMPLAIN (n. p.). Hélène.

FEMME CRONOS (n. p.). Rhéa.

FEMME DEUCALION (n. p.). Pyrrha.

FEMME ÉNÉE (n. p.). Créüse.

FEMME ÉPIMÉTHÉE (n. p.). Pandore.

FEMME GRECQUE (n. p.). Aspasie.

FEMME HECTOR (n. p.). Andromaque.

FEMME HÉRACLÈS (n. p.). Déjanire, Iole, Omphale.

FEMME ISAAC (n. p.). Rébecca

FEMME JACOB (n. p.). Léa.

FEMME JASON (n. p.). Médée.

FEMME JUPITER (n. p.). Junon.

FEMME LAIOS (n. p.). Jocaste.

FEMME MÉNÉLAS (n. p.). Hélène.

FEMME MINOS (n. p.). Pasiphaé.

FEMME ORGON (n. p.). Elmire.

FEMME ORPHÉE (n. p.). Eurydice.

FEMME OSIRIS (n. p.). Isis.

FEMME PÉLÉE (n. p.). Thétis.

FEMME PERSÉE (n. p.). Andromède.

FEMME POSÉIDON (n. p.). Amphitrite.

FEMME PRIAM (n. p.). Hécube.

FEMME PYRRHUS (n. p.). Hermione.

FEMME TÉRÉE (n. p.). Philomène.

FEMME THÉSÉE (n. p.). Hippolyte, Phèdre.

FEMME TYNDARE (n. p.). Léda.

FEMME ULYSSE (n. p.). Pénélope.

FEMME ZEUS (n. p.). Europe, Héra.

FEMME DE LETTRES ALLEMANDE (n. p.). Frank.

FEMME DE LETTRES AMÉRICAINE (n. p.). Nin, Oates, Stein.

FEMME DE LETTRES ANGLAISE (n. p.). Christie, Higgins.

FEMME DE LETTRES AUTRICHIENNE (n. p.). Aichinger.

FEMME DE LETTRES BRITANNIQUE (n. p.). Brontë, Cartland, Christie, Cornwell, Eliot, Highsmith, James, Westmacott, Woolf.

FEMME DE LETTRES CANADIENNE (n. p.). Conan, Hébert, Roy.

FEMME DE LETTRES CHILIENNE (n. p.). Allende.

FEMME DE LETTRES DANOISE (n. p.). Blixen.

FEMME DE LETTRES FRANÇAISE (n. p.). Adam, Arnothy, Avril, Beauvoir, Boissard, Bourin, Cardinal, Chapsal, Charles-Roux, Colette, Collange, Deforges, Dolto, Dorin, Duras, Frain, Groult, Lacamp, Lenclos, Le Varlet, Mallet-Joris, Monsigny, Pisier, Rivoyre, Sagan, Sand, Ségur, Sévigné, Staël.

FEMME DE LETTRES NORVÉGIENNE (n. p.). Undset.

FEMME DE LETTRES QUÉBÉCOISE (n. p.). Bersianik, Bissonnette, Blais, Bombardier, Brault, Brossard, Bussières, Claudais, De Gramont, De Lamirande, DesRochers, Ferretti, Ferron, Gagnon, Gauvin, Grisé, Laberge, Larouche, Larue, Lemieux, Loranger, Maillet, Mallet, Marchessault, Noël, Ouellette, Ouellette-Michalska, Ouvrard, Proulx, Ruel, Villemaire, Villeneuve.

FÉMUR. Casaquin, coxo-fémoral, cuisse, fémoral, gigot, hanche, iliaque, jambe, jambon, os, trochanter.

FENAISON. Coupe, dessification, fanage, fauchaison, foin, moisson, pressage, râtelage, récolte.

FENDANT. Amusant, arrogant, cépage, chasselas, chasselat, condescendant, dédaigneux, drôle, fier, hautain, méprisant, orgueilleux, outrecuidant, pimbêche, pincé, présomptueux, prétentieux, snob, vigne, vin.

FENDARD. Bloomer, blue-jean, braies, corsaire, culotte, denim, fendart, froc, fuseau, futaie, futal, jean, jeans, jodhpurs, knickers, knickerbockers, pantalon, pantin, quadrille, sampot, saroual, sarouel, séroual, sérouel.

FENDILLEMENT. Brèche, cassure, coupure, craquèlement, craquellement, craquelure, crevasse, enture, espace, faïençage, fêlure, fente, fissure, gerçure, grigne, hiatus, lézarde, ouverture, ride, séisme, trouée.

FENDILLER. Briser, casser, craqueler, craquer, crevasser, déchirer, écarter, étoiler, fêler, fissurer, gercer, inciser.

FENDOIR. Ascia, bipenne, couperet, couteau, guillotine, hache, hachoir, hansart, machette, osseret.

FENDRE. Briser, casser, cliver, couper, débiter, disjoindre, diviser, écarter, éclisser, écuisser, entrouvrir, étoiler, inciser, fêler, fissurer, inciser, ouvrir, pourfendre, refendre, rompre, scier, scinder, rire, tailler.

FENDU. Bifide, ébréché, ente, fêlé, femme, fessier, fissure, fou, gercé, greffe, incisé, ouvert, vis, vulve.

FENESTRATION. Baie, carreau, embrasure, fenêtre, fenestrage, fronteau, lanterne, lanterneau, lanternon, lucarne, limière, mosaïque, ouverture, puits, table, verre, verrière, vitrail, vitre, vue.

FENESTRON. Hélicoptère, ouverture, rotor, turbine.

FENÊTRE. Ajour, baie, battant, cantonnière, châssis, croisée, espagnolette, hublot, jalousie, lucarne, lunette, meneau, oculus, œil-de-bœuf, oreille, oriel, rideau, soupirail, store, tabatière, tenture, vanterne, vasistas, volet.

FENIL. Aire, foin, gabelle, grain, grange, grenier, hangar, longère, magasin, pailler, remise, resserre.

FENNEC. Canidé, carnivore, mammifère, renard, renard des sables, renard du Sahara, zerda.

FENOUIL. Amer, amni, anet, aneth, bâtard, criste-marine, fenouillet, fenouillette, foeniculum, légume, meum, ombellifère, plante, vespétro, visnage.

FENTE. Bouterolle, brisure, cassure, coupure, crevasse, creux, enture, espace, étoile, faille, fêlure, filon, fissure, fuite, gerce, gerçure, grigne, hiatus, incision, jour, ouïe, ouverture, passepoil, péristome, raie, ride, seime, strie, trace, trou, voie, vue.

FENUGREC. Cataplasme, herbacée, mélilot bleu, papilionacées, plante, trigonelle.

FÉODAL. Abbaye, archaïque, château, châtelain, détenteur, laird, maître, paréage, possesseur, propriétaire, seigneur.

FÉODALITÉ. Alliance, cartel, complexe, coentreprise, combinat, complexe, concentration, conglomérat, consortium, duopole, entente, groupe, industrie, monopole, oligopole, trust.

FER. Acier, angrois, arme, bagnard, cep, chemin, coin, coutre, dard, digon, épée, étain, fe, ferret, forçat, gond, jas, lame, lance, métal, minerai, minette, poignard, rasette, repasser, ruade, sagitté, sanguine, soc, tôle, tranchant, versoir.

FER À CHEVAL. Amphithéâtre, étampure, pin, rhinolophe.

FER BLANC. Boîte, étain, ferblanterie, tôle.

FÉRIÉ. Arrêter, cesser, chômable, chômé, fêter, jour, oisif, suspendre.

FÉRIR. Asséner, assommer, atteindre, battre, boxer, cingler, cogner, ébahir, étonner, fesser, fouailler, foudroyer, frapper, geler, gifler, heurter, horrifier, impressionner, infliger, marteler, méduser, percuter, pétrifier, plaquer, poignarder, proscrire, punir, rouer, sidérer, sonner, stupéfier, surprendre, taper, tapoter, terrifier, terroriser, tondre, tosser, trépigner.

FERMAGE. Affermage, amodiation, bailleur, commandite, contrat, convention, emphytéotique, louer, loyer, renon.

FERMAIL. Agrafe, aiguillette, attache, boucle, cavalier, cliquet, épingle, fermoir, ferret, fibule, trombone, zip.

FERME. Al dente, assuré, bastide, comble, domaine, dur, énergique, entêté, estancia, exploitation, fazenda, fermette, flasque, fort, hacienda, hardi, inébranlable, inflexible, maltôte, mas, métairie, nerveux, obstiné, opiniâtre, persévérant, ranch, redevance, rénitent, résolu, robuste, solide, stable, stoïque, tenace, terme, volontaire.

FERMÉ. Arrêté, bâclé, barré, barricadé, béotien, borné, bouché, buté, caché, cadenassé, clos, départ, gâté, germé, hermétique, inaccessible, lacé, luté, muré, noué, occlue, œil, placardé, rivé, scellé, soudé.

FERMEMENT. Abruptement, articulé, brusquement, brutalement, caractérisé, carrément, catégoriquement, clairement, crûment, directement, droit, durement, franc, franchement, hardiment, hautement, inflexiblement, librement, net, nettement, raide, raidement, résolument, rondement, solidement, vertement.

FERMENT. Bacille, bactérie, broche, charnière, diastase, enzyme, espagnolette, fiche, penture, tourniquet.

FERMENTATION. Agitation, bouillage, bouillaison, bouillonnement, butyrique, cuvage, ébullition, effervescence, excitation, fièvre, fusel, levain, levure, nervosité, remous, trouble, zymotechnie, zymotique.

FERMENTER. Agiter, barrer, boucher, cuver, effervescence, gâter, germer, lever, moût, sur, tourner, travailler.

FERMER. Arrêter, bâcler, barrer, barricader, boucher, boucler, boutonner, cacher, cacheter, cadenasser, cicatriser, ciller, claquemurer, claquer, cligner, clore, coudre, couvrir, enfermer, faufiler, lacer, murer, nouer, occlure, placarder, river, sceller, souder, verrouiller.

FERMETÉ. Assurance, austérité, consistance, coriacité, courage, détermination, dureté, énergie, flasque, immuabilité, impassibilité, mordicus, opiniâtreté, raideur, rigueur, stoïcisme, sûreté, ténacité, ton, unicité, unité.

FERMETURE. Arrêt, atrésie, barre, barreau, cadenas, clé, clef, cloison, clôture, croisée, espagnolette, fin, hermétique, jalousie, loquet, occlusion, paumelle, pêne, serrure, tirette, trappe, velcro, verrou, volet, zip.

FERMIER. Agriculteur, agronome, colon, cultivateur, exploitant, partiaire, paysan, tenant.

FERMIUM. Fm.

FERMOIR. Agrafe, aiguillette, attache, boucle, cavalier, cliquet, épingle, fermail, ferret, fibule, trombone, zip.

FÉROCE. Atroce, barbare, boucher, brute, cruel, dur, impitoyable, rigoureux, rude, sadique, sanguinaire, sauvage.

FÉROCEMENT. Acharnement, affreusement, barbarement, bestialement, brutalement, cruellement, durement, farouchement, horriblement, méchamment, rudement, sadiquement, sanguinairement, sauvagement.

FÉROCITÉ. Acharnement, apprivoisé, atrocité, barbarie, barbarisme, brutalité, cannibalisme, cruauté, douceur, dureté, horreur, inhumain, insensibilité, instinct, sadisme, sauvage, sauvagerie, violence.

FERRADE. Animal, bestial, bétail, cheptel, coccidiose, ers, kraal, marquage, pacage, pâtis, rodéo, troupeau.

FERRAILLE. Argent, armature, cliquetis, ferraillerie, limaille, mitraille, monnaie, ravageur, rebut, tacot.

FERRAILLEMENT. Aigu, bruit, bruxisme, bruxomanie, couinement, cri, crissement, grésillement, grincement, parasite.

FERRAILLER. Accrocher, battre, blesser, buter, choquer, cogner, combattre, cosser, emboutir, entrechoquer, frapper, froisser, heurter, livrer, percuter, rencontrer, tamponner, taper, télescoper, tosser, vexer.

FERRAILLEUR. Bagarreur, batailleur, brétailleur, bretteur, duelliste, escrimeur, estocadeur, querelleur.

FERRÉ. Abondant, aillé, armé, bagué, barbelé, bardé, blindé, boisé, calé, compétent, connaisseur, empenné, érudit, farci, fleuri, fort, fourni, garni, habile, instruit, meublé, paré, protégé, touffu, trapu.

FERREMENT. Amarrage, ancrage, arrimage, attache, calage, encartage, épinglage, étrive, fixage, fixation, implantation, inclusion, insertion, intercalation, lamanage, ligature, lusin, nouage, nouement, sanglage.

FERRET. Aiguille, aiguillon, charnière, embout, fermoir, ferrage, ferrure, fiche, penture, serrure, té, tige.

FERRETIER. Bagarre, batte, besaiguë, bigorne, boucharde, charde, châsse, enclume, enclumette, laie, masse.

FERRITE. Abacule, alliage, allotropique, azulejo, céramique, émail, faïence, ferrite, minerai, sel, tesselle.

FERROCYANURE. Ferroprussiate, sel.

FERROMANGANÈSE. Alliage, manganèse, recarburation, spigel.

FERRONNERIE. Atelier, boutique, crampon, fabrique, fer, fiche, métal, quincaillerie, serrurerie.

FERRUGINEUX. Émeri, ferret, ferreux, ferrifère, hématie, hématite, ocre, oligiste, sanguine, sidéré.

FERRURE. Aiguillon, cantonnière, charnière, fémelot, ferrage, ferret, fiche, paumelle, penture, serrure, té.

FERRY-BOAT. Bac, bateau, car-ferry, ponton, tender, navire, transbordeur, transroulier, traversier.

FERTÉ. Bastion, bonnette, bretèche, castrum, flanquement, fort, forteresse, fortification, fortifs, préside, redoute, retranchement.

FERTILE. Abondant, copieux, fécond, fructueux, généreux, inventif, plantureux, prolifique, riche.

FERTILEMENT. Abondamment, avantageusement, efficacement, fécondement, fructueusement, juteusement, lucrativement, profitablement, salutairement, tentablement, salutairement, utilement, utilitairement.

FERTILISANT. Amendement, apport, colombine, compost, cyanamide, écobuage, engrais, falun, fumier, fumure, gadoue, graissin, guano, humus, limon, marne, nourrain, poudrette, pralin, purin, urée.

FERTILISATION. Abonnissement, amélioration, amendement, assolement, bonification, chaulage, compostage, déchaumage, écobuage, engraissage, engraissement, enrichissement, ensemencement, épandage, fumage, fumaison, fumigation, fumure, irrigation, jachère, limonage, marnage, phosphatage, plâtrage, soufrage, sulfatage, terreautage.

FERTILISER. Améliorer, amender, appauvrir, bonifier, colmater, cultiver, écobuer, engraisser, enrichir, féconder, fumer, phosphater, terreauter.

FERTILITÉ. Conception, créativité, fécondité, générosité, orolificité, rendement, richesse.

FÉRU. Amant, amitié, amour, amourette, ardeur, baise, charité, cœur, cour, dilection, égoïsme, entiché, épris, érotisme, feu, fleuve, flirt, gastronomie, herbe, idolâtrie, idylle, narcissisme, passion, polarisé, piété.

FÉRULE. Ase, autorité, commandement, direction, houlette, ombellifère, palette, plante, pouvoir.

FERVENT. Admirateur, ardent, chaud, enthousiaste, fan, froid, indifférent, passionné, tiède, vœu.

FERVEUR. Amour, ardeur, assiduité, chaleur, dévotion, effusion, enthouisiasme, feu, passion, piété, religion, respect, sainteté, tiédeur, vertu, zèle.

FESSE. Croupion, cul, derrière, fessier, fessu, fond, fondement, ischion, pétard, popotin, postérieur, séant, siège, train.

FESSÉE. Correction, défaite, dégelée, fessade, frite, fustigation, pâtée, punition, réparée, tanné, trempé.

FESSE-MATHIEU. Avare, avaricieux, baise-la-piastre, économe, pingre, prêteur, shylock, usurier.

FESSER. Bastonner, battre, châtier, corriger, fouetter, frapper, fustiger, punir, rosser, rouer, taper.

FESSIER. Arrière-train, coccyx, croupe, croupion, cul, derrière, fesses, popotin, postérieur, siège.

FESTIN. Agape, bâfre, banquet, beuverie, bombance, bombe, fête, foire, noce, repas, ripaille, symposium.

FESTIVAL (n. p.). Angoulême, Avignon, Avoriaz, Bath, Bayreuth, Cannes, Jazz, Juste pour rire, Granby, Lucerne, Montreux, Woodstock.

FESTIVAL. Biennale, célébration, ducasse, encan, festivité, fête, foire, frairie, kermesse, réjouissance.

FESTIVITÉ. Allégresse, célébration, cérémonie, festival, fête, fiesta, gala, noce, nouba, rave, réjouissance.

FESTON. Bordure, broderie, courbe, dent, frange, garniture, guirlande, lambrequin, point, tresse.

FESTONNER. Broder, chantourner, charcuter, ciseler, couper, débiter, découper, délisser, denteler, dépecer, dessiner, détacher, détailler, échancrer, équarrir, évider, hacher, lacérer, profiler, rogner, taillader, tailler, trancher.

FESTOYER. Banqueter, bombance, gueuletonner, partouzer, recevoir, régaler, réveillonner, ripailler.

FETA. Brebis, fromage, grec.

FÊTARD. Arsouille, bambocheur, couche-tard, débauché, jouisseur, noceur, noctambule, viveur.

FÊTE. Amusement, anniversaire, assemblée, bacchanale, bal, bamboula, bastringue, bonichon, brandon, célébration, cérémonie, chandeleur, commémoration, dentelle, féerie, féralies, féria, festin, festivité, fest-noz, fiesta, foire, gala, galipote, jubilé, kermesse, noce, nouba, orgie, parentalies, priapée, raout, rave, réjouissance, rite, rodéo, saturnales, soirée, solennité, têt, teuf, tournoi.

FÊTE BRETONNE. Fest-noz.

FÊTE CATHOLIQUE (n. p.). Annonciation, Ascension, Assomption, Carême, Épiphanie, Fête-Dieu, Nativité, Noël, Pâques, Pentecôte, Rameaux, Toussaint, Visitation.

FÊTE JUIVE (n. p.). Hanoukka, Pâque, Pessah, Pourim, Rosh Hashana, Sabbat, Shabouot, Shavouath, Sim'hat, Soukkot, Yom Kippour.

FÊTE MUSULMANE (n. p.). Achoura, Aïd el Kebir, Aïd el Seghir.

FÊTE VIETNAMIENNE (n. p.). Têt.

FÊTER. Célébrer, chômer, commémorer, festoyer, galipote, goguette, pavoiser, sanctifier.

FÉTICHE. Amulette, divinisé, doudou, effigie, fabriqué, gri-gri, hasard, idolâtré, idole, image, mascotte, pentacle, porte-bonheur, reliques, sacré, scapulaire, superstition, tabou, talisman, totem, vénéré.

FÉTICHEUR. Animiste, aruspice, astrologue, augure, auspice, boa, cartomancien, charlatan, chiromancien, constrictor, devin, divinateur, eubage, graphologue, guérisseur, haruspice, initié, jour, nécromancien, oniromancien, oracle, prêtre, prophète, sacré, sorcier, vaticinateur, vaticineur.

FÉTICHISME. Admiration, adoration, culte, dévotion, hommage, idolâtrie, respect, révérence, sacré, vénération.

FÉTIDE. Abominable, ase, asphyxiant, croupi, dégoûtant, écœurant, empesté, ignoble, immonde, infect, innommable, malodorant, marcaptan, méphitique, nauséabond, puant, putride, repoussant, répugnant.

FÉTIDITÉ. Empyreume, infection, méphitisme, miasme, moisi, pestilence, puanteur, rance, ranci, relent, renfermé.

FÉTU. Bagatelle, brimborion, brin, brin de paille, brindille, fil, misère, paille, peu, rien.

FEU (n. p.). Abiu, Agni, Héphaïstos, Osiris, Prométhée, Saint-Elme, Séléné, Veda, Vestales.

FEU. Ardent, ardeur, âtre, bière, bouche, brasier, brûler, bûcher, cendres, chaleur, combustion, conflagration, crémation, décédé, défunt, drap, famille, fanal, ferveur, flambée, flamme, flammerole, fouée, fournaise, foyer, fuégien, funéraire, fuser, grégeois, igné, ignivome, incendie, lanterne, linceul, mort, passion, phare, poêle, régalade, rif, riffe, riffle, tir, tirer, veuf, veuve, zèle.

FEUDATAIRE. Bey, dynastie, fief, forfaiture, leude, lige, mainmortable, pair, radjah, raja, rajah, suzerain, vassal, vasseur.

FEU FOLLET. Esprit, farfadet, flammerole, follet, korrigan, lutin, troll.

FEUIL. Couche, feuille, film, filmogène, glacis, pellicule, protection, rétraction, revêtement.

FEUILLAGE. Arabesque, caducifolié, feuillée, feuilles, frondaison, rinceau, sempervirent, verdure.

FEUILLAISON. Annal, annuel, feuillée, foliation, frondaison, phyllotaxie, renouvellement, verdure.

FEUILLE. Acétate, acuminé, affiche, aiguille, bétel, bloc, bractée, cape, carotte, carpelle, chiffonnade, conjugué, crosse, découpé, décurrent, décussé, écaille, encart, engainant, fane, feuillage, fiche, folio, fronde, hasté, imparipenné, in-plano, journal, livre, lobe, nervure, nid, page, palme, palmifide, palmilobé, palmiparti, palmiséqué, papier, papyrus, pellicule, pelté, penné, perfolié, pétiole, placage, polaroid, pubescent, qat, rame, robe, rosette, thé, tierce, tôle, tract, trifoliolé, verticillé, unifolié.

FEUILLET. Bœuf, cédule, schistosité, défet, ectoblaste, ectoderme, endoblaste, endoderme, estomac, fascicule, feuille, folio, garde, lamelle, méblaste, mésoderme, onglet, pamphlet, page, pli, rôle, tract, volet.

FEUILLETÉ. Calisson, chausson, compulsé, dariole, dartois, lu, palmier, pâtisserie, strudel, survolé, vol-au-vent.

FEUILLETER. Bouquiner, compulser, hasard, jeter, lire, parcourir, rapidement, survoler.

FEUILLETON. Action, anecdote, conte, épisode, histoire, intrigue, livre, manuscrit, nouvelle, prologue, rêve, roman, romanesque, roman-feuilleton, scénario, sérial, soap, soap opera, téléroman, thriller.

FEUILLU. Abondant, arbre, aulne, bosquet, bouleau, châtaignier, chêne, dragonnier, érable, folié, frêne, hêtre, marronnier, micocoulier, noyer, olivier, orme, palmier, paulownia, peuplier, tilleul, touffu.

FEUILLURE. Abaque, architrave, corbeau, décharge, entaille, épistyle, hache-viande, hachoir, hansart, huisserie, linteau, plateau, plate-bande, poitrail, soffite, sommier, tailloir, tranchoir, tympan, ustensile.

FEULER. Bougonner, crier, critiquer, félir, geindre, grogner, grommeler, gronder, maugréer, murmurer, pester, plaindre, protester, rager, râler, rauquer, renauder, ronchonner, rugir.

FEUTRAGE. Assistance, garde, garniture, mélusine, protection, rembourrage, trichoma, trichome.

FEUTRE. Blanchet, crayon, drap, feutrine, grigne, manchon, mat, mélusine, nappe, stylo, surligneur, taupe.

FÈVE. Anagyre, bine, cosse, coumarine, faséole, favelotte, faverole, fayot, féverole, févette, févier, gleditschia, gourgane, haricot, légumineuse, papilionacée, physostigma, rois, soja, tonka, vicia.

FIABILISER. Abriter, aider, aile, apaiser, assurer, calmer, conserver, dé, défendre, épargner, éviter, garantir, garder, garer, égide, éviter, garantir, garder, mécène, obombrer, préserver, protéger, providence, rassurer, sauver, secourir, sécuriser, toit, tranquilliser.

FIABILITÉ. Crédibilité, croyance, fidélité, représentativité, scientificité, sérieux, sûreté, vérifiabilité.

FIABLE. Ampleur, capital, conséquence, essentiel, étendue, fidèle, gabarit, grandeur, gravité, gros, intérêt, poids, pressant, quantité, rien, sérieux, somme, suffisant, sûr, urgent, utilité, valeur, vice, vue.

FIACRE. Calèche, carrosse, cocher, hippomobile, pruche, saint, sapin, taxi, téléga, voiture.

FIANÇAILLES. Abonnement, accord, accordailles, alliance, armistice, bail, cartel, clause, compromis, concordat, contrat, convention, écrit, entente, forfait, marché, pacte, pollicitation, règle, traité.

FIANCÉ (n. p.). Cid.

FIANCÉ. Accordé, bien-aimé, bruman, dulciné, futur, galant, parti, prétendant, prétendu, promis, soupirant.

FIANCER. Accorder, affirmer, allier, annoncer, assurer, certifier, déclarer, donner, engagement, engager, espérer, jurer, mélanger, obliger, offrir, prédire, promettre, rapprocher, unir, vouer.

FIASCO. Avortement, bide, déboire, déconvenue, défaillance, défaite, échec, échouer, faillite, flop, four, impuissance, insuccès, revers, veste.

FIBRE. Abaca, acétate, agave, alpaga, banlon, byssus, câble, chalaze, coir, coton, dacron, dralon, élasthanne, étoupe, fibreux, fibrille, filandre, filament, goretex, grès, jute, kapok, kevlar, laine, lastex, ligament, lin, lycra, manilles, nylon, orlon, orlontagal, ouatine, papier, piassava, pite, raphia, rayonne, rhovyl, rilsan, sisal, tampico, téflon, tergal, térylène, tractus, verranne.

FIBREUX. Dur, fibrillaire, fibrillé, fibrilleux, filamenteux, ligamenteux, ligneux, scléreux, svelteux, tendineux.

FIBRILLATION. Agitation, contraction, convulsion, crispation, épicentre, frémissement, frisson, grelottement, saccade, secousses, séisme, sismique, soubresaut, spasme, tremblement, trémolo, trémulation, trépidation, tressaut, trille, vibration, vibrato.

FIBROME. Cancer, fibromateux, fibromatose, fibromyome, kyste, léimyome, molluscum, tumeur, ulcère.

FIBROSCOPE. Cystoscope, embryoscope, endoscope, fibroscopie, gastroscope, optique, rectoscope.

FIBULA. Astragale, calcanéum, jambe, péronné, tibia.

FIBULE. Agrafe, agui, anneau, ardillon, barrette, boucle, bouclette, boudin, broche, cavité, chape, cordage, crolle, écu, éfrison, émerillon, épingle, erse, fermoir, frisette, frison, girandole, glène, lobe, maille, mousqueton, nœud, œil, sagum, saie, spirale, vague, vaguelette.

FIC. Acrochordon, chélidoine, fy, nævus, papillome, peau, poireau, tumeur, verrucosité, verrue.

FICAIRE. Chélidoine, clair-bassin, dill, éclairette, épinard, fausse renoncule, herbe au fic, petit éclair.

FICELÉ. Accoutré, affublé, amanché, arrangé, attifé, costumé, déguisé, fagoté, fringué, habillé, héraldique, prêt, vêtu.

FICELER. Attacher, brider, construire, élaborer, fixer, habiller, lacer, lier, saucissonner, tringler, vêtir.

FICELLE. Astuce, corde, cordée, fil, filin, filon, galon, lien, ligneul, lisse, mèche, nerf, pain, procédé, ruse.

FICHE. Aiguille, broche, carte, cédule, cheville, fichet, fichier, marque, marqueur, prise, tige, tolet.

FICHER. Administrer, balancer, battre, coller, dédaigner, donner, enfoncer, fabriquer, faire, fixer, flanquer, foutre, introduire, mépriser, mettre, moquer, négliger, noter, planter, railler, répertorier, rire, tromper.

FICHET. Bâton, carte, casier, cédule, classeur, fiche, fichier, marque, marqueur, nasse, olet, rayons.

FICHIER. Boîte, bourriche, casier, classeur, consigne, fiche, fichet, meuble, nasse, panier, rayons, réservation, tiroir.

FICHISTE. Cinéaste, concepteur, créateur, documentaliste, exécuteur, metteur en scène, producteur, réalisateur, vidéaste.

FICHTRE. Admiration, bigre, bougre, espèce, étonnement, foutre, grossier, sacré, surprise.

FICHTREMENT. Bigrement, bougrement, diablement, drôlement, extrêmement, rudement, vachement.

FICHU. Carré, châle, chéret, compromis, cuit, désagréable, écharpe, fâcheux, fanchon, foulard, foutu, guimpe, irrémédiable, madras, mantille, marmotte, mouchoir, nase, pénible, perdu, pointe, râpé.

FICHÛMENT. Absolument, affreusement, assai, assez, bien, bigrement, comble, diablement, drôlement, énormément, excessivement, extra, extrêmement, formidablement, fort, fortement, foutrement, furieusement, grand, hyper, infiniment, invraisemblable, joliment, moult, parfaitement, particulièrement, prodigieusement, remarquablement, réussi, rudement, super, sur, tantinet, terriblement, très, vachement, vraiment.

FICTIF. Chimère, fable, fabriqué, faux, fiction, imaginaire, inventé, invention, irréel, rêve, utopie.

FICTION. Chimère, conte, convention, création, feuilleton, gore, invention, mensonge, nouvelle, roman.

FICUS. Aurea, benghalensis, benjamina, buxifolia, callosa, caoutchouc, carica, cyathistipula, diversifolia, élastica, figuier, gommier, lyrata, macrophylla, moracée, parcellii, radicans, religiosa, rubiginosa, stipulata, sycomorus, vogelli.

FIDÈLE. Adepte, ami, attaché, attachement, bon, conforme, constant, correct, dévot, dévoué, diocésain, éprouvé, féal, honnête, juste, lige, loyal, ouaille, paroissien, probe, sincère, solide, sûr, véridique, vrai.

FIDÈLEMENT. Correctement, exactement, honnêtement, loyalement, minutieusement, précisément, scrupuleusement.

FIDÉLITÉ. Amitié, amour, constance, foi, hommage, loyalisme, loyauté, obédience, sûreté, vérité.

FIDJI, CAPITALE (n. p.). Suva.

FIDJI, LANGUE (n. p.). Anglais.

FIDJI, MONNAIE (n. p.). Dollar.

FIDJI, VILLE (n. p.). Labasa, Lautoka, Mbua, Namuana, Suva, Tubou, Waiyevo.

FIEF (n. p.). Aunais, Foix, Limousin, Nîmes.

FIEF. Circonscription, domaine, féodal, pairie, partie, propriété, rayon, secteur, seigneur, spécialité, tenure, territoire, vassal.

FIEFFÉ. Accompli, achevé, complet, conard, connard, consommé, fini, imbécile, parfait, sacré.

FIEL. Acrimonie, amer, amertume, animosité, bave, bile, haine, hostilité, malveillance, méchanceté, venin.

FIELLEUX. Acrimonieux, amer, animosité, haineux, malveillant, mauvais, méchant, venimeux.

FIENTE. Besoins, bouse, colombin, crotte, crottin, défécation, épreinte, excrément, fèces, laissées, merde.

FIENTER. Chier, crotter, déféquer, emmerder, envoyer, expulser, gâter, peiner, rembarrer.

FIER. Altier, arrogant, confiance, content, crâne, décidé, dédaigneux, digne, enflé, entier, fanfaron, grand, hardi, hautain, noble, orgueilleux, prétentieux, rogue, sauvage, snob, snobinard, superbe, sûr, vain, vanité.

FIER-À-BRAS. Bravache, brave, capitan, casseur, coq, crâneur, fanfaron, faraud, fendant, flambard, gascon, hâbleur, matamore, olibrius, orgueilleux, pan, prétentieux, rodomont, séducteur, tartarin, tranche-montagne, truculent, vantard.

FIÈREMENT. Altièrement, bravement, crânement, courageusement, décidément, dignement.

FIÉROT. Arrogant, content, dédaigneux, fier, heureux, orgueilleux, paon, prétentieux, satisfait.

FIERTÉ. Arrogance, contentement, dédain, dignité, distance, estime, gloire, hardiesse, hauteur, honneur, humilité, infatuation, joie, morgue, orgueil, privilège, satisfaction, suffisance, superbe, triomphe, vanité.

FIESTA. Bringue, célébration, événement, festivité, fête, foire, gala, java, noce, nouba, réjouissance.

FIÈVRE. Amaril, antipyrétique, aphteuse, apyrexie, brucellose, cocotte, crise, défervescence, équine, fébrifuge, fébrilité, frénésie, hectique, malaria, or, paludisme, pyrexie, rémittente, sueur, température, urticaire, vitulaire, vomito.

FIÉVREUSEMENT. Anxieusement, convulsivement, fébrilement, impatiemment, nerveusement, spasmodiquement, vivement.

FIÉVREUX. Agité, ardent, excité, fébricitant, fébrile, frénétique, inquiet, malade, passionné, rouge.

FIFI. Gay, giton, gouine, homo, homosexuel, lesbien, lope, lopette, pédé, pédéraste, tante, tapette, tata, tribade.

FIFILLE. Demoiselle, donzelle, fille, fillette, gamine, nana, nénette, nymphette, préadolescente, tendron.

FIFRE. Bec, diaule, fistule, flageolet, fluette, flûte, flûtiau, galoubet, larigot, mie, mirliton, monaule, navire, nay, ney, octavin, pain, pan, piccolo, pipeau, syrinx, traversière, turlututu, verre.

FIGARO. Barbier, carriériste, coiffeur, intrigant, noce, opéra, opportuniste, personnage, picaro.

FIGÉ. Coagulé, contraint, glacé, hiératique, immobile, paralysé, pétrifié, raide, raidi, sclérosé, statufié.

FIGER. Cailler, coaguler, congeler, constiper, épaissir, fixer, glacer, immobiliser, pétrifier, scléroser, tétaniser, transir.

FIGNOLAGE. Achèvement, amélioration, arrangement, complètement, correction, enjolivement, finition, garnissage, léchage, peaufinage, perfectionnement, polissage, raffinage, raffinement, retouche, révision.

FIGNOLER. Achever, chiader, exécuter, lécher, limer, orner, parachever, parfaire, peaufiner, perler, polir, soigner.

FIGUE (n. p.). Barbarie.

FIGUE. Bourjassotte, caprifigue, carique, fic, kaki, nopal, oponce, opuntia, sycone, sycophante, violet.

FIGUIER (n. p.). Adriatique, Barbarie, Inde.

FIGUIER. Banian, banyans, barnissotte, benjamin, bourjasotte, commun, cotignane, dauphine, étrangleur, ficus, figuerie, indien, kadota, lyrée, oponce, opuntia, marseillaise, moracée, pagodes, sultane, tameriout.

FIGURANT. Acteur, bouche-trou, casting, choriste, comparse, doublure, marcheur, potiche, utilité.

FIGURATIF. Art, hiéroglyphique, idéographique, peinture, pictographique, représentatif, sculpture, symbolique.

FIGURATION. Banderole, casting, choriste, copie, dessin, image, organigramme, plan, rôle, schéma, tablature.

FIGURE. Académie, acéphale, angle, antithèse, antonomase, arabesque, axel, cabriole, carte, chaîne, chiasme, comparaison, cône, dame, dièdre, emblème, expression, face, fraise, frimousse, géométrie, hendiadys, idole, issant, litote, logique, margoulette, ovale, peinture, pont, prétérition, rhétorique, roi, rond, sphère, strophe, tau, tête, tonneau, tourteau, trope, type, valet, véronique, visage, vrille.

FIGURE DE STYLE. Antithèse, comparaison, concession, énumération, euphémisme, gradation, hyperbole, image, litote, métaphore, métonymie, périphrase, prosopopée, rhétorique, statue, symbole, trope.

FIGURE GÉOMÉTRIQUE. Adducteur, angle, carré, cercle, cône, cube, dièdre, dodécagone, ellipse, ennéagone, heptagone, hexagone, hyperbole, ligne, losange, octogone, ovale, parabole, parallélogramme, pentagone, périmètre, polygone, quadrature, quadrilatère, rectangle, règle, rond, segment, solide, sphère, spirale, surface, tau, trapèze, triangle, volute.

FIGURER. Accoler, annoncer, croire, dessiner, imaginer, incarner, préfigurer, réfléchir, représenter.

FIGURINE. Amulette, bilboquet, fève, godenot, image, jaquemart, ludion, magot, marionnette, marmot, marmouset, netské, netsuké, pagode, pantin, poupée, poussah, santon, statue, statuette, tanagra, xoanon.

FIL (n. p.). Ariane, Atropos, Damoclès.

FIL. Aiguiser, barbelé, basin, borne, brin, cannetille, cantaille, caret, caténaire, catgut, chalut, chambray, chas, conducteur, corde, cordon, coton, coupant, courant, cours, crin, cylindre, déroulement, duite, éfaufiler, effiler, enchaînement, épée, faufil, fibre, filament, filandre, filasse, filet, funicule, fusible, guide, laine, lastex, lice, ligne, ligneul, lisse, lurex, lusin, mercière, moule, poil, progression, réunissage, soie, solénoïde, spirale, suite, téléphone, tergal, trame, tranchant.

FIL-À-FIL. Chambray, coton, faufil, laine, serge, tissus, toile.

FILAGE. Effilage, effilochage, étirage, extrusion, faufilure, filature, parfilage, tirage, transfilage, tréfilage.

FILAIRE. Ascaride, ascaris, dragonneau, nématode, parasite, sabelle, strongle, trichine, tylenchus, ver.

FILAMENT. Barbe, barbillon, byssus, chalaze, charpie, cil, cirre, cortine, fibranne, fibre, fibrille, fil, filandre, flagelle, flagellum, funicule, fuseau, hyphe, ligament, morfil, ouate, persillé, poil, rivulaire, usnée.

FILAMENTEUX. Dur, fibreux, fibrillaire, fibrillé, fibrilleux, ligamenteux, ligneux, scléreux, svelteux, tendineux.

FILANDREUX. Ampoulé, confus, coriace, délayé, diffus, dur, embarrassé, emberlificoté, embrouillé, empêtré, enchevêtré, entortillé, fibreux, filamenteux, fumeux, indigeste, nerveux, obscur, tarabiscoté.

FILASSE. Blond, broie, chanvre, clair, étoupe, fil, filasseux, lin, ouate, pâle, séran, sérance, terne.

FILATURE. Attention, espionnage, faction, filerie, fileterie, filoche, garde, gardiennage, guet, îlotage, inspection, monitorage, observation, patrouille, ronde, sentinelle, surveillance, veille, vigie, vigilance.

FILDEFÉRISTE. Acrobate, balancier, bateleur, danseur, équilibriste, funambule, saltimbanque.

FILE. Alignement, caravane, chaîne, chapelet, colonne, cordon, défilé, enfilade, haie, indienne, leuleu, ligne, monôme, part, procession, queue, queue leu leu, rang, rangée, remorqueur, suit, suite, théorie, tisse, train.

FILER. Couler, courir, débarrasser, décamper, déguerpir, détaler, disparaître, enfuir, épier, filocher, fuir, lâcher, larguer, partir, passer, pister, rame, roucouler, rouet, sauver, surveiller, suivre, tisser, tordre.

FILET. Ableret, ablier, agneau, annelet, appât, araignée, bâche, barbe, baron, bœuf, boulier, carrelet, chalut, châteaubriand, châteaubriant, cordon, drague, drège, dreige, embûche, émouchette, épervier, épuisette, flanc, folle, guideau, hamac, haveneau, havenet, lac, let, madrague, magret, marli, mignon, mouton, nasse,

nervure, net, orle, panneau, pantèche, pantière, picot, piège, plexus, porc, réseau, résille, rets, ridée, rissole, ru, seine, senne, suprême, thonaire, tirasse, tournedos, traîneau, tramail, trémail, trouble, troubleau, truble, vannet, venet, verveux.

FILETAGE. Couronne, creusage, drillage, forage, fraisage, fraisement, perçage, sondage, taraudage, vrillement.

FILIALE. Agence, annexe, attenance, branche, commerce, dépendance, division, succursale, tremplin.

FILIATION. Affiliation, descendance, enchaînement, généalogie, liaison, lien, parenté, succession, suite, théogonie.

FILICALE. Adiante, adiantum, aigle, alsophila, asplénium, athyrium, azolla, capillaire, cétérac, cétérach, cheveu-de-Vénus, crosse, dryoteris, filicinée, fougère, fougerole, indusie, limbe, ophioglosse, osmonde, pécoptéris, pilulaire, pinnule, polypode, pteridium, rhizoïde, royale, scolopendre, sore, stipe.

FILIÈRE. Blason, canal, extrusion, filin, généalogie, génération, hiérarchie, laminoir, orifice, plaque, signe, soie, succession, suite, titre, voie.

FILIFORME. Aigu, allongé, délicat, délié, effilé, élancé, épais, étroit, fil, fin, fluet, folié, fragile, frêle, fuselé, gracile, grêle, gros, lame, large, maigre, menu, mince, petit, pincé, poil, pruine, ru, svelte, ténu, tôle, tulle.

FILIGRANE. Arrière-plan, coulisse, filigraner, fond, lointain, scène, horizon, premier plan, serpente, vergeure.

FILIN. Attache, bastin, bosse, boulinette, bout, brague, brin, câble, câbleau, câblot, cordage, corde, fil, filière, fumin, funin, gerseau, guiderope, guinde, jarretière, manilles, œil, orin, passe-rivière, tire-veille, troussière, vérine.

FILLE (3 lettres) (n. p.). Ève.

FILLE (3 lettres). Bru, fée, pie.

FILLE (4 lettres) (n. p.). Inès.

FILLE (4 lettres). Amie, dame, grue, mère, miss, môme, nana, rani, vamp.

FILLE (5 lettres). Bonne, catin, dinde, garce, gosse, gigue, miss, naine, nièce, pépée, perle, poule, reine, sœur.

FILLE (6 lettres). Ânière, beauté, boudin, chipie, congaï, déesse, épouse, gamine, gourde, lapine, lionne, lolita, mégère, mémère, menine, minette, moitié, mousmé, nabote, nubile, nymphe, poupée, putain, quille, rousse, sainte, salope, sirène, touffe.

FILLE (7 lettres). Bécasse, colombe, congaye, frigide, logeuse, luronne, marâtre, matrone, minette, nénette, ogresse, oiselle, pucelle, rameuse, rosière, sultane, tanagra, tendron, traînée, tsarine, vestale.

FILLE (8 lettres). Agalacte, comtesse, donzelle, duchesse, éleveuse, fillasse, fillette, glaneuse, gonzesse, greluche, grisette, hommasse, jeunesse, laideron, mairesse, marquise, marraine, ménagère, menteuse, paysanne, pimbêche, poétesse, rombière, servante, sylphide, tigresse.

FILLE (9 lettres). Batelière, chabraque, coiffeuse, écrivaine, étudiante, gigolette, jeannette, maîtresse, midinette, nymphette, pimpesoué, pleureuse, prêtresse, princesse, soubrette.

FILLE (10 lettres). Demoiselle, doctoresse, escrimeuse, filandière, laideronne, nymphomane, oie blanche, prostituée, sauvagesse, schabraque.

FILLE (11 lettres). Adolescente, célibataire, gouvernante, impératrice, parturiente, spectatrice.

FILLE (12 lettres). Ambassadrice, catherinette, mademoiselle.

FILLE, ACHAB (n. p.). Athalie.

FILLE, ACRISIOS (n. p.). Danaé.

FILLE, ADALRIC (n. p.). Odile,

FILLE, AGAMEMNON (n. p.). Électre, Iphigénie.

FILLE, AGÉNOR (n. p.). Europe.

FILLE, ALCINOOS (n. p.). Nausicaa.

FILLE, ANCHISE (n. p.). Énée.

FILLE, ARCADIUS (n. p.). Pulchérie.

FILLE, ARÈS (n. p.). Penthésilée.

FILLE, ARGOS (n. p.). Danaé.

FILLE, ATLAS (n. p.). Hespérides, Hyades, Pléiades.

FILLE, BATHUEL (n. p.). Rébecca.

FILLE, CADMOS (n. p.). Ino, Io, Phèdre, Sémélé.

FILLE, CÉRÈS (n. p.). Proserpine.

FILLE, CLAUDE (n. p.). Octavie.

FILLE, CLYTEMNESTRE (n. p.). Électre, Iphigénie.

FILLE, CRONOS (n. p.). Hestia.

FILLE, CYBÈLE (n. p.). Cérès.

FILLE, DANAOS (n. p.). Danaïdes.

FILLE, DÉMÉTER (n. p.). Coré, Perséphone.

FILLE, DIONÉ (n. p.). Aphrodite.

FILLE, DORIS (n. p.). Galatée, Néréides.

FILLE, ÉNÉE (n. p.). Alcyoné, Alcyoné.

FILLE, ÉOLE (n. p.). Ascane, Iule.

FILLE, ÉPIMÉTHÉE (n. p.). Pyrrha.

FILLE, EURYTHÉMIE (n. p.). Léda.

FILLE, EURYTOS (n. p.). Iole.

FILLE, GAÏA (n. p.). Antée, Mnémosyne, Phoibê, Rhéa, Théia, Thémis, Téthys, Tinadides.

FILLE, GEORGES VI (n. p.). Élisabeth.

FILLE, HARMONIA (n. p.). Ino, Sémélé.

FILLE, HÉCUBE (n. p.). Cassandre.

FILLE, HÉLÈNE (n. p.). Hermione.

FILLE, HÉLIOS (n. p.). Circé, Pasiphaé.

FILLE, HÉRA (n. p.). Hébé, Io.

FILLE, HÉRODE (n. p.). Salomé.

FILLE, INACHOS (n. p.). Io.

FILLE, JOCASTE (n. p.). Antigone, Étéocle, Ismène, Polynice.

FILLE, JORAM (n. p.). Josabeth.

FILLE, JUPITER (n. p.). Astrée, Diane, Hébé, Minerve, Muses, Proserpine, Prospérine.

FILLE, LABAN (n. p.). Léa, Lia.

FILLE, LATONE (n. p.). Diane.

FILLE, LÉDA (n. p.). Clytemnestre, Hélène.

FILLE, LOUIS XV (n. p.). Adélaïde.

FILLE, LYCAON (n. p.). Callisto.

FILLE, MÉNÉLAS (n. p.). Hermione.

FILLE, MINOS (n. p.). Ariane, Phèdre.

FILLE, NECKER (n. p.). Staël.

FILLE, NÉRÉE (n. p.). Galatée, Néréides.

FILLE, OCÉANOS (n. p.). Amphitrite, Dioné, Doris, Océanides.

FILLE, ŒDIPE (n. p.). Antigone, Ismène.

FILLE, OURANOS (n. p.). Mnémosyne, Phoibê, Rhéa, Théia, Thémis, Téthys, Tinadides.

FILLE, PANDION (n. p.). Philomène.

FILLE, PANDORE (n. p.). Pyrrha.

FILLE, PASIPHAÉ (n. p.). Ariane, Phèdre.

FILLE, PERSÉIS (n. p.). Circé.

FILLE, PLÉIONÉ (n. p.). Pléiades.

FILLE, PRIAM (n. p.). Cassandre, Creüse.

FILLE, RHÉA (n. p.). Hestia.

FILLE, SATURNE (n. p.). Cérès, Junon.

FILLE, SOLEIL (n. p.). Héliades.

FILLE, TANTALE (n. p.). Niobé.

FILLE, TÉTHYS (n. p.). Astrée, Dioné, Doris, Heures, Océanides.

FILLE, THESTIOS (n. p.). Léda.

FILLE, TYNDARE (n. p.). Clytemnestre.

FILLE, ZEUS (n. p.). Athéna, Coré, Hébé, Héra, Heures, Perséphone.

FILLETTE. Bouteille, demoiselle, donzelle, fifille, fille, gamine, nana, nénette, nymphette, poule, préadolescente, tendron.

FILM. Actualité, bande, bobineau, cartoon, cinéma, clip, court métrage, documentaire, feuil, gore, hard, instantané, lyric, lyrique, métrage, microfiche, microfilm, nanar, navet, nô, pellicule, péplum, plan, polar, projection, remake, sérial, short, soft, vidéo, western, zoomer.

FILMAGE. Ajustage, alésage, calibrage, filmage, production, prêt, prise, réalisation, rushes, tournage.

FILMER. Cadrer, cinématographier, enregistrer, filmage, mitrailler, photographier, réaliser, tourner, zoomer.

FILOCHER. Chérer, couler, courir, débarrasser, décamper, déguerpir, détaler, disparaître, enfuir, épier, filer, fuir, lâcher, larguer, partir, passer, pister, rame, roucouler, rouet, sauver, surveiller, suivre, tisser, tordre.

FILON. Amulette, aplite, aubaine, avantage, bonheur, chance, combine, couche, dyke, éponte, faille, filonien, fissure, galerie, gisement, hasard, masse, mine, moyen, russite, salbande, source, strate, veine.

FILOSELLE. Bourre, bourrette, capiton, déchet, fil, lassis, ouate, schappe, soie, soierie, stras, strasse, tissu.

FILOU. Aigrefin, arnaqueur, bandit, escroc, flibustier, fripon, malhonnête, rat, tricheur, voleur.

FILOUTER. Arnaquer, chaparder, escroquer, frauder, friponner, griveler, tricher, truander, voler.

FILOUTERIE. Barbotage, chapardage, duperie, effraction, escroquerie, exaction, extorsion, flibusterie, friponnerie, grivèlerie, hold-up, kleptomane, larcin, maraudage, maraude, piratage, plagiat, rapine, recel, tricherie, vol, volerie.

FILS. Aîné, chef, descendant, effet, élève, enfant, fieu, fieux, fiston, frère, fruit, garçon, gars, gendre, géniture, grand, héritier, ibn, issu, né, neveu, niston, parent, petit, progéniture, race, rejeton, sang, surgeon.

FILS, AARON (n. p.). Abius, Eléazar, Nabab.

FILS, ABRAHAM (n. p.). Isaac, Ismaël, Jacob.

FILS, ACHILLE (n. p.). Pyrrhus.

FILS, ADAM (n. p.). Abel, Caïn, Sam, Seth.

FILS, AGAMEMNON (n. p.). Oreste.

FILS, AGRIPPINE (n. p.). Néron.

FILS, AHENOBARBUS (n. p.). Néron.

FILS, ALCÉE (n. p.). Amphitryon.

FILS, ALCMÈNE (n. p.). Héraclès.

FILS, AMPHITRITE (n. p.). Triton.

FILS, ANCHISE (n. p.). Énée.

FILS, ANDROMAQUE (n. p.). Astyanax.

FILS, ANTIOPE (n. p.). Amphion, Hippolyte, Zethos.

FILS, APHRODITE (n. p.). Antéros, Énée, Éros, Priape.

FILS, APOLLON (n. p.). Aristée, Asclépios, Esculade, Ion.

FILS, CAÏN (n. p.). Énoch.

FILS, CALLIOPE (n. p.). Orphée.

FILS, CÉSAR (n. p.). Césarion, Kaisar, Ptolémée.

FILS, CHAM (n. p.). Canaan.

FILS, CLAUDE (n. p.). Britannicus.

FILS, CLÉOPATRE (n. p.). Césarion, Kaisar, Ptolémée.

FILS, CLOTAIRE (n. p.). Caribert, Chilpéric, Dagobert, Gontran.

FILS, CLOVIS (n. p.). Childéric, Clodomir, Clotaire.

FILS, CLYMÈNE (n. p.). Atlas, Phaéton.

FILS, CLYTEMNESTRE (n. p.). Oreste.

FILS, DAGOBERT (n. p.). Sigebert, Thierry.

FILS, DAVID (n. p.). Absalon, Adonias, Amnon, Salomon.

FILS, DÉDALE (n. p.). Icare.

FILS, DÉIDAMIE (n. p.). Pyrrhus.

FILS, DIEU (n. p.). Jésus.

FILS, ÉOLE (n. p.). Sisyphe.

FILS, ÉNÉE (n. p.). Ascagne, Iule.

FILS, ÉSON (n. p.). Jason.

FILS, EUROPA (n. p.). Minos, Rhadamanthe, Sarpédon.

FILS, ÈVE (n. p.). Abel, Caïn, Sam, Seth.

FILS, GAÏA (n. p.). Antée, Coeos, Crios, Cronos, Hypérion, Japet, Océanos, Titans.

FILS, HÉCUBE (n. p.). Pâris.

FILS, HELLEN (n. p.). Éole.

FILS, HERCULE (n. p.). Laocoon.

FILS, HERMÈS (n. p.). Daphnis, Thot.

FILS, ISAAC (n. p.). Esaü, Jacob.

FILS, ISIS (n. p.). Horus.

FILS, JACOB (n. p.). Aser, Benjamin, Berwick, Dan, Gad, Issachar, Joseph, Juda, Lévi, Nephtali, Ruben, Siméon, Zabulon.

FILS, JOCASTE (n. p.). Étéocle, Eteoklês, Œdipe, Polynice.

FILS, JOSEPH (n. p.). Ephraïm.

FILS, JUNON (n. p.). Mars, Vulcain.

FILS, JUPITER (n. p.). Bacchus, Eaque, Éole, Hercule, Mars, Mercure, Rhadamanthe, Vulcain.

FILS, LAMECH (n. p.). Noé.

FILS, LAÏOS (n. p.). Œdipe.

FILS, LÉTO (n. p.). Apollon, Artémie.

FILS, LOT (n. p.). Ammon, Moab.

FILS, LOTH (n. p.). Ammon, Moab.

FILS, MAIA (n. p.). Hermès.

FILS, MEHMED (n. p.). Djem, Djim, Zizim.

FILS, NEPTUNE (n. p.). Antée, Pellas, Polyphène, Protée, Triton.

FILS, NOÉ (n. p.). Cham, Japhet, Sam, Sem.

FILS, ŒAGRE (n. p.). Orphée.

FILS, ŒDIPE (n. p.). Étéocle.

FILS, OÏLÉE (n. p.). Ajax.

FILS, OSIRIS (n. p.). Horus.

FILS, OURANOS (n. p.). Coeos, Crios, Cronos, Hypérion, Japet, Océanos, Titans.

FILS, PANDION (n. p.). Égée.

FILS, PÉLOPIA (n. p.). Égisthe.

FILS, PÉLOPS (n. p.). Atrée, Thyeste.

FILS, PÉNÉLOPE (n. p.). Télémaque.

FILS, POSÉIDON (n. p.). Antée, Éole, Protée.

FILS, PRIAM (n. p.). Alexandre, Hector, Laocoon, Pâris.

FILS, RÉBECCA (n. p.). Ésaü, Jacob.

FILS, ROBERT LE FORT (n. p.). Eude.

FILS, SALOMON (n. p.). Roboam.

FILS, SARA (n. p.). Isaac.

FILS, SATURNE (n. p.). Neptune, Pluton.

FILS, SEM (n. p.). Aram.

FILS, SOLEIL (n. p.). Inca.

FILS, TÉLAMON (n. p.). Ajax.

FILS, THÉSÉE (n. p.). Hippolyte.

FILS, THYESTE (n. p.). Égisthe.

FILS, TITAN (n. p.). Atlas, Épiméthée, Prométhée.

FILS, ULYSSE (n. p.). Télémaque.

FILS, URANUS (n. p.). Cronos, Kronos, Saturne.

FILS, VÉNUS (n. p.). Énée.

FILS, VESPASIEN (n. p.). Domitien, Titus.

FILS, VIERGE (n. p.). Jésus.

FILS, ZEUS (n. p.). Amphion, Apollon, Artémis, Eaque, Héraclès, Hermès, Minos, Persée, Sarpedon, Zéthos.

FILTRAGE. Censure, clarification, colature, contrôle, décantation, épuration, filtration, lixiviation.

FILTRATION. Colature, épuration, percolation, purge, purgeoir, purification, surveillance, tamisage.

FILTRE (n. p.). Joseph.

FILTRE. Antiparasite, blanchet, bougie, buvard, chausse, citerneau, colature, crapaudine, crépine, décanteur, écran, épurateur, étamine, feutre, géotextile, grille, infiltrer, narine, passoire, percolateur, rein, tamis.

FILTRER. Bluter, clarifier, couler, cribler, décanter, déféquer, dialyser, épurer, éventer, léviger, lixivier, passer, pénétrer, percer, purifier, répandre, savoir, sourdre, suinter, tamiser, transpirer, vérifier, voiler.

FIN. Aboutissement, achèvement, adroit, agonie, amen, arrêt, arrivée, artificieux, avisé, bilan, borne, bout, but, cessation, chute, clôture, coda, commencement, début, décadence, décès, déclin, délicat, dessert, expiration, extrémité, final, finaud, fine, finesse, fini, futé, habile, ite, limite, malin, mat, ménopause, menu, mince, mort, naissance, nuit, objet, oméga, origine, pat, péroraison, p.s., queue, quille, raffiné, râle, retors, ruine, rusé, soie, soir, sortie, soyeux, suffixe, ténu, terme, terminaison, ultime.

FINAL. Arrêté, bouquet, but, chute, coda, conclusion, définitif, dernier, éliminatoire, extrême, fin, irrévocable, issue, mort, suprême, téléologique, terme, terminaison, terminal, tombée, ultime.

FINALE. Belle, bouquet, coda, dernier, désinence, mouvement, point, postlude, terminaison.

FINALEMENT. Bref, conclusion, définitivement, dernier, enfin, fin, issue, ressort, somme.

FINALISER. Achever, bâcler, cesser, clore, définir, lever, ôter, ressortir, tarir, terminer, vider.

FINALISTE. Autorisé, capable, compétent, concurrent, diplômé, gagnant, qualifié, rang, téléogique.

FINALITÉ. But, dessein, destination, fin, intention, mastère, motivation, objectif, orientation, visée.

FINANCE. Affaires, argent, avoir, banque, baron, budget, business, caisse, comptabilité, ressources, trésorerie.

FINANCEMENT. Apport, capital, cotisation, mécénat, parrainage, soutien, sponsorisation, versement.

FINANCER. Avancer, bailler, commanditer, fiscaliser, obérer, parrainer, payer, produire, sponsoriser.

FINANCIER. Argentier, banquier, capitaliste, mécène, monétaire, nucingen, payeur, pécuniaire.

FINANCIER ALLEMAND (n. p.). Schacht.

FINANCIER AMÉRICAIN (n. p.). Dawes, Harriman, Morgan, Vanderbilt.

FINANCIER ANGLAIS (n. p.). Gresham, Keynes.

FINANCIER BRITANNIQUE (n. p.). Keynes.

FINANCIER CANADIEN (n. p.). Brofman, Desmarais, Péladeau.

FINANCIER ÉCOSSAIS (n. p.). Law.

FINANCIER FRANÇAIS (n. p.). Beaujon, Beaumarchais, Bechameil, Bernard, Cœur, Crozat, Delessert, Émery, Fould, Gaudin, Guénégaud, Gourville, Larosière, Machault, Pâris, Particelli, Rothschild, Semblancay.

FINANCIER ITALIEN (n. p.). Berlusconi.

FINANCIER PORTUGAIS (n. p.). Abravanel.

FINANCIER SUISSE (n. p.). Necker.

FINANCIER TURC (n. p.). Camondo.

FINANCIÈREMENT. Budgétairement, économiquement, matériellement, pécuniairement.

FINASSE. Affectation, artifice, cachotterie, comédie, déguisement, dissimulation, duplicité, feinte, finauderie, grimace, hypocrisie, invention, leurre, malice, mensonge, momerie, parade, ruse, simulation, singerie, tromperie.

FINASSER. Atermoyer, biaiser, éluder, éviter, finesse, louvoyer, roublarder, rubriquer, ruser, tromper.

FINASSERIE. Artifice, astuce, détour, faux-fuyant, finesse, ruse, subterfuge, tergiversation.

FINAUD. Adroit, fin, finauderie, futé, habile, malicieux, malin, matois, retors, roublard, roué, rusé.

FINAUDERIE. Affectation, artifice, cachotterie, comédie, déguisement, dissimulation, duplicité, feinte, grimace, hypocrisie, invention, leurre, malice, mensonge, momerie, parade, ruse, simulation, singerie, tromperie.

FINE. Agrégat, ballast, brandy, cailloutage, cognac, eau-de-vie, émince, herbe, lame, lamelle, pierraille.

FINE FLEUR. Aristocratie, choix, crème, élite, éminent, gotha, gratin, qualifié, supérieur, tian.

FINE HERBE. Aneth, anis, basilic, bourrache, camomille, carvi, cerfeuil, ciboulette, coriandre, estragon, fenouil, herbe aux chats, lavande, marjolaine, mélisse, menthe, origan, oseille, persil, romarin, sarriette, sauge, thym.

FINE LAME. Cristal, hachoir, lamelle.

FINEMENT. Adroit, adroitement, ambassadorial, astucieusement, brillamment, délicatement, diplomatiquement, faufiler, habile, habilement, insinuer, politique, politiquement, prudent, savamment, semer.

FINERIE. Bessemer, convertisseur, cubilot, éolienne, fourneau, huguenot, mutateur, ondulateur, transformateur.

FINESSE. Acuité, adresse, astuce, bêtise, clairvoyance, délicatesse, délié, épais, finasserie, flair, grâce, ineptie, intelligence, légèreté, maigre, malice, matois, menu, minceur, niaiserie, obtus, ort, perspicacité, raffinement, retors, ruse, sagacité, sel, sottise, spirituel, stratagème, stupidité, subtilité, tact, ténu, ténuité.

FINI. Accompli, achevé, bu, disparu, fatigué, fin, limité, recru, résolu, révolu, striquer, tari, tué, usé, vidé.

FINIR. Aboutir, accomplir, achever, apaiser, arrêter, bâcler, borner, briser, calmer, cesser, chabrol, chabrot, clore, conclure, échoir, lécher, lever, liquider, mourir, ôter, périr, tarir, terminer, tomber, user, vider.

FINISSAGE. Abrasement, abrasion, adoucissage, adoucissement, affinage, ajustage, brunissage, buffage, doucissage, éclaircissage, égrisage, finition, grésage, poinçage, polissage, polissure, ragréage, ragrément, sassage, surfaçage.

FINISSANT. Agonisant, cessant, déclinant, diplômé, dissipant, expirant, moribond, mourant, respirant, soufflant, subclaquant.

FINISSEUR. Aménageur, arrangeur, bédane, bichonneur, bois, bricoleur, charpentier, ébéniste, gouge, marqueteur, ouvrier, pareur, parqueteur, pestum, rabot, râpe, scie, tabletier, valet, varlope.

FINISTÈRE, VILLE (n. p.). Arzano, Batz, Bénodet, Brest, Briec, Carhaix, Châteaulin, Concarneau, Crozon, Doualas, Guilers, Landerneau, Locquirec, Loctudy, Molène, Morlaix, Scaer, Sein, Sizun, Taule.

FINITION. Abrasement, abrasion, achèvement, adoucissage, adoucissement, affinage, ajustage, brunissage, buffage, doucissage, éclaircissage, égrisage, fini, finissage, grésage, lapping, perfectionnement, poinçage, polissage, polissure, ragréage, ragrément, sassage, surfaçage.

FINITUDE. Baderne, barrière, bête, borné, bouché, bouché à l'émeri, con, court, croûton, émeri, étriqué, étroit, excès, fini, incompréhensible, intolérant, limité, mesquin, mesuré, nicodème, obtus, orée, petit, pôle, rétréci, routinier, sot, stupide.

FINLANDAIS. Finnois, lapon, markka, ouralo-altaïque, suomi.

FINLANDE, CAPITALE (n. p.). Helsinki.

FINLANDE, LANGUE. Finnois, suédois.

FINLANDE, MONNAIE. Mark.

FINLANDE, VILLE (n. p.). Abo, Bjorneborg, Borga, Esbo, Espoo, Hango, Helsinki, Imatra, Inari, Jamsa, Kemi, Lahti, Lisalmi, Nokia, Nurmes, Nystad, Otanmaki, Oulu, Pello,

Pielisjardi, Porvoo, Puri, Savonlinna, Tampere, Tornio, Utsjki, Vansaa, Vantaa, Vartius.

FIOLE. Ampoule, biberon, binette, bouille, bouteille, burette, figure, flacon, gueule, ludion, tête, topette.

FION. Anus, dérision, épigramme, esprit, finition, flèche, humour, ironie, lazzi, malice, méchanceté, moquerie, persiflage, pique, plaisanterie, pointe, quolibet, raillerie, ricanement, risée, sarcasme, satire, taquinerie.

FIORITURE. Alourdissement, amplification, arabesque, boursouflure, broderie, cannetille, dramatisation, fanfreluche, filet, incrustation, mauresque, moresque, orfroi, oripeau, ornement, plumetis, point, tapisserie, verdurette, volute.

FIOUL. Aliment, anthacite, bois, boulet, briquette, butane, carburant, charbon, coke, combustible, diesel, ergol, fuel, fuel-oil, gaillette, gazol, gazole, gazoline, houille, huile, inflammable, mazout, méta, moxa, naphte, semi-coke, soute, tourbe.

FIRMAMENT. Air, astrologie, céleste, ciel, cieux, coupole, empyrée, étoile, nirvâna, oasis, olympe.

FIRMAN. Décret, édit, loi, nouvelle, ordonnance, oukase, règlement, rescrit, shah, talion, oukase, ukase, union.

FIRME. Affaire, boîte, bureau, burlingue, compagnie, entreprise, établissement, étagiste, maison, société, trust.

FISC. Accises, annate, annone, banalité, capitation, cens, contribution, corvée, décime, dîme, droit, gabelle, impôt, lods, maltôte, ost, paulette, publicain, redevance, septain, serisette, taille, taxe, tonlieu, TPS, trésor, TVA, TVQ.

FISCAL. Accises, annate, annone, banalité, capitation, cens, contribution, corvée, décime, dîme, droit, fisc, gabelle, impôt, lods, maltôte, ost, paulette, publicain, redevance, septain, serisette, taille, taxe, tonlieu, TPS, trésor, TVA, TVQ.

FISCALISER. Avancer, bailler, commanditer, financer, obérer, parrainer, payer, produire, sponsoriser.

FISCALITÉ. Accise, champart, charge, contribution, cote, droit, excise, imposition, impôt, levée, prélèvement, prestation, prime, redevance, surtaxe, système, taxation, taxe, tonlieu, tribut.

FISSURATION. Craquelage, craquèlement, décrépitation, dégradation, faïençage, fendillement, fente.

FISSURE. Craque, craquelure, crevasse, crique, diaclase, faille, fente, filon, fracture, fuite, gélivure, gerçure, larron, lésion, lézarde, malandre, paille, perlèche, plaque, pourlèche, renard, rift, sillon, suture, tapure.

FISSURER. Craqueler, craquer, crevasser, déchirer, diviser, écarter, fendiller, fendre, inciser.

FISTON. Descendant, effet, élève, enfant, fieux, fils, frère, fruit, garçon, gars, héritier, issu, né, neveu, petit, race, rejeton, sang.

FISTULINE. Basidiomycète, champignon, foie-de-bœuf, langue-de-bœuf, polypore.

FIXAGE. Amarrage, ancrage, arrimage, attache, calage, encartage, épinglage, étrive, ferrement, fixation, implantation, inclusion, insertion, intercalation, lamanage, ligature, lusin, nouage, nouement, sanglage.

FIXATEUR. Aérosol, alun, atomiseur, bombe, brumisateur, fixatif, gel, laque, pulvérisateur, sublimateur, vaporisateur.

FIXATIF. Aérosol, alun, atomiseur, bombe, brumisateur, fixateur, nébulisateur, pulvérisateur, sublimateur, vaporisateur.

FIXATION. Accolage, amarrage, attache, azotation, embattage, enkystement, hydratation, ski.

FIXE. Appui, atone, défini, dormant, ferme, immobile, inerte, nomade, point, précis, solide, stable, stator, vagile.

FIXÉ. Arrêté, assujetti, attaché, campé, décidé, déterminé, donné, enraciné, fatal, figé, lié, rivé, soudé, vernis, voulu.

FIXER. Adsorber, amarrer, ancrer, arrêter, arrimer, asseoir, assujettir, attacher, caler, claveter, clouer, coincer, coller, coter, déterminer, enraciner, entoiler, établir, évaluer, fermer, ficher, figer, graver, immigrer, imprimer, installer, lier, mémoriser, pendre, préfixer, punaiser, reclouer, régler, retenir, river, router, sine die, stabiliser, suspendre, terminer, visser.

FIXITÉ. Aplomb, assiette, assise, certitude, consistance, constance, continu, continuité, durabilité, équilibre, fermeté, immuabilité, invariabilité, longévité, pérennité, permanence, persistance, prégnance, rigidité, stabilité.

FJORD (n. p.). Flensburg, Horsens, Kolding, Puget, Puget Sound, Randers, Saguenay, Sognafjord, Sound, Tromso, Vest.

FJORD. Aber, bouche, delta, embouchure, embouchoir, entrée, estuaire, fiord, firth, golfe, grau, lagune, liman, ria.

FLACHE. Affaissement, brèche, cavité, coupure, creux, crevasse, dépression, éboulement, écroulement, effondrement, épirogenèse, excavation, fente, flaque, fossé, fosset, graben, mare, trou.

FLACON. Bouteille, burette, fiasque, fiole, flaconnage, flaconnier, flasque, gourde, récipient, saupoudreuse.

FLA-FLA. Affectation, chichis, chiqué, esbroufe, étalage, façons, frime, manières, ostentation.

FLAGADA. Abattu, accablé, amaigri, anéanti, anémié, asthénie, avachi, brisé, charge, crevé, échiné, élimé, ennui, épuisé, éreinté, exténué, faible, fardeau, fatigue, flapi, fourbu, harassé, laneret, las, lassé, lassitude, nase, naze, peine, poids, ramollo, raplapla, recru, rendu, surmené, tiré, tué, usé, vanné, vaseux.

FLAGELLATION. Ascèse, battement, cognement, fouet, fouettement, fustigation, knout, martèlement, pulsation.

FLAGELLE. Bat, centriole, centrosome, cil, cirre, fil, filament, flagellaire, flagellum, fouette, queue, vibratile.

FLAGELLÉ. Battu, châtié, cil, cinglé, cravaché, dinoflagellé, euglène, fessé, filament, fouetté, fustigé.

FLAGELLER. Battre, châtier, cingler, couper, cravacher, fesser, fouetter, fustiger, rosser, rouer, sangler, taillader.

FLAGEOLANT. Chancelant, défaillant, hésitant, jeûneur, oscillant, pèlerin, titubant, trébuchant, vacillant.

FLAGEOLEMENT. Agitation, convulsion, ébranlement, frémissement, frisson, frissonnement, grelottement, oscillation, saccade, secousse, soubresaut, sursaut, titubation, tortillage, tremblement, trépidation, vacillement, vibration.

FLAGEOLER. Battre, chanceler, cingler, fouetter, frapper, rosser, tituber, trembler, vaciller.

FLAGEOLET. Chalumeau, chevrier, flûte, flûteau, flûtiau, haricot, pan, piccolo, turlurette.

FLAGORNER. Aduler, amadouer, cajoler, courtiser, encenser, flatter, lécher, louanger, minoucher, vaseliner.

FLAGORNERIE. Adoration, adulation, approbativité, bassesse, cajolerie, courbette, flatterie, servilité.

FLAGORNEUR. Adulateur, complaisant, complimenteur, courtisan, flatteur, grimpion, lèche-botte, lèche-cul, obséquieux.

FLAGRANCE. Apodictique, aveuglant, certain, certitude, dégager, évidence, évident, frappant, indiscutable, lapalissade, manifeste, montrer, nécessaire, parbleu, ressortir, saisissant, sans doute, souligner, sûr, sûrement, trivial, truisme, vérité.

FLAGRANT. Aveuglant, certain, criant, éclatant, éminent, évident, incontestable, indéniable, patent, visible.

FLAIR. Clairvoyance, discernement, futur, intuition, lucidité, nez, odorat, pif, pifomètre, rosée, subtilité.

FLAIRER. Aspirer, découvrir, deviner, halener, humer, percevoir, pressentir, renifler, sentir, soupçonner.

FLAMAND. Bœuf, brabançon, flamingant, langue, limbourgeois, néerlandophone, peinture, vache.

FLAMBAGE. Brûlage, brûlement, calcination, carbonisation, combustion, consomption, feu, flambée, héliothermie, grillage, ignescence, ignition, incandescence, incinération, inflammation, torréfaction.

FLAMBANT. Admirable, ardent, beau, brûlant, éblouissant, magnifique, ravissant, splendide, superbe.

FLAMBARD. Anthracite, charbon, coke, crâneur, fanfaron, houille, jais, jayet, lignite, poussier.

FLAMBÉ. Abîmé, déconsidéré, découvert, écarté, fichu, foutu, gâché, gâté, irrattrapable, perdu ruiné.

FLAMBEAU. Bougie, brandon, candélabre, chandelier, chandelle, cierge, fanal, lampe, torche.

FLAMBÉE. Accentuation, accroissement, accrue, augmentation, boom, croissance, expansion, explosion, hausse.

FLAMBER. Briller, brûler, claquer, consumer, cramer, croquer, dépenser, dévorer, dilapider, dissiper, embraser, enflammer, engloutir, étinceler, feu, flamboyer, gaspiller, luire, manger, prodiguer, scintiller.

FLAMBERGE. Arme, duel, éclair, épée, idée, instant, lueur, rapide, rapière, sillon, strie, trait, vif, vite.

FLAMBEUR. Aguicheur, allumeur, batifoleur, cavaleur, casanova, charmeur, conquérant, coureur, cruiseur, don juan, dragueur, enjôleur, ensorceleur, envoûteur, flirteur, gino, joueur, macho, maquereau, phallo, phallocrate, séducteur, sexiste, tentateur, tombeur.

FLAMBOIEMENT. Brillance, chatoiement, clair, clair-obscur, clarté, contre-jour, demi-jour, éblouissement, éclairage, éclat, fascination, mirage, miroitement, nacré, papillotage, reflet, scintillement, séduction.

FLAMBOYANT. Arbre, ardent, blason, brillant, éblouissant, éclatant, étincelant, flambant, rutilant.

FLAMBOYER. Briller, chatoyer, dorer, éblouir, flamber, luire, lustrer, reluire, rougeoyer, rutiler, vernir.

FLAMENCO. Andalou, castagnettes, cheval, chant, cuadro, cueva, danse, juerga, taconeos, zapateado.

FLAMINGANT. Brabançon, flamand, langue, limbourgeois, néerlandophone, peinture.

FLAMME. Amour, animation, ardeur, banderole, catastrophe, chaleur, clarté, conflagration, crise, drapeau, éclair, éclat, élan, enfer, étendard, étincelle, ferveur, feu, géhenne, incendie, lueur, oriflamme, pennon, zèle.

FLAMMÈCHE. Ardeur, éclair, escarbille, étincelle, facule, feu, flamme, langue de feu, lueur.

FLAN. Barbille, clafoutis, crème, dariole, dessert, entremets, far, mousse, pâtisserie, quiche, stéréotype, virole.

FLÂNAGE. Baguenaude, course, déambulation, déplacement, égarement, errance, flânerie, galvaudage, glandage, instabilité, marche, nomadisme, pérégrination, promenade, randonnée, rêverie, rôdage, vagabondage, voyage.

FLANC. Aile, amure, blason, bord, ceinture, chant, côté, crêt, filet, iliaque, latéral, lof, pan, ventre.

FLANCHER. Accorder, attribuer, avouer, céder, défaillir, dégonfler, faiblir, fléchir, octroyer, permettre.

FLANDRIN. Colosse, dadais, dégingandé, escogriffe, garçon, gauche, géant, goliath, grand, mince, mou.

FLANELLE. Blazer, célèbre, cotonneux, duveté, glorieux, hockey, illustre, sainte, tennis, tissu.

FLÂNER. Amuser, badauder, bader, baguenauder, balader, batifoler, bayer, déambuler, errer, lambiner, lanterner, lasser, marcher, musarder, muser, perdre, promener, rôder, traîner, vadrouiller, vagabonder.

FLÂNERIE. Baguenaude, balade, errance, musarderie, musardise, muserie, promenade, vagabondage.

FLÂNEUR. Badaud, errant, fainéant, indolent, marcheur, oisif, passant, promeneur, rôdeur, traîneux.

FLANQUEMENT. Bastion, bonnette, bretèche, camp, castrum, ferté, fort, forteresse, fortifs, fortifications, ouvrage, place, place forte, préside, redoute, retranchement.

FLANQUER. Border, congédier, couvrir, encadrer, escorter, garantir, jeter, lancer, lourder, mettre, précipiter.

FLAPI. Abattu, anéanti, avalé, bu, crevé, détamé, dévoré, échiné, écopé, écoulé, épuisé, éreinté, exténué, fatigué, forfait, fourbu, harassé, intarissable, knock-out, k.-o., las, livre, mangé, recru, rétamé, sassé, sec, tari, tué, usé, vidé.

FLAQUE. Bourbillon, canardière, daya, égoutis, égouttis, étang, flache, gouille, mare, nappe, sang.

FLASH. Actualités, annonce, bref, bulletin, communiqué, éclair, idée, information, rapide, urgent.

FLASHANT. Agressif, clinquant, criard, éblouissant, provocant, séduisant, tapageur, voyant.

FLASQUE. Amollir, amorphe, atone, avachi, cotonneux, faible, ferme, fiasque, flaccidité, flacon, inconsistant, inerte, lâche, mol, molasse, mollachu, mollasse, mollasson, molle, mou, ramolli, spongieux.

FLAT. Appartement, crevaison, logement, loyer, piaule, studio, ver.

FLATTER. Aduler, allécher, amadouer, avantager, bénir, cajoler, câliner, caresser, chatouiller, corrompre, courtiser, embellir, embobiner, encenser, encourager, enjôler, enorgueillir, ensorceler, féliciter, flagorner, glorifier, lécher, louanger, louer, mignoter, peloter, prétendre, targuer, vanter.

FLATTERIE. Admiration, adoration, adulation, cajolerie, complaisance, compliment, courbette, éloge, encens, flagornerie, galanterie, glorification, hypocrisie, léchage, louange, mamours, mensonge, pelotage, tromperie.

FLATTEUR. Adorateur, adulateur, applaudisseur, cajoleur, caresseur, courtisan, élogieux, encenseur, endormeur, enjôleur, flagorneur, lèche-botte, lèche-cul, lécheur, los, louangeur, menteur, thuriféraire.

FLATULENCE. Ballonnement, éructation, gaz, hoquet, météorisation, météorisme, pet, rot, vent, ventosité.

FLAUBERT (n. p.). Bouilhet, Bouvard, Bovary, Du Camp, Pécuchet, Salammbô.

FLAUBERT. Bovarysme, conte.

FLAVESCENT. Ambre, blond, chamois, champagne, citron, doré, fauve, jaune doré, miellé, or, topaze.

FLAVEUR. Arôme, goût, insipide, montant, odeur, parfum, sapide, sapidité, saveur, succulence, succulent.

FLÉAU. Balance, calamité, cataclysme, catastrophe, désastre, funeste, joug, lèpre, malheur, peste, plaie.

FLÈCHE (n. p.). Achille, Héraclès, Lido, Pâris, Parthe, Philoctète, Robin des Bois, Robin Hood, Tell.

FLÈCHE. Age, arc, archer, aster, bois, brocard, carquois, carreau, dard, empennage, empenne, épigramme, javelot, lazzi, penne, pointe, quolibet, sagaie, sagette, sagittal, sagitté, tombolo, trait, vireton.

FLÈCHE D'EAU. Alismacée, fléchière, herbacée, monocotylédone, plante, sagette, sagittaire.

FLÉCHER. Baliser, bornoyer, briser, craqueler, darder, fendre, hachurer, jalonner, labourer, marquer, parcourir, piquer, piqueter, plisser, raturer, rayer, rider, signaliser, sillonner, strier, tracer, veiner.

FLÉCHETTE. Dard, vogelpir.

FLÉCHIR. Adoucir, affaisser, arquer, attendrir, baisser, céder, courber, crisper, diminuer, plier, ployer, succomber.

FLÉCHISSEMENT. Baisse, contraction, courbure, crispation, déflexion, diminution, flexion, génuflexion, inclination, infléchissement, inflexion, irréductibilité, jointure, ralentissement, récession, sinuosité.

FLEGMATIQUE. Calme, décontracté, détaché, froid, impassible, imperturbable, placide, posé, serein, tranquille.

FLEGME. Apathie, calme, emportement, enthousiasme, exaltation, excitation, fougue, froideur, impassible, indifférent, inertie.

FLEIN. Banne, bourriche, cabas, cageot, casse, cloyère, corbeille, corbillon, couffin, dépensier, dilapidateur, élite, emballage, gabion, gaspilleur, gouffre, hotte, manne, mannequin, nacelle, nasse, panier, rasse, ruche, scouffin, van.

FLEMMARD. Cancre, cossard, cosse, fainéant, feignant, flâneur, flémard, flemme, inactif, indolent, lambin, lent, mou, négligent, oisif, paresseux.

FLEMMARDER. Buller, fainéanter, flâner, musarder, muser, paresser, rêvasser, traînasser, traîner.

FLEMMARDISE. Désœuvrement, flemme, fortuit, immobilité, immuabilité, inaction, inertie, paresse, repos.

FLEMME. Cosse, désœuvrement, fainéantise, flemmardise, indolence, inertie, paresse, repos.

FLÉTAN. Elbot, halibut, légine, pleuronectidé, pleuronectiforme, poisson.

FLÉTRI. Avili, chiffonné, décati, décoloré, délustré, échaudé, fané, fripé, pâle, ratatiné, ridé, terne, vieilli.

FLÉTRIR. Avilir, blâmer, chiffonner, condamner, défloraison, déflorer, dessécher, enlaidir, étioler, faner, marcescent, marcescible, plier, ployer, ratatiner, rider, salir, stigmatiser, ternir, traumatiser, vieillot, violer.

FLÉTRISSURE. Défloraison, déshonneur, honte, infamie, opprobre, souillure, stigmate, tache.

FLEUR (3 lettres). Ada, épi, ive, lin, lis, lys, rue, uve.

FLEUR (4 lettres). Anis, arum, geum, iris, ixia, ixie, lobe, miel, puya, rose, sium, thym, ulex, ulve.

FLEUR (5 lettres). Agave, ajonc, aster, berce, bluet, bugle, calla, canna, câpre, ciguë, cobéa, colza, draba, élite, érica, flore, gaura, genêt, glume, gouet, hosta, inula, inule, jacée, ledum, lilas, lotus, malva, mauve, mélia, myrte, ormin, ortie, pavot, phlox, sauge, sedum, souci, tecum, viola, yucca.

FLEUR (6 lettres). Aconit, adonis, arabis, arnica, azalea, azalée, bellis, bleuet, bryone, butome, calice, caltha, cosmos, coucou, crocus, cytise, dahlia, datura, ébéris, floral, fresia, galium, hormin, hypose, ivette, jasmin, kerria, lilium, menthe, mimosa, mouron, muguet, nepena, néroli, nielle, ophrys, orchis, pensée, pétale, picris, plante, pompon, réséda, rosage, safran, salvia, samole, sépale, silène, soleil, spirea, spirée, tagète, tépale, thymus, trèfle, trille, tulipe, zinnia.

FLEUR (7 lettres). Adonide, agérate, ancolie, anémone, arabète, armoise, aroïdée, astilbe, barbeau, basilic, bégonia, benoîte, bétoine, bruyère, caméla, catalpa, catleya, celosia, chardon, chloris, corolle, dicline, fleuron, floréal, foliole, freesia, fuchsia, garance, glaïeul, glécome, glycine, hamelia, hamélie, jussiée, lavande, liparis, liseron, lobélie, mahonia, mélilot, mélisse, néottie, nigelle, œillet, papaver, pétunia, pivoine, ponceau, romarin, scillia, seringa, statice, tagetes, tamaris, trimère, trochet, ulmaire, velvote, weigela.

FLEUR (8 lettres). Absinthe, achillée, ageratum, amarante, androcée, anthémis, arabette, aspérule, aubépine, balisier, bassinet, bistorte, buglosse, caladium, caméline, camellia, capucine, cattleya, couronne, crassile, crassula, cyclamen, digitale, ellébore, endymion, euphorbe, fanaison, fleurage, gardénia, gentiane, géranium, giroflée, gléchome, glumelle, hypogyne, jacinthe, joubarbe, julienne, magnolia, malherbe, martagon, monandre, myosotis, narcisse, nénuphar, orchidée, panicule, parterre, pourpier, robinier, roquette, tanaisie, trémière, tigridie, trillium, uniflore, unisexué, verveine, victoria, violette, weigelat.

FLEUR (9 lettres). Agapanthe, amaryllis, améthyste, angélique, asphodèle, balsamine, belladone, bourrache, camomille, campanule, centaurée, cinéraire, clématite, clochette, colchique, coréopsis, défleurir, ecballium, edelweiss, églantine, fleurette, fleuriste, fleuronné, floraison, florifère, florilège, foliation, forsythia, gaillarde, grenadine, hélianthe, hellébore, hépatique, hortensia, impatient, jonquille, magnolier, maurandie, mirabilis, œillette, odorante, passerose, pédoncule, périanthe, pervenche, pissenlit, primerose, primevère, renoncule, rose-d'Inde, rudbeckia, rudbeckie, saxifrage, saponaire, scabieuse, sensitive, stramoine, tubéreuse, unisexuel, valériane, véronique, volubilis, volucelle.

FLEUR (10 lettres). Accrescent, aigremoine, asclépiade, coquelicot, cynoglosse, dentelaire, fleuraison, florissant, fraxinelle, gamopétale, gamosépale, gypsophile, héliotrope, immortelle, marguerite, marjolaine, mercuriale, monadelphe, multiflore, nid-d'oiseau, nidularium, pâquerette, passiflore, pauciflore, perce-neige, potentille, protandrie, protogynie, soldanelle, spéculaire, symphorine, tillandsie, verticille, virescence, xéranthème.

FLEUR (11 lettres). Aristoloche, bouquetière, calcéolaire, callistèphe, caryophyllé, coquelourde, défloraison, effloraison, filipendule, fleurdelisé, fritillaire, marcescence, ornithogale, pélargonium, sanguisorbe.

FLEUR (12 lettres). Affleurement, boule-de-neige, chrysanthème, floriculture, gueule-de-loup, millefeuille, millepertuis, polycarpique, protérandrie, protérogynie, rhododendron.

FLEUR (13 lettres). Bougainvillée, chèvrefeuille, grenouillette, inflorescence, pied-d'alouette, tiercefeuille.

FLEUR DE NAISSANCE. Œillet (janvier), violette (février), jonquille (mars), pois de senteur (avril), muguet (mai), rose (juin), pied-d'alouette (juillet), glaïeul (août), aster (septembre), souci (octobre), chrysanthème (novembre), narcisse (décembre).

FLEURER. Agrainer, arroser, couvrir, dégager, démocratiser, déverser, diffuser, disperser, disséminer, ébruiter, éclairer, émaner, embaumer, émerger, emplir, envahir, épandre, éparpiller, épartir, essaimer, étaler, étendre, exhaler, fluer, paver, pleurer, populariser, propager, répandre, ressemer, semer, sentir, sortir, surgir, verser, vulgariser, universaliser.

FLEURET. Botte, croisette, épée, escrime, fer, fleurettiste, mouche, plastron, soie, soierie, tige.

FLEURETTISTE. Bretteur, duelliste, épéiste, escrimeur, essayiste, ferrailleur, sabreur, tireur.

FLEURI. Alambiqué, coloré, corso, floculeux, florissant, frais, nivéal, orné, précieux, rougeau, vermeil, vif.

FLEURIR. Briller, croître, développer, éclore, épanouir, grandir, orner, prospérer, refleurir, réussir.

FLEURISTE. Bouquetière, bouquettiste, cultivateur, floriculteur, horticulteur, jardinier, rosiériste.

FLEURON. As, champion, entrelacs, étoile, gloire, honneur, orgueil, ornement, rai, summum.

FLEUVE. Bras, cours, déluge, embouchure, fl., flot, fluvial, interminable, marigot, rive, rivière, roman, torrent.

FLEUVE, AFGHANISTAN (n. p.). Amou-Darin, Hari Rud, Heri Roud, Hilmand, Hilmen.

FLEUVE, AFRIQUE (n. p.). Casamance, Chari, Congo, Djouba, Dra, Draa, Gabon, Gambie, Limpopo, Medjerda, Niger, Nil, Ogooué, Orange, Sénégal, Zaïre, Zambèze.

FLEUVE, ALASKA (n. p.). Yukon.

FLEUVE, ALBANIE (n. p.). Drin.

FLEUVE, ALGÉRIE (n. p.). Chelif, Cheliff, Chlef, Dra, Draa, Macta, Medjerda, Rhumel, Rummel, Seybouse, Soumman, Tafna.

FLEUVE, ALLEMAGNE (n. p.). Danube, Eider, Elbe, Ems, Oder, Odra, Peene, Rhin, Trave, Weser.

FLEUVE, AMÉRIQUE DU NORD (n. p.). Columbia, Mississipi, Niagara, Rio Grande, Saint-Laurent.

FLEUVE, AMÉRIQUE DU SUD (n. p.). Amazone, Paraguay, Parana, Uruguay.

FLEUVE, ANGLETERRE (n. p.). Eden, Mersey, Ouse, Severn, Tamise, Tees, Tweed, Tyne.

FLEUVE, ARGENTINE (n. p.). Colorado, Negro, Parana, Salado, Santa Cruz, Uruguay.

FLEUVE, ASIE (n. p.). Amou-Daria, Amour, Brahmapoutre, Euphrate, Eurymédon, Granique, Heilong Jiang, Ienisseï, Menderes, Salouen, Syr-Daria, Yalu, Yalujiang.

FLEUVE, AUSTRALIE (n. p.). Murray.

FLEUVE, BANGLADESH (n. p.). Gange, Padma.

FLEUVE, BELGIQUE (n. p.). Escaut, Meuse, Yser.

FLEUVE, BIÉLORUSSIE (n. p.). Dniepr, Dnipro, Dvina, Niémen.

FLEUVE, BIRMANIE (n. p.). Irraouaddi, Irrawaddy, Lancangjiang, Mékong, Salouen.

FLEUVE, BRÉSIL (n. p.). Amazone, Araguaya, Doce, Oyapoc, Oyapock, Parana, Tocantins.

FLEUVE, BRETAGNE (n. p.). Aulne, Belon, Blavet, Élorn, Odet.

FLEUVE, BULGARIE (n. p.). Danube, Maritza, Strymon.

FLEUVE, BURKINA (n. p.). Comoé.

FLEUVE, CAMEROUN (n. p.). Sanaga.

FLEUVE, CANADA (n. p.). Churchill, Fraser, Hamilton, Mackenzie, Nelson, Rupert, Saint-Laurent, Yukon.

FLEUVE, CHINE (n. p.). Houai, Houang-Pou, Huai, Huanghe, Tarim, Tong-Kiang, Xijiang, Yalu, Yang-Tsê Kiang.

FLEUVE, COLOMBIE (n. p.). Atrato, Magdalena.

FLEUVE, CORÉE DU SUD (n. p.). Naktong.

FLEUVE, CORSE (n. p.). Golo.

FLEUVE, CÔTE-D'IVOIRE (n. p.). Comoé, Sassandra.

FLEUVE, CRIMÉE (n. p.). Alma, Tchernaïa.

FLEUVE, ÉCOSSE (n. p.). Clyde, Forth, Spey, Tay.

FLEUVE, ÉGYPTE (n. p.). Nil.

FLEUVE, ENFERS (n. p.). Achéron, Cocyte, Léthé, Styx.

FLEUVE, ESPAGNE (n. p.). Douro, Èbre, Ebro, Genil, Guadiana, Jucar, Llobregat, Minho, Rio, Tage, Tinto.

FLEUVE, ÉTATS-UNIS (n. p.). Arkansas, Canadian, Colorado, Connecticut, Delaware, Hudson, Merrimack, Mississippi, Missouri, Mobile, Oregon, Potomac, Yukon.

FLEUVE, EUROPE (n. p.). Danube, Dniepr, Dniestr, Dvina, Elbe, Escaut, Rhin, Volga.

FLEUVE, EXTRÊME-ORIENT (n. p.). Amour.

FLEUVE, FLANDRES (n. p.). Yser.

FLEUVE, FINISTÈRE (n. p.). Aber-Vrach, Aber-Wrach.

FLEUVE, FINLANDE (n. p.). Tana, Teno.

FLEUVE, FRANCE (n. p.). Aa, Adour, Agly, Arc, Argens, Aude, Aulne, Authie, Belon, Bidassoa, Blavet, Bresle, Canche, Charente, Couesnon, Dives, Douve, Élorn, Escaut, Eyre, Garonne, Hérault, Lay, Leyre, Loire, Meuse, Orb, Orne, Rance, Rhin, Rhône, Seine, Seudre, Somme, Tech, Têt, Touques, Var, Vidourie, Vilaine, Vire, Yser.

FLEUVE, GÉORGIE (n. p.). Rion, Rioni.

FLEUVE, GHANA (n. p.). Volta.

FLEUVE, GRANDE-BRETAGNE (n. p.). Tamise.

FLEUVE, GRÈCE (n. p.). Aspropotamos, Maritza, Sperchios.

FLEUVE, GUINÉE (n. p.). Konkouré, Mbini, Niger.

FLEUVE, GUYANE (n. p.). Essequibo, Maroni, Oyapoc, Oyapock, Sinnamary.

FLEUVE, HOLLANDE (n. p.). Escaut, Rhin.

FLEUVE, HONGRIE (n. p.). Danube.

FLEUVE, INDE (n. p.). Brahmapoutre, Gange, Godavéri, Indus, Kistna, Mahanadi, Narbada, Sind.

FLEUVE, INDOCHINE (n. p.). Lancangjiang, Mékong, Salouen.

FLEUVE, IRAN (n. p.). Tigre.

FLEUVE, IRLANDE (n. p.). Boyne, Erne, Shannon.

FLEUVE, ITALIE (n. p.). Adige, Arno, Brenta, Éridan, Garigliano, Isonzo, Métaure, Ofanto, Piave, Pô, Tagliamento, Tibre, Volturno.

FLEUVE, KAZAKHSTAN (n. p.). Emba.

FLEUVE, LANGUEDOC (n. p.). Orb.

FLEUVE, LAOS (n. p.). Mékong.

FLEUVE, LAPONIE (n. p.). Tana, Teno, Torne.

FLEUVE, LITHUANIE (n. p.). Niémen.

FLEUVE, MAROC (n. p.). Dra, Draa, Oum-er-Rebia, Sebou, Sous.

FLEUVE, MOLDAVIE (n. p.). Dniestr.

FLEUVE, MONGOLIE (n. p.). Ienisseï.

FLEUVE, MOYEN-ORIENT (n. p.). Jourdain, Oronte.

FLEUVE, NORVÈGE (n. p.). Glama, Glommen, Tana, Teno.

FLEUVE, PÉROU (n. p.). Amazone.

FLEUVE, POLOGNE (n. p.). Oder, Odra, Vistule.

FLEUVE, PORTUGAL (n. p.). Douro, Guadiana, Minho, Mondego, Tage.

FLEUVE, PROVENCE (n. p.). Huveaune, Rhône, Touloubre.

FLEUVE, PROCHE-ORIENT (n. p.). Euphrate, Oronte.

FLEUVE, PYRÉNÉES (n. p.). Adour, Tech, Têt.

FLEUVE, QUÉBEC (n. p.). Saint-Laurent.

FLEUVE, ROUMANIE (n. p.). Danube.

FLEUVE, RUSSIE (n. p.). Alma, Don, Dniepr, Dnipro, Ienisseï, Kama, Kouban, Lena, Neva, Niémen, Ob, Onéga, Oural, Petchora, Volga.

FLEUVE, SCANDINAVIE (n. p.). Tana.

FLEUVE, SÉNÉGAL (n. p.). Casamance, Saloum.

FLEUVE, SIBÉRIE (n. p.). Anadyr, Indighirka, Ienisse, Ienisseï, Kolyma, Léna, Ob.

FLEUVE, SLOVÉNIE (n. p.). Isonzo.

FLEUVE, SUÈDE (n. p.). Angerman, Göta, Lule, Pité, Rhône, Torné, Ume Alv.

FLEUVE, SUISSE (n. p.). Rhône.

FLEUVE, SYRIE (n. p.). Oronte.

FLEUVE, TCHÉCOSLOVAQUIE (n. p.). Elbe, Odra.

FLEUVE, THAÏLANDE (n. p.). Ménam, Salouen.

FLEUVE, THESSALIE (n. p.). Pénée.

FLEUVE, TURQUIE (n. p.). Menderes, Sakarya, Tigre.

FLEUVE, UKRAINE (n. p.). Boug, Bug, Dniester, Dniestr, Dnipro, Prout, Prut.

FLEUVE, VENDÉE (n. p.). Lay.

FLEUVE, VENEZUELA (n. p.). Orénoque.

FLEUVE, VIETNAM (n. p.). Lancangjiang, Mékong, Rouge.

FLEUVE, YOUGOSLAVIE (n. p.). Danube, Isondo, Vardar.

FLEXIBILITÉ. Agilité, aisance, anélasticité, dilatabilité, diplomatie, ductile, ductilité, élasticité, élastique, étirable, extensible, légèreté, liant, malléabilité, maniabilité, moulabilité, pandémique, plasticité, rénitence, ressort, rouiller, souple, souplesse, sveltesse.

FLEXIBLE. Agile, élastique, influençable, malléable, maniable, mou, osier, pliable, souple.

FLEXION. Aine, avancée, conjugaison, courbure, déclinaison, fléchissement, génuflexion, terminaison.

FLEXUEUX. Anfractueux, arabesque, courbé, détour, détourné, méandre, méandreux, méandrique, onde, ondoyant, ondulant, ondulatoire, ondulé, replié, serpentin, sinueux, sinusoïdal, spirale, tordu, tortueux.

FLIBUSTIER. Aventurier, boucanier, brigand, corsaire, écumeur, filou, pirate, surcouf, tricheur, tripouille.

FLIC. Agent, alguazil, ange, argousin, bobby, carabinier, cavas, cawas, chien, cogne, commissaire, condé, C.R.S., détective, flac, garde, gardien, gendarme, limier, police, policier, poulet, roussin, sbire.

FLINGUE. Arme, arquebuse, artillerie, busc, carabine, chassepot, chien, crosse, escopette, espingole, fusil, hammerless, infanterie, lebel, mitraillette, mousquet, mousqueton, pétoire, rifle, tromblon.

FLINGUER. Abîmer, analyser, blâmer, calomnier, censurer, commenter, critiquer, décrier, dénigrer, dire, discuter, éreinter, étriller, étudier, examiner, gloser, jaser, récriminer, redire, réfuter, réprimander, reprocher, stigmatiser, vétiller.

FLION. Donace, donax, mollusque.

FLIPPANT. Affaiblissement, débilitant, décourageant, démoralisant, démotivant, déprimant, désespérant, écœurant, ennuyeux, épuisant, exténuant, grisâtre, maussade, monotone, morne, plat, terne.

FLIPPER. Affoler, agiter, alarmer, angoisser, baliser, billard, carambole, chiquenaude, déprimer, effrayer, énerver, exciter, frissonner, inquiéter, levier, oppresser, paniquer, pichenette, stresser, tourmenter.

FLIRT. Amour, amourette, amoureux, aventure, béguin, caprice, caresse, idylle, passade, toquade, touche.

FLIRTER. Amourette, badiner, commettre, coqueter, courtiser, donjuaniser, friser, marivauder, sortir.

FLIRTEUR. Amant, attentionné, cajoleur, cavalier, céladon, chevaleresque, chic, complimenteur, coquet, courtisan, courtois, délicat, distingué, élégant, empressé, enjôleur, entreprenant, galant, galantin, gentleman, gracieux, poli, séducteur, sigisbée, soupirant.

FLOC. Agglomérat, bruit, floche, interjection, onomatopée, plouf.

FLOCHE. Aigrette, bouffette, fil, floc, freluche, ganse, gland, houppe, houppette, huppe, pompon, toupet.

FLOCON. Broue, bryophyte, bulles, chaton, crème, écume, émoussé, floculer, floque, hypne, lichen, monie, mousse, muscinée, neige, neigeux, platine, point, soda, sphaigne, stiligoute, urne, usnée.

FLOCONNEUX. Calicot, cotonneux, duvet, duveté, duveteux, edelweiss, flanelle, gilet, laine, laineux, madapolam, molletonneux, ouate, pelucheux, percaline, perse, pilou, satin, tissu, toile, tomenteux, voile.

FLOCULATION. Agglomérat, agglutination, colloïdal, précipitation, rassemblement.

FLOP. Bide, bruit, défaite, échec, erreur, fiasco, insuccès, navet, onomatopée, ratage, raté, revers.

FLOPÉE. Affluence, amas, armada, armée, bain, bande, cohue, essaim, exode, flot, foule, marée, masse, meute, monde, multitude, nuée, peuple, populace, populo, presse, quantité, remous, ruée, tale, tas, tourbe, troupeau, volée.

FLORAISON. Anthèse, éclosion, effloraison, efflorescence, épanouissement, fleurissement.

FLORE. Biote, botanique, dextrine, floralies, floristique, madicole, microflore, végétation.

FLORENCE. Ardent, cheveux, cilice, convaincu, crin, empile, fanon, gant, haire, poil, résolu, souci, tampico.

FLORIDÉE. Agar-agar, algine, algue, balbianie, bleue, botrydium, caulerpe, caulerpe, chlorelle, chlorophycée, conferve, coralline, cyanobactérie, cyanophycée, diatomée, diplopode, euglène, fucus, goémon, janie, laminaire, macrocystis, macrocyte, mougeotia, navicule, némale, némalion, nostoc, padine, phéophycée, pluricellulaire, porphyra, protocoque, protophyte, rhodophycée, rouge, sargasse, spirogyre, sushi, ulve, unicellulaire, varech, vauchérie, zygnéma.

FLORILÈGE. Analectes, anthologie, best of, choix, chrestomathie, extrait, recueil, spicilège.

FLORIN. Fl, gulden, monnaie, or.

FLORISSANT. Actif, coloré, épanoui, fleuri, prospère, rayonnant, rebondi, resplendissant.

FLOT. Abondance, affluence, afflux, amas, bouillon, chiée, couler, déséchouer, eau, enfant, essaim, flux, houle, lame, marée, masse, mer, monde, multitude, onde, postes, quantité, renflouer, torrent, vague.

FLOTTABILITÉ. Bouée, inchavirable, insubmersibilité.

FLOTTABLE. Canalisable, innavigable, kayakable, insubmersible, navigable, passe, praticable.

FLOTTAGE. Affluent, assemblage, bois, drave, draveur, éclusée, écoulage, fleuve, rivière, verre.

FLOTTAISON. Bouchain, carénage, carène, coque, coquille, flottement, fluctuation, isocarène, ligne, pétale, radoub.

FLOTTANT. Ample, changeant, dénoué, flou, lâche, large, irrésolu, mobile, ondoyant, vague, vaporeux.

FLOTTE (n. p.).Armada, Artemision, Aulis, Hougne, Meloria, Navarin, Nimitz, Potemkine, Tirpitz.

FLOTTE. Armada, armadille, aviation, bateau, eau, escadre, escadrille, flottille, marine, rein, vaisseau.

FLOTTEMENT. Agitation, balancement, eau, hésitation, incertitude, indécision, liège, ondulé, pluie.

FLOTTER. Balancer, claquer, hésiter, heureux, indécis, nager, ondoyer, onduler, planer, surnager, voler, voltiger.

FLOTTEUR. Bouchon, bouée, boule, draveur, flotte, flotteron, fun, funboard, plume, rusclet, utricule.

FLOTTILLE. Armada, armadille, aviation, bateau, eau, escadre, escadrille, flotte, marine, rein, vaisseau.

FLOU. Abstrait, agitation, ambigu, amphibologique, barre, brouillé, confus, douteux, erre, estompé, fond, fondu, fonte, fusible, fusionné, général, imprécis, incertain, indécis, indiscret, net, on, uni, vague, vaporeux.

FLOUER. Abuser, dérober, duper, enlever, faucher, frauder, piller, piquer, tromper, voler.

FLUAGE. Altération, anamorphose, bossellement, bosselure, bot, contorsion, cypho-scoliose, déformation, distorsion, équin, faute, flambage, flexion, gauchissement, gondolage, gondolement, mongolisme, mutilation, orniérage, plissement, poche, torsion.

FLUCTUANT. Changeant, flottant, hésitant, incertain, inconstant, indécis, instable, irrésolu, mobile, mouvant, variable.

FLUCTUATION. Changement, chartiste, courtier, oscillation, succession, turbulence, variation, zinzin.

FLUCTUER. Alterner, bigarrer, changer, commuer, déplacer, différencier, discorder, diversifier, évoluer, mélanger, modifier, moirer, nuancer, osciller, panacher, transformer, varier.

FLUENT. Changeant, coulant, courant, disert, effluve, éloquent, fluide, mouvant, suinte, verveux.

FLUER. Agrainer, arroser, couler, couvrir, dégager, démocratiser, déverser, diffuser, disperser, disséminer, ébruiter, éclairer, écouler, émaner, émerger, emplir, envahir, épandre, éparpiller, épartir, essaimer, étaler, étendre, exhaler, fleurer, paver, pleurer, populariser, propager, répandre, ressemer, semer, sentir, sortir, surgir, verser, vulgariser, universaliser.

FLUET. Aigu, allongé, délicat, délié, effilé, élancé, épais, étroit, fil, filiforme, fin, folié, fragile, frêle, fuselé, gracile, grêle, gros, lame, large, maigre, menu, mince, petit, pincé, pruine, ru, svelte, ténu, tôle, tulle.

FLUETTE. Bec, diaule, fifre, fistule, flageolet, flûte, flûtiau, galoubet, larigot, mie, mirliton, monaule, navire, nay, ney, octavin, pain, pan, piccolo, pipeau, syrinx, traversière, turlututu, verre.

FLUIDE. Air, caloporteur, clair, coulant, courant, débitmètre, décompresseur, diffusion, eau, effluent, émersion, éther, flux, fréon, gaz, humeur, liquide, manodétenteur, manomètre, phlogistique, plasma, rhé, rhéomètre, roulant, viscosimètre.

FLUIDIFIANT. Adoucissant, dissolvant, émollient, expectorant, liquéfiant, résolutif, résolvant.

FLUIDIFIER. Allonger, éclaircir, élancer, étendre, fluidification, fondre, précipiter, rencontrer.

FLUIDITÉ. Assiduité, caractère, changeant, consistance, constance, discipline, épaisseur, équilibré, état, exactitude, fluide, insaisissable, ponctualité, régularité, rhé, situation, trafic, viscosité.

FLUOPHOSPHATE. Apatite.

FLUOR. F.

FLUORESCENCE. Chimiluminescence, luminescence, photoluminescence, rhodamine, stokes.

FLUORESCENT. Brillant, éclairage, gaz, lampe, luminescent, néon, phosphorescent, rosier, tube.

FLUORURE. Cryolite, cryolithe, ester, fluate, fluorhydrique, fluorine, fluorite, hexafluorure, sel.

FLUOSILIOCATE. Chrysolithe, topaze.

FLUSH. Carte, poker, quinte.

FLUSTRE. Aviculaire, bryozoaire, cyphonaute, ectoprocte, gymnolème, phylactolème, plumatelle, vibraculaire, zoocie.

FLÛTE. Bec, diaule, fifre, fistule, flageolet, fluette, flûtiau, galoubet, larigot, mie, mirliton, monaule, navire, nay, ney, octavin, pain, pan, piccolo, pipeau, syrinx, traversière, turlututu, verre.

FLÛTIAU. Bec, chalumeau, diaule, fifre, fistule, flageolet, fluette, flûte, galoubet, larigot, mie, mirliton, monaule, nay, ney, octavin, pain, pan, piccolo, pipeau, plantain, syrinx, traversière, turlututu.

FLÛTISTE (n. p.). Artaud, Blavet, Boehm, Brüggen, Drouet, Gaubert, Guillou, Keller, Lanier, Moyse, Quantz, Rampal, Sax.

FLUVIAL. Alluvion, aquatique, canal, coiche, digue, épi, érosion, fleuve, fluide, poussage.

FLUX. Abondance, balancer, chiasse, débauche, débit, déluge, diarrhée, eau, écoulement, faisceau, flot, humeur, lumen, marée, menstrues, mer, mouvement, profusion, règles, revif, torrent.

FLUXION. Abcès, ballonnement, bouffissure, boursouflure, congestion, crue, dilatation, emphase, emphysème, enflure, gonflement, intumescence, œdème, pneumonie, tuméfaction, tumeur, turgescence, tympanite.

FOC. Artimon, beaupré, clinfoc, génois, homosexuel, tourmentin, trinquette, voile, yankee.

FOCAL. Âme, axe, central, cité, cœur, courbe, essentiel, foyer, intérieur, intermédiaire, noyau, ombilic, ronde.

FOCALISER. Axer, canaliser, centraliser, centrer, concentrer, converger, courber, polariser.

FOEHN. Föhn, sèche-cheveux, séchoir, vent.

FOËNE. Agrafe, crochet, digon, foine, fouëne, fouënne, fouine, fourche, grappin, harpeau, harpon, nigog.

FŒTUS. Accouchement, bébé, embryon, fœtal, fœtologie, fœtopathie, fruit, germe, gestation, létal, œuf.

FOFOLLE. Barjo, bizarre, braque, cinglé, écervelée, farfelu, folasse, folingue, foufou, original.

FOI. Canon, catéchisme, confiance, crédo, croyance, dogme, espoir, jurer, mystère, religion, serment, vérité, zèle.

FOIE. Abats, acholie, bile, cirrhose, distomatose, fressure, hâtereau, hépatique, hépatite, hépatologie, hépatomégalie, hépatonéphrite, hile, urée, vésicule.

FOIE-DE-BŒUF. Champignon, fistuline, langue-de-bœuf.

FOIN. Andain, bale, fanage, fenil, fourchée, fourrage, grange, grenier, herbe, meule, meulon, paille, rhume.

FOIRADE. Avortement, banqueroute, capitulation, catastrophe, chute, débâcle, débandade, déconfiture, défaite, déroute, désastre, désavantage, échec, écrasement, faillite, fiasco, four, infortune, insuccès, ratage, raté, revers.

FOIRE. Bazar, braderie, bringue, débauche, diarrhée, ducasse, emporium, excrément, exposition, festin, fête, foiral, foraine, frairie, halle, kan, kermesse, khan, lendit, marché, minage, noce, salon, souk.

FOIRER. Avorter, buser, claquer, craquer, esquinter, gâcher, glisser, louper, manquer, omettre, oublier, rater.

FOIREUX. Bancal, boiteux, défaut, défectueux, déficient, faible, faute, fautif, imparfait, inadéquat, incorrect, inexact, infirme, insuffisant, loser, mal, manqué, mauvais, perdant, péteux, peureux, poltron, râpé, raté, taré, vicieux, vulnérable.

FOIS. Cas, cause, chance, chopin, circonstance, coïncidence, conjointement, conjoncture, coup, ensemble, événement, facilité, hasard, heure, incidence, lieu, moment, multiplication, occasion, piège, temps.

FOISON. Abondance, abondant, ampleur, beaucoup, considérablement, copieusement, débauche, débordement, démesure, flopée, foule, kyrielle, masse, multitude, nuée, opulence, profusion, quantité, richesse.

FOISONNANT. Abondant, ample, commun, considérable, copieux, dense, dru, épais, excessif, exubérant, fécond, fertile, fourni, fructueux, généreux, giboyeux, gros, large, luxuriant, nombreux, opulent, plantureux, pléthorique, pluvieux, pullulant, riche, surabondant, volubile, volumineux.

FOISONNEMENT. Abondance, affluence, amalthée, ampleur, babil, boisson, chèvre, congrégation, copieux, exubérance, floraison, foison, flux, giboyeux, luxe, nombre, opulence, orgie, plénitude, pléthore, profusion, prolifération, pulluler, redondance, regorger, riche, richesse, surabondance, trésor, verbiage.

FOISONNER. Abonder, augmenter, beaucoup, fourmiller, multiplier, proliférer, puer, pulluler.

FOLÂTRE. Badin, coquin, éveillé, espiègle, gai, guilleret, léger, maboule, plaisant, vagabond.

FOLÂTRER. Amuser, badiner, batifoler, ébattre, folâtrerie, folichonner, gambader, ginguet, marivauder, papillonner.

FOLDINGUE. Barjo, bizarre, braque, cinglé, défoncé, dérangé, dingo, dingue, fou, gâteux, loufoque.

FOLIATION. Annal, annuel, feuillaison, feuillée, frondaison, phyllotaxie, renouvellement, verdure.

FOLICHON. Allègre, amusant, attrayant, badin, drôle, enjoué, folâtre, gai, joyeux, réjouissant.

FOLICHONNER. Amuser, badiner, batifoler, berdiner, couliner, drôle, ébattre, folâtrer, gai, gaminer, ginguer, lutiner, marivauder, niaiser, nigauder, papillonner, plaisant, plaisanter, réjouir, solacier.

FOLIE. Aliénation, amok, asile, avertin, bêtise, caprice, crise, dada, délire, démence, égarement, fièvre, fou, fureur, grelot, imagination, insanité, ire, ivresse, lubie, lycanthropie, manie, marotte, mégalomanie, passion, tic, vésanie.

FOLIO. Feuille, feuillet, folioter, matricule, nombre, numéro, quantième, page, paginer, série, suite.

FOLIOLE. Ail, bourgeon, bractée, bulbe, bulbille, caïeu, feuille, ficaire, limbe, palme, pinnule, sépale, spathe.

FOLIOT. Ancre, balancier, bascule, ballast, contrepoids, horlogerie, palanche, pendule, perche, prao, régulateur.

FOLIOTAGE. Chiffrage, cotation, immatriculation, marquage, numérotage, numérotation, pagination, tatouage.

FOLIOTER. Chiffrer, coter, enregistrer, foliotage, marquer, matriculer, numéroter, paginer, tatouer.

FOLKLORE. Coutume, elfe, légende, localisme, mythe, régionalisme, romancero, saga, tradition, us.

FOLKLORIQUE. Classique, conventionnel, habituel, orthodoxe, original, pittoresque, rituel, sage, traditionnel.

FOLKLORISTE, FEMME (n. p.). Baillargeon, Breton, Cadrin, Chailler, Charlebois, Guannel, Lemay, Pascal, Tremblay.

FOLKLORISTE, HOMME (n. p.). Beaudoin, Collard, Cormier, Daignault, Gosselin, Grenier, Labrecque, Mignault.

FOLLE. Aliénée, amoureuse, cinglée, démente, dérangée, désaxée, détraquée, dingue, folache, idiote, maboule, siphonnée, sonnée, sotte, toquée, tordue.

FOLLEMENT. Absurdement, abusivement, beaucoup, déraisonnablement, énormément, éperdument, excessivement, extrêmement, inconsidérément, passionnément, prodigieusement, terriblement, très.

FOLLET. Capricieux, duvet, étourdi, farfadet, feu, flamme, flammerole, fou, génie, lutin, poil, troll.

FOLLICULINE. Adrénaline, auxine, cortisone, hormone, insuline, lutéine, ocytocine, œstradiol, œstrogène, parathormone, parathyrine, phytohormone, progestérone, sécrétine, somatotrope, stéroïde, stimuline, testostérone, thyroxine.

FOLLICULITE. Anthrax, clou, furoncle, infection, inflammation, staphylocoque, sycosis.

FOMENTATEUR. Agitateur, comploteur, conjurateur, conspirateur, émeutier, factieux, fauteur, instigateur, insurgé, intrigant, meneur, mutin, partisan, provocateur, rebelle, révolté, séditieux, subversif, trublion.

FOMENTATION. Agitation, complot, conjuration, conspiration, excitation, machination, provocation.

FOMENTER. Amener, apporter, attirer, bondir, causer, comploter, conspirer, créer, déchaîner, déclencher, déterminer, élever, fournir, inspirer, manigancer, occasionner, porter, provoquer, susciter, tramer.

FONÇAILLE. Boudin, bourrelet, carreau, chevet, coussinet, crin, duvet, édredon, faux-cul, laine, oreiller, plume, polochon, pouf, pulvinar, sac, sous-cul, sultan, têtière, traversin.

FONCÉ. Basané, bistre, bronzé, brumeux, chagrin, coulé, couvert, foncé, funèbre, funeste, inquiétant, maussade, morne, morose, noir, noirâtre, nuageux, nuit, obscur, ombreux, opaque, orageux, profond, sinistre, sombre, taciturne, ténébreux, triste, voilé.

FONCER. Attaquer, bondir, charger, débouler, élancer, fondre, oser, piquer, précipiter, ruer, sauter.

FONCEUR. Audacieux, aventureux, aventurier, battant, brave, combatif, courageux, culotté, dynamique, entreprenant, fier, hardi, intrépide, osé, pétant, puncheur, sonnant, tapant, téméraire, timide, vite.

FONCIER. Cadastre, censier, essentiel, fondamental, immeuble, impôt, inné, intrinsèque, profond, radical.

FONCIÈREMENT. Complètement, extrêmement, fondamentalement, profondément, totalement.

FONCTION. Adipopexie, biliaire, chaire, charge, décanat, emploi, éponymie, épithète, ester, générateur, géniteur, leadership, locomotion, métier, mission, office, olfaction, papauté, place, pontificat, portefeuille, position, poste, priorat, respiration, rôle, sacerdoce, strapontin, titre, travail, tutorat, usage, utilité, vocation.

FONCTIONNAIRE. Agent, bey, bureaucrate, censeur, curateur, employé, eurocrate, gouverneur, intendant, légat, magistrat, moniteur, muezzin, préfet, proviseur, registraire, résident, scribe, sous-ministre, tabellion, wali.

FONCTIONNEL. Cohérent, commode, conséquent, exact, pratique, rationnel, symptôme, utilitaire.

FONCTIONNEMENT. Cafouillage, cafouillis, déclenchement, dysfonctionnement, enclenchement, fiabilité, jeu, manualité, raté.

FONCTIONNER. Actionner, agir, aller, animer, carburer, conduire, contribuer, coopérer, démarrer, démériter, disposer, employer, faire, lambiner, lésiner, marcher, mener, militer, obéir, œuvrer, opérer, organiser, partir, procéder, régner, remuer, ruser, stagner, trahir, traiter, user, venir, vivoter.

FOND. Abysse, acul, alentours, ancre, banc, bas, base, bas-fond, boue, cale, creux, cul, culasse, cul-de-sac, cuvette, dépôt, faille, fondement, lie, limite, limon, plateau, réseau, résistance, sole, térébration, toilage, toile, vasard, vase.

FOND MONÉTAIRE (n. p.). FMI.

FONDAMENTAL. Basal, base, basique, capital, crucial, dogme, élémentaire, fond, tendance, vital.

FONDAMENTALEMENT. Essentiellement, foncièrement, radicalement, structurellement, totalement.

FONDAMENTALISME. Académiste, anglican, bien-pensant, bourgeois, conformiste, conservateur, conventionnel, hétérodoxisme, indépendant, individualiste, intégriste, nativiste, orthodoxe, panurgien, passéiste, suiviste, traditionaliste.

FONDAMENTALISTE. Adventiste, anglican, baptiste, calviniste, conformiste, darbysme, évangéliste, hérétique, huguenot, luthérien, mennonite, méthodiste, morave, mormon, orangiste, pentecôtiste, piétiste, presbytérien, protestant, puritain, quaker, réformé, revival.

FONDANT. Coulant, douillet, doux, fusion, herbue, moelleux, mou, onctueux, souple, tendre, velouté.

FONDATEUR (n. p.). Ailey, Alzon, Ansermet, Aragon, Bab, Baber, Babur, Banna, Barbam Bazard, Bazin, Bello, Beck, Bich, Bus, Bouddha, Bowen, Bruno, By, Cadmos, Carnegie, Cerna, Chaka, Champlain, Citroën, Cui, Cook, Dardanos, Déat, Dornier, Dunant, Emerson, Énée, Ford, Fox, Freud, Graunt, Grimm, Herzl, Hull, Hume, Isou, Janet, Jeroboam, Jésus, Jung, Kun, Lacordaire, Laing, Ling, Laviolette, Law, Maisonneuve, Marat, Mun, Néri, Ozanam, Penn, Piaget, Pinel, Pythagore, Ray, Sargon, Wallis, Watson.

FONDATEUR. Bâtisseur, chef, commencer, concepteur, conquérant, créateur, entrepreneur.

FONDATION. Appui, assiette, assise, base, constitution, création, enfoncement, enrochement, établissement, fondement, formation, infrastructure, pied, pilotis, platée, radier, solage, sommier, soutènement.

FONDÉ. Appuyé, arithmétique, assis, autorisé, basé, bâti, consistant, créé, établi, hypothétique, illégitime, juste, justifié, légitime, motivé, pragmatique, raisonné, rationnel, recevable, reposé, sérieux, solide, valable.

FONDEMENT. Angulaire, anus, appui, assiette, assise, balbutiement, base, colonne, derrière, enrochement, fesses, fond, fondation, infrastructure, motif, pied, pilotis, platée, preuve, principe, raison, sujet, tantra.

FONDER. Appuyer, baser, bâtir, construire, créer, dresser, élever, ériger, établir, étayer, instaurer, instituer, tabler.

FONDERIE. Aciérie, centrale, forge, haut fourneau, métal, métallurgie, procédé, sidérurgie, usine.

FONDEUR (n. p.). Beccafum, Collombat, Crozatier, Didot, Enderlein, Garamont, Gouthière, Thomire, Vischer.

FONDEUR. Aciériste, bronzier, chaudronnier, forgeron, métallurgiste, sculpteur, sidérurgiste, skieur, soudeur.

FONDOUK. Bazar, braderie, caravansérail, entrepôt, foire, halle, hôtellerie, khan, marché, souk.

FONDRE. Amalgamer, assaillir, attaquer, célérité, chauffer, dégeler, dégivrer, déglacer, délayer, désagréger, dissoudre, fondu, fusible, infuser, infusible, liquéfier, maigrir, mêler, précipitation, unifier, unir, vitrifier.

FONDRIÈRE. Affaissement, bourbier, cartayer, creux, crevasse, frayée, habitude, narse, ornière, sillon, trace, trou.

FONDS. Apport, argent, caisse noire, capital, commerce, contingent, dot, dotation, dividende, écot, établissement, fessier, finances, lot, magasin, malversation, moyens, ressources, somme, terre, virement.

FONDU. Accro, allumé, dégradé, flou, fond, fondre, fonte, fusé, fusion, incertain, vaporeux.

FONDUE. Bourguignonne, chinoise, fonderie, fromage, fusible, léger, raclette, savoyarde, suisse.

FONGICIDE. Amibe, anticryptogamique, aryloxyacide, atrazine, bromacil, carbamate, diallate, diazine, diquat, diuron, herbicide, killex, lénacile, linuron, monalide, monuron, néburon, paraquat, pesticide, simazine.

FONIO. Céréale, millet, millet du Sénégal.

FONTAINE (n. p.). Aquilon, Arethuse, Castalie, Griffon, Jouvence, Majeure, Onofrio, Vaucluse, Wallace.

FONTAINE. Abreuvoir, baptême, borne-fontaine, geyser, griffon, margelle, nymphe, puits, source.

FONTANELLE. Anatomie, bregma, crâne, frontal, lambda, membrane, nouveau-né, pariétal.

FONTE. Alliage, bouscueil, caquelon, débâcle, dégel, ferromanganèse, floc, fourreau, fusion, liquéfaction, matte, mazer, métal, poche, police, réduction, riblon, sacoche, selle, spiegel, taque, type, union.

FOOTBALL. Ailier, association, avant, ballon, corner, dribbler, essai, foot, goal, inter, libero, onze, penalty, plaqué, polo, rugby, shoot, soccer, stoppeur, tacle, tête, tifosi, verge.

FOOTBALLEUR (n. p.). Beckenbauer, Darui, Di Stefano, Fontaine, Kopa, Lacombe, Lopez, Maradona, Matthaus, Michel, Milla, Papin, Pele, Platini, Puskas, Ronaldo, Zidane.

FORAGE. Couronne, creusage, drillage, filetage, fraisage, fraisement, perçage, sondage, taraudage, vrillement.

FORAIN. Ambulant, bonisseur, camelot, colporteur, ducasse, foire, itinérant, kermesse, saltimbanque.

FORAINE. Bal, diarrhée, exposition, fête, foire, lendit, marchand, marché, nomade, saltimbanque, tir.

FORBAN. Aigrefin, arnaqueur, aventurier, bandit, boucanier, brigand, canaille, contrebandier, corsaire, crapule, écumeur, escroc, filou, flibustier, fripouille, intrigant, pillard, pirate, requin, voleur.

FORÇAT (n. p.). Ré.

FORÇAT. Argousin, bagnard, chaîne, chiourme, criminel, fer, galérien, manilles, prisonnier.

FORCÉ. Essentiel, fatal, fatidique, immanquable, imparable, incontournable, inéluctable, inévitable, inexorable, infaillible, irrévocable, logique, mode, nécessaire, obligé, théâtral.

FORCE (n. p.). FFI, FFL, IRA.

FORCE. Activité, ardeur, atonie, bras, ciseau, coriolis, courage, élément, énergie, es, flagada, fort, fougue, inévitable, inexpugnable, intensité, lion, mana, manu militari, nerf, poids, poigne, potentiel, pouvoir, puissance, résistance, ressort, sève, union, vent, vigueur, violence, volume, yang, yin.

FORCÉMENT. Automatiquement, fatalement, inéluctablement, inévitablement, nécessairement, obligatoirement.

FORCENÉ. Aliéné, amoureux, barjo, braque, cerveau, cinglé, dément, désaxé, détraqué, énergumène, fada, fêlé, fol, fou, furieux, givré, idiot, imbécile, insensé, interné, ire, mental, niais, sonné, sot, toqué, tordu, triboulet.

FORCER. Abuser, aliter, altérer, augmenter, bûcher, casser, dénaturer, détériorer, enfoncer, fatiguer, forcing, fracturer, hâter, imposer, marteler, obliger, poursuivre, pousser, rompre, susciter, torturer, violenter, violer.

FORCIR. Alourdir, arrondir, développer, élargir, engraisser, épaissir, grandir, grossir, pousser.

FORCLORE. Bannir, border, contester, débouter, défiler, dénier, disqualifier, écarter, éliminer, empêcher, évincer, exclure, expulser, marginaliser, nier, récuser, refouler, refuser, rejeter, repousser, reprocher.

FORCLUSION. Absence, aliénation, amimie, amnésie, analgésie, analgie, anergie, anorexie, anosmie, aphasie, aphémie, apoplexie, apraxie, catalepsie, cécité, coma, coulage, décadence, décès, déchéance, dégât, déperdition, désaffection, deuil, discrédit, disgrâce, dommage, échec, évanouissement, éviction, gaspillage, héméralopie, hémorragie, ire, leucorrhée, mal, manque, mue, naufrage, perte, privation, ruine, saignée, scotome, surdité, syncope, tassement, tribut.

FORER. Bêcher, caver, chever, creuser, crever, déchirer, driller, embrocher, empaler, encorner, enfiler, évider, excaver, fileter, fouiller, fouir, labourer, miner, percer, tarauder, térébrer, trou, vider, vriller.

FORESTIER. Arbre, bois, forêt, laie, layon, lé, némoral, rime, selvatique, sentier, sylvicole, ure, urus.

FORET. Attache, avant-clou, bonbonnière, cirre, cirrhe, drille, filament, forure, gibelet, hélice, lesbienne, liseron, mèche, nervé, perceuse, queue-de-cochon, spirale, taraud, tarière, tordu, tribade, vice, vis, vrille.

FORÊT (n. p.). Arc, Ardenne, Ardennes, Beaumont, Brocéliande, Bretonne, Chambord, Chantilly, Chaux, Crécy, Dreux, Eawy, Écouves, Eu, Fontainebleau, Hertogenwald, Hez, Loches, Othe, Paimpont, Rambouillet, Retz, Rouvray, Sénart, Tronçais, Vau, Verdun, Warndt.

FORÊT. Biome, bocage, bois, boisé, bosquet, cédrière, chênaie, clairière, érablière, flopée, foule, fraise, futaie, houssaie, kyrielle, lamer, maquis, multitude, nuée, parc, perceuse, pignade, pinède, sapinière, selva, selve, sous-bois, sylve, taïga, taillis, verger.

FOREUSE. Cirre, cirrhe, drille, filament, foret, hélice, lesbienne, liseron, mèche, nervé, perceuse, perforatrice, queue-de-cochon, sonde, spirale, taraud, tarière, tordu, tribade, vice, vis, vrille.

FORFAIRE. Abaisser, attenter, contourner, contrevenir, déclasser, déroger, désobéir, enfreindre, faillir, forcer, forligner, manquer, observer, opposer, outrepasser, parjurer, rebeller, respecter, suivre, transgresser, tricher, violer.

FORFAIT. Abonnement, clause, convention, crime, évaluation, fixe, marchandage, somme, trahison.

FORFAITURE. Abandon, adultère, apostasie, crime, dédit, déloyauté, dérogation, désaveu, déviation, déviationnisme, écart, entorse, erreur, fantaisie, félonie, fugue, hérésie, hétérodoxie, inconstance, inexactitude, infidélité, ingratitude, inobservation, liaison, manquement, marcionisme, parjure, passade, perfidie, reniement, rupture, sacrilège, scélératesse, trahison, traîtrise, transgression, tromperie, violation.

FORFANTERIE. Bluff, bravade, crânerie, fanfaronnade, hâblerie, jactance, rodomontade, vantardise.

FORFICULE. Aurelière, dermoptère, insecte, labidoure, labidura, perce-oreille, pince-oreille.

FORGE. Atelier, écrouissage, enclume, fonderie, maréchal-ferrant, marteau, métal, soufflerie.

FORGER. Cingler, corroyer, fabriquer, former, imaginer, inventer, marteler, matriçage, réaliser, usiner.

FORGERON (n. p.). Etna, Vulcain, Tubalcaïn.

FORGERON. Anel, chaînier, daubeur, enclume, forgeur, maréchal-ferrant, oculi, poisson.

FORGEUR. Auteur, créateur, concepteur, découvreur, essayiste, fabricant, forgeron, penseur, inventeur.

FORLIGNER. Abaisser, attenter, contourner, contrevenir, déchoir, déclasser, dégénérer, déroger, désobéir, enfreindre, faillir, forcer, forfaire, manquer, mésallier, observer, opposer, outrepasser, parjurer, rebeller, respecter, suivre, transgresser, tricher, violer.

FORJETER. Asseoir, avance, baser, bâtir, camper, commencer, constater, créer, embrayer, ériger, fixer, fonder, inaugurer, instaurer, instituer, instrumenter, justifier, mettre, nouer, placer, ponter, poster, préétablir, prouver, unir.

FORLONGER. Décoller, décrocher, dépasser, devancer, distancer, écarter, éloigner, espacer, forlancer, surpasser.

FORMALISER. Axiomatiser, blesser, choquer, fâcher, fixer, grammaticaliser, hérisser, mathématiser, modéliser, offenser, offusquer, ordonner, organiser, piquer, ritualiser, scandaliser, vexer.

FORMALISME. Argutie, byzantinisme, casuistique, chicane, chicanerie, chinoiserie, chipotage, discussion, distinguo, élucubration, ergotage, finesse, logomachie, ratiocination, scolastique, sophistique, subtilité.

FORMALISTE. Cérémonieux, conventionnel, façonnier, formel, intégriste, littéraliste, maniaque, minimiste, minutieux, pointilleux, procédural, protocolaire, rigoriste, ritualiste, tatillon, traditionaliste, vétilleux.

FORMALITÉ. Cérémonie, chichi, chinoiserie, convenance, convention, démarche, enregistrement, étiquette, facilité, filière, forme, manière, paperasse, préavis, procédure, règle, solennité, tracasserie.

FORMAT. Album, calibre, capacité, caractéristique, carré, contenance, coquille, dimension, douze, feuille, folio, grand, grandeur, grosse, in-dix-huit, légal, octavo, quarto, seize, standard, tabloïd, taille.

FORMATEUR. Créateur, démiurge, enrichissant, enseignant, entraîneur, instructif, profitable, utile.

FORMATION. Brigade, clan, colonne, commando, création, diplôme, embryogénèse, embryogénie, éphébie, genèse, givrage, goum, groupe, lande, légion, molasse, néoplasie, nouure, orogène, orogenèse, ostéogenèse, ostéogénie, ovogenèse, phalange, prairie, ravinement, salification, savane, steppe, thrombose, toundra, trio, tuf, unité.

FORME. Anatomie, anthropomorphe, arioso, aspect, avachi, biscornu, carré, difforme, dimorphe, dispos, état, filiforme, hétéromorphe, ligne, métamorphose, oblong, ostéogenèse, ostéogénie, pointu, pulpeux, rectangulaire, rond, rondeau, rondo, sagittal, silhouette, structure, svelte, volute, taille, tau, triangulaire, tubulaire.

FORMÉ. Adulte, composé, développé, établi, gauchi, mature, mûr, nubile, pétri, pubère, réglé.

FORMEL. Bien, catégorique, cérémonieux, certain, clair, conventionnel, évident, explicite, exprès, flagrant, formaliste, formule, implicite, incontestable, indéniable, indiscutable, indubitable, injonction, irréfutable, manifeste, net, platonique, positif, précis, prescription, prononcé, protocolaire, sûr, théorique, traditionaliste.

FORMELLEMENT. Absolument, carrément, certainement, clairement, nettement, rigoureusement.

FORMÈNE. Gaz, grisou, méthane, méthyle, triphénylméthane.

FORMER. Composer, constituer, coquiller, créer, diriger, dresser, éduquer, élever, enclore, énoncer, entraîner, épier, épouser, établir, étirer, exercer, fabriquer, façonner, faire, fonder, forger, habituer, instituer, instruire, machiner, mixer, modeler, mouler, nouer, organiser, penser, pétrir, préparer, produire, rouler, styler, synthétiser, tricoter.

FORMERET. Arc, art, cathédrale, flamboyant, gothique, gouttereau, médiéval, ogival, sexpartite.

FORMICA. Accumulé, aggloméré, agglutiné, cinérite, couche, lamifié, stratifié, superposé.

FORMIDABLE. Admirable, champion, considérable, effrayant, énorme, épatant, épouvantable, étonnant, extra, fabuleux, fantastique, fumant, inouï, sensass, sensationnel, splendide, super, terrible, tonnerre, vache.

FORMIDABLEMENT. Absolument, affreusement, assai, assez, bien, bigrement, comble, diablement, drôlement, énormément, excessivement, extra, extrêmement, fort, fortement, foutrement, furieusement, grand, hyper, infiniment, invraisemblable, joliment, moult, parfaitement, particulièrement, prodigieusement, remarquablement, réussi, rudement, super, sur, tantinet, terriblement, très, vachement, vraiment.

FORMOLAGE. Antisepsie, aseptie, aseptisation, assainissement, décontamination, désinfection, étuvage, étuvement, formol, javellisation, pasteurisation, prophylaxie, stérilisation.

FORMOSE (n. p.). Taiwan.

FORMULABLE. Affirmable, avouable, déclarable, dicible, énonçable, exprimable, proclamable.

FORMULAIRE. Bordereau, codex, credo, feuille, formule, imprimé, pharmacopée, protocole, questionnaire, répertoire.

FORMULATION. Affirmation, communication, déclaration, donnée, élocution, énoncé, énonciation, exposition, expression, extériorisation, mention, prononciation, proposition, récitation, stipulation, verbalisation.

FORMULE. Adieu, agrément, au revoir, codex, dédicace, devise, dom, émet, énoncé, équation, étiquette, envoi, façon, incantation, libellé, mantra, maxime, modèle, pardon, proverbe, recette, règle, santé, slogan, veto, visa, vocalise.

FORMULER. Dire, écrire, émettre, énoncer, ériger, établir, exposer, exprimer, fulminer, insinuer, intenter, noter, poser, prononcer, rédiger, reformuler, règle, régler, remarquer, spécifier, stipuler, verbaliser.

FORNICATEUR. Baiseur, coucheur, culbuteur, étalon, mâle.

FORNICATION. Adultère, adultérin, amant, bigame, cocu, cocuage, cocufiage, complice, concubin, coquage, cornard, débauche, infidèle, infidélité, liaison, maîtresse, marimélard, onobate, polygame, trahison, tromperie.

FORNIQUER. Accoupler, baiser, câliner, coïter, copuler, coucher, fourrer, foutre, inséminer, pénétrer, sodomiser.

FORS. Absent, collatéral, dehors, ému, ex, excepté, extérieur, extravagant, hormis, hors, obsolète, réprouvé, sauf.

FORT. Âcre, à tue-tête, bon, calé, chétif, colosse, corsé, costaud, débile, déficient, doué, dru, énergique, faible, ferme, flagada, grand, haut, intense, malingre, musclé, nerveux, plein, puissant, redoutable, résistant, robuste, solide, sthénique, tassé, très, vigoureux, violent.

FORT, BÂTIMENT. Bicoque, bastille, bunker, citadelle, donjon, ferté, forteresse, fortification, fortin, rempart.

FORT, BELGIQUE (n. p.). Bouillon, Breendonk, Mons

FORT, CANADA (n. p.). Albany, Beauséjour, Caracoui, Caraquet, Carillon, Chambly, Cuillerier, Érié, Frontenac, Garry, Gaspareaux, Jonquière, Louisbourg, Niagara, Richelieu, Rouillé, Rupert, Sainte-Anne, Saint-Jean, Ticondéraga, Toronto.

FORT, ESPAGNE (n. p.). Lavadores, Trocadero.

FORT, ÉTATS-UNIS (n. p.). Alamo, Chouaguen, Corlar, Dearborn, Meigs.

FORTEMENT. Abondamment, amplement, ardemment, beaucoup, énergiquement, fermement, grandement, gros, pansu, prononcé, puissamment, solidement, vigoureusement, violemment, vivement.

FORTERESSE (n. p.). Alhambra, Almeria, Bastille, Carlisle, Châtelet, Ehrenbreitstein, Gibraltar, Golconde, Iénikale, Kremlin, Louisbourg, Masada, Massada, Montségur, Nis, Nissa, Sacsahuaman, Sousse, Trondheim.

FORTERESSE. Bastille, bicoque, blockhaus, bombardier, bunker, casbah, château, citadelle, défense, donjon, ferté, fort, fortification, fortin, inaccessible, mur, nuraghe, place, rempart, superforteresse.

FORTICHE. Adroit, agile, astucieux, calé, exercé, fort, habile, intelligent, leste, malin, preste, vif.

FORTIFIANT. Analeptique, confortant, confortatif, cordial, corroborant, corroboratif, énergique, existant, nutritif, réconfortant, reconstituant, remontant, revigorant, roboratif, tonifiant, tonique, vivifiant.

FORTIFICATION. Bastide, bastion, casemate, château, citadelle, donjon, éperon, fort, forteresse, fortin, herse, ligne, mur, muraille, oppidum, orillon, ravelin, redan, redent, redoute, rempart, sarrasine, tenaillon.

FORTIFIÉ. Abrité, ahuri, anathème, censure, couvert, défendu, défense, embargo, empêché, empêchement, fruit, gardé, illégal, illicite, interdit, invétéré, irrégulier, permettre, prohibé, protégé, secouru, soutenu, stupéfait, tabou.

FORTIFIER. Affermir, aoûté, armer, casemater, cimenter, confirmer, conforter, consolider, développer, durcir, entourer, étayer, invétérer, munir, nourrir, prémunir, profiter, soutenir, tonifier, tremper.

FORTIN. Abri, blockhaus, bunker, cabane, fort, forteresse, gourbi, guitoune, ouvrage, redoute, tente, tourelle.

FORTRAN. Algol, algorithme, cobol, langage, pascal, programmation.

FORTUIT. Accident, accidentel, aléa, aventure, bonheur, casuel, chance, circonstanciel, coïncidence, dé, destin, déveine, errant, fortune, galette, hasard, imprévu, inopiné, occasion, pile, richesse, sort, veine.

FORTUITEMENT. Accidentellement, casuellement, incidemment, occasionnellement, peut-être.

FORTUNÉ. Argenté, chançard, cossu, fauché, favorisé, heureux, huppé, nanti, opulent, pauvre, privilégié, riche.

FORTUNE. Aisance, aise, appauvrir, argent, avoir, bien, bonheur, capital, chance, cheptel, destin, destinée, domaine, don dot, dotation, galette, hasard, patrimoine, ressource, riche, richesse, trésor, veine.

FORUM. Colloque, débat, entretien, place, prétoire, rencontre, réunion, symposium, tribune.

FOSSÉ. Abysse, ahah, boyau, brook, bunker, canal, caveau, cavité, creux, douve, émissaire, excavation, feuillée, gap, graben, haha, oubliette, purot, rigole, retard, rift, ruisseau, ruisson, saut-de-loup, sautoir, séparation, silo, tinette, tombe, tranchée, trou, watergang.

FOSSE. Acétabule, acinus, aisselle, alvéole, anfractuosité, barillet, bouche, brèche, cavité, charnier, conceptacle, cotyle, cotyloïde, crâne, diverticule, excavation, feuillée, fossette, glénoïdal, géode, glénoïde, gouffre, loge, méat, nombril, orbite, oreillette, pallale, palléale, purot, sac, saccule, sigmoïde, sinus, tanière, terrier, thorax, tinette, trou, utricule, vacuole, ventricule.

FOSSE OCÉANIQUE (n. p.). Bonin, Kermadec, Java, Kouriles, Mariennes, Nouvelle-Bretagne, Philippines, Porto Rico.

FOSSET. Abysse, affaissement, cavité, creux, crevasse, dépression, éboulement, écroulement, effondrement, épirogenèse, flache, flaque, fosse, géosynclinal, gouffre, graben, mare, rift, synclinal.

FOSSETTE. Abajoue, apophyse, bajote, bajoue, creux, jote, joue, jugal, malaire, poche, pommette, réserve, tabatière.

FOSSILE (n. p.). Agassiz, Chancelade, Grimaldi, Libby, Neandertal, Néanderthal.

FOSSILE. Ambre, ammonite, anas, ancien, artefact, atlanthrope, calamite, empreinte, fossilier, géologie, nummulite, oiseau, pemphix, pithécanthrope, platax, poisson, préhistoire, reptile, tabulé, trilobite, vieillard, zoolite.

FOSSILISER. Abêtir, atrophier, dessécher, embaumer, figer, momifier, pétrifier, scléroser.

FOSSOIR. Arrachoir, barrasquite, binette, bineuse, chasse-neige, daba, déchaussoir, égratignure, gale, gratelle, gratte, guitare, houe, hoyau, pioche, profit, raclette, ratissoire, sape, sarclette, sarcloir, serfouette.

FOSSOYEUR. Creuseur, démolisseur, destructeur, ensevelisseur, enterreur, naufrageur, saboteur.

FOU. Aliéné, allumé, amoureux, azimuté, barjo, braque, brindezingue, cerveau, cinglé, cinoque, cintré, déjanté, dément, désaxé, détraqué, dingo, dingue, enragé, fada, fêlé, fol, forcené, frappé, frénétique, furieux, givré, idiot, imbécile, insane, insensé, interné, ire, jaté, loufoque, maboul, marotte, marteau, mental, nase, naze, niais, sain, sinoc, sinoque, siphonné, sonné, sot, tapé, taré, toqué, tordu, zinzin.

FOU DE LOUIS XII (n. p.). Triboulet.

FOUACE. Brioche, écervelé, farfelu, folâtre, fou, foufou, fougasse, froment, galette, mine, pâtisserie.

FOUAGE. Alleu, annate, auteur, casuel, cens, champart, charge, débit, dette, dîme, droit, fief, impôt, lods, obligation, pourcentage, redevance, rente, royaltie, royauté, serfs, taxe, tréfoncier, tribut.

FOUAILLE. Abats, abattis, amourettes, animelles, cervelle, cœur, curée, foie, forsure, fraise, fressure, triperie, vidure.

FOUAILLER. Asséner, assommer, atteindre, battre, blesser, boxer, cingler, cogner, ébahir, étonner, férir, fesser, foudroyer, fouetter, frapper, geler, gifler, heurter, horrifier, impressionner, infliger, marteler, méduser, percuter, pétrifier, plaquer, poignarder, proscrire, punir, rouer, sidérer, sonner, stupéfier, surprendre, taper, tapoter, terrifier, terroriser, tondre, tosser, trépigner.

FOUCADE. Boutade, caprice, coup de tête, élan, emportement, fantaisie, fougasse, lubie, toquade.

FOUCHTRA. Auvergnat, fichtre, interjection, juron.

FOUDRE. Amour, choc, colère, courroux, éclair, épar, feu, fulgurer, ire, lueur, paratonnerre, tonnerre.

FOUDROYANT. Brusque, brutal, fulgurant, renversant, soudain, subit, terrassant, violent.

FOUDROYER. Assommer, cogner, électrocuter, frapper, mourir, soudain, terrasser, tuer, vaincre.

FOUËNNE. Foëne, foine, fouanne, fouëne, fouine, fourche, harpon.

FOUET. Aile, badine, chambrière, chicote, chicotte, corde, courroie, cravache, discipline, étrivière, garcette, hart, houssine, knout, lanière, martinet, nagaïka, nahaïka, nerf, queue, sangle, ustensile, verge.

FOUETTARD. Croque-mitaine, fessier, fouetteur, ogre.

FOUETTEMENT. Battement, claquement, cognement, flagellation, martèlement, pulsation.

FOUETTER. Allumer, battre, cingler, exciter, fesser, flageller, frapper, rosser, sangler, stimuler.

FOUFOU. Bizarre, écervelé, farfelu, fofolle, folâtre, fou, fouace, galette, mine, original, pâte.

FOUGASSE. Brioche, explosif, fouace, fougade, friton, froment, galette, génoise, mine, pâtisserie.

FOUGÈRE. Adiante, adiantum, aigle, alsophila, asplénium, athyrium, azolla, capillaire, cétérac, cétérach, cheveu-de-Vénus, crosse, dryoteris, filicale, filicinée, fougerole, indusie, limbe, ophioglosse, osmonde, pécoptéris, pilulaire, pinnule, polypode, pteridium, rhizoïde, royale, scolopendre, sore, stipe.

FOUGUE. Acharné, acharnement, ardeur, bouillant, bravoure, brusquerie, élan, enthousiasme, entrain, feu, fierté, fièvre, impétuosité, passion, passionné, perroquet, véhémence, verveux, violence, volcanique.

FOUGUEUSEMENT. Activement, ardemment, avidement, chaleureusement, chaudement, énergiquement, force, fortement, furieusement, gloutonnement, passionnément, soupirer, vigueur, vivement, voracement.

FOUGUEUX. Acharné, affirmatif, assuré, audacieux, aventureux, aventurier, bouillant, brave, cascadeur, casse-cou, cavalier, confiant, courageux, culotté, cynique, décidé, déluré, déterminé, effronté, emporté, énergique, enragé, entreprenant, ferme, fier, gaillard, gonflé, hardi, impavide, impétueux, intrépide, luron, original, osé, périlleux, pétulant, résolu, risqué, risque-tout, téméraire, tenace, vaillant, valeureux, vif, violent, viril, volcanique, volontaire.

FOUILLE. Barbote, barbotte, boutis, chantier, farfouillage, furetage, perquisition, recherche, visite.

FOUILLER. Chercher, chipoter, creuser, examiner, excaver, explorer, farfouiller, fouger, fouiner, fourgonner, fureter, inspecter, inventorier, perquisitionner, piocher, ratisser, rechercher, scruter, sonder, tâter, tripoter, vermiller, vermillonner.

FOUILLEUR. Chineur, curieux, envahissant, farfouilleur, fouinard, fouineur, fureteur, indiscret, rat, rusé.

FOUILLIS. Anarchie, art, bazar, bordel, capharnaüm, chahut, chaos, confusion, décousu, désordre, dégât, déroute, désordre, dissipation, fatras, gabegie, gâchis, incohérence, mélange, pagaille, souk, vrac.

FOUINARD. Crèche, curieux, envahissant, farfouilleur, fouilleur, fureteur, indiscret, rusé.

FOUINE. Carnivore, chafouin, curieux, foëne, fouëne, fouineur, fourche, harpon, indiscret, martre, putois.

FOUINER. Chercher, explorer, farfouiller, fouiller, fourgonner, fourrager, fureter, rechercher, trifouiller.

FOUINEUR. Chineur, curieux, envahissant, farfouilleur, fouilleur, fouinard, fureteur, indiscret, rusé, ubiquiste.

FOUIR. Approfondir, cécilie, chercher, creuser, effronder, fouiller, remuer, taupe, vermillonner.

FOULANT. Abrutissant, accablant, agaçant, épuisant, éreintant, exténuant, fatigant, harassant, surmenant.

FOULARD. Bandana, carré, écharpe, étoffe, fanchon, fichu, madras, mouchoir, pointe, tchador, tussah, tussor.

FOULE. Affluence, amas, armada, armée, bain, bande, cohue, essaim, exode, flopée, flot, marée, masse, meute, monde, multitude, nuée, peuple, populace, populo, presse, remous, ruée, tale, tas, tourbe, troupeau.

FOULÉE. Abatture, allure, attitude, battu, cabriole, danse, empiété, enjambade, enjambée, espace, essai, étape, faute, glissade, jalon, marche, pas, préséance, progrès, promenade, seuil, trace, volée.

FOULER. Charger, damer, enjamber, éreinter, mépriser, opprimer, piétiner, pilonner, presser, tasser.

FOULOIR. Cave, cellier, fouleret, hec, maie, maillotin, maye, meule, oppression, plomboir, pressoir, vigne, vin.

FOULQUE. Échassier, gambette, glaréole, judelle, macreuse, macroule, morelle, poule d'eau, rallidé.

FOULURE. Déboîtage, déboîtement, dislocation, distorsion, écart, effort, élongation, entorse.

FOUR. Aire, alandier, arche, âtre, bouche, calcarone, calisson, carquaise, cubilot, cuisinière, étuve, fournaise, fourneau, fournil, grille, incendie, insuccès, micro-ondes, oura, pipe-still, réverbère, tuile, tuyère, voûte.

FOURBE. Chafouin, dissimulé, effronté, escobar, fallacieux, faux, fripon, impudent, perfide, rusé, sournois, trompeur.

FOURBERIE (n. p.). Scapin.

FOURBERIE. Duplicité, fausseté, feinte, hypocrisie, impudence, leurre, mensonge, perfidie, piperie, rêverie, rouerie, ruse, sournoiserie, sycophante, tartufe, tartuffe, tour, trahison, traîtrise, tromperie.

FOURBI. Attirail, bagage, barda, bastringue, bazar, capharnaüm, désordre, équipement, fouillis, fourniment.

FOURBIR. Accoupler, astiquer, brillanter, briller, briquer, frotter, nettoyer, polir, poncer, préparer.

FOURBISSAGE. Adoucissage, aiguisage, avivage, brunissage, buffle, cirage, corrasion, doucissage, égrisage, fignolage, frottage, léchage, limage, peaufinage, polissage, ponçage, rodage, sassage, usure.

FOURBISSEUR. Armurier, arquebusier.

FOURBU. Claqué, crevé, épuisé, éreinté, exténué, fatigué, harassé, lassé, lessivé, moulu, sué, trimé, usé, vidé.

FOURCHE. Bident, bretelle, caudine, dent, fouine, fourchon, fourquine, gibet, harpon, triandine, trident.

FOURCHET. Abcès, inflammation, mouton, pied, vache.

FOURCHETTE. Cheval, coin, coincer, combinaison, commissure, corne, couvert, écart, échancrure, échec, furcula, glome, gourmand, gourmet, lunette, mangeur, os, pendillon, soudure, ustensile, variation.

FOURCHON. Bident, bretelle, caudine, dent, fouine, fourche, fourquine, gibet, harpon, triandine, trident.

FOURGON. Benne, bétaillère, break, char, citerne, corbillard, râble, tisonnier, van, voiture, wagon.

FOURGONNER. Accoupler, farfouiller, fouiller, fouiner, fourrager, fureter, tisonner, trifouiller.

FOURGONNETTE. Camionnette, camping-car, pick-up, taxi, téléga, van, voiture, wagon.

FOURGUE. Carambouillage, fourgat, fricotage, recel, receleur, trafic.

FOURGUER. Adjuger, aliéner, balancer, bazarder, brader, brocanter, cameloter, casser, céder, changer, coller, copermuter, débiter, défaire, démarcher, dénoncer, détailler, discuter, échanger, écouler, épuiser, étaler, exporter, marchander, mévendre, monnayer, négocier, placer, réaliser, refiler, rétrocéder, revendre, sacrifier, servir, solder, trafiquer, trahir, troc, troquer, vendre.

FOURME (n. p.). Ambert, Cantal, Puy-de-Dôme.

FOURME. Cantal, fromage.

FOURMI. Aculéate, démangeaison, formication, formique, fourmilière, hyperesthésie, impatiences, insecte, magnan, miellat, mordification, pangolin, picotement, reine, soldat, tamanoir, termite, travailleuse.

FOURMILIER. Édenté, mammifère, oryctérope, pangolin, pholidote, tamandua, tamanoir, xénarthre.

FOURMILIÈRE. Affluence, afflux, amas, armée, avalanche, cohue, essaim, flopée, flot, foison, foule, frémillère, légion, luxe, marée, masse, multitude, nid, nombre, nuée, profusion, pullulement, quantité, ruche, tas, termitière, troupeau, univers, vulgum pecus.

FOURMILLEMENT. Démangeaison, foisonnement, formication, fourmis, grouillement, picotement, pullulement, tétanie

FOURMILLER. Abonder, agiter, foisonner, grouiller, pleuvoir, profiler, pulluler, regorger, remuer.

FOURNAISE. Âtre, brasier, canicule, chaudière, creuset, étuve, feu, four, fourneau, foyer, incendie, truie.

FOURNEAU. Allumelle, athanor, brasque, calorifère, camouflet, carcaise, casse, chaudière, cratère, creuset, cuisine, cuisinière, cucurbite, étalage, forge, four, gazinière, gueule, piano, pipe, poêle, réchaud, té, ventre.

FOURNÉE. Assemblée, association, briée, brigade, caravane, cellule, cercle, collectif, colonie, corps, cuisson, équipe, escadron, escouade, groupe, horde, lot, meute, noyau, peloton, quantité, troupe.

FOURNI. Achalandé, approvisionné, compact, consistant, dense, dru, épais, garni, pourvu, touffu.

FOURNIMENT. Attirail, bagage, barda, bazar, équipement, étui, fourbi, harnachement, outillage.

FOURNIR. Achalander, apporter, armer, assortir, atteler, débiter, dispenser, documenter, donner, doter, entretenir, financer, garnir, livrer, lotir, meubler, monter, munir, nantir, nipper, nourrir, pourvoir, procurer, ravitailler, servir, suffire, verser, vêtir.

FOURNISSEUR. Affectateur, altruiste, apporteur, bienfaiteur, bon, charitable, compatissant, désintéressé, donateur, généreux, humain, humanitaire, mécène, miséricordieux, protecteur, souscripteur, testateur.

FOURNITURE. Accessoire, approvisionnement, avance, dépôt, livraison, prestation, provision.

FOURRAGE. Ajonc, alpiste, colza, dragée, ers, effanage, farouche, foin, fouille, gazon, hache-paille, houque, ivraie, litière, lupin, luzerne, meule, meulon, millet, ortie, paille, pâturin, ravage, trèfle, vert, vulpin.

FOURRAGER. Chercher, farfouiller, fouiller, fouiner, fourgonner, fureter, ravager, trifouiller.

FOURRAGÈRE. Charrette, cordelière, crételle, décoration, ers, phléole, plante, rave, torsade, voiture.

FOURRAGEUR. Cavalier, chineur, curieux, envahissant, farfouilleur, fouilleur, fouinard, fouineur, fureteur, indiscret.

FOURRÉ. Arbuste, ardent, bartasse, bosquet, broussaille, brousse, buisson, fardoches, haie, hallier, taillis.

FOURREAU. Anneau, bas, bélière, boîte, bouterolle, calmar, carquois, chape, dard, dé, dégainer, doigtier, douille, élytre, enveloppe, étui, fonte, gaine, manchon, nu, porte-épée, protection, rengainer, robe, vulve.

FOURRER. Aventurer, coller, doubler, embarquer, enfoncer, enfourner, engager, garnir, glisser, immiscer, insinuer, introduire, jeter, lancer, loger, mettre, molletonner, ouater, placer, plonger.

FOURRE-TOUT. Besace, bissac, bourse, débarras, havresac, œuvre, pièce, pillage, placard, portefeuille, sac, sacoche, texte, trousse.

FOURREUR. Aguicheur, cajoleur, charmeur, désinformateur, embobineur, enjôleur, ensorceleur, fabulateur, fourrure, marchand, menteur, mythomane, patelin, racoleur, saladier, séducteur, trompeur.

FOURRIER. Annonciateur, antécesseur, avant-coureur, chef, devancier, implanteur, initiateur, inventeur, messager, novateur, personne, pionnier, précurseur, prédécesseur, préfigurateur, prophète, responsable, soldat, sous-officier.

FOURRURE. Armeline, astracan, astrakan, aumusse, blaireau, boa, breitschwanz, caracul, carcajou, castor, chat, chinchilla, coyote, écureuil, étole, hermine, isatis, kid, kolinski, lapin, léopard, lièvre, loup, loutre, lynx, martre, menu, mite, mouffette, myopotame, ocelot, ondatra, opossum, ours, peau, pékan, pelage, poil, putois, ragondin, rat, raton, renard, roselet, sconse, taupe, vair, vison, zibeline, zorille.

FOURVOIEMENT. Bavure, couillonnade, égarement, erreur, lapsus, méprise, perdu, tromperie.

FOURVOYER. Aberrer, détourner, divaguer, écarter, égarer, errer, perdre, tromper, vaguer.

FOUTAISE. Amusette, bagatelle, baliverne, bêtise, bricole, broutille, chanson, détail, enfantillage, fadaise, faribole, frivolité, futilité, misère, plaisanterie, rien, sornette, sottise, vétille.

FOUTOIR. Bazar, bordel, bric-à-brac, désordre, fatras, fourbi, gâchis, lupanar, micmac, pêle-mêle.

FOUTRAL. Étonnant, extraordinaire, fabuleux, fantastique, incroyable, inouï, miraculeux, phénoménal, prodigieux.

FOUTRAQUE. Benêt, charlot, gugusse, guignol, gus, homosexuel, naïf, niais, nicodème, rustaud, type, zozo.

FOUTRE. Baiser, beaucoup, chier, congédier, cyprine, déguerpir, déposer, éjaculer, enfiler, enfoncer, fabriquer, faire, fiche, ficher, fichtre, flanquer, jeter, moquer, partir, sperme, très, tringler, trisser.

FOUTREMENT. Affreusement, beaucoup, bigrement, drôlement, extrêmement, salement, très, vachement.

FOUTU. Bousillé, cassé, condamné, cuit, détestable, échoué, fichu, incurable, maudit, nase, perdu, ruiné.

FOXÉ. Agaçant, aigu, brossé, courbé, désagréable, fâcheux, framboisé, goût, loafé, manqué, séché.

FOYARD. Cupuliféracée, fagacée, fau, fou, fouteau, fayard, gaïac, hêtre.

FOYER. Afocal, alandier, âtre, brasier, cantou, centre, cheminée, chenet, demeure, embrasement, épicentre, famille, feu, four, fournaise, incendie, lare, maison, métastase, phare, prytanée, résidence, salle, toit.

FRAC. Complet, costume, habit, jaquette, morue, queue-de-morue, queue-de-pie, rochet, smoking.

FRACAS. Agitation, bruit, brutalement, brutalité, raffut, scandale, tapage, tintouin, vacarme.

FRACASSANT. Confondant, éclatant, extraordinaire, provocant, retentissant, sensationnel.

FRACASSER. Briser, broyer, casser, concasser, craqueler, déchirer, défoncer, détériorer, détruire, éclater, écraser, édenter, effondrer, éreinter, fractionner, gruger, mouler, péter, pulvériser, rompre, stèle.

FRACTION. Abattement, albédo, annuité, désunion, centésimal, comma, division, échelon, escouade, fragment, morceau, parcelle, quote-part, part, partie, portion, stripping, tantième, tendance, vernier.

FRACTIONNEMENT. Atomisation, dédoublement, découpage, démembrement, dépècement, désagrégation, détail, dispersion, division, écartèlement, éparpillement, fragmentation, graduation, morcellement, partage, séparation.

FRACTIONNER. Bifurquer, casser, couper, débiter, découper, dédoubler, dépecer, disloquer, diviser, éclater, fragmenter, graduer, morceler, partager, rompre, scinder, segmenter, séparer.

FRACTURE. Apocope, blessure, bris, brisure, cal, cassure, comminutif, diaclase, embarrure, enfoncement, esquille, faille, fêlure, fente, fissure, fraction, os, ostéoclasie, pseudarthrose, rift, rupture.

FRACTURER. Blesser, briser, casser, craquer, défoncer, enfoncer, fêler, fendre, forcer, rompre.

FRAGILE. Cassant, casuel, chétif, débile, délicat, faible, filiforme, fluet, frêle, friable, gracile, grêle, instable, malingre, menacé, menu, mince, ostéoporose, périssable, précaire, raffiné, vain, vulnérable.

FRAGILISATION. Abattement, affaiblissement, amblyopie, anémie, atténuation, baisse, décadence, déclin, décrépitude, dégénérescence, démence, dépérissement, diminution, effritement, étiolement, exténuation, faiblesse, fatigue, héméralopie, langueur, marasme, neurasthénie, psychasthénie, sénilité, usure.

FRAGILISER. Affaiblir, changer, déjeter, dépeigner, déphaser, déplacer, dérégler, désaxer, désemparer, déséquilibrer, déstabiliser, détraquer, dévier, ébranler, écarter, égarer, gêner, importuner, infléchir, nuire, perturber, précariser.

FRAGILITÉ. Attaquable, délicatesse, éphémère, étroitesse, néant, ostéoporose, précaire, vanité.

FRAGMENT. Aérosol, alluvion, bout, bribe, brin, brique, brisure, caillou, cal, chicot, coin, crossette, écharde, éclat, écusson, éluvion, épave, épine, extrait, fraction, lambeau, météorite, miette, morceau, nucléus, parcelle, part, partie, pas, pièce, récitatif, rien, segment, semoule, sphacèle, tectite, tronc.

FRAGMENTAIRE. Divisé, imparfait, inachevé, incomplet, insuffisant, lacunaire, partiel, relatif.

FRAGMENTATION. Atomisation, découpage, division, fractionnement, morcellement, partage.

FRAGMENTER. Atomiser, concasser, couper, disperser, éclater, émietter, morceler, segmenter, tronçonner.

FRAGON. Buis piquant, épine de rat, houx, houx-frelon, liliacée, myrte pineux, petit houx.

FRAGRANCE. Anis, aromate, arôme, baume, bouquet, eau, effluve, émanation, encens, essence, exhalaison, extrait, fumet, haleine, huile, ionone, iris, jasmin, monoï, musc, nard, néroli, odeur, onguent, parfum, rose, senteur, thym, vanilles.

FRAGRANT. Anisé, aromatique, aromatisé, embaumé, épicé, odorant, odoriférant, parfumé, suave, tutti frutti.

FRAÎCHEMENT. Calmement, dernièrement, flegmatiquement, froidement, glacialement, inédit, inusité, jeunement, moderne, naguère, neuf, nouvellement, peu, posément, récemment, saisissement, sèchement.

FRAÎCHEUR. Décati, faner, flétrir, frais, froid, grâce, humidité, naïveté, oasis, raviver, rose, rosée, sécher, serein.

FRAÎCHIR. Augmenter, forcer, forcir, frigorifier, glacer, lever, rafraîchir, réfrigérer, refroidir.

FRAIS. Agio, brut, coût, débours, décati, dépens, dépense, écolage, flambant, frisquet, froid, gai, humide, inédit, intérêt, jeune, minerval, net, neuf, nouveau, onéreux, propre, rassis, récent, reposé, sec, vert.

FRAISE. Alèse, angiome, arbouse, binette, bouille, capron, caroncule, collerette, couteau, engoncement, face, figure, foret, fressan, fruit, instrument, intestin, melba, mésentère, mine, nævus, nez, outil, polypore, roulette, tête.

FRAISER. Aléser, chanfreiner, creuser, écraser, évaser, évider, fraisage, fraiseuse, malaxer, percer, rouler, usiner.

FRAISIER. Capronier, capronnier, fraise, gâteau, plant, plante, quatre-saisons, rosacée, stolon.

FRAISIÈRE. Champ, fraise, fraiseraie, plantation, terrain.

FRAISIL. Anthracite, cendre, charbon, charbonnaille, charrée, cheminée, cinéraire, cinérite, coke, gravelée, houille, jais, lave, lignite, mâchefer, mercredi, poussier, poussière, résidu, restes, scorie.

FRAISOIR. Avant-clou, chignole, drille, foret, fraise, mèche, percerette, perceuse, perçoir, quillier, vrille.

FRAMBOISIER. Arbrisseau, broussaille, épine, framboise, mûre, mûrier, mûron, ronce, ronceraie, roncier.

FRAMÉE. Angon, arme, béril, dard, digon, flèche, hast, javelot, lance, pilum, pique, sagaie, sil, trait, ulex.

FRANC. Antrustion, balle, carré, centime, clair, cordial, cru, direct, droit, dur, entier, eurofranc, fair-play, franco, libre, loyal, naturel, net, oc, ouvert, parfait, pur, roi, rond, sincère, vif, vrai.

FRANÇAIS. Beauf, beur, beurette, breton, cajun, franc, franciser, hexagonal, maudit, normand, parisien, pied-noir.

FRANCE, VILLE (n. p.). Agen, Albertville, Albi, Allos, Apt, Arcachon, Arles, Arras, Ay, Barcelonnette, Barrême, Bayonne, Besançon, Bordeaux, Boulogne, Bourges, Brest, Briançon, Caen, Cannes, Carcassonne, Castellane, Chamonix, Châtel, Clermont, Cluse, Colmar, Courchevel, Coutances, Dax, Dieppe, Dijon, Dinan, Draguignan, Elne, Épinal, Évreux, Eu, Fréjus, Gap, Guillestre, Guingamp, Isola, Lacanau, Laragne, La Rochelle, Le Mans, Lille, Lorient, Lyon, Malijai, Marseille, Maubeuge, Menton, Mimizan, Modane, Montbéliard, Montpellier, Morlaix, Mulhouse, Nancy, Nantes, Nice, Nîmes, Oraison, Orange, Orléans, Paris, Pérone, Perpignan, Pézenas, Poitiers, Reims, Rennes, Rouen, Royan, Saint-Étienne, Saint-Malo, Saint-Nazaire, Saint-Tropez, Sedan, Sens, Sisteron, Strasbourg, Termignon, Tignes, Toulon, Toulouse, Tour, Trets, Val d'Isère, Valence, Valmorel, Verdun.

FRANC-FIEF. Accise, ad valorem, capitation, charge, contribution, décime, dégrèvement, dîme, droit, écotaxe, excise, imposition, impôt, maltôte, patente, redevance, surtaxe, tarif, taux, taxation, taxe, tribut.

FRANCHEMENT. Carrément, clairement, crûment, directement, droitement, franc, franchise, franco, librement, loyalement, net, nettement, ouvertement, simplement, sincèrement, très, vraiment.

FRANCHIR. Boire, enjamber, escalader, gravir, grimper, outrepasser, parcourir, passer, percer, sauter, traverser.

FRANCHISE. Abandon, clarté, confiance, crudité, droiture, équivoque, fausseté, frans-parler, liberté, louche, loyauté, mensonge, netteté, rond, rondeur, sincérité, spontanéité, suspect, tortueux, tromperie, véracité.

FRANCHISSABLE. Capable, carrossable, charriable, circulable, commode, exécutable, facile, faisable, guéable, jetée, possible, potentiel, praticable, probable, réalisable, traversable, viable, vraisemblable.

FRANCHISSEMENT. Balade, circuit, croisière, déplacement, escalade, excursion, exil, expédition, hourvari, incursion, itinéraire, odyssée, passage, pèlerinage, raccourci, rémora, saut, transfrontalier, traversée.

FRANCHOUILLARD. Beauf, conservateur, français, franco-français, grossier, hexagonal, tricolore.

FRANCISCAIN (n. p.). Antoine de Padoue, Bacon, Bernardin, Boff, Capistran, Celano, Cisneros, Clarisse, Dunbar, Duns Scot, Élie, Odoric, Ofm, Pacioli, Padoue, Rabelais, Sanchez, Tommaso.

FRANCISCAIN. Capucin, clarisse, conventuel, cordelier, mendiant, minime, récollet, religieux.

FRANCISQUE. Arme, aisseau, bipenne, cochoir, cognée, doleau, erminette, hache, herminette, laye, tille.

FRANCIUM. Fr.

FRANC-JEU. Clair, convenable, cordial, correct, cru, direct, droit, dur, entier, fair-play, franc, libre, loyal, naturel, net, ouvert, parfait, pur, régulier, sincère, sport, sportif, sportivité, vif, vrai.

FRANC-MAÇON. Apprenti, atelier, compagnon, convent, frangin, loge, maçon, maître, rose-croix.

FRANCO. Carrément, caudillo, franc, franc de port, franchement, gratuitement, résolument.

FRANCOPHONE. Acadien, cajun, français, franco-américain, québécois, romand, wallon.

FRANC-PARLER. Abandon, clarté, confiance, crudité, droiture, équivoque, fausseté, franchise, liberté, louche, loyauté, mensonge, netteté, rond, rondeur, sincérité, suspect, tortueux, tromperie, véracité.

FRANC-TIREUR. Combattant, guérillero, indépendant, maquisard, partisan, résistant, soldat.

FRANGE. Bord, bordure, crépine, effilé, limite, marge, minorité, passementerie, ruban, torsade.

FRANGER. Accoutrer, affubler, ajuster, attifer, border, carrosser, coller, costumer, couvrir, culotter, draper, endimancher, équiper, fringuer, ganter, habiller, nipper, parer, rhabiller, recouvrir, revêtir, saper, vêtir.

FRANGIN. Frère, frérot, camarade, franc-maçon, garçon, germain, ignorantin, lai, lait, sœur, sœurette.

FRANGINE. Femme, fille, franc-maçonne, maîtresse, prostituée, religieuse, sœur, sœurette.

FRAPPANT. Ahurissant, émouvant, étonnant, impressionnant, lumineux, marquant, saisissant, tapant.

FRAPPÉ. Bat, bée, congelé, dérangé, écu, ému, éprouvé, férir, fou, frais, fripouille, froid, glacé, ictus, incuse, marque, médaillé, méduse, obsolescent, rafraîchi, refroidi, roué, sou, stupéfait, terrorisé, tué, voyou.

FRAPPEMENT. Barillon, batillage, battant, battement, choc, coup, ictus, oscillation, palpiter, pulsation, radian.

FRAPPER. Asséner, assommer, atteindre, bâtonner, battre, boxer, cingler, cogner, ébahir, estourbir, étonner, férir, fesser, fouailler, foudroyer, geler, gifler, heurter, horrifier, impressionner, infliger, marteler, méduser, passer à tabac, percuter, pétrifier, plaquer, pocher, poignarder, proscrire, punir, rouer, sidérer, sonner, stupéfier, surprendre, tambouriner, taper, tapoter, terrifier, terroriser, tondre, tosser, traumatiser, trépigner.

FRAPPEUR. Aigrefin, arnaqueur, batteur, escroc, estampeur, filou, graveur, illustrateur, imprimeur.

FRASQUE. Aberration, caprice, conduite, digression, écart, échappée, faute, fredaine, incartade.

FRATERNEL. Accueillant, affectueux, alter ego, bienveillant, fraternellement, frère, sororal.

FRATERNELLEMENT. Affectueusement, amicalement, amoureusement, chaleureusement, charitablement, cordialement, généreusement, gentiment, grassement, humainement, largement, tendrement.

FRATERNISER. Aimer, amitié, chérir, engouer, entendre, enticher, lier, manifester, plaire, solidariser, sympathiser.

FRATERNITÉ. Accord, amitié, charité, club, concert, confraternité, fenian, secte, solidarité, union.

FRATRICIDE (n. p.). Caïn, Œdipe.

FRATRICIDE. Assassinat, crime, déicide, égorgement, empoisonnement, étranglement, étripage, frère, hécatombe, homicide, lutte, matricide, meurtre, opposé, parricide, régicide, sœur, suicide, tuerie.

FRATRIE. Aulique, bande, caste, clan, confrérie, congrégation, érié, ethnie, famille, gang, genre, groupe, groupuscule, horde, peuplade, peuple, phratrie, race, serviteurs, smala, smalah, tentes, totem, tribal, tribu.

FRAUDE. Cavalerie, contrefaçon, copion, dol, dolosif, escroquerie, falsification, fardage, fourberie, gagebie, illégal, interlope, péculat, piratage, resquillage, resquille, ruse, supercherie, tromperie, vol.

FRAUDER. Allonger, baptiser, falsifier, frelater, priver, resquiller, tricher, tromper, voler.

FRAUDEUR. Aiglefin, bandit, brigand, cambrioleur, canaille, chenapan, cleptomane, détrousseur, entôleur, escroc, filou, fripon, larron, malandrin, malfaiteur, pillard, receleur, resquilleur, stellionataire, tire-laine, tricheur, truand, voleur.

FRAUDULEUSEMENT. Coupablement, criminellement, illégalement, illégitimement, illicitement, injustement.

FRAUDULEUX. Apocryphe, douteux, fabriqué, fantaisiste, faux, fictif, forgé, hérétique, imaginé, inauthentique, suspect.

FRAXINELLE. Aurantiacée, baume, dictame, fleur, frêne, origan, rutacée.

FRAYÉE. Affaissement, bourbier, cartayer, creux, crevasse, fondrière, habitude, narse, ornière, sillon, trace, trou.

FRAYER. Curer, cureter, écharner, écorcher, enlever, érafler, fréquenter, frotter, gratouiller, grattouiller, gratter, limer, nettoyer, ouvrir, pondre, raboter, racler, ramoner, râper, râteler, ratisser, riper, ruginer, sarcler, tousser, tracer.

FRAYEUR. Alarme, crainte, effroi, épouvante, horrifier, peur, saisissement, terreur, transe.

FREDAINE. Aberration, chanson, débordement, écart, échappée, folie, frasques, répétition, sienne.

FRÉDÉRIC (n. p.). Barberousse, Enzio, Enzo, Heinz.

FREDONNEMENT. Bruissement, bourdonnement, chant, chantonnement, fredon, gazouillement.

FREDONNER. Chanter, chantonner, chuchoter, gazouiller, moduler, rêvasser, roucouler, susurrer.

FRÉGATE. Aigle de mer, bateau, corvette, homosexuel, navire, palmipède, pélécaniformes.

FREIN. ABS, aérofrein, aile, arrêt, barrière, cheval, cordon, déviateur, dispositif, effréné, entrave, membrane, mors, obstacle, organe, repli, sabot, servofrein.

FREINAGE. Décélération, déflation, enraiement, enrayage, ralentissement, rétropropulsion.

FREINER. Ancrer, arrêter, borner, buter, caler, camper, cesser, clore, couper, épingler, fixer, interrompre, juguler, limiter, maintenir, pincer, ralentir, rayer, réfréner, régler, reposer, retenir, stagner, stopper, suspendre, tarir, tenir.

FRELATAGE. Adultération, alliage, appauvrissement, bricolage, contrefaçon, déformation, déguisement, falsification, fardage, faux, fraude, imitation, maquillage, pastiche, postiche, tromperie, trucage.

FRELATÉ. Altéré, artificiel, assoiffé, corrompu, dénaturé, dépravé, éventé, factice, faussé, impur, tourné.

FRELATER. Abâtir, adultérer, affaiblir, altérer, appauvrir, atténuer, avarier, avilir, bricoler, corrompre, dégrader, dénaturer, dépraver, falsifier, fausser, gâter, pervertir, sophistiquer, trafiquer, vicier.

FRÊLE. Délicat, faible, fluet, fort, fragile, herbacée, menu, mince, puissant, raffiné, résistant, robuste, vigoureux.

FRELON. Bulbon, burbon, crabon, eumène, fragon, guêpe, hyménoptère, plagiaire, vespidé.

FRELUQUET. Avorton, chétif, faible, frivole, galantin, godelureau, gringalet, léger, prétentieux.

FRÉMIR. Balancer, bouillir, bouillotter, bruire, colère, frissonner, palpiter, peur, trembler, vibrer.

FRÉMISSANT. Actif, agile, agité, alarmé, alerte, allègre, amoureux, animé, apeuré, ardent, brûlant, chevrotant, effrayé, ému, palpitant, passionné, transi, tremblant, tremblotant, vacillant, vibrant.

FRÉMISSEMENT. Agitation, battement, bruissement, friselis, frisson, murmure, sursaut, tremblement.

FRÊNE (n. p.). Amérique, Caroline, Europe, Oregon, Texas.

FRÊNE. Blanc, bleu, cantharide, commun, excelsior, frai, fraxinelle, fraxinus, fresne, gregg, manne, mannitol, noir, odorant, oléacée, orne, oxycarpa, pleureur, pubescent, rouge, velu.

FRÉNÉSIE. Agitation, aveuglement, délire, emportement, enthousiasme, fièvre, folie, fureur, furie, passion.

FRÉNÉTIQUE. Acharné, déchaîné, délirant, effréné, endiablé, enragé, éperdu, exalté, fiévreux, hystérique, surexcité.

FRÉNÉTIQUEMENT. Abondamment, amplement, ardemment, beaucoup, éperdument, extrêmement, fanatiquement, fervemment, follement, furieusement, passionnément, royalement, violemment, vivement.

FRÉON. C.F.C., congeler, coulant, décompresseur, fluide, frigorifier, froid, gaz, geler, glacer, halogène, rafraîchir, raidir, réfrigérer, refroidir, surgeler, tiédir.

FRÉQUEMMENT. Communément, constamment, couramment, coutumièrement, généralement, habituellement, journellement, quotidiennement, souvent, souvente fois, tant, toujours, usuel.

FRÉQUENCE. Am, chaîne, file, FM, hertz, hyperfréquence, kH, kilohertz, litanie, modulation, rythme, série, seuils.

FRÉQUENT. Banal, commun, constant, courant, coutumier, exceptionnel, fréquentatif, général, habituel, itératif, ordinaire, normal, perpétuel, rare, rarissime, répétition, souvent, tant, toujours, unique, usuel.

FRÉQUENTABLE. Acceptable, accointances, bien, bienséant, convenable, correct, décent, digne, honnête, honorable, montrable, moral, présentable, rangé, recommandable, réglé, respectable, sérieux.

FRÉQUENTATIF. Criailler, fréquent, itératif, plusieurs, redoubler, réduplicatif, répété, répétitif.

FRÉQUENTATION. Accointances, attache, commerce, contact, côtoiement, mondanité, rapport, relation, société.

FRÉQUENTÉ. Animé, anthropophile, battu, couru, désert, famé, familier, isolé, malfamé, passant, populeux, retiré, suivi.

FRÉQUENTER. Côtoyer, coudoyer, courtiser, encanailler, flirter, hanter, lier, pratiquer, voir, voisiner.

FRÈRE. Aîné, cadet, capucin, compagnon, congénère, curé, égal, frangin, fratrie, frérot, garçon, germain, ignorantin, lai, lait, moine, oncle, pareil, semblable, sœur, utérin.

FRÈRE D'ABEL (n. p.). Caïn.

FRÈRE D'ABSALON (n. p.). Amnon.

FRÈRE D'AGAMENNON (n. p.). Ménélas.

FRÈRE D'ANTIGONE (n. p.). Polynice.

FRÈRE D'APOLLON (n. p.). Artémis.

FRÈRE D'ARTÉMIS (n. p.). Apollon.

FRÈRE D'ATLAS (n. p.). Prométhée.

FRÈRE DE BAJAZET (n. p.). Djem.

FRÈRE BÉATIFIÉ (n. p.). André.

FRÈRE DE CAÏN (n. p.). Abel.

FRÈRE DE CHAM (n. p.). Caïn, Japhet, Sem.

FRÈRE DE DJEM (n. p.). Bajazet.

FRÈRE DE DOMITIEN (n. p.). Titus.

FRÈRE D'ÉGYPTOS (n. p.). Danaos.

FRÈRE D'ÉLECTRE (n. p.). Oreste

FRÈRE D'EUROPE (n. p.). Cadmos.

FRÈRE D'HIPPARQUE (n. p.). Hippias.

FRÈRE D'HIPPIAS (n. p.). Hipparque.

FRÈRE D'HYPNOS (n. p.). Thanatos.

FRÈRE D'IPHIGÉNIE (n. p.). Oreste.

FRÈRE D'ISIS (n. p.). Osiris.

FRÈRE DE JACOB (n. p.). Ésaü.

FRÈRE DE JAPHET (n. p.). Cham, Sem.

FRÈRE DE JOCASTE (n. p.). Créon.

FRÈRE DE JUPITER (n. p.). Pluton.

FRÈRE DE MOAB (n. p.). Ammon.

FRÈRE DE MOÏSE (n. p.). Aaron.

FRÈRE D'OSIRIS (n. p.). Seth.

FRÈRE DE POLYNICE (n. p.). Étéocle.

FRÈRE DE PROMÉTHÉE (n. p.). Atlas, Épiméthée.

FRÈRE DE RHADAMANTHE (n. p.). Éaque, Minos.

FRÈRE DE ROMULUS (n. p.). Remus.

FRÈRE DE SAINT ISIDORE (n. p.). Léandre.

FRÈRE DE SEM (n. p.). Cham, Japhet.

FRÈRE DE VOLOGÈSE (n. p.). Tiridate.

FRÈRE DE THANATOS (n. p.). Hypnos.

FRÈRE DE THYESTE (n. p.). Atrée.

FRÈRE DE TITUS (n. p.). Domitien.

FRÈRE DE ZEUS (n. p.). Poséidon.

FRESQUE. Cène, graffiti, image, lavis, ornement, panorama, peinture, pictural, sgraffite, tableau.

FRESQUISTE (n. p.). Asam, Baldovinetti, Battista, Cavallini, Gaddi, Signorelli, Tamayo, Tiepolo.

FRESSURE. Abats, abattis, amourettes, animelles, cervelle, cœur, foie, forsure, fouaille, fraise, triperie, vidure.

FRET. Cargaison, charge, chargement, contenu, faix, lest, marchandise, nolis, pacotille, transport.

FRÉTER. Affréter, charger, chartériser, louer, noliser, pourvoir, transporter.

FRÉTEUR. Affréteur, armateur, charter, locateur, noliseur, pourvoyeur, transporteur.

FRÉTILLANT. Actif, agile, alerte, allègre, fringant, guilleret, pétulant, remuant, sémillant, vif.

FRÉTILLER. Agiter, grouiller, mouvoir, palpiter, piaffer, remuer, secouer, touiller, trémousser, trépider.

FRETIN. Alevin, bigaille, blanchaille, blanquet, frai, menuaille, nourrain, poisson, poutine, toulamon.

FRETTE. Aine, antibois, archet, armature, badine, baguette, bâton, broche, caducée, canne, cercle, chicote, corde, crayon, division, guitare, houssine, listeau, listel, liston, liteau, luth, mailloche, membron, meuble, ornement, sillet, spatule, touchette, verge, virole.

FREUX. Choucas, corbac, corbeau, corbillat, corbin, corneille, corvidé, crave, croassement, grole.

FRIABLE. Abrupt, absolu, agressif, aigre, bourru, bref, brusque, brutal, cassable, cassant, chétif, coupant, délicat, dur, faible, fragile, frêle, grêle, menu, mince, ostéoporose, périssable, précaire, sec, vain.

FRIAND. Affriolant, agréable, alléchant, amateur, avide, gâteau, gourmand, gourmet, pâté, tentant.

FRIANDISE. Amuse-gueule, baba, biscuit, bonbon, canapé, chatterie, confiserie, douceur, gâteau, gâterie, gourmandise, macaron, nanan, nougat, œuf, papillote, pâtisserie, praline, sucette, sucrerie, tarte, tire, touron, truffe.

FRIC. Argent, billet, blé, bourse, douille, fonds, magot, mise, monnaie, oseille, pognon, radis, rond, sous.

FRICADELLE. Boulette, cromesquis, croquette, foutou, godiveau, hachis, hâtelle, hâtelette, hâtereau, vitoulet.

FRICASSE. Cramine, frimas, frisquet, froid, froideur, gel, gelée, givre, verglas.

FRICASSÉE. Blanquette, bourguignon, chaud-froid, fricot, gibelotte, mélange, poêle, ragoût, repas.

FRICATIF. Chuintant, consonne, constrictif, frottement, phonème, phonétique, sifflant, spirant.

FRIC-FRAC. Attraper, brigandage, brutaliser, cambriolage, casse, démunir, dérober, dévaliser, voler.

FRICHE. Abandonné, brande, brousse, garenne, garrigue, incultivé, jachère, lande, pâtis, terrain.

FRICHTI. Brunch, collation, déjeuner, dîner, fricot, gueuleton, lunch, mets, repas, réveillon, souper.

FRICOT. Bouffe, bouillie, brouet, cuisine, fricassée, frichti, gueuleton, hachis, moineau, ragoût, rata.

FRICOTAGE. Combine, grenouillage, magouille, maquignonnage, manipulation, trafic, tripotage.

FRICOTER. Accommoder, bricoler, cuisiner, fabriquer, manigancer, mijoter, mitonner, préparer, trafiquer, tramer.

FRICOTEUR. Aigrefin, arnaqueur, bandit, brigand, canaille, crapule, cuisinier, escroc, extorqueur, faisan, fraudeur, gangster, gredin, malfaiteur, pirate, profiteur, trafiquant, tripoteur, voleur, voyou.

FRICTION. Accrochage, conflit, désaccord, dispute, frottement, grippage, heurt, liniment, massage.

FRICTIONNER. Assouplir, désankyloser, frotter, lotionner, masser, lotionner, oindre, parfumer.

FRIDOLIN. Allemand, boche, chleuh, frisé, fritz, soldat.

FRIGIDAIRE. Congélateur, conservateur, frigo, frigorifique, glacière, réfrigérateur, refroidisseur, surgélateur.

FRIGIDE. Anaphrodisie, aride, dur, endurci, froid, impuissant, indifférent, insensible, sec.

FRIGIDITÉ. Absence, anaphrodisie, anorgasmie, atonie, détachement, froideur, impassibilité, impuissance, indifférence, insensibilité, réserve, sécheresse.

FRIGORIE. Fg.

FRIGORIFIÉ. Ankylosé, balourd, congelé, endormi, engourdi, frappé, froid, gelé, glacé, gourd, maladroit, morgue, mort, paralysé, pénétré, perclus, raide, réfrigéré, refroidi, saisi, surgelé, transi, tué.

FRIGORIFIER. Air, attiédir, calmer, congeler, endormir, engourdir, fréon, frapper, froid, geler, glacer, mécontenter, mourir, paralyser, rafraîchir, raidir, réchauffer, réfrigérer, refroidir, surgeler, tiédir, tuer.

FRIGORIFIQUE. Congélateur, conservateur, cryostat, frigidaire, glacière, réfrigérateur, refroidisseur, surgélateur.

FRILEUSEMENT. Avilissement, bassement, complaisamment, craintivement, grossièrement, honteusement, indignement, lâchement, obséquieusement, platement, servilement, peureusement, timidement, vilement.

FRILEUX. Branlant, craintif, dégonflé, doutant, embarrassé, flottant, froussard, hésitant, incertain, indécis, irrésolu, lâche, lâcheur, oscillant, peureux, pusillanime, réticent, tergiversant, timide, timoré.

FRILOSITÉ. Appréhension, brave, confusion, couard, crainte, craintif, frileux, froussard, lâche, pétochard, peureux, pleutre, poltron, poule mouillée, pusillanimité, timide, timoré, trouillard, veule.

FRIMAS. Brouillard, froid, froidure, gel, gelée, giboulée, givre, glace, hiver, napalm, regel, transi, verglas.

FRIME. Abstraction, abstrait, apparaître, apparence, dissimulation, fard, feinte, simulation, zéro.

FRIMER. Bluffer, crâner, esbroufer, fanfaronner, impressionner, parader, plastronner, rengorger, vanter.

FRIMEUR. Bluffeur, crâneur, dissimulateur, esbroufeur, fanfaron, magicien, policier, vantard.

FRIMOUSSE. Binette, bobine, bouille, couperose, face, faciès, figure, gueullette, masque, minette, minois, museau, ovale, physionomie, pomme, portrait, rougeaud, tête, traits, trogne, trombine, visage.

FRIMOUSSER. Bouger, danser, gigoter, minois, remuer, tricoter, valser.

FRINGALE. Appétit, avidité, besoin, boulimie, creux, dent, désir, faim, famine, pica, polyphagie, repu.

FRINGANT. Actif, agile, alerte, animé, arrogant, chaud, cheval, déluré, guilleret, pétulant, pimpant, vif.

FRINGILLIDÉS. Bec-croisé, bouvreuil, bruant, cardinal, chardonneret, dur-bec, gros-bec, roselin, sizerin.

FRINGUER. Accoutrer, attifer, draper, fagoter, habiller, nipper, parer, revêtir, saper, vêtir.

FRINGUE. Accoutrement, affaires, atours, chiffon, complet, costume, dessous, effets, ensemble, frusques, garde-robe, habillement, habit, linge, livrée, mise, nu, parure, tenue, toilette, trousseau, vestiaire, vêtement.

FRINGUER. Accoutrer, affubler, ajuster, attifer, carrosser, coller, costumer, couvrir, culotter, déguiser, draper, endimancher, équiper, franger, ganter, habiller, mise, nipper, parer, rhabiller, recouvrir, revêtir, saper, vêtir.

FRIPÉ. Chiffonné, contracté, déformé, desséché, flétri, foulé, noué, parcheminé, pelotonné, plissé, rabattu, rabougri, racorni, ramassé, rapetissé, ratatiné, replié, retroussé, ridé, sinueux, tassé.

FRIPER. Altérer, bouchonner, broyer, chiffonner, flétrir, froisser, plisser, ratatiner, rider, scandaliser.

FRIPERIE. Chiffons, défroques, fringues, frusquess, guenilless, haillons, hardes, harpail, nippes, oripeaux, vêtements.

FRIPIER. Bouquiniste, brocanteur, chiffonnier, coupeur, dealer, détaillant, puscher, revendeur, scalper.

FRIPON. Aigrefin, bandit, coquin, escroc, espiègle, filou, gredin, grossier, gueux, maroufle, rustre, scélérat, vif, voleur.

FRIPONNERIE. Canaillerie, déloyauté, escroquerie, espièglerie, malhonnêteté, maroufle, picaro, tour.

FRIPOUILLE. Bandit, brigand, canaille, concussionnaire, crapule, escroc, gredin, tricheur, voleur, voyou.

FRIPOUILLERIE. Abjection, bassesse, canaillerie, crapulerie, gredinerie, infamie, malhonnêteté, scélératesse.

FRIQUÉ. Abondant, aisé, argenté, argenteux, aristo, cossu, enrichi, étoffé, fertile, fortuné, galetteux, grenu, huppé, ladre, milliardaire, millionnaire, multimillionnaire, nanti, nourri, opulent, or, pactole, parvenu, pauvre, possédant, pourvu, rentier, riche, richissime, rupin, samit.

FRIQUET. Domestique, gailletin, moineau, oiseau, passereau, piaf, piaffe, pierrot, plocéidé, type.

FRIRE. Braiser, brasiller, bronzer, brûler, cuire, griller, mijoter, rissoler, rôtir, roussir, saisir, sauter, torréfier.

FRISAGE. Auvel, barrière, claie, clayon, clayonnage, clisse, clôture, crêpage, douve, éclisse, écrille, grillage, grille, griller, haie, hane, jonc, lattis, natte, osier, paillasson, parc, sas, torréfier, traversine, treillis, trolle.

FRISANT. Angle, aspect, biais, biseau, dépassant, détour, droite, ébrasement, ébrasure, escalope, indirect, ligne, oblique.

FRISBEE. Aréole, anneau, assiette, bobèche, cd, cd-rom, cercle, cicatricule, compact, discobole, discoïdal, discoïde, discophile, disque, enregistrement, flan, galette, microsillon, palet, pierre, pigeon, piston, plateau, rayon, rondelle, roue.

FRISE. Architrave, bande, bandeau, barbelé, bordure, ciel, cintre, corniche, décor, empyrée, entablement, frisette, genoise, glyphe, gougère, métope, obstacle, ornement, planche, starie, surface, tissu, triglyphe.

FRISÉ. Afro, agité, allemand, annelé, bichonné, boche, bouclé, cvalamistré, chleuh, crêpelé, crêpé, crépu, crollé, dentelé, effleuré, fridolin, frisotté, fritz, natté, ondulé, permanenté, rasé, ratiné.

FRISELIS. Agitation, battement, bruissement, frémissement, frisson, froufrou, murmure, sursaut, tremblement.

FRISER. Anneler, aplatir, bichonner, boucler, calamistrer, canneler, coquiller, crêpeler, crêper, crespeler, effleurer, frisotter, frôler, moutonner, onduler, permanenter, plisser, raser, ratiner, risquer.

FRISETTE. Accroche-cœur, anglaises, annelure, boucle, bouclette, frison, frisottis, frisure, lambris.

FRISOTTANT. Afro, bouclé, calamistré, crépu, crollé, frisé, frisotté, moutonné.

FRISOTTER. Anneler, aplatir, bichonner, boucler, calamistrer, canneler, coquiller, crêpeler, crêper, crespeler, effleurer, friser, frôler, lisser, moutonner, onduler, permanenter, raser, ratiner, risquer.

FRISOTTIS. Accroche-cœur, boucle, bouclette, crêpelage, crêpelure, crespelage, crolle, éfrison, friser, frisette, frison, frisonnement, frisou, frisure, guiche, mèche, ratinage, retroussis, rosette, rouflaquette.

FRISQUET. Algide, algidité, chaud, frimas, froid, froidure, gel, glacé, glacial, hiver, refroidir.

FRISSON. Crispation, fièvre, frémissement, froid, horreur, peur, saisissement, soubresaut, tremblement.

FRISSONNANT. Engourdi, figé, frémissant, gelé, glacé, grelottant, morfondu, paralysé, pénétré, pétrifié, transi.

FRISSONNEMENT. Agitation, convulsion, ébranlement, effort, frémissement, frisson, grelottement, oscillation, saccade, saut, secousse, soubresaut, sursaut, tentative, titubation, tortillage, tremblement, trémulation, trépidation, tressaillement, vacillement, vibration.

FRISSONNER. Agiter, balancer, colère, frémir, geler, glacer, grelotter, palpiter, peur, trembler, vibrer.

FRISURE. Accroche-cœur, boucle, bouclette, crêpelage, crêpelure, crespelage, crolle, éfrison, friser, frisette, frison, frisonnement, frisottis, frisou, guiche, mèche, ratinage, retroussis, rosette, rouflaquette.

FRIT. Cuit, fichu, foutu, perdu.

FRITONS. Brioche, fougasse, froment, galette, génoise, grattons, greubons, mine, pâtisserie, rillons.

FRITURE. Averse, glace, grain, grêle, grêlon, grésillement, huile, parasite, pluie, poisson, ratinage, verglas.

FRITZ. Allemand, badois, bavarois, berlinois, boche, chleuh, fridolin, frisé, germain, germanique, germanophile, germanophobe, kaiser, nazi, ottonien, prussien, rhénan, sarrois, saxon, SS, teuton, tudesque.

FRIVOLE. Amusette, bagatelle, baliverne, étourdi, évaporé, fadaise, faribole, futile, inconsistant, insignifiant, insouciant, léger, marionnette, niaiserie, parure, sornette, sottise, superficiel, vain, volage.

FRIVOLEMENT. Délicatement, doucement, douceur, effleurement, faiblement, frugalement, futilement, imperceptiblement, imprudemment, inconsidérément, légèrement, moitié, molle, sobrement, superficiellement, taquiner, vaguement.

FRIVOLITÉ. Bagatelle, colifichet, fanfreluche, fantaisie, faribole, futilité, inanité, insouciance, légèreté, vanité.

FROC. Alezan, arzel, aube, aubère, bai, bringé, cafetan, caftan, chiton, costume, djellaba, épitoge, escoc, falzar, fourreau, futal, gandoura, gogot, habit, haik, jupe, lamée, mini, pantalon, peau, peignoir, péplum, poil, rabat, robe, rochet, sari, simarre, soutane, surplis, toge, toilette, traîne, troussis, tunique, vêtement, zain.

FROCARD. Convers, défroqué, église, frater, frère, lama, moine, monastère, prêtre, religieux, vœu.

FROID. Algide, ardent, bise, brrr, chaud, cramine, cryogène, distant, fraîche, frais, fricasse, frigide, frigorifié, frimas, frisquet, froidure, gel, gelée, gélifié, glacé, glacial, glacier, glacière, gourd, hiver, indifférent, lucide, marmoréen, rancunier, refroidir, torride, vengeur, vindicatif.

FROIDEMENT. Calmement, flegmatiquement, fraîchement, glacialement, posément, saisissement, sèchement.

FROIDEUR. Calme, détachement, flegme, frigidité, hostilité, impassibilité, indifférence, insensibilité, réserve, sécheresse, sévérité.

FROIDURE. Atmosphère, congelée, frimas, froid, gel, gelée, giboulée, givre, glace, hiver, transi, verglas.

FROISSANT. Acerbe, acéré, acide, âcre, agressif, aigre, aigu, amer, âpre, ardu, bière, blessant, brûlant, choquant, cinglant, coupable, coupant, cru, cruel, cuisant, déchirant, déplacé, déplaisant, désobligeant, dur, douleur, écorchant, étripant, étrivant, fiel, gênant, grivois, impoli, lésant, mordant, navrant, offensant, onde, pénible, souffrant, ulcérant, vexant.

FROISSEMENT. Blessure, brouille, bruissement, chiffonnement, frou-frou, meurtrissure, plissement.

FROISSER. Aplatir, blesser, broyer, chiffonner, choquer, colère, contrarier, dépiter, fâcher, friper, heurter, humilier, meurtrir, mortifier, offenser, pétrir, piquer, plisser, ratatiner, rider, ulcérer, vexer.

FRÔLEMENT. Attouchement, bruit, caresse, frémissement, froissement, frôlage, froufrou.

FRÔLER. Aborder, accoster, approcher, caresser, chatouiller, côtoyer, échapper, effleurer, friser, frôleur, frotter, frotteur, papouille, provoquer, raser, toucher, tutoyer.

FRÔLEUR. Coureur, fricoteur, frotteur, peloteur, perverti, spéculateur, trafiquant, tripoteur.

FROMAGE (3 lettres). Oka, pie.

FROMAGE (4 lettres). Bleu, brie, édam, feta, mite, pâté, râpé, séré, tome.

FROMAGE (5 lettres). Banon, brick, buron, carré, comté, conté, filon, frome, gouda, grana, herve, leyde, meule, niolo, raton, sérac, tomme.

FROMAGE (6 lettres). Asiago, bondon, caillé, cantal, cendré, chèvre, clayon, crémet, fourme, fromgi, géromé, hâloir, kajmak, maquée, olivet, riceys, rollot, romano, salers, sbrinz, suisse, tilsit, yaourt.

FROMAGE (7 lettres). Broccio, brousse, calando, cheddar, chester, cottage, crottin, demi-sel, fromton, gaperon, gournay, gruyère, havarti, jonchée, langres, livarot, morbier, munster, planque, ricotta, rigotte, stilton, vendôme.

FROMAGE (8 lettres). Auvergne, beaufort, chaource, emmental, époisses, fribourg, fromager, fromenton, hollande, laguiole, marolles, parmesan, pecorino, prébende, raclette, sinécure, vacherin, valençay.

FROMAGE (9 lettres). Appenzell, buronnier, camembert, chabichou, chevrotin, emmenthal, fromageon, kachkaval, leicester, limburger, maroilles, mimolette, port-salut, provolone, reblochon, roquefort, sassenage.

FROMAGE (10 lettres). Bocconcini, fromagerie, gorgonzola, lactosérum, mascarpone, mozzarella, neufchâtel, rocamadour, saingorlon, septmoncel, stracchino.

FROMAGE (11 lettres). Caillebotte, coulommiers, petit-suisse, pont-l'évêque, saint-benoît, saint-paulin.

FROMAGE (12 lettres). Caciocavallo, cancoillotte, croque-madame, saint-florentin, soumaintrain.

FROMAGE (13 lettres). Caséification, fontainebleau, saint-nectaire.

FROMAGE (14 lettres). Saint-marcellin.

FROMAGERIE. Beurrerie, buron, crémerie, fruitier, fruitière, laiterie, marcairerie, marcairerie.

FROMENT. Blé, cari, champart, engrain, épautre, épeautre, farine, méteil, orge, semoule, touselle, triticale.

FROMENTAL. Argent, avoine, céréale, graminée, grumelle, houque, nourriture, picotin, poche, volée, whisky.

FRONCE. Aquateinte, bouillon, bouillonné, burin, cliché, coulé, épreuve, estampe, galvano, gaufrage, godron, graveur, gravure, grené, icône, image, nielle, nielleur, ornement, ourlet, pince, pli, pointillé, rempli, repli, vignette.

FRONCEMENT. Creux, crispation, derme, épiderme, grime, ligne, onde, ondulation, ornière, patte-d'oie, peau, pli, plissement, rabougri, raie, ratatiné, ride, ridule, sillon, strié, striure, veine, veinule, veinure.

FRONCER. Abaisser, blottir, border, courber, décapoter, friser, gercer, marquer, ourler, plier, plisser, ployer, rabattre, raisonner, raviner, relever, replier, reployer, retrousser, rider, sourciller, trousser.

FRONDAISON. Annal, annuel, feuillaison, feuillée, foliation, frondaison, phyllotaxie, renouvellement, verdure.

FRONDE. Bolas, espringale, fustibale, insoumission, lance-pierre, mazarinade, rébellion, révolte, sédition.

FRONDER. Attaquer, bafouer, brocarder, chiner, critiquer, dauber, gouailler, lancer, moquer, railler, ridiculiser.

FRONDEUR. Contestataire, critique, impertinent, insoumis, irrespectueux, moqueur, railleur, rebelle, récalcitrant.

FRONT. Arrière, audace, avant, bregma, chanfrein, coalition, combat, crâne, culot, façade, face, figure, frontal, fronton, glabelle, impoli, impudence, limite, ride, somme, sourcil, tête, toupet, zone.

FRONTALIER. Bordier, bordurier, fermier, frontière, limitrophe, mer, métayer, mitoyen, riverain, voisin.

FRONTEAU. Baie, bandeau, carreau, chaînette, créneau, embrasure, fenêtre, fenestrage, fenestration, fronton, lanterne, lanterneau, lanternon, lucarne, limière, mosaïque, ouverture, puits, table, verre, verrière, vitrail, vitre, vue.

FRONTIÈRE. Art, barrière, borne, douane, douanier, droit, état, garde, ligne, limite, pays, province, science.

FRONTIGNAN. Apéritif, muscat, port, raisin, ville, vin.

FRONTISPICE. Avant-scène, devanture, esbroufe, étal, étalage, façade, faste, front, fronton, parade, vitrine.

FRONTON. Acrotère, bandeau, couronnement, fronteau, gable, pignon, rempart, titre, tympan.

FROTTAGE. Abrasion, balayage, bouchonnage, bouchonnement, brossage, crissement, écouvillonnage, embrocation, époussetage, érosion, friction, frottement, frottis, grattage, grattement, massage, onction, raclage, ramonage, râpage, ripage, ripement, toux, traînement, trituration.

FROTTÉE. Chapon, crouton, défaite, étrillée, pile, quichié, quignon, raclée, tartine, volée.

FROTTEMENT. Abrasion, attrition, baderne, cal, caresse, cor, érosion, friction, galet, lime, ripage, user.

FROTTER. Ailler, aplanir, astiquer, bagarrer, brillanter, brosser, cirer, éroder, essuyer, étriller, fourbir, frayer, frictionner, froisser, glairer, gratter, grincer, huiler, limer, lisser, oindre, polir, poncer, raboter, racler, user.

FROTTEUR. Coureur, fricoteur, frôleur, peloteur, perverti, spéculateur, trafiquant, tripoteur.

FROTTIS. Abrasion, brossage, corrosion, égrisage, érosion, friction, frottement, polissage, ripage, surfaçage, usure.

FROTTOIR. Bouloir, curette, décrottoir, frase, grattoir, grattefond, pyrophore, racle, racloir, rugine.

FROUFROU. Agitation, battement, bruissement, frémissement, friselis, frisson, murmure, sursaut, tremblement.

FROUFROUTER. Bruire, bruisser, chuchoter, frémir, friseler, frissonner, murmurer, soupirer.

FROUSSARD. Anxieux, audacieux, brave, capitulard, capon, couard, courageux, craintif, dégonflé, embusqué, fuyard, héros, pétochard, peureux, pleutre, poltron, timide, trouillard, vaillant, valeureux.

FROUSSE. Affolement, affres, alarme, alerte, angoisse, anxiété, appréhension, aversion, crainte, effroi, émoi, frayeur, fuite, peur, phobie, poltronnerie, souleur, suée, terreur, trac, transe, trouille, veinette.

FRUCTIFICATION. Croît, écidie, fruit, infrutescence, périthèce, prospérer, rendement, urédospore.

FRUCTIFIER. Croître, développer, féconder, fournir, multiplier, produire, rapporter, rendre.

FRUCTOSE. Dextrose, esculine, fucose, galactose, glucose, glycémie, glycérol, hypoglycémie, lactose, évulose, maïs, ouabaïne, saccharine, saccharose, salicine, sapoline, sorbitol, sucre, sucrose.

FRUCTUEUSEMENT. Abondamment, avantageusement, efficacement, fécondement, fertilement, juteusement, lucrativement, profitablement, tentablement, salutairement, utilement, utilitairement.

FRUCTUEUX. Avantageux, fécond, gain, juteux, payant, profitable, prospère, rentable, utile.

FRUGAL. Abstème, abstinent, austère, chiche, évanescent, léger, maigre, modéré, pauvre, simple, sobre.

FRUGALEMENT. Délicatement, doucement, douceur, effleurement, faiblement, frivolement, futilement, imperceptiblement, imprudemment, inconsidérément, légèrement, moitié, molte, sobrement, superficiellement, taquiner, vaguement.

FRUGALITÉ. Abstinence, austérité, évanescence, modération, simplicité, sobriété, tempérance.

FRUGIFÈRE. Hêtre, mûrier, noyer, pêcher, poirier, pommier, productif, prunellier, vigne.

FRUIT (3 lettres). Api, mûr, rob.

FRUIT (4 lettres). Arec, baie, blet, brou, café, coco, cola, cône, dard, ente, fève, kaki, kiwi, kola, lime, loge, marc, mûre, nafé, noix, pive, pois.

FRUIT (5 lettres). Akène, alise, alize, anone, ataca, atoca, câpre, caque, carvi, coing, corme, datte, drupe, écale, effet, faine, figue, gland, grain, jaque, liard, limon, macle, melon, mûron, nèfle, olive, pavie, péché, pêche, pépon, piment, pinot, poire, pomme, prune, sorbe, taler, tonka.

FRUIT (6 lettres). Agrume, amande, ananas, annone, avocat, balise, banane, bleuet, cageot, capron, cassis, cédrat, cerise, citron, coprah, courge, fraise, gousse, goyave, graine, guigne, icaque, jabose, jujube, letchi, litchi, lychee, mangue, marron, merise, orange, papaye, pomelo, profit, raisin, revenu, sapote, tomate.

FRUIT (7 lettres). Abricot, achaine, agassin, airelle, alberge, arbaise, arbouse, aveline, azerole, bardane, brugnon, cabosse, capsule, caroube, cénelle, chaïote, chayote, compote, doyenne, fructus, glucose, grenade, griotte, haricot, intérêt, limette, longane, muscade, poivron, potiron, produit, tamarin, vanilles.

FRUIT (8 lettres). Ambrette, anacarde, bigarade, cannelle, caryopse, corossol, disamare, épicarpe, féculent, féverole, fruitier, genièvre, hâtiveau, maracuja, myrtille, noisette, pastèque, péponide, pistache, prunelle, raisinet, résultat, strobile.

FRUIT (9 lettres). Aubergine, balsamine, bergamote, bigarreau, cacahuète, calebasse, châtaigne, compotier, concombre, confiture, cornichon, courgette, endocarpe, flageolet, follicule, framboise, frugivore, graveleux, groseille, mandarine, maracudja, mirabelle, myrobalan, nectarine, péricarpe, picholine, sapotille.

FRUIT (10 lettres). Baguenaude, cacahouète, citrouille, clémentine, coquerelle, cornouille, cynorhodon, fenouillet, mancenilles, plaquemine.

FRUIT (11 lettres). Conséquence, tutti-frutti.

FRUIT (12 lettres). Fenouillette, pamplemousse, prune-de-coton.

FRUIT DE MER. Anémone, astéride, astérie, astérozoa, bêche-de-mer, châtaigne de mer, comatule, concombre de mer, coquillage, crinoïde, crustacé, échinoderme, encrine, étoile, étoile de mer, eucaridé, hérisson de mer, holothurie, homard, lis de mer, mollusque, oursin, pentacrine, stelléride, trépang, tripang.

FRUITICULTEUR. Agrumiculteur, arboriculteur, arboriste, cultivateur, horticulteur, pépiniériste, sylviculteur.

FRUSQUESS. Chiffons, défroques, fringues, friperie, guenilless, haillons, hardes, harpail, nippes, oripeaux, vêtements.

FRUSTE. Brut, grossier, lourdaud, paysan, plouc, primitif, rude, rustaud, rustre, simple, usé.

FRUSTRANT. Agaçant, blessant, brisant, cinglant, contrariant, endêver, énervant, enrageant, fâcheux, froissant, gêneur, horripilant, humiliant, importun, mortifiant, pis, pléthore, rageant, râlant, sot, tic, tuile, vexant.

FRUSTRATION. Besoin, bovarysme, inapaisement, inassouvissement, insatiabilité, insatisfaction, mécontentement.

FRUSTRÉ. Braillard, brailleur, chicaneur, chicanier, critiqueur, critiqueux, débatteur, discuteur, insatisfait, mécontent, plaignard, raisonneur, rechignard, rechigneux, récriminateur, regimbeur, rouspéteur, vitupérateur.

FRUSTRER. Brimer, décevoir, défavoriser, démunir, déposséder, léser, priver, spolier, trahir, tromper.

FUCUS. Agar-agar, alginate, algue, chlorelle, goémon, laminaire, spiralis, spiruline, varech.

FUEL. Combustible, essence, fioul, gaz, gazoline, kérosène, mazout, naphte, pétrole, vaseline.

FUGACE. Bref, changeant, court, éphémère, fragile, fugitif, furtif, fuyant, instable, passager.

FUGACITÉ. Brièveté, concision, densité, dépouillement, évanescence, fugitivité, fragilité, laconisme, rapidité.

FUGITIF. Banni, disparaît, éphémère, évadé, évanescent, fugace, fuir, fuyard, passager, proscrit, réfugié.

FUGUE. Absence, bordée, cavale, contre-sujet, échappée, élan, escapade, frasque, fuguette, scarlatti, strette.

FUGUER. Biser, cavaler, courir, décamper, défausser, déguerpir, déloger, dérober, détaler, disparaître, dissiper, échapper, éloigner, émigrer, enfuir, envoler, esquiver, évader, éviter, filer, fuir, galérer, lever, libérer, partir, passer, sauver.

FÜHRER (n. p.). Duce, Hitler.

FÜHRER. Autocrate, caudillo, césar, despote, dictateur, dominateur, duce, envahisseur, guide, occupant, oppresseur, persécuteur, potentat, raïs, souverain, théocrate, tortionnaire, tyran, tyranneau, usurpateur.

FUIE. Biset, capucin, colombier, colombin, ectopiste, goura, naïf, palombe, pigeonnier, ramier, tourte, tourterelle.

FUIR. Cavaler, courir, décamper, défausser, déguerpir, déloger, dérober, détaler, disparaître, dissiper, échapper, éloigner, émigrer, enfuir, envoler, esquiver, évader, éviter, filer, lever, libérer, partir, passer, sauver.

FUITE. Abandon, cavale, course, débâcle, débandade, décarrage, dérobade, déroute, dispersion, échappée, émigration, escapade, évasion, exode, fugue, galopade, panique, sauve-qui-peut, sortie.

FULGURANT. Aveuglant, brusque, éblouissant, éclatant, étincelant, foudroyant, fulgurance, rapide, soudain.

FULGURATION. Accident, déchirure, éclair, épart, étincelant, explosion, feu, flash, foudre, idée, lacération, tonnerre..

FULGURER. Brasiller, briller, chatoyer, étinceler, flamboyer, luire, miroiter, reluire, resplendir, rutiler, scintiller.

FULIGINEUX. Abstrus, charbonneux, clair, confus, couvrant, diaphane, ébène, émail, épais, impénétrable, incompréhensible, jaspe, mystérieux, noirâtre, obscur, ombre, opacité, opaque, sibyllin, sombre, ténébreux, transparent, voilé.

FULIGULE. Anatidé, canard, harle, macreuse, milouin, morillon, oiseau, palmipède, plongeur.

FULL. Bouillotte, brelant, carte, maison de jeu, poker, tripot.

FULMINANT. Amorçage, amorce, bruit, déflagrateur, détonant, étincelle, étoupille, explosif, menaçant, pet.

FULMINER. Détoner, éclater, emporter, exploser, formuler, pester, rager, tempêter, tonner.

FUMAGE. Abonnissement, amélioration, amendement, assolement, bonification, chaulage, chaumage, compostage, déchaumage, écobuage, engraissage, engraissement, enrichissement, ensemencement, épandage, fertilisation, fumaison, fumigation, fumure, irrigation, jachère, limonage, marnage, phosphatage, plâtrage, soufrage, sulfatage, terreautage.

FUMANT. Bouillonnant, extraordinaire, formidable, furieux, réussi, sensationnel, spumant.

FUMARIACÉE. Dialypétale, dicentra, dicotylédone, fumeterre, paravéracée, pavot, plante.

FUMASSE. Courroucé, déchaîné, enragé, forcené, furax, furibond, furieux, révolté, ulcéré.

FUMÉ. Boucané, conservé, desséché, gendarme, hareng, morue, pec, saumon, saur, sauré, sor.

FUMÉE. Boucane, buée, camouflet, fumerolle, gaz, mofette, nuage, nuée, salamandre, smog, suie, vapeur.

FUMER. Boucaner, brûler, enfumer, engraisser, enrichir, mégoter, pétuner, pipailler, saurer, torrailler.

FUMERIE. Opium, piquerie, shootodrome, tabagie, thébaïsme, tripot.

FUMEROLLE. Buée, condensation, émanation, embuer, exhalaison, fumée, gaz, mofette, nuage, nuée, vapeur.

FUMET. Arôme, bénéolence, bouquet, effluence, effluve, émanation, exhalaison, faisander, fétidité, fleur, fragrance, haleine, hespéridité, miasme, odeur, parfum, puanteur, senteur, souffle, vapeur.

FUMEUR. Allumette, bouffard, briquet, calumet, cendrier, cigare, cigarette, fumaillon, pétuneur.

FUMEUX. Amphigourique, brumeux, cafouilleux, confus, embrouillé, filandreux, flou, fuligineux, nébuleux, nuageux, obscur, ténébreux, vague.

FUMIER. Apport, chanci, compost, engrais, guano, mouton, paillé, purin, ruée, urine, vache.

FUMIGATION. Abonnissement, amélioration, amendement, assolement, bonification, chaulage, chaumage, compostage, déchaumage, écobuage, engraissage, engraissement, enrichissement, ensemencement, épandage, fertilisation, fumage, fumaison, fumure, irrigation, jachère, limonage, marnage, phosphatage, plâtrage, soufrage, sulfatage, terreautage.

FUMIGÈNE. Balauste, bombe, explosif, fumant, fumeux, grenade, lacrymogène, projectile, tromblon.

FUMIGER. Absterger, aseptiser, assainir, désinfecter, enfumer, étuver, fumer, purger, purifier, stériliser.

FUMISTE. Amateur, blagueur, charlatan, comédien, dilettante, farceur, imposteur, plaisant, rigolo.

FUMISTERIE. Attrape, blague, canular, fantaisie, invention, mystification, supercherie, tromperie.

FUMURE. Amendement, apport, biologique, compost, crotte, crottin, cyanamide, engrais, fertilisant, fiente, fumier, gadoue, géophile, guano, humus, lisier, nourrain, poudrette, purin, terreau, urée, urine, wagage.

FUN. Aise, allégresse, amusement, béatitude, bonheur, délice, délire, égaiement, enchantement, enthousiasme, entrain, euphorie, exaltation, extase, exultation, gaieté, gué, hilarité, humeur, ivresse, joie, jubilation, liesse, plaisir, ravissement, réjouissance.

FUNAMBULE. Acrobate, balancier, bateleur, danseur, équilibriste, fildefériste, saltimbanque.

FUNAMBULESQUE. Abracadabrant, absurde, biscornu, bizarre, burlesque, cocasse, considérable, curieux, excentrique, extraordinaire, extravagant, farfelu, grotesque, insolite, loufoque, ridicule.

FUNÈBRE. Deuil, glas, glauque, lugubre, macabre, mortuaire, obsèques, sinistre, sombre, triste, vocero.

FUNÉRAILLES. Convoi, deuil, ensevelissement, enterrement, funèbre, inhumation, obsèques, pleureuse, tombe.

FUNÉRAIRE. Catafalque, cénotaphe, mausolée, monument, sépulcre, somptueux, stèle, tombe, tombeau, turbé, turbeh.

FUNESTE. Affligeant, calamiteux, dangereux, désastreux, désavantageux, fatal, fléau, létal, lugubre, macabre, mal, malheur, malheureux, mauvais, mésarriver, mortel, néfaste, nocif, noir, nuisible, sain, sinistre, tragique, violent.

FUNESTEMENT. Dangereusement, défavorablement, désavantageusement, dramatiquement, gravement, grièvement, imprudemment, mal, malencontreusement, nuisiblement, sérieusement, terriblement.

FUNIN. Attache, bout, brague, brin, câble, cordage, corde, fil, filin, fumin, gerceau, manilles, œil, orin, vérine.

FUR. Alternativement, consécutivement, périodiquement, rythmiquement, successivement, tour à tour.

FURAX. Acharné, agité, alouvi, courroucé, déchaîné, délirant, dément, démonté, enragé, exacerbé, exalté, excessif, fâché, forcené, fou, frénétique, furibard, furibond, furieux, irrité, possédé, ulcéré, violent.

FURET. Bond, brette, carcajou, carnassier, curieux, fouineur, fureteur, putois, quête, rebond, ricochet.

FURETAGE. Espionnage, filature, fileterie, filoche, garde, gardiennage, guet, îlotage, inspection, monitorage, observation, patrouille, renseignement, ronde, sentinelle, surveillance, veille, vige, vigilance.

FURETER. Braconner, chercher, farfouiller, fouiller, fouiner, fourgonner, fourrager, trifouiller.

FURETEUR. Braconnier, curieux, fouineur, indiscret, inquisiteur, investigateur, navigateur.

FUREUR. Agitation, avertin, colère, courroux, démence, écumer, emportement, explosion, folie, frénésie, furibond, furie, hargne, ire, irriter, manie, mode, passion, rage, rogne, rugir, rusé, violence, vogue.

FURIA. Admirateur, adoratif, ardent, blasé, brûlant, charmé, chaud, chauvin, dévot, emballé, émerveillé, énergumène, enragé, enthousiaste, exalté, excité, fan, fana, fanatique, forcené, fou, mordu, passionné, zélé.

FURIBARD. Acharné, agité, alouvi, courroucé, déchaîné, délirant, dément, démonté, enragé, exacerbé, exalté, excessif, fâché, forcené, fou, frénétique, furax, furibond, furieux, irrité, possédé, ulcéré, violent.

FURIBOND. Acharné, agité, alouvi, courroucé, déchaîné, délirant, dément, démonté, enragé, exacerbé, exalté, excessif, fâché, forcené, fou, frénétique, fumasse, furax, furibard, furieux, irrité, possédé, ulcéré, violent.

FURIE (n. p.). Érinyes, Harpies, Junon.

FURIE. Délire, dragon, écume, fanatisme, frénésie, grognasse, harengère, harpie, ivresse, mégère, pythie, rage, violence.

FURIEUSEMENT. Absolument, affreusement, assai, assez, bien, bigrement, comble, diablement, drôlement, énormément, excessivement, extra, extrêmement, formidablement, fort, fortement, foutrement, grand, hyper, infiniment, invraisemblable, joliment, moult, parfaitement, particulièrement, prodigieusement, remarquablement, rudement, super, sur, tantinet, terriblement, très, vachement, vraiment.

FURIEUX. Acharné, agité, coléreux, déchaîné, délirant, dément, dérangé, enragé, explosif, fâché, fanatique, forcené, fou, frénétique, fumant de colère, furax, furibard, furibond, irrité, maniaque, possédé, rageur, violent.

FURONCLE. Abcès, adénite, anthrax, apostème, apostume, bourbillon, bouton, bubon, chancre, clou, compère-loriot, enflure, furonculose, inflammation, orgelet, pustule, staphylocoque, tumeur, ulcère.

FURTIF. Clandestin, discret, fugace, fugitif, fuyant, inaperçu, œillade, rapide, secret, subreptice.

FURTIVEMENT. Anonymement, clandestinement, discrètement, secrètement, subrepticement.

FUSAIN. Canevas, charbon, charbonnée, coupe, croquis, design, dessin, ébauche, élévation, épure, esquisse, étude, fusainiste, fusiniste, graphisme, illustration, image, lavis, œuvre, onde, pastel, paysage, peinture, portrait, racinage, relevé, représentation, sanguine, schéma, silhouette, tatouage, tracé, veine.

FUSCINE. Armoiries, attribut, balance, banderole, blason, bouclier, cocarde, drapeau, écu, écusson, emblème, étendard, fanion, figure, icône, image, insigne, lis, médaille, myrte, nef, olivier, phrygien, pigment, signe, symbole, tiroir.

FUSEAU. Bobine, broche, centromère, culotte, dentellière, fusée, fuselé, quenouille, rouet, rouleau.

FUSÉE. Bolide, geyser, girandole, missile, obus, rocket, roquette, satellite, serpenteau, torpille.

FUSELÉ. Allongé, délié, effilé, élancé, étroit, filiforme, fin, fusiforme, galbé, mince, svelte.

FUSER. Bondir, charger, couler, débouler, fondre, gicler, jaillir, partir, répandre, sortir, sourdre.

FUSETTE. Bobine, bobinot, broche, cannelle, canette, cops, cylindre, diabolo, espolin, face, fil, fusée, fuseau, marionnette, moue, moulinet, navette, nilles, noyau, quenouille, rochet, roquetin, rouleau, solénoïde, visage.

FUSIBLE, Apyre, bouc émissaire, coupe-circuit, disjoncteur, faufil, fil, fondre, plomb, sceau, victime.

FUSIL. Arme, arquebuse, artillerie, briquet, busc, carabine, chassepot, chien, crosse, dum-dum, escopette, espingole, famas, flingue, flingot, hammerless, infanterie, kalachnikov, lebel, mauser, mitraillette, mousquet, mousqueton, pétoire, rifle, tromblon.

FUSILIER. Agent, archer, argoulet, armée, bleu, capitaine, cipaye, colonel, conscrit, combattant, cosaque, cuirassier, dragon, éclaireur, estradiot, général, GI, guerrier, homme, lancier, major, mercenaire, militaire, officier, papal, planton, poilu, police, pompier, ranger, recrue, réserviste, samouraï, sapeur, sentinelle, sergent, serre-joint, soldat, tirailleur, tireur, triaire, troufion, uhlan, vélite, vétéran, zouave.

FUSILLADE. Assises, atrocité, attentat, atrocité, brigandage, carnage, complot, cour, crime, délit, égorgement, électrocution, empoisonnement, faute, forfait, homicide, justice, méfait, meurtre, piraterie, procès.

FUSILLÉ (n. p.). Bab, Bloch, Duval, Enghien, Koltchak, Malet, Mihailovic, Murat, Mussolini, Ney, Péri, Varlin.

FUSILLER. Abîmer, bousiller, canarder, exagérer, exécuter, flinguer, mitrailler, tirer, tuer, viser.

FUSION. Ablation, absorption, acier, amalgame, arcot, association, brassage, combinaison, cytogamie, fonte, fusible, hétérogamie, isogamie, liquéfaction, matte, mélange, métal, réduction, réunion, scorie, union.

FUSIONNEMENT. Absorption, annexion, cellule, dépendance, fusion, germen, globule, hématie, incorporation, intégration, leucocyte, lymphocyte, monocyte, mononucléaire, phagocyte, rattachement, réunion.

FUSIONNER. Adjoindre, agréer, allier, associer, fondre, joindre, lier, mêler, réunir, unifier, unir.

FUSTANELLE. Armature, baleine, cerceau, cotillon, crinoline, filibeg, jupe, jupon, panier.

FUSTET. Acajou, anacardiacée, corroyère, laque, lentisque, manguier, mombin, pistachier, spondias, sumac, térébinthe.

FUSTIGATION. Correction, défaite, dégelée, fessade, fessée, flagellation, punition, réparée, tanné, trempé.

FUSTIGER. Anathématiser, battre, blâmer, cingler, condamner, cravacher, critiquer, dénoncer, fesser, flageller, fouailler, fouetter, frapper, réprimander, réprouver, rosser, sangler, stigmatiser, vitupérer.

FÛT. Ancien, astragale, baril, bitte, bollard, caisse, colonne, enfutailler, enfûter, escape, été, ex, futaille, grenadière, hast, lance, monture, pommeau, quartaut, tambour, tinette, tonneau, tonnelet, tronc, vin.

FUTAIE. Bocage, bois, boisé, boqueteau, bosquet, breuil, châtaigneraie, chênaie, forêt, perchis, sylve.

FUTAILLE. Baril, barrique, bourdillon, demie, fût, gerbeuse, muid, pipe, quartaut, queue, tonneau.

FUTAL. Bermuda, bloomer, blue-jean, braies, corsaire, culbutant, culotte, falzar, fendant, fendard, fendart, froc, futaie, grimpant, jean, jeans, jodhpurs, knickers, pantalon, pantin, quadrille, saroual, sarouel.

FUTÉ. Adroit, artificieux, astucieux, chafouin, combinard, dégourdi, fin, finaud, habile, malin, retors, roué, rusé.

FUTÉE. Beige, ciment, crépi, erreur, faute, galipot, jaunâtre, lentisque, mastic, mollé, résine, pâte.

FUTILE. Babiole, baliverne, bête, frime, frivole, hochet, inutile, léger, rien, superflu, vain, vanité.

FUTILEMENT. Délicatement, doucement, douceur, effleurement, faiblement, frivolement, frugalement, imperceptiblement, imprudemment, inconsidérément, légèrement, moitié, molte, sobrement, superficiellement, taquiner, vaguement.

FUTILITÉ. Babiole, bagatelle, breloque, bricole, colifichet, enfantillage, hochet, inanité, misère, rien, vétille.

FUTON. Coite, couche, couette, coussin, drap, duvet, grabat, matelas, paillasse, paillot, plume, sommier.

FUTUR. Antérieur, anticipation, avenir, bientôt, condition, conjugaison, destin, devenir, époux, éternité, fiancé, futurisme, futuriste, futurologie, là-haut, postérieur, promis, prophétie, prospective, sort, ultérieur.

FUTURISTE (n. p.). Balla, Boccioni, Derème, Maïakovski, Marinetti, Papini, Severini.

FUTURISTE. Activiste, agitateur, anarchiste, audacieux, contestataire, cordelier, desperado, émeutier, extrémiste, factieux, gauchiste, insurgé, insurrectionnel, militant, nihiliste, novateur, putschiste, rebelle, revendicatif, révolté, révolutionnaire, séditieux, subversif, terroriste, trublion.

FUTUROLOGIE. Anticipation, à-valoir, avance, avancement, avenir, devancement, empiétement, prénotion, présage, prescience, présomption, prévision, prolepse, pronostic, prospective, science-fiction, usurpation.

FUYANT. Bref, changeant, court, éphémère, évanescent, évasif, fugace, fugitif, perspective, secret.

FUYARD. Couard, déserteur, évadé, fugitif, fuyant, lâche, lâcheur, libre, peureux, pleutre, poltron.

G

GABARDINE. Anorak, caban, ciré, clos, étanche, étoffe, imperméable, kabig, manteau, pèlerine, tissu.

GABARE. Allège, embarcation, filet, gabarier, gabarre, gabarrier, mailles, navire, seine, senne.

GABARIER. Bachoteur, barcarolle, batelier, canotier, conducteur, gabarrier, gondolier, manœuvre, marin, marinier, matelot, nautonier, nocher, passeur, patron, pilote, piroguier, radeleur, radelier, sampanier.

GABARIT. Acabit, carrure, dimension, dispositif, forme, genre, modèle, outil, portique, reproducteur, stature, taille.

GABBRO. Balsate, plagioclase, plutonique, pyroxène, roche.

GABEGIE. Coulage, déprédation, désordre, dilapidation, dissipation, gâchis, gaspillage, pagaille, perte.

GABELLE. Accises, annate, annone, banalité, capitation, cens, contribution, corvée, décime, dîme, droit, fisc, gabelou, impôt, lods, maltôte, ost, paulette, publicain, redevance, sel, septain, serisette, taille, taxe, tonlieu, TPS, trésor, TVA, TVQ.

GABELOU. Accisien, agent, brigadier, commis, douanier, frontière, gabelle, inspecteur, péager, rat-de-cave.

GABIE. Ajust, ajut, capot, coque, écore, espar, falun, funin, gaffe, gambe, ganse, hune, jauge, louve, lusin, marine, naval, pale, sain, stop, tape.

GABIER. Gréement, marin, matelot, mathurin, mousse, responsable, voile.

GABION. Banne, bourriche, cabas, cageot, casse, cloyère, corbeille, corbillon, couffin, dépensier, dilapidateur, élite, flein, gaspilleur, gouffre, hotte, manne, mannequin, nacelle, nasse, panier, rasse, ruche, scouffin, van.

GABLE. Amortissement, arcade, arceau, cintre, gothique, lancette, ogive, pignon, portail, tierceron, voûte.

GABON, CAPITALE (n. p.). Libreville.

GABON, LANGUE. Français.

GABON, MONNAIE. Franc.

GABON, VILLE (n. p.). Ayem, Bakouma, Bitam, Gamba, Lambaréné, Libreville, Moabi, Oyem, Port-Gentil, Franceville.

GÂCHAGE. Bâclage, bousillage, délayage, malaxage, mélange, plâtrage, rebattage, sabotage.

GÂCHE. Boîtier, crémone, doloire, mortaise, ouvrabilité, passe, pêne, serrure, travail, truelle.

GÂCHER. Abîmer, avarier, bâcler, bousiller, brasser, cochonner, compromettre, délayer, gâche, galvauder, gaspiller, gâter, malaxer, manquer, massacrer, mêler, plâtre, risquer, ruiler, saboter, saloper, serrure.

GÂCHETTE. Achat, arme, autorité, commande, décrispation, demande, détente, électrode, exige, fusil, fusilleur, grille, impérieux, manette, mitrailleur, ordonne, ordre, télécommande, tireur.

GÂCHEUR. Bâcleur, barbouillon, bousilleur, démolisseur, destructeur, gaspilleur, saboteur.

GÂCHIS. Désordre, gâchage, gaspillage, margouillis, massacre, mortier, pagaille, pastis, perte, tuerie.

GADE. Aiglefin, aigrefin, baudroie, cabillau, cabillaud, capelan, colin, colineau, églefin, gadidé, haddock, lieu, lingue, loche, lote, lotte, merlan, merlu, merluche, morue, stockfish, tacaud, téléostéen.

GADELLIER. Arbuste, gadelle, groseillier.

GADGET. Bébelle, bidule, bricole, but, chef, chose, cossin, engin, fourbi, gimmick, gogosse, innovation, ivoire, onde, outil, machin, maroquinerie, matraque, objet, patente, stérilet, talisman, trésor, truc, ulve, ustensile, zinzin.

GADIDÉ. Aiglefin, aigrefin, baudroie, cabillau, cabillaud, capelan, colin, églefin, gade, haddock, lieu, lingue, loche, lote, lotte, merlan, merlu, merluche, morue, stockfish, tacaud, téléostéen.

GADIN. Alopécie, cabriole, cascade, cataracte, chute, culbute, défaite, défeuillaison, défloraison, défoliation, dégringolade, descente, desquamation, éboulement, écroulement, effeuillaison, effeuillement, effondrement, exfoliation, glissade, plongeon, pluie, ptôse, ramassé, saut, tombé.

GADOLINIUM. Gd, métal.

GADOUE. Boue, bouillasse, compost, débris, détritus, engrais, fagne, fange, fumier, gadouille, neige.

GAÉLIQUE. Breton, celtique, écossais, erse, irlandais, langue, ogam, oghamique, rhétique.

GAFFE. Bâton, bévue, blague, boulette, bourde, crevée, erreur, farce, faute, gag, impair, maladresse, perche, sottise.

GAFFER. Aborder, achopper, accrocher, agrafer, agripper, aiche, atteler, attraper, blaguer, cramponner, croc, crocher, èche, esche, fauter, ferrer, fixer, frapper, gaffe, grappiner, happer, harponner, heurter, immobiliser, intéresser, obtenir, pendre, prendre, retenir, suspendre, tamponner, viser, zieuter.

GAFFEUR. Andouille, balourd, blagueur, fauteur, gauche, lourdaud, maladroit, malavisé, novice, sot.

GAG. Attrape, badinage, baliverne, bêtise, blague, bobard, canular, carabistouille, char, charre, craque, erreur, exagération, farce, gaguesque, galéjade, hâblerie, histoire, mensonge, plaisanterie, punch, sac, sornette, tabac, zwanzer.

GAGA. Âgé, capricieux, décrépit, difficile, gâteux, incontinent, malade, radoteux, ramolli, sénile.

GAGE. Appointements, arrhes, assurance, aval, aveu, bravi, bravo, caution, créance, dénantir, dépôt, endossement, foi, garantie, hypothèse, incessibilité, mortage, nantissement, otage, servante, serviteur, sicaire, warrant.

GAGER. Convenir, défier, enjeu, garantir, miser, parier, prouver, risquer, salarier, supposer.

GAGEUR. Affairiste, agioteur, arriviste, calculateur, combinard, compulsif, financier, intrigant, joueur, machinateur, manipulateur, manœuvrier, maquillon, margoulin, miseur, opportuniste, parieur, spéculateur.

GAGEURE. Assemblage, cave, challenge, contribution, défi, émission, enjeu, investiture, martingale, mise, pari, part, placement, poule, promesse, recyclage, refonte, risque, salut, sommation, tiercé, titre, ultimatum.

GAGNAGE. Affût, becfigue, chasse, civet, cuissot, dépister, draine, fumet, gélinotte, gibier, giboyeux, grive, grouse, hallier, lièvre, pâturage, potence, rabattre, râle, ressui, retraite, tétras, tire, traquer, venaison.

GAGNANT. Champion, conquérant, couronné, dominateur, dompteur, élu, gain, jeu, lauréat, lot, nominé, outsider, premier, prétentieux, sortant, tombeur, travailleur, triomphant, triomphateur, vainqueur, victorieux.

GAGNÉ. Allé, apprivoisé, distancé, empiété, envenimé, eu, front, mérité, obtenu, raflé, ride, vaincu.

GAGNE-PAIN. Action, besogne, boulot, corvée, emploi, ergomanie, ergonomie, étude, job, labeur, laborieux, lad, métier, œuvre, ouvrage, peine, pige, poncif, profession, sueur, travail, tri, trime, turbin.

GAGNE-PETIT. Ambition, bagottier, besogneux, miteux, personne, peu, prolétaire, smicard, tucard.

GAGNER. Acquérir, amadouer, améliorer, assurer, atermoyer, attacher, atteindre, avancer, battre, bénéficier, capter, captiver, communiquer, concilier, conquérir, contracter, convaincre, convertir, décaver, dépasser, devancer, différer, dilatoire, économiser, emparer, emporter, endoctriner, enlever, entraîner, envahir, étendre, fléchir, franchir, gratter, grignoter, lauréat, mériter, moissonner, obtenir, persuader, prendre, prévenir, progresser, propager, prosélyte, qualifier, rallier, ranger, récolter, recueillir, regagner, rejoindre, remporter, retarder, séduire, subjuguer, temporiser, travailler, vaincre, vainqueur.

GAGUESQUE. Ahurissant, attrape, badinage, baliverne, bêtise, blague, bobard, canular, carabistouille, char, charre, craque, erreur, exagération, farce, gag, galéjade, hâblerie, histoire, incroyable, mensonge, plaisanterie, punch, sac, sornette, tabac, zwanzer

GAI. Agréable, alacrité, alerte, allègre, amusant, animé, badin, bon, boute-en-train, charmant, clair, comique, content, dispos, divertissant, drôle, égrillard, éméché, encourageant, enjoué, épanoui, espiègle, éveillé, folâtre, folichon, frais, gaillard, gré, gris, guilleret, hilare, jeu, joie, jovial, joyeux, libre, luron, mutin, plaisant, pompette, réjouissant, ri, riant, rieur, rire, souriant, vaudeville, vif.

GAÏA (n. p.). Antée, Centaure, Cronos, Déméter, Gê, Hadès, Hestia, Poséidon, Rhéa, Saturne, Titans, Zeus.

GAÏAC. Antiseptique, arbre, benjoin, bois de vie, ester, eugécol, fagacée, fagus, faine, fau, fayard, fou, fouteau, gaïacol, hêtre, loir, orne, pleureur, pourpre, sylvatica, tâtonner, vasouiller.

GAIEMENT. Allègrement, allegro, gaîment, jovialement, joyeusement, plaisamment, vigueur.

GAIETÉ. Alacrité, allégresse, comique, désopiler, égrillard, émoustiller, enjouement, entrain, folie, gaillardise, gauloiserie, grivoiserie, hilarité, humour, ironie, joie, jovialité, jubilation, mélancolie, plaisanterie, réjouissance, rieur, rire, vivacité.

GAILLARD. Alerte, allègre, bonhomme, bougre, coquin, costaud, cru, dispos, drôle, dru, dunette, égrillard, enjoué, épicé, étonnant, fort, frais, gai, gars, gaulois, grivois, hardi, homme, jovial, joyeux, lascar, léger, leste, libre, licencieux, luron, navire, obscène, osé, raide, vert, vif.

GAILLARDISE. Alacrité, enjouement, gaudriole, gauloiserie, grivoiserie, joyeuseté, paillardise, polissonnerie.

GAILLET. Caille-lait, croisette, galium, glaiteron, glouteron, grateron, gratteron, rièble, rubiacée.

GAILLETTE. Abattage, anthracite, anthracose, boghead, boulet, briquette, charbon, clarain, coke, combustible, crochon, diamant, durain, escarbille, fusain, gailleterie, gril, houille, lavoir, lignite, maladie, noisette, tourbe.

GAIN. Avantage, bénéfice, boni, dividende, fruit, gagnant, gagné, intérêt, lucre, mercantile, mercenaire, prime, profit, rabelaisien, rapport, rapporte, rendement, rétribution, revenu, salaire, usure, vibor, vibord.

GAINE. Aponévrose, bourrelet, caisse, carcan, coffre, corset, douille, écorce, enveloppe, éplucher, étui, fourreau, hermès, jarretelle, manchon, mèche, névrilème, piédestal, sellette, socle, trémie, trousse-queue, volve.

GAINER. Comprimer, empoigner, enlacer, épuiser, guiper, meubler, mouler, sangler, serrer.

GAINIER. Arbre-de-Judée, bauhiniq, brésil, brésillet, campêche, canéficier, caroubier, casse, cassier, césalpiniacée, copaïer, copayer, courbaril, févier, flamboyant, gléditschia, séné, tamarin, tamarinier, tchitola.

GAIZE. Avalanche, bride, calcin, calein, chute, débris, déchet, décombres, détritus, éclat, épave, fragment, guano, gratture, immondice, moraine, poussière, rebut, relief, reliquat, relique, reste, rognure, ruine, tesson.

GALA. Amusement, anniversaire, assemblée, bacchanale, bal, célébration, cérémonie, commémoration, dentelle, féerie, féralies, festin, festivité, fest-noz, fête, foire, jubilé, kermesse, noce, nouba, orgie, parentalies, raout, réception, réjouissance, rodéo, saturnales, soirée, solennité, têt, tournoi.

GALAGO (n. p.). Afrique.

GALAGO. Carnassier, lémurien.

GALAMMENT. Adorablement, affablement, agréablement, aimablement, amiablement, amicalement, chaleureusement, cordialement, courtoisement, plaisamment, poliment, serviablement, sympathiquement.

GALANDAGE. Ais, bardis, bat-flanc, brise-vent, chant, charpente, claustra, cloison, clos, clôture, diaphragme, émail, épi, judas, mur, muret, pan, paroi, séparation, septum, voile, voûte, zeste.

GALANT. Amant, attentionné, cajoleur, cavalier, céladon, chevaleresque, chic, complimenteur, coquet, courtisan, courtois, délicat, distingué, élégant, empressé, enjôleur, entreprenant, flirteur, galantin, gentleman, gracieux, poli, séducteur, sigisbée, soupirant.

GALANTERIE. Amabilité, aménité, amour, attention, baratin, civilité, complaisance, compliment, coquetterie, courtoisie, délicatesses, douceur, élégance, empressement, fadaise, fleurette, flirt, gentillesse, gracieuseté, madrigal, marivaudage, politesse, prévenance, séduction.

GALANTIN. Amoureux, chétif, faible, freluquet, frivole, godelureau, gringalet, léger, prétentieux.

GALANTINE. Aspic, ballottine, charcuterie, dodine, galantine, gélatine, mets, minoune, perce-neige, rôti.

GALAPIAT. Chenapan, galopin, garnement, goinfre, gredin, polisson, vagabond, vaurien.

GALATÉE (n. p.). Acis, Atlantide, Atlas, Callirrhoé, Calypso, Chloris, Daphné, Diane, Dioné, Écho, Égérie, Néréides, Nixe, Nymphe, Océanide, Oréade, Polyphème, Syrinx, Triton.

GALAXIE (n. p.). Andromède, Baade, Hertzsprung, Hubble, Magellan, Sagittaire, Tombaugh, Zwicky.

GALAXIE. Galactique, intergalactique, nébuleuse, protogalaxie, radiogalaxie, superamas, univers.

GALBA (n. p.). Calpurnius, Locuste, Néron, Othon, Pison, Vindex.

GALBE. Arrondi, cintrage, contour, courbe, courbure, forme, ligne, panse, profil, silhouette.

GALE. Bouquet, cécidie, galeux, gratelle, gratte, noix, redi, rouvieux, sarcopte, scabieux, spore, teigne.

GALÉJADE. Amusoire, astuce, attrape, badinage, badinerie, bagatelle, bêtise, blague, bouffonnerie, calembredaine, carabistouille, craque, fable, facétie, fantaisie, histoire, invention, plaisanterie, salade.

GALÉJER. Amuser, arlequiner, badiner, baliverner, batifoler, blaguer, caviller, charrier, plaisanter.

GALÈNE. Alquifoux, cristal, ichtyol, minerai, minéral, Pb, plomb, pyrite, radio, sulfate, sulfure.

GALÉOPITHÈQUE. Colugo, dermoptère, écureuil volant, frugivore, lémur volant, mammifère.

GALÈRE (n. p.). César, Dioclétien, Sévère.

GALÈRE. Bagne, bateau, birème, capitane, chiourme, dromon, espalier, fuste, galéace, galéasse, galée, galérien, galiote, liburne, mahonne, navire, prame, quadrirème, réale, sensile, trière, trirème.

GALÉRER. Agir, besogner, bosseler, bosser, boulonner, bricoler, bûcher, chiner, ciseler, cultiver, écosser, élaborer, fabriquer, façonner, manœuvrer, marner, occuper, œuvrer, ouvrager, piocher, piocher, produire, rendre, soigner, suer, tracer, travailler, trimer, turbiner.

GALERIE. Ambon, arcade, assemblée, balcon, coursive, filon, hourd, hypogée, jubé, loge, mâchicoulis, passage, portique, poulailler, préau, raucheur, salon, souterrain, spectateur, taupe, tranchée, tribune, tunnel, véranda, vestibule, voûte, xyste.

GALÉRIEN. Argousin, bagnard, bonne-voglie, bonne voile, déporté, espalier, forçat, relégué, tercerot.

GALET. Brique, caillou, disque, enrouleur, meule, pavée, pierre, plage, poudingue, roche.

GALETAS. Attique, chambre, combles, coqueron, gourbi, grenier, mansarde, réduit, taudis, toît.

GALETTE. Argent, beignet, blé, biscuit, bricelet, cassave, chapeau, crêpe, crique, fortune, fric, galetteux, gâteau, gaufrette, godiveau, liasse, lire, oseille, pâtisserie, pizza, placenta, préparation, roesti, rösti, sablé, tortilla.

GALEUX. Brebis, cagot, chien, décrépit, éruption, fy, ladre, lépreux, maladrerie, pelé, scrofuleux.

GALILÉE, VILLE (n. p.). Cana, Capharnaüm, Endor, Nazareth.

GALIMATIAS. Amphigouri, argot, baragouin, chanson, charabia, discours, écrit, fatras, jargon, sabir.

GALIPETTE. Acrobatie, cabriole, chute, culbute, cumulet, danse, dérobade, désaveu, échappatoire, palinodie, pirouette, plaisanterie, retournement, rétractation, revirement, tour, tourbillon, virevolte, volte-face.

GALIPOT. Ambre, arcanson, ase, assa, bakélite, baume, benjoin, brai, calfat, cire, colphane, copal, encens, gemme, glu, gomme, goudron, haschisch, laque, mastic, mastique, myrrhe, oliban, oribus, phénoplaste, pin, poix, résine, sandaraque, sapin, térébenthine, thuya.

GALIPOTE. Amusement, anniversaire, assemblée, bacchanale, bal, bamboula, brandon, célébration, cérémonie, commémoration, courir, dentelle, féerie, féralies, festin, festivité, fest-noz, fête, foire, gala, jubilé, kermesse, noce, nouba, orgie, parentalies, raout, rave, réjouissance, rodéo, saturnales, soirée, solennité, têt, tournoi.

GALLE. Bédégar, boursouflure, cécidie, excroissance, hypertrophie, insecte, prêtre de Cybèle.

GALLINACÉ. Argus, caille, chapon, cocote, coq, dinde, dindon, dindonneau, faisan, francolin, galliforme, gélinotte, grouse, hocco, jars, lagopède, oie, oison, paon, perdreau, perdrix, pintade, pintadeau, poularde, poule, poulet, tétras, tinamou.

GALLIOPE (n. p.). Orphée.

GALLIUM. Ga, galleux, métal.

GALOCHE. Chaussure, godasse, menton, pompe, poulie, ribouis, sabot, sandale, savate, soulier.

GALON. Avancement, bande, bordure, chamarrer, chevron, croquet, degré, ficelle, galuche, ganse, grade, laisse, lézarde, officier, pansement, passement, ruban, ruflette, sardine, soutache, tranchefile, tresse.

GALONNÉ. Brigadier, caporal, chef, commandant, despote, directeur, dirigeant, dominateur, entraîneur, gradé, guide, maître, meistre, meneur, mestre, navarque, officier, patron, sous-officier, stratège, tête.

GALONNER. Border, cadrer, congédier, crépiner, enrubanner, ganser, garnir, mouler, ornementer, passementer.

GALOP. Allure, bague, bruit, canter, cavaler, cavalier, cheval, course, danse, galopade, rapidement, trot, vite.

GALOPADE. Chevauchée, corrida, course, cross, derby, drag, épreuve, incursion, longueur, marathon, marche, omnium, promenade, rodéo, sprint, steeple, sulky, tauromachie, trajet, turf.

GALOPER. Accourir, aubin, bondir, bruit, cavaler, circuler, colique, courailler, courir, détaler, dévorer, dribbler, dropper, empresser, filer, fourvoyer, fuir, galopeur, galipote, pédaler, poursuivre, précipiter, presser, trotter.

GALOPIN. Chenapan, coquin, diablotin, espiègle, filou, fripon, gamin, garnement, polisson, vaurien.

GALOUBET. Bec, diaule, fifre, fistule, flageolet, fluette, flûte, flûtiau, instrument, larigot, mie, mirliton, monaule, nay, ney, octavin, pain, pan, piccolo, pipeau, syrinx, tambourin, traversière, turlututu.

GALSWINTHE (n. p.). Athanagild, Brunehaut, Chilpéric, Frédégonde, Neustrie, Wisigoth.

GALURE. Béret, bob, bibi, bicorne, bitos, bolivar, cap, cape, capeline, capuchon, chapeau, charlotte, cinglé, claque, coiffure, feutre, galurin, gibus, képi, manilles, melon, mitre, modiste, panama, pétase, sombrero, suroît, tricorne, tube.

GALVANISATION. Anode, anodisatrode, électrocution, exécution, faradisation, foudroiement, penthode, voltaïsation.

GALVANISER. Animer, captiver, électriser, emballer, embraser, émouvoir, enfiévrer, enflammer, engouer, enthousiasmer, enticher, entraîner, éveiller, exalter, exciter, fasciner, métalliser, nickeler, passionner, remuer, surexciter, toquer, zinguer.

GALVANOMÈTRE. Ampèremètre, fluxmètre, cliché, galvano, galvanoplastie, galvanotype, grenouille.

GALVAUDAGE. Baguenaude, course, déambulation, déplacement, égarement, errance, flânage, flânerie, glandage, instabilité, marche, nomadisme, pérégrination, promenade, randonnée, rêverie, rôdage, vagabondage, voyage.

GALVAUDER. Abaisser, avilir, compromettre, dégrader, dépraver, déshonorer, dilapider, errer, flétrir, gâcher, gaspiller, gâter, perdre, prostituer, rabaisser, ravaler, ravilir, salir, souiller, ternir.

GAMBA. Crevette, langoustine, scampi.

GAMBADE. Bond, bondissement, cabriole, culbute, cumulet, enjambée, entrechat, galipette, saut.

GAMBADER. Batifoler, bondir, cabrioler, ébattre, entrechat, folâtrer, sauter, sautiller, sursauter.

GAMBERGE. Calcul, combine, imagination, méditation, observation, raisonnement, réflexion, spéculation.

GAMBERGER. Calculer, cogiter, combiner, imaginer, luire, méditer, miroiter, observer, penser, peser, poser, raisonner, réfléchir, refléter, réfracter, renvoyer, repenser, répercuter, répéter, rêver, réverbérer, ruminer, scintiller, songer, spéculer.

GAMBETTE. Aigrette, autruche, avocette, barge, bécasse, bécasseau, bihoreau, butor, cagou, cigogne, courlan, échassier, flamant, foulque, gallinule, glaréole, grue, héron, ibis, oiseau, ombrette, outarde, pluvier, poule, râle, sanderling, spatule, tantale, vanneau.

GAMBIE, CAPITALE (n. p.). Banjul.

GAMBIE, LANGUE. Anglais, malinké, ouolof, peul, wolof.

GAMBIE, MONNAIE. Dalasi.

GAMBIE, VILLE (n. p.). Banjul, Fajara, Kaur, Maka, Saba, Sika, Sukuta.

GAMBILLER. Coryphée, danser, dansotter, évoluer, exécuter, giguer, guincher, swinger, twister, valser.

GAMELLE. Assiette, chute, échec, écuelle, fiasco, flash, infortune, lampe, lumière, moviola, naufrage, passerelle, phare, plat, poursuite, projecteur, réflecteur, rampe, récipient, soucoupe, spot, visionneuse.

GAMÈTE. Anthérozoïde, cellule, gamétocyte, gamétogenèse, gonade, isogamie, méiose, œuf, oocyte, oosphère, ovocyte, ovogenèse, ovogénie, ovotide, ovule, spermatide, spermatie, spermatozoïde, zoogamète.

GAMIN. Apprenti, arpète, blanc-bec, cadet, chenapan, crapaud, drôle, enfant, enfantin, espiègle, fils, flot, galopin, garçon, gavroche, gone, gosse, kid, lardon, lipette, marmiton, marmot, merdeux, minot, mioche, miston, môme, morpion, morveux, moucheron, moutard, titi.

GAMINE. Fifille, fille, fillette, gosse, minette, mistone, môme, petite, tendron.

GAMINER. Amuser, badiner, batifoler, berdiner, couliner, drôle, ébattre, folâtrer, folichonner, gai, ginguer, lutiner, marivauder, niaiser, nigauder, papillonner, plaisant, plaisanter, réjouir, solacier.

GAMINERIE. Badinerie, babillage, caprice, enfantillage, espièglerie, frivolité, niaiserie, momerie, puérilité.

GAMMAGRAPHIE. Angiographie, cholécystographie, cystographie, discographie, hystérographie, myélographie, négatoscopie, pelvigraphie, radiographie, scintigraphie, tomographie, urographie.

GAMME. Degré, diatonisme, dominante, éventail, hymne, médiante, mode, note, sol, suite, ton, ut.

GAMOPÉTALE. Acanthe, apocynacée, asclépiade, asclépias, bignoniacée, bilabié, borraginacée, campanule, caprifoliacée, convolvulacée, cucurbitacée, composé, dialypétale, dipsacacée, ébénacée, éricacée, labié, métachlamydée, oleacacée, primulacée, rubiacée, scrofulariacée, sésame, solanacée, soudé, styrax, verbénacée.

GANACHE. Adroit, astucieux, bête, borné, capable, clair, clairvoyant, doué, éclairé, entendu, éveillé, fin, fort, fortiche, habile, incapable, ingénieux, intelligent, intuitif, inventif, judicieux, lucide, net, ouvert, perspicace, profond, sensé, stupide, tête.

GANDOURA. Alezan, arzel, aube, aubère, bai, bringé, cafetan, caftan, chiton, costume, djellaba, épitoge, escoc, fourreau, froc, gogot, haik, jupe, lamée, mini, peau, peignoir, péplum, poil, rabat, robe, rochet, sari, simarre, soutane, surplis, toge, toilette, traîne, troussis, tunique, vêtement, zain.

GANG. Armada, armée, bande, bataillon, clan, clique, cohorte, coterie, curée, entente, essaim, flopée, flot, foule, groupe, horde, kyrielle, ligue, lobby, malfaiteurs, meute, quête, tribu, troupe, truandaille, truanderie.

GANGLION. Adénite, adénogramme, adénopathie, bubon, glande, grosseur, lymphoïde, lymphoréticulose, stellaire, tumeur.

GANGRÈNE. Gangreneux, mortification, nécrose, névrite, pourriture, putréfaction, sphacèle.

GANGRENER. Corrompre, dénaturer, empoisonner, gâter, infecter, pervertir, pourrir, ronger, vicier.

GANGSTER (n. p.). Al Capone.

GANGSTER. Apache, bandit, bandolier, brigand, escroc, filou, malfaiteur, malfrat, pillard, truand, voleur.

GANGSTÉRISME. Antigang, banditisme, brigandage, briganderie, canaillerie, concussion, criminalité, délinquance, escroquerie, fripouillerie, infraction, juvénile, pillage, piratage, truanderie, victimologie.

GANGUE. Castine, chape, dissimulé, enveloppe, gaine, housse, manteau, minerai, revêtement.

GANSE. Balayette, bolduc, boucle, corde, cordon, cordonnet, crénelage, gansette, embrasse, enguichure, fil, floche, funicule, insigne, lacet, lido, maille, œil, pédoncule, rang, tirant, tirette, tors, tresse.

GANSER. Bordurer, cadrer, congédier, crépiner, enrubanner, galonner, garnir, mouler, ornementer, passementer.

GANT. Ceste, gagne-pain, gantelet, main, manicle, manièle, manique, mitaine, miton, moufle, suède.

GANTELÉE. Aiglantine, ancolie, angonie, aquilegia, campanule, clochette, colombine, cornette, ganteline, fleur.

GANTELET. Ceste, gang, manchon, manicie, manicle, manièle, manique, mitaine, miton.

GANTELINE. Aiglantine, ancolie, angonie, aquilegia, campanule, clochette, colombine, cornette, gantelée, fleur.

GAP. Décalage, déficit, déphasage, distance, écart, éloignement, fossé, manquement, marge, retard.

GARAGE. Abri, atelier, box, dépôt, garagiste, hangar, parc, remise, stal, stationnement, station-service.

GARANCE. Alizari, alizarine, anthraquinone, colorant, corallin, garance, purpurine, robiquet, rouge, rubiacée.

GARANT. Accréditeur, assurance, aval, avaliseur, avaliste, caution, correspondant, défenseur, endosseur, gage, garantie, gardien, otage, parrain, preuve, protecteur, redevable, répondant, responsable, témoignage.

GARANTIE. Assistance, assurance, aval, caution, cautionnement, certificat, certitude, consigne, couverture, diplôme, foi, gage, garant, otage, police, recours, répondant, sauvegarde, sûreté, warrant.

GARANTIR. Abriter, affirmer, assurer, avaliser, avérer, cautionner, certifier, confirmer, consolider, contresigner, couvrir, immuniser, jurer, pleiger, prémunir, préserver, protéger, réassurer, signer, témoigner.

GARBURE. Bouillabaisse, bouillon, consommé, crème, gombo, gratinée, lavasse, minestrone, panade, potage, soupe.

GARCE. Amazone, call-girl, catin, chipie, cocotte, courtisane, fille, grue, hétaïre, micheton, morue, péripatéticienne, pétasse, poule, poupée, prostituée, putain, pute, racoleuse, radeuse, ribaude, roulure, salope, traînée.

GARCETTE. Amarre, aussière, bitord, bitte, cabillot, câble, chaumard, coiffure, cordage, corde, élingue, embossure, étrive, filin, fouet, haussière, jarretière, larguer, liure, organeau, sabaille, sabaye, suspente.

GARÇON. Adolescent, agame, célibataire, chasseur, employé, enfant, flandrin, fils, gars, gosse, huissier, lad, lardon, libre, loufiat, marmot, marmouset, mioche, mitron, môme, moutard, porteur, puceau, serveur, seul, solitaire, steward.

GARÇONNIÈRE. Appartement, bonbonnière, célibataire, chambre, loft, pied-à-terre, piaule, studio.

GARD, VILLE (n. p.). Aigues-Mortes, Alès, Alzon, Anduze, Aramon, Barjac, Bouillargues, Fourques, Lussan, Nîmes, Quissac, Remoulins, Tavel, Trèves, Uzès, Vauvert.

GARDE. Balustrade, barrière, bastingage, défense, dogue, escorte, eunuque, évite, garde-fou, gardien, gorille, guet, héron, loge, messier, molosse, piquet, prétorien, rouet, surveillant, tsuba, vedika, veille, veilleur, vigie, vigile.

GARDE-BOUE. Aile, automobile, bicyclette, éclaboussure, garde-crotte, motocyclette, pare-boue.

GARDE-CORPS. Balustrade, garde-fou, gardien, gorille, parapet, rambarde, rampe, sentinelle.

GARDE-FOU. Balustrade, bastingage, clôture, garde-corps, parapet, pilastre, rambarde, rampe.

GARDER. Abstenir, aliter, attendre, avaler, cacher, conserver, destiner, détenir, entretenir, garantir, maintenir, observer, posséder, préserver, protéger, ravaler, receler, réserver, retenir, tenir, veiller.

GARDERIE. Crèche, halte, maternelle, nourricerie, nursery, orphelinat, pouponnière, stop-enfants.

GARDE-ROBE. Armoire, artémisia, basique, cagibie, fringue, génépie, penderie, placard, selle.

GARDIEN (n. p.). Cerbère, Eumée, Hachémite, Hachimite, Hespéris, Janus, Marigny, Protée, Simon.

GARDIEN. Agent, cerbère, concierge, conservateur, consignataire, dragon, eunuque, garde, gardian, gaucho, geôlier, goal, guetteur, huissier, maton, pion, policier, portier, receleur, sentinelle, surveillant, thesmothète, tuteur, veilleur, vigie.

GARDIEN DE BUT AU HOCKEY (n. p.). Dryden, Giacomin, Kackett, Parent, Plante, Roy, Sévigny, Thibault, Vézina.

GARDIEN DE NAPOLÉON (n. p.). Lowe.

GARDIENNAGE. Espionnage, filature, fileterie, filoche, furetage, garde, guet, îlotage, inspection, monitorage, observation, patrouille, renseignement, ronde, sentinelle, surveillance, veille, vigie, vigilance.

GARDIENNE. Bonne d'enfant, bonniche, gouvernante, infirmière, mamie, nounou, nourrice, nurse, servante.

GARDON. Arve, drac, eau, gave, lavande, poisson, ravine, rivière, rotengle, rouge, torrent, vengeron.

GARE (n. p.). Austerlitz, Chalindrey, Chisso, Lyon, Massy, Modane, Montparnasse, Orsay, Windsor.

GARE. Aérogare, arrêt, buffetier, consigne, escale, étape, halte, quai, station, terminal, terminus.

GARENNE. Bois, bossu, bouquet, bouquin, capucin, gîte, hase, lagomorphe, lapin, levraut, lièvre, pedetidæ, pikas, ravitaillement, relaissé, réserve, réservoir, resserre, sumatra, vagir, varenne.

GARER. Abriter, ajuster, aligner, arrêter, éviter, parquer, placer, préserver, ranger, remiser, stationner.

GARGAMELLE. Alcarazas, cruche, gargoulette, gosier, perméable, poreux, porosité, spongieux, tuf.

GARGANTUA (n. p.). Fischart, Gargamelle, Grandgousier, Pantagruel, Picrophole, Rabelais, Thélème.

GARGANTUA. Avaleur, bouffeur, dévoreur, glouton, gobeur, goinfre, goulu, gourmand, mangeur, ogre, vorace.

GARGANTUESQUE. Colossal, démesuré, dépassé, déraisonnable, disproportionné, effréné, énorme, exagéré, excessif, exorbitant, extraordinaire, gigantesque, immense, indécent, outrance, outré, scandaleux.

GARGARISER. Amygdale, buste, canard, canon, chat, cluse, col, cou, dalle, décelé, défilé, gave, gorge, gosier, ingurgitation, jugulaire, larynx, luette, kiki, menthol, moulure, pharynx, poitrine, poulie, scotie, sein, serrure, toux, val, vallée.

GARGOUILLE. Boyau, buse, canal, canalisation, conduit, durit, gaine, gouttière, indication, indice, information, orgue, ornement, pipe, renseignement, riser, sarbacane, truc, tube, tuyau.

GARGOUILLEMENT. Borborygme, bourdonnement, bruit, flatuosité, gargouillis, grondement, râlement, ronflement.

GARGOULETTE. Alcarazas, cruche, gargamelle, gosier, perméable, poreux, porosité, spongieux, tuf.

GARGOUSSE. Albuginée, ampoule, arille, baie, bale, barder, bogue, brou, calice, chemise, chorion, clisse, cocon, coque, coquille, cosse, couverture, dé, délivre, écale, écorce, enveloppe, étui, fourreau, gaine, giron, glume, glumelle, housse, légume, membrane, peau, péricarpe, périsprit, placenta, pli, récipient, rétine, robe, sac, taie, tégument, test, tunique, zoécie.

GARIBALDI (n. p.). Aspromonte, Caprera, Cavour, Cipriani, Marsala, Mentana, Meysenbug, Milazzo, Nélaton, Nievo, Ponchielli.

GARNEMENT. Chenapan, enfant, espiègle, galopin, gamin, gredin, polisson, vaurien, verre, voyou.

GARNI. Abondant, aillé, armé, bagué, barbelé, blindé, boisé, canné, cilié, crénelé, denticulé, diamenté, doublé, empenné, farci, ferré, feuilleté, fleuri, fourni, fourré, lamellé, liégé, meublé, plombé, plumeux, touffu.

GARNIR. Ailler, aillier amorcer, appâter, armer, baguer, boiser, border, bourrer, canner, cercler, clisser, décorer, doubler, enrubanner, ferrer, fournir, fretter, gréer, hérisser, latter, lotir, matelasser, mâter, meringuer, meubler, munir, orner, ouater, parer, rucher, tapisser, voltiger.

GARNISON. Baraquement, base, cantonnement, caserne, dépôt, mess, préside, quartiers, salle, troupe, ville.

GARNISSAGE. Bachotage, bourrage, capitonnage, compactage, damage, densification, embourrure, fourrage, garniture, habillage, intoxication, matelassage, matraquage, ouatage, propaganda, rembourrage, remplissage.

GARNITURE. Accessoire, assortiment, bourrure, calandre, cantonnière, capiton, chipolata, cosse, embout, fanfreluche, ferrement, ferrure, financière, grébiche, gribiche, jabot, lattis, manchette, milanaise, ornement, parure, passepoil, planchéiage, sabot, têtière.

GAROU. Arbrisseau, bois-gentil, daphné, dentelaire, garrigue, malherbe, passerine, sainbois, thyméléacées.

GARROT. Accouple, alèse, amarre, analogie, attache, attachement, bande, câble, catgut, chaîne, connexion, corde, cordon, courroie, entrave, et, fers, ficelle, fil, harde, hart, laisse, licou, lien, ligature, mariage, nœud, parenté, trait, union.

GARROTTER. Attacher, bâillonner, contraindre, enchaîner, étouffer, étreindre, lier, ligoter, museler, serrer.

GARS. Bonhomme, bougre, coquin, costaud, drôle, étonnant, fils, fort, gaillard, garçon, gaulois, grivois, homme, lascar, léger, leste, libre, licencieux, luron, mec, obscène, osé, raide, type, vert, vif.

GASCON. Bluffeur, bonimenteur, bravache, crac, crâneur, fabulateur, faiseur, fanfaron, faraud, fier-à-bras, frimeur, galéjer, hâbleur, imposteur, jacteur, jaseur, malin, m'as-tu-vu, matamore, oc, vantard.

GASCONNADE. Affabulation, blague, bluff, bravade, braverie, cabotinage, charlatanerie, crânerie, craque, esbroufe, fanfaronnade, forfanterie, hâblerie, jactance, parade, rodomontade, vanité, vantardise.

GASPACHO. Bisque, bouillie, bouillon, brouet, chaudrée, cille, clair, consommé, crème, coulis, julienne, jus, lavasse, lavure, louche, minestrone, oille, panade, philtre, pistou, potage, purée, soupe, soupière, velouté.

GASPILLAGE. Coulage, déprédation, dilapidation, dissipation, gabegie, gâchage, gâchis, perte.

GASPILLER. Consumer, croquer, dépenser, dilapider, flamber, gâcher, galvauder, perdre, prodiguer.

GASPILLEUR. Bourriche, casse, dépensier, dilapidateur, élite, flein, gabion, gouffre, hotte, manne, scouffin, suc.

GASTÉROPODE (3 lettres). Mye.

GASTÉROPODE (4 lettres). Clam, cône, lime, test.

GASTÉROPODE (5 lettres). Arche, arion, bulle, coque, donax, doris, harpe, moule, murex, nacre, nasse, olive, pinne, sépia, solen, taret, turbo, vénus.

GASTÉROPODE (6 lettres). Actéon, anomie, buccin, calmar, casque, cauris, cérite, chiton, cirrhe, conque, cyprée, donace, falun, fuscan, fuseau, hélice, huître, limace, limnée, lymnée, mactre, natice, peigne, physie, poulpe, praire, rocher, seiche, triton, troche, troque, vermet, violet, volute.

GASTÉROPODE (7 lettres). Aplysie, bivalve, calamar, cérithe, couteau, dentale, gravier, gryphée, itiérie, limaçon, limette, mulette, nautile, patelle, philine, pholade, pieuvre, pourpre, pulmone, rudiste, strombe, telline, trialle.

GASTÉROPODE (8 lettres). Acéphale, ammonite, anodonte, bénitier, bernique, coquille, encornet, escargot, haliotis, isocarde, ostréidé, paludine, pétoncle, planorbe, spondyle, tricarne, univalve.

GASTÉROPODE (9 lettres). Argonaute, bélemnite, bigorneau, casquette, clavatula, crépidula, emmericia, haliotide, lithodome, littorine, mollusque, néopilina, pantoufle, ptéropode, stéropode, xylophage.

GASTÉROPODE (10 lettres). Amphineure, coquillage, gastropode, ambonneau, pélécypode, pithiviers, porcelaine, scaphopode, testacelle, turritelle.

GASTÉROPODE (11 lettres). Céphalopode, gastéropode, hémocyanine, malacologie, nudibranche, trochophore, vénéricarde.

GASTÉROPODE (12 lettres). Prosobranche, saint-jacques, tectibranche.

GASTÉROPODE (14 lettres). Lamellibranche, opisthobranche.

GASTRIQUE. Achylie, caillette, chlorhydrique, embarras, intestinal, pepsine, stomacal, suc, ulcère.

GASTRO-ENTÉRITE. Diarrhée, inflammation, salmonellose, tourista, turista.

GASTROMYCÈTE. Basidiomycète, champignon, gastérale, géaster, hyménomycète, lycoperdon.

GASTRONOME (n. p.). Apicius, Brillat-Savarin, Curnonsky, Gottschalk, Lucullus, Pomiane, Reynière.

GASTRONOME. Amateur, avide, bec fin, bouche fine, brifaud, fine gueule, friand, girelle, glouton, goinfre, goulu, gourmand, gourmet, grapilleur, grignoteur, lécheur, ogre, pansu, ventru, vorace.

GASTRONOMIE. Bombance, chère, cuisine, festoyer, gastronome, gourmand, festin, menu, nourriture, ripaille, table.

GASTRONOMIQUE. Ambrosiaque, culinaire, délectable, délicieux, excellent, exquis, savoureux, succulent.

GASTROPODE (3 lettres). Mye.

GASTROPODE (4 lettres). Clam, cône, lime, test.

GASTROPODE (5 lettres). Arche, arion, bulle, coque, donax, doris, harpe, moule, murex, nacre, nasse, olive, pinne, sépia, solen, taret, turbo, vénus.

GASTROPODE (6 lettres). Actéon, anomie, buccin, calmar, casque, cauris, cérite, chiton, cirrhe, conque, cyprée, donace, falun, fuscan, fuseau, hélice, huître, limace, limnée, lymnée, mactre, natice, peigne, physie, poulpe, praire, rocher, seiche, triton, troche, troque, vermet, violet, volute.

GASTROPODE (7 lettres). Aplysie, bivalve, calamar, cérithe, couteau, dentale, gravier, gryphée, itiérie, limaçon, limette, mulette, nautile, patelle, philine, pholade, pieuvre, pourpre, pulmone, rudiste, strombe, telline, trialle.

GASTROPODE (8 lettres). Acéphale, ammonite, anodonte, bénitier, bernique, coquille, encornet, escargot, haliotis, isocarde, ostréidé, paludine, pétoncle, planorbe, spondyle, tricarne, univalve.

GASTROPODE (9 lettres). Argonaute, bélemnite, bigorneau, casquette, clavatula, crépidula, emmericia, haliotide, lithodome, littorine, mollusque, néopilina, pantoufle, ptéropode, stéropode, xylophage.

GASTROPODE (10 lettres). Amphineure, coquillage, gastropode, ambonneau, pélécypode, pithiviers, porcelaine, scaphopode, testacelle, turritelle.

GASTROPODE (11 lettres). Céphalopode, gastéropode, hémocyanine, malacologie, nudibranche, trochophore, vénéricarde.

GASTROPODE (12 lettres). Prosobranche, saint-jacques, tectibranche.

GASTROPODE (14 lettres). Lamellibranche, opisthobranche.

GASTRULA. Biologie, degré, échelon, embryon, embryonnaire, étape, état, forum, germe, imago, larvaire, larve, mésoblaste, mésoderme, morula, mûrir, neurula, niveau, palier, période, phase, piste, progrès, société, stade, transition.

GÂTÉ. Abîmé, aigri, altéré, avancé, avarié, chancreux, dépravé, perverti, pourri, sain, véreux, vicié.

GÂTEAU. Allumette, amuse-gueule, baba, baba au rhum, baklava, biscôme, bûche, cake, clafoutis, congolais, couque, dariole, dartois, éclair, forêt-noire, frangipane, galette, gaufre, génoise, gougère, kouglof, kugelholf, macaron, millas, millefeuille, moka, muffin, nougat, opéra, palmier, paris-brest, pudding, ramequin, rayon, rocher, roulé, sablé, saint-honoré, savarin, tourte, tourteau, vacherin, visitantine.

GÂTER. Abîmer, altérer, améliorer, amender, avarier, carier, conserver, corriger, corrompre, dénaturer, déparer, déshonorer, détériorer, endommager, gâtisme, gâcher, infecter, massacrer, mutiler, pervertir, pourrir, préserver, saboter, salir, tarer, troubler, vicier.

GÂTERIE. Amuse-gueule, baba, biscuit, bonbon, canapé, caresse, chatterie, complaisance, confiserie, douceur, friandise, gâteau, gourmandise, macaron, nanan, nougat, œuf, papillote, pâtisserie, praline, sucette, sucrerie, tarte, tire, touron, truffe.

GÂTEUX. Âgé, capricieux, décrépit, difficile, gaga, gâtisme, incontinent, malade, radoteux, ramolli, ramollo, sénile.

GÂTIFIER. Abêtir, abrutir, amoindrir, angéliser, assoter, bêtifier, crétiniser, hébéter, idiotiser, rabêtir.

GÂTINE. Alleu, aratoire, bien, boue, champ, continent, contrée, domaine, duché, emblavure, erbue, esplanade, gadoue, gâtine, glaise, glèbe, globe, guéret, herbue, herbus, héritage, humus, île, jachère, labour, latérite, marécage, monde, nife, noue, ocre, pays, planète, poussière, propriété, région, seigneurie, sial, sima, sol, tenure, terre, terrain, terreau, territoire, turf.

GÂTISME. Décadence, déchéance, déclin, décomposition, décrépitude, dégénérescence, délabrement, déliquescence, gérontisme, longévité, ruine, sénescence, sénilisme, sénilité, vieillesse, vieillissement.

GATTILIER. Agnus-castus, faux poivrier, lantanier, poivre teck, verbénacée, verveine, vitez.

GAUCHE. Bâbord, benêt, bras, côté, dadais, dandin, dia, droite, embarrassé, empêtré, empoté, emprunté, épais, gêné, godiche, guindé, incapable, inhabile, jardin, lourdaud, maladroit, malhabile, pattu, paysan, rustaud, scène, senestre, théâtre.

GAUCHEMENT. Dansoter, dansotter, gauche, mal, maladresse, maladroitement, malhabilement.

GAUCHERIE. Balourdise, bourde, embarras, gaffe, impair, inhabileté, maladresse, provincialisme, timidité.

GAUCHI. Altéré, biaisé, courbé, croche, déformé, dénaturé, écarté, faux, gondolé, tordu, voilé.

GAUCHIR. Abaisser, altérer, courber, déformer, déjeter, dénaturer, détourner, dévier, envoiler, fausser, gondoler, jouer, pervertir, tordre, travailler, voiler.

GAUCHISME. Autogestion, babouvisme, bolchevisisme, chartisme, collectiviste, communisme, contra, dirigisme, égalitarisme, gauche, léninisme, marxisme, mutualisme, paupérisme, radicalisme, socialisme.

GAUCHISSEMENT. Altération, déformation, déjettement, déviation, dissidence, voilement, voilure.

GAUCHISTE. Activiste, agitateur, anarchiste, contestataire, cordelier, desperado, émeutier, extrémiste, factieux, frondeur, futuriste, insurgé, insurrectionnel, militant, modéré, mutin, nihiliste, novateur, partisan, putschiste, rebelle, révolté, révolutionnaire, séditieux, subversif, terroriste, trublion, ultra.

GAUCHO. Agent, cerbère, chevalier, commissionnaire, concierge, conservateur, consignataire, dragon, eunuque, garde, gardian, gardien, geôlier, guetteur, huissier, mandataire, maton, négociant, pion, policier, portier, receleur, sentinelle, surveillant, thesmothète, transitaire, tuteur, veilleur, vigie.

GAUDE. Azurant, colorant, coloris, couleur, éosine, herbe jaune, indigo, mauvaine, mets, ocre, orseille, réséda, rocou, smalt, thiamine.

GAUDRIOLE. Bagatelle, gaillardise, gauloiserie, grivoiserie, paillardise, plaisanterie, polissonnerie.

GAUFRE. Bricelet, cloqué, cornet, gâteau, gaufrette, gaufrier, gaufroir, oublie, pâtisserie, plaisir.

GAUFRETTE. Biscuit, bricelet, cigarette, cloqué, cornet, gâteau, gaufre, gaufrier, gaufroir.

GAUFROIR. Biscuit, bricelet, brisselet, cornet, fer, galette, gâteau, gaufre, gaufrette, gaufrier, pâtisserie.

GAULE, PEUPLE (n. p.). Aulerques, Bagaudes, Cadurci, Cadurques, Calètes, Carnutes, Cénomans, Éduens, Lémovices, Ligures, Lingons, Senones, Sénons, Sénonais, Séquanais, Séquanes, Séquaniens, Voconces, Volces, Volques.

GAULE, RÉGION (n. p.). Armorique, Champagne, Cispadane, Narbonnaise, Septimanie.

GAULE, VILLE (n. p.). Avaricum, Bibracte, Lutèce, Rome, Tolbiac, Uxellodunum.

GAULE. Badine, bagasse, bambou, bâton, béquille, béquillon, canne, club, fêle, jonc, libouret, makila, mayotte, moulinet, palangre, palangrotte, perche, piolet, pommeau, rhum, roseau, rotin, scion, stick, trimmer, vesou.

GAULER. Abattre, anesthésier, assommer, barber, battre, boxer, calmer, coucher, effacer, embêter, endormir, engourdir, ennuyer, estourbir, étendre, étourdir, fesser, fouetter, rager, rosser, rouer, sonner, tuer.

GAULOIS (n. p.). Astérix, Bagaudes, Bajocasses, Brenn, Brennus, Dumnorix, Ésus, Obélix, Olibrius, Sabinus.

GAULOIS. Agile, alerte, allant, allègre, celtique, cochon, croustillant, cru, dispos, druide, égrillard, fringant, gaillard, grivois, guilleret, impoli, léger, leste, libre, licencieux, olé olé, osé, preste, raide, souple, vert, vif.

GAULOISE. Celte, cervoise, cigarette, coquine, gaillarde, grivoise, leste, obscène, polissonne.

GAULOISERIE. Canaillerie, cochonceté, cochonnerie, coprolalie, cynisme, gaillardise, gravelure, grivoiserie, grossièreté, impudeur, inconvenance, indécence, malpropreté, obscénité, pornographie, saleté, saloperie.

GAUR. Auroch, bison, bœuf, bovin, buffle, gayal, karabau, karbau, kérabeau, taureau, ure, urus, yack, yak, zébu.

GAUSSER. Amuser, arlequiner, badiner, baliverner, charrier, moquer, plaisanter, railler, ridiculiser, rire.

GAVAGE. Absorption, alimentation, allaitement, approvisionnement, convertisseur, élevage, fourniture, malbouffe, nourrissage, nourrissement, nourriture, paisson, perfusion, ravitaillement, régime, repas, suralimentation, sustentation.

GAVE. Argelès, bourre, cours d'eau, gavarnie, gorge, jabot, pau, rio, rivière, ruisseau, source, torrent.

GAVER. Alimenter, appâter, bourrer, embecter, emplir, engraisser, gorger, nourrir, rassasier, suralimenter, surnourrir.

GAVEUR. Agrarien, agriculteur, agronome, areur, betteravier, colon, cultivateur, éleveur, engraisseur, épandeur, exploitant, fermier, horticulteur, jardinier, labour, laboureur, maraîcher, nourrisseur, partiaire, pasteur, paysan, paysannat, planteur, producteur, serriste, terrien.

GAVROCHE. Apprenti, arpète, cadet, coquin, chenapan, crapaud, enfant, enfantin, flot, galopin, gamin, garnement, gâte-sauce, gosse, lipette, marmiton, mioche, morveux, poulbot, saute-ruisseau, titi.

GAZ. Aérocolie, air, ammoniac, anode, argon, argonite, arsine, auer, azote, bulle, chlore, cyanogène, essence, flatulence, fluor, fréon, fumerolle, grisou, hélium, hydrogène, inerte, krypton, méthane, miasme, néon, oxygène, ozone, pet, propane, radon, rot, sarin, soda, sulvinite, vapeur, vent, vesse, ypérite, xénon.

GAZE. Barège, blessure, compresse, étoffe, grenadine, marli, mèche, mousseline, tissu, tutu, voile.

GAZÉIFICATION. Évaporation, distillation, nébulisation, pulvérisation, sublimation, vaporisation, volatilisation.

GAZÉIFIER. Alterner, changer, dépasser, distiller, éclipser, évaporer, goutte, idéaliser, magnifier, mouiller, pulvériser, rebouilleur, sacrer, sublimer, transcender, transposer, vaporiser, volatiliser.

GAZELLE. Addax, aepycérotiné, alcéphalus, algazelle, antilope, biche, bubale, capricorne, catoblépas, cob, damalisque, dorcade, éland, gnou, guib, impala, kif, kob, nilgaut, okapi, oryx, ourébi, saïga, springbok.

GAZER. Adoucir, affaiblir, atténuer, bomber, décroître, diminuer, édulcorer, effumer, estomper, éteindre, expirer, faiblir, gommer, indéfiniser, modérer, mourir, ombrer, pâlir, passer, tamiser, voiler.

GAZETTE. Écrit, bavard, canard, causeur, commère, crécerelle, journal, quotidien, revue, tapette.

GAZEUX. Aérien, arachnéen, éthéré, imaginaire, immatériel, impalpable, insaisissable, intangible, irréel, vaporeux.

GAZODUC. Adduction, branchement, canalisation, colonne, conduit, égout, émissaire, griffon, oléoduc, pipeline.

GAZOLE. Aliment, anthacite, bois, boulet, briquette, butane, carburant, charbon, coke, combustible, diesel, ergol, fioul, fuel, fuel-oil, gaillette, gasoil, gazol, gazoline, houille, huile, inflammable, mazout, méta, moxa, naphte, semi-coke, soute, tourbe.

GAZOLINE. Carburant, distillat, essence, hydrocarbure, octane, pétrole, plomb, pompe, super.

GAZON. Alysse, alyssum, agrostis, arméria, céraiste, crételle, cynoglosse, fétuque, germandrée, gramen, green, herbe, julienne, muguet, orpin, pâturin, pelouse, pré, ray-grass, saxifrage, sedum, statice.

GAZONNER. Cultiver, diaprer, disperser, emblaver, engazonner, enherber, ensemencer, épandre, gazon, jeter, parsemer, pelouse, propager, répandre, ressemer, revêtir, semer, semis, sursemer, tourber.

GAZOUILLEMENT. Areu, babil, babillage, bruissement, chant, chuchotement, gazouillis, murmure, pépiement, ramage.

GAZOUILLER. Babiller, bruire, chanter, chuchoter, murmurer, pépier, susurrer.

GAZOUILLIS. Babil, babillage, bruissement, chant, chuchotement, chuchotis, gazouillement, marronnage, marmonnement, marmottage, marmottement, murmure, pépiement, ramage, susurration, susurrement.

GÉ (n. p.). Antée, Centaure, Cronos, Déméter, Gaïa, Hadès, Hestia, Poséidon, Rhéa, Saturne, Titans, Zeus.

GEAI. Bleu, cajole, corvidé, frouer, gris, oiseau, paon, passereau, passériforme, rollier.

GÉANT (n. p.). Adamastor, Albion, Aloéus, Antée, Argos, Argus, Atlas, Briarée, Cacus, Cyclope, Égéon, Encelade, Eurymédon, Gargantua, Gog, Japet, Géryon, Goliath, Hercule, Magog, Marnat, Mimas, Orion, Pallas, Pantagruel, Polyphème, Samson, Stentor, Teubochus, Titan, Tityos, Typhée, Ymer, Ymir.

GÉANT. Colossal, colosse, énorme, gigantesque, grand, immense, imposant, mastodonte, monstre, ogre, titanique.

GÉASTER. Basidiomycète, champignon, étoile, gastromycète, lycoperdon.

GECKO. Geckonidés, lacertilien, lézard, margouilla, reptile, saurien, tarente, tokay.

GÉHENNE. Calvaire, châtiment, douleur, enfer, feu, martyre, paradis, souffrance, supplice, torture.

GEIGNARD. Dolent, gémissant, gnangnan, larmoyant, lent, mièvre, mou, plaintif, pleurnichard.

GEIGNEMENT. Gémissement, grincement, jérémiade, lamentation, plainte, récrimination.

GEINDRE. Appeler, couiner, crier, gémir, lamenter, larmoyer, murmurer, plaindre, pleurnicher.

GEL. Aérogel, arrêt, blocage, frimas, gelée, gélif, givre, hydrogel, interruption, suspension, verglas.

GÉLATINE. Colle, colloïde, gélatineux, gelée, glycocolle, ichtyocolle, pectine, pelliculage, réticulation.

GÉLATINEUX. Adipeux, beurré, crémeux, glissant, graissé, graisseux, gras, huileux, oléagineux, oléolat, visqueux.

GÉLATION. Caillement, candisation, coagulation, conglutination, congélation, cristallisation, cryoconservation, cryométrie, durcissement, épaississement, gelée, glace, grêle, neige, solidification, surgélation, vitrification.

GELÉE. Aspic, coing, confiture, congelée, fricasse, frigorifié, frimas, froid, froidure, galantine, gel, gélatine, giboulée, givre, glace, glycocolle, ichtyocolle, hiver, napalm, pâte, regel, royale, transi, verglas.

GELER. Coaguler, congeler, figer, frapper, frigorifier, gêner, glacer, peler de froid, pétrifier, prendre, transir.

GÉLIFIANT. Accessoire, additif, additionnel, adjuvant, ajout, ajoutage, ajouté, ajouture, alimentaire, annexe, antidétonant, auxiliaire, becquet, béquet, bifidus, complément, cyclamate, rallonge, supplément.

GÉLINOTTE. Caille, chapon, cocote, coq, dinde, dindon, dindonneau, faisan, francolin, galliforme, gallinacé, grouse, hocco, jars, lagopède, oie, oison, perdreau, perdrix, pintade, poularde, poule, poule-des-bois, poulet, tête.

GÉLOSE. Agar-agar, colle, collodion, gelidium, levure, mousse de Ceylan, mousse du Japon, mucilage.

GÉLULE. Bouchon, cachet, capsule, colomelle, couronne, couvercle, enveloppe, macis, opercule, pyxide, sachet.

GÉMEAU. Besson, constellation, deux, double, doublon, identique, jumeau, ménechme, pareil, triplé, quadruplé, semblable, siamois, sosie, triplé, univitellin, zodiaque.

GÉMEAUX (n. p.). Açvin, Castor, Pollux.

GÉMELLITÉ. Adéquation, analogie, conformité, égalité, équivalence, homéomorphisme, similitude.

GÉMINATION. Copie, double, doublement, duplexage, duplication, redondance, redoublement, réduplication.

GÉMIR. Accabler, appeler, couiner, crier, dolent, geindre, lamenter, murmurer, plaindre, pleurnicher, souffrir.

GÉMISSANT. Dolent, geignard, gnangnan, larmoyant, lent, mièvre, mou, plaintif, pleurnichard, pleureur.

GÉMISSEMENT. Cri, geignement, grognerie, jérémiade, lamentation, larmoiement, plainte, pleur, son.

GEMME. Ambre, béryl, bourgeon, diamant, doublet, givre, glace, grenat, halite, héliodore, joyau, lapis-lazuli, mani, morganite, opale, perle, pierre, pierreries, résine, sel, stras, strass, suc, tache, zircon.

GEMMEUR. Ouvrier, pin, récolteur, résine, résinier.

GÉMONIES. Colimaçon, degré, échelle, escabeau, escalator, escalier, gat, giron, marche, mépris, perron, siège, tabouret.

GÊNANT. Déplaisant, désagréable, embarrassant, encombrant, ennuyeux, envahissant, fâcheux, fatigant, importun, incommodant, incommode, inconfortable, indiscret, intimidant, lourd, malcommode, parasite, pénible, pesant.

GENCIVE. Dent, épulide, épulie, gingival, gingivite, muqueuse, parulie, ulite.

GENDARME (n. p.). Anatole, Nicolas.

GENDARME. Agent, balai, brigadier, carabinier, cogne, condé, défaut, griffe, guignol, hareng, îlotier, inspecteur, investigateur, limier, militaire, pandore, pic, police, policier, punaise, rebiffe, repasser, saucisse..

GENDARMERIE (n. p.). GRC, Melun.

GENDARMERIE. Argousin, assurance, bureau de police, commissariat, cop, flic, flicaille, gendarme, gestapo, maréchaussée, milice, police, policier, poilet, poste, prévôt, prévôté, rousse, vingt-deux.

GENDRE. Beau-fils, consanguin, épouseur, époux, fiancé, fillâtre, fils, parent.

GENDRE DE CHARLEMAGNE (n. p.). Angilbert, Engilbert.

GENDRE DE COLBERT (n. p.). Chevreuse.

GENDRE DE CROMWELL (n. p.). Fleetwood.

GENDRE DE DARIOS (n. p.). Mardonios.

GENDRE DE FUST (n. p.). Schöffer.

GENDRE DE MAHOMET (n. p.). Ali, Idrisides, Idrissides.

GENDRE DE MARX (n. p.). Lafargue.

GENDRE DE MUSSOLINI (n. p.). Ciano.

GENDRE DE PYTHAGORE (n. p.). Milon de Crotone.

GENDRE DE SYLLA (n. p.). Milon.

GENDRE DE WAGNER (n. p.). Chamberlain.

GÈNE. Atavique, cistron, congénital, dèche, épistasie, foncier, génétique, génome, héréditaire, inconscient, infus, inné, instinctif, involontaire, locus, naturel, oncogène, opéron, patrimoine.

GÊNE. Allèle, besoin, charge, contrainte, dèche, difficulté, embarras, ennui, entrave, esclavage, génome, importunité, indigence, misère, nécessité, nuisance, obstacle, opéron, pesanteur, pitié, purée, timidité, violence.

GÉNÉALOGIE. Ancêtre, arbre, ascendance, ascendant, chronique, commencement, dénombrement, descendance, descendant, extraction, famille, filiation, implexe, lignée, origine, pedigree, phylogénie, race.

GÉNÉALOGISTE (n. p.). Anselme, Beaumont, Clairambault, Hozier.

GÉNÉPI. Abrotone, absin-menu, absinthe, aliène, alvive, armoise, armoise naine, artémise, artémisia, aurone, barbotine, cistain, citronnelle, composée, garde-robe, ivrogne, plante, pontic.

GÊNER. Arrêter, bloquer, contraindre, corseter, déranger, desservir, embarrasser, embêter, embourber, empêcher, empêtrer, emprisonner, encombrer, entraver, incommoder, intimider, nuire, oppresser, serrer.

GÉNÉRAL. Armée, banal, capitaine, chef, collectif, commandant, commun, constant, courant, dominant, ensemble, global, indécis, major, principe, stratège, supérieur, total, unanime, universel, vague.

GÉNÉRAL AFRICAIN (n. p.). Botha.

GÉNÉRAL ALLEMAND (n. p.). Bernhardi, Bismarck, Bissing, Blucher, Brunswick, Caprivi, Choltitz, Falkenhayn, Fritsch, Goebbels, Goering, Guderian, Hindenburg, Jodl, Kesselring, Kluck, Ludendorff, Moltke, Paulus, Rommel, Rundstedt, Saxe, Scheer, Schlieffen, Seeckt, Stülpnagel, Tirpitz, Todt, Weimar.

GÉNÉRAL AMÉRICAIN (n. p.). Abrams, Alexander, Allen, Arnold, Barry, Beauregard, Bradley, Chennault, Clark, Custer, Decatur, Doolittle, Early, Eisenhower, Farragut, Forrest, Garfield, Gates, Grant, Greene, Haig, Halsey, Houston, Hull, Jackson, Jones, Kearny, King, Lee, Longstreet, MacArthur, Marion, Marshall, McClellan, Meade, Merrill, Mitchell, Morgan, Nelson, Nimitz, Patch, Patton, Perry, Pershing, Pickett, Powell, Ridgway, Schwarzkopf, Scott, Sheridan, Sherman, Sims, Stilwell, Thomas, Wainwright, Washington, Wayne, Westmoreland.

GÉNÉRAL ANGLAIS (n. p.). Abercromby, Baden Powell, Burgoyne, Carleton, Clive, Cornwallis, Cumberland, Fairfax, Fleetwood, Glubb, Ireton, Kitchener, Lambert, Lowe, Malborough, Monck, Monk, Murray, Stanhope, Todt, Wellington, Wolfe.

GÉNÉRAL ARABE (n. p.). Uqba Ibn Nafi.

GÉNÉRAL ARGENTIN (n. p.). Alvear, Belgrano, Lanusse, San Martin, Videla.

GÉNÉRAL ASSYRIEN (n. p.). Holopherne.

GÉNÉRAL ATHÉNIEN (n. p.). Alcibiade, Aristide, Charès, Cimon, Conon, Démosthène, Iphicrate, Miltiade, Nicias, Phocion, Thémistocle, Thrasybule, Xanthippos, Xénophon.

GÉNÉRAL AUTRICHIEN (n. p.). Albert, Benedek, Gallas, Leman, Mack, Neipperg, Schwarzenberg, Starhemberg, Wurmser.

GÉNÉRAL BANGLADESH (n. p.). Ershad.

GÉNÉRAL BELGE (n. p.). Brialmont, Leman, Ligne.

GÉNÉRAL BÉOTIEN (n. p.). Épaminondas.

GÉNÉRAL BIRMANIEN (n. p.). Ne Win.

GÉNÉRAL BOER (n. p.). Joubert.

GÉNÉRAL BOLIVIEN (n. p.). Santa-Cruz, Suarez.

GÉNÉRAL BRÉSILIEN (n. p.). Dutra Eurico.

GÉNÉRAL BRITANNIQUE (n. p.). Alexander, Allenby, Baden-Powell, Braddock, Burgoyne, Byng, Carleton, Clinton, Cornwallis, Cromwell, Cumberland, Dowding, French, Glubb, Gordon, Haig, Harris, Howe, Jellicoe, Kitchener, Lawrence, Marlborougn, Montgomery, Mountbatten, Murray, Nelson, Slim, Stanhope, Wavell, Wellington, Wingate, Wolfe.

GÉNÉRAL BYZANTIN (n. p.). Artavasde, Bélisaire, Marcellin, Narsès.

GÉNÉRAL CANADIEN (n. p.). Allard, Dallaire, Doyle, Iberville, Sévigny.

GÉNÉRAL CARTHAGINOIS (n. p.). Adherbal, Amilcar, Annibal, Giscon, Hamilcar Barca, Hannibal, Hannon, Hasdrubal, Magon.

GÉNÉRAL CHILIEN (n. p.). Baquedano, O'Higgins, Pinochet.

GÉNÉRAL CHINOIS (n. p.). Li Sien-Nien, Li Xiannian.

GÉNÉRAL COLOMBIEN (n. p.). Santander, Sucre.

GÉNÉRAL CORÉEN (n. p.). Park Chung-Hee.

GÉNÉRAL ÉCOSSAIS (n. p.). Montrose.

GÉNÉRAL ÉGYPTIEN (n. p.). Néguib.

GÉNÉRAL ESPAGNOL (n. p.). Albe, Aranda, Avalos, Espartero, Franco, Gonzalve de Cordoue, Lannoy, Narvaez, Palafox, Prim y Prats, Requesens, Riego, Sanjurjo, San-Miguel.

GÉNÉRAL FLAMAND (n. p.). Jan, Lannoy, Van Der Meersch.

GÉNÉRAL FRANÇAIS (n. p.). Ailleret, Amade, André, Archinard, Aumale, Barbanègre, Beaufre, Beauharnais, Bernadotte, Berton, Bertrand, Biron, Bonneval, Borgnis-Desbordes, Bouillé, Boulanger, Bourbaki, Bourgeois, Bourmont, Briant, Bueil, Bussy, Cambronne, Castelnau, Catroux, Caulaincourt, Championnet, Changarnier, Chanzy, Chevert, Ciraud, Custine, Dampierre, Damrémont, Daumesnil, Debeney, De Gaulle, Degoutte, Delestraint, Desaix, Desmichels, Dodds, Drouot, Dubail, Ducrot, Dugommier, Dumas, Dumouriez, Dupont, Duroc, Eblé, Espinasse, Estienne, Fabvier, Faidherbe, Faucher, Ferrié, Flahaut, Fleury, Foch, Foy, Frère, Friant, Frontenac, Galliffet, Gamelin, Georges, Giraud, Gouraud, Gourgaud, Grammont, Gribeauval, Guillaumat, Haxo, Hoche, Houchard, Huntziger, Hurault, Joffre, Joubert, Junot, Kellermann, Kléber, Koenig, Lafayette, Lally, Lamarque, Lameth, Lamoricière, Lanrezac, Laperrine, Largeau, Lariboisière, Lasalle, Leclerc, Lecourbe, Malet, Mangin, Marbeuf, Marbot, Marceau, Marchand, Margueritte, Massu, Maurice, Menou, Miollis, Montalembert, Montausier, Montcalm, Montholon, Mordacq, Moreau, Mouton-Duvernet, Murat, Napoléon, Négrier, Ney, Nivelle, Noguès, Ordener, Pelletier-Doisy, Pétain, Pichegru, Poncelet, Puisaye,

Rapp, Rervers, Rivet, Rohan, Roland, Ronsin, Salan, Santerre, Sarrail, Savary, Sonis, St-Germain, Trochu, Verneau, Vinoy, Weygand, Wimpffen, Yousouf.

GÉNÉRAL GALLOIS (n. p.). Arbogast.

GÉNÉRAL GALLO-ROMAIN (n. p.). Syagrius.

GÉNÉRAL GREC (n. p.). Alcibiace, Aristide, Charès, Charidemos, Condylis, Damocrite, Metaxas, Philopoemen, Plastiras.

GÉNÉRAL HAÏTIEN (n. p.). Louverture.

GÉNÉRAL HOLLANDAIS (n. p.). Winkelman.

GÉNÉRAL HONGROIS (n. p.). Gyulai, Klapka.

GÉNÉRAL INDONÉSIEN (n. p.). Suharto.

GÉNÉRAL IRAKIEN (n. p.). Kassem.

GÉNÉRAL IRLANDAIS (n. p.). Sarsfield.

GÉNÉRAL ISRAÉLIEN (n. p.). Dayan, Herzog, Rabin.

GÉNÉRAL ITALIEN (n. p.). Agricola, Baratieri, Cialdini, Douhet, Garibaldi, La Marmora, Nobile, Pepe, Piccolomini, Spinola.

GÉNÉRAL JAPONAIS (n. p.). Hideki, Isoroku, Kuroki, Nogi, Oku, Tojo Hideki, Toyotomi Hideyoshi, Yamamoto Isoroku.

GÉNÉRAL JÉSUITE (n. p.). Acquaviva.

GÉNÉRAL JUIF (n. p.). Abner, Flavius Josèphe.

GÉNÉRAL MACÉDONIEN (n. p.). Antipater, Antipatros, Parménion, Perdiccas, Ptolémée, Séleucos.

GÉNÉRAL MALIEN (n. p.). Traoré.

GÉNÉRAL MEXICAIN (n. p.). Almonte, Comomfort, Diaz, Iturbide, Santa Anna, Villa.

GÉNÉRAL NAPOLITAIN (n. p.). Pepe.

GÉNÉRAL NIGÉRIEN (n. p.). Gowon.

GÉNÉRAL OTTOMAN (n. p.). Cemal Pasa, Djamal Pacha, Enver Pasa.

GÉNÉRAL PANAMÉEN (n. p.). Noriega.

GÉNÉRAL PERSIEN (n. p.). Mardonios, Tissapherne.

GÉNÉRAL POLONAIS (n. p.). Anders, Bor, Chlopicki, Dabrowski, Dombrowski, Haller, Jaruzelski, Mierostawski, Poniatowski, Sikorski.

GÉNÉRAL PORTUGAIS (n. p.). Carmona, Eanes, Scharnhorst, Spinola.

GÉNÉRAL PRUSSIEN (n. p.). Blucher, Brunswick, Bülow, Clausewitz, Hohenlohe, Moltke, Radowitz, Roon, Scharnhorst, Steinmetz.

GÉNÉRAL ROMAIN (n. p.). Aetius, Agricola, Agrippa, Antoine, Camille, Camillus, César, Cinna, Corbulo, Coriolan, Crassus, Flamininus, Galba, Germanicus, Héraclien, Labienus, Lucullus, Marcellus, Marius, Mummius, Perpenna, Pompée, Regulus, Ricimer, Sertorius, Stilicon, Sulla, Syagrius, Trebonius, Varus, Vindex.

GÉNÉRAL RUSSE (n. p.). Bagration, Bennigsen, Broussilov, Brusilov, Denikine, Doudaïev, Kerensky, Kornilov, Kourbski, Kouropatkine, Koutouzov, Kutuzov, Mouraviev, Rostopchine, Samsonov, Timoshenko, Totleben, Vasilevski, Vlassov, Voronov, Vrangel, Wrangel, Zhukov.

GÉNÉRAL SERBE (n. p.). Putnik.

GÉNÉRAL SOUDANAIS (n. p.). Nemeyri.

GÉNÉRAL SOVIÉTIQUE (n. p.). Vatoutine.

GÉNÉRAL SPARTIATE (n. p.). Antalcidas, Antalkidas, Gylippos, Lysandre, Pausanias, Xanthippos.

GÉNÉRAL SUD-AFRICAIN (n. p.). Botha.

GÉNÉRAL SUDISTE (n. p.). Lee.

GÉNÉRAL SUÉDOIS (n. p.). Adlercreutz, Baner, Königsmarck, Vrangel, Wrangel.

GÉNÉRAL SUISSE (n. p.). Dufour, Guisan, Jomini.

GÉNÉRAL SYRIEN (n. p.). Asad, Assad.

GÉNÉRAL TCHÈQUE (n. p.). Waldstein, Wallenstein.

GÉNÉRAL THÉBAIN (n. p.). Pélopidas.

GÉNÉRAL TOGOLAIS (n. p.). Eyadema.

GÉNÉRAL TURC (n. p.). Evren, Gürsel, Inönü.

GÉNÉRAL URUGUAYEN (n. p.). Artigas.

GÉNÉRAL VENDÉEN (n. p.). Elbée, Stofflet.

GÉNÉRAL VÉNÉZUÉLIEN (n. p.). Bolivar, Miranda, Paez.

GÉNÉRAL VIETNAMIEN (n. p.). Giap, Nguyen van Thieu, Vo Nguyen Giap.

GÉNÉRAL WALLON (n. p.). Tilly.

GÉNÉRALE. Assemblée, avant-première, conférence, indulgence, plénière, répétition, réunion, totale.

GÉNÉRALEMENT. Accoutumée, classiquement, communément, couramment, fréquemment, habituellement, normalement, ordinairement, rituellement, souvent, traditionnellement, usité, usuellement.

GÉNÉRALISATION. Analogie, déduction, extrapolation, globalisation, induction, supposition, systématisation.

GÉNÉRALISER. Démocratiser, diffuser, disperser, disséminer, étendre, extrapoler, internationaliser, mondialiser, planétariser, planétiser, populariser, propager, répandre, systématiser, universaliser, vulgariser.

GÉNÉRALISTE. Docteur, ingénieur, médecin, omnipraticien, spécialiste.

GÉNÉRALITÉ. Banalité, cliché, ensemble, lapalissade, majorité, pauvreté, platitude, poncif.

GÉNÉRATEUR. Accu, alternateur, amas, assiette, auteur, bac, chaudière, créateur, défaite, dépôt, électrogène, ensemble, exact, face, hétérodyne, insuccès, monoscope, pile, pont, revers, solaire, tablier, tas, volée.

GÉNÉRATION. Âge, ascendance, biogénèse, création, descendance, descendant, engendrement, formation, genèse, lignée, postérité, production, progéniture, race, rejeton, scissiparité, sexe.

GÉNÉRATRICE. Alternateur, amplidyne, cryoalternateur, dynamo, excitatrice, magnéto, oscillateur, turboalternateur.

GÉNÉRER. Agacer, agir, alliage, arriver, causer, citer, craquer, créer, crier, crisser, décoiffer, donner, écrire, effet, élaborer, élancer, élucubrer, émettre, enfanter, engendrer, faire, former, fructifier, grener, grincer, gronder, jeter, léser, mousser, opérer, pondre, procréer, produire, racer, rapporter, résonner, rider, ronfler, rouiller, sécréter, siffler, soutenir, tinter, tintinnabuler.

GÉNÉREUSEMENT. Affectueusement, amicalement, amoureusement, chaleureusement, charitablement, cordialement, fraternellement, gentiment, grassement, humainement, largement, tendrement.

GÉNÉREUX. Allocentrique, altruiste, ardent, audacieux, bienveillant, bon, boy-scout, brave, charitable, chic, clément, courageux, désintéressé, large, libéral, lousse, magnanime, munificent, noble, relevé, sensible.

GÉNÉRIQUE. Casting, catalogue, commun, distribution, général, individuel, liste, spécial, spécifique.

GÉNÉROSITÉ. Abnégation, altruisme, aumône, bienfait, bonté, cadeau, charité, cœur, désintéressement, dévouement, don, étroitesse, grandeur, héroïsme, humanité, largesse, libéralité, magnanimité, noblesse, présent, prodigalité, sacrifice, secours.

GENÈSE. Composition, conception, confection, constitution, cosmogonie, création, début, élaboration, ensemble, formation, génération, génie, gestation, livre, naissance, origine, production, testament.

GENÊT. Aracée, arbuste, aubier, aubour, balais, brande, cytise, ébénier, faux acacia, faux ébénier, fleur, genestrole, genestrolle, gineste, grappe, hérissonne, papilionacée, sarothamne, teinturiers, viorne.

GÉNÉTICIEN (n. p.). Barr, Bateson, Bridges, Dausset, Dobzhansky, Ephrussi, Goldstein, Johannsen, Kimura, Lejeune, Lyssenko, McClintock, Muller, Rous, Tonegama.

GÉNÉTICIEN. Bactériologiste, bioéthique, biologiste, botaniste, cytogénéticien, cytologiste, endocrinologue, génétiste, naturaliste, sidologue, spécialiste, zoologiste.

GÉNÉTIQUE. Atavique, biologie, code, congénital, génique, héréditaire, hérédité, réplication.

GÉNÉTISME. Âme, amour, béhaviorisme, caractère, empirisme, feed-back, mental, nativisme, pédologie, pénétration, philosophie, prégnance, psychologie, théorie.

GENETTE. Ail, carnivore, cive, civette, fosa, fossa, fossane, fouche, linsang, mammifère, viverridé.

GÊNEUR. Accablant, accaparant, agaçant, casse-pieds, collant, déplaisant, dérangeur, désagréable, empêcheur, ennuyeux, fâcheux, fléau, gluant, importun, intrus, obsédant, poison, raseur, sciant, de trop.

GENÉVRIER (n. p.). Rocheuses, Utah, Virginie.

GENÉVRIER. Arceuthos, cade, cèdre, commun, cupressacées, deppe, genièvre, ginkgo, juniperus, occidental, pinchot, pleureur, polocarpe, sabine.

GÉNIAL. Astucieux, chouette, dément, épatant, étonnant, extra, ingénieux, lumineux, remarquable, sensationnel, super.

GÉNIE (n. p.). Aladin, Alberon, Amshaspends, Ariel, Bès, Kobold, Oberon, Sylphe.

GÉNIE. Capacité, démon, diable, djinn, don, elfe, éfrit, esprit, farfadet, fée, follet, gnome, harpie, imagination, incube, intelligence, lutin, lyre, monstre, muse, nain, nature, nixe, ondin, ondine, penchant, péri, sirène, succube, sylphe, talent, troll.

GENIÈVRE. Cade, encens, genévrette, genévrier, gin, sabine, sandaraque, vernis.

GÉNISSE (n. p.). Io.

GÉNISSE. Bovin, free-martin, taure, vaccinifère, vache, veau, vituline.

GÉNITAL. Andropause, charnel, érotique, intime, ménopause, périnée, physique, sexuel, vénérien, vulve.

GÉNITEUR. Auteur, créateur, engendre, grand-père, parent, paternel, père, procréateur, reproducteur.

GÉNOCIDE. Assassinat, élimination, éradication, ethnocide, extermination, holocauste, meurtre.

GÉNOISE. Baba, bûche, cake, clafoutis, couque, dartois, éclair, frangipane, frise, galette, gâteau, gaufre, génois, gougère, kouglof, kugelholf, macaron, millas, millefeuille, moka, nougat, nougatine, opéra, pâte, pudding, ramequin, roulé, sablé, saint-honoré, savarin, vacherin.

GÉNOME. Bien, capital, caryotype, héritage, mobilier, part, patrimoine, propriété, richesse, succession.

GENOU. Ajointé, ajouté, annexé, articulation, attaché, cagneux, délit, enlier, joint, jointure, méniscite, rotule, séant.

GENRE. Acabit, annexe, catégorie, classe, classification, épicène, espèce, façon, famille, féminin, griffe, le, manière, marque, masculin, mode, nature, ordre, prénom, race, raï, science-fiction, sexe, société, sorte, type.

GENS. Basoche, cohorte, crapule, foule, fourmilière, homme, individu, meute, monde, personne, public, tourtereau.

GENT. Clan, classe, espèce, famille, genre, gens, manière, ordre, peuple, race, société, sorte, type.

GENTIL. Agréable, aimable, apôtre, attrayant, beau, bon, charitable, charmant, chou, complaisant, conciliant, doux, épatant, fin, gentillet, gracieux, joli, mignard, mignon, mignonnet, païen, poli, sage, sympa, tendrelet, tendret, trognon.

GENTILHOMME. Aristocrate, coquet, écuyer, élégant, galant, gentleman, hobereau, mousquetaire, noble, sire.

GENTILHOMME ANGLAIS (n. p.). Cromwell, Devereux, Talbot.

GENTILHOMME BELGE (n. p.). Egmont, Lamoral.

GENTILHOMME FRANÇAIS (n. p.). Artagnan, Athos, Bayard, Beauvillier, Coulanges, Damoiseau, Dampierre, Dreux-Brézé, Entragues, Épernon, Jarnac, Jourdain, La Barre, La Châtaigneraie, La Hire, La Noue, La Renaudie, La Rouerie, La Trémoille, Launay, Lulli, Lully, Maisonneuve, Mercœur, Montausier, Poltrot.

GENTILHOMME GASCON (n. p.). Artagnan, Athos.

GENTILHOMME ITALIEN (n. p.). Tasse.

GENTILHOMME PIÉMONTAIS (n. p.). Coconnat, Cononas.

GENTILLESSE. Affabilité, amabilité, aménité, attention, bagatelle, bienveillance, bonté, complaisance, délicatesse, douceur, empressement, gracieuseté, mignardise, obligeance, prévenance, serviabilité, tour.

GENTILLET. Adorable, avenant, beau, bien, charmant, chou, coquet, croquignolet, cute, délicieux, gentil, gracieux, joli, mièvre, mignard, mignon, mignonnet, plaisant, ravissant, trognon, vénuste.

GENTIMENT. Aimablement, benoîtement, calmement, doucement, flegmatiquement, froidement, impassiblement, imperturbablement, mollement, paisiblement, patiemment, placidement, posément, sagement, sereinement, tranquillement.

GENTLEMAN (n. p.). Addison, Leblanc, Lupin, Pickwick.

GENTLEMAN. Amant, attentionné, cajoleur, cavalier, céladon, chevaleresque, chic, complimenteur, coquet, courtisan, courtois, délicat, distingué, élégant, empressé, enjôleur, entreprenant, flirteur, galant, galantin, gentilhomme, gracieux, poli, séducteur, sigisbée, soupirant.

GÉNUFLEXION. Agenouillement, complaisance, humiliation, inclinaison, prosternation, prosternement, prostration.

GÉOCHIMISTE (n. p.). Allègre.

GÉODE. Acétabule, acinus, aisselle, alvéole, anfractuosité, barillet, bouche, brèche, cavité, conceptacle, cotyle, cotyloïde, crâne, diverticule, excavation, fosse, fossette, glénoïdal, glénoïde, gouffre, loge, méat, nombril, orbite, oreillette, pallale, palléale, sac, saccule, sigmoïde, sinus, tanière, terrier, thorax, trou, utricule, vacuole, ventricule.

GÉODÉSIE. Alidade, aréage, arpentage, bornage, cadastrage, chaînage, gal, géophysique, horizon, mire, niveau, pantomètre, plan, science, terre.

GÉODÉSIEN. Cartographe, géologue, minéralogiste, topographe.

GÉODÉSIEN ALLEMAND (n. p.). Kruger.

GÉODÉSIEN ESPAGNOL (n. p.). Barraquer.

GÉODÉSIEN FINLANDAIS (n. p.). Heiskanen.

GÉODÉSIEN FRANÇAIS (n. p.). Cassini, Delambre, La Caille, La Condamine, Méchain, Picard.

GÉODÉSIEN NÉERLANDAIS (n. p.). Vening.

GÉODÉSIEN SUISSE (n. p.). Baeschlin.

GÉOGRAPHE. Atlas, cartographe, chorographe, climatologue, géomorphologue, géostratège.

GÉOGRAPHE ALLEMAND (n. p.). Barth, Christaller, Haushoper, Pench, Petermann, Ratzel, Richthofen, Ritter.

GÉOGRAPHE AMÉRICAIN (n. p.). Davis.

GÉOGRAPHE ANGLAIS (n. p.). Mackinder.

GÉOGRAPHE ARABE (n. p.). Al-Fida, Biruni, Edrisi, Ibn Battuta, Idrisi, Muqaddasi.

GÉOGRAPHE DANOIS (n. p.). Malte-Brun.

GÉOGRAPHE FLAMAND (n. p.). Mercator.

GÉOGRAPHE FRANÇAIS (n. p.). Bacot, Blanchard, Brunhes, Demangeon, Élisée, Joanne, Lapparent, Levasseur, Martonne, Rectus, Siegfried, Thury, Vallot.

GÉOGRAPHE GREC (n. p.). Dicéarque, Ératosthène, Martin de Tyr, Pausanias, Ptolémée, Pythéas, Strabon.

GÉOGRAPHE IRANIEN (n. p.). Biruni.

GÉOGRAPHE ITALIEN (n. p.). Marinelli.

GÉOGRAPHE PRUSSIEN (n. p.). Humboldt.

GÉOGRAPHE RUSSE (n. p.). Dokoutchaiev, Kropotkine.

GÉOGRAPHE SOVIÉTIQUE (n. p.). Gregoriev.

GÉOGRAPHIE. Atlas, carte, chorographie, choronymie, livre, ouvrage, paléogéographie, recueil.

GEÔLE. Bagne, cachot, cellule, ergastule, fers, latomies, pénitencier, prison, taule, tôle, violon.

GEÔLIER. Cerbère, garde, garde-chiourme, gardien, guichetier, porte-clefs, sentinelle, surveillant.

GÉOLOGIE. Jurassique, lias, plissement, primaire, riss, secondaire, tectonique, tertiaire, trias, tuf.

GÉOLOGUE. Gemmologiste, gemmologue, géodésien, géophysicien, minéralogiste, minérographe, spéologue.

GÉOLOGUE ALLEMAND (n. p.). Wegener, Werner.

GÉOLOGUE AMÉRICAIN (n. p.). Bowen, Hess, Powell.

GÉOLOGUE ANGLAIS (n. p.). Hutton, Lyell, Matthews.

GÉOLOGUE AUTRICHIEN (n. p.). Suess.

GÉOLOGUE BELGE (n. p.). Omalius d'Halloy.

GÉOLOGUE BRITANNIQUE (n. p.). Hall.

GÉOLOGUE CROATE (n. p.). Mohorovicic.

GÉOLOGUE ÉCOSSAIS (n. p.). Hutton.

GÉOLOGUE FRANÇAIS (n. p.). Barrois, Belgrand, Bertrand, Beudant, Boule, Bravais, Cayeux, Cordier, Dolomieu, Fouqué, Friedel, Gignoux, Haüy, Lacroix, Lapparent, Lartet, Margerie, Martel, Tazieff, Termier.

GÉOLOGUE ITALIEN (n. p.). Tartaglia.

GÉOLOGUE NORVÉGIEN (n. p.). Goldsmith.

GÉOLOGUE SUISSE (n. p.). Agassiz, Argand, Rittmann, Wegmann.

GÉOMÈTRE. Arpenteur, chenilles, crépusculaire, déliquescent, mineuse, papillon, phalène.

GÉOMÉTRIE. Aire, carré, centre, cercle, cône, côté, courbe, diamètre, forme, losange, mathématique, orthogonal, papillon, perpendiculaire, pi, rayon, rectangle, rhombe, sinus, théorème, tore, triangle.

GÉOPHILE. Anténatte, gastéropode, gloméris, iule, limace, lithobie, mille-pattes, myriapode, scolopendre.

GÉOPHYSICIEN ALLEMAND (n. p.). Drygalski, Wegener.

GÉOPHYSICIEN AMÉRICAIN (n. p.). Benioff, Richter.

GÉOPHYSICIEN CROATE (n. p.). Mohorovïcic.

GÉOPHYSICIEN FRANÇAIS (n. p.). Bouguer, Le Pichon.

GÉOPHYSICIEN NÉERLANDAIS (n. p.). Vening.

GÉOPHYSICIEN NORVÉGIEN (n. p.). Bjerknes, Sverdrup.

GÉOPHYSIQUE. Climatologie, électricité, gal, géodésie, géologie, hydrologie, magnétisme, météo, météorologie, mouvement, océanologie, prévision, science, sismologie, statistique, structure, température, terre.

GÉORGIE, CAPITALE (n. p.). Tbilissi.

GÉORGIE, LANGUE. Abkhase, arménien, géorgien, ossète, russe, turc.

GÉORGIE, MONNAIE. Lari.

GÉORGIE, VILLE (n. p.). Batoum, Doucheti, Gagra, Gori, Malhardze, Ozourgeti, Poti, Roustavi, Senaki, Soukhoumi, Tbilisse, Tiflis, Tkibouli, Zougdidi.

GÉOTRUPE. Bousier, coléoptère, coprophage, insecte, scarabéidé.

GÉRANCE. Administration, cogérance, conduite, direction, exploitation, gestion, gouverne, intendance, management.

GÉRANIACÉE. Balbisia, dirachma, dirachmée, erodium, géraniée, géranium, monsonia, sarcocaulon, vivianée, viviania, wendtiée.

GÉRANIUM. Acetosum, armenum, endressil, frutetorum, géraniacée, grandiflorum, ibericum, inquinans, lierre, macrorrhizum, pelargonium, phaeum, pratense, psilostemon, salmoneum, sanguineum.

GÉRANT. Administrateur, amman, as, caïd, calife, chancelier, chef, cheik, curion, despote, dey, dirigeant, duc, duce, émir, gouvernant, hérésiarque, iman, maire, maître, mandataire, meneur, ovate, pacha, pape, parrain, patron, père, prote, rapin, sachem, satan, shah, shérif, roi, taulier, tête, tôlier, vizir.

GERBE. Airée, botte, bouquet, colonne, engerber, faisceau, gerbier, girandole, grain, jet, meule, moyette.

GERBER. Accumuler, amasser, assembler, charger, collecter, collectionner, concentrer, contracter, cumuler, détenir, empiler, enlever, entasser, gagner, glaner, rafler, râteler, récolter, recueillir, relever, réunir, tapir, vomir.

GERBIER. Aléseuse, barge, broyeur, concasseur, émoudre, meule, meulon, moyette, pailler, ribler, ripe, sabler.

GERBIÈRE. Atteloire, carriole, char, chariot, charretier, charretin, charrette, charreton, chartil, diable, haquet, haussière, hayon, liure, ridelle, tombereau, trésaille, voiture, wagon.

GERBILLE. Gerboise, mammifère, muridé, rongeur, sauteur.

GERCER. Abaisser, blottir, border, courber, craqueler, crevasser, criquer, disjoindre, étoiler, failler, fendiller, friser, froncer, plier, plisser, ployer, rabattre, relever, replier, reployer, retrousser, rider, trousser.

GERÇURE. Crevasse, engelure, fendillement, fente, fissure, gélivure, lésion, malandre, peau.

GÉRER. Administrer, cogérer, conduire, diriger, entreprendre, gouverner, manager, régenter, régir, régner.

GÉRIATRIE. Géronte, gérontologie, gérontologue, troisième âge, vieillard, vieillerie, vieillesse.

GERMAIN. Allemand, consanguin, cousin, frère, saxon, teuton, teutonique, utérin.

GERMANDRÉE. Chênette, gazon de chat, ive, ivette, labiacée, labiée, mélisse, plante, sauge des bois.

GERMANICUS (n. p.). Agrippine, Arminus, Caligula, Calpurnius Pison, Claude, Cneius, Drusus, Idistaviso, Postumas, Tibère.

GERMANIUM. Ge.

GERME. Aseptique, bourgeon, cause, départ, embryon, fœtus, germer, germicide, grain, graine, kyste, levain, malt, microbe, mungo, neurotrope, œuf, origine, plantule, proligère, semence, source, sperme, spore, touraillon.

GERMEN. Acinus, adamantin, agamète, alvéole, anthéridie, asque, baside, blastomère, bloc, cachot, cellule, chondroblaste, comité, crib, érythroblaste, fibre, gamète, glie, globule, hématie, loge, mégacaryocyte, mitochondrie, néoblaste, neurone, noyau, œuf, oogone, organelle, organite, ostéoblaste, ovule, phagocyte, plasmode, polynucléaire, prison, section, soma, spore, subérine, thèque, violon, zoospore, zygote.

GERMER. Apparaître, croître, développer, éclore, former, grandir, hausser, naître, pousser, semer.

GERMINATION. Agénésie, anaplasie, aoûtement, apogamie, bourgeonnement, croissance, déploiement, déroulement, développement, diatribe, digression, épiage, essai, essor, évolution, expansion, explication, exposé, feu, gemmation, hirsutisme, hypergenèse, hypertrophie, lyrique, narration, passage, pilosisme, polysarcie, pousse, progrès, suite, traitement, végétation.

GERMON. Albacore, bonite, madrague, pélamide, pélamyde, poisson, thon, thon blanc, thonine.

GÉRONTE. Ancien, âgé, baderne, barbe, birbe, chenu, croulant, patriarche, pépé, schnock, sénile, vieillard, vieux, viocard.

GÉRONTISME. Décadence, déchéance, déclin, décomposition, décrépitude, dégénérescence, délabrement, déliquescence, gâtisme, longévité, ruine, sénescence, sénilisme, sénilité, vieillesse, vieillissement.

GÉRONTOLOGIE. Gériatrie, géronte, gérontologue, troisième âge, vieillard, vieillerie, vieillesse.

GERS, VILLE (n. p.). Aignan, Auch, Bars, Castex, Cologne, Condom, Eauze, Gimont, Jegun, Lectoure, Lombez, Maupas, Mirande, Montesquieu, Montréal, Nogaro, Plaisance, Riscle.

GERSEAU. Agrès, amarre, amure, aussière, bastin, bitord, câble, câblot, caret, cordage, corde, cravate, drisse, écoute, élingue, erse, estrope, étai, filin, glèbe, grelin, guinderesse, haussière, laguis, lien, lisin, lisse, liure, lusin, luzin, merlin, palan, pantoire, ralingue, ride, ridoir, saisine, sciasse, tresse, trévire.

GÉRYON (n. p.). Cacus, Géant, Héraclès, Hercule.

GERZEAU. Blé, brouillard, cheveux de Vénus, gravure, lychnis, nielle, niellure, pluie, poivrette.

GÉSINE. Accouchement, avortement, bas, crapaud, délivrance, dystocie, élaboration, enfantement, eutocie, forceps, gestation, gravité, grossesse, maternité, naissance, obstétrique, part, parturition, puerpéral, réalisation, terme, tranchée, travail, trigémellaire.

GÉSIR. Air, allure, amble, arroi, aspect, attitude, aubin, chic, classe, comportement, contenance, dégaine, démarche, désinvolture, erre, façon, galop, gueule, largue, look, maintien, marche, mésair, mézair, mine, mise, pas, port, prestance, tempo, tenue, ton, tournure, train, trépidante, trot, vitesse.

GESSE. Chiche, jarosse, jarousse, lathyrus, légumineuse, lentille, orobe, pois de senteur, vespéron.

GESSLER (n. p.). Guillaume Tell, Küssnacht am Rigi.

GESTAPO. Argousin, assurance, commissariat, cop, flic, gendarme, milice, policier, poilet, police, poste, rousse, vingt-deux.

GESTAPO (n. p.). Himmler, Schutz-Staffel, S. S.

GESTATION. Conception, élaboration, formation, génération, gravidité, grossesse, préparation.

GESTE. Accolade, accueil, acte, action, adieu, allure, attitude, automatisme, baisemain, baisement, baiser, bec, câlin, civilité, embrassade, épopée, exploit, façon, hop, manière, menace, mimique, mine, mudra, nique, outrage, politesse, salut, signe, sort.

GESTICULER. Activer, agiter, balancer, ballotter, battre, bercer, bouger, brandiller, brasser, broncher, brouiller, chanceler, ciller, dandiner, démener, ébranler, évertuer, remuer, secouer, touiller.

GESTION. Administration, bureau, cogestion, conduite, direction, fisc, maniement, régie, régime, syndic.

GESTIONNAIRE. Administrateur, agent, curateur, directeur, dirigeant, exécuteur, gérant, géreur, gouverneur, intendant, logiciel, manager, mandataire, organisateur, régisseur, syndic, surintendant.

GESTUALITÉ. Allure, attitude, comportement, conduite, geste, gestuelle, mime, mouvement.

GETA (n. p.). Caracalla, Julie, Sévères.

GEYSER (n. p.). Yellowstone.

GEYSER. Émission, fontaine, fusée, gerbe, giclée, giclement, jet, magma, soufflard, source, volcan.

GHANA (n. p.). Côte-de-l'Or.

GHANA, CAPITALE (n. p.). Accra.

GHANA, LANGUE. Akan, anglais, dagomba, éwé, gonja, mamprusi, mossi.

GHANA, MONNAIE. Cedi.

GHANA, VILLE (n. p.). Aburi, Accra, Ada, Awasol, Axim, Bamboi, Bawku, Bole, Bui, Busua, Damongo, Ga, Ho, Keta, Kumasi, Lawra, Nandom, Oda, Sampa, Tamale, Tema, Wa, Wenchi, Yeji, Zan.

GHETTO. Abandon, délaissement, déréliction, éloignement, exil, ghettoïsation, isolation, isolement, juiverie, lieu, mellah, quarantaine, quartier, réclusion, retraite, séparation, solitude.

GHILDE. Aelé, amicale, artel, association, blastomère, cercle, club, comité, corporation, covenant, fédération, fusion, gilde, guilde, hanse, jumelage, ligue, macle, mafia, ordre, pacte, parti, regroupement, société, syndicalisation, triumvirat, union.

GIBBOSITÉ. Apophyse, apostume, bosse, côte, courbure, élévation, éminence, excroissance, mamelon, maniement, mésencéphale, monticule, piton, protubérance, saillie, tubérosité.

GIBBON. Anthropoïde, catarhinien, catarrhinien, mammifère, primate, siamang, singe.

GIBECIÈRE. Besace, bissac, bourse, carnassière, carnier, cartable, fauconnière, musette, sac, sacoche.

GIBELOTTE. Blanquette, bourguignon, cassoulet, civet, colombo, fricassée, fricot, goulache, hochepot, mafé, mets, navarin, oille, pot-pourri, ragoût, rata, ratatouille, salmis, salpicon, tajine, tambouille, yassa.

GIBERNE. Balle, bande, barillet, cartel, cartouche, chargeur, culot, farde, fusil, grenadière, munitions, ornement.

GIBET. Corde, credo, croix, échafaud, estrapade, patibulaire, pendaison, pilori, potence, supplice.

GIBIER. Affût, becfigue, chasse, civet, cuissot, dépister, draine, fumet, gagnage, gélinotte, giboyeux, grive, grouse, hallier, lièvre, ortolan, potence, rabattre, râle, ressui, retraite, tétras, tire, traquer, venaison.

GIBOULÉE. Averse, avrillée, brouillasse, confiture, congelée, drache, fricasse, frimas, froid, froidure, galantine, gel, gélatine, gelée, givre, glace, hiver, napalm, ondée, pâte, pluie, regel, transi, verglas.

GIBRALTAR (n. p.). Algésiras, Calpé, Ceuta, Tanger.

GIBUS. Béret, bob, bibi, bicorne, bitos, bolivar, cap, cape, capeline, capuchon, chapeau, charlotte, cinglé, claque, coiffure, feutre, galure, galurin, képi, manilles, melon, mitre, modiste, panama, pétase, sombrero, suroît, tricorne, tube.

GICLÉE. Bouillonnement, débordement, ébullition, éclaboussement, écoulement, éjaculation, émission, éruption, évacuation, explosion, extrusion, giclette, jaillissement, jet, quantité, sortie.

GICLER. Bondir, couler, dresser, eau, effuser, élancer, élever, fuser, giclement, issir, jaillir, jet, rejaillir.

GIFLE. Affront, baffe, beigne, calotte, camouflet, claque, coup, emplâtre, giroflée, honte, humiliation, mandale, mornifle, pain, soufflet, taloche, tape, tarte, torgnole.

GIFLER. Battre, calotter, claquer, cingler, fouetter, mornifler, nasarder, souffleter, talocher, taper, tarte.

GIGANTESQUE. Acromégalie, babélique, colossal, comac, cyclopéen, démesuré, éléphantesque, énorme, étonnant, excessif, géant, grand, gros, haut, immense, mahous, maous, monstrueux, monumental, titanesque.

GIGANTISME. Acromégalie, démesuré, développement, énormité, hypertrophie, invraisemblance.

GIGOGNE. Ajout, articulé, assemblé, chevauchant, emboîté, enchâssé, équitant, imbriqué, matriochka, poupée.

GIGOLO. Charmeur, corrupteur, débaucheur, enchanteur, enjôleur, galant, lovelace, magicien, séducteur, suborneur, tombeur.

GIGOT. Aine, bacul, baron, crural, cuisse, cuisseau, cuissot, culote, gigue, gîte, jambon, pilon, quasi, souris, tranche.

GIGOTER. Agiter, balloter, bouger, branler, danser, mouvoir, piétiner, remuer, trémousser.

GIGUE. Aine, bacul, baron, crural, cuisse, cuisseau, cuissot, culote, gigot, gîte, jambon, pilon, quasi, souris, tranche.

GILDE. Aelé, amicale, artel, association, blastomère, cercle, club, comité, corporation, covenant, fédération, fusion, ghilde, guilde, hanse, jumelage, ligue, macle, mafia, ordre, pacte, parti, regroupement, société, syndicalisation, triumvirat, union.

GILET. Anorak, blazer, blouson, boléro, caban, cabi, canadienne, cardigan, carmagnole, chandail, défaite, dolman, doudoune, échec, hoqueton, jaquette, pourpoint, pull, saharienne, sweater, tunique, vareuse, veston, vêtement.

GIMBLETTE. Biscuit, pâtisserie, vulve.

GINGEMBRE. Amome, aromate, asarum, herbacée, rhizome, zérumbet, zingiber, zingibéracé.

GINGIVITE. Épulide, épulis, gencive, gingival, inflammation, parodontite, parotidite, parulie, ulite.

GINKGO. Arbre, biloba, cade, conifère, cupressacées, genévrier, ginkgoacée, infusion, salisburia.

GINSENG. Aralia, arialiacée, dicotylédone, fatsia, hédéracée, lierre, panace, panax, praliacée, racine, schefflera.

GIOBERTITE. Carbone, écume de mer, magnésite, minéral.

GIRAFE. Amble, artiodactyle, caméléopard, girafeau, girafon, muette, okapi, perche, potence, son.

GIRANDOLE. Bougeoir, candélabre, chandelier, flambeau, gerbe, guirlande, herse, lampadaire, torche, torchère.

GIRASOL. Agaric, champignon, chicorée, hyalite, opale, opalescent, opalin, opaline, pierre, silex, tournesol.

GIRATION. Circumduction, hélicoptère, pivotement, révolution, rotation, roulement, tour.

GIRATOIRE. Angle, circulaire, carrefour, coude, courbe, courbure, cyclone, méandre, pivotant, retour, rond-point, rotatif, rotation, rotatoire, rotor, tour, tournant, virage.

GIRAUMON. Citrouille, coloquinte, courge, courgette, cucurbitacée, pâtisson, potimarron, potiron, zuchette.

GIRL. Call-girl, catin, cocotte, courtisane, danseuse, entraîneuse, escorte, fille, garce, poule, poupée.

GIROFLE. Anthofle, aromate, assaisonnement, broquette, clou de girofle, épice, giroflier, parfum.

GIROFLÉE. Cheiranthus, cocardeau, crucifère, eugénol, matthiola, matthiole, ravenelle, violier.

GIROLLE. Champignon, chanterelle, chevrette, gallinacé, girandole, girolle, girondelle, jaunotte, rousotte.

GIRON. Bercail, blason, dimension, église, endroit, intérieur, largeur, milieu, sein, ventre.

GIRONDE, VILLE (n. p.). Ambes, Arcachon, Arès, Barsac, Bassens, Belin, Blaye, Bordeaux, Branner, Bruges, Cadillac, Fronsac, Libourne, Lussac, Margaux, Mérignac, Pessac, Pomerol, Saint-Émilion, Saint-Estèphe, Sauternes, Talence, Targon, Villandraut.

GIRONDIN, VILLE (n. p.). Buzot, Clavière, Ducos.

GIROUETTE. Anémoscope, banderole, cardinal, changeant, coq, panonceau, pantin, penon, protée, vent.

GISANT. Ample, étendu, expansible, extensible, forêt, grand, infini, large, limite, long, travers, universel, vaste, volume, vue.

GISELLE. Dentelle, fontange, gaze, guipure, jabot, mousseline, moustiquaire, organdi.

GISEMENT. Bassin, filon, géostatique, gîte, milieu, mine, minière, oyante, placer, stocker, tourbière, veine.

GITAN. Bohémien, gadjo, kalé, manouche, rom, romanichel, saltimbanque, tsigane, tzigane.

GÎTE. Abri, aire, antre, asile, bande, bauge, boucherie, cerf, débouler, débusquer, forlancer, gisement, habitation, lièvre, litée, logis, mine, minière, navire, nid, noix, refuge, repaire, retraite, tanière, tende, terrier.

GIVRE. Antigivrant, dégivrer, fêlure, frimas, gel, gelée, givrage, givrure, glace, neige, transi.

GIVRER. Argenter, barder, beurrer, cacher, caparaçonner, cocher, coiffer, combler, complanter, consteller, couvercle, couvrir, dissimuler, draper, embuer, emperler, empierrer, enchausser, enduire, enfaîter, engluer, ennuager, enrubanner, enterrer, envelopper, garantir, habiller, hérisser, housser, immuniser, incruster, inonder, ioder, iodure, joncher, maculer, métalliser, moisir, napper, oblitérer, ombrager, paner, parsemer, peindre, placarder, plâtrer, prémunir, préserver, recouvrir, revêtir, rocher, saillir, salpêtrer, semer, terrer, vêtir, voiler.

GLABRE. Alacre, arol, barbe-bleue, barbu, dépourvu, imberbe, lisse, nu, pin, rasé, rattaupe.

GLAÇAGE. Accommodage, affectation, apprêtage, calandrage, cati, catissage, collage, croustade, décati, disposition, dressage, empois, enduit, habillage, lissage, lustrage, négligé, préparatif, préparation, recherche, satinage, terrine, vaporisage.

GLAÇANT. Engourdissant, entravant, étouffant, glacé, glacial, inhibant, intimidant, paralysant, pétrifiant, réfrigérant.

GLACE. Cadre, crème, dessert, douci, étamer, fêlure, fixe, frasil, froid, gelée, givre, givrure, glaçon, granité, grésil, iceberg, icefield, liégeois, miroir, neige, névé, plombières, sérac, sorbet, tain, verglas, verre, vitre.

GLACER. Apeurer, figer, fixer, geler, intimider, lisser, lustrer, paralyser, pétrifier, transir.

GLACIAL. Algide, blizzard, cimmérien, frigide, froid, gelé, hivernal, polaire, réfrigérant, sibérien.

GLACIATION. Congélation, gel, günz, mindel, période, réfrigération, refroidissement, riss, surgélation, transformation, würm.

GLACIER. Crevasse, drift, iceberg, inlandsis, moraine, névé, nunatak, ombilic, polaire, rempart, rimaye, sérac.

GLACIER, ALPES (n. p.). Arabelo, Aletsch.

GLACIER, ALPES SUISSES (n. p.). Letch.

GLACIER, HIMALAYA (n. p.). Ambo, Couching, Imja, Kangshung, Khumbu, Lhotse, Nuptse, Rongbuk.

GLACIER, ISLANDE (n. p.). Eirik, Oroefi, Snoefell.

GLACIER, PYRÉNÉES (n. p.). Gavarnie.

GLACIÈRE. Congélateur, conservateur, frigidaire, frigo, frigorifique, réfrigérateur, refroidisseur, surgélateur.

GLACIS. Bonnette, enduit, pédiment, pente, piémont, rempart, talus, vernis, verseau, vertugadin.

GLAÇON (n. p.). Noël.

GLAÇON. Bourru, crêpe, cube de glace, embâcle, fil, glace, impuissant, incivil, malgracieux, revêche.

GLAÇURE. Apprêt, badigeon, baume, boucher, céramique, ciré, couche, crépi, crépissure, dépôt, dessiccation, écaillage, enduit, engobe, fard, galinot, glaçage, gunite, incrustation, lut, mastic, mortier, onguent, peinture, pommade, protection, revêtement, solin, stuc, surglacer, vernis.

GLADIATEUR (n. p.). Spartacus.

GLADIATEUR. Belluaire, bestiaire, boxeur, cavalier, cirque, combattant, ergastule, hoplomaque, laniste, lutteur, mercenaire, mirmillon, parmulaire, pugiliste, rétiaire, samnite, sécuteur, thrace.

GLAIRE. Blanc d'œuf, expectoration, glaireux, humeur, mouchure, mucosité, mucus, muqueux, pituite.

GLAIREUX. Adhérant, adhésif, agglutinant, ajusté, bas, collant, crampon, étroit, gluant, gommé, gommeux, importun, léotard, moulant, nylon, pantalon, poisseux, serré, sirupeux, visqueux.

GLAISE. Argilacé, argile, banc, barbotine, bauge, bentonite, bille, bol, boue, brique, calamité, chamotte, erbue, gault, groie, kaolin, marne, ocre, parafango, pisé, salbande, sep, sial, sil, terre, tuile.

GLAISEUX. Bouteux, brousseux, campagnard, habitant, paysan, pécore, péquenot, provincial, rural, rustre.

GLAIVE. Alfange, badelaire, braquemart, colichemarde, dague, épée, fleuret, lame, poignard, scramasaxe.

GLAMOUR. Agrément, astre, art, beauté, bellâtre, charme, chic, élégance, féerie, féerique, fraîcheur, gel, grâce, grain, idéal, jolie, joliesse, ornement, plastique, reine, séduction, superbe, toilette, vénusté.

GLAND. Achaine, akène, alvéole, akène, balane, balanite, balanos, capuchon, cupule, floche, fruit, glandage, glandée, paraphimosis, passementerie, pénis, phimosis, prépuce.

GLANDE. Acineuse, acini, acinus, adénome, akène, bartholinite, cortex, endocrine, épiphyse, erre, exocrine, fistule, foie, gonade, hypophyse, larmier, mamelle, nectaire, ovaire, pancréas, parathyroïde, parotide, pinéale, pore, prostate, ris, salivaire, sébacée, sein, suc, testicule, testostérone, thymus, thyroïde, thyroxine, uropygienne.

GLANDEUR. Aboulique, aï, branleur, cancre, cossard, édenté, faignant, fainéant, feignant, flâneux, indolent, inerte, lâche, lambin, lambineux, larve, mou, négligent, nonchalant, oisif, pacha, paresseux.

GLANDOUILLER. Aller, baguenauder, déambuler, divaguer, écarter, égarer, errer, flâner, flotter, glander, hasard, lambiner, marcher, musarder, passer, promener, rôder, traînailler, traînasser, traîner, vadrouiller, vagabonder, vaguer.

GLANE. Action, aulx, chapelet, droit, épis, groupe, oignon, poignée, poire, poisson-chat, quantité, ramasse, recueille, rousselet.

GLANER. Butiner, cueillir, grappiller, gratter, prendre, puiser, ramasser, récolter, recueillir.

GLANEUR. Cueilleur, grapilleur, herborisateur, moissonneur, ramasseur, récoltant, récolteur, vendangeur, vigneron.

GLAPIR. Aboyer, brailler, clabauder, crier, gueuler, hurler, japper.

GLAPISSANT. Braillard, brailleur, bruyant, chialeur, criailleur, criard, gueulard, hurlant, hurleur, pleurnichard, pleurnicheur.

GLAPISSEMENT. Aboiement, barrissement, bêlement, braillement, bruit, clabaudage, clameur, cri, grognement, hurlement, jappement, rugissement, vocifération.

GLARÉOLE. Aigrette, autruche, avocette, barge, bécasse, bécasseau, bihoreau, butor, cagou, cigogne, courlan, échassier, flamant, foulque, gallinule, gambette, grue, héron, hirondelle des marais, ibis, oiseau, ombrette, outarde, perdrix de mer, pluvier, poule des sables, râle, sanderling, spatule, tantale, vanneau.

GLAS. Cadavre, cartes, coma, décédé, décès, défunt, dépouille, dernier, deuil, disparu, éteint, étranglé, euthanasie, fatigué, feu, fin, héritage, jeu, létal, macchabée, mat, morgue, mort, nécrose, noyade, noyer, obit, obituaire, occis, perte, posthume, rage, restes, séjour, sonnerie, testament, tombe, tombeau, trépas, trépassé, trucidé, victime.

GLAUQUE. Blafard, bleuâtre, livide, louche, lugubre, macabre, sinistre, sordide, triste, verdâtre, vert.

GLAVIOT. Bave, broue, crachat, expectoration, expulsion, graillon, hémoptyse, morve, salivation, salive, sputation, venin.

GLÈBE. Alleu, aratoire, bien, boue, champ, continent, contrée, domaine, duché, emblavure, erbue, esplanade, gâtine, glaise, globe, guéret, herbue, herbus, héritage, humus, gadoue, île, jachère, labour, latérite, monde, nife, noue, ocre, pays, planète, poussière, propriété, région, seigneurie, sial, sima, sol, tenure, terre, terrain, terreau, territoire, turf.

GLÉCHOME. Aceriphyllum, araliacée, glechma, glécome, hedera, igname, labiée, léchome, liane, lierre.

GLÉDITSCHIA. Arbre-de-Judée, bauhinia, brésil, brésillet, campêche, canéficier, caroubier, casse, cassier, césalpiniacée, copaïer, copayer, courbaril, févier, flamboyant, gainier, séné, tamarin, tamarinier, tchitola.

GLÈNE. Agrafe, agui, anneau, ardillon, boucle, bouclette, boudin, cavité, chape, cordage, crolle, écu, éfrison, émerillon, erse, fermoir, fibule, frisette, frison, girandole, lobe, maille, mousqueton, nœud, œil, spirale, surface, vague, vaguelette.

GLIE. Axone, dendrite, glial, inhibition, microglie, neurone, névroglie, sinapse.

GLIOME. Cerveau, glioblastome, glioblastomie, tumeur.

GLISSADE. Alopécie, cabriole, cascade, cataracte, chute, culbute, défaite, défeuillaison, défloraison, défoliation, dégringolade, dérapage, descente, desquamation, éboulement, écroulement, effeuillaison, effeuillement, effondrement, exfoliation, gadin, plongeon, pluie, ptôse, ramassé, saut, tacle, tombé.

GLISSANT. Acrobatie, alarmant, audacieux, aventureux, brûlant, cascade, critique, dangereux, délicat, difficile, hardi, hasardeux, intrépide, menaçant, nuisible, osé, périlleux, risqué, saut, savonneux, scabreux.

GLISSEMENT. Avalanche, butée, chute, coulissement, déplacement, dérapage, évolution, mouvement, passage, ripage, ripement, solifluxion, tremblement.

GLISSER. Chasser, couler, déraper, échapper, engager, entrelarder, entrer, errer, faufiler, insérer, insinuer, luger, manquer, mettre, patiner, ramper, riper, rouler, skier, surfer, tacler, tomber, traîner, valser.

GLISSIÈRE. Bobsleigh, briska, luge, piste, sleigh, toboggan, traîne, traîneau, troïka, viaduc.

GLOBAL. Absolu, collectif, commun, complet, ensemble, général, indécis, principe, universel.

GLOBALEMENT. Absolument, absorbant, complètement, dominé, entièrement, exclusif, fermé, franc, hémi, intégral, lot, mi, moitié, part, pleinement, possédé, quart, radicalement, semi, systématique, têtu, tiers, totalement, tout.

GLOBALISATION. Analogie, déduction, extrapolation, généralisation, induction, supposition, systématisation.

GLOBALISER. Accumuler, additionner, allier, ameuter, assembler, attrouper, classer, coller, condenser, contrarier, enrégimenter, éparpiller, fédérer, géminer, grouper, joindre, masser, rallier, rassembler, regrouper, réunir, spécialiser, spécifier.

GLOBALITÉ. Absoluité, complétude, exhaustivité, généralité, total, totalité, tous, tout, ubiquité, universalité.

GLOBE. Ampoule, boule, bulbe, carte, équateur, globulaire, hémisphère, lithosphère, œil, sphère, verrine.

GLOBE-TROTTER. Coureur, étranger, excursionniste, explorateur, navigateur, nomade, passager, pèlerin, pigeon, pinto, promeneur, ravenala, représentant, routard, touriste, vacancier, vagabond, vendeur, visiteur, voyageur.

GLOBIGÉRINE. Coquille, foraminifère, loge.

GLOBULE. Bulle, cytaphérèse, diapédèse, érythrocyte, hématie, hématite, hémolyse, hydrémie, kalicytie, leucocyte, leucocytose, leucose, macrophage, mégalocyte, mononucléaire, neutropénie, phagocyte, plaquette, polynucléaire, sang.

GLOBULINE. Alanine, aleurone, alexine, amine, caséine, enzyme, ferrédoxine, gammaglobuline, gélatine, globine, gluten, hordéine, histone, hordéine, leucine, myosine, oncotique, ovalbumine, protéine, scatol, scatole, sérine, zéine.

GLOCKENSPIEL. Carillon, cloches, horloge, jeu-de-timbres, sonnerie, sonnette, tapage, tintement, tintinnabulement, vacarme.

GLOIRE. Admiration, apogée, auréole, célébrité, connu, crédit, éclat, fierté, hommage, honneur, laurier, lustre, marque, mérite, myrte, nimbe, nom, olivier, ovation, parade, prestige, renom, splendeur, vanité.

GLOMÉRIS. Antennate, anthropoïde, diplopode, géophile, iule, lithobie, mille-pattes, myriapode, scolopendre.

GLORIA. Absoute, acte, agnus dei, anamnèse, angélus, appel, ave, bénédicité, canon, credo, cri, demande, introït, laudes, libera, litanie, oraison, orate, orémus, pater, prière, requête, requiem, rosaire, salat, salut, salve.

GLORIETTE. Abri, aile, bannière, belvédère, berne, bungalow, chalet, cor, cottage, drapeau, étendard, guérite, guidon, kiosque, maison, muette, oreille, pavillon, rotonde, tente, tonnelle, tourelle, villa.

GLORIEUSEMENT. Beaucoup, diablement, énormément, fameusement, furieusement, héroïquement, historiquement, magnifiquement, mémorablement, proverbialement, rudement, splendidement, superbement.

GLORIEUX. Célèbre, éclatant, flanelle, illustre, magnifique, orgueilleux, saint, splendide, vaniteux.

GLORIFICATEUR. Acclamateur, admirateur, adorateur, adulateur, apologiste, approbateur, caudataire, complaisant, complimenteur, courtisan, dithyrambiste, flatteur, laquais, laudateur, patelin, valet.

GLORIFICATION. Apogée, apologie, apothéose, auréole, béatification, canonisation, exaltation, louange.

GLORIFIER. Aduler, apothéoser, auréoler, bénir, célébrer, clarifier, déifier, diviniser, encenser, exalter, flatter, honorer, idéaliser, laudatif, louanger, louer, magnifier, parer, révérer, targuer, vanter.

GLORIOLE. Arrogance, fatuité, fierté, jactance, orgueil, ostentation, prétention, suffisance, vanité.

GLOSE. Analyse, annotation, commentaire, critique, définition, épilogue, exégèse, explication, herméneutique, interprétation, massorah, note, notule, observation, paraphrase, postface, préface, remarque, scolie.

GLOSER. Annoter, cancaner, clabauder, commenter, critiquer, éclaircir, expliquer, jaser, potiner.

GLOSSAIRE (n. p.). Du Cange, Ors y Rovira, Reichenau.

GLOSSAIRE. Dico, dictionnaire, encyclopédie, index, lexique, terminologie, thésaurus, trésor, vocabulaire.

GLOSSATEUR. Anecdotier, auteur, chansonnier, compositeur, conteur, créateur, diseur, dramaturge, écrivain, essayiste, historien, librettiste, narrateur, nouvelliste, parolier, poète, préfacier, prosateur, raconteur, romancier, satiriste, scénariste, scripteur.

GLOSSINE. Hématophage, insecte, microbe, mouche, muscidé, trypanosome, tsé-tsé.

GLOTTE. Corde vocale, épiglotte, glottal, glottique, gosier, larynx, phonation, trachée.

GLOUGLOU. Bruit, clapotage, clapotement, clapotis, dinde, dindon, liquide, onomatopée.

GLOUSSÉ. Caqueté, déridé, éclaté, gloussant, marré, moqué, pouffé, raillé, ri, ricané, tordu.

GLOUSSEMENT. Ahan, aïe, barrir, beuglement, bis, braillement, bramer, clameur, cri, croassement, dia, évoé, évohé, exclamation, glapissement, haïe, han, haro, hue, huée, hurlement, jargon, réclame, roucoulement, rugissement, taïaut, tollé, vacarme, vagissement, vocifération.

GLOUSSER. Appeler, caqueter, éclater, marrer, moquer, pouffer, railler, ricaner, rigoler, rire, tordre.

GLOUTON. Avaleur, avide, bâfreur, banqueteur, boulimique, carcajou, gastrolâtre, gloutonnerie, goinfre, goulafre, goulu, gourmand, mammifère, mangeur, morfal, mustélidé, piffre, porc, vorace.

GLOUTONNEMENT. Activement, ardemment, avidement, chaudement, énergiquement, force, fortement, fougueusement, furieusement, passionnément, soupirer, vigueur, vivement, voracement.

GLOUTONNERIE. Avidité, bâfrement, cupidité, glouton, goinfrerie, goulafre, gouliafre, rapacité.

GLU. Agar-agar, bave, cire, colle, crampon, fibrine, glaire, gluau, glucose, gluten, gomme, goudron, gui, houx, lut, miel, mou, mucus, onguent, poix, pommade, sérum, sirop, sperme, synovie, tenace, visqueux.

GLUANT. Agglutinant, bas, collant, étroit, glaireux, gommé, importun, pantalon, poisseux, sirupeux, visqueux.

GLUAU. Bois, branche, bras, brindille, chiffonne, corne, courçon, courson, crossette, écotée, éperon, ergot, ès, feuillage, feuillard, frondaison, greffe, marcotte, membre, membrure, pipeau, plantard, planton, rameau, ramée, ramure, rejeton, rotin, scion, tronc, vinée.

GLUCIDE. Amidon, cellulose, céréalose, disaccharide, galactose, glucidique, glucose, glycogène, hétéroside, holoside, insuline, inuline, lichénine, linoléine, mannose, ose, oside, pentose, polyoside, rutine, saccharide, saccharose, sucre.

GLUCINIUM. Be, beryllium, gl, glucide.

GLUCOMÈTRE. Alcoholmeter, aerometer, aréométrie, densimètre, glycomètre, lactomètre, oléomètre, pèse-esprit, pèse-liqueur, pèse-moût, sucre, uromètre.

GLUCOSE. Dextrose, esculine, fehling, fructose, fucose, galactose, glycémie, glycérol, hypoglycémie, invertse, lactose, maïs, ouabaïne, saccharine, saccharose, salicine, sapoline, sorbitol, sucre, sucrose, valine.

GLUCOSIDE. Esculine, glucide, hétéroside, holoside, ose, oside, ouabaïne, rutine, rutoside, salicine, saponine.

GLUCOSURIQUE. Diabète, diabétique, sucre.

GLUI. Chaume, ergot, grain, méteil, orge, paille, rye, ségala, seigle, tige, toit, whisky.

GLUMELLE. Aracée, bractée, bractéole, calicule, enveloppe, glume, involucre, péricarpe, spadice, spathe.

GLYCÉRIDE. Beurre, ester, glycérine, glycérol, linoléine, lipide, triglycéride.

GLYPHE. Adresse, angon, attelle, barre, boire, canal, corde, courroie, flèche, framée, hampe, hast, javeline, jet, lanière, liaison, ligne, mine, projectile, rature, rayure, soulignement, tiret, tracer, trait, union, visage.

GNANGNAN. Dolent, geignard, gémissant, larmoyant, lent, mièvre, mou, plaintif, pleurnichard.

GNEISS. Amphibole, anatexite, feldspath, granite, leptynite, mica, migmatite, quartz, roche.

GNÈTE. Arbrisseau, gnétacée, gnétale, gnetum, gymnosperme, liane, plante.

GNOGNOTE. Accessoire, bagatelle, dérisoire, insignifiant, gnognotte, négligeable, presque, vétille.

GNÔLE. Abricotine, alcool, aquavit, arac, arack, arak, armagnac, bovkha, brandevin, brandy, calvados, cherry, cognac, eau-de-vie, fine, genièvre, gin, gnaule, gniole, grappa, kirsch, marc, niôle, raki, rhum, rikiki, rincette, riquiqui, rogomme, rye, schnaps, scotch, tafia, vodka, whisky.

GNOME. Afrite, ase, aspiole, cabalistique, effrit, efrit, esprit, génie, lutin, nain, talmudique, troll.

GNOMON. Cadran, gnomonique, horloge solaire, réveille-matin.

GNON. Castagne, choc, claque, coup, coup de poing, gifle, fessier, heurt, horion, taloche, tape, touche.

GNOSIE. Acquit, agrément, aveu, confession, découverte, drone, examen, gratitude, gré, merci, mission, obligation, obligé, paiement, perception, recherche, reconnaissance, reçu, résipiscence, sentiment, tag.

GNOSTIQUE (n. p.). Alevis, Basilide, Marcion, Saint Irénée, Valentin.

GNOSTIQUE. Adepte, Casuiste, consulteur, docteur, éon, ouléma, scolastique, soufi, théologien uléma.

GNOU. Addax, aepycérotiné, alcéphalus, algazelle, antilope, biche, bubale, capricorne, catoblépas, cob, damalisque, dorcade, éland, gazelle, guib, impala, kif, kob, nilgaut, okapi, oryx, ourébi, saïga, springbok.

GOBELET. Chope, cornet, gobeleterie, godet, quart, récipient, rince-bouche, shaker, sol, tasse, timbale, verre.

GOBELIN. Canevas, cupidon, djinn, draperie, efrit, elfe, génie, point, tapis, tapisserie, tenture, tors.

GOBE-MOUCHES. Becfigue, fauvette, gobe-moucheron, gobe-mouche, moucherolle, passereau, sylviidé, tyran.

GOBER. Absorber, aimer, appât, arrêter, attendre, avaler, croire, éprendre, flâner, happer, manger.

GOBEUR. Avaleur, benêt, bête, bonasse, candide, crédule, cucul, dupe, empaillé, gille, godiche, imbécile, ingénu, innocent, jobard, naïf, niais, pigeon, poire, puéril, serin, simplet, spontané, zozo.

GOBIE. Barbier, cabot, goujon de mer, perciforme, périophtalme, poisson, téléostéen.

GODASSE. Babouche, bas, botte, bottine, chaussure, chouclaque, cothurne, derby, escarpin, espadrille, galoche, gougoune, grole, grolle, mocassin, mule, pantoufle, pataugas, patin, pompe, sabot, sandale, savate, socque, soulier, tennis, tige, tong.

GODELUREAU. Adolescent, bellâtre, freluquet, gandin, gigolo, gommeux, minet, petit-maître.

GODENDARD. Arme, corde, fauchard, guisarme, hallebarde, hast, lance, pertuisane, pleuvoir, scie, vouge.

GODER. Arquer, arrondir, ballonner, bomber, bourrer, cambrer, cintrer, convexer, courber, déformer, empiffrer, enfler, filer, foncer, gauchie, godailler, gondoler, gonfler, graffiter, grigner, grimacer, pocher, rebondir, redresser, renfler, rondir, saillir, tanguer.

GODET. Auge, auget, avelanède, billot, burette, campane, campanon, cavité, chope, coquetier, cupule, drague, faux pli, gobelet, gouttière, lampion, pli, pot, récipient, tasse, timbale, vase, verre.

GODICHE. Andouille, balourd, disgracieux, empoté, gaffeur, gauche, gêné, godichon, grossier, inhabile, inapte, incapable, inconsidéré, inhabile, lourd, lourdaud, maladroit, malavisé, malhabile, pataud.

GODICHON. Andouille, balourd, disgracieux, empoté, gaffeur, gauche, gêné, godiche, grossier, inhabile, inapte, incapable, inconsidéré, inhabile, lourd, lourdaud, maladroit, malavisé, malhabile, pataud.

GODILLE. Aviron, canot, dame, erseau, nageoire, pagaie, pale, rame, régate, rowing, scull, tolet.

GODILLOT. Babouche, bas, botte, bottine, chaussure, chouclaque, cothurne, derby, escarpin, espadrille, galoche, godasse, gougoune, grole, grolle, mocassin, mule, pantoufle, parlementaire, pataugas, patin, sabot, sandale, savate, socque, soulier, tennis, tige, tong.

GODIVEAU. Boulette, caillette, croquette, duxelles, far, farce, farci, foutou, fricadelle, galette, haché, hachis, hâtereau, moussaka, pâté, rouleau, salpicon, taboulé, vitoulet.

GODRON. Aquateinte, bouillon, burin, cliché, coulé, épreuve, estampe, fronce, galvano, gaufrage, graveur, gravure, grené, icône, image, nielle, nielleur, ornement, ourlet, pince, pli, pointillé, rempli, repli, vignette.

GOÉLETTE. Bateau, bâtiment, brigantin, fortune, hirondelle de mer, schooner, sterne, voilier.

GOÉMON. Algue, carragheen, engrais, falun, fucus, goémonier, iode, infusion, lichen blanc, sar, sart, varech.

GOÉTIE. Charme, diablerie, enchantement, ensorcellement, magie, malheur, philtre, sorcellerie, sortilège, sort,

GOGO. Bêta, cave, chocolat, coquebin, crédule, dindon, dupe, gobeur, gribouille, jobard, morron, naïf, neu-neu, niais, nigaud, nono, nouille, oie, pigeon, poire, sot, tarlais, tata, twit, victime.

GOGUENARD. Chineur, gouailleur, ironique, moqueur, narquois, railleur, sarcastique, taquin.

GOGUENARDISE. Dérision, épigramme, gouaille, humour, ironie, lazzi, moquerie, persiflage, plaisanterie.

GOGUENOTS. Aisance, cabinet, chiotte, commodité, décontraction, détente, facilité, gogs, gogues, grâce, habileté, latrines, légèreté, leste, maestria, naturel, opulence, toilette, water-closet.

GOINFRE. Avaleur, bâfreur, glouton, goulafre, goulu, gourmand, mangeur, morfal, ogre, vorace.

GOINFRER. Bâfrer, baquer, bourrer, dévorer, empiffrer, engloutir, gaver, manger, repaître.

GOINFRERIE. Appétit, avidité, chatterie, chère-lie, débauche, douceur, friandise, frugalité, gastrolâtrie, gastronomie, gâterie, gloutonnerie, gourmandise, intempérance, lècherie, orgie, sucrerie, voracité.

GOITRE. Calcitonine, endémique, exophtalmique, glande, larynx, pomme, strume, thyroxine, thyroïde.

GOLF. Aigle, allée, approche, balle, bâton, bois, cadet, caddie, caddy, club, drive, driveur, droper, dropper, fairway, fer, green, grip, links, match-play, miniature, minigolf, obstacle, oiselet, par, pitch, putt, putting, rough, roulé, slice, sport, tee, terrain, trou, vert.

GOLFE. Aber, anse, baie, calanque, conque, crique, échancrure, estuaire, fjord, fleuve, port, rade, ria.

GOLFE, ADRIATIQUE (n. p.). Kvarner.

GOLFE, ALLEMAGNE (n. p.). Jade.

GOLFE, ALPES MARITIMES (n. p.). Juan.

GOLFE, ANGLETERRE (n. p.). Wash.

GOLFE, ANTILLES (n. p.). Darien, Honduras.

GOLFE, ASIE (n. p.). Siam, Thaïlande.

GOLFE, ATLANTIQUE (n. p.). Cadix, Gascogne. Guinée, Mexique.

GOLFE, AUSTRALIE (n. p.). Carpentarie.

GOLFE, BIRMANIE (n. p.). Martaban.

GOLFE, BOUCHES-DU-RHÔNE (n. p.). Fos.

GOLFE, CANADA (n. p.). Hudson, Passamaquoddy, Saint-Laurent.

GOLFE, CHINE (n. p.). Bohai, Pohai.

GOLFE, CORSE (n. p.). Porto.

GOLFE, CRIMÉE (n. p.). Azov.

GOLFE, DJIBOUTI (n. p.). Tadjoura.

GOLFE, ÉCOSSE (n. p.). Moray.

GOLFE, ÉTATS-UNIS (n. p.). Passamaquoddy.

GOLFE, FRANCE (n. p.). Fos.

GOLFE, HOLLANDE (n. p.). Ij.

GOLFE, GRÈCE (n. p.). Pélasgique, Volos.

GOLFE, GUINÉE (n. p.). Bénin.

GOLFE, IJSELMEER (n. p.). Ij.

GOLFE, INDE (n. p.). Cambay.

GOLFE, MÉDITERRANÉE (n. p.). Gênes, Lion.

GOLFE, MER ANTILLES (n. p.). Darién, Honduras.

GOLFE, MER BALTIQUE (n. p.). Finlande.

GOLFE, MER JAUNE (n. p.). Bohai, Pohai.

GOLFE, MER NOIRE (n. p.). Azov.

GOLFE, MER NORD (n. p.). Wash.

GOLFE, MER ROUGE (n. p.). Akaba, Aqaba.

GOLFE, MEXIQUE (n. p.). Campêche. Mexique.

GOLFE, OCÉAN ATLANTIQUE (n. p.). Biscaye, Gascogne.

GOLFE, OCÉAN INDIEN (n. p.). Aden, Arabique, Bengale, Mannar, Oman, Persique.

GOLFE, OCÉAN PACIFIQUE (n. p.). Californie.

GOLFE, PAYS-BAS (n. p.). Ij, Zuiderzee.

GOLFE, THAÏLANDE (n. p.). Siam.

GOLFE, THESSALIE (n. p.). Pélasgique, Volos.

GOLFE, VENEZUELA (n. p.). Maracaibo, Venezuela.

GOLFE, YOUGOSLAVIE (n. p.). Kvarner.

GOLFEUR (n. p.). Nicklaus, Palmer, Snead, Woods.

GOLFEUSE AMÉRICAINE (n. p.). Wie.

GOMBO. Bouillabaisse, bouillon, consommé, crème, garbure, gratinée, lavasse, minestrone, panade, potage, soupe, soupière.

GOMINA. Baume, brillantine, calamistré, cheveu, crème, embrocation, gale, gel, gominer, lanoline, liniment, onguent, pommade, pommader, populéum, rosat, uve.

GOMMAGE. Absorption, anéantissement, annihilation, déconstruction, démolition, destruction, dévastation, disparition, effacement, élimination, enlèvement, éradication, fin, liquidation, mort, néantisation, suppression.

GOMME. Adragante, balata, baume, butée, calamite, cati, cire, colle, dégommer, efface, encoller, galbanum, glu, gommette, gummifère, gutte, labdanum, ladanum, laque, minable, myrrhe, nul, résine, snob.

GOMMER. Annihiler, barrer, biffer, déclasser, démarquer, effacer, exclure, gratter, radier, rayer.

GOMME-RÉSINE. Galbanum, labdanum, ladanum, laque, myrrhe.

GOMMEUX. Adhérant, adhésif, agglutinant, ajusté, bas, collant, crampon, étroit, gemmifère, glaireux, gluant, gommé, gommifère, importun, léotard, moulant, nylon, pantalon, poisseux, serré, sirupeux, visqueux.

GOMMIER. Acacia, arbre, bateau, eucalypsus, huile, jambosier, mimosa, myrtacée, plante.

GOMMIFÈRE. Assa-foetida, calamite, encens, gemmifère, gommeux, opopanax, résineux, résinifère.

GONADE. Acineuse, acinus, adénome, akène, bartholinite, cortex, endocrine, exocrine, fistule, foie, glande, hypophyse, larmier, mamelle, nectaire, ovaire, pancréas, parathyroïde, parotide, pore, prostate, ris, salivaire, sébacée, sein, suc, testicule, testostérone, thymus, thyroïde, thyroxine, uropygienne.

GONADOTROPHINE. Gonadostimuline, gonadotrope, gonadotrophine, gonadostimuline, prolan.

GOND. Axe, battant, charnière, colère, crapaudine, degré, échelon, emporter, ferrure, grade, penture, sortir.

GONDOLANT. Agréable, aimable, amusant, attrayant, beau, bon, bouffon, captivant, charmant, cocasse, comique, drolatique, drôle, engageant, facétieux, gai, gentil,
gracieux, joli, loustic, piquant, plaisant, plaisantin, réjouissant, riant, rigolo, risible, séduisant, spirituel, sympathique, turlupin.

GONDOLE. Barque, comptoir, devanture, duchesse, étal, étalage, gondolier, péotte, présentoir, vase.

GONDOLEMENT. Altération, anamorphose, bossellement, bosselure, bot, contorsion, cypho-scoliose, déformation, distorsion, équin, faute, flambage, flexion, fluage, gauchissement, gondolage, mongolisme, mutilation, orniérage, plissement, poche, torsion.

GONDOLER. Bomber, courber, déformer, déjeter, gauchir, jouer, onduler, rire, tordre, travailler.

GONDOLIER. Bachoteur, barcarolle, batelier, canotier, gabarier, marin, marinier, matelot, passeur, pilote.

GONELLE. Anguille de mer, fabacée, papillon, papillon de mer, poisson, sigouine de roche.

GONFALON. Arborer, bannière, berne, couleurs, dette, drapeau, enseigne, étendard, fanion, gonfanon, guidon, hampe, labarum, manche, oriflamme, pavillon, pavois, symbole, trabe, trophée, vexillographie, vexillologie.

GONFLAGE. Bombage, brosse, brushing, coiffage, séchage, soufflage, soufflement.

GONFLANT. Ample, ballonnant, blousant, bouffant, bouillon, crinoline, gonflé, tournure, tutu, vertugadin.

GONFLÉ. Audacieux, ballonné, bouffi, culotté, distendu, empâté, enflé, hardi, obèse, plein, pontife, prétentieux, saturé, tumescent.

GONFLEMENT. Abcès, ballonnement, bosse, bouffant, bouffissure, boursouflure, crue, dilatation, emphase, emphysème, enflure, fluxion, inflation, intumescence, lampas, météorisme, œdème, tuméfaction, tumeur, turgescence, tympanite.

GONFLER. Arrondir, augmenter, ballonner, bomber, boucler, bouffer, bouffir, boursouffler, bulber, cloquer, coquiller, dilater, empâter, enfler, exagérer, gorger, lever, météoriser, rebondir, regonfler, rengorger.

GONG. Alerte, annonce, appel, avertissement, bip, carillon, carré, chamade, code, coup, danger, feux, fusée, geste, impulsion, indice, mire, percussion, sifflet, signal, signe, sirène, SOS, stop, top.

GONGORISME. Affectation, affèterie, alambiquage, allégorisme, cultéranisme, cultisme, euphuisme, maniérisme, marinisme, marivaudage, mièvrerie, mignardise, pindarisme, préciosité, recherche, singularité.

GONOCOCCIE. Blennorragie, chaude-lance, chaude-pisse, chtouille, gonorrhée, microbe.

GONORRHÉE. Blennorragie, chaude-lance, chaude-pisse, chtouille, gonococcie, microbe.

GONZE. Ami, bonhomme, bougre, diable, gaillard, gars, gazier, gus, gusse, homme, individu, mec, pote, type.

GONZESSE. Chipie, commère, cotillon, fébosse, furie, garce, gouine, maquerelle, mégère, sorcière, valkyrie, walkyrie.

GOPURA. Papillon, sikhara, vimana.

GORD. Anguillère, argile, bordigue, pêcherie, perche, piège, verveux.

GORET. Balai, balayette, brosse, cochonnet, écouvillon, houssoir, plumeau, porcelet, pourceau, vadrouille.

GORFOU. Bras, doré, empereur, gauche, huppé, manchot, palmipède, pingouin, sauteur.

GORGE. Amygdale, buste, canard, canon, chat, cluse, col, cou, dalle, décelé, défilé, gargariser, gave, gosier, ingurgitation, jugulaire, larynx, luette, kiki, menthol, moulure, pharynx, poitrine, poulie, scotie, sein, serrure, toux, val, vallée.

GORGÉE. Becquée, bouchée, briffée, coup, croquée, golée, goulée, lampée, léchée, lichette, morceau, mordée, trait.

GORGER. Boire, combler, emplir, enivrer, gaver, grasseyer, ingurgiter, rassasier, remplir, soûler.

GORGERETTE. Bride, col, colback, collerette, collet, décolleté, encolure, fraise, pèlerine, rabat, volant.

GORGES (n. p.). Al-Akhdario, Causses, Célé, Constantine, El-Kantara, Grand Canyon, Kantara, Kariba, Lakhdario, Vésubie, Viaur.

GORGET. Bouvet, colombe, doucine, éminceur, feuilleret, guillaume, guimbarde, jablière, jabloir, jabloire, levrette, menuisier, mouchette, pestum, plane, rabot, rabotin, riflard, sabot, varlope.

GORGONAIRE. Alcyon, anémone, anthozoaire, cnidaire, cœlentéré, corail, cyanée, gorgone, hydraire, hydre, hydrozoaire, madréporaire, madrépore, méduse, physalie, polype, octocoralliaire, polype, scyphozoaire, tabulé, vérétille, zanthus, zoanthaire.

GORGONE (n. p.). Athéna, Céto, Euryale, Méduse, Pégasse, Persée, Phorcus, Phorkys, Sthéno.

GORGONE. Alcyon, anémone, anthozoaire, cnidaire, cœlentéré, corail, cyanée, gorgonaire, gorgonie, hydraire, hydre, hydrozoaire, madréporaire, madrépore, méduse, monstre, octocoralliaire, ornement, polype, polypier, physalie, scyphozoaire, sphinx, tabulé, vérétille, zanthus, zoanthaire.

GORGONZOLA. Bleu, fromage, italien, mascarpone, Novare.

GORILLE. Anthroïde, estafier, garde, garde–corps, garde du corps, mammifère, orang-outang, pongidé, portier, primate, protecteur, singe, végétalien.

GOSIER. Amygdale, à-valoir, cloison, dalle, estomac, gargamelle, gorge, guttural, larynx, sifflet.

GOSPEL. Air, chant, chœur, choral, lamentation, musique, negro-spirituel, péan, spiritual, spirituel, thrène.

GOSSE. Chérubin, enfant, fille, gamin, garçon, lardon, marmot, mioche, môme, moucheron, moutard, petiot, petit, testicule.

GOTHA. Connu, crème, ego, élite, fleur, gratin, légume, magnat, notable, personnalité, quelqu'un, sommité.

GOTHIQUE. Alphabet, art, cathédrale, écriture, flamboyant, formeret, gouttereau, médiéval, ogival, sexpartite.

GOTON. Alcoolique, cochon, concupiscent, débauché, dépravé, dévergondé, dévoyé, dissipé, dissolu, inaccoutumé, ivrogne, pervers, perverti, pochard, prostituée, putain, roué, servante, vicieux.

GOUACHE. Affiche, aquarelle, babillard, bilan, cadre, calendrier, cote, craie, croquis, croûte, damier, dessin, écran, embu, état, figure, flou, gouacher, liste, paysage, peintre, peinture, tableau, tarif, toile, vue.

GOUAILLE. Audace, culot, cynisme, dérision, effronterie, goguenardise, hardiesse, humour, impudence, indiscrétion, insolence, ironie, ironisme, malice, moquerie, osée, raillerie, toupet, verve.

GOUAILLER. Amuser, bafouer, berner, blaguer, brocarder, caricaturer, charrier, chiner, chiquenauder, cribler, critiquer, esclaffer, insinuer, ironiser, moquer, persifler, plaisanter, railler, ridiculiser, rire, satiriser.

GOUAILLEUR. Blagueur, facétieux, farceur, goguenard, moqueur, narquois, persifleur, railleur, rieur.

GOUALANTE. Chanson, chant, complainte, doléances, gémissement, lamentation, refrain, rengaine, thrène.

GOUAPE. Arsouille, bandit, brigand, canaille, chenapan, coquin, crapule, débauché, fripon, fripouille, galapiat, garnement, gredin, ivrogne, malfaisant, mécréant, pendard, sacripant, truand, vaurien, voyou.

GOUDRON. Asphalte, bitume, bitumineux, brai, calfat, coaltar, créosote, macadam, poix, résine.

GOUDRONNAGE. Asphaltage, bitumage, macadamisage, pavage, tarmacadamisation.

GOUDRONNER. Asphalter, bitumer, brayer, coaltérer, enrober, entretenir, macadamiser, paver, revêtir, tarmacadamiser.

GOUET. Acore, aracée, arum, calla, capuchon, chandelle, cornet, herbacée, pied-de-veau, plante, richardie, taro.

GOUFFRE. Abîme, abyme, abysse, aven, bétoire, catastrophe, caverne, cavité, désastre, entonnoir, fosse, igue, maëlstrom, malström, malstrome, précipice, profondeur, puits, ruine, tourbillon, trou, vide.

GOUFFRE (n. p.). Armand, Berger, Henne-Morte, Padirac, Pierre-Saint-Martin, Ténare.

GOUGE. Bec-de-corbin, bédane, berceau, biseau, bouchard, burin, cisaille, ciseau, ciselet, cisoir, échenilloir, entablure, gradine, matoir, molette, mouchette, onglet, planoir, poinçon, riflard, rondelle, sécateur.

GOUGÈRE. Baba, bûche, cake, clafoutis, couque, dartois, éclair, frangipane, galette, gâteau, gaufre, génois, génoise, frise, kouglof, kugelhof, macaron, millas, millefeuille, moka, nougat, nougatine, opéra, pâte, pâtisserie, pudding, ramequin, roulé, sablé, saint-honoré, savarin, vacherin.

GOUGNAFIER. Bon à rien, branleur, incapable, incompétent, médiocre, nul, nullité, ringard, zéro.

GOUILLE. Bourbillon, canardière, daya, égouttis, égouttis, étang, flache, flaque, mare, nappe, sang.

GOUINE. Fifi, gay, giton, homo, homosexuelle, lesbienne, lope, lopette, pédé, pédéraste, tante, tapette.

GOUJAT. Brut, butor, goujaterie, grossier, impoli, maçon, malappris, malotru, mufle, rustre, valet.

GOUJATERIE. Désinvolture, goujat, goujatisme, grossièreté, impolitesse, incorrection, indélicatesse, muflerie.

GOUJON. Atteloire, axe, cabillot, cheville, chevillette, chevron, clavette, clou, épite, esse, fausset, fiche, goupille, gournable, malléole, mollet, ouvrière, pléonasme, poisson, tee, tige, tourillon, trenail.

GOUJONNIÈRE. Goujonnerie, grémille, perche, percidé, poisson.

GOUJURE. Canal, cannelure, creux, douve, gorge, jable, moulure, raie, rainure, saignée, sillon, strie, strigidé.

GOULACHE. Blanquette, bourguignon, cassoulet, civet, colombo, fricassée, fricot, gibelotte, hochepot, mafé, mets, navarin, oille, pot-pourri, ragoût, rata, ratatouille, salmis, salpicon, tajine, tambouille, yassa.

GOULAFRE. Avidité, banqueteur, cupidité, goinfre, glouton, gloutonnerie, gouliafre, rapacité.

GOULAG. Camp, camp de travail, officier, offlag, oflag, stalag, système.

GOULE. Bec, bouche, démon, démone, diable, diabolique, enfer, femme, gueule, incube, lamie, lutin, margoulette, maudit, monstre, possédé, poulpican, sirène, stryge, succube, vampire, visage.

GOULÉE. Becquée, bouchée, briffée, coup, croquée, gorgée, lampée, léchée, lichette, morceau, mordée, trait.

GOULET. Canal, chenal, circonstance, circulation, circule, coup, défilé, détroit, entonnoir, état, histoire, issue, jadis, moment, passage, passe, passe-partout, période, position, rétrospection, révolu, situation, veille.

GOULETTE. Bouche, canal, chêneau, dalle, égout, gargouille, goulotte, gouttière, passage, rigole.

GOULOT. Bec, bouche, bouteille, canal, capsule, col, cou, égueuler, gosier, goulet, gouttière, passage.

GOULU. Avide, bâfreur, blaireau, carcajou, glouton, goinfre, goulûment, gourmand, vorace, wolvérine.

GOUPIL. Amarante, argenté, broche, chasse-goupil, clavette, fennec, fox, glapir, isatis, malin, manœuvrier, renard, renardeau, renarder, renardière, roué, roux, terrier, tige.

GOUPILLER. Arranger, combiner, fomenter, machiner, manigancer, monter, organiser, ourdir, préparer.

GOUPILLON. Affusion, arrosage, arrosement, aspergès, aspersoir, bénédiction, brosse, douche, irroration, pinceau.

GOUR. Abri, antre, aven, baume, butte, calcaire, caverne, cavité, chute, doline, gorge, gouffre, grotte, lac, lapiaz, stalactite, stalagmite, tanière.

GOURA. Biset, capucin, carme, cire, colombin, dindon, eu, fuie, palombe, pigeon, ramier, tarte, tourte, tourterelle.

GOURANCE. Ânerie, bavure, bêtise, bévue, blague, boulette, bourde, brioche, clerc, connerie, couac, erreur, étourderie, faute, gaffe, gourante, impair, imprudence, maladresse, maldonne, manœuvre, méprise, quiproquo, sottise.

GOURBET. Caquilier, caquillier, dune, élyme, élyme des sables, graminée, oyat, plante, sable.

GOURBI. Abri, aire, bungalow, cabane, case, caverne, cella, chalet, coron, cure, demeure, domicile, ermitage, êtres, fourmilière, gîte, habitation, HLM, hutte, igloo, iglou, immeuble, isba, logement, logis, maison, manoir, manse, mas, ménage, naos, nid, onychophagie, pénates, piaule, presbytère, propriété, résidence, ruche, tanière, taudis, taule, tipi, toit, tour, villa.

GOURD. Ankylosé, balourd, endormi, engourdi, frigorifié, froid, gelé, glacé, maladroit, perclus, raide, transi.

GOURDE. Bête, bidon, bouteille, buse, calebasse, flacon, gauche, lagenaria, maladroit, niais, piastre, réserve.

GOURDIN. Aiguillon, arme, barre, bâton, billot, bois, bûche, épieu, férule, jonc, mailloche, pieu, tige, trique.

GOURER. Abuser, amuser, berner, cocufier, décevoir, désappointer, dol, duper, égarer, enjôler, errer, feinter, flouer, frauder, gruger, illusionner, induire, léser, leurrer, lober, mentir, méprendre, pigeonner, piper, posséder, refaire, rouler, trahir, tricher, tromper.

GOURGANDINE. Aguicheuse, courtisane, fille, prostituée, poule, pute, putain, séductrice, traînée.

GOURMAND. Amateur, avide, bec fin, bouche fine, brifaud, connaisseur, fine gueule, friand, gastronome, girelle, glouton, goinfre, goulu, gourmet, grapilleur, grignoteur, lécheur, ogre, pansu, ventru, vorace.

GOURMANDER. Admonester, chapitrer, engueuler, gronder, houspiller, morigéner, réprimander, sermonner, tancer.

GOURMANDISE. Appétit, avidité, chatterie, chère-lie, débauche, douceur, friandise, frugalité, gastrolâtrie, gastronomie, gâterie, gloutonnerie, goinfrerie, intempérance, lécherie, orgie, sucrerie, voracité.

GOURMÉ. Affecté, apprêté, cérémonieux, compassé, empesé, étudié, grave, guindé, pincé.

GOURMET. Amateur, avide, bec fin, bouche fine, brifaud, fine gueule, friand, gastronome, girelle, glouton, goinfre, goulu, gourmand, grapilleur, grignoteur, lécheur, ogre, pansu, ventru, vorace.

GOURMETTE. Armilles, attelage, bijou, bracelet, breloque, chaîne, chaînette, châtelaine, collier, culeron, enrênement, harnachement, jonc, menotte, psellion, puntarelle, sanglage, sellage, semainier, sous-barbe.

GOUROU. Ashram, chaperon, chef, cicérone, conducteur, cornac, devin, gouverneur, guide, guru, mahdi, maître, mehdi, mène, mentor, messie, nabi, péon, pilote, prophète, richi, rishi, sherpa, starets, vénérable.

GOUSSE. Ail, albuginée, ampoule, baie, bale, barder, bogue, brou, caïeu, calice, chorion, clisse, cocon, coque, coquille, cosse, couverture, délivre, écale, écorce, étui, faverole, féverole, gaine, genouillère, glume, légume, lesbienne, membrane, momie, peau, périsprit, placenta, pli, rétine, robe, sac, taie, tégument, test, tête, tunique, zoécie.

GOUSSET. Abajoue, bâche, bourse, caillette, cerne, chausse, civette, cuiller, estomac, filet, fonte, gésier, jabot, kangourou, musc, panse, poche, pochette, psautier, sac, sachet, valise, vessie, violon.

GOÛT. Acidité, âcre, agueusie, aigre-doux, âpre, arôme, attachement, béotien, caprice, condiment, corsé, doux, épice, faim, fort, foxé, guise, gustatif, gustation, kitch, kitsch, manie, mode, moelleux, odeur, palais, passade, rage, ranci, rancio, salé, sapide, sauvagin, saveur, sens, sur, tocade.

GOÛTER. Aimer, allécher, apprécier, collation, considérer, déguster, entrée, éprouver, essayer, estimer, expertiser, goûteur, gustation, jouir, juger, lunch, plaire, raffoler, savourer, sentir, soupeser, tâter, toucher.

GOÛTEUR. Boutillier, crédentier, dégustateur, échanson, goûteux, serdeau, sommelier, tâteur, testeur.

GOUTTE. Amours, arthrite, colchicine, gonagre, gouttelette, larme, liposome, mère, mie, orteil, pas, pâté, perfusion, perle, podagre, postillon, rhumatisme, rien, roupie, stalagmomètre, tectile, tophus, urate.

GOUTTELETTE. Aiguail, brouillard, emperlée, goutte, goutte-à-goutte, perfusion, perle, rosée.

GOUTTER. Couler, dégouliner, dégouliner, dégoutter, échapper, écouler, exsuder, filer, filtrer, fuir, gouttelettes, parfait, passer, perfection, perler, pleurer, ruisseler, suer, suinter, transpirer, transsuder.

GOUTTIÈRE. Attelle, bouche, bourbier, canal, chéneau, cloaque, collecteur, égout, gargouille, goulotte, orthèse, regard, rigole.

GOUVERNAIL. Aiguillot, barre, barreur, commande, conduite, dérive, direction, élevon, empennage, étambot, fémelot, gouverne, gouvernement, levier, manche, mèche, palonnier, safran, timon.

GOUVERNANT. Administrateur, amman, as, caïd, calife, chancelier, chef, cheik, curion, despote, dey, dirigeant, duc, duce, émir, gérant, hérésiarque, iman, leader, maire, maître, meneur, ovate, pacha, pape, parrain, patron, père, prote, rapin, sachem, satan, shah, shérif, roi, tête, vizir.

GOUVERNANTE. Bonne, bonniche, chaperon, domestique, duègne, femme, nourrice, nurse, responsable, servante.

GOUVERNE. Aiguillot, aileron, aviron, barre, barreur, commande, conduite, dérive, direction, élevon, empennage, étambot, fémelot, gouvernail, manche, mèche, palonnier, règle, safran, timon, timonerie, volet.

GOUVERNEMENT. Administration, aristocratie, conduite, démocratie, despotisme, dey, direction, état, gérontocratie, gestion, junte, maniement, nation, note, papauté, pouvoir, régence, régime, règne, royauté, Saint-Siège, sénat, tétrarchie, tyrannie.

GOUVERNER. Administrer, barrer, commander, conduire, déterminer, diriger, dominer, éduquer, élever, étatiser, gérer, lofer, manier, manœuvrer, mener, obéir, piloter, prévoir, régenter, régir, régner, tyranniser.

GOUVERNEUR. Administrateur, agent, ban, chef, émir, exarque, fonctionnaire, gourou, guide, guru, magistrat, maire, maître, mentor, nabab, olibrius, pacha, palatin, pays, procurateur, province, représentant, satrape, titulaire, vice-roi.

GOUVERNEUR GÉNÉRAL DU CANADA (n. p.). Aberdeen, Alexander, Amherst, Athlone, Aylmer, Bessborough, Bossy, Byng-de-Vimy, Colborne, Connaught, Craig, Dalhousie, Devonshire, Dufferin, Elgin, Gosford, Grey, Head, Hnatyshin, Kempt, Lansdowne, Leblanc, Léger, Lisgar, Lorne, Massey, Metcalfe, Michener, Minto, Monck, Preston, Roux, Schreyer, Stanley, Tweedmuir, Vanier, Wellington.

GOUVERNEUR, BAS-CANADA (n. p.). Aylmer, Colborne, Craig, Dalhousie, Drummond, Durham, Gosford, Kempt, Lorne, Milnes, Prescott, Prévost, Richmond, Sherbrooke.

GOUVERNEUR, NOUVELLE FRANCE (n. p.). Argenson, Avaugour, Bagot, Beauharnois, Callières, Champlain, Coulonge, Courcelle, Denonville, Duquesne, Frontenac, La Barre, La Jonquière, Lauzon, Mésy, Montmagny, Talon, Vaudreuil.

GOUVERNEUR, TROIS-RIVIÈRES (n. p.). Boucher, Varennes.

GOY. Boiteux, chrétien, étranger, goï, goim, goye, goyim, infidèle, musulman, non-juif, païen.

GRABAT. Alèse, ber, chevet, ciel, coite, couchette, couchis, couette, divan, dodo, drap, épi, hamac, jar, jard, justice, lire, lit, litière, pageot, pieu, procuste, pucier, mariage, ravin, ru, ruelle, ruisseau, sofa, sultane.

GRABATAIRE. Accro, alcoolique, asilaire, asservi, corrélatif, correspondant, dépendant, drogué, esclave, hétéronome, inférieur, interdépendant, invalide, relatif, soumis, subordonné, sujet, tributaire, vassal.

GRABEN. Abysse, affaissement, cavité, creux, crevasse, dépression, éboulement, écroulement, effondrement, épirogenèse, flache, flaque, fosse, fosset, géosynclinal, gouffre, mare, rift, synclinal.

GRABUGE. Accrochage, bagarre, brouille, casse, charivari, dégât, désaccord, dispute, dommage, peau, zizanie.

GRÂCE. Absolution, adresse, agrément, aman, amnistie, attrait, avenant, beauté, bienfait, bienveillance, charme, élégance, faveur, fée, goût, merci, mièvre, octroi, onction, pardon, pitié, plaisir, raideur, remise, rémission, service, vénusté.

GRACIER. Absoudre, affranchir, amnistier, déchaîner, dégager, délier, délivrer, démuseler, déverrouiller, élargir, émanciper, évader, excuser, jouer, libérer, licencier, purger, quitter, relaxer, relever, remercier, sauver, tolérer.

GRACIEUSEMENT. Agréablement, aimablement, bénévolement, civilement, courtoisement, délicatement, élégamment, félinement, gratuitement, joliment, mignonnement, poliment, suavement.

GRACIEUSETÉ. Amabilité, attention, civilité, courtoisie, gentillesse, gratification, politesse.

GRACIEUX. Accords, accort, adorable, affable, agréable, aimable, attirant, avenant, bénévole, cerf, charme, daim, élégant, félin, gentil, grâce, gratuit, mignon, minois, pimpant, poli, suave, sylphide, talentueux, tendre.

GRACILE. Amaigri, aminci, délicat, effilé, élancé, filiforme, fin, fluet, frêle, gracieux, grêle, léger, menu, mince.

GRACILITÉ. Affaiblissement, anorexie, anorexigène, anorexique, appétence, appétit, athrepsie, besoin, coupe-faim, dégoût, désir, diminution, inappétence, indifférence, maigreur, minceur, oligophagie.

GRACQUES (n. p.). Babeuf, Cornelia, Gracchus, Scipion.

GRADATION. Accroissement, augmentation, cran, degré, étape, même, palier, phase, progression, stade.

GRADE. Adjudant, amiral, aspirant, baccalauréat, barème, brigadier, capitaine, caporal, classe, colonel, commandant, dan, degré, dignité, doctorat, échelon, enseigne, galon, général, gon, gr, honoris causa, licence, lieutenant, maître, major, maréchal, officier, quartier-maître, rang, sae, sergent, titre, vice-amiral.

GRADIN. Classe, cran, degré, échelle, escalier, étage, grade, grenier, impériale, marche, mezzanine, niveau, odéon, palier, plancher, premier, rang, rez-de-chaussée, second, stade, terrasse, trias, tribune.

GRADINE. Bec-de-corbin, bédane, berceau, biseau, bouchard, burin, cisaille, ciseau, ciselet, cisoir, entablure, gouge, matoir, molette, mouchette, onglet, orfèvre, planoir, poinçon, riflard, rondelle, sculpteur, sécateur.

GRADUATION. Affeurage, barème, bordereau, cadre, catalogue, concentration, degré, demi-tarif, différentiel, division, échelle, échelon, étalon, parti, prix, recueil, repère, répertoire, table, tarif, taux.

GRADUÉ. Augmenté, commun, déchiré, dépecé, diplômé, divis, divisé, écartelé, écartillé, favorisé, indivis, loti, mutuel, paratagé, parti, perplexe, rapporteur, réciproque, segmenté, séparé, tiraillé.

GRADUEL. Adapté, calculé, chant, crescendo, croissant, degré, livre, missel, prière, progressif.

GRADUELLEMENT. Adagio, bas, décanter, délicatement, doucement, faiblement, insinuer, légèrement, lentement, mollement, mollo, paisiblement, pianissimo, piano, posément, tâter, tendrement, tranquillement.

GRADUER. Augmenter, calibrer, échelonner, étager, étaler, étalonner, graver, jauger, marquer, numéroter.

GRAFF. Barbouillage, calligraphie, dessin, écrit, graffiti, graffiteur, inscription, scribouillage, tag, taguer, texte.

GRAFFITEUR. Badigeonneur, barbouilleur, écrivailleur, écrivassier, gribouilleur, griffonneur, plumitif, tagueur, vandale.

GRAFFITI. Barbouillage, calligraphie, dessin, écrit, graff, graffiteur, inscription, scribouillage, tag, taguer, texte.

GRAFIGNER. Blesser, carder, critiquer, déchirer, déchiqueter, découdre, dénigrer, dilacérer, écorcher, effleurer, égratigner, entailler, épingler, érafler, érailler, gratter, griffer, médire, piquer, rayer, strier.

GRAILLE. Bec, choucas, corbeau, corbillat, corbin, corneille, croassement, freux, graillement, grole, taie.

GRAILLEMENT. Chat, dysphonie, enrouement, éraillement, extinction, râlement, raucité, toux, voilement.

GRAILLER. Boulotter, crier, croasser, manger, nasiller, parler, piauler, sonner, sustenter, trisser, ululer.

GRAILLON. Aphrophore, axonge, bave, broue, crachat, expectoration, expulsion, glaviot, gluau, hémoptyse, lard, molard, molardon, mollard, morve, parasite, salivation, salive, sputation, venin.

GRAILLONNER. Cracher, crachoter, époumoner, éternuer, expectorer, respirer, spasme, tousser, toussoter.

GRAIN. Anis, asperme, ave, averse, blé, bouton, brin, cacahuète, céréale, envie, épi, fève, flocon, fruit, gerbe, germe, graine, graminée, grenaille, grange, grêlon, gruau, grume, lentigo, lentille, mil, millerandage, naevi, nævus, navette, nuage, nucléus, panic, pépin, pignon, pisolite, pisolithe, pluie, pollen, pollinie, provende, rafale, rasaire, riz, sas, seigle, silo, son, spore, tempête, van.

GRAIN DE BEAUTÉ. Envie, lentigine, lentigo, mouche, nævi, nævus, tache, saillie, signe, verrue.

GRAINE. Amande, ambrette, amome, asperme, bran, cacahouète, cacahuète, cacao, café, céleri, chènevis, cumin, épi, ers, germe, glume, hile, ivraie, lentille, linette, marron, moutarde, pépin, pignon, pistache, samare, semence, sésame, son, test, zizanie.

GRAISSAGE. Axone, cirage, dégraissage, graisse, gras, huilage, huile, lubrification, oing, ricin, saindoux.

GRAISSE. Adipeux, axonge, beurre, cambouis, cellulite, graille, graillon, gras, huile, lanoline, lard, lipide, lubrifiant, maniguette, margarine, myéline, oing, oindre, oint, oléine, panne, sain, saindoux, stéarine, suif, suint, spic, vaseline.

GRAISSER. Acheter, cirer, corrompre, encrasser, graissage, huiler, lubrifier, oindre, salir, soudoyer, vaseliner.

GRAISSEUX. Adipeux, beurré, crémeux, glissant, graissé, gras, huileux, oléagineux, oléolat, onctueux, visqueux.

GRAMINACÉE. Voir : graminée.

GRAMINÉE (3 lettres). Blé, mil, poa, riz, zea.

GRAMINÉE (4 lettres). Aira, alfa, coix, cram, foin, maïs, nard, orge, oyat, sasa.

GRAMINÉE (5 lettres). Avena, briza, brize, brome, canne, herbe, oryza, panic, spart, stipa.

GRAMINÉE (6 lettres). Arundo, avoine, bambou, bromus, canche, élymus, fléole, flouve, gramen, holcus, houque, ivraie, lolium, lygaea, mélica, millet, roseau, sorgho, sparte, uniola, vulpin, zoysia.

GRAMINÉE (7 lettres). Alpiste, bambusa, dactyle, ehrarta, festuca, fétuque, gourbet, hordeum, houlque, hystrix, lagurus, panicum, pâturin, phléole, sorghum, zizania, zizanie.

GRAMINÉE (8 lettres). Agrostis, chusquea, crêtelle, dactylis, éleusine, eremopoa, gaudinia, glyceria, glycérie, gynérium, imperata, paspalum, phalaris.

GRAMINÉE (9 lettres). Agrostide, ammophila, amourette, asperella, chiendent, cynosurus, écourgeon, érianthus, haynaldia, lamarckia, oryzopsis, phragmite, polypogon, saccharum, ventenata, vetiveria.

GRAMINÉE (10 lettres). Alopecurus, coléoptile, cymbopogon, desmazeria, éragrostis, escourgeon, graminacée, hierochloe, larme-de-Job, miscanthus, oplismenus, pennisetum, trichioris.

GRAMINÉE (11 lettres). Arundinacea, arundinaria, deschampsia, pélargonium, rhynchetrum, sorgtastrum, tricholaena.

GRAMINÉE (12 lettres). Anthoxanthum, brachypodium, stenotaphrum,

GRAMINÉE (13 lettres). Arrhenatherum, dendrocalamus, phyllostachys.

GRAMINÉE (14 lettres). Helictotrichon, herbe de la pampa.

GRAMMAIRE. Actif, adjectif, adverbe, alpiste, analyse, article, bambou, cas, féminin, figure, genre, langage, langue, locution, masculin, mélique, mode, nom, norme, passif, phonétique, pluriel, pronom, règle, rime, singulier, structure, syntaxe, temps, tmèse, verbe.

GRAMMAIRIEN (n. p.). Apollinaire, Aristarque, Aristophane, Aulu-Gelle, Beaudry, Bello, Bescherelle, Bhartrihari, Bouhours, Callimaque, Chalcocondyle, Despautère, Donat, Dumarsais, Grevisse, Landais, Larousse, Littré, Panini, Palsgrave, Patanjali, Ramus, Sanchez, Vaugelas, Wailly.

GRAMMAIRIEN. Bas-bleu, bélise, cuistre, grammatiste, linguiste, philologue, puriste, styliste, vadius.

GRAMMATICAL. Conforme, construit, correct, désinence, ergatif, exact, scholie, scolie, syntaxique.

GRAMMATICALEMENT. Conformément, correctement, linguistiquement, syntaxiquement.

GRAMME. Atome, brin, centigramme, décagramme, décigramme, dyne, goutte, gram, kilogramme, hectogramme, métrique, miette, milligramme, once, poil, poids, pointe, quantité, soupçon, unité.

GRAND. Abondant, accru, ample, balaise, balèze, bon, colossal, considérable, échalas, échalote, élancé, élevé, emphatique, étendu, fort, géant, gigantesque, gros, haut, important, infini, intense, large, long, mahous, maolis, maous, maousse, noble, petit, pompeux, quantité, respectable, solennel, somptueux, spacieux, tant, vaste, vif, violent, volumineux.

GRAND-DUC (n. p.). Alexandre, Bonaparte, Ferdinand, Guillaume, Ladislas, Léopold, Médicis, Sigismond.

GRAND-DUC. Grand-ducal, grand-duché, prince, rhingrave, tournée.

GRANDE. Accrue, aînée, chiée, craquée, mahousse, maousse, rio.

GRANDE-BRETAGNE (n. p.). Albion, Angleterre, Écosse, G.B., Irlande, Pays de Galles, Royaume-Uni.

GRANDE-BRETAGNE, VILLE (n. p.). Ascot, Basildon, Bath, Bedford, Birkenhead, Birmingham, Blackburn, Blackpool, Bolton, Bootle, Boston, Bournemouth, Bradford, Brighton, Bristol, Bury, Cambridge, Canterbury, Carlisle, Chatham, Chelsea, Cheltenham, Chester, Chesterfield, Colcherter, Corby, Coventry, Cowes, Crawley, Dallington, Deal, Derby, Devonport, Doncaster, Douglas, Douvres, Dover, Dudley, Dunder, Durham, Eastbourne, Ealing, Ely, Epson, Eton, Exeter, Farborough, Folkstone, Gillingham, Gloucester, Gosport, Greenwich, Grimsby, Guilford, Halifax, Harlow, Harrogate, Hartlepool, Hastings, Hove, Huddersfield, Hull, Ipswich, Lancaster, Leamington, Leeds, Leicester, Lincoln, Liverpool, London, Londres, Luton, Maidstone, Manchester, Margate, Middlesbrough, Midlands, Newcastle, Newhaven, Newport, Northampton, Norwich, Nottingham, Oxford, Peterborough, Plymouth, Poole, Portsmouth, Preston, Ramsgate, Reading, Richmond, Rochdale, Rugby, Saint Helens, Salford, Salisbury, Sheffield, Shrewsbury, Slough, Solihull, Southampton, Stafford, Stevenage, Stirling, Stockport, Sunderland, Swindon, Taunton, Tewkesbury, Thurrock, Tynemouth, Wakefield, Wallasey, Wallsall, Warrington, Wells, Westminster, Wimbledon, Winchester, Windsor, Worcester, Worthing, Yarmouth, York.

GRANDEMENT. Abondamment, amplement, beaucoup, considérablement, énormément, fastueusement, fort, fortement, infiniment, princièrement, puissamment, richement, royalement, spacieusement, vastement.

GRAND ESPRIT (n. p.). Manitou.

GRANDESSE. Archontat, caïdat, chapellenie, dignité, dogat, droit, émir, émirat, ennoblir, éphorat, épiscopat, ethnarchie, grade, grand, hiérarque, honneur, imamat, khalifat, larve, majesté, nabab, noble, orgueil, pairie, palatinat, patrice, pontificat, prêtrise, prieuré, rang, royauté, sacerdoce, tiare, titre, vidame.

GRANDEUR. Ampleur, corpulence, délire, dimension, échelle, élévation, éminence, étalon, étendue, excellence, format, gravité, hauteur, immensité, importance, largeur, longueur, majesté, mégalomane, noble, paramètre, potentiel, scalaire, taille, taux.

GRANDILOQUENCE. Apparat, bouffissure, boursouflure, cérémonie, déclamation, emphase, enflure, pompe.

GRANDILOQUENT. Ampoulé, boursouflé, déclamatoire, emphatique, phraseur, pompeux, ronflant, solennel.

GRANDIOSE. Dantesque, grand, épique, frappant, imposant, impressionnant, magistral, magnifique, rare, touchant.

GRANDIR. Accroître, agrandir, augmenter, baisser, croître, décliner, décroître, développer, diminuer, élever, enfler, épanouir, étendre, gagner, invaginer, naître, nanifier, pousser, rabougrir, renaître, repousser.

GRANDISSANT. Authentique, célèbre, chronologie, connu, croissant, diachronique, évolutif, fameux, gradué, historial, historique, illustre, important, marquant, mémorable, monument, récit, réel, relevé, vrai.

GRAND LAC (n. p.). Érié, Huron, Michigan, Ontario, Supérieur.

GRAND-MÈRE. Aïeule, ancêtre, bonne-maman, grand-maman, mamie, mémé, mémère, mère-grand, vieille.

GRAND-MÈRE DE JÉSUS (n. p.). Anne.

GRAND-PÈRE. Aïeul, ancêtre, bon-papa, croulant, grand-papa, papi, papy, pépé, pépère, vieillard, vieux.

GRANGE. Aire, fenil, foin, grain, grénerie, grenier, hangar, magasin, pailler, raccard, remise, silo.

GRANITE. Granulite, grenu, orthose, pegmatite, porpegmatite, porphyroïde, protogine, rhyolite, roche, thyolite.

GRANULAT. Agrégat, ballast, caillasse, caillou, cailloutage, cailloutis, gravier, litière, pierraille, pierre.

GRANULATION. Acidophile, centrosome, cirrhose, éosine, éosinophile, leucocyte, nodosité.

GRANULE. Bribe, brisure, charpie, coupure, débris, écharde, éclat, esquille, fraction, fragment, grain, havrit, lambeau, limaille, médicament, miette, morceau, parcelle, parie, part, particule, pépite, pilule, portion, quartier, reste.

GRANULER. Agglomérer, agglutiner, agréger, amasser, conglomérer, entasser, feutrer, frittage, joindre, presser.

GRANULEUX. Granité, granulaire, granuforme, granulé, grené, grenelé, grenu, papilleux, rugueux.

GRAPEFRUIT. Agrume, grappe, pamplemousse, pomélo.

GRAPHIE. Caractère, écriture, nirvana, rebab, sati, sirdar, torana, transcription, tupa, urdu, vina, zawiya.

GRAPHIQUE. Abaque, camembert, canevas, courbe, dessin, diagramme, ébauche, graphe, graphiste, isogramme, logo, myogramme, myographie, nomogramme, sonagramme, tableau, trace.

GRAPHISME. Acte, article, barbouillage, barbouillis, braille, brouillon, calligraphie, certificat, dire, écrit, écriture, factum, graphie, gribouillage, journal, libelle, main, minute, nécrologie, nota, ordure, pamphlet, papier, récépissé, rôle, satire, script, style, tête, tracé, zend.

GRAPHISTE. Artiste, enlumineur, historieur, infographiste, lettreur, miniaturiste, peintre, rubricateur.

GRAPHITE. Carbone, composite, crayon, filière, graphiteux, mine, minéral, plombagine, réacteur.

GRAPPE. Amas, assemblable, banane, diète, épi, grain, grappillon, groupe, inflorescence, lambrotte, pampre, panicule, racème, rafle, raisin, râpe, régime, sarment, thyrse, uvule, vendange, vigne.

GRAPPILLER. Butiner, cueillir, glaner, gratter, grignoter, puiser, rabioter, ramasser, rogner.

GRAPILLEUR. Cueilleur, glaneur, herborisateur, moissonneur, ramasseur, récoltant, récolteur, vendangeur, vigneron.

GRAPPIN. Ancre, chat, cigale, corbeau, crampon, croc, crochet, harpeau, harpin, harpon, saisir.

GRAS. Adipeux, arrondi, beurre, bouffi, charnu, corpulent, décharné, dodu, empâté, épais, étique, étoffé, fort, graisse, graveleux, greubons, gros, huileux, lard, maigre, obèse, onctueux, pansu, pâteux, plantureux, plein, potelé, replet, stéarine, taché.

GRASSEMENT. Affectueusement, amicalement, amoureusement, chaleureusement, charitablement, cordialement, fraternellement, généreusement, gentiment, humainement, largement, tendrement.

GRASSOUILLET. Bedonnant, bouffi, corpulent, dodu, enrobé, gras, gros, potelé, replet, rond, rondelet, rondouillard.

GRATIFIANT. Avantageux, bénéfique, dotation, favorisant, revalorisant, satisfaisant, valorisant.

GRATIFICATION. Aumône, avantage, cadeau, don, étrenne, pourboire, prime, rétribution.

GRATIFIER. Accorder, doter, douer, équiper, munir, orner, pouvoir, récompenser, structurer.

GRATIN. Aristocratie, choix, crème, croûte, élite, fleur, gotha, lie, pâté, sauce, supérieur, tian.

GRATINÉ. Bleu, brûlé, calciné, cramé, cuit, échoué, étuvé, extraordinaire, fait, fichu, gagné, ivre, mijote, perdu, préparé, raté, remarquable, ruiné, saignant, signalée, soupe.

GRATIS. Cadeau, désintéressement, franco, gracieux, gratuit, gratuitement, prime, prodeo, rien.

GRATITUDE. Affirmation, aménité, amitié, attestation, aveu, condoléances, déclaration, déroulement, gage, grâce, gré, hommage, indice, merci, narration, obligation, preuve, rapport, récit, reconnaissance, relation, remerciement, signe, sympathie, témoignage.

GRATTAGE. Abrasion, balayage, bouchonnage, bouchonnement, brossage, écouvillonnage, embrocation, époussetage, érosion, friction, frottage, frottement, frottis, grattement, massage, onction, raclage, ramonage, râpage, ripage, ripement, traînement, trituration.

GRATTE. Arrachoir, binette, bineuse, chasse-neige, daba, déchaussoir, égratignure, fossoir, gale, grattelle, guitare, houe, hoyau, pioche, profit, raclette, ratissoire, sape, sarclette, sarcloir, serfouette.

GRATTE-CIEL. Bâtiment, bâtisse, building, construction, édifice, habitation, hôtel, immeuble, propriété, tour.

GRATTE-CUL. Cynorhodon, Cynorrhodon, faux fruit, graine, ovaire, rosier.

GRATTELLE. Bouquet, cécidie, gale, galeux, gratte, noix, redi, rouvieux, sarcopte, scabieux, spore, teigne.

GRATTEMENT. Abrasion, balayage, bouchonnage, bouchonnement, brossage, crissement, écouvillonnage, embrocation, époussetage, érosion, friction, frottage, frottement, frottis, grattage, massage, onction, raclage, ramonage, râpage, ripage, ripement, toux, traînement, trituration.

GRATTER. Abraser, curer, cureter, écailler, effacer, égratigner, émeriser, enlever, entamer, fouiller, frotter, lésiner, liarder, nettoyer, piquer, plectre, racler, râper, raser, ratisser, regratter, riper, veloutine.

GRATTOIR. Bêche, bogue, buandier, chute, décrotteur, détacheur, drague, ébardoir, écope, épuisette, escoupe, étrier, eustache, frottoir, godet, houlette, palette, palon, pare-brise, pelleteuse, mécanique, outil, palette, palon, pelle, râble, racloir, raille, ramassette, ramassoire, sasse, spatule, surin, trax.

GRATUIT. Cadeau, désintéressement, franco, gracieux, gratis, gratuitement, prime, prodeo, rien.

GRATUITEMENT. Agréablement, aimablement, bénévolement, civilement, courtoisement, délicatement, élégamment, félinement, gracieusement, gratis, joliment, mignonnement, poliment, suavement.

GRAVATS. Débris, décombres, éboulis, épave, gravatier, gravois, plâtras, reste, ruines, vestiges.

GRAVE. Affront, aigu, alto, austère, avanie, bas, bénin, blessure, componction, coup, digne, important, injure, insulte, létal, lourd, mortel, posé, profond, raide, raser, redoutable, sage, sculpte, sérieux, sévère, tare, véniel, voix.

GRAVELEUX. Caillouteux, cochon, coquin, croustillant, cru, égrillard, épicé, gaillard, gaulois, gras, grivois, léger, leste, libidineux, libre, licence, licencieux, obscène, osé, paillard, polisson, raide, rocailleux, salace, salé, vulgaire.

GRAVELURE. Canaillerie, cochonceté, cochonnerie, coprolalie, cynisme, écoeuranterie, gaillardise, gauloiserie, grivoiserie, grossièreté, impudeur, inconvenance, indécence, malpropreté, obscénité, pornographie, saleté, saloperie.

GRAVEMENT. Dangereusement, défavorablement, désavantageusement, dramatiquement, funestement, grièvement, imprudemment, mal, malencontreusement, nuisiblement, sérieusement, terriblement.

GRAVER. Buriner, chiffrer, écrire, entailler, imprimer, inculquer, inscrire, intailler, orfèvre.

GRAVEUR. Aquafortiste, artiste, burineur, buriniste, ciseleur, lithographe, nielleur, sculpteur, xylographe.

GRAVEUR ALLEMAND (n. p.). Altdorfer, Baldung, Burgkmair, Corinth, Cranach, Dix, Dürer, Elsheimer, Kirchner, Nolde.

GRAVEUR ALSACIEN (n. p.). Schongauer.

GRAVEUR AMÉRICAIN (n. p.). Cassatt, Hopper, Whistler.

GRAVEUR ANGLAIS (n. p.). Rowlandson.

GRAVEUR BELGE (n. p.). Alechinsky, Ensor, Redouté, Rops.

GRAVEUR BRITANNIQUE (n. p.). Blake, Gillray, Hogarth, Moore.

GRAVEUR ESPAGNOL (n. p.). Dali, Miro, Picasso.

GRAVEUR FLAMAND (n. p.). Bril, Verhoeven.

GRAVEUR FRANÇAIS (n. p.). Andran, Bosse, Boucher, Braquemond, Brébiette, Buffet, Callot, Caylus, Chagall, Cochin, Corot, Daudigny, Debucourt, Degas, Delaune, Denon, Didot, Ernst, Forain, Fragonard, Garamond, Gromaire, Hennequin, Jaquemin, Johannot, Laboureur, Lepautre, Lepère, Messagier, Millet, Nanteuil, Pignon, Redon, Silvestre, Soulages, Steinlen, Subleyras, Thomassin, Tory, Vallotton, Villon.

GRAVEUR HOLLANDAIS (n. p.). Bloemaert, Porcellis, Rembrandt.

GRAVEUR ITALIEN (n. p.). Barocci, Beccafumi, Calamatta, Canal, Canaletto, Castiglione, Crespi, Mantegna, Piranèse, Piranesi, Pollaiolo, Raimondi, Ricci, Schiavone, Tiepolo.

GRAVEUR JAPONAIS (n. p.). Foujita, Hiroshire, Hokusai, Moronobu, Outamaro, Utamaro.

GRAVEUR LORRAIN (n. p.). Bellange.

GRAVEUR NÉERLANDAIS (n. p.). Dujardin, Goltzius, Jongkind, Rembrandt, Seghers, Van Rijn.

GRAVEUR NORVÉGIEN (n. p.). Munch.

GRAVEUR SUÉDOIS (n. p.). Zorn.

GRAVEUR SUISSE (n. p.). Graf.

GRAVIDE. Accouchement, avortement, bas, crapaud, délivrance, dystocie, élaboration, enfantement, eutocie, forceps, gésine, gestation, grossesse, maternité, naissance, obstétrique, part, parturition, puerpéral, réalisation, terme, tranchée, travail, trigémellaire.

GRAVIDITÉ. Conception, élaboration, formation, génération, gestation, grossesse, préparation.

GRAVIER. Aétite, aigue-marine, calcul, camée, claveau, diamant, émeraude, galet, gemme, graveleur, gravelle, grenat, grès, gypse, intaille, jade, lapis, liais, margelle, menhir, mica, obélisque, œil-de-chat, œil-de-tigre, olivine, opale, pendeloque, péridot, perle, pierreries, ponce, pouzzolane, roc, roche, rubis, saphir, silex, tombe, topaze, tourmaline, voûte, zircon.

GRAVIR. Ascensionner, assompter, élever, escalader, franchir, grimper, haut, hisser, léviter, monter, remonter.

GRAVITATION. Aimant, allèchement, attirance, attirement, attraction, attrait, bal, charme, clou, distraction, entraînement, fascination, goût, gravité, manège, or, pesanteur, pôle, séduction, spectacle, tendance, tir, tropisme.

GRAVITÉ. Bénin, dignité, énormité, flegme, froideur, importance, légèreté, réserve, retenue, sérieux, véniel.

GRAVITER. Abord, alentour, approximatif, autour, cage, circonscrire, circonvoisin, col, enrouler, entourer, environ, épervier, faucon, péri, rapace, rimer, rôder, ronde, rotation, tournailler, tourner, vautour.

GRAVOIS. Débris, décombres, éboulis, épave, gravatier, gravats, plâtras, reste, ruines, vestiges.

GRAVURE. Aquatinte, burin, ciselure, cliché, coulé, eau-forte, épreuve, estampe, galvano, glyptique, godron, graveur, grené, guilloche, icône, illustration, image, nielle, nielleur, niellure, offset, pointillé, vignette.

GRAY. Gy.

GRÉ. Accord, amiable, bénévolement, gratitude, malgré, reconnaissance, volonté, volontiers.

GRÈBE. Anatidé, ansériforme, bièvre, canard, cane, carinate, chien, cormoran, cygne, flamant, fou, frégate, fuligule, goéland, harle, hirondelle, manchot, mergule, mouette, oie, oiseau, palmipède, pélican, pétrel, pingouin, plongeur, podicipédidé, puffin, sterne.

GRÉBICHE. Appel, astérisque, étoile, gaulois, lettrine, marque, ombelle, pentacle, référence, renvoi, signe.

GREC. Athénien, chthonien, chtonien, corinthien, hellène, hellénistique, spartiate.

GRÈCE, CAPITALE (n. p.). Athènes.

GRÈCE, LANGUE. Albanais, bulgare, grec, turc, valaque.

GRÈCE, MONNAIE. Drachme.

GRÈCE RÉGION (n. p.). Béotie, Élide, Épire, Étolie, Hellade, Laconie, Magne, Maïna, Messénie, Thessalie.

GRÈCE, VILLE (n. p.). Alexandroúpolis, Andros, Argos, Arta, Athènes, Byzance, Chio, Corfou, Corinthe, Cyrène, Drama, Éleusis, Hydra, Ianina, Lamia, Larissa, Lépante, Patras, Plati, Pylos, Salamine, Samos, Sitia, Sparte, Syra, Thèbes, Thiba, Tripolis, Vathi, Veria, Vólos, Xante, Xanthi.

GREDIN. Bandit, canaille, coquin, fripon, fripouille, malhonnête, scélérat, vaurien, voyou.

GRÉEMENT. Agrès, ancre, bôme, croc, dame, écope, espar, gaffe, garnir, mât, mâture, pic, tangon, vergue, voile.

GRÉER. Accastiller, amariner, appareiller, armer, doter, équiper, garnir, mâter, munir, outiller, pourvoir.

GREFFAGE. Adjoindre, ajoutage, bouturage, drageonnage, écussonnage, enraciner, enter, entoir, greffer, greffoir, marcottage, marquage, multiplier, provigner, regreffage, taillage, transplantage.

GREFFE. Allogreffe, anaplastie, archives, bouture, écusson, ente, enture, greffage, greffier, greffon, isogreffe, kératoplastie, marcotte, marque, œil, parabiose, pousse, rejeton, scion, secrétariat, transplant.

GREFFER. Adjoindre, ajouter, bouturer, développer, écussonner, enter, entoir, greffage, greffoir, insérer, introduire, marquer, regreffer, tailler, transplanter.

GREFFIER. Copiste, dactylo, dactylographe, notaire, plumitif, rédacteur, scribe, scribouillard, secrétaire.

GREFFON. Allogreffe, bouture, écussonnage, ente, enture, greffage, greffe, porte-greffe, scion, transplant.

GRÉGAIRE. Aptitude, déclic, disposition, don, grégarisme, inclination, instinct, libido, pulsion, sens, spontané.

GRÈGE. Assombri, aviné, beige, gris, grisâtre, noirâtre, nuageux, pinchard, sombre, terne, terreux.

GRÊLE. Abattée, ascaride, averse, dégringolade, délicat, délié, déluge, élancé, érepsine, faible, filiforme, fin, fluet, gracile, grain, grêlon, grésil, intestin, menu, mièvre, mince, pluie, punctiforme, ténu.

GRELOT. Cascaveau, cloche, clochette, initiative, sonnaille, sonnette, timbre, tintinnabuler, urcéolé.

GRELOTTANT. Engourdi, figé, frissonnant, gelé, glacé, morfondu, paralysé, pénétré, pétrifié, tétanisé, transi.

GRELOTTEMENT. Agitation, convulsion, ébranlement, effort, frémissement, frisson, frissonnement, oscillation, saccade, saut, secousse, soubresaut, sursaut, tentative, titubation, tortillage, tremblement, trépidation, tressaillement, vacillement, vibration.

GRELOTTER. Branler, claquer des dents, frémir, frissonner, palpiter, secouer, trembler, trépider.

GRELUCHON. Adorateur, amant, ami, amoureux, béguin, berger, bien-aimé, calinaire, calinière, céladon, chéri, compagne, compagnon, concubin, conjoint, copain, coquin, couple, favori, flirt, galant, gigolo, idole, jules, mec, soupirant, tourtereau.

GRÉMILLE. Goujon, goujonnière, goujonnerie, greuillet, perchat, perche, percidé, poisson.

GRENACHE. Alicante, bouschet, cépage, plant, raisin, vin.

GRENADE. Balauste, bombe, explosif, fruit, fumigène, lacrymogène, projectile, rugueux, tromblon.

GRENADE, CAPITALE (n. p.). Saint George's.

GRENADE, LANGUE. Anglais.

GRENADE, MONNAIE. Dollar.

GRENADE, VILLE (n. p.). Belmont, Concord, Hillsborough, Pradise, Saint George's, Tivoli, Union, Vendome, Victoria.

GRENADIER. Arbuste, briscard, dragon, grenade, grognard, punica, punicacée, soldat, vétéran.

GRENADILLE. Caerulea, fruit de la passion, grenadelle, maracudja, maracunja, passifloracée, passiflore.

GRENAT. Alabandine, almandin, almandine, bordeaux, brun-rouge, couleur, éclogite, escarboucle, orangé, pierreries, pourpre, pyrénéite, rouge, silicate, tango.

GRENÉ. Croûteux, granité, granulé, granuleux, grenelé, grenu, grumeleux, papilleux, rugueux, squalide.

GRENIER. Comble, débarras, fenil, galetas, grange, maison, mansarde, pailler, réserve, sinet, tasserie.

GRENOUILLAGE. Action, brigue, cabale, complot, coterie, démarche, dessein, drame, embarras, éviction, faction, imbroglio, intrigue, liaison, manège, manigance, menée, micmac, nœud, pacte, ruse, stratagème, trame.

GRENOUILLE. Aglossa, anoure, archaeobatrachia, batracien, brachycéphalidé, centrolenidé, coasser, crapaud, dendrobatidé, discoglossidé, héléophrynidé, hyperoliidé, leptodactylidé, microhylidé, myobatrachidé, neobatrachis, ouaouaron, pelobatoidea, pseudidé, radiné, raine, rainette, rénette, rhacophoridé, rhinodermatidé, rhinophrynoidea, sooglossidé.

GRENOUILLER. Barboter, boire, comploter, fricoter, intriguer, magouiller, trafiquer, tripoter.

GRENOUILLÈRE. Alevinier, barbotière, bassin, bonde, by, canardière, chenal, chott, eau, étang, grau, gravière, ide, lac, lagon, lagune, marais, mare, marécage, palustre, réservoir, rive, tourbière, triton, vivier.

GRÈS. Alios, argile, arkose, cérame, jaquelin, jacqueline, jarre, molasse, mollasse, quartzite, séricine, tourie.

GRÉSER. Cirer, dégrossir, égriser, finir, frotter, limer, lisser, polir, poncer, ragréer, retoucher, ribler, unir.

GRÉSIL. Abattée, averse, déluge, eau, friture, glace, grain, grêle, grêlon, parasite, pluie, verglas.

GRÉSILLEMENT. Aigu, bruit, bruxisme, bruxomanie, couinement, cri, crissement, ferraillement, grincement, parasite.

GRÉSILLER. Brûler, contracter, craquer, craqueter, crépiter, crier, cuire, dessécher, grêler, pétiller.

GRÉSOIR. Abrasif, bort, carbonado, carborundum, corindon, décapant, diamant, diatomite, émeri, sablé.

GRESSIN. Azyme, baguette, bâtonnet, bis, biscotte, boule, brie, bun, chanteau, chapelure, croissant, croûte, fesse, ficelle, flûte, four, havi, hostie, longuet, miche, mie, miette, oba, pain, pané, pita, porteuse, sagou, salignon, sec, toast.

GRÈVE. Affrontement, arrêt, bord, cessation, conflit, côte, jeûne, littoral, lock-out, plage, rivage, suspension, tas.

GREVER. Affliger, attrister, chagriner, consterner, contrarier, contrister, décevoir, désespérer, désoler, détruire, dévaster, ennuyer, éplorer, fâcher, lamenter, navrer, obérer, peiner, plaindre, ravager, ruiner, saccager.

GRÉVISTE. Anarchiste, désobéissant, difficile, dissident, dur, émeutier, fermé, frondeur, hérétique, hostile, indocile, insoumis, insurgé, mutin, opposé, rebelle, récalcitrant, résistant, rétif, révolté, révolutionnaire.

GRIBICHE. Alinéa, appât, arête, arêtier, article, axe, barre, biais, bouchon, contour, droite, galbe, géométrie, gras, hachure, infanterie, laisse, libouret, ligne, limite, nervure, poisson, profil, raie, rayure, scion, segment, strie, suture, té, trace, trait.

GRIBOUILLAGE. Barbouillage, barbouille, bariolage, bombage, croûte, gribouillis, griffonnage, patarafe.

GRIBOUILLE. Bêta, cave, chocolat, coquebin, crédule, dindon, dupe, gobeur, gogo, jobard, morron, naïf, neu-neu, niais, nigaud, nono, nouille, oie, pigeon, poire, sot, tarlais, tata, twit, victime.

GRIBOUILLER. Adresser, annoter, barbouiller, brouillon, calligraphier, composer, consigner, dactylographier, dédicacer, dessiner, écrire, écrivailler, écrivasser, grabouiller, griffonner, marquer, noter, orthographier, peindre, pondre, préfacer, rédiger, taper, tester, tracer, transcrire.

GRIBOUILLEUR. Badigeonneur, barbouilleur, bombeur, écrivailleur, écrivaillon, écrivassier, graffeur, graffiteur, griffonneur, noircisseur, plumitif, rapin, scribouilleur, tagueur, vandale.

GRIEF. Accusation, avertissement, blâme, doléance, dommage, plainte, récrimination, reproche.

GRIÈVEMENT. Dangereusement, défavorablement, désavantageusement, dramatiquement, funestement, gravement, imprudemment, mal, malencontreusement, nuisiblement, sérieusement, terriblement.

GRIFFE. Appendice, bijou, croc, égratignure, empreinte, griffer, marque, ongle, onguicule, serre, signature, talon.

GRIFFER. Abîmer, accrocher, blesser, choquer, déchirer, dépouiller, écorcher, égratigner, entamer, éplucher, érafler, érailler, excorier, grume, lacérer, peler, racler, voler.

GRIFFON. Adduction, animal, barbet, chien, fontaine, gazoduc, oiseau, oléoduc, ornement, rapace, vautour.

GRIFFONNAGE. Canevas, carcasse, commencement, crayon, croquis, description, dessin, ébauche, esquisse, essai, étude, forme, idée, maquette, œuvre, peinture, plan, pochade, projet, schéma, tableau.

GRIFFONNER. Adresser, annoter, barbouiller, calligraphier, composer, consigner, crayonner, dactylographier, dédicacer, dessiner, écrire, écrivailler, écrivasser, grabouiller, gribouiller, marquer, noter, orthographier, peindre, pondre, préfacer, rédiger, taper, tester, tracer, transcrire.

GRIFFURE. Blessure, déchirement, déchirure, entaille, barre, biais, contour, droite, écorchure, égratignure, éraflure, hachure, raie, rayure, scion, segment, souffrance, strie, torture, trace, trait.

GRIGNON. Archétype, cheville, croûton, entamure, grignon, jauge, matrice, mesure, modèle, or, pige, plan, quignon, référence, règle, standard, type, unité.

GRIGNOTER. Corroder, dévorer, empiéter, éroder, grappiller, gruger, manger, mordre, picorer, user.

GRIGOU. Avare, chiche, cupide, dépensier, dissipateur, économe, gaspilleur, gredin, grimelin, grippe-sou, harpagon, ladre, lésineur, liard, liardeur, pingre, pouacre, prodigue, radin, rapiat, rat, séraphin, serré, vautour, vil, vilain.

GRIGRI (n. p.) Abraxas.

GRIGRI. Aétite, amulette, anneau, bague, bétyle, bondieuserie, charme, effigie, fétiche, gris-gris, idole, mascotte, médaille, or, pentacle, phylactère, porte-bonheur, porte-chance, psellion, sachet, scapulaire, talisman.

GRILLAGE. Auvel, barrière, claie, clayon, clayonnage, clisse, clôture, douve, éclisse, écrille, frisage, grille, griller, haie, hane, jonc, lattis, natte, osier, paillasson, parc, sas, torréfier, traversine, treillis, trolle.

GRILLE. Barreau, claustra, clôture, crapaudine, garde-feu, grillage, herse, mots croisés, moucharabieh.

GRILLER. Braiser, brasiller, brûler, calciner, chaleur, chauffer, cuire, désirer, dorer, rôtir, torréfier.

GRILLON. Acridien, acridoïde, cigale, cricri, criquet, grésillement, locuste, orthoptère, pèlerin, sauterelle, stridulation.

GRIMACE. Contorsion, convulsion, distorsion, farce, gag, mimique, moquer, moue, pied-de-nez, rictus, singerie, tic.

GRIMACER. Clignoter, contorsionner, gesticuler, godailler, goder, grigner, pocher, singer.

GRIMACIER. Artificiel, bigot, cagot, comédien, déloyal, dissimulé, faux, félon, fourbe, franc, hypocrite, imposteur, judas, loyal, mielleux, papelard, pharisien, rusé, simulateur, sournois, tartufe, tartuffe.

GRIMAGE. Affectation, artifice, blanc, blush, brillant, couleur, déguisement, démaquillant, dissimulation, fard, faux, fond, khôl, kohol, maquillage, nu, nuement, nûment, peinture, pommade, rimmel, rouge, trompe-l'œil, voile.

GRIMAUD. Bonze, cuistre, écrivain, huile, lama, mandarin, personnalité, ponte, pontife, prétentieux, prêtre, religieux.

GRIMER. Cacher, colorer, couvrir, déguiser, embellir, farder, maquiller, peindre, recrépir, voiler.

GRIMOIRE. Alchimie, cabale, charme, conjuration, diablerie, divination, enchantement, ensorcellement, hermétisme, horoscope, incantation, jettatura, livre, magie, maléfice, occultisme, philtre, recette, rite, sort, sorcellerie, sortilège.

GRIMPÉE. Accroissement, ascension, augmentation, côte, crue, diapir, élévation, escalade, escalier, flux, gravissement, grimpade, marchepied, montaison, montée, monte-pente, raidillon, rampe, rapaillon.

GRIMPER. Ascendre, escalader, gravir, hausser, hisser, lever, marcher, monter, regrimper.

GRIMPEUR. Alpiniste, ascensionniste, casse-cou, escaladeur, monteur, randonneur, rochassier.

GRIMPION. Affectueux, ambitieux, arriviste, carriériste, gentil, intrigant, magouilleur, présomptueux, prétentieux.

GRINÇANT. Acerbe, acescent, acide, acidulé, âcre, âcreté, acrimonieux, aigre, aigre-doux, aigrelet, aigret, aigri, amer, âpre, astringent, dulcification, empyreume, fort, irritant, mordant, piquant, raide, rance, rancir, sur.

GRINCEMENT. Aigu, bruit, bruxisme, bruxomanie, couinement, crissement, grésillement, parasite, rossignol.

GRINCER. Couiner, crier, crisper, crisser, geindre, gémir, grignoter, grinçant, jérémiader, jérémier, lamenter, larmoyer, murmurer, piailler, piorner, pleurnicher, pleurer, rager, strider.

GRINCHEUX. Acariâtre, bougon, bougonneur, critiqueur, geignard, grinche, gringe, grogneur, grognon, hargneux, maussade, pimbêche, plaintif, pleureur, râleur, revêche, rogue, ronchon, ronchonneur, rouspéteur.

GRINGALET. Aigu, allongé, délicat, délié, effilé, élancé, épais, étroit, fil, filiforme, fin, folié, fragile, frêle, fuselé, gracile, grêle, gros, lame, large, maigre, menu, mince, petit, pincé, pruine, ru, sumo, svelte, ténu, tôle, tulle.

GRIOTTE. Anglaise, azerole, bigarreau, cerise, cerisette, cerisier, cherry, cœur-de-pigeon, coulard, drupe, gobet, grappe, grottier, guigne, guignon, mahaleb, marasque, marasquin, marbre, marmotte, merise, merisier, montmorency, musicien, poète, reverchon.

GRIOTTIER. Amer, arbrisseau, bigarreautier, catalina, cerisier, guignier, mahaleb, malpighie, merisier, prunus.

GRIPPE. Caprice, coryza, courbature, espagnole, fantaisie, haïr, influenza, refroidissement, rhume.

GRIPPE-SOU. Avare, avaricieux, chiche, cupide, économe, harpagon, grigou, ladre, pingre, radin, rapiat.

GRIS. Acier, âne, ânon, ardoisé, aviné, baudet, bis, biset, bourricot, bourrique, carte, cendre, chaud, écureuil, émêché, éminence, escargot, fer, fourrure, grège, grisâtre, grison, iode, ivre, loup, noirâtre, pincharde, terreux, vair.

GRISAILLE. Continu, endormant, ennuyeux, grisaille, fade, fastidieux, languissant, lassant, monocorde, monotone, morne, régulier, répétitif, ronron, semblable, terne, traînant, uniforme, uniformité.

GRISANT. Affriolant, capiteux, enivrant, entêtant, étourdissant, exaltant, excitant, fort, inébriant, troublant.

GRISÂTRE. Assombri, aviné, beige, grège, noirâtre, nuageux, pinchard, sombre, terne, terreux.

GRISBI. Aloi, argent, arrhes, avance, avoir, billet, blé, bourse, capital, cash, collargol, crisbi, denier, douille, écu, électrum, enjeu, escarcelle, espèces, flouse, flouze, fonds, fortune, fric, galette, impécunieux, lingot, magot, métal, mise, monnaie, oseille, pécule, pécuniaire, pèze, pognon, prêt, radis, recette, ressource, richesse, rond, saignée, sou, sous, statère, taper, thune, tiroir-caisse, trèfle, tune, vermeil.

GRISER. Ébriété, émécher, enivrer, entêter, enthousiasmer, étourdir, euphorique, exalter, exciter, rêver, saouler, soûler, transporter, troubler.

GRISERIE. Beuverie, ébriété, enivrement, étourdissement, excitation, ivresse, poivrade, rêvasserie, soûlerie.

GRISET. Argousier, épine, épine marine, faux nerprun, hippophaé, infusion, nerprun, saule épineux.

GRISETTE. Agaric, amanite, champignon, chatte, ciguë, coucoumelle, engainée, oronge, vaginée.

GRISON. Âne, ânon, asinien, bourricot, bourrique, bourriquet, mule, mulet, roussin, valet, vieillard.

GRISONNANT. Chenu, cheveu, grison, lavé, poil, poivre et sel, recyclé, relaxé, vieilli.

GRISOU. Bœuf, coup, gaz, grisoumètre, houille, méthane, mine, soufflard.

GRIVE. À collier, des bois, dos olive, draine, drenne, fauve, grène, grivette, jocasse, joues grises, litorne, mauvis, passereau, roselle, solitaire, tourd, tourdelle, trictrac, turdidé, turdu, vendangette, vendangeuse.

GRIVÈLERIE. Cabotinage, canaillerie, carambouillage, charlatanisme, crapulerie, duperie, enjôlement, escroquerie, fanfaronnade, fraude, hâblerie, imposture, maquignonnage, mystification, supercherie, tricherie, tromperie, usurpation.

GRIVOIS. Cochon, coquin, croustillant, cru, égrillard, épicé, gaillard, gaulois, gras, graveleux, grivoiserie, léger, leste, libidineux, libre, licence, licencieux, obscène, osé, paillard, polisson, raide, salace, salé, vert, vulgaire.

GRIVOISERIE. Cochon, coquin, croustillant, cru, égrillard, épicé, gaillardise, grivois, indécent, léger, leste, libre, licence, licencieux, lubrique, obscène, ordurier, osé, paillard, polisson, salace, salé, sensuel, vert, vicieux, vulgaire.

GRIZZLI. Brun, grizzly, ours brun.

GROENLAND, CAPITALE (n. p.) Nuuk.

GROENLAND, VILLE (n. p.). Disko, Dundas, Godthab, Nanok, Nuuk, Ritenbenk, Sukkertoppen, Sydproven, Thule, Umanak, Upernavik.

GROGGY. Abasourdi, absent, ahuri, attentif, braque, con, conneau, dissipé, distrait, ébahi, écervelé, enivré, étourdi, évaporé, éventé, fou, frivole, hurluberlu, idiot, irréfléchi, knock-out, léger, prévoyant, réfléchi, serin, sonné.

GROGNARD. Acariâtre, boudeur, bougon, bougonneur, bourru, briscard, criailleur, chialeur, critiqueur, grincheux, grogneur, grogneux, grognon, grondeur, maussade, mécontent, morose, râleur, récriminateur, renfrogné, ronchon.

GROGNEMENT. Bourdonnement, bruissement, bruit, chuchotement, chuchotis, gazouillis, gémissement, grognerie, marmottage, murmure, plainte, roucoulade, roucoulement, soupir, susurre, susurrement, vésiculaire.

GROGNER. Bougonner, crier, critiquer, feuler, geindre, grognarder, grognasser, grommeler, gronder, marmonner, maugréer, murmurer, pester, plaindre, protester, rager, râler, renauder, ronchonner.

GROGNERIE. Accusation, bêlement, complainte, cri, doléance, élégie, gémissement, girie, grief, hélas, hurlement, jérémiade, lamentation, murmure, pétition, plaignant, plainte, pleur, râle, réprimande, reproche.

GROGNEUR. Acariâtre, boudeur, bougon, bougonneur, bourru, briscard, criailleur, chialeur, critiqueur, désapprobateur, grincheux, grognard, grogneux, grognon, grondeur, improbateur, maussade, mécontent, morose, râleur, récriminateur, renfrogné, réprobateur, ronchon.

GROGNON. Acariâtre, boudeur, bougon, bougonneur, geignard, glapisseur, grincheux, grognard, maussade, mécontent, morose, plaignard, pleurnichard, râleur, renfrogné, ronchon, rouscailleur, rouspéteur.

GROIN. Boutoir, mufle, museau, muselière, narine, nez, proboscidien, tapir, trompe, visage.

GROLE. Casse-noix, choucas, corbeau, corbillat, corbin, corneille, crave, croassement, freux, grolle.

GROMMELER. Bougonner, crier, critiquer, feuler, geindre, grognarder, grognasser, grogner, gronder, marmonner, maugréer, murmurer, pester, plaindre, protester, rager, râler, renauder, ronchonner.

GRONDEMENT. Acouphène, battement, borborygme, bourdonnement, brondissement, bruissement, bruit, cornement, cri, feulement, gargouillement, murmure, réprimande, ronflement, ronron, roulement, tonnerre.

GRONDER. Admonester, attraper, avertir, azorer, blâmer, bougonner, chicaner, condamner, disputer, engueuler, étriller, feuler, gourmander, mater, menacer, maronner, moraliser, morigéner, moucher, prêcher, rabrouer, réprimander, savonner, semoncer, sermonner, tancer.

GRONDERIE. Admonestation, admonition, avertissement, blâme, correction, engueulade, exhortation, leçon, mercuriale, objurgation, remontrance, réprimande, reproche, savon, semonce, sermon, vesparie, vesperie.

GRONDEUR. Bougon, critiqueur, grincheux, grogneur, grognon, râleur, ronchon, rouspéteur.

GRONDIN. Cardinal, hirondelle de mer, perlon, poisson, rouget, téléostéen, tombe, trigla, trigle.

GROOM. Apprivoisé, boy, chasseur, convers, domestique, familial, foyer, individu, lad, laquais, larbin, livrée, maison, majordome, nurse, page, personne, servante, servile, serviteur, trottin, valet.

GROS. Adipeux, ample, arrondi, ballonné, bâti, beaucoup, bedonnant, bombé, bouffi, boulot, boursouflé, enflé, épais, fort, gras, grossier, lot, lourd, mahous, maous, maousse, massif, mot, obèse, potelé, ragot, rond, volumineux.

GROSEILLE. Baie, cassis, cténaire, framboise, fruit, gelée, maquereau, noir, raisinet, rose, rouge.

GROSEILLIER. Arbuste, baie, cassis, râpe, ribe, ribésiacée, rosale, saxifragacée.

GROSSE. Copie, douzaine, douze douzaines, enceinte, expédition, prégnante, grasse, ronde.

GROSSESSE. Accouchement, avortement, bas, crapaud, délivrance, dystocie, élaboration, enfantement, eutocie, forceps, gésine, gestation, gravide, maternité, naissance, obstétrique, part, parturition, puerpéral, réalisation, terme, tranchée, travail, trigémellaire.

GROSSEUR. Bosse, calibre, circonférence, corpulence, dimension, épaisseur, gabarit, goitre, taille, tumeur.

GROSSIER. Animal, balourd, bourru, brut, brutal, butor, cru, discourtois, dur, emporté, épais, féroce, fruste, goujat, gras, harengère, hirsute, huron, imparfait, impoli, incorrect, indélicat, lourd, malappris, malotru, malséant, manant, massif, mufle, rude, rustaud, rustique, rustre, sagouin, salé, scatologie, trivial, vil, violent, vulgaire.

GROSSIÈREMENT. Bassement, communément, couramment, salement, trivialement, usuellement, vulgairement.

GROSSIÈRETÉ. Barbarie, bassesse, brutalité, crudité, impolitesse, impudence, muflerie, obscénité, ordure, rudesse.

GROSSIR. Accroître, agrandir, augmenter, bander, bomber, bouffer, croître, développer, dilater, distendre, empâter, enfler, engraisser, engrosser, épaissir, étendre, gonfler, grandir, outrer, regrossir, souffler.

GROSSISSANT. Accroissement, accrue, addition, aggravation, augmentation, augmenter, crue, déflation, emphysème, enchère, exagération, extension, flambée, gonflement, hausse, inflation, intensification, œdème, recrudescence, redoublement, risée.

GROTESQUE. Absurde, bouffon, burlesque, caricature, fou, peinture, ridicule, risible, stuc.

GROTTE. Abri, antre, aven, baume, calcaire, caverne, cavité, chute, crypte, doline, excavation, gorge, gouffre, gour, lapiaz, labouiche, nymphée, rocaille, spélonque, stalactite, stalagmite, tanière.

GROTTE DE BELGIQUE (n. p.). Han.

GROTTE DE FRANCE (n. p.). Arcy, Armand, Aurignac, Bédeillac, Bramabiau, Brassempouy, Chauvet, Cigalère, Combarelles, Cosquer, Cussac, Dargilan, Escalère, Ferrassie, Font-de-Gaumes, Fuilla, Gargas, Isturitz, Labastide, Lascaux, Marsoulas, Montespan, Niaux, Orgnac-l'Aven, Pair-Non-Pair, Pech-Merle, Portel, Rouffignac, Sainte-Baume, Tibiran.

GROTTE DE L'INDE (n. p.). Ajanta, Ellora.

GROTTE D'ESPAGNE (n. p.). Alquerti, Altamira, Casteret, Malboré.

GROUILLEMENT. Activité, agitation, animation, apaisement, ardeur, barattement, calme, clapotement, coi, confusion, délire, dissipation, effervescence, émeute, émoi, émotion, fermentation, fièvre, flux, grogne, houle, inquiétude, ire, mouvement, nervosité, orage, pacification, pétulance, quiet, reflux, remous, tempête, tremblement, trouble, turbulence, vivacité.

GROUILLER. Abonder, accélérer, activer, agiter, balloter, brandiller, brasser, brouiller, dépêcher, déranger, ébranler, foisonner, fourmiller, hâter, magner, précipiter, presser, pulluler, remuer, secouer.

GROUPAGE. But, destination, direction, en, expédition, fin, ligne, orientation, pour, rendu, sud, usage, vocation.

GROUPE (3 lettres). Duo, ion, lié, mur.

GROUPE (4 lettres). Cité, clan, épis, gens, îlot, pâté, pool, race, rade, sore, trio, type.

GROUPE (5 lettres). Balte, bande, cadre, caste, clade, coron, élite, fumée, glane, horde, lobby, macle, mafia, noyau, octet, panel, parti, poule, quipo, quipu, secte, série, sigle, slave, staff, trait, tribu, volée.

GROUPE (6 lettres). Cercle, chœur, claque, clique, convoi, cordée, équipe, empire, équipe, espèce, essaim, ethnie, grappe, manade, nation, octuor, quipou, rezzou, stance, tercet, triade, troïka, troupe.

GROUPE (7 lettres). Atelier, bosquet, chorale, cohorte, cortège, ennéade, famille, fournée, groupal, konzern, peloton, pléiade, quatuor, réunion, section, septuor, strophe, tontine, triolet, trochet, vermine, zutiste.

GROUPE (8 lettres). Archipel, caravane, centaine, chapelle, commando, décapole, diatomée, distique, engeance, ensemble, escouade, ethnique, fraction, génocide, grégaire, phalange, sextolet, syntagme, troupeau.

GROUPE (9 lettres). Aggloméré, anacrouse, bataillon, borchette, quintette, résidence, séminaire.

GROUPE (10 lettres). Auréliacée, avant-garde, collection, communauté, délégation, pétaudière, sapientaux.

GROUPE (11 lettres). Antistrophe, dinausorien, faire-valoir, groupuscule, intergroupe, subdivision.

GROUPE (12 lettres). Collectivité, thermidorien

GROUPE (13 lettres). Agglomération, constellation, parlementaire.

GROUPEMENT. Assemblée, association, atelier, bloc, cellule, cercle, coalition, collectif, collège, comité, commission, confrérie, ethnie, fédération, front, litée, obédience, phalange, phratrie, pool, réunion, secte, syndicat, troupe, trust, union.

GROUPER. Accumuler, additionner, allier, ameuter, assembler, attrouper, classer, coller, condenser, contrarier, enrégimenter, entourer, éparpiller, fédérer, géminer, joindre, masser, rallier, rassembler, regrouper, réunir, spécialiser, spécifier.

GROUPIE. Admirateur, admiratrice, adorateur, amoureux, ardent, brûlant, chaud, emballé, enflammé, fan, fana, fanatique, fervent, fou, frénétique, idolâtre, inconditionnel, snob, sot, spectateur.

GROUPUSCULE. Aulique, bande, caste, clan, confrérie, congrégation, érié, ethnie, famille, fratrie, gang, genre, groupe, horde, peuplade, peuple, phratrie, race, serviteurs, smala, smalah, totem, tribal, tribu.

GRUAU. Blé, bouillie, céréale, farine, grain, grue, gruon, macération, mouture, semoule, touselle.

GRUE. Bigue, chèvre, chouleur, demoiselle de Numidie, échassier, glapir, gruau, gruon, gruter, témoin.

GRUGER. Abraser, adoucir, aléser, aplanir, avaler, briser, broyer, croquer, duper, éroder, flouer, limer, manger, meuler, polir, poncer, posséder, réduire, rogner, ronger, rouler, ruiner, surfacer, tromper, voler.

GRUIFORME. Carinate, cigogne, échassier, grue, héron, outarde, poule d'eau, râle, ralliforme.

GRUME. Censure, césure, chute, coupe, cratère, émonde, fend, gerbe, godet, hache, hémistiche, jatte, patère, pérot, picot, point, ras, rogne, scinde, section, séparation, talon, tête, tranche, tronc, trophée, vase, vasque, vin.

GRUMEAU. Boule, caillot, coaguler, coagulium, embolie, farine, flocon, floculation, maton, morceau, motton, œuf, phlébite, thrombolyse, thrombose, thrombus.

GRUMELER. Caillebotter, cailler, caséifier, coaguler, congeler, cristalliser, cruor, durcir, épaissir, figer, liguer.

GRUMELEUX. Croûteux, granité, granulé, granuleux, grené, grenelé, grenu, papilleux, rugueux, squalide.

GRUPPETTI. Groupe, gruppetto, note, ornement.

GRUYÈRE. Beaufort, comté, emmental, emmenthal, fondu, fromage, râpé, sérac, trou, vacherin.

GUADELOUPE, VILLE (n. p.). Baillif, Deshaies, Gourbeyre, Goyave, Gustavia, Lamentin, Marigot, Pointe-à-Pitre.

GUANO. Amendement, apport, biologique, compost, crotte, crottin, cyanamide, engrais, fertilisant, fiente, fumier, fumure, gadoue, géophile, humus, lisier, nourrain, poudrette, purin, terreau, urée, urine, wagage.

GUATEMALA, CAPITALE (n. p.). Guatemala.

GUATEMALA, LANGUE. Espagnol.

GUATEMALA, MONNAIE. Quetzal.

GUATEMALA, VILLE (n. p.). Chimaltenango, Chiquimula, Coatepeque, Coban, Cuilco, Guatemala, Ipala, Iztapa, Jutiapa, Likin, Ocos, Rabinal, Salama, Santiago, Solola, Taxisco, Tiquisate, Utatlan, Zacapa.

GUÉ. Canal, chenal, circonstance, circulation, circule, coup, défilé, détroit, état, goulet, histoire, issue, jadis, joie, moment, passage, passe, passe-partout, période, position, rétrospection, révolu, situation, veille.

GUÈDE. Bleu, cocagne, coraigne, couleur, isatis, pastel, pastelier, pastelliste, teinturerie.

GUENILLES. Chiffe, chiffon, défroque, haillon, harde, lambeau, loque, nippe, oripeau, torchon.

GUÊPE. Abeille, aculéate, ammophile, astate, bembex, blastophage, corset, éristale, eumène, frelon, guêpier, hyménoptère, ichneumon, nectarine, poliste, polybie, sphex, vespidé, zèthe, zéthus.

GUÊPIER. Aléa, casse-cou, casse-gueule, danger, détresse, difficulté, dragon, écueil, embûche, épouvantail, hasard, impasse, imprudence, insécurité, menace, monstre, perdition, péril, piège, poudrière, récif, risque, souricière, spectre, tarasque, traquenard, traverse, urgence.

GUÊPIÈRE. Busc, bustier, cadre, ceinture, combiné, corsage, corselet, corset, gaine, lacet, lombostat, orthèse.

GUÈRE. Exceptionnellement, feu, médiocrement, peu, presque, rarement, souvent, très peu, trop.

GUÉRET. Abandon, brûlis, déshérence, friche, glèbe, jachère, labour, lande, semailles, terre, versage.

GUÉRIDON. Bipied, bouillotte, chevalet, chevrette, lutin, rognon, selle, sellette, siège, support, table, tabouret, trépied.

GUÉRILLA. Assaut, attaque, bagarre, bataille, bloc, campagne, combat, conflit, croisade, démêlé, der, dispute, djihad, émeute, escalade, escarmouche, guéguerre, guerre, lutte, mine, mobilisation, paix, péan, razzia, révolte, riflette, soldat.

GUÉRILLERO (n. p.). Che, Guevara, Machel.

GUÉRILLERO. Combattant, contre, franc-tireur, maquisard, partisan, pistolero, résistant, soldat.

GUÉRIR. Adoucir, améliorer, apaiser, arranger, calmer, cicatriser, opérer, panser, ranimer, réchapper, réconforter, récupérer, remède, remettre, rétablir, retaper, sauver, soigner, soulager, traiter.

GUÉRISON. Amélioration, apaisement, curatif, cure, médication, régime, rémission, rétablissement, thérapeutique, traitement.

GUÉRISSABLE. Améliorable, amendable, curable, perfectible, réadaptable, réformable, soignable.

GUÉRISSEUR (n. p.). Philippe, de Lyon, Raspoutine.

GUÉRISSEUR. Charlatan, féticheur, magnétiseur, rabouteux, ramancheux, rebouteux, sorcier, thérapeute.

GUÉRIT. Adoucit, calme, guérisseur, médicament, panacée, remède, remis, rétabli, soulage.

GUÉRITE. Abri, abribus, aile, antre, asile, auvent, baraque, baraquement, blockhaus, cabane, cagna, casemate, chenil, couvert, dais, échauguette, égide, fortification, fortin, gabion, gare, gîte, hangar, havre, hutte, igloo, iglou, kan, khan, niche, parapluie, parasol, poivrière, port, poulailler, protection, quicageon, quiquajon, rade, refuge, retraite, ruche, serre, taud, taude, tente, têt, toit, tutelle.

GUERRE (n. p.). Boers, Cent Ans, Cévennes, Corée, Crimée, Golfe, Kippour, Sécession, Six Jours, Vendée, Vietnam.

GUERRE. Assaut, attaque, bagarre, bataille, bloc, campagne, combat, conflit, croisade, démêlé, der, dispute, djihad, émeute, escalade, escarmouche, guéguerre, guérilla, lutte, mine, mobilisation, paix, péan, razzia, révolte, riflette, soldat.

GUERRIER. Antrustion, belliciste, belliqueux, martial, militaire, militant, pair, reître, samouraï, soldat, truste.

GUERRIER ARABE (n. p.). Antar.

GUERRIER GREC (n. p.). Ajax.

GUERRIER MÉROVINGIEN (n. p.). Antrustion.

GUERRIER PHILISTIN (n. p.). Goliath.

GUERRIER TROYEN (n. p.). Énée.

GUERRIÈRE. Amazone, belote, bramante, walkyrie.

GUERROYER. Bagarrer, batailler, battre, combattre, défoncer, démener, escrimer, ferrailler, lutter.

GUET. Affût, attention, cachette, embuscade, espionnage, faction, filature, garde, patrouille, surveillance.

GUET-APENS. Assassinat, attrape, attrape-nigaud, embuscade, filet, guêpier, leurre, piège, traquenard.

GUÊTRE. Arme, chausses, cnémide, grève, guêtron, heuse, houseau, jambart, jambière, leggings, protecteur.

GUETTER. Attendre, éclairer, écornifler, épier, espionner, flâner, observer, regarder, surveiller, toiser, zieuter.

GUETTEUR. Épieur, factionnaire, garde, historien, matelot, mirador, observateur, planton, sentinelle, vigie.

GUEULARD. Aboyeur, beuglard, braillard, cadmie, criard, hurleur, râleur, roquet, rouspéteur, vociférateur.

GUEULE. Bec, blason, bouche, lion, loup, margoulette, obusier, ouverture, péristome, rostre, tête, visage.

GUEULE-DE-LOUP. Antirrhinum, asarina, fleur, maurandella, maurandya, muflier, plante, scrofulariacée.

GUEULER. Beugler, brailler, bramer, crier, fulminer, hurler, pester, rugir, tempêter, tonitruer, vociférer.

GUEULETON. Agape, banquet, bombance, brunch, buffet, casse-croûte, cène, collation, déjeuner, dîner, dînette, en-cas, festin, frichti, frugal, gala, gastronomie, gourmandise, goûter, lippée, lunch, médianoche, menu, orgie, pique-nique, popote, réfection, régal, repas, reste, réveillon, ripaille, soupe, souper, tétée, thé.

GUEUSE. Ale, amidon, bière, blonde, bock, boisson, bouteille, brasserie, canette, cercueil, cervoise, chope, demi, faro, feu, houblon, kriek, lambic, malt, mort, orge, pale, pale-ale, pils, porter, stout, tchapalo, tombe, zython, zythum.

GUEUX. Affligé, clochard, infortuné, mendiant, miséreux, neutre, paria, pauvre, pilon, réprouvé, robineux, va-nu-pieds.

GUI. Angulaire, apétale, apiquer, aurique, arbre, arbuste, balancine, balestron, beaupré, bôme, corne, drome, espar, levier, gui, limite, loranthacée, mât, parasite, spinnaker, tangon, vergue, viscum, voilier.

GUICHE. Accroche-cœur, boucle, bouclette, courroie, crolle, éfrison, enguichure, frisette, frison, frisottis, frisou, frisure, mèche, proxénétisme, retroussis, rosette, rouflaquette, sexe.

GUICHET. Bar, bergerie, caisse, comptoir, emporium, établissement, judas, loge, magasin, zinc.

GUICHETIER. Bignole, caissier, casernier, cerbère, chasseur, clerc, concierge, garde, gardien, geôlier, gorille, huissier, loge, pipelet, pibloque, porte-clés, porterie, portier, portière, suisse, tourier, tourière, veilleur.

GUIDAGE. Decca, loran, navigation, radiogoniométrie, radioguidage, radionavigation, système, yachting.

GUIDE (n. p.). Balmat, Brrès, Carson, Reni.

GUIDE. Accompagnateur, ânier, berger, catalogue, cavalier, chaperon, chef, cicérone, conducteur, cornac, cow-boy, gourou, gouverneur, guru, imam, jeannette, mène, mentor, notice, péon, phare, pilote, rail, rêne, sherpa, vade-mecum.

GUIDER. Accompagner, aiguiller, conduire, conseiller, diriger, éclairer, mener, orienter, mener, piloter, téléguider.

GUIDON. Abri, aile, bannière, belvédère, berne, bungalow, chalet, cor, cottage, drapeau, étendard, gloriette, gopura, guérite, kiosque, maison, muette, oreille, pagode, pavillon, rotonde, tente, tonnelle, tourelle, villa.

GUIDOUNE. Catin, guidounage, péripatéticienne, poule, prostituée, putain, pute, turf.

GUIGNE. Accident, bigarreau, cerise, cerisier, déveine, fatalité, guignard, guignon, infortune, malchance, malédiction, malheur, poisse, scoumoune, tuile, vicissitude.

GUIGNER. Aimer, ambitionner, appâter, arrêter, aspirer, briguer, chercher, commander, convoiter, daigner, décider, défendre, désirer, déterminer, efforcer, entendre, envier, exiger, interdire, lorgner, ordonner, permettre, pouvoir, prétendre, regarder, signifier, souder, souhaiter, volonté, vouloir.

GUIGNETTE. Bigorneau, ébranchoir, élagueur, émondoir, escargot, littorine, vigneau, vignot.

GUIGNOL. Bamboche, bizarre, bouffon, bunraku, charlot, clown, fantoche, gendarme, gugusse, imbécile, juge, mannequin, marionnette, pantin, pitre, polichinelle, policier, pupazzo, ridicule, tribunal.

GUILDE. Aelé, amicale, artel, association, blastomère, cercle, club, comité, confrérie, corporation, covenant, fédération, fusion, ghilde, gilde, hanse, jumelage, ligue, macle, mafia, ordre, pacte, parti, regroupement, société, syndicalisation, triumvirat, union.

GUILLERET. Allègre, badin, frétillant, fringant, gai, gaillard, jovial, joyeux, léger, réjoui, sémillant, vif.

GUILLOCHAGE. Burinage, ciselure, décor, défoncé, échoppage, lapiaz, lapié, ornement, sculptage.

GUILLOCHURE. Barrière, caillebotis, claie, clôture, emmêlage, emmêlement, enchevêtrement, enlacement, entortillage, entrecroisement, entrelacement, grillage, jardin, tagal, treillis.

GUILLOTINE. Bécane, billot, bourreau, décapitation, échafaud, gibet, hache, potence, son, veuve.

GUILLOTINER. Couper, décapiter, décoller, écimer, étêter, exécuter, raccourcir, supplicier, trancher, tuer.

GUILLOTINEUR. Assassin, barbare, boucher, bourreau, capeluche, cruel, dépravé, exécuteur, fusilleur, guillotine, meurtrier, monstre, psychopathe, sadique, sado, sanguinaire, supplice, tordu, tortionnaire, tourmenteur, tueur, valet.

GUIMAUVE. Althaea, althée, fade, friandise, malvacée, marshmallow, mauve, rose trémière.

GUIMBARDE. Automobile, bombarde, clou, languette, musique, rabot, ruine-babines, tacot, voiture.

GUIMPE. Barbette, brassière, camisole, chemisette, décolleté, fichu, religieuse, vêtement.

GUINCHER. Compas, coryphée, danser, évoluer, exécuter, gambiller, giguer, swinger, twister, valser.

GUINDANT. Altitude, battant, calibre, dimension, élévation, haut, hauteur, mât, plafond, voile.

GUINDÉ. Affecté, apprêté, coincé, compassé, constipé, corseté, empesé, gêné, gourmé, pincé, raide.

GUINDEAU. Bigue, bourriquet, cabestan, cabre, caliorne, chèvre, cric, écoperche, giron, guindal, guinde, louve, manivelle, nilles, palan, pouliot, tambour, tirefort, tourillon, treuil, vindas, winch.

GUINÉE (n. p.). Jacobus, Papouasie.

GUINÉE, CAPITALE (n. p.). Conakry.

GUINÉE, LANGUE. Français.

GUINÉE, MONNAIE. Franc.

GUINÉE, VILLE (n. p.). Boke, Boffa, Conakry, Fria, Ganta, Maleya, Mali, Nzo, Pita, Siguiri, Timbo, Yomou.

GUINÉE BISSAU, CAPITALE (n. p.). Bissau.

GUINÉE BISSAU, LANGUE. Portugais.

GUINÉE BISSAU. MONNAIE. Franc.

GUINÉE BISSAU, VILLE (n. p.). Abu, Beli, Binar, Bissau, Caio, Catio, Co, Empada, Enxude, Gabu, Mampata, Mansaba, Tomboli, Xime, Xitoli.

GUINÉE ÉQUATORIALE, CAPITALE (n. p.). Malabo.

GUINÉE ÉQUATORIALE, LANGUE. Espagnol, français.

GUINÉE ÉQUATORIALE, MONNAIE. Franc.

GUINÉE ÉQUATORIALE, VILLE (n. p.). Andok, Asok, Basakato, Bata, Gobe, Kogo, Luba, Makamo, Malabo, Manyanga, Mbini, Melong, Michobo, Moka.

GUINGUETTE. Auberge, bal, bar, bastringue, brasserie, cabaret, café, estaminet, musette, surboum.

GUIPON. Aspirateur, balai, balayette, brosse, coco, écouvette, écouvillon, épi, époussette, épuration, escoube, faubert, goret, houssoir, lave-pont, plumard, plumeau, ramon, rubis, sorcière, tête de loup, torchon, vadrouille.

GUIRLANDE. Chaine, chapelet, cheveu d'ange, couronne, dessin, feston, fête, fleur, girandole, sculpture, tortis.

GUISE. Accord, amiable, façon, fantaisie, goût, gratitude, gré, libre, malgré, manière, volonté, volontiers.

GUITARE. Balalaïka, banjo, charango, cithare, citole, frette, gratte, guimbarde, guimbri, guiterne, guzla, luth, lyre, mandoline, mandore, plectre, samisen, shamisen, sistre, sitar, touchette, turtulette, ukulélé.

GUITARISTE (n. p.). Berry, Bowie, Broonzy, Clapton, Dylan, Grappelli, Haley, Hendrix, Hooker, Hopkins, King, Lagoya, Marley, Muddy, Jagger, Reinhardt, Segovia, Townsend, Yepes, Yuponqui.

GUITOUNE. Abri, blockhaus, bunker, cabane, cagna, casemate, forteresse, fortin, gourbi, ouvrage, redoute, tente, tourelle.

GUIVRE. Ammodyte, aspic, bisse, céraste, méchant, ophidien, péliade, reptile, serpent, venin, vipère, vipereau, vive.

GULDEN. Cent, florin, guilder, monnaie, or, pièce.

GURU. Ashram, chaperon, chef, censeur, cicérone, conducteur, conseiller, cornac, éducateur, gourou, gouverneur, guide, hodja, khodja, maître, mène, mentor, péon, pilote, prophète, sherpa, vénérable.

GUSTATION. Acidité, âcre, agueusie, aigre-doux, âpre, arôme, attachement, béotien, caprice, condiment, corsé, doux, épice, faim, fort, foxé, goût, guise, gustatif, kitch, kitsch, manie, mode, moelleux, odeur, palais, passade, rage, ranci, rancio, salé, sapide, sauvagin, saveur, sens, sur, tocade.

GUTTIFÈRE. Abricotier, caraipa, garcinia, harungana, millepertuis, moronobea, platonia, rheedia, triademum.

GUTTURAL. Âpre, enroué, éraillé, graillant, râpeux, rauque, rocailleux, rude, sauvage, vélaire.

GUYANA, CAPITALE (n. p.). Georgestown.

GUYANA, LANGUE. Anglais.

GUYANA, MONNAIE. Dollar.

GUYANA, VILLE (n. p.). Annai, Aurora, Biloku, Georgestown, Isherton, Issano, Lethem, Linden, Mandia, Mara, Suddie, Takama, Toka, Wismar.

GUYANE FRANÇAISE, VILLE (n. p.). Camopi, Cayenne, Iracoubo, Kaw, Mana, Rochambeau, Roura, Saul, Sinnamary.

GYMNASTE (n. p.). Comaneci.

GYMNASTE. Acrobate, athlète, coureur, culturiste, gymnasiarque, moniteur, sauteur, sportif, trapéziste, xyste.

GYMNASTIQUE. Acrobatie, aérobic, aérobie, agrès, anneaux, chuan, culturisme, engin, exercice, gym, haltère, mil, sport, taï-chi, taï-chi-chuan, traction.

GYMNIQUE. Alternatif, chorégraphie, danse, exercice, prosodie, rythmique, scansion, versification.

GYMNOSPERME. Chlamydosperme, conifère, cycadale, cycas, éphédra, ginkgo, ginkgoale, gnétale, gnète, phanérogame, ptéridospermale, sapin, spermaphyte, taxacée, welwitschia, zamia, zamier.

GYNÉCÉE. Appartement, bordel, carpelles, femme, harem, lupanar, matrulle, pistil, sérail, zénana.

GYNÉCOLOGUE (n. p.). Ogino, Péan, Tarnier.

GYNÉCOLOGUE. Accoucheur, génital, gynécologiste, maïeuticien, obstétricien, périnatologue.

GYNÉRIUM. Arbuste, graminée, herbe, herbe de la Pampa, phragmite, plume des Pampas, roseau à balais.

GYPSE. Alabastrite, albâtre, calcium, clivage, désert, plâtre, pierre à plâtre, roche, rose, sable, staff, stuc.

GYROPHARE. Ambulance, balise, cerise, fanal, feu, flambeau, guide, lanterne, phare, policier, pompier, sémaphore.

GYROSCOPE. Axe, boussole, compas, direction, gyrocompas, gyropilote, rotation, rouanne.

H

HABILE. Adroit, agile, aisé, apte, astucieux, avisé, bien, bon, calé, capable, exercé, expert, ferré, fin, finaud, fort, fortiche, futé, ingénieux, intelligent, léger, leste, madré, maître, malin, mazette, roublard, roué, rusé, sioux, sorcier, subtil, vif.

HABILEMENT. Adroit, adroitement, ambassadorial, astucieusement, brillamment, diplomatiquement, expertement, faufiler, finement, habile, insinuer, politique, politiquement, prudent, savamment.

HABILETÉ. Adresse, agilité, aisance, aptitude, art, artifice, astuce, capabilité, combine, dextérité, doigté, don, émérite, entregent, faculté, finesse, force, grâce, ingéniosité, malice, ruse, tact, talent, truc.

HABILITER. Accepter, accorder, acquiescer, admettre, agréer, approuver, autoriser, concéder, consentir, permettre.

HABILLÉ. Accoutré, chic, élégant, fagoté, ficelé, geunillous, sagum, saie, seyant, tenue, vêtu.

HABILLEMENT. Accoutrement, atours, complet, costumes, dessous, deux-pièces, effets, ensemble, fringues, gant, garde-robe, habit, harnachement, harde, haut, jupe, layette, parure, sous-vêtement, toilette, vêtement.

HABILLER. Accoutrer, affubler, ajuster, attifer, carrosser, coller, costumer, couvrir, culotter, déguiser, draper, endimancher, équiper, franger, fringuer, ganter, mise, nipper, parer, rhabiller, recouvrir, revêtir, saper, vêtir.

HABILLEUR. Apiéceur, artisan, barreau, biveau, costume, coupeur, couturier, culottier, essayeur, faiseur, giletier, jupier, laie, lapidaire, marquoir, pompier, ripe, sculpteur, smille, spencer, tailleur, talc.

HABIT. Arlequin, bure, costar, costard, costume, frac, fringue, froc, jaquette, morue, œkoumène, oripeau, ornement, queue-de-morue, queue-de-pie, redingote, sac, sape, simarre, spencer, tenue, tenue de cérémonie, uniforme, vergette, vêtement, vêture.

HABITABLE. Agréable, confortable, convenable, disponible, écoumène, logeable, occupant, vivable.

HABITACLE. Cabine, carlingue, cockpit, compas, coquille, domicile, équipage, fuselage, verrière.

HABITANT. Aborigène, âme, autochtone, bois, citadin, citoyen, colon, être, évacué, gens, habitation, hôte, ilien, individu, insulaire, manant, martien, maure, mèdes, more, natif, nomade, originaire, pays, peuple, rural, ruraux, rue, sélénite, turbe, vivant, zonier, zoreille.

HABITAT. Biotope, climat, contrée, demeure, domestique, domicile, environnement, habitation, local, logement, milieu, pays, pied-à-terre, région, résidence, séjour, studio, territoire, toit, ville.

HABITATION. Abri, aire, bungalow, cabane, case, caverne, cella, chalet, coron, cure, demeure, domicile, ermitage, êtres, fourmilière, gîte, gourbi, HLM, hutte, igloo, iglou, immeuble, isba, logement, logis, maison, manoir, manse, mas, ménage, naos, nid, onychophagie, pénates, piaule, presbytère, propriété, résidence, ruche, tanière, taudis, taule, tipi, toit, tour, villa.

HABITÉ. Anthropophile, colonisé, fourni, fréquenté, inspiré, peuplé, poissonneux, surpeuplé, vivant.

HABITER. Acclimater, camper, chambrer, cohabiter, crécher, demeurer, durer, estiver, établir, fixer, gîter, hanter, loger, nicher, occuper, passer, peupler, piauter, résider, rester, séjourner, vivre.

HABITUATION. Acclimatement, accoutumance, accroc, adaptation, adduction, aguerrissement, analgésie, anesthésie, assuétude, barbituromanie, besoin, dépendance, endurcissement, immunisation, insensibilisation, tolérance, toxicomanie.

HABITUDE. Acclimatement, accoutumance, attitré, conduite, coutume, dada, exercé, geste, idiolecte, inexercé, jactance, loquacité, manie, manière, mœurs, norme, onychophagie, pli, rite, rituel, routine, tic, us, usage, usance, vanité.

HABITUÉ. Abonné, accoutumé, chaland, client, correspondant, émérite, familier, fidèle, pilier, pratique, souscrire.

HABITUEL. Accoutumé, attendu, attitré, automatique, chronique, classique, commun, consacré, conventionnel, courant, coutume, coutumier, émérite, errements, manie, normal, perpétuel, pli, rite, routine, tic, us, usage.

HABITUELLEMENT. Accoutumée, classiquement, communément, conventionnellement, couramment, généralement, normalement, ordinairement, rituellement, traditionnellement, usité, usuellement.

HABITUER. Acclimater, accoutumer, aguerrir, amariner, dresser, exercer, façonner, familiariser, former.

HÂBLER. Affabuler, amplifier, blaguer, fabuler, imaginer, inventer, mentir, rêvasser, rêver.

HÂBLERIE. Affabulation, blague, bluff, boniment, bravade, braverie, broderie, cabotinage, charlatanerie, crânerie, exagération, fanfaronnade, forfanterie, galéjade, gasconnade, rodomontade, vantardise.

HÂBLEUR. Affabulateur, bellâtre, blagueur, bluffeur, bonimenteur, bravache, brodeur, cabotin, conteur, crac, crâneur, faiseur, fanfaron, fier-à-bras, frimeur, galéjer, gascon, m'as-tu-vu, matamore, vantard.

HACHÉ. Abrupt, accidenté, bœuf, coupé, décousu, désordonné, embouti, entrecoupé, heurté, interrompu, irrégulier, morcelé, porc, rude, rupturé, saccadé, veau, verboquet, viande.

HACHE. Arme, aisseau, aissette, ascia, bipenne, cochoir, cognée, couperet, coutre, dolabre, doleau, doloire, erminette, fendoir, francisque, herminette, laye, merlin, minerve, rustique, tille, tomahawk.

HACHEMENT. Bandage, bouillie, capilotage, charcutage, charpie, compote, déchiquetage, déchirement, défilage, destruction, dilacération, hachage, lacération, marmelade, miettes, morceaux, poussière, purée.

HACHER. Couper, déchiqueter, découper, entrecouper, hachurer, interrompre, mutiler, saccader, tailler, trancher.

HACHETTE. Ablette, arme, doleau, hache, hachereau, hachot, hachotte, herminette, massue, tomahawk.

HACHIS. Boulette, caillette, croquette, duxelles, far, farce, farci, godiveau, haché, moussaka, pâté, rouleau, salpicon, taboulé.

HACHISCH. Acide, barbiturique, buvard, came, champignon, cocaïne, coke, crack, drogue, goure, hallucinogène, hasch, haschich, héroïne, l.s.d., lysergique, mari, marijuana, morphine, neige, opium, orviétan, pavot, pot, psilocybine, qat, speed.

HACHOIR. Abaque, architrave, cochoir, couperet, couteau, découpoir, doleau, doloire, épistyle, fendoir, hache-viande, hansart, linteau, mixer, mixeur, moulinette, plateau, poitrail, sommier, tailloir, tranchoir, ustensile.

HACHURE. Alinéa, appât, arête, arêtier, article, axe, barre, biais, bouchon, contour, droite, galbe, géométrie, gras, gribiche, infanterie, laisse, libouret, ligne, limite, nervure, poisson, profil, raie, rayure, scion, segment, strie, suture, té, trace, trait.

HACHURER. Accentuer, bouder, cocher, coter, cranter, créner, denteler, écrire, empreindre, entailler, exprimer, ferrer, graver, greneler, insculper, layer, ligner, marquer, marqueter, moucheter, noter, numéroter, ombrager, plisser, ponctuer, respirer, rire, scorer, signer, tacheter, tatouer, taveler, tomer, tracer, zébrer.

HAFNIUM. Celtium, Hf.

HAGARD. Absent, délirant, dépaysé, dérouté, désorienté, écarté, effaré, égaré, fou, halluciné, perdu.

HAGIOGRAPHE (n. p.). Flodoard, Fontaine, Voragine.

HAGIOGRAPHE. Biographe, bollandiste, écrivain, hagiologue, louangeur, martyrologiste, saint.

HAIE. Barricade, barrière, bordure, breuil, brise-vent, buisson, chaîne, charmille, claie, clos, clôture, cordon, échalier, enceinte, entourage, mur, obstacle, ormille, palissade, rampe, saut-de-loup, trêve.

HAILLONS. Chiffons, défroque, friperie, fripes, guenilles, hardes, lambeau, loque, nippe, oripeau.

HAINE. Abomination, acrimonie, amertume, androphobie, animosité, antagonisme, antipathie, aversion, baver, colère, détestation, dissension, fanatisme, fiel, horreur, hostilité, inimitié, intolérance, mépris, misandrie, misanthropie, misogynie, querelle, rancune, répulsion, ressentiment, rivalité, vengeance, xénophobie.

HAINEUX. Acariâtre, acerbe, affreux, agressif, amer, bienveillant, bon, brutal, corrosif, cruel, dangereux, diabolique, dur, excellent, fielleux, malfaisant, malicieux, malin, mauvais, méchant, mécréant, odieux, pervers, rossard, rosse, sadique, serpent, vache, venimeux, virulent.

HAÏR. Abhorrer, abominer, aigrir, détester, exécrer, honnir, irriter, maudire, rebuter, réprouver, ulcérer.

HAIRE. Brassière, camisard, camisole, chemise, chèvre, cilice, classeur, crin, cylindre, dossier, farde, gilet, guimpe, jabot, jaquette, liquette, manche, manchette, nuisette, obus, parure, plastron, poignet, polo, puce.

HAÏSSABLE. Abominable, affreux, antipathique, bas, déplaisant, désagréable, détestable, maudit, odieux.

HAÏTI, CAPITALE (n. p.). Port-au-Prince.

HAÏTI, LANGUE. Créole, français.

HAÏTI, MONNAIE. Gourde.

HAÏTI, VILLE (n. p.). Aquin, Bombardopolis, Corail, Déluge, Ennery, Gros Morne, Jacmel, Limbe, Liminade, Maissade, Milot, Port-au-Prince.

HALAGE. Bronzage, brunissage, brunissement, hâle, cuivrage, lé, marchepied, polissage, tirage.

HALBRAN. Anatidé, cancan, canard, cane, caneton, canardeau, cancane, duvet.

HÂLÉ. Aduste, ambré, basané, boucané, bronzé, brun, bruni, cuivré, doré, étain, grillé, nègre, noir, noiraud, talé, tanné, toué.

HALEINE. Ail, anhélation, aspiration, bouffée, brise, effluve, essoufflé, exhalaison, expiration, haletant, humage, inhalation, inspiration, pantelant, parfum, respir, respiration, senteur, souffle, soupir, vent.

HALER. Affaler, annoncer, berme, bouliner, chaland, lé, paumoyer, remorquer, tirer, touer, traîner.

HÂLER. Basaner, boësse, boucaner, bronzer, brunir, cuivrer, dorer, griller, matir, noircir, polir, poncer, tanner.

HALETANT. Anhélant, époumoné, épuisé, essoufflé, étouffé, impatient, pâmé, pantelant, pantois, poussif.

HALÈTEMENT. Air, anhélation, apnée, asphyxie, aspiration, bouffée, expiration, haleine, inhalation, inspiration, oxygène, pause, poussive, râle, râlement, repos, respir, respiration, sifflement, souffle, soupir, stertor.

HALETER. Anhéler, époumoner, essouffler, étouffer, panteler, respirer, saccader, souffler, suffoquer.

HALEUR. Bigue, cabestan, calïorne, chèvre, drisse, garde, grue, guinde, palan, pouliot, sapine, transstockeur, treuil.

HALIOTIDE. Coquillage, gastéropode, mollusque, oreille-de-mer, ormeau, ormet, ormier, ormiet, ormoie.

HALL. Antichambre, bazar, boutique, braderie, entrée, épicerie, foire, marché, pacte, place, salle, souk, vestibule.

HALLE. Bazar, braderie, entrepôt, foire, fondouk, magasin, marché, minque, poissonnerie, salon.

HALLEBARDE. Arme, corde, fauchard, godendard, guisarme, hast, lance, pertuisane, pleuvoir, vouge.

HALLEBARDIER. Fantassin, figurant, soldat, traban, travan.

HALLIER. Ardent, bois, bosquet, broussaille, buisson, écrevisse, églantier, fourré, pyracantha, scrub, taillis, théridion.

HALLUCINANT. Étonnant, extraordinaire, frappant, impressionnant, marquant, saisissant, stupéfiant.

HALLUCINATION. Acousmie, aliénation, apparition, autoscopie, cauchemar, chimère, délire, démence, déraison, divagation, fantasme, folie, illusion, lévitation, mirage, onirisme, photopsie, trip, vision.

HALLUCINOGÈNE. Acide, barbiturique, buvard, came, champignon, cocaïne, coke, crack, drogue, ecstasy, goure, hachisch, hasch, haschich, héroïne, khat, l.s.d., lysergique, mari, marijuana, morphine, neige, opium, orviétan, pavot, pot, psilocybine, qat, speed.

HALO. Aura, auréole, brume, cercle, clair, clarté, contre-jour, demi-jour, éclair, lueur, nimbe, rond, voile.

HALOGÈNE. Astate, brome, chlore, fluor, fréon, gaz, halon, iode, lampe, sel.

HALOT. Abri, aire, antre, breuil, caverne, cavité, estomac, excavation, gîte, grotte, héronnière, lieu, liteau, nid, pylore, ravage, réduit, refuge, renardière, repaire, retraite, tanière, terrier, trou.

HALTE. Arrêt, congé, délassement, escale, étape, oasis, pause, relais, répit, repos, scale, station, stop.

HALTÈRE. Arraché, développé, épaulé, épaulé-jeté, haltérophile, haltérophilie, poids, soulevé.

HAMADRYADE. Bois, chenilles, chrysalide, cobra, daphné, dryade, grâce, hespéridé, hyades, muse, naïade, napée, néréide, nixe, nymphal, nymphe, océanide, ondine, oréade, pléiade, pupe, satyre.

HAMAMÉLIDACÉE. Copalme, hamamélis, liquidambar.

HAMEAU (n. p.). Batignolles, Brétigny, Charmettes, Clingnancour, Lawfeld, Maguelone, Maguelonne, Paraclet, Uriage.

HAMEAU. Agglomération, bourg, bourgade, écart, îlet, irles, lieu-dit, localité, mechta, pays, village.

HAMEÇON. Amorce, ardillon, appât, bricole, crochet, cuiller, devon, èche, empile, grappin, haim, leurre, ligne, piège, rapala.

HAMPE. Banderole, bâton, bois, boucherie, brayer, dard, digon, drapeau, faux, hast, lance, manche, pique, tige, trabe.

HAN. Anhélation, apnée, asthme, cri, dyspnée, enchifrènement, essoufflement, étouffement, halètement, interjection, oppression, ronflement, sibilation, stertor, stridor, suffocation.

HANCHE. Aine, casaquin, ceinture, coxal, croupe, déhanché, fémur, fesse, flanc, iliaque, sciatique, taille.

HANDICAP. Cheval, désavantage, gêne, golf, impotence, incapacité, infirmité, invalidité, pénalisant.

HANDICAPÉ. Anormal, bossu, bot, déficient, déformé, désavantagé, estropié, infirme, paraplégique.

HANDICAPER. Défaire, défaut, défavoriser, désavantager, déshériter, déposséder, désavouer, infériorité, léser.

HANGAR. Abri, appentis, chartil, dépendance, dépôt, dock, entrepôt, fenil, fondouck, garage, réserve, rotonde.

HANNETON. Barbeau, cancouële, escarbeau, étourdi, hannetonner, insecte, man, scarabée, ver blanc, turc.

HANSE. Aelé, amicale, artel, association, bannière, blastomère, cercle, club, comité, corporation, covenant, fédération, fusion, guilde, jumelage, ligue, macle, mafia, marchand, ordre, pacte, parti, regroupement, société, syndicalisation, triumvirat, union.

HANTÉ. Anxieux, aveuglé, bourrelé, cauchemar, érotomane, érotomaniaque, fou, fréquenté, habité, inquiet, maison, malade, maniaque, maudit, obnubilé, obsédé, pourchassé, préoccupé, torturé, tourmenté.

HANTER. Courir, fréquenter, habiter, harceler, obséder, occuper, pourchasser, poursuivre, préoccuper, tourmenter.

HANTISE. Agitation, angoisse, anxiété, chagrin, embarras, émoi, ennui, fixe, fou, idée, inquiétude, manie, nervosité, obsession, peine, peur, psychose, scrupule, souci, tintouin, tourment, tracas, transe.

HAPAX. Accent, air, apax, aspect, binôme, caractère, cliché, émanation, énoncé, équation, expression, figure, formule, juron, lexie, locution, lyrisme, mine, mot, physionomie, raccourci, style, ton, voix.

HAPPE. Agrafe, crampon, crochet, davier, grappin, griffe, harpon, languette, mentonnet, tenaille, tenon.

HAPPER. Accrocher, adhérer, agripper, attacher, attraper, empoigner, gober, gripper, prendre, saisir.

HARA-KIRI. Assassiner, couler, démolir, détruire, immoler, saborder, seppuku, suicide, supprimer, ruiner, tuer.

HARANGUE. Allocution, diatribe, exhortation, homélie, philippique, prêche, réquisitoire, sermon, tirade.

HARANGUER. Aborder, agir, annoncer, babiller, bafouiller, baragouiner, bavarder, bêler, bléser, causer, chuchoter, claironner, crier, dauber, débiter, dénigrer, dire, discourir, disserter, divaguer, évoquer, exposer, exprimer, extravaguer, gueuler, hurler, jacter, jargonner, jaser, joual, marmotter, monologuer, nasiller, négociation, parler, patois, péronier, picard, placoter, prononcer, rouchi, sic, susurrer, tarir, tonner, trahir, vociférer.

HARANGUEUR. Avocat, baratineur, bavard, causeur, conférencier, débatteur, défenseur, discoureur, diseur, foudre, intervenant, orateur, parleur, participant, péroreur, phraseur, prêcheur, prédicant, prédicateur, rhéteur, rhétoricien, tribun, verve.

HARASSANT. Abrutissant, accablant, claquant, crevant, épuisant, éreintant, exténuant, fatigant, tuant.

HARASSÉ. Brisé, claqué, crevé, épuisé, esquinté, estrapassé, exténué, fatigué, fourbu, las, lessivé, recru, rendu.

HARASSER. Abrutir, anéantir, briser, claquer, courbaturer, crever, démolir, épuiser, éreinter, esquinter, estrapasser, exténuer, fatiguer, forcer, fourber, lasser, recru, rendre, surmener, tuer, vanner, vider.

HARCELANT. Agaçant, assiégeant, crispant, désagréable, embêtant, énervant, enquiquinant, exaspérant, excédant, fatigant, importun, inopportun, insupportable, irritant, persécuteur, pourchasseur, traqueur.

HARCÈLEMENT. Accusation, action, après, assignation, charge, chasse, course, demande, exercice, justice, lièvre, persécution, poursuite, poursuivant, procès, projecteur, recherche, retraite, trousse, vendetta, vindicte.

HARCELER. Acculer, agacer, assaillir, assiéger, asticoter, attaquer, bombarder, chahuter, ennuyer, exciter, faire la meule, fatiguer, huer, importuner, lutiner, obséder, persécuter, pourchasser, poursuivre, presser, suivre, talonner, tanner, taquiner, tarabuster, tourmenter.

HARCELEUR. Adversaire, agresseur, assaillant, attaquant, ennemi, offenseur, oppresseur, persécuteur, provocateur, violeur.

HARDES. Chiffons, défroques, fringues, friperie, frusquess, guenilless, haillons, harpail, nippes, oripeaux.

HARDI. Affirmatif, assuré, audacieux, aventureux, aventurier, brave, cascadeur, casse-cou, cavalier, confiant, courageux, culotté, cynique, décidé, déluré, déterminé, effronté, énergique, entreprenant, ferme, fier, fougueux, gaillard, gonflé, impavide, impétueux, intrépide, luron, original, osé, périlleux, résolu, risqué, risque-tout, téméraire, vaillant, valeureux, viril, volontaire.

HARDIESSE. Aplomb, assurance, audace, bravoure, calme, courage, cran, culot, cynisme, effronterie, fermeté, fierté, impétuosité, insolence, jactance, sûreté, témérité, ténacité, timidité, toupet, sûr, vaillance.

HARDIMENT. Abruptement, articulé, brusquement, brutalement, caractérisé, carrément, catégoriquement, clairement, crûment, directement, droit, fermement, franc, franchement, hautement, librement, net, nettement, raide, raidement, résolument, rondement, vertement.

HAREM. Appartement, bordel, eunuque, femme, gynécée, lupanar, odalisque, pistil, sérail, zénana.

HARENG. Aine, bouffi, caque, clupéidé, gendarme, guai, guais, harengade, haranguet, kipper, lité, menhaden, pec, poisson, proxénète, régalec, rollmops, sardine, saur, sauret, saurin, sor, sprat, trinquart.

HARENGUET. Allache, alose, clupéidé, haranguet, hareng, menuise, sardine, sardinelle, sprat.

HARENGUIER. Bateau, drifter, drogueur, harengueux, pêcheur, trinquart.

HARGNE. Acariâtreté, acerbité, acidité, âcreté, acrimonie, agressivité, colère, dureté, hostilité, méchanceté.

HARGNEUX. Acariâtre, acharné, bougonneux, bourru, enraciné, envahissant, maussade, pris, rêche, teigneux.

HARICOT. Beurre, chevrier, cocos, dolic, dolique, ers, fayot, fève, flageolet, jaune, légumineuse, lingot, mange-tout, michelet, mungo, niébé, phaseolus, pois, princesse, ragoût, rata, soissons, soja, soya, vert.

HARIDELLE. Bat, canasson, carcan, carne, chameau, cheval, dur, méchant, mégère, mordant, rossard, rosse, rossinante, sévère, teigne, vache, venimeux, vulgaire.

HARLE. Anatidé, ansériforme, bièvre, canard, cane, chien, cormoran, cygne, flamant, fou, frégate, fuligule, goéland, grèbe, hirondelle, manchot, mergule, mouette, oie, oiseau, palmipède, pélican, pétrel, pingouin, plongeur, puffin, sterne.

HARMONIE. Accord, assorti, avenant, balance, balancement, cadence, chœur, cohérence, compensation, concert, contrepoids, égalité, équilibré, fanfare, juste, mélodie, musique, orchestre, rythme, symétrie, union, unité, vent.

HARMONIEUSEMENT. Adroitement, agréablement, bien, coquettement, élégamment, gracieusement, habilement, joliment, magnifiquement, mignardement, mignonnement, plaisamment, superbement.

HARMONIEUX. Adapté, agréable, assorti, balancé, chantant, cohérent, doux, épanoui, mélodieux, musical, régulier, uni.

HARMONIQUEMENT. Cycliquement, euphoniquement, harmonieusement, itérativement, mélodieusement, mélodiquement, musicalement, périodiquement, rythmiquement, symphoniquement.

HARMONISATION. Absorption, acculturation, allégorie, anabolisme, assimilation, athrepsie, comparaison, digestion, identification, imprégnation, insertion, intégration, nutrition, photosynthèse, rapprochement.

HARMONISER. Accorder, agencer, arrondir, assortir, coordonner, équilibrer, homogénéiser, réunir.

HARMONIUM. Aélodicon, expression, harmonicorde, groupe, orgue, piano, transpositeur.

HARNACHEMENT. Attelage, attirail, barrage, bât, équipement, étrivière, joug, licol, licou.

HARNACHER. Accoutrer, affubler, arnaquer, atteler, attifer, attriquer, bâter, brider, fagoter, seller, vêtir.

HARNAIS. À-valoir, avaloire, bacul, bât, bateuil, bourre, bracelet, bricole, bride, bridon, caveçon, collier, croupière, culeron, dossière, frontal, guide, harnachement, harnois, licol, licou, montant, mors, muserolle, œillère, reculement, sangle, sautoir, sellette, sous-gorge, surdos, têtière, timon, trait, valoir, ventrière.

HARNOIS. Adouber, armature, armure, barbute, barde, bicoquet, bouclier, capeline, carapace, contexture, cu, cuirasse, entrelacement, faucre, mode, moyen, plaque, poulaine, protecteur, protection, sergé, soleret, tassette, visière.

HARO. Ahan, aïe, barrir, beuglement, bis, braillement, bramer, clameur, cri, croassement, dia, évoé, évohé, exclamation, glapissement, gloussement, haïe, han, hue, huée, hurlement, jargon, réclame, roucoulement, rugissement, taïaut, tollé, vacarme, vagissement, vocifération.

HARPAGON. Avare, gratteux, grigou, grippe-sou, ladre, lésineur, pingre, radin, rapiat, thésauriseur.

HARPE. Angle, boyau, cinnor, cithare, décacorde, éolienne, heptacorde, kora, lyre, mollusque, sambuque, trigone.

HARPIE. Acariâtre, chipie, démon, diable, furie, grognasse, mégère, poison, sorcière, vipère, virago.

HARPISTE (n. p.). David, Jamet, Larde, Laskine, Krumpholz, Tournier, Zabaleta.

HARPON. Agrafe, crampon, croc, crochet, dard, digon, flèche, foëne, fouène, grappin, harpeau, nigog.

HARPONNER. Affecter, appréhender, arrêter, attraper, capturer, choper, clouer, mordre, percer, piquer.

HART VON AUE (n. p.). Aue.

HARUSPICATION. Annonce, annonciation, augure, auspices, conjecture, horoscope, oracle, prédiction.

HASARD. Accident, aléa, aléatoire, aventure, bonheur, chance, circonstance, dé, destin, déveine, errant, fortuitement, fortune, imprévu, incident, jeu, occasion, malchance, miracle, pile, providentiel, sort, veine.

HASARDER. Aventurer, brusquer, commettre, compromettre, essayer, exposer, oser, risquer, tenter.

HASARDEUX. Aléatoire, aventureux, dangereux, extrême, fortuit, glissant, licencieux, osé, périlleux, risqué.

HASCHISCH. Cannabis, chanvre, chanvre indien, chilom, colombien, dawamesc, drogue, drogue douce, ganja, hasch, herbe, joint, kif, marie-jeanne, marijuana, narcotique, pot, shilom, shit.

HASE. Bossu, bouquet, bouquin, capucin, femelle, femelle du lièvre, garenne, gîte, lagomorphe, lapin, lapine, levraut, lièvre, pedetidæ, pikas, relaissé, sumatra, vagir, vagissement.

HASSIUM. Hs.

HAST. Angon, broche, carreau, épieu, faux, hache, hampe, hasté, javelot, lance, pique, trait, vouge.

HÂTE. Célérité, bousculade, dare-dare, diligence, empressement, impatience, précipitation, promptitude, rapidité, vitesse.

HÂTER. Accélérer, activer, agiter, allonger, appletter, avancer, avorter, brusquer, courir, cravacher, dégrouiller, dépêcher, driller, empresser, foncer, forcer, grouiller, magner, ouste, précipiter, presser.

HÂTIER. Broche, chenet, chevrette, contre-hâtier, crochet, landier, marmouset.

HÂTIF. Abortif, anticipé, matinal, précipité, précoce, prématuré, prémices, pressant, pressé, urgent.

HÂTIVEMENT. Précipitation, précocement, prestement, promptement, rapidement, rapido, sitôt, tôt, vite.

HATTÉRIA. Hattérie, reptile, saurien, sphénodon, tuatera.

HAUBAN. Barre, bastaque, câble, cadène, cordage, étai, galhauban, gambe, mât, pataras, ride, soutien.

HAUBERT. Ajout, anneau, annelet, boucle, chaîne, chaînon, faucon, filet, folle, gansette, jaseran, maillage, maille, maillon, miton, monnaie, obole, paillon, pelage, perdreau, point, tache, taie, tamis, trame, tricot.

HAUSSE. Accentuation, accroissement, augmentation, bond, boom, dièse, élévation, enchérissement, flambée, haussier, inflation, levé, malus, redoux, relèvement, surhausse, valorisation, yo-yo.

HAUSSEMENT. Affleurement, crue, élévation, émeute, excitation, exhaussement, levée, redressement, répulsion, révolte, révolution, saut, soulèvement, surélévation, surhaussement, terrement.

HAUSSER. Accroître, augmenter, baisser, déité, diminuer, élever, enchérir, enfler, hisser, lever, majorer, maximiser, monter, rehausser, relever, remonter, renchérir, revaloriser, surélever, surenchérir, surhausser.

HAUSSIER. Agiot, aide, argent, aumônière, avance, besace, bourse, capselle, coteur, don, enveloppe, escarcelle, eunuque, gibecière, parquet, poche, prêt, prime, réticule, sac, sacoche, scrotum, secours, subside, tirant.

HAUT. Aigu, amont, bas, cime, comble, contremont, crête, culminant, dessus, dressé, élancé, élevé, éminemment, faîte, grand, hauteur, hauturier, infra, levé, long, perché, pôle, sommet, summum, supra, surélevé, tête.

HAUTAIN. Altier, arrogant, cavalier, condescendant, dédaigneux, distant, fier, impérieux, impétueux, méprisant, morgue, orgueilleux, prude, snob, sourcilleux, tranchant, tyrannique.

HAUTBOIS. Anche, bombarde, cor, hautboïste, musicien, orgue, shahnaï, shana, zourna, zurna.

HAUTE. Aristocratie, bourgeoisie, chic, engrêlure, grande, gratin, noble, mer, oraliser, voix.

HAUTE-GARONNE, VILLE (n. p.). Aspet, Aurignac, Balma, Blagnac, Cadours, Fenouillet, Grenade, Luchon, Mouran, Muret, Nailloux, Rieux, Toulouse.

HAUTE-LOIRE, VILLE (n. p.). Allègre, Auzon, Brioude, Pradelles, Tence, Vorey, Yssingeaux.

HAUTE-MARNE, VILLE (n. p.). Andelot, Bologne, Bourmont, Chalindrey, Chaumont, Chevillon, Nogent, Vignory.

HAUTE-SAÔNE, VILLE (n. p.). Gray, Gy, Jussey, Lure, Marney, Ronchamp, Saulx, Vésoul.

HAUTE-SAVOIE, VILLE (n. p.). Alby, Ambilly, Annecy, Argonay, Assy, Carroz, Chamonix, Chatel, Cluses, Doussard, Évian-les-Bains, Gaillard, Montriond, Passy, Rumilly, Sallanches, Seynod, Sixt, Thones, Yvoire.

HAUTE-VIENNE, VILLE (n. p.). Ambazac, Bellac, Chalus, Chateauponsac, Couzeix, Limoges, Nieul, Solignac.

HAUTES-ALPES, VILLE (n. p.). Abries, Aiguilles, Chantemerle, Embrun, Gap, Rosans, Saint-Véran, Tallard, Veynes.

HAUTES-PYRÉNÉES, VILLE (n. p.). Arreau, Arrens, Aucun, Bazet, Campan, Maubourguet, Montastruc, Ossun, Séron, Soulan, Tarbes, Tournay.

HAUTEUR. Altier, altitude, apogée, cime, crête, culminant, dessus, élévation, étage, fierté, grandeur, haut, mont, montagne, niveau, orgueil, pic, pinacle, sommet, stature, surplomb, taille, tête, zénith.

HAUT-FOND (n. p.). Dogger Bank.

HAUT-FOND. Banc, bas-fond, bassier, brisant, cabotage, circumpolaire, éclaireur, échouer, galiote, géanticlinal, hauturière, lougre, marine, navigation, périple, platier, remontée.

HAUT-LE-CŒUR. Dégoût, écœurement, indigestion, naupathie, nausée, répugnance, révolte, sursaut.

HAUT-PARLEUR. Ampli, amplificateur, audiophone, écouteur, exagérer, grossir, laser, mégaphone, porte-voix, répéteur, tuner.

HAUT-RHIN, VILLE (n. p.). Blotzheim, Cernay, Colmar, Issenheim, Landeser, Lutterback, Masevaux, Mulhouse, Munster, Orbey, Sewen, Soultzmatt, Thann, Turckheim, Vogelgrun.

HAUTS-DE-SEINE, VILLE (n. p.). Antony, Bagneux, Bellevue, Chatillon, Clamart, Clichy, Colombes, Meudon, Saint-Cloud, Sceaux, Sèvres, Vanves.

HÂVE. Amaigri, blafard, blême, cireux, décharné, desséché, émacié, exsangue, livide, maigre, pâle, terreux.

HAVRE. Abri, asile, cache, cachette, havrais, oasis, paix, port, réduit, refuge, repos, retraite, sécurité, sûreté.

HAVRESAC. Bagage, baise-en-ville, besace, bissac, bourse, cabas, carnier, cartable, coussin, duvet, ensiler, enveloppe, gibecière, groupe, musette, outre, pillage, poche, récipient, réticule, sac, sachet, sacoche, scrotum, sporange, taie, utricule, vésicule, vessie.

HAVRIT. Bribe, brisure, charpie, coupure, débris, écharde, éclat, esquille, fraction, fragment, grain, granule, lambeau, limaille, miette, morceau, parcelle, parie, part, particule, pépite, portion, quartier, reste.

HAYON. Accès, barrière, chasseur, clédar, entrée, guichet, hec, herse, huis, introduction, issue, moyen, ouverture, passage, pêne, porche, portail, porte, portière, portillon, poterne, seuil, sortie, vantail, verrou.

HEAUME. Apex, armet, bassinet, bombe, cabasset, calotte, casque, casquette, chapska, cimier, coiffure, crête, heaumier, héraldique, képi, lambrequin, morion, salade, timbre, toque, ventail, visière.

HEBDOMADAIRE. Bulletin, édition, hebdo, journal, magazine, organe, parution, revue, semainier.

HÉBERGER. Abriter, accueillir, coucher, demeurer, gîter, hébergement, hospitalité, loger, recevoir, recueillir.

HÉBÉTÉ. Abasourdi, abêti, abruti, ahuri, confondu, ébahi, éberlué, estomaqué, étonné, hagard, idiot, stupide, vapes.

HÉBÉTEMENT. Abêtissement, abrutissement, crétinisation, décadence, encroûtement, engourdissement, hébétude, idiotie.

HÉBÉTER. Abasourdir, abêtir, abrutir, ahurir, bêtifier, crétiniser, émousser, engourdir, hagard, idiot, idiotiser, stupide.

HÉBÉTUDE. Abattement, accablement, anéantissement, attaque, catalepsie, démotivation, dépression, effondrement, engourdissement, léthargie, marasme, neurasthénie, paralysie, prostration, sidération, stupeur.

HÉBRAÏQUE. Hébreu, israélite, judaïque, juif, rabbin.

HÉBREU (n. p.). Aaron, Babel, David, Éloïm, Moïse, Shoah, Talmud, Tsahal.

HÉBREU. Aleph, amen, hébraïque, israélite, judaïque, juif, lévirat, menora, pessah, sémite, shoah.

HÉCATOMBE. Anéantissement, assassinat, boucherie, carnage, génocide, massacre, sacrifice, tuerie.

HECTARE. Ha.

HECTOLITRE. Hl.

HECTOMÈTRE. Hm.

HECTOPIÈZE. Hpz.

HÉDONISTE. Aguichant, épicurien, érotique, impudique, lascif, luxurieux, sensuel, sybarite, voluptueux.

HÉGÉMONIE. Âge, dictature, domination, empire, leadership, pouvoir, prépondérance, règne, supériorité, suprématie.

HÉGÉMONIQUE. Absolu, absolutiste, arbitraire, autocratique, autoritaire, césarien, despote, despotique, dictatorial, directif, dominateur, impérieux, jupitérien, totalitaire, tyrannique.

HÉGIRE (n. p.). Mahomet, Mecque, Médine.

HÉGIRE. Aga, agha, alcoran, alem, aman, arabe, arch, ayatollah, bey, cadi, calife, charia, chiite, coran, émir, ère, fakir, hadj, harem, imam, iman, islamique, kadi, mahométan, maure, mollah, more, mudéjar, muezzin, musulman, raïa, ramadan, raya, religion, soufi, sourate, sultan, sunna, sunnite, turc, uléma, vizir.

HÉLAS. Aïe, aïaïaï, dommage, douleur, las, malheur, malheureusement, plainte, quel, regret, tant pis.

HÉLER. Apostropher, appeler, arraisonner, attirer, convier, hep, interpeller, inviter, mander, sonner.

HÉLIANTHE. Astre, borraginacée, composacée, composée, éclipse, étoile, fleur, helianthus, héliotrope, midi, occident, ouest, plante, soleil, solstice, tithonia, topinambour, tournesol, tubéreux, zénith.

HÉLIANTHINE. Acidimétrie, azoïque, colorant, jaune-orange, méthylorange, réactif, rose, rouge.

HÉLICE. Écrou, pale, rotor, spirale, spire, propfan, tire-bouchon, tors, turbine, vis, volute, vrille.

HÉLICOPTÈRE. Autogire, banane, giravion, girodyne, hélico, héligare, héliport, héliporté, giration, rotor.

HÉLIODORE. Aigue-marine, béryl, bésicles, émeraude, gemme, morganite, pierre, précieuse.

HÉLIOTROPINE. Pipéronal, sassafras.

HÉLIX. Bigorneau, colimaçon, coquillage, escargot, gastropode, limaçon, littorine, mollusque, vigneau, vignot.

HÉLIUM. He.

HELLÉBORE. Ellébore, fleur, mellifère, plante, purge, renonculacées, rose de Noël, vératre.

HELLÈNE. Athénien, chthonien, corinthien, grec, hellénistique, spartiate.

HELLÉNISTE (n. p.). Baïf, Bailly, Bonnard, Chadwick, Courier, Didot, Estienne, Étienne, Romilly, Ronsard, Sponde, Vernant, Villoison.

HELMINTHE. Némathelminhe, parasite, plathelminthe, ver.

HELVÈTE. Helvétien, helvétique, suisse.

HÉMATIE. Bulle, cytaphérèse, diapédèse, érythrocyte, globule, hématite, hémolyse, hydrémie, kalicytie, leucocyte, leucocytose, macrophage, mégalocyte, mononucléaire, neutropénie, phagocyte, plaquette, polynucléaire, sang.

HÉMATITE. Émeri, ferret, ferreux, ferrugineux, hématie, limonite, ocre, oligiste, sanguine.

HÉMATOME. Ascite, aveu, bleu, confiance, contusion, dégorgement, déversement, ecchymose, écoulement, effusion, épanchement, expansion, hémarthrose, pneumopéritoine.

HÉMATOZOAIRE. Acanthaire, actinopode, amibe, amibien, anophèle, cilié, coccidie, euglène, flagellé, foraminifère, infusoire, leishmania, leishmanie, leptospire, noctiluque, nummulite, paludisme, paramécie, plasmodium, protozoaire, radiolaire, rhizopode, sporozoaire, stentor, trichomonas, trypanosome, volvoce, volvox, vorticelle.

HÉMÉROCALLE. Acore, alstroemère, amabile, amaryllis, américain, asiatique, asphodèle, auratum, aurélien, concolor, candidum, cardiocrinum, encrine, hémerocallis, liliacée, lilium, lis, lys, martagon, nénuphar, oriental, ponticum, pumilum, regale, rhodopacum, speciosum, sprekelia, tigré, tigrinum, trompette, versicolor.

HÉMICRÂNIE. Céphalalgie, céphalée, migraine, migraineux.

HÉMICYCLE. Abside, agora, arc, caveçon, demi-cercle, demi-lune, fer, gorge, méridien, rapporteur, rond-point, tribunal, venet, voûte.

HÉMIONE. Âne, ânon, bidet, cheval, dourine, épihippus, équidé, hipparion, jument, mésaxonien, mule, mulet, onagre, orohippus, périssodactyle, poulain, pouliche, solipède, zèbre.

HÉMISTICHE. As, atout, censure, césure, chute, coupe, cratère, émonde, fend, gerbe, godet, grume, hache, jatte, patère, pérot, picot, point, ras, rogne, scinde, section, séparation, talon, tête, tranche, trophée, vase, vasque, vin.

HÉMOGLOBINE. Aorte, cœur, cruel, cruor, globule, hème, laqué, leucocytose, mononucléose, oxyhémoglobine, pigment, plasma, race, raisiné, rouge, saignée, sang, sanguin, sérum, souche, veine, vie.

HÉMORRAGIE. Apoplexie, crueur, épistaxis, exode, fuite, hématémèse, hématurie, hémoptysie, hémostase, ménorragie, métrorragie, otorragie, perte, pétéchie, phléborragie, purpura, saignée, saignement.

HÉMOSTASE. Apoplexie, crueur, épistaxis, exode, fuite, hématémèse, hématurie, hémoptysie, hémorragie, ménorragie, métrorragie, otorragie, perte, pétéchie, phléborragie, purpura, saignée, saignement.

HÉPATIQUE. Acrogyne, anacrogyne, anémone, anthocéros, bryophyte, fossombronia, frulania, gymnimytrion, lophocolea, lunulaire, marchantiale, marchantie, mousse, pellia, renonculacée, riccie, takakiale, tricholea.

HÉPATITE. Acholie, bile, bilirubine, cholémie, chlorose, dépit, ictère, jaunisse, leptospirose.

HÉRACLÈS (n. p.). Alcmène, Aristophane, Diomède, Euripide, Homère, Hésiode, Hercule, Iole, Lerne, Mégara, Némée, Œta, Pindare, Sophocle, Stésichore, Zeus.

HÉRALDIQUE. Allumé, armoiries, armorial, art, billette, blason, champagne, émanché, escarre, esquarre, figure, fusée, gousset, gueules, hérauderie, issant, losange, ornement, palé, pile, sable, sinople, tau.

HÉRAULT, VILLE (n. p.). Agde, Aniade, Béziers, Castries, Claret, Frontignan, Ganges, Gignac, Lunas, Lunel, Montpellier, Mourèze, Olonzac, Roujan, Saint-Chinian, Servian.

HÉRAUT. Aboyeur, adjudicateur, annonceur, annonciateur, chantre, chaouch, crieur, déclarateur, encanteur, généalogiste, huissier, massier, messager, officier, tabellion, vendeur.

HERBAGE. Agrostide, agrostis, alpage, brome, cardamine, champ, colchique, embouche, engane, herbe, lande, nard, noue, pacage, pampa, pâtis, pâturage, pelouse, prairie, pré, savane, steppe, vallée.

HERBAGER. Aviculteur, éleveur, faisandier, magnanier, nourrisseur, pasteur, sériciculteur, zootechnicien.

HERBE. Aconit, agrostide, agrostis, alfa, andain, anémone, angélique, asclépias, basilic, belladone, berce, cataire, chélidoine, chiendent, dauphinelle, delphinium, écrouelles, éléa, euphorbe, fines herbe-aux-poux, fléole, flouve, foin, fourrage, freesia, gazon, graminée, gremil, gynérium, herbacée, herbette, herbicide, isoète, ivraie, lampourde, mignonnette, narcisse, ortie, pesse, phléole, pied-d'alouette, pulicaire, regain, renonculacée, réséda, ricin, sarclure, scrofulaire, spart, sparte, staphisaigre, urticacée, valériane, zostère.

HERBE-AUX-CHATS. Cataire, chataire, herbacée, infusion, labiacée, labiée, nepeta, népète, plante, valériane.

HERBE AUX PERLES. Borraginacée, bourrache, buglosse, consoude, cynoglosse, grémil, héliotrope, langue-de-chien, myosotis, orcanète, orcanette, oreille-de-souris, plante, pulmonaire, vipérin.

HERBE-AUX-TANNEURS. Redoul.

HERBE (FINE HERBE). Aneth, anis, basilic, bourrache, camomille, carvi, cerfeuil, ciboulette, coriandre, estragon, fenouil, herbe-aux-chats, lavande, marjolaine, mélisse, menthe, origan, oseille, persil, romarin, sauge, sarriette, thym.

HERBE DU QUÉBEC. Actinie, anémone, apocyn, à poux, asclépiade, aster, carotte, chénopode, chicorée, dinde, échinochloa, épervière, épilobe, fraisier, galéopside, jargeau, laiteron, lamier, léontodon, lépidie, lierre, linaire, liseron, lupuline, lychnide, marguerite, matricaire, mauve, mélilot, onagre, ortie, oseille, oxalide, panais, phléole, pied-de-coq, pissenlit, plantain, potentille, prunelle, renoué, salicaire, salsifis, saponaire, sétaire, silène, stellaire, tabouret, trèfle, tussilage, verge d'or, vergerette, vesce, zizia.

HERBICIDE. Amibe, aryloxyacide, atrazine, bromacil, carbamate, désherbant, diallate, diazine, diquat, diuron, fongicide, killex, lénacile, linuron, monalide, monuron, néburon, paraquat, pesticide, simazine.

HERBIVORE. Biophage, brontosaure, carpe, phytophage, ruminant, végétalien, végétarien.

HERCULE (n. p.). Abyla, Alcmène, Antée, Cacus, Calpe, Déjanire, Diomède, Érymanthe, Eurysthée, Gibraltar, Hésione, Iole, Lerne, Minos, Némée, Neptune, Nessos, Nessus, Œta, Omphale, Prométhée, Thésée.

HERCULE. Athlète, balèze, colosse, costaud, échalas, énergique, escogriffe, fort, géant, infatigable, mastodonte, musclé, puissant, râblé, résistant, robuste, sain, solide, titan, valide, vigoureux, vivace.

HERCULÉEN. Babylonien, colossal, considérable, cyclopien, démesuré, éléphantesque, énorme, fort, géant, gigantesque, grand, gros, immense, monstre, monumental, notable, titanesque, titanique.

HÈRE. Carte, cerf, diable, homme, misérable, miséreux, pauvre, pouilleux.

HÉRÉDITAIRE. Ancestral, ataval, atavique, congénital, génétique, inné, successible, transmissible.

HÉRÉDITÉ. Antécédent, atavisme, gêne, génétique, héritage, légitimité, patrimoine, succession.

HÉRÉSIAQUE (n. p.). Arius, Bardesane, Eutychès, Marrion, Monton, Nestorius, Pélage, Priscillion, Valdo, Valentin.

HÉRÉSIE. Abandon, adultère, apostasie, dédit, déloyauté, dérogation, désaveu, déviation, déviationnisme, écart, entorse, erreur, fantaisie, félonie, forfaiture, fugue, hétérodoxie, inconstance, inexactitude, infidélité, ingratitude, inobservation, liaison, manquement, marcionisme, parjure, passade, pélagianisme, perfidie, relaps, reniement, rupture, sacrilège, scélératesse, trahison, traîtrise, transgression, tromperie, violation.

HÉRÉTIQUE (n. p.). Augustin, Djilas, Donat, Gottschalk, Hamptmann, Hus, Novatien, Raimond.

HÉRÉTIQUE. Adamisme, albigeois, anathème, antinomiste, apostat, arien, camisard, dissident, hérésiarque, impie, incroyant, infidèle, laps, papefigue, réformateur, relaps, renégat, révolté, roussi, sacrilège, séparé.

HÉRISSÉ. Barbe, bourre, brosse, chevelure, cheveu, cil, crin, duvet, ébouriffé, foin, fourrure, hirsute, horripilé, jarre, laine, mantelure, mohair, moustache, mue, naturiste, nu, ongle, peigne, pelage, pileux, pinceau, plume, poil, robe, selle, soie, sourcil, tif, tisonné, toison, vibrisse.

HÉRISSER. Agacer, brosser, couvrir, crêter, crisper, dresser, ébouriffer, énerver, exaspérer, excéder, froisser, hérissement, hirsute, hispide, horripiler, impatienter, indisposer, irriter, parsemer, peigner, plumer, réagir, remplir, sortir.

HÉRISSON. Brosse, champignon, châtaigne de mer, chenille, défense, difficile, échinoderme, égouttoir, fondation, hydne, if, insectivore, mammifère, oursin, porc-épic, poutre, rouleau, suie, tige.

HÉRITAGE. Alleu, ayant, bien, coutume, déshérence, dot, douaire, espérance, franc-fief, hérédité, hoir, hoirie, légataire, legs, magot, mort, patrimoine, possession, recueillir, roture, saisine, successeur, testament, us, veuve.

HÉRITER. Douaire, échoir, empocher, hoir, partager, recevoir, recueillir, remplacer, succéder.

HÉRITIER. Acquéreur, bénéficiaire, diadoque, hoir, hoirie, légataire, préciput, présomptif, successeur.

HERMAPHRODITE (n. p.). Aphrodite, Hermès.

HERMAPHRODITE. Ambisexué, amphigame, androgyne, androgynie, androgynoïde, bisexué, femme, fleur, gyrandroïde, intersexué, monocline, monoïque, noisetier, plante, transsexuel, unisexué.

HERMÈS. Busc, buste, chérubin, corsage, piédestal, poitrail, poitrine, sein, socle, sphinge, terme, torse.

HERMÉTIQUE. Abscons, abstrus, clos, énigmatique, ésotérique, étanche, fermé, garniture, impénétrable, incompréhensible, inintelligible, inouvrable, lut, mystérieux, obscur, obscuriste, occultisme, opaque, scaphandre, sibyllin.

HERMÉTISME. Alchimie, cabalisme, divination, émeri, ésotérisme, gnose, inintelligibilité, fermé, garniture, kabbale, luté, nébuleux, obscurantisme, obscurité, occultisme, opacité, scellé, secret.

HERMÉTISTE (n. p.). Montale, Quasimodo.

HERMÉTISTE. Barde, cairn, celte, devin, dolmen, druide, ésotériste, eubage, gnose, guérisseur, illuminé, kabbale, magicien, menhir, mystérieux, ovate, prêtre, psychomancien, radiesthésien, spiritiste, tumulus.

HERMINE. Animal, armeline, belette, carnassier, carnivore, fourrure, mammifère, mustélidé, roselet.

HERNIAIRE. Dicotylédone, herbe aux hernies, herbe aux turcs, herniole, turquette, vivace.

HERNIE. Descente, discal, effort, épiplocèle, étranglement, évagination, gastrocèle, hédrocèle, hépatocèle, hiatal, prolapsus.

HÉROÏDE. Bible, élégie, épître, lecture, lettre, missive, pape, pli, poème, p.s., texte.

HÉROÏNE (n. p.). Alice, Arc, Atalante, Brunehilde, Brünhild, Cavell, Inés, Iole, Iseult, Iseut, Mance, Verchères.

HÉROÏNE. Brown sugar, came, championne, cocaïne, conquérante, courageuse, diamorphine, drogue, épique, guerrière, héros, héroïnomanie, héros, méthadone, neige, noble, personnage, stupéfiant, valeureuse.

HÉROÏQUE. Brave, courageux, élevé, geste, homérique, intrépide, preux, vaillant, valeureux, vertueux.

HÉROÏQUEMENT. Ardemment, audacieusement, bravement, courageusement, crânement, énergiquement, fièrement, hardiment, intrépidement, pusillanimité, résolument, vaillamment, valeureusement, virilement.

HÉROÏSME. Ardeur, audace, bravade, bravoure, cœur, courage, cran, crânerie, décidé, exploit, fanfaronnade, fierté, fougue, front, furie, hardiesse, intrépidité, nerf, panache, prouesse, témérité, vaillance, valeur.

HÉRON. Aigrette, bihoreau, butor, crabier, éolipile, éolipyle, garde-bœufs, grand, héronnière, petit, ventre blanc, vert.

HÉROS (n. p.). Ajax, Artagnan, Bellérophon, Beowulf, Bond, Cécrops, Chamil, Daniel, Diomède, Énée, E.T., Guillaume Tell, Hamlet, Héraclès, Hercule, Ion, Lear, Lee, Lupin, Othello, Richard, Robin des Bois, Spirou, Stentor, Superman, Tell, Tintin, Ulysse.

HÉROS. Brave, champion, conquérant, demi-dieu, épique, froussard, guerrier, idole, noble, valeureux.

HÉROS DE BANDES DESSINÉES. Achille Talon, Astérix, Batman, Gaston Lagaffe, Hulk, Lucky Luke, Obélix, Robin, Sctroumpf, Spiderman, Spirou, Superman, Tarzan, Tintin, Zorro.

HÉROS DE SHAKESPEARE (n. p.). Adonis, Antoine, Hamlet, Lear, Macbeth, Olivier, Othello, Périclès, Richard, Roméo, Troïllus.

HERPÈS. Acné, affection, ébullition, énanthème, éruption, exanthème, hémogénie, impétigo, lichen, maladie, miliaire, pétéchie, poussée, purpura, rash, roséole, sortie, urticaire, vaccinelle, vaccinide.

HERSAGE. Aération, ameublissement, bêchage, billonnage, billonnement, binage, charruage, commérage, culture, décavaillonnage, déchaussage, déchaussement, culture, écroûtage, émottage, labour, labourage, tassage.

HERSE. Agrégat, arbre, carrelage, dallage, do, émotteuse, fa, glèbe, gravelle, gravier, grille, hérisson, houe, la, latérite, mi, noue, ocre, paléosol, parquet, patrie, pergélisol, pied, pieu, plancher, puits, ré, sarrasine, si, sol, tapis, terre.

HERSER. Amender, ameublir, bêcher, biner, charrue, défoncer, écroûter, effondrer, égratigner, émotter, émouvoir, fouiller, gratter, houe, labourer, mobiliser, piocher, remuer, replier, retourner, scarifier, tourner.

HERTZ. Hz, mégahertz.

HÉSITANT. Balloté, branlant, craintif, doutant, dubitatif, embarrassé, embêté, flottant, frileux, gauche, incertain, indécis, irrésolu, maladroit, mou, oscillant, perplexe, réticent, tergiversant, timide, timoré.

HÉSITATION. Arrière-pensée, atermoiement, balancement, cafouillage, critique, désarroi, doute, euh, hem, heu, hum, incertitude, indécision, irrésolution, résolument, réticence, scepticisme, si, vraisemblablement.

HÉSITER. Ânonner, balancer, barguigner, branler, broncher, céder, chiner, danser, discuter, douter, osciller, perplexe, procrastiner, reculer, renoncer, réticence, taponner, tâter, tâtonner, tergiverser, vaciller, vasouiller.

HÉTAÏRE. Amazone, call-girl, catin, chipie, cocotte, courtisane, demi-mondaine, fille, garce, grue, micheton, morue, péripatéticienne, pétasse, poule, poupée, prostituée, putain, pute, racoleuse, radeuse, ribaude, roulure, salope, traînée.

HÉTÉROCLITE. Alutacé, arlequiné, bariolé, bigarré, bizarre, bringé, composite, disparate, divers, diversifié, hétérogène, hybride, irrégulier, mélangé, mixte, multiplié, panaché, pluriel, varié.

HÉTÉRODOXE. Adamien, adoptien, agapète, arien, chrétien, docète, donatiste, ébionite, excommunié, exégèse, hérésiarque, hérétique, hussite, janséniste, johannite, manichéen, marcionite, martiniste, monarchianiste, monophysite, montaniste, nestorien, orthodoxe, pélagien, préadamite, protestant, quiétiste, relaps, rose-croix, sabellien, sacramentaire, scotiste, sectaire, socinien, vaudois.

HÉTÉRODOXIE. Désobéissance, déviation, dissidence, divergence, raskol, révolte, schisme, scission, sécession.

HÉTÉROGAMIE. Anisogamie, fécondation, gamète, homogamie, isogamie, mariage, reproduction.

HÉTÉROGÈNE. Allogène, allothigène, amalgamé, autre, bigarré, composite, différent, disparate, dissemblable, distinct, divers, diversifié, hybride, involution, mélangé, mixte, multiplié, panaché, pluriel, varié.

HÉTÉROGREFFE. Greffe, hétérologue, hétéroplastie, homogreffe, xénogreffe.

HÉTÉROPTÈRE. Araignée d'eau, gendarme, gerris, hémiptère, hydromètre, insecte, punaise, rhynchote.

HÉTÉROSIDE. Amidon, cellulose, céréalose, disaccharide, galactose, glucide, glucidique, glucose, glucoside, glycogène, holoside, insuline, inuline, lichénine, linoléine, mannose, ose, oside, pentose, polyoside, rutine, saccharide, saccharose, sucre.

HÊTRE. Fagacée, fagus, faine, fau, fayard, fou, fouteau, gaïacol, loir, orne, pleureur, pourpre, sylvatica, tâtonner, vasouiller.

HEUR. Aise, allégresse, béatitude, bonheur, chance, délice, délire, égaiement, enchantement, enthousiasme, entrain, euphorie, exaltation, extase, exultation, gaieté, gué, hilarité, humeur, ivresse, joie, jubilation, liesse, plaisir, ravissement, réjouissance.

HEURE. Agonie, aussitôt, circonstance, complies, demi-heure, GMT, horaire, indue, instant, laudes, mâtines, minute, moment, montre, none, occasion, plombe, prière, seconde, sexte, tierce, top, vêpres.

HEUREUSEMENT. Agréablement, avantageusement, bénéfiquement, bien, commodément, convenablement, dieu merci, facilement, favorablement, grâce à dieu, honorablement, positivement, précieusement, profitablement.

HEUREUX. Béat, bon, calme, chanceux, content, enchanté, euphorique, faste, fortuné, prospère, ravi, réussite, satisfait.

HEURT. Abordage, accident, accrochage, assaut, attaque, cahot, carambolage, charge, choc, cognement, collision, commotion, contact, contraste, contrecoup, coup, désaccord, émotion, friction, ictus, impact, lutte, percussion.

HEURTANT. Antipathique, assaut, blessant, détestable, odieux, offensant, répugnant, vexant.

HEURTÉ. Abrupt, accidenté, décousu, désordonné, embouti, haché, irrégulier, rude, saccadé, scabreux, verboquet.

HEURTER. Aborder, accrocher, battre, blesser, bougner, bousculer, buter, caramboler, choquer, cogner, cosser, emboutir, entrechoquer, frapper, froisser, percuter, tamponner, taper, télescoper, tosser, vexer.

HEURTOIR. Angrois, asseau, assette, boucharde, brochoir, butoir, ferratier, hie, jet, laie, maillet, mailloche, manche, marmot, marteau, martinet, masse, massue, merlin, oreille, osselet, outil, panne, picot, rivoir, rustique, smille, tille, têtu.

HEXACORALLIAIRE. Acalèche, actinie, alcyon, anthozoaire, cnidaire, cœlentéré, corail, gorgone, hydre, hydroméduse, hydrozoaire, invertébré, madrépore, méduse, mollusque, polype, vérétille, zoanthaire.

HEXAGONAL. Beauf, conservateur, français, franchouillard, franco-français, grossier, tricolore.

HEXAGONE (n. p.). France.

HEXAGONE. Figure, géométrie, polygone, six.

HIATUS. Absence, arrêt, avortement, brisure, cassure, cessation, cession, chômage, congé, coupure, décalage, délai, distance, entracte, fin, gel, grève, halte, interception, intérim, interruption, ischémie, lacune, laps, manque, orifice, panne, pause, relâche, relais, répit, repos, rupture, saut, silence, solution, succession, tilt, toujours, trêve, vacance, vide.

HIBERNATION. Alourdissement, anesthésie, ankylose, apathie, atonie, consomption, dolent, engourdissement, épuisement, insensibilisation, langoureux, langueur, morne, onglée, paralysie, paresse, torpeur.

HIBERNER. Ankyloser, assoupir, atténuer, endormir, engourdir, figer, insensibiliser, lent, paralyser, somnoler.

HIBISCUS. Abelmosque, althaea, althéa, ambrette, arbre, arbuste, calycinus, cameroni, guimauve, herbacée, ibiscus, ketmie, malvacée, militaris, moscheutos, pedunculatus, schizopetalus, trionum.

HIBOU. Brachyote, bubo, bubonidé, chouette, duc, effraie, grand-duc, harfang des neiges, houhou, hululer, moyen duc, nocturne, nyctale, oiseau, petit duc, prédateur, rapace, strigidé, ululer, volatile.

HIC. Accroc, adversité, anicroche, barrière, complication, écueil, ennui, obstacle, os, pépin, problème.

HIDEUR. Affreux, horreur, infamie, laid, laideur, méchanceté, moche, mocheté, ord, vilain.

HIDEUX. Affreux, beau, contrefait, difforme, horrible, laid, monstrueux, repoussant, répugnant, sordide, vilain.

HIE. Bélier, dame, demoiselle, hiement, mancelle, mouton, pilon, pisoir, ploutre, sonnette, vibrodameur.

HIER. Accompli, ancien, antan, aoriste, autrefois, avant, conjugaison, décoloré, défraîchi, défunt, dernier, devenu, écoulé, ex, jadis, mort, omis, passé, précédent, prétérit, rétroactif, révolu, tradition, veille.

HIÉRARCHIE. Autorité, commandement, échelle, encadrement, fonction, gradation, grade, ordre, système.

HIÉRARCHISATION. Catégorisation, classification, compartimentage, compartimentation, hiérarchie, nomenclature, séparation, systématique, taxinomie, taxologie, terminologie, typologie.

HIÉRARCHISER. Asservir, assujettir, astreindre, brimer, céder, conquérir, contrôle, déposer, enchaîner, faisander, filtrer, fixer, grever, harceler, livrer, maîtriser, méditer, obéir, offrir, opérer, plier, proposer, réduire, réglementer, soumettre, subir, taxer, tester, torturer, varier, visser.

HIÉRARQUE. Aga, agha, archichancelier, autorité, ban, camérier, chancelier, dignitaire, éfendi, effendi, figure, métropolite, notabilité, notable, patrice, personnage, personnalité, ponte, reis, voïévodat, voïévode, voïvode.

HIÉRATIQUE. Coagulé, contraint, figé, glacé, immobile, paralysé, pétrifié, raide, raidi, sclérosé, statufié.

HIÉRATISME. Acinésie, akinésie, ankylose, arrêt, ataraxie, calme, fixité, immobilité, inertie, mouvement, repos.

HIÉROGLYPHE (n. p.). Champollion, Égyptien, Lepsius, Maya, Olmèque, Rossette, Zapotèque.

HIÉROGLYPHE. Barbouillage, exécrable, gribouillis, illisible, indéchiffrable, infect, nul, raturé, sali, taché.

HILARANT. Absurde, amusant, bidonnant, bizarre, bouffe, bouffon, burlesque, cocasse, comique, drôle, falot, farceur, gag, gaguesque, gai, guignol, hilare, impayable, inénarrable, lazzi, loufoque, marrant, opéra, plaisant, poilant, rigolo, risible, roulant, tordant, tragi-comique.

HILARE. Agréable, alacrité, alerte, allègre, amusant, animé, badin, bon, boute-en-train, charmant, comique, content, dispos, divertissant, drôle, égrillard, éméché, enjoué, encourageant, épanoui, épicurien, espiègle, éveillé, folâtre, folichon, gai, gaillard, gré, gris, guilleret, jeu, joie, jouissant, jovial, joyeux, libre, luron, mutin, plaisant, pompette, réjouissant, ri, riant, rieur, rire, souriant, vaudeville, vif.

HILARITÉ. Allégresse, comique, enjouement, esclaffement, gaieté, joie, jubilation, rire, risée, risible.

HILE. Anatomie, caroncule, cicatrice, fève, foie, fruit, graine, hilaire, région, rein, viscère, zone.

HILOTE. Affranchi, anagnoste, asservi, assujetti, capsaire, captif, domestique, esclave, eunuque, fer, galérien, hiérodule, ilote, nègre, odalisque, pantin, prisonnier, rime, séide, serf, servile, sujétion, tributaire, valet.

HIMALAYA (n. p.). Annapurna, Brahmapoutre, Chooyu, Darjeeling, Darjiling, Dhaulagiri, Everest, Gosainthan, Hidden Park, Kangchenjunga, Kumaon, Lhotse, Makalu, Manaslu, Nanda Devi, Nanga Parbat, Népal, Sikkim, Siliguri, Siwalik, Tibet, Transhimalaya, Xixabangma.

HIMALAYA. Difficulté, énorme, fourrure, immense, montagne, sherpa.

HINDOU. Çakta, guru, gymnosophiste, indien, jaïn, puja, sati, sivaïte, taal, tala, tantriste, thug.

HINDOUISME. Atman, brahmanisme, çivaïsme, darshan, dharma, hindou, indien, linga, lingam, mantra, rajah, sivaïsme, tantrisme, vishnouisme.

HIPPIATRE. Inséminateur, médecin, praticien, vétérinaire, véto.

HIPPIE. Artiste, asocial, baba, babacool, beatnik, be-in, bohème, contestataire, fantaisiste, freak, gitan, hippy, insouciant, marginal, morave, non-conformiste, original, punk, romani, tzigane.

HIPPIQUE. Cabriole, cheval, chevalier, dressage, équestre, équitation, fantasia, hippisme, selle, turf.

HIPPISME. Concours, épreuve, équestre, équitation, hippique, hippotechnie, jumping, obstacle, saut.

HIPPOCASTANACÉE. Arbre, châtaignier, chincapin, fagacée, feuillu, marronnier, infusion.

HIPPODROME (n. p.). Ascot, Chantilly, Enghien-les-Bains, Longchamp, Saint-Cloud, Vincennes.

HIPPODROME. Arène, champ, champ de courses, cheval, cirque, hippique, stade, totalisateur, turf.

HIPPOPHAÉ. Arbrisseau, argousier, épine marine, faux nerprun, griset, nerprun, saule épineux.

HIRONDELLE. Aronde, bicolore, cycliste, exocet, glaréole, goélette, hirondeau, hirundinidé, granges, ironde, martinet, passereau, pourprée, ramoneur, rieuse, rivage, sable, salangane, sterne, tangara.

HIRSUTE. Broussailleux, déchevelé, dressé, ébouriffé, échevelé, embroussaillé, hérissé, inculte, poilu.

HIRUDINÉE. Achète, annélide, bonelle, chizogamie, coelomate, échinurien, hirudine, oligochète, parapode, protéine, sangsue, sipunculide, tubifex, ver.

HIRUNDINIDÉ. Aronde, bicolore, cycliste, exocet, hirondeau, hirondelle, granges, ironde, martinet, passereau, pourprée, ramoneur, rieuse, rivage, sable, salangane, sterne, tangara.

HISSER. Arborer, déployer, dresser, élever, envoyer, exhausser, guinder, hausser, lever, monter, soulever.

HISTOIRE. Analyse, anecdote, annales, archives, aventure, biographie, char, charre, conte, ère, étude, fable, feuilleton, galéjade, légende, mensonge, mythologie, narration, récit, relation, saga, script, vécu, vie, witz.

HISTOLOGIE. Achromatine, acidophile, biologie, biopsie, cytologie, endothélai, endothélium, éosine, granulocyte, hématologie, inclusion, microtome, osmique, tissu.

HISTOLOGISTE (n. p.). Bichat, Golgi, Haller, Havers, Ranvier.

HISTORICITÉ. Apodicticité, évidence, exactitude, fidélité, flagrance, justesse, réalité, véracité, véracité, vérité.

HISTORIEN. Annaliste, biographe, chroniqueur, chroniqueur, contemporiste, conteur, médiéviste, narrateur.

HISTORIEN ALLEMAND (n. p.). Curtius, Döllinger, Friedlander, Gorres, Harnack, Kantorowwicz, Kornemann, Lamprecht, Mommsen, Pufendorf, Ranke, Spengler.

HISTORIEN AMÉRICAIN (n. p.). Adams, Bancroft, Friedlander, Panofski.

HISTORIEN ANGLAIS (n. p.). Bede, Clarendon, Gibbon, Mill, Robertson.

HISTORIEN ANGLO-NORMAND (n. p.). Benoît.

HISTORIEN ANGLO-SAXON (n. p.). Bède.

HISTORIEN ARABE (n. p.). Baladhuri, Biruni, Masudi.

HISTORIEN BELGE (n. p.). Frédéricq, Pirenne.

HISTORIEN BRITANNIQUE (n. p.). Carlyle, Gildas, Macaulay, Toynbee, Trevelyan.

HISTORIEN BYZANTIN (n. p.). Procope, Psellos.

HISTORIEN CANADIEN (n. p.). Chapais, Garneau, Grenon, Groult, Lacoursière.

HISTORIEN CHINOIS (n. p.). Ban Gu, Pan Kou, Tchou, Zhuxi.

HISTORIEN ECCLÉSIASTIQUE (n. p.). Sulpice.

HISTORIEN ÉCOSSAIS (n. p.). Carlyle, Hume.

HISTORIEN ÉGYPTIEN (n. p.). Manéthon.

HISTORIEN ESPAGNOL (n. p.). Fernandez, Orose, Solis.

HISTORIEN FLAMAND (n. p.). Chastellain.

HISTORIEN FRANÇAIS (n. p.). Agulhon, Anselme, Ariès, Aumale, Bainville, Bloch, Bonnassie, Bouard, Braudel, Bremond, Breuil, Cahen, Carcopino, Castries, Champollion, Charléty, Chastenet, Chaunu, Commynes, Corbin, Daru, Daunou, Delumeau, Duby, Dumézil, Dupront, Duroselle, Duruy, Éginhard, Faure, Febvre, Flacourt, Flodoard, Furet, Garçon, Gaxotte, Glotz, Goubert, Grenier, Grimal, Grousset, Gsell, Guizot, Hanotaux, Hozier, Isaac, Jaurès, Joinville, Jullian, Labrousse, Lavisse, Le Bras, Lefebvre, Le Goff, Lemerle, L'estoile, Lévis, Mabillon, Mably, Madelin, Maitron, Mandrou, Mariette, Marrou, Maspéro, Mathiez, Michelet, Mortillet, Naudé, Nicolet, Oldenbourg, Ozanam, Pelliot, Piganiol, Quinet, Raynal, Rémond, Rémusat, Renan, Renouvin, Retz, Riché, Roupnel, Seignobos, Soboul, Sorel, Taine, Tapié, Thou, Tocqueville, Vilar, Villehardouin, Vovelle, Wahl, Winock.

HISTORIEN GREC (n. p.). Appien, Arrien, Ctésias, Démétrios, Démétrios, Denys, Diodore, Hérodote, Plutarque, Polybe, Posidonios, Strabon, Théopompe, Thucydide.

HISTORIEN HOLLANDAIS (n. p.). Hooft.

HISTORIEN HONGROIS (n. p.). Horvath, Istvanffy.

HISTORIEN ITALIEN (n. p.). Croce, Ferrero, Guichardin, Muratori, Niccolini, Pétrarque, Pogge, Vasari, Venturi, Vico.

HISTORIEN JUIF (n. p.). Flavius.

HISTORIEN LATIN (n. p.). Ammien, Cornélius, Florus, Justin, Paul, Quinte-Curse, Suetone, Tite-Live, Valère, Velleriusé.

HISTORIEN NÉERLANDAIS (n. p.). Huizenga.

HISTORIEN PIÉMONTAIS (n. p.). Viotti.

HISTORIEN POLONAIS (n. p.). Geremek, Kochowski.

HISTORIEN PORTUGAIS (n. p.). Herculano.

HISTORIEN ROMAIN (n. p.). Tite-Live.

HISTORIEN ROUMAIN (n. p.). Eliade, Iorga.

HISTORIEN RUSSE (n. p.). Karamzine, Milioukov.

HISTORIEN SOVIÉTIQUE (n. p.). Potemkine.

HISTORIEN SUÉDOIS (n. p.). Geijer, Messenius.

HISTORIEN SUISSE (n. p.). Bauer, Burckhardt, Muller, Sismondi, Wolfflin.

HISTORIEN TCHÈQUE (n. p.). Palacky.

HISTORIEN VÉNITIEN (n. p.). Sarpi.

HISTORIETTE. Anecdote, bavardage, bluette, chronique, comptine, conte, écrit, épopée, exposé, fable, histoire, légende, mémoire, mythe, narration, nouvelle, parabole, racontar, rapport, récit, relation, roman, saga, tableau, version.

HISTORIQUE. Authentique, célèbre, chronologie, connu, diachronique, évolutif, fameux, film, historial, illustre, important, marquant, mémorable, monument, récit, réel, relevé, roman, vrai.

HISTORIQUEMENT. Beaucoup, diablement, énormément, fameusement, furieusement, glorieusement, héroïquement, magnifiquement, mémorablement, proverbialement, rudement, splendidement, superbement.

HISTRION. Acteur, artiste, auteur, bateleur, bouffon, cabot, cabotin, clown, comédien, comique, doublure, étoile, figurant, ingénu, interprète, mime, pensionnaire, protagoniste, ringard, rôle, star, tragédien, utilité, vedette.

HIVER. Bise, déclin, frimas, froidure, hiémal, hivernal, loup, misère, nivéal, saison, saison morte, triste.

HIVERNAGE. Abandon, appontement, arrêt, cessation, commode, détente, escale, intermittence, interruption, mitigé, négligé, négligence, pause, purge, relâche, relâchement, répit, repos, suspension, trêve.

HIVERNAL. Algide, blizzard, cimmérien, frigide, froid, gelé, glacial, polaire, réfrigérant, sibérien.

HIVERNER. Abriter, assurer, barricader, cacher, chaperonner, couver, couvrir, défendre, empêcher, encager, garantir, héberger, loger, planquer, préserver, protéger, serrer.

HOBEREAU. Altesse, aristocrate, baron, chevalier, courageux, digne, duc, élevé, émerillon, faucon, fief, fier, généreux, gentleman, hidalgo, magnanime, majestueux, né, noble, olympien, praticien, racé, relevé, respectable, roturier, sublime, titré, varlet.

HOCHEQUEUE. Bergère, bergerette, bergeronnette, branle-queue, hausse-queue, lavandière, passereau.

HOCHER. Agiter, bagotter, balancer, battre, bercer, berner, compenser, dandiner, dodeliner, entailler, frémir, glander, hésiter, incliner, jeter, osciller, pencher, peser, remuer, rouler, sauter, secouer, vaciller.

HOCHET. Affiquet, amusette, babiole, bagatelle, baliverne, bête, bêtise, bibelot, breloque, bricole, brimborion, chiffon, colifichet, fanfreluche, frime, frivole, futile, inutile, léger, rien, superflu, vain, vanité.

HOCKEY. Bâton, crosse, flanelle, gazon, glace, palet, patin, ringuette, rondelle, sport, stick, zamboni.

HOCKEY, CLUB DE LA LNH (n. p.). Black Hawks de Chicago, Blues de Saint Louis, Bruins de Boston, Canadien de Montréal, Canucks de Vancouver, Capitals de Washington, Coyotes de Phoenix, Devils de New Jersey, Flames de Calgary, Flyers de Philadelphie, Islanders de New York, Jets de Winnipeg, Kings de Los Angeles, Lightning de Tampa Bay, Maple Leafs de Toronto, Nordiques de Québec, Oilers d'Edmonton, Panthers de la Floride, Penguins de Pittsburgh, Rangers de New York, Red Wings de Detroit, Sabres de Buffalo, Sénateurs d'Ottawa, Sharks de San Jose, Stars de Dallas, Trachers d'Atlanta, Whalers de Hartford.

HOCKEY, TROPHÉE (n. p.). Art Ross, Calder, Conny-Smythe, Frank J. Selke, Hart, James Norris, Vézina.

HOCKEYEUR (n. p.). Béliveau, Bossy, Bourque, Clarke, Cournoyer, Delvecchio, Dionne, Dryden, Esposito, Francis, Geoffrion, Giacomin, Gilbert, Gretzky, Harvey, Howe, Hull, Lafleur, Leetch, Lemieux, Lindros, Messier, Mikita, Orr, Parent, Park, Plante, Potvin, Ratelle, Richard, Robinson, Shore.

HOIRIE. Don, donation, douaire, épigone, fidéicommis, fondation, héritage, héritier, laisser, legs.

HOLLANDAIS. Batave, cheval, edam, frison, fromage, jongkeer, néerlandais, tête-de-Maure, tulipe.

HOLLANDE (n. p.). Pays-Bas.

HOLLANDE, VILLE (n. p.). Amsterdam, Dordrecht, Edam, La Haye, Nimèque, Rotterdam.

HOLMIUM. Ho.

HOLOCAUSTE. Atrocité, carnage, extermination, génocide, immolation, massacre, meurtre, offrande, sacrifice.

HOLOPROTÉINE. Acide, albumine, aminé, globuline, histonine, prolamine, protamine, scléroprotéine.

HOLOSIDE. Esculine, glucide, glucoside, hétéroside, ose, oside, ouabaïne, rutine, rutoside, salicine, saponine.

HOLOTHURIE. Anémone, astéride, astérie, astérozoa, bêche-de-mer, châtaigne de mer, comatule, concombre de mer, crinoïde, crustacé, échinoderme, encrine, étoile, étoile de mer, eucaride, hérisson de mer, homard, lis de mer, oursin, pentacrine, stelléride, trépang, tripang.

HOMARD. Bélemnite, bisque, calamar, calmar, crabe, crevette, crustacé, décapode, écrevisse, encornet, eucaride, fruit de mer, homarderie, homardier, holothurie, langoustine, macroure, palinurus, scampi, seiche.

HOMBRE. Baste, carte, gano, jeu, matador, ombre, spadille, tri, trick, virevolte.

HOMELAND. Apartheid, bantoustan, territoire.

HOMÉLIE. Allocution, avent, discours, instruction, oraison, prêche, prédication, prône, sermon, toast.

HOMÉOMORPHISME. Adéquation, analogie, conformité, égalité, équivalence, gémellité, similitude.

HOMÉOPATHIE (n. p.). Hahnemann.

HOMÉOPATHIE. Allopathie, homéopathe, isothérapie, médecine, naturopathie.

HOMÈRE (n. p.). Dacier, Iliade, Ionie, Ios, Lefebvre, Odyssée, Nios, Troie, Ulysse.

HOMICIDE. Assassinat, crime, cruel, destructeur, égorgement, exécution, exterminateur, meurtre, sanglant.

HOMINIEN. Fossile, homo erectus, pithécanthrope, préhominien, préhomonidé, sinanthrope.

HOMMAGE. Baisemain, civilités, culte, dédicace, devoir, duale, dulie, lige, offrande, préface, respects, sérénade.

HOMME (3 lettres). Man, mec, men, rat, sot.

HOMME (4 lettres). Bête, caïd, chef, être, fils, fort, gars, hère, keum, lige, lion, lope, loup, mâle, mari, mime, nain, noir, ogre, ours, paon, papa, pépé, père, porc, pote, sire, tête, voix, yéti, zéro.

HOMME (5 lettres). Amant, argus, blanc, brave, butor, dandy, drôle, épave, époux, garde, génie, giton, gnome, goret, idiot, ilote, jaune, lapin, leude, luron, marin, minet, mufle, nabab, nègre, nervi, oison, paria, robin, salop, sbire, séide, ténor, thane, tigre, tueur, valet, vigie, viril.

HOMME (6 lettres). Abruti, adonis, ancien, avocat, barbon, captif, crésus, crétin, dadais, dandin, dindon, éphèbe, faquin, finaud, forçat, gigolo, goujat, hétéro, larbin, lascar, manant, meneur, mortel, mouton, noceur, nocher, pantin, paysan, pépère, pigeon, prêtre, quidam, renard, requin, rufian, salaud, satyre, sacata, scribe, soldat, triton, vassal, voleur.

HOMME (7 lettres). Apollon, athlète, avorton, baderne, béjaune, bélitre, colosse, esclave, eunuque, hercule, laquais, lopette, malabar, matelot, notaire, nouille, orateur, ouvrier, pandour, pierrot, primate, routier, ruffian, sommité, usurier, vaurien, vautour.

HOMME (8 lettres). Aigrefin, arlequin, attorney, bellâtre, blanc-bec, bohémien, bonhomme, bourreau, cavalier, confrère, courrier, demi-dieu, écrivain, flandrin, gaillard, greffier, individu, mirmidon, moniteur, myrmidon, narcisse, nicodème, ostrogot, patapouf, pistolet, plongeur, polygame, potentat, pourceau, salopard, scélérat, sourcier, touriste, travesti.

HOMME (9 lettres). Andouille, bâbordais, cabochard, chauffeur, coltineur, cornichon, courtisan, freluquet, gentleman, gringalet, homoncule, homuncule, imposteur, lazzarone, mannequin, marmouset, ostrogoth, paltoquet, portefaix, vieillard.

HOMME (10 lettres). Affairiste, apiculteur, architecte, combattant, énergumène, escogriffe, exploiteur, femmelette, godelureau, microcosme, moutonnier, navigateur, noblaillon.

HOMME (11 lettres). Brancardier, businessman, capitaliste, demi-portion, femmellette, ferrailleur, palefrenier, pantouflard, ploutocrate, spéléologue.

HOMME (12 lettres). Conférencier, hétérosexuel, millionnaire, polichinelle.

HOMME (14 lettres). Ecclésiastique.

HOMME DE THÉÂTRE ALLEMAND (n. p.). Brahm, Fassbinder, Janning, Piscator, Weber, Wiene.

HOMME DE THÉÂTRE AMÉRICAIN (n. p.). Wilson.

HOMME DE THÉÂTRE BRITANNIQUE (n. p.). Brook, Coward, Craig, Gielgud.

HOMME DE THÉÂTRE FRANÇAIS (n. p.). Antoine, Arias, Artaud, Barrault, Baty, Blin, Chénier, Marais, Nohain, Planchon, Raimu.

HOMME DE THÉÂTRE AUTRICIEN (n. p.). Csokor.

HOMME DE THÉÂTRE BRÉSILIEN (n. p.). Boal.

HOMME DE THÉÂTRE CANADIEN (n. p.). Lepage.

HOMME DE THÉÂTRE ÉCOSSAIS (n. p.). Kantor.

HOMME DE THÉÂTRE GREC (n. p.). Vassilikos.

HOMME DE THÉÂTRE ITALIEN (n. p.). Fo, Strehler.

HOMME DE THÉÂTRE JAPONAIS (n. p.). Kinoshita.

HOMME DE THÉÂTRE POLONAIS (n. p.). Grotowski.

HOMME DE THÉÂTRE SUÉDOIS (n. p.). Bergman.

HOMME DE THÉÂTRE SUISSE (n. p.). Appia, Besson, Bondy.

HOMME DE THÉÂTRE RUSSE (n. p.). Stanislavski, Vakhtangov.

HOMME FORT CANADIEN (n. p.). Cyr, Montferrand, Weider.

HOMME POLITIQUE ALBANAIS (n. p.). Hodja, Hoxha, Zog.

HOMME POLITIQUE ALGÉRIEN (n. p.). Abbas, Ben Bella, Boudiaf, Boumediene, Chadli, Zeroual.

HOMME POLITIQUE ALLEMAND (n. p.). Abetz, Adenauer, Bebel, Brandt, Bruning, Dalberg, Ebert, Führer, Goebbels, Goering, Grotewohl, Heinemann, Herzog, Hess, Heuss, Himmier, Hindenburg, Hitler, Honecker, Jahn, Köhl, Liebkencht, Lübke, Naumann, Neurath, Papen, Pieck, Rathenau, Rau, Ribbentrop, Scheel, Stein, Stoph, Ulbricht, Weizsäcker, Windthorst.

HOMME POLITIQUE AMÉRICAIN (n. p.). Adams, Arthur, Bancroft, Bush, Carter, Cleveland, Clinton, Coolidge, Dawes, Dulles, Eisenhower, Filmore, Ford, Garfield, Grant, Harding, Harrison, Hayes, Hoover, Hull, Jackson, Jay, Jefferson, Johnson, Kennedy, Lincoln, McKinley, Madison, Monroe, Nixon, Polk, Reagan, Roosevelt, Taft, Taylor, Truman, Tyler, Washington, Wilson.

HOMME POLITIQUE ANGLAIS (n. p.). Addison, Baldwin, Bright, Brougham, Churchill, Dalhousie, Fox, Gladstone, Halifax, Hampden, Heath, Lubbock, Macaulay, Norfolk, Peel, Pym, Snowden, Sunderland, Surrey, Wilson.

HOMME POLITIQUE ANGOLAIS (n. p.). Neto.

HOMME POLITIQUE ARGENTIN (n. p.). Menem, Pern, Peron, Sarmiento, Videla.

HOMME POLITIQUE ATHÉNIEN (n. p.). Démosthène, Lycurgue, Périclès, Solon.

HOMME POLITIQUE AUTRICHIEN (n. p.). Adler, Figl, Grun, Raab, Renner, Waldheim.

HOMME POLITIQUE BANGLADAIS (n. p.). Rahman.

HOMME POLITIQUE BELGE (n. p.). Beernaert, Destrée, Eyskens, Jaspar, Lebeau, Spaak.

HOMME POLITIQUE BIRMAN (n. p.). Thant.

HOMME POLITIQUE BOSNIAQUE (n. p.). Izetbegovic.

HOMME POLITIQUE BRÉSILIEN (n. p.). Alencar, Cardoso, Dutra, Fonseca, Goulart, Peixoto, Vargas.

HOMME POLITIQUE BRITANNIQUE (n. p.). Acton, Asquith, Attlee, Bagot, Balfour, Bevan, Bevin, Churchill, Cripps, Eden, Fox, Grey, Heath, Home, Lloyd, Macdonald, Peel, Pitt, Pym, Snowden, Webb, Wilkes.

HOMME POLITIQUE BULGARE (n. p.). Dimitrow, Stambolijski, Stamboulov, Zivkov.

HOMME POLITIQUE BYSANTIN (n. p.). Psellos.

HOMME POLITIQUE CAMEROUNAIS (n. p.). Ahidjo, Biya.

HOMME POLITIQUE CANADIEN (n. p.). Abbott, Bédard, Bennett, Borden, Bowell, Cartier, Chapais, Clark, Chrétien, Godbout, Johnson, King, Lafontaine, Lapointe, Laurier, Lesage, Macdonald, Mackenzie, Meighen, Mercier, Mulroney, Papineau, Pearson, Saint-Laurent, Sauvé, Thompson, Trudeau, Tupper.

HOMME POLITIQUE CATALAN (n. p.). Balaguer.

HOMME POLITIQUE CHILIEN (n. p.). Allende, Bello, Frei, Montt, Pinochet.

HOMME POLITIQUE CHINOIS (n. p.). Gnomorno, Mao.

HOMME POLITIQUE CHYPRIOTE (n. p.). Makarios.

HOMME POLITIQUE CONGOLAIS (n. p.). Lumumba, Mobutu, Naouabi, Youlou.

HOMME POLITIQUE CORÉEN (n. p.). Rhee.

HOMME POLITIQUE CROATE (n. p.). Tudjman.

HOMME POLITIQUE CUBAIN (n. p.). Batista, Castro, Guevara.

HOMME POLITIQUE DANOIS (n. p.). Struensée.

HOMME POLITIQUE DOMINICAIN (n. p.). Trujillo Y Molina.

HOMME POLITIQUE ÉGYPTIEN (n. p.). Moubarak, Nasser, Sadate.

HOMME POLITIQUE ÉQUATORIEN (n. p.). Flores, Olmedo.

HOMME POLITIQUE ESPAGNOL (n. p.). Azana, Calvosotelo, Caudillo, Franco, Lerma, Quintana, Perez, Rivas.

HOMME POLITIQUE FINLANDAIS (n. p.). Kekkonen, Koivisto, Mannerheim, Paasikivi.

HOMME POLITIQUE FLORENTIN (n. p.). Latini.

HOMME POLITIQUE FRANÇAIS (n. p.). Aréna, Auriol, Bailly, Balladur, Barbès, Barnave, Baroche, Barras, Barre, Barrot, Barthou, Bédard, Bert, Berthelot, Bidault, Birague, Blanc, Blum, Bourgeois, Briand, Buzot, Cachin, Caillaux, Cazalès, Chirac, Choiseul, Clémenceau, Coty, Couthon, Daladier, Danton, Déat, Debré, De Gaulle, Delcassé, Deroulede, Deschanel, Desmoulins, Doumer, Doumergue, Drouet, Drumont, Duclos, Dufaure, Dumas, Éboué, Fallières, Falloux, Faure, Favre, Floquet, Fouché, Fould, Fréron, Freycinet, Garat, Gay, Gensonné, Grévy, Guadet, Guesde, Hébert, Herriot, Isambert, Jaurès, Kersaint, Lafargue, La Fayette, Lakanal, Lamarque, Lameth, Lanjuinais, Larocque, Laval, Lebas, Lebrun, Legendre, Leygues, Lindet, Loubet, Maginot, Manuel, Marat, Maret, Méline, Millerand, Mitterrand, Molé, Mollien, Mollet, Morny, Mounier, Mun, Naquet, Ollivier, Orry, Pache, Péri, Persigny, Pétain, Pinay, Poher, Poincaré, Pompidou, Raspail, Retz, Reynaud, Ribot, Robespierre, Rochet, Roederer, Rouvier, Saliceti, Sartine, Schuman, Sée, Sieyès, Soustelle, Sully, Tallien, Tardieu, Thiers, Thomas, Thorez, Thouret, Treilhard, Vergniaud, Vitrolles, Viviani, Wallon, Zay.

HOMME POLITIQUE GABONAIS (n. p.). Bongo, M'ba.

HOMME POLITIQUE GÉORGIEN (n. p.). Chevarnadzé.

HOMME POLITIQUE GHANÉEN (n. p.). Nkrumah, Rawlings.

HOMME POLITIQUE GREC (n. p.). Capodistria, Caramanlis, Condylis, Metaxas, Papadhopoulos, Papadopoulos, Plastiras, Politis, Tsaldaris.

HOMME POLITIQUE GUINÉEN (n. p.). Cabral, Touré.

HOMME POLITIQUE HAÏTIEN (n. p.). Aristide, Duvalier, Lonverrure, Louverture, Pétion.

HOMME POLITIQUE HOLLANDAIS (n. p.). Witt.

HOMME POLITIQUE HONGROIS (n. p.). Deak, Göncz, Karolyi, Klapka, Kossuth, Nagy, Tisza.

HOMME POLITIQUE INDIEN (n. p.). Dessai, Gandhi, Nehru.

HOMME POLITIQUE INDONÉSIEN (n. p.). Suharto, Sukarno.

HOMME POLITIQUE IRAKIEN (n. p.). Aref, Hussein, Husayn.

HOMME POLITIQUE IRANIEN (n. p.). Kassem, Mossadegh, Rafsandjani.

HOMME POLITIQUE IRLANDAIS (n. p.). Butt, Dillon, Griffith, Obrien, Ormonde, Parnell.

HOMME POLITIQUE ISRAÉLIEN (n. p.). Begin, Eban, Eshkol, Peres, Shekel, Weizmann.

HOMME POLITIQUE ITALIEN (n. p.). Andreotti, Azeglio, Calvosotelo, Cernuschi, Ciano, Cinaudi, Cipriani, Croce, Depretis, Dini, Duce, Einaudi, Gentile, Giano, Giolitti, Ginaudi, Gramsci, Gronchi, Longo, Matteotti, Moro, Mussolini, Nenni, Orlando, Pertini, Rienzo, Rossi, Saragat, Scalfaro, Segni, Sturzo, Turati.

HOMME POLITIQUE JAPONAIS (n. p.). Nobunaga, Sato.

HOMME POLITIQUE KÉNYEN (n. p.). Kenyatta.

HOMME POLITIQUE LAOTIEN (n. p.). Souphanouvong

HOMME POLITIQUE LIBANAIS (n. p.). Chamoun, Joumblatt, Gemayel.

HOMME POLITIQUE LIBÉRIEN (n. p.). Tubman.

HOMME POLITIQUE LIBYEN (n. p.). Kadhafi.

HOMME POLITIQUE MALGACHE (n. p.). Ratsiraka, Tsiranana.

HOMME POLITIQUE MALIEN (n. p.). Keita.

HOMME POLITIQUE MEXICAIN (n. p.). Almonte, Cardenas, Diaz, Juarez, Sapasa, Zapata, Zedillo.

HOMME POLITIQUE NÉERLANDAIS (n. p.). Drees, Heinsius, Kok.

HOMME POLITIQUE NICARAGUAYEN (n. p.). Ortega, Somoza.

HOMME POLITIQUE NIGÉRIEN (n. p.). Diori.

HOMME POLITIQUE NORVÉGIEN (n. p.). Quisling.

HOMME POLITIQUE OTTOMAN (n. p.). Pasa, Talatpasa.

HOMME POLITIQUE PAKISTANAIS (n. p.). Bhutto, Ziau.

HOMME POLITIQUE PALESTINIEN (n. p.). Arafat.

HOMME POLITIQUE PANAMÉEN (n. p.). Noriega.

HOMME POLITIQUE PARAGUAYEN (n. p.). Lopez, Stroessner.

HOMME POLITIQUE PÉRUVIEN (n. p.). Fujimori, Perez-de-Cuellar.

HOMME POLITIQUE PHILIPPIN (n. p.). Aguinaldo, Marcos.

HOMME POLITIQUE POLONAIS (n. p.). Gierek, Gomulka, Jaruzelski, Paderewski, Walesa.

HOMME POLITIQUE PORTUGAIS (n. p.). Braga, Carmona, Eanes, Pilsudski, Pombal, Saldanha, Sikorski, Soares, Spinola.

HOMME POLITIQUE PRUSSIEN (n. p.). Radowitz, Stein, Virchon.

HOMME POLITIQUE ROMAIN (n. p.). Caton, César, Cicéron, Milon, Rufin.

HOMME POLITIQUE ROUMAIN (n. p.). Alecsandri, Bratianu, Ceausescu, Iliescu, Iorga.

HOMME POLITIQUE RUSSE (n. p.). Andropov, Beria, Brejnev, Doudaïev, Eltsine, Gorbatchev, Khrouchtchev, Lénine, Nesselrode, Staline.

HOMME POLITIQUE SALVADORIEN (n. p.). Duarte.

HOMME POLITIQUE SÉNÉGALAIS (n. p.). Diouf, Senghor, Wade.

HOMME POLITIQUE SERBE (n. p.). Milosevic.

HOMME POLITIQUE SLOVAQUE (n. p.). Tiso.

HOMME POLITIQUE SOVIÉTIQUE (n. p.). Beria, Jdanov, Frounze, Kamenev, Kerensky, Krouchtchev, Litvinov, Malenkov, Milioukov, Rostopchine, Staline, Tchernenko.

HOMME POLITIQUE SUD-AFRICAIN (n. p.). Botha, Malan, Mandela.

HOMME POLITIQUE SUD-AMÉRICAIN (n. p.). Bolivar.

HOMME POLITIQUE SUÉDOIS (n. p.). Palme.

HOMME POLITIQUE SUISSE (n. p.). Ador, Kruger, Motta, Necker, Ochs, Tronchin.

HOMME POLITIQUE SYRIEN (n. p.). Assad, Asad.

HOMME POLITIQUE TANZANIEN (n. p.). Nyerere.

HOMME POLITIQUE TCHADIEN (n. p.). Habré, Tombalbaye.

HOMME POLITIQUE TCHÈQUE (n. p.). Benès, Dubcek, Gottwald, Hacha, Husak, Masaryk, Menderes, Novotny, Slansky, Svoboda.

HOMME POLITIQUE TUNISIEN (n. p.). Bourguiba.

HOMME POLITIQUE TURC (n. p.). Demirel, Evren, Gürsel, Inönü, Kemal, Ozal, Talaat.

HOMME POLITIQUE UKRAINIEN (n. p.). Petlioura.

HOMME POLITIQUE VÉNÉZUÉLIEN (n. p.). Betancourt, Paez.

HOMME POLITIQUE VIETNAMIEN (n. p.). Hô Chi Minh.

HOMME POLITIQUE YOUGOSLAVE (n. p.). Tito.

HOMME POLITIQUE ZAÏROIS (n. p.). Kasavubu, Mobutu.

HOMME POLITIQUE ZAMBIEN (n. p.). Kaunda.

HOMME POLITIQUE ZIMBABWÉEN (n. p.). Mugabe.

HOMO ERECTUS. Fossile, hominien, pithécanthrope, sinanthrope.

HOMOGÈNE. Analogue, cohérent, comparable, confondu, couleur, égal, équilibré, équivalent, fondu, harmonieux, joint, latéral, lié, lisse, monolithique, net, noué, rivé, similaire, uni, unifier, voisin.

HOMOGÉNÉISER. Appauvrir, aseptiser, assainir, assécher, castrer, châtrer, désinfecter, dessécher, émasculer, épuiser, étuver, javelliser, mutiler, pasteuriser, purifier, stériliser, tarir, uniformiser, upériser.

HOMOGÉNÉITÉ. Cohérence, cohésion, compacité, pureté, régularité, solidité, uniformité, unité.

HOMOLOGATION. Acceptation, accord, acquiescement, adhésion, adoption, agrément, amen, applaudir, applaudissement, approbation, approuver, assentiment, autorisation, aval, aveu, avis, ban, bien, bon, bravo, chorus, concession, confirmation, consentement, convenir, cri, déclaration, entendu, entérinement, mais, oui, permission, ratification, sanction, soit, suffrage, visa.

HOMOLOGUE. Analogue, apparenté, approximatif, assimilé, assorti, autre, commun, comparable, conforme, égal, équivalent, identique, jumeau, kif-kif, même, menechme, pair, parallèle, pareil, prochain, proche, ressemblant, semblable, similitude, sorte, sosie, tel, uniforme, voisin.

HOMOLOGUER. Accepter, approuver, confirmer, entériner, plébisciter, ratifier, sanctionner, valider.

HOMOMORPHISME. Composé, élément, endomorphisme, loi, mathématique, morphisme.

HOMONYME. Couple, cristal, dipôle, double, doublet, dyade, électron, fausse pierre, paire, paronyme.

HOMOSEXUALITÉ. Androgamie, androphilie, inversion, lesbianisme, pédérastie, saphisme, uranisme.

HOMOSEXUEL. Fifi, gay, giton, gouine, homo, lesbien, lope, lopette, pédé, pédéraste, tante, tapette, tata, tribade.

HOMUNCULE. Avorton, courtaud, faible, embryon, fœtus, germe, homoncule, lilliputien, nabot, nain, petit, radais, tom-pouce.

HONDURAS, CAPITALE (n. p.). Tegucigalpa.

HONDURAS, LANGUE. Espagnol, garifuna, lenca, miskito, paya, sumu.

HONDURAS, MONNAIE. Lempira.

HONDURAS, VILLE (n. p.). Choluteca, Conception, Danli, Jocon, La Paz, Leimus, Mame, Mocoron, Olanchito, Omoa, Quimistan, Saba, Santa Fe, Suhi, Sula, Tegucigalpa, Trujillo, Yorito, Yoro, Yuscaran.

HONGKONG, CAPITALE (n. p.). Victoria.

HONGKONG, VILLE (n. p.). Aberdeen, Kowloon, Victoria.

HONGRIE, CAPITALE (n. p.). Budapest.

HONGRIE, LANGUE. Hongrois.

HONGRIE, MONNAIE. Euro, forint.

HONGRIE, VILLE (n. p.). Abony, Baja, Bekes, Budapest, Debrecen, Eger, Erd, Györ, Miskolc, Mor, Ozd, Pecs, Pest, Sopron, Szeged, Vac.

HONNÊTE. Consciencieux, décent, digne, droit, fiable, immoral, intègre, poli, probe, scrupuleux, vertueux.

HONNÊTEMENT. Authentiquement, franc, franchement, franco, loyalement, ouvertement, sincèrement, uniment.

HONNÊTETÉ. Bienséance, décence, dignité, droiture, excusabilité, incorruptibilité, intégrité, probité, pudeur.

HONNEUR. Apothéose, as, carte, culte, décence, dévotion, dignité, duel, élite, estime, fierté, gloire, honnêteté, los, ovation, pavois, prérogative, privilège, rang, renommée, respect, roi, tache, triomphe, trône, vénération.

HONNIR. Abaisser, abhorrer, abominer, attaquer, avilir, détester, exécrer, haïr, huer, maudire, vomir.

HONORABILITÉ. Aura, calomnie, célébrité, considération, cote, crédit, estime, gloire, honneur, marque, mémoire, nom, notoriété, opinion, popularité, prestige, renom, renommée, réputation, tache, vertu, vogue.

HONORABLE. Acceptable, bien, consciencieux, convenable, correct, digne, distingué, droit, estimable, fidèle, honnête, honorifique, méritant, moyen, noble, passable, respectable, satisfaisant, suffisant.

HONORABLEMENT. Agréablement, bien, commodément, favorablement, précieusement, profitablement.

HONORAIRE. Cachet, commission, dichotomie, droit, émoluments, fixe, paie, rémunération, rétribution.

HONORER. Adorer, combler, décorer, encenser, estimer, fêter, glorifier, louer, respecter, révérer, saluer, vénérer.

HONORIFIQUE. Dignifiant, excellence, flatteur, hautesse, honorable, honoris causa, préséance, titre.

HONTE. Affront, avanie, bassesse, confusion, crainte, embarras, gêne, hou, humilité, humiliation, ignominie, infamie, opprobre, pudeur, pudibonderie, réserve, retenue, scandale, timidité, turpitude, vergogne, vilenie.

HONTEUX. Abject, avilissant, bas, confus, dégoûtant, dégradant, éhonté, embarrassé, ignoble, immoral, indigne, infâme, interdit, lâche, méprisable, pauvre, penaud, piteux, puant, quinaud, scandaleux, sordide, troublé.

HOOLIGAN. Apache, arsouille, canaille, chenapan, chômeur, crapule, débauché, délinquant, frappe, galopin, garnement, gouape, gredin, houligan, loubard, loulou, marlou, vaurien, vermine, voyou.

HÔPITAL. Asile, centre, C.H.S., C.H.U., C.H.U.M., clinique, dispensaire, établissement, hospice, hosto, infirmerie, ladrerie, lazaret, léproserie, maladrerie, maternité, osto, salle, sana, sanatorium, tour.

HOPLITE. Argyraspide, bidasse, biffin, chasseur, evzone, fantassin, militaire, peltaste, péon, pion, soldat, voltigeur.

HOQUET. Bruit, contraction, convulsion, diaphragme, éructation, glotte, sanglot, secousse.

HORAIRE. Âge, aoriste, an, année, automne, avenir, avent, carême, carnaval, date, délai, demain, durée, été, fort, frai, gel, guide, heure, hier, hiver, indicateur, intermède, jour, loisir, matinée, minute, mois, mue, nuit, passé, période, planning, prévention, printemps, probation, programme, rabiot, récréation, rut, saison, séance, seconde, session, soirée, somme, stage, tautochrone, temporalité, temps, tenue.

HORDE. Bande, clan, colonie, ethnie, groupe, meute, nation, peuplade, peuple, phratrie, tribu, troupe.

HORION. Atémi, atout, besas, beset, blessure, botté, bourrade, charge, châtaigne, choc, claque, contrecoup, contusion, coquard, coup, crochet, dentée, direct, drive, droite, estocade, feinte, fendant, fessée, frite, gifle, gnon, heurt, lift, lob, nasarde, œillade, paf, piccolo, punch, putsch, ra, rafale, raté, ruade, soufflet, talmouse, taloche, tape, tarte, tornade, uppercut, volée.

HORIZON. Almicantarat, ascendant, aube, avenir, destin, destinée, jour, méridien, nuit, panorama, vue.

HORIZONTAL. Alité, allongé, aplomb, apothème, droit, effilé, étiré, fin, flèche, hauteur, jas, lisse, longiforme, longiligne, naviculaire, naviforme, oblong, orthogonal, perpendiculaire, pied, sinus, théorème.

HORLER. Beugler, brailler, braire, bramer, chanter, chialer, chigner, crier, gémir, gueuler, hurler, lamenter, larmoyer, miauler, plaindre, pleurer, pleurnicher, rugir, sangloter, tonitruer, vagir, vociférer, zerver.

HORLOGE. Ancre, cadran, carillon, cartel, chronomètre, clepsydre, comtoise, coucou, garde-temps, gnomon, jacquemart, jaquemart, minuterie, montre, morbier, pendule, régulateur, réveille-matin, sablier, vrillette.

HORLOGER. Aiguilleur, bijoutier, chaînetier, diamantaire, drille, gemmologiste, gemmologue, joaillier, lapidaire, orfèvre, paturier, pendulier, pierriste, régulateur, tas, triboulet.

HORLOGER ALLEMAND (n. p.). Kinzing, Naundorf, Naundorff

HORLOGER BRITANNIQUE (n. p.). Harrison.

HORLOGER ANGLAIS (n. p.). Harrison.

HORLOGER FRANÇAIS (n. p.). Beaumarchais, Breguet, Lepaute, Le Roy.

HORLOGER PRUSSIEN (n. p.). Hutten, Naundorf, Naundorff

HORMIS. Aberration, abstraction, accroc, anomalie, bizarrerie, dérogation, déviation, excepté, exception, exclusion, hors, irrégularité, licence, merveille, monstre, particularité, phénomène, réserve, restriction, sauf, singularité, supérieur, trouvaille, unique.

HORMONE. Adrénaline, auxine, calcitonine, cortisone, dhea, epo, estrogène, folliculine, gibbérelline, gonadotrophine, insuline, lutéine, ocytocine, œstrogène, estrogène, mélatonine, œstrogène, parathormone, parathyrine, phytohormone, progestérone, sécrétine, somatotrope, stéroïde, stimuline, testostérone, thyroxine.

HORODATEUR. Boulier, chiffreur, codeur, compteur, cryptographe, encodeur, enregistreur, indicateur, magnétophone, mouchard, péritéléphonie, pointeur, tachymètre, taximètre, volucompteur.

HOROSCOPE. Annonce, annonciation, astrologie, augure, avenir, destin, généthliaque, prédiction.

HORREUR. Abhorrer, abomination, aversion, cauchemar, dégoût, détestation, effroi, éloignement, émotion, épouvante, exécration, frisson, haine, hydrophobie, peur, photophobie, stupeur, terreur, vide.

HORRIBLE. Abominable, affreux, atroce, effrayant, enfer, épeurant, hideux, laid, terrible, terrifiant, vil, vilain.

HORRIBLEMENT. Abominablement, affreusement, atrocement, épouvantablement, laidement, monstrueusement, très.

HORRIFIANT. Affolant, dantesque, effrayant, effroyable, épouvantable, paniquant, terrible, terrifiant, terrorisant.

HORRIFIER. Affoler, alarmer, angoisser, apeurer, atterrer, consterner, craindre, effarer, effaroucher, effrayer, épater, épeurer, épouvanter, inspirer, inquiéter, intimider, peur, ressentir, terrifier, terroriser.

HORRIPILANT. Agaçant, asticotant, crispant, désagréable, énervant, éreintant, exaspérant, excédant, fatigant, hérissant, impatient, insupportable, irritant, navrant, oppressant, stressant, suant.

HORRIPILATION. Agacement, aggravation, agitation, colère, comble, exacerbation, exaspération, énervement, exacerbation, exaltation, excitation, impatience, irritation, maximum, paroxysme, ras-le-bol.

HORRIPILATEUR. Arrecteur, froidure, muscle, poil.

HORRIPILER. Agacer, aigrir, aviver, crisper, énerver, exaspérer, excéder, fâcher, fatiguer, irriter, révolter.

HORS. Absent, abstraction, apparence, collatéral, dehors, efférent, ému, ex, excepté, exclusivement, extérieur, extravagant, fors, hormis, nase, naze, obsolète, oust, réprouvé, réserve, sauf, sinon, surplomber.

HORS-CHAMP. Caméra, champ, dehors, off, out, voix.

HORS-D'ŒUVRE. Aliment, animelles, annonce, brouet, carte, caviar, chère, cuisine, darne, entrée, épice, fondue, fricot, galantine, gratin, lie, macédoine, matelote, menu, mets, miroton, nem, nourriture, oignonade, pâté, plat, raclette, régal, repas, ris, risotto, roesti, salade, sarama, sauce, soupe, sushi, table, tarama, victuailles, vivres, zakouski.

HORSE-POWER. HP.

HORS-LA-LOI. Apache, arnaqueur, aveugle, bandit, brigand, convict, coquin, criminel, escarpe, escroc, fanatique, filou, forban, gangster, larron, malandrin, malfaiteur, nervi, pillard, pirate, scélérat, séide, sicaire, truand, vaurien, voleur.

HORTENSIA. Alpenglühen, altona, ami pasquier, bénélux, chaperon rouge, constellation, corsaire, europa, floralia, goliath, hambourg, marquise, mascotte, merveille, mousmée, opaline, pirate, rosabelle, rosita, rutilan, splendeur, yola.

HORTICULTEUR. Arboriculteur, bagueur, floriculteur, jardinier, maraîcher, primeuriste, producteur, rosiériste.

HOSPICE. Aide, appui, asile, assesseur, assistance, auditoire, charité, clinique, foule, gardien, gratitude, hôpital, nourrice, office, orthèse, protection, public, rescousse, salle, secourir, secours, service, servir, subside, subvention, secourir, secours.

HOSPITALIER. Abriter, accepter, accueillant, accueillir, admettre, agréer, apprendre, chercher, chuter, conspuer, contenir, écouter, exaucer, fêter, héberger, loger, mouroir, nosocomial, prendre, recevoir, recueillir, saluer, siffler, voir.

HOSPITALISATION. Adhésion, adjonction, admission, affiliation, entrée, initiation, placement, réception.

HOSPITALISER. Accepter, accorder, accueillir, admettre, adopter, affilier, agréer, autoriser, avaler, avouer, caler, comporter, croire, déclarer, divulguer, initier, introduire, introniser, nier, permettre, présupposer, recaler, recevoir, reconnaître, récuser, souffrir, supposer, tolérer, voir.

HOSPITALITÉ. Accueil, affabilité, amabilité, aménité, attention, bienveillance, bonté, charme, civilité, complaisance, courtoisie, délicatesse, douceur, gentillesse, grâce, honnêteté, liant, miel, politesse, urbanité.

HOSTIE. Abnégation, agneau, aruspice, autel, cène, eucharistie, hécatombe, holocauste, immolation, ite, libation, lustration, messe, oblation, offrande, patène, propitiation, renoncement, rite, sacrement, sacrifice, taurobole, victime.

HOSTILE. Adversaire, adverse, agressif, antitout, aversif, contraire, contre, défavorable, dépréciatif, désavantageux, ennemi, fâcheux, glacial, haineux, hargneux, inamical, inhospitalier, malveillant, opposé, sentiment.

HOSTILEMENT. Calmement, dernièrement, flegmatiquement, fraîchement, froidement, glacialement, inédit, inusité, jeunement, moderne, naguère, neuf, nouvellement, peu, posément, récemment, saisissement, sèchement.

HOSTILITÉ. Agressivité, animosité, antipathie, attaque, aversion, bataille, combat, conflit, croisade, démêlé, guerre, haine, hargne, inimitié, malveillance, opposition, raciste, rancune, refus, ressentiment, xénophobie.

HÔTE. Amphitryon, aubergiste, commensal, convive, diffa, logeur, invité, réceptionnaire, réceptionniste, receveur.

HÔTEL (n. p.). Bourbon, Cluny, Frontenac, Invalides, Matignon, Méridien, Rambouillet, Sully.

HÔTEL. Auberge, cambuse, caravansérail, crèche, flatotel, garni, gîte, hall, hostellerie, hôtellerie, logis, lupanar, mairie, maison, meublé, motel, palace, parador, pension, posada, relais, taule, venta.

HÔTELIER. Aubergiste, cabaretier, hôte, logeur, loueur, patron, popotier, raisin, taulier, tavernier, tenancier, tôlier.

HÔTELLERIE. Auberge, bordj, camping, caravansérail, étape, fondouk, gîte, hôtel, kan, khan, refuge.

HÔTESSE. Boniche, bonne, domestique, geisha, logeuse, maid, ménagère, nurse, servante, serveuse.

HOTTE. Aspirateur, banne, banneton, benne, bouille, brante, cabas, cheminée, collet, panier, ventilateur.

HOTTEREAU. Banne, banneton, bannette, bourriche, cabas, cloyère, corbeille, hotte, manne, panier.

HOTU. Ablette, amble, amour-blanc, barbeau, barbote, bième, bouvière, brème, carpe, chevaine, chevenne, cloche, cyprin, cyprinidé, doré, gardon, gardon-rouge, gougon, ide, loche, meunier, nase, rotengle, tanche, vairon, vandoise.

HOUE. Arrachoir, bêche, bêchoir, binette, bineuse, daba, déchaussoir, fossoir, hoyau, marre, sarcloir, tranche.

HOUILLE. Anthracite, boghead, boulet, brai, briquette, calamité, charbon, coke, fines, gailletin, jais, jayet, lignite, maréchale, mineur, poussier, pyrène, pyridine, pyrrol, semi-coke, tout-venant.

HOUILLER. Carbonifère, charbon, dinantien, houille, paléozoïque, silésien.

HOUKA. Bouffarde, cachotte, calumet, chibouque, chibouk, chilom, cigarette, jacob, kalioun, narghilé, narguilé, pipe, pipette, shilom, tabac, trompe, turque.

HOULE. Agitation, agité, cambrure, confus, crête, creux, déferlante, déferlement, douteux, eau, erre, étèle, flot, indécis, lame, mascaret, mouton, mouvement, onde, ondulée, raz, ressac, rouleau, roulis, tangage, tempête, vague.

HOULETTE. Alpenstock, autorité, bâton, béquille, canne, commandement, direction, férule, makila, piolet.

HOULEUX. Acculée, agité, déchaîné, démonté, moutonneux, orageux, tempête, tumultueux, vague.

HOUP. Hop, oup, oups.

HOUPPE. Aigrette, cheveux, floc, floche, freluche, houppette, huppe, mèche, pompon, touffe, toupet.

HOURD. Arcade, assemblée, balcon, coursive, estrade, filon, galerie, hypogée, jubé, loge, mâchicoulis, passage, portique, préau, raucheur, salon, souterrain, spectateur, taupe, tranchée, tunnel, véranda, vestibule, voûte, xyste.

HOURDIS. Aggloméré, amas, bloc, briquette, combustible, masse, moellon, panneau, parpaing, staff, stuc, synderme.

HOURI. Astre, beauté, bellotte, déesse, nymphe, palourde, pétard, praire, sylphide, tanagra, vénus.

HOURRA. Acclamation, applaudissement, approbation, ban, bis, bravo, compliment, éloge, encouragement, félicitation, louange, ovation, rappel, salve, triomphe, vivat.

HOURVARI. Chahut, chambard, charivari, raffut, ramdam, tapage, tintamarre, tohu-bohu, tumulte.

HOUSEAU. Arme, chausses, cnémide, grève, guêtre, guêtron, heuse, jambart, jambière, leggings, protecteur.

HOUSPILLER. Admonester, attraper, disputer, engueuler, enguirlander, gourmander, gronder, malmener, molester, morigéner, quereller, réprimander, rudoyer, sabouler, secouer, sermonner, tancer, tarabuster.

HOUSSE. Bâche, caparaçon, cape, chabraque, cocon, coque, enveloppe, étui, fourreau, gaine, sac, schabraque, taie.

HOUSSINE. Aine, antibois, archet, badine, baguette, bâton, broche, caducée, canne, cercle, chicote, corde, crayon, frette, listeau, listel, liston, liteau, mailloche, membron, meuble, ornement, sillet, spatule, touchette, verge.

HOUSSOIR. Balai, balayette, branchage, brosse, écouvillon, époussette, plumard, plumeau, tête-de-loup, vadrouille.

HOUX. Aigrefeuille, apalachine, arbuste, fragon, glu, houssaie, housset, maté, mélier, thé.

HOYAU. Arrachoir, binette, bineuse, chasse-neige, daba, déchaussoir, égratignure, fossoir, gale, gratelle, gratte, guitare, houe, pioche, profit, raclette, ratissoire, sape, sarclette, sarcloir, serfouette.

HUARD. Cadrâche, cent, dollar, huart, monnaie, oiseau, orfraie, piastre, plongeon, pygargue.

HUBLOT. Ajour, baie, battant, cantonnière, châssis, croisée, espagnolette, fenêtre, jalousie, lucarne, lunette, meneau, oculus, œil-de-bœuf, oreille, oriel, rideau, soupirail, store, tabatière, tenture, vanterne, vasistas, volet.

HUCHE. Bâche, benne, boîte, cadre, cagnotte, caisse, caissette, caisson, carrosserie, carton, cave, coffre, coffret, colis, conteneur, fût, harasse, koto, maie, malle, paquet, tambour, tare, tiroir, tiroir-caisse.

HUE. Ahan, aïe, barrir, beuglement, bis, braillement, bramer, clameur, contradictoire, cri, croassement, dia, évoé, évohé, exclamation, glapissement, gloussement, haïe, han, haro, huée, hurlement, jargon, opposé, réclame, roucoulement, rugissement, taïaut, tollé, vacarme, vagissement, vocifération.

HUÉE. Aubade, avanie, bronca, bruit, chahut, charivari, cri, hallali, haro, hourvari, mépris, tollé.

HUER. Ameuter, bafouer, chahuter, chuinter, conspuer, couvrir, honnir, siffler, ululer, vilipender.

HUGUENOT (n. p.). Poltrot.

HUGUENOT. Adventiste, anglican, baptiste, calviniste, conformiste, darbysme, évangéliste, fondamentaliste, hérétique, luthérien, mennonite, méthodiste, morave, mormon, orangiste, pentecôtiste, piétiste, presbytérien, protestant, puritain, quaker, réformé, revival.

HUILAGE. Axone, cirage, dégraissage, graissage, graisse, gras, huile, lubrification, oing, ricin, saindoux.

HUILE. Ail, anis, basilic, bergamotier, bigarade, bornéol, brillantine, cajeput, camomille, camphre, cannelle, carvi, cérat, chénopode, chrême, citron, coriandre, créosol, cyprès, éruçique, essentielle, estragon, eucalyptus, fenouil, genévrier, géranium, gingembre, ginseng, girofle, hysope, kérosène, lavande, oléagineux, oléine, oxycèdre, marjolaine, mélisse, menthe, menthol, mère, monoï, musc, muscade, néroli, niaouli, noix, œillette, oignon, oléagineux, oléine, oléo, oléolat, oranger, origan, pétrole, pin, ricin, romarin, sae, santal, santoline, sarriette, sauge, spic, térébenthine, terpine, thuya, thym, thymol, verveine, vierge, ylang-ylang.

HUILER. Cirer, encrasser, enduire, ensuifer, graisser, lubrifier, oindre, salir, souiller, suiffer.

HUILEUX. Adipeux, beurré, crémeux, glissant, graissé, graisseux, gras, oléagineux, oléolat, visqueux.

HUIS. Accès, barrière, chasseur, clédar, entrée, guichet, hayon, hec, herse, huis-clos, introduction, issue, moyen, ouverture, passage, pêne, porche, portail, porte, portière, portillon, poterne, seuil, sortie, vantail, verrou.

HUISSERIE. Bâti, cadre, chambranle, châssis, croisée, dormant, encadrement, fenêtre, trappe.

HUISSIER. Annoncier, appariteur, audiencier, constat, massier, nomenclateur, officier, protêt, sommation.

HUIT. Août, bretzel, canon, esse, huitaine, huitième, octal, octave, octet, octogone, triolet, VIII.

HUITIÈME. Floréal, octant, octave, octavo, octid, octies octidi, octogone, octuple.

HUÎTRE. Acul, anisomyaria, belon, bonamia, cancale, claire, coquillage, crassostrea, creuse, écaillage, malpèque, méléagrine, mollusque, moule, nacre, naissain, ostracé, ostréicole, ostréiculture, ostréidé, parc, peigne, perlot, pied-de-cheval, pintadine, plate, portugaise, ptériidé, spéciale, valve.

HUÎTRIER. Banc, bande, banquette, claire, clayère, couvée, envolée, nuée, oiseau, pie de mer.

HUMAGE. Ail, anhélation, aspiration, bouffée, brise, effluve, essoufflé, exhalaison, expiration, haleine, haletant, inhalation, inspiration, pantelant, parfum, respir, respiration, senteur, souffle, soupir, vent.

HUMAIN. Altruiste, anthropien, anthropique, bienfaisant, bienveillant, bon, charitable, clément, compatissant, corps, doux, être, généreux, gentil, homme, hominal, indulgent, mortel, philanthrope, pitoyable, sensible.

HUMAINEMENT. Affectueusement, amicalement, amoureusement, chaleureusement, charitablement, cordialement, fraternellement, généreusement, gentiment, grassement, largement, tendrement.

HUMANISATION. Avancement, barbarie, civilisation, déshumanisation, culture, évolution, hellénisme, progrès, sauvage, société.

HUMANISER. Acclimater, adoucir, affaiter, amadouer, apprivoiser, charmer, civiliser, conquérir, dire, domestiquer, dompter, dresser, familiariser, familier, gagner, oiseler, polir, priver, séduire, soumettre.

HUMANISTE ALGÉRIEN (n. p.). Everaerts, Feraoun, Second.

HUMANISTE ALLEMAND (n. p.). Camerarius, Fischart, Peutinger, Rheinauer, Reuchlin.

HUMANISTE ALSACIEN (n. p.). Brandt, Brant.

HUMANISTE ANGLAIS (n. p.). More, Morus.

HUMANISTE BRITANNIQUE (n. p.). Burton.

HUMANISTE BYZANTIN (n. p.). Bessarion.

HUMANISTE ÉCOSSAIS (n. p.). Buchanan.

HUMANISTE ESPAGNOL (n. p.). Valdés.

HUMANISTE FLAMAND (n. p.). Lipse, Second.

HUMANISTE FLORENTIN (n. p.). Ruccellai.

HUMANISTE FRANÇAIS (n. p.). Alain, Amyot, Baïf, Budé, Castellion, Chateillon, Cros, Dolet, Dorat, Estienne, Fillastre, Guéhenno, Muret, Peletier, Postel, Ramus, Sponde.

HUMANISTE HOLLANDAIS (n. p.). Coornhert, Érasme, Vossius.

HUMANISTE ITALIEN (n. p.). Abstemius, Alberti, Bembo, Della Porta, Ficin, Ficino, Pétrarque, Pogge, Politien, Pontano, Sdolet, Sannazzaro, ScaligerVanini.

HUMANISTE QUÉBÉCOIS (n. p.). Béland, Blanchet, Courtemanche, Dumas, Légaré, Léveillé, Martin, Massicotte, Merville, Simon, Verville, Ward.

HUMANISTE SUÉDOIS (n. p.). Stiernhielm.

HUMANISTE TCHÈQUE (n. p.). Comenius.

HUMANITAIRE. Altruiste, bon, charitable, compatissant, désintéressé, généreux, humain, mécène, miséricordieux.

HUMANITÉ. Bienveillance, bénignité, bonté, charité, clémence, compassion, générosité, histoire, indulgence, tolérance.

HUMANOÏDE. Androïde, automate, cerveau, engin, machine, robot, yéti.

HUMBLE. Bas, décent, discret, doux, effacé, faible, modéré, modeste, obscur, orgueilleux, pauvre, petit, prude, pudique, rampant, ravalé, réservé, simple, soumis, timide, vaniteux, vil.

HUMECTAGE. Humidification, hydratation, moiteur, mouillage, mouillé, mouillure, palais, palatalisation, palatin, palatial, phonème, trempage.

HUMECTER. Arroser, baigner, bassiner, embuer, humidifier, moitir, mouiller, saucer, tremper, vaporiser, voiler.

HUMECTEUR. Arrosoir, asdergeur, chantepleure, gicleur, mouilleur, mouilloir, sprinkler.

HUMER. Aspirer, avaler, blairer, enrôler, flairer, halener, pifer, renifler, respirer, ressentir, sentir, subodorer.

HUMÉRUS. Accotoir, accoudoir, affluent, aisselle, allonge, appui, baguette, bayou, biceps, bras, brassard, brassée, cède, coude, crawl, crête, cubitus, détroit, élinde, épaule, épicondyle, fanon, marigot, membre, os, patte, pompe, pseudopode, tentacule, trochin.

HUMEUR. Acrimonie, atrabilaire, attitude, bile, chagrin, désir, écrouelles, ennui, envie, esprit, fantaisie, flegme, gaieté, gaîté, goguette, goût, hargne, ire, labile, luné, massacrante, maussaderie, mélancolie, morose, morve, mucosité, mucus, peccant, pus, râleur, rire, rogne, roupie, salive, sueur, suint, synovie, tempérament, thymique, ton, tracassin.

HUMIDE. Aqueux, chaud, délavé, détrempé, eau, embrum, embrumé, embué, fluide, frais, halitueux, humecté, humidifié, hydraté, hygrophobe, imbibé, marécage, moite, mouillé, sentine, trempé, uliginaire, uligineux.

HUMIDIFIER. Arroser, bassiner, diluer, humecter, imbiber, infuser, macérer, moitir, mouiller.

HUMIDITÉ. Aquosité, humide, hygrométricité, infiltration, moiteur, mouillé, mouillure, suintement.

HUMILIANT. Abaissant, abject, abrutissant, aveulissant, avilissant, bas, blessant, coupable, crapuleux, déconvenue, dégoûtant, dégradant, déshonorant, désobligeant, mortifiant, platitude, vexant, vexatoire.

HUMILIATION. Abaissement, affront, avanie, camouflet, châtiment, déshonneur, discrédit, gifle, honte, vilenie.

HUMILIER. Blesser, chagriner, choquer, confondre, contrarier, froisser, mépriser, mortifier, outrager, souffleter, tourmenter, ulcérer.

HUMILITÉ. Déférence, discrétion, douceur, effacement, modestie, réserve, respect, simplicité, timidité.

HUMORISTE (n. p.). Anctil, Barrette, Beaudry, Bedos, Coluche, Dac, Deschamps, Devos, Dion, Houde, Huard, Joly, Kahvannah, Lecoq, Macleod, Martin, Massicotte, Matte, Meunier, Parent, Petit, Sol, Steinberg.

HUMORISTE. Amuseur, bouffon, clown, comique, espiègle, fantaisiste, farceur, ironiste, pitre, spirituel.

HUMORISTIQUE. Amusant, burlesque, cocasse, comique, désopilant, drolatique, drôle, marrant, spirituel.

HUMOUR. Badinage, drôlerie, esprit, farce, festival, gag, histoire, plaisanterie, punch, raillement, rire.

HUMUS. Amendement, apport, biologique, compost, crotte, crottin, cyanamide, engrais, fertilisant, fiente, fumier, fumure, gadoue, géophile, guano, lisier, nourrain, poudrette, purin, terreau, urée, urine, wagage.

HUNE. Balcon, belvédère, bretesse, bretèche, échafaud, estrade, étage, gabie, galerie, gambe, mât, nid, palier, perroquet, plancher, plateau, plate-forme, podium, ponton, programme, quai, ras, tablier, terrasse, vigie.

HUPPÉ. Aigle, chic, cossu, distingué, élégant, fortuné, nanti, opulent, rapace, richard, riche, touffe.

HURE. Brochet, charcuterie, galantine, sanglier, saumon, tête, trogne, trophée, visage.

HURLANT. Aigre, apparent, aveuglant, certain, choquant, clair, constant, criant, drôle, éclatant, écrier, évident, flagrant, frappant, glapissant, honteux, incontestable, manifeste, patent, révoltant, scandaleux, visible.

HURLEMENT. Aboiement, barrissement, bêlement, braillement, bruit, clameur, cri, geignement, gémissement, glapissement, grognement, jérémiade, lamentation, plainte, pleurs, rugissement, tumulte, vocifération.

HURLER. Aboyer, annoncer, barrir, bêler, beugler, blatérer, brailler, clamer, crier, écrier, égosier, époumoner, exclamer, grogner, gueuler, japper, meugler, miauler, mugir, rugir, tonitruer, tonner, ululer, vociférer.

HURLEUR. Alouate, braillard, brailleur, bryant, criard, crieur, gueulard, hurlant, jappeux, ouarine, singe.

HURLUBERLU. Anormal, bizarre, braque, écervelé, énergumène, étourdi, extravagant, fou, quidam, zigoto.

HURON (n. p.). Georgienne, Iroquois, Manitoulin, Sarnia, Sault Ste-Marie.

HURON. Algonquin, amérindien, autochtone, balourd, bourru, brut, brutal, butor, cru, discourtois, dur, emporté, épais, féroce, fruste, goujat, gras, grossier, hirsute, imparfait, indélicat, indien, indigène, iroquois, lac, langue, lourd, malappris, malfrat, malotru, malséant, manant, massif, mufle, peuplade, rude, rustaud, rustique, rustre, sagouin, salé, scatologie, trivial, vil, violent, vulgaire.

HURRICANE. Bourrasque, cyclone, orage, ouragan, rafale, tornade, tourmente, trombe, typhon, vent.

HUSSARD (n. p.). Blondin, Giono, Lasalle, Laurent, Nimier, Rastatt, Sidi-Brahim.

HUSSITE. Hérétique, hétérodoxe, intransigeant, janhus, lipany, manichéen, partisan, taborite, utraquiste.

HUTTE. Buron, cabane, cahute, case, gourbi, igloo, iourte, loge, niche, paillote, tente, wigwam, yourte.

HYALITE. Girasol, granuline, hydrophane, opalescent, opale, opalin, opaline, pierre, résinite, silex.

HYBRIDATION. Asine, bardot, bifurcation, branchement, bretelle, carrefour, chiasma, chiasme, croisée, croisement, échangeur, fourche, hybride, intersection, métis, métissage, mulâtre, mulet, nœud, quarteron.

HYBRIDE. Bardot, croisé, hétérosis, lavandin, léporidé, mélange, métis, mulard, mulet, tiglon, tigron, triticale.

HYDNE. Agaric, barbe de vache, basidiomycète, bosselé, cantharellale, champignon, chanterelle, clavaire, corail, cortinaire, girolle, hérisson, inocybe, pied-de-mouton, polypore, souchette, urédinale.

HYDRANGÉE. Annabelle, bouquet rose, hortensia, hydrangea, hydrangelle, nikko blue, paniculée.

HYDRATATION. Humectage, humidification, moiteur, mouillage, mouillé, mouillure, palais, palatalisation, palatin, palatial, phonème, trempage.

HYDRATE. Borax, calamine, chlorhydrate, épidote, glucide, hydrocarbonate, hydroxyde, oestriol, sapotine, terpine.

HYDRE. Avorton, basilic, chimère, cyclope, démentiel, dragon, fée, géant, génie, gorgone, harpie, hippogriffe, lamie, licorne, mauvais, monstre, monstrueux, nain, phénix, phénomène, phocomèle, pygmée, scélérat, sirène, sphinx, tarasque, tératologie.

HYDRIE. Aiguière, amphore, ballon, bol, boue, bouteille, buire, calice, canette, canope, carafe, cérame, ciboire, cornue, cratère, cruche, fange, hanap, jarre, jatte, limicole, limon, matras, navette, patène, pot, potiche, récipient, seau, soliflore, tasse, thomas, urinal, urne, vase, verre.

HYDROBATIDÉ. Pétrel.

HYDROCARBONATE. Vert-de-gris.

HYDROCARBURE. Acétylène, alcane, allène, allylène, amylène, benzène, bornylène, butadiène, butane, cyclane, diène, diesel, éthane, éthylène, heptane, hylène, isobutane, mazout, naphtaline, octane, oléfine, pentane, propane, propylène, styrène, styrolène, térébenthine, terpène, toluène, tétraline.

HYDROCHARIDACÉE. Aquarium, élodée, hélodée, morène, Nuttall, plante, vallisnérie.

HYDROFILICALE. Azolla, fougère, marsilea, marsiléale, pilularia, plante, regnellidium, salvinia.

HYDROFUGE. Alquifoux, caoutchouc, dégras, étanche, imperméabilisé, imperméable, paraffine.

HYDROGÈNE. Arsine, H.

HYDROMEL. Boisson, breuvage, chouchen, miel.

HYDROMÈTRE. Anthropode, arachné, arachnéen, arachnide, argiope, aragne, argyronète, araigne, araignée, araignée-d'eau, aranéide, arantèle, argyronète, crabe, épeire, faucheur, faucheux, galéode, halabé, hétéroptère, hydrometra, insecte, latrodecte, lycose, maïa, malmignatte, mygale, orbitèle, prédateur, ségestrie, tarentule, tégénaire, théridion, théridium, thomise, tubitèle, vélie, veuve noire.

HYDROPISIE. Anasarque, ascite, enflure, gonfle, hydrocèle, hydrocéphalie, hydrothorax, œdème.

HYDROPTÈRE. Aéroglisseur, aquaplane, ferraplane, hovercraft, hydrofoil, hydroglisseur, naviplane, terraplane.

HYDROXYDE. Alcali, base, gibbsite, hydrate, lithine, oxhydryle, potasse, rouille, soude, strontiane, zincate.

HYDROXYLE. HO, oxhydryle.

HYDROZOAIRE. Cladonème, cnidaire, craspédote, hydraire, hydre, hydrocoralliaire, hydroïde, hydroméduse, méduse, millépore, obélie, planula, siphonophore, solitaire.

HYDRURE. Binaire, combinaison, hydrolithe, tellurhydrique.

HYÈNE. Carnassier, carnivore, chacal, charognard, chasseur, corbeau, corneille, fauve, lycaon, mammifère, prédateur, profiteur, protèle, rapace, rayée, tachetée, tueur, vautour.

HYGIÈNE. Précaution, préservation, prévention, prophylaxie, propreté, salubrité, sanitaire, santé, stérilité.

HYGIÉNIQUE. Confort, diététique, naturel, papier, pécule, propre, sain, salubre, sanitaire, santé.

HYGROSCOPIQUE. Hydrométrique, sel.

HYMEN. Clitoris, féminité, femme, lèvres, mammifère, mariage, pucelage, vagin, virginité, vulve.

HYMÉNOPTÈRE. Abeille, aculéate, agriotype, ammophile, apidé, apocrite, apoïde, blastophage, bourdon, braconidé, chalcidien, charpentière, crabron, cynipdé, cynips, fourmi, frelon, guêpe, holométabole, ichneumon, insecte, pétiolé, philanthe, pimple, pompile, pteromale, rhodite, sirex, symphyte, térébrant, tenthrède, tenthrédinidé, trogue, xylocope, zèthe, zéthus, xylocope.

HYMNE. Air, antienne, apotropée, brabançonne, cantique, chant, chœur, choral, gloria, hosanna, impropères, kaddish, marche, musique, ode, paean, péan, prose, psaume, qaddich, sanctus, séquence, stances, te deum, verset.

HYMNE (n. p.). Brabançonne, Deutschlandlied, God Save The Queen, Hosanna, Marseillaise.

HYPERBATE. Anastrophe, chiasme, interversion, inversion, permutation, renversement, saphisme, transposition.

HYPERBOLE. Affectation, ampoule, boursouflure, courbe, emphase, emphatique, enflure, exagération, excessif, excès, figure, grandiloquence, ithos, litote, naturel, pathos, pompe, pompeux, pompier, prétention, simplicité, solennité.

HYPERBOLIQUE. Académique, affecté, bouffi, déclamatoire, emphatique, grandiloquent, prétentieux, ronflant.

HYPÉRICACÉE. Hypericum, millepertuis.

HYPERSÉCRÉTION. Hyperhidrose, hyperthyroïdie, leucorrhée, ptyalisme, séborrhée, sialorrhée.

HYPERTROPHIE. Démesuré, dilatation, enflé, exagération, excès, gonflement, loupe, surdéveloppement, outrance.

HYPNOSE. Catalepsie, dormir, endormissement, envoûtement, léthargie, narcose, sommeil, somnolence.

HYPNOTIQUE. Anesthésique, anxiolytique, barbiturique, calmant, diacode, endormant, narcotique, œillette, opium, penthiobarbital, phénobarbital, prométhazine, rasant, sommeil, somnifère, soporifique.

HYPNOTISER. Captiver, charmer, endormir, ensorceler, envoûter, fasciner, magnétiser, obnubiler, séduire.

HYPOCONDRIAQUE. Atrabilaire, bilieux, dépressif, hypocondre, mélancolique, neurasthénique.

HYPOCORISTIQUE. Chouchou, diminutif, frérot, limitatif, mon chou, nom, restrictif, surnom, tantine.

HYPOCRISIE. Cafardise, cautèle, comédie, déloyauté, duplicité, fausseté, félonie, fourberie, mascarade, papelardise, pruderie.

HYPOCRITE. Artificiel, artificieux, bigot, cagot, déloyal, dissimulé, doucereux, escobar, faux, félon, fourbe, franc, jésuite, judas, loyal, mielleux, papelard, pharisien, rusé, simulateur, sournois, tartufe, tartuffe.

HYPOCRITEMENT. Artificiellement, captieusement, déloyalement, fallacieusement, faussement, insidieusement, machiavéliquement, perfidement, sournoisement, traîtreusement, trompeusement.

HYPOGASTRE. Abdomen, aine, bas-ventre, bedaine, bedon, bide, bidon, buffet, diaphragme, épigastre, estomac, foie, hypocondre, intestin, laparotomie, lombes, nombril, ombilic, panse, poitrine, telson, transit, ventre.

HYPOGÉE. Arc, arcade, arceau, arche, berceau, cave, caveau, ciel, cintre, coupole, crypte, dais, dôme, firmament, galerie, intrados, palais, rein, sépulture, serapeum, souterrain, tombe, voussure, voûte.

HYPOSULFITE. Fixateur, photographie, sel, thiosulfate.

HYPOTHÈQUE. Assiette, assurance, aval, bail, cas, caution, gage, garantie, privilège, purge, sûreté.

HYPOTHÉQUER. Abaisser, accompagner, anticiper, attendre, avancer, billet, compter, conserver, déduire, devancer, épargner, escompter, espérer, payer, prévenir, prévoir, réduire, réescompter, tabler.

HYPOTHÈSE. Cas, chance, conjecture, présomption, présupposer, prévision, probabilité, si, supposition.

HYPOTHÉTIQUE. Aléatoire, argument, casuel, centile, conditionnel, conjectural, éventuel, incertain, léporidé.

HYPOTHÉTIQUEMENT. Abstraitement, accessoirement, éventuellement, idéalement, imaginairement, possiblement.

HYPOTONIE. Abaissement, agueusie, agranulocytose, amenuisement, amnésie, amortissement, anémie, anhépatie, anosmie, atonie, collapsus, détente, détumescence, diminution, encroûtement, frai, hypochlorhydrie, hypoglycémie, leucopénie, oligurie, paralysie, presbytie, rabais, réduction, remise, retrait, soulagement, surdité, xérophtalmie.

HYSTÉRIE. Aura, délire, excitation, folie, frénésie, hystériforme, hystérique, nervosité, névrose, pithiatisme, psychiatrique.

HYSTÉRIQUE. Acharné, déchaîné, délirant, effréné, endiablé, enragé, éperdu, exalté, fiévreux, frénétique, surexcité.

HYSTRICOÏDE. Chinchilla, échinoderme, éréthizontidé, hérisson, mammifère, porc-épic, rongeur.

I

I. Iotacisme.

ÏAMBE. Choriambe, épigramme, fatrasie, pasquin, pied, poème, poésie, satire, sille, théâtre, vers.

ÏAMBIQUE. Choliambique, octosyllabique, satirique, trimètre.

IBÉRIEN. Espagnol, hispanique, ibère, ibérique, lusitanien, portugais.

IBÉRIS. Alysse, alysson, arbette, corbeille-d'argent, corbeille-d'or, ibéride, tabouret, téraspic, thlaspi.

IBIDEM. Dito, ib, ibid, idem, infra, itou, kif, kif-kif, même, supra, susdit.

ICEBERG. Banquise, bouscueil, calotte, glaciel, glacier, hummock, icefield, inlandsis, laitue, pack, vêlage.

ICHNEUMON. Abeille, guêpe, hyménoptère, insecte, mangouste, poliste, suricate, surikate.

ICHOR. Abcès, boue, bourbillon, chassie, collection, drain, écoulement, empyème, gourme, humeur, purulent, pus, pyurie, sang, sanie, sécrétion, suppuration, suppurer, vomique.

ICHTYOL. Blende, chalcopyrite, chalcosine, cinabre, galène, nase, orpiment, plomb, pyrite, réalgar, savon, stibine, sulfure, vermillon, ypérite, zinc.

ICHTYOPHAGE. Biophage, pingouin, piscivore.

ICI. Actuellement, ça, céans, ci, ci-gît, dedans, déictique, icigo, là, maintenant, présentement.

ICÔNE. Anamorphose, bestiaire, cliché, copie, dessin, effigie, emblème, enluminure, estampe, fantasme, figure, gravure, idée, illustration, image, métaphore, peinture, portrait, statue, symbole, tableau.

ICONOCLASTE. Anticonformiste, barbare, destructeur, dévastateur, pillard, ravageur, saccageur, vandale.

ICONOLÂTRIE. Adoration, adulation, attachement, culte, dévotion, emballement, fanatisme, ferveur, flatterie, vénération.

ICTÈRE. Chlorose, cholémie, hépatite, jaune, jaunisse, leptospirose, maladie, muqueuse, subictère.

ICTUS. Afflux, apoplexie, attaque, cataplexie, embolie, hémorragie, hyperémie, pléthore, révulsion, stase, thrombose.

IDÉAL. Absolu, accompli, archétype, art, aspiration, but, classique, dandysme, idylle, idyllique, merveilleux, modèle, optimal, parfait, perfection, platonique, pur, rêvé, sublime, suprême, type, typique, utopie.

IDÉALEMENT. Absolu, achèvement, amélioration, beau, beauté, bijou, bonté, couronnement, divinement, entéléchie, excellence, fin, fini, idéal, joyau, maturité, merveille, parfait, perfection, perle, qualité, summum.

IDÉALISATION. Abstraction, annihilation, conceptualisation, dématérialisation, désincarnation, essentialisation, sublimation.

IDÉALISER. Diviniser, embellir, enjoliver, esprit, imagination, magnifier, poétiser, sanctifier, sublimiser.

IDÉALISME. Immatérialisme, naïveté, optimisme, rêverie, spiritualisme, triomphalisme, utopie, utopisme.

IDÉALISTE (n. p.). Bradley, Cabanis, Emerson, Don Quichotte.

IDÉALISTE. Chimérique, irréaliste, poète, rêveur, romanesque, spiritualiste, utopiste, visionnaire.

IDÉALITÉ. Abstraction, art, axiome, catégorie, chimère, concept, écarter, élimination, entité, exclure, exclusion, idée, fiction, négliger, notion, omettre, omission, peinture, rêve, sculpture, tableau, toile, utopie, vue.

IDÉATION. Conception, déclic, délire, élan, envolée, fureur, grâce, inspiration, oral, passé, perdu, vol, volée.

IDÉE. Air, aperçu, apparence, bateau, cafard, cauchemar, chimère, concept, conception, dada, dessein, dyade, ébauche, ectopie, esquisse, fantaisie, fiction, fixette, flash, hantise, idéal, idéel, illusion, image, inspiré, leitmotiv, lubie, manie, marotte, mère, mode, notion, obsession, opinion, pensée, phonétiquement, poncif, prénotion, projet, représentation, rêve, rêverie, songe, soupçon, tarte, thème, théorie, thèse, ton, tour, vide, volonté, vue.

IDÉEL. Abstractif, abstrait, cérébral, conceptuel, immatériel, intellectuel, notionnel, spéculatif, théorique.

IDEM. Aussi, autant, de même, dito, également, encore, ibidem, id, identique, identité, infra, item, itou, le même, même, pareil, pareillement, supra, susdit.

IDENTIFIABLE. Appréciable, audible, discernable, distinct, inaudible, perceptible, reconnaissable, saisissable, sensible.

IDENTIFICATEUR. Argument, catégorème, donnée, élément, indice, inconnue, paramètre, principe, variable.

IDENTIFICATION. Assimilation, décèlement, diagnostic, filtrage, ISBN, ISSN, projection, stéréognosie, transfert.

IDENTIFIER. Apprécier, assimiler, confondre, déceler, détecter, discerner, distinguer, document, reconnaître.

IDENTIQUE. Égal, équivalent, inchangé, indiscernable, isotrope, jumeau, même, pareil, semblable, seul, tel.

IDENTIQUEMENT. Aussi, avenant, également, idem, mêmement, parallèlement, pareillement, semblablement, uniformément.

IDENTITÉ. Adéquation, analogie, carte, égalité, équivalence, homologie, littéralité, même, nom, similitude, unité.

IDÉOGRAMME. Accent, annonce, appel, astérisque, attribut, augure, auspice, bécarre, bémol, caractère, caractéristique, cédille, clé, clef, clignotant, couleur, deleatur, dièse, esperluette, étendard, galon, geste, griffe, indice, kana, label, légende, lettre, miracle, neume, nique, note, pause, pi, pianissimo, plus, point, point-virgule, présage, preuve, promesse, repère, silence, signe, tag, tilde, trait, tréma, zéro.

IDÉOLOGIE. Conception, doctrine, dogme, machisme, orientation, racisme, rêve, système, théorie, utopie.

IDÉOLOGUE (n. p.). Cabanis, Destutt de Tracy, Rosenberg.

IDÉOLOGUE. Abstracteur, doctrinaire, penseur, philosophe, scientifique, spéculateur, tacticien, théoricien.

ID EST. I. e.

IDIOME. Communication, dialecte, idiomatique, instrument, langage, langue, mot, parler, parlure, patois.

IDIOSYNCRASIE. Abord, affectivité, aliment, caractère, cœur, comportement, constitution, esprit, humeur, individualité, mentalité, nature, naturel, personnalité, psychologie, sensibilité, tempérament, thymie, trempe.

IDIOT. Abruti, arriéré, bête, con, conneau, crétin, daube, débile, dégénéré, demeuré, enflé, engourdi, imbécile, inepte, insanité, jacques, minus, minus habens, nase, naze, nul, santon, sot, stupide, vaseux.

IDIOTEMENT. Absurdement, bêtement, débilement, follement, imbécilement, naïvement, sottement, stupidement.

IDIOTIE. Absurdité, ânerie, balourdise, béotisme, bêtise, bourde, connerie, crétinerie, énormité, esprit, fadaise, finesse, ineptie, ingéniosité, intelligence, maladresse, niaiserie, nigauderie, sornette, sottise, stupidité, subtilité.

IDIOTISER. Abêtir, abrutir, affaiblir, assoler, assourdir, avilir, bêtifier, crétiniser, dégrader, énerver, ennuyer, hébéter.

IDIOTISME. Anglicisme, arabisme, flandricisme, germanisme, hispanisme, italianisme, sémitisme, wallonisme.

IDOINE. Adapté, adéquat, ad hoc, approprié, convenable, convient, correct, heureux, indiqué, juste, opportun, pertinent, propre.

IDOLÂTRE. Adorateur, dévot, exalté, fanatique, gentil, groupie, infidèle, mécréant, passionné.

IDOLÂTRER. Adorer, aduler, aimer, déifier, fétichiser, honorer, iconolâtrer, ignocoler, vénérer, vouer.

IDOLÂTRIE. Adoration, amour, astrolâtrie, culte, dévotion, dieu, dulie, égotisme, fétiche, hommage, honorer, hyperdulie, idole, latrie, liturgie, messe, mythologie, office, ophiolâtrie, piété, prêtre, religion, respect, rite, service, vaudou, vénération.

IDOLE (n. p.). Belphégor, Presley.

IDOLE. Amour, amulette, bondieuserie, dieu, effigie, fétiche, gri-gri, héros, image, païen, poisson, scapulaire, toby, totem, tranchoir.

IDUMÉE (n. p.). Édom, Édomites, Ésaü.

IDYLLE. Amour, amourette, aventure, bucolique, caprice, églogue, engouement, idéal, oaristys, pastorale.

IDYLLIQUE. Accompli, achevé, agreste, arcadien, désiré, idéal, merveilleux, parfait, pastoral, souhaité.

IF. Arille, cône, conifère, gouttoir, hérisson, ive, ivette, résineux, séchoir, taxacée, taxol, taxus, vert.

IGNARE. Analphabète, barbare, béotien, ignorant, illettré, incapable, inculte, nul, philistin.

IGNIFUGER. Apyre, fusible, inaltérable, incombustible, ininflammable, infusible, réfractaire.

IGNIPUNCTURE. Adustion, aiguille, brûlant, cautérisation, escarre, moxa, pointe de feu, ustion.

IGNITION. Brûlage, brûlement, calcination, carbonisation, combustion, consomption, feu, flambage, flambée, héliothermie, grillage, ignescence, incandescence, incinération, inflammation, torréfaction.

IGNITRON. Anaphorèse, anode, baguette, bêta, borne, cathode, diode, drain, électrode, grille, kénotron, klystron, lampe, magnétron, penthode, photocathode, photodiode, pôle, rayon, tétrode, triode, valve, wehnelt.

IGNOBLE. Abject, affreux, bas, cloacal, cochon, crasseux, débectant, dégoûtant, déplaisant, exécrable, hideux, immonde, infâme, infect, laid, méprisable, odieux, ordurier, repoussant, salaud, sordide, vil, vilain.

IGNOBLEMENT. Abjectement, adulateur, bassement, flagornement, indignement, lâchement, petitement, vil.

IGNOMINIE. Abaissement, abjection, bassesse, corruption, crapulerie, crime, débauche, dégradation, déshonneur, déshonoration, laideur, honte, horreur, infamie, monstruosité, opprobre, turpitude, vilenie.

IGNOMINIEUX. Abject, abominable, avili, avilissant, bas, bassesse, boueux, dégoûtant, dégueulasse, dernier, grossier, honteux, ignoble, ilote, indigne, infâme, lâche, laid, méprisable, odieux, ordure, répugnant, sordide, vil.

IGNORANCE. Ânerie, bêtise, candeur, connaissance, crasse, énormité, ilotisme, incertitude, incompétence, inconnu, inconscience, instruction, insu, loi, méconnaissance, naïf, nuit, nullité, sottise, ténèbres.

IGNORANT. Abruti, âne, attardé, balourd, béjaune, béotien, bête, buse, butor, candide, demeuré, fat, ignare, illettré, ilote, imbécile, incompétent, inculte, inhabile, mollusque, naïf, niais, nul, obtus, retardé, sot, stupide.

IGNORÉ. Abscons, amphigourique, assombri, brumeux, caché, chargé, confus, couvert, embrouillé, embrumé, énigmatique, enténébré, épais, ésotérique, foncé, fumeux, hermétique, inconnu, indistinct, inexploré, méconnu, nébuleux, noir, nuageux, obscur, obscurci, ombreux, opaque, secret, sibyllin, sombre, ténébreux, terne, touffu, vague, vaseux, voilé.

IGNORER. Bafouer, bouder, croupir, encrasser, méconnaissable, moquer, négliger, oublier, rouiller.

IGUE. Abîme, abysse, aven, bétoire, chantoir, cloup, emposieu, évidé, excavation, fosse, gouffre, précipice, puits.

IL. Lui, se, soi.

ÎLE. Archipel, atoll, bloc, if, îlet, îlette, îlot, insulaire, javeau, oasis, pâté.

ÎLE, AÇORES (n. p.). Fayal, Flores, Jorge, Pico, San Miguel, Sao, Terceira.

ÎLE, ADRIATIQUE (n. p.). Krk, Rab. Vis.

ÎLE, ALÉOUTIENNES (n. p.). Adak, Agattu, Amchitka, Atka, Attu, Kiska, Randall, Shemya, Shumagin, Tanaga, Umnak, Unalaska, Unimak.

ÎLE ALLEMANDE (n. p.). Helgoland, Héligoland, Reichenau, Rügen.

ÎLE ANGLAISE (n. p.). Ascension, Man.

ÎLE, ANGLO-NORMANDE (n. p.). Alderney, Aurigny, Guermesey, Jersey, Sarq, Serq.

ÎLE, ANTILLES (n. p.). Anguilla, Antigua, Barbade, Bequia, Canouan, Carriacou, Cuba, Curaçao, Désirade, Dominique, Grenade, Grenanide, Guadeloupe, Haïti, Jamaïque, Les-Saintes, Marie-Galante, Martinique, Montserrat, Mustique, Nevis, Porto Rico, République Dominicaine, Saba, Sainte-Croix, Sainte-Lucie, Saint-Martin, Tobago, Trinidad, Trinité, Union.

ÎLE, ARCTIQUE (n. p.). Baffin, Banks, Devon, Ellesmere, Melville, Somerset, Svalbard, Victoria.

ÎLE, ATLANTIQUE (n. p.). Aix, Groenland, Islande, Noirmoutier, Oléron, Ré, Terre-Neuve, Yeu.

ÎLE AUSTRALIENNE (n. p.). Melville.

ÎLE, BAHAMAS (n. p.). Acklin, Andros, Caicos, Cat, Eleuthère, Grand-Abaco, Grand-Bahama, Grand-Inague, Long, Mayaguana, San Salvador, Turks, Turquoise.

ÎLE, BAIE JAMES (n. p.). Akimiski.

ÎLE, BALÉARES (n. p.). Cabrera, Conejera, Formentera, Ibiza, Ivica, Majorque, Minorque.

ÎLE BRÉSILIENNE (n. p.). Marajo.

ÎLE BRETAGNE (n. p.). Ouessant.

ÎLE BRITANNIQUE (n. p.). Anglesey, Anguilla, Antigua, Barbuda, Érin, Guernesey, Rodriguez.

ÎLE, CANADA (n. p.). Anticosti, Axel-Heiberg, Baffin, Banks, Bylot, Cap-Breton, Cornwallis, Devon, Ellesmere, Graham, Manitouline, Melville, Montréal, Prince-Édouard, Prince-Patrick, Roi-Guillaume, Somerset, Southampton, Vancouver, Victoria.

ÎLE, CANARIES (n. p.). Fuerteventura, Gomera, Hesperides, Hierro, Lanzarote, Palma, Ténériffe.

ÎLE, CAP VERT (n. p.). Boa-Vista, Feu, Fogo, Maio, Sal, Santo-Antao, Sao-Nicolao, Sao-Thiago.

ÎLE, CAROLINES (n. p.). Eauripik, Greenwich, Hall, Kusaie, Mokil, Namoluk, Namonuitp, Nomoi, Oroluk, Pikelot, Pingelap, Ponape, Pulusuk, Truk.

ÎLE, CHILI (n. p.). Chiloé.

ÎLE CHINOISE (n. p.). Hainan, Penghu, Pescadores.

ÎLE, COMORES (n. p.). Anjouan, Mayottes, Moili, Ngazidja.

ÎLE CROATE (n. p.). Korcula, Krk, Lissa, Rab.

ÎLE, CYCLADES (n. p.). Amorgos, Andros, Astipalaia, Délos, Ios, Kythnos, Makronisos, Milo, Mykonos, Paros, Santorin, Syros, Syra, Thira, Tinos.

ÎLE, DANEMARK (n. p.). Als, Bornholm, Faeroe, Falster, Féroé, Fionie, Fyn, Groenland, Laaland, Langeland, Lolland, Mon, Seeland, Sjaelland, Sjalland.

ÎLE, DANUBE (n. p.). Csepel, Scepel.

ÎLE, DE-LA-MADELEINE (n. p.). Allright, Amherst, Brion, Coffin, Grosse-Île, Meules.

ÎLE, DODÉCANÈSE (n. p.). Cos.

ÎLE DU SAINT-LAURENT (n. p.). Anticosti, aux Coudres, aux Grues, Bic, Bonaventure, Bouchard, Grobois, Jésus, Madame, Maligne, Montréal, Notre-Dame, Orléans, Sainte-Hélène, Sainte-Thérèse, Salaberry, Sœurs.

ÎLE, ÉGÉE (n. p.). Eubée, Icarie, Ikaria, Ios.

ÎLE ÉGYPTIENNE (n. p.). Éléphantine.

ÎLE ÉGYPTIENNE ANCIENNE (n. p.). Pharos.

ÎLE, ÉOLIENNES (n. p.). Alicudi, Filicudi, Lipari, Panarea, Salina, Stromboli, Vulcano.

ÎLE ESTONIE (n. p.). Dagö, Hiiumaa, Oesel, Saarema, Sarema.

ÎLE, FIDJI (n. p.). Kandavu, Lau, Levu, Ngali, Rotuma, Suva, Vanua, Viti.

ÎLE FRANÇAISE (n. p.). Aix, Cîté, Corse, If, Oléron, Noirmoutier, Pins, Ré, Yeu.

ÎLE, GALAPAGOS (n. p.). Cristobal, Isabela.

ÎLE, GILBERT (n. p.). Abaiang, Abemama, Kuria, Maiana, Makin, Nukunau, Onotoa, Tabiteuea, Tamana, Tarawa.

ÎLE, GRANDE (n. p.). Baffin, Bornéo, Célèbes, Cuba, Ellsmere, Grande-Bretagne, Groenland, Hondo, Honshu, Islande, Java, Luçon, Madagascar, Nouvelle-Guinée, Sumatra, Terre de Baffin, Terre-Neuve, Victoria.

ÎLE, GRÈCE (n. p.). Céphalonie, Chio, Corfou, Cos, Crète, Cythère, Égine, Eubée, Hydra, Icarie, Ikaria, Ios, Ithaque, kos, Lesbos, Leucade, Milo, Mytilène, Naxos, Nios, Paros, Patmos, Rhodes, Samos, Samothrace, Santorin, Sporades, Ténos, Zante.

ÎLE, GUINÉE (n. p.). Bioco.

ÎLE, HAÏTI (n. p.). Tortue.

ÎLE, HAWAII (n. p.). Hawaii, Honolulu, Kauai, Maui, Necker, Oahu.

ÎLE, INDE (n. p.). Diu.

ÎLE, INDONÉSIE (n. p.). Bali, Bangka, Banka, Belitoeng, Célèbes, Céram, Flores, Gilolo, Halmahera, Java, Lombok, Madoura, Madura, Sumatra, Sumbava, Sumbawa, Timor.

ÎLE, INSULINDE (n. p.). Bornéo.

ÎLE, IONIENNES (n. p.). Céphalonie, Corcyre, Corfou, Cythère, Ithaque, Leucade, Sphactérie, Theaki, Thiaki, Zante.

ÎLE IRANIENNE (n. p.). Kharg.

ÎLE ITALIENNE (n. p.). Aegates, Capri, Elbe, Ischia, Lampedusa, Lido, Montecristo, Sardaigne, Sicile, Ventotene.

ÎLE, JAPON (n. p.). Hokkaïdo, Hondo, Honshu, Kyushu, Okinawa, Ryukyu, Shikoku, Tsushima.

ÎLE, MADAGASCAR (n. p.). Nossi-Bé, Nosy Be.

ÎLE, MALAISIE (n. p.). Penang.

ÎLE, MALTE (n. p.). Gozo, Gozzo.

ÎLE, MANCHE (n. p.). Batz, Bréhat.

ÎLE MARIANNES (n. p.). Guam, Saipan.

ÎLE, MARSHALLS (n. p.). Bikar, Majuro, Maloelap, Mejit, Mili, Taka.

ÎLE, MÉDITERRANÉE (n. p.). Elbe, Chypre, Corse, If, Lerins, Malte, Sardaigne.

ÎLE MER IRLANDE (n. p.). Man.

ÎLE NÉERLANDAISE (n. p.). Aruba, Texel.

ÎLE NORVÈGE (n. p.). Bouvet.

ÎLE, OCÉANIE (n. p.). Futuna.

ÎLE, PACIFIQUE (n. p.). Célèbes, Formose, Haïnan, Kyushu, Niue, Nouvelle-Guinée, Timor, Vancouver, Victoria.

ÎLE, PHILIPPINES (n. p.). Cébu, Leyte, Luçon, Luzon, Palaouan, Mindanao, Mindoro, Negros, Palauan, Palawan, Samar.

ÎLE POLONAISE (n. p.). Wolin.

ÎLE, POLYNÉSIE (n. p.). Bora Bora, Tahiti.

ÎLE PORTUGAISE (n. p.). Açores, Madère.

ÎLE, QUÉBEC (n. p.). Orléans, Sainte-Hélène.

ÎLE, RUSSIE (n. p.). Sakhaline, Vrangel, Wrangel.

ÎLE, SALOMON (n. p.). Guadalcanal.

ÎLES AMÉRICAINES (n. p.). Aléoutiennes.

ÎLE, SÉNÉGAL (n. p.). Gorée.

ÎLE, SEYCHELLES (n. p.). Mahé.

ÎLE, SONDE (n. p.). Sumatra, Timor.

ÎLE, SUÈDE (n. p.). Gotland, Öland.

ÎLE TANZANIENNE (n. p.). Pemba.

ÎLE, TUNISIE (n. p.). Djerba, Jerba.

ÎLE, VENEZUELA (n. p.). Margarita, Marguerite.

ÎLE, VIERGES (n. p.). Leeward, Sainte-Croix, Saint-Thomas.

ÎLET. Archipel, atoll, bloc, hameau, if, îlet, îlette, îlot, insulaire, javeau, oasis, pâté.

ILÉUS. Atrésie, barrage, congestion, dame, digue, éboulis, écluse, embâcle, embolie, empêchement, engorgement, engouement, glissement, oblitération, obstacle, obstruction, occlusion, opposition, résistance.

ILIADE (n. p.). Achille, Andromaque, Cassandre, Castor, Hécube, Hélène, Homère, Léda, Nestor, Pollux, Priam.

ILIAQUE. Bassin, casaquin, ceinture, coxal, croupe, déhanché, fémur, fesse, flanc, hanche, ilion, ischion, muscle, os, pubis, sciatique, taille.

ILICACÉE. Houx.

ILION. Bassin, casaquin, ceinture, coxal, croupe, déhanché, fémur, fesse, flanc, hanche, iliaque, ischion, os, pubis, sciatique, taille, troie.

ILLE ET VILAINE, VILLE (n. p.). Antrain, Bains, Betton, Bruz, Fougères, Janze, Monfort, Montauban, Mordelles, Redon, Rennes, Saint-Malo, Tintenac.

ILLÉGAL. Clandestin, contrebandier, coupable, défendu, illicite, interdit, interlope, morron, noir, pirate, proscription.

ILLÉGALEMENT. Coupablement, criminellement, frauduleusement, illégitimement, illicitement, injustement.

ILLÉGALITÉ. Abus, arbitraire, déloyauté, empiétement, erreur, exploitation, favoritisme, illégitimité, irrégularité.

ILLÉGITIME. Abusif, adultérin, bâtard, blâmable, coupable, indu, indûment, infondé, inique, injuste, injustifié, naturel.

ILLÉGITIMEMENT. Criminellement, frauduleusement, illégalement, illicitement, indûment, injustement.

ILLÉGITIMITÉ. Abus, arbitraire, déloyauté, empiétement, erreur, exploitation, favoritisme, illégalité, irrégularité.

ILLETTRÉ. Abruti, analphabète, âne, attardé, balourd, béjaune, béotien, bête, buse, butor, candide, demeuré, fat, ignare, ignorant, ilote, incompétent, inculte, naïf, niais, nul, obtus, retardé, sot, stupide.

ILLETTRISME. Ignorance, impéritie, inaptitude, incapacité, incompétence, inculture, innocence, maladresse.

ILLICITE. Clandestin, contrebandier, défendu, illégal, interdit, interlope, noir, pirate, proscription, subreptice.

ILLICITEMENT. Coupablement, criminellement, frauduleusement, illégalement, illégitimement, injustement.

ILLICO. Aussitôt, dès, directement, emblée, immédiatement, instantanément, sitôt, soudain, urgence.

ILLIMITÉ. Ambigu, amplifié, changeant, démesuré, douteux, énigmatique, estompé, évasif, flou, fondu, immense, implicite, imprécis, incertain, indécis, indéfini, indéterminé, infini, latent, vague.

ILLISIBLE. Barbouillage, exécrable, gribouillis, hiéroglyphe, indéchiffrable, infect, nul, raturé, sali, taché.

ILLOGIQUE. Aberrant, absurde, contradictoire, déraisonnable, incohérent, inconséquent, invraisemblable, irrationnel, paradoxal.

ILLOGISME. Aberration, absurdité, apagogie, bêtise, contradiction, contresens, contre-vérité, déraison, énormité, extravagance, folie, idiotie, incohérence, incongruité, ineptie, inertie, non-sens, ridicule, sottise, stupidité.

ILLUMINATION. Clairété, éclair, éclairage, éclairement, embrasement, fête, inspiration, lumière, vision.

ILLUMINÉ. Adepte, enragé, exalté, extravagant, fanatique, forcené, halluciné, inspiré, mystique, utopiste, visionnaire.

ILLUMINER. Allumer, blanchoyer, brasiller, briller, chatoyer, éblouir, éclairer, embraser, enjoliver, ensoleiller, étinceler, fêter, flamboyer, insoler, luire, miroiter, pétiller, reluire, visionner.

ILLUMINISME. Amulette, anagogie, contemplation, crédulité, croyance, dévotion, élévation, extase, fétichisme, hasard, magie, mysticisme, naïveté, oraison, peur, soin, superstition, vampire, vision.

ILLUSION. Apparence, érotomanie, erreur, ésotérisme, fantasme, gnose, goétie, hermétisme, idée, leurre, magie, mirage, occultisme, phantasme, prestidigitation, rêve, songe, talisman, théosophie, théurgie, utopie.

ILLUSIONNER. Abuser, décevoir, désabuser, égarer, fourvoyer, leurrer, méprendre, rêver, tromper.

ILLUSIONNISTE (n. p.). Fregoli, Houdini, Méliès.

ILLUSIONNISTE. Escamoteur, magicien, manipulateur, mystificateur, prestidigitateur, truqueur, truquiste.

ILLUSOIRE. Apparent, chimérique, creux, espérance, espoir, fantaisiste, faux, frivole, fugace, futile, idéal, imaginaire, impalpable, intangible, prestige, puéril, rêverie, rêveur, simulacre, superficiel, vain.

ILLUSOIREMENT. Apparemment, chimériquement, faussement, frivolement, futilement, infructueusement, inutilement, stérilement, trompeusement, vainement.

ILLUSTRATEUR (n. p.). Beardsley, Bellmer, Cruikshank, Dignimont, Doré, Dufy, Effel, Forest, Goerg, Gravelot, Johannot, Lenôtre, Lurçat, Oudry, Reiser.

ILLUSTRATEUR. Affichiste, calligraphe, caricaturiste, compas, crayonneur, dessinateur, équerre, fusainiste, fusiniste, graveur, imagier, jardiniste, modéliste, règle, styliste, té, traceur, traçoir.

ILLUSTRATION. Crayonnage, figure, gloire, gravure, honneur, iconographie, image, lustre, maquette, peinture.

ILLUSTRE. Apophtegme, brillant, célèbre, connu, consacré, distingué, éclatant, éminent, exemplatif, fameux, gloire, glorieux, grand, honorable, immortel, légendaire, magnanime, noble, personnage, renommé.

ILLUSTRER. Briller, décorer, démontrer, éclairer, enluminer, imager, légender, orner, prouver, triompher.

ILOT (n. p.). Bendor, Bikini, Clipperton, Europa, Fastnet, If, Magellan, Maiao, Montecristo, Mont-Saint-Michel, Pandateria, Philae, Tromelin.

ÎLOT. Archipel, amas, assemblage, atoll, bloc, if, îlet, îlette, insula, insulaire, javeau, oasis, pâté.

ÎLOTAGE. Espionnage, filature, fileterie, filoche, furetage, garde, gardiennage, guet, inspection, monitorage, observation, patrouille, renseignement, ronde, sentinelle, surveillance, veille, vigie, vigilance.

ILOTE. Affranchi, anagnoste, asservi, assujetti, capsaire, captif, domestique, esclave, eunuque, fer, galérien, hiérodule, hilote, nègre, odalisque, pantin, prisonnier, rime, séide, serf, servile, sujétion, tributaire, valet.

IMAGE. Anamorphose, cliché, copie, daguerréotype, dessin, diapo, diapositive, effigie, emblème, enluminure, estampe, fantasme, figure, gravure, hologramme, icône, idée, illustration, latente, métaphore, mire, peinture, photo, photographie, pixel, portrait, spot, statue, symbole, tableau, talisman, vue.

IMAGERIE. Arabesque, broderie, décor, drapeau, épinal, figure, garniture, icône, image, IRM, ornement, spinalien.

IMAGINABLE. Concevable, croyable, discernable, envisageable, pensable, percevable, possible, recouvrable, sentable.

IMAGINAIRE. Alarmiste, chimérique, conte, esprit, existe, fantasmagorique, faux, feint, fictif, idéal, illusoire, inexistant, irréel, légendaire, mythique, préconiser, réalité, supposé, théorique, utopie, utopique, vain.

IMAGINAIREMENT. Abstraitement, accessoirement, conjecturalement, éventuellement, idéalement, hypothétiquement, in abstracto, intellectuellement, possiblement, spéculativement, théoriquement.

IMAGINATIF. Créateur, créatif, fantaisiste, fertile, ingénieux, innovant, inventif, productif, rêveur.

IMAGINATION. Conception, créativité, délire, évasion, idée, manie, pensée, rêve, songe, thème, vision.

IMAGINER. Aviser, concevoir, construire, créer, croire, découvrir, délirer, deviner, espérer, fantasmer, figurer, forger, illustrer, inventer, juger, penser, persuader, réfléchir, rêver, songer, supposer, trouver.

IMAGO. Avatar, changement, évolution, forme, histogenèse, insecte, métabol, métamorphose, modification, mutation, représentation, stryge, transformation, transmutation, virescence.

IMBATTABLE. Béat, continuel, durable, éternel, immortel, immortalisation, incollable, indéfectible, indélébile, indissoluble, indomptable, infranchissable, insurmontable, invincible, irréfutable, irrésistible.

IMBÉCILE. Âne, bêta, bête, borné, con, conard, cornichon, couillon, crétin, débile, dégénéré, demeuré, enflure, enfoiré, fat, gourde, idiot, inepte, ignorant, maladroit, mollusque, naïf, poire, sot, stupide, taré, tourte.

IMBÉCILEMENT. Absurdement, bêtement, débilement, follement, idiotement, naïvement, sottement, stupidement.

IMBÉCILLITÉ. Bêtise, crétinisme, débilité, dégénérescence, idiotie, naïveté, sottise, stupidité, tare.

IMBERBE. Alabre, barbe, barbu, glabre, lisse, nu, rasé.

IMBIBER. Abreuver, arroser, asperger, aviner, baigner, baptiser, bassiner, bruire, délayer, détremper, doucher, emboire, ensanglanter, humecter, humidifier, imprégner, inonder, mouiller, teindre, tremper.

IMBIBITION. Absorption, aluminage, appropriation, assimilation, endosmose, imprégnation, intégration, savonnage.

IMBRICATION. Affinité, alliance, amitié, attachement, aventure, collage, connaissance, connexion, contact, covalence, cuir, enchaînement, et, fil, interconnexion, intrigue, lié, lien, liaison, nœud, parenté, passade, pontage, rapport, suite, uni, union, velours.

IMBRIQUER. Abouter, ajuster, assembler, copier, emboîter, encastrer, enchâsser, enficher, engager, entrer, envelopper, glisser, imiter, infiltrer, insérer, insinuer, introduire, mouler, pénétrer, réencadrer, réencastrer, réinsérer, réintroduire, remboîter, suturer.

IMBROGLIO. Anarchie, bourbier, brouillement, confusion, désordre, détour, mélange, micmac, ombre.

IMBU. Bourré, débordant, enflé, envahi, farci, gras, imprégné, pénétré, plein, rempli, saturé, vaniteux.

IMBUVABLE. Abominable, affligeant, affreux, calamiteux, consternant, dégoûtant, déplorable, dérisoire, désagréable, désastreux, détestable, épouvantable, exécrable, horrible, immangeable, immonde, infect, insupportable, lamentable, minable, misérable, navrant, nul, odieux, pitoyable, répugnant.

IMITATEUR (n. p.). Doyon, Gagnon, Hammond, Lamy, Lecoq, Loftus, Mondor, Paiement, Payer, Poirier, Rancourt.

IMITATEUR. Admirateur, assimilateur, compilateur, contrefacteur, copieur, copiste, démarqueur, épigone, fausseur, idémiste, mime, moutonnier, parodiste, pasticheur, plagiaire, simulateur, suiveur.

IMITATION. Broum, calque, canon, caricature, contrefaçon, copie, ersatz, faux, mime, mimerie, mimique, parodie, pastiche, plagiat, reproduction, servilité, skaï, simili, simulacre, simulation, singerie, stuc, toc.

IMITATRICE (n. p.). Charlebois, Colonna, Deslauriers, Mercier.

IMITÉ. Ajouté, artificiel, boniment, cheveux, factice, faux, mensonge, moumoute, perruque, postiche, synthétique.

IMITER. Aligner, calquer, caricaturer, compiler, contrefaire, copier, emprunter, inimiter, jouer, mime, mimer, modeler, onomatopée, parodier, pasticher, picorer, pirater, plagier, répéter, reproduire, ressembler, simuler, singer, travestir, veiner.

IMMACULÉ. Blanc, chaste, décent, innocent, intact, net, platonique, propre, pudique, pur, vertueux, vierge.

IMMANENT. Âme, âtre, céans, central, dans, dedans, en, entre, familial, fond, for, foyer, inclus, individuel, inhérent, intérieur, interne, intériorité, intestin, intime, intrinsèque, logement, milieu, profond, sein.

IMMANGEABLE. Abominable, affligeant, affreux, calamiteux, consternant, dégoûtant, déplorable, dérisoire, désagréable, désastreux, détestable, épouvantable, exécrable, horrible, imbuvable, immonde, infect, insupportable, lamentable, minable, misérable, navrant, nul, odieux, pitoyable, répugnant.

IMMANQUABLE. Certain, fatal, forcé, inéluctable, inévitable, infaillible, obligatoire, obligé, sûr.

IMMANQUABLEMENT. Assurément, certainement, évidemment, inévitablement, infailliblement, invariablement, sûrement.

IMMARCESCIBLE. Éternel, immortel, immuable, impérissable, inaltérable, indéfectible, indestructible, perpétuel.

IMMATÉRIALISME. Idéalisme, naïveté, optimisme, rêverie, spiritualisme, triomphalisme, utopie, utopisme.

IMMATÉRIALITÉ. Abstraction, abstrait, brièveté, cérébralité, essentialité, évanescence, fugacité, futilité, idéalité, impalpabilité, imperceptibilité, intangibilité, irréalité, spiritualité, subtilité, volatilité.

IMMATÉRIEL. Aérien, désincarné, éthéré, impalpable, incorporel, intangible, intemporel, pur, spirituel, vaporeux.

IMMATRICULATION INTERNATIONALE DES VÉHICULES. A (Autriche), ADN (Yémen), AL (Albanie), AND (Andorre), AUS (Australie), B (Belgique), BDS (Barbade), BG (Bulgarie), BH (Honduras), BR (Brésil), BRN (Bahrein), BRU (Brunei), BS (Bahamas), BUR (Birmanie), C (Cuba), CDN (Canada), CH (Suisse), CI (Côte d'Ivoire), CL (Sri Lanka), CO (Colombie), CR (Costa Rica), CS (Tchécoslovaquie), CY (Chypre), D

(Allemagne), DK (Danemark), DOM (République dominicaine), DY (Bénin), DZ (Algérie), E (Espagne), EAK (Kenya), EAT (Tanzanie), EAU (Ouganda), EC (Équateur), ES (El Salvador), ET (Égypte), F (France), FJI (Fidji), FL (Liechtenstein), GB (Grande-Bretagne), GBZ (Gibraltar), GCA (Guatemala), GH (Ghana), GR (Grèce), GUY (Guyane), H (Hongrie), HK (Hong-Kong), HKJ (Jordanie), I (Italie), IL (Israël), IND (Inde), IRL (Irlande), IS (Islande), J (Japon), JA (Jamaïque), K (Kamputchea ou Cambodge), KWT (Koweit), L (Luxembourg), LAO (Laos), LAR (Libye), LB (Libéria), LS (Lesotho), M (Malte), MA (Maroc), MAL (Malaysia), MC (Monaco), MEX (Mexique), MS (Île Maurice), N (Norvège), NA (Antilles néerlandaises), NIC (Nicaragua), NL (Pays-Bas), NR (Niger), NZ (Nouvelle-Zélande), P (Portugal), PA (Panama), PAK (Pakistan), PE (Pérou), PI (Philippines), PL (Pologne), PY (Paraguay), R (Roumanie), RA (Argentine), RC (Chine), RCA (République centrafricaine), RCH (Chili), RH (Haïti), RI (Indonésie), RL (Liban), RMM (Mali), ROK (Corée du Sud), RSD (Zimbabwe), RSM (Saint-Martin), RU (Burundi), RWA (Rwanda), S (Suède), SF (Finlande), SGP (Singapour), SN (Sénégal), SY (Seychelles), SYR (Syrie), T (Thaïlande), TG (Togo), TN (Tunisie), TR (Turquie), TT (Trinité et Tobago), U (Uruguay), USA (États-Unis), V (Vatican), VN (Vietnam), WAG (Gambie), WAN (Nigeria), WG (Grenade), WL (Sainte-Lucie), WV (Saint-Vincent), YU (Yougoslavie), YV (Venezuela), Z (Zambie), ZA (Afrique du Sud), ZRE (Zaïre).

IMMATRICULER. Conserver, consigner, écrire, enregistrer, filmer, fixer, graver, identifier, inscrire, insérer, lexicaliser, marquer, noter, numéroter, pointer, référencer, repérer, tourner.

IMMATURE. Dérisoire, enfantillage, enfantin, frivole, futile, gamin, gaminerie, infantile, naïf, puéril, vain.

IMMÉDIAT. Aussitôt, automatique, bientôt, dare-dare, dès, direct, extemporané, go, illico, immanent, imminent, incontinent, instantané, présent, prochain, proche, prompt, soudain, subit, sur-le-champ, tôt.

IMMÉDIATEMENT. Aussitôt, dès, directement, extemporané, go, illico, incessamment, incontinent, instantanément, promptement, séance tenante, soudain, soudainement, subitement, sur-le-champ, tôt, tout de suite, urgemment.

IMMÉMORIAL. Alias, anciennement, antan, autre, autrement, contrairement, désaccord, différemment, dissemblablement, diversement, inégalement, jadis, mal, naguère, opposition, ou, rebours, sans quoi, sinon.

IMMENSE. Colossal, démesuré, éléphantesque, énorme, espace, géant, grand, illimité, infini, vaste.

IMMENSÉMENT. Amplement, considérablement, énormément, excessivement, extraordinairement, extrêmement, grandement, large, largement, spacieusement, très, vastement.

IMMENSITÉ. Éléphantesque, énormité, géant, grandeur, importance, infini, longueur, mer, océan, taille.

IMMERGER. Baigner, baptiser, couler, enfoncer, inonder, mouiller, nager, noyer, orin, plonger, tremper.

IMMÉRITÉ. Abusif, arbitraire, gratuit, illégitime, immotivé, indu, infondé, inique, injuste, injustifié.

IMMERSION. Baignade, bain, étuve, mouillage, noyade, plongement, plongeon, trempage, trempette.

IMMEUBLE. Bâtiment, bâtisse, bien-fonds, building, construction, édifice, habitation, hôtel, maison, propriété, tour, vis-à-vis.

IMMIGRATION. Départ, déportation, émigration, exil, exode, expatriation, fuite, migration, relégation.

IMMIGRÉ. Déraciné, émigrant, émigré, exilé, expatrié, immigrant, importé, migrant, réfugié, transplanté.

IMMINENCE. Analogie, approche, avoisiner, boomerang, coin, confins, contiguïté, coude-à-coude, degré, distal, immédiat, mitoyenneté, parenté, pour, près, proche, promiscuité, proximité, voisinage.

IMMINENT. Adjacent, approchant, attenant, auprès, avoisinant, contigu, environnant, immédiat, instant, jouxte, juxtaposé, limitrophe, parent, près, prochain, proche, rapproché, récent, ressemblant, semblable, sur, voici, voisin.

IMMISCER. Acclimater, amener, coucher, couler, désorganiser, engager, entrer, envahir, fourrer, glisser, indexer, ingérer, innover, insérer, insinuer, insuffler, intercaler, intervenir, introduire, loger, mêler, mettre, passer, pénétrer, taper, verser.

IMMIXTION. Attaque, cléricalisme, descente, effraction, entrée, envahissement, incursion, ingérence, intervention, intrusion, invasion, irruption, raid, razzia, visite, voyage.

IMMOBILE. Atone, coi, coincé, constant, dormant, étale, ferme, figé, fixe, impotent, inactif, inchangé, inerte, mouvementé, passif, stable, starie, stupéfait.

IMMOBILIER. Bien, cadastral, crise, foncier, immeuble, pierre, promoteur, saisie, société, succession, vente.

IMMOBILISATION. Asphyxie, blocage, décontamination, dévitalisation, engourdissement, enraiement, entrave, immobilisme, impuissance, inhibition, neutralisation, obstruction, paralysie, ralentissement, sclérose, stagnation.

IMMOBILISER. Ancrer, ankyloser, annihiler, arrêter, arrimer, attacher, barrer, bloquer, caler, clouer, coincer, consolider, empêtrer, endiguer, engourdir, ensabler, ficher, figer, fixer, freiner, maintenir, retarder, river.

IMMOBILISME. Asphyxie, blocage, décontamination, dévitalisation, engourdissement, enraiement, entrave, immobilisation, impuissance, inhibition, neutralisation, obstruction, paralysie, ralentissement, refoulement, sclérose, stagnation.

IMMOBILITÉ. Acinésie, akinésie, ankylose, arrêt, ataraxie, calme, fixité, hiératisme, inertie, mouvement, repos.

IMMODÉRÉ. Abusif, carabiné, chargé, convoitise, cupidité, démesuré, déraisonnable, déréglé, désordonné, effréné, énorme, exagéré, excessif, fou, insatiabilité, intempérant, outrancier, outré, sobre.

IMMODESTE. Chaste, décent, humble, irréservé, irrespectueux, obscène, orgueilleux, réservé, retenu, timide.

IMMODESTIE. Impureté, indécence, irréserve, irrespect, obscénité, pornographie, prétention, suffisance.

IMMOLATION. Abnégation, agneau, aruspice, autel, cène, eucharistie, hécatombe, holocauste, hostie, ite, libation, lustration, messe, oblation, offrande, propitiation, renoncement, rite, sacrement, sacrifice, taurobole, victime.

IMMOLER. Assassiner, dévouer, donner, éliminer, exécuter, laisser, renoncer, sacrifier, supprimer, tuer, vendre.

IMMONDE. Abject, bas, coupable, crapuleux, dégoûtant, honteux, ignoble, infect, répugnant, sale, sordide.

IMMONDICE. Boue, bourre, bourrier, chiure, cloaque, débris, décharge, déchet, égout, gadoue, ordure, vidange.

IMMORAL. Cynique, débauché, déréglé, grivois, honnête, impur, malpropre, malsain, malséant, mœurs, obscène, vénal, vicieux.

IMMORALISME. Amoralité, brutalité, corruption, cynisme, garcerie, impudence, lasciveté, laxisme, perversité, vice.

IMMORALITÉ. Corruption, débauche, dévergondage, excentricité, inconduite, libertinage, licence, vice.

IMMORTALISER. Assurer, conserver, éterniser, fixer, pérenniser, perpétuer, transmettre.

IMMORTALITÉ. Éternité, futur, gloire, notoriété, pérennité, perpétuité, postérité, renommée, survie, vie.

IMMORTEL. Académicien, constant, durable, éternel, immuable, impérissable, perpétuel, xéranthème.

IMMORTELLE. Acroclinium, amarantoïde, ammobium, edelweiss, éternelle, fleur, gnaphalium, hélichrysum, helipterum, rodanthum, statice, waitzia, xéranthème, zeranthemum.

IMMOTIVÉ. Absolu, absolutisme, ad nutum, arbitraire, artificiel, caprice, conventionnel, despotique, discrétionnaire, discutable, équitable, gratuit, illégal, illimité, injuste, injustice, injustifié, irrégulier, libre, pige, tyrannique.

IMMUABILITÉ. Aplomb, assiette, assise, certitude, consistance, constance, continu, continuité, durabilité durée, équilibre, fermeté, fixité, longévité, pérennité, permanence, persistance, prégnance, stabilité.

IMMUABLE. Arrêté, constant, durable, éternel, fixe, immortel, impérissable, inaltérable, intemporel, même, stéréotypé.

IMMUABLEMENT. Assidûment, chroniquement, constamment, continuellement, continûment, éternellement.

IMMUNISATION. Acclimatement, accoutumance, accroc, adaptation, adduction, aguerrissement, assuétude, barbituromanie, besoin, dépendance, endurcissement, habituation, insensibilisation, tolérance, toxicomanie.

IMMUNISER. Blinder, exempter, garantir, inoculer, mithridatiser, protéger, réceptif, trier, vacciner.

IMMUNITÉ. Accoutumance, anavenin, dispense, exemption, franchise, insensibilité, mithridatisme, plasmocyte, tolérance.

IMPACT. Accrochage, choc, cognement, collision, coup, effet, heurt, incidence, influence, percussion.

IMPAIR. Bêtise, bévue, ethmoïde, gaffe, gaucherie, habileté, incapable, inhabileté, maladresse, maladroit.

IMPALPABILITÉ. Abstraction, abstrait, brièveté, cérébralité, essentialité, évanescence, fugacité, futilité, idéalité, immatérialité, imperceptibilité, intangibilité, irréalité, spiritualité, subtilité, volatilité.

IMPALPABLE. Aérien, arachnéen, délié, éthéré, fin, fluide, gazeux, imaginaire, immatériel, imperceptible, insaisissable, insensible, intangible, irréel, léger, petit, subtil, ténu, vaporeux.

IMPANATION. Cénacle, cène, communion, consubstantiation, eucharistie, graal, hostie, transsubstantiation.

IMPARABLE. Absurde, chimérique, difficile, épineux, erroné, faux, impénétrable, impondérable, impossible, inclassable, infaisable, insensé, insoluble, introuvable, mystère, ridicule, saugrenu, vain.

IMPARDONNABLE. Inacceptable, inadmissible, inconcevable, inexcusable, injustifiable, irrémissible.

IMPARFAIT. Avorté, boiteux, brut, écorné, fragmentaire, hâtif, inachevé, incomplet, inexact, lacunaire.

IMPARFAITEMENT. Abusivement, défectueusement, erronément, faiblement, faussement, fautivement, improprement, inadéquatement, incorrectement, inexactement, insuffisamment, partiellement, vicieusement.

IMPARTI. Affecté, attribué, cachottier, circonspect, dévolu, discret, distribuer, humble, immodeste, méfiant, modeste, présomptueux, réservé, restreint, retenu, réticent, silencieux, timide.

IMPARTIAL. Advenant, arbitre, droit, égal, équitable, histoire, indifférent, intègre, juste, neutre, objectif.

IMPARTIALEMENT. Analytiquement, à point nommé, cohéremment, convenablement, correctement, dûment, équitablement, exactement, justement, légitimement, logiquement, opportunément, pertinemment, précisément, rationnellement.

IMPARTIALITÉ. Arbitrage, droiture, égalité, équitabilité, équité, flegme, indifférence, insensibilité, intégrité, justice, légalité, modération, neutralisme, neutralité, objectivité, probité, raison.

IMPARTIR. Accorder, accuser, adjuger, allouer, appeler, assigner, attribuer, dater, décerner, dédier, déférer, destiner, donner, ériger, imputer, jeter, lancer, livrer, nommer, octroyer, porter, prêter, rendre, réserver, taxer, vouer.

IMPASSE. Accul, aporie, barrière, blocage, courée, cul-de-sac, danger, difficulté, obstacle, rue, ruelle, venelle.

IMPASSIBILITÉ. Apathie, ataraxie, calme, équilibre, fermeté, flegme, immobilité, placidité, sérénité, stoïcisme.

IMPASSIBLE. Calme, flegmatique, froid, hermétique, immobile, impénétrable, imperturbable, placide, stoïcien, stoïque.

IMPASSIBLEMENT. Aimablement, benoîtement, calmement, doucement, flegmatiquement, froidement, gentiment, imperturbablement, mollement, paisiblement, patiemment, placidement, posément, sagement, sereinement, tranquillement.

IMPATIEMMENT. Anxieusement, convulsivement, fébrilement, fiévreusement, nerveusement, spasmodiquement, vivement.

IMPATIENCE. Agacement, agitation, ah, anxiété, avidité, brusquerie, ça, crispation, empressement, énervement, exaspération, fièvre, fougue, hâte, hum, impétuosité, irritation, nervosité, précipitation.

IMPATIENT. Agité, ardent, avide, bouillant, énervé, excité, fébrile, fiévreux, fougueux, hystérique, nerveux.

IMPATIENTER. Agacer, bouillir, crisper, énerver, exaspérer, excéder, exciter, irriter, tourmenter.

IMPAVIDE. Constant, ferme, flegmatique, héroïque, impassible, imperturbable, intrépide, placide, stoïque.

IMPAYABLE. Amusant, bouffon, burlesque, clown, cocasse, comique, désopilant, farceur, pitre.

IMPAYÉ. Arrérages, arriéré, attardé, demeuré, démodé, dette, dû, obsolète, rétrograde, somme, suranné, vieux.

IMPAYER. Arriéré, charge, compte, déficit, dette, devoir, dû, emprunt, endetter, prêt, solde.

IMPECCABLE. Excellent, immaculé, irréprochable, net, nickel, parfait, propre, propret, soigné.

IMPECCABLEMENT. Absolument, admirablement, complètement, entièrement, excellemment, magnifiquement, merveilleusement, parfaitement, pleinement, superbement, supérieurement, totalement, très.

IMPÉCUNIEUX. Besogneux, défavorisé, démuni, dénué, disetteux, famélique, gueux, indigent, malheureux, mécréant, mendiant, misérable, miséreux, nécessiteux, pauvre, pouilleux.

IMPÉCUNIOSITÉ. Affaiblissement, anémie, appauvrissement, besoin, dégénérescence, dénuement, dépérissement, détérioration, détresse, embarras, épuisement, étiolement, gêne, paupérisation, pauvreté.

IMPÉDANCE. Admittance, condensateur, inductance, ohms, réactance, résistance, résistivité, siemens.

IMPEDIMENTA. Anicroche, bagage, barrage, barricade, barrière, contretemps, difficulté, écran, écueils empêchements, encombrement, ennuis, entrave, frein, gêne, obstacle, os, traverses.

IMPÉNÉTRABLE. Dense, dur, énigmatique, hermétique, imperméable, inaccessible, indéchiffrable, inexplicable, insondable, mystérieux, obscur, opaque, résistant, secret, serré, sibyllin, touffu.

IMPÉNITENCE. Adultère, avarice, blasphème, capital, colère, débauche, envie, faible, faiblesse, faute, gourmandise, impiété, ire, luxure, mal, offense, orgueil, originel, paresse, péché, sacrilège, stupre, tache, tare, travers, vice.

IMPÉNITENT. Aguerri, blindé, dur, durci, endurci, entêté, imperfectible, implacable, incorrigible, incurable, indécrassable, inéducable, inflexible, insensible, invétéré, irrécupérable, opiniâtre, sec.

IMPENSABLE. Abscons, abstrus, clair, ésotérique, hermétique, illisible, impénétrable, incompréhensible, inconcevable, indéchiffrable, inexplicable, inintelligible, insondable, obscur, opaque, vague.

IMPER. Anorak, caban, canard, caoutchouc, ciré, clos, étanche, gabardine, imperméable, kabig, trench.

IMPÉRATIF. Absolu, autoritaire, avantage, bref, formel, impérieux, inconditionnel, injonctif, must, nécessité, obligation, obligatoire, ordre, préemption, préférence, pressant, priorité, tranchant, urgent, va, verbe.

IMPÉRATIVEMENT. Absolument, fatalement, fatidiquement, forcément, immanquablement, inévitablement, infailliblement, mathématiquement, nécessairement, obligatoirement, sûrement.

IMPÉRATRICE (n. p.). Anna, Élisabeth, Eudoxie, Eugénie, Irène, Joséphine, Marie-Louise, Marie-Thérèse, Messaline, Poppée, Pulchérie, Sissi, Théodora, Théophane, Tseuhi, Victoria.

IMPÉRATRICE. Cantatrice, favorite, majesté, régnante, reine, souveraine, sultane, tsarine, tzarine.

IMPERCEPTIBILITÉ. Abstraction, abstrait, brièveté, cérébralité, essentialité, évanescence, fugacité, futilité, idéalité, immatérialité, impalpabilité, intangibilité, irréalité, spiritualité, subtilité, volatilité.

IMPERCEPTIBLE. Caché, faible, illisible, impalpable, inapparent, inaudible, indiscernable, infime, insaisissable, insensible, insignifiant, invisible, microscopique, minime, minuscule, négligeable.

IMPERFECTIF. Accompli, achevé, complet, consommé, délai, distingué, effectué, fait, fini, idéal, impeccable, inaccompli, incomparable, irréalisable, magistral, mieux, modèle, non-accompli, parfait, passé, perfectif, réalisé, révolu, sonné, terminé, venir.

IMPERFECTION. Défaut, défectuosité, essai, faute, infirmité, malfaçon, manque, projet, tache, tare, vice.

IMPÉRIAL. Auguste, beau, colossal, empereur, empire, fier, grandiose, grave, imposant, majestueux, monumental, noble, olympien, pragmatique, principal, référendaire, royal, solennel, souverain.

IMPÉRIALISME. Absolutisme, annexionnisme, autoritarisme, colonialisme, despotisme, expansionnisme, paternalisme.

IMPÉRIALISTE. Agresseur, cananéen, colon, colonisateur, despote, dictateur, dominateur, doryphore, ennemi, envahisseur, occupant, oppresseur, persécuteur, potentat, tortionnaire, touriste, tyran, usurpateur.

IMPÉRIEUX. Absolu, affirmatif, autoritaire, cassant, catégorique, entier, exclusif, imposant, irrésistible, magistral, relatif.

IMPÉRISSABLE. Éternel, immortel, immuable, inaltérable, indéfectible, indestructible, infini, perpétuel.

IMPÉRITIE. Ignorance, illettrisme, inaptitude, incapacité, incompétence, inculture, innocence, maladresse.

IMPERMÉABILITÉ. Analgie, apathie, asphyxie, ataraxie, détachement, flegme, froideur, impassibilité, inaction, incompréhension, indifférence, inintérêt, insensibilité, nonchalance, paralysie, raideur, sommeil, stoïcisme, stupeur.

IMPERMÉABLE. Anorak, caban, canard, caoutchouc, ciré, clos, cutine, étanche, gabardine, imper, kabig.

IMPERSONNEL. Anonyme, aseptisé, banal, dépersonnalisé, indifférent, neutre, on, personne, quelconque.

IMPERTINEMMENT. Cavalièrement, cyniquement, déplaisamment, discourtoisement, effrontément, grossièrement, hardiment, impoliment, impudemment, inamicalement, lestement, malhonnêtement.

IMPERTINENCE. Arrogance, audace, cynisme, dédain, désinvolture, effronterie, fatuité, fierté, hardiesse, hauteur, importance, impudence, insolence, ironie, mépris, mordacité, morguer, orgueil, outrecuidance, suffisance.

IMPERTINENT. Cavalier, cynique, désinvolte, effronté, inconvenant, insolent, pimbêche, taquin.

IMPERTURBABILITÉ. Apathie, ataraxie, atonie, engourdissement, faiblesse, impassibilité, indifférence, indolence, inertie, lâcheté, langueur, marasme, mollesse, nonchalance, paresse, passivité, résignation, torpeur, veulerie.

IMPERTURBABLE. Apathique, calme, constant, décontracté, détaché, équanime, ferme, flegmatique, immobile, impartial, impassible, impavide, indifférent, inébranlable, irénique, olympien, placide.

IMPÉTIGO. Amibiase, croûte, cutané, dermatose, eczéma, élevure, énanthème, éruption, gourme, herpès, infection, maladie, peau, purpura, pustule, staphylocoque, streptocoque, vaccinelle, vasicule.

IMPÉTRANT. Aspirant, candidat, demandeur, postulant, poursuivant, prétendant, quémandeur, solliciteur.

IMPÉTUEUSEMENT. Ardemment, chaleureusement, chaudement, cordialement, favorablement, fougueusement, violemment.

IMPÉTUEUX. Ardent, bouillant, bourrasque, brusque, déchaîné, déferlant, effréné, emporté, endiablé, explosif, fougueux, furieux, pétulant, torrentueux, tourbillon, tumultueux, véhément, vif, violent.

IMPÉTUOSITÉ. Acharnement, ardeur, chaleur, entrain, férocité, fièvre, flamme, fougue, frénésie, furia, furie, vivacité.

IMPIE. Agnostique, aporétique, apostat, athée, déiste, hérétique, impieux, incroyant, infidèle, irréligieux, laps, mécréant, païen, pécheur, profanateur, profane, relaps, renégat, sacrilège, sceptique.

IMPIÉTÉ. Agnosticisme, athéisme, blasphème, incrédulité, incroyance, irréligion, profanation, sacrilège.

IMPITOYABLE. Acharné, constant, cruel, draconien, dur, farouche, féroce, implacable, indomptable, inévitable, inexorable, inflexible, inhumain, insensible, intraitable, intransigeant, irréductible, sévère.

IMPLACABLE. Acharné, constant, cruel, draconien, dur, endurci, féroce, impitoyable, indomptable, inéluctable, inexorable, inflexible, inhumain, intransigeant, irrémissible, irrésistible, rigoureux.

IMPLANTATION. Amarrage, ancrage, ancre, arrimage, attache, blocage, boulonnement, clavetage, crampon, encollage, enracinement, établissement, fixation, grappin, marouflage, nidation, scellement.

IMPLANTER. Acclimater, ancrer, enraciner, établir, fixer, graver, insérer, installer, instaurer, naturaliser, planter.

IMPLICATION. Accusation, aide, apport, assistance, collaboration, collusion, complicité, compromission, concours, conséquence, contribution, coopération, intéressement, participation.

IMPLICITE. Allant de soi, à demi-mot, convenu, inexprimé, informulé, non-dit, sous-entendu, tacite.

IMPLICITEMENT. Allusivement, euphémiquement, muettement, parenté, tacitement.

IMPLIQUER. Agir, aider, apaiser, arranger, causer, comprendre, contradictoire, débarrasser, défendre, entreprendre, intervenir, mêler, nécessiter, participer, plaider, renfermer, supposer.

IMPLORATION. Adjuration, conjuration, demande, dépréciation, dévotion, élévation, humiliation, intercession, invocation, litanie, méditation, obsécration, oraison, pèlerinage, prière, supplication, triduum.

IMPLORER. Adjurer, adorer, appeler, conjurer, demander, exorer, humilier, insister, inviter, invoquer, mendier, presser, prier, quémander, quêter, réclamer, recommander, recueillir, solliciter, supplier.

IMPLOSION. Concentration, désagrégation, descente, effondrement, entrer, étoile, explosion, incursion, invasion, irruption, neutron, occlusion.

IMPOLI. Discourtois, effronté, goujat, grossier, impertinent, impudent, incivil, inconvenant, inculte, injurieux, insolent, malappris, malhonnête, ostrogot, ostrogoth, rustaud, rustre, sans-gêne, saugrenu.

IMPOLITESSE. Effronterie, goujaterie, grossièreté, impertinence, incivilité, incongruité, inconvenance, incorrection, indélicatesse, insolence, irrespect, irrévérence, muflerie, rusticité, sans-gêne.

IMPONDÉRABILITÉ. Aggravitation, apesanteur, impesanteur, imprévisibilité, non-pesanteur, micrograviné.

IMPONDÉRABLE. Éther, hasard, imprédictible, imprévisible, imprévu, incertitude, léger, risque, subtil.

IMPOPULARITÉ. Arrogance, condescendance, crânerie, cynisme, déconsidération, dédain, défaveur, dégoût, dérision, discrédit, disgrâce, fi, heu, injure, litière, mépris, misérable, moue, vilipender.

IMPORTANCE. Ampleur, calibre, capital, conséquence, envergure, essentiel, étendue, gabarit, grandeur, gravité, gros, intérêt, limite, mineure, nécessité, poids, pressant, quantité, respectable, rien, sérieux, somme, suffisant, urgent, utilité, valeur, vice, vue.

IMPORTANT. Cador, capital, central, crucial, décisif, déterminant, essentiel, étendu, fort, grand, grave, gros, majeur, nécessaire, notable, sérieux, spécial, suffisant, suprême, titre, tout, urgent, vital.

IMPORTATEUR DE TABAC (n. p.). Nico.

IMPORTATION. Autobus, aviation, avion, bateau, brouettage, camionnage, car, cargo, cession, charroi, circulation, délégation, déplacement, expédition, extase, factage, fret, héliportage, ire, ligne, locomotive, manutention, messagerie, métro, passage, portage, roulage, route, train, transfert, transport, véhicule, via, voie, voiture.

IMPORTER. Acheter, aggraver, apporter, chaille, chaloir, chaut, commercer, compter, copier, entrer, exporter, immigrer, imposer, influencer, influer, intéresser, introduire, peser, transférer.

IMPORTUN. Accablant, accaparant, agaçant, casse-pieds, collant, déplaisant, dérangeur, désagréable, embarrassant, envahissant, fâcheux, fléau, gêneur, gluant, intrus, obsédant, poison, raseur, sangsue, sciant, tannant, trop.

IMPORTUNER. Accrocher, assiéger, assommer, bassiner, casser les pieds, cavaler, contrarier, cramponner, courir sur le haricot, déranger, embêter, emmerder, emmieller, empoisonner, ennuyer, enquiquiner, étourdir, excéder, gêner, obséder, persécuter, peser, raser, seriner, suer, tanner.

IMPORTUNITÉ. Bavardage, cancan, commérage, curiosité, dérangement, fuite, hardiesse, immixtion, inconvenance, indiscrétion, ingérence, intrusion, mémérage, obsession, racontar, révélation, tripatouiller.

IMPOSABLE. Assujetti, astreint, conquis, déférent, discipliné, docile, esclave, grevé, humble, imposé, malléable, maniable, obéissant, rampant, réglé, résigné, ségrégé, servile, soumis, souple, sujet, taxable, testé, usiné.

IMPOSANT. Digne, grandiose, grave, impérial, impressionnant, magistral, majestueux, noble, solennel, superbe.

IMPOSÉ. Assujetti, contribuable, débiteur, obligé, prestataire, reconnaissant, redevable, reste, tenir, tributaire.

IMPOSER. Accabler, charger, coller, commander, dicter, dîmer, donner, écraser, endoctriner, fiscaliser, impressionner, incruster, obérer, obliger, patenter, prescrire, saigner, saler, sévir, surcharger, surmener, surtaxer, taxer, tenir, tromper.

IMPOSITION. Capitation, charge, contribution, droit, excise, fiscalité, impôt, perception, taxation, taxe.

IMPOSSIBILITÉ. Abasie, acalculie, acatalepsie, agénésie, amimie, amixie, astasie, astéréognosie, atonie, blocage, constipation, contradiction, insomnie, intolérance, mutité, paralysie, rhotacisme, sclérose, stérilité.

IMPOSSIBLE. Absurde, erroné, faux, imparable, impénétrable, impondérable, inaccessible, inclassable, indatable, infaisable, ingérable, insensé, insoluble, introuvable, invivable, mystère, ridicule, saugrenu, vain.

IMPOSTEUR (n. p.). Norge, Tartuffe.

IMPOSTEUR. Antéchrist, bluffeur, charlatan, dissimulateur, hypocrite, menteur, simulateur, usurpateur.

IMPOSTURE. Blague, canaillerie, canular, charlatanisme, crapulerie, fraude, mascarade, mystification, tromperie.

IMPÔT. Accises, annate, annone, banalité, capitation, cens, contribution, corvée, décime, dîme, droit, fisc, gabelle, lods, maltôte, octroi, ost, paulette, publicain, redevance, septain, serisette, taille, taxe, tonlieu, TPS, tribut, TVA, TVQ.

IMPOTENCE. Abattement, amputation, anémie, apathie, atonie, débilité, difformité, engourdi, faiblesse, fragilité, immobilité, impuissance, infirmité, invalidité, mutilation, paralysie, paraplégie, paresse.

IMPOTENT. Amputé, blessé, boiteux, bossu, cul-de-jatte, dépendant, difforme, estropié, grabataire, handicapé, immobile, infirme, ingambe, invalide, malade, manchot, mutilé, paralysé, paralytique, paraplégique, perclus.

IMPRATICABLE. Impossible, inaccessible, inapplicable, inenvisageable, inexécutable, infaisable, irréalisable.

IMPRÉCATION. Anathème, attestation, blâme, blasphème, condamnation, exécration, juron, malédiction.

IMPRÉCIS. Abstrait, ambigu, approchant, approximatif, changeant, confus, diffus, douteux, énigmatique, estompé, évasif, flou, fondu, illimité, implicite, incertain, indécis, indéfini, indéterminé, latent, vague.

IMPRÉCISION. Ambiguïté, approximation, énigme, flottement, flou, fluctuation, indétermination, vague.

IMPRÉGNATION. Absorption, aluminage, appropriation, assimilation, imbibition, intégration, savonnage.

IMPRÉGNÉ. Abreuvé, arrosé, baigné, convaincu, créosoté, cruenté, embu, envahi, gorgé, gravé, huilé, humide, imbibé, imbu, inondé, moite, mouillé, parfumé, pénétré, plein, rempli, salé, saturé, teint.

IMPRÉGNER. Abreuver, aluner, alunir, baigner, confire, emboire, empester, enduire, gorger, graver, huiler, ignifuger, imbiber, inonder, intoxiquer, mouiller, parfumer, pénétrer, teindre, tremper.

IMPRENABLE. Inexpugnable, invincible, inviolable, invulnérable, sacré, sacro-saint, sanctuaire, saint, sûr, tabou.

IMPRÉSARIO (n. p.). Angelil, Cloutier, Diaghilev.

IMPRESSARIO. Affidé, âme, ami, argousin, assureur, bailli, barbouze, bras, câbliste, casernier, cause, cautère, collaborateur, consul, courtier, émissaire, employé, espion, estafette, facteur, ferment, gardien, gérant, gouverneur, inspecteur, intendant, intermédiaire, mandataire, mouchard, moyen, officier, opérateur, pivot, prion, représentant, sbire, vigie.

IMPRESSION. Apprêt, couleur, édition, effet, élancement, embossage, émotion, frappant, frappe, gêne, gravure, hélio, image, joie, lancement, offset, poignant, pose, réceptif, retiration, saveur, sens, sensation, souvenir, stylographe, tabellaire, tirage, trace, xérographie.

IMPRESSIONNABLE. Affectif, émotif, émotionnable, imposant, romantique, sensible, sentimental, tendre.

IMPRESSIONNANT. Ahurissant, bouleversant, brillant, confondant, déroutant, effrayant, émouvant, étonnant, frappant, grandiose, imposant, majestueux, monumental, pathétique, poignant, saisissant.

IMPRESSIONNÉ. Absent, absorbé, achevé, aspiré, attentif, avalé, bu, concentré, dissout, distrait, ému, épongé, frappé, humé, imbu, imprégné, ingéré, ingurgité, lipophobe, mangé, méditatif, occupé, pénétré, pensif, pompé, préoccupé, résorbé, respiré, rêveur, séché, songeur, touché, vidé.

IMPRESSIONNER. Affecter, crever, décoiffer, déteindre, éblouir, émouvoir, épater, esbroufer, étonner, exposer, frapper, imprégner, intimider, marquer, méditer, pénétrer, sensibiliser, toucher.

IMPRESSIONNISTE. Divisionniste, impressif, mobilité, paysagiste, peintre, personnel, subjectif.

IMPRESSIONNISTE, MUSICIEN (n. p.). Debussy, Dukas, Ravel, Roussel, Satie.

IMPRESSIONNISTE, PEINTRE (n. p.). Barbizon, Boudin, Cézanne, Courbet, Delacroix, Degas, Jongkind, Manet, Monet, Morisot, Pissarro, Renoir, Sisley, Turner.

IMPRÉVISIBLE. Éther, hasard, impondérable, imprédictible, imprévu, incertitude, léger, risque, subtil.

IMPRÉVOYANCE. Danger, étourderie, hardiesse, imprudence, insouciance, légèreté, maladresse, négligence, témérité.

IMPRÉVOYANT. Écervelé, étourdi, imprudent, inconscient, inconséquent, insouciant, irréfléchi, léger, négligent.

IMPRÉVU. Accidentel, aléa, brusque, exceptionnel, fortuit, hasard, inattendu, inespéré, inopiné, soudain, subit, tuile.

IMPRIMATUR. Bâillon, bandeau, boycottage, censure, contrôle, entrave, filtre, muselière, tampon.

IMPRIMÉ. Bilboquet, billet, brochure, écrit, embossé, épreuve, feuille, formulaire, incunable, journal, libelle, livre, maculature, minerve, morasse, placard, pliage, police, tract, typographie, variorium.

IMPRIMER. Éditer, embosser, empreindre, estamper, étamper, fouler, gaufrer, graver, inculquer, lister, marquer, tatouer, tirer, transmettre.

IMPRIMERIE. Alinéa, antiphonaire, capitale, initiale, lettrine, majuscule, miniature, police, sigle.

IMPRIMEUR. Composeur, correcteur, chromiste, éditeur, graphiste, lithographe, pressier, réviseur.

IMPRIMEUR ALLEMAND (n. p.). Fust, Gering, Gutenberg, Schöffer.

IMPRIMEUR ANGLAIS (n. p.). Caxton.

IMPRIMEUR ANVERSOIS (n. p.). Plantin.

IMPRIMEUR CANADIEN (n. p.). Péladeau.

IMPRIMEUR FLAMAND (n. p.). Verhoeven.

IMPRIMEUR FRANÇAIS (n. p.). Badius, Ballard, Collombat, Didot, Dolet, Estienne, Lemercier, Migne, Pellerin, Plantin, Tory.

IMPRIMEUR HOLLANDAIS (n. p.). Coster, Elsevier, Elzevier, Elzévir.

IMPRIMEUR ITALIEN (n. p.). Bodoni, Giunta, Junte, Manuce, Marcolini, Petrucci, Zonta.

IMPROBABLE. Chimérique, douteux, hypothétique, impossible, incertain, invraisemblable, problématique.

IMPROBATEUR. Acariâtre, boudeur, bougon, bougonneur, bourru, briscard, criailleur, chialeur, critiqueur, désapprobateur, grincheux, grognard, grogneur, grogneux, grognon, grondeur, maussade, mécontent, morose, râleur, récriminateur, renfrogné, réprobateur, ronchon.

IMPROBATION. Anathème, attaque, blâme, censure, correction, critique, désapprobation, leçon, plainte, punition, remarque, reproche, réquisitoire, semonce, sérénade, sermon, tollé.

IMPROBITÉ. Absentéisme, atonie, béotien, bêtise, carence, dénuement, disette, échec, espace, faiblesse, famine, fausseté, faute, gêne, hiatus, idiotie, ignorance, inconsistance, incurie, inertie, inexpert, intempérance, irrespect, jeu, lâcheté, lacune, lenteur, malhabile, manque, misère, monotonie, négligence, nullité, obscurité, outrance, pénurie, perte, pusillanime, rareté, sottise, tiédeur, timidité, veulerie, vide.

IMPRODUCTIF. Aride, avare, désertique, inculte, inefficace, infécond, infructueux, ingrat, stérile.

IMPRODUCTIVITÉ. Aridité, impuissance, inefficacité, infécondité, infertilité, inutilité, hibernation, stérilité, vanité.

IMPROMPTU. Abruptement, dépourvu, imaginé, improvisé, improviste, inattendu, informel, inopinément, improvisé, inventé, soudainement, subit, subitement, surprenant, surprise, traître.

IMPROPRE. Abusif, imbuvable, inadapté, inadéquat, inapproprié, incompétent, incorrect, inexact, stérile, vice.

IMPROPREMENT. Approximativement, artificiellement, à tort, diplomatiquement, erronément, fabuleusement, faussement, fautivement, illicitement, incorrectement, inexactement, injustement, mal, prétendument, tort, vicieusement.

IMPROPRIÉTÉ. Effronterie, faute, goujaterie, grossièreté, impertinence, impolitesse, incivilité, inconvenance, incorrection, insolence, irrespect, irrévérence, manquement, muflerie, rusticité, sans-gêne.

IMPROVISATION. Chorus, dépourvu, impromptu, inattendu, onomatopée, raï, scat, vocal.

IMPROVISÉ. Composé, créé, imaginé, impromptu, innové, inopiné, inventé, organisé, patenté, préludé, produit, réalisé, subitement, trouvé.

IMPROVISER. Affabuler, concevoir, créer, imaginer, innover, inventer, patenter, préluder, trouver.

IMPROVISTE. Abruptement, dépourvu, impromptu, inopinément, soudainement, subitement, surprise, traître.

IMPRUDEMMENT. Délicatement, doucement, douceur, effleurement, faiblement, frivolement, frugalement, futilement, imperceptiblement, inconsidérément, légèrement, moitié, molle, sobrement, superficiellement, taquiner, vaguement.

IMPRUDENCE. Danger, étourderie, hardiesse, imprévoyance, légèreté, maladresse, négligence, témérité.

IMPRUDENT. Audacieux, aventureux, aventurier, casse-cou, chauffard, circonspect, dangereux, écervelé, effronté, étourdi, hasardé, hasardeux, imprévoyant, inconscient, léger, osé, téméraire.

IMPUBÈRE. Bambin, borin, chérubin, coron, enfant, fourneau, galibot, gamin, garçon, génie, gosse, haveur, jeune, majorité, marmot, mineur, mioche, moindre, petit, porion, rivelaine, saper, tuteur.

IMPUDEMMENT. Cavalièrement, cyniquement, déplaisamment, discourtoisement, effrontément, grossièrement, hardiment, impertinemment, impoliment, inamicalement, lestement, malhonnêtement.

IMPUDENCE. Aplomb, arrogance, audace, culot, cynisme, donjuanerie, effronterie, exhibition, front, garcerie, grossièreté, hardiesse, impertinence, indécence, insolence, outrecuidance, témérité, toupet.

IMPUDENT. Arrogant, audacieux, culotté, cynique, donjuanesque, effronté, éhonté, exhibitionniste, grossier, hardi, impertinent, impudique, inconvenant, indécent, indiscret, insolent, outrecuidant, provocant.

IMPUDEUR. Grivoiserie, grossièreté, immodestie, indécence, malpropreté, nudité, obscénité, pornographie.

IMPUDICITÉ. Concupiscence, convoitise, corruption, débauche, dépravation, désir, duopole, immodestie, impureté, indécence, lascivité, libertinage, licence, lubricité, luxure, salacité, sensualité, stupre, vice.

IMPUDIQUE. Coprolalique, corsé, croustillant, cru, cynique, dégoûtant, dépravé, dévergondé, honte, immodeste, impur, inconvenant, indécent, lascif, libidineux, licence, licencieux, lubrique, luxurieux, obscène, puant.

IMPUISSANCE. Anaphrodisie, anorgasmie, atonie, faiblesse, fiasco, inaptitude, incapacité, infécondité, stérilité.

IMPUISSANT. Aboulique, affaibli, ankylosé, débile, démuni, désarmé, eunuque, faible, improductif, inapte, incapable, inefficace, infructueux, inopérant, insuffisant, inutile, stérile, vain, vulnérable.

IMPULSER. Acharner, activer, agir, aiguillonner, animer, aviver, chauffer, diriger, ébranler, échauffer, égayer, électriser, encourager, enflammer, exciter, fouetter, inspirer, mener, motiver, mouvoir, présenter, stimuler, vivifier.

IMPULSIF. Bouillant, écervelé, emporté, étourdi, évaporé, fougueux, imprévoyant, irréfléchi, spontané.

IMPULSION. Appel, bond, colère, disposition, élan, envol, essor, excitation, force, instinct, jet, lancée, montée, mouvement, nerf, pesanteur, poussée, propulsion, réflexe, tendance, top, vent, voix.

IMPULSIONNEL. Compulsif, compulsionnel, gageur, joueur, maniaque, miseur, obsessionnel, parieur.

IMPULSIVEMENT. Automatiquement, inconsciemment, instinctivement, librement, mécaniquement, motu proprio, naturellement, obligatoirement, spontanément, violemment.

IMPUNITÉ. Amende, châtiment, condamnation, correction, décharge, dérogation, exemption, expiation, knout, leçon, peine, pénalité, pensum, punition, répression, retenue, sanction, supplice, talion, vindicte.

IMPUR. Altéré, bas, chaste, contrefait, corrompu, dépravé, déshonnête, dévoyé, grivois, immonde, immoral, impudique, indécent, indigne, infâme, infect, insalubre, lascif, malsain, pollué, pur, sale, vicié, vil.

IMPURETÉ. Abjection, bassesse, cérumen, chassie, chasteté, corruption, déchet, faute, furfure, gangue, humeur, immonde, indécence, lasciveté, obscénité, ordure, pus, roupie, saleté, sanie, tache, tartre, trouble.

IMPUTABILITÉ. Culpabilité, faute, innocence, juré, justiciabilité, peccabilité, responsabilité.

IMPUTABLE. Adéquat, applicabilité, applicable, attribuable, concédable, congru, conguent, convenable, possible, praticable, superposable, supposable.

IMPUTATION. Accusation, affectation, assignation, attribution, imposture, incrimination, reproche.

IMPUTER. Accuser, affecter, appliquer, assigner, attribuer, créditer, prêter, référer, rejeter, reprocher.

IMPUTRESCIBLE. Durable, impérissable, inaltérable, indélébile, indestructible, ineffaçable, inoubliable, vivace.

INABORDABLE. Arrogant, difficile, distant, étranger, exorbitant, fermé, fier, froid, hautain, imperméable, impossible, impraticable, inaccessible, inapprochable, indifférent, insensible, intouchable, méprisant, réfractaire, sourd.

INACCENTUÉ. Affaissé, amorphe, atone, éteint, immobile, inerte, inexpressif, morne, mou, paresseux.

INACCEPTABLE. Déraisonnable, illégitime, impardonnable, inadmissible, inconvenant, indéfendable, injustifiable, injustifié, insupportable, intolérable, irrecevable, récusable, rédhibitoire, refusable, révoltant.

INACCESSIBLE. Arrogant, difficile, distant, étranger, exorbitant, fermé, fier, froid, hautain, imperméable, impossible, impraticable, inabordable, inapprochable, indifférent, insensible, intouchable, méprisant, réfractaire, sourd.

INACCOMPLI. Accompli, achevé, complet, consommé, délai, distingué, effectué, fait, fini, idéal, impeccable, imperfectif, incomparable, irréalisable, magistral, mieux, modèle, non-accompli, parfait, passé, perfectif, réalisé, révolu, sonné, terminé, venir.

INACCOUTUMÉ. Anormal, débauché, étrange, étranger, exceptionnel, inhabituel, insolite, inusité, rare.

INACHEVÉ. Croupissant, embryon, fragmentaire, hâtif, imparfait, inabouti, incomplet, insuffisant, lacunaire, partiel, vert.

INACHÈVEMENT. Abandon, abdication, défection, délaissement, démission, désengagement, désertion, désintérêt, désistement, détachement, forfait, indifférence, recul, renoncement, repli, retrait, retraite.

INACTIF. Amorphe, attentif, croupissant, désœuvré, endormi, fainéant, immobile, indolent, inerte, inoccupé, inopérant, momie, oisif, paresseux, passif, placebo, somnolent, souche, stagnant, vacant.

INACTION. Désœuvrement, fortuit, immobilité, immuabilité, inertie, inopiné, marasme, paralysie, paresse, repos.

INACTIVITÉ. Attente, chômage, indolence, inertie, inopérant, marasme, passivité, sommeil, végétatif.

INACTUEL. Anachronique, archaïque, arrière-garde, caduc, débordé, démodé, dépassé, désuet, enchéri, excédé, noyé, obsolète, out, périmé, rétro, rétrograde, ringard, submergé, suranné, surclassé, tassé, vieilli, vieillot.

INADAPTATION. Absence, acabit, aloi, anomalie, anoxémie, asialie, aspect, athrepsie, atrophie, avitaminose, bêtise, carence, contumace, crapaud, défaut, défectuosité, déficience, dévers, dureté, étroitesse, faible, gendarme, illégitimité, imperfection, inadvertance, incurie, inexistence, insensibilité, instabilité, lunure, manque, mésentente, mort, nasillement, paille, paresse, pénurie, préfixe, prosaïsme, raideur, retassure, ridicule, sottise, tare, verbosité, verdeur, vice, zézaiement.

INADAPTÉ. Asocial, bancal, boiteux, défaut, défectueux, déficient, faible, faute, fautif, imparfait, imploré, impropre, inadéquat, inapproprié, incorrect, inexact, infirme, insuffisant, mal, manque, mauvais, raté, taré, vicieux, vulnérable.

INADÉQUAT. Bancal, boiteux, défaut, défectueux, déficient, faible, faute, fautif, imparfait, imploré, impropre, inadapté, inapproprié, incorrect, inexact, infirme, insuffisant, mal, manque, mauvais, raté, taré, vicieux, vulnérable.

INADMISSIBLE. Atroce, déraisonnable, épouvantable, inacceptable, inconvenant, infondé, insoutenable, insupportable, intenable, intolérable, irrecevable, odieux, récusable, refusable, révoltant.

INADVERTANCE. Distraction, étourderie, imprudence, inattention, lapsus, mégarde, négligence, oubli.

INALIÉNABLE. Dissimulé, évanescent, fugace, fuyant, impalpable, inapparent, insaisissable, invisible.

INALTÉRABLE. Apyre, céramique, constant, durable, étain, éternel, fixe, ignifuge, isolé, permanent, réfractaire.

INALTÉRÉ. Chaste, complet, entier, immaculé, inchangé, indemne, inentamé, intact, intangible, intégral, intouché, inutilisé, irréprochable, net, neuf, probe, pucelle, pur, sain, sauf, vierge.

INAMICAL. Adversaire, adverse, agressif, aversif, contraire, contre, défavorable, dépréciatif, désavantageux, ennemi, fâcheux, glacial, haineux, hargneux, hostile, inhospitalier, malveillant, opposé, sentiment.

INAMICALEMENT. Cavalièrement, cyniquement, déplaisamment, discourtoisement, effrontément, grossièrement, hardiment, impertinemment, impoliment, impudemment, lestement, malhonnêtement.

INANIMÉ. Arginine, chose, empaillé, évanoui, gisant, immobile, inerte, momie, mort, zombi.

INANITÉ. Frivolité, futilité, inconsistance, insignifiance, inutilité, néant, nullité, puérilité, vacuité, vanité, vide.

INANITION. Absence, arriération, asystolie, carence, crise, défaut, déficience, hypoplasie, idiotie, inaptitude, insuffisance, lacune, manque, médiocrité, myxœdème, pauvreté, supplétoire, tolérance, urémie, vicariant.

INAPAISABLE. Ardent, avide, brûlant, dévastateur, dévorant, dévoreur, insatiable, inassouvi, ravageur, vorace.

INAPAISÉ. Chagriné, déçu, désappointé, frustré, grognon, hargneux, inassouvi, insatisfait, lésé, mécontent, plaintif.

INAPERÇU. Anonymat, anonyme, clandestinement, huis clos, incognito, inconnu, secret, solitaire.

INAPPARENT. Dissimulé, évanescent, fugace, fuyant, impalpable, inaliénable, insaisissable, invisible.

INAPPÉTENCE. Affaiblissement, anorexie, anorexigène, anorexique, appétence, appétit, athrepsie, besoin, coupe-faim, dégoût, désir, diminution, gracilité, indifférence, maigreur, minceur, oligophagie.

INAPPLICABLE. Impossible, impraticable, inaccessible, inenvisageable, inexécutable, infaisable, irréalisable.

INAPPLIQUÉ. Absent, absorbé, désordonné, dissipé, distrait, écervelé, engourdi, étourdi, évaporé, fou, hurluberlu, inattentif, inconscient, indifférent, insouciant, irréfléchi, léger, nonchalant, mou, négligent, préoccupé, rêveur, superficiel.

INAPPRÉCIABLE. Avantageux, chérissable, considérable, illimité, immense, incalculable, indénombrable, inestimable, inévaluable, infini, insondable, introuvable, irremplaçable, précieux, rare, utile.

INAPPROPRIÉ. Bancal, boiteux, défaut, défectueux, déficient, faible, faute, fautif, imparfait, imploré, impropre, inadapté, inadéquat, incorrect, inexact, infirme, insuffisant, mal, manque, mauvais, raté, taré, vicieux, vulnérable.

INAPTE. Asocial, faible, frigide, gauche, ignorant, impeccable, impropre, impuissant, incapable, incompétent, insuffisant, lourd, maladroit, stérile.

INAPTITUDE. Arriération, asystolie, carence, défaut, déficience, hypoplasie, idiotie, impéritie, incapacité, incompétence, insuffisance, lacune, manque, médiocrité, myxœdème, pauvreté, supplétoire, tolérance, urémie, vicariant.

INARTICULÉ. Abscons, abstrus, ambigu, amorphe, confus, flou, imprécis, inaudible, incertain, indéfini, indéfinissable, indéterminable, indistinct, inintelligible, mystérieux, obscur, trouble, vague.

INASSIMILABLE. Assimilable, confus, difficile, embrouillé, ennuyeux, inassimilé, indigeste, lourd, pesant.

INASSOUVI. Chagriné, déçu, désappointé, frustré, hargneux, inapaisé, insatisfait, lésé, mécontent, plaintif.

INASSOUVISSEMENT. Besoin, bovarysme, frustration, inapaisement, insatiabilité, insatisfaction, mécontentement.

INATTAQUABLE. Bétonné, honnête, imputrescible, inaltérable, incorruptible, inoxydable, intègre, probe.

INATTENDU. Accidentel, aléa, attend, brusque, distraction, étonnant, étourderie, fortuit, hasard, imprévu, improbable, inadvertance, inespéré, inopiné, joker, magicien, nouveau, ruade, saugrenu, soudain, subit, surprenant, surprise.

INATTENTIF. Absent, absorbé, désordonné, dissipé, distrait, écervelé, engourdi, étourdi, évaporé, fou, hurluberlu, inappliqué, inconscient, indifférent, insouciant, irréfléchi, léger, nonchalant, mou, négligent, préoccupé, rêveur, superficiel.

INATTENTION. Absence, étourderie, erreur, faute, inadvertance, incurie, légèreté, mollesse, omission, oubli, rêverie.

INAUDIBLE. Aïe, auditif, audition, branchie, brouillé, déplaisant, écoute, entendre, esse, imperceptible, inarticulé, indétectable, inécoutable, inentendable, opercule, oreille, ouïe, ouille, oyant, sens, sourd, surdité.

INAUGURATION. Baptême, cérémonie, commencement, consécration, crémaillère, début, dédicace, étrenne, inaugural, inaugurer, ouverture, première, sacre, vernissage.

INAUGURER. Commencer, consacrer, entamer, entreprendre, instaurer, instituer, introduire, lancer, ouvrir.

INAUTHENTICITÉ. Aberration, artificialité, déloyauté, fausseté, feinte, langue de bois, paillette.

INAUTHENTIQUE. Apocryphe, authentique, controuvé, exact, fabriqué, fantaisiste, faux, fictif, forgé, imaginé, imaginaire, inexistant, inventé, juste, mensonger, réel, véritable, vrai.

INAVOUABLE. Déshonorant, honteux, infâme, odieux, repoussant, répugnant, scandaleux, secret.

INAVOUÉ. Arcane, cachotterie, doctrine, dogme, énigme, inconnu, magie, mystère, noir, noirceur, obscurité, ombrage, ombre, prudence, secret, trinité, vérité, voile.

INCA (n. p.). Amaru, Argentine, Bolivie, Chili, Cuzco, Équateur, Machupicchu, Pérou, Sacsahuaman, Soleil, Tupamaros.

INCA. Civilisation, empire, incasique, mita, os, peuple, précolombien, quechua, quichua, quipou.

INCALCULABLE. Considérable, illimité, immense, inappréciable, indénombrable, inestimable, infini, innombrable, insondable, précieux.

INCANDESCENCE. Ardeur, calcination, carbonisation, combustion, étincelle, feu, lampe, néon.

INCANDESCENT. Aveuglant, ara, blanc, brillant, brio, ciré, éblouissant, éclatant, étincelant, étoile, fard, faste, flamboyant, gloire, intelligent, luisant, lustré, or, radieux, réfléchissant, relief, reluisant, réussi, rutilant, satiné, soyeux, splendeur, splendide, toc, ver, vermeil, vif.

INCANTATION. Attrait, avatar, charme, conjuration, évocation, magie, nécromancie, prestige, rituel, sort, théurgie.

INCAPABLE. Asocial, cloche, dépendeur, faible, frigide, ganache, gauche, ignorant, impeccable, impropre, impuissant, inapte, incompétent, inhabile, insuffisant, lourd, maladroit, sclérosé, stérile, tocard, toquard.

INCAPACITÉ. Aboulie, agénésie, alexie, amimie, amusie, anarthrie, apraxie, démission, faiblesse, faillite, ignorance, impéritie, impuissance, inaptitude, incompétence, ineptie, infirmité, maladresse, nullité, sclérose.

INCARCÉRATION. Captivité, détention, écrou, emprisonnement, enfermement, fermer, internement, prison, réclusion, séquestration, tôle.

INCARCÉRER. Boucler, coffrer, écrouer, emballer, embastiller, emprisonner, encelluler, enfermer, verrouiller.

INCARNADIN. Carné, chair, chair rose, cuisse, viande.

INCARNAT. Chair, coq de roche, couleur, incarnadin, nacarat, rose, rouge, vermeil.

INCARNATION. Annonciation, avatar, imitation, rama, réincarnation, ressemblance, trabéation, transformation.

INCARNER. Accoler, annoncer, apparaître, croire, dessiner, figurer, imaginer, interpréter, ongle, personnifier, préfigurer, réaliser, réfléchir, réincarner, représenter, revivre, symboliser, verbe.

INCARTADE. Algarade, caprice, écart, extravagance, faux pas, folie, frasque, fredaine, offense, sortie.

INCASSABLE. Éternel, immuable, impérissable, inaltérable, increvable, indéfectible, indestructible, indicible, indissoluble, infrangible, inusable, invulnérable, irréductible, résistant, robuste, solide.

INCENDIAIRE (n. p.). Érostrate, Frisch, Néron.

INCENDIAIRE. Bombe, brûleur, criminel, igné, napalm, pétroleur, pyromane, séditieux, subversif.

INCENDIE. Brasier, brûlement, combustion, conflagration, embrasement, extincteur, feu, fournaise, pyromane, sinistre.

INCENDIER. Accabler, allumer, brûler, consumer, détruire, échauffer, embraser, enflammer, engueuler, exalter, exciter, flamber, fumer, griller, injurier, ravager, rôtir, roussir.

INCÉRATION. Absorption, alunage, endosmose, imbibition, imprégnation, infiltration, insalivation, pénétration, percolation.

INCERTAIN. Aléatoire, ambigu, confus, douteux, équivoque, éventuel, flou, hasardeux, hésitation, hypothétique, imprécis, improbable, indécis, instable, irrésolu, précaire, sourd, vacillant, vague, vaseux, zest.

INCERTITUDE. Doute, équivoque, flottement, hésitation, impasse, indécision, irrésolution, précarité.

INCESSAMMENT. Bientôt, constamment, continuellement, continûment, éternellement, permanence, perpétuellement, toujours.

INCESSANT. Constant, continu, continuel, ininterrompu, permanent, perpétuel, sempiternel, suivi, toujours.

INCESSIBLE. Dissimulé, évanescent, fugace, fuyant, impalpable, inaliénable, inapparent, insaisissable, invisible.

INCESTE. Ami, connaissance, connexion, contact, corrélation, entre, équipollence, exclusion, flirt, inclusion, inégalité, liaison, lien, narration, obliquité, parenté, rapport, récit, relation, synonymie, témoignage.

INCHANGÉ. Chaste, complet, entier, immaculé, inaltéré, indemne, intact, intégral, net, neuf, probe, pucelle, pur, sain, sauf, vierge.

INCHIFFRABLE. Appliquer, appréciable, attribuer, calculer, chiffrer, déterminer, évaluer, mesurer, quantifier.

INCIDEMMENT. Accidentellement, casuellement, fortuitement, hasard, inopinément, occasionnellement.

INCIDENCE. Anicroche, conséquence, contrecoup, effet, implication, influence, parenthèse, prolongement, répercussion, retombée, suite.

INCIDENT. Accident, accroc, accrochage, aléa, anicroche, aventure, cas, circonstance, conflit, dénouement, difficulté, encombre, épisode, événement, fâcheux, hasard, histoire, incidenter, incise, péripétie, raté.

INCINÉRATEUR. Brûloir, crématoire, crématorium, fourneau, foyer, réchaud, torréfacteur.

INCINÉRATION. Brûlage, brûler, calcination, carbonisation, columbarium, combustion, crémation, destruction, feu.

INCINÉRER. Bronzer, brûler, calciner, carboniser, cautériser, chauffer, combustion, consommer, consumer, convoiter, cramer, crématoire, cuire, détruire, distiller, ébouillanter, échauder, embraser, enflammer, flamber, fondre, fumer, fusion, griller, hâler, havir, incendier, phlogistiquer, rôtir, roussir, torréfier.

INCISER. Cerner, couper, crever, entailler, entamer, fendre, gemmer, ouvrir, percer, saigner, scarifier.

INCISIF. Acerbe, acéré, acide, acrimonieux, aigre, aigu, blessant, caustique, dent, emporte-pièce, mordant, punch.

INCISION. Bistouri, boutonnière, césarienne, coupure, cystotomie, débridement, entaille, épisiotomie, excision, fente, gastronomie, hystérotomie, kératotomie, neurotomie, phlébotomie, scalpel, scarification, seppuku.

INCISIVE. Artériotomie, bégu, caustique, coin, dent, grignard, labiodentale, laniaire, palette, pince.

INCISURE. Coupure, crénelure, découpure, dentelure, échancrure, encoche, encochement, entaille, faille, indentation, morfil, ouverture, sinuosité.

INCITATEUR. Encourageant, incitatif, instigateur, mobilisateur, motivant, prometteur, stimulant, stimulateur.

INCITATION. Approbation, appui, attaque, encouragement, excitation, instigation, provocation, tentation.

INCITER. Aiguillonner, amener, appeler, convier, déterminer, disposer, encourager, engager, exciter, exhorter, inspirer, instiguer, inviter, mû, pousser, prier, provoquer, stimuler, suborner, suggérer, tenter.

INCIVIL. Désagréable, discourtois, effronté, embouché, grossier, impoli, impudent, inconvenant, injurieux, insolent, malappris, malhonnête, ostrogot, ostrogoth, rustaud, rustre, sans-gêne, saugrenu.

INCIVILITÉ. Discourtoisie, effronterie, goujaterie, grossièreté, impertinence, impolitesse, importunité, inconvenance, incorrection, indélicatesse, indiscrétion, insolence, irrespect, irrévérence, muflerie, rusticité, sans-gêne.

INCLASSABLE. Archétype, atypique, bizarre, différent, distinct, drôle, énergumène, excentrique, inédit, initial, insolite, manuscrit, minute, modèle, neuf, nouveau, olibrius, original, originel, prototype, rare, source, texte, type.

INCLÉMENCE. Âpreté, augustinisme, austérité, brutalité, cruauté, doctrine, dureté, fermeté, jansénisme, netteté, puritanisme, rectitude, religion, reliure, rigidité, rigorisme, rigueur, rudesse, sévérité.

INCLÉMENT. Âpre, austère, cruel, dur, draconien, dur, ferme, janséniste, net, pur, rigide, rigoureux, rude.

INCLINAISON. Appétit, aspiration, attrait, bienfaisance, bonté, caprice, chavirer, déclivité, désir, dévoiement, envie, gîte, goût, inflexion, isocline, obliquité, penchant, pente, quête, rampe, talus, tendance, voie.

INCLINATION. Affection, amour, antéversion, appétit, attachement, attirance, attrait, bienfaisance, caprice, disposition, faible, goût, malignité, passion, penchant, pente, propension, race, sympathie, vocation.

INCLINÉ. Abandonné, accepté, acquiescé, baissé, biais, capitulé, corne, détour, dévié, gauche, indirect, infléchi, lien, louche, oblique, penché, pentu, prédisposé, scalène, serge, suspect, tortueux, torve, travers.

INCLINER. Apiquer, attirer, baisser, braquer, caler, canter, céder, chavirer, coucher, courber, décliner, dominer, enclin, fuir, hocher, infléchir, lever, obliquer, pencher, perdre, plier, renoncer, renverser, saluer.

INCLURE. Avoir, comporter, comprendre, compter, contenir, enchâsser, enfermer, englober, intégrer.

INCLUS. Ajout, attaché, avec, ci-joint, déjà, encarté, hyponyme, inséré, intercalé, intérieur, joint.

INCLUSION. Accident, adhésion, adjonction, affiliation, appartenance, dépendance, domaine, gemme, indivision, insertion, internationalisation, lacune, lunure, particule, possession, propriété, pinocytose.

INCOERCIBLE. Impérieux, incoercibilité, incontrôlable, invincible, irrépressible, irrésistible, mentisme, sitiomanie.

INCOGNITO. Anonymat, anonyme, clandestinement, huis clos, inaperçu, inconnu, secret, solitaire.

INCOHÉRENCE. Aberration, absurdité, apagogie, bêtise, contradiction, contresens, contre-vérité, déraison, énormité, extravagance, folie, idiotie, illogisme, incongruité, ineptie, inertie, non-sens, ridicule, sottise, stupidité.

INCOHÉRENT. Absurde, bafouillage, chaotique, confus, contradictoire, coq-à-l'âne, décousu, désordonné, dispersé, divagation, fatras, hiatus, illogique, inconséquent, inconstant, insensé, irrationnel, radoteur, songe.

INCOLLABLE. Adroit, apte, averti, avisé, bon, brillant, capable, chevronné, cognitif, compétent, doué, expert, habile, impropre, inapte, incapable, incompétent, inhabile, intelligent, peut, prêt, qualifié, susceptible.

INCOLORE. Argon, azote, béryl, blafard, blême, fade, inexpressif, insipide, livide, pâle, plat, terne.

INCOMBER. Appartenir, incliner, pencher, pendre, peser, rabattre, rallier, rechuter, récidiver, recommencer, reculer, redescendre, refluer, rejaillir, rentrer, replonger, reposer, retomber, revenir, tomber.

INCOMBUSTIBLE. Amiante, apyre, fusible, inaltérable, ignifugé, infusible, ininflammable, réfractaire.

INCOMESTIBLE. Abominable, affligeant, affreux, calamiteux, consternant, dégoûtant, déplorable, dérisoire, désagréable, désastreux, détestable, épouvantable, exécrable, horrible, imbuvable, immangeable, immonde, infect, insupportable, lamentable, minable, misérable, navrant, nul, odieux, pitoyable, répugnant.

INCOMMENSURABLE. Beaucoup, colossal, considérable, cyclopéen, démesuré, déraisonnable, éléphantesque, énorme, excessif, extraordinaire, géant, gigantesque, grand, gros, illimité, immense, infini, insurmontable, monumental, obèse.

INCOMMODANT. Déplaisant, désagréable, embarrassant, encombrant, ennuyeux, envahissant, fâcheux, fatigant, gênant, importun, incommode, inconfortable, indiscret, intimidant, lourd, malcommode, pénible, pesant.

INCOMMODE. Déplaisant, désagréable, embarrassant, encombrant, ennuyeux, envahissant, fâcheux, fatigant, gênant, importun, incommodant, inconfort, inconfortable, indiscret, intimidant, lourd, malcommode, pénible, pesant.

INCOMMODER. Déplaire, embarrasser, empoisonner, gêner, importuner, indisposer, oppresser, tourmenter.

INCOMMODITÉ. Abstrusion, affliction, aporie, chagrin, complication, confusion, contrariété, corvée, dépit, désobligé, désolation, difficulté, ennui, gêne, mécontentement, ouïe, ouille, tracas, tristesse.

INCOMPARABLE. Accompli, achevé, complet, consommé, délai, distingué, effectué, fait, fini, idéal, impeccable, imperfectif, inaccompli, inégalable, irréalisable, magistral, mieux, modèle, non-accompli, parfait, passé, perfectif, réalisé, révolu, sonné, supérieur, terminé, unique, venir.

INCOMPATIBILITÉ. Allergie, antagonisme, antinomie, antipathie, contradiction, contraire, désaccord, différence, discordance, impossibilité, inconciliabilité, opposition.

INCOMPATIBLE. Absurde, abusif, adversaire, adverse, antagoniste, anti, antithèse, antonyme, autrement, concurrent, contradictoire, contraire, divergent, envers, étrange, illégal, inverse, licencieux, malsonnant, opposé, paradoxe.

INCOMPÉTENCE. Ignorance, inaptitude, incapacité, inculture, inexpérience, impéritie, inaptitude, nullité.

INCOMPÉTENT. Analphabète, âne, béotien, débutant, ignare, ignorant, illettré, imparfait, impropre, inapte, incapable, inculte, insuffisant, mauvais, médiocre, novice, nul, nullard, nullité, profane, récuser.

INCOMPLET. Amorcé, boiteux, débuté, défectueux, dépareillé, ébauche, fragmentaire, imparfait, inachevé, informe, insuffisant, morcellement, morceler, mutilé, partie, partiel, relatif, superficiel, tronqué.

INCOMPRÉHENSIBLE. Abscons, abstrus, clair, ésotérique, hermétique, illisible, imbittable, impénétrable, impensable, inconcevable, indéchiffrable, inexplicable, inintelligible, insondable, obscur, opaque, vague.

INCOMPRÉHENSIF. Borné, étriqué, étroit, fermé, intolérant, intransigeant, mesquin, sectaire.

INCOMPRÉHENSION. Analgie, apathie, asphyxie, ataraxie, détachement, flegme, froideur, impassibilité, imperméabilité, inaction, indifférence, inintérêt, insensibilité, nonchalance, paralysie, raideur, sommeil, stoïsme, stupeur.

INCOMPRIS. Accablé, bizarre, confondu, déconcerté, déconfit, décontenancé, déçu, défait, démonté, dérouté, désappointé, désarçonné, désemparé, désorienté, éconduit, embarrassé, étonné, gêné, importuné, interdit, interloqué, malpris, pantois, penaud, surpris, troublé.

INCONCEVABLE. Abscons, abstrus, baragouin, charabia, ésotérique, hermétique, illisible, impénétrable, incompréhensible, indéchiffrable, inexplicable, inimaginable, inintelligible, insondable, nébuleux, obscur, opaque, sibyllin.

INCONCILIABLE. Bigarré, complexe, composite, contraste, discordant, disparate, dissemblance, dissemblant, divers, diversifié, éclectique, hétéroclite, hétérogène, hybride, mélangé, mêlé, mixte, multiple, panaché, pluriel, varié.

INCONDITIONNEL. Absolu, admirateur, admiratrice, adorateur, amoureux, fan, fanatique, fervent, godillot, groupie, idolâtre, impératif, partisan, snob, sot, spectateur.

INCONDUITE. Débauche, débordement, dépravation, dévergondage, immoralité, libertinage, licence, vice.

INCONFORT. Déplaisant, désagréable, embarrassant, encombrant, ennuyeux, envahissant, fâcheux, fatigant, gênant, importun, incommodant, incommode, inconfortable, indiscret, intimidant, lourd, malcommode, pénible, pesant.

INCONFORTABLE. Déplaisant, désagréable, embarrassant, encombrant, ennuyeux, envahissant, fâcheux, fatigant, gênant, importun, incommodant, incommode, indiscret, intimidant, lourd, malcommode, parasite, pénible, pesant.

INCONGRU. Choquant, déplacé, inconvenant, incorrect, indécent, inopportun, intempestif, malséant.

INCONGRUITÉ. Cochonnerie, goujaterie, grivoiserie, inconvenance, incorrection, indécence, pet, vent.

INCONNU. Abstrait, anonyme, avenir, bébête, bibite, caché, clandestin, escient, étranger, ignorance, ignoré, incognito, inédit, inouï, insu, machin, masqué, néant, obscur, on, quidam, secret, voilé, x, y, z.

INCONSCIEMMENT. À l'insu de, automatiquement, impulsivement, instinctivement, mécaniquement, obligatoirement, spontanément.

INCONSCIENCE. Aveuglement, crépusculaire, diminution, hébétude, obnubilation, obscurcissement, préoccupation, torpeur.

INCONSCIENT. Automatique, comateux, défoulement, évanoui, fou, ignorant, imprudent, insensible, insouciant, instinctif, insu, involontaire, irraisonné, irréfléchi, irresponsable, léger, machinal, réminiscence, spontané, subconscient.

INCONSÉQUENCE. Absurdité, bénin, caprice, contradiction, déraisonnable, étourderie, illogisme, imprudence, incohérence, irréflexion, légèreté, malavisé.

INCONSÉQUENT. Absurde, considération, déraisonnable, fou, illogique, imprudent, incohérent, inconsidéré, inconstance, inconsistant, insensé, irrationnel, irréfléchi, léger, maladroit, malavisé, solidité.

INCONSIDÉRÉ. Déraisonnable, étourdi, imprudent, inconséquent, irréfléchi, irresponsable, léger, maladroit, malavisé.

INCONSISTANCE. Agilité, badinage, caprice, distraction, enfantillage, étourderie, facétie, finesse, frivolité, futilité, grâce, inconduite, inconstance, irréflexion, jeunesse, légèreté, lourdeur, mobilité, souplesse.

INCONSISTANT. Amorphe, brouillé, confus, flou, frange, imprécis, inarticulé, incertain, incolore, indécis, indéfini, indéfinissable, indéterminable, indistinct, inintelligible, obscur, trouble, vague, vaporeux.

INCONSOLABLE. Affligé, attristé, damné, déshérité, désespéré, désolé, exclu, gueux, infortuné, malchanceux, malheureux, miséreux, miteux, paria, peiné, triste.

INCONSOMMABLE. Abominable, affligeant, affreux, calamiteux, consternant, dégoûtant, déplorable, dérisoire, désagréable, désastreux, détestable, épouvantable, exécrable, horrible, imbuvable, immangeable, immonde, infect, insupportable, lamentable, minable, misérable, navrant, nul, odieux, pitoyable, répugnant.

INCONSTANCE. Frivolité, incertitude, indigence, instabilité, légèreté, médiocrité, mobilité, platitude.

INCONSTANT. Capricieux, changeant, cohérant, erratique, fantaisiste, fantasque, incertain, incohérent, inconséquent, infidèle, léger, mobile, solide, versatile.

INCONTESTABLE. Authentique, avéré, certain, flagrant, indéniable, indubitable, reconnu, réel, sûr, vrai.

INCONTESTÉ. Absolu, admis, assuré, avéré, certain, certifié, certitude, constant, contestable, dogme, douteux, évident, historique, illusoire, incertain, indubitable, infaillible, manifeste, positif, quelque, réel, sûr, tel, un, vrai.

INCONTINENCE. Débauche, débit, diarrhée, encoprésie, énurésie, excès, regorgement, volubilité.

INCONTINENT. Aussitôt, dès, continent, directement, énurétique, extemporané, go, illico, immédiatement, instantanément, intempérant, promptement, subitement, sur-le-champ, tôt, tout de suite.

INCONTOURNABLE. Essentiel, fatal, fatidique, forcé, immanquable, imparable, inéluctable, inévitable, inexorable, infaillible, irrévocable, logique, mode, nécessaire, obligé.

INCONTRÔLABLE. Impérieux, incoercible, incoercibilité, invincible, irrépressible, irrésistible, mentisme, sitiomanie.

INCONTRÔLÉ. Athétose, automatique, dérive, flottement, incoercible, inconscient, incontinence, instinctif, involontaire, irraisonné, irréfléchi, machinal, mécanique, on-dit, panique, réflexe, spontané.

INCONVENANCE. Audace, désinvolture, effronterie, goujaterie, grossièreté, impertinence, impolitesse, incongruité, incorrection, indécence, insolence, muflerie, nudité, ordure, pet, sans-gêne.

INCONVENANT. Cavalier, cru, déplacé, désinvolte, effronté, impertinent, impoli, impudent, impudique, incongru, incorrect, indécent, indigne, indu, insolent, malhonnête, malséant, nu, sale, saugrenu, scabreux.

INCONVÉNIENT. Aléa, danger, défaut, demi-mal, désagrément, désavantage, difficulté, empêchement, ennui, épine, étrenner, gêne, incommodité, mal, objection, obstacle, ombre, rançon, revers, risque.

INCOORDINATION. Ataxie, défection, désordre, dysarthrie, incurie, négligence, tabès.

INCORPORATION. Alliance, amendement, assemblage, collage, combinaison, inc., incération, ltée, marnage.

INCORPOREL. Aérien, désincarné, esprit, éthéré, immatériel, impalpable, imperceptible, incorporéité, incréé, inétendu, intangible, intemporel, intouchable, léger, platonique, pur, spirituel, vaporeux.

INCORPORER. Agréger, amalgamer, annexer, associer, confondre, inc., insérer, intégrer, parfondre, unir.

INCORRECT. Défaut, défectueux, écart, erroné, faute, fautif, impertinent, impoli, impropre, inexact, manque.

INCORRECTEMENT. Abusivement, à tort, criminellement, défectueusement, erronément, faussement, fautivement, illégalement, improprement, inadéquatement, inexactement, vicieusement.

INCORRECTION. Effronterie, faute, goujaterie, grossièreté, impertinence, impolitesse, impropriété, incivilité, inconvenance, insolence, irrespect, irrévérence, manquement, muflerie, rusticité, sans-gêne.

INCORRIGIBLE. Aguerri, blindé, dur, durci, endurci, impénitent, implacable, indécrottable, inflexible, insensible, invétéré, irrécupérable, pince-maille, sec.

INCORRUPTIBLE. Honnête, imputrescible, inaltérable, inattaquable, inox, inoxydable, intègre, probe.

INCRÉDULE. Agnostique, athée, douteur, dubitatif, impie, incroyant, mécréant, perplexe, sceptique.

INCRÉDULITÉ. Agnosticisme, bon, crainte, défiance, disgrâce, doute, jalousie, méfiance, précaution, prévention, prudence, réserve, scepticisme, soupçon, suspection, surveillance, suspicion, taratata.

INCRÉMENT. Accession, accroissement, addition, adjonction, admission, ajout, association, augmentation, co, coh, com, con, différentielle, fluoration, incrémentiel, jonction, logiciel, minimal, pas.

INCREVABLE. Actif, affairé, agissant, allant, ardent, battant, bilan, caleur, diligent, dynamique, efficace, efficient, énergique, entreprenant, laborieux, militant, monnaie, passif, pétulant, remuant, titre, transitif, travailleur, vif, violent, zélé.

INCRIMINABLE. Attaquable, blâmable, condamnable, contestable, coupable, controversable, controversé, critiquable, damnable, désavouable, discutable, éplucher, errements, répréhensible, réprouvable.

INCRIMINATION. Accusation, attaque, blâme, calomnie, charge, chasse, crime, critique, culpabilisation, dénigrement, diatribe, diffamation, grief, imputation, inculpation, médisance, philippique, plainte, poursuite, reproche, réquisitoire.

INCRIMINER. Accabler, accuser, attaquer, blâmer, dénigrer, responsabiliser, révéler, soupçonner, suspecter, vendre.

INCROYABLE. Ahurissant, effarant, effrayant, effroyable, formidable, impensable, inimaginable, inouï, stupéfiant.

INCROYABLEMENT. Excessivement, extraordinairement, extrêmement, fabuleusement, impayable, prodigieusement.

INCROYANCE. Agnosticisme, apostasie, athéisme, blasphème, désacralisation, doute, froideur, gentilité, hérésie, impiété, incrédulité, indifférence, infidélité, irréligion, libertinage, matérialisme, paganisme, panthéisme, péché, polythéisme, profanation, reniement, sacrilège, scandale, scepticisme.

INCROYANT. Agnostique, aporétique, athée, giaour, impie, incrédule, libertin, mécréant, pyrrhonien, sceptique.

INCRUSTATION. Calcin, dépôt, inlay, marqueterie, nielle, ornement, pétrification, sertissage, tartre.

INCRUSTER. Accrocher, adhérer, agrémenter, buriner, cramponner, damasquiner, déposer, désincruster, entailler, graver, imposer, imprimer, inscrire, insérer, installer, nieller, orner, sculpter, xylographie.

INCUBATEUR. Accouvage, bulle, couveuse, couvoir, éleveuse, incubatrice, poule, poussinière.

INCUBATION. Accouvage, accouveur, aviculture, couvage, couvaison, couveuse, couvoir, maturation, œuf.

INCUBE. Capacité, démon, diable, djinn, don, elfe, éfrit, esprit, farfadet, fée, follet, génie, gnome, harpie, imagination, intelligence, kobold, lutin, lyre, monstre, muse, nain, nature, nixe, ondin, penchant, ondin, sirène, succube, sylphe, talent, troll.

INCUBER. Bichonner, cajoler, câliner, chouchouter, choyer, concocter, couver, couveuse, dorloter, entretenir, fomenter, gâter, incubateur, mignoter, mijoter, mûrir, nourrir, préparer, soigner.

INCULPÉ. Accusé, chargé, coaccusé, coinculpé, coupable, meurtrier, prévenu, réquisitoire, suspect.

INCULPER. Accuser, arguer, charger, culpabiliser, déférer, impliquer, incriminer, intimer, poursuivre.

INCULQUER. Ancrer, apprendre, enseigner, expliquer, imprégner, imprimer, montrer, persuader, transmettre.

INCULTE. Analphabète, aride, avare, brute, désertique, ignare, ignorant, illettré, incapable, inculte, nul, primate.

INCULTURE. Ignorance, illettrisme, impéritie, inaptitude, incapacité, incompétence, innocence, maladresse.

INCURABLE. Condamné, euthanasie, fichu, fini, incorrigible, inguérissable, invétéré, irrémédiable, perdu.

INCURIE. Abandon, abdication, défection, désertion, inattention, laisser-aller, manque, négligence, relâchement.

INCURSION. Agression, attaque, chevauchée, descente, effraction, entrée, envahissement, immixtion, ingérence, intervention, intrusion, invasion, irruption, raid, razzia, visite, voyage.

INCURVATION. Arçonnage, arrondi, bombage, cambrure, cintrage, courbure, ensellure, lordose, scoliose.

INCURVER. Arquer, cambrer, cintrer, couder, courber, fléchir, gauchir, infléchir, plier, ployer, voûter.

INDE. Bleu, campêche, hindou, hindoustan, indigotier, indien, œillet, thug.

INDE FRANÇAISE (n. p.). Chandernagor, Karikal, Mahé, Pondichéry, Yanaon.

INDE PORTUGAISE (n. p.). Daman, Diu, Goa.

INDE, CAPITALE (n. p.). New Delhi.

INDE, LANGUE. Anglais, hindi, tamil, tamoul.

INDE, MONNAIE. Roupie.

INDE, VILLE (n. p.). Agra, Ahmadabac, Ahmadnagar, Ahmedabad, Ajmer, Akola, Aligarh, Allahabad, Amravati, Amritsar, Asansol, Aurangabad, Bangalore, Barddhaman, Bareilly, Belgaum, Bellary, Bénarès, Bhadravati, Bhagalpur, Bhatpara, Bhavnagar, Bhilainagar, Bhopal, Bhubaneswar, Bijapur, Bikaner, Bilaspur, Bombay, Calcutta, Delhi, Dhulia, Diu, Durg, Ellore, Eluru, Erode, Gaya, Goa, Guntur, Ilahabad, Indore, Madras, Mahé, Meerut, Mumbaï, Nellore, New Delhi, Patna, Pune, Salem, Simla, Srinagar, Udaipur, Varanasi.

INDÉCENCE. Grivoiserie, immodestie, impudeur, incongruité, inconvenance, malpropreté, nudité, obscénité.

INDÉCENT. Choquant, cru, défendu, déplacé, honteux, immoral, impudent, impudique, incongru, inconvenant, incorrect, insolent, licencieux, leste, malpropre, malséant, nu, obscène, odieux, prohibé, scabreux.

INDÉCHIFFRABLE. Embrouillé, énigmatique, fruste, grimoire, hiéroglyphe, illisible, impénétrable, incompréhensible, indescriptible, inexplicable, inintelligible, mystérieux, obscur, sibyllin.

INDÉCIS. Ambigu, amorphe, ballant, confus, craintif, douteux, embarrassé, flottant, flou, général, hésitant, incertain, indéterminé, irrésolu, obscur, paumé, perplexe, pompe, suspect, tâtonnant, timide, vague.

INDÉCISION. Ambigu, ambiguïté, confus, confusion, crainte, doute, embarras, énigme, flottement, généralité, hésitation, imprécision, indétermination, irrésolution, obscur, perplexité, scrupule, suspens, vague.

INDÉCOMPOSABLE. Atome, indissociable, indivisible, insécable, irréductible, simple, un, une.

INDÉFECTIBLE. Béat, béatitude, continuel, durable, éternel, imbattable, immortel, immortalisation, indélébile, indissoluble.

INDÉFENDABLE. Déraisonnable, illégitime, impossible, injustifiable, intenable, intolérable, irresponsable.

INDÉFINI. Aucun, autre, chacun, chaque, ciel, confus, des, illimité, immense, imprécis, indécis, indéterminé, infini, je-ne-sais-quoi, monde, nul, on, passé, plusieurs, pronom, rien, tel, tout, un, une, vague.

INDÉFINIMENT. Assidûment, constamment, éternellement, futur, imprescriptible, perdurer, perpétuité.

INDÉFINISSABLE. Anonyme, aucun, autre, confus, embarrassé, énième, flottant, flou, hésitant, imprécis, incertain, inconnu, indécis, indéfini, indéterminé, indistinct, irrésolu, maint, myriade, perplexe, plusieurs, vague.

INDÉHISCENT. Akène, caryopse, fermé, fruit.

INDÉLÉBILE. Éternel, immortel, immuable, impérissable, inaltérable, indestructible, ineffaçable, perpétuel.

INDÉLICAT. Aigrefin, cavalier, cochon, déloyal, déplacé, escroc, grossier, impoli, inconvenant, inélégant, irrégulier, malhonnête, malséant, maquignon, mèche, mufle, pignouf, véreux.

INDÉLICATESSE. Crasse, filouterie, friponnerie, goujaterie, grossièreté, impertinence, impolitesse, inélégance, malhonnêteté, malversation, muflerie, rudesse, sans-gêne, vol.

INDEMNE. Entier, intact, préservé, rescapé, sain et sauf, sauf, sauvé, survivant.

INDEMNISATION. Abnégation, altruisme, charité, compensation, dédommagement, désintéressement, détachement, dévouement, générosité, humanité, philanthropie, renoncement, réparation.

INDEMNISER. Assurance, compenser, contrebalancer, corriger, couvrir, dédommager, égaler, expier, neutraliser, niveler, ouiller, pondérer, racheter, rattraper, réparer.

INDEMNITAIRE. Asthme, attributaire, compensatoire, expiatoire, piaculaire, réparatoire, satisfactoire.

INDEMNITÉ. Allocation, compensation, dédommagement, dommage, émolument, intérêt, paie, paye, prêt, récompense, réparation, salaire, somme, starie, surestaries, théoricon, wergeld.

INDÉMONTRABLE. Aberrant, absurde, illogique, improuvable, incontrôlable, invérifiable, paradoxal, postulat.

INDÉNIABLE. Avéré, aveuglant, certain, démontré, établi, évident, flagrant, formel, frappant, inattaquable, incontestable, indiscutable, indubitable, irrécusable, irréfutable, manifeste, prouvé, reconnu.

INDÉNIABLEMENT. Assurément, catégoriquement, certainement, évidemment, incontestablement, indiscutablement, indubitablement, irréfutablement, manifestement, péremptoirement, véritablement.

INDÉNOMBRABLE. Avantageux, chérissable, considérable, illimité, immense, inappréciable, incalculable, inestimable, inévaluable, infini, insondable, introuvable, irremplaçable, précieux, rare, utile.

INDENTATION. Coupure, créneau, crénelure, décoration, découpure, dent, dentelure, échancrure, encoche, encochement, entaille, faille, feston, incisure, morfil, motif, ouverture, sinuosité.

INDÉPENDANCE. Autonomie, désobéissance, émancipation, indiscipline, individualisme, indocilité, insoumission, liberté, sécession, servitude, souveraineté.

INDÉPENDANT. Absolu, autonome, free-lance, laïc, libre, outre, principauté, sage, souverain.

INDÉPENDANTISTE (n. p.). Bourgault, FLNQ, FLNQS, FLQ, Kanaky, Lévesque.

INDÉPENDANTISTE. Autonomiste, dissident, nationaliste, régionaliste, scissionniste, sécessionniste, séparatiste.

INDÉRACINABLE. Ancré, chronique, constant, continuel, durable, endémique, enraciné, établi, éternel, gravé, immuable, implanté, inaltérable, indéfectible, invariable, pérennisar, permanent, perpétuel, persistant, stable, tenace.

INDESCRIPTIBLE. Embrouillé, énigmatique, grimoire, illisible, impénétrable, incompréhensible, indéchiffrable, ineffable, inexplicable, inintelligible, inracontable, mystérieux, obscur, sibyllin.

INDÉSIRABLE. Agaçant, aléa, embêtant, fâcheux, gêneur, importun, intrus, videur, xénélasie.

INDESTRUCTIBLE. Éternel, immuable, impérissable, inaltérable, incassable, increvable, indéfectible, indicible, indissoluble, infrangible, inusable, invulnérable, irréductible, résistant, robuste, solide.

INDÉTECTABLE. Aïe, auditif, audition, branchie, brouillé, déplaisant, écoute, entendre, esse, imperceptible, inarticulé, inaudible, inécoutable, inentendable, opercule, oreille, ouïe, ouille, oyant, sens, sourd, surdité.

INDÉTERMINABLE. Amorphe, brouillé, confus, flou, frange, imprécis, inarticulé, incertain, incolore, inconsistant, indécis, indéfini, indéfinissable, indistinct, inintelligible, obscur, trouble, vague, vaporeux.

INDÉTERMINATION. Aléatoire, doute, incertitude, indécision, irrésolution, résolution, scrupule.

INDÉTERMINÉ. Anonyme, aucun, autre, confus, embarrassé, énième, flottant, flou, hésitant, imprécis, incertain, inconnu, indécis, indéfini, indéfinissable, indistinct, irrésolu, maint, myriade, perplexe, plusieurs, vague.

INDEX. Bague, catalogue, curseur, dé, doigt, indice, inventaire, liste, matière, mot-clef, repère, table.

INDEXAGE. Archivage, arrangement, catalogage, classement, indexation, ordre, rangement, répartition.

INDEXATION. Adoption, archivage, catalogage, choix, classement, criblage, décision, désignation, discernement, élimination, enlevé, index, ordre, présélection, tamiser, tri, triage, volet.

INDEXER. Acclimater, admettre, amener, coucher, couler, désorganiser, engager, ensemencer, entrer, envahir, fourrer, glisser, immiscer, ingérer, innover, insérer, insuffler, intercaler, introduire, loger, mêler, mettre, passer, pénétrer, placer, rentrer, taper, verser.

INDICATEUR. Badin, bourse, brochure, chiffre, cinémomètre, clignotant, correction, date, délateur, directive, donneur, espion, exit, guide, index, indic, jalon, jauge, livre, mouton, mouchard, opus, tournesol.

INDICATIF. Annonce, avis, bluff, boniment, ceci, claironner, communication, communiqué, déclaration, enchère, glas, hallali, héraut, indice, message, messager, notification, nouvelle, prélude, présage, prophétie, prône, pronostic, publication, réclame, révéler, signal, signe, sirène, tinter.

INDICATION. Adagio, andante, avis, directive, exit, index, information, marque, mention, note, notice, opus, pense-bête, point, posologie, référence, renvoi, rubrique, signe, suggestion, tuyau.

INDICE. Annonce, bosse, charge, cote, enseigne, espion, index, marque, menace, octane, œil, piste, pondération, présage, preuve, rapport, rating, renseignement, repère, reste, signe, symptôme, trace, trait, voie.

INDICIBLE. Extraordinaire, indescriptible, ineffable, inexorable, inexprimable, inouï, intraduisible.

INDICTION. Ajournement, appel, assignation, attribution, avertissement, citation, convocation, doter, intimation, invitation, justice, mobilisation, placet, réassignation, rescription, semonce, situer, sommation.

INDIEN. Amérindien, autochtone, hindou, indigène, indigotier, manitou, matelot, peau-rouge, sachem, totem, yoga, yogi.

INDIEN AMAZONIE (n. p.). Jivaro.

INDIEN ARGENTINE (n. p.). Incas.

INDIEN BOLIVIE (n. p.). Aymara, Chiquitos, Incas.

INDIEN BRÉSIL (n. p.). Bororo.

INDIEN CANADA (n. p.). Abénaquis, Agnier, Algonquin, Apache, Cri, Etchemin, Goyogouin, Huron, Iroquois, Malécite, Micmac, Mohawk, Onneyout, Onnontagué, Outagami, Outaouais, Sioux, Souriquois, Tsonnontouan.

INDIEN CHILI (n. p.). Incas.

INDIEN ÉQUATEUR (n. p.). Incas.

INDIEN ÉTATS-UNIS (n. p.). Acolaopissas, Apache, Atakapas, Catawbas, Cherokee, Cheyenne, Chinook, Chitimachas, Choctaw, Comanche, Creek, Hidatsas, Illinois, Mandan, Mohawk, Navaho, Navajo, Nez Percé, Paiute, Pawnee, Pieds-Noirs, Pomo, Séminole, Seneca, Shoshone, Sioux, Tête-Plate.

INDIEN DU NICARAGUA (Mosquitos.

INDIEN NOUVEAU-MEXIQUE (n. p.). Chickasaw, Choctaw, Hopis, Mimbre, Mohave, Natchez, Pueblos, Yumas.

INDIEN PÉROU (n. p.). Aymara, Incas.

INDIFFÉRENCE. Alors, apathie, athymie, bah, bof, curiosité, dégoût, désintérêt, détachement, flegme, heu, impartialité, incuriosité, indolence, insouciance, légèreté, mépris, satiété, tiédasse, tièdement, zut.

INDIFFÉRENT. Apathie, atonie, blasé, calme, curieux, désintéressé, désinvolte, détaché, distant, égal, égoïste, froid, indolence, inertie, insensibilité, insouciant, marasme, mou, neutre, nonchalance, passif, sec, sourd, tiède.

INDIGENCE. Besoin, dénuement, manque, misère, nécessité, paupérisme, pauvreté, pénurie.

INDIGÈNE. Aborigène, amérindien, autochtone, barbare, habitant, indien, local, natif, naturel, originaire, réserve, spahi.

INDIGÈNE D'AMAZONIE (n. p.). Jivaro.

INDIGÈNE DE BOLIVIE (n. p.). Aymara.

INDIGÈNE DE LA NOUVELLE-ZÉLANDE (n. p.). Maoris.

INDIGÈNE DES ÉTATS-UNIS (n. p.). Acolaopissas, Apache, Atakapas, Catawbas, Cherokee, Cheyenne, Chinook, Chitimachas, Choctaw, Comanche, Creek, Hidatsas, Illinois, Mandan, Mohawk, Navaho, Navajo, Nez Percé, Paiute, Pawnee, Pieds-Noirs, Pomo, Séminole, Seneca, Shoshone, Sioux, Tête-Plate.

INDIGÈNE DU BRÉSIL (n. p.). Bororo.

INDIGÈNE DU CANADA (n. p.). Abénaquis, Agnier, Algonquin, Apache, Cri, Etchemin, Goyogouin, Huron, Iroquois, Malécite, Micmac, Mohawk, Onneyout, Onnontagué, Outagami, Outaouais, Sioux, Souriquois, Tsonnontouan.

INDIGÈNE DU NOUVEAU-MEXIQUE (n. p.). Chickasaw, Choctaw, Hopis, Mimbre, Mohave, Natchez, Pueblos, Yumas.

INDIGÈNE DU PÉROU (n. p.). Aymara, Incas.

INDIGENT. Démuni, gueux, malheureux, mendiant, misérable, miséreux, nécessiteux, paumé, pauvre.

INDIGESTE. Assimilable, confus, cru, difficile, embrouillé, ennuyeux, inassimilable, lourd, pesant.

INDIGESTION. Alourdissement, appesantissement, ballast, charge, engourdissement, épaisseur, fardeau, lenteur, lest, lourdeur, maladresse, masse, paresse, pesamment, pesanteur, poids, rusticité, somme, surcharge.

INDIGNATION. Colère, exclamation, haro, ho, mépris, merde, odieux, oh, quel, révolte, scandale.

INDIGNÉ. Excessif, fort, horrifié, immodéré, insolent, irrité, offensé, outré, révolté, scandalisé, stupéfait, suffoqué.

INDIGNE. Abominable, bas, écœurant, enrageant, insultant, lâche, odieux, outrageant, outré, révoltant, trivial.

INDIGNEMENT. Avilissement, bassement, complaisamment, craintivement, frileusement, grossièrement, honteusement, lâchement, obséquieusement, platement, servilement, peureusement, timidement, vilement.

INDIGNER. Écœurer, enrager, exaspérer, hérisser, insulter, irriter, outrer, récrier, révolter, scandaliser, tétaniser, vexer.

INDIGNITÉ. Abjection, bassesse, déshonneur, honte, ignominie, infamie, noirceur, offense.

INDIGO. Aniline, bagasse, bleu, céruléen, céruline, colorant, florée, inde, indican, indol, papilionacée, pastel.

INDIGOTIER (n. p.). Inde.

INDIGOTIER. Arbrisseau, bleu, bolet, campêche, hindou, hindoustan, indien, indigotine, œillet.

INDIQUÉ. Adéquat, approprié, conseillé, convenable, expédient, marqué, opportun, propice, recommandé, tendanciel.

INDIQUER. Accuser, assigner, baliser, commander, congédier, définir, dénoter, désigner, déterminer, dire, donner, enseigner, fixer, guider, marquer, montrer, noter, signaler, signifier, sourcer, tracer, voilà.

INDIRECT. Allégorique, allusif, biais, collatéral, détourné, implicite, insinuant, latéral, médiat, oblique, ricochet, voilé.

INDIRECTEMENT. Amorti, assaut, bond, boom, cabriole, contrecoup, culture, demi-volée, enjambée, entrechat, furet, gambade, hausse, lift, rebond, rebondissement, retour, ricochet, saltation, saut.

INDISCERNABLE. Équivalent, identique, imperceptible, insaisissable, invisible, pareil, semblable.

INDISCIPLINE. Désobéissance, dissipation, horde, indocilité, insoumission, insubordination.

INDISCRET. Curieux, envahissant, espion, fouinard, fouine, hardi, importun, inquisiteur, intrus, mémère, rusé.

INDISCRÉTION. Bavardage, cancan, commérage, curiosité, dérangement, fuite, hardiesse, immixtion, importunité, inconvenance, ingérence, intrusion, mémérage, obsession, racontar, révélation, tripatouiller.

INDISCUTABLE. Certain, constant, évident, indubitable, formel, manifeste, réel, sûr, visible.

INDISCUTABLEMENT. Assurément, catégoriquement, certainement, évidemment, incontestablement, indéniablement, indubitablement, irréfutablement, manifestement, péremptoirement, véritablement.

INDISCUTÉ. Accepté, agréé, approuvé, avéré, avoué, certifié, connu, constat, convention, examen, fondé, légitimé, licencié, nié, notoire, officiel, patenté, public, récognitif, reconnu, représentatif, trouvé, vrai.

INDISPENSABLE. Besoin, capital, eau, essentiel, important, nécessaire, primordial, utile, vital.

INDISPONIBLE. Absent, absorbé, accablé, accaparé, actif, affairé, assujetti, chargé, démobilisé, désoccupé, écrasé, empêché, employé, engagé, malade, occupé, pris, réformé, squatté, tenu, vétéran.

INDISPOSÉ. Chétif, choqué, contrarié, fatigué, incommodé, intimidé, malade, patraque, souffrant.

INDISPOSER. Choquer, contrarier, déplaire, fâcher, gêner, malade, mécontenter, offusquer, vexer.

INDISPOSITION. Dérangement, indigestion, maladie, malaise, prodrome, refroidissement.

INDISSOCIABLE. Associé, conjoint, indécollable, indivisible, inhérent, insécable, inséparable.

INDISSOLUBLE. Éternel, immuable, impérissable, indéfectible, indestructible, infrangible.

INDISTINCT. Amorphe, brouillé, confus, flou, frange, imprécis, inarticulé, incertain, incolore, inconsistant, indécis, indéfini, indéfinissable, indéterminable, inintelligible, nébuleux, obscur, trouble, vague, vaporeux.

INDISTINCTEMENT. Abstraitement, confusément, évasivement, imprécisé ment, obscurément, pêle-mêle, vaguement.

INDISTINCTION. Brouillard, confusion, indifférence, obscurité.

INDIUM. In.

INDIVIDU (2 lettres). As, gus, mec, on.

INDIVIDU (3 lettres). Âme, ami, âne, cave, ego, gus, mec, moi, mou, nul, oie, pie, qui, vif, vip, zig.

INDIVIDU (4 lettres). Ange, buse, cave, coco, diva, dupe, être, gale, gens, gogo, hère, hôte, juge, lope, mage, même, noix, ogre, oint, ours, ovni, pair, raté, reçu, rôle, scie, serf, tête, type, zani, zéro.

INDIVIDU (5 lettres). Allié, amant, ânier, autre, baron, brute, clown, crack, démon, élève, émule, évadé, extra, filou, fléau, flirt, garde, géant, gonze, grand, héros, homme, huron, idole, ladre, larve, luron, minus, momie, monde, nabot, nègre, otage, parti, pendu, perle, phare, plouc, poire, ruine, sbire, serve, sosie, tiers, titan, ultra, unité, untel, voyou, zèbre, zigue.

INDIVIDU (6 lettres). Adepte, adulte, agrégé, ancien, arrivé, ascète, asiate, Aubain, bohème, cheval, cireur, client, coquin, crétin, crieur, cruche, dandin, député, détenu, diable, dîneur, dragon, drille, énigme, ennemi, enrôlé, ermite, escroc, espion, fidèle, forban, fripon, glaçon, fretin, gigolo, gredin, gusse, intrus, laceur, lascar, leader, légume, limace, logeur, lugueur, machin, maître, mécène, médium, membre, meneur, mignon, mortel, mouton, noceur, numéro, oracle, ordure, pantin, patate, pataud, pédant, perche, piéton, piorne, pilier, pingre, poison, poseur, protée, quidam, raseur, recrue, renard, ribaud, rieuse, rôdeur, roquet, salaud, semeur, statue, tocard, torero, toxico, trésor, tuteur, vacher, vaincu, vassal, videur, vipère, viveur, volcan, voyeur, zigoto.

INDIVIDU (7 lettres). Adjoint, ancêtre, arbitre, artiste, asperge, associé, attaché, boiteux, brigand, canneur, cannier, cariste, causeur, chameau, charlot, citadin, citoyen, contact, crapule, détenue, échalas, échappé, économe, élément, escarpe, esthète, exemple, faiseur, fantoche, fauteur, fonceur, fumiste, fusible, glaneur, gourmet, gugusse, guignol, inculpé, lâcheur, lavette, lauréat, lécheur, lève-tôt, liftier, loustic, macaque, mazette, météore, meunier, mocheté, moineau, négrier, notable, nouille, nullité, ogresse, orateur, orfèvre, ouvrier, passeur, patient, peintre, penseur, pète-sec, pierrot, pignouf, porcher, preneur, préposé, prévenu, protégé, remueur, renégat, rentier, rhéteur, routard, sagouin, sangsue, serpent, soldeur, sommité, sorcier, soudard, spectre, starter, tartufe, thésard, toquard, vampire, vandale, vaurien, vermine, vétéran, victime, vis-à-vis.

INDIVIDU (8 lettres). Alter apiéceur, apnéiste, ego, apprenti, assassin, bien-aimé, blaireau, bonhomme, canaille, candidat, carpette, chaperon, choriste, claqueur, cloporte, confrère, conquête, créature, critique, croulant, délateur, dresseur, écailler, écervelé, échalote, échanson, échotier, égorgeur, électeur, élégante, émetteur, émeutier, emplâtre, étranger, étudiant, fantoche, frondeur, gueulard, habitant, hérisson, histrion, hôtelier, illuminé, individu, lèche-cul, loucheur, manucure, mécréant, mêle-tout, mendiant, miséreux, moniteur, moricaud, oiseleur, olibrius, opticien, ostrogot, parasite, personne, plaideur, pleurant, porc-épic, receleur, receveur, réviseur, saligaud, salopard, sans-gêne, seigneur, sinisant, soiffard, sophiste, souillon, squatter, tâcheron, tartuffe, tatoueur, touriste, traînard, trublion, turfiste, vigneron.

INDIVIDU (9 lettres). Accordeur, agitateur, andouille, annonceur, arriviste, bourgeois, bourrique, brise-tout, chochotte, choéphore, confident, défendeur, dénicheur, émissaire, endormeur, éveilleur, exécutant, garnement, girouette, hors-la-loi, impétrant, jeune-turc, locataire, machiavel, malfaiteur, mauviette, nautonier, négociant, numismate, orienteur, ostrogoth, pataugeur, pédagogue, pestiféré, phénomène, praticien, prédateur, ravaudeur, rédacteur, semainier, serrurier, souffleur, souteneur, supplicié, supporter, tacticien, tenancier, trucmuche, vivandier.

INDIVIDU (10 lettres). Amphitryon, anachorète, apiculteur, archiviste, aventurier, camarilla, cleptomane, concitoyen, délinquant, échangiste, énergumène, épistolier, escogriffe, étalagiste, fine mouche, gagne-petit, hurluberlu, iconolâtre, libérateur, lieutenant, malfaiteur, moutardier, orpailleur, paillasson, partenaire, personnage, plaisantin, repoussoir, robinetier, sauterelle, secrétaire, signataire, tartempion, thérapeute, toxicomane, typographe, usurpateur.

INDIVIDU (11 lettres). Calligraphe, caractériel, chorégraphe, cofondateur, compatriote, compilateur, lèche-bottes, marionnette, naturaliste, observateur, particulier, point de mire, propre-à-rien, récidiviste, thaumaturge, unijambiste, viticulteur.

INDIVIDU (12 lettres). Aquarelliste, attributaire, bourlingueur, boute-en-train, chiromancien, conférencier, conservateur, consommateur, croisiériste, gestionnaire, malentendant, palefrenier, personnalité, philanthrope, porte-drapeau, prédécesseur, prescripteur, propriétaire, tortionnaire, trompe-la-mort, vivificateur.

INDIVIDU (13 lettres). Accordéoniste, diététicienne, globetrotteur, personnaliser, poule mouillée.

INDIVIDU (14 lettres). Monopolisateur, sainte-nitouche, tripatouilleur.

INDIVIDU (15 lettres). Phytothérapeute.

INDIVIDU (16 lettres). Laissé-pour-compte.

INDIVIDUALISER. Cantonner, caractériser, cerner, cibler, confiner, décrire, définir, délimiter, désigner, déterminer, différencier, établir, fixer, marquer, moralité, particulariser, qualifier, spécialiser, spécifier.

INDIVIDUALISME. Égocentrisme, égoïsme, égotisme, indépendance, narcissisme, non-conformisme.

INDIVIDUALISTE (n. p.). London, Szasz.

INDIVIDUALISTE. Autistique, déréel, égocentriste, égoïste, indifférent, introverti, narcissiste, nombriliste, perso.

INDIVIDUALITÉ. Ego, entité, ipséité, moi, originalité, personnalité, personne, psyché, simplicité.

INDIVIDUEL. Attitré, exclusif, distinct, isolé, particulier, personnel, prouvé, propre, réservé, spécifique.

INDIVIDUELLEMENT. Intimement, isolément, nominativement, particulièrement, personnellement, soi-même.

INDIVIS. Colicitant, commun, copropriétaire, enchère, licitation, partage, quirat, ségrairie.

INDIVISIBLE. Atome, indécomposable, indissociable, insécable, irréductible, simple, un, une.

INDIVISION. Accident, adhésion, adjonction, affiliation, appartenance, dépendance, domaine, gemme, inclusion, indivis, insertion, internationalisation, lacune, lunure, particule, possession, propriété, pinocytose.

INDOCILE. Difficile, dissipé, entêté, insoumis, rebelle, récalcitrant, rétif, revêche, têtu, vilain.

INDOCILITÉ. Affront, autonomie, désobéissance, émancipation, indépendance, indiscipline, individualisme, insoumission, insubordination, liberté, manquement, refus, résistance, sécession, servitude, violation.

INDOLENCE. Ânerie, apathie, atermoiement, atonie, bêtise, connerie, hésitation, idiotie, imbécillité, ineptie, inertie, inintelligence, insanité, léthargie, mollesse, niaiserie, paresse, sottise, stupidité, tergiversation.

INDOLENT. Amorphe, apathique, atone, avachi, cagnard, empaillé, endormi, inactif, indifférent, inerte, insensible, languissant, léthargique, mollasse, mou, nonchalant, nouille, oisif, paresseux.

INDOMPTABLE. Désobéissant, difficile, fier, fort, indocile, inflexible, invincible, irréductible.

INDONÉSIE, CAPITALE (n. p.). Jakarta.

INDONÉSIE, LANGUE. Bahasa, javanais, malais.

INDONÉSIE, MONNAIE. Roupie.

INDONÉSIE, VILLE (n. p.). Amboine, Balikpapan, Bandoeng, Bandung, Banjermassin, Bogor, Garout, Jakarta, Kediri, Madiun, Madras, Madura, Malang, Medan, Pati, Samarang, Solo, Tegal, Turen.

INDRE, VILLE (n. p.). Ajmer, Ambraut, Argenton, Batavia, Chabris, Chateauroux, Issoudun, Levroux, Révilly, Valency, Vatan.

INDRE-ET-LOIRE, VILLE (n. p.). Amboise, Blère, Bourgueil, Chenonceaux, Chinon, Ligueil, Loches, Montrésor, Richelieu, Rille, Tours, Ussé, Villandry, Vouvray.

INDRI. Aye-aye, cheiromys, hapalémur, lémurien, maki, mammifère, potto, primate, prosimien, singe.

INDU. Abusif, dû, heure, illégitime, inconvenant, infondé, inhabituel, injuste, injustifié, tardif.

INDUBITABLE. Assuré, certain, certitude, clair, formel, irrécusable, manifeste, reconnu, réel, sûr.

INDUBITABLEMENT. Assurément, certainement, évidemment, incontestablement, indéniablement, indiscutablement, manifestement.

INDUCTEUR. Aimant, circuit, corps, cryoalternateur, départ, électro-aimant, excitateur, fil, flux, molécule.

INDUCTION. Abrégé, argument, axiome, conclusion, démonstration, dilemme, enthymème, épichérème, exemple, exposé, logique, matière, objection, prémisse, preuve, prologue, proposition, raison, raisonnement, récurrence, réserve, rhétorique, sommaire, sophisme, sorite, syllogisme, synopsis, tesla, thèse.

INDUIRE. Abuser, amener, amuser, aveugler, blouser, conduire, égarer, enjôler, entraîner, établir, leurrer, mener, occasionner, produire, séduire, tromper.

INDUIT. Apanage, attribution, avantage, bénéfice, caste, concession, courant, dispense, droit, exemption, faculté, faveur, honneur, immunité, licence, monopole, passe-droit, prérogative, privilège, résultant.

INDULGENCE. Bonté, charité, faute, faveur, gâterie, générosité, jubilé, laxisme, mansuétude, mérite, tolérance.

INDULGENT. Affectueux, bienveillant, bon, clément, commode, complaisant, coulant, favorable, tolérant.

INDÛMENT. Abusivement, faussement, erronément, exagérément, excessivement, illégitimement, immodérément, improprement, incorrectement, injustement, large, mal, psychiatrisé, vicieusement.

INDURATION. Abcès, chalazion, durcissement, grosseur, kyste, sclérose, tanne, tumeur, ulcère.

INDUSTRIE. Atelier, beurrerie, brasserie, chamoiserie, chevalier, distillerie, édition, fabrique, firme, habileté, métier, mode, ouaterie, peausserie, production, sacherie, sellerie, sériciculture, sucrerie, tannerie, tôlerie, tuilerie, usine, vannerie, verrerie.

INDUSTRIEL. Entrepreneur, étameur, fabricant, financier, huilier, lainier, manufacturier, tanneur, usinier, verrier.

INDUSTRIEL ALLEMAND (n. p.). Abbe, Ackermann, Benz, Bosch, Heinkel, Hugenberg, Junkers, Linde, Rathenau, Zeppelin.

INDUSTRIEL AMÉRICAIN (n. p.). Burroughs, Carnegie, Chevrolet, Drake, Eastman, Field, Ford, Galbraith, Gates, Getty, Guggenheim, Kaiser, Loewy, McCormick, Morgan, Pullman, Remington, Stevens.

INDUSTRIEL ANGLAIS (n. p.). Whitehead.

INDUSTRIEL BELGE (n. p.). Cockrill, Solvay.

INDUSTRIEL BRITANNIQUE (n. p.). Arkwright, Armstrong, Bessemer, Bramah, Wedgwood, Whiteworth, Wilkinson.

INDUSTRIEL CANADIEN (n. p.). Bombardier, Miron, Simard.

INDUSTRIEL FRANÇAIS (n. p.). Appert, Berliet, Bich, Bloch, Boussiron, Breguet, Cailletet, Christofle, Citroën, Claude, Darracq, Dassault, Delage, Delahaye, Delessert, Dion, Ducretet, Fabre, Gaumont, Hirn, Kuhmann, Levassor, Martin, Moreno, Oberkampf, Pathé, Peugeot, Potez, Renault, Richard, Richard-Lenoir, Schlumberger, Schneider, Serpolet.

INDUSTRIEL INDIEN (n. p.). Tata.

INDUSTRIEL ITALIEN (n. p.). Bugati, Sottsass.

INDUSTRIEL QUÉBÉCOIS (n. p.). Bombardier.

INDUSTRIEL RUSSE (n. p.). Demidof, Demidov.

INDUSTRIEL SUÉDOIS (n. p.). Lundström, Nobel.

INDUSTRIEL TCHÈQUE (n. p.). Bat'a.

INDUSTRIEUX. Actif, adroit, bon, brillant, capable, chevronné, compétent, dynamique, habile, qualifié.

INÉBRANLABLE. Constant, dur, ferme, flegmatique, fixe, fondé, immuable, impassible, impavide, imperturbable, indéfectible, indestructible, inflexible, opiniâtre, robuste, solide, stoïcien, stoïque, tenace.

INÉBRANLABLEMENT. Benoîtement, calmement, doucement, flegmatiquement, froidement, impassiblement, imperturbablement, paisiblement, patiemment, placidement, posément, sereinement, tranquillement.

INÉDIT. Anecdote, création, frais, neuf, nouveau, nouvel, original, prototype, rare, singulier, texte.

INEFFABLE. Impayable, indescriptible, indicible, inénarrable, inexprimable, inracontable, intraduisible, sublime.

INEFFAÇABLE. Durable, impérissable, imputrescible, inaltérable, indélébile, indestructible, inoubliable, vivace.

INEFFICACE. Impuissant, inactif, incapable, inopérant, inutile, pipeau, stérile, vain, vanité.

INEFFICACITÉ. Caducité, cafouillage, négativité, incapacité, inutilité, nullité, stérilité, vanité.

INÉGAL. Abrupt, accidenté, âpre, bosselé, brut, calleux, capricieux, changeant, délicat, déséquilibré, disproportionné, fantasque, hérissé, injuste, instable, irrégulier, montueux, raboteux, ridé, rude, rugueux, scalène, variable, versatile.

INÉGALABLE. Champion, différence, disparité, incomparable, inimitable, nonpareil, raboteux, rude, unique.

INÉGALITÉ. Accident, aspérité, asymétrie, bosse, différence, disparité, éminence, évection, gonflement, grain, grigne, inéquation, monticule, oscillation, relief, renflement, ressaut, saillie, saute, variation.

INÉLÉGANT. Balourd, commun, discourtois, disgracieux, inconvenant, incorrect, indélicat, lourdaud, vulgaire.

INÉLUCTABLE. Inévitable, fatal, fatidique, forcé, implacable, inévitable, nécessaire, obligatoire.

INEMPLOI. Chômage, demandeur, désœuvrement, farniente, inaction, inactivité, inertie, inutile, passivité.

INÉNARRABLE. Bizarre, comique, impayable, indescriptible, indicible, ineffable, inexprimable, inracontable, intraduisible, sublime.

INEPTE. Abruti, absurde, apathique, atone, bête, borné, con, crétin, cruche, fat, hésitant, idiot, incohérent, indolent, inintelligent, insane, insensé, léthargique, mou, niais, paresseux, simple, sot, stupide, tergiversant.

INEPTIE. Ânerie, apathie, atermoiement, atonie, bêtise, connerie, hésitation, idiotie, imbécillité, indolence, inintelligence, insanité, léthargie, mollesse, niaiserie, paresse, sottise, stupidité, tergiversation.

INÉPUISABLE. Abondant, débordant, disponible, infatigable, infini, inlassable, intarissable, prolifique.

INÉQUATION. Accident, aspérité, asymétrie, bosse, différence, disparité, éminence, évection, gonflement, grain, grigne, inégalité, monticule, oscillation, renflement, ressaut, saillie, saute, variation.

INÉQUITABLE. Abusif, arbitraire, attentatoire, illégitime, indu, inique, injuste, léonin, oppressif, partial.

INERTE. Apathique, atone, empaillé, éteint, immobile, inactif, inanimé, inconscient, indolent, passif.

INERTIE. Apathie, atonie, catatonie, engourdissement, faiblesse, flamme, flemme, hibernation, inactif, indolence, jet, léthargie, manque, masse, mollesse, paralysie, paresse, passivité, sommeil, stagnation, stupéfiant, utérine.

INESPÉRÉ. Chance, accidentel, aléa, attend, brusque, étonnant, fortuit, hasard, imprévu, inattendu, inopiné, soudain, subit, surprise.

INESTHÉTIQUE. Abominable, affreux, atroce, déplaisant, désagréable, détestable, disgracieux, hideux, horrible, inharmonieux, laid, moche, monstrueux, repoussant, vilain.

INESTIMABLE. Avantageux, chérissable, considérable, illimité, immense, inappréciable, incalculable, indénombrable, inévaluable, infini, insondable, introuvable, irremplaçable, précieux, rare, utile.

INÉVITABLE. Assuré, fatal, fatidique, forcé, immanquable, imparable, incontournable, inéluctable, inexorable, infaillible, irrévocable, logique, mort, nécessaire, obligatoire, obligé.

INÉVITABLEMENT. Absolument, fatalement, fatidiquement, forcément, immanquablement, impérativement, infailliblement, mathématiquement, nécessairement, obligatoirement, sûrement.

INEXACT. Artificiel, douteux, erroné, factice, fallacieux, faux, irréel, postiche, prétendu, surfait, surréaliste, trompeur.

INEXACTEMENT. Approximativement, artificiellement, à tort, diplomatiquement, erronément, fabuleusement, faussement, fautivement, illicitement, improprement, incorrectement, injustement, mal, prétendument, tort, vicieusement.

INEXACTITUDE. Écart, erreur, fausseté, faute, hypocrisie, illogisme, imperfection, mensonge.

INEXCUSABLE. Imaginaire, imparable, impardonnable, inacceptable, injustifiable, irréalisable.

INEXISTANT. Effacé, fantôme, faux, fictif, futur, imaginaire, inventé, négligeable, non-aveu, non-être, nul, zéro.

INEXISTENCE. Désert, futilité, inanité, irréalité, néant, non-sens, nullité, rien, vacuité, vacuum, vide, zéro.

INEXORABLE. Assuré, certain, cruel, dur, fatal, immanquable, imparable, impitoyable, implacable, indicible, inéluctable, inévitable, inflexible, inhumain, intraitable, nécessaire, obligatoire, rigoureux, sourd.

INEXPÉRIENCE. Connaissance, gaucherie, ignorance, ingénuité, maladresse, méconnaissance, naïveté, nouveauté.

INEXPÉRIMENTÉ. Apprenti, béjaune, béotien, bleu, cancre, commençant, crédule, crétin, débutant, gauche, ignare, ignorant, inexercé, inexpert, inhabile, jeune, naïf, neuf, nouveau, novice, nul.

INEXPERT. Débutant, faute, gaffe, gaucherie, impéritie, inaptitude, inhabilité, maladresse, néophyte, stupidité.

INEXPLICABLE. Cabalistique, caché, cryptique, déconcertant, énigmatique, étrange, impénétrable, incompréhensible, indéchiffrable, miracle, mystérieux, mystique, obscur, paranormal, singulier.

INEXPLIQUÉ. Discrétion, énigmatique, étrange, inavoué, inconnu, miracle, mystère, mystérieux, secret.

INEXPLORÉ. Créé, débutant, ennéade, inconnu, inédit, moderne, néophyte, neuf, original, pur, vierge.

INEXPRESSIF. Atone, éteint, fade, fermé, figé, froid, hermétique, impassible, incolore, inerte, insipide.

INEXPRIMABLE. Extraordinaire, indescriptible, indicible, ineffable, inénarrable, intraduisible.

INEXPRIMÉ. Implicite, informulé, latent, muet, sous-entendu, tacite.

INEXTRICABLE. Bourbier, dédaléen, embrouillé, emmêlé, enchevêtré, guêpier, énigmatique, imbroglio, impénétrable, incompréhensible, indébrouillable, inintelligible, maquis, mélasse, mystérieux, obscur, ténébreux.

INFAILLIBILITÉ. Absolu, assurance, augure, autorité, axiome, certitude, clarté, conviction, croyance, doctrine, dogme, espérance, évangile, évidence, fermeté, foi, mystère, opinion, oracle, sûreté, véridiction, vérité.

INFAILLIBLE. Assuré, certain, dogme, foi, immanquable, inévitable, oracle, pape, sésame, sûr.

INFAILLIBLEMENT. Fatalement, forcément, immanquablement, inéluctablement, inévitablement, nécessairement, obligatoirement, sûrement.

INFAISABLE. Absurde, erroné, faux, imparable, impénétrable, impondérable, impossible, impraticable, inclassable, inexécutable, insensé, insoluble, introuvable, irréalisable, mystère, ridicule, saugrenu, vain.

INFAMANT. Abject, avilissant, bas, complaisant, dégradant, déshonorant, honteux, humilité, ignominieux, indigne, laquais, peine, plat, rampant, réprobation, réputation, serf, servile, soumis, souple, vil.

INFÂME. Avili, drôle, fameux, glorieux, honorable, illustre, impur, insigne, paria, renommé, sale, vil.

INFAMIE. Abjection, bassesse, crime, honte, ignominie, opprobre, peine, scandale, stupre, turpitude.

INFANTERIE. Arme, biffe, cohorte, compagnie, fantassin, piétaille, tabor, troupe, vélite, zouave.

INFANTICIDE. Altruicide, autruicide, assassina, coupe-jarret, criminel, éventreur, fratricide, homicide, matricide, meurtre, meurtrier, patricide, provocant, régicide, séide, sicaire, tueur.

INFANTILE. Acrodynie, bébête, dérisoire, enfant, enfantillage, enfantin, frivole, futile, gamin, gaminerie, immature, infantiliser, infantilisme, inutile, naïf, neutre, pédiatrie, puéril, puérilité, stérile, vain.

INFANTILISME. Anurie, apnée, arrestation, arrêt, assez, butée, caravane, cessez, cran, délai, escale, étape, frein, gaminerie, gel, halte, hémostase, immaturité, ischémie, panne, parade, pause, puérilisme, puérilité, rémission, répit, repos, souffrance, stase, station, stop, syncope, trêve.

INFARCTUS. Cœur, coronaire, coronarien, engorgement, lésion, myocarde, myocardie, myocardite, nécrose.

INFATIGABLE. Endurci, increvable, inlassable, inassouvi, increvable, inlassable, résistant.

INFATUATION. Affectation, complaisance, crânerie, défaut, enflure, fat, fatuité, fier, fierté, gloire, gloriole, importance, inanité, jactance, orgueil, ostentation, présomption, prétention, snobisme, suffisance, vain, vanité.

INFATUÉ. Arrogant, complaisant, docte, entiché, fat, imbu, inspiré, mégalomane, orgueilleux, outrecuidant, pédant, pétri, plein, prétentieux, satisfait, suffisant, vain, vaniteux, vantard.

INFÉCOND. Aride, désertique, improductif, impuissant, infertile, infructueux, pauvre, stérile, vain.

INFÉCONDITÉ. Aridité, improductivité, impuissance, inefficacité, infertilité, inutilité, stérilité, vanité.

INFECT. Abject, cloaque, crasseux, dégoûtant, dégueulasse, écœurant, fétide, ignoble, immonde, infâme, innommable, mauvais, nauséabond, odieux, pestilentiel, puant, putride, repoussant, répugnant, révoltant.

INFECTER. Abîmer, contagionner, contaminer, corrompre, empester, empoisonner, empuantir, envenimer, gangrener, gâter, infestueux, intoxiquer, irriter, méphisiser, provoquer, puer, ravager, remplir, septique.

INFECTUEUX. Communicable, communicatif, contagieux, épidémique, contagiosité, héréditaire, transmissible.

INFECTION. Altération, amibiase, contagion, contamination, corruption, échinococcose, ecthyma, érésipèle, érysipèle, fétidité, furoncle, gangrène, impétigo, invasion, lèpre, malodorant, mycose, nosocomial, oreillon, ornithose, ostéomyélite, panaris, pasteurellose, peste, pestilence, pneumonie, putréfaction, septicémie, streptococcie, sycosis, syphilis, tétanos, trichinose, typhus, variole.

INFÉODER. Asservir, assujettir, attacher, enchaîner, lier, soumettre, subordonner, vassaliser.

INFÈRE. Adhérent, épigyne, inférovarié, ovaire, supère.

INFÉRER. Accuser, alléguer, arguer, argumenter, attaquer, avancer, conclure, conséquence, contester, déduction, déduire, inculper, induire, invoquer, prétendre, prétexter, prévaloir, protester, prouver, tirer.

INFÉRIEUR. Bas, bas de gamme, camelote, cave, commun, dépendant, domestique, esclave, faible, humble, jambe, mineur, moindre, nain, pacotille, petit, réduit, second, secondaire, soupirail, subalterne, subordonné, vassal.

INFÉRIORISER. Déprécier, méconnaître, mésestimer, minimiser, minorer, rabaisser, sous-estimer, sous-évaluer.

INFÉRIORITÉ. Défaut, désavantage, faiblesse, handicap, inconvénient, moins, servitude, sous, subordination.

INFERNAL. Damné, diabolique, endiablé, enfer, forcené, furie, insupportable, méchant, pervers, rusé.

INFERTILE. Aride, bréhaigne, désert, désolé, desséché, épuiser, improductif, inculte, infécond, ingrat, intérêt, inutile, pauvre, stérile.

INFERTILITÉ. Anhydrie, aridité, austérité, dessèchement, dessiccation, flétrissure, improductivité, sécheresse, stérilité.

INFESTATION. Attaque, débarquement, déferlement, descente, endiguement, gale, incursion, infection, invasion, razzia, teigne.

INFESTER. Abonder, désoler, dévaster, écumer, envahir, piller, polluer, raser, ravager, saccager.

INFIDÈLE. Adultère, athée, déloyal, félon, impie, incroyant, judas, mécréant, perfide, relaps, traître, volage.

INFIDÉLITÉ. Abandon, adultère, apostasie, dédit, déloyauté, dérogation, désaveu, écart, entorse, erreur, fantaisie, félonie, forfaiture, fugue, hérésie, inconstance, inexactitude, ingratitude, inobservation, liaison, manquement, parjure, passade, perfidie, reniement, rupture, scélératesse, trahison, traîtrise, transgression, tromperie, violation.

INFILTRATION. Amylose, anasarque, cellulite, chape, ecchymose, entrisme, exhaure, infiltrat, infiltrer, injection, myxœdème, noyautage, œdème, passage, pénétration, pétéchie, piqûre, sidérose, suintement.

INFILTRER. Entrer, faufiler, filtrer, glisser, insinuer, introduire, noyauter, passer, pénétrer, suer.

INFIME. Bas, brin, dérisoire, faible, insignifiant, mince, minime, minuscule, négligeable, petit, ridicule.

INFINI. Absolu, considérable, éternel, grand, illimité, immense, immensité, indéfini, infinité.

INFINIMENT. Abondamment, amplement, beaucoup, considérablement, énormément, fastueusement, fort, fortement, grandement, immensément, luxueusement, princièrement, puissamment, richement, royalement, spacieusement, vastement.

INFINITÉ. Abscisse, algèbre, armada, arrondir, beaucoup, chiffre, compte, constante, densité, effectif, entier, épacte, fréquence, harmonie, légion, maint, millier, multiplicité, nombre, numéro, quantité, quaternion, quorum, rondeur, score, surnombre, tant, tirage, vie.

INFINITÉSIMAL (n. p.). Bernouilli, Gregory, Leibniz, L'Hospital, Peano, Varignon.

INFINITÉSIMAL. Caché, faible, illisible, impalpable, inapparent, inaudible, indiscernable, infime, inperceptible, insaisissable, insensible, insignifiant, invisible, microscopique, minime, minuscule, négligeable.

INFINITIF. Er, ir, oir, re.

INFIRMATION. Abolition, abrogation, annulation, caducité, cassation, casse, casser, dénonciation, diriger, dispense, dissolution, divorce, éteindre, invalidation, irritant, lésion, nullité, oblitération, rature, réforme, rescision, résiliation, résolution, résoudre, retrait, révocation, rupture.

INFIRME. Anormal, bossu, bot, déficient, déformé, estropié, handicapé, impotent, infirmatif, invalide, paralysé.

INFIRMER. Abolir, annuler, casser, contredire, démentir, dénoncer, réfuter, détruire, réfuter, ruiner.

INFIRMERIE. Asile, clinique, hôpital, hospice, ladrerie, léproserie, maladrerie, poste, salle, sanatorium.

INFIRMIER. Ambulancier, brancardier, panseur, samaritain, sauveteur, secouriste, soigneur, urgentiste.

INFIRMIÈRE (n. p.). Cavell, Mance, Nightingale.

INFIRMIÈRE. Aide, assistante, auxiliaire, garde, garde-malade, nurse, soignante, soigneur.

INFIRMITÉ. Amputé, blessé, cécité, éclopé, handicap, manchot, mutilé, nanisme, réformé, strabisme.

INFLAMMABLE. Aliment, anthracite, bois, boulet, briquette, butane, carburant, charbon, coke, combustible, diesel, ergol, fioul, fuel, gaillette, gazol, gazoline, houille, huile, ignifuge, impétueux, mazout, méta, moxa, naphte, semi-coke, tourbe.

INFLAMMATION (3 lettres). Feu, pus.

INFLAMMATION (5 lettres). Brout, bubon, carie, lupus, morve, otite, rhume.

INFLAMMATION (6 lettres). Angine, aréole, colite, corysa, iléite, iritis, œdème, onyxis, uvéite.

INFLAMMATION (7 lettres). Adénite, angéite, aortite, cardite, cystite, dermite, hygroma, mastite, métrite, myélite, myosite, névrite, orchite, ostéite, ovarite, panaris, parulie, pulpite, pyélite, rectite, rhinite, sycosis, vulvite.

INFLAMMATION (8 lettres). Actinite, annexite, artérite, arthrite, arthrose, balanite, catarrhe, chéilite, entérite, fourchet, furoncle, gastrite, glossite, hépatite, kératite, néphrite, phlébite, posthite, proctite, pubalgie, rétinite, sinusite, splénite, synovite, typhlite, urétrite, vaginite.

INFLAMMATION (9 lettres). Alvéolite, bronchite, cellulite, cervicite, chalazion, dermatite, duodénite, érésipèle, gingivite, laryngite, méningite, pneumonie, stomatite, tendinite, trachéite, urétérite.

INFLAMMATION (10 lettres). Albuginite, amygdalite, blépharite, cataplasme, coronarite, écrouelles, épiphysite, intertrigo, irritation, mastoïte, myocardite, parotidite, périostite, péritonite, pharyngite, salpingite.

INFLAMMATION (11 lettres). Adénopathie, appendicite, bourbouille, capillarite, encéphalite, endocardite, endométrite, épididymite, épisclérite, folliculite, lymphangite, œsophagite, pancréatite, péricardite.

INFLAMMATION (12 lettres). Angiocholite, bartholinite, blennorragie, canaliculite, cholécystite, dacryadénite, échauffement, entérocolite, épicondylite, labyrinthite, ostéomyélite, périarthrite, périphlébite.

INFLAMMATION (13 lettres). Conjonctivite, dacryocystite, pyélonéphrite.

INFLATION. Accroissement, accrue, addition, aggravation, augmentation, augmenter, crue, déflation, emphysème, enchère, exagération, extension, flambée, gonflement, hausse, intensification, œdème, recrudescence, redoublement, risée.

INFLÉCHIR. Arquer, courber, dévier, fléchir, gauchir, incliner, incurver, modifier, plier, ployer.

INFLÉCHISSEMENT. Baisse, contraction, contracture, courbure, crampe, crispation, déflexion, diminution, fléchissement, flexion, génuflexion, inclination, inflexion, irréductibilité, jointure, récession, sinuosité, spasme.

INFLEXIBLE. Acharné, ardu, constant, droit, dur, ferme, impitoyable, implacable, inébranlable, inexorable, inhumain, intraitable, intransigeant, irréductible, raide, rigide, rigoureux, roide, sourd, strict.

INFLEXION. Accent, chant, courbe, détonation, déviation, diapason, intonation, modulation, pliement, son, ton.

INFLIGER. Corriger, donner, énerver, imposer, matraquer, mortifier, pénaliser, prescrire, sanctionner.

INFLORESCENCE. Ail, bouton, camomille, capitule, chaton, cône, conique, conoïde, corymbe, cyme, ensemble, épi, épillet, fleur, glomérule, grappe, groupement, ombelle, panicule, spadice, strobile, uniflore.

INFLUÉ. Agi, déteint, dominé, ému, influencé, touché.

INFLUENCE. Action, aide, appui, ascendant, attirance, autorité, autosuggestion, bureaucratie, camarilla, crédit, disposé, domination, empire, emprise, intox, lune, magnétisme, mainmise, osmose, poids, pouvoir, pression, prestige, prévenu, rôle, signe, souffle.

INFLUENCER. Agir, attirer, capter, causer, charmer, conduire, décider, déteindre, dicter, diriger, dominer, entraîner, gagner, gérer, influer, intoxiquer, mener, orienter, peser, pétrir, plier, styliser, suggestionner.

INFLUENT. Autoritaire, capable, considérable, crédible, efficace, énergique, fort, grand, gros, haut, important, marquant, omnipotent, pertinent, ponte, prépondérant, puissant, redoutable, riche, violent.

INFLUENZA. Coryza, courbature, écoulement, espagnole, fébrile, grippe, rhume.

INFLUER. Agir, déteindre, dominer, émouvoir, infléchir, influencer, jouer, peser, répercuter, suggestionner, toucher.

INFLUX. Bloc, conduction, courant, émanation, fluide, frayage, influence, nerveux, neurotransmetteur.

INFONDÉ. Abusif, arbitraire, dénué, gratuit, hasardeux, illégitime, indu, injustifié.

INFORMATEUR. Balance, délateur, dénonciateur, désinformateur, éclaireur, enquêteur, épieur, espion, guetteur, guide, indic, indicateur, inspecteur, mouchard, observateur, on, rapporteur, surveillant.

INFORMATICIEN (n. p.). Aiken, Gates.

INFORMATICIEN. Analyste, concepteur, cogniticien, convialiste, développeur, programmeur, pupitreur.

INFORMATIF. Actualité, bande, documentaire, film, instantané, métrage, nanar, navet, projection, sérial, vidéo.

INFORMATION. Actualité, argus, avis, brève, cancan, dépêche, disquette, donnée, écho, enquête, escient, flash, guet, indication, info, insu, message, nouvelle, potin, précision, recherche, renseignement, rumeur, scoop, sensation.

INFORMATIQUE. ASCII, bit, bug, bureautique, cache, CAO, cédérom, clavier, déplomber, disque, disquette, écran, internet, macro, mémoire, micro, moniteur, net, octet, ordinateur, ordinogramme, page-écran, ram, rom, robotique, site, web.

INFORMATISER. Aligner, automatiser, codifier, formuler, harmoniser, informatisable, machiner, mécaniser, motoriser, robotiser, télématiser.

INFORME. Brut, confus, gribouillage, grossier, inachevé, incomplet, indistinct, laid, lourd, masse.

INFORMÉ. Averti, avisé, calé, chercheur, clerc, connaissant, cultivé, docte, documenté, éclairé, éfendi, effendi, érudit, expert, fort, instruit, lettré, mage, philosophe, sage, savant, savoir, scientifique, spécialiste, versé.

INFORMER. Alarmer, alerter, apprendre, avertir, aviser, éclairer, écrire, enseigner, initier, prévenir, renseigner.

INFORTUNE. Adversité, calamité, désastre, disgrâce, malchance, malheur, misère, revers, trompé.

INFRACTION. Ban, billet, contravention, crime, délit, délit d'initié, dérogation, désertion, entorse, faute, manquement, outrage, pénal, recel, rupture, séquestration, trafic, transgression, violation.

INFRASTRUCTURE. Appui, assiette, assise, base, constitution, création, enfoncement, enrochement, établissement, fondation, fondement, formation, installation, pilotis, radier, solage, sommier, soutènement.

INFRUCTUEUX. Fruit, improductif, impuissant, infécond, ingrat, inutile, stérile, vain.

INFULE. Bande, bandelette, bandeau, langue, languette, momie, moulure, queue, ruban, sérum, séton.

INFUS. Atavique, congénital, foncier, gène, génétique, héréditaire, inconscient, inné, instinctif, involontaire, naturel.

INFUSER. Bouillir, communiquer, inoculer, inspirer, instiller, insuffler, macérer, transmettre, verser.

INFUSIBLE. Apyre, fusible, ignifugé, inaltérable, incombustible, ininflammable, réfractaire.

INFUSION (3 lettres). Ail, gui, lin, lis, pin, son, thé.

INFUSION (4 lettres). Ache, amer, anis, aune, buis, café, chou, fève, houx, iris, kari, kola, maïs, marc, maté, moka, orme, thym.

INFUSION (5 lettres). Acore, agnus, algue, aloès, aneth, aulne, aunée, baume, berce, buchu, bugle, cacao, carex, carvi, chêne, cumin, curry, frêne, genêt, herbe, hêtre, lilas, lotus, mauve, myrte, nouet, noyer, ortie, pavot, radis, ricin, sapin, sauge, saule, souci, thuya, vigne.

INFUSION (6 lettres). Aconit, adonis, agaric, arnica, asaret, aurone, bleuet, cactus, cassis, céleri, citron, cyprès, fraise, fusain, galéga, génépi, ginkgo, grémil, hysope, laitue, lamier, levure, lichen, lierre, menthe, mouron, muguet, mûrier, oignon, orange, origan, pêcher, pensée, persil, piment, poivre, pomme, roseau, sabine, safran, sureau, tamier, tisane, trèfle, varech.

INFUSION (7 lettres). Adiante, airelle, anémone, armoise, asperge, badiane, ballote, bardane, basilic, bétoine, bouleau, cajeput, cardère, carotte, caroube, cataire, chanvre, chardon, colombo, cresson, drosera, fenouil, ficaire, fougère, gaillet, garance, ginseng, girofle, goudron, houblon, laurier, lavande, liseron, livèche, mélilot, mélisse, morelle, nerprun, niaouli, olivier, oranger, papayer, pivoine, poireau, poirier, poivron, pommier, raifort, romarin, sombong, sorbier, tamarin, tilleul, vanilles.

INFUSION (8 lettres). Absinthe, achillée, agar-agar, alléluia, alliaire, amandier, ansérine, aspérule, aubépine, barbarée, bistorte, brunelle, buglosse, calament, cannelle, capucine, cerfeuil, cerisier, chicorée, épinette, estragon, gentiane, géranium, gratiole, guimauve, joubarbe, julienne, lycopode, moutarde, myosotis, myrtille, narcisse, nénuphar, patience, peuplier, plantain, pourpier, réglisse, rhubarbe, serpolet, verveine, violette.

INFUSION (9 lettres). Alkékenge, angélique, arbousier, argentier, argousier, artichaut, balsamine, belladone, bourdaine, bourrache, busserole, camomille, centaurée, chénopode, chiendent, clématite, coriandre, églantier, euphraise, framboise, genévrier, gingembre, grassette, grenadier, hélianthe, hépatique, noisetier, pervenche, pissenlit, primevère, salicaire, salicorne, sarriette, tournesol.

INFUSION (10 lettres). Aigremoine, alchémille, chélidoine, cimicifuga, coloquinte, coquelicot, mandragore, marjolaine, marronnier, pâquerette, passiflore, persicaire, potentille, prunellier, vergerette.

INFUSION (11 lettres). Aristoloche, bergamotier, groseillier.

INFUSION (12 lettres). Baguenaudier, effondrilles, millepertuis.

INFUSION (13 lettres). Bouillon-blanc, chèvrefeuille.

INFUSOIRE. Amibe, cilié, coccidie, filine, hématozoaire, monade, polype, protée, protozoaire.

INGAMBE. Agile, alerte, dispos, gaillard, jambe, jeune, leste, valide, vert, vif.

INGÉNIER. Acharner, appliquer, attacher, chercher, combattre, contraindre, dépenser, efforcer, employer, escrimer, essayer, évertuer, forcer, obliger, œuvrer, peiner, persévérer, tâcher, tenter, travailler, vouloir.

INGÉNIEUR. Cogniticien, concepteur, constructeur, engineering, ingénierie, génie, théoricien.

INGÉNIEUR ALLEMAND (n. p.). Benz, Braun, Chanute, Daimler, Diesel, Drais, Heinkel, Lilienthal, McCormick, Mergenthaler, Messerschmitt, Otto, Siemens, Told.

INGÉNIEUR AMÉRICAIN (n. p.). Braun, Bush, Chanute, Colt, Ericsson, Fuller, Fulton, Gantt, Gernsback, Gilbreth, Hollerith, Hotchkiss, Karman, Langmuir, Pelton, Remington, Steinmetz, Taylor, Trautwine, Zworykin.

INGÉNIEUR ANGLAIS (n. p.). Bessemer, Bickford, Brunel, Crampton, Edgeworth, Fleming, Grove, Hackworth, Hopkinson, Parsons, Stephenson, Trevithick, Whitehead, Whittle.

INGÉNIEUR BADOIS (n. p.). Drais.

INGÉNIEUR BELGE (n. p.). Cockerill, Gramme, Lenoir.

INGÉNIEUR BRITANNIQUE (n. p.). Baird, Crampton, Froude, Maxim, Rankine, Whitehead, Whitworth.

INGÉNIEUR CROATE (n. p.). Tesla.

INGÉNIEUR ÉCOSSAIS (n. p.). Baird, Fairbairn, Watt.

INGÉNIEUR FRANÇAIS (n. p.). Ader, Armand, Baudot, Bedaux, Belin, Bergès, Berlier, Bertin, Bessemer, Bienvenüe, Bourdon, Bourseul, Breguet, Brémontier, Capazza, Caquot, Carnot, Caus, Chanute, Chappe, Citroën, Clapeyron, Conté, Cugnot, Craponne, Dassault, Eiffel, Fabre, Farman, Flachat, Fourneyron, Fréminville, Fresneau, Freycinet, Giffard, Girard, Girod, Gribeauval, Guillet, Haxo, Hennebique, Héroult, Houdry, Kégresse, Laubeuf, Launay, Léauté, Lebon, Leclanché, Lecornu, Leduc, Lenoir, Levassor, Martin, Mouillard, Nieuport, Oehmichen, Panhard, Pathé, Perronet, Pitot, Polonceau, Potez, Prony, Rateau, Renault, Rey, Riquet, Sadi, Séjourné, Seguin, Serpollet, Tellier, Vaucanson, Vieille, Voisin, Zédé.

INGÉNIEUR ITALIEN (n. p.). Francini, Giorgi, Nervi, Sangallo.

INGÉNIEUR NORVÉGIEN (n. p.). Bull, Wideröe.

INGÉNIEUR RUSSE (n. p.). Todleben.

INGÉNIEUR SOVIÉTIQUE (n. p.). Iliouchine, Podgorny, Tupolev.

INGÉNIEUR SUÉDOIS (n. p.). Brinell, Ericsson.

INGÉNIEUR SUISSE (n. p.). Maillart.

INGÉNIEUX. Adroit, astucieux, capable, génial, habile, inventif, perspicace, sagace, subtil.

INGÉNIOSITÉ. Aisance, alibi, appui, aptitude, défense, excuse, expérience, habilité, naïveté, mine, moyen, opulence, pécune, prospérité, ressource, richesse.

INGÉNU. Candeur, candide, immaculé, inexpérimenté, innocent, naïf, pureté, simple, sincérité.

INGÉNUE (n. p.). Colombine, Boutet, Mars.

INGÉNUITÉ. Candeur, franchise, inexpérience, innocence, naïveté, naturel, simplicité, sincérité.

INGÉNUMENT. Candidement, crédulement, innocemment, naïvement, niaisement, simplement.

INGÉRABLE. Absurde, erroné, faux, imparable, impénétrable, impondérable, impossible, inaccessible, inclassable, indatable, infaisable, insensé, insoluble, introuvable, invivable, mystère, ridicule, saugrenu, vain.

INGÉRÉ. Absent, absorbé, achevé, aspiré, attentif, avalé, bu, concentré, dissous, distrait, ému, épongé, frappé, humé, imbu, imprégné, impressionné, ingurgité, lipophobe, mangé, méditatif, occupé, pénétré, pensif, pompé, préoccupé, résorbé, respiré, rêveur, séché, songeur, touché, vidé.

INGÉRENCE. Attaque, cléricalisme, descente, effraction, entrée, envahissement, immixtion, incursion, intervention, intrusion, invasion, irruption, raid, razzia, visite, voyage.

INGÉRER. Absorber, assimiler, avaler, engloutir, immiscer, insinuer, intervenir, mêler, prendre.

INGESTION. Absorption, aérophagie, alimentation, assimilation, concentration, consommation, déglutition, délitescence, désorption, diffusion, dissolution, fusion, inhalation, percutané, prise, puvathérapie, malabsorption, rachat, résorption.

INGRAT. Âge, aride, déplaisant, difficile, disgracieux, égoïste, laid, oublieux, méconnaissant, rebutant, sec, stérile.

INGRATITUDE. Abandon, abnégation, absence, amnésie, défaillance, disparition, égarement, erreur, étourderie, faute, gaufre, lacune, manque, manquement, négligence, omission, oubli.

INGRÉDIENT. Assaisonnement, composant, constituant, coordonnée, diode, drogue, élément, fragment, martensite, module, organe, partie, pièce, portance, principe, produit, punch, unité.

INGUÉRISSABLE. Condamné, euthanasie, fichu, fini, incorrigible, incurable, invétéré, irrémédiable, perdu.

INGURGITATION. Absorption, alimentation, consommation, cuisine, cuistance, ingestion, manducation, menu, nourrissement, nourriture, nutrition, ordinaire, popote, repas, sustentation.

INGURGITÉ. Absorbé, acquis, avalé, bouffé, bu, enfourné, englouti, engouffré, gobé, mangé.

INGURGITER. Absorber, acquérir, avaler, boire, déglutiner, gober, manger, ravaler, sucer.

INHABILE. Andouille, balourd, brise-fer, brise-tout, empêtré, empoté, gaffeur, gauche, godichon, grossier, ignorant, inapte, incapable, inconsidéré, lourd, lourdaud, maladroit, malhabile, malavisé, malhabile, niais, pataud, sot.

INHABILETÉ. Faute, gaffe, gaucherie, impéritie, inaptitude, inexpert, maladresse, stupidité.

INHABITABLE. Ennemi, farouche, hostile, inamical, ingrat, inhospitalier, sauvage.

INHABITÉ. Désert, désolé, inexploré, inoccupé, isolé, mort, sauvage, séparé, solitaire, vide, vierge.

INHABITUEL. Anormal, étrange, inaccoutumé, indu, insolite, inusité, nouveau, rare, singulier.

INHABITUELLEMENT. Anormalement, étrangement, isolitement, rarement, singulièrement.

INHALATION. Ambition, appel, aspiration, attrait, besoin, désir, élan, enlisement, espérance, espoir, fumigation, inspiration, penchant, prise, reniflement, respiration, rêve, souhait, succion, tendance, vœu, vote.

INHALER. Absorber, ambitionner, asphyxier, aspirer, attirer, briguer, désirer, fumer, happer, humer, idéaliser, inspirer, noyer, pomper, prétendre, priser, renâcler, renifler, respirer, souhaiter, soupirer, sucer, téter, viser, vouloir.

INHARMONIE. Bruit, cacophonie, charivari, contradiction, désaccord, discordance, dissonance, opposition.

INHARMONIEUX. Abominable, affreux, atroce, déplaisant, désagréable, détestable, disgracieux, disparate, dissonant, hideux, horrible, inesthétique, laid, moche, monstrueux, raboteux, vilain.

INHÉRENT. Anecdotique, attribut, besoin, capital, central, clé, clef, élémentaire, essentiel, fond, fondamental, immanent, important, indispensable, inséparable, intrinsèque, liant, nécessaire, nœud, prépondérant, principal, principe, propre. vital, vrai.

INHIBÉ. Acculé, appréhendé, apprêté, attrapé, barré, bloqué, calé, chopé, coincé, collé, constipé, compassé, constipé, corseté, empesé, encroué, gêné, gourmé, guindé, pincé, raide, resserré, timide.

INHIBER. Barrage, bloquer, défendre, empêcher, enrayer, interdire, juguler, paralyser, refouler, stériliser.

INHIBITEUR. Antithrombine, gaba, interféron, régulateur, répresseur, sympatholyque, thycalcitonine.

INHIBITION. Asphyxie, blocage, décontamination, dévitalisation, engourdissement, enraiement, entrave, immobilisation, immobilisme, impuissance, neutralisation, obstruction, paralysie, ralentissement, refoulement, sclérose, stagnation.

INHOSPITALIER. Ennemi, farouche, froid, glacial, hostile, inamical, ingrat, inhabitable, sauvage.

INHUMAIN. Atroce, barbare, brutal, cruel, dénaturé, despote, dur, féroce, forcené, furibond, horrible, impitoyable, implacable, inexorable, insensible, méchant, odieux, sauvage, terrible, tyran, violent.

INHUMANITÉ. Animalité, barbarie, béotisme, bestialité, brutalité, cannibalisme, cruauté, férocité, implacable, sadisme, sauvagerie, zoomanie, zoophilie.

INHUMATION. Cérémonie, cimetière, ensevelissement, enterrement, fosse, funérailles, obsèques, sépulture.

INHUMER. Enfouir, ensevelir, enterrer, exhumer, honneur, mettre en terre, porter, terrer.

INIMAGINABLE. Aberrant, épique, fabuleux, formidable, impensable, inconcevable, invraisemblable.

INIMITABLE. Champion, différence, disparité, incomparable, inégalable, nonpareil, raboteux, rude, unique.

INIMITIÉ. Agressivité, allergie, animosité, antipathie, aversion, haine, hostilité, rancune, ressentiment.

ININFLAMMABLE. Apyre, fusible, ignifugé, inaltérable, incombustible, infusible, réfractaire.

ININTELLIGENCE. Ânerie, bêtise, connerie, crétinerie, crétinisme, énormité, fadaise, hébétude, idiotie, imbécillité, ineptie, lourdeur, maladresse, niaiserie, nigauderie, simplicité, sottise, stupidité.

ININTELLIGENT. Abruti, aliéné, andouille, bête, borné, bouché, crétin, idiot, imbécile, inepte, sot, stupide.

ININTELLIGIBLE. Abscons, abstrus, baragouin, charabia, ésotérique, hermétique, illisible, impénétrable, incompréhensible, inconcevable, indéchiffrable, inexplicable, insondable, nébuleux, obscur, opaque, sibyllin.

ININTÉRESSANT. Assommant, barbant, barbifiant, endormant, ennuyeux, fastidieux, insipide, lassant, rasant.

ININTERROMPU. Constant, continu, continuel, filon, incessant, kyrielle, perpétuel, randonnée, série.

INIQUE. Abusif, corruption, équitable, injuste, injustifié, léonin, péché, scandaleux.

INIQUITÉ. Abus, arbitraire, déloyauté, déni, faveur, fourberie, fraude, indignité, injustice, rancœur, tromperie.

INITIAL. Débutant, liminaire, originaire, original, originel, premier, primaire, prime, primitif, primordial.

INITIALE. Abréviation, commencer, début, double, lettre, lettrine, monogramme, parafe, sigle.

INITIALISER. Apostiller, authentifier, certifier, contresigner, griffer, officialiser, parapher, signer, viser.

INITIATEUR. Agisseur, ancêtre, concepteur, créateur, entrepreneur, ésotérisme, fondateur, mère, père.

INITIATION. Admission, apprentissage, bizutage, éducation, formation, instruction, mystagogie.

INITIATIQUE. Cabalistique, cryptique, ésotérique, magique, mystérieux, occulte, secret, sibyllin.

INITIATIVE. Action, agir, décision, dégourdi, entreprise, inertie, intervention, mouvement, offensive, volonté.

INITIÉ. Catéchumène, converti, ésotérique, hermétique, instruire, obscur, prosélyte, recevoir.

INITIER. Amorcer, apprendre, commencer, déclencher, engager, entamer, étudier, former, impulser, lancer, renseigner.

INJECTÉ. Boudenfle, coloré, congestionné, couperosé, cramoisi, écarlate, empourpré, enflammé, enflé, enluminé, rouge, rouget, rougeaud, rougissant, rubescent, rubicond, sanguin, tuméfié, turgide, vineux, vultueux.

INJECTER. Créosoter, embouer, infiltrer, infuser, inoculer, insuffler, introduire, piquer, transmettre.

INJECTION. Aiguille, autotransfusion, éperonner, insecte, lavement, neurolyse, pincer, piqûre, tatouage.

INJONCTION. Arrêté, avertissement, commandement, diktat, donc, jugement, ordre, sommation, ukase, ultimatum.

INJURE. Affront, avanie, délit, dommage, huée, insulte, invective, offense, outrage, plaie, rixe, salope, sottise, vilenie.

INJURIER. Agonir, empoigner, engueuler, éructer, incendier, insulter, invectiver, offenser, outrager.

INJURIEUX. Abusif, blessant, envahissant, exagéré, excessif, illégitime, immodéré, impropre, incorrect, indu, infondé, inique, injuste, injustifié, insultant, léonin, mauvais, offensant, outrageant, possessif, sévère, usurpatoire.

INJUSTE. Déloyal, illégal, immoral, indigne, indu, inéquitable, inique, odieux, partial, tyran, zoïle.

INJUSTEMENT. Approximativement, artificiellement, à tort, diplomatiquement, erronément, fabuleusement, faussement, fautivement, illicitement, improprement, incorrectement, inexactement, mal, prétendument, tort, vicieusement.

INJUSTICE. Abus, déloyauté, déni, faveur, fourberie, fraude, indignité, iniquité, rancœur, tromperie.

INJUSTIFIABLE. Déraisonnable, illégitime, impardonnable, inacceptable, inadmissible, inconvenant, indéfendable, injustifié, insupportable, intolérable, irrecevable, récusable, rédhibitoire, refusable, révoltant.

INJUSTIFIÉ. Abusif, arbitraire, gratuit, illégitime, immérité, immotivé, indu, infondé, inique, injuste.

INLANDSIS. Banquise, bouscueil, calotte, coupole, cryosphère, glacier, iceberg, icefield, polaire.

INLASSABLE. Inassouvi, increvable, inépuisable, infatigable, patient, persévérant.

INNÉ. Atavique, congénital, disposition, foncier, gêne, génétique, héréditaire, inconscient, infus, innéité, instinctif, irréfléchi, involontaire, naissance, natif, naturel, normal, originaire, spontané, viscéral.

INNERVE. Hypoglosse, nerf, pathétique, pneumogastrique, sciatique.

INNOCEMMENT. Candidement, crédulement, ingénument, naïvement, niaisement, simplement.

INNOCENCE. Acquittement, blancheur, bonté, candeur, chasteté, crédulité, disculpation, excuse, fraîcheur, gaucherie, ignorance, ingénuité, innocuité, naïveté, pureté, sainteté, simplicité, virginité.

INNOCENT. Anodin, bénin, bête, blanc, bon, candide, colombe, crédule, demeuré, doux, enfant, gauche, idiot, ingénu, ignorant, immaculé, inoffensif, jeune, naïf, niais, novice, pur, saint, simple, vierge.

INNOCENTER. Absoudre, acquitter, blanchir, défendre, disculper, excuser, justifier, laver, résigner.

INNOCUITÉ. Affabilité, amabilité, bénignité, bienveillance, bonhomie, bonté, calme, douceur, innocence, mansuétude.

INNOMBRABLE. Abondant, considérable, foule, immensité, masse, multitude, nombreux, tas, tonne.

INNOMMABLE. Abominable, ase, asphyxiant, croupi, dégoûtant, écœurant, empesté, fétide, ignoble, immonde, infect, malodorant, mercaptan, méphitique, nauséabond, puant, putride, repoussant, répugnant.

INNOVANT. Concepteur, créatif, fantaisiste, fertile, imaginatif, ingénieux, inventeur, inventif, productif, rêveur.

INNOVATEUR. Ancêtre, annonciateur, audacieux, devancier, futuriste, hardi, initiateur, introducteur, inventeur, messager, moderne, novateur, pionnier, précurseur, prédécesseur, prophète, visionnaire.

INNOVATION. Audace, changement, création, invention, nouveauté, originalité, routine, transformation.

INNOVER. Aérer, altérer, améliorer, amender, arrière, changer, commuer, convertir, décaler, dégénérer, déliter, désaffecter, dévier, émigrer, évoluer, falsifier, fluctuer, inverser, lignifier, métamorphoser, modifier, momifier, muer, muter, ossifier, permuter, pétrifier, pirouetter, raviser, remanier, remplacer, remuer, revenir, saccharifier, tourner, varier, virer, zapper.

INOBSERVANCE. Attitude, désobéissance, inexécutable, insoumission, insubordination, violation.

INOBSERVATION. Abandon, adultère, apostasie, dédit, déloyauté, dérogation, désaveu, écart, entorse, erreur, fantaisie, félonie, forfaiture, fugue, hérésie, inconstance, inexactitude, ingratitude, liaison, manquement, parjure, passade, perfidie, reniement, rupture, scélératesse, trahison, traître, traîtrise, transgression, tromperie, violation.

INOCCUPATION. Chômage, désœuvrement, ennui, farniente, flânerie, inaction, oisiveté, paresse, sinécure.

INOCCUPÉ. Amorphe, désœuvré, endormi, fainéant, inactif, inerte, libre, oisif, passif, vacant, vague, vide.

INOCULATION. Antiamaril, clavelisation, immunisation, injection, préservation, protection, sérothérapie, vaccination.

INOCULER. Communiquer, immuniser, infuser, injecter, instiller, piquer, transmettre, vacciner.

INODORE. Aigre-doux, argon, azote, banal, eau, édulcorer, fadasse, fade, insipide, plat, terne.

INOFFENSIF. Agneau, anodin, bénin, bon, calme, doux, fruste, innocent, placebo, simple.

INONDATION. Afflux, cataclysme, crue, déferlement, déluge, expansion, flux, invasion, torrent.

INONDER. Abreuver, affluer, arroser, asperger, baigner, couvrir, déborder, envahir, illuminer, immerger, mouiller, noyer, remplir, répandre, ruisseler, submerger, tremper.

INOPÉRANT. Improductif, impuissant, inactif, inefficace, infructueux, inutile, stérile, vain.

INOPINÉ. Brutal, contretemps, fortuit, imprévu, inattendu, inespéré, soudain, subit, survenu.

INOPINÉMENT. Abruptement, agressivement, brusquement, brutalement, carrément, crûment, directement, droit, durement, fermement, franc, net, nettement, raide, rudement, soudainement, subitement, violemment.

INOPPORTUN. Byzantin, défavorable, déplacé, fâcheux, intempestif, mal, malséant, malvenu, oiseux.

INORGANISATION. Bordel, bric-à-brac, désordre, fatras, fouillis, fourbi, foutoir, pagaille, pêle-mêle, vrac.

INOUBLIABLE. Célèbre, fameux, frappant, glorieux, grandiose, historique, marquant, mémorable, saillant.

INOUÏ. Colossal, effarant, étonnant, étrange, extraordinaire, formidable, incroyable, prodigieux, rare, sensationnel, sublime.

INOX. Acier, almasilicium, chrome, inaltérable, immuable, inaltérable, inoxydable, métal.

INOXYDABLE. Acier, almasilicium, chrome, immuable, imputrescible, inaltérable, inox, métal.

IN PETTO. Abscons, anonyme, arcane, arrière-fond, caché, cachotterie, charade, chipé, clandestin, cardinal, clé, clef, confidentiel, dérobé, discret, dissimulé, énigme, état, furtif, intérieurement, intime, latent, mèche, obscur, professionnel, recette, sceau, secret, secrètement, ténébreux, tréfonds, truc.

INPUT. Amplissime, directeur, élément, intrant, recteur, rectoral, rectorat.

INQUALIFIABLE. Abominable, dégoûtant, dégueulasse, honteux, ignoble, immonde, inconcevable, indigne, infâme, infect, inimaginable, innommable, odieux, scandaleux, sordide, vil.

INQUIET. Agité, anxieux, béat, bileux, dévoré, fiévreux, mélancolique, morose, nerveux, pensif, rongé, soucieux, triste.

INQUIÉTANT. Alarmant, angoissant, dévorant, menaçant, rongeant, sinistre, sombre, stressant.

INQUIÉTER. Affoler, agiter, alarmer, alerter, angoisser, apeurer, biler, chagriner, effrayer, embarrasser, ennuyer, épeurer, frapper, insécuriser, obséder, préoccuper, soucier, tourmenter, tracasser, troubler.

INQUIÉTUDE. Agitation, aie, alarme, angoisse, anxiété, bile, chagrin, embarras, émoi, ennui, fou, hantise, nervosité, ouïe, ouille, peine, peur, préoccupation, scrupule, souci, tintouin, tourment, tracas, transe.

INQUISITEUR (n. p.). Castelnau, Cisneros, Gui, Piccolomini, Torquemada.

INQUISITEUR. Consulteur, curieux, fouineur, fureteur, indiscret, qualificateur, scrutateur.

INQUISITION. Analyse, arbitraire, autodafé, discrétionnaire, enquête, étude, examen, investigation, mensuration, observation, psychanalyse, qualificateur, recherche, scrutateur, tribunal, vexatoire.

INSAISISSABLE. Évanescent, fugace, fuyant, impalpable, inaliénable, invisible, perceptible.

INSALUBRE. Antihygiénique, clapier, impur, malsain, maremme, nuisible, pollué, santé, taudis.

INSANE. Aberrant, absurde, déraisonnable, fou, idiot, illogique, imbécile, ineptie, insensé, irrationnel, sot.

INSANITÉ. Absurdité, ânerie, bafouillage, baliverne, balourdise, bêtise, bévue, bourde, cliché, connerie, crétinerie, divagation, fadaise, faribole, ignorance, ineptie, injure, niaiserie, nigauderie, sottise, stupidité.

INSATIABILITÉ. Anorexie, apéritif, appétence, appétit, aspiration, avidité, besoin, concupiscence, curiosité, désir, faim, gloutonnerie, goût, herbe, inclinaison, instinct, malacie, ogre, passion, pica, soif, tendance, voracité.

INSATIABLE. Affamé, appétit, avare, avide, cupide, désir, dévorant, friand, insatisfait, vorace.

INSATISFACTION. Déception, déplaisir, frustration, grogne, inassouvissement, mécontentement, soupir.

INSATISFAIT. Chagriné, coucheur, déçu, désappointé, frustré, grognon, hargneux, inapaisé, inassouvi, inexaucé, insatiable, lésé, mécontent, plaintif.

INSCRIPTION. Adhésion, affiche, affiliation, avant-propos, catalogue, devise, écriteau, en-tête, épigraphe, épitaphe, exergue, graffiti, INRI, légende, liste, manchette, matricule, panache, plaque, préambule, préface, registraire, rôle, titre.

INSCRIRE. Adhérer, cataloguer, coter, écrire, écrouer, enrôler, ficher, identifier, immatriculer, marquer, nier, noter.

INSÉCABLE. Associé, conjoint, élémentaire, indécollable, indissociable, indivisible, inhérent, inséparable.

INSECTE (3 lettres). Man, nid, pou, ver, vol.

INSECTE (4 lettres). Aile, dard, iule, miel, mite, nèpe, puce, taon, toto.

INSECTE (5 lettres). Apidé, apion, asile, blaps, coque, corne, filer, galle, gerce, guêpe, gyrin, imago, jabot, mante, méloé, patte, perle, queue, sirex, sphex, tagme, tarse, titan, zabre.

INSECTE (6 lettres). Agrile, agrion, altise, anobie, aphidé, blatte, bombyx, bruche, brûlot, cafard, carabe, cigale, cousin, empuse, épeire, eumène, fourmi, frelon, gerris, lucane, mouche, œstre, phasme, piquer, psoque, psylle, sialis, silphe, taupin, thrips, uranie.

INSECTE (7 lettres). Abeille, acarien, agriote, agrilus, alifère, andrène, bacille, bourdon, bousier, cétoine, couvain, criquet, diprion, diptère, donacie, dytique, galerie, grillon, halicte, haliple, lampyre, lécheur, lépisme, lepture, locuste, luciole, meunier, naucore, odonate, panorpe, phyllie, pompile, puceron, punaise, ranatre, rhodite, saperde, scolyte, tachina, tachine, tergite, termite, vermine, vespidé.

INSECTE (8 lettres). Acridien, aculéate, ægosome, anthrène, aphidien, araignée, arcytère, bestiole, bupreste, carabidé, cérambyx, chenilles, cooloola, criocère, dermeste, éphémère, érythème, gallérie, glossine, hanneton, hémérobe, isoptère, métabole, nécrobie, nymphose, ouvrière, papillon, parasite, phrygane, pupipare, scarabée, sensille, symphyte, syrphidé, xylocope.

INSECTE (9 lettres). Anthonome, bostryche, charançon, cancrelat, cicindèle, doryphore, élatéridé, forficule, galéruque, ichneumon, larvicide, libellule, mécoptère, moucheron, moustique, notonecte, philanthe, ptérygote, rhynchite, staphylin, ténébrion, tenthrède, vrillette, xylophage.

INSECTE (10 lettres). Archiptère, brachycère, cantharide, capricorne, cautilière, chrysomèle, coccinelle, coléoptère, demoiselle, drosophile, fourmilion, hydrophile, longicorne, maringouin, nécrophore, nématocère, pentaphage, phlébotome, phylloxéra, phytophage, planipenne, plécoptère, pyrrhocore, sauterelle.

INSECTE (11 lettres). Cérambycidé, courtilière, dictyoptère, entomologie, entomophage, entomophile, éphippigère, hématophage, hétéroptère, hyménoptère, insectarium, insecticide, lépidoptère, mégaloptère, scolopendre.

INSECTE (12 lettres). Bête à bon dieu, strepsiptère, taupe-grillon, thysanoptère, trophallaxie.

INSECTICIDE. Aldrine, antimite, arsenic, chlordane, DDT, dicofol, dieldrine, fluor, gammexane, HCH, heptachlore, lindane, nicotine, pyrèthre, quassine, roténone, sulfure, téphrosie, toxaphène.

INSECTIVORE. Bergeronnette, caméléon, coucou, couleuvre, dasyure, desman, drosera, entomophage, hérisson, lézard, musaraigne, orvet, serpent, tanrec, tarsien, tarsier, taupe, tenrec, traquet, vampire.

INSÉCURITÉ. Aléa, casse-cou, casse-gueule, danger, détresse, difficulté, dragon, écueil, embûche, épouvantail, guêpier, hasard, impasse, imprudence, menace, monstre, perdition, péril, piège, poudrière, récif, risque, souricière, spectre, tarasque, traquenard, traverse, urgence.

INSÉMINATION. Dépôt, emblavage, ensemencement, épandage, fécondation, fruit, germe, grain, graine, pépin, procréation, reproduction, semailles, semence, semis, sperme.

INSÉMINER. Améliorer, amender, appauvrir, bonifier, cultiver, engraisser, enrichir, féconder, fertiliser.

INSENSÉ. Aberrant, absurde, dément, démentiel, fou, inepte, insane, loufoque, saugrenu, vésanie.

INSENSIBILISATION. Acclimatement, accoutumance, accroc, adaptation, adduction, aguerrissement, analgésie, anesthésie, assuétude, barbituromanie, besoin, dépendance, endurcissement, habituation, immunisation, tolérance, toxicomanie.

INSENSIBILISER. Anesthésier, asphyxier, chloroformer, défaillir, engourdir, étourdir, évanouir, mourir, stupéfier.

INSENSIBILITÉ. Analgie, apathie, asphyxie, ataraxie, détachement, dureté, flegme, froideur, impassibilité, imperméabilité, inaction, incompréhension, indifférence, inintérêt, nonchalance, paralysie, raideur, sommeil, stoïsme, stupeur.

INSENSIBLE. Acide, analgésique, anesthésié, apathique, aride, blasé, desséché, détaché, dur, endormi, endurci, engourdi, ensommeillé, ferme, flegmatique, froid, gelé, glacé, inaccessible, inanimé, indifférent, indolent, inexorable, raide, réfractaire, rude, sans-cœur, sourd.

INSÉPARABLE. Alter ego, ami, compère, indécollable, indivisible, indissociable, inhérent, insécable, uni.

INSÉRÉ. Âme, arrière-fond, arrière-pensée, céans, centre, cœur, conscience, corps, coulisse, dans, dedans, dessous, enchâssé, fond, ici, inclus, intérieur, intimité, intra, intrinsèque, intro, milieu, parmi, sein, tuf.

INSÉRER. Caser, encarter, encarter, encastrer, enchâsser, enclaver, enficher, enter, fixer, glisser, implanter, inclure, incruster, infiltrer, intégrer, intercaler, introduire, planter, réinsérer, reproduire, sessile.

INSERTION. Aisselle, emboîture, enchâssement, jointure, justificatif, parenthèse, patte-d'oie, suture.

INSIDIEUSEMENT. Artificieusement, captieusement, déloyalement, fallacieusement, hypocritement, insincèrement, machiavéliquement, perfidement, sournoisement, traîtreusement, trompeusement.

INSIDIEUX. Adroit, astucieux, avisé, débrouillard, fallacieux, filou, fin, fort, fortiche, fouine, fourbe, génial, gimmick, grec, habile, ingénieux, intelligent, malin, matois, retors, roué, rusé, sournois, traître, trompeur.

INSIGNE. Anneau, badge, cocarde, cordon, cravate, décoration, emblème, éminent, esponton, étoile, étole, fanion, macaron, marque, médaille, palme, plaque, rosette, ruban, sceptre, signe, symbole, verge.

INSIGNIFIANCE. Banalité, bassesse, cliché, courbette, évidence, fadaise, fadeur, généralité, inconsistance, insipidité, médiocrité, monotonie, pâleur, pauvreté, plat, platitude, poncif, servilité, sottise, vilenie.

INSIGNIFIANT. Anodin, banal, fade, futile, médiocre, mince, petit, ridicule, tarte, vétille.

INSINCÈRE. Arriviste, aventurier, condottiere, diplomate, écornifleur, escroc, factueux, faiseur, flagorneur, flatteur, fripon, habile, hypocrite, ingénieux, intrigant, picaro, pirate, rasta, rastaquoère, roué, rusé, souple, subtil.

INSINCÈREMENT. Artificieusement, captieusement, déloyalement, fallacieusement, hypocritement, insidieusement, machiavéliquement, perfidement, sournoisement, traîtreusement, trompeusement.

INSINCÉRITÉ. Authenticité, contrition, cordialité, droiture, épancher, fidélité, foi, franchise, hypocrisie, ingénuité, justesse, loyauté, naturel, netteté, perfidie, sincérité, spontanéité, véracité, vérité.

INSINUANT. Attirant, captieux, chatterie, engageant, hypocrite, insidieux, patelin, sournois.

INSINUATION. Accusation, allégation, attaque, cafardage, calomnie, critique, délation, dénigrement, dénonciation, dépréciation, dévalorisation, diffamation, imputation, médisance, plainte, rabaissement, réquisitoire, trahison.

INSINUER. Détourner, glisser, immiscer, ingérer, inspirer, instiller, mêler, pénétrer, suggérer.

INSIPIDE. Aigre-doux, banal, eau, édulcorer, ennuyeux, fadasse, fade, inodore, mièvre, plat, sapide, terne.

INSIPIDITÉ. Banalité, bêtise, fadeur, furtivité, impalpabilité, inaudibilité, inintérêt, insistance, platitude.

INSISTANCE. Accentuation, acharnement, clou, constance, demande, dévisagé, entêtement, interrogation, même, obstination, opiniâtreté, persévérance, pressant, prière, procès, répétition, requête, ténacité, tripoté.

INSISTANT. Accrocheur, acharné, déterminé, doctrinaire, durable, entêté, fermeté, inébranlable, mêlée, mordicus, obstiné, opiniâtre, persévérant, raide, résistant, résolu, tenace, têtu, volontaire.

INSISTER. Appuyer, détailler, obséder, presser, prier, remettre, répéter, ressasser, revenir, souligner, tanner.

INSOCIABLE. Acariâtre, asocial, farouche, hargneux, méfiant, misanthrope, sauvage, solitaire.

INSOLATION. Actinite, coup de soleil, dermatite, inflammation, lésion, lucite, lumière, rougeur, soleil.

INSOLENCE. Arrogance, audace, effronterie, grossièreté, hardiesse, impertinence, impudence, insolemment, insulte, irrespect, irrévérence, orgueil.

INSOLENT. Altier, arrogant, audacieux, effronté, fier, grossier, hardi, impertinent, impoli.

INSOLITE. Anormal, bizarre, étrange, inaccoutumé, inhabituel, inusité, rare, rarissime, saugrenu, singulier.

INSOLUBILITÉ. Aporie, complexité, complication, complexité, confusion, délicatesse, difficulté, imbroglio, intrication, obscurité, peine, subtilité.

INSOLUBLE. Absurde, erroné, faux, imparable, impénétrable, impondérable, impossible, impraticable, inclassable, inexécutable, inextricable, infaisable, insensé, introuvable, irréalisable, oléorésine, mystère, ridicule, saugrenu, vain.

INSOLVABILITÉ. Banqueroute, carence, chute, crise, culbute, débâcle, déconfiture, dépression, dette, effondrement, faillite, fiasco, krach, liquidation, mévente, récession, ruine.

INSOMNIE. Affres, agoraphobie, angoisse, anxiété, appréhension, benzodiazépine, claustrophobie, crainte, désarroi, détresse, effroi, frayeur, infortune, inquiétude, nervosité, peur, phobie, serre, sommeil, stress, tourment, trac, transe, trouble, varus, veille.

INSONDABLE. Dense, dur, énigmatique, hermétique, impénétrable, imperméable, inaccessible, indéchiffrable, inexplicable, mystérieux, obscur, opaque, résistant, secret, serré, sibyllin, touffu.

INSONORE. Amortisseur, aphone, appareil, calme, coi, court, discret, endormi, feutré, morne, muet, placide, posé, réservé, réticent, silencieux, silencieusement, taciturne, taciturne, taire, tranquille.

INSONORISATION. Abandon, bardage, délaissement, déréliction, écran, éloignement, exil, ghettoïsation, isolation, quarantaine, réclusion, retraite, séparation, solitude, vêtage, vêture.

INSONORISER. Amortir, barder, éloigner, exiler, flocage, isoler, insonorisation, protéger, silence.

INSOUCIANCE. Bah, imprévoyance, indolence, mollesse, négligence, nonchalance, oubli.

INSOUCIANT. Étourdi, évaporé, frivole, imprévoyant, indolent, insoucieux, léger, luron, relax, relaxe.

INSOUMIS. Déserteur, dissident, espiègle, mutin, réfractaire, révolté, séditieux, transfuge.

INSOUMISSION. Délit, désertion, désobéissance, indépendance, indiscipline, indocilité, infraction, inobservance, inobservation, insubordination, mutinerie, rébellion, révolte, sédition.

INSOUPÇONNÉ. Captivant, émouvant, fabuleux, frappant, hallucinant, impressionnant, incroyable, inouï, magique, mirifique, pénétrant, percutant, poignant, prenant, saisissant, sidérant, soufflant, stupéfiant, surprenant, vif.

INSOUTENABLE. Accablant, agité, atroce, déplaisant, désagréable, endiablé, garnement, imbuvable, immangeable, impossible, infernal, insupportable, intenable, intolérable, massacrant, odieux, peste, sciant.

INSPECTER. Contrôler, étudier, maîtriser, pointer, scruter, superviser, surveiller, vérifier.

INSPECTEUR (n. p.). Bloch, Bouvard, Burma, Carter, Colombo, Drouet, Fischer, Holmes, Lucas, Marlowe, Marty, Mérimée, Noël, Rouletabille, Verdier, Winsey.

INSPECTEUR. Agent, balai, brigadier, carabinier, cogne, condé, contrôleur, défaut, gendarme, griffe, guignol, hareng, igame, îlotier, investigateur, limier, militaire, pandore, pic, police, policier, punaise, vérificateur, visiteur.

INSPECTION. Analyse, contrôle, critique, épreuve, examen, revue, ronde, surveillance, test, visite.

INSPIRANT. Adoucisseur, alacrité, amadoueur, attirant, captivant, convaincant, décisif, éblouissant, éloquent, émouvant, enjôlant, entraînant, excitant, exhortant, gagnant, grave, inculquant, insinuant, persuasif, saisissant, séducteur, stimulant, touchant, vivace.

INSPIRATEUR (n. p.). Alcée, Alcuin, Andrzejewski, Döllinger, Fathi, Fathy, Lassalle, Laurencin, Nasser, Robespierre, Serge, Unamuno.

INSPIRATEUR. Auteur, égérie, guide, initiateur, instigateur, muscle, muse, promoteur, scalène, sibylle.

INSPIRATION. Égérie, génie, idée, illumination, inhalation, muse, plan, poussif, projet, rêve, tilt, veine, verve.

INSPIRATRICE (n. p.). Drouet, Du Châtelet, Du Guillet, Triolet.

INSPIRATRICE. Auteure, égérie, évocatrice, excitatrice, guide, incitatrice, initiatrice, instigatrice, locomotive, modèle, muse, œuvre, personne, prophétesse, scalène, sibylle.

INSPIRÉ. Antiquisant, avisé, caritatif, illuminé, intéressé, mystique, partisan, sage, vertueux.

INSPIRER. Aspirer, dicter, donner, éclairer, écœurer, élever, émerveiller, enticher, figurer, humer, imprimer, inciter, inhaler, insinuer, insuffler, intéresser, intimider, jeter, rebuter, revenir, suggérer.

INSTABILITÉ. Atrabile, balancement, déséquilibre, fluctuation, fragilité, mobilité, précarité, versatilité.

INSTABLE. Agité, animé, anormal, bancal, boiteux, branlant, changeant, erratique, flottant, horde, hyperactif, incertain, inégal, labile, lunatique, mouvant, nerveux, nomade, précaire, vacillant, variable, volatil.

INSTALLATION. Abreuvoir, agencement, aménagement, arrangement, brûlerie, campement, emménagement, équipement, établissement, implantation, intronisation, investiture, motorisation, organisation, planétarium, pose, sautoir, secteur.

INSTALLÉ. Aménagé, arrivé, assis, canissier, établi, loti, mis, nanti, placé, posé, prospère.

INSTALLER. Aménager, ancrer, aplomber, arranger, asseoir, camper, carrer, construire, dresser, emménager, essaimer, établir, fixer, implanter, instituer, introniser, loger, mettre, nicher, peupler, placer, planter, poser, propulser, tuber.

INSTANCE. Attente, autorité, conjuration, cour, décision, demande, gendarme, juridiction, moi, pendant, pétition, prière, procès, réclamation, requête, série, sollicitation, souverain, supplication, surmoi, système, tribunal.

INSTANT. Bientôt, heure, moment, phase, point, pressant, puisque, soudain, temps, urgent.

INSTANTANÉ. Ad nutum, bref, brusque, café, cliché, direct, éclat, film, illico, immédiat, pégneux, pégosité, pégot, photo, photographie, presto, prompt, soudain, subit, subito, tournemain.

INSTANTANÉMENT. Aussitôt, dès, directement, extemporané, go, illico, immédiatement, incessamment, incontinent, promptement, séance tenante, soudain, soudainement, subitement, sur-le-champ, tôt, tout de suite, urgemment.

INSTAURATEUR. Artisan, créateur, dirigeant, encourageant, incitateur, incitatif, inspirateur, instigateur, mobilisateur, moteur, motivant, prometteur, protagoniste, responsable, révolutionnaire, stimulant, stimulateur.

INSTAURATION. Création, fondation, édifice, érection, établissement, état, fondation, institution, organe, organisation, organisme, pension, pensionnat, pérenne, pouvoir, régime, système, tutelle.

INSTAURER. Constituer, créer, ériger, établir, fonder, former, inaugurer, instituer, introduire, organiser.

INSTIGATEUR. Dirigeant, encourageant, incitateur, incitatif, inspirateur, instaurateur, mobilisateur, moteur, motivant, prometteur, protagoniste, responsable, révolutionnaire, stimulant, stimulateur.

INSTIGATION. Conseil, impulsion, incitation, inspection, inspiration, suggestion.

INSTIGUER. Aiguillonner, amener, appeler, convier, déterminer, disposer, encourager, engager, exciter, exhorter, inciter, inspirer, inviter, mû, pousser, prier, provoquer, stimuler, suborner, suggérer, tenter.

INSTILLER. Arroser, basculer, capoter, chavirer, coucher, couler, déverser, distiller, entonner, épancher, épandre, infuser, inoculer, insinuer, inspirer, insuffler, larmoyer, mettre, payer, pleurer, répandre, reverser, servir, soudoyer, soutirer, transfuser, transvaser, transverser, transvider, verser, vider.

INSTINCT. Aptitude, déclic, disposition, don, grégaire, grégarisme, inclination, libido, pulsion, sens, spontané.

INSTINCTIF. Appétence, impulsif, inconscient, involontaire, machinal, réflexe, spontané.

INSTINCTIVEMENT. Automatiquement, librement, naturellement, spontanément, viscéralement.

INSTITUER. Briguer, constituer, créer, ériger, établir, fonder, instaurer, lancer, nommer, sacrer.

INSTITUT (n. p.). FEMIS, Gallup, IFOP, IGN, INA, INC, INED, INRA, INSEE, INSERM, IRCAM, IRD, RTBF.

INSTITUT. Académie, collège, congrégation, couvent, école, lycée, médico-légal, morgue, polyvalente.

INSTITUTEUR (n. p.). Feraoun, Michel, Mussolini, Peyrony.

INSTITUTEUR. Animateur, éducateur, enseignant, frœbélien, insti, instit, maître, moniteur, professeur, régent.

INSTITUTION. Création, dinosaure, fondation, édifice, érection, établissement, état, fondation, instauration, organe, organisation, organisme, pension, pensionnat, pérenne, pouvoir, régime, système, tutelle.

INSTRUCTEUR. Animateur, chef, coach, conducteur, écuyer, entraîneur, manager, meneur, moniteur.

INSTRUCTIF. Édifiant, éducatif, enrichissant, formateur, formatif, pédagogique, profitable, révélateur.

INSTRUCTION. Catéchèse, consigne, culture, directive, éducation, enquête, enseignement, exercice, formation, guide, homélie, leçon, macro, mandement, mémorial, micro, perquisition, savoir, théorie, virus.

INSTRUIRE. Acquérir, apprendre, avertir, catéchiser, dresser, éclairer, édifier, éduquer, enseigner, étudier, faire, former, informer, initier, procédure, seriner, serinette.

INSTRUIT. Autodidacte, averti, avisé, calé, compétent, connaisseur, cultivé, éclairé, éduqué, érigne, érine, érudit, expérimenté, ferré, fort, habile, initié, lettré, livre, pédagogue, sage, savant, séminariste.

INSTRUMENT. Abaisse-langue, accessoire, appeau, araire, aratoire, arme, arrosoir, avec, balafon, bathymètre, bouloir, broche, burin, calibre, cautère, charrue, ciseau, cistre, clap, clé, clef, cloche, compas, crémaillère, crible, croissant, cueilloir, cure-dent, curette, davier, écarteur, écritoire, engin, équerre, érigne, érine, étau, étrille, faucille, faux, fléau, forceps, foret, fouet, fraise, gagne-pain, gong, goniomètre, guillotine, hache, haltère, harpon, herse, hie, houe, idiome, jouet, jumelle, lactomètre, lancette, lielle, lorgnon, lunette, manomètre, microscope, molette, musette, navette, niveau, objectif, ocarina, odomètre, organe, otoscope, outil, palette, pendule, périscope, peson, pic, pilon, pinceau, potence, rasoir, râteau, règle, rénette, rouet, rouleau, rugine, scalpel, semoir, serpe, serre-fils, sirène, soufflet, spatule, spéculum, tamis, téléscope, thermomètre, tille, tire-lait, tire-ligne, tire-veine, tisonnier, toise, trépan, trocart, trusquin, tutti, ustensile, velte, verge, verre, viole.

INSTRUMENTAL. Boléro, choral, fantaisie, farandol, orchestral, polonaise, rondo, tiento, toccata.

INSTRUMENT DE MUSIQUE (3 lettres). Bec, clé, cor, jeu, nay, ney, oud, sax, tar, ton.

INSTRUMENT DE MUSIQUE (4 lettres). Alto, bois, clef, esse, gong, kora, koto, laie, luth, lyre, saxo, scie, tuba, vent, vina.

INSTRUMENT DE MUSIQUE (5 lettres). Anche, banjo, basse, bongo, bugle, conga, corde, corne, fifre, flûte, gambe, guzla, harpe, loure, orgue, piano, rabab, rebab, rebec, sanza, sarod, sehtar, setar, shana, sitar, tabla, tutti, velte, vièle, viole.

INSTRUMENT DE MUSIQUE (6 lettres). Archet, basson, biniou, biseau, buccin, buffet, caisse, cistre, cloche, cornet, cuivre, diaule, grelot, hochet, maraca, pipeau, piston, rhombe, sarode, semtar, sillet, sistre, tam-tam, téorbe, timbre, touche, trompe, vielle, violon.

INSTRUMENT DE MUSIQUE (7 lettres). Balafon, baryton, bourdon, célesta, céleste, chapeau, cithare, clairon, clavier, console, crotale, cymbale, flûteau, fourche, guitare, hélicon, larigot, maracas, marteau, musette, ocarina, octavin, olifant, orphéon, pandore, piccolo, plectre, saxhorn, serpent, shahnaï, sommier, soprano, tambour, théorbe, timbale, ukulélé.

INSTRUMENT DE MUSIQUE (8 lettres). Batterie, bérimbau, bombarde, bouzouki, cabrette, carillon, charango, chevalet, clavecin, crécelle, cymbalum, diapason, épinette, galoubet, hautbois, médiator, mirliton, registre, soufflet, sourdine, triangle, trombone, tympanon.

INSTRUMENT DE MUSIQUE (9 lettres). Accordéon, balalaïka, bandonéon, bigophone, bombardon, chalumeau, claquette, clochette, cornemuse, flageolet, guimbarde, harmonica, harmonium, limonaire, mailloche, mandoline, métronome, monocorde, quintette, saxophone, tambourin, trompette, turlututu, xylophone.

INSTRUMENT DE MUSIQUE (10 lettres). Chevillier, clarinette, clavicorde, concertina, heptacorde, ophicléide, percussion, psaltérion, tétracorde, traversier, turlurette, vibraphone.

INSTRUMENT DE MUSIQUE (11 lettres). Chanterelle, combinaison, contrebasse, traversière, violoncelle,

INSTRUMENT DE MUSIQUE (12 lettres). Castagnettes, contrebasson, stradivarius, synthétiseur.

INSTRUMENT DE MUSIQUE (13 lettres). Sarrussophone, transpositeur.

INSTRUMENT DE MUSIQUE (14 lettres). Instrumentiste, musique-à-bouche.

INSTRUMENT DE MUSIQUE (15 lettres). Chevillecithare.

INSTRUMENTATION. Adaptation, arrangement, harmonisation, karaoké, orchestration, organisation, répartition.

INSTRUMENTER. Amplifier, arranger, composer, diriger, divulguer, harmoniser, orchestrer, organiser.

INSTRUMENTISTE. Claveciniste, concertiste, fifre, harpiste, ménestrel, ménétrier, musicien, pianiste, ripieno, trompettiste, violiste, virtuose.

INSU. Automatiquement, cachette, catimini, discrètement, impulsivement, inconsciemment. Instinctivement, mécaniquement, obligatoirement, secrètement, spontanément.

INSUBMERSIBILITÉ. Bouée, canot, flottabilité, inchavirable, navire.

INSUBORDINATION. Contestation, désobéissance, frondeur, indiscipline, insoumission, rébellion, révolte.

INSUCCÈS. Avortement, bide, chou, chute, crise, déconfiture, déconvenue, défaite, échec, fiasco, perte.

INSUFFISAMMENT. Défectueusement, difficilement, faiblement, imparfaitement, incomplètement, mal.

INSUFFISANCE. Absence, arriération, asystolie, carence, crise, défaut, déficience, ectopie, hypoplasie, idiotie, inanition, inaptitude, lacune, malnutrition, manque, médiocrité, myxœdème, pauvreté, supplétoire, tolérance, urémie, vicariant.

INSUFFISANT. Carentiel, chétif, court, défectueux, déficient, dérisoire, exigu, faible, frêle, grêle, imparfait, incapable, incomplet, insatisfaisant, jeune, léger, maigre, mauvais, médiocre, pauvre, terne.

INSUFFLER. Animer, aspirer, communiquer, idée, infuser, inoculer, inspirer, instiller, pénétrer, suggérer.

INSULAIRE. Antillais, cubain, cypriote, farfadet, haïtien, ilien, îlienne, océanien, sarde, sicilien, sorcier.

INSULINE. Acétohexamide, antidiabétique, chlorpropamide, diabète, glipizide, glyburide, hormone, hypoglycémie, insulinodépendant, langerhans, pancréas, peptide, protamine, tolazamide, tolbutamide.

INSULTANT. Abusif, blessant, envahissant, exagéré, excessif, illégitime, immodéré, impropre, incorrect, indu, infondé, inique, injurieux, injuste, injustifié, léonin, mauvais, offensant, outrageant, possessif, sévère, usurpatoire.

INSULTE. Affront, algarade, blasphème, blessure, défi, injure, mépris, offense, outrage, patarafe.

INSULTER. Agonir, blesser, cracher, injurier, invectiver, mépriser, offenser, outrager, traiter.

INSUPPORTABLE. Accablant, agité, atroce, déplaisant, désagréable, endiablé, garnement, imbuvable, immangeable, impossible, infernal, insoutenable, intenable, intolérable, massacrant, odieux, peste, sciant.

INSUPPORTER. Achaler, agacer, asticoter, blaguer, braver, canuler, chicaner, chiner, embêter, énerver, exaspérer, harceler, lutiner, mystifier, persifler, picosser, picoter, tanner, tarabuster, taquiner, tourmenter.

INSURGÉ (n. p.). Cipriani, Czartoryski, Jacquerie, La Fayette, Maillotins, Mierostanski, Oustacha, Pétion, Taiping, Tyler, Vendée, Ypsilanti.

INSURGÉ. Activiste, agitateur, anarchiste, contestataire, cordelier, desperado, émeutier, extrémiste, factieux, frondeur, futuriste, gauchiste, insurrectionnel, militant, mutin, nihiliste, novateur, oustachis, putschiste, rebelle, révolté, révolutionnaire, séditieux, subversif, terroriste, trublion, vendéen.

INSURGER. Attaquer, braquer, buter, cabrer, contre-braquer, désobéir, diriger, dresser, fixer, menacer, monter, opposer, orienter, piquer, pointer, rebeller, rebiffer, récalcitrer, regimber, résister, révolter, ruer, tourner, vexer.

INSURMONTABLE. Beaucoup, colossal, considérable, cyclopéen, démesuré, déraisonnable, éléphantesque, énorme, excessif, extraordinaire, géant, gigantesque, grand, gros, illimité, immense, incommensurable, infini, monumental.

INSURPASSABLE. Continuel, éternel, imbattable, immortel, immortalisation, indéfectible, indélébile, indissoluble.

INSURRECTION. Agitation, émeute, émoi, mutinerie, rébellion, révolte, révolution, sécession, sédition, soulèvement.

INSURRECTIONNEL. Activiste, agitateur, anarchiste, contestataire, cordelier, desperado, émeutier, extrémiste, factieux, futuriste, gauchiste, insurgé, militant, nihiliste, novateur, putschiste, rebelle, revendicatif, révolté, révolutionnaire, séditieux, subversif, terroriste, trublion.

INTACT. Chaste, complet, entier, immaculé, inaltéré, inchangé, indemne, inaltéré, inentamé, intangible, intégral, intouché, irréprochable, net, neuf, probe, pucelle, pur, sain, sauf, vierge.

INTANGIBILITÉ. Abstraction, abstrait, brièveté, cérébralité, essentialité, évanescence, fugacité, futilité, idéalité, immatérialité, impalpabilité, imperceptibilité, irréalité, spiritualité, subtilité, volatilité.

INTANGIBLE. Dogmatique, immatériel, impalpable, intact, intouchable, pur, sacré, tabou.

INTARISSABLE. Abondant, débordant, fécond, fertile, foisonnant, inépuisable, infatigable, infini, inlassable.

INTÉGRAL. Absolu, complet, entier, exclusif, inaltéré, infini, intact, neuf, plein, pur, total, tout, unique.

INTÉGRALEMENT. Angéliquement, chastement, convenablement, correctement, décemment, discrètement, exclusivement, honnêtement, moralement, pudiquement, purement, raisonnablement, saintement, totalement, uniquement, vertueusement, virginalement.

INTÉGRALITÉ. Bloc, complétude, ensemble, entièreté, globalité, masse, plénitude, rafle, totalité.

INTÉGRATION. Acculturation, adaptation, appropriation, assimilation, concentration, fusion, imbrication, imprégnation, incorporation, insertion, recherche, unification, union.

INTÈGRE. Global, honnête, impartial, incorruptible, fondu, inclus, juste, probe, pur, vertueux.

INTÉGRER. Assimiler, associer, budgéter, budgétiser, circuit, comprendre, domotique, élément, engager, entrer, fondre, immiscer, inclure, incorporer, insérer, réintégrer, réunir, sociabiliser, unir.

INTÉGRISME. Acclimatation, accommodation, accord, accoutumance, adaptateur, adaptatif, adaptation, adéquation, adhérence, ajustement, arrangement, praxie, prêt-à-porter, reconversion, recyclage, rodage.

INTÉGRISTE. Activiste, bolcheviste, contestataire, extrémiste, fanatique, fasciste, maximaliste, radical, terroriste.

INTÉGRITÉ. Absoluité, complétude, ensemble, honnêteté, incorruptibilité, probité, pureté, totalité, vertu.

INTELLECT. Cérébral, cerveau, conception, entendement, esprit, éveil, ingéniosité, idée, intelligence, Q.I..

INTELLECTUEL (n. p.). Apollonia, Aron, Beauvoir, Foucault, Lao-Tseu, Laozi, Littré, Médicis, Mitosz, Paz, Pommier, Ramus, Sartre.

INTELLECTUEL. Cérébral, culturel, intelligentsia, masturbation, mental, moral, psychique, spirituel, verbalisme.

INTELLECTUELLEMENT. Abstraitement, accessoirement, conjecturalement, éventuellement, idéalement, imaginairement, hypothétiquement, in abstracto, possiblement, spéculativement, théoriquement.

INTELLIGEMMENT. Adroitement, brillamment, finement, habilement, judicieusement, sainement, utilement.

INTELLIGENCE. Capacité, cerveau, cognitif, compérage, entendement, esprit, finesse, habileté, idiot, intellect, jugement, lucidité, lumière, ouvert, pensée, raison, science, sensé, spirituel, test, tête.

INTELLIGENT. Adroit, astucieux, bête, borné, capable, clair, clairvoyant, doué, éclairé, entendu, éveillé, fin, fort, fortiche, futé, ganache, habile, ingénieux, intuitif, inventif, judicieux, lucide, net, ouvert, perspicace, profond, sensé, surdoué, tête.

INTELLIGENTSIA. Cérébral, culturel, intellectuel, mental, moral, psychique, spirituel, verbalisme.

INTELLIGIBILITÉ. Accessibilité, clarté, compréhensibilité, compréhension, évidence, facilité, intercompréhension, limpidité, lisibilité, luminosité, netteté, normalité, pénétrabilité, transparence.

INTELLIGIBLE. Accessible, clair, compréhensible, éclaircir, facile, glose, limpide, lumineux, net, obscurcir, simple.

INTEMPÉRANCE. Abus, débauche, débordement, excès, ivresse, liberté, outrance, sobriété.

INTEMPÉRANT. Alcoolique, alcoolo, anonyme, arsouille, buveur, cheire, coulée, débauché, dipsomane, dipsomaniaque, éthylique, ivrogne, picoleur, pochard, pochetron, pochtron, poivrot, soiffard, soûlard, soûlon.

INTEMPÉRIE. Blizzard, bourrasque, colère, cyclone, grain, mistral, orage, ouragan, perturbation, poudrerie, rafale, simoun, sirocco, tempête, tornade, tourbillon, tourmente, trompe, typhon, vent.

INTEMPESTIF. Byzantin, démesuré, déplacé, excessif, importun, inopportun, indiscret, malvenu, sobre.

INTEMPOREL. Aérien, désincarné, esprit, éthéré, immatériel, immuable, impalpable, imperceptible, incorporel, incréé, inétendu, intangible, intouchable, léger, platonique, pur, spirituel, vaporeux.

INTENABLE. Désobéissant, impossible, indéfendable, intolérable, irresponsable, turbulent.

INTENDANCE. Administration, bouteiller, boutillier, économat, généralité, gestion, subsistance.

INTENDANT. Administrateur, amman, as, caïd, calife, chambrier, chancelier, cheik, curion, despote, dey, duc, duce, économe, émir, factotum, gérant, hérésiarque, iman, maire, maître, ovate, pacha, pape, parrain, père, prote, rapin, régisseur, sachem, satan, shah, shérif, roi, tête, vizir.

INTENDANT (n. p.). Bâville, Daru, Gournay, Jones, Pontchartrain, Stein, Stendhal, Tourny, Trudaine, Turgot.

INTENDANT DE LA NOUVELLE-FRANCE (n. p.). Beauharnois, Bégon, Bigot, Bochard, Bouteroue, Champigny, Chazelles, De Meules, Duchesneau, Dupuy, Hocquart, Raudot, Robert, Talon.

INTENSE. Aigu, concentré, cramine, exalté, extrême, fort, grand, profond, soutenu, vif, violent, vivace.

INTENSÉMENT. Allegro, ardemment, beaucoup, brusquement, brutalement, chauffer, durement, embraser, fortement, fulgurant, phtalène, précipitamment, pressant, prestement, profondément, promptement, rapidement, réactif, riposter, sèchement, vite, vivement.

INTENSIF. Abondance, fécondité, productivité, rapport, récolte, rendement, stakhanovisme.

INTENSIFICATION. Accroissement, accrue, addition, aggravation, augmentation, augmenter, crue, déflation, emphysème, enchère, exagération, extension, flambée, gonflement, grossissant, hausse, inflation, œdème, recrudescence, redoublement, risée.

INTENSIFIER. Accentuer, accroître, agrandir, amplifier, augmenter, développer, grandir, inflationner, majorer, monter, redoubler, renforcer.

INTENSITÉ. Accent, acuité, ampérage, ampère, apogée, aussi, db, débit, degré, flux, force, gamme, luminance, pic, portée, recrudescence, rhéostat, si, smorzando, sonie, tant, teinte, tel, ton, violence, voix.

INTENTER. Actionner, attaquer, commencer, débuter, entamer, ester, initier, justifier, procès.

INTENTION. Afin, arrière-pensée, attitude, but, calcul, chimère, désir, dessein, exprès, fin, final, idée, motif, objet, pensée, pouls, projet, propos, rôder, tâter, velléité, venir, visée, vœu, volonté, vouloir, vue.

INTENTIONNEL. Assuré, cherché, conscient, débat, décidé, délibéré, déterminé, discussion, discuté, examen, exprès, ferme, hardi, intention, libre, pensé, prémédité, proposition, réfléchi, résolu, volontaire, voulu.

INTENTIONNELLEMENT. Consciemment, délibérément, exprès, lucidement, résolument, sciemment, volontairement.

INTERACTION. Association, connexion, connexité, corrélation, correspondance, covariance, dépendance, filiation, interdépendance, interférence, liaison, lien, pont, rapport, rapprochement, réciprocité, relation, solidarité.

INTERCALAIRE. Accessoire, additionnel, adventrice, ajouté, angle, annexe, auxiliaire, complémentaire, complexité, excédent, inséré, pendant, recyclage, supplémentaire, supplétif, surplus, surtitre.

INTERCALATION. Addition, ajout, embolisme, épenthèse, interpolation, parenthèse, tmèse.

INTERCALER. Encarter, enchâsser, entrer, insérer, interpoler, interposer, introduire.

INTERCÉDER. Défendre, entremettre, intervenir, parler, plaider, prier, réclamer, soutenir.

INTERCEPTER. Arrêter, cacher, capter, couper, emparer, masquer, occulter, prendre, saisir.

INTERCEPTEUR. Avion, chasseur, jet, missile, patriot, pilote, scud.

INTERCEPTION. Barrage, bouchage, bouclage, capter, couper, éclipser, ombre, passe, plongeon, prendre.

INTERCESSEUR. Apologiste, apôtre, appui, arbitre, avocat, conciliateur, défenseur, indulgent, intermédiaire, interposé, médiateur, négociateur, pacificateur, protecteur, serviteur, truchement.

INTERCESSION. Adjuration, conjuration, demande, dépréciation, dévotion, élévation, humiliation, imploration, invocation, litanie, méditation, obsécration, oraison, pèlerinage, prière, supplication, triduum.

INTERCHANGEABLE. Amovible, clavette, clayette, coquille, déplaçable, détachable, mobile, modifiable, praticable.

INTERCONNEXION. Affinité, alliance, amitié, attachement, aventure, collage, connaissance, connexion, contact, covalence, cuir, enchaînement, et, fil, imbrication, intrigue, lié, lien, liaison, nœud, parenté, passade, pontage, rapport, suite, uni, union, velours.

INTERDÉPENDANCE. Association, connexion, corrélation, correspondance, covariance, dépendance, filiation, interaction, liaison, lien, rapport, rapprochement, réciprocité, solidarité, union.

INTERDICTION. Barrière, boycottage, censure, condamnation, couvre-feu, défense, embargo, empêchement, estoppel, exclusion, excommunion, index, interdit, ordre, prohibition, proscription, suspension.

INTERDIRE. Abstenir, bannir, boycotter, censurer, commander, condamner, déconcerter, défendre, démilitariser, dissoudre, embargo, embarrasser, empêcher, exclure, illicite, porte, prohiber, proscrire, supprimer, suspendre, tabou.

INTERDIT. Ahuri, anathème, ban, censure, coi, condamnation, confondu, défendu, défendu, défense, embargo, empêché, empêchement, illicite, index, muet, prohibé, prohibitif, refusé, stupéfait, tabou.

INTÉRESSANT. Alléchant, attachant, attirant, attrayant, avantageux, bon, brillant, captivant, curieux, éminent, émouvant, fructueux, important, juteux, lucratif, oiseux, palpitant, payant, pimenté, poignant, prenant, remarquable, rémunérateur, rentable, séduisant, touchant, utile.

INTÉRESSÉ. Avare, blasé, captif, combine, courtisan, cupide, habile, mercenaire, politique, valet, vénat.

INTÉRESSER. Animer, avantager, charmer, exciter, occuper, passionner, piquer, plaire, tenir, toucher.

INTÉRÊT. Annuité, argent, arrérages, attirance, calcul, capital, cause, centésime, commission, denier, désintérêt, dividende, fade, gain, inintérêt, mineur, nul, part, parti, pitié, pour, profit, rente, revenu, taux, usure.

INTERFACE. Bord, bordure, borne, bout, but, butoir, cadre, confins, démarcation, étroit, extrémité, fin, front, frontière, in extremis, ligne, limite, lisière, marli, maximum, orée, restreint, restriction, rive, terme.

INTERFÉRENCE. Accès, alternance, averse, bouffée, boutade, conjonction, diaphonie, discontinuité, discordance, échappée, fréquence, giboulée, interaction, onde, ondée, rafale, rémission, rencontre, superposition.

INTÉRIEUR. Âme, âtre, bled, céans, central, dans, dedans, en, endogène, entre, familial, fond, for, foyer, immanent, impetto, inclus, individuel, interne, intériorité, intestin, intime, intra-muros, intrinsèque, in utéro, logement, milieu, profond, sein.

INTÉRIEUREMENT. Anonymement, catimini, clandestinement, confidentiellement, dedans, discrètement, furtivement, impetto, incognito, intimement, profondément, secrètement, sourdement, subrepticement, tapinois.

INTÉRIM. Intérimaire, passager, provisoire, remplacement, suppléance, temporaire, transitoire.

INTÉRIMAIRE. Bref, constant, court, discontinu, durable, éphémère, fragile, fugace, fugitif, éphémère, incertain, momentané, occasionnel, passager, permanent, précaire, provisoire, remplaçant, temporaire.

INTÉRIORISER. Boucler, claquemurer, claustrer, cloîtrer, interner, ravaler, refouler, renfermer, replier.

INTÉRIORITÉ. Âme, âtre, céans, central, dans, dedans, en, entre, familial, fond, for, foyer, ici, immanent, inclus, individuel, inhérent, intérieur, interne, intestin, intime, intrinsèque, logement, milieu, profond, sein.

INTERJECTION. Ah, aïe, alerte, allô, areu, arrière, badaboum, bah, bof, boum, bravo, broum, brrr, chut, ça, ciel, clac, clic, couic, crac, cric, da, dame, diantre, drelin, dring, eh, euh, eurêka, évoé, évohé, fi, fichtre, flac, gare, gué, ha, han, haro, hé, hein, hélas, hem, hep, heu, hi, hip, ho, holà, hop, hou, houp, hue, hum, lala, mâtin, miam, na, oh, ohé, olé, ollé, ouais, ouïe, ouf, ouille, ouste, pan, paf, pif, psitt, pst, snif, sniff, taratata, tchin-tchin, turlututu, vivat, vlan, vroom, vroum, youp, youpi, zou, zut.

INTERLIGNE. Alinéa, blanc, distance, écart, espace, espacement, interstice, intervalle, marge, spanioménorrhée.

INTERLOCUTEUR. Acolyte, adjoint, affidé, aide, allié, allocutaire, ami, associé, cavalier, coéquipier, collègue, compagnon, complice, copain, correspondant, danseur, équipier, joueur, médium, partenaire, récepteur, second, tiret.

INTERLOCUTOIRE. Cas, cour, crime, datif, droiture, équité, ester, forme, huis clos, judiciaire, juge, juridiction, justice, liaison, magistrat, nommé, partie, procès, pureté, salle, siège, sûreté, traduire, tribunal, tutelle, tuteur.

INTERLOPE. Équivoque, frauduleux, illégal, louche, mafia, malfamé, suspect, trafic, trafiquant.

INTERLOQUÉ. Abasourdi, ahuri, baba, bébé, bée, bol, confondu, déconcerté, décontenancé, démonté, ébahi, éberlué, épaté, estomaqué, étonné, hébété, interdit, médusé, pantois, pétrifié, sidéré, stupéfait, surpris.

INTERLOQUER. Confondre, déconcerter, décontenancer, démonter, désarçonner, déstabiliser, ébahir, épater.

INTERLUDE. Divertissement, entracte, farce, intermède, intermission, repos, saynète, temps.

INTERMÈDE. Divertissement, entracte, farce, interlude, intermission, repos, saynète, temps.

INTERMÉDIAIRE. Alto, amphibole, ange, avocat, canal, courtier, entre, facteur, entremise, indirect, interprète, katchina, lien, logo, mandataire, médiat, médiateur, médium, négociateur, procureur, relais, saut, sens, truchement, voie.

INTERMINABLE. Discontinuation, élancement, éternel, éternité, long, permanent, perpétuel.

INTERMISSION. Divertissement, entracte, interlude, intermède, intermittence, interruption, rémission.

INTERMITTENCE. Abandon, arrêt, cessation, commode, détente, escale, hivernage, intermission, interruption, mitigé, négligé, négligence, pause, purge, relâchement, répit, repos, suspension, trêve.

INTERMITTENT. Clignotement, discontinu, élancement, erratique, irrégulier, saccadé, stade.

INTERNAT. Collège, cours, couventin, école, externat, institution, lycée, pension, pensionnat, retraite.

INTERNATIONAL. Cosmopolite, espéranto, mondial, mouvement, planétaire, sport, universel.

INTERNATIONALISATION. Accident, adhésion, adjonction, affiliation, appartenance, dépendance, domaine, gemme, inclusion, indivision, insertion, lacune, lunure, particule, possession, propriété, pinocytose.

INTERNAUTE. Bénéficiaire, client, habitué, jouisseur, minitéliste, profiteur, usager, usufruitier, utilisateur.

INTERNE. Blessure, dedans, élève, enfermé, gastrite, intérieur, médecin, pensionnaire, sein.

INTERNEMENT. Captivité, déportation, détention, emprisonnement, incarcération, relégation.

INTERNER. Aliéner, coffrer, déporter, écrouer, emprisonner, enfermer, fou, incarcérer, prisonnier.

INTERNET. Bit, bug, bureautique, cache, cédérom, clavier, disque, écran, informatique, macro, mél, mémoire, micro, moniteur, net, octet, ordinateur, ram, rem, réseau, robotique, site, toile, URL, web, www.

INTERPELLATION. Apostrophe, appel, arrestation, capture, injonction, sommation, vocatif.

INTERPELLER. Apostropher, appeler, arrêter, attirer, baptiser, bénir, caser, citer, crier, élever, enrôler, épeler, héler, holà, hou, imposer, intimer, maudire, rappeler, recruter, sommation, sommer, vérifier, vocatif.

INTERPÉNÉTRATION. Enchevêtrement, imbrication, intrication, osmose, pénétration, télescoper.

INTERPLANÉTAIRE. Astronaute, astronef, cosmopolite, exosphère, mondial, planétaire, universel.

INTERPOLATION. Addition, ajout, embolisme, épenthèse, insertion, intercalation, parenthèse, tmèse.

INTERPOLER. Encarter, enchâsser, entrer, insérer, intercaler, interposer, introduire, texte.

INTERPOSER. Apaiser, arranger, composer, concilier, entremettre, intercaler, intercéder, interpoler, intervenir.

INTERPOSITION. Donation, entremise, intervention, médiation, prête-nom, stipulation, truchement.

INTERPRÉTATION. Analogie, augure, babisme, cabale, définition, entente, exégèse, explication, feeling, glose, illusion, kabbale, lecture, modèle, phrasé, play-back, sacré, symbolique, traduction, travestir, version.

INTERPRÈTE (n. p.). Brûlé, Fo, Gun, Hermès, Krisnamurti.

INTERPRÈTE. Acteur, artiste, comédien, exégète, intermédiaire, mufti, muphti, pianiste, porte-parole, scribe, traducteur.

INTERPRÉTER. Chanter, commenter, créer, danser, définir, évaluer, exécuter, incarner, prendre, théoriser, traduire.

INTERROGATEUR. Correcteur, critique, effaceur, examinateur, observateur, questionneur, testeur.

INTERROGATIF. Curieux, enquêteur, inquisiteur, investigateur, questionneur, scrutateur, sondeur.

INTERROGATION. Appel, charade, colle, énigme, examen, question, questionnaire, sondage.

INTERROGATOIRE. Bordereau, concours, épreuve, examen, formulaire, interpellation, interview, questionnaire, quiz.

INTERROGER. Coller, cuisiner, demander, examiner, héler, poser, questionner, scruter, sonder, tâter.

INTERROMPRE. Alterner, arrêter, briser, cesser, chômer, couper, débrancher, décrocher, déranger, dételer, différer, geler, hacher, obturer, quitter, relâcher, relayer, reposer, rompre, séparer, surseoir, suspendre, troubler.

INTERROMPU. Brisé, continu, déréglé, discontinu, entrecoupé, haché, momentané, rémittent.

INTERRUPTEUR. Bilame, bouton, commutateur, conjoncteur, disjoncteur, olive, poire, sélecteur.

INTERRUPTION. Absence, aposiopèse, arrêt, avortement, brisure, cassure, cessation, cession, chômage, congé, coupure, délai, distance, entracte, fin, gel, grève, halte, hiatus, interception, intérim, ischémie, lacune, laps, panne, pause, relâche, relais, répit, repos, rupture, saut, silence, tilt, toujours, trêve, vacances, vide.

INTERSECTION. Arête, coupé, croisée, croisement, jonction, méridien, nœud, point, trace, voûte.

INTERSIDÉRAL. Astronaute, céleste, cosmique, cosmonaute, interastral, interplanétaire, interstellaire, spacial.

INTERSTICE. Bande, barre, créneau, espace, fasce, fente, lacune, méat, ouverture, palé, parclose, pore.

INTERURBAIN. Allô, appel, code, inter, interphone, régional, sonnerie, taxiphone, tel, téléphone, vidéophone, watt.

INTERVALLE. Arrêt, avent, battement, carême, comma, créneau, dans, distance, écart, écartement, entracte, entre, espace, étage, étape, intermède, laps, métope, mode, octave, quarte, quinte, sas, seconde, sixte, tierce, ton, triton, vacances, vide.

INTERVENANT. Avocat, baratineur, bavard, causeur, conférencier, débatteur, défenseur, discoureur, diseur, foudre, harangueur, orateur, parleur, participant, péroreur, phraseur, prêcheur, prédicant, prédicateur, rhéteur, rhétoricien, tribun, verve.

INTERVENIR. Agir, aider, apaiser, arranger, composer, entremettre, immiscer, opérer, plaider, sortir du bois.

INTERVENTION. Action, agissements, aide, intrusion, lifting, opération, plastie, secours, trépanation.

INTERVENTIONNISME. Appui, concours, coordination, dirigisme, entremise, étatisme, incursion, lois.

INTERVERSION. Anastrophe, contrepet, contrepèterie, inversion, permutation, saphisme, transposition.

INTERVERTIR. Déplacer, déranger, inverser, modifier, permuter, renverser, retourner, transposer.

INTERVIEW. Bavardage, causerie, causette, chuchoterie, colloque, concertation, conciliabule, conversation, dialogue, discussion, échange, entretien, jasette, médisance, palabres, potin, pourparlers, tête-à-tête.

INTERVIEWER (n. p.). Auger, Bruneau, Bureau, Daignault, Desmarais, Fontaine, Godin, Gougeon, Jasmin, Laurendeau, Laurin, Lizotte, Maisonneuve, Maltais, Paradis, Proulx, Tremblay, Vézina, Viens.

INTERVIEWEUSE (n. p.). Charette, Cloutier, Desjardins, Gilbert, Gratton, Le Bel, Marchand, Simard, Verdon.

INTESTIN. Anus, appendice, bile, boyau, caecum, chyle, côlon, crépine, duodénum, entrailles, fraise, grêle, hypogastre, iléal, iléon, intérieur, jéjunum, lymphoïde, rectum, transit, tripaille, tripe, tube, viscère.

INTESTINAL. Achylie, bézoard, bile, boyau, caillette, chlorhydrique, coeliaque, côlon, embarras, entérique, gastrique, gastro, grêle, lactase, axatif, pepsine, stomacal, suc, tractus, trichomonas, ulcère, ver.

INTIMATION. Ajournement, appel, assignation, attribution, avertissement, citation, convocation, doter, indiction, invitation, justice, mobilisation, placet, réassignation, rescription, semonce, situer, sommation.

INTIME. Alcôve, ami, charnel, conjoint, dîner, éminence, étroit, familier, fond, home, inhérent, intérieur, intimé, journal, lié, personnel, physique, privé, proche, profond, repli, secret, sexuel, tipe, tu, uni.

INTIMEMENT. Convaincu, étroitement, extrêmement, foncièrement, fondamentalement, fort, gros, individuellement, mentalement, nomativement, particulièrement, profondément, subjectivement, vivement.

INTIMER. Assigner, citer, commander, enjoindre, interpeller, notifier, ordonner, signifier, sommer.

INTIMIDANT. Déplaisant, désagréable, embarrassant, encombrant, ennuyeux, envahissant, fâcheux, fatigant, gênant, importun, incommodant, incommode, inconfortable, indiscret, lourd, malcommode, parasite, pénible, pesant.

INTIMIDATEUR. Agressif, comminatoire, injonctif, inquiétant, intimidant, menaçant, monitoire, pressant.

INTIMIDATION. Alerte, avertissement, bravade, chantage, fureur, injure, menace, outrage, ultimatum.

INTIMIDER. Apeurer, bluffer, comminatoire, complexer, effaroucher, gêner, glacer, influencer, intimidateur, troubler.

INTIMISTE. Acte, algarade, avanie, coulisse, décor, diablerie, écrivain, mimodrame, parade, peintre, plan, planche, plateau, poète, rampe, scène, séance, séquence, sketch, spectacle, tableau, théâtre.

INTIMITÉ. Agrément, alcôve, amitié, confort, étroitesse, familiarité, fréquentation, privé, union.

INTITULER. Appeler, choisir, dénommer, désigner, frontispice, manchette, nommer, titre, titrer.

INTOLÉRABLE. Allergie, atroce, épouvantable, inacceptable, inadmissible, insoutenable, insupportable, intenable, odieux, révoltant.

INTOLÉRANCE. Abomination, acrimonie, amertume, androphobie, animosité, antagonisme, antipathie, aversion, baver, colère, détestation, dissension, fanatisme, fiel, haine, horreur, hostilité, inimitié, mépris, misandrie, misanthropie, misogynie, querelle, rancune, répulsion, ressentiment, rivalité, vengeance, xénophobie.

INTOLÉRANT. Allergique, étroit, fanatique, intraitable, intransigeant, irréductible, sectaire, violent.

INTONATION. Accent, clé, clef, inflexion, intonatif, modulation, prosodie, ton, tonalité.

INTOUCHABLE. Ace, as, immuable, impalpable, intactile, intangible, lépreux, paria, invulnérable.

INTOXICATION. Acétonémie, acétonurie, accro, anilisme, botulisme, cyanose, drogue, empoisonnement, endoctrination, ergotisme, favisme, férulisme, hydrargie, intox, iodisme, ophidisme, poison, propagande, tabagisme, thébaïsme, urémie.

INTOXIQUÉ. Accro, cocaïnomane, contaminé, drogué, empesté, infecté, intox, toxicomane.

INTOXIQUER. Contaminer, corrompre, déranger, embêter, emmerder, ennuyer, envenimer, gâcher, gangrener, gâter, empester, empoisonner, empuantir, importuner, infecter, pervertir, puer, raser, tanner, tuer.

INTRADOS. Aile, arc, avion, contrevent, douelle, extrados, face, hypogée, surface, voûte.

INTRADUISIBLE. Bizarre, comique, impayable, incommunicable, indescriptible, indicible, ineffable, inénarrable, inexprimable, inracontable, sublime.

INTRAITABLE. Dur, entêté, exigeant, impitoyable, implacable, invivable, irréductible, juré, rigoureux.

INTRA-MUROS. Dedans, extra-muros, intérieur, mur, urbain.

INTRANSIGEANCE. Acariâtreté, acerbité, acidité, âcreté, agressivité, aridité, austérité, autorité, draconien, dureté, étroit, insensibilité, raideur, rigidité, rigorisme, rigueur, rudesse, sérieux, sévérité, vacherie.

INTRANSIGEANT. Absolu, dur, entêté, entier, intolérant, intraitable, irréductible, rigoriste, sourd.

INTRANT. Accès, amplissime, bien, directeur, élément, input, mal, recteur, rectoral, rectorat, subintrant.

INTRAVEINEUX. Clavelisation, immunisation, injection, inoculation, préservation, protection, vaccination.

INTRÉPIDE. Audacieux, aventurier, brave, casse-cou, déterminé, fier, hardi, opiniâtre, valeureux.

INTRÉPIDEMENT. Ardemment, audacieusement, bravement, courageusement, crânement, énergiquement, fièrement, hardiment, héroïquement, pusillanimité, résolument, vaillamment, valeureusement, virilement.

INTRÉPIDITÉ. Aplomb, audace, bravoure, courage, cran, culot, fermeté, hardiesse, héroïsme, sûreté.

INTRICATION. Confusion, embrouillamini, embrouillement, emmêlement, enchevêtrement, enlacement, fouillis, imbrication, imbroglio, interpénétration, labyrinthe, plaque, réseau, treillis.

INTRIGANT (n. p.). Figaro, Lyndon, Scapin.

INTRIGANT. Arriviste, aventurier, condottiere, diplomate, écornifleur, escroc, factueux, faiseur, flagorneur, flatteur, fripon, habile, hypocrite, ingénieux, picaro, pirate, rasta, rastaquoère, roué, rusé, souple, subtil.

INTRIGANTE (n. p.). Chevreuse, Fausta, Rohan-Montbazon.

INTRIGUE. Action, brigue, cabale, complot, coterie, démarche, dessein, drame, embarras, éviction, faction, grenouillage, imbroglio, liaison, manège, manigance, menée, micmac, nœud, pacte, ruse, stratagème, trame.

INTRIGUER. Briguer, comploter, étonner, magouiller, mêler, nouer, remuer, surprendre, tisser, tramer.

INTRINSÈQUE. Capital, constitutif, essentiel, immanent, inhérent, interne, principal, propre, pur.

INTRIQUER. Embrouiller, enchevêtrer, entrecouper, entremêler, imbriquer, mélanger, mêler.

INTRODUCTEUR. Aïeul, aîné, ancêtre, annonciateur, avant-gardiste, devancier, héraut, initiateur, innovateur, inventeur, messager, novateur, pionnier, précurseur, prédécesseur, préparateur, prophète, visionnaire.

INTRODUCTION. Allergie, car, début, engagement, entrée, entrisme, épinglage, exorde, inclusion, injection, intro, intromission, intrusion, mitre, néologie, porte, préambule, préface, prélude, prologue, texte.

INTRODUIRE. Acclimater, admettre, amener, coucher, couler, désorganiser, engager, ensemencer, entrer, envahir, fourrer, glisser, immiscer, indexer, ingérer, innover, insérer, insuffler, intercaler, loger, mêler, mettre, passer, pénétrer, placer, rentrer, taper, verser.

INTRODUIT. Béatifié, calé, cavité, conduit, coulé, creux, donc, embourbé, enfoncé, enfoui, engagé, enterré, envasé, fiché, fourré, glissé, greffé, incarné, inséré, mis, niche, ou, pour, renforcement.

INTROÏT. Absoute, acte, agnus dei, anamnèse, angélus, appel, ave, bénédicité, canon, credo, cri, demande, gloria, laudes, libera, litanie, oraison, orate, orémus, pater, prière, requête, requiem, rosaire, salat, salut, salve.

INTROMISSION. Allergie, car, début, engagement, entrée, entrisme, épinglage, exorde, inclusion, injection, intro, introduction, intrusion, mitre, néologie, porte, préambule, préface, prélude, prologue, texte.

INTRONISATION. Aboutissement, accomplissement, amortissement, apothéose, baldaquin, bénédiction, chaperon, consécration, corniche, couronnement, dédicace, entablement, pinacle, rive, sacre, triomphe.

INTRONISER. Bénir, blasphémer, consacrer, couronner, élever, élire, installer, jurer, oindre, ordonner, sacrer.

INTROSPECTION. Analyse, calculé, cogitation, conçu, étudié, examen, introjection, introversion, méditation, mûri, pensé, questionnement, recueillement, réfléchi, réflexion, remâchement, rumination.

INTROUVABLE. Absurde, erroné, exceptionnel, faux, imparable, impénétrable, impondérable, impossible, impraticable, inclassable, inexécutable, infaisable, insaisissable, insensé, insoluble, irréalisable, merle blanc, mystère, rare, rarissime, ridicule, saugrenu, vain.

INTROVERSION. Amour-propre, autolâtrie, avarice, captativité, égocentrisme, égoïsme, égolâtrie, égotisme, indifférence, individualisme, insensibilité, intérêt, je, moi, narcissisme, nombrilisme, personnel, soi-même.

INTROVERTI. Bannir, bourru, casanier, fixe, ours, pantouflard, pépère, renfermé, secret, sédentaire, solitaire.

INTRUS. Accablant, accaparant, agaçant, casse-pieds, collant, déplaisant, dérangeur, désagréable, empêcheur, ennuyeux, fâcheux, fléau, gêneur, gluant, importun, indésirable, obsédant, poison, raseur, sciant, tiers.

INTRUSION. Appui, entremise, immixtion, incursion, ingérence, interposition, intervention, médiation.

INTUITION. Antenne, anticipation, clairvoyance, croyance, divination, empathie, feeling, flair, impression, instinct, intuitif, pifomètre, prescience, pressentiment, prétention, prévention, prévision, pulsion, saisie, sens.

INTUMESCENCE. Abcès, ballonnement, bouffissure, congestion, crue, dilatation, emphase, emphysème, enflure, fluxion, gonflement, laccolite, œdème, tuméfaction, tumescence, tumeur, turgescence.

INUIT. Aléoute, art, culture, esquimau, eskimo, eskimo, igloo, iglou, innu, inuktitut, renne, sculpture.

INULE. Astéracée, aunée, composacée, faux crithme, fleur, herbacée, plante.

INUSABLE. Consistant, coriace, dur, endurant, ferme, fort, increvable, infatigable, invulnérable, irréductible, patient, rebelle, rénitent, résistant, résistif, robuste, rustique, solide, tenace, têtu, vivace.

INUSITÉ. Anormal, bizarre, étrange, exceptionnel, extraordinaire, inaccoutumé, inhabituel, insolite, rare, singulier, surprenant.

INUTILE. Absurde, babil, creux, fichu, frivole, futile, gaspillage, gratuit, inanité, inefficace, infécond, infructueux, inopérant, neutre, nul, oiseux, oisif, parasite, perdu, ringard, stérile, superflu, utilité, vain, verbeux.

INUTILEMENT. Distraitement, frivolement, futilement, infructueusement, légèrement, stérilement, vainement.

INUTILISABLE. Brisé, cassé, défectueux, déréglé, détérioré, détraqué, inapplicable, inemployable, inexploitable.

INUTILISÉ. Inaltéré, inemployé, inefficacité, inexploité, intact, inusité, neuf, vierge.

INUTILITÉ. Bagatelle, baliverne, bêtise, breloque, chinoiserie, inanité, frivolité, surabondance, vanité.

INVAGINATION. Autisme, décrochage, dépression, ectropion, éversion, exstrophie, introversion, intussusception, recul, reflux, régression, repli, repliement, reploiement, retrait.

INVALIDATION. Abolition, abrogation, annulation, caducité, cassation, casse, casser, dénonciation, diriger, dispense, dissolution, divorce, éteindre, infirmation, irritant, lésion, nullité, oblitération, rature, réforme, rescision, résiliation, résolution, résoudre, retrait, révocation, rupture.

INVALIDE. Annulé, blessure, estropié, handicapé, impotent, infirme, nul, paralysé, paralytique.

INVALIDER. Abolir, abroger, amortir, anéantir, annuler, barrer, biffer, casser, cesser, clore, décommander, dédire, dénoncer, dissoudre, éluder, enlever, éteindre, infirmer, néant, neutraliser, ôter, rapporter, raser, raturer, rayer, réformer, reprendre, rescinder, résilier, résoudre, révoquer, rompre, supprimer.

INVALIDITÉ. Handicap, impotence, incapacité, infirmité.

INVARIABILITÉ. Aplomb, assiette, assise, certitude, consistance, constance, continu, continuité, durabilité, équilibre, fermeté, fixité, immuabilité, longévité, pérennité, permanence, persistance, prégnance, rigidité, stabilité.

INVARIABLE. Adverbe, amen, certain, conjonction, constant, égal, fixe, immanquable, immortel, immuable, indélébile, même, particule, précis, préposition, solide, stable, stationnaire, toujours.

INVARIABLEMENT. Assidu, assidûment, constant, continuellement, durablement, durée, éternel, fixement, généralement, immortalité, immuablement, pérennité, perpétuité, toujours, uniforme, vie.

INVARIANT. Axisymétrique, constant, équilibré, figé, figure, fixe, global, globalement, même, point.

INVASION. Attaque, débarquement, déferlement, descente, endiguement, incursion, infection, infestation, razzia.

INVECTIVE. Affront, avanie, blasphème, fulmination, grossièreté, injure, insulte, offense, outrage, rixe.

INVECTIVER. Crier, engueuler, enguirlander, injurier, insulter, offenser, outrager, pester.

INVENDABLE. Nanar, passe-partout, philomèle, pouillot, rossignol, rossignolet, rouge-queue, turdidé.

INVENTAIRE. Bilan, cote, dénombrement, description, état, liste, recensement, revue, stock, table.

INVENTÉ. Apocryphe, authentique, conçu, controuvé, exact, fabriqué, fantaisiste, faux, fictif, forgé, imaginé, imaginaire, improvisé, inauthentique, inexistant, juste, mensonger, réel, véritable, vrai.

INVENTER. Broder, combiner, créer, découvrir, deviner, écrire, fabuler, forger, imaginer, penser, trouver.

INVENTEUR. Artiste, auteur, bâtisseur, cause, concepteur, créateur, déité, déesse, dieu, essayiste, faiseur, fantaisiste, fondateur, générateur, géniteur, imaginatif, initiateur, innovant, inventif, nez, père, producteur, promoteur.

INVENTEUR (n. p.). Ader, Archimède, Bell, Colt, Cross, Edison, Gutenberg, Leinn, Napier, Neper, Nobel, Vidie.

INVENTEUR ALLEMAND (n. p.). Benz, Braun, Bunsen, Daimler, Diesel, Fischer, Geiger, Geissler, Guericke, Gutenberg, Helmholtz, Junkers, Kirchhoff, Linde, Mauser, Mergenthaler, Nernst, Otto, Senefelder, Siemens.

INVENTEUR AMÉRICAIN (n. p.). Burroughs, Coolidge, Dewey, Eastman, Edison, Franklin, Fulton, Hale, Hollerith, Hotchkiss, Hughes, Langmuir, Lawrence, Libby, McMillan, Morse, Shockley, Westinghouse, Zworykin.

INVENTEUR ANGLAIS (n. p.). Aston, Atwood, Babbage, Barlow, Bessemer, Bickford, Cartwright, Crookes, Dunlop, Elkington, Faraday, Flamsteed, Fleming, Galton, Martin, Ramsden, Swan, Talbot, Turing, Whittle, Wollaston.

INVENTEUR AUTRICHIEN (n. p.). Zsigmondy.

INVENTEUR BELGE (n. p.). Gramme, Fourcault.

INVENTEUR BRITANNIQUE (n. p.). Armstrong, Dunlop, Gabor, Hounsfield, Muybridge.

INVENTEUR CANADIEN (n. p.). Bell, Bombardier.

INVENTEUR ÉCOSSAIS (n. p.). Baird, Brewster, Dewar, Dunlop, Graham, Gregory, Napier, Neper, Watt.

INVENTEUR FRANÇAIS (n. p.). Ader, Ampère, Appert, Baudot. Bayard, Belin, Bertin, Blanchard, Bollée, Braille, Breguet, Citroën, Cugnot, Daguerre, Dombasle, Ferrié, Fleurieu, Foucault, Fresneau, Fresnel, Freyssinet, Gaumont, Girard, Girod, Gouthière, Guillotin, Héroult, Houdry, Jacquard, Laennec, Lallemand, Leblanc, Lebon, Leclanché, Lenoir, Lippmann, Lumière, Lyot, Marey, Martenot, Martin, Moissan, Mouillard, Niepce, Papin, Pascal, Pasteur, Pitot, Planté, Prony, Réaumur, Renard, Reynaud, Roberval, Seguin, Thimonnier, Velpeau, Zédé.

INVENTEUR ITALIEN (n. p.). Cardan, Farina, Finiguerra, Nobili, Petrucci.

INVENTEUR NÉERLANDAIS (n. p.). Huygens, Zernike.

INVENTEUR POLONAIS (n. p.). Zamenhof.

INVENTEUR PORTUGAIS (n. p.). Nonius.

INVENTEUR QUÉBÉCOIS (n. p.). Bombardier.

INVENTEUR SOVIÉTIQUE (n. p.). Prokhorov.

INVENTEUR SUÉDOIS (n. p.). Brinell, Celsius, Lundström, Nobel.

INVENTEUR SUISSE (n. p.). Guillaume.

INVENTEUR TCHÈQUE (n. p.). Heyrovsky.

INVENTIF. Astucieux, créatif, fécond, fertile, génial, imaginatif, intelligent, inventivité, limité, madré.

INVENTION. Astuce, brevet, création, découverte, fiction, idée, imagination, mensonge, néologie, trouvaille.

INVENTIVITÉ. Conception, confabulation, création, créativité, évasion, fantaisie, fantasme, fiction, idéation, invention, imagination, supposition, surréalité, surréel, verve, virtuel.

INVENTORIER. Attendre, boulier, calculer, chiffrer, compter, déduire, dénombrer, dépouiller, énumérer, escompter, espérer, estimer, évaluer, fier, figurer, miser, nombrer, recenser, reposer, spéculer, supposer, tabler.

INVÉRIFIABLE. Aberrant, absurde, illogique, improuvable, incontrôlable, indémontrable, paradoxal, postulat.

INVERSE. Antithétique, contraire, envers, opposé, optique, tête-bêche, vergence, verlan, vice-versa.

INVERSEMENT. Bilatéralement, échange, mutuellement, réciproquement, revanche, vice versa.

INVERSER. Déplacer, intervertir, permuter, reculer, renverser, revanche, retourner, transposer.

INVERSION (n. p.). Babinski.

INVERSION. Anastrophe, hyperbate, interversion, permutation, renversement, saphisme, transposition.

INVERTASE. Amidon, amylase, arthritisme, ase, carboxylase, diastase, émulsine, entérokinase, enzyme, érepsine, invertine, laccase, lactase, lipase, maltase, myrosine, oxydase, papaïne, pepsine, protéase, ptyaline, saccharase, sucrase, thrombine, trypsine, zymase.

INVERTÉBRÉ. Alcyon, amphioxus, anthropode, articulé, brachiopode, bryozoaire, cnidaire, coccidie, cœlentéré, crustacé, cténaire, cténophore, échinoderme, ectoprocte, encrine, étoile-de-mer, flustre, gorgone, graptolite, grégarine, hémicordé, hexacoralliaire, holothurie, insecte, lis-de-mer, méduse, mollusque, ophiure, otocyste, oursin, mollusque, oursin, péripate, polype, rotifère, stomocordé, tunicier, ver, zoanthaire, zoophyte.

INVERTINE. Amidon, amylase, arthritisme, ase, carboxylase, diastase, émulsine, entérokinase, enzyme, érepsine, invertase, laccase, lactase, lipase, maltase, myrosine, oxydase, papaïne, pepsine, protéase, ptyaline, saccharase, sucrase, thrombine, trypsine, zymase.

INVESTIGATEUR. Agent, boîte, brigadier, carabinier, cogne, condé, ennui, gendarme, griffe, guignol, hareng, îlotier, inspecteur, limier, luth, militaire, pandore, pic, police, policier, punaise, rebiffe, source.

INVESTIGATION. Analyse, enquête, étude, examen, inquisition, mensuration, observation, recherche, psychanalyse.

INVESTIGUER. Analyser, enquêter, étudier, examiner, inquisitionner, mesurer, rechercher.

INVESTIR. Assiéger, cerner, charger, engager, immobiliser, mettre, miser, placer, pourvoir, revêtir.

INVESTISSEMENT. Accaparement, accroissement, accumulation, addition, adiposité, aérogastrie, agglomération, amas, amoncellement, avarice, ballonnement, congestion, économie, entassement, épanchement, épargne, flatuosité, gaz, gisement, gonflement, hydarthrose, hydropéricarde, hydropisie, lourdeur, moraine, œdème, pigmentation, placement, quantité, rétention, tas, thésaurisation, ventosité.

INVESTISSEUR. Actionnaire, agioteur, boursicoteur, joueur, prêteur, propriétaire, spéculateur, zinzin.

INVESTITURE. Agencement, arrangement, aménagement, arrangement, campement, désignation, emménagement, équipement, établissement, installation, intronisation, organisation, pose, secteur.

INVÉTÉRÉ. Adné, amitié, ancré, ars, boucle, calé, chaîne, collé, corde, encrouté, endurci, enraciné, épris, et, fixé, fortifié, hart, impénitent, lacé, laisse, lie, lien, ligament, noué, rivé, vieilli, vissé.

INVINCIBLE. Imbattable, immortel, inattaquable, incorruptible, indomptable, intraitable, invulnérable, irrésistible.

INVIOLABLE. Asile, imprenable, inexpugnable, invulnérable, sacré, sacro-saint, sanctuaire, saint, sûr, tabou.

INVISIBLE. Évanescent, fugitif, immatériel, impalpable, inapparent, insaisissable, latent, perdu, secret.

INVITANT. Encourageant, incitateur, incitatif, inspirateur, instaurateur, instigateur, inviteur, mobilisateur, motivant, prometteur, stimulant, stimulateur.

INVITATION. Appel, carton, congé, convocation, conjuration, demande, encouragement, excitation, exhortation, faire-part, guerre, prié, prière, réception, réunion, rogations, signe, sommation, supplique, sortir.

INVITÉ. Ami, appel, appelé, commensal, convive, écornifleur, hôte, intrus, parasite, prié, soliste.

INVITER. Appeler, attirer, convier, demander, engager, exhorter, inciter, invoquer, payer, prier, réinviter, réunir.

IN VITRO. Bébé-éprouvette, en dehors, éprouvette, explant, exploration, in vivo, organe, tissu.

INVIVABLE. Abject, abominable, atroce, désagréable, détestable, exécrable, haïssable, ignoble, immonde, impossible, indigne, infâme, infernal, insupportable, intolérable, méchant, noir, odieux, pénible, puant, rebutant, révoltant, terrible.

INVOCATION. Appel, dédicace, épiclèse, hésychasme, kyrie, litanies, martyrium, st-esprit.

INVOLONTAIRE. Athétose, automatique, contagion, énurésie, homicide, inconscient, incontinence, incontrôlé, instinctif, irraisonné, irréfléchi, machinal, mécanique, priapisme, réflexe, spontané.

INVOLONTAIREMENT. Distraction, erreur, étourderie, inadvertance, inattention, mégarde, négligence, oubli.

INVOLUCRE. Bouton, bractée, calicule, camomille, capitule, chaton, cône, conique, conoïde, corymbe, cyme, épi, fleur, glomérule, grappe, inflorescence, ombelle, organe, parapluie, parasol, spadice.

INVOLUTION. Baisse, chute, déclin, diminution, faiblesse, recul, régression, repli, retrait, revue, transgression.

INVOQUER. Alléguer, appeler, arguer, avancer, évoquer, citer, convier, évoquer, implorer, induire, insister, inviter, invocateur, prier, recommander, recourir, réunir, solliciter, supplier.

INVRAISEMBLABLE. Abracadabrant, bizarre, douteux, extraordinaire, extravagant, impensable, impossible, improbable, inconcevable, incroyable, inimaginable, inouï, renversant, rocambolesque.

INVRAISEMBLANCE. Balourdise, bêtise, énormité, gigantisme, grandeur, extravagance, immensité, sottise.

INVULNÉRABLE (n. p.). Achille, Styx, Superman.

INVULNÉRABLE. Costaud, dur, fort, intouchable, imbattable, immortel, protégé, résistant.

IODE. Halogène, I., ioder, iodhydrique, iodique, iodoforme, laminaire, oligoélément, vapeur, varech.

ION. Anion, atome, cation, composite, électron, ionique, ligand, oxonium, particule, redox.

IOS (n. p.). Grèce, Homère, Ichthys, Nio.

IOTA. Absence, aucun, bu, cancre, clopinettes, dénué, épuisé, fainéant, frelampier, goutte, intérêt, mais, mie, néant, niaiserie, nib, non-être, nu, nul, pas, peu, point, rien, sans, sec, seulement, tari, valeur, vide, zéro.

IPSO FACTO. Automatiquement, convulsif, disjoncteur, fatalement, forcé, forcément, immanquable, inconscient, inévitable, instinctif, involontaire, irréfléchi, machinal, obligatoirement, réflexe, spontané.

IPÉCA. Amibiase, arbrisseau, dégueulatoire, émétine, exclusion, plante, racine, rubiacée, vomitif.

IPÉCACUANA. Ipéca, rubiacée, uragoga.

IRAK, CAPITALE (n. p.). Bagdad.

IRAK, LANGUE. Arabe, kurde, persan, sabéen, syriaque, turkmène.

IRAK, MONNAIE. Dinar.

IRAK, VILLE (n. p.). Amara, Ana, Arbil, Bagdad, Erbil, Fallouja, Hilla, Kut, Mossoul.

IRAN (n. p.). Perse.

IRAN, CAPITALE (n. p.). Téhéran.

IRAN, LANGUE. Arabe, arménien, azéri, baloutche, kurde, persan, turc.

IRAN, MONNAIE. Rial.

IRAN, VILLE (n. p.). Ahvaz, Arak, Arbil, Ardabil, Bagdad, Bassora, Basra, Erbil, Ispahan, Kum, Ourmia, Qom, Qum, Téhéran.

IRANIEN. Avestique, baloutchi, guèbre, kurde, iwan, mède, parthe, pehlvi, persan, perse, rial, tchador.

IRAQ (n. p.). Irak.

IRASCIBILITÉ. Émotivité, excitabilité, explosibilité, hypersensibilité, irritabilité, ombrage, surexcitabilité, susceptibilité.

IRASCIBLE. Atrabilaire, coléreux, colérique, dogue, emporté, irritable, malin, rageur, susceptible.

IRE. Atrabilaire, colère, courroux, exaspéré, fulminant, fureur, furieux, hargneux, rage, rageur, violence.

IRÉNISME. Bienveillance, bonté, compréhension, connaissance, déclic, douceur, entendement, entente, humanisme, inaccessible, indulgence, intelligence, libéralisme, raison, réceptivité, tilt, tolérance.

IRIDACÉE. Crocus, freesia, glaïeul, iris, ixia, freesia, glaïeul, plante, safran, trigide, tigridie.

IRIDIUM. Ir.

IRIS. Apogon, arille, aucheri, barbus, bucharica, confusa, cretensis, cristata, crocea, cypriana, ensata, évansia, flambe, germanica, iridacée, irien, iritis, irone, lazica, lilliput, lutescens, macrantha, mesopotamica, monnieri, montana, pallida, persica, poireau, prismatica, pulila, regelia, reticulata, setosa, sibirica, sintenis, sphylla, susiana, tenax, trojana, uvée, variegata, versicolor.

IRISATION. Brillance, chatoiement, clignotement, coruscation, étincellement, iridescence, lueur, miroitement, moire, moirure, multicolore, nacrure, œil, orient, ouverture, reflet, réflexion, substance.

IRISÉ. Burgau, burgaudine, chromatisé, couleur, diapré, lémure, moiré, nacré, opalin, perle, spectre.

IRISER. Chromatiser, colorer, iridescent, marbrer, nacrer, opalescent, opalin, opaliser, zébrer.

IRLANDAIS. Celtique, écossais, erse, gaélique, langue, ogam, ogham, oghamique, rhétique, whiskey.

IRLANDE (n. p.). Cork, Eire, Erne, Érin, Erne, Irois, Ulster.

IRLANDE, CAPITALE (n. p.). Dublin.

IRLANDE, LANGUE. Anglais, gaélique, irlandais.

IRLANDE, MONNAIE. Euro, livre.

IRLANDE, VILLE (n. p.). Armagh, Athy, Bantry, Belfast, Birr, Bray, Carlow, Clifden, Cobh, Cork, Dublin, Galway, Mallow, Nenagh, Tipperary, Tullamore, Ulster, Wexford.

IRONE. Acétone, camphre, cétone, cétose, dicétose, imine, ionone, iris, principe.

IRONIE. Badinage, blague, bof, brocard, causticité, dérision, épigramme, esprit, flèche, héhé, humour, ironique, ironiste, moquerie, parodie, persiflage, pointe, quolibet, raillerie, rire, rosse, sarcasme, satire, sort.

IRONIQUE. Caustique, goguenard, moqueur, narquois, persifleur, railleur, sarcastique, satirique.

IRONISER. Badiner, blaguer, brocarder, moquer, parodier, persifler, plaisanter, pointer, railler, rire.

IRONISTE. Blagueur, brocard, caustique, charrieur, chineur, facétieux, goguenard, gouailleur, impertinent, ironique, littérateur, moqueur, mordant, narquois, persifleur, railleur, ricaneur, rieur, sarcastique, sardonique, satirique.

IROQUOIS (n. p.). Cherokee, Dollard-des-Ormeaux, Huron, Mohawk, Verchères.

IROQUOIS. Amérindien, indien, indigène, huron.

IRRADIATION. Diffusion, éclatement, écoulement, éjaculation, émanation, émission, énurésie, éructation, éruption, jet, lâchée, luminescence, multiplex, pet, rayonnement, rot, ruissellement, surémission, vesse.

IRRADIER. Bouturer, colporter, courir, circuler, diffuser, disséminer, divulguer, émettre, multiplier, œilletonner, parsemer, populariser, proclamer, propager, répandre, repiquer, ressemer, semer, transplanter, voler.

IRRAISONNÉ. Automatique, comateux, défoulement, évanoui, fou, ignorant, imprudent, inconscient, insensible, insouciant, instinctif, insu, involontaire, irréfléchi, irresponsable, léger, machinal, réminiscence, spontané, subconscient.

IRRATIONNEL. Absurde, déraisonnable, extravagant, illogique, incohérent, insensé, surréalisme.

IRRÉALISABLE. Idéologie, impossible, impraticable, improbable, infaisable, invention, utopie, utopique.

IRRÉALISME. Abstraction, abstrait, apparence, berlue, chimère, fantasme, faux, fiction, fumée, hallucination, idéal, idéalisme, illusion, image, imagination, irréalité, leurre, mensonge, mirage, naïveté, rêve, simulation, utopie.

IRRÉALISTE. Absent, absorbé, abstrait, dormeur, idéaliste, idéologue, imaginatif, jongleur, méditatif, occupé, penseur, pensif, perplexe, poète, rêvasseur, rêveur, romanesque, romantique, songeur, soucieux, utopiste.

IRRÉALITÉ. Abstraction, abstrait, apparence, berlue, chimère, fantasme, faux, fiction, fumée, hallucination, idéal, idéalisme, illusion, image, imagination, irréalisme, leurre, mensonge, mirage, naïveté, rêve, simulation, utopie.

IRRECEVABLE. Déraisonnable, illégitime, impardonnable, inacceptable, inadmissible, inconvenant, indéfendable, injustifiable, injustifié, insupportable, intolérable, récusable, rédhibitoire, refusable, révoltant.

IRRÉCONCILIABLE. Appréciateur, arbitre, brouillé, commissaire-priseur, connaisseur, déclaré, dégustateur, encanteur, enquêteur, estimateur, évaluateur, expert, irréductible, juge, jurat, juré, jury, sapiteur.

IRRÉCUPÉRABLE. Aguerri, blindé, dur, durci, endurci, entêté, impénitent, imperfectible, implacable, incorrigible, incurable, indécrassable, inéducable, inflexible, insensible, invétéré, opiniâtre, sec.

IRRÉCUSABLE. Authentique, avéré, aveuglant, certain, clair, éclatant, évident, flagrant, formel, frappant, inattaquable, incontestable, indéniable, indiscutable, irréfragable, irréfutable, manifeste.

IRRÉDUCTIBLE. Impitoyable, indivisible, indomptable, intolérant, intraitable, intransigeant, juré, réduit, têtu.

IRRÉEL. Abscons, abstrait, abstrus, art, axiomatique, chimère, concret, confus, fantomatique, fictif, figuratif, fumeux, imaginaire, infiguratif, informel, isolation, non-être, paradoxe, profond, pur, spéculatif, subtil, théorique, utopie, vague, virtuel.

IRRÉFLÉCHI. Automatique, brusque, dissipé, écervelé, étourdi, évaporé, fou, idiot, imprévoyant, imprudent, impulsif, inconscient, inconséquent, inconsidéré, insouciant, léger, sot, stupide, tenace, vif.

IRRÉFLEXION. Aboulie, brusquerie, divagation, étourderie, impulsion, légèreté, impulsion, sottise, stupidité, vivacité.

IRRÉFRAGABLE. Authentique, avéré, aveuglant, certain, clair, éclatant, évident, flagrant, formel, frappant, inattaquable, incontestable, indéniable, indiscutable, irrécusable, irréfutable, manifeste.

IRRÉFUTABLE. Authentique, avéré, aveuglant, certain, clair, décisif, éclatant, évident, flagrant, formel, frappant, inattaquable, incontestable, indéniable, indiscutable, irrécusable, irréfutable, irréfragable, manifeste.

IRRÉFUTABLEMENT. Assurément, catégoriquement, certainement, évidemment, incontestablement, indéniablement, indiscutablement, indubitablement, manifestement, péremptoirement, véritablement.

IRRÉGULARITÉ. Anomalie, anormalité, arythmie, asymétrie, boitement, caprice, clopin-clopant, découpure, dissymétrie, écart, erreur, exception, fantaisie, faute, fractal, illégalité, inégalité, particularité.

IRRÉGULIER. À-coup, anormal, asymétrique, baroque, biscornu, boiteux, cahotant, capricieux, défendu, déréglé, difforme, discontinu, épisodique, fractal, haché, inégal, marron, occasionnel, saccadé, sporadique, usurpé.

IRRÉGULIÈREMENT. Aléatoirement, anormalement, capricieusement, intermittence, épisodiquement, sporadiquement.

IRRÉLIGIEUX. Athée, impie, incrédule, incroyant, infidèle, libertin, mécréant, profanateur, sacrilège.

IRRÉLIGION. Agnosticisme, apostasie, athéisme, blasphème, désacralisation, doute, froideur, gentilité, hérésie, impiété, incrédulité, incroyance, indifférence, infidélité, libertinage, matérialisme, paganisme, panthéisme, péché, polythéisme, profanation, reniement, sacrilège, scandale, scepticisme.

IRRÉMÉDIABLE. Décisif, définitif, déterminé, fatal, ferme, final, immuable, inaltérable, incurable, irrégressible, irréparable, irrévocable, nécessaire, perdu, radical, réglé, ultime, ultimatum.

IRRÉMÉDIABLEMENT. Aucun, bannissement, décidément, décisivement, définitivement, durablement, écartement, irrémédiablement, irrévocablement, jamais, nul, onc, onques, sans, toujours, zéro.

IRRÉMISSIBLE. Acharné, constant, cruel, draconien, dur, endurci, fatal, féroce, impitoyable, implacable, indomptable, inéluctable, inexorable, inflexible, inhumain, intransigeant, irrésistible, rigoureux.

IRREMPLAÇABLE. Avantageux, chérissable, considérable, illimité, immense, inappréciable, incalculable, indénombrable, inestimable, inévaluable, infini, insondable, introuvable, précieux, rare, utile.

IRRÉPARABLE. Décisif, définitif, déterminé, fatal, ferme, final, immuable, inaltérable, incurable, irrégressible, irrémédiable, irrévocable, nécessaire, perdu, radical, réglé, ultime, ultimatum.

IRRÉPARABLEMENT. Aucun, bannissement, décidément, décisivement, définitivement, durablement, écartement, irrémédiablement, irrévocablement, jamais, nul, onc, onques, sans, toujours, zéro.

IRRÉPRÉHENSIBLE. Accueillant, anodin, bénin, bon, calme, doux, innocent, inoffensif, larvé, sarcoïde, stéatome.

IRRÉPRESSIBLE. Impérieux, incoercible, incontrôlable, invincible, irrésistible, mentisme, sitiomanie.

IRRÉPROCHABLE. Honnête, idéal, impeccable, inattaquable, intact, irrépréhensible, net, parfait, perle.

IRRÉSISTIBLE. Adorable, craquant, décisif, impérieux, incoercible, incontrôlable, invincible, pressant.

IRRÉSOLU. Chancelant, embarrassé, flottant, fluctuant, hésitant, incertain, indécis, indéterminé, irrésolution, mobile, perplexe, tiède, vacillant, vasouillard, velléitaire, versatile.

IRRÉSOLUTION. Doute, embarras, flottement, hésitation, incertitude, inconstance, indécision, indétermination, instabilité, perplexité, procrastination, résolution, réticence, scrupule, vacillation.

IRRESPECT. Blessure, écrasant, effronterie, familiarité, goujaterie, grossièreté, impertinence, impolitesse, incivilité, inconvenance, incorrection, insolence, irrévérence, muflerie, rusticité, sans-gêne.

IRRESPECTUEUX. Contestataire, critique, frondeur, impertinent, insoumis, moqueur, railleur, rebelle, récalcitrant.

IRRESPIRABLE. Asphyxiant, corrupteur, dangereux, délétère, dépravant, immoral, malfaisant, malsain, mauvais, nocif, nuisible, pernicieux, pervers, pervertisseur, séducteur, suborneur, toxique.

IRRESPONSABLE. Automatique, comateux, défoulement, évanoui, fou, ignorant, imprudent, inconscient, insensible, insouciant, instinctif, insu, involontaire, irraisonné, irréfléchi, léger, machinal, réminiscence, spontané, subconscient.

IRRÉVÉRENCE. Effronterie, goujaterie, grossièreté, impertinence, impolitesse, incivilité, inconvenance, incorrection, insolence, irrespect, libertinage, muflerie, rusticité, sans-gêne.

IRRÉVERSIBLE. Définitif, écrit, fatal, fatidique, fixe, forcé, immanquable, imparable, incontournable, inéluctable, inexorable, infaillible, inévitable, logique, nécessaire, non-retour, obligé, ultimatum, vouer.

IRRÉVOCABLE. Définitif, écrit, fatal, fatidique, fixe, forcé, immanquable, imparable, incontournable, inéluctable, inexorable, infaillible, inévitable, logique, nécessaire, non-retour, obligé, ultimatum, vouer.

IRRÉVOCABLEMENT. Aucun, bannissement, décidément, décisivement, définitivement, durablement, écartement, irrémédiablement, irréparablement, jamais, nul, onc, onques, sans, toujours, zéro.

IRRIGATION. Arrosage, aspersion, bombardement, canal, injection, ondoiement, serinage.

IRRIGUER. Arroser, asperger, auréoler, badigeonner, baigner, baignoire, bain, baptiser, bassiner, doucher, étuver, guéer, humecter, imbiber, inonder, irrigable, laver, macérer, mariner, mouiller, nager, nettoyer, nimber, noyer, œillère, ondoyer, plonger, submerger, traverser, tremper, tuber, verser.

IRRITABILITÉ. Âcreté, agacement, éréthisme, impatience, irascibilité, nervosisme, nervosité.

IRRITABLE. Aigre, aigri, atrabilaire, bilieux, brusque, coléreux, impatient, irascible, nerveux, porc-épic, susceptible.

IRRITANT. Âcre, agaçant, agacement, amer, bruit, colère, énervant, envie, odeur, ortie, senteur, vision, vue.

IRRITATION. Agacement, agacerie, badinerie, bile, brûlure, colère, démangeaison, diantre, énervement, envie, éréthisme, hargne, impatience, inflammation, ire, iritis, lassitude, prurit, rage, révulsion, rhume, ténesme, toux.

IRRITÉ. Accalmie, agacé, calme, contrarié, emporté, énervé, enflammé, enragé, exaspéré, excédé, fâché, furax, furieux.

IRRITER. Acharner, agacer, aigrir, apaiser, aviver, blesser, brûler, calmer, crisper, démanger, déplaire, échauffer, énerver, ennuyer, enquiquiner, enrager, exaspérer, excéder, exciter, fâcher, haïr, hérisser, heurter, horripiler, piquer, rager, rubéfier.

IRRUPTION. Apparition, descente, entrée, explosion, implosion, incursion, invasion, tornade.

ISATIS. Guède, pastel, renard bleu, renard polaire.

ISCHION. Anatomie, bassin, casaquin, fesse, iliaque, ilion, obturateur, os, pelvis, sciatique.

ISÈRE, VILLE (n. p.). Auris, Cognin, Corbas, Grenoble, Huez, Lans, Mens, Meylan, Moins, Morestel, Paladru, Seyssins, Tullins, Vézéronce, Vif, Vinay.

ISHTAR (n. p.). Ashtart, Astarté, Déesse de l'Amour.

ISLAM (n. p.). Coran, Mahomet.

ISLAM. Acharisme, ayatollah, chafiisme, chiisme, falsafa, islamisme, ismaïlien, kharidjisme, mahdisme, mahométisme, musulman, mutazilisme, religion, salafisme, sénousisme, soufisme, sunnisme, turc, zakat.

ISLANDE. Île.

ISLANDE, CAPITALE (n. p.). Reykjavik.

ISLANDE, LANGUE. Islandais.

ISLANDE, MONNAIE. Couronne.

ISLANDE, VILLE (n. p.). Borgarnes, Budir, Dalvik, Flateyri, Grenivik, Hofn, Midsandur, Reykjavik, Roft, Selfoss, Vik.

ISO. ASA, DIN, échelle, degré.

ISOBARE. Atmosphérique, bouton, compression, contrainte, courbe, égal, étreinte, force, influence, isobarique, ligne, météorologie, noyau, pesée, poussée, pression, sollicitation, stress, tension.

ISOCÈLE. Acutangle, cache-sexe, cône, obtusangle, polygone, scalène, soufflet, trapèze, triangle, trièdre.

ISODYNAMIE. Annuité, courbe, égalité, équivalence, identité, module, ou, parité, similitude, valeur.

ISOGAMIE. Copie, étalon, fac-similé, fécondation, génération, hétérogamie, imitation, litho, lithographie, mimétisme, multiplication, oviparité, pollen, réduction, reflet, reproduction, ronéo, scissiparité, sosie, spore, sporulation.

ISOLABLE. Dissociable, divisible, morcelable, partageable, sécable, séparable, subdivisible.

ISOLANT. Araldite, câble, ébonite, guipage, huile, laine, perlite, porcelaine, séparateur, thermos, verre.

ISOLATION. Abandon, bardage, délaissement, déréliction, éloignement, exil, ghettoïsation, isolement, insonorisation, quarantaine, réclusion, retraite, séparation, solitude, vêtage, vêture.

ISOLÉ. Abandonné, as, bled, conducteur, délaissé, dépeuplé, désert, écarté, éloigné, emmuré, ermite, esseulé, fiche, île, îlot, inhabité, lointain, oasis, pâté, premier, reclus, reculé, retiré, rouir, ségrais, sélectif, séparé, seul, seulet, trié, un, vide.

ISOLEMENT. Abandon, cachot, célibat, ermitage, individualisme, quarantaine, réclusion, solitude.

ISOLER. Cantonner, confiner, écarter, éloigner, emmurer, encercler, enfermer, replier, rouir, séparer, trier.

ISOLOIR. Abri, adoption, avis, bulletin, cabine, cabinet, cagibi, chambre, chiotte, choix, cockpit, confessionnal, consultation, élection, nacelle, opinion, plébiscite, référendum, réduit, scrutin, suffrage, urne, votation, voix, vote.

ISOLOMA. Amabile, bogotense, deppeana, erianthum, gesnéracée, kohleria, picta, seemanii, tydaea.

ISOMÈRE. Composé, énantiomère, fructuose, isomérase, même, réarmer, réarranger, rebâtir, reconstituer, reconstruire, recréer, réédifier, refaire, réformer, régénérer, remailler, réorganiser, reprendre, restaurer.

ISOPODE. Amphipode, aselle, cloporte, crabe, crustacé, eucaride, ligie, gammare, langouste, malacostracé.

ISOPRÈNE. Alcool, anesthésique, antiseptique, diène, esprit de bois, méthylène, solvant, thiazine, thionine.

ISOPTÈRE. Fourmi, insecte, termite.

ISOSTASIE. Aplomb, balance, basculer, boiter, équilibre, iotomie, lest, niveau, sain, santé, stabilité.

ISOTOPE. Atomique, deutérium, isobare, isotopique, noyau, radioactif, radiocobalt, thoron, tritium.

ISRAËL (n. p.). Our, Samarie, Sion, Ur.

ISRAËL. Amalécite, biblique, gog, hébreu, iduméen, juif, lévite, loi, og, patriarche, prêtre, prophète, sionisme, youpin.

ISRAËL, CAPITALE (n. p.). Jérusalem.

ISRAËL, LANGUE. Anglais, arabe, français, hébreu, russe.

ISRAËL, MONNAIE. Shekel.

ISRAËL, VILLE (n. p.). Acre, Beersheba, Bethléem, Eilat, Elat, Gaza, Haifa, Jaffa, Jerico, Jérusalem, Lod, Massada, Nazareth, Silo, Tel-Aviv, Tibériade, Yafo.

ISRAÉLITE. Azyme, hébreu, jordanien, juif, manne, palestinien, pâque, sémite, tobie, youdi.

ISSU. Dérivé, descendant, éclos, événement, natif, né, originaire, poussé, résultant, sorti, venu.

ISSUE. Aboutissement, accul, après, critique, cul-de-sac, débouché, dégagement, émonctoire, entrée, fenêtre, fils, fin, funeste, impasse, mouture, ouverture, passage, porte, rade, résultat, réussite, solution, sortie, succès, terme, vomitoire.

ISTHME (n. p.). Avalon, Béringie, Corinthe, Harris, Kra, Panama, Perekop, Suez, Tehuantepec.

ISTHME. Bande, bec, cap, col, partie, péninsule, pointe, presqu'île, promontoire, rétréci.

ITALIE. Comédie, este, latin, rital, romain, transalpin.

ITALIE, CAPITALE (n. p.). Rome.

ITALIE, LANGUE. Albanais, allemand, français, ladin, occitan, slovène.

ITALIE, MONNAIE. Lire.

ITALIE, RÉGION (n. p.). Abruzzes, Basilicate, Calabre, Campanie, Étrurie, Florence, Latium, Ligurie, Lombardie, Marches, Maremme, Messapie, Molise, Montferrat, Ombrie, Piémont, Pô, Pouilles, Sabine, Sardaignes, Savoie, Sicile, Tirol, Toscane, Tyrol, Vénétie.

ITALIE, VILLE (n. p.). Agrigente, Alexandrie, Anagni, Ancône, Andria, Aoste, Aquila, Aquilee, Arezzo, Ascoli, Assise, Asti, Avellino, Bardonneche, Bari, Barletta, Benevent, Bergame, Biella, Bobbio, Bologne, Brescia, Cagliari, Cefalu, Cesena, Côme, Cosenza, Cuneo, Elaia, Ele, Élée, Enna, Erice, Este, Faenza, Florence, Foligno, Forli, Gaeta, Gaete, Gela, Gênes, Gorizia, Imola, Ivrée, Lecce, Lodi, Massa, Milan, Monza, Naples, Ostie, Otrante, Padoue, Paestum, Palerme, Parme, Pesaro, Pise, Ravenne, Rome, Salerne, Sienne, Sorrente, Suse, Teramo, Terni, Tivoli, Topi, Torre, Trieste, Turin, Udine, Urbino, Varese, Venise, Vérone.

ITALIEN. Calabrais, étrusque, gnocchi, latin, rital, romain, sbire, spaghetti, toscan, transalpin.

ITALIQUE. Caractère, déesse, divinité, droite, latin, ombrien, osque, romain, sabellique.

ITEM. Aussi, chose, de même, de plus, élément, entité, id, idem, itou, lot, même, pareillement, partie, portion, question, section, unité.

ITÉRATIF. Fréquentatif, itération, plusieurs, redoubler, réduplicatif, réitératif, répété, répétitif.

ITÉRATION. Allitération, assonance, bi, bis, chaîne, écho, écholalie, encore, fois, fréquence, ibidem, id, idem, litanie, périssologie, pléonasme, psittacisme, rechute, récidive, redite, redondance, refrain, rengaine, répétition, reprise, resucée, retour, révision, ritournelle, scie, série, suite, sur, tautologie, tirade, train-train, trémolo.

ITÉRER. Biner, bisser, copier, dito, doubler, ibidem, idem, imiter, réapparaître, récidiver, recommencer, redevenir, redoubler, rééditer, refaire, réitérer, remettre, renouveler, rentamer, répéter, reprendre, revenir.

ITINÉRAIRE. Boucle, chemin, cheminement, circuit, couloir, défilé, direction, fléchage, flèche, guide, horaire, lieu, ligne, mille, motel, parcours, route, trajectoire, trajet, transversale, via, voyage.

ITINÉRANT. Ambulant, bohème, bohémien, changeant, chemineau, clochard, cloche, clodo, dépravé, dioula, errant, flâneur, galapiat, malandrin, mendiant, nomade, robineux, rôdeur, romanichel, trimardeur, trôleur, truand, tzigane, vagabond, voyageur.

ITOU. Aussi, idem, pareillement.

IULE. Anténatte, géophile, gloméris, insecte, lithobie, mille-pattes, myriapode, scolopendre, scutigère.

IVE. Bugle, germandrée, fleur, ivette, labiacée, labiée, plante.

IVETTE. Bugle, germandrée, fleur, ive, labiacée, labiée, plante.

IVOIRE. Albâtre, blanc, blanchâtre, cément, corozo, curule, dame, dent, dentine, éburné, éburnéen, éléphant, émail, fichet, japon, jeton, marfil, morfil, morse, narval, opalin, porcelaine, rohart, sculpture, sillet, substance.

IVOIRIEN. Couleur, éburné, éburnéen.

IVOIRIN. Albâtre, blanc, blancheur, canitie, clarté, éburné, éburnéen, ivoire, ivoirien, lactescence, leucome, lilial, lymphatisme, neige, netteté, pâleur, propreté.

IVRAIE. Chicane, chiendent, dispute, graminée, mésentente, plante, ray-grass, vorge, zizanie.

IVRE. Aviné, beurré, bourré, cuit, dipsomane, ébriété, éméché, émergé, enivré, exalté, gai, goguette, gris, ivrogne, noir, paf, parti, plein, pompette, pris, rond, saoul, soûl, soûlard, soûlaud, soûlon, soûlot.

IVRESSE. Alcoolisme, bacchante, bitture, biture, cuite, débauche, ébriété, emportement, enivrement, enthousiasme, éthéromanie, éthylisme, euphorie, excitation, griserie, orgie, ribote, soûlerie, vapeur, vertige.

IVROGNE. Alcoolique, boit-sans-soif, buveur, débauché, éponge, pochard, poivrot, soûlard, soûlaud, soûlon.

IVROGNERIE. Absinthisme, alcoologie, alcoolisme, beuverie, delirium tremens, dipsomanie, enivrement, éthylisme, intempérance, ivresse, œnolisme, pochardise, soûlographie.

IVROGRESSE. Bacchanale, bacchante, bachante, bassaride, charmeuses, débauchée, éleide, éviade, femme, fête, ivrogne, ménade, mimalonide, moustache, prêtresse, thyiade.

IXIA. Azureus, bridesmaid, hogarth, invincible, iridacée, ixie, morphixia, plante, sparaxis, tritonia, uranus, wurmea.

IXIÈME. Nième.

IXODE. Acarien, gluant, insecte, mite, parasite, pou de chien, sarcopte, tique.

IXTLE. Agave, mescal, pite, pitta, plante, pulque, sisal, tampico, tequila.

IZARD. Chamois, isard.

IZVESTIA (n. p.). URSS.

IZVESTIA. Journal, quotidien, russe.

J

JABIRU. Cigogne, ciconniidé.

JABLE. Bachotte, baril, barrique, benne, bonde, botte, boucaud, caque, charge, cuve, douve, foissière, foudre, fût, futaille, gonne, jabloire, louve, mèche, muid, pipe, quart, rainure, râpe, récipient, seau, tin, tine, tonne, tonneau, tune, vase.

JABORANDI. Alcaloïde, arbuste, aurantiacée, pilocarpe, pilocarpine, rutacée.

JABOT. Col, cravate, dentelle, estomac, gave, gésier, gorge, gosier, jaboter, oiseau, plissé, poche.

JABOTER. Babiller, bagouler, barjaquer, bavarder, bavasser, cancaner, caqueter, causer, commérer, débiter, discourir, jacasser, jacter, jaser, jaspiller, jaspiner, médire, palabrer, papoter, parler, placoter, potiner, répandre, verbaliser.

JACASSE. Cri, jacasseur, jacassier, passereau, pie, région.

JACASSEMENT. Babil, babillage, bagou, baragouinage, baratin, bavardage, bla-bla, cancan, caquetage, caquètement, jactance, japotage, jaspinage, margotage, papotage, parlote, patata, patati, potin, racontar, ragot, verbiage.

JACASSER. Babiller, bavarder, bavasser, caqueter, crier, jaboter, jaser, papoter, parler, piailler.

JACASSERIE. Babil, babillage, bavardage, boniment, caquetage, caquètement, cri, jacassage, gloussement.

JACÉE. Astéracée, bluet, centaurée, composacée, composées, dicotylédone, fleur, plante, tête-de-moineau.

JACENT. Abandonné, adjacent, caché, convergence, insidieux, larvé, latent, rampant, récessif, secret, somnolent, sous-jacent, subjacent, susjacent, vacant, voilé.

JACHÈRE. Abandon, déshérence, friche, guéret, ive, ivette, labour, lande, semailles, terre, versage.

JACINTHE. Bellevallia, brimeura, embyon, endymion, galtonia, hyacinthe, hyacinthella, hyacinthus, jargon, liliacée, muscari, periboea, pierre, plante, pontederia, scille, strangweia, zircon.

JACOB (n. p.). Aser, Benjamin, Esaü, Isaac, Israël, Joseph, Juda, Laban, Léa, Lévi, Lia, Nephtali, Rachel, Rébecca, Ruben, Siméon, Xabulon.

JACOB. Benjamin, échelle.

JACOBÉE. Baccharis, cinéraire, composée, corbillard, patte de chat, plante, séneçon, urne.

JACOBIN. Bousingot, démagogue, démocrate, démophile, égalitaire, libéral, républicain, universel.

JACOBITE (n. p.). Baradaï, Baradée, Eutychès, Jacques, Stuart, Syrien.

JACOBITE. Archimandrite, copte, église, hérétique, membre, monophysisme, partisan, syrien, ultra.

JACONAS. Andrinople, batiste, bombasin, boucassin, calicot, cellular, chintz, circassienne, coton, cotonnade, cretonne, éponge, finette, futaine, guinée, guingan, indienne, lustrine, percale, perse, piqué, textile, velvet.

JACQUERIE. Agitation, désordre, émeute, insurrection, jacques, rébellion, révolte, soulèvement.

JACQUES. Arriéré, bête, con, conneau, crétin, daube, débile, dégénéré, demeuré, enflé, engourdi, idiot, imbécile, inepte, insanité, minus, minus habens, nase, naze, nul, santon, sot, stupide, vaseux.

JACQUET. Backgammon, beset, damier, dés, écureuil, jan, jeu, matador, revertier, trictrac.

JACQUIER. Arbre, arbre à pain, artocarpe, jaquier, lactifère, moracée.

JACQUOT. Ara, jaco, cacot, perroquet.

JACTANCE. Arrogance, bagou, bagout, baratin, bavardage, bavasserie, boniment, complaisance, contentement, crânerie, éloquence, étau, faconde, mâchoire, mordache, plaque, tchatche, vanité.

JACTER. Aborder, agir, annoncer, babiller, bafouiller, baragouiner, bavarder, bêler, bléser, causer, chuchoter, claironner, crier, dauber, débiter, dénigrer, dire, discourir, disserter, divaguer, évoquer, exposer, exprimer, extravaguer, gueuler, haranguer, hurler, jargonner, jaser, joual, marmotter, monologuer, nasiller, négociation, parler, patois, péronier, picard, placoter, prononcer, rouchi, sic, susurrer, tarir, tonner, trahir, vociférer.

JACUZZI. Bain, baignoire, bassin, cuve, douche, loge, mezzanine, piscine, proscenium, sabot, salle, spa.

JADE. Actinote, amphibole, jadéite, néphrite, pierre, pistache, silicate, tilleul, trémolite.

JADIS. Anciennement, antan, antiquement, autrefois, époque, hier, naguère, passé.

JAILLIR. Apparaître, couler, fuser, gicler, jeter, pisser, rejaillir, saillir, sortir, sourdre, surgir, venir.

JAILLISSEMENT. Bouillonnement, débordement, ébullition, éclaboussement, écoulement, émission, épanchement, éruption, évacuation, explosion, extrusion, giclée, jet, pissement, sortie, surgissement.

JAÏN (n. p.). Bihar, Bouddha, Gujerat, Inde, Karnataka, Mahavira.

JAÏN. Djaïna, djaïnisme, jaïna, jaïnisme, monastère, nirvana, non-violence, religion, vihara, yogi.

JAIS. Ambré, anthracite, carbone, couleur, flambard, houille, jayet, joaillerie, lignite, noir, pierre.

JALAP. Belle-de-jour, convolvulacée, cuscute, ipomée, liseron, plante, purgatif, volubilis.

JALE. Baquet, chaudière, jatte, palanche, récipient, seau, seille.

JALON. Alignement, balise, bâton, cible, enjambée, marque, mire, niveau, piquet, repère, pas, verge.

JALONNEMENT. Abonnage, abornage, abornement, bornage, borne, cabotage, cadre, ceinture, délimitation, démarcation, encadrement, frontière, limitation, limite, mur, précision, séparation, tracé, zone.

JALONNER. Arpenter, battre, chaîner, explorer, inspecter, marcher, mesurer, mirer, parcourir, prospecter, viser.

JALOUSER. Craindre, désirer, douter, envier, espionner, guetter, redouter, soupçonner, surveiller.

JALOUSIE. Crainte, défiance, délire, dépit, émulation, envie, fenêtre, persienne, rai, rivalité, volet.

JALOUX. Envieux, exclusif, inquiet, méfiant, ombrageux, possessif, rival, soupçonneux, tigresse.

JAMAÏCAIN. Antillais, rasta, rastafari.

JAMAÏQUE, CAPITALE (n. p.). Kingston.

JAMAÏQUE, LANGUE. Anglais.

JAMAÏQUE, MONNAIE. Dollar.

JAMAÏQUE, VILLE (n. p.). Appleton, Cambridge, Ewarton, Falmouth, Frome, Kingston, Kirkvine, Linstead, Lucea, Maggotty, Mandeville, Montego Bay, Nain, Porus, Yallahs.

JAMAIS. Aucun, définitivement, nul, onc, oncques, onques, pas, sans, toujours, trente-six, zéro.

JAMBAGE. Assise, base, couche, dosseret, empattement, étage, étagement, fondement, hampe, hérisson, infrastructure, margelle, moie, moye, niveau, pied, pied-droit, solage, strate, subdivision, tambour, trait.

JAMBE. Amble, bas, bigle, botte, cagneuse, canon, de bois, fémur, flageolet, flûte, gambette, genou, gigot, gigue, guibole, guibolle, nager, patte, péroné, pied, pilon, pinceau, quille, suros, tarse, tibia, tige.

JAMBETTE. Amassette, arme, bistouri, canif, chasseur, couteau, croc-en-jambe, eustache, grattoir, laguiole, lame, machette, mollusque, navaja, onglet, opinel, oreille, poignard, soie, solen, surin.

JAMBIÈRE. Arme, cnémide, gamache, grève, guêtre, heuse, houseau, jambart, leggings, protecteur.

JAMBON (n. p.). Ardenne, Bastogne, Bayonne, Orthez, Parme.

JAMBON. Aine, bacul, baron, coupe-jambon, crural, cuisse, cuisseau, cuissot, culote, fémoral, gigot, gigue, gîte, jambonneau, nécrobie, pilon, porc, quasi, sanglier, saupiquet, talon, tranche, viande.

JAMBONNEAU. Coquillage, lamellibranche, mollusque, nacre, pinne.

JAMBOSIER. Cajeput, eucalyptus, fruit, giroflier, goyavier, grenadier, jambose, niaouli, myrtacée.

JANGADA. Bateau, brelle, radeau, raft, rafting, ras, train.

JANISSAIRE. Bachi-bouzouk, dey, harki, heiduque, mamelouk, mameluk, palikare, pandour, papalin, soldat.

JANSÉNISME (n. p.). Agnès, Arnaud, Arnauld, Arnaut, Augustinus, Jansénius, Pascal, Pasquier, Pie II, Piccolomini, Ricci.

JANSÉNISME. Âpreté, augustinisme, austérité, cruauté, doctrine, draconien, dure, dureté, fermeté, inclémence, netteté, pur, puritanisme, rectitude, religion, reliure, rigidité, rigorisme, rigueur, sévérité.

JANSÉNISTE. Anachorétique, ascétique, austère, cénobial, cénobitique, claustral, conventuel, érémitique, frugal, monacal, monastique, monial, puritain, rigide, rigoriste, rigoureux, sévère, spartiate.

JANTE. Aréole, auréole, bandage, boudin, butée, cercle, cerne, circulaire, clenche, clenchette, déjanter, démonte-pneu, disque, halo, loquet, mentonnet, périmètre, périphérie, pneu, poulie, roue, volant.

JAPON, CAPITALE (n. p.). Edo, Nara, Tokyo, Yedo.

JAPON, LANGUE. Japonais.

JAPON, MONNAIE. Yen.

JAPON, VILLE (n. p.). Ageo, Akashi, Akita, Amagasaki, Asahigawa, Asahikaga, Asahikawa, Beppu, Edo, Fugi, Gifu, Hagi, Hiroshima, Ina, Ise, Itami, Ito, Iwaki, Kobe, Kofu, Kure, Kyoto, Maebashi, Mito, Nagano, Nagasaki, Nagoya, Nara, Oita, Omiya, Omuta, Osaka, Ota, Otaru, Otsu, Saga, Sakai, Saku, Sapporo, Suita, Tokyo, Toyama, Tsu, Ube, Uji, Yao, Yedo.

JAPONAIS (n. p.). Asie, Meiji.

JAPONAIS. Asiate, asiatique, bouddha, butô, dan, futon, geisha, fugu, jaune, kana, karaté, kimono, koto, kyu, monogatari, nippon, nô, saké, samouraï, sen, sumo, surimi, sushi, tempura, to, tofu, xanthoderme, yen.

JAPPEMENT. Aboiement, cancan, chien, clabaudage, commérage, criaillerie, glapissement, grognement, hurlement.

JAPPER. Aboyer, clabauder, chacal, chien, crier, cyon, glapir, hurler, jappement, jappeur.

JAPPEUR. Aboyeur, adjudicateur, annonceur, annonciateur, chantre, chaouch, crieur, encanteur, glapeur, hérault, huissier, massier, messager, tabellion, vendeur.

JARDE. Capelet, cheval, éparvin, jardon, jarret, javart, suros, tumeur, vessigon.

JAQUE. Amidon, artocarpe, body, justaucorps, fruit, habit, jacquier, jaquier, moracée, pourpoint, teddybear.

JAQUETTE. Cardigan, complet, couverture, frac, gilet, habit, prothèse, pyjama, queue-de-pie, veste.

JAQUIER. Amidon, arbre à pain, jaque, jacquier, fruit, moracée, mûrier, upas.

JARDIN. Carré, clos, closerie, cour, courtil, courtille, éden, enclos, jardinet, lopin, mail, maraîcher, oasis, ouche, paradis, parc, parterre, planche, plate-bande, potager, serre, square, terre, théâtre, verger, zoo.

JARDINAGE. Arboriculture, arbre, bêchage, bouturage, couvent, école, fleur, forestage, foresterie, horticulture, maraîchage, mine, origine, pépinière, plante, sarclage, séminaire, source, sylviculture.

JARDINER. Amender, ameublir, arboriser, arracher, arroser, assoler, bêcher, biner, botaniser, botteler, butter, chauler, cueillir, cultiver, débroussailler, entretenir, herboriser, planter, rustiquer.

JARDINET. Carré, closerie, cour, courtil, courtille, éden, enclos, hortillonnage, jardin, lopin, mail, maraîcher, oasis, ouche, paradis, parc, plate-bande, potager, serre, square, terre, théâtre, verger, zoo.

JARDINIER (n. p.). Le Nôtre, Paxton, Robin, Robinier.

JARDINIER. Arboriculteur, bac, bêche, binette, carabe doré, écobue, fleuriste, gratte, horticulteur, houe, houlette, macédoine, maraîcher, pépiniériste, rosiériste, salade, vinaigrier.

JARDINIÈRE. Bac, carabe, macédoine, mélange, mixture, queue-de-renard, salade, salmigondis, vasque.

JARGON. Argot, babélisme, charabia, cri, jaser, joual, langage, langue, narquois, parler, sabir, slang.

JARGONNER. Coq, crier, étalon, fils, homme, jars, malard, mâle, mari, masculin, oie, parler, tiercelet, viril.

JAROUSSE. Ers, gesse, jarosse, lathyrus, orobe, pois de senteur, vespéron.

JAROVISATION. Printanisation, vernalisation.

JARRE. Aiguière, amphore, ballon, bol, boue, bouteille, buire, calice, canette, canope, carafe, cérame, ciboire, cornue, coupe, cratère, cruche, fange, hanap, hydrie, jatte, limicole, limon, matras, navette, patène, pot, potiche, récipient, seau, soliflore, tasse, thomas, urinal, urne, vase, verre.

JARRET. Acier, capelet, gîte, gîte-gîte, jambe, jarde, jardon, malandre, mollet, osso-buco, poplité, trumeau, vessigon.

JARRETIÈRE. Amarre, ancrage, aussière, bitord, bitte, cabillot, câble, chaumard, cordage, élingue, embossure, étrive, filin, garcette, haussière, larguer, liure, organeau, sabaille, sabaye, suspente, taquet.

JARS. Coq, daim, étalon, fils, homme, jargonner, malard, mâle, mari, masculin, oie, taureau, tiercelet, viril.

JAS. Ancre, aplomb, apothème, barre, bergerie, droit, flèche, grappin, hauteur, horizontal, lisse, orthogonal, perpendiculaire, pied, sinus, surjalée, théorème.

JASER. Babiller, bagou, bavarder, bavasser, converser, crier, jacasser, médire, papoter, parler, trahir.

JASEUR. Ara, avocat, babillard, bavard, causant, causeur, commère, crécelle, discoureur, discret, disert, indiscret, jacasseur, long, loquace, margot, orateur, parleur, pie, pipelet, prolixe, silencieux, taciturne, verbeux, volubile.

JASMIN. Arbuste, fleur, jasminum, jonquille, officinale, oléacée, plante, tecoma, trachelospermum.

JASPER. Barioler, bigarrer, jaspe, jaspure, joaillerie, marbrer, marqueter, roche, tacheter, touche.

JASPINAGE. Babil, babillage, bagou, baragouinage, baratin, bavardage, bla-bla, cancan, caquetage, caquètement, jacassement, jactance, japotage, margotage, papotage, parlote, patata, patati, potin, racontar, ragot, verbiage.

JASPINER. Babiller, bagouler, barjaquer, bavarder, bavasser, cancaner, caqueter, causer, commérer, débiter, discourir, jaboter, jacasser, jacter, jaser, jaspiller, palabrer, papoter, parler, placoter, potiner, répandre, verbaliser.

JATTE. Aiguière, amphore, ballon, bol, boue, bouteille, buire, calice, canette, canope, carafe, cérame, ciboire, cornue, coupe, cratère, cruche, fange, hanap, hydrie, jarre, limicole, limon, matras, navette, patène, pot, potiche, récipient, seau, soliflore, tasse, thomas, urinal, urne, vase, verre.

JAUGE. Aiguillée, atèle, aune, baguette, canne, cheviotte, dimension, distance, durée, échevette, empan, encablure, envergure, longueur, mesure, onde, pas, périmètre, pied, pige, règle, toué, verge.

JAUGER. Cuber, doser, évaluer, graduer, jauge, juger, marquer, mesurer, palper, peser, supporter.

JAUMIÈRE. Gouvernail, mèche, navire, ouverture, passage, tube.

JAUNÂTRE. Bilieux, bistre, blond, blondasse, cireuse, éphélide, filasse, mastic, platiné, sale, terne.

JAUNE (n. p.). Asie, Chinois, Japonais.

JAUNE. Ambre, beurre, blond, bouton d'or, caca, caca d'oie, canari, chamois, citron, doré, flavescent, ictère, isabelle, jaunâtre, jonquille, louvet, nankin, ocre, or, orange, paille, rire, safran, serin, soufre.

JAUNI. Blondi, décoloré, doré, fané, mûr, mûri, ocré, peint, teint.

JAUNIR. Blondir, décolorer, faner, javelliser, mûrir, ocrer, pâlir, passer, peindre, safraner, teindre.

JAUNISSE. Acholie, bile, bilirubine, cholémie, chlorose, dépit, hépatite, ictère, ictérique, leptospirose.

JAUNISSEMENT. Chlorose, étiolement, flavescence, vieillissement.

JAVA. Amusement, bacchanale, beuverie, danse, débauche, fête, informatique, langage, pagne, valse.

JAVA, ÎLE, VILLE (n. p.). Bandung, Bogor, Cepu, Dieng, Djakarta, Malang, Raba, Rembang, Serang, Surabama, Tegal.

JAVANAIS. Argot, coléus, gamelan, indonésien, jargon, java, javascript, langue, soudanais.

JAVEAU. Atoll, île, îlot, limon, sable.

JAVEL. Ammoniac, calomel, chlorure, gemme, halite, muriate, perchlorure, soude, sylvinite, vinylite.

JAVELINE. Arme, flèche, javelot, trait.

JAVELLE. Brande, camelle, céréale, fagot, faisceau, fascine, ligot, margotin, meulon, moisson, sel, tas.

JAVELLISATION. Antisepsie, aseptisation, assainissement, chloration, décontamination, désinfection, étuvage, formolage, pasteurisation, prophylaxie, stérilisation, verdunisation.

JAVELOT. Ambre, angon, arme, béril, bile, dard, digon, doré, érux, fauve, flèche, framée, hast, javeline, lance, ocre, pilum, pique, sagaie, sil, trait, ulex.

JAYET. Anthracite, boulet, brai, briquette, calamité, charbon, cheval, coke, fines, gailletin, houille, jais, lignifié, lignite, maréchale, mineur, moreau, noir, pyrène, pyridine, pyrrol, robe.

JAZZ (n. p.). Ailey, Armstrong, Basie, Bechet, Blakey, Brubeck, Calloway, Charles, Clarke, Cole, Coleman, Coltrane, Davis, Delannoy, Dixieland, Django, Eldrige, Ellington, Evans, Fitzgerald, Garner, Gatsby, Gershwin, Getz, Gillespie, Goodman, Hampton, Haukins, Henderson, Holiday, Krenek, Logue, Mingus, Monk, Morrison, Morton, Nougaro, Oliver, Parker, Peterson, Powell, Reinhart, Rollins, Sablon, Schuman, Shepp, Slim, Tansman, Tatum, Vaughan, Vian, Waller, Weill, Whiteman, Wiéner, Williams, Wilson, Young, Zbinder, Zimmermann.

JAZZ. Beat, be-bop, boogie-woogie, bop, cool, combo, dixie, funky, fusion, hot, hot-bop, jazzy, quintet, rythme, scat, swing.

JE. Ego, me, moi.

JEAN. Blue-jean, denim.

JEAN-LE-BLANC. Aigle, circaète, falconiforme, milan blanc, offroy, oiseau, rapace.

JEANNETTE. Boy-scout, éclaireur, guide, jonquille, louveteau, narcisse, ranger, routier, scout, tirailleur.

JEHOVAH (n. p.). Jésus, Russell, Sabaoth, Tabaoth, Yahvé.

JÉRÉMIADE. Bêlement, braillement, cri, doléance, gémissement, girie, lamentation, murmure, plainte.

JERRYCAN. Bidon, boille, bouille, cuve, fût, gourde, jerrican, nourrice, récipient, réservoir, ventre.

JÉRUSALEM (n. p.). Sion.

JÉSUITE (n. p.). Béa, Bolland, Borgia, Bouhours, Bourdaloue, Brébeuf, Busenbaum, Cavalieri, Charlevoix, Colin, Coton, Cros, Danielou, Dumas, Fonseca, Hopkins, Kircher, Labbé, La Chaise, La Chaize, Lavalette, Letellier, Lubac, Marquette, Martellange, Molina, Poidebard, Rahner, Régis, Rey, Scheiner, Southwell, Vieira, Vimont.

JÉSUISTE. Astucieux, fausseté, fourbe, hypocrite, jèse, jèze, maté, moliniste, sournois, style.

JÉSUITISME. Dissimulation, duplicité, fausseté, fourberie, hypocrisie, sournoiserie.

JÉSUS (n. p.). Bethléem, Cana, IHS, Josué, Nazareth.

JÉSUS. Chérubin, esprit, hésychasme, messie, nazaréen, saucisson, sauveur.

JÉSUS-CHRIST (n. p.). Ichthus, Ichthys, IHS, J. C., Messie

JÉSUS-CHRIST. Agape, cène, croix, évangile, ihs, INRI, J.C., messe, messie, nativité, oint, pasteur, sauveur.

JET. Angon, avion, brouillon, douche, ébauche, émission, filet, fronde, gerbe, geyser, giclée, lance, lancer, marteau, masselotte, plomb, pluie, pompe, pousse, rejet, rejeton, sagaie, soufflard, tir, trait.

JETAGE. Bave, canal, écoulement, dalot, débit, débord, débouché, décharge, drain, égout, égouttement, épanchement, éruption, exsude, flux, gourme, hématidrose, infiltration, jet, laps, larmoiement, leucorrhée, onde, otorrhée, phléborragie, saignement, stillation, suintement, transpiration.

JETÉ. Avancé, créé, diffusé, dit, divulgué, émis, énoncé, lui, paru, promulgué, prononcé, publié, SOS.

JETÉE. Brise-lames, couloir, débarcadère, digue, embarcadère, estacade, havre, môle, musoir.

JETER. Adonner, atterrer, balancer, baver, boire, catastropher, consterner, crier, débarrasser, déconcerter, défenestrer, désarçonner, déverser, disperser, disposer, éconduire, éjecter, émettre, engager, ensemencer, ensorceler, envoyer, éparpiller, époustoufler, flamboyer, flanquer, intéresser, lancer, porter, poser, pousser, précipiter, produire, regarder, répandre, repousser, renvoyer, ruer, semer, terrasser, tirer, verser.

JETEUR. Adroit, alchimiste, astrologue, devin, enchanteur, ensorceleur, envoûteur, féticheur, grimoire, griot, habile, jettatore, mage, magicien, magie, malin, nécromancien, quimboiseur, sorcier.

JETON. Coup, fiche, marque, marron, méreau, numéro, péage, peur, pièce, piton, taxiphone, tessère.

JEU. Aluette, astuce, awalé, backgammon, badminton, balle, baseball, billard, bingo, bog, bonneteau, calembour, carte, charade, colin-maillard, console, corbillon, cricket, croquet, crosse, dames, dés, devinette, domino, échec, énigme, enjeu, furet, go, golf, hockey, jacquet, jass, jouet, lego, loto, loterie, ludique, mah-jong, maie, manilles, marelle, monopoly, mots croisés, mourre, nasard, oie, osselet, pari, passe-temps, patience, pile ou face, polo, quilles, quiz, rebot, rébus, régale, réussite, reversi, rodéo, scrabble, solitaire, sport, tour, trictrac, truc, trou-madame, roulette, sport, walé, water-polo, yass.

JEU DE CARTES. Aluette, baccara, bataille, beigne, belote, bésigue, black-jack, boodle, bridge, canasta, chicago, chouette, cinq-cents, cochon, cœurs, concentration, concierge, crapette, cribbage, cuillère, dîme, dix, dominos, écarté, école, fan-tan, gin, gin-rami, golf, huit, jass, knock-rami, manilles, mémoire, michigan, nain jaune, neuf, newmarket, paquet-voleur, parlement, patience, pêche, piquet, pisseuse, poker, rami, réussite, reversi, reversis, rob, romain, rumoli, salade, samba, saratoga, sept, slapjack, soixante-cinq, solitaire, sorcière, taquin, tarot, tête-et-queue, trente et un, trifouille, trio, trou-du-cul, valets, vieille, vingt et un, yass, whist.

JEUNE. Ado, adolescent, adonis, beur, blanc-bec, cadet, chiot, décati, éphèbe, gamin, garçon, gars, godelureau, gone, gosse, imberbe, inédit, jeunet, jeunot, junior, naïf, néo, petit, page, pigeonneau, récent, skin, skinhead, tourtereau, varlet.

JEÛNE. Abandon, abstention, chasteté, continence, diète, faim, frugalité, modération, neutralité, privation, pureté, récusation, refus, régime, renonciation, renoncement, restriction, sobriété, virginité.

JEÛNER. Abstenir, censurer, cesser, censurer, défendre, dispenser, empêcher, enlever, éviter, exempter, garder, interdire, maigrir, manquer, modérer, omettre, passer, priver, récuser, refuser, renoncer, retenir, taire, veiller.

JEUNESSE. Adolescence, décati, dorée, enfance, fraîcheur, jeunes, printemps, verdeur, vigueur, yé-yé.

JEUNESSE OUVRIÈRE CATHOLIQUE. J.O.C.

JEUX OLYMPIQUES (n. p.). Albertville, Amsterdam, Anvers, Athènes, Atlanta, Barcelone, Bejin, Berlin, Calgary, Chamonix, C.I.O., Coubertin, J.O., Garmisch-Partenkirchen, Grenoble, Helsinki, Insbruck, Lake Placid, Lillehammer, Londre, Los Angeles, Melbourne, Mexico, Montréal, Moscou, Munich, Nagano, Oslo, Paris, Péhin, Rome, Saint-Louis, Saint-Moritz, Salt Lake City, Sapporo, Sarajevo, Séoul, Squaw Valley, Stockholm, Sydney, Tokyo, Turin, Vancouver.

JINGLE. Générique, indicatif, motif, slogan, sonal, thème.

JIU-JITSU. Art, atemi, bagarre, boxe, catch, combat, coup, curée, défense, ippon, japonais, joute, judo, karaté, kata, lice, lutte, martial, mêlée, pancrace, prise, pugilat, querelle, savate, sport, sumo.

JOAILLERIE. Bijouterie, chaînetier, chaîniste, chef-d'œuvre, horlogerie, jaspe, marcassite, merveille, nacre, orfèvre, orfèvrerie, parurerie, perfection, pierreries, sertissage, triboulet, verroterie.

JOAILLIER (n. p.). Birks, Tiffany.

JOAILLIER. Aiguilleur, bijoutier, bruteur, chaînetier, chaîniste, diamantaire, drille, gemmologiste, horloger, orfèvre, pendulier, pierreries, régulateur, tas, triboulet.

JOB. Activité, affaire, baliverne, besogne, charge, dada, distraction, emploi, état, fonction, gagne-pain, hobby, loisir, magistère, métier, occupation, office, ouvrage, place, poste, profession, tâche, travail.

JOBARD. Bête, candide, crédule, cucul, dupe, gille, gobeur, gogo, imbécile, ingénu, innocent, jobarderie, jobardise, jocrisse, naïf, niais, nigaud, pigeon, poire, puéril, serin, simple, simplet, spontané, zozo.

JOBARDERIE. Benêt, bête, candide, crédule, cucul, dupe, gille, gobeur, gogo, ingénu, innocent, jobard, jobardise, jocrisse, naïf, niais, nigaud, pigeon, poire, puéril, serin, simple, simplet, spontané, zozo.

JOCASSE. Draine, drenne, fauve, grène, grive, grivette, joues grises, litorne, mauvis, solitaire, tourde, vendangette.

JOCRISSE. Ballot, bêta, bête, candide, crédule, cucul, dadais, dupe, gille, gobeur, gogo, imbécile, ingénu, innocent, jobarderie, jobard, naïf, niais, nigaud, pigeon, poire, puéril, serin, simple, simplet, spontané, zozo.

JOCKEY. Amazone, arrogant, camisard, carabin, cheval, cavalier, crampillon, désinvolte, écuyer, équestre, estafette, étrier, hardi, hautain, hussard, impertinent, inconsidéré, picador, reître, selle, sinapisé, spahi.

JOCRISSE. Benêt, bête, candide, crédule, cucul, dupe, gille, gobeur, gogo, ingénu, innocent, jobard, jobarderie, jobardise, naïf, niais, nigaud, pigeon, poire, puéril, serin, simple, simplet, spontané, zozo.

JODHPUR. Bloomer, blue-jean, braies, corsaire, culotte, denim, fendard, fendart, froc, fuseau, futaie, futal, jean, jeans, knickers, knickerbockers, pantalon, pantin, quadrille, sampot, saroual, sarouel, séroual, sérouel.

JODLER. Beugler, brailler, bramer, cappella, chanter, chantonner, coqueriquer, détonner, égosiller, entonner, fredonner, grisoller, hurler, injurier, iodle, iodler, iouler, ramager, roucouler, solfier, swinguer, ténoriser, turlutter, vocaliser.

JOGGING. Course, footing, joggeur, survêtement.

JOIE. Admiration, aise, allégresse, béatitude, bonheur, délice, délire, égaiement, enchantement, enthousiasme, entrain, épanoui, euphorie, exaltation, extase, exultation, gaieté, gué, hilarité, humeur, ivresse, jubilation, liesse, mélancolie, plaisir, ravissement, réjouissance, rieur, youpi.

JOIGNANT. Accolé, adjacent, attenant, avoisinant, contigu, jouxtant, juxtaposé, limitrophe, prochain, voisin.

JOINDRE. Aboucher, abouter, accoler, accoupler, adjacent, agglutiner, ajointer, ajouter, annexer, articuler, assembler, attacher, coudre, enchevaucher, enlier, latéral, lier, marier, mastiquer, mêler, nouer, raccorder, réjouissance, relier, réunir, souder, trait, unir.

JOINT. Aggluliné, agrégat, ajointé, ajouté, annexé, attaché, cigarette, ci-joint, cou, délit, enlier, genou, jointure.

JOINTURE. Aboutage, anastomose, ars, boulet, cornière, gomphose, nœud, raccord, trochlée.

JOLI. Accorte, agréable, aimable, amusant, beau, bel, bellot, bijou, charmant, chouette, coquet, divin, élégant, gent, girond, ignoble, jojo, laid, mignon, pépée, pimpant, plaisant, propre, ravissant, superbe, vilain.

JOLIESSE. Agrément, astre, art, beauté, bellâtre, charme, chic, délicatesse, élégance, féerique, finesse, fraîcheur, gel, glamour, grâce, grain, féerie, idéal, jolie, ornement, plastique, reine, séduction, superbe, toilette, vénusté.

JOLIMENT. Agréablement, bien, coquettement, drôlement, élégamment, gentiment, très.

JONC. Alaise, alèse, alliance, anneau, bague, baguette, balai, bâton, bijou, butome, canne, chevalière, époux, juncacée, juncus, mariage, marié, plante, promis, roseau, scirpe, solitaire, souchet, union.

JONCACÉE. Ajonc, an, butome, jaugue, jomarin, jonc, landage, lande, landier, luzule, thuie, ulex, vigneau.

JONCER. Caner, canner, céder, empailler, enfuir, flancher, fuir, mourir, pailler, reculer, rempailler.

JONCHÉ. Constellé, couvert, criblé, émaillé, éparpillé, parsemé, recouvert, répandu, tapissé.

JONCHÉE. Amas, faisselle, fromage, ornement, panier, quantité.

JONCHER. Couvrir, éparpiller, épars, étendre, orner, parsemer, prévoir, recouvrir, répandre, tapisser.

JONCHET. Allumette, apex, bâton, bâtonnet, bretzel, coton-tige, craie, crayon, frite, jeu, mikado, surimi.

JONCTION. Adhésion, assemblage, étalingure, intersection, liaison, livet, matir, raccordement, union.

JONGLER. Bouffon, clown, cogiter, concerter, consulter, débattre, décider, délibérer, démêler, discuter, disputer, examiner, levée, méditer, penser, président, raisonner, réfléchir, ruminer, songer, spéculer.

JONGLERIE. Boucle, campanile, donjon, échec, façon, jongleur, manœuvre, ménestrel, passe-passe, pensée, pirouette, plaisanterie, simagrée, songe, spire, taille, tour, tr, tromperie, truc, virée, volte.

JONGLEUR (n. p.). Bodel, Massenet.

JONGLEUR. Bouffon, clown, enchanteur, magicien, ménestrel, histrion, psylle, rêveur, sorcier, troubadour.

JONQUILLE. Amaryllidacée, canari, citrin, citron, coucou, jeannette, narcisse, porillon, serin, trompette.

JORDANIE, CAPITALE (n. p.). Amman.

JORDANIE, LANGUE. Anglais, arabe.

JORDANIE, MONNAIE. Dinar.

JORDANIE, VILLE (n. p.). Akaba, Amman, Djenin, Irbid, Jéricho, Jérusalem, Ma'an, Pétra, Salt, Tafila, Zarqa, Zarqah.

JOUBARBE. Artichaut, crassulacée, fleur, infusion, orpin blanc, plante, sempervivum.

JOUE. Abajoue, apophyse, bajote, bajoue, brion, contre-arc, fossette, jote, latéral, lèvre, pommette, ventre.

JOUER. Berner, claironner, cornemuser, cymbaler, enlever, exécuter, fifrer, figure, figurer, flûter, gager, gratter, harper, incarner, interpréter, jouailler, mimer, miser, pianoter, pincer, rejouer, risquer, sonner, toucher.

JOUET. Amusette, amusoire, berlue, bilboquet, bimbelot, canonnière, cerf-volant, cheval, cheval de bois, clifoire, diabolo, émigrette, feu, fronde, hochet, jeu, joujou, loisir, nounours, ours, panoplie, peluche, pétoire, polichinelle, poupée, proie, toupie, toutou, victime, yoyo.

JOUEUR. Ailier, arrière, attaquant, avant, botteur, capot, centre, champ, claveciniste, défenseur, donneur, flambeur, gardien, handballeur, hockeyeur, hors jeu, inter, intérieur, lanceur, organiste, pianiste, pongiste, ponte, quilleur, receveur, stopper, tennisman, trompettiste, violoniste.

JOUEUR DE BASKET (n. p.). Johnson, Jordan.

JOUEUR D'ÉCHECS (n. p.). Fisher, Karpov, Kasparov, Philidor, Zweig.

JOUEUR DE FOOTBALL EUROPÉEN (n. p.). Beckenbauer, Darui, Di Stefano, Fontaine, Kopa, Lacombe, Lopez, Maradona, Matthaus, Michel, Milla, Papin, Pele, Platini, Puskas, Ronaldo, Zidane.

JOUEUR DE GOLF (n. p.). Nicklaus, Palmer, Woods.

JOUEUR DE HOCKEY (n. p.). Béliveau, Gretsky, Howe, Lafleur, Lemieur, Orr, Richard, Roy.

JOUEUR DE RUGBY (n. p.). Prat.

JOUEUR DE SOCCER (n. p.). Beckenbauer, Darui, Di Stefano, Fontaine, Kopa, Lacombe, Lopez, Maradona, Matthaus, Michel, Milla, Papin, Pele, Platini, Puskas, Ronaldo, Zidane.

JOUEUR DE TENNIS (n. p.). Agassi, Bédard, Becker, Borg, Borotra, Brugnon, Cochet, Connors, Lacoste, Lareau, Laver, Lendl, McEnroe, Noah, Sampras, Tilden.

JOUEUSE DE TENNIS (n. p.). Evert, Graf, Lenglen, Navratilova, Williams.

JOUFFLU. Bouffi, charnu, dodu, gras, grassouillet, gros, lune, mafflu, plein, potelé, poupard, poupin, rebondi, replet, rond, rondelet.

JOUG. Asservissement, assujettissement, carcan, chaîne, contrainte, dépendance, domination, emprise, enjuguer, entrave, esclavage, fardeau, fléau, harnais, lien, oppression, servitude, subordination, sujétion.

JOUIR. Abreuver, bénéficier, déguster, délecter, droit, goûter, profiter, resquiller, savourer, vivre.

JOUISSANCE. Bail, chasement, extase, libre, orgasme, plaisir, possession, privilège, usage, usufruit.

JOUISSEUR. Bénéficiaire, client, habitué, locuteur, minitéliste, passager, profiteur, usager, usufruitier, utilisateur.

JOUR. Calendes, date, dimanche, équinoxe, férié, hier, jeudi, journée, lendemain, lumière, lundi, mardi, mercredi, néonème, néomésie, none, période, sabbat, samedi, starie, surlendemain, têt, veille, vendredi.

JOUR DE LA DÉCADE. Décadi, duodi, nonidi, octidi, primidi, quartidi, quintidi, septidi, sextidi, tridi.

JOURNAL. Abonné, actualité, baveux, biographie, brûlot, bulletin, canard, chroniques, dazibao, écrit, entrefilet, feuille, gazette, hendo, hebdomadaire, illustré, jaune, kiosque, morasse, organe, papier, périodique, publication, quotidien, registre, router, tabloïd, tirage, torchon.

JOURNAL (n. p.). de Montréal, de Québec, Izvestia, La Croix, La Minerve, La Presse, La Tribune, L'Aurore, Le Devoir, Le Droit, Le Figaro, Le Globe, Le Monde, Le Nouvelliste, Le Progrès, Le Réveil, Le Soleil, L'Humanité, Libération, Morning Post, National Post, The Gazette, Washington Post.

JOURNALIER. Aoûteron, appointé, chemineau, diurne, employé, engagé, gagne-denier, gagne-petit, manœuvre, marbre, marée, mercenaire, ouvrier, payé, quotidien, rémunéré, rétribué, salarié, travailleur.

JOURNALISTE. Animateur, annonceur, chroniqueur, columniste, commentateur, correspondant, courriériste, critique, écrivain, éditorialiste, envoyé, nouvelliste, pigiste, pisseur, publiciste, rédacteur, reporter.

JOURNALISTE ALLEMAND (n. p.). Goebbels, Kertész, Ossietzky.

JOURNALISTE AMÉRICAIN (n. p.). Alsop, Baker, Bennett, Hemingway, Pulitzer, Wolfe.

JOURNALISTE AUTRICHIEN (n. p.). Roth, Suttner.

JOURNALISTE BULGARE (n. p.). Karavelov.

JOURNALISTE BRITANNIQUE (n. p.). Cobbett, Stanley, Thackeray, Wilkes.

JOURNALISTE CANADIEN (n. p.). Beaugrand, Bédard, Bourassa, Davies, Desjardins.

JOURNALISTE ESPAGNOL (n. p.). Pla.

JOURNALISTE FRANÇAIS (n. p.). About, Antonelle, Bertin, Brasillach, Brossolette, Caillevet, Carrel, Cassagnac, Curnonsky, Delecluze, Desgrange, Desmoulins, Desnoyer, Drumont, Fénéon, Follereau, Gatti, Gaxotte, Girardin, Hébert, Jaurès, Karr, Kessel, Lazareff, Leroux, Londres, Marrast, Noir, Ormesson, Péri, Renaudot, Rochefort, Sangnier, Thiers, Vacquerie, Vallès, Vermersch, Veuillot.

JOURNALISTE IRLANDAIS (n. p.). O'Connor, Steele.

JOURNALISTE ITALIEN (n. p.). Farinacci, Mussolini.

JOURNALISTE LIBANAIS (n. p.). Maalouf.

JOURNALISTE SUÉDOIS (n. p.). Danielson, Hellström.

JOURNALISTE SUISSE (n. p.). Ducommun.

JOURNALISTE RUSSE (n. p.). Aksakov.

JOURNÉE. Calendes, date, dimanche, équinoxe, férié, hier, jeudi, jour, lendemain, lumière, lundi, mardi, mercredi, néonème, néomésie, none, période, sabbat, samedi, starie, têt, veille, vendredi.

JOUTE. Combat, compétition, duel, jouter, jouteur, lance, lice, lutte, morne, oratoire, tournoi.

JOUTER. Atteindre, balancer, concurrencer, disputer, égaler, égaliser, émuler, lutter, mesurer, pratiquer, rivaliser.

JOUVENCEAU. Ado, adolescent, adonis, bachelier, béjaune, blanc-bec, cadet, chérubin, éphèbe, fan, galopin, garçon, hymen, jeune, jouvencelle, novice, nymphette, page, pédopsychiatrie, puceau, scout, teen-ager, tendron.

JOUXTANT. Accolé, adjacent, attenant, avoisinant, contigu, joignant, juxtaposé, limitrophe, prochain, voisin.

JOUXTER. Attenant, avoisiner, contigu, environner, rassembler, toucher, voisiner.

JOVIAL. Aise, allègre, drille, enjoué, épanoui, gai, gaillard, grivois, jovialité, joyeux, réjoui, rieur.

JOVIALEMENT. Agréablement, allègrement, béatement, bienheureusement, euphoriquement, extatiquement, gaiement, heureusement, joyeusement, plaisamment, radieusement.

JOVIALITÉ. Alacrité, allégresse, comique, désopiler, égrillard, émoustiller, enjouement, entrain, folie, gaieté, gaillardise, gauloiserie, grivoiserie, hilarité, humour, ironie, joie, jubilation, plaisanterie, réjouissance, rire, vivacité.

JOYAU. Alliance, bald, beauté, bijou, diadème, ferronnière, ménisque, ornement, parure, précieux, valeur.

JOYEUSEMENT. Agréablement, allègrement, extatiquement, gaiement, heureusement, jovialement, plaisamment, radieusement.

JOYEUSETÉ. Alacrité, bouffonnerie, farce, enjouement, gaillardise, gaudriole, gauloiserie, grivoiserie, joie, paillardise, pitrerie, plaisanterie, polissonnerie.

JOYEUX. Aisé, allègre, badin, content, déridé, enjoué, ensoleillé, enthousiaste, épanoui, épée, folâtre, gai, gaillard, grivois, guilleret, heureux, hilare, joie, jovial, jubilant, luron, ravi, réjoui, riant, rieur, rire.

JUBARTE. Baleine, baleine à bosse, banénoptère, cétacé, gibard, mégaptère, rorqual.

JUBÉ. Arcade, assemblée, balcon, coursive, filon, galerie, hourd, hypogéeloge, mâchicoulis, passage, portique, poulailler, préau, raucheur, salon, souterrain, spectateur, taupe, tranchée, tunnel, véranda, vestibule, voûte, xyste.

JUBILANT. Aisé, béat, bienheureux, claironnant, comblé, content, enchanté, fat, fiérot, gai, gavé, heureux, joisse, jouasse, joyeux, orgueilleux, présomptueux, radieux, rassasié, ravi, réjoui, repu, résonne, satisfait, triomphant.

JUBILATION. Allégresse, béatitude, bonheur, enivrement, euphorie, extase, gaieté, joie, liesse, réjouissance.

JUBILÉ. Amusement, anniversaire, assemblée, bacchanale, bal, célébration, cérémonie, cinquante, commémoration, dentelle, féerie, féralies, festin, festivité, fest-noz, fête, foire, gala, kermesse, noce, nouba, orgie, parentalies, raout, réception, réjouissance, rodéo, saturnales, soirée, solennité, têt, tournoi.

JUBILER. Amuser, célébrer, commémorer, exulter, fêter, joie, jubilaire, réjouir, rire, triompher.

JUCHER. Accrocher, brancher, coucher, demeurer, faisan, grimper, habiter, jouquer, juchoir, loger, monter, nicher, percher, perchoir, placer, poser, résister, trouver, volaille.

JUCHOIR. Bâton, jouquoir, juc, juchée, perche, perchoir, promontoire.

JUDAÏQUE. Cachère, casher, hébraïque, hébreu, israélite, judéité, juif, kasher, rabbin, yiddish.

JUDAÏSME. Cachère, hassidisme, judaïcité, judaïté, judéité, kasher, mosaïsme, religion.

JUDAS. Déloyal, fenêtre, guichet, infidèle, iscariote, mouchard, œil, optique, perfide, renégat, traître.

JUDÉE (n. p.). Archélaos, Arimathie, Aristobule, Asmonéens, Bérénice, Cédron, Emmaüs, Galaad, Galgala, Israël, Jésus, Mariamne, Néhémie, Niepce, Palestine, Pilate, Roboam, Samarie, Titus, Vespasien.

JUDELLE. Échassier, foulque, gambette, glaréole, macreuse, macroule, morelle, poule d'eau, rallidé.

JUDÉO-ALLEMAND. Yiddish.

JUDÉO-ESPAGNOL. Ladino.

JUDICIAIRE. Acte, cour, crime, datif, droiture, duel, équité, ester, forme, huis clos, interlocutoire, juge, juridiction, justice, magistrat, partie, plaid, procès, pureté, salle, siège, sûreté, traduire, tribunal.

JUDICIEUSEMENT. Adroitement, brillamment, finement, habilement, intelligemment, sainement, utilement.

JUDICIEUX. Adroit, approprié, bon, brillant, droit, équilibré, fin, habile, ingénieux, intelligent, juste, lucide, perspicace, pertinent, raisonnable, rationnel, sage, sain, sensé, sérieux, utile.

JUDO. Aïkido, ceinture, clé, dan, ippon, jiu-jitsu, judogi, judoka, kata, koka, nippon, sambo, tatami, yoko.

JUDOKA (n. p.). Gilles.

JUDOKA. Athlète, batailleur, boxeur, catcheur, karatéka, lutteur, pancrate, pugiliste, sumo.

JUGE (n. p.). Abdon, Abimelech, Aod, Arbour, Debora, Déborah, De Visscher, Éaque, Ebadi, Éli, Gédéon, Héli, Hiéroclès, Jephte, Kerr, Lamer, McLachlin, Minos, Nogaret, Samuel, Thot.

JUGE. Alcade, arbitre, assesseur, bailli, cadi, censeur, commissaire, estime, héliaste, inquisiteur, juger, juré, juste, justicier, kadi, magistrat, manichéen, prévôt, robe, robin, siège, tortionnaire, tribunal, veniat, viguier.

JUGEMENT. Appel, appréciation, approbation, arrêt, arrêté, attendu, avis, ban, blâme, censure, décision, décret, diagnostic, écervelé, entendement, erreur, inconscience, indulgence, jugeote, justice, opinion, ordalie, prise, procès, raison, sens, sentence, subir, verdict, vu.

JUGER. Apprécier, arbitrer, blâmer, considérer, criticailler, croire, deviner, dire, discerner, estimer, évaluer, imaginer, jurer, louer, objecter, opiner, pardonner, penser, prévoir, priser, prononcer, raisonner, rendre, toise, voir.

JUGLANDACÉE. Arbre, carya, hickory, noyer, pacanier.

JUGULAIRE. Armet, attache, barbe, barbiche, bouc, duvet, fanchon, fossette, galoche, menton, uppercut.

JUGULER. Arrêter, bâillonner, enclaver, enrayer, entraver, étouffer, freiner, garrotter, maîtriser, mater, stopper.

JUIF (n. p.). Hassidim, Héli, Sabra.

JUIF. Bible, biblique, cachère, caraïte, circoncision, conservateur, essénien, exode, genèse, goï, goïm, goy, goyim, hébreu, israélite, judaïsme, judaïté, judéité, kippa, lévite, lévitique, loi, marrane, miniane, mitzva, orthodoxe, pentateuque, pharisien, qaraïte, rabbin, sabra, sémite, shema, sioniste, synagogue, torah, youpin.

JUIF ERRANT (n. p.). Ahasvérus, Dudulaeus, Sue, Vermeylen.

JUIF, FÊTE (n. p.). Hanouka, Pâque, Pessah, Pourim, Rosh Hashana, Sabbat, Shavouath, Sim'hat, Soukkot, Yom Kippour.

JUIF PHARISIEN (n. p.). Esdras, Néhémie, Nicodème.

JUIVE (n. p.). Bénérice, Hérodiade, Hérodias, Esther, Salomé, Suzanne.

JUJUBIER. Arbre, cicourlier, datte, drupe, fruit, guindaulier, jujube, pâte, rhamnacée, suc, zizyphe.

JULES. Amant, ami, estafier, homme, julot, maquereau, mari, mec, pim, proxénète, souteneur.

JULIENNE. Bisque, crucifèracée, fleur, gaspacho, gazon, infusion, minestrone, panade, plante, potage.

JUMEAU (n. p.). Dionne, Dupont, Kaczynski, Remus, Romulus, Sainte-Marthe.

JUMEAU. Besson, bivitellin, double, deux, dizygote, frère, gémeaux, gémellité, homozygote, identique, jumelle, lit, menechme, muscle, pareil, quadruplé, semblable, sesson, siamois, sœur, sosie, triplé, univitellin.

JUMELAGE. Abouchement, aboutement, accouplement, ajoutement, anastomose, anus, cholécystotomie, conférence, cystostomie, entretien, entrevue, jonction, raccordement, rapport, reboutement, union, urétérostomie.

JUMELER. Accoler, accoupler, agencer, agglutiner, agréger, allier, annexer, apparier, assembler, associer, assortir, attacher, attribution, coaliser, communier, confondre, conjoindre, conjuguer, coupler, cumuler, et, établir, fondre, fusionner, grouper, harmoniser, joindre, lier, liguer, maire, marier, mélanger, rassembler, relier, souder, unir.

JUMELLE. Bessonne, binoculaire, longue-vue, lorgnette, lunette, microscope, molette, paire, téléscope.

JUMENT. Baie, bréhaigne, cavale, cheval, koumis, koumys, haquenée, haras, isabelle, long-jointé, louvette, moreau, morelle, mulassière, mule, mulet, ponette, pouliche, poulin, poulinière, suitée.

JUMPING. Concours, épreuve, équestre, équitation, hippique, hippisme, hippotechnie, obstacle, saut.

JUNGLE. Arborée, brûlis, campos, marécage, place, plaine, savane, selva, selve, tropicale, veld.

JUNIOR. Apprenti, arpète, aspirant, béotien, bleu, débutant, écolier, élève, inexercé, inexpérimenté, initié, jeune, marmiton, mitron, neuf, néophyte, nouveau, novice, pilotin, poulain, recrue, stagiaire.

JUNTE. Armada, armée, bataillon, brigade, camp, centurie, cohorte, corps, escouade, escadron, force, galon, grade, host, infanterie, légion, marine, milice, militaire, ost, peloton, régiment, salut, soldat, troupe.

JUPE. Amazone, basquine, cloche, cotillon, cotte, crinoline, écossaise, enjuponner, filibeg, fustanelle, jupette, jupier, jupon, kilt, maxi, mini, panier, paréo, pouf, robe, sarong, tutu, vertugadin, vêtement.

JUPITER (n. p.). Zeus.

JUPITÉRIEN. Absolu, absolutiste, arbitraire, autocratique, autoritaire, césarien, despote, despotique, dictatorial, directif, dominateur, hautain, hégémonique, illégal, impérieux, satrape, totalitaire, tranchant, tyrannique.

JUPON. Armature, baleine, cerceau, cotillon, cotte, crinoline, filibeg, fustanelle, jupe, panier, sarong.

JURA, VILLE (n. p.). Baume, Beaufort, Chaumergy, Conliège, Dole, Francheville, Morbier, Morez, Mouchard, Orgelet, Poligny, Tavaux, Vaudrey.

JURASSIQUE. Diplodocus, dogger, ère, lias, géologie, malm, mésozoïque, relief, rhétien, ruz, télésaure, transjuran, trias, val.

JURÉ. Appréciateur, arbitre, assise, citoyen, connaisseur, déclaré, dégustateur, ennemi, enquêteur, estimateur, évaluateur, expert, irréconciliable, irréductible, juge, jurande, jurat, jury, métier, serment.

JUREMENT. Blasphème, cri, exécration, imprécation, juron, outrage, sacre, serment.

JURER. Adjurer, assurer, exécrer, hurler, jureur, maudire, maugréer, pester, promettre, sacrer.

JURIDICTION. Arrêt, attribution, basoche, cercle, compétence, district, échiquier, finage, for, généralité, instance, kanat, paroisse, pénal, pouvoir, prévôté, qualité, ressort, rote, saisine, siège, sphère, tribunal.

JURIDIQUE. Acte, caducité, cas, dire, droit, électorat, exégèse, informé, judiciaire, légal, tribunal.

JURIDIQUEMENT. Canoniquement, conformément, constitutionnellement, correctement, dûment, légalement, légitimement, licitement, normal, officiellement, réglementaire, régulier, régulièrement, valable, validement.

JURISCONSULTE. Juriste, légiste, pandecte, spécialiste.

JURISCONSULTE ALLEMAND (n. p.). Bluntschli, Hallstein, Pufendorf.

JURISCONSULTE BRITANNIQUE (n. p.). Bentham.

JURISCONSULTE BYZANTIN (n. p.). Tribonien.

JURISCONSULTE CANADIEN (n. p.). Faribault,

JURISCONSULTE FRANÇAIS (n. p.). Aguesseau, Bigot, Brandt, Camus, Charondas, Cujas, Dalloz, Du Fail, Domat, Dumoulin, Esmein, Fabre, Hotman, Hotmanus, Hotemanus, Lacretelle, Portalis, Preameneu, Sirey.

JURISCONSULTE HOLLANDAIS (n. p.). Grotius.

JURISCONSULTE ITALIEN (n. p.). Accurse, Accursio, Alciat, Alciati, Cinodepistoia, Romagnosi.

JURISCONSULTE ROMAIN (n. p.). Alciat, Gaius, Papinien, Pomponius, Ulpien.

JURISPRUDENCE. Autorité, bien-jugé, décision, décret, droit, légalité, législation, loi, précédent.

JURISTE. Arrêtiste, avocat, bâtonnier, civiliste, criminaliste, droit, légiste, ouléma, rau, uléma.

JURISTE ALLEMAND (n. p.). Pufendorf.

JURISTE AMÉRICAIN (n. p.). Kelsen, Nader, Warren.

JURISTE ANGLAIS (n. p.). Fortescue, More, Morus.

JURISTE ARABE (n. p.). Averroès.

JURISTE BRITANNIQUE (n. p.). Blackstone, Maine, Palmer, Selborne.

JURISTE ÉGYPTIEN (n. p.). Boutros-Ghali.

JURISTE FRANÇAIS (n. p.). Basdevant, Cambacérès, Capitant, Carbonnier, Cassin, Demolombe, Duguit, Duverger, Esmein, Fauchille, Geny, Goguel, Hauriou, Isambert, Laroque, Maleville, Pasquier, Planiol, Ripert, Rodière, Sirey, Tronchet, Vedel.

JURISTE GREC (n. p.). Politis.

JURISTE IRLANDAIS (n. p.). McAleese.

JURISTE ITALIEN (n. p.). Bartolo, Beccaria.

JURISTE NÉERLANDAIS (n. p.). Grotius.

JURISTE ROMAIN (n. p.). Gaius.

JURISTE RUSSE (n. p.). Erlanger.

JURISTE SUISSE (n. p.). Hilty, Moynier, Vattel.

JURON. Blasphème, bodel, corbleu, crénom, damnation, diantre, jarnicoton, jurer, morbleu, mot, parbleu, pardi, pardieu, sabre, sacre, sacrebleu, sacredieu, sacristi, saperlipopette, sapristi, tonnerre, tudieu.

JUS. Boisson, café, cidre, citronnade, citronnée, coco, coulis, exposé, gelée, juteux, limon, liquide, marc, moût, orangeade, poire, punch, réglisse, sirop, suc, sucre, treille, verjus, vesou, vin, vinification.

JUSANT. Baisse, cotidal, descendant, étale, fleuve, flot, flux, fraîchin, lagon, laisse, lune, marée, mer, morte-eau, plein, océan, onde, perdant, raz, reflux, revif, rivière, syzygie, torquette, tsunami, vive.

JUSQUE. Antérieur, après, attendu, au-delà, avant, avec, ça, chez, cis, concernant, contre, dans, de, deçà, delà, depuis, derrière, dès, devant, durant, en, entre, envers, ès, excepté, fors, hormis, hors, malgré, moyennant, négation, outre, par, parmi, passé, pendant, plein, pour, près, proche, sans, sauf, selon, sous, suivant, supposé, sur, touchant, trans, vers, via, vu.

JUSSION. Commandement, lettre, patente, roi.

JUSTAUCORPS. Body, habit, jacquier, jaquier, pourpoint, sous-vêtement, teddybear, vêtement.

JUSTE. Ajusté, bon, court, droit, équitable, étroit, exact, fondé, heureux, impartial, justifié, légal, légitime, loyal, moral, pile, précis, probe, pur, réel, réglé, ric-rac, sain, sensé, strict, sûr, vrai.

JUSTEMENT. Adéquatement, convenablement, correctement, démocratiquement, dûment, équitablement, exactement, impartialement, légitimement, logiquement, pertinemment, précisément, sainement, valablement.

JUSTESSE. Authenticité, convenance, correction, exactitude, netteté, précision, raison, régularité, ric-rac.

JUSTICE. Cour, criée, crime, droit, droiture, équité, ester, for, haro, judiciaire, juge, juridiction, juste, levée, magistrat, partie, préteur, procès, pureté, salle, sellette, siège, sûreté, tort, traduire, tribunal.

JUSTICIER (n. p.). Batman, Brutus, Cicéron, Don Quichotte, Spiderman, Superman, Zorro.

JUSTICIER. Ange, bourreau, bras, défenseur, juge, livre, loi, omerta, procurateur, puniceur, redresseur, seigneur.

JUSTIFIABLE. Acceptable, défendable, endurable, plausible, soutenable, supportable, tenable, vivable.

JUSTIFICATIF. Aperçu, copie, duplicata, échantillon, édifiant, édition, épreuve, exemplaire, exemple, gabarit, honnête, modèle, moral, parangon, parfait, patron, polycopie, prototype, réplique, triplicata, saint, spécimen, vertueux.

JUSTIFICATION. Acate, apologie, compte, contrepartie, décharge, dédouanement, défense, disculpation, excuse, explication, fondement, longueur, motif, plaidoyer, précédent, prétexte, preuve, raison.

JUSTIFIÉ. Acceptable, admissible, bon, capable, compétent, efficace, fondé, illégitime, juste, légitime, mérité, motivé, qualifié, recevable, sérieux, solide, valable, valide.

JUSTIFIER. Blanchir, confirmer, décharger, disculper, innocenter, légitimer, motiver, préciser, valoir, vérifier.

JUTE. Abacas, agave, alpaga, bure, chanvre, corde, coton, cotonnade, crêpe, dacron, drap, étoffe, fibre, filature, filet, géotextile, laine, lin, nylon, orlon, pite, ramie, raphia, rilsan, sisal, teiller, tex, tissu, textile, tiliacée, toile.

JUTEUX. Alléchant, attachant, attirant, attrayant, avantageux, bon, bouleversant, brillant, captivant, curieux, éminent, émouvant, fructueux, important, intéressant, lucratif, palpitant, passionnant. payant, poignant, prenant, remarquable, rémunérateur, rentable, séduisant, touchant, utile.

JUVÉNILE. Actif, adolescent, ardent, impubère, jeune, jouvenceaux, junior, pimpant, vert, vif, vigoureux.

JUVÉNILITÉ. Adolescence, âge, éphébéité, jeunesse, minorité, nubilité, préadolescent, puberté, pubescence.

JUXTAPOSER. Accoler, ajouter, comparer, côte à côte, différencier, doubler, jumeler, placer, poser.

JUXTAPOSITION. Abouchement, aboutage, aboutement, accouplage, ajustage, application, apposition, assemblage, association, branchement, confluence, doublage, épithète, joint, parataxe, pose.

K

K2 (n. p.). Himalaya, Karakoram, Karakorum.

KABBALE (n. p.). Scholen, Zohar.

KABBALE. Alchimie, cabale, ésotérisme, gnose, hermétisme, hydroscopie, illumination, magie, mystère, occultisme, palomancie, potion, psychomancie, rhabdomancie, rituel, sorcellerie, spagirie, spiritisme.

KABUKI. Chant, danse, japonais, shamisen, spectacle, théâtral, théâtre.

KABYLE. Arabe, berbère, berbérophone, gétule, jannat, maghrébin, maure, more, targui, touareg, zénaga, zénète.

KAHLER. Adénoïde, cancer, leucémie, leucose, lymphosarcome, ostéophyte, prolifération, tumeur.

KAKI. Armée, brun, caque, couleur, ébénacée, figue, figue caque, fruit, plaquemine, soldat, vert.

KALA-AZAR. Donovani, leishmaniose.

KALÉ. Bohémien, gadjo, gitan, manouche, nomade, rom, romanichel, saltimbanque, tsigane, tzigane.

KALÉIDOSCOPE. Abondance, cascade, cylindre, miroir, mouvant, multicolore, ornement, paillettes, suite.

KAMIKAZE. Casse-cou, imprudent, matamore, périlleux, suicidaire, suicide, volontaire.

KANDJAR. Acinace, arme, baïonnette, cachetero, couteau, coutelas, crid, criss, dague, daguette, épée, fer, khandjar, kriss, lame, malchus, manche, navaja, poignard, sabre, scramasaxe, stylet, surin.

KANGOUROU. Mammifère, marsupial, pétrogale, potorou, rat, sac, wallabi, wallaby, wallaroo.

KAOLIN. Aluminium, argile, feldspath, glaise, minéral, oligoclase, porcelaine, roche, sil, silicate.

KAON. Anion, atome, boson, corpuscule, da, de, di, du, électron, épisome, gluon, ion, ka, lepton, méson, micelle, morceau, mu, muon, neutrino, neutron, nucléon, oc, oui, particule, poudre, tau, van, vice, von.

KAPO. Bagnard, capo, captif, codétenu, condamné, déporté, détenu, écroué, enfermé, esclave, forçat, galérien, incarcéré, interné, otage, prisonnier, relégué, séquestré, taulard, tôlard, transporté.

KAPOK. Arbre, bourre, capoc, duvet, fromager, imperméable, kapotier, malvacée, rembourrage.

KARAKUL. Agneau, astrakan, boukhara, breitschwanz, caracul, fourrure, mouton.

KARATAS. Aregelia, bromelia, néoregélia, nidularium.

KARATÉ. Art, bagarre, boxe, catch, combat, curée, ippon, japonais, jiu-jitsu, joute, judo, karatéka, kata, lice, lutte, martial, mêlée, pancrace, prise, pugilat, querelle, savate, sport, sumo, taekwondo, tatami.

KARMA. Aléa, astrologie, avenir, chance, condition, destin, destinée, étoile, fatalité, fatidique, fatum, fortuit, fortune, futur, hasard, imprévu, lot, malédiction, numérologie, providence, sort, vie, vocation.

KARST. Brûlure, corrosion, désagrégation, destruction, effritement, érosion, ravinement, rouille, usure.

KAYAK. Bateau, canoë, canot, chaloupe, embarcation, esquimautage, périssoire.

KAZAKHSTAN, CAPITALE (n. p.). Astana.

KAZAKHSTAN, LANGUE. Allemand, coréen, kazak, russe, ukrainien.

KAZAKHSTAN, MONNAIE. Tengue.

KAZAKHSTAN, VILLE (n. p.). Abay, Akmola, Alma-Ata, Almaty, Astana, Baikonour, Bichket, Oral, Orsk, Saran.

KENDO. Aïkido, art, bambou, belliqueux, brave, casque, combatif, dan, guerrier, ippon, jiu-jitsu, judo, karaté, kung-fu, martial, militaire, japonais, plastron, prestance, sabre, tatami.

KÉNOTRON. Anaphorèse, anode, baguette, bêta, borne, cathode, diode, drain, électrode, grille, ignitron, klystron, lampe, magnétron, penthode, photocathode, pôle, rayon, tétrode, triode, valve, wehnelt.

KENYA, CAPITALE (n. p.). Nairobi.

KENYA, LANGUE. Anglais, kamba, kikuyu, luhya, luo, swahilé.

KENYA, MONNAIE. Shilling.

KENYA, VILLE (n. p.). Embu, Kilifi, Lamu, Mombasa, Mombassa, Nairobi, Nyeri, Taveta, Voi.

KÉPI. Casquette, chapeau, chapska, coiffure, shako.

KÉRATINE. Corne, épiderme, kératose, kératite, ongle, poil, plume, sabot, scléroprotéine.

KÉRATITE. Conjonctivite, contactologie, cornée, épisclérite, hyalite, inflammation, iritis, occlusion, oculiste, ophtalmologie, optométrie, orthoptie, panophtalmie, rétinite, sclérite, uvéite.

KERMÈS. Aleurode, chermès, coccinelle, cochenilles, lanifère, lanigère, pemphigus, phylloxéra, puceron, rhynchote.

KERMESSE. Célébration, ducasse, encan, festival, festivité, fête, foire, frairie, réjouissance, vente.

KETMIE. Alcée, ambrette, baobab, cotonnier, guimauve, hibiscus, kapokier, malvacée, mauve, nafé, tiaré.

KHAMSIN. Chamsin, vent.

KIBBOUTZ. Collectivité, collège, communauté, ensemble, groupe, mutuelle, phalanstère, social, société.

KIDNAPPER. Disparaître, enlèvement, enlever, otage, rançon, rapt, ravir, ravisseur, séquestrer, voler.

KIDNAPPEUR. Apache, assassin, bandit, brigand, coquin, criminel, ennemi, escroc, extorqueur, filou, foire, fripon, larron, mafia, malfaiteur, malfrat, mécréant, meurtrier, pirate, ravisseur, scélérat, truand, tueur, usurier, violeur, voleur

KIDNAPPING. Collecte, déflation, démasclage, dépilage, desquamation, détournement, enlèvement, évidemment, otage, prise, ramassage, rapt, raptus, ravissement, razzia, séquestre, violence, vol.

KIEF. Arrêt, campo, cessation, cesse, césure, congé, convalescence, couché, délassement, détente, distraction, entracte, étape, halte, inaction, lit, loisir, oasis, paix, port, répit, repos, sieste, sûr, trêve, vacance.

KIF. Cannabis, chanvre, colombien, hasch, haschisch, herbe, joint, marie-jeanne, marijuana, pot.

KIKI. Bonnet, cervicale, col, colbac, colback, collerette, collet, cou, décolleté, encolure, gorge, gosier, vertèbre.

KILOGRAMME. Kg, kilo, livre.

KILOHERTZ. Khz.

KILOMÈTRE. Km, millage.

KILOTONNE. Kt.

KILOWATT. Kw.

KILOWATT-HEURE. Kwh.

KIMONO. Découvert, dégarni, dénudé, déshabillé, dévêtu, douillette, jaquette, judogi, manche, négligé, nippon, nuisette, obi, peignoir, pyjama, robe, saut-de-lit, sortie de bain, tenue, tunique, vêtement.

KINÉSITHÉRAPEUTE. Ergothérapeute, masseur, massothérapeute, physiothérapeute, rééducateur, soigneur.

KINESTHÉSIE. Cinesthésie, émotivité, esthésie, excitabilité, impression, irritabilité, kiné, kinésie, mobilisation, mouvement, oléine, réceptivité, sensation, sensibilité, télékinésie, urate.

KIOSQUE. Abri, aubette, baignoire, belvédère, berceau, boutique, bungalow, concert, édicule, gloriette, journal, mirador, muette, musique, pavillon, pergola, rotonde, stand, tonnelle, treille.

KIPPER. Aine, bouffi, caque, clupéidé, gendarme, guai, guais, hareng, harengade, haranguet, lité, menhaden, pec, poisson, proxénète, régalec, rollmops, sardine, saur, sauret, saurin, sor, sprat, trinquart.

KIPPOUR. Fête, grand pardon, guerre, juif, pardon, pénitence, yom kippour.

KIR. Apéritif, apéro, boisson, cassis, liqueur, royal, vin.

KIRGHIZSTAN, CAPITALE (n. p.). Bichkek.

KIRGHIZSTAN, LANGUE. Kirghiz.

KIRGHIZSTAN, MONNAIE. Som.

KIRGHIZSTAN, VILLE (n. p.). Bichkek, Naryn, Och, Rybatche, Talas.

KIRSCH. Alcool, baba, cerise, eau-de-vie, fantaisie, fondue, gnôle, merise, savarin.

KITSCH. Baba, baroque, cerise, eau-de-vie, fantaisie, fondue, hétéroclite, laid, merise, pompier, rétro.

KIT. Amas, armement, assemblage, attirail, avoir, bastringue, bloc, collectif, décor, ensemble, état, fratrie, fressure, idéologie, inclassable, mosaïque, necton, nomenclature, notice, parure, pool, réseau, rituel, site, toilette, total, tout, unisson, unité, urémie, verroterie, vocabulaire.

KIWI. Actinidia, aptéryx, arbuste, fruit, groseille de Chine, oiseau, ratite, souris végétale.

KLAXON. Admonestation, admonition, alerte, avertissement, avertisseur, avis, blâme, conseil, gare, klaxonner, leçon, lettre, marque, menace, monition, monitoire, observation, postface, préambule, préavis, prologue, recommandation, remontrance, réprimande, reproche, semonce, sifflet, signal, signe, suggestion, tocsin, trompe, voix.

KLAZONNER. Admonester, alarmer, alerter, avertir, aviser, biper, dire, diriger, enjoindre, expliquer, gronder, informer, insinuer, instruire, menacer, notifier, prévenir, rappeler, remonter, renseigner, semoncer, signaler, sommer.

KLEENEX. Anguillade, fichu, foulard, linge, mouchoir, papier, pochette, tissu.

KLEPTOMANIE. Appropriation, brigandage, cambriolage, crime, déprédation, détournement, détroussement, enlèvement, entôlage, extorsion, flibusterie, grappillage, larcin, malversation, pillage, piraterie, racket, rafle, razzia, saccage, spoliation, subtilisation, vol.

KNOCK-OUT. Assommé, étourdi, évanoui, groggy, inconscient, K.O., sonné.

KNOUT. Aile, badine, bastonnade, chambrière, chicote, chicotte, corde, courroie, cravache, discipline, étrivière, fouet, garcette, hart, houssine, lanière, martinet, nagaïka, nahaïka, nerf, queue, sangle, ustensile, verge.

KO. Administrer, battre, boxer, cogner, corriger, étriller, frapper, pugiliste, puncher, rosser, rouer, taper.

KOALA. Didelphidé, marsupial, mammifère, poche, sarigue.

KOBOLD. Capacité, démon, diable, djinn, don, elfe, éfrit, esprit, farfadet, fée, follet, génie, gnome, harpie, imagination, incube, intelligence, lutin, lyre, monstre, muse, nain, nature, nixe, ondin, penchant, ondin, sirène, succube, sylphe, talent, troll.

KODIAK. Botte, caméra, chausse, île, ours.

KOLA. Alcaloïde, arbre, caféine, cola, fruit, kolatier, péninsule, sterculiacée, stimulant.

KORÊ. Acéphale, atlante, bronze, buste, cariatide, caryatide, colosse, coré, corniche, couros, figure, figurine, galbe, idole, image, kouros, marbre, niche, orant, oscar, sculpture, sel, soutien, statuaire, statue, statuette, télamon, terme.

KORRIGAN (n. p.). Bretagne,

KORRIGAN. Bienveillant, esprit, farfadet, fée, feu-follet, génie, lutin, malfaisant, malveillant, nain, troll.

KOWEÏT, CAPITALE (n. p.). Koweït.

KOWEÏT, LANGUE. Arabe.

KOWEÏT, MONNAIE. Dinar.

KOWEÏT, VILLE (n. p.). Atraf, Buhran, Koweit, Sabiyah, Safwan.

KRACH. Banqueroute, chute, crise, culbute, débâcle, déconfiture, dépression, effondrement, faillite, ruine.

KRAK. Bastide, château, citadelle, crac, fort, forteresse, fortification.

KRAKEN. Ammonite, argonaute, bélemnite, calmar, céphalopode, mollusque, nautile, octopode, pieuvre, poulpe, seiche.

KRILL. Baleine, crevette, crustacé, eucaride, euphausiacé, fanon, plancton.

KRISS. Acinace, arme, baïonnette, cachetero, couteau, coutelas, crid, criss, dague, daguette, épée, fer, kandjar, khandjar, lame, malchus, manche, navaja, poignard, sabre, scramasaxe, stylet, surin.

KRYPTON. Gaz, Kr.

KYRIELLE. Abondance, avalanche, beaucoup, cascade, chapelet, chiée, déluge, flopée, foule, infinité, ininterrompu, litanie, multitude, myriade, nuée, pléiade, pluie, quantité, ribambelle, série, suite.

KYSTE. Abcès, chalazion, grosseur, induration, loupe, poche, sébacé, séreux, tanne, tumeur, ulcère.

L

LÀ. Çà, céans, ci, diapason, en, ici, là-bas, lanthane, lieu, lors, note, présent.

LABADENS. Adhérent, allié, ami, apparatchik, associé, camarade, collègue, compagnon, compère, condisciple, confrère, connaissance, copain, copine, égal, intime, labades, mec, partenaire, pote, type.

LABDANUM. Ciste, glabanum, gomme-résine, ladanum, laque, myrrhe, opium, parfumerie, teinture.

LABEL. Appellation, attribut, connu, contrôlée, dénomination, désignation, feu, gentilé, identification, identité, marque, mot, nom, prénom, prête-nom, qualificatif, qualification, sceau, surnom, titre, vocable.

LABELLE. Aile, apétale, corolle, étendard, feuille, fleur, labile, ligule, limbe, lobe, pétale.

LABEUR. Abattement, atonie, besogne, boulot, corvée, fatigue, occupation, ouvrage, peine, travail.

LABIACÉE. Bétoine, ballote, basilic, bugle, calament, cataire, citronnelle, coléus, crapaudine, crosne, dictame, galeopsis, germandrée, glécome, hysope, ive, ivette, lamiacée, lamier, lavande, lycope, marrube, mélisse, mélitte, menthe, nepeta, népète, ormin, romarin, sarriette, sauge, scutellaire, spic, thym.

LABIAL. Babines, badigoinces, balèvre, bilabiale, bord, consonne, dire, écrire, joue, labialiser, labié, labium, labre, lettre, lèvre, lippe, lippu, masque, moue, moustache, nymphes, palpe, ri, rire.

LABIÉE. Bétoine, ballote, basilic, bugle, calament, cataire, coléus, crapaudine, crosne, dictame, germandrée, glécome, hysope, ive, ivette, labiacée, lamiacée, lamier, lavande, lycope, marrube, mélisse, mélitte, menthe, nepeta, népète, ormin, romarin, sarriette, sauge, scutellaire, spic, thym.

LABILE. Aléatoire, céphéide, changeant, différent, divers, flottant, incertain, inconsistant, inconstant, indécis, instable, irrésolu, ondoyant, palme, phase, quart, relatif, rhéostat, us, variable, verbe.

LABORATOIRE (n. p.). Cern, Spacelab.

LABORATOIRE. Alchimie, analyse, cabinet, début, examen, labo, officine, phytotron, test, têt, verre.

LABORIEUSEMENT. Âcrement, âprement, brutalement, cruellement, désagréablement, désobligeamment, difficilement, durement, malaisément, méchamment, péniblement, rudement, sèchement, sévèrement, vertement, vilement.

LABORIEUX. Actif, âpre, ardu, aride, complexe, dur, difficile, ive, malaisé, pénible, poussif, rude.

LABOUR. Agriculture, araire, aratoire, billonnage, champ, charrue, culture, défonçage, défoncement, engrais, guéret, houe, jachère, labourage, motte, parage, rayon, retroussage, scarifiage, tercer, terre, terser, tiercer, versage.

LABOURABLE. Arable, aratoire, billonnage, charruage, défonçage, fermage, hivernage, meuble.

LABOURAGE. Aération, ameublissement, bêchage, billonnage, billonnement, binage, charruage, commérage, culture, décavaillonnage, déchaussage, déchaussement, culture, écroûtage, émottage, hersage, labour, tassage.

LABOURER. Aérer, ameublir, arer, bêcher, biner, écroûter, émotter, enrayer, herser, houer, retercer, sillonner, strier.

LABRE. Babine, bec-de-lièvre, crahotte, entom, grive, ichtyol, labium, lèvre, lippe, litorne, tourd, vieille.

LABYRINTHE (n. p.). Ariane, Dédale, Icare, Minos, Minotaure, Thésée.

LABYRINTHE. Cul-de-sac, dédale, détour, écheveau, enchevêtrement, enclos, lacis, oreille, réseau.

LABYRINTHIEN. Dédaléen, embrouillé, emmêlé, enchevêtré, énigmatique, impénétrable, incompréhensible, inextricable, inintelligible, labyrinthique, mystérieux, obscur, ténébreux.

LAC. Chott, eau, étang, décharge, flaque, grau, lacet, lacustre, lagon, loch, marais, mare, rive.

LAC, AFGHANISTAN (n. p.). Helmand.

LAC, AFRIQUE (n. p.). Albert, Édouard, Kivu, Malawi, Mobutu, Moero, Mweru, No, Nyassa, Omo, Rodolphe, Tanganyika, Tchad, Victoria.

LAC, AFRIQUE CENTRALE (n. p.). Assa.

LAC, ALASKA (n. p.). Becharof, Clark, Iliamma, Teshekpuk, Wiseman.

LAC, ALBANIE (n. p.). Matia, Ochrida, Ohrid, Ohridsko, Prespa, Scutari, Shkoder, Ulze.

LAC, ALGÉRIE (n. p.). Azzel, Chergui, Fedjadj, Hodna, Matti, Meherrhane, Meirhir, Sabkha.

LAC, ALLEMAGNE DE L'EST (n. p.). Muritz.

LAC, ALLEMAGNE DE L'OUEST (n. p.). Constance.

LAC, ALPES (n. p.). Bourget.

LAC, AMÉRIQUE DU NORD (n. p.). Érié, Huron, Michigan, Ontario, Supérieur.

LAC, ANDORRE (n. p.). Engolasters.

LAC, ANGLETERRE (n. p.). Buttermere, Derwentwater, Ennerdale, Grasmere, Ullswater, Wastwater, Windermere.

LAC, ARGENTINE (n. p.). Cardiel, Fagnano, Musters, Viedma.

LAC, ARMÉNIE (n. p.). Sevan, Urmia, Urumiyah, Van.

LAC, ASIE (n. p.). Aral.

LAC, AUSTRALIE (n. p.). Amadeus, Austin, Barlee, Blanche, Buhou, Bulloo, Carey, Carnegie, Cowan, Dundas, Everard, Eyre, Frome, Gairdner, Harris, MacDonald, Mackay, Moore, Torrens, Yammayamma, Wells.

LAC, AUTRICHE (n. p.). Almsee, Bodensee, Constance, Fertoto, Mondsee, Neusiedler, Traunsee.

LAC, AUVERGNE (n. p.). Aydat, Pavin.

LAC, BÉNIN (n. p.). Aheme, Nokoue.

LAC, BOLIVIE (n. p.). Allagas, Colpasa, Desaguader, Poopo, Rogagua, Titicaca.

LAC, BOTSWANA (n. p.). Dow, Ngami, Xau.

LAC, BRÉSIL (n. p.). Aima, Feia, Logo, Mirim.

LAC, BURUNDI (n. p.). Rugwero, Tanganyika, Tshohoha.

LAC, CAMBODGE (n. p.). Sap, Tonie.

LAC, CAMEROUN (n. p.). Chad.

LAC, CANADA (n. p.). Abitibi, Athabaska, Champlain, Chibougamau, Érié, Esclaves, Huron, Louise, Manitoba, Mistassini, Nipigon, Nipissing, Okanagan, Ontario, Ours, Supérieur, Winnipeg.

LAC, CHILI (n. p.). Cochrane, Lianquihue, Puyehue, Ranco, Rupanco, Yelcho.

LAC, CHINE (n. p.). Bagrach, Bamtso, Bornor, Chaling, Chao, Dongting, Ebinor, Erhhai, Hulunnor, Hungtsee, Kaoyu, Karanor, Khanka, Kokonor, Lopnor, Montcalm, Namtso, Na-mu, Oling, Poyang, Tai, TarokTso, Telli, Tellinor, Tienchih, Tsinghai, Tungting.

LAC, COLOMBIE (n. p.). Tota.

LAC, COLOMBIE-BRITANNIQUE (n. p.). Berg.

LAC, COSTA RICA (n. p.). Arenal.

LAC, DANEMARK (n. p.). Arreso.

LAC, DJIBOUTI (n. p.). Abbe, Assai.

LAC, ÉCOSSE (n. p.). Awe, Dee, Duich, Earm, Fyne, Gair, Gare, Katrine, Laggan, Leven, Lin, Linn, Linnhe, Loch, Lochy, Lomond, Lough, Maree, Morar, Ness, Nevis, Oich, Rannoch, Ryan, Sloy, Tay.

LAC, ÉGYPTE (n. p.). Burullus, Edku, Idku, Manzala, Mareotis, Maryut, Menzalèh, Moeris, Nasser, Qarun.

LAC, ESPAGNE (n. p.). Albrifera, Albufera, Lago, Oô.

LAC, ESTONIE (n. p.). Peipus, Pskov, Vortsjarv.

LAC, ÉTATS-UNIS (n. p.). Alder, Alligator, Cayuga, Champlain, Clear, Érié, Finger, George, Huron, Iliamma, Itasca, Mead, Michigan, Okeechobee, Oneida, Ontario, Placid, Pontchartrain, Salé, Seneca, Supérieur, Swan, Tahoe, Teshekpuk, Wallenpaupack, Winnebago, Winnipesaukee, Yellowstone.

LAC, ÉTHIOPIE (n. p.). Abaya, Abe, Omo, Rudolf, Shola, Tana, Tsana, Tzana, Zeway.

LAC, ÉTRURIE (n. p.). Trasimène.

LAC, EUROPE (n. p.). Léman.

LAC, FINLANDE (n. p.). Enara, Enare, Hauki, Inari, Juo, Kalla, Kallavesi, Kemi, Kiui, Koitere, Ladoya, Lappa, Lentua, Lesti, Muo, Nasi, Nilakka, Oulu, Pielavesi, Pielinen, Puru, Puula, Pyha, Saimaa, Salma, Simo, Sounne, Syvari.

LAC, FRANCE (n. p.). Annecy, Casaux, Chambon, Gaule, Genève, Girotte, Issariès, Léman, Oô, Pavin, Portillon.

LAC, GABON (n. p.). Anengue, Azinguo.

LAC, GHANA (n. p.). Bosumtwi, Volta.

LAC, GRÈCE (n. p.). Copais, Ioannina, Karia, Kopais, Koroneia, Prespa, Stymphale, Trichonis, Vegoritis, Vistonis, Volve, Voweis.

LAC, GUATEMALA (n. p.). Amatitian, Atitlan, Dulce, Guija, Izabal, Peten.

LAC, HAÏTI (n. p.). Saumatre.

LAC, HONDURAS (n. p.). Brewer, Criba, Yojoa.

LAC, HONGRIE (n. p.). Balaton, Ferto, Neusiedler, Velence.

LAC, INDE (n. p.). Chilka, Colair, Dhebar, Jheel, Kolair, Kolleru, Lonar, Pulicat, Pushkar, Sambahr, Wular.

LAC, INDONÉSIE (n. p.). Ranau, Toba, Towuti.

LAC, IRAK (n. p.). Al-Hammar, Al-Milh, Sanniya.

LAC, IRAN (n. p.). Maharlu, Nemekser, Niris, Sahweh, Sistan, Tasht, Tuzlu, Urmia, Urumiyeh.

LAC, IRLANDE (n. p.). Allen, Barra, Boderg, Carra, Conn, Cooper, Corrib, Derg, Doo, Dromore, Ennell, Erne, Gougane, Gowna, Key, Killamey, Leane, Lough, Mask, Neagh, Oughter, Ree, Sheelin, Tay.

LAC, ISLANDE (n. p.). Myvatn, Thingvallavatn, Thorisvatn.

LAC, ISRAËL (n. p.). Galilée, Génésareth, Huleh, Kinneret, Tibériade.

LAC, ITALIE (n. p.). Albano, Averne, Boisena, Bolsena, Bracciano, Côme, Garde, Iseo, Lesina, Lugano, Maggiore, Majeur, Nemi, Perugia, Sebino, Trasimène, Varano.

LAC, JAPON (n. p.). Biwa, Kiutchawa, Shikotysu, Suwa, Towada, Toya.

LAC, KAZAKHSTAN (n. p.). Aral, Balkhach.

LAC, KENYA (n. p.). Magadi, Naivasha, Nakuru, Natron, Rudolf, Turkana, Victoria.

LAC, LAPONIE (n. p.). Inari.

LAC, LITHUANIE (n. p.). Dysna.

LAC, LUXEMBOURG (n. p.). Haut, Sure.

LAC, MACÉDOINE (n. p.). Ochrida, Ohrid, Prespa.

LAC, MADAGASCAR (n. p.). Alaotra, Itasy, Kinkony.

LAC, MALAWI (n. p.). Chilwa, Malawi, Nyasa.

LAC, MALI (n. p.). Debo, Do, Faguibine, Garou, Korarou.

LAC, MEXIQUE (n. p.). Chapala, Patzcuaro, Texcoco.

LAC, MONGOLIE (n. p.). Airik, Durga, Ghirgis, Hobsogol, Khubsugui, Ubsa, Uvs.

LAC, MONTÉNÉGRO (n. p.). Scutari, Shkoder.

LAC, MOZAMBIQUE (n. p.). Chuali, Nhavarre, Nyasa, Nyassa.

LAC, NICARAGUA (n. p.). Managua, Nicaragua.

LAC, NIGER (n. p.). Chad.

LAC, NIGERIA (n. p.). Chad.

LAC, NOUVELLE-ZÉLANDE (n. p.). Ada, Brunner, Diamond, Hawea, Gunn, Kanieri, Manapouri, Ohau, Okareka, Okataina, Paradise, Pukaki, Pupuke, Rotoaira, Rotorua, Taupo, Tekapo, Wakapiti, Wanaka.

LAC, ONTARIO (n. p.). Abitibi, Erié, George, Huron, Nipigon, Ontario, St-Clair, Supérieur.

LAC, OUGANDA (n. p.). Albert, Édouard, George, Kioga, Kyoga, Victoria.

LAC, OUZBÉKISTAN (n. p.). Aïdarkoul, Aral.

LAC, PALESTINE (n. p.). Tibériade.

LAC, PANAMA (n. p.). Galun.

LAC, PARAGUAY (n. p.). Vera, Ypacarai, Ypos.

LAC, PAYS-BAS (n. p.). Ijselmeer, Ysselmeer.

LAC, PÉROU (n. p.). Titicaca.

LAC, POLOGNE (n. p.). Goplo, Mamry, Niegocin, Sniardwy.

LAC, PORTO RICO (n. p.). Caonillas, Carite, Guatajaca, Loiza.

LAC, PYRÉNÉES (n. p.). Oô.

LAC, QUÉBEC (n. p.). Abitibi, Achigan, Archambault, Argent, Aylmer, Baskatong, Beaudry, Beauport, Bersimis, Bienville, Bouchette, Brochet, Brome, Carré, Champlain, Croche, Delage, Deux-Montagnes, Eau Claire, Écorces, Etchemin, Gouin, Kiamika, Lesage, Manic, Mégantic, Memphrémagog, Mistassini, Moreau, Ouareau, Péribonca, Saint-Jean, Saint-Louis, Saint-Pierre, Simard, Témiscamingue, Whiskey.

LAC, RÉPUBLIQUE DOMINICAINE (n. p.). Enriquillo.

LAC, ROUMANIE (n. p.). Sinoe, Snagov.

LAC, RUSSIE (n. p.). Azov, Baïkal, Byelo, Chany, Elton, Erara, Ilmen, Kola, Lacha, Ladoga, Neva, Onega, Seg, Vozhe.

LAC, RWANDA (n. p.). Bufera, Bulera, Ihema, Kivu, Mohasi, Mugesera, Rugwero, Ruhnodo, Tshohoha.

LAC, SALVADOR (n. p.). Coatepeque, Guiha, Guija, Ilopango.

LAC, SÉNÉGAL (n. p.). Guiers.

LAC, SIBÉRIE (n. p.). Baïkal.

LAC, SICILE (n. p.). Camarina, Pergusa.

LAC, SLOVANIE (n. p.). Bled.

LAC, SOUDAN (n. p.). Chad, Nasser, Nô, Toad.

LAC, SUÈDE (n. p.). Asnen, Dalalven, Hallwil, Hielmar, Hjalmaren, Malar, Mâlaren, Silja, Ster, Ume, Vaner, Vanern, Vatter, Vattern, Wennen.

LAC, SUISSE (n. p.). Ageri, Biel, Bienne, Bierersee, Brienz, Constance, Genève, Hallwil, Léman, Lucerne, Lugano, Lungern, Maggiore, Morat, Neuchatel, Samen, Samersee, Thon, Thun, Uri, Vierwald, Wallen, Wallensee, Zoug, Zug, Zurich.

LAC, SYRIE (n. p.). Asad, Djebold, Merom, Tibérias.

LAC, TANZANIE (n. p.). Eyasi, Malawi, Manyara, Natron, Nyasa, Rukwa, Tanganyika, Victoria.

LAC, TIBET (n. p.). Aru, Bam, Bum, Dagtse, Garhur, Jagok, Jiggitai, Kashun, Kyaring, Manasarowar, Mema, Nam, Seling, Tabia, Tangra, Tengrinor, Terinam, Tosu, Tsaring, Yamdok, Zilling.

LAC, TUNISIE (n. p.). Achkel, Bizerte, Djerid.

LAC, TURQUIE (n. p.). Beysehir, Egridir, Tuz, Van.

LAC, VENEZUELA (n. p.). Maracaïbo, Tacarigua.

LAC, YOUGOSLAVIE (n. p.). Bled, Ochrida, Ohrid, Prespa, Scutari.

LAC, ZAÏRE (n. p.). Albert, Édouard, Kivu, Mweru, Tumba, Upemba.

LAC, ZAMBIE (n. p.). Bangweulu, Kariba, Mweru, Tanganyika.

LACÉDÉMONIEN. Ascétique, austère, brouet, rigide, laconique, sandale, sévère, sobre, spartiate.

LACER. Attacher, boucler, délacer, fermer, ficeler, fixer, lacet, lier, mailler, maintenir, nouer, serrer.

LACÉRATION. Bandage, bouillie, capilotage, charcutage, charpie, compote, déchiquetage, déchirement, défilage, destruction, dilacération, hachage, hachement, marmelade, miettes, morceaux, poussière, purée.

LACÉRER. Déchiqueter, déchirer, délisser, déliter, écharper, écorcher, hacher, labourer, lacération, taillader.

LACERTIEN. Caméléon, gecko, lacertilien, lézard, oevet, reptile, saurophidien, saurien, scincidé, varan.

LACET. Aiguillette, contour, corde, ferret, lacer, lacs, lien, œillet, nœud, piège, rets, tirette, virage.

LÂCHAGE. Abandon, abdication, aéronef, bombardier, défection, délaissement, démission, déprise, dérobade, désertion, désintérêt, dessaisissement, droppage, forfait, largage, parachutage, recul, résignation.

LÂCHE. Abattu, bas, capitulard, capon, cède, cerf, couard, craintif, dégonflé, détendu, faible, flasque, foie blanc, froussard, fuyard, indécis, lopette, mou, péteux, peureux, plat, pleutre, poltron, poule mouillée, vague, veule, vil.

LÂCHEMENT. Avilissement, bassement, complaisamment, craintivement, frileusement, grossièrement, honteusement, indignement, obséquieusement, platement, servilement, peureusement, timidement, vilement.

LÂCHER. Abandonner, casser, céder, cesser, desserrer, détendre, dévisser, flancher, fléchir, laisser, lancer, larguer, livrer, manquer, parachuter, perdre, péter, quitter, reculer, relâcher, rompre, semer, vesser.

LÂCHETÉ. Bassesse, couardise, crainte, effroi, frayeur, frousse, fuite, peur, poltronnerie, pusillanimité.

LÂCHEUR. Abattu, à-plat, bas, capon, cerf, chieux, couard, craintif, dégonflé, détendu, faible, froussard, fuyard, lâche, mou, pétochard, peureux, pleutre, poltron, timoré, trembleur, trouillard, vague, vil.

LACIS. Dédale, entrelacement, filet, forêt, labyrinthe, maquis, méandres, nerfs, réseau, sinuosités, veines.

LACONIQUE. Bref, brièveté, concis, court, expéditif, lapidaire, mince, peu, précis, succinct, vite.

LACONIQUEMENT. Abondamment, bref, brièvement, compendieusement, court, densément, elliptiquement, grosso modo, intensément, minutieusement, rapidement, résumé, schématiquement, sommairement, succinctement.

LACONISME. Brièveté, concision, densité, dépouillement, évanescence, fugacité, fugitivité, rapidité.

LACRYMAL. Affliction, canal, chagrin, dacryadénite, émotion, glande, goutte, lamentation, larme, larmoiement, larmoyer, lacrymogène, lysozyme, perle, peu, pleur, pleurer, rhyas, sac, sanglot, verre.

LACS. Bande, bavolet, boiduc, comète, cordon, faveur, galon, guirlande, jarretelle, lacet, lien, liséré, lisière, nœud, padou, penon, piège, rail, rets, rosette, ruban, scie, serpentin, soie, sparganier.

LACTATION. Acholie, anurèse, bile, biligenèse, civette, copahu, crachat, diurèse, eau, excrétion, glaire, humeur, lacté, lait, larme, morve, mucus, pis, présure, prolactine, salive, sébum, sécrétion, sérum, sialorrhée, suc, sueur, urine, venin.

LACTÉ. Agalaxie, blanc, lait, pis, prolactine, voie.

LACTESCENCE. Albâtre, blanc, blancheur, canitie, clarté, éburné, éburnéen, ivoire, ivoirien, leucome, lilial, lymphatisme, neige, netteté, pâleur, propreté.

LACTESCENT. Albuginé, argenté, blafard, blanc, blanchâtre, blême, chyle, cireux, crayeux, écume, immaculé, ivoirin, lacté, laiteux, lilial, livide, marmoréen, neigeux, opale, opalescent, opalin, pâle, palescent.

LACTOSE. Aisy, lait, disaccharide, galactose, glucose, lactosérum, petit-lait, saccharine, sucre.

LACTOSÉRUM. Babeurre, colostrum, kéfir, képhir, petit-lait, puron, résidu, sérac, sérum, veriou.

LACUNAIRE. Déficient, divisé, fragmentaire, imparfait, inachevé, incomplet, insuffisant, partiel, relatif.

LACUNE. Absence, bévue, bourde, carence, errement, erreur, faute, hiatus, lésion, omission, trou, vacant, vide.

LACUSTRE. Alèse, amure, arête, bande, berge, biseau, bord, bordure, cercle, cordon, côte, extrémité, flanc, grève, haie, lèvre, limbe, limite, liséré, lisière, littoral, marge, marli, orée, ourlet, paroi, plage, rebord, rive, virer, zone.

LAD. Boy, cuisinier, domestique, factoton, factotum, garçon, groom, jardinier, palefrenier, serviteur.

LADANUM. Ciste, glabanum, gomme-résine, labdanum, laque, myrrhe, opium, parfumerie, teinture.

LADRE. Avare, chiche, lépreux, lésineur, parcimonieux, pingre, radin, regardant, ruiné, sordide, scrofuleux.

LADRERIE. Avarice, chiennerie, lèpre, lépreux, léproserie, lésine, lésinerie, lésion, pingrerie.

LAGOMORPHE. Duplicidenté, garenne, gite, hase, lagomys, lapin, léporidé, lièvre, rongeur.

LAGON. Alevinier, barbotière, bassin, bonde, by, canardière, chenal, chott, eau, étang, grau, gravière, grenouillère, ide, lac, lagune, marais, mare, marécage, palustre, réservoir, rive, tourbière, triton, vivier.

LAGOPÈDE. Alpin, blanche, gallinacée, gélinotte blanche, grouse, oiseau, perdrix, rochers, saules.

LAGUIOLE. Amassette, arbre, arme, bistouri, canif, chouriner, couteau, eustache, grattoir, jambette, lame, machette, mollusque, navaja, onglet, opinel, poignard, pommier, soie, solen, surin.

LAGUNE (n. p.). Abi, Albufera, Ebrié, Eyre, Maréotis, Mariout, Mirim, Thau.

LAGUNE. Colline, cordon, épuration, étang, étendue, lagon, lagunaire, lido, liman, moere, polder, tombolo.

LAI. Convers, frater, frère, laie, laïc, laïque, poème, religieux, sanglier, sentier, servant, sœur.

LAÏC. Agnostique, bedeau, civil, diacre, indépendant, laïcat, laïcité, laïque, neutre, séculier.

LAÎCHE. Carex, cypéracée, linaigrette, monocotylédone, papyrus, plante, scirpe, souchet.

LAID. Affreux, atroce, beau, chafouin, défiguré, difforme, fadasse, hideux, horrible, ignoble, inesthétique, informe, mauvais, mochard, moche, mocheté, monstrueux, odieux, pou, ridé, singe, tocard, turpide, vilain.

LAIDEMENT. Abominablement, affreusement, atrocement, épouvantablement, horriblement, monstrueusement, très.

LAIDERON. Boudin, bourrelet, cageot, chevet, coussin, mentonner, mocheté, polochon, spirale, tore, traversin.

LAIDEUR. Affreux, bas, disgrâce, grotesque, hideur, honte, infamie, mocheté, monstruosité, turpitude, vil.

LAIE. Allée, boîte, chemin, frère, hache, lai, laye, layer, layon, marteau, sanglier, sentier, sœur, suidé.

LAINAGE. Châle, chandail, corkscrew, étoffe, gilet, loden, ratine, tissu, toge, toison, tuque.

LAINE. Agneline, bourre, bure, cardigan, carmeline, cheviotte, chèvre, corde, coton, couaille, étaim, lanice, loden, mère, mite, mohair, mouton, noces, ouate, poil, ratine, ruban, satin, scoured, shetland, sorie, toison, tonte, tuque, tweed, vigogne.

LAINEUX. Calicot, cotonneux, duvet, duveté, duveteux, edelweiss, flanelle, floconneux, gilet, laine, madapolam, molletonneux, ouate, pelucheux, percaline, perse, pilou, satin, tissu, toile, tomenteux, voile.

LAÏQUE. Agnostique, bedeau, civil, diacre, indépendant, laïc, laïcat, laïcité, neutre, séculier.

LAIS. Abordage, anse, appontement, baie, batture, berge, bord, cale, canal, contrée, côte, crique, dune, estran, falaise, flustre, flux, grève, lagune, laisse, limite, littoral, marée, palot, pays, plage, quai, rivage, rive.

LAISSE. Bande, bélière, corde, couple, courroie, dragonne, knout, laisse, lanière, lasso, lien, ligne, sangle.

LAISSER. Abandonner, abdiquer, aérer, aliéner, céder, confier, délaisser, déposer, déserter, donner, échapper, emmener, emporter, enlever, épargner, esseuler, incurie, lâcher, larguer, léguer, livrer, marquer, négliger, obéir, ôter, oublier, quitter, relayer, répandre, révéler, rêver, sacrifier, semer, suinter, tamiser, transmettre, troquer.

LAISSER-ALLER. Apathie, atonie, fainéantise, frivolité, incurie, insouciance, laxisme, légèreté, négligence, paresse.

LAISSEZ-PASSER. Approbation, droit, illicite, interdit, légal, légitime, licence, licite, loisible, permis, permission.

LAIT. Aliment, blanc, brebis, caillé, caséine, chadeau, chèvre, coco, colostrum, crème, ésule, femme, frère, fromage, lacté, lactose, laitage, laiteux, liquide, lolo, maman, nourrice, nuage, opalin, peau, sœur, tétée, vache, yaourt, yoghourt, yogourt.

LAITANCE. Béton, épididyme, flagellum, graine, guai, guais, laité, poudre, semence, séminal, sperme.

LAITERIE. Barattage, beurrerie, cabaret, chantilly, crémerie, fabrique, fromagerie, poitrine, sein.

LAITERON. Astéracée, composacée, herbacée, herbe, laceron, lait d'âne, laitue de lièvre.

LAITEUX. Blanc, blanchâtre, crayeux, immaculé, lacté, lactescent, latex, neigeux, opalin, pavot.

LAITIÈRE. Crémière, ferme, vache, vache à lait.

LAITON. Alliage, archal, chrysocale, corde, cuivre, laitonner, similor, tombac, vergeure, zinc.

LAITUE. Algue, batavia, boston, césar, chef, chicon, composée, cresson, croûton, feuille, frisée, iceberg, lactuca, lactucarium, pied, plante, pomme, pommée, romaine, salade, scarole, sucrine, thridace, ulve.

LAITUE DE MER. Algue, ulva, ulve.

LAÏUS. Discours, exposé, intervention, jus, long, péroraison, pérorer, speech, tartine, topo, verbeux.

LAIZE. Alèse, ampleur, bau, chemin, diamètre, drap, envergure, giron, grandeur, largeur, lé, ouverture, panneau.

LALLATION. Accent, bégaiement, blésité, débit, diérèse, dystomie, élocution, fricatif, grasseyement, iotacisme, lambdacisme, logopédie, nez, orthophonie, parole, phrasé, prononciation, rhotacisme, synalèphe, synérèse.

LAMA. Alpaca, alpaga, camélidé, guanaco, lamaserie, mammifère, moine, ongulé, ruminant, vigogne.

LAMAÏSME. Bodhisattva, bonze, bouddhisme, chorten, jataka, mantra, nirvana, satori, stoupa, stupa, tantrisme, zen.

LAMANAGE. Amarrage, ancrage, arrimage, attache, calage, encartage, étrive, fixation, nouage, sanglage.

LAMANTIN. Cétacé, dudong, halicore, herbivore, lamentin, mammifère, mégaptère, sirène, sirénien.

LAMBEAU. Bribe, débris, déchiqueté, déguenillé, dépenaillé, guenilles, loque, morceau, partie.

LAMBIC. Ale, amidon, bibine, bière, blonde, bock, boisson, bouteille, brasserie, canette, cervoise, chope, demi, gueuse, houblon, malt, mort, orge, pale, pale-ale, pils, porter, stout, zython, zythum.

LAMBIN. Aï, flâneur, indolent, lent, lourd, lourdaud, nonchalant, paresseux, retardataire, traînard.

LAMBINER. Amener, attarder, attirer, charrier, conduire, déplacer, emmener, emporter, entraîner, errer, flâner, guérir, haler, marcher, mener, paresser, pétouiller, ramper, remorquer, tarder, tirer, touer, traduire, traînasser, traîner, trimbaler, vautrer.

LAMBOURDE. Ais, arbalétrier, attache, bandage, bâton, bau, boulin, chevêtre, étai, étambot, hec, jas, licou, linçoir, linsoir, longeron, madrier, paille, pièce, pieu, planche, poutre, poutrelle, rameau, sapine, soffite, solive, tangon.

LAMBREQUIN. Abat-voix, abri, baldaquin, chapiteau, ciborium, ciel, ciel de lit, dais, pavillon, vélum, voûte.

LAMBRIS. Boisage, boiserie, charpente, châssis, enduit, fenêtre, frisette, lambrissage, lambrissement, lambrisser, lambrissure, lame, maintenage, matériau, palais, pilastre, planche, revêtement.

LAME. Arcane, baïonnette, bêche, busc, canif, ciseau, couteau, dague, dos, éclisse, épée, fanon, faux, fer, feuilleté, fil, flot, flux, houle, interligne, lamer, languette, médiator, mouton, onde, ongle, onglet, oripeau, paillette, paquet, patin, plectre, réglet, scie, serpe, soc, tarse, tranchant, vague.

LAMELLE. Adnée, flocon, hostie, lame, médiator, paillette, pellicule, plectre, spath, squame, talc, tranche.

LAMELLIBRANCHE. Acéphale, anodonte, bivalve, bysse, clovisse, coque, couteau, donace, donax, gryphnée, huître, isocarde, jambonneau, lithodome, lithophage, méléagrine, mollusque, moule, mye, palourde, peigne, pélécypode, perle, perlot, pétoncle, pholade, pinne, pintadine, praire, solen, spondyle, taret, tridacne, vénéricarde, vénus.

LAMELLIROSTRE. Anatidé, ansériforme, bernache, bernacle, canard, cygne, kamichi, oie, palmipède.

LAMENTABLE. Déplorable, désolant, funeste, minable, misérable, moche, navrant, pitoyable, piteux, triste.

LAMENTABLEMENT. Déplorablement, dérisoirement, désastreusement, douloureusement, minablement, misérablement, miteusement, pauvrement, piètrement, piteusement, pitoyablement, tristement.

LAMENTATION (n. p.). Graham, Thrène.

LAMENTATION. Complainte, cri, doléances, geignement, gémissement, jérémiades, plainte, peur, thrène.

LAMENTER. Déplorer, désoler, geindre, gémir, larmoyer, plaindre, pleurer, récriminer, regretter.

LAMENTO. Air, chant, compliment, composition, coquetterie, galanterie, madrigal, triste, vers.

LAMIACÉE. Bétoine, ballote, basilic, bugle, calament, cataire, citronnelle, coléus, crapaudine, crosne, dictame, galeopsis, germandrée, glécome, hysope, ive, ivette, labiacée, lamier, lavande, lycope, marrube, mélisse, mélitte, menthe, nepeta, népète, ormin, romarin, sarriette, sauge, scutellaire, spic, thym.

LAMIE. Chien-dauphin, poisson, requin, requin-taupe, roussette, squale, taupe, taupe de mer, touille.

LAMINAGE. Aplatissement, collapsus, compression, dépression, écrouissage, érosion, étirage, fasciation, forge.

LAMINAIRE. Alginique, algue, fluide, fucus, iode, laminariacée, padine, phéophycée, régime, ruban.

LAMIER Actinie, anémone, dioïca, formique, infusion, labiacée, labié, lamium, ortie, urtica, urticacée.

LAMINER. Aplatir, déformer, diminuer, écraser, étirer, plastifier, réduire, rétrécir, rogner, ruiner, vernir.

LAMINOIR. Aplatisseur, blooming, détireuse, duo, étireuse, filière, sendzimir, taraudeuse, trio.

LAMPADAIRE. Bec de gaz, lanterne, luminaire, lustre, pylône, réverbère, support.

LAMPAS. Appendice, déglutition, luette, prononciation, staphylin, uvula, uvulaire, uvule, vibration.

LAMPE (n. p.). Aladin, Edison, Swan.

LAMPE. Alcool, alel, ampoule, baladeuse, bec, bougie, carcel, culot, diode, éolipyle, essence, fanal, feu, gaz, halogène, huile, if, lampadaire, lanterne, loupiote, lumière, lumignon, mèche, pétoche, réverbère, tube, veilleuse, verrine.

LAMPÉE. Becquée, bouchée, briffée, bu, coup, croquée, golée, gorgée, goulée, léchée, lichette, morceau, mordée, trait.

LAMPER. Absorber, assouvir, avaler, boire, déguster, étancher, goler, gorger, pomper, vider.

LAMPION. Campanile, candélabre, falot, fanal, feu, godet, guillotine, lampadaire, lamparo, lampe, lampiste, lanterne, lanternon, loupiote, lumière, lustre, oursin, phare, pilier, récipient, réverbère, signal, veilleuse.

LAMPISTE. Bas, employé, inférieur, sans-grade, secondaire, sous-fifre, souffre-douleur, subalterne.

LAMPOURDE. Bardane, cathartique, dépuratif, glouteron, laxatif, livèche, purgatif, salsepareille.

LAMPRILLON. Alevin, ammocète, blanchaille, chatouille, civelle, fretin, lamproyon, nourrain, pibale, poisson.

LAMPROIE. Agnathe, ammocète, chatouille, cyclostome, géotriiné, lampetra, petromyzon, vertébré.

LAMPYRE. Brillant, coléoptère, étincelant, houx, insecte, luciole, luisant, lumineux, lustré, poli, rutilant.

LANCE (n. p.). Achille.

LANCE. Angon, ante, arme, bâton, dard, doryphore, émet, épieu, faucre, framée, fronde, guisarme, hallebarde, harpon, hast, hast, javeline, javelot, jette, joute, lancéolé, lancier, pilum, pique, sarisse, uhlan.

LANCÉE. Élan, émulation, envoi, envolée, erre, essor, foulée, impulsion, mouvement, saut, zèle.

LANCEMENT. Base, ber, booster, départ, édition, envoi, jet, lancer, livre, publication, réception, tir.

LANCER. Bombarder, catapulter, cracher, créer, darder, débuter, décocher, éjaculer, émettre, envoyer, éructer, établir, flanquer, instaurer, jeter, jouer, lâcher, larguer, porter, projeter, ruer, tirer, vitrioler, vomir.

LANCETTE. Abcès, aiguille, arc, couteau, flamme, lancéolé, instrument, saignée, seringue, vaccinostyle.

LANCEUR (n. p.). Ariane, Discobole.

LANCEUR. Accélérateur, amplificateur, booster, concepteur, développeur, étage, étagiste, fusée, impulseur, pousseur, propulseur, navette, renforcement, stimulateur.

LANCIER. Cavalerie, chapska, personne, quadrille, schapska, soldat, uhlan.

LANCINANT. Agaçant, assommant, barbant, barbifiant, douloureux, embêtant, emmerdant, empoisonnant, endormant, ennuyant, ennuyeux, enquiquinant, fastidieux, fatigant, lassant, mortifère, plat, rasant.

LANCINER. Écarteler, élancer, envier, habiter, hanter, harceler, importuner, pourchasser, souffrir, tourmenter.

LANÇON. Anguille de sable, brocheton, équille, perciforme, poisson, vive.

LAND, ALLEMAND (n. p.). Bavière, Berlin, Brème, Carinthie, Hambourg, Hesse, Salzbourg, Sarre, Saxe, Styrie, Thuringe, Tyrol, Vienne.

LANDAU. Berline, break, cab, caisse, calèche, carrosse, carrosserie, carrossier, débosseleur, désosseur, fiacre, hippomobile, landaulet, nacelle, poussette, tilbury, torpédo, véhicule, voiture.

LANDE. Ajonc, brousse, bruyère, fagnard, fagne, friche, garrigue, genêt, inculte, jachère, maquis, pâtis.

LANDES, VILLE (n. p.). Aire, Amou, Brassempouy, Dax, Gabarret, Geaune, Labrit, Morcenx, Mugron, Pissos, Pouillon, Roquefort, Sabres, Seignosse, Sore, Tarnos.

LANGAGE. Ada, aphasie, argot, baragouin, charabia, créole, euphuisme, gestuel, jargon, joual, langue, locution, logogriphe, logorrhée, marivaudage, mime, parler, parlure, pascal, prolog, sabir, slang, verbe.

LANGAGE INFORMATIQUE. Ada, algol, basic, cobol, évolué, fortran, java, pascal, prolog, rpg.

LANGE. Barboteuse, bébé, brassière, bustier, camisole, change, chemisette, couche, dormeuse, enveloppe, étoffe, grenouillère, langer, layette, maillot, nourrisson, pigeonnier, rectangle, soutien-gorge, tissu.

LANGER. Bobiner, cacher, couvrir, emmailloter, encercler, enrouler, envider, serpenter, tordre, tortiller.

LANGOUREUX. Alangui, amoureux, caresseur, délicat, langueur, languissant, sensible, tendre.

LANGOUSTE. Caudrette, crustacé, décapode, langoustier, langoustine, macroure, palinurus, scampi.

LANGOUSTINE. Bélemnite, calamar, calmar, caudrette, crabe, crevette, crustacé, décapode, écrevisse, encornet, fritti, homard, langouste, langoustier, macroure, palinurus, scampi, seiche.

LANGUE (2 lettres). Oc, wu.

LANGUE (3 lettres). Bec, ewe, fon, kwa, lao, oil, mot, oïl, pal, twi, yid.

LANGUE (4 lettres). Akan, calo, cham, dard, dari, duel, erse, este, grec, inca, inti, kalo, lisp, maya, pali, peul, same, thaï, tupi, turc, urdu, zend.

LANGUE (5 lettres). Aïnou, arabe, argot, azeri, balte, bantu, celte, copte, guèze, hindi, huron, ibère, khmer, koinè, kurde, lapon, latin, lette, mouda, oriya, otomi, papou, perse, peuhl, russe, sabir, sarde, serbe, sioux, slave, style, tagal, tamil, tatar, wolof.

LANGUE (6 lettres). Afghan, aymara, bantou, basque, birman, breton, canara, clapet, coréen, créole, croate, danois, eskimo, frison, hébreu, idiome, jargon, kabyle, kazakh, letton, malais, mongol, ossète, ostiak, ostyak, ouolof, ourdou, ouzbek, pachto, parler, patois, pehlvi, persan, pidgin, radula, ramage, romani, slavon, somali, tamoul, telugu, toscan, vipère, vogoul.

LANGUE (7 lettres). Ablatif, adstrat, aléoute, anglais, araméen, bambara, bengali, berbère, bulgare, catalan, cebuano, chinois, euskéra, faconde, féroien, finnois, flamand, gallois, gaulois, guarani, haoussa, hittite, iranien, italien, kannara, khoisan, kirghiz, langage, laotien, lexique, malinké, marathe, marathi, moldave, nahuatl, norrois, occitan, osmanli, ougrien, ouigour, pachtou, pahlavi, panjabi, parlure, pâteuse, prakkit, quechua, quichua, roumain, slovène, suédois, swahili, tagalog, tapette, tchèque, touareg, tsigane, vocatif, vogoule, volapük, yiddish.

LANGUE (8 lettres). Akkadien, albanais, algonkin, allemand, annamite, arménien, assamais, baltique, bilingue, celtique, charabia, dialecte, écossais, égyptien, espagnol, estonien, étrusque, fidjiien, français, gaélique, galicien, géorgien, gujarati, hongrois, iroquois, isolante, javanais, malgache, marhatte, népalais, ouralien, pilipino, polonais, romanche, sanskrit, slovaque, soutenue, syriaque, tahitien, tchadien, télougou, tongouse, tongouze, turkmène.

LANGUE (9 lettres). Afrikaans, allophone, américain, amharique, arabisant, avestique, baloutchi, bichlamar, brésilien, castillan, caucasien, dravidien, espéranto, irlandais, islandais, lituanien, lusophone, madourais, malayalam, nilotique, norvégien, phénicien, portugais, sémitique, soudanais, tamazight, tasmanien, tokharien, ukrainien.

LANGUE (10 lettres). Alémanique, algonquien, anglicisme, bêche-de-mer, bichelamar, biélorusse, cambodgien, cinghalais, cynoglosse, expression, gallicisme, indonésien, lithuanien, lusophone, macédonien, théchène.

LANGUE (11 lettres). Brittonique, couchitique, germanisant, glossolalie, hindoustani, néerlandais, serbo-croate, tchérémisse, tupi-guarani, vocabulaire.

LANGUE (12 lettres). Articulation, austronésien, italianisant, langue-de-chat, linguistique.

LANGUE (13 lettres). Abaisse-langue, hellénistique, judéo-allemand, langue-de-bœuf, monolinguisme.

LANGUE (14 lettres). Azerbaïdjanais, holophrastique, multilinguisme, paléoasiatique, plurilinguisme.

LANGUE-DE-BŒUF. Arme, champignon, fistuline, foie-de-bœuf, pique.

LANGUETTE. Anche, bouveteuse, bugne, épiglotte, guimbarde, isthme, lame, ligule, patte, signet.

LANGUEUR. Apathie, atonie, indolence, léthargie, morbidesse, somnolence, tabès, torpeur, usure.

LANGUIDE. Alangui, apathique, décontracté, désinvolte, endormi, indolent, insouciant, langoureux, léger, lent, léthargique, mollasse, momie, mou, négligent, nonchalant, paresseux, tiède, vague.

LANGUIR. Baisser, dépérir, épuiser, fondre, moisir, mourir, sécher, souffrir, traîner, végéter.

LANGUISSANT. Abattu, atone, fade, faible, lâche, langoureux, monotone, morne, mourant, traînant.

LANIER. Épervier, falconidé, fatigué, faucon, laneret, pèlerin, raplapla, sacret, tierce, tiercelet.

LANIÈRE. Bande, bélière, courroie, dragonne, fouet, guide, knout, laisse, lasso, longe, rêne, sangle, spartiate, tagliatelle.

LANTERNE (n. p.). Diogène.

LANTERNE. Campanile, candélabre, dernier, falot, fanal, feu, guillotine, lampadaire, lamparo, lampe, lampion, lampiste, lanterneau, lanternon, loupiote, lumière, lustre, oursin, phare, pilier, réverbère, signal, veilleuse.

LANTERNER. Atermoyer, attendre, différer, fadaise, flâner, poireauter, remettre, tarder, temporiser, traîner.

LANTHANE. La.

LAOS, CAPITALE (n. p.). Vientiane.

LAOS, LANGUE. Anglais, français, hmong, lao, phoutheung, taï.

LAOS, MONNAIE. Kip.

LAOS, VILLE (n. p.). Attopeu, Ay, Ban, Boneng, Et, Nape, Saravan, Sing, Son, Soy, Thong, Vientiane, Xay.

LAOTIEN. Asiatique, kip, langue, lao, thaï, thaïe.

LAPALISSADE. Banalité, certitude, cliché, évidence, fadaise, sophisme, tautologie, truisme, vérité.

LAPAROSCOPIE. Canule, cavité, cœlioscopie, examen, exploration, intervention, trocart.

LAPER. Absorber, auge, avaler, boire, buvoter, déguster, écluser, gobelotter, goûter, humer, ingurgiter, lamper, lapement, lécher, libations, licher, lipper, picoler, pinter, pomper, prendre, régalade, sabler, sabrer, savourer, siroter, téter, toast, trait, trinquer, vider.

LAPIDAIRE. Bref, concis, court, diamantaire, laconique, lapicide, ramassé, succinct, tailleur, traité.

LAPIDER. Attaquer, caillasser, honnir, lapidation, lapideur, malmener, pierre, poursuivre, tuer, vilipender.

LAPIDIFIER. Clouer, ébahir, éclair, effrayer, figer, fixer, fossiliser, foudroyer, glacer, incruster, méduser, paralyser, pétrifier, pierre, river, saisir, sidérer, statufier, suffoquer, tétaniser, tonnerre.

LAPIN. Angora, attente, belette, bouquet, bouquin, carnier, clapier, clapir, coccidiose, cuniculiculture, furet, garenne, gibecière, lagomorphe, laiteron, lapereau, léporidé, lièvre, myxomatose, orme, râble, renard, terrier, tularémie.

LAPINISME. Abondant, avantageux, conception, copieux, été, fécond, fécondité, fertile, fertilité, florissant, fructueux, gras, lapin, productif, prolifère, prolifique, riche, surnatalité, surpeuplement, surpopulation.

LAPIS-LAZULI. Azur, bijouterie, bleu, feldspathoïde, lapis, lazulite, lazurite, outremer, pierre, silicate.

LAPON. Armeline, bruant, esquimau, finno-ourien, hutte, langue, nordique, renne, same, sami.

LAPONIE (n. p.). Finlande, Norvège, Russie, Suède.

LAPS. Année, apostat, durée, espace, infidèle, instant, intervalle, moment, mortalité, plage, renégat, temps.

LAPSUS. Bévue, bourde, cuir, défaut, erreur, faute, faux pas, glissement, janotisme, pataquès, perle, substitution, valise.

LAQUAIS. Adorateur, chasseur, domestique, groom, larbin, livrée, servile, serviteur, trottin, valet, vernis.

LAQUE. Cire, film, gomme, laccase, laquage, laquer, laqueux, résine, ripolin, spray, sumac, vernis.

LAQUE CHINOISE (n. p.). Coromandel, Madras, Pondichéry.

LAQUELLE. Que, qui, quoi.

LAQUER. Aluminer, cacher, chromer, coiffer, couvrir, dorer, enchevaucher, enduire, engober, engraver, enrober, entoiler, étamer, masquer, napper, nickeler, paver, plaquer, recouvrir, revêtir, tapisser, tuiler, vernir, voiler, zinguer.

LARBIN. Apprivoisé, boy, chasseur, convers, domestique, familial, foyer, groom, individu, lad, laquais, livrée, maison, majordome, nurse, page, personne, servante, servile, serviteur, trottin, valet.

LARCIN. Barbotage, chapardage, duperie, effraction, escroquerie, exaction, extorsion, filouterie, flibusterie, friponnerie, hold-up, kleptomane, maraudage, maraude, piratage, plagiat, rapine, recel, vol, volerie.

LARD. Adipeux, bacon, barde, couenne, crépine, graillon, graisse, gras, gros, larder, lardon, panne, porc.

LARDER. Blesser, couper, cribler, emplir, entrelarder, fourrer, lacérer, percer, piquer, railler, transpercer.

LARDOIRE. Aiguille, alène, broche, épingle, épinglette, ferret, piquoir, poinçon, pointu, raie, subulé, trocart.

LARDON. Bacon, bambin, bébé, chérubin, enfant, gamin, garçon, gosse, lard, marmot, mioche, mirepoix, môme, moucheron, petiot, petit, quiche, raillerie.

LARE. Âme, ange, appui, défenseur, dieu, divinité, foyer, garde, gardien, mécène, protecteur, saint, talisman.

LARGAGE. Abandon, abdication, aéronef, bombardier, défection, délaissement, démission, déprise, dérobade, désertion, désintérêt, dessaisissement, droppage, forfait, lâchage, larguer, parachutage, recul, résignation.

LARGE. Ample, avare, bacul, bande, béant, beaucoup, boulevard, carré, caution, épaté, évasé, généreux, grand, gros, indulgent, largeur, litre, long, mer, mesquin, ouvert, partir, rat, spacieux, tendu, val, vaste.

LARGEMENT. Abondamment, amplement, béant, copieusement, évasé, généreusement, gras, grassement, vastement.

LARGESSE. Bienfait, cadeau, don, générosité, libéralité, munificence, offrande, pluie, présent, prodigalité.

LARGEUR. Ampleur, bau, carrure, diamètre, envergure, giron, grandeur, grosseur, laize, lé, ouverture.

LARGO. Adagio, aï, alangui, âne, arriéré, balourd, calme, flâneur, gnangnan, lambin, limace, lent, lento, long, lourd, lourdaud, maladroit, mou, nonchalant, paresseux, pou, pressé, tardif, tortue, traînard, veau.

LARGUER. Abandonner, balancer, déferler, démarrer, déployer, dépasser, désamarrer, désarrimer, détacher, déverser, droper, dropper, envoyer, jeter, lâcher, lancer, laisser, parachuter, partir, perdu, plaquer, quitter, renvoyer.

LARIDÉ. Bec-en-ciseaux, goéland, labbe, mouette, sterne.

LARIGOT. Bec, chalumeau, diaule, fifre, fistule, flageolet, fluette, flûte, flûtiau, galoubet, mie, mirliton, monaule, nay, ney, octavin, pain, pan, piccolo, pipeau, syrinx, traversière, turlututu.

LARME. Affliction, chagrin, crocodile, émotion, goutte, lacrymal, lamenter, larmille, larmoiement, larmoyant, larmoyer, lysozyme, perle, peu, pleur, pleurnicher, rhyas, sanglot, verre.

LARMIER. Modillon, moulure, mutule, œil, orifice, redan, redent, ressaut, ressauter, saillie, soffite, tempe.

LARMOIEMENT. Affliction, canal, chagrin, dacryadénite, émotion, glande, goutte, lacrymal, lamentation, larme, larmoyer, lacrymogène, lysozyme, perle, peu, pleur, pleurer, rhyas, sac, sanglot, verre.

LARMOYANT. Dolent, geignard, gémissant, gnangnan, lent, mièvre, mou, plaintif, pleurnichard, pleureur.

LARMOYER. Chialer, chigner, éplorer, gémir, lamenter, miauler, plaindre, pleurer, pleurnicher, sangloter.

LARRON. Apache, assassin, bandit, brigand, coquin, criminel, ennemi, escroc, extorqueur, filou, foire, fripon, mafia, malfaiteur, malfrat, mécréant, meurtrier, pirate, ravisseur, scélérat, truand, tueur, usurier, violeur, voleur.

LARVAIRE. Commençant, embryonnaire, fivete, fœtal, fruste, gastrula, grossier, imparfait, informe, initial, miracidium, naissant, neurula, ouraque, primitif, rédie, rudimentaire, squelettique, zoé.

LARVÉ. Caché, couvé, insidieux, latent, rampant, récessif, secret, somnolent, sous-jacent, voilé.

LARVE. Agriote, ammocète, aoûtat, asticot, axolotl, cercaire, civelle, chatouille, chenilles, couvain, éruciforme, fantôme, hydatide, lamprillon, larvaire, latent, lepte, leptocéphale, man, myiase, naissain, nauplius, personne, pibale, spectre, sphex, taupe, taupin, ténébrion, têtard, trombidion, varon, varron, ver, ver blanc, victime, zoé.

LARYNGITE. Amygdalite, angine, angoisse, angor, croup, douleur, esquinancie, inflammation, nitro, oppression, pectoris, pharyngite, pharynx, plexus, poitrine, rhinopharyngite, serrement, trinitrine, uvulite.

LARYNX (n. p.). Adam.

LARYNX. Calcitonine, cou, épiglotte, glande, glotte, goitre, gosier, phonation, pomme, thypoxine, thyroïde, trachée.

LAS. Abattu, blasé, brisé, claqué, crevé, dégoûté, écœuré, ennuyé, épuisé, éreinté, excédé, exténué, fatigué, flapi, fourbu, harassé, hélas, rebattu, recru, rendu, rompu, vanné.

LASCAR. Adroit, astucieux, bête, combinard, débrouillard, dégourdi, déluré, diable, fin, finaud, futé, malicieux, malin, malveillant, mauvais, méchant, narquois, nocif, pernicieux, renard, rusé, sournois, taquin.

LASCIF. Amoureux, caressant, charnel, chaud, concupiscent, enclin, libidineux, luxurieux, plaisir, sensuel.

LASCIVITÉ. Débauche, délectation, délice, dévergondage, enivrement, épectase, érotisme, excès, ivresse, jouissance, libertinage, licence, luxure, orgasme, plaisir, sensualité, sexe, strape, sybaritisme, volupté.

LASER. Amplificateur, lecteur, lumineux, mégaphone, rayon, source, syntonisateur, tuner.

LASSANT. Crevant, décourageant, délassant, ennuyeux, épuisant, éreintant, fatigant, harassant, monotone, rebutant.

LASSÉ. Abruti, accablé, assommé, blasé, brisé, épuisé, éreinté, exténué, fatigué, harassé, surmené, vanné.

LASSER. Claquer, décourager, délasser, embêter, ennuyer, fatiguer, harasser, importuner, rebuter, tanner.

LASSIS. Balle, bourre, capiton, chiure, chute, coco, crasse, culot, débris, déchet, dépôt, étoupe, fagot, feutre, fibre, filoselle, laine, maton, ouate, paille, plein, ploc, pressé, schappe, soie, strasse, retard, tontisse.

LASSITUDE. Abattement, asthénie, basta, baste, découragement, dégoût, dépit, déprime, désespérance, ennui, fatigue, harassement, ras-le-bol, satiété, spleen, vague-à-l'âme.

LATENT. Caché, couvé, dissimulé, insidieux, larvé, rampant, récessif, secret, somnolent, sous-jacent, voilé.

LATÉRAL. Annexe, auxiliaire, bas-côté, bras, bridé, flanc, hampe, joue, scoliose, secondaire, tempe.

LATÉRALITÉ. Ascendance, contagion, dominance, épistasie, génotype, hérédité, latéralisation, phénotype.

LATÉRITE. Alios, aratoire, bauxite, esplanade, gâtine, glèbe, herse, minerai, roche, rougeâtre, sol, terre

LATEX. Antiar, balata, caoutchouc, chiclé, ficus, hévéa, laiteux, liquide, opium, papaïne, suc, upas.

LATIN. Ave, bible, fanum, fatum, idem, inter, item, intra, olim, opus, pater, romain, roman, supin.

LATITUDE. Angle, climat, équateur, facilité, faculté, liberté, marge, permission, pôle, pouvoir, région.

LATITUDINAIRE. Admonestation, bioéthique, capucinade, code, conduite, déontologie, devoir, éthique, éthologie, homélie, honnêteté, leçon, maxime, mœurs, morale, obligation, parénèse, probité, règle, vertu.

LATIUM, VILLE (n. p.). Frostina, Rieti, Rome, Viterbe.

LATRIE. Bigoterie, bondieuserie, cagoterie, dévotion, dulie, fanatisme, ferveur, neuvaine, piété, religion, zèle.

LATRINES. Aisance, cabinet, cadagou, chiotte, commodités, édicule, gogues, goguenots, lavabo, sanisette, sanitaires, toilette, urinoir, vespasienne, water-closet, W.-C.

LATTAGE. Auvel, barrière, claie, clayon, clayonnage, clisse, clôture, douve, éclisse, écrille, frisage, grillage, grille, griller, haie, hane, hourdage, jonc, latte, lattis, natte, osier, paillasson, sas, torréfier, traversine, treillis, trolle.

LATTE. Ais, asseau, bacula, baguette, bardeau, bâton, chanlate, chanlatte, claquet, couchis, douve, échalas, hourdis, palis, planchette, règle, treillis, volige, planchette, volige.

LATTIS. Auvel, barrière, claie, clayon, clayonnage, clisse, clôture, douve, éclisse, écrille, frisage, grillage, grille, griller, haie, hane, hourdage, jonc, lattage, latte, natte, osier, paillasson, sas, torréfier, traversine, treillis, trolle.

LAUDANUM. Adoucissant, adoucit, analgésique, antispasmodique, apaisant, baume, calmant, calme, diacode, dictame, émollient, lénifiant, lénitif, mauve, morphine, opium, populéum, relaxant, sédatif, thridace, tranquillisant.

LAUDATEUR. Acclamateur, admirateur, adorateur, adulateur, apologiste, approbateur, béni-oui-oui, caudataire, complaisant, complimenteur, courtisan, dithyrambiste, flatteur, glorificateur, laquais, patelin, valet.

LAUDATIF. Adorateur, adulateur, applaudisseur, cajoleur, caresseur, courtisan, dithyrambique, élogieux, encenseur, endormeur, enjôleur, flagorneur, flatteur, lèche-botte, lèche-cul, lécheur, los, louangeur, loue, menteur, thuriféraire.

LAURACÉE. Arbre, arbuste, avocatier, camphrier, cannelier, cassyta, cinnamome, laurier, plante, sassafras.

LAURE. Abbaye, ashram, bonzerie, cartulaire, cellérier, cloître, communauté, couvent, higoumène, lamaserie, lavra, moine, monastère, monial, moustier, moutier, prieuré, séculier, tour, vihara.

LAURÉAT. Champion, gagnant, gagneur, impétrant, médaillé, palmarès, prix, rosière, vainqueur.

LAURIER. Arbousier, arbuste, baie, camphrier, condiment, culilawan, emblème, épilobe, garou, gloire, kalmia, lauracée, laurier-tin, laurose, laurus, nérion, nerium, oléandre, prunus, rosacée, ruscus, succès, victoire, viorne.

LAURIER-ROSE. Apocynacée, frangipanier, pervenche, rauwolfia, rhododendron, strophantus.

LAURIER-TIN. Alisier, aubier, aubour, boule-de-neige, clématite, mancienne, obier, pimbina, viburnum, viorne.

LAVABLE. Blanchissable, lessivable, nettoyable, récurable.

LAVABO. Aiguière, aquamanilles, baignoire, cuvette, entracte, évier, fontaine, sanitaires, toilette, WC.

LAVAGE. Ablution, bain, batée, cuvée, débarbouillette, douche, eau, élavé, élution, énéma, flocon, gant, lessive, liquide, lotion, machine, nettoyage, pain, plongeur, purification, récurant, rinçage, savon, savonnette, shampooing.

LAVALLIÈRE. Barbette, commandeur, cordage, cravate, insigne, jabot, ornement, papillon, rabat, régate.

LAVANDE. Aspic, bleu, huile, labiacée, labiée, lavandin, mauve, nard, parfum, spic, statice, violet.

LAVANDERIE. Blanchisserie, buanderette, buanderie, laverie, lavoir, nettoyeur, pressing, souillarde, teinturerie, teinturier.

LAVANDIÈRE. Bergère, bergeronnette, blanchisseur, buandier, curandier, décrotteur, détacheur, hochequeue, lavandier, laveur, lessiveur, nettoyeur, passereau, oiseau, plongeur, pressing, raton, teinturier.

LAVE. Aa, andésite, basalte, cheire, coulée, diorite, effusif, feldspath, lapilli, magma, mesa, neck, péléen, perlite, pillow-lava, planèze, pluton, pyrosphère, roche, rhyolite, scorie, trachyte, volcan, volcanique.

LAVEMENT. Ablution, anus, bock, cérémonie, clystère, injection, lavage, purgation, purge, remède, seringue.

LAVER. Baigner, blanchir, brosser, débarbouiller, décrasser, délaver, disculper, doucher, éluer, faire la plonge, justifier, lessiver, nettoyer, plonger, prouver, réhabiliter, rehausser, réprimander, rincer, savonner.

LAVERIE. Blanchisserie, blanchisseur, buanderie, dégraisseur, lavoir, lavomat, nettoyeur, pressing, teinturerie, teinturier.

LAVETTE. Chiffe, débarbouillette, linge, pattemouille, personne, tissu, torchon, ustensile, veule, wassingue.

LAVEUR. Blanchisseur, buandier, curandier, lavandier, lavandière, lessiveur, nettoyeur, plongeur, pressing, raton, teinturier.

LAVEUSE. Blanchisseuse, buandière, lavandière, lessiveuse, lessivière.

LAVIS. Aquarelle, art, bistre, cadre, camaïeu, couleur, dessin, encre, fresque, gouache, gribouillage, gribouillis, grisaille, image, marine, pastel, paysage, peinture, pictural, portrait, ripolin, sépia, tableau, vue.

LAVOIR. Blanchisserie, buanderie, dégraisseur, laverie, lavomat, nettoyeur, pressing, teinturerie, teinturier.

LAVRA. Abbadie, abbatiale, abbaye, abbé, béguinage, abescat, chartreuse, cloître, commanderie, communauté, couvent, église, fromage, laure, moinerie, monastère, moutier, prieuré, solesme, thélème, vidame.

LAWRENCIUM. Lr.

LAXATIF. Agar-agar, bourdaine, cassier, cathartique, évacuant, lavement, magnésie, mauve, mucilage, psyllium, purgatif, purge, rhubarbe, ricin, séné, senne, sorbitol, suppositoire, tamar, tamarin, tamarinier.

LAXISME. Accoutumance, bienveillance, complaisance, compréhension, condescendance, convivialité, humanité, indulgence, libéralisme, lupanar, mansuétude, ouverture, partisannerie, patience, permissivité, rigorisme, tolérance.

LAXISTE. Amoral, blasé, élastique, large, latitudinaire, libéral, permissif, possible, relâché, tolérant.

LAXITÉ. Ballonnement, bombement, bosse, claquage, distension, gonflement, hydronéphrose, vergeture.

LAYE. Auge, bac, cabane, crèche, lange, mangeoire, maye, râtelier, ripe, table, trémie, zéphir.

LAYETTE. Accoutrement, atours, complet, costumes, dessous, deux-pièces, effets, ensemble, fringues, gant, garde-robe, habillement, habit, harnachement, harde, haut, jupe, parure, sous-vêtement, toilette, vêtement.

LAYON. Accès, allée, artère, avenue, cavée, chemin, chenal, course, descente, détour, direction, distance, fer, funiculaire, grimpette, guide, itinéraire, jeu, laie, lé, ornière, parcours, passage, périple, piste, rail, rampe, rang, ravin, route, rr, rue, sente, sentier, trajet, traverse, trimard, trotte, via, vie, voie.

LAZARET. Asile, clinique, hospice, hôpital, ladrerie, léproserie, maladrerie, maternité, salle, sanatorium, tour.

LAZARISTE (n. p.). Huc, Saint-Lazare, Saint-Vincent-de-Paul.

LAZULITE. Azur, lapis, lapis-lazuli, lazurite, minéral, outremer, phosphate, pierre, silicate, soufre.

LAZZI. Brocard, comédie, moquerie, plaisanterie, quolibet, raillerie, sarcasme.

LÉ. Alèse, ampleur, bau, carrure, chemin, diamètre, drap, envergure, giron, grandeur, laize, largeur, ouverture, panneau.

LEADER. Article, chef, décideur, directeur, dominant, leadership, meneur, porte-parole, premier, tête.

LÉCHAGE. Achèvement, affinage, amélioration, arrangement, complètement, correction, enjolivement, fignolage, finition, garnissage, peaufinage, perfectionnement, polissage, purification, raffinement, retouche, révision.

LÉCHÉE. Béatilles, becquée, bouchée, briffée, croquée, entrée, goulée, lichette, lippée, mâchée, morce, morceau, mordée, petit-four, rocher, salpicon.

LÉCHER. Délecter, effleurer, enlever, exécuter, fignoler, finir, flatter, licher, polir, regarder, soigner, travailler.

LÉCHEUR. Abject, affreux, bas, canaille, corrompu, crasseux, dépravé, flatteur, flagorneur, fumier, galeux, honteux, ignoble, immonde, indigne, infâme, lâche, lèche-bottes, méprisable, mesquin, vil.

LÈCHE-VITRINE. Amourette, aventure, chalandage, couraillage, courreries, magasinage, transport.

LEÇON. Cours, élève, instruction, morale, remontrance, répétition, réprimande, sermon, théorie.

LECTEUR. Anagnoste, ânonner, bouquiner, clerc, collaborateur, dévorer, disque, drive, épeler, étudier, évasion, laser, lectorat, lire, liseur, maître, moniteur, papivore, parler, réciter, relire, revoir.

LECTORAT. Amateur, anagnoste, ânonner, bouquineur, clerc, collaborateur, dévorer, étudiant, étudier, évasion, lecteur, lire, liseur, maître, papivore, parler, réciter, relire, revoir, soldeur.

LECTURE. Anagnoste, analyse, déchiffrage, décodage, décryptage, illisible, index, liseur, lutrin, missel.

LÉGAL. Aloi, authentique, cause, compétent, droit, juridique, juste, légitime, licite, loi, loyal, moratoire, permis, possible, réglementaire, régulier, requis, suffisant.

LÉGALEMENT. Canoniquement, conformément, constitutionnellement, correctement, dûment, juridiquement, légitimement, licitement, normal, officiellement, réglementaire, régulier, régulièrement, valable, validement.

LÉGALISATION. Admissibilité, authenticité, bien-fondé, certitude, conformité, contreseing, contresigner, estampille, faux, greffier, inauthencité, ita, légaliser, paillette, réalité, seing, sic, sincérité, véracité, véridique, vérité, visa, vrai.

LÉGALISER. Affirmer, assurer, authentifier, certifier, garantir, justifier, officialiser, permettre, valider.

LÉGALISME. Auguste, considération, crainte, culte, décence, déférence, dignité, égard, estime, hommage, honneur, ordre, piété, politesse, prier, pudeur, respect, révérence, rigorisme, ritualisme, sacro-saint, tolérance, vénération.

LÉGALITÉ. Accord, affinité, alignement, analogie, bien-fondé, canonicité, concordance, conformité, correction, harmonie, isonomie, juste, justesse, légitimité, normalité, parité, régularité, rituel, similitude, union, unisson, unité, validité.

LÉGAT (n. p.). Albornoz, Bonaventure, Cajetan, Castelnau, Céculaire, Estouteville, Étienne, Murena, Sylla, Tazoult.

LÉGAT. Adjoint, adjuvant, aide, alter ego, ambassadeur, assesseur, assistant, associé, attaché, auxiliaire, bras droit, coadjuteur, codirecteur, cogérant, collaborateur, collègue, confrère, deuxième, inférieur, lieutenant, nonce, parèdre, représentant, second, vice.

LÉGATAIRE. Acquéreur, adjudicataire, affectataire, allocataire, attributaire, bénéficiaire, client, colégataire, donataire, gagnant, héritier, legs, nominataire, portionnaire, prestataire, universel.

LÉGATION. Acte, commission, courtage, délégation, mandat, mission, pouvoir, procuration, rémunération, représentation.

LÉGENDAIRE. Célèbre, connu, cuissage, fabuleux, fameux, imaginaire, mémorable, mythique, proverbial, yéti.

LÉGENDE. Adage, conte, coutume, dicton, fable, fée, folklore, génie, monstre, mythe, racontar, récit, saga.

LÉGER. Aérien, agile, allégé, arachnéen, circonspect, collation, délesté, dispos, égratignure, évaporé, escarmouche, essoré, éthéré, fin, frémissement, frivole, gracile, grêle, indisposition, leste, menu, mince, ombre, plume, raté, souple, subtil, vaporeux, vif, volage.

LÉGÈREMENT. Délicatement, doucement, douceur, effleurement, faiblement, frivolement, frugalement, futilement, imperceptiblement, imprudemment, inconsidérément, moitié, molte, sobrement, superficiellement, taquiner, vaguement.

LÉGÈRETÉ. Agilité, badinage, caprice, distraction, enfantillage, étourderie, facétie, finesse, frivolité, futilité, grâce, inconduite, inconsistance, inconstance, irréflexion, jeunesse, lourdeur, mobilité, souplesse.

LÉGIFÉRER. Admettre, juger, légaliser, législateur, législatif, loi, prononcer, règle, régler, statuer.

LÉGION. Affluence, afflux, amas, armée, avalanche, cohue, essaim, flopée, flot, foison, foule, fourmilière, luxe, marée, masse, multitude, nombre, nuée, profusion, pullulement, quantité, tas, troupeau, univers, vulgum pecus.

LÉGION D'HONNEUR. Chevalier, commandeur, croix, légionnaire, officier, troupe.

LÉGIONNAIRE (n. p.). Camerone, Darnand, Marseillaise, Maurice, Saint-Maurice.

LÉGIONNAIRE. Armée, artilleur, cadet, casernier, déserteur, estafette, fantassin, galon, gendarme, général, gi, goumier, grade, guerrier, hastati, hussard, légionellose, martial, milicien, militaire, officier, ost, rata, recrue, serval, service, soldat, soldatesque, stratégique, supplétif, traîneur, troupier.

LÉGISLATEUR (n. p.). Akbar, Charlemagne, Dracon, Lycurgue, Moïse, Mosche, Napoléon, Penn, Soliman, Solon.

LÉGISLATEUR. Autorité, député, droit, loi, nomothète, parlement, sénat, sénateur, textes.

LÉGISLATION. Assemblée, code, droit, édit, justice, législatif, loi, parlement, sénat, tribunal.

LÉGISTE (n. p.). Carson, Fallot, Flote, Flotte, Fontaines, Nogaret, Plaisant.

LÉGISTE. Arrêtiste, avocat, avoué, bâtonnier, criminaliste, jurisconsulte, juriste, ouléma, rau, uléma.

LÉGITIME. Admis, admissible, épouse, époux, fondé, juste, licite, moitié, motivé, normal, permis.

LÉGITIMEMENT. Analytiquement, à point nommé, cohéremment, convenablement, correctement, dûment, équitablement, exactement, impartialement, justement, logiquement, opportunément, pertinemment, précisément, rationnellement.

LÉGITIMER. Conférer, disculper, excuser, justifier, légaliser, reconnaître, rectifier, valoir.

LÉGITIMISTE (n. p.). Berryer, Chambord, Frohsdorf, Louis-Phillippe.

LÉGITIMISTE. Blanc, chouan, chouannerie, monarchiste, nominataire, roi, royaliste, ultra.

LÉGITIMITÉ. Adon, à-propos, bien-fondé, convenance, esprit, opportunité, pertinence, répartie, utile.

LEGS. Aliénation, bien, cessation, don, donation, fidéicommis, fondation, héritage, hoirie, laisser.

LÉGUER. Abandonner, abdiquer, capituler, céder, confier, décrocher, délaisser, démettre, démissionner, départir, dériver, déserter, désister, donner, droper, dropper, évacuer, flancher, fuir, jeter, lâcher, laisser, larguer, lézarder, livrer, luxure, négliger, oublier, partir, plaquer, prélasser, quitter, rancart, renier, renoncer, retirer, semer, séparer, succomber, trahir, vider.

LÉGUME. Ail, artichaut, asperge, aubergine, betterave, carotte, céleri, champignon, chou, concombre, cresson, crosne, échalote, endive, épinard, fève, garni, haricot, laitue, navet, oignon, panais, patate, piment, poireau, pois, poivron, radis, raifort, rave, rutabaga, salade, salsifis, scorsonère, tétragone, tomate, topinambour, truffe.

LÉGUMINEUSE. Acacia, ache, arachide, aubergine, bette, céleri, chou, crosne, dolic, ers, fève, gesse, haricot, igname, lentille, lotier, lupin, luzerne, mélilot, mélongène, mimosacée, niébé, orobe, palmiste, patate, pois, rave, robinier, rumex, rutabaga, salsifis, scorsonère, séné, soja, soya, topinambour, tropogogon, tupa.

LEISHMANIA. Bouton d'Orient, coccidie, flagellé, hématozoaire, kala-azar, phlébotome, protozoaire.

LEITMOTIV. Antienne, expression, formule, idée, motif, refrain, répétition, slogan, thème.

LEMME. Absolu, algébrique, algol, atto, calcul, cosinus, géométrie, géométrique, inévitable, limbe, log, logique, logisticien, logistique, math, mathématique, moyen, précis, sinus, statistique, tenseur, trigonométrie.

LEMNACÉE. Burtome, lenticule, lentille, marante, massette, monocotylédone, palmier, potamot, typha.

LÉMURE. Apparence, apparition, brucolaque, cauchemar, chimère, couleurs, crainte, double, ectoplasme, égrégore, esprit, fantôme, illusion, irisé, larve, ombre, revenant, simulacre, spectre, vampire, vision.

LÉMURIEN. Aï, aye-aye, bradype, cheiromys, galago, hapalémur, indri, maki, potto, primate, prosimien, singe.

LENDEMAIN. Après, avenir, conséquence, demain, futur, procrastination, suite, surlendemain.

LÉNIFIANT. Adoucissant, amollissant, apaisant, atténuant, calmant, consolant, crème, émollient, lénitif, rassérénant.

LÉNIFIER. Adoucir, alléger, amollir, apaiser, atténuer, calmer, diminuer, lénifiant, lénitif.

LÉNITIF. Adoucissant, adoucit, analgésique, antispasmodique, apaisant, baume, calmant, calme, diacode, dictame, émollient, laudanum, lénifiant, mauve, morphine, opium, populéum, relaxant, sédatif, thridace, tranquillisant.

LENT. Adagio, aï, alangui, âne, arriéré, assai, balourd, calme, flâneur, gnangnan, lambin, largo, lento, limace, long, lourd, lourdaud, maladroit, mou, nonchalant, paresseux, pou, pressé, tardif, tortue, traînard, unau, veau.

LENTEMENT. Adagio, doucement, gravement, largo, lento, piano, posément, retard, tortue.

LENTEUR. Apathie, atermoiement, bradycardie, délai, épaisseur, langueur, lent, longueur, lourdeur, manque, mollesse, mouvement, nonchalance, obtusion, paresse, pesanteur, retard, tergiversation, trainerie, viscosité.

LENTIGO. Envie, éphélide, fraise, grain, lentigine, lentille, mélanome, nævus, rousseur, tache.

LENTILLE (n. p.). Barlow, Ésaü, Iéna.

LENTILLE. Afocale, binocle, bonnette, caméra, cornéenne, contact, ers, fève, focal, gourgane, image, lenticule, lentigo, lorgnon, loupe, lunette, ménisque, nævus, objectif, œil, photographie, pois, pois chiche, photo, verre, vesce, volet.

LENTISQUE. Beige, ciment, crépi, erreur, faute, futée, galipot, jaunâtre, mastic, mollé, résine, pâte.

LENTO. Adagio, allegro, allure, andante, assai, largo, larghetto, largo, lentement, marche, monnaie, presto, rythme, tempo.

LÉONIN. Abusif, blessant, envahissant, exagéré, excessif, illégitime, immodéré, impropre, incorrect, indu, infondé, inique, injurieux, injuste, injustifié, insultant, mauvais, offensant, outrageant, possessif, sévère, usurpatoire.

LÉONURE. Agripaume, faux marrube, labiacée, labiée, plante, queue-de-lion.

LÉOPARD. Animal, bête, camouflage, carnassier, carnivore, engri, eyra, fauve, félidé, félin, fourrure, guépard, jaguar, léopardé, lion, mammifère, once, panthère, phoque, puma, tenue, vêtement.

LÉPIDOLITE. Biotite, clivable, granulite, lépidolithe, lithium, mica, minéral, muscovite, tuffeau.

LÉPIDOPTÈRE. Abraxas, aglossa, alucite, chrysalide, cossus, insecte, papillon, porte-queue, satyre.

LÉPIOTE. Agaric, agaricacée, amanite, champignon, clitocybe, collybie, coprin, colmelle, coulemelle, entolome, golmote, golmotte, lactaire, marasme, oronge, phaliote, pleurote, psalliotte, russule, volvaire.

LÉPISME. Aptère, aptérygote, insecte, poisson d'argent, thysanoure.

LÉPORIDÉ. Hase, lagomorphe, lapin, lièvre, mammifère, métis.

LÈPRE (n. p.). Follereau, Hansen.

LÈPRE. Abcès, adénite, apostème, apostume, bouton, bube, budon, chancre, clou, confluence, dépôt, écrouelles élevure, éruption, fléau, impétigo, ladre, ladrerie, mal, psora, psore, pustule, tumeur.

LÉPREUX. Cagot, décrépit, fy, galeux, hansen, ladre, lazaret, lépromateux, maladrerie, scrofuleux.

LÉPROME. Apophyse, crête, crosne, épine, fraise, gomme, igname, infiltrat, lésion, nodosité, nodule, pomme de terre, racine, salep, sclérote, taro, topinambour, tubercule, tubérosité, tumescence, ullucu.

LÉPROSERIE. Asile, clinique, hôpital, infirmerie, ladrerie, maladrerie, maternité, salle, sanatorium, tour.

LEPTE. Acare, acaricide, acarien, acariose, acarus, aoûtat, araignée, argas, ciron, demodex, gale, galle, ixode, larve, matelas, mite, phytopte, rouget, sarcopte, tique, trombidion, varroa, vendangeon.

LEPTON. Agrégat, anion, atome, boson, corpuscule, da, de, di, du, électron, épisome, gluon, ion, ka, kaon, méson, micelle, micron, morceau, mu, muon, neutrino, neutron, nucléon, oc, oui, particule, poudre, van, vice, von.

LEPTOSOME. Asperge, carrure, charpente, colosse, dimension, gabarit, géant, gigue, girafe, grandeur, hauteur, importance, longiligne, mesure, personnalité, port, pycnique, stature, taille.

LEPTOSPIRE. Bactérie, coccidie, hématozoaire, hépatite, ictère, micro-organisme, protozoaire.

LEQUEL. Auquel, auxquels, desquelles, desquels, dont, duquel, laquelle, où, que, quel, qui, quoi.

LÉROT. Glis loir, muscadin, rongeur.

LESBIANISME. Anastrophe, interversion, inversion, permutation, saphisme, tribadisme, transposition.

LESBIEN. Fifi, gay, giton, gouine, homo, homosexuel, lesbienne, lope, lopette, pédé, pédéraste, tante, tapette.

LÉSÉ. Blessé, boiteux, contusionné, éclopé, écorché, encorné, estropié, étripé, froissé, gelé, infirme, mordu, mutilé, navré, nui, offensé, ulcéré, vexé.

LÉSER. Attaquer, atteindre, attenter, blesser, désavantager, gruger, noircir, nuire, prétériter, ternir, tort, voler.

LÉSINE. Avarice, bassesse, étroitesse, ladrerie, médiocrité, mesquinerie, parcimonie, petitesse, pingrerie, radinerie.

LÉSINER. Alène, avare, économiser, épargner, ladre, liarder, mégoter, ménager, piler, rogner, thésauriser.

LÉSINEUR. Avare, chiche, cupide, dépensier, dissipateur, économe, fesse-mathieu, gaspilleur, gredin, grigou, grimelin, grippe-sou, harpagon, ladre, liard, liardeur, pingre, pisse-vinaigre, pouacre, prodigue, radin, rapiat, rat, séraphin, serré, vautour, vil, vilain.

LÉSION. Acné, actinite, altération, aphte, blessure, cal, callosité, cancer, chancre, contusion, cor, coronarite, cozarthrie, dommage, dysidrose, dystrophie, écrouelles, engelure, entorse, fissure, gelure, granulation, hépatisation, infarctus, lacune, ladrerie, lucite, lupome, nævi, nævus, navel, névrite, papule, plaie, préjudice, ptôsis, pustule, sarcoïde, scrofule, séquelle, syphilide, térébrant, toxidermie, trauma.

LESOTHO, CAPITALE (n. p.). Maseru

LESOTHO, LANGUE. Anglais, sésotho.

LESOTHO, MONNAIE. Loti.

LESOTHO, VILLE (n. p.). Leribe, Mafeteng, Maseru, Roma.

LESSIVABLE. Blanchissable, lavable, nettoyable, récurable.

LESSIVAGE. Amassage, blanchissage, curetage, décrassage, écrémage, écumage, entassage, épluchage, grattage, lavage, nettoyage, purge, raclage, rasage, rassemblage, ratissage, savonnage, tararage.

LESSIVE. Buandier, buée, détergent, détersif, exclusion, lavage, nettoyeur, nettoyage, purification, récurage, savon.

LESSIVER. Abrutir, battre, blanchir, claquer, crever, débarrasser, dépouiller, écraser, éliminer, épuiser, éreinter, exténuer, fatiguer, harasser, laver, nettoyer, plumer, ratiboiser, rincer, ruiner, tuer, vider.

LESSIVEUSE. Blanchisseuse, bouilloire, bouillotte, buanderie, lave-linge, laveuse, macérateur, paludarium, réceptacle, récipient, sorbetière, turbotière, yaourtière.

LEST. Alourdissement, appesantissement, ballast, charge, engourdissement, épaisseur, fardeau, indigestion, lenteur, lourdeur, maladresse, masse, paresse, pesamment, pesanteur, poids, rusticité, somme, surcharge.

LESTAGE. Agrégat, ballast, ballastière, cale, compartiment, gravier, gravillon, litière, remblai, réservoir, soute.

LESTE. Agile, alerte, allant, allègre, cru, dispos, fringant, gaillard, gaulois, grivois, guilleret, hardi, impoli, indécent, ingambe, léger, libre, olé olé, osé, pétillant, preste, raide, singe, souple, vert, vif.

LESTÉ. Alourdi, agile, apige, chargé, lège, plombé, pourvoir, vert, vif.

LESTEMENT. Cavalièrement, cyniquement, déplaisamment, discourtoisement, effrontément, grossièrement, hardiment, impertinemment, impoliment, impudemment, inamicalement, malhonnêtement.

LESTER. Accabler, aggraver, alourdir, appesantir, charger, compliquer, densifier, embarrasser, empâter, engourdir, engraisser, enrichir, envenimer, épaissir, exaspérer, garnir, gonfler, grossir, plomber, renforcer, surcharger.

LET. Filet, net.

LÉTAL. Agonie, bridge, cadavre, cartes, coma, décédé, décès, défunt, dépouille, dernier, dormition, deuil, disparu, éteint, étranglé, euthanasie, fatigué, feu, fin, glas, héritage, jeu, macchabée, mat, morgue, mort, nécrose, noyade, noyer, obit, obituaire, occis, perte, posthume, rage, restes, séjour, testament, tombe, tombeau, transi, trépas, trépassé, trucidé, vampire, victime.

LÉTALITÉ. Disparition, fatalité, mort, mortalité, mortinatalité, néomortalité, surmortalité.

LÉTHARGIE. Apathie, atonie, coma, hibernation, inertie, langueur, sommeil, somnolence, torpeur.

LÉTHARGIQUE. Abruti, absurde, apathique, atone, bête, borné, con, crétin, cruche, fat, hésitant, idiot, incohérent, indolent, inepte, inintelligent, insane, insensé, mou, niais, paresseux, simple, sot, stupide, tergiversant.

LETTON. Bale, européen, lats, langue, lette, lettique, peuple.

LETTONIE, CAPITALE (n. p.). Riga.

LETTONIE, LANGUE. Letton, russe.

LETTONIE, MONNAIE. Euro, lats.

LETTONIE, VILLE (n. p.). Balvi, Bauska, Dundaga, Iegava, Ielgava, Jelgava, Libau, Ludza, Mitau, Ogre, Pope, Riga, Talsi, Valka, Valmiera.

LETTRÉ. Clerc, docteur, encyclopédiste, érudit, humaniste, intellectuel, intello, mandarin, philosophe, sage, savant.

LETTRE. Abc, alphabet, babillarde, bafouille, billet, bref, capitale, caractère, créance, délié, en-tête, épître, équerre, faire-part, initiale, lambda, message, missive, monitoire, mot, obédience, omicron, pi, plein, pli, psi, rescrit, rho, RSVP, tierce, traite, xi.

LETTRE GRECQUE. Alpha (A), aspirée : khi (K), aspirée : phi (P), aspirée : thêta (T), bêta (B), delta (D), dzêta (Dz), epsilon (E), êta (E), gamma (G), iota (I), kappa (K), khi (Kh), lambda (L), mu (M), nu (N), oméga (Ô), omicron (O), phi (Ph), pi (P), psi (Ps), rho (R), sigma (S), tau (T), thêta (T), upsilon (U), xi, ksi, (Ks).

LETTRINE. Alinéa, antiphonaire, capitale, important, imprimerie, initiale, majuscule, miniature, sigle.

LETTRISME (n. p.). Isou.

LETTRISME. Artificiel, doctrine, épilogue, intellectuel, littéraire, prologue.

LEUCÉMIE. Cancer, cancérigène, carcinogène, globule, kahler, leucose, maladie, moelle, prolifération, sarcome.

LEUCITE. Aluminate, aluminium, amphigène, minéral, organite, plaste, potassium, silicate, spinelle.

LEUCOCYTE. Acidophile, défense, éosinophile, exsudat, globule, granulocyte, infiltrat, leucocytose, lymphocyte, mastzelle, monocyte, mononucléaire, myélocyte, neutrophile, phagocyte, polynucléaire, sang.

LEUCODERMIE. Achromat, achromatopsie, daltonisme, deutéranopie, dyschromatopsie, œil, optique.

LEUCOPÉNIE. Abaissement, agueusie, agranulocytose, amenuisement, amortissement, anhépatie, amnésie, anémie, anhidrose, anidrose, anosmie, collapsus, déflation, détente, détumescence, diminution, encroûtement, frai, hypochlorhydrie, hypoglycémie, hypotonie, oligurie, paralysie, presbytie, rabais, réduction, remise, retrait, soulagement, surdité, xérophtalmie.

LEUCORRHÉE. Bave, canal, écoulement, dalot, débit, débord, débouché, décharge, drain, égout, égouttement, épanchement, éruption, exsude, flux, gourme, hématidrose, infiltration, jet, jetage, laps, larmoiement, onde, otorrhée, phléborragie, saignement, stillation, suintement, transpiration.

LEURRE. Aiche, amorce, appât, appeau, artifice, cuiller, cuillère, dandinette, détection, devon, duperie, èche, esche, feinte, hameçon, illusion, imposture, mouche, piège, piperie, tromperie, tue-diable.

LEURRER. Abuser, aicher, apigeonner, appâter, attirer, attraper, bercer, berner, blouser, bluffer, duper, écher, escher, embobiner, endormir, enjôler, flatter, fourrer, illusionner, jouer, piper, tromper.

LEVAGE. Cric, bigue, développé, grappin, grue, haltère, levée, palan, soulèvement, vérin.

LEVAIN. Agent, azyme, bactérie, base, culture, enzyme, ferment, germe, levure, pâte, pâton, zymase.

LEVANT. Aube, aurore, caïc, couchant, crépuscule, échelle, est, île, matin, matinée, oméga, orient, sabir.

LEVÉE. Arrière-ban, chaussée, chelem, collecte, debout, fin, ôtée, pli, soulèvement, terrasse.

LEVER. Abolir, armer, arsis, débloquer, debout, décéder, dîmer, dresser, élever, enlever, enrôler, gruter, guinder, hausser, hisser, matin, mourir, palanquer, prélever, ralentir, recruter, ruer, soupeser, tenir, treuiller.

LÈVE-TÔT. Abortif, anticipé, hâtif, matinal, précipité, précoce, prématuré, pressant, pressé, tôt, urgent.

LEVIER. Aide, anspect, balai, barre, cliquet, commande, cric, épar, épart, espar, force, louve, manche, manette, manivelle, mobile, mors, moyen, pédale, pesée, pied-de-biche, pince, point, résistance, tige, touche, verdillon.

LÉVIGER. Abaisser, abréger, affaiblir, aléser, amoindrir, amortir, asservir, atomiser, atténuer, bâillonner, baisser, brésiller, broyer, changer, clochardiser, comprimer, contracter, diminuer, écrabouiller, effriter, égruger, élégir, émier, émietter, forcer, gracier, grainer, grener, gruger, incinérer, limer, limiter, mater, minimiser, minorer, modérer, moudre, museler, piler, pulvériser, ramener, quarter, râper, réduire, ristourner, ruiner, surbaisser, tasser, triturer, unifier, user.

LÉVITATION. Admiration, adoration, anagogie, béatitude, bonheur, chaman, charme, contemplation, émerveillement, enivrement, exaltation, extase, félicité, ivresse, mysticisme, ravissement, transport, yoga.

LÉVOGYRE. Composé, dextrogyre, fructose, gauche, inverse, lévulose, saccharose, sorbitol.

LÈVRE. Babine, badigoinces, balèvre, bec-de-lièvre, bilabié, bord, bouche, écarteur, joue, labial, labié, labium, labre, lippe, lippée, lippu, lobe, masque, moue, moustache, nymphe, perlèche, plaie, pourlèche, repli, ri, rire, vulve.

LEVRETTE. Afghan, barzoï, chien, cynodrome, deerhound, greyhound, lévrier, lévrier russe, levron, sloughi.

LÉVRIER. Afghan, barzoï, chien, cynodrome, deerhound, greyhound, levrette, levron, sloughi.

LÉVULOSE. Composé, dextrogyre, fructose, gauche, inverse, lévogyre, saccharose, sorbitol.

LEVURE. Candida, ferment, kéfir, képhir, muguet, mycoderme, nystatine, saccharomyces, zymase.

LEXÈME. Acceptation, catégorème, clef, comparatif, contenu, définition, esprit, expression, extension, jugement, métaphore, morphème, mot, portée, sémantique, sens, signification, terme, valeur.

LEXICOGRAPHE (n. p.). Augé, Bélisle, Ben Yehuda, Boissière, Boiste, Calepino, Darmesteter, Hatzfeld, Larousse, Littré, Quicherat, Richelet, Robert, Webster.

LEXICOGRAPHE. Académicien, auteur, dictionnaire, dictionnariste, écrivain, romancier, scribe, universitaire.

LEXICOLOGIE. Commencer, étymologie, évolution, formation, grammaire, onomastique, origine, racine, source.

LEXIQUE. Glossaire, glose, index, jargon, morphème, mot, nomenclature, terminologie, thesaurus.

LÉZARD. Agame, agamidé, apode, basilic, caméléon, gecko, gekko, hatteria, héloderme, iguane, komodo, moloch, orvet, peau, reptile, salamandre, saurien, seps, tarente, téju, tégus, tupinambis, varan, zonure.

LÉZARDE. Cassure, cavité, cicatrice, coupure, craque, craquelure, crevasse, déchirure, étoilement, faille, fêlure, fente, fissure, gerce, gerçure, larron, malandre, mourusse, perâsse, pli, prélasse, râpe, ride, rimaye.

LÉZARDER. Casser, craqueler, craquer, crevasser, crisser, crouler, fendiller, fissurer, gercer, rompre.

LIAGE. Agencement, alliage, alliance, amalgame, amarrage, arrangement, assemblage, calcul, chlorure, combinaison, dosage, grenouillère, hydrate, ligature, magouillage, magouille, mariage, mélange, mixture, phosgène, projet, réunion, réussite, spéculation, système, union.

LIAISON. Affinité, alliance, amitié, attachement, aventure, collage, connaissance, connexion, contact, covalence, cuir, enchaînement, et, fil, imbrication, intrigue, lié, lien, lierne, nœud, parenté, passade, pontage, rapport, suite, uni, union, velours.

LIANE. Bignone, bignonia, chèvrefeuille, clématite, cobaca, cobaea, cobéa, cobée, glycine, gnète, gnetum, glycine, haricot, lierre, liseron, luffa, plante, rafflesia, rafflésie, strophante, strophantus, tige, vanillier, vigne.

LIANT. Affable, agglomérant, agglutinant, aimable, amène, avenant, engageant, épaississant, legato, sociable.

LIARD. Aloyard, arbre, argenté, aubrelle, balsamier, baumier, blanc, faux-tremble, gris, grisard, noir, palmer, peuplier, pible, pivou, pyramidal, salicoside, sargent, tremble, velu, ypréau.

LIARDER. Alène, avare, économiser, épargner, ladre, lésiner, mégoter, ménager, piler, rogner, thésauriser.

LIASSE. Amas, balle, ballot, éboulis, enliasser, entassement, farde, papier, paquet, trousseau.

LIBAN, CAPITALE (n. p.). Beyrouth.

LIBAN, LANGUE. Arabe, français.

LIBAN, MONNAIE. Livre.

LIBAN, VILLE (n. p.). Aley, Baalbeck, Baalbek, Balbek, Beyrouth, Choueifat, Niha, Qaa, Rayak, Saida, Sour, Tyr.

LIBATION. Abnégation, agneau, aruspice, autel, cène, eucharistie, hécatombe, holocauste, hostie, immolation, ite, lustration, messe, oblation, offrande, propitiation, renoncement, rite, sacrement, sacrifice, taurobole, victime.

LIBELLE. Acte, catilinaire, diatribe, écrit, épode, esprit, factum, moquerie, pamphlet, satire.

LIBELLÉ. Alinéa, contenu, copie, discours, document, écrit, énoncé, extrait, formulation, formule, griffonnage, ibidem, leçon, légende, livre, livret, morceau, note, œuvre, original, parole, partie, passage, préface, rédaction, référence, sacré, teneur, texte.

LIBELLER. Écrire, formuler, informer, mandater, minuter, noter, ponctuer, rédiger, remplir.

LIBELLULE. Æschne, agrion, demoiselle, fourmillon, insecte, odonate.

LIBER. Cambium, libérien, libéro-ligneux, phloème, taille, teille, tille, tilleul, tissu, végétal.

LIBÉRAL. Généreux, gratuit, indulgent, large, munificent, muse, ouvert, parti, tolérant, whig.

LIBÉRALISATION. Allègement, changement, déplanification, déréglementation, dérégulation, renouvellement.

LIBÉRALISME. Bienveillance, commensal, complaisance, compréhension, condescendance, convivialité, facilité, humanité, indulgence, invitation, laxisme, lupanar, mansuétude, ouverture, patience, permissivité, tolérance.

LIBÉRALITÉ. Aumône, bienfait, charité, don, donation, générosité, geste, largesse, legs, subside.

LIBÉRATEUR (n. p.). Bolivar, Jésus, Moïse, Mosche, San-Martin, Spinoza, Timoléon.

LIBÉRATEUR. Bienfaiteur, donateur, émancipateur, gratificateur, messie, munificent, sauveur.

LIBÉRATION. Amnistie, décharge, élargissement, émancipation, explosion, pécule, rachat, rançon.

LIBÉRÉ. Affranchi, aisé, assuré, autonome, célibataire, commodité, délibéré, délié, disponible, divorcé, émancipé, évadé, familier, franc, hardi, indépendant, léger, leste, libre, net, olé-olé, osé, souverain, vacant.

LIBÉRER. Absoudre, affranchir, déchaîner, dégager, délier, délivrer, démuseler, désaliéner, déverrouiller, élargir, émanciper, évader, excuser, gracier, jouer, licencier, purger, quitter, relâcher, relaxer, relever, remercier, sauver, tolérer.

LIBÉRIA, CAPITALE (n. p.). Monrovia.

LIBÉRIA, LANGUE. Anglais, bassa, kpellé, kru.

LIBÉRIA, MONNAIE. Dollar.

LIBÉRIA, VILLE (n. p.). Bahn, Greenville, Kle, Monrovia, Plibo, Sasstown, Tobli, Tubmanburg, Webo, Yahun.

LIBERTAIRE. Anar, anarchiste, anarchisant, anomique, antiautoritaire, dinamitero, nihiliste, révolutionnaire.

LIBERTÉ. Abus, ad nutum, aisance, ajustement, autonomie, choix, cru, drapeau, droit, esclavage, faculté, franchise, garantie, gré, habeas corpus, latitude, libéral, libre, licence, né, osé, permission, quittance, relaxe, servage, servitude, tolérance.

LIBERTIN. Bambocheur, coquin, dépravé, égrillard, galant, gaulois, grivois, leste, libre, licencieux, paillard.

LIBERTINAGE. Concupiscence, convoitise, corruption, débauche, dépravation, désir, duopole, immodestie, impudicité, impureté, indécence, lascivité, licence, lubricité, luxure, salacité, sensualité, stupre, vice.

LIBIDINEUX. Cochon, érotique, impudique, lascif, licencieux, lubrique, luxurieux, salace, vicieux.

LIBIDO. Agrément, aise, amitié, amusement, bien-être, bonheur, charme, contentement, délectation, délice, désir, distraction, divertissement, ébats, énergie, épicurien, éros, extase, gaieté, gré, hédonisme, jeu, joie, jouissance, lascif, luxure, masturbation, onanisme, passe-temps, plaisir, pulsion, récréation, régal, rire, sadisme, salace, satisfaction, sexe, vie, volupté.

LIBRAIRE. Best-seller, bibliothécaire, bouquiniste, librairie, livre, parution, pochothèque.

LIBRAIRE ALLEMAND (n. p.) Baedeker, Brockhaus, Tauchnitz.

LIBRAIRE ANGLAIS (n. p.) Smith.

LIBRAIRE FRANÇAIS (n. p.) Collombat, Didot.

LIBRAIRE QUÉBÉCOIS (n. p.) Champigny, Martin, Renaud, Tranquille.

LIBRE. Affranchi, aisé, assuré, autonome, célibataire, commodité, délibéré, délié, disponible, divorcé, émancipé, évadé, familier, franc, hardi, indépendant, léger, leste, lousse, net, olé-olé, osé, souverain, vacant.

LIBREMENT. Abruptement, articulé, brusquement, brutalement, caractérisé, carrément, catégoriquement, clairement, crûment, directement, droit, fermement, franc, franchement, hardiment, hautement, net, nettement, raide, raidement, résolument, rondement, vertement.

LIBRETTISTE (n. p.). Balázs, Barbier, Calzabigi, Carré, Conegliano, Da Ponte, Giacosa, Gilbert, Halévy, Leoncavallo, Métastase, Trapassi.

LIBRETTISTE. Auteur, chansonnier, chorégraphie, libretto, livret, lyrique, parolier, poète.

LIBYE, CAPITALE (n. p.). Tripoli.

LIBYE, LANGUE. Arabe.

LIBYE, MONNAIE. Dinar.

LIBYE, VILLE (n. p.). Benghazi, Brak, Djalo, El-Beida, Gialo, Homs, Hon, Marada, Nadj, Surt, Tripoli, Waha, Zella.

LICE. Bordure, camp, champ, chienne, clôture, discussion, fil, joute, lisse, lutte, palissade, piste, place.

LICENCE. Agrégation, brevet, doctorat, grade, liberté, libertinage, permis, permission, plaque.

LICENCIÉ. Appelant, chômeur, demandeur, poursuivant, quémandeur, requérant, sans-emploi, serveur, solliciteur, tapeur.

LICENCIEMENT. Ajournement, astérisque, balle, cassation, congé, congédiement, destitution, éructation, exclusion, expulsion, ite, marque, note, référence, remise, renvoi, report, révocation, rot, sursis.

LICENCIER. Chasser, congédier, destituer, priver, remercier, renvoyer, rompre, sabrer, vider, virer.

LICENCIEUX. Amoral, cochon, coquin, cru, égrillard, érotique, enfer, épicé, gaillard, gaulois, gras, graveleux, grivois, immoral, impur, indécent, léger, libre, obscène, osé, pimenté, polisson, raide, roide, scabreux.

LICHEN. Apothèce, apothécie, cetraria, cladonie, dermatose, filamenteux, lécanore, lèpre, mousse, nostoc, orseille, parmélie, peltigère, renne, rocella, rocelle, steppe, thalle, thallophyte, usnée, végétal, verrucaire.

LICITATION. Adjudication, colicitant, copropriétaire, enchère, indivis, licitatoire, liciter, vente.

LICITE. Admis, euthanasie, autorisé, interdit, légal, légitime, licéité, licitement, permis, toléré.

LICITEMENT. Canoniquement, conformément, constitutionnellement, correctement, dûment, juridiquement, légalement, légitimement, licite, normal, officiellement, réglementaire, régulier, régulièrement, valable, validement.

LICORNE. Animal, béluga, cétacé, cheval, dent, de mer, fabuleux, mammifère, narval, unicorne.

LICOU. Bande, bandoulière, bretelle, bride, brin, ceinture, courroie, culeron, dragonne, enguichure, étrier, étrivière, fouet, harnais, laisse, lanière, licol, lien, longe, mance, mancelle, mors, œillère, rêne, sangle, sanglon, têtière.

LIDO. Baie, berge, bord, côte, cuistax, estran, grève, lagune, littoral, marée, plage, quai, rivage, rive.

LIE. Baissière, bas, boue, chère, clique, dépôt, élite, et, fange, fèces, gène, gratin, lace, limon, louré, ordure, marié, perle, plèbe, populace, précipité, racaille, rebut, résidu, sédiment, vase, vecteur, vermine, vil.

LIECHTENSTEIN, CAPITALE (n. p.). Vaduz.

LIECHTENSTEIN, LANGUE. Allemand.

LIECHTENSTEIN, MONNAIE. Franc suisse.

LIECHTENSTEIN, VILLE (n. p.). Bendem, Mals, Mauren, Muhleholz, Schaanwald, Steg, Turna, Vaduz, Wangerberg.

LIED. Ballade, chant, concert, mélodie, poème, polyphonique, romance.

LIÈGE. Bouchon, chêne, flotte, flotteur, plaque, rhytidome, ruche, suber, subéreux, subérine.

LIEN. Accouple, alèse, alliance, amarre, analogie, attache, attachement, bande, câble, catgut, chaîne, ciment, connexion, corde, cordon, corrélation, courroie, entrave, et, fers, ficelle, fil, fraternité, garrot, harde, hart, laisse, licou, lieur, ligature, inhérent, mariage, nœud, parenté, relation, trait, union.

LIER. Acoquiner, annexer, articuler, attacher, bander, copuler, enchaîner, engager, emlier, épaissir, et, ficeler, fixer, garroter, harder, indexer, joindre, lacer, ligoter, lourer, marier, nouer, rattacher, relier, souder, unir.

LIERNE. Arête, carde, clef, clef de voûte, doubleau, feuille, filet, formeret, gothique, lierre, ligne, moulure, nerf, nervure, ogive, pli, poutre, réticule, saillie, tierceron, veine, veinure, voûtain.

LIERRE. Aceriphyllum, araliacée, glechma, gléchome, glécome, hedera, igname, léchome, liane.

LIESSE. Agapes, allégresse, banquet, béatitude, bonheur, célébration, égaiement, enthousiasme, euphorie, exaltation, extase, exultation, festivité, fête, gai, gaudir, jubilation, noce, nouba, réjouissance, ris.

LIEU (2 lettres). Çà, ci, en, là, où, wc.

LIEU (3 lettres). Bal, dès, ici, kan, lit, mue, par, pré, rue, sur.

LIEU (4 lettres). Abri, aire, base, bois, camp, chai, ciel, dans, éden, gare, gîte, mess, oasis, parc, site.

LIEU (5 lettres). Agora, antre, asile, avant, bagne, cache, céans, cocon, colin, curie, dépôt, divan, égout, enfer, entre, étape, fenil, forum, foyer, issue, local, musée, odéon, patio, poste, salle, sénat, stade, stamm, toril.

LIEU (6 lettres). Ashram, aunaie, casino, centre, chenil, cliché, commun, dédale, désert, écurie, église, élysée, escale, espace, jardin, lavoir, manège, milieu, ormaie, ormoie, poncif, prison, ressui, séjour, sortie, temple, verger, vivier.

LIEU (7 lettres). Aillade, atelier, auberge, berceau, bivouac, cabaret, cantine, cellier, endroit, habitat, impasse, lieu-dit, lupanar, magasin, oseraie, paradis, reposée, saulaie, sentine, station, théâtre, tribunal, urinoir.

LIEU (8 lettres). Académie, antipode, bergerie, bourbier, boutique, carrière, cerisaie, cimetière, domicile, entrepôt, ermitage, là-dedans, laiterie, latitude, localité, logement, lointain, rôneraie, sellerie, sucrerie.

LIEU (9 lettres). Abreuvoir, alentours, échiquier, fournaise, pépinière, pharmacie, promenade, promenoir.

LIEU (10 lettres). Animalerie, atmosphère, capharnaüm, exposition, forteresse, itinéraire, purgatoire, réfectoire.

LIEU (11 lettres). Briquerie, casse-gueule, crapaudière, destination, distillerie, emplacement, fourmilière.

LIEU (12 lettres). Chancellerie, observatoire, poissonnerie.

LIEUTENANT (n. p.). Arenberg, Biron, Christophe, Duquesne, Fowles, Labienus, Lysimaque, Monluc, Quichés, Razilly, Reisz, Sartine, Schnitzler, Sertorius, Sucre, Tournon.

LIEUTENANT. Adjoint, assistant, bras droit, enseigne, gouverneur, louvetier, lt, second, sous-chef.

LIEUTENANT-GOUVERNEUR DU QUÉBEC (n. p.). Angers, Asselin, Belleau, Brodeur, Carignan, Caroll, Caron, Chapleau, Comtois, Côté, Dorchester, Fauteux, Fitzpatrick, Fiset, Gagnon, Jetté, Langelier, Lapointe, Leblanc, Masson, Patenaude, Pelletier, Pérodeau, Robitaille, Roux, Saint-Just, Thibault.

LIÈVRE. Bossu, bouquet, bouquin, capucin, civet, couiner, coureur, garenne, gîte, hase, lacet, lacs, lagomorphe, lapin, léporidé, levraut, mara, pedetidæ, pikas, râble, relaissé, sumatra, vagir, vagissement, vénerie.

LIFTING. Chirurgie, déridage, intervention, opération, patte-d'oie, rajeunissement, ride, toilettage.

LIGAMENT. Articulation, attache, crurale, écart, faisceau, fibre, lien, nerf, organe, ptôse, tendon.

LIGAND. Atome, corpuscule, dimère, élément, flavine, ion, molécule, particule, peptide, protéine, récepteur.

LIGATURE. Attache, bandage, catgut, constriction, lien, ligament, serrer, striction, trompes.

LIGATURER. Attacher, bander, copuler, enchaîner, engager, entourer, épaissir, ficeler, fixer, joindre, lacer, lier, ligoter, nouer, obturer, relier, serrer, unir.

LIGIE. Cloporte, crustacé, isopode.

LIGNAGE. Extraction, famille, filiation, lieu, lignée, naissance, noblesse, nom, parent, parenté, race, sang, souche.

LIGNE (n. p.). ADSL, Maginot.

LIGNE. Alinéa, appât, arête, arêtier, article, axe, barre, biais, bouchon, canne à pêche, contour, cordée, cordon, crête, diamètre, droite, galbe, géométrie, gras, gribiche, hachure, infanterie, laisse, libouret, limite, livet, lusin, luzin, nervure, onde, palangre, poisson, pourtour, profil, raie, rayure, scion, segment, séismal, sismal, sismale, site, strie, suture, talweg, té, trace, trait, transversale.

LIGNÉE. Ancêtre, ascendant, descendance, descendant, enfant, phylum, postérité, race, sang, souche.

LIGNEUL. Barbelé, borne, brin, cannetille, cantatille, caret, caténaire, catgut, chalut, chambray, chas, corde, cordon, coton, courant, cours, crin, déroulement, duite, éfaufiler, effiler, enchaînement, faufil, fibre, fil, filament, filandre, filasse, filet, funicule, laine, lice, ligne, lisse, lurex, lusin, mercière, moule, poil, soie, spirale.

LIGNEUX. Dur, fibreux, fibrillaire, fibrillé, fibrilleux, filamenteux, herbacée, ligamenteux, scléreux, svelteux, tendineux.

LIGNIFICATION. Aoûtement, bois, lignifier, lignine, lignite, pampre, subérification.

LIGNITE. Anthracite, boulet, brai, briquette, calamité, charbon, coke, combustible, fines, gailletin, houille, jais, jayet, lignifié, maréchale, mineur, pyrène, pyridine, pyrrol, roche.

LIGOTER. Amarrer, arrêter, attacher, ficeler, fixer, lacer, lier, nouer, priver, river, souder, unir.

LIGUE. Alliance, bande, cabale, coalition, complot, faction, front, grève, hanse, parti, syndicat, union.

LIGUER. Accoler, accoupler, agencer, agglutiner, agréger, allier, annexer, apparier, assembler, associer, assortir, attacher, attribution, coaliser, communier, confondre, conjoindre, conjuguer, coupler, cumuler, et, établir, fondre, fusionner, grouper, harmoniser, joindre, jumeler, lier, marier, mélanger, rassembler, relier, souder, unir.

LILAS. Arbuste, mauve, oléacée, prestonia, rosé, sauge, syringa, thyrse, villosa, violet, vulgaris.

LILIACÉE. Aloès, ail, asparagus, asperge, asphodèle, aspidistra, ciboule, ciboulette, cive, civette, colchique, endymion, fragon, fritillaire, hémérocalle, hyacinthe, jacinthe, lis, lys, muguet, oignon, ornithogale, parisette, phormium, poireau, salsepareille, sansevière, scille, tulipe, yucca.

LILIAL. Albuginé, argenté, blafard, blanc, blanchâtre, blême, chyle, cireux, crayeux, écume, immaculé, ivoirin, lacté, lactescent, laiteux, livide, marmoréen, neigeux, opale, opalescent, opalin, pâle, palescent.

LILLIPUTIEN. Dérisoire, menu, microscopique, miniature, minuscule, nain, petit, ridicule.

LIMACE. Arion, chaménidé, chemise, coitron, doris, escargot, glaucidé, lent, limaçon, liparis, loche, métaldéhyde, mollusque, mou, nudibranche, onychophore, péripate, pulmoné, veronicella, vertigo.

LIMAÇON. Cagouille, cochlée, colimaçon, corne, escargot, gastéropode, limace, mollusque, oreille.

LIMAILLE. Blousse, bourrette, bran, bride, cendre, chute, copeau, débris, déchet, déperdition, détritus, épluchure, excrément, freinte, immondice, ordure, pelure, perte, raclure, rebut, reliquat, résidu, riblon, rognure, sciure, scorie, son, urée.

LIMAN. Bouche, delta, embouchure, embouchoir, entrée, estuaire, fjord, golfe, grau, lagune, tétine.

LIMANDE. Elbot, flétan, halibut, légine, pleuronecte, pleuronectidé, plie, poisson, sole, turbot.

LIMBE. Alèse, amure, arête, bande, berge, biseau, bord, bordure, cercle, cordon, côte, extrémité, flanc, grève, haie, lacustre, lèvre, limite, liséré, lisière, littoral, marge, marli, orée, ourlet, paroi, pétale, plage, rebord, rive, sépale, virer, zone.

LIME. Carreau, citron, demi-ronde, émeri, fraise, fruit, limaille, limequat, limer, limette, limettier, mollusque, outil, queue-de-rat, râpe, râpure, riflard, rifloir, rugine, rutacée, tiers-point, user, usure.

LIMER. Adoucir, dresser, frotter, mordre, ongle, parfaire, polir, râper, rifler, tailler, user, usiner.

LIMETTE. Agrume, agrumiculture, bergamote, bigaradier, cédrat, cédratier, citron, citronnier, citrus, clémentine, clémentinier, grapefruit, kumquat, lime, limettier, mandarine, mandarinier, orange, oranger, pamplemousse, pomelo, tangerine, zeste.

LIMEUR. Affileur, affûteur, aiguiseur, brunisseur, étau, polisseur, raboteuse, rémouleur, repasseur.

LIMIER. Agent, ange, argousin, bobby, chien, cogne, condé, constable, détective, enquêteur, flic, garde, gardien, gendarme, îlotier, inspecteur, policier, poulet, ripou, roman, rousse, roussin, sbire, sentinelle, sûreté.

LIMINAIRE. Abc, aîné, ancêtre, aoriste, a priori, as, aube, baccalauréat, calendes, capital, chef, créateur, début, dominant, ébauche, entame, étrenne, genèse, incipit, initial, meilleur, original, origine, patron, pionnier, précurseur, premier, primarité, primauté, prime, primidi, primitif, princeps, priorité, prochain, propédeutique, rang, roi, supérieur, têtard, tête, un.

LIMITATIF. Diminutif, doucet, et, hypocoristique, prohibitif, répressif, restrictif, strict, surnom, tantine.

LIMITATION. Borne, cantonnement, compression, contingentement, contrôle, critique, diminution, doute, économie, équivoque, frontière, rationnement, réduction, régulation, réserve, restriction, réticence.

LIMITE. Bord, bordure, borne, bout, but, butoir, cadre, confins, démarcation, étroit, extrémité, fin, front, frontière, in extremis, interface, ligne, lisière, marli, maximum, orée, restreint, restriction, rive, terme.

LIMITÉ. Ad litem, borné, confiné, déficient, démarqué, déterminé, fini, inclus, ltée, restreint, séparé, sot.

LIMITÉE. Ltée.

LIMITER. Border, borner, brider, cadrer, cerner, circonscrire, clore, contingenter, définir, ébarber, enclore, épuiser, fermer, freiner, fuir, localiser, longer, modérer, restreindre, rogner, séparer, terminer.

LIMITEUR. Arbitre, câble, chaîneur, délimiteur, guipage, isolant, laine, perlite, séparateur, thermos.

LIMITROPHE. Adjacent, attenant, contigu, frontalier, frontière, juxtaposé, proche, voisin.

LIMOGEAGE. Cassation, congé, congédiement, débauchage, déchéance, dégradation, déposition, destitution, détrônement, élimination, exclusion, expulsion, interdiction, licenciement, renvoi, révocation.

LIMOGER. Balancer, casser, chasser, congédier, dégommer, priver, relever, renvoyer, révoquer.

LIMON. Alluvion, argile, boue, bourbe, citron, dépôt, lœss, mancelle, marne, silt, vase, wagage.

LIMONADE. Assommoir, boisson, citron, citronnade, commerce, coulis, diabolo, gelée, jus, limon, marc, moût, orangeade, punch, réglisse, sirop, soda, suc, treille, verjus, vesou.

LIMONADIER. Aubergiste, cabaretier, cafetier, diabolo, glacier, guéranger, hôtelier, limonade, marchand, mastroquet, panache, patron, popotier, restaurateur, taulier, tavernier, tenancier, tôlier.

LIMONAGE. Abonnissement, amélioration, amendement, assolement, bonification, chaulage, chaumage, compostage, déchaumage, écobuage, engraissage, engraissement, enrichissement, ensemencement, épandage, fertilisation, fumage, fumaison, fumigation, fumure, irrigation, jachère, marnage, phosphatage, plâtrage, soufrage, sulfatage, terreautage.

LIMONITE. Émeri, ferret, ferreux, ferrugineux, hématite, minerai, ocre, oligiste, rouille, sanguine.

LIMOUSINE. Auto, automobile, autorail, bagnole, baladeuse, berline, bolide, break, buggy, cab, cabriolet, calèche, car, char, charrette, coach, coche, coupé, duc, fardier, fiacre, fourgonnette, guimbarde, jardinière, jeep, landau, mulet, omnibus, pousse-pousse, poussette, rickshaw, tacot, tapecul, taxi, téléga, télègue, teuf-teuf, torpédo, tram, turbo, utilitaire, van, véhicule, victoria, voiture.

LIMPIDE. Aisé, eau, clair, cristallin, comprendre, cristallin, facile, perle, pur, roche, simple, transparent.

LIMPIDITÉ. Clarté, diaphanéité, eau, intelligibilité, netteté, pureté, translucidité, transparence, visibilité.

LIMULE. Arthropode, chélicérate, crabe, gigantostracé, fouisseur, mérostome, portune.

LIN. Affinoir, afioume, chanvre, étoupe, filasse, gaze, huile, linacées, linceul, linette, linge, linière, linon, pape, phormium, rouir, rouissoir, saint, textile, tissu, toile.

LINACÉE. Coca, dicotylédone, lin, plante.

LINAIRE. Calcéolaire, cymbalaire, digitale, euphraise, herbe-aux-poux, limoselle, lin, maurandie, mélampyre, muflier, paulownia, pédiculaire, rhinanthe, ruine-de-Rome, scrofulariacée, velvote, véronique.

LINCEUL. Drap, ensevelir, feu, linge, mort, poêle, sindon, suaire, toile.

LINÇOIR. Ais, arbalétrier, attache, bandage, bâton, bau, boulin, chevêtre, étai, étambot, hec, jas, lambourde, licou, linsoir, longeron, madrier, paille, pièce, pieu, planche, poutre, poutrelle, rameau, sapine, soffite, solive, tangon.

LINÉAIRE. Dessin, espace, géométrie, gondole, mesure, perspective, présentoir, vectoriel.

LINÉAMENT. Carte, cicatrice, empreinte, erre, foulée, impression, indice, itinéraire, ligne, marque, note, ornière, pas, passée, piste, plan, relent, reste, signe, sillage, sillon, stigmate, tache, trace, trait, vermoulure, voie.

LINER. Cargo, gros porteur, paquebot.

LINGE. Amict, bande, chiffon, compresse, dessous, drap, essuie-mains, essuie-tout, étoffe, lavette, lessive, linceul, lingerie, nappage, nappe, nouet, pale, palle, pattemouille, sous-vêtement, tissu, toile, tortillon, trousseau, voile.

LINGERIE. Bas-culotte, bavoir, body, buanderie, canezou, dessous, guêpière, jupon, rebras, sous-vêtement, soutien-gorge.

LINGOT. Barre, billette, bloom, cadrat, culot, gueuse, lingotière, masse, moule, oban, obang, or, ressuage.

LINGUE. Acra, aiglefin, aurin, barbot, barbudos, blennie, brandade, brotulide, cabillaud, carabidé, colin, doris, églefin, estomac, gade, gadidé, grenadier, lieu, loquette, lotte, merlan, merlu, merluche, morue, morutier, poutassou, prostitué, stockfisch, tacaud, tork.

LINGUETTE. Air, cachet, coercible, comprimé, dragée, glossette, pastille, pellet, pilule, pressé, sucrette.

LINGUISTE. Arabisant, dialectologue, grammairien, langagier, néogrammairien, philologue, sémanticien.

LINGUISTE ALLEMAND (n. p.). Bopp, Diez, Grassmann, Humbold, Schleicher, Steinthal.

LINGUISTE AMÉRICAIN (n. p.). Bloomfield, Chomsky, Harris, Jakobson, Labov, Powell, Sapir, Whitney.

LINGUISTE ANGLAIS (n. p.). Johnson.

LINGUISTE BELGE (n. p.). Grevisse.

LINGUISTE BRITANNIQUE (n. p.). Ventris.

LINGUISTE CANADIEN (n. p.). Beaudry.

LINGUISTE DANOIS (n. p.). Hjelmslev, Jespersen, Rask.

LINGUISTE FRANÇAIS (n. p.). Benveniste, Bescherelle, Bloch, Boissière, Boiste, Bréal, Brosses, Brunot, Cohen, Dauzat, Greimas, Guillaume, Kristeva, Lancelot, Larousse, Lhomond, Littré, Marsais, Martinet, Meillet, Robert, Vaugelas.

LINGUISTE GREC (n. p.). Chalcocondyle.

LINGUISTE INDIEN (n. p.). Panini.

LINGUISTE POLONAIS (n. p.). Kurylowicz, Zamenhof.

LINGUISTE RUSSE (n. p.). Troubetskoï.

LINGUISTE SUISSE (n. p.). Bally, Saussure, Warthurg.

LINGUISTIQUE. Critique, érudition, grammaire, langage, langagier, langue, littérature, monème, philologie.

LINIMENT. Baume, crème, embrocation, friction, médicament, onguent, pommade, vaseline.

LINOLÉUM. Béton, carapace, carrelage, chemisier, cocon, couche, cuvelage, dalle, dorure, enduit, garniture, guipage, lambris, lino, macadam, pavage, pavé, perré, pilosité, revêtement, stuc, tuile, tuileau.

LINOTTE. Distrait, écervelé, étourdi, frivole, passereau, sizerin, tête.

LINOTYPE. Composeuse, composition, linotypie, linotypiste, machine, monotype, typo.

LINTEAU. Abaque, architrave, corbeau, décharge, épistyle, feuillure, hache-viande, hachoir, hansart, huisserie, plateau, plate-bande, poitrail, soffite, sommier, tailloir, tranchoir, tympan, ustensile.

LION (n. p.). Androclès, Belfort, Lion-sur-Mer, Némée, Saint-Marc.

LION. Affection, carnivore, crinière, fauve, félidé, léonin, léopard, léopardé, licube, lionceau, muflier, otarie, phoque, pissenlit, queue, roi, rugissement, signe, tiglon, tigre, tigron, tueur, zodiaque.

LIPASE. Diastase, enzyme, estérase, invertase, invertine, saponase.

LIPIDE. Céride, graisse, gras, lécithine, lipidémie, lipidique, lipoïde, lipoprotéine, ternaire, thixotropie.

LIPPE. Babine, badigoinces, baboune, balèvre, bord, bouche, grimace, joue, labre, lèvre, masque, moue, nymphe.

LIQUÉFACTION. Alliage, caquelon, condensation, décongélation, dégel, ferromanganèse, floss, fonte, fourreau, fusion, infusion, matte, mazer, métal, poche, police, réduction, riblon, sacoche, selle, spiegel, taque, thixotropie, type, union.

LIQUÉFIABLE. Coercible, compressible, comprimable, condensable, diminution, élastique, possible, réductible.

LIQUÉFIANT. Abêtissant, abrutissant, accablant, bêtifiant, cassant, claquant, crevant, épuisant, éreintant, esquintant, exténuant, fatigant, foulant, harassant, neuneu, surmenant, tuant, usant.

LIQUÉFIER. Condenser, couler, dégeler, diluer, dissoudre, fondre, infuser, ramollir, souder.

LIQUEUR. Absinthe, alcool, alkermès, amer, anisé, anisette, apéritif, arak, arec, bénédictine, bitter, boisson, cassis, chartreuse, citronnelle, cognac, crème, curaçao, digestif, eau-de-vie, élixir, essence, génépi, guignolet, jusée, kir, kummel, marasquin, ouzo, pastis, punch, ratafia, rogomme, saké, sépia, sirop, spiritueux, suc, vespétro, vin.

LIQUIDATION. Bouillie, braderie, faillite, partage, pituite, plasma, solde, suppression, vente.

LIQUIDE. Acétone, bile, boisson, boue, eau, encre, essence, exsudat, éther, eye-liner, flot, fondue, gas-oil, halothane, huile, humeur, jus, kérosène, lait, larme, latex, mélasse, mucilage, nectar, pipi, purin, pus, rasade, ruisseau, sang, sépia, sérosité, sérum, sève, sirop, sperme, suc, sueur, teinture, tisane, urine, venin, vesou.

LIQUIDER. Abattre, assassiner, crever, écouler, éliminer, finir, nettoyer, noyer, occire, réaliser, tuer, vendre.

LIQUORISTE. Athanor, bec, bouilleur, brandevinier, brasero, brûle-parfum, brûleur, cassolette, chaudière, chauffe-plat, débitant, distillateur, fourneau, hypocauste, lampe, pharillon, réchaud, torréfacteur

LIRE. Ânonner, bouquiner, dévorer, épeler, étudier, évasion, lecteur, parcourir, parler, réciter, relire, revoir.

LIS. Acore, alstroemère, amabile, amaryllis, américain, asiatique, auratum, aurélien, candidum, cardiocrinum, concolor, de mer, encrine, hémérocalle, liliacée, lilial, lilium, lys, martagon, nénuphar, oriental, ponticum, pumilum, régale, rhodopacum, speciosum, sprekelia, tigré, tigrinum, trompette, versicolor.

LISÉRÉ. Bord, bordure, borne, entrée, haie, lé, limite, lisière, mur, orée, passepoil, rain, ruban, ruilée.

LISERON (n. p.). Japon.

LISERON. Arvensis, belle-de-jour, calystegia, convolvulacée, convolvulus, daurica, ipomée, lé, liane, plante, pubescens, scammonia, sepium, siculus, smilax, soldanella, sphynx, tuguriorum, volubile, volubilis, vrillée.

LISEUR. Anagnoste, ânonner, bouquiner, dévorer, épeler, étudier, évasion, lecteur, lectorat, lire, parler, réciter, relire, revoir.

LISEUSE. Amassette, couvre-livre, coupe-papier, couperet, couteau, dague, écussonnoir, entoir, eustache, lisette, opinel, plume, rasoir, saignoir, scramasaxe, signet, soie, solen, surin, tournefeuille.

LISIBILITÉ. Accessibilité, clarté, compréhensibilité, compréhension, évidence, facilité, intelligibilité, intercompréhension, limpidité, luminosité, netteté, normalité, pénétrabilité, transparence.

LISIBLE. Clair, compréhensible, déchiffrable, décodage, décryptage, lecture, traduisable, traduisible.

LISIER. Amendement, apport, biologique, compost, crotte, crottin, cyanamide, engrais, fertilisant, fiente, fumier, fumure, gadoue, guano, humus, nourrain, poudrette, purin, terreau, urée, urine, wagage.

LISIÈRE. Bord, bordure, borne, entrée, haie, laise, lé, limite, liséré, mur, orée, rain, ruilée.

LISSE. Calandré, crépi, grumeleux, inerme, luisant, net, nom, plan, plat, poli, rambarde, ras, uni.

LISSER. Briller, chatoyer, défroisser, dorer, éblouir, lustrer, polir, reluire, satiner, velouter, vernir.

LISTE. Alphabet, annuaire, carte, catalogue, check-list, compte, énumération, errata, état, fastes, inventaire, listing, menu, mercuriale, nécrologie, nomenclature, ordre, palmarès, panachée, pense-bête, répertoire, rôle, série, suite, tableau, tarif.

LISTEAU. Aine, antibois, archet, armature, badine, baguette, bâton, broche, caducée, canne, cercle, chicote, corde, crayon, division, frette, guitare, houssine, listeau, listel, liston, luth, mailloche, membron, meuble, ornement, sillet, spatule, touchette, verge, viole.

LISTEL. Abside, almicantarat, anneau, arc, arcade, aréole, auréole, boucle, cavité, cénacle, cerceau, cercle, cerne, cirque, disque, équidistant, halo, jante, lobe, lune, mamelon, nimbe, orbe, orbiculaire, pi, rayon, rond, rouet, sein, sinus, tour, zone.

LISTER. Archiver, arranger, calibrer, cataloguer, catégoriser, classer, classifier, distribuer, étiqueter, garer, grouper, inventorier, numéroter, ordonner, ranger, répartir, répertorier, séparer, sérier, serrer, trier.

LIT (n. p.). Procuste.

LIT. Alèse, baldaquin, ber, cage, châlit, chevet, ciel, coite, couchette, couchis, couette, dais, divan, dodo, drap, épi, grabat, hamac, jar, jard, justice, lire, lit-cage, litière, mariage, meuble, moine, page, pageot, pajot, pieu, plumard, pucier, ravin, ru, ruelle, ruisseau, sofa, sultane, tara, triclinium.

LITANIE. Antienne, chanson, chant, couplet, déprécation, disque, énumération, exercice, histoire, invocation, leitmotiv, méditation, obsécration, prière, rabâchage, refrain, rengaine, scie.

LITCHI. Arbre, dicotylédone, fruit, letchi, longane, lychée, rambutan, sapindacée, savonnier.

LITEAU. Baguette, bande, barre, hachure, ligne, lisété, nappe, raie, rature, rayure, tasseau, torchon, tringle.

LITÉE. Ensemble, gîte, groupement, repaire, réunion, plénum, portée, rastel, sanglier.

LITERIE. Alaise, alèse, bâche, bure, carde, couette, courtepointe, couverture, débarrasser, drap, drapier, elbeuf, étoffe, feu, habit, lé, linceul, lit, marengo, mort, pagon, poêle, ratine, sedan, striquer, tissu, tontisse.

LITHIASE. Affection, amas, calcul, cholécystite, concrétion, coprolithe, gravelle, gravier, pierre.

LITHIUM. Alcalin, lépidolite, lépidolithe, li, lithinifère, lithine, métal, minerai, oligo-élément.

LITHODOME. Bivalve, datte de mer, gastropode, mollusque.

LITHOGRAPHE (n. p.). Boulanger, Braquemond, Carrière, Charlet, Daumier, Delacroix, Devéria, Deyrolle, Engelmann, Gavarni, Gericault, Mucha, Nanteuil, Raffet, Redouté, Roqueplan, Steinlen, Toulouse-Lautrec.

LITHOGRAPHIE. Copie, étalon, fac-similé, fécondation, génération, hétérogamie, imitation, isogamie, litho, mimétisme, multiplication, oviparité, pollen, réduction, reflet, reproduction, ronéo, scissiparité, sosie, spore, sporulation.

LITHOSPHÈRE. Asthénosphère, boule, bulbe, géosphère, globe, globulaire, hémisphère, œil, sphère.

LITIÈRE. Basterne, brancard, chat, mépriser, Bard, basterne, brancard, brancardier, civière, dossière, filanzane, fumier, limon, limonière, lit, longeron, mépriser, paille, palanquin, varech.

LITIGE. Affaire, altercation, arbitrage, bellicisme, cause, conflit, contentieux, contestation, décrétale, démêlé, différend, dispute, espèce, litigieux, médiation, querelle, procès, récréance.

LITIGIEUX. Affaire, altercation, arbitrage, attaquable, bellicisme, cause, conflit, contentieux, contestation, décrétale, démêlé, différend, dispute, douteux, espèce, litige, médiation, querelle, procès, récréance.

LITISPENDANCE. Abcès, aboi, aisance, cas, circonstance, dans, déroute, détresse, dilemme, disposition, donne, embarras, emplacement, endroit, enfer, état, exposition, filon, galère, gêne, guêpier, impasse, jamais vu, juxtaposition, oasis, pataquès, pétrin, planque, position, rang, ruisseau, sécurité, sinécure, situation, sous, stage, statut, sujet, sur, tendon.

LITORNE. Draine, drenne, fauve, grène, grises, grive, grivette, jocasse, mauvis, solitaire, tourde, vendangette.

LITOTE. Adoucissement, antiphrase, atténuation, demi-mot, diminution, édulcoration, euphémisme, expression, exténuation, figure, hyperbole, langue de bois, ironie, rhétorique.

LITRE. Bandeau, bidon, bouteille, drap, fresque, kil, liquide, litron, moss, récipient, unité, volume.

LITTÉRAIRE. Artificiel, école, doctrine, épilogue, genre, intellectuel, lettrisme, prologue.

LITTÉRAL. Ascète, astreignant, autoritaire, correct, difficile, dur, épuré, étroit, exact, exigeant, intransigeant, large, minutieux, mitigé, nu, pénible, probe, réduit, rigide, rigoureux, sévère, sobre, strict, vrai.

LITTÉRALEMENT. Absolument, carrément, complètement, diamètrement, entièrement, foncièrement, nécessairement, opposé, parfaitement, pleinement, radicalement, rigoureusement, totalement.

LITTÉRALITÉ. Accord, adaptation, adéquation, analogie, concordance, conformité, égalité, équivalence, parité.

LITTÉRATEUR. Académicien, auteur, cénacle, conteur, écrivain, détracteur, épistolier, félibre, ironiste, journaliste, lettre, nègre, plumitif, poète, pseudonyme, rédacteur, romancier, scribe, scribouilleur, zoïle.

LITTÉRATEUR ALLEMAND (n. p.). Bouterwek, Richter.

LITTÉRATEUR FRANÇAIS (n. p.). Boulanger, Brossette, Conrart, Hartcourt, Pellisson, Raynouard, Roqueplan, Terrasson.

LITTÉRATEUR ITALIEN (n. p.). Abstemius, Azeglio, Taparelli.

LITTÉRATEUR RUSSE (n. p.). Chouvalov.

LITTÉRATURE. Auteur, béotien, critique, écrit, étude, héros, idée, lettres, muse, navet, nègre, page.

LITTORAL (n. p.). Byblos, Calanques, Campanie, Delta, Malabar, Riviera, Vladivostok.

LITTORAL. Baie, berge, bord, côte, cuistax, estran, grève, lido, marée, plage, quai, rivage, rive.

LITTORINE. Bigorneau, colimaçon, coquillage, escargot, gastropode, hélix, limaçon, mollusque, vigneau, vignot.

LITUANIE, CAPITALE (n. p.). Vilnius.

LITUANIE, LANGUE. Lituanien, polonais, russe.

LITUANIE, MONNAIE. Euro, litas.

LITUANIE, VILLE (n. p.). Alytus, Birzai, Jonava, Neringa, Plunge, Salantai, Sirvintos, Ukmerge, Varena, Vilna, Vilnius, Wilno.

LITURGIE. Abbé, calice, camerlingue, canon, cérémonie, ciboire, clerc, culte, dom, éminence, frère, hostie, intronisation, investiture, ite, ordo, ordre, pape, père, prêtre, prieuré, religion, rit, rite, sacerdotal, synode.

LIURE. Agrès, amarre, amure, aussière, bastin, bitord, câble, câblot, caret, ceinture, cordage, corde, cravate, drisse, écoute, élingue, erse, estrope, étai, filin, ganse, gerseau, glèbe, grelin, guinderesse, haussière, laguis, lien, lisin, lisse, lusin, luzin, merlin, palan, poulie, pantoire, ralingue, ride, ridoir, saisine, sciasse, tresse, trévire.

LIVÈCHE. Ache, aethuse, berle, céleri, cresson d'eau, ombellifère, petite ciguë, plante, sium.

LIVET. Arc, arche, bac, butée, culée, dunette, entrepont, gaillard, gué, jetée, passerelle, péage, pile, ponceau, pont, pont-levis, ponton, tablier, tillac, trajectoire, trigone, viaduc, voûte.

LIVIDE. Blafard, blanc, blême, exsangue, hâve, meurtrissure, noir, pâle, plombé, teint, terreux, vert.

LIVIDITÉ. Albâtre, anémie, blancheur, chlorose, fadeur, hâve, hypochromie, pâleur, pauvreté, platitude.

LIVRAISON. Arrivage, article, camelote, cargaison, commande, denrée, écoulement, emplette, étalage, étalement, inventaire, lourd, marchandise, montre, nanar, pacotille, rossignol, solde, stock, vivres, vrac.

LIVRE. Abécédaire, abrégé, aide-mémoire, album, almanach, annales, annuaire, anthologie, apologie, atlas, autobiographie, barème, best-seller, bible, bibliographie, bibliophilie, biographie, bouquin, bréviaire, catalogue, chiffrier, chronique, code, conte, coran, dictionnaire, diptyque, écrit, encyclopédie, essai, étude, eucologe, ex-libris, feuille, florilège, genèse, glossaire, graduel, grammaire, grimoire, guide, heure, in-dix-huit, journal, kilo, lancement, lb, lexique, libraire, liminaire, livret, manuel, manuscrit, mémento, mémoire, méthode, missel, nombre, nouveauté, nouvelle, œuvre, once, opuscule, ouvrage, page, pamphlet, pavé, pièce, poésie, posthume, précis, registre, répertoire, résumé, roman, souvenir, sterling, syllabaire, talmud, thèse, tobie, tome, traité, travail, trologie, vespéral, vocabulaire, volume.

LIVRE RELIGIEUX (n. p.). Augustinus, Avesta, Coran, Index, Mahabharata, Michna, Mishna, Syllabus, Talmud, Tao-tö-king, Thora, Tora, Torah, Veda, Zohar.

LIVRÉE. Complet, costard, costume, déguisement, domino, effets, ensemble, ganse, habit, kilt, masque, pièce, polonaise, sari, scapulaire, smoking, tailleur, tenue, toilette, tutu, uniforme, vêtement.

LIVRER. Batailler, céder, combattre, confier, donner, faire, fournir, lâcher, plonger, prostituer, rendre, trahir, vendre.

LIVRET. Album, brochure, cahier, calepin, carnet, catalogue, compte, fascicule, imprimé, libretti, librettiste, libretto, livre, opuscule, plaquette, programme, publication, recueil, registre, volume.

LIVREUR. Ânée, bagagiste, coltineur, commissionnaire, coolie, courrier, coursier, débardeur, déchargeur, déménageur, détenteur, estafette, facteur, laptot, messager, nervi, portefaix, porteur, sherpa.

LIXIVIATION. Abscision, ablation, amputation, arrachement, coupe, déracinement, enfleurage, enlevé, énucléation, évulsion, excision, exérèse, extirpation, extraction, fente, métallurgie, naissance, né, noble, opération, origine, sous-produit, tiré, tomie.

LOB. Chandelle, coup, feinte, haut, lober, tennis, tromperie.

LOBBY. Armada, bande, bataillon, clan, clique, cohorte, coterie, curée, entente, essaim, flopée, flot, foule, gang, groupe, horde, kyrielle, ligue, malfaiteurs, meute, quête, tribu, troupe, truandaille, truanderie.

LOBBYISTE. Bande, cabale, camarilla, chapelle, clan, clique, coterie, cour, école, église, mafia, secte.

LOBE. Antéhypophyse, auricule, bilobé, cotylédon, labiée, lèvre, lobectomie, lobule, occipital.

LOBOTOMIE. Abrutissement, décérébration, leucotomie, lobe, neurochirurgie, opération.

LOBULE. Canton, chambre, curie, étage, lobe, lobulaire, lobuleux, partie, race, rameau, ramification, scène, secteur, sous-ordre, strate, subdivision, tableau, titre, tranche, tribu.

LOCAL. Arcade, atelier, bal, baraque, buvette, cave, chambre, chenil, ergastule, étouffoir, étude, étuve, fenil, fumoir, galerie, galetas, germoir, hâloir, laboratoire, laiterie, loft, loge, muette, poste, régie, remise, réserve, salle, serre, toril.

LOCALEMENT. Assidûment, constamment, continuellement, continûment, également, exactement, infiniment, monotonement, permanence, platement, ponctuellement, recta, régulièrement, semblablement, uniformément.

LOCALISABLE. Apercevable, apparent, clair, décelable, détectable, discernable, distinct, net, ostensible, percevable, possible, précis, repérable, vice, visible, voyant.

LOCALISATION. Centralisation, décèlement, dépistage, détection, diagnostic, écholocalisation, écholocation, position.

LOCALISER. Borner, circonscrire, délimiter, dénicher, limiter, loger, mesurer, repérer, situer, trouver, URL.

LOCALITÉ. Agglomération, bled, bourg, canton, cité, endroit, lieu, municipalité, site, trou, village, ville.

LOCATAIRE. Adjudicataire, affectataire, affermataire, allocataire, attributaire, bénéficiaire, châtelain, client, colégataire, colon, gagnant, héritier, légataire, métayer, nominataire, occupant, prestataire, récipiendaire.

LOCATEUR. Affréteur, armateur, bailleur, charter, fréteur, noliseur, pourvoyeur, propriétaire, transporteur.

LOCATION. Affermage, affrètement, affréter, amodiation, bail, cession, ferme, fret, fréter, louage, nolis, taxi.

LOCHE. Barbote, barbotte, chamémidé, doris, escargot, glaucidé, limace, mollusque, nudibranche, veronicella, vertigo.

LOCK-OUT. Affrontement, arrêt, bord, cessation, conflit, débrayage, grève, jeûne, interruption, piquetage, suspension.

LOCOMOTION. Circulation, course, déplacement, marche, propulsion, reptation, traction, transport, voiture.

LOCOMOTIVE. Automotrice, bécane, bogie, coucou, envi, loco, machine, machiniste, motrice, train.

LOCUS. Abri, canton, chaintre, coin, endroit, emplacement, étal, gatte, lieu, linéaire, local, localité, parage, part, place, point, position, poste, rayon, sautoir, séjour, site, situation, solarium, stalle, stand, terrain.

LOCUSTE. Acridien, acridoïde, cricri, criquet, criquet migrateur, grillon, insecte, orthoptère, pèlerin, sauterelle.

LOCUTEUR. Cb, cébiste, destinateur, émetteur, radiodiffuseur, télédiffuseur, télégraphiste, tireur.

LOCUTION. Acabit, ad nutum, afin de, à-tue-tête, berlue, cor, cri, dia, go, guise, hoc, hue, id est, instar, leu, napier, neper, ores, poco, prorata, quia, ric, rac, sine die, sine qua non, tac, tout de go, visu.

LOCUTION ADVERBIALE. Ab intestat, id est, lato sensu, stricto sensu, tout de go, à tue-tête.

LOESS. Accroissement, accrue, allaise, alluvion, apport, banc, chative, colluvion, colmatage, delta, dépôt, diluvium, lais, laisse, limon, palud, palude, palus, relais, sédiment.

LOFER. Administrer, barrer, commander, conduire, déterminer, diriger, dominer, éduquer, élever, étatiser, gérer, gouverner, manier, manœuvrer, mener, obéir, piloter, prévoir, régenter, régir, régner, tyranniser.

LOGARITHME (n. p.). Fechner, Napier, Neper.

LOGARITHME. Décimal, exponentiel, exposant, log, mantisse, népérien, puissance, table.

LOGE (n. p.). Rome.

LOGE. Atelier, avant-scène, baignoire, box, cabane, cage, cavité, cellule, compartiment, franc-maçon, gîte, habite, lieu, local, logement, loggia, maçon, maison, niche, obédience, pièce, porterie, stalle, temple, vénérable, vigie.

LOGEABLE. Abondant, ample, béant, considérable, copieux, développé, énorme, épanoui, étendu, fécond, fort, généreux, grand, gras, gros, immense, important, large, panorama, panoramique, spacieux, vaste.

LOGEMENT. Appartement, caserne, chenil, demeure, domicile, étui, gamelans, galetas, gîte, guérite, habitation, intérieur, loft, loge, logis, maison, niche, nid, pénates, piaule, pied-à-terre, piôle, réduit, repaire, séjour, squat, studio, taudis.

LOGER. Abriter, caser, gîter, habiter, héberger, installer, jucher, louer, meubler, nicher, occuper, placer, reloger.

LOGETTE. Bow-window, bretèche, bretesse, cabine, hutte, loge, mezzanine, moucharabieh, niche.

LOGEUR. Aubergiste, bistrot, buraliste, cabaretier, cafetier, fermier, fief, gérant, hôte, hôtelier, maquerelle, patron, popotier, restaurateur, taulier, tavernier, tenancier, tôlier, yeoman.

LOGICIEL (n. p.). Excel, Illustrator, Photoshop, Word.

LOGICIEL. Antivirus, CD-ROM, didacticiel, gestionnaire, ludiciel, procédé, programme, règle, software, tableur.

LOGICIEN. Argumentateur, dialecticien, mathématicien, sémanticien, sémiologue, sémioticien.

LOGICIEN ALLEMAND (n. p.). Frege, Gentzen, Pasch, Reichenbach, Schlick, Zermelo.

LOGICIEN AMÉRICAIN (n. p.). Carnap, Church, Gödel, Kleene, Lewis, Peirce, Putnam, Quine, Robinson, Tarski.

LOGICIEN ANGLAIS (n. p.). Austin, Boole, Turing.

LOGICIEN BRITANNIQUE (n. p.). Bool, Russell, Ryle, Whitehead, Wittegenstein.

LOGICIEN FRANCAIS (n. p.). Cavaillès.

LOGICIEN GREC (n. p.). Chrysippe.

LOGICIEN ISRAÉLIEN (n. p.). Bar-Hillel.

LOGICIEN ITALIEN (n. p.). Peano.

LOGICIEN NÉERLANDAIS (n. p.). Brouwer, Heyting.

LOGICIEN NORVÉGIEN (n. p.). Skolem.

LOGICIEN POLONAIS (n. p.). Ajdukiewicz, Lukasiewicz.

LOGICIEN TCHÈQUE (n. p.). Bolzano.

LOGIQUE. Argument, cartésien, cohérent, exact, formel, lexis, méthode, raison, rhétorique, sensé, suite, terme.

LOGIQUEMENT. Analytiquement, à point nommé, cohéremment, convenablement, correctement, dûment, équitablement, exactement, impartialement, justement, légitimement, opportunément, pertinemment, précisément, rationnellement.

LOGIS. Chez, clapier, gamelans, gîte, habitation, loge, maison, nid, piaule, piôle, repaire, taudis.

LOGISTICIEN. Absolu, algébrique, algol, angle, arc, atto, calcul, circulaire, cosinus, décideur, étude, géométrie, géométrique, lemme, log, logique, mathématique, sinus, tangente, triangle, trigonométrie.

LOGISTIQUE. Absolu, algébrique, algol, armée, atto, calcul, géométrie, géométrique, inévitable, lemme, log, logique, logisticien, mathématique, militaire, mission, soutien, statistique, trigonométrie.

LOGO. Armoiries, attribut, balance, banderole, blason, bouclier, cocarde, drapeau, écu, écusson, emblème, étendard, fanion, figure, fuscine, icône, image, insigne, lis, médaille, myrte, nef, olivier, phrygien, signe, symbole, tiroir.

LOGOGRIPHE. Ambigu, caché, écrit, embêtant, énigmatique, énigme, équivoque, ésotérique, étrange, impénétrable, indéchiffrable, inexplicable, insondable, mot, mystérieux, nébuleux, noir, obscur, secret, sibyllin.

LOGOMACHIE. Argutie, byzantinisme, casuistique, chicane, chicanerie, chinoiserie, chipotage, discussion, distinguo, élucubration, ergotage, finesse, formalisme, ratiocination, scolastique, sophistique, subtilité.

LOGOPÉDIE. Accent, bégaiement, blésité, débit, diérèse, dystomie, élocution, fricatif, grasseyement, iotacisme, lallation, lambdacisme, orthophonie, parole, phrasé, prononciation, rhotacisme, synalèphe, synérèse.

LOGORRHÉE. Langage, logomachie, manie, parole, propos, verbalisme, verbiage, verbosité.

LOI. Acte, arrêt, arrêté, bill, canon, charia, charte, chartre, code, dharma, délit, destin, droit, édit, fuero, justice, justicier, légal, lévirat, norme, obligation, omerta, ordonnance, règle, règlement, ripuaire, salique, talion, thora, tora, torah.

LOIN. Absent, arrière, au-delà, avant, bannir, ci-après, détaché, distant, écarté, éliminé, éloigné, étendre, excentré, évincé, ici, infra, là-bas, lointain, outre, pérégrination, perpète, près, récente, reculé, tant, voir.

LOINTAIN. Absent, arrière, détaché, distant, éloignement, exotique, fond, horizon, loin, plan, reculé.

LOIR. Dormeur, dormir, glis glis, lérot, muscardin, rongeur.

LOIRE RÉGION (n. p.). Auvergne, Beaujolais, Forez, Puisaye, Sarthe, Sologne, Touraine, Velay, Vendée.

LOIRE, VILLE (n. p.). Balbigny, Belmont, Charlieu, Feurs, Firminy, Izieux, Lorette, Mably, Montbrison, Pelussin, Perreux, Riorges, Roanne, Sorbiers, Unieux, Veauche.

LOIRE-ATLANTIQUE, VILLE (n. p.). Blain, Bouaye, Chateaubriant, Clisson, Derval, Donges, Herbignac, Indre, Ligne, Nantes, Orvault, Pornic, Rouge, Vallet.

LOIR-ET-CHER, VILLE (n. p.). Blois, Chambord, Cheverny, Contrès, Droue, Morée, Onzain, Oucques, Salbris, Selommes, Souesmes, Vendôme, Vineuil.

LOIRE, CHÂTEAU (n. p.). Amboise, Anet, Angers, Azay-le-Rideau, Chambord, Chaumont, Chenonceaux, Cheverny, Chinon, Langeais, Loches, Ussé, Valençay, Villandry.

LOIRET, VILLE (n. p.). Amilly, Artenay, Bellegarde, Cerdon, Checy, Courtenay, Ferrières, Gien, Ingre, Montargis, Orléans, Patay, Pithiviers, Puiseaux, Saran, Vimory.

LOISIBLE. Admissible, applicable, compétitif, compréhensible, concevable, douteux, espérance, éventuel, exécutable, facile, facultatif, faisable, hasardeux, incertain, libre, permis, plausible, possible, potentiel, pouvoir, praticable, probable, réalisable, virtuel, vraisemblable.

LOISIR. Congé, dada, délassement, désœuvrement, détente, distraction, farniente, inaction, latitude, liberté, licence, mûrir, occasion, occupation, oisiveté, permission, possibilité, repos, vacances.

LOLLARD. Apôtre, catéchisme, diffuseur, divulgateur, missionnaire, prédicateur, prêcheur, sermonnaire.

LOLO. Boule, doudoune, eau, enjoliveur, flotteur, jos, lait, néné, nibard, nichon, robert, rotoplot, sein, téton.

LOMBES. Dos, ensellure, lombaire, lombalgie, lombostat, longe, lumbago, psoas, rein, vertèbre.

LOMBRIC. Anchet, annélide, invertébré, lombricoïde, lombriculture, oligochète, ver, ver de terre.

LONDONIEN. Accent, anglais, argot, cockney

LONG. Bordure, canapé, durable, échasse, étendu, grand, grêle, macro, maxi, menu, pérenne, prolyxe.

LONGANE. Arbre, dicotylédone, fruit, letchi, litchi, lychée, rambutan, sapindacée, savonnier.

LONGANIMITÉ. Attente, bienveillance, bonté, calme, compréhension, constance, courage, douceur, flegme, impatience, indulgence, oseille, patience, persévérance, réussite, rumex, tolérance.

LONGE. Colonne, coppa, dorsale, dos, échine, épine, porc, rachis, spinal, vertébral, vertèbre.

LONGER. Border, escorter, confiner, côtoyer, ester, filer, pister, ranger, serrer, suivre, talonner, tangenter.

LONGÉVITÉ. Aplomb, assiette, assise, certitude, consistance, constance, continu, continuité, durabilité, équilibre, fermeté, fixité, immuabilité, pérennité, permanence, persistance, prégnance, stabilité.

LONGICORNE. Ægosome, antenne, capricorne, cérambycidé, cérambyx, coléoptère, lepture, saperde, titan.

LONGILIGNE. Bréviligne, délicat, délié, élancé, filiforme, fin, fuselé, leptisome, mince, svelte.

LONGTEMPS. Ancien, autrefois, depuis, interminable, longuet, lurette, pérenne, piéça, tant, vieux.

LONGUE. Finalement, géminée, haleine, surdent, taillade, tard.

LONGUET. Azyme, baguette, bâtonnet, bis, biscotte, boule, brie, bun, chanteau, chapelure, croissant, croûte, fesse, ficelle, flûte, four, gressin, havi, hostie, miche, mie, miette, oba, pain, pané, pita, porteuse, sagou, salignon, sec, toast.

LONGUEUR. Aiguillée, allonge, atèle, aune, baguette, canne, chant, cheviotte, dimension, distance, durée, échevette, empan, encablure, envergure, jauge, long, mesure, onde, pas, périmètre, pied, pige, règle, touée, verge.

LOOFA. Cucurbitacée, éponge, étanche, euplectelle, euplectille, fongueux, luffa, oscule, pardon, polype, poreux, spicule, spongia, spongiaire, spongieux, spongible, spongille, zoophyte.

LOOPING. Acrobatie, agrès, antipodisme, boucle, cascade, chandelle, contorsion, demi-tonneau, icarien, équilibrisme, pont, retournement, rondade, tonneau, voltige, vrille.

LOPIN. Champ, corps, dimension, division, dose, estran, fraction, fragment, lot, main, morceau, mot, nappe, parcelle, part, pièce, portion, quotité, rampe, ration, section, segment, séquestre, terrain, travée, tronçon, zone.

LOQUACE. Ara, avocat, babillard, bavard, causant, causeur, commère, crécelle, discret, discuteur, indiscret, jacasseur, jacassier, jacteur, margot, orateur, parlant, pie, placoteux, silencieux, taciturne.

LOQUACITÉ. Abondance, bagou, débit, éloquence, faconde, prolixité, verbiage, verbosité, verve, volubilité.

LOQUE. Couvain, déchet, décombres, épave, étoffe, guenilles, haillon, hère, lagan, miséreux, ruine.

LOQUET. Barre, bénarde, bobinette, cadenas, clé, clef, clenche, clenchette, crochet, écusson, encoche, fermoir, gâche, huis, loqueteau, pêne, pompe, poucier, rouet, serrure, targette, verrou.

LOQUETEUX. Assisté, chétif, claquepatin, clochard, crève-la-faim, dénué, épave, fauché, gueux, hère, ilote, indigent, itinérant, mendiant, misérable, miséreux, pauvre, purotin, quêteux, robineux, ruiné.

LORD. Altesse, appellation, baron, chah, comte, désignation, duc, éminence, émir, frontispice, iman, maestro, maître, marquis, médaille, messire, nom, prince, révérend, revue, roi, sainteté, seigneur, sire, sultan, titulaire, titre.

LORD D'ANGLETERRE (n. p.). Cardinal, Cromwell.

LORDOSE. Arcure, bosse, cambrure, cassure, cintrer, convexité, coude, courbure, cyphose, déformation, ensellure, galbe, gibbosité, humiliation, méplat, pliure, renflure, ressaut, rondeur, tonture, voûte.

LORETTE. Catin, courtisane, garce, lorette, matriochka, péripatéticienne, poupée, poussah, prostituée, roulure.

LORGNER. Briguer, convoiter, désirer, envier, guigner, loucher, mirer, regarder, reluquer, viser, vouloir.

LORGNETTE. Barnique, binocle, binoculaire, cobra, conserve, jumelle, longue-vue, lorgnon, lunette, microscope, naja, oculaire, os, réfracteur, sextant, télescope, théodolite, transit, verres.

LORGNON. Barnique, binocle, face-à-main, lunette, monocle, pince-nez, verres.

LORSQUE. Alors, au moment, comme, durant que, lors, moment, où, quand, tandis que, tant que.

LOSANGE. Carreau, fusée, géométrie, macle, polka, quadrilatère, rhombe, rhomboïde, rhombique.

LOSER. Battu, conquis, culbuté, défait, défaitiste, écrasé, enfoncé, eu, fuyard, invincible, lâche, looser, minable, paumé, perdant, raté, rendu, subjugué, terrassé, vaincu.

LOT. Allotir, amas, apanage, destinée, gros loti, hasard, jackpot, pack, parcelle, part, partage, ration.

LOT, VILLE (n. p.). Alvignac, Cahors, Cressensac, Figeac, Gourdon, Gramat, Lauzes, Limogne, Livernon, Luzech, Rocamadour, Souillac, Sousceyrac, Vayrac.

LOTERIE. Arlequin, bingo, hasard, lot, loto, lotto, sort, quine, sweepstake, tirage, tombola, totocalcio.

LOT-ET-GARONNE, VILLE (n. p.). Agen, Beauville, Bouglon, Cançon, Castillonnes, Damazan, Duras, Fumel, Lauzun, Montayral, Montflanquin, Seyches, Xaintrailles.

LOTIER. Lotophage, lotos, lotus, nélombo, nelumbo, nénuphar, nymphéa.

LOTION. Adiante, adiantum, after-shave, après-rasage, capillaire, cheveu, circulation, cosmétique, diapédèse, eau de toilette, friction, hydratant, lotionner, parfum, télangiectasie, tonique, vaisseau.

LOTIR. Ailler, aillier amorcer, appâter, armer, baguer, boiser, border, bourrer, canner, capitonner, décorer, doubler, enrubanner, ferrer, fournir, garnir, gréer, hérisser, matelasser, mâter, meubler, munir, orner, ouater, parer, rembourrer, tapisser.

LOTISSEMENT. Acte, an, bipartition, bissection, branche, bras, case, chapitre, ci, clan, clivage, coupure, curie, déchirure, déci, décurie, dème, deux, dicastère, divis, division, embranchement, ène, épisode, ère, ese, foliole, ion, jeu, lobe, macroute, méiose, mesure, mois, monosperme, nome, page, part, partition, pico, placentaire, quartier, saison, schisme, scission, séance, secteur, section, segmentation, sénat, set, siège, temps, thallophytes, tome, verset, zone.

LOTO. Arlequin, bingo, jeu, hasard, lotto, perfecta, quaterne, quine, sweepstake, tombola, valideuse.

LOTTE DE MER. Barbot, barbotin, baudroie, crapaud de mer, diable de mer, gade, lote, poisson.

LOTUS. Lotier, lotophage, lotos, nélombo, nelumbo, nénuphar, nymphéa, papilionacée, plante, yoga.

LOUABLE. Appréciable, bonté, digne, flatterie, gloire, habileté, location, méritoire, rang, vertu.

LOUAGE. Affrètement, amodiation, bail, cession, contrat, ferme, fret, location, nolis, rente, taxi.

LOUANGE. Admiration, adulation, ânerie, apologie, approbation, cajolerie, dithyrambe, doxologie, éloge, encens, flatterie, gloire, idole, laudatif, los, louer, mérite, panégyrique, prôner, sanctus, vanter.

LOUANGER. Aduler, bénir, célébrer, courtiser, encenser, exalter, flagorner, flatter, glorifier, louer, magnifier.

LOUANGEUR. Admirateur, adulateur, courtisan, élogieux, encenseur, flagorneur, flatteur, laudateur

LOUBARD. Apache, arsouille, canaille, chenapan, chômeur, crapule, débauché, délinquant, frappe, galopin, garnement, gouape, gredin, hooligan, houligan, loulou, marlou, vaurien, vermine, voyou.

LOUCHE. Ambigu, bigle, bigleux, consort, cuiller, douteux, équivoque, glauque, loucheur, oblique, patibulaire, poche, pochon, rasta, rodeur, strabisme, suspect, torve, travers, trouble, ustensile, véreux.

LOUCHER. Bigler, convoiter, cuiller, envier, guicher, incliner, pencher, regarder, suspecter, voir.

LOUCHEUR. Bigle, bigleux, glauque, louche, loucherie, oblique, patibulaire, strabisme, torve, travers, trouble.

LOUE. Adorateur, adulateur, applaudisseur, cajoleur, caresseur, courtisan, dithyrambique, élogieux, encenseur, endormeur, enjôleur, flagorneur, flatteur, laudatif, lèche-botte, lèche-cul, lécheur, los, louangeur, menteur, thuriféraire.

LOUER. Aduler, affréter, amodier, approuver, bailler, bénir, célébrer, chanter, combler, complimenter, encenser, engager, exalter, flatter, fréter, glorifier, louanger, magnifier, noliser, porter, prêcher, prêter, prôner, vanter.

LOUFOQUE. Anormal, baroque, bigarré, cocasse, comique, curieux, drôle, étrange, extravagant, farfelu, fou, hétéroclite, hurluberlu, inouï, insensé, insolite, lunatique, ridicule, saugrenu, spécial.

LOUFOQUERIE. Anomalie, anormalité, bizarrerie, bouffonnerie, chinoiserie, cocasserie, curiosité, drôlerie, étrangeté, excentricité, extravagance, fantaisie, fantasmagorie, folie, originalité, pitrerie, singularité.

LOUGRE. Albatros, ardent, bateau, boulinier, brick, catamaran, chébec, chebek, cotre, finn, génois, goélette, ketch, mou, norvégien, roulier, schooner, senau, sloop, tartane, trimaran, trois-mâts, voilier.

LOUIS (n. p.). Cyr, Guise, Napoléon, Pieux.

LOULOU. Apache, arsouille, canaille, chenapan, crapule, débauché, délinquant, frappe, fripouille, galopin, garnement, gouape, gredin, hooligan, houligan, loubar, loubard, marlou, truand, vaurien, vermine, voyou.

LOUP (n. p.). Ysengrin.

LOUP. Bar, carnassier, cervier, chien, clôture, connu, erreur, faune, fossé, haha, huée, hurler, leu, lioube, loubine, louve, louvet, louveteau, lynx, marin, masque, mer, muflier, pinnopède, poisson, saint, thylacine.

LOUPE. Bésicles, broussin, compte-fils, exostose, gemme, kyste, lentille, nodosité, sébacé, rate, tumeur.

LOUPÉ. Aberration, abus, anachronisme, ânerie, bavure, bévue, blague, bourde, certitude, coquille, correction, courante, doublon, écart, égarement, errements, erreur, faute, fourvoiement, gaffe, gourance, illusion, inexactitude, maldonne, mastic, mécompte, méprise, orthodoxie, oubli, perle, quiproquo, réalité, sophisme, tort, vérité, vice.

LOUPER. Avorter, capoter, défaillir, échouer, faillir, gâcher, manquer, merder, négliger, queuter, rater.

LOUP-GAROU. Diable, elfe, espiègle, farfadet, génie, gnome, lutin, lycanthrope, sorcier, sylphe, troll.

LOUPIOT. Amour, ange, angelot, bara, bébé, champi, chérubin, clergeon, démon, diable, diablotin, doux, enfant, fille, fils, gamin, garnement, gosse, héritier, marmot, mioche, môme, moricaud, moutard, négrillon, noireau, nouveau-né, oblat, orphelin, part, peste, petit, polisson, poulbot, poupard, poupon, puéril, sagouin, scout, têtard.

LOUPIOTE. Falot, fanal, feu, godet, guillotine, lampadaire, lamparo, lampe, lampion, lanterne, lanternon, lumière, lustre, oursin, phare, pilier, récipient, réverbère, signal, veilleuse.

LOURD. Balourd, béotien, brut, butor, compact, dense, écrasant, épais, gavé, gros, grossier, lest, lourdaud, massif, mastoc, matériel, mulet, nappe, ours, palant, pataud, pesant, pilum, plomb, poids, sévère.

LOURDAUD. Ballot, balourd, butor, cruche, enflé, gauche, idiot, lent, niais, pénible, stupide.

LOURDEMENT. Amèrement, cruellement, difficilement, durement, fâcheusement, fortement, grossièrement, laborieusement, maladroitement, massivement, péniblement, pesamment.

LOURDER. Ajourner, couper, exclure, licencier, rapatrier, réexpédier, refléter, refuser, rejeter, relancer, remercier, remettre, rendre, renvoyer, repousser, répudier, résonner, retentir, retourner, réverbérer, sabrer, sacquer, saquer, traduire.

LOURDEUR. Alourdissement, appesantissement, charge, engourdissement, épaisseur, fardeau, indigestion, lenteur, lest, maladresse, masse, paresse, pesament, pesanteur, poids, rusticité, somme, surcharge.

LOURE. Biniou, breton, cabrette, cornemuse, danse, flûte, gaïda, musette, outre, pibrock, poche, vèze.

LOUSSE. Allocentrique, altruiste, ardent, audacieux, bienveillant, bon, boy-scout, brave, charitable, chic, clément, courageux, désintéressé, généreux, large, libéral, libre, magnanime, munificent, noble, relevé, sensible.

LOUSTIC. Amuseur, blagueur, clown, farceur, gaillard, lascar, luron, numéro, plaisantin, titi, zingue.

LOUTRE. Belette, de mer, carnivore, épreinte, fourrure, loutrier, mustélidé, ondatra, otarie.

LOUVE. Anspect, coin, filet de pêche, levier, loup, moufle, outil, palan.

LOUVETEAU. Boy-scout, cheftaine, éclaireur, guide, jeannette, loup, ranger, routier, scout, tirailleur.

LOUVOIEMENT. Chicane, crochet, détour, entrechat, lacet, sinuosité, slalom, tournant, zigzag.

LOUVOYER. Biaiser, détour, fausser, obliquer, patiner, ruser, sinuer, tergiverser, tournoyer.

LOVELACE. Bourreau, charmeur, coq, corrupteur, débaucheur, don juan, donjuanesque, dragueur, enchanteur, enjôleur, ensorceleur, galant, gigolo, larron, magicien, séducteur, séduisant, suborneur, succube, tentateur, tombeur.

LOVER. Blottir, enrouler, gléner, pelotonner, ramasser, recroqueviller, rouler, tordre, vriller.

LOYAL. Ami, carré, correct, déloyal, dévot, dévoué, droit, féal, fidèle, fourbe, franc, franc-jeu, honnête, hypocrite, loyalisme, loyaliste, probe, réglo, régulier, rond, sincère, sportif, sûr, trigaud, vrai.

LOYALEMENT. Carrément, clairement, crûment, droitement, franchement, franco, hautement, librement, net, nettement, ostensiblement, ouvertement, publiquement, simplement, sincèrement, très, vraiment.

LOYALISME. Amitié, amour, constance, fidélité, foi, hommage, loyauté, obédience, sûreté, vérité.

LOYALISTE. Ami, carré, correct, déloyal, dévot, dévoué, droit, féal, fidèle, fourbe, franc, franc-jeu, honnête, hypocrite, loyal, probe, réglo, régulier, sincère, sportif, sûr, trigaud, vrai.

LOYAUTÉ. Droiture, fidélité, foi, franchise, honnêteté, honneur, perfidie, rondeur, sincérité.

LOYER. Bail, fernage, HLM, intérêt, location, logement, montant, prix, taux, terme, valeur.

LOZÈRE, VILLE (n. p.). Aumont, Bagnols, Chanac, Florac, Mende, Vialas, Villefort.

L.S.D
. Acide, barbiturique, buvard, came, champignon, cocaïne, coke, crack, drogue, goure, hachisch, hallucinogène, hasch, haschich, héroïne, lysergamide, lysergide, lysergique, mari, marijuana, morphine, neige, opium, orviétan, pavot, pot, psilocybine, qat, speed.

LUBIE. Accès, arbitraire, bizarrerie, boutade, caprice, changement, chimère, coup de tête, dada, fantaisie, folie, foucade, frasque, gré, idée, lune, marotte, mode, na, plaisir, rat, tocade, toquade, turlutaine.

LUBRICITÉ. Concupiscence, convoitise, corruption, débauche, dépravation, désir, duopole, immodestie, impudicité, impureté, indécence, lasciveté, libertinage, licence, luxure, salacité, sensualité, stupre, vice.

LUBRIFIANT. Axone, cirage, dégrippant, graissage, graisse, gras, huilage, huile, oing, ricin, saindoux.

LUBRIFICATION. Cirage, corrompage, encrassage, graissage, huilage, palissage, soudoyage.

LUBRIFIER. Cirer, ensimer, faciliter, graisser, huiler, lubrifiant, lubrification, oindre.

LUBRIQUE. Bacchante, concupiscent, lascif, libidineux, lubricité, luxurieux, salace, salacité, sensuel, vicieux.

LUCANE. Cerf-volant, coléoptère, insecte, lucanidé, lucanophile.

LUCANIE (n. p.). Basilicate, Élée.

LUCARNE. Angle, chien-assis, fenêtre, imposte, judas, œil-de-bœuf, ouverture, tabatière, toit.

LUCERNAIRE. Acalèche, méduse, office, scyphozoaire.

LUCIDE. Aveugle, clairvoyant, conscient, éclairé, fin, intelligent, lumineux, net, passionné, pénétrant, perspicace, sagace, sensé, translucide.

LUCIDEMENT. Consciemment, délibérément, exprès, intentionnellement, résolument, sciemment, volontairement.

LUCIDITÉ. Acuité, clairvoyance, conscience, intelligence, netteté, pénétration, perspicacité, raison, sagacité, tête.

LUCIFÉRIEN. Démoniaque, diabolique, infernal, méphistophélique, pervers, satanique.

LUCITE. Actinite, coup de soleil, dermatite, inflammation, insolation, lésion, lumière, rougeur, soleil.

LUCRATIF. Alimentaire, aubaine, avantage, bénéfice, bon, filon, gain, lucre, payant, profit, rentable.

LUCRATIVEMENT. Abondamment, avantageusement, efficacement, fécondement, fertilement, fructueusement, juteusement, profitablement, salutairement, tentablement, salutairement, utilement, utilitairement.

LUCRE. Avantage, avidité, bénéfice, boni, dividende, fruit, gagnant, gagné, gain, intérêt, mercantile, mercenaire, prime, profit, rabelaisien, rapport, rapporte, rendement, rétribution, revenu, salaire, usure, vibor, vibord.

LUDIQUE. Adoucissant, amusant, apaisant, balsamique, calmant, délassant, distrayant, divertissant, émollient, lénifiant, lénitif, récréatif, rassurant, relaxant, reposant, sédatif, tranquillisant, tripant.

LUDISME. Agrément, amusement, amusette, carnaval, délassement, dérivatif, distraction, divertissement, ébat, ébattement, égaiement, évasion, intermède, jeu, joute, karaoké, loisir, partie, plaisir, récréation, réjouissance, rigolade, spectacle, télé.

LUDOTHÈQUE. Artothèque, bédéthèque, bibliothèque, joujouthèque, sonothèque, vidéothèque.

LUETTE. Appendice, déglutition, lampas, prononciation, staphylin, uvula, uvulaire, uvule, vibration.

LUEUR. Apparence, aube, aurore, clarté, éclair, éclat, étincelle, flamme, halo, lumière, lustre, rayon.

LUGE. Bobsleigh, briska, caluger, luger, lugeur, pistolet, sleigh, sport, toboggan, traîne, traîneau, troïka.

LUGUBRE. Croque-mort, deuil, funèbre, glauque, macabre, morose, mortuaire, sinistre, sombre, triste.

LUI. Autarcie, elle, en soi, éon, il, imago, lui-même, monologue, narcisse, se, self, sézig, sézigue, soi.

LUIRE. Briller, chatoyer, cirer, dorer, éblouir, étinceler, lustrer, manifester, réfléchir, reluire, vernir.

LUISANCE. Brillance, brillant, cati, chatoiement, coruscation, éclat, feux, halo, luminance, luminosité.

LUISANT. Brillant, éclatant, étincelant, glacé, houx, jais, lampyre, lumineux, lustré, poli, rutilant.

LULU. Alaudidé, alouette, chétif, couard, faible, frêle, froussard, lâche, mauviette, oiseau, peureux, poltron.

LUMBAGO. Affection, arthrite, arthrose, bétol, cholagogue, coxarthrie, douleur, goutte, lombago, lombaire, rhumatisme, rhumatoïde, salicylate, salol, sciatique, spinal, spondylarthrite, tour de rein.

LUMEN. Lm.

LUMIÈRE (n. p.). Uriel.

LUMIÈRE. Aurore, chandelle, cierge, clarté, clé, clef, crépuscule, demi-jour, éclair, éclairé, éclat, éclos, feu, génie, halo, jour, lampe, lueur, lux, né, négatoscope, ouverture, rai, savant, soleil, tamiser, vie.

LUMINAIRE. Fanal, flambeau, lampadaire, lampe, lampion, lanterne, lustre, lustrerie, plafonnier, réflecteur, torche, veilleuse.

LUMINANCE. Brillance, brillant, cati, chatoiement, coruscation, éclat, feux, halo, luisance, luminosité.

LUMINESCENCE. Antenne, brillance, éclatement, émission, irradiation, jet, ruissellement, surémission, vesse.

LUMINESCENT. Brillant, éclairage, fluorescent, gaz, lampe, néon, phosphorescent, photogène.

LUMINEUX. Aveuglant, brillant, briller, clair, éblouissant, éclatant, fluorescent, lux, radieux, splendide.

LUMINOSITÉ. Brillance, brouillon, clair, clarté, éclairage, éclat, embrasement, flou, foué, jour, limpidité, louche, lueur, lumière, nébuleux, nébulosité, netteté, nuageux, obscurité, précision, troublé.

LUNAIRE. Absent, alibi, contumace, crucifère, défaillant, distrait, étourdi, extravagant, herbe-aux-écus, inattentif, intérim, lune, manquant, mois, monnaie-du-pape, nul, parti, pensif, plante, rêveur, sélène, têt.

LUNATIQUE. Bizarre, capricieux, changeant, fantasque, imprévisible, instable, lune, quinteux, versatile.

LUNCH. Agape, banquet, bombance, brunch, buffet, casse-croûte, cène, cocktail, collation, déjeuner, dîner, dînette, en-cas, festin, frichti, frugal, gala, goûter, gueuleton, lippée, médianoche, menu, orgie, pique-nique, popote, réfection, régal, repas, reste, réveillon, ripaille, soupe, souper, tétée, thé.

LUNE (n. p.). Endymion, Hydra, Nix, Phébé.

LUNE. Alunir, conjoncture, corne, croissant, cycle, dichotomie, galbe, halo, humeur, lunaison, manie, marée, mer, môle, mythologie, néoménie, rêve, rousse, saros, sélène, sélénien, sélénite, syzygie, têt.

LUNETTE. Barnique, besicles, binoclard, binocle, carreau, cobra, conserve, jumelle, longue-vue, lorgnette, lorgnon, microscope, naja, oculaire, os, réfracteur, sextant, télescope, théodolite, transit, verres.

LUNULE. Albugo, bavure, cerne, crasse, dartre, énanthème, éphélide, lentigo, leucoma, leucome, macule, maille, maillure, meurtrissure, naevi, nævus, noircissure, ocellé, ordure, pâté, pétéchie, pige, sale, saleté, salissure, sanglant, souillure, spot, tache, taie, vibice.

LUNURE. Broussin, excroissance, exostose, loupe, madrure, maillure, malandre, nodosité, nœud.

LUPANAR. Bordel, boxon, femme, gynécée, harem, lupanar, pistil, prostitution, sérail, zénana.

LUPULIN. Bière, houblon, jaune, poudre, poussière.

LUPULINE. Alcaloïde, falcata, légumineuse, luzerne, medicago, minette, poudre, poussière, résine, sainfoin, sativa.

LURON. Blagueur, bon, bouffon, bougre, boute-en-train, comique, drille, espiègle, farceur, gai, gaillard, hardi, insouciant, joyeux, lascar, loustic, numéro, plaisantin, zigoto.

LUSITANIEN. Espagnol, hispanique, ibère, ibérien, ibérique, lusitain, lusophone, portugais.

LUSTRAGE. Catissage, glaçage, lissage, patine, satinage.

LUSTRATION. Abnégation, agneau, aruspice, autel, cène, eucharistie, hécatombe, holocauste, hostie, immolation, ite, libation, messe, oblation, offrande, propitiation, renoncement, rite, sacrement, sacrifice, taurobole, victime.

LUSTRÉ. Aveuglant, ara, blanc, brillant, brio, ciré, éblouissant, éclatant, étincelant, étoile, fard, faste, flamboyant, gloire, incandescent, intelligent, luisant, or, radieux, réfléchissant, relief, reluisant, réussi, rutilant, satiné, soyeux, splendeur, splendide, toc, ver, vermeil, vif.

LUSTRE. Âge, an, brillant, cati, clinquant, décati, écati, éclairage, éclat, écru, enduit, feu, fleur, fraîcheur, glacé, gloire, lampadaire, panache, pendeloque, plafonnier, poli, relief, réputation, satin, suspension.

LUSTRER. Apprêter, aveugler, blanchir, briller, calandrer, catir, cirer, déglacer, délustrer, dorer, éblouir, frotter, glacer, glairer, laquer, lisser, moirer, patiner, peaufiner, polir, satiner, ternir, vernir.

LUT. Apprêt, badigeon, baume, boucher, ciré, couche, crépi, crépissure, dépôt, dessiccation, enduit, engobe, fard, galinot, glaçage, glaçure, gunite, incrustation, mastic, mortier, onguent, peinture, pommade, protection, revêtement, solin, stuc, vernis.

LUTÉCIUM. Lu.

LUTÉINE. Hormone, jaune, lutéal, lutéinique, lutéinisante, ovaire, pigment, progestérone.

LUTH. Banjo, biwa, bouzouki, buzuki, charango, cistre, frette, guitare, kora, luthier, lyre, mandole, mandoline, mandore, oud, pandore, plectre, sarod, sarode, sehtar, setar, shamisen, tar, téorbe, théorbe, oud.

LUTHÉRIEN (n. p.). Bora, Egede, Grundtvig, Harnack, Lipse, Luther, Martin, Niemöller, Saxe.

LUTHÉRIEN. Adventiste, anglican, baptiste, calviniste, conformiste, darbysme, évangéliste, fondamentaliste, hérétique, huguenot, mennonite, méthodiste, morave, mormon, orangiste, pentecôtiste, piétiste, presbytérien, protestant, puritain, quaker, réformé, revival, secte.

LUTHIER (n. p.). Amati, Crémone, Garneri, Guarnerius, Lussier, Martel, Nadermann, Stradivari, Stradivarius.

LUTHISTE (n. p.). Caccini, Dowland, Gesualdo.

LUTIN (n. p.). Kobold, Nodier.

LUTIN. Démon, djinn, elfe, espiègle, esprit, farfadet, génie, gnome, loup-garou, sylphe, troll, vif.

LUTINER. Aspirer, asticoter, assiéger, briguer, cerf, chasser, continuer, courir, courre, courser, ester, foncer, forcer, harceler, importuner, intenter, justice, lièvre, pourchasser, poursuivre, presser, rechercher, talonner, taquiner, traquer.

LUTRIN. Aigle, banc, chanteur, chevalet, étai, meuble, pied, pupitre, sourdine, support, trépied, tréteau.

LUTTE. Bagarre, boxe, catch, clé, collision, combat, curée, duel, grève, guerre, jiu-jitsu, joute, judo, karaté, lice, magouillage, magouille, mêlée, pancrace, prise, pugilat, pugnacité, querelle, rixe, savate, sumo.

LUTTER. Bagarrer, batailler, combattre, débattre, disputer, résister, rivaliser, sumo, sumotori.

LUTTEUR. Athlète, catcheur, combatif, joueur, militant, pugiliste, ring, sportif, sumo, sumotori, tombeur.

LUXATION. Déboîtement, désarticulation, dislocation, écart, élongation, entorse, foulure, hernie.

LUXE. Abondance, apparat, carrosse, éclat, élégance, exceptionnel, faste, grandeur, hollywoodien, magnificence, opulence, parure, pompe, profusion, raffiné, richesse, somptueux, splendeur, standing, superflu, tralala.

LUXEMBOURG, CAPITALE (n. p.). Luxembourg.

LUXEMBOURG, LANGUE. Allemand, français.

LUXEMBOURG, MONNAIE. Franc.

LUXEMBOURG, VILLE (n. p.). Asselborn, Beaufort, Berdof, Berg, Bettembourg, Clémency, Colmar, Flaxweiler, Kayl, Manternach, Mersch, Perle, Petange, Rosport, Sanem, Steinsel, Wiltz.

LUXER. Déboîter, démancher, démettre, déplacer, désarticuler, disloquer, enrichir.

LUXUEUSEMENT. Abondamment, amplement, beaucoup, considérablement, énormément, fastueusement, fort, fortement, grandement, infiniment, princièrement, puissamment, richement, royalement, spacieusement, vastement.

LUXUEUX. Abondant, confortable, coûteux, éclatant, élégant, faste, fastueux, magnifique, opulent, pompeux, princier, raffiné, recherché, riche, royal, rupin, somptueux, splendide, tralala, voluptueux.

LUXURE. Blessure, cynisme, débauche, dépravation, érotisme, impudeur, impureté, indécence, lasciveté, libidineux, licence, lubricité, orgie, péché, saleté, sensualité, stupre, tralala, vice, volupté.

LUXURIANCE. Abondance, abus, avalanche, débauche, débordement, déluge, excès, exubérance, flopée, flot, foisonnement, foule, infinité, kyrielle, myriade, nuée, orgie, pléthore, pluie, prodigalité, profusion, ribambelle, surabondance, surcharge, trop-plein.

LUXURIANT. Abondant, ample, commun, considérable, copieux, dense, dru, épais, excessif, exubérant, fécond, fertile, foisonnant, fourni, fructueux, généreux, giboyeux, gros, large, nombreux, opulent, plantureux, pléthorique, pluvieux, pullulant, riche, surabondant, volubile, volumineux.

LUXURIEUX. Bestial, cynique, dépravé, immonde, impur, lascif, obscène, sensuel, vicieux, voluptueux.

LUZERNE. Falcata, légumineuse, lupuline, medicago, minette, plante, poudre, sainfoin, sativa.

LYCANTHROPE. Diable, elfe, espiègle, farfadet, génie, gnome, lutin, loup-garou, sorcier, sylphe, troll.

LYCAON. Canidé, carnassier, carnivore, chien, chien-hyène, hyène, loup peint, mammifère.

LYCÉE. Collège, cours, couventin, école, externat, institution, internat, lycéen, pensionnat.

LYCÉEN. Cégépien, collégien, écolier, élève, étudiant, externe, potache.

LYCOPE. Chanvre d'eau, eupatoire, labiée, marrube d'eau, patte-de-loup, pied-de-loup, plante.

LYCOPERDON. Basidiomycète, champignon, gastromycète, géaster, vesse-de-loup.

LYCOPODE. Cernuum, cryptogame, diphasium, hookeri, huperzia, lepidotis, lycope, lycopodiacée, lycopodium, patte-de-loup, phlegmaria, pied-de-loup, plante, poudre, sélaginelle, taxifolium, usuel.

LYCOSE. Araignée, animal, arachnide, araignée, aranéide, argyronète, épeire, faucheur, faucheux, galéode, latrodecte, malmignatte, mygale, ségestrie, tarentule, tégénaire, terrier, théridion, thomise.

LYMPHATIQUE. Adénite, affaissé, amorphe, apathique, indolent, mou, mollesse, nonchalant.

LYMPHATISME. Blancheur, Canitie, éburné, éburnéen, ivoire, lactescence, leucome, lilial, pâleur.

LYMPHOCYTE. Acidophile, défense, éosinophile, exsudat, globule, granulocyte, infiltrat, leucocyte, mastzelle, monocyte, mononucléaire, myélocyte, neutrophile, phagocyte, polynucléaire, sang.

LYMPHOÏDE. Amygdale, glande, gonade, intestin, moelle, organe, rate, ris, thymique, thymus.

LYNCHER. Accomplir, anticiper, bourreau, bousiller, cochonner, écharper, électrocuter, enlever, évoluer, exécuter, faire, fignoler, fusiller, guillotine, hart, jouer, massacrer, moduler, mouler, opérer, pendre, perler, réaliser, remplir, réussir, roder, saboter, saloper, supplicier, tirer, tricoter, triller, tuer.

LYNX. Caracal, carnassier, cervier, chat sauvage, félidé, félis, loup-cervier, pardinas, roux, yeux.

LYRE (n. p.). Amphion, Arion, Érato, Midas, Terpsichore.

LYRE. Cithare, harpe, heptacorde, luth, ménure, pentacorde, plectre, poésie, psaltérion, tétracorde, vinâ.

LYRIQUE. Barde, bouffe, cantilène, drame, épode, lai, lyre, nô, opéra, pastourelle, poème, vers.

LYRISME. Ardeur, chaleur, enthousiasme, exaltation, luth, passion, pétrarquisme, pindarisme, poésie.

LYS. Acore, alstroemère, amabile, amaryllis, américain, asiatique, auratum, aurélien, candidum, cardiocrinum, concolor, hémérocalle, liliacée, lilium, lys, martagon, nénuphar, oriental, ponticum, pumilum, régale, rhodopacum, speciosum, sprekelia, tigré, tigrinum, trompette, versicolor.

LYSERGIQUE. Acide, diéthylamide, hallucinogène, LSD, lysergamide.

LYSIMAQUE (n. p.). Alexandre, Séleuco, Thrace.

LYSIMAQUE. Coucou, cyclamen, mouron, nummulaire, primevère, primulacée, samoie, soldanelle.

LYSOZYME. Enzyme, immunité, lait, larme.

LYTHRUM. Lysimaque, nummulaire, salicaire.

LYTIQUE. Anesthésiologie, antalgique, calmant, cocktail, euthanasie, lyse.

M

M. Cinq.

M'AS-TU-VU. Bêcheur, fat, méprisant, minet, prétentieux, vaniteux.

MABOUL. Aliéné, anormal, bizarre, cinglé, crétin, dérangé, détraqué, dingue, fou, idiot, sonné, sot, timbré, toqué.

MACABRE. Allégorie, funèbre, glauque, lugubre, mort, mortuaire, sépulcral, sinistre, sombre.

MACADAM (n. p.). Dubuffet, MacAdam, McAdam.

MACADAM. Agrégat, asphalte, bitume, chaussée, goudron, pavage, revêtement, tarmacadam.

MACADAMISER. Asphalter, bétonner, bitumer, caillouter, empierrer, goudronner, paver.

MACAQUE. Affreux, bantou, catarrhinien, cercopithèque, laid, magot, moche, primate, rhésus, singe, vilain.

MACARON. Badge, biscuit, décoration, gâteau, insigne, natte, ornement, photo, photographie, vignette.

MACARONI. Canal, canon, conduit, fusette, gibus, mets, pâte, tige, tube, tuyau, venturi.

MACASSAR. Aubours, bois, charbonneux, cytise, ébène, ébénier, fuligineux, huile, ipé, noir, sillet, vrai.

MACCHABÉE. Cadavre, carcasse, charogne, corps, défunt, dépouille, momie, mort, pendu, trépassé, victime.

MACÉDOINE. Disparate, jardinière, légume, magma, mélange, mets, mixture, salade, salmigondis.

MACÉDOINE, CAPITALE (n. p.). Skopje.

MACÉDOINE, LANGUE. Albanais, macédonien, serbe, turc, valaque.

MACÉDOINE, MONNAIE. Denar.

MACÉDOINE, VILLE (n. p.). Amphypolis, Berovo, Bitola, Bitolj, Brod, Debar, Monastir, Ohrid, Skopje, Stip, Struga, Valandovo, Vinica.

MACÉRATION. Apozème, bichof, bishop, bouillon, décoction, digestion, gruau, hydrolé, infusette, infusion, jusée, liquide, menthe, mortification, pénitence, pourrissage, remède, solution, tilleul, tisane, tisanerie, tisanière, verveine.

MACÉRER. Baigner, confire, crucifier, huile, humilier, infuser, mariner, mater, mortifier, rouir, tremper.

MACH. Avion, machmètre, projectile, son, vitesse.

MACHAON. Caudataire, grand porte-queue, lépidoptère, papillon, porte-queue, porte-traîne.

MÂCHE. Blanchet, blanchette, doucette, fer, nard, rampon, valérianacée, valériane, valérianelle.

MÂCHEFER. Charbon, crasse, débris, déchet, fer, ferraille, lave, porc, résidu, scorie, sinter, suin, suint.

MÂCHER. Broyer, chiquer, croquer, mâchonner, manger, mastiquer, mordre, préparer, remâcher, ruminer, triturer.

MACHIAVEL. Ambitieux, arriviste, carriériste, cumulard, grimpion, magouillard, mégalomane, politicard.

MACHIAVÉLIQUE (n. p.). Machiavel.

MACHIAVÉLIQUE. Astucieux, diabolique, fourbe, malin, perfide, retors, rusé, scélérat, tortueux.

MACHIAVÉLISME. Adresse, amoralisme, déloyauté, habileté, perfide, politique, ruse, scélératerie.

MÂCHICOULIS. Arcade, assemblée, balcon, coursive, estrade, filon, galerie, hourd, hypogée, jubé, loge, passage, portique, préau, raucheur, salon, souterrain, spectateur, taupe, tranchée, tunnel, véranda, vestibule, voûte, xyste.

MACHIN. Bidule, bricole, chose, colifichet, gadget, jouet, objet, patente, rien, truc, trucmuche, untel, zinzin.

MACHINAL. Automatique, convulsif, habituel, inconscient, indélibéré, instinctif, instinctuel, intuitif, involontaire, irréfléchi, machinalement, mécanique, naturel, pulsionnel, réflexe, spontané.

MACHINATEUR. Affairiste, agioteur, calculateur, combinard, financier, gageur, intrigant, manipulateur, manœuvrier, maquillon, marchand, marionnettiste, opportuniste, ostéopathe, prestigitateur, spéculateur.

MACHINATION. Agissements, calcul, collusion, combinaison, complot, conspiration, dessein, embûche, embuscade, guet-apens, intrigue, manège, manigance, manœuvre, menée, objectif, organisation, projet, ruse, tractation.

MACHINE (4 lettres). Came, cric, grue, mine, moto, pile, roue, tête, tour, truc.

MACHINE (5 lettres). Arbre, carde, engin, frein, jenny, noria, outil, palan, pelle, pompe, robot, ronéo, rouet.

MACHINE (6 lettres). Abaque, bélier, bineur, métier, moulin, mouton, presse, ripper, semoir, tâteur, toupie, touret.

MACHINE (7 lettres). Armeuse, baliste, bascule, batteur, bineuse, brinell, charrue, foreuse, plieuse, trieuse, turbine.

MACHINE (8 lettres). Aléseuse, appareil, automate, batteuse, calandre, cardeuse, cisaille, colleuse, couseuse, cribleur, défileur, ébarbeur, épandeur, fondeuse, laminoir, linotype, massicot, monotype, sableuse, sabreuse, sondeuse, tilleuse, titreuse.

MACHINE (9 lettres). Affûteuse, agrafeuse, ascenseur, balancier, bobineuse, brocheuse, calibreur, catapulte, charcheuse, écrémeuse, enrobeuse, hellébore, lave-linge, mécanique, planteuse, plisseuse, pointeuse, raboteuse, ratineuse, riveteuse, teilleuse.

MACHINE (10 lettres). Arracheuse, aspirateur, automobile, bétonneuse, bétonnière, boudineuse, bouveteuse, calibreuse, décolleuse, défonceuse, épierreuse, étau-limeur, moulurière, ourdissoir, rammasseur, repasseuse, toronneuse, trancheuse.

MACHINE (11 lettres). Amortisseur, assembleuse, calculateur, duplicateur, grignoteuse, remplayeuse, tabulatrice.

MACHINE (12 lettres). Commutatrice, décolleuse, effilocheuse, moussonneuse, perforatrice, poinçonneuse, remmailleuse.

MACHINE-OUTIL. Aléseuse, fileteur, perceur, perforant, perforateur, taraudeur, térébrant, touret, tourmentant, tronçonneuse.

MACHINER. Arranger, bâcler, bâtir, brasser, but, calculer, chercher, combiner, comploter, concerter, conspirer, élaborer, exécuter, faire, fomenter, forger, imaginer, intriguer, inventer, manigancer, manœuvrer, méditer, monter, mûrir, organiser, ourdir, préméditer, préparer, projeter, ruminer, spéculer, tramer.

MACHINISTE. Aléseur, chauffeur, conducteur, fraiseur, ingénieur, mécanicien, mécano, perceur, tourneur, usinier.

MACHISME. Conception, doctrine, dogme, idéologie, orientation, racisme, rêve, système, théorie, utopie.

MACHISTE. Androphobe, antiféministe, macho, misandre, misanthrope, misogyne, phallo, phallocrate, sexiste.

MÂCHOIRE (n. p.). Samson.

MÂCHOIRE. Âne, barbe, barres, bouche, carnassière, clavier, dent, denture, diduction, étau, fanon, ganache, mandibule, margoulette, maxillaire, maxillipède, mordache, mors, prognathe, scie, trismus.

MÂCHONNER. Broyer, chiquer, dire, mâcher, mâchonnement, mâchouiller, manger, mordiller, mordre, ruminer, triturer.

MÂCHURE. Arnica, attrition, bigne, blessure, bleu, bosse, cassin, charlot, contusion, coquard, coup, ecchymose, embarrure, escarre, hématome, lésion, meurtrissure, morsure, pinçon, plaie, pochon.

MÂCHURER. Barbouiller, biser, bistrer, calomnier, charbonner, culotter, descendre, discréditer, enfumer, estomper, foncer, fumer, grisailler, maculer, médire, noircir, obscurcir, ombrer, salir, teindre.

MACLE. Baccarat, base, cristal, cristallin, cristallite, druse, épitaxine, face, géode, lame, nicol, noces, noyau, œil, pendeloque, phénocristal, quartz, raphide, rhomboèdre, stras, strass, trémie, trichite, uniaxe, verre, verroterie.

MAÇON. Auge, bâtisseur, franc, frangin, frère, gâche, limousin, loge, niveau, orient, ripe, sabot.

MAÇONNER. Boucher, carreler, couler, crépir, enduire, gâcher, latter, murer, plaquer, sceller.

MAÇONNERIE. Bâtiment, bétonnage, butée, cheminée, créneau, écoinçon, engravure, étrésillon, fondement, four, fourneau, franc-maçonnerie, garniture, jetée, joint, mur, ope, paroi, pile, pisé, quai, travertin, voussoir, voûte.

MACROCOSME. Ciel, cosmos, création, espace, galaxie, métagalaxie, microcosme, monde, nature, tout, univers.

MACROPODE. Anabantidé, combattant, gourami, poisson, poisson-paradis.

MACULA. Abattement, burnout, caldeira, cavité, chott, col, cratère, creux, crise, cuvette, découragement, dépression, doline, fovéa, enfoncement, marasme, mélancolie, neurasthénie, pli, ravin, récession, sinuosité, sotch, tirage, torpeur, tristesse, trou, val, vallée, vallon.

MACULÉ. Bavure, cochon, crasseux, crotté, dégoûtant, goret, immonde, impur, infâme, malpropre, obscène, répugnant, sagouin, salaud, sale, sali, sordide, souillé, souillon, rousselé, taché.

MACULE. Accroc, albugo, bavure, bleu, cerne, crasse, dartre, éclaboussure, énanthème, envie, éphélide, grain de beauté, lentigo, leucoma, leucome, lunule, maille, maillure, meurtrissure, moucheture, naevi, nævus, noircissure, ocellé, ordure, ouvrage, pâté, pétéchie, pige, sale, saleté, salissure, sanglant, son, souillure, spot, tache, taie, vibice.

MACULER. Baver, crotter, dégueulasser, encrasser, noircir, oblitérer, salir, saloper, souiller, tacher, teindre.

MADAGASCAR, CAPITALE (n. p.). Antananarivo.

MADAGASCAR, LANGUE. Français, malgache.

MADAGASCAR, MONNAIE. Franc.

MADAGASCAR, PLATEAU (n. p.). Imerina.

MADAGASCAR, VILLE (n. p.). Andapa, Antananarivo, Antsirabe, Belo, Fianarantsoa, Hova, Madécasse, Mahabo, Manja, Sakalave, Tamatave.

MADAME. Créature, femelle, greluche, jupon, mère, Mme, pitoune, poulette, poupée, unetelle.

MADÉCASSE. Épyornis, filanzane, langue, maki, malgache, tacca, vari, zébu.

MADELEINE. Fruit, excourgeon, hâtiveau, pâtisserie, pêche, poire, primeur, prune, raisin.

MADELINOT. Français, îlien, insulaire.

MADEMOISELLE. Catherinette, célibataire, fille, libellule, miss, Mlle.

MADÈRE. Archipel, île, liquoreux, madériser, malvoisie, pinard, rognon, sauce, vin.

MADONE. Vierge.

MADRAS. Alépine, alun, basin, batiste, batik, bord, bure, casimir, cati, châle, cotonnade, drap, escot, étamine, étoffe, faena, feutre, gaze, grain, granité, lé, laine, linge, mérinos, mohair, moire, mousseline, muleta, ottoman, pan, peluche, piqué, ras, ratine, reps, sari, sarong, satin, satinette, sergé, singalette, soie, suédine, surah, taffetas, tarlatane, tartan, tenture, textile, tiretaine, tissu, trentain, tulle, tussor, un, uni, velours, veloutine, zénana.

MADRÉ. Bariolé, bigarré, broussaille, chamarré, composite, diapré, disparate, diversifié, émaillé, grivelé, hétéroclite, hétérogène, hybride, jaspé, marbré, mélangé, mêlé, moucheté, multicolore, pommelé, rayé, ronceux, tacheté, tavelé, tigré, tricolore, varié, veiné, vergeté, zébré.

MADRÉPORE. Anthozoaire, cnidaire, hexacoralliaire, madréporaire, méandrine, polypier, tabule, zoanthaire, zoanthère.

MADRIER. Avivé, basting, chevron, colombage, croisillon, entretoise, poutre, solive, superette.

MADRIGAL. Compliment, composition, coquetterie, galanterie, lamento, madrigaliste, vers.

MADRURE. Broussin, excroissance, exostose, loupe, lunure, maillure, malandre, nodosité, nœud.

MAELSTROM. Aiguillon, agitation, bourrasque, gouffre, grain, malstrom, rafale, remous, saut périlleux, tohu-bohu, tourbillon, trombe, trotteuse, turbulence, valse, vortex.

MAESTRIA. Acrobatie, adresse, agilité, aisance, art, as, brio, capacité, chic, dextérité, habileté, possibilité, virtuosité.

MAESTRO. As, expert, génie, maître, musicien, phénix, prodige, soliste, surdoué, talent, virtuose.

MAFFLU. Arrondi, bouffi, boursouflé, gonflé, gras, gros, joue, jouflu, rond.

MAFIA. Association, bande, camarilla, camorra, clan, clique, coterie, gang, groupe, omerta, pègre, réseau, triade, yakuza.

MAGANÉ. Abîmer, brisé, cassé, dégradé, délabré, détérioré, endommagé, esquinté, malade, mutilé, tourné, usé.

MAGANER. Abîmer, abraser, abuser, affaiblir, amincir, amoindrir, araser, avachir, biaiser, consommer, corroder, dépenser, disposer, effacer, effriter, élimer, émeri, émousser, entamer, épointer, épuiser, érafler, éroder, fatiguer, finasser, gâter, laminer, limer, meuler, miner, mordre, raguer, râper, rayer, roder, ronger, ruser, saper, servir, user, vider.

MAGASIN. Agence, arsenal, barillet, bazar, bock, boutique, chai, chemiserie, commerce, débit, dépôt, échoppe, entrepôt, épicerie, établissement, étal, ganterie, graineterie, hangar, librairie, marché, mercerie, miroiterie, œnothèque, officine, papeterie, parfumerie, poissonnerie, quincaillerie, réserve, resserre, salon, soute, supérette, supermarché, surplus, vitrine.

MAGASINAGE. Achat, acquêt, acquisition, action, appropriation, chaland, commande, commissions, conquêt, course, échange, emplette, fiducie, mémorisation, obtention, provision, shopping, usucapion.

MAGAZINE. Annonce, apparition, ban, bimensuel, bulletin, digest, divulgation, édition, gazette, hebdo, hebdomadaire, journal, lancement, livre, mensuel, numéro, organe, ouvrage, parution, publication, quotidien, recueil, rédactionnel, revue, sortie, tabloïd, tirage.

MAGE (n. p.). Balthazar, Crowley, Gaspard, Gautamâ, Melchior, Zoroastre.

MAGE. Alchimiste, astrologie, devin, juge, gnose, maje, magicien, magie, prêtre, roi, savant.

MAGHREB, PAYS (n. p.). Algérie, Lybie, Maroc, Mauritanie, Tunisie.

MAGHRÉBIN. Algérien, arabe, berbère, beur, bougnoul, bougnoule, fez, gourbi, marocain, maure, musulman, saharien.

MAGICIEN (n. p.). Beaulne, Bergeron, Boucher, Cailloux, Choquette, Circé, Cloutier, Copperfield, Couture, Desmarais, Désy, Frédo, Gendron, Laramée, Major, Marotte, Médée, Merlin, Outerbridge, Paquette, Petit, Talbi, Vendette.

MAGICIEN. Aymon, chaman, cire, conjurateur, devin, enchanteur, ensorceleur, envoûteur, escamoteur, fée, grimoire, illusionniste, mage, merlin, muscade, nécromancien, occulte, prestidigitateur, sorcier, thaumaturge.

MAGICIENNE (n. p.). Circé, Médée.

MAGIE. Blanche, cabale, charme, ésotérisme, féérie, fétiche, gnose, goétie, hermétisme, illusion, maléfice, mystère, noire, occultisme, prestidigitation, rose, sorcellerie, sorcier, talisman, théosophie, théurgie.

MAGIQUE. Anormal, bizarre, brusque, cabalistique, curieux, déconcertant, drôle, enchanté, épatant, étonnant, étrange, fétiche, formidable, imprévu, merveilleux, mirifique, nouveau, œil, rapide, rare, sciant, surprenant, stupéfiant, super.

MAGISTER. Ambitieux, ampoulé, arrogant, chiqué, crâneur, cuistre, faraud, fat, fier, imbu, morveux, orgueilleux, pécore, pédant, péteux, poseux, précieux, présomptueux, prétentieux, snob, snobinard, sot, vain, vaniteux.

MAGISTÈRE. Chef, chef de cœur, conducteur, coryphée, danseur, deuxième, entraîneur, gourou, guide, guru, leader, mahatma, maître, meneur, pandit, pasteur, phare, rassembleur, sage, pape.

MAGISTRAL. Accompli, achevé, complet, consommé, délai, distingué, effectué, fait, fini, idéal, impeccable, imperfectif, impérieux, inaccompli, incomparable, inégalable, irréalisable, mieux, modèle, non-accompli, parfait, passé, perfectif, réalisé, révolu, sonné, supérieur, terminé, unique, venir.

MAGISTRAT. Arabe, archonte, bourgmestre, cadi, capitoul, censeur, consul, cour, décemvir, échevin, édile, éfendi, effendi, émérite, éphore, épitoge, éponyme, fécial, fétial, fonctionnaire, juge, jurât, lord-maire, maïeur, maire, ministre, parquetier, podestat, polémarque, préfet, préteur, prévarication, procureur, prytane, questeur, robe, robin, stratège, substitut, suffète, toque, tribun, tribunal, viguier.

MAGISTRAT ATHÉNIEN (n. p.). Métronome, Thesmothète.

MAGISTRAT AUTRICHIEN (n. p.). Gross.

MAGISTRAT BRITANNIQUE (n. p.). Mansfield.

MAGISTRAT CANADIEN (n. p.). Berthelot.

MAGISTRAT ESPAGNOL (n. p.). Jovellanos.

MAGISTRAT FRANÇAIS (n. p.). Aguesseau, Aligre, Bodin, Brisson, Brosses, Broussel, Caumartin, Desèze, Du Bourg, Dupin, Fouquier-Tinville, Fualdès, Guilleragues, Harley, Hénault, Jeannin, Juvénal, Lamoignon, Le Chalotais, L'Hospital, Malesherbes, Miromesnil, Miron, Molé, Monsabert, Ormesson, Pasquier, Pibrac, Portalis, Rapin, Talon, Thou, Tocqueville, Tronchet, Turgot, Veil.

MAGISTRAT GREC (n. p.). Thesmothète.

MAGISTRAT SOVIÉTIQUE (n. p.). Vychinski.

MAGISTRATURE. Ambassade, chancellerie, consulat, daterie, représentation, résidence, secrétariat.

MAGMA. Aplite, cendre, cheminée, cône, couche, coulée, cratère, dyke, éruption, fumerolle, gabbro, geyser, ichor, irruption, laccolite, lapilli, lave, liquide, montagne, neck, nuage, orle, péléen, pic, pluton, salse, scorie, sill, zéolithe.

MAGNAN. Annélide, apode, arénicole, ascaride, ascaris, asticot, bilharzie, cestode, chenilles, ciron, cirre, distome, douve, filaire, flat, helminthe, iule, larve, lombric, némathelminthe, nématode, némerte, néréide, néréis, nu, oxyure, palot, planaire, polychète, sabelle, sangsue, serpule, solitaire, spirorbe, strongle, strongyle, tænia, taret, ténébrion, ténia, térébelle, trématode, trichine, ver, vermicide, vermicule, vermidien, vermifuge.

MAGNANIME. Bienveillance, bon, bonté, clémence, clément, cœur, généreux, grand, indulgence, noble.

MAGNANIMITÉ. Abnégation, altruisme, aumône, bienfait, bonté, cadeau, charité, cœur, désintéressement, dévouement, don, étroitesse, générosité, grandeur, héroïsme, humanité, largesse, libéralité, noblesse, présent, prodigalité, sacrifice, secours.

MAGNAT. Baron, bonze, chef, leader, maître, mandarin, meneur, notable, personnalité, vedette.

MAGNER. Assouplir, bouger, combiner, contrôler, dépêcher, diriger, fondre, jongler, malaxer, manier, manipuler, manœuvrer, mêler, mener, pétrir, prendre, presser, servir, tâter, tenir, toucher, tripoter, triturer.

MAGNÉSIE. Agar-agar, bourdaine, cassier, cathartique, évacuant, lavement, laxatif, mauve, psyllium, purgatif, purge, rhubarbe, ricin, séné, senne, sorbitol, suppositoire, tamar, tamarin, tamarinier.

MAGNÉSITE. Carbonate, carbone, écume, écume de mer, émeri, giobertite, sépiolite.

MAGNÉSIUM. Mg.

MAGNÉTIQUE. Affriolant, aguichant, aimable, alléchant, appât, attachant, attirable, attirant, attracteur, attractif, attrait, attrayant, captivant, charmant, engageant, fascinateur, piquant, ravissant, séduisant, sexy, tentant.

MAGNÉTISER. Aimanter, captiver, charmer, fasciner, hypnotiser, influencer, subjuguer, suggérer.

MAGNÉTISEUR. Charlatan, féticheur, guérisseur, homéopathe, hypnotiseur, hypnotiste, kinésiste, kinésithérapeute, médecin, naturopathe, rabouteux, ramancheux, rebouteux, sophrologue, sorcier, thérapeute.

MAGNÉTISME. Aimant, archéomagnétisme, attrait, boussole, extase, gauss, hypnotisme, sommeil, tesla.

MAGNÉTO. Alternateur, cryoalternateur, dynamo, excitatrice, génératrice, oscillateur, turboalternateur.

MAGNÉTOPHONE. Boulier, chiffreur, codeur, compteur, cryptographe, dictée, encodeur, enregistreur, horodateur, indicateur, mouchard, péritéléphonie, pointeur, tachymètre, taximètre, volucompteur.

MAGNÉTOSCOPE. Bande, court-métrage, clip, enregistreuse, film, métrage, projection, vidéo, vidéoclip.

MAGNIFICENCE. Apparat, éclat, faste, générosité, grandeur, lustre, luxe, majesté, merveille, monument, pompe, prodigalité, richesse, royalement, solennité, somptuosité, splendeur.

MAGNIFIER. Amuser, chanter, célébrer, cérémoniser, chômer, commémorer, concélébrer, dire, entonner, fêter, fiancer, honorer, inaugurer, louer, marquer, nocer, officier, pavoiser, prêcher, sanctifier, solennel, vanter.

MAGNIFIQUE. Admirable, beau, belle, célèbre, éclatant, merveilleux, noble, somptueux, splendide, superbe.

MAGNIFIQUEMENT. Adroitement, agréablement, bien, coquettement, élégamment, gracieusement, habillement, harmonieusement, joliment, mignardement, mignonnement, plaisamment, superbement.

MAGNOLIACÉE. Badiane, badianier, magnolia, magnolier, obovata, ranale, tulipier.

MAGOT. Argent, crapaud, crapoussin, figurine, grisbi, laid, macaque, masse, nain, sapajou, singe, trésor.

MAGOUILLE. Affaires, machination, manigance, marchandisage, négociation, tractation, traficote, tripatouillage.

MAGOUILLER. Agioter, boursicoter, brader, bricoler, brocanter, colporter, combiner, débiter, échanger, falsifier, fourger, fricoter, machiner, manigancer, maquignonner, négocier, spéculer, trafiquer, tripoter.

MAGOUILLEUR. Affairiste, agioteur, arriviste, calculateur, combinard, intrigant, machinateur, malin, manipulateur, manœuvrier, maquillon, opportuniste, politicard, roublard, roué, rusé, spéculateur, triporteur.

MAHATMA. Chef, chef de cœur, conducteur, coryphée, danseur, deuxième, entraîneur, gourou, guide, guru, leader, magistère, maître, meneur, pandit, pasteur, phare, rassembleur, sage, pape.

MAHDI. Ablégat, agent, délégué, député, diplomate, émissaire, envoyé, internonce, mandataire, messager, représentant.

MAHOMET (n. p.). Abbas, Abbasside, Abdallah, Ali, Amr, Bagdad, Hedjaz, Omeyyade, Sunna.

MAHOMET. Chef, hadith, hégire, prophète, sunna.

MAHOMÉTAN (n. p.). Omar.

MAHOMÉTAN. Arabe, chérif, émir, hadith, imam, iman, islamité, musulman, sumo, sunna.

MAIE. Bâche, benne, boîte, cadre, cagnotte, caisse, caissette, caisson, carrosserie, carton, cave, coffre, coffret, colis, conteneur, fût, harasse, huche, koto, malle, paquet, pétrin, tambour, tare, tiroir, tiroir-caisse, tombereau

MAIGRE. Amaigri, amenuisé, aminci, cachectique, carcan, carcasse, décharné, desséché, échalas, échalote, efflanqué, émaciation, émacié, étiage, étique, étisie, grêle, gringalet, hâve, maigrelet, maigrichon, maigriot, marasme, mince, momie, osseux, sauterelle, sciène, sec, squelette.

MAIGRELET. Amaigri, amenuisé, aminci, cachectique, carcan, carcasse, décharné, desséché, efflanqué, émaciation, émacié, étiage, étique, étisie, grêle, gringalet, hâve, maigre, maigrichon, maigriot, marasme, mince, poisson, sauterelle, sciène, sec, squelettique.

MAIGREMENT. Avarement, chétivement, chichement, cupidement, mesquinement, modestement, modiquement, parcimonieusement, pauvrement, petitement, prudemment, serré, sordidement, usurairement.

MAIGREUR. Cachexie, étisie, hectisie, insuffisance, médiocrité, minceur, modicité, pauvreté.

MAIGRICHON. Amaigri, amenuisé, aminci, cachectique, carcan, carcasse, chétif, décharné, desséché, efflanqué, émaciation, émacié, étiage, étique, étisie, grêle, gringalet, hâve, maigre, maigrelet, maigriot, marasme, mince, poisson, sauterelle, sciène, sec, squelettique.

MAIGRIR. Affiner, amaigrir, amincir, atténuer, dépérir, dessécher, efflanqué, fondre, mincir.

MAIL. Avenue, balade, cavalcade, centre, chevauchée, circuit, cours, course, croisière, croquet, déambulation, échappée, errance, excursion, flâner, parc, pas, promenade, randonnée, tour, tournée, vadrouille, virée, voyage.

MAILLE. Ajout, anneau, annelet, boucle, chaîne, chaînon, démêlé, échelle, étoffe, faucon, filet, folle, gansette, haubert, jaseran, maillage, maillon, miton, monnaie, obole, paillon, pelage, perdreau, point, tache, taie, tamis, trame, tricot.

MAILLECHORT. Alfénide, alliage, argentage, argentan, argentation, argenture, melchior, miroiterie.

MAILLER. Bistourner, boudiner, cintrer, contourner, cordeler, corder, courber, croiser, déformer, distordre, entortiller, essorer, étrangler, fausser, gauchir, organiser, rouler, tire-bouchonner, serrer, tordre, tortiller, tourner, triturer, voiler, vriller.

MAILLET. Batte, croquet, hutinet, lève, mail, mailloche, marteau, masse, massue, polo, pressoir.

MAILLOCHE. Angrois, asseau, assette, boucharde, brochoir, ferratier, fou, heurtoir, hie, jet, laie, maillet, manche, marteau, martinet, masse, massue, merlin, oreille, osselet, outil, panne, picot, rivoir, rustique, smille, tille, têtu.

MAILLON. Agrès, alliance, anal, anneau, bague, beigne, bélière, boucle, bride, cercle, cerne, chaîne, chaînon, chevalière, collier, combinaison, coulant, cricoïde, cucurbitain, cucurbitin, écusson, embrayage, erse, erseau, esse, étalingure, étrier, frette, jonc, maille, manchon, manilles, mésothorax, métamère, organeau, piton, proglottis, prothorax, rapprochement, segment, telson, tire-fond, virole.

MAILLOT. Bain, bikini, camisole, chandail, couche, débardeur, gilet, marcel, singlet, string, t-shirt, tee-shirt, tricot.

MAILLURE. Adent, brèche, cavité, clavette, coche, coupure, cran, créneau, crevasse, échancrure, égratignure, enclenche, encoche, engravure, entaille, épaufrure, faille, fente, hoche, incision, madrière, marque, mortaise, moucheture, onglet, raie, rainure, rayure, scarification, sillon, tache, tacheture, tenon.

MAIN. Argot, as, atout, bâton, battoir, bimane, bote, calligraphe, carpe, chiromancie, chirurgie, dextre, doigt, écran, écriture, façon, feuille, fion, gant, geste, gifle, harpe, holographe, index, manchot, manuel, menotte, olographe, palmaire, palme, paluche, papier, patte, paume, pied, pince, pogne, poignée, poing, posséder, roi, tenir, thénar, veinée.

MAINATE. Emberizidé, frugivore, gracula, imitateur, oiseau, passereau, quiscale, stunidé.

MAINE-ET-LOIRE, VILLE (n. p.). Allonnes, Angers, Avrille, Bauge, Chemille, Durtal, Gennes, Montfaucon, Noyant, Pouance, Saumur, Sègre, Tierce, Vernantes.

MAINLEVÉE. Clavetage, confiscation, dactylographié, enregistrement, frappe, intuition, pigée, saisie, saisine.

MAINMISE. Ascendant, domination, empire, emprise, influence, pouvoir, prise, rafle, saisie.

MAINMORTE. Bien, droit, immutabilité, mainmortable, mortaille, personne, serf, succession.

MAINT. Beaucoup, indéterminé, itératif, macédoine, mainte, moult, multitude, nombre, nombreux, plusieurs, polygame, polyglotte, polyvalent, quelques, tmèse, total, union, versicolore.

MAINTENANCE. Conservation, entretien, réparation, service, suivi, vérification.

MAINTENANT. Actuellement, aujourd'hui, déjà, dès, désormais, d'ores et déjà, présent, présentement, pressant.

MAINTENIR. Affirmer, attacher, baguer, boulonner, coller, commander, conserver, continuer, déjà, éclisser, embosser, empoigner, enfermer, entretenir, lacer, lier, or, ores, rester, retenir, river, séquestrer, serrer, soutenir, tenir, voler.

MAINTIEN. Air, allure, apparence, aspect, attitude, carrure, comportement, conduite, confirmation, conservation, contenance, continuité, démarche, façon, figure, ligne, mine, mise, mufti, port, pose, posture, prestance, soutien, survie, tenue, ton, tournure, unir.

MAINTIENT. Appuyer, arc-bouter, armaturer, armer, attacher, certifier, confirmer, conserver, contenir, continuer, durer, entretenir, fixer, immobiliser, muselet, prestance, rester, retenir, soutenir, subsister, tenir.

MAIRE. Alcade, appariteur, bailli, ban, bourgmestre, chef, échevin, édile, gouverneur, hôtel de ville, lord-maire, magistrat, maïeur, mairesse, mairie, municipalité, village.

MAIRE, AUSTRASIE (n. p.). Anségisel, Carloman, Herstal, Martel.

MAIRE, BELFORT (n. p.). Chevènement.

MAIRE, BORDEAUX (n. p.). Chaban-Delmas, Jupré.

MAIRE, BRAZZAVILLE (n. p.). Youlou.

MAIRE, DECAZEVILLE (n. p.). Ramadier.

MAIRE, FORT-DE-FRANCE (n. p.). Césaire.

MAIRE, LA ROCHELLE (n. p.). Guiton.

MAIRE, LILLE (n. p.). Mauroy.

MAIRE, LISBONNE (n. p.). Sampaio.

MAIRE, LONDRES (n. p.). Tyler, Wilkes.

MAIRE, LYON (n. p.). Barre, Herriot.

MAIRE, MARSEILLE (n. p.). Defferre.

MAIRE, MONTRÉAL (n. p.). Abbott, André, Bourque, Cassidy, Drapeau, Ferrier, Fournier, Houde, Martin, Nelson, Raynault, Rinfret, Rodier, Smith, Tremblay, Viger.

MAIRE, NEUSTRIE (n. p.). Ébroïn, Martel.

MAIRE, NEW YORK (n. p.). Bloomberg, Giuliani.

MAIRE, PARIS (n. p.). Arago, Bailly, Chirac, Ferry, Garnier-Pagès, Marrast.

MAIRE, QUÉBEC (n. p.). Alleyn, Auger, Borne, Brousseau, Drouin, Frémont, Hamel, Hossack, Lallier, Lamontagne, Pelletier, Pigeon, Stuart.

MAIRE, ROUEN (n. p.). Lecanuet.

MAIRE, SAINT-CHAMAND (n. p.). Pinay.

MAIRE, STRASBOURG (n. p.). Dietrich, Pflimlin.

MAIRE, TEHERAN (n. p.). Hamadinejad.

MAIRIE. Administration, aumônerie, bureau, chant, cogérance, curie, dème, division, douane, fisc, gérance, gestion, juridiction, ministère, nome, poème, poste, régie, régime, syndic, trust.

MAÏS. Blé d'Inde, céréale, crib, épi, farine, foufou, jaune, millas, millasse, pop corn, turquet, zéine.

MAISON. Âtre, baraque, bastide, bâtiment, bâtisse, bercail, bicoque, bordel, boutique, buron, cabane, cagna, cambuse, capite, case, cassine, castel, chalet, chartreuse, château, chaumière, clandé, coron, cottage, couvent, crèche, datcha, demeure, domicile, échoppe, école, ermitage, famille, faré, folie, foyer, gîte, habitation, hospice, hôtel, hutte, institution, insula, intérieur, isba, logement, logis, lupanar, maisonnette, mas, masure, ménage, monastère, motel, niche, nid, passe, pavillon, pénates, pension, propriété, résidence, smala, soue, toit, triplex, tripot, villa.

MAISONNÉE. Achéen, aristocrate, belle-famille, bercail, chez, clan, este, ethnie, famille, feu, foyer, généalogie, gens, groupe, maison, né, népotisme, noble, ordre, parent, parenté, patrimoine, phratrie, princière, race, rosacée, smala, smalah, tribu, type.

MAISONNETTE. Abri, baraque, bicoque, buron, cabane, cabanon, cahute, carbet, case, chaume, chaumière, chenil, clapier, couveuse, gloriette, gourbi, hutte, isba, loge, maison, mansarde, masure, muette, niche, refuge.

MAÎTRE (n. p.). Albrechtsberger, Amati, Amon, Aurobindo, Barrow, Beauchamp, Chiron, Confucius, Gamaliel, Indra, Isée, Isocrate, Jupiter, Lysippe, Me, Putiphac, Pyrrhon, Quetzalcóatl, Yoritomo.

MAÎTRE. Arbitre, avocat, censeur, chef, défenseur, éducateur, élève, enseignant, gourou, grade, guru, hôtel, instituteur, légiste, majordome, mater, mentor, officier, patron, pouvoir, professeur, roi, seigneur, steward, vatel, virtuose, volonté.

MAÎTRESSE (n. p.). Aspasie, Brown, Chamdivers, Champmeslé, Châteauroux, Claudel, Desmares, Diane de Poitiers, Du Parc, Éthique, Lesbie, Phryné, Poisson, Pompadour, Poppée, Sorel.

MAÎTRESSE. Adultère, amante, concubine, entretenue, favorite, liaison, môme, nana, passion, poule.

MAÎTRISABLE. Analysable, comparable, constatable, contrôlable, domptable, répressible, testable, vérifiable.

MAÎTRISE. Adresse, contenu, contrôle, fermeté, flegme, maestria, MST, posé, pouvoir, rassis, sang-froid.

MAÎTRISER. Art, arrêter, asservir, assujettir, calmer, contenir, contrôler, discipliner, dominer, dompter, église, enchaîner, fasciner, juguler, mâter, neutraliser, posséder, pouvoir, soumettre, subjuguer, surmonter, tenir, triompher, vaincre, volonté.

MAÏZENA. Blé, bluter, bouillie, cassave, couscous, enfariné, farine, farineux, fécule, foutou, gari, grésillon, griot, gruau, kacha, kache, lin, maïs, millias, milliasse, minot, minoterie, mouture, pain, pâte, poudre, roux, salep, sasser, semoule, sinapisé, ténébrion.

MAJESTÉ. Dignité, grandeur, gravité, hiératique, lis, lys, majestueux, noblesse, sm, solennité, titre.

MAJESTUEUX. Auguste, beau, colossal, fier, grand, grandiose, grave, impérial, imposant, largo, monumental, noble, olympien, royal, solennel, souverain.

MAJEUR. Adulte, capital, doigt, étude, fort, grand, grave, gros, important, médius, ordre, urgent, vital.

MAJOR (n. p.). Ligneris.

MAJOR. Agence, armée, bureau, cacique, chef, grade, institution, meilleur, premier, société.

MAJORATION. Accroissement, augmentation, bénéfice, élévation, hausse, malus, montée, plus-value.

MAJORDOME. Avenier, boy, chasseur, cocher, convers, cuisinier, domestique, familial, familié, foyer, gardien, harnacheur, jardinier, lad, larbin, maison, nurse, page, palefrenier, servante, serveur, serviteur, valet.

MAJORER. Amplifier, augmenter, bonifier, élever, déterminer, enfler, gonfler, hausser, rehausser, relever, revaloriser.

MAJORITÉ. Âge, élu, masse, mineur, nombre, plébiscite, plupart, quorum, suffrage, voix, vote.

MAJUSCULE. Capitale, initiale, lettre, lettrine, minuscule.

MAL. Affection, algie, bobo, calamité, calomnie, céphalalgie, céphalée, dommage, douleur, élancement, erreur, faute, fléau, gangrène, hydre, lèpre, lombalgie, louper, maladie, maladroit, malandre, malheur, mauvais, migraine, naupathie, nostalgie, odontalgie, otalgie, otite, panaris, péché, plaie, vengeance.

MAL DE MER. Abattement, aversion, berk, beurk, découragement, dégoût, démoralisation, écœurement, haut-le-cœur, lassitude, mépris, naupathie, nausée, ras-le-bol, répugnance, répulsion, soulèvement.

MALACOSTRACÉ. Amphipode, cloporte, crabe, crustacé, eucaride, gammare, isopode, langouste.

MALADE. Alèse, aliéné, anamnèse, bilieux, condamné, chien, crève, crétin, dérangé, dolent, enroué, exeat, fou, garde, gâteux, grabataire, magané, moribond, nase, naze, pâle, perdu, pestiféré, psychopathe, receveur, soin, sonde, souffrant, sujet.

MALADIE (3 lettres). Cas, gaz, mal, MTS, rot.

MALADIE (4 lettres). Acné, aura, coma, cure, gale, muet, palu, pian, rage, tare, toux, sida, zona.

MALADIE (5 lettres). Alité, aphte, carie, casse, crise, crohn, croup, diète, ergot, folie, fonte, galle, iléus, lèpre, loque, larvé, lupus, manie, morve, otite, ozène, pépie, peste, polio, rhume, santé, sérum, sprue, tabès, virus.

MALADIE (6 lettres). Abasie, amusie, anémie, angine, anurie, ascite, asthme, ataxie, cancer, carate, cécité, chorée, colite, dartre, dengue, eczéma, fièvre, gourme, goutte, grippe, herpès, ictère, iléite, larvée, muguet, mycose, nævus, nausée, nielle, œdème, oïdium, pelade, piétin, pousse, rouget, sodoku, sonore, suette, teigne, typhus, ulcère, urémie.

MALADIE (7 lettres). Aboulie, amnésie, amylose, aphasie, aphémie, apraxie, astasie, bursite, carreau, cécidie, chancre, charbon, choléra, claveau, colique, cystite, dermite, diabète, dourine, endémie, graisse, malaria, mildiou, myélite, névrose, pébrine, podagre, pyrexie, pyrosis, rouille, roulure, rubéole, scorbut, tétanos, tournis, typhose, vaccine, variole, vertigo, zoonose.

MALADIE (8 lettres) Acariose, acinésie, agraphie, akinésie, alopécie, amibiase, angoisse, anorexie, arthrite, arthrose, arythmie, athétose, béribéri, black-rot, catarrhe, céphalée, chlorose, cirrhose, clavelée, dartrose, diarrhée, entérite, énurésie, épidémie, friselée, frisolée, fumagine, glaucome, hépatite, impétigo, ladrerie, leucémie, mélanome, mosaïque, narthrie, néphrite, nosémose, oreillon, orphelin, oxyurose, paranoïa, pélanose, pellagre, perlèche, psychose, rougeole, sclérose, scrofule, silicose, syndrome, syphilis, tavelure, typhoïde.

MALADIE (9 lettres). Acalculie, acrodynie, affection, amiantose, anévrisme, apoplexie, asynergie, asystolie, avimonose, bronchite, byssimose, cataracte, cholérine, chronique, condylome, dermatite, dermatose, diphtérie, endémique, épilepsie, épiphytie, épizootie, érésipèle, érysipèle, étiologie, filariose, flacherie, fusariose, gingivite, graphiose, grasserie, hémogénie, iatrogène, infection, méningite, moniliose, myocardie, myopathie, nosémiase, nosologie, occlusion, ophtalmie, oreillons, ornithose, orpheline, paludisme, parkinson, pneumonie, porphyrie, pourlèche, pourridié, psoriasis, pullorose, séborrhée, syphillis, tularémie, urticaire, varicelle, ventaison, verminose.

MALADIE (10 lettres). Amygdalite, anthracose, basophobie, blépharite, brucellose, coccidiose, coqueluche, dysenterie, hémopathie, hémophilie, idiopathie, listériose, muscardine, myasthénie, myxomatose, odontalgie, parasitose, pédiculose, péritonite, phtiriasis, phylloxera, pourriture, psittacose, rachitisme, rhumatisme, scarlatine, septicémie, sporadique, ténopathie, tremblante, trichinose, vermineuse, xérodermie.

MALADIE (11 lettres). Angiomatose, angiopathie, anthracnose, appendicite, arthritisme, ascaridiase, avitaminose, blennoragie, chlamydiose, collagénose, discopathie, encastelure, encéphalite, épididymite, foetopathie, furonculose, hypotension, macrocytose, métropathie, myélopathie, neuropathie, nosographie, ostéopathie, ostéoporose, parodontose, traumatisme, tuberculose, vespertilio, vomissement.

MALADIE (12 lettres). Actinomycose, aspergillose, astigmatisme, blennorragie, cardiopathie, cérébelleuse, constipation, échauboulure, embryopathie, entérocolite, entéropathie, helminthiase, hernie de chou, hypertension, hyponcondrie, idiopathique, intoxication, mélitococcie, mononucléose, néphropathie, paratyphoïde, pneumopathie, poliomyélite, psychopathie, rétinopathie, rickettsiose, salmonellose, spirochétose, toxoplasmose.

MALADIE (13 lettres). Conjonctivite, contamination, éléphantiasis, mucoviscidose, schizophrénie, streptococcie, tréponématose.

MALADIF. Anémique, cacochyme, chétif, crevard, débile, délicat, égrotant, faible, fragile, fluet, frêle, hâve, infirme, malade, malingre, malsain, menu, moindre, morbide, pâle, pathologique, souffrant, valétudinaire.

MALADRERIE. Asile, clinique, hôpital, infirmerie, ladrerie, léproserie, maternité, salle, sanatorium, tour.

MALADRESSE. Balourdise, bêtise, bévue, bourde, crevée, erreur, faute, gaffe, gaucherie, impair, inexpérience, inhabilité.

MALADROIT. Andouille, balourd, brise-fer, brise-tout, empêtré, empoté, gaffeur, gauche, godiche, godichon, gourde, grossier, inapte, impolitique, incapable, inconsidéré, inhabile, lourd, lourdaud, malavisé, malhabile, mazette, moule, niais, nigaud, pataud, sot.

MALADROITEMENT. Gauchement, inhabilement, lourdement, mal, malhabilement.

MALAGA. Muscat, pinard, raisin, vin.

MAL-AIMÉ. Bouc émissaire, déshérité, exclu, martyr, souffre-douleur, tête de turc, victime.

MALAIS. Amok, criss, durian, durion, étain, gaur, ikat, indonésien, kriss, langue, prao, sagou, sarong, upas.

MALAISE. Angoisse, ardu, coincé, défaillance, difficile, dysphonie, embarras, ennui, étourdissement, faiblesse, gêne, honte, incommoder, inconfort, indisposition, laborieux, mal, mal-être, mésaise, nausée, oppression, pesanteur, sophrologie, spasmophilie, tétanie, vertige.

MALAISÉ. Ardu, complexe, compliqué, délicat, difficile, dur, épineux, pénible, rude, ténébreux.

MALAISIE, CAPITALE (n. p.). Kuala Lumpur.

MALAISIE, LANGUE. Anglais, chinois, malais, tamoul.

MALAISIE, MONNAIE. Ringgit.

MALAISIE, VILLE (n. p.). Bau, Ipoh, Jesselton, Keda, Kuala Lumpur, Labuan, Lutong, Miri, Muar, Raub, Sabah, Sibu, Victoria, Weston.

MAL À L'AISE. Contraint, contrarié, disgrâce, échec, épreuve, infortune, malchance, malheur, misère, péril, tribulation.

MALANDRE. Articulation, attache, bifurcation, boucle, centre, chaîne, cocarde, collet, coulant, crevasse, dermatose, difficulté, fond, hic, intrigue, issurtille, lacet, lacs, lasso, lien, nœud, œil, os, péripétie, point, rose, rosette.

MALANDRIN. Aiglefin, bandit, brigand, cambrioleur, canaille, chenapan, cleptomane, criminel, détrousseur, entôleur, escroc, filou, fraudeur, fripon, larron, malfaiteur, monte-en-l'air, pillard, receleur, tire-laine, truand, voleur.

MALAPPRIS. Balourd, bourru, brut, brutal, cru, dur, emporté, épais, féroce, goujat, gras, grossier, hirsute, imparfait, impoli, indélicat, lourd, malotru, massif, mufle, ostrogot, ostrogoth, plébéien, rude, rustaud, rustique, rustre, salé, trivial, vil, violent, vulgaire.

MALARIA. Anophèle, chloroquine, fièvre, impaludation, maladie, palu, paludisme, parasitose.

MALAVISÉ. Bête, écervelé, étourdi, évaporé, impoli, imprévoyant, imprudent, impulsif, inconscient, inconséquent, inconsidéré, indiscret, irréfléchi, insouciant, irréfléchi, irresponsable, léger, maladroit, sot.

MALAWI, CAPITALE (n. p.). Lilongwé.

MALAWI, LANGUE. Anglais, chichewa.

MALAWI, MONNAIE. Kwacha.

MALAWI, VILLE (n. p.). Balaka, Chipoka, Chiroma, Dowa, Lifupa, Lilongwé, Malembo, Manda, Phalombe, Salima, Thyolo, Zomba.

MALAXAGE. Amalgame, barattage, brassage, fusion, mélange, remuage, secouage, touillage, turbulence.

MALAXER. Brasser, gâcher, incorporer, manier, manipuler, masser, mélanger, mêler, pétrir, presser, remuer, triturer.

MALAXEUR. Batteur, bétonneuse, bétonnière, drummer, fouet, fouette, lamineur, malaxeur-broyeur, mélangeur, moussoir, percussionniste, pétrin, pétrisseur, rabatteur, tambourinaire, tambourineur.

MALCHANCE. Cerise, déveine, guigne, guignon, infortune, malheur, mésaventure, misère, pauvreté, poisse, scoumoune.

MALCHANCEUX. Affligé, guignard, infortuné, malheureux, miséreux, soucieux, veinard.

MALCOMMODE. Déplaisant, désagréable, embarrassant, encombrant, ennuyeux, envahissant, fâcheux, fatigant, gênant, importun, incommodant, incommode, inconfortable, indiscret, intimidant, lourd, parasite, pénible, pesant.

MALDIVES, VILLE (n. p.). Deddu, Hitaddu, Hitadu, Muli, Tinadu.

MALDONNE. Aberration, abus, ânerie, bavure, bévue, blague, bourde, certitude, coquille, correction, déception, écart, égarement, errements, erreur, espérance, faute, fourvoiement, gaffe, illusion, loup, malentendu, mécompte, méprise, orthodoxie, oubli, perle, réalité, sophisme, vérité, vice.

MÂLE. Agnat, bélier, bœuf, bouc, bouquin, boute-en-train, castrat, cerf, coq, daim, étalon, fils, géniteur, homme, jars, malard, mari, masculin, matou, musc, pénis, sacret, sexe, taureau, tiercelet, verge, verrat, virago, viril, virilité.

MALÉDICTION. Adversité, anathème, blâme, exécration, fatalité, imprécation, malheur, sort, vœu.

MALÉFICE. Charme, destin, diablerie, enchantement, hasard, magie, malheur, sorcellerie, sort, sortilège.

MALÉFIQUE. Démoniaque, diabolique, infernal, malfaisant, malin, néfaste, satanique, surnaturel.

MAL ÉLEVÉ. Canaille, coquin, croustillant, égrillard, espiègle, fripon, galopin, gamin, gaulois, goujat, graveleux, grivois, libertin, libre, licencieux, malappris, malotru, manant, mufle, paillard, polisson, rustre.

MALENCONTREUSEMENT. Dangereusement, défavorablement, désavantageusement, dramatiquement, funestement, gravement, grièvement, imprudemment, mal, nuisiblement, scéniquement, sérieusement, terriblement, théâtralement.

MALENCONTREUX. Contrariant, déplorable, désagréable, dommageable, ennuyeux, fâcheux, gênant, inopportun, malheureux, mésaventure, regrettable.

MALENTENDANT. Mutité, secret, sourd, sourdaud, sourdingue, sourd-muet, surdimutité.

MALENTENDU. Ambiguïté, confusion, équivoque, erreur, maldonne, mécompte, méprise.

MAL-ÊTRE. Angoisse, ardu, coincé, défaillance, difficile, dysphonie, embarras, ennui, faiblesse, gêne, honte, incommoder, inconfort, indisposition, laborieux, mal, malaise, mésaise, nausée, oppression, pesanteur, sophrologie, spasmophilie, tétanie, vertige.

MALFAÇON. Bâclage, barbouillage, bousillage, défaut, défectuosité, déformation, difformité, disgrâce, gribouillage, imperfection, laideur, loup, négligence, sabotage, tare, vice.

MALFAIRE. Bâcler, estropier, gâcher, galvauder, manquer, négliger, saboter, sabrer, torcher.

MALFAISANCE. Aigreur, calomnie, cruauté, dureté, félonie, fiel, fion, fureur, malice, malignité, malveillance, méchanceté, noirceur, perfidie, perversité, rancune, rosse, sadisme, scélératesse, vacherin, venin, vilenie.

MALFAISANT. Acariâtre, acerbe, affreux, agressif, amer, bienveillant, bon, brutal, cochon, corrosif, cruel, dangereux, djinn, excellent, maléfique, malicieux, malin, mauvais, méchant, nuisible, pervers.

MALFAITEUR. Apache, assassin, bandit, brigand, cagoulard, coquin, criminel, ennemi, escroc, extorqueur, filou, fripon, larron, mafia, malfrat, mécréant, meurtrier, pirate, racketteur, ravisseur, sac, scélérat, truand, tueur, usurier, violeur, voleur.

MALFAITEUR. Apache, assassin, bandit, brigand, coquin, criminel, ennemi, escroc, extorqueur, filou, foire, fripon, kidnappeur, larron, mafia, malfrat, mécréant, meurtrier, pirate, racketteur, ravisseur, scélérat, truand, tueur, usurier, violeur, voleur.

MALFAMÉ. Abject, arrogant, bas, canaille, crétin, cynique, dégoûtant, détestable, famé, fumier, gredin, honteux, ignoble, indigne, infâme, lâche, malheureux, méprisable, paria, salaud, salop, salopard, vil, vilain.

MALFORMATION. Acrocéphalie, angiome, bec-de-lièvre, craniosténose, défaut, délétion, dextrocardie, dysmélie, dysplasie, épispadias, extrophie, hypostasia, imperfection, monstruosité, nævus, palmature, phocomélie, polydactylie, spina-bifida, syndactylie, tératogenèse, tératogénie.

MALFRAT. Butor, goujat, grossier, huron, malappris, malotru, malpoli, mufle, polisson, rustre, truand.

MALGACHE. Attacus, épyornis, filanzane, goyave, indri, langue, lémurien, madécasse, maki, tacca, vari, zébu.

MALGRÉ. Absolument, avec, contre, contrecœur, envers, néanmoins, nonobstant, pourtant, quand.

MALHABILE. Balourd, empoté, gauche, gêné, inconséquent, inconsidéré, lourd, lourdaud, maladroit, malavisé.

MALHABILEMENT. Gauchement, inhabilement, lourdement, mal, maladroitement.

MALHEUR. Accident, adversité, affliction, avatar, calamité, cataclysme, catastrophe, chagrin, chute, désastre, disgrâce, échec, épreuve, fatalité, fléau, funeste, glas, infortune, malchance, peine, ruine, salut, sort, souci, tocsin.

MALHEUREUSEMENT. Aïe, dommage, douleur, hélas, las, malheur, plainte, quel, regret, tant pis.

MALHEUREUX. Amer, cruel, fatal, funeste, mauvais, néfaste, noir, pauvre, pénible, rude, triste.

MALHONNÊTE. Bandit, crapule, crapuleux, croche, déloyal, forban, fourbe, gredin, grossier, impoli, improbe, indélicat, indigne, infidèle, injuste, interlope, malpropre, malpropreté, méprisable, morron, tricheur, véreux, vilain, voleur.

MALHONNÊTEMENT. Cavalièrement, cyniquement, déplaisamment, discourtoisement, effrontément, grossièrement, hardiment, impertinemment, impoliment, impudemment, inamicalement, lestement.

MALHONNÊTETÉ. Déloyauté, dissimulation, duplicité, goujaterie, gredinerie, grossièreté, indélicatesse.

MALI. Arriéré, charge, compte, créance, découvert, déficit, dette, emprunt, impayé, passif.

MALI, CAPITALE (n. p.). Bamako.

MALI, LANGUE. Arabe, bambara, dogon, français, peul, sarakolé, sénoufo, tamachaq, touareg.

MALI, MONNAIE. Franc.

MALI, VILLE (n. p.). Ansongo, Bamako, Gao, Kati, Kayes, Mopti, Nampala, Nioto, Ségou, Sikasso, Tombouctou, Yorosso.

MALICE. Diablerie, espièglerie, finauderie, méchanceté, moquerie, rouerie, saloperie, vacherie.

MALICIEUX. Coquin, espiègle, éveillé, farceur, futé, lutin, malin, mauvais, moqueur, mutin, narquois, roublard, rusé.

MALIGNE. Acrimonieux, agressif, dégourdi, fatale, lymphome, mortelle, mycosis, roublard, séminome.

MALIGNITÉ. Glose, malice, malveillance, méchanceté, nocivité, ostéosarcome, ruse, sarcome, venin.

MALIN. Adroit, astucieux, bête, combinard, débrouillard, dégourdi, déluré, diable, fin, finaud, futé, lascar, malicieux, malveillant, mariol, mariole, mariolle, mauvais, méchant, narquois, nocif, pernicieux, renard, rusé, sournois, taquin.

MALINGRE. Chétif, crevard, débile, demi-portion, étiolé, faible, fragile, frêle, maladif, rachitique, sénile.

MALLE. Bagage, caisse, cantine, chapelière, coffre, colis, conteneur, fût, huche, mallette, poste, vache, valise.

MALLÉABILITÉ. Agilité, aisance, anélasticité, dilatabilité, diplomatie, ductile, ductilité, élasticité, élastique, étirable, extensibilité, flexibilité, légèreté, liant, maniabilité, moulabilité, pandémique, plasticité, rénitence, ressort, rouiller, souple, souplesse, sveltesse.

MALLÉABLE. Aluminium, argent, celluloïd, cuivre, docile, douillet, doux, ductile, élastique, façonnable, flexible, influençable, liant, maniable, mou, obéissant, or, plastique, souple, thalium.

MALLÉOLE. Apophyse, atteloire, axe, cabillot, cheville, chevillette, chevron, clavette, clou, épite, esse, fausset, fiche, goujon, goupille, gournable, mollet, péroné, tibia, tige, tourillon, trenail.

MALLETTE. Bagage, cantine, cartable, coffre, fourgon, malle, nécessaire, sac, serviette, soute, valise, valoche.

MALLOPHAGE. Anoploure, aptère, insecte, lente, morpion, pédiculose, phtiriase, pou.

MALMAISON (n. p.). Buzenval, Gérard, Rueil.

MALMENER. Bafouer, battre, bourasser, brigander, brimer, brutaliser, chahuter, danser, éconduire, éreinter, étriller, frapper, houspiller, huer, lapider, maltraiter, molester, piétiner, railler, rudoyer, sabouler, tarabuster, vilipender.

MALNUTRITION. Carence, déficience, dénutrition, épuisement, kwashiorkor, marasme, sous-alimentation.

MALODORANT. Actée, ase, écœurant, fétide, infect, infection, méphitique, nauséabond, puant, putride.

MALOTRU. Butor, goujat, grossier, huron, malappris, malfrat, malhonnête, malpoli, mufle, polisson, rustre, truand.

MALPOLI. Butor, goujat, grossier, huron, malappris, malfrat, malotru, mufle, polisson, rustre, truand.

MALPROPRE. Cochon, corrompu, crado, cradot, crasseux, crotté, dégoûtant, désagréable, gaupe, goret, grivois, immonde, impur, indigne, infâme, infect, maculé, obscène, ordurier, répugnant, sagouin, salaud, sale, sordide, souillé, souillon, taudis, vermine.

MALPROPRETÉ. Boue, chiasse, cochonnerie, crasse, crotte, déchet, détritus, étron, excréments, gâchis, merde, obscénité, ordure, rebut, résidu, rognure, saleté, salissure, saloperie, souillure, tache, tare, vase.

MALSAIN. Antihygiénique, boueux, bourbeux, contagieux, corrompu, égrotant, empesté, immoral, imparfait, impur, infect, infecté, insalubre, mauvais, morbide, pathologique, pervers, pollué, pourri, sain, sale, souffreteux, souillé, vicié.

MALSÉANCE. Discourtoisie, effronterie, goujaterie, grossièreté, impertinence, impolitesse, importunité, incivilité, inconvenance, incorrection, indélicatesse, indiscrétion, insolence, irrespect, irrévérence, muflerie, rusticité, sans-gêne.

MALSÉANT. Choquant, déplacé, grossier, impoli, incongru, inconvenant, incorrect, inopportun, intempestif, trivial.

MALSONNANT. Absurde, abusif, adversaire, adverse, antagoniste, anti, antithèse, antonyme, autrement, concouriste, concurrent, conflictuel, contradictoire, contraire, divergent, envers, étrange, illégal, incompatible, inverse, licencieux, opposé, paradoxe, provocation, tendu.

MALT. Ale, bière, démêlage, lambic, maltage, malterie, malteur, orge, touraillage.

MALTAISE. Agrume, bergamote, bichof, bigarade, clémentine, couleur, fruit, jaune, mandarine, napel, navel, orange, rocou, sanguine, sardoise, saumon, saumoné, sunkist, tango, valence, zeste.

MALTASE. Brucellose, diastase, enzyme, mélitococcie.

MALTE, CAPITALE (n. p.). La Valette.

MALTE, LANGUE. Anglais, italien, maltais.

MALTE, MONNAIE. Livre.

MALTE, VILLE (n. p.). Comino, Cospicua, La Valette, Marfa, Marsaforn, Mosta, Nadur, Paola, Rabat, Victoria.

MALTOSE. Amylase, candi, cassonade, cristallise, disaccharide, enzyme, maltase, ptyaline, sucre.

MALTÔTE. Accise, ad valorem, capitation, charge, contribution, décime, dégrèvement, dîme, droit, écotaxe, excise, franc-fief, imposition, impôt, patente, redevance, surtaxe, tarif, taux, taxation, taxe, tribut.

MALTRAITANCE. Âpreté, atrocité, barbarie, bestialité, brusquerie, Brutalité, cruauté, crudité, dureté, férocité, grossièreté, précision, ratonade, ratonnade, réalisme, rudesse, sadisme, sauvagerie, sévices, hussarde, verdeur, violence, vulgarité.

MALTRAITÉ. Battu, brimé, dépourvu, gueux, indigent, malmené, mendiant, pauvre, tourmenté.

MALTRAITER. Assaisonner, battre, bourrasser, bourrer, brigander, brimer, brusquer, brutaliser, frapper, frotter, houspiller, malmener, mâtiner, molester, puloter, rabrouer, rudoyer, secouer, tirailler, tourmenter, tyranniser, violenter.

MALUS. Aigrin, baccata, coronaria, douçain, doucin, pathos, pommier, prunifolia, pumila, surin, sylvestri.

MALVACÉE. Alcée, ambrette, baobab, cotonnier, fromager, guimauve, hibiscus, kapokier, ketmie, mauve, tiaré.

MALVALE. Alcée, althaea, bombacée, guimauve, passerose, passe-rose, primerose, rose trémière, tiliacée.

MALVEILLANCE. Animosité, critique, haine, harcèlement, malfaçon, méchanceté, venimeux.

MALVEILLANT. Acerbe, agressif, aigre, antipathique, brutal, chipie, cruel, désobligeant, dur, haineux, hostile, inamical, korrigan, malfaisant, malin, mauvais, méchant, rancunier, rossard, rosse, teigne, tordu, venimeux, vilain, vindicatif.

MALVENU. Change, déplacé, grossier, impertinent, impudent, incongru, inconvenant, intempestif, itinérant, intrus, muté, scabreux.

MALVERSATION. Concussion, déprédation, détournement, exaction, extorsion, péculat, prévarication, trafic.

MALVOYANT. Absolu, amaurotique, amblyope, aveugle, braille, cataracte, non-voyant, taupe, total.

MAMAN. Ascendant, fille, frère, génitrice, mater, maternel, mère, nourrice, parent, sœur, tante.

MAMBA. Amphiptère, anaconda, aspic, basilic, boa, bucéphale, bungare, caducée, céraste, cobra, constrictor, corail, coronelle, couleuvre, crotale, devin, doliophis, élapidé, élaps, eunecte, guivre, haje, hétérodon, hydre, hydrophis, mocassin, naja, ophidien, orvet, python, reptile, serpent, serpenteau, sonnette, trigonocéphale, typhlops, uræus, vipère.

MAMELLE. Aréole, lait, mamelon, nichon, pis, poitrine, sein, tétin, tétine, téton, tette, trayon.

MAMELON. Aréole, butte, colline, élévation, éminence, hauteur, monticule, sein, sommet, tétin.

MAMMIFÈRE (2 lettres). Aï.

MAMMIFÈRE (3 lettres). Âne, pis, rat, rut, ure, yak.

MAMMIFÈRE (4 lettres). Anor, cerf, chat, daim, douc, élan, gnou, hase, inie, lama, lait, lama, lion, loir, loup, lynx, maki, musc, ours, porc, puma, saki, sard, unau, urus, yack, zébu.

MAMMIFÈRE (5 lettres). Avahi, bœuf, chaus, chien, coati, daman, dhole, dingo, drill, éluga, fauve, femme, fossa, furet, homme, hutia, hyène, koala, krill, indri, lapin, lémur, loris, magot, manul, marin, marte, milan, mirza, moine, morse, mulot, okapi, orque, ourse, oviné, pacas, panda, pichi, ratel, raton, renne, saïga, sajou, saola, satis, skons, skunk, singe, sténo, tamia, tapir, taupe, tatou, tayra, tigre, titis, truie, tupaïa, vache, vison, zèbre, xérus.

MAMMIFÈRE (6 lettres). Agouti, alpaga, apelle, aye-aye, bipède, bonobo, cabiai, caprin, castor, cébidé, cétacé, chacal, cheval, chèvre, cobaye, cochon, colobe, coyote, coypou, desman, dugong, édenté, équidé, félidé, fennec, galago, gaufre, gelada, gibbon, girafe, goundi, isatis, jaguar, lièvre, loutre, lycaon, mamelé, martre, mazana, mongos, mouton, muridé, narval, ocelot, onagre, ongulé, otarie, ovibos, papion, phaner, phoque, pinché, porcin, putois, renard, sconse, serval, simien, souris, spalax, suisse, tanrec, tenrec, tupaïa, ursidé.

MAMMIFÈRE (7 lettres). Babouin, baleine, belette, caracal, caribou, chamois, civette, dauphin, échidné, entelle, euphère, fossane, gammare, genette, glouton, gorille, guanaco, guépard, guéréza, hamster, hermine, hocheur, hoolock, hurleur, kodlkod, lemming, léopard, linsang, macaque, moustac, muntjac, nasique, nilgaut, octodon, ondatra, opposum, ouakari, ovipare, primate, ondatra, orcelle, pétaure, protèle, rhytine, rongeur, rorqual, rhytine, sapajou, sarigue, sotalie, tamarin, tarsier, thérien, toupaïe, toupaye, tournis, zorille.

MAMMIFÈRE (8 lettres). Blaireau, cachalot, capybara, cariacou, colocolo, écureuil, éléphant, épaulard, gerbille, gerboise, hérisson, kinkajou, lamantin, lémurien, léporidé, mammouth, mandrill, mangabey, marmotte, marsouin, ouistiti, pacarana, pangolin, panthère, phocidæ, physeter, porcelet, porc-épic, ragondin, ruminant, sciuridé, soricidé, suricate, talapoin, tamanoir, vistache, vivipare, zibeline.

MAMMIFÈRE (9 lettres). Anomalure, arctocyon, binturong, bouquetin, campagnol, carnivore, chevreuil, chimpanzé, chirogale, créodonte, didelphis, dinocéras, euthérien, faux-orgue, glaucomys, glyptodon, hamadryas, hapalémur, hipparion, kangourou, lépilémur, lion de mer, mangouste, marsupial, microcèbe, monotrème, mouffette, mustélidé, myocastor, myopotame, mysticeti, onguiculé, paresseux, phalanger, pholidote, pinnipède, proconsul, renardeau, souffleur, tasmacète, thylacine, veau marin, viverridé, xenarthre, ziphiidæ.

MAMMIFÈRE (10 lettres). Carnassier, chinchilla, fourmilier, chiroptère, hypéroodon, lagomorphe, lagotriche, mastodonte, mésoplodon, mésaxonien, musaraigne, odobenidæ, odontocète, orang-outan, oryctérope, pachyderme, paridigité, phacochère, pétrodrome, phacochère, pinnipedia, procyonidé, quadrupède, prothérien.

MAMMIFÈRE (11 lettres). Balænidaæ, balénoptère, caviomorphe, cheiroptère, condylarthre, digitigrade, fourmillier, insectivore, métathérien, onguligrade, placentaire, plantigrade, préhominien, propithèque, rat-éléphant, solénodonte, tubulidenté.

MAMMIFÈRE (12 lettres). Aplacentaire, chauve-souris, condylarthre, delphinidaæ, globicéphale, imparidigité, léopard de mer, macroscélide, monodontidæ, physeteridæ, prodiscidien, proboscidien, protothérien, vespertilion.

MAMMIFÈRE (13 lettres). Éléphant de mer, eschrichtidæ, galéopithèque, lagénorhynque, ornithorynque, platanistidæ.

MAMMITE. Inflammation, mamelle, mastite, sein.

MANAGEMENT. Administration, conduite, direction, gérance, gestion, gouverne, intendance, logistique.

MANA. Ascendant, autorité, contrôle, dictature, empire, emprise, épistasie, force, griffe, domination, hégémonie, impérialisme, influence, joug, maîtrise, oppression, pouvoir, prépondérance, règne, sujétion, suprématie, tyrannie, union.

MANAGER. Administrateur, agent, curateur, directeur, dirigeant, exécuteur, gérant, géreur, gestionnaire, gouverneur, intendant, logiciel, mandataire, organisateur, régisseur, réserver, syndic, surintendant.

MANANT. Agricole, agriculteur, campagnard, cultivateur, fellah, fermier, gaucho, grossier, habitant, laboureur, paysan, pecmot, péon, péquenot, plouc, plouk, poète, roturier, rural, rustaud, rustique, rustre, terrien, vilain.

MANCENILLIER. Arbre, arbre de mort, arbre-poison, euphorbiacée, fruit, mancenilles, pomme d'api.

MANCHE. Barre, batte, bêche, biroute, bras, caban, cal, cape, coude, coule, crevé, emmanchure, ente, fléau, fouet, gigot, gilet, hampe, mancheron, manchette, manicle, mendier, œil, pagode, partie, poêlon, revanche, rob, robe, set, soie, tube.

MANCHE, VILLE (n. p.). Barfleur, Beaumont, Brecey, Canisy, Carentan, Carolles, Cherbourg, Coutances, Ducey, Gavray, Ger, Granville, Lessay, Marigny, Montebourg, Mortain, Percy, Saint-Lo, Sartilly, Sourdeval, Valognes.

MANCHETTE. Addition, avant-bras, coup, crispin, honneur, nouvelle, poignet, rubrique, sous-titre, titre, une.

MANCHON. Bague, collier, couvercle, fourreau, gaine, gantelet, lampe, louve, main, nille, paillon, rouleau.

MANCHOT. Adroit, bras, empereur, estropié, gauche, gorfou, habile, palmipède, pingouin, privé, royal, sphéniscidé.

MANCIE. Astral, cabale, cabalistique, caché, chakra, clandestin, cryptique, ectoplasme, ésotérisme, hérésie, hermétique, hétérie, mafia, magie, mana, mystérieux, occulte, possédé, secret, souterrain.

MANDARIN. Baron, bonze, canard, érudit, langue, manitou, notable, pékinois, personnalité, putonghua, titre, vedette.

MANDARINE. Abricot, agrume, clémentine, citrus, couleur, fruit, mandarinier, orange, safran, tangerine.

MANDAT. Charge, commandement, contremandât, fonction, mission, ordonnance, pouvoir, siège.

MANDATAIRE. Agent, agrée, ambassadeur, délégué, envoyé, gérant, observateur, responsable, syndic, trustee.

MANDATER. Abandonner, acheter, assurer, avouer, céder, communiquer, confidence, confier, croire, déléguer, dépêcher, députer, envoyer, épancher, laisser, livrer, ouvrir, prêter, remettre, représenter, transmettre.

MANDEMENT. Adjuration, appel, avis, bref, bulle, écrit, édit, formule, exécutoire, mandat, restriction.

MANDER. Appeler, assigner, changer, citer, comprendre, convoquer, déchiffrer, déférer, demander, éclaircir, expliquer, exprimer, gloser, indiquer, interpréter, justice, porter, rendre, somatiser, traîner, transposer, venir.

MANDIBULATE. Antennate, arthropode, crustacé, insecte, mille-pattes, myriapode, péripate.

MANDIBULE. Antennate, bouche, carnassière, clavier, dent, denture, étau, ganache, mâchoire, margoulette, maxillaire, maxille, mors, prognathe.

MANDOLINE. Balalaïka, banjo, buzuki, cithare, citole, gratte, guimbarde, guimbri, guitare, guiterne, guzla, instrument, luth, lyre, mandore, médiator, plectre, samisen, shamisen, sistre, sitar, touchette, turtulette, ukulélé.

MANDRIN. Alène, ciseau, coin, épissoir, estampille, faîteau, marque, poinçon, pointeau, style, titre, trait, trocart.

MANÈGE. Caracole, carrière, chambrière, cirque, flirt, intrigue, jeu, parcours, piste, trépigneuse.

MANETON. Anse, bec-de-cane, cirre, cirrhe, drille, filament, foret, foreuse, hélice, liseron, mèche, nervé, outil, perceuse, queue-de-cochon, spirale, taraud, tarière, tordu, tribade, vilebrequin, vis, vrille.

MANETTE. Balai, barre, joystick, levier, manche, maneton, manivelle, poignée, volant.

MANGANÈSE. Mn, rhénium.

MANGEABLE. Alimentaire, bon, comestible, consommable, croquable, denrée, hygiénique, possible.

MANGEOIRE. Auge, bac, cabane, crèche, doublier, laye, maye, nourrisseur, râtelier, ripe, table, trémie.

MANGER. Absorber, avaler, bâfrer, becter, bouffe, bouffer, bouffetance, boulotter, briffer, brouter, consommer, croquer, croûter, déguster, dévorer, dîner, engloutir, engouffrer, faim, gaver, gorger, goûter, grailler, grignoter, happer, ingérer, jeûner, luncher, mâcher, mangeotter, nourriture, paître, pignocher, prendre, provision, remanger, ronger, ruper, sustenter, tortorer, vider.

MANGE-TOUT. Chiche, gesse, haricot, hâtiveau, pastille, pisolithe, pois, soja, soya.

MANGEUR. Anthropophage, anticlérical, avaleur, bouffeur, carnivore, convive, dévoreur, fourchette, gargantua, géophage, glouton, gobeur, goinfre, goulu, gourmand, ogre, rongeur, saprophage, souricier.

MANGONNEAU. Baliste, bricole, catapulte, dondaine, espringale, onagre, perrière, scorpion.

MANGOUSTE. Carnivore, ichneumon, mangoustan, mammifère, suricate, surikate, viverridé.

MANGUIER. Anacardiacée, arbre, dika, fruit, iba, mangue, oba, palétuvier, rhizopohore, térébinthacée.

MANIABILITÉ. Agilité, aisance, anélasticité, dilatabilité, diplomatie, ductile, ductilité, élasticité, élastique, étirable, extensible, flexibilité, légèreté, liant, malléabilité, moulabilité, pandémique, plasticité, rénitence, ressort, rouiller, souple, souplesse, sveltesse.

MANIABLE. Commode, docile, ductible, élastique, facile, flexible, lâche, manipulation, mobile, mou, souple.

MANIAQUE. Bizarre, chicaneur, compulsif, cyclothymique, euphorique, excessif, exigeant, fantasque, fou, maboul, maladif, mégalo, méticuleux, minutieux, obsédé, original, passionné, pointilleux, pyromane, ridicule, tatillon, toqué, vétilleux.

MANICHÉEN. Adamien, adoption, agapète, arien, chrétien, diocète, donatiste, ébionite, excommunié, exégèse, hérésiarque, hérétique, hétérodoxe, hussite, janséniste, johannite, marcionite, martiniste, monarchianiste, monophysite, montaniste, nestorien, orthodoxe, pélagien, préadamite, protestant, quiétiste, relaps, rose-croix, sabellien, sacramentaire, scotiste, sectaire, socinien, vaudois.

MANICHÉISME. Dualisme, enseignement, magisme, mazdéisme, parsisme, religion, zoroastrisme.

MANICHÉISTE (n. p.). Manès, Mani, Priscillien.

MANICHÉISTE. Avestique, cathariste, dualiste, mazdéen, mazdéiste, parsi, parsiste, zoroastriste.

MANICLE. Bâtier, bourrelier, carré, carrelet, cordonnier, entrave, gant, gantelet, harnacheur, lormier, manche, manique, menotte, mitaine, paumelle, piqueur, protège-main, relieur, sellier, tire-pied, trépointe.

MANIE. Bougeotte, caprice, dada, délire, démence, égarement, ergoterie, fantaisie, fièvre, fixe, folie, frénésie, fureur, goût, habitude, habituel, hobby, idée, marotte, obsession, passion, rage, réunionnite, spécialité, tâte, tic, tocade, toquade.

MANIEMENT. Dépôt, emploi, escrime, gérance, gestion, manipulation, manœuvre, usage, utilisation.

MANIER. Assouplir, bouger, combiner, contrôler, dépêcher, détendre, diriger, employer, fondre, jongler, magner, malaxer, manipuler, manœuvrer, mêler, mener, patouiller, pétrir, prendre, presser, servir, tâter, tenir, toucher, tripoter, triturer.

MANIÈRE. Abord, air, allure, anachronisme, aspect, assiette, attitude, chichiteux, chochotte, conduite, coutume, daube, débit, démarche, élocution, enfantillage, errements, état, expression, façon, facture, forme, genre, girie, guise, hérésie, instar, libertinage, manège, mentalité, méthodologie, mise, mode, mœurs, opinion, parade, pas, pédanterie, port, présentation, psalmodie, qualité, raison, réception, réputation, rite, rythme, schlague, sentiment, simagrée, singerie, singularité, situation, sorte, style, tactique, tenue, ton, touche, tournure, tradition, train, traitement, trolle, version, us.

MANIÉRÉ. Alambiqué, cérémonieux, chichiteux, chochotte, contourné, délicat, façonnier, froid, grimacier, maniériste, mijaurée, minaudier, pimbêche, pincé, poseur, précieux, raffiné, sec, tarabiscoté.

MANIÉRISME. Affectation, afféterie, euphuisme, gongorisme, mièvrerie, mignardise, préciosité, recherche, singularité.

MANIÉRISTE (n. p.). Bassano, Beccafumi, Bellange, Berruguete, Bloemaert, Bronzino, Buontalenti, Caron, Cellini, Coecke, Cornelisz, De Vos, Ferrari, Fontainebleau, Giambologna, Goltzius, Goujon, Greco, La Hire, La Hyre, Lucas de Leyde, Massy, Metsijs, Metsys, Parmesan, Pilon, Pontormo, Pourbus, Primatrice, Romain, Rosso, Salviati, Spranger, Tintoret, Vasari, Véronèse, Vignole, Zuccari.

MANIÉRISTE. Affecté, artisan, cérémonieux, chichiteux, chochotte, dominotier, façonneur, façonnier, formaliste, grimacier, maniéré, minaudier, ouvrier, peintre, poseur, précieux, protocolaire.

MANIFESTANT. Activiste, agitateur, anarchiste, contestataire, cordelier, desperado, émeutier, extrémiste, factieux, frondeur, futuriste, gauchiste, insurgé, insurrectionnel, militant, modéré, mutin, nihiliste, novateur, partisan, putschiste, rebelle, révolté, révolutionnaire, séditieux, subversif, terroriste, trublion, ultra.

MANIFESTATION. Accès, acte, action, allégeance, animation, apparition, bastringue, bonté, bronca, cas, crise, éclair, effusion, émanation, étincelle, éveil, explosion, flambée, folklore, grand-messe, hymne, ictus, jubilé, lueur, mahdisme, pharisaïsme, piquetage, poussée, prémices, rafale, révélation, salon, sentiment, séquelle, signe, sit-in, sorcellerie.

MANIFESTÉ. Affiché, affirmé, annoncé, applaudi, clair, clamé, évident, extériorisé, notoire, ouvert, patent, piqueté.

MANIFESTE. Arsenal, charnel, certain, clair, concret, corporel, engin, équipement, évident, matériel, outil, ouvertement, palpable, patent, physique, réel, sensuel, surplus, tangible, temporel, terraqué, terrestre, train, visible.

MANIFESTEMENT. Clairement, consciencieusement, distinctement, exactement, fidèlement, justement, méticuleusement, nettement, notoirement, perceptiblement, précisément, proprement, religieusement, scrupuleusement, vaguement, visiblement.

MANIFESTER. Aboyer, affecter, afficher, affirmer, annoncer, applaudir, briller, chorus, clamer, conspuer, crever, crier, déclarer, découvrir, déplorer, éclater, émerger, épancher, épanouir, établir, exploser, exprimer, extasier, extérioriser, fraterniser, grimper, ignorer, jubiler, maugréer, mener, montrer, naître, palpiter, paraître, parler, pavoiser, peindre, pester, pétiller, piqueter, plaindre, pointer, prouver, rager, râler, rayonner, récrier, répandre, reparaître, reprendre, respirer, révéler, revenir, rire, ronchonner, rougir, rouspéter, sourciller, surgir, témoigner, tempêter, tiquer, traduire, triompher.

MANIGANCE. Affaires, machination, magouille, marchandisage, négociation, tractation, traficote.

MANIGANCER. Agir, combiner, comploter, fabriquer, falcifier, fricoter, machiner, ourdir, traficoter, trafiquer, tramer, tripoter.

MANIGANCEUR. Activiste, agitateur, anarchiste, contestataire, cordelier, desperado, émeutier, extrémiste, factieux, frondeur, futuriste, gauchiste, insurgé, insurrectionnel, militant, modéré, mutin, nihiliste, novateur, partisan, putschiste, rebelle, révolté, révolutionnaire, séditieux, subversif, terroriste, trublion, ultra.

MANIGUETTE. Amome, aromate, cambouis, cardamome, condiment, épice, graine de paradis, graisse, plante, poivre de Guinée, pomme d'amour, suie, vaseline, zingibéracée.

MANILLES. Abaca, aloès, anneau, bague, cape, chapeau, cigare, cigarillo, étrier, fibre, filin, funin, havane, londrès, maillon, manilles, mégot, ninas, panatela, pulque, robe, rouleau, señorita, tripe.

MANILLON. As, baste, carte à jouer, étalinguer, manilles, piton, spadille, tire-fond, vis.

MANIOC. Arbriseau, cassave, couac, fécule, foufou, foutou, gari, langou, matélé, médicinier, pivori, tapioca.

MANIPULABLE. Commode, démontable, entraînable, facile, influençable, malléable, maniable, traitable, transportable.

MANIPULATEUR. Affairiste, agioteur, calculateur, combinard, financier, gageur, intrigant, machinateur, manœuvrier, maquillon, marchand, marionnettiste, opportuniste, ostéopathe, prestigitateur, spéculateur.

MANIPULATION. Chiropractie, chiropraxie, compulsation, dextérité, empalmage, étiopathie, ex vivo, influence, interpolation, maniement, manœuvre, manutention, marionnettiste, masseur, ostéopathe, taponnage, tricherie.

MANIPULER. Contrôler, déformer, diriger, façonner, gérer, gouverner, influencer, influer, malaxer, manier, manœuvrer, mener, modeler, palper, pétrir, programmer, reprogrammer, taponner, tâter, toucher, tripatouiller, tripoter, triturer, utiliser.

MANITOU. Baron, bonze, caïd, huile, mandarin, notable, patron, personnalité.

MANIVELLE. Arbre, axe, bielle, bobine, charnière, enveloppe, giron, levier, maneton, manette, nilles.

MANNE. Banne, bourriche, cabas, cageot, casse, cloyère, corbeille, corbillon, couffin, dépensier, dilapidateur, élite, flein, gabion, gaspilleur, gouffre, hotte, mannequin, nacelle, nasse, osier, panier, rasse, ruche, scouffin, suc.

MANNEQUIN. Carnaval, épouvantail, fantoche, marionnette, modèle, pantin, poupée, quintaine, tarasque, top, top-modèle.

MANNEQUIN FÉMININ INTERNATIONAL (n. p.). Bourbeau, Campbell, Evangelista, Moss, Schiffer, Tasha, Tennant, Yasmeen.

MANNEQUIN FÉMININ QUÉBÉCOIS (n. p.). Baudains, Bédard, Blais, Bluteau, Bosak, Chagnon, Collar, Fay, Gaul, Gauthier Bigras, Légaré, Lemay, Maksad, Paracchia, Pompizzi, Rostand, Simard, St-Martin, Salois, Skerczak, Soudeyns, Vosko,

MANNITOL. Alcool, cristallin, frêne, hexalcool, mannite, polyalcool, substance.

MANOEUVRABILITÉ. Agilité, aisance, complaisance, diplomatie, docilité, ductilité, élasticité, facilité, flexibilité, kiné, kinésithérapie, légèreté, liant, malléabilité, maniabilité, plasticité, rouillé, rubato, souplesse, sveltesse.

MANOEUVRABLE. Adaptable, agile, aisé, décontracté, dégagé, délié, docile, ductile, élastique, facile, félin, flexible, flou, gracieux, lâche, laine, léger, leste, liant, malléable, maniable, mou, pliable, pliant, riant, soumis, souple.

MANŒUVRE. Action, agrès, appareillage, arrondi, bosco, brique, cabale, combine, croc-en-jambe, croche-pied, débardeur, dol, entourloupe, entourloupette, feinte, grenouillage, intrigue, machination, manège, manigance, manipulation, maquignonnage, menée, mouillage, ouvrier, péon, pion, présélection, refoulement, ressource, salarié, tactique, thème, thète.

MANŒUVRER. Actionner, circonvenir, combiner, conduire, contrôler, diriger, employer, évoluer, exécuter, gouverner, intriguer, manier, manipuler, manutentionner, mener, mouvoir, naviguer, parader, ramer, ruser.

MANOIR (n. p.). Clos-Lucé, Macpherson, Yssé.

MANOIR. Castel, château, demeure, donjon, gentilhommière, habitation, maison, palais.

MANOQUE. Botte, bottillon, bottine, bouquet, carotte, chaussure, claque, cuissarde, demi-botte, escrime, faisceau, gerbe, gerbée, heuse, lieur, ligot, meule, mukluk, santiag, soulier, tabac, talon, tas, tige, trochet, trousse.

MANOUCHE. Bohémien, gadjo, gitan, kalé, nomade, rom, romanichel, saltimbanque, tsigane, tzigane.

MANQUANT. Absent, alibi, contumace, défaillant, disparu, distrait, envolé, étourdi, inattentif, incertain, inattentif, intérim, introuvable, invisible, lointain, lunaire, nul, parti, pensif, rêveur, zombi, zombie.

MANQUÉ. Bancal, boiteux, couturé, défaut, défectueux, déficient, faible, faute, fautif, foireux, imparfait, inadéquat, incorrect, inexact, infirme, insuffisant, loser, mal, mauvais, perdant, péteux, peureux, poltron, râpé, raté, taré, vicieux, vulnérable.

MANQUE. Absentéisme, atonie, béotien, bêtise, carence, débit, déficit, dénuement, disette, échec, empesé, espace, faiblesse, famine, fausseté, faute, gêne, hiatus, idiotie, ignorance, improbité, inconsistance, incurie, inertie, inexpérience, inexpert, inélégance, intempérance, irrespect, jeu, lâcheté, lacune, lenteur, malhabile, misère, monotonie, négligence, nuageux, nullité, obscurité, outrage, outrance, pénurie, perte, privation, pusillanime, rareté, rouillé, sevrage, sottise, tiédeur, timidité, veulerie, vide.

MANQUEMENT. Atonie, défaut, faute, lacune, oubli, outrage, réprimande, trahison, violation.

MANQUER. Baisser, cacher, cesser, chômer, dérober, déroger, discorder, échouer, faillir, lider, flancher, forfaire, gâcher, hésiter, jeûner, louper, merder, omettre, patiner, pâtir, payer, pécher, rater, rider, sauter, sécher, taire, trahir, trébucher.

MANSARDE. Chambre, comble, entretoit, galetas, grenier, membron, réduit, solier, soupente.

MANSUÉTUDE. Apitoiement, attendrissement, bénignité, bienveillance, bonté, charité, clémence, commisération, compassion, compréhension, douceur, grandeur, indulgence, pitié, sévérité, tolérance.

MANTE. Cape, empuse, insecte, manta, manteau, mantelet, orthoptère, poisson, prie-Dieu, raie, religieuse, rochet.

MANTEAU. Amict, burnous, caban, cagoule, cape, capot, capote, casaque, chape, chlamyde, ciré, coule, douillette, gabardine, gueuse, himation, houppelande, imperméable, loden, mante, mantelet, maxi, paletot, pallium, pardessus, parka, pèlerine, pelisse, plan, poncho, raglan, redingote, régolite, saie, sayon, tabar, tabard, toge, vison, voile.

MANTELET. Amict, caban, cagoule, cape, capot, capote, chape, ciré, coule, douillette, gueuse, himation, houppelande, imperméable, mante, manteau, maxi, paletot, pardessus, parka, pèlerine, pelisse, plan, poncho, raglan, redingote, saie, tabar, tabard, toge, voile.

MANTELURE. Barbe, bourre, brosse, chevelure, cheveu, cil, crin, duvet, foin, fourrure, hérissé, hirsute, jarre, laine, mohair, moustache, mue, naturiste, nu, ongle, peigne, pelage, pileux, pilosité, pinceau, plume, poil, robe, selle, soie, sourcil, tif, tisonné, toison, vibrisse.

MANTILLE. Carré, châle, chéret, compromis, cuit, désagréable, écharpe, fâcheux, fanchon, fichu, foulard, foutu, guimpe, irrémédiable, madras, marmotte, mouchoir, pénible, perdu, pointe.

MANTIQUE. Achalandé, acheteur, acquis, adapté, aisé, art, astucieux, auto-stop, commode, concret, coutume, divination, éclectisme, efficace, émérite, essai, facile, fair-play, fonctionnel, malcommode, mancie, maniable, matériel, possible, positif, pragmatique, pratique, routine, usage, usuel, utile.

MANTRA. Adage, aphorisme, apophtegme, axiome, citation, devise, dicton, dogme, maxime, pensée, sentence.

MANUEL. Artisan, artisanat, bricoleur, chiropraticien, grammaire, livre, main, ouvrage, recueil, servile, vade-mecum.

MANUFACTURE. Atelier, draperie, fabrique, industrie, manufacturer, manufacturier, usine.

MANUFACTURIER (n. p.). Oberkampf, Owen, Steinway, Vanrobais.

MANUSCRIT. Archétype, archives, bibliothèque, brouillon, codex, copie, dazibao, dédicace, écrit, grébiche, grébige, obel, obèle, opisthographe, palimpseste, papier, papyrus, papyrologie, tapuscrit, texte, volume.

MANUTENTION. Acconage, aconage, brouettage, camionnage, car, cargo, cession, charroi, circulation, délégation, déplacement, expédition, extase, factage, fret, importation, ire, ligne, locomotive, messagerie, passage, portage, roulage, route, train, transfert, transport, véhicule, via, voie, voiture.

MANZANILLA. Amontillado, jerez, liquoreux, sherry, vin, xérès.

MAO ZEDONG. Jiang Qing, Le grand timonier, Longue marche, Mao Tsé-Toung, Mao Tsö-tong, Révolution culturelle, Zhude.

MAPPEMONDE. Atlas, carte, globe, globe terrestre, hémisphère, planisphère, sphère.

MAQUEREAU. Bonite, entremetteur, lisette, mac, play-boy, poisson, protecteur, proxénète, sansonnet, souteneur.

MAQUETTE. Avant-projet, canevas, crayonné, croquis, dessin, ébauche, esquisse, étude, graphiste, maquettiste, miniature, modèle, plan, plan-relief, projet, réduit, reproduction, rought, schéma, trame.

MAQUIGNON. Ambitieux, arriviste, attentiste, calculateur, cheval, combinard, fraudeur, intrigant, manigranceur, manœuvre, marchand, margoulin, mercanti, opportuniste, profiteur, trafiquant, trompeur.

MAQUIGNONNAGE. Agissements, combine, fricotage, grenouillage, manigance, manipulation, tripotage.

MAQUILLAGE. Camouflage, cosmétique, eye-liner, falsification, fard, grimage, khol, mascara, minaudière, rimmel, trucage.

MAQUILLER. Bidonner, camoufler, déguiser, eye-liner, falsifier, fard, farder, frauder, grimer, maquignonner, plâtrer.

MAQUIS. Complication, dédale, écheveau, labyrinthe, lande, impénétrable, maquisard, méandres, résistant.

MAQUISARD. Consistant, coriace, costaud, dur, durable, endurant, fedayin, fer, ferme, fort, franc-tireur, increvable, infatigable, inusable, ligneux, maquis, rénitent, résistant, robuste, rude, rustique, solide, stable, tenace.

MARABOUT. Adjudant, bouilloire, cigogne, coquemar, devin, koubba, oiseau, plante, talibé.

MARAÎCHER. Agrarien, agriculteur, agronome, areur, betteravier, colon, cultivateur, éleveur, exploitant, fermier, horticulteur, jardinier, labour, laboureur, partiaire, pasteur, paysan, paysannat, planteur, producteur, serriste, terrien.

MARAIS (n. p.). Bessin, Camargue, Cotentin, Dol, Everglades, Faguibine, Lerne, Pontins, Pripet, Saint-Gond, Tiers Parti, Vernier.

MARAIS. Acore, bayou, boue, cob, cistude, douve, étang, étier, fagne, gâtine, grisou, hortillonnage, kob, maiche, mare, marécage, maremme, marigot, méthane, moere, noue, œillet, palud, palude, palus, polder, salin, savane, tourbière, varaigne, vernier, vie.

MARANTA. Arrow-roots, fécule, lemnacée, marantacée, marante, monocotylédone, plante.

MARASME. Accablement, affaiblissement, apathie, arrêt, athrepsie, attaque, atteinte, cachexie, colère, colique, crise, danger, découragement, dépression, embarras, faillite, krach, langueur, malaise, manque, passion, pouffée, ralentissement, récession, stagnation, syncope, tension.

MARASQUE. Anglaise, azerole, bigarreau, cerise, cerisette, cerisier, cherry, cœur-de-pigeon, coulard, drupe, gobet, grappe, griotte, grottier, guigne, guignon, mahaleb, marasca, marasquin, marmotte, merise, merisier, montmorency, reverchon.

MARATHON. Chaussure, corrida, cross, course, derby, drag, épreuve, galopade, incursion, jogging, marche, omnium, poursuite, prix, racer, régate, relais, rodéo, ruée, sprint, stade, tauromachie, tour, trajet, trial.

MARATHONIEN (n. p.). Bikila.

MARATHONIEN. Athlète, coureur, cycliste, dératé, dinornis, ératé, galopeur, jogger, joggeur, pistard, poursuiteur, ratite, relais, rouleur, sprinter, sprinteur, stayer, trotteur, trottineur.

MARÂTRE. Belle-doche, belle-maman, belle-mère, dénaturé, mère, reine mère, voussure, voûte.

MARAUD. Cabotin, charlatan, déveine, foutu, funeste, grabat, hargne, histrion, ignoble, kitsch, mal, malheur, malin, mauvais, méchant, misérable, moche, nocif, nuisible, pétoire, piquette, pire, rafiot, rage, rata, rogne, rosse, sévices, tocard, vaurien, vinasse.

MARAUDAGE. Barbotage, chapardage, duperie, effraction, escroquerie, exaction, extorsion, filouterie, flibusterie, friponnerie, hold-up, kleptomane, larcin, maraud, maraude, piratage, plagiat, rapine, recel, vol, volerie.

MARAUDER. Barboter, chaparder, chiper, dérober, fricoter, piller, piquer, rapiner, récolter, taxi, voler.

MARAUDEUR. Bandit, brigand, cambrioleur, chapardeur, fricoteur, pillard, pilleur, voleur.

MARBRE. Albâtre, brocatelle, calcaire, carrare, chaux, cipolin, dalle, dolomie, granit, granite, griotte, gypse, jaspe, liais, lumachelle, marmoréen, onyx, ophite, paros, portor, sarrancolin, stuc, table, tarso, terrazo, tuile, turquin, veiné, zinc.

MARBRER. Barioler, bigarrer, décorer, jasper, marbreur, marbrure, marquer, rayer, strier, veiner, zébrer.

MARBRIER (n. p.). Donatello, Éphèse, Maiano.

MARBRURE. Bigarrure, jaspure, livedo, moirure, panachure, racinage, rayure, tigré, veiné, veinure, zébré.

MARC. Café, dépôt, drâche, eau-de-vie, fruit, grappa, lie, maret, partage, prénom, raisin, résidu, unité.

MARCASSIN. Babiroussa, camelot, cochon, cochonnet, épic, glouton, goret, grogne, ladre, laie, nourrain, pachyderme, pécari, phacochère, porc, porcelet, potamochère, pourceau, sanglier, soie, solitaire, truie, verrat.

MARCESCENCE. Affaiblissement, appauvrissement, atrophie, déclin, dépérissement, étiolement, ruine.

MARCHAND. Bijoutier, bistrot, bouquetier, camelot, shipchandler, commerçant, crieur, détaillant, diamantaire, disquaire, drapier, écailler, étalier, forain, fourreur, grossiste, hanse, huilier, imagier, lunetier, maquignon, mareyeur, mastroquet, négociant, négrier, nimismate, opticien, pinardier, porcelainier, quincaillier, shipchandler, vendeur, volailler, volailleur, zinc.

MARCHANDAGE. Barguinage, barguinage, conciliation, contrat, conversation, discussion, échange, forfait, maquillonnage, négociation, neutre, pourparlers, préalable, tractation, transaction.

MARCHANDER. Adjuger, aliéner, bazarder, brader, brocanter, cameloter, casser, céder, changer, coller, copermuter, débiter, défaire, démarcher, dénoncer, détailler, discuter, échanger, écouler, épuiser, étaler, exporter, fourguer, mévendre, monnayer, négocier, palabrer, placer, réaliser, refiler, rétrocéder, revendre, sacrifier, servir, solder, trafiquer, trahir, troc, troquer, vendre.

MARCHANDISAGE. Affaires, machination, magouille, manigance, négociation, tractation, traficote.

MARCHANDISE. Arrivage, article, came, camelote, cargaison, commande, denrée, écoulement, emplette, étalage, étalement, inventaire, livraison, lourd, montre, nanar, pacotille, poissade, pontée, rossignol, solde, stock, tonnelage, vivres, vrac.

MARCHE. Action, air, aller, allure, course, défilé, degré, démarche, échelon, escalier, fonctionne, giron, go, gradin, halle, ira, marchepied, méthode, mouvement, pas, procession, processus, progression, promenade, rang, retraite, stawug, tempo, trek, trekking, va.

MARCHÉ. Bazar, boutique, braderie, deal, épicerie, foire, hall, monopole, oligopsone, pacte, place, poissonnerie, souk, tope, trabendo.

MARCHÉ COMMUN (n. p.). C.É.É.

MARCHER. Abasie, aller, ambler, arpenter, arquer, avancer, balader, boiter, chalouper, cheminer, clopiner, courir, crapahuter, déambuler, écloper, emboîter, enjamber, errer, flâner, fouler, galoper, longer, mener, passer, patauger, pavaner, piéter, précéder, rôder, rouler, stagner, suivre, tourner, traîner, trotter, trottiner, vagabonder.

MARCHEUR. Ambulant, coureur, flâneur, nomade, passant, piéton, promeneur, rôdeur, somnambule, venant.

MARCOTTAGE. Adjoindre, ajoutage, bouturage, drageonnage, écussonnage, enracinage, greffage, marquage, multiplication, multiplier, provignage, regreffage, sevrage, taillage, transplantage.

MARCOTTE. Accru, bille, bion, bourgeon, bouton, bouture, cépée, cosson, courson, descendant, drageon, enfant, fils, gourmand, greffe, jet, œilleton, pousse, provin, rejeton, scion, stolon, surgeon, talle.

MARCOTTER. Adjoindre, ajouter, bouturer, drageonner, écussonner, enraciner, enter, entoir, greffage, greffer, greffoir, marquer, multiplier, provigner, regreffer, tailler, transplanter.

MARE. Barbotière, bassin, canardière, cloaque, eau, étang, flaque, gouille, lagon, lagune, marais, marigot, notonecte.

MARÉCAGE. Ciprière, étang, fondrière, grenouillère, jonc, maîche, marais, mare, narse, savane, sebkha, sebkra, tourbière.

MARÉCAGEUX. Arénophile, bas-fond, boueux, bourbeux, bourbier, caillebotis, crotte, fangeux, gadouilleux, gâtine, limoneux, maremmatique, paludéen, palustre, sablonneux, vasard, vaseux.

MARÉCHAL. Armée, boutoir, brochoir, chef, ferrant, ferrière, forge, forgeron, gendarmerie, général, maréchaussée, margis, moraille, officier, paroir, rénette, sans-gêne, sous-maître, sous-officier, tricoises.

MARÉCHAL ALLEMAND (n. p.). Bock, Göring, Goering, Hindenburg, Keitel, Kesselring, Mackensen, Model, Paulus, Reichenau, Rommel, Rundstedt, Schlieffen, Von Paulus, Waldersee, Witzleben.

MARÉCHAL ANGLAIS (n. p.). Alexander, Allenby, Amherst. Montgomery, Tedder, Wavell.

MARÉCHAL AUTRICHIEN (n. p.). Clairfayt, Daun, Ligne.

MARÉCHAL BRÉSILIEN (n. p.). Caxias, Peixoto

MARÉCHAL BRITANNIQUE (n. p.). Gort, Haig, Kitchener, Montgomery, Raglan, Tedder, Wavell, Wilson.

MARÉCHAL FRANÇAIS (n. p.). Aubigny, Augereau, Bazaine, Beauvau, Bernadotte, Berthier, Berwick, Bessières, Beurnonville, Biron, Bosquet, Brancas, Brune, Canrobert, Castellane, Castries, Catinat, Choiseul, Cossé, Créqui, Crèvecoeur, Duras, Fabert, Fayolle, Foch, Forey, Gallieni, Gassion, Gérard, Gié, Gramont, Grancey, Grouchy, Guébriant, Humières, Joffre, Jourdan, Juin, Kellermann, Koenig, Lannes, Lautrec, Lavardin, Leboeuf, Leclerc, Lefèbre, Lévis, Luckner, Luxembourg, Lyautey, Magnan, Marmont, Masséna, Maunoury, Monluc, Mortier, Mouchy, Murat, Navailles, Ney, Niel, Noailles, Ornano, Oudinot, Pétain, Rais, Randon, Rays, Reille, Retz, Rosen, Saxe, Ségur, Serurier, Soult, Suchet, Tallart, Tessé, Toiras, Turenne, Valée, Villars.

MARÉCHAL IRAKIEN (n. p.). Aref.

MARÉCHAL ITALIEN (n. p.). Balbo, Cadorna, Cavallero, Diaz, Graziani.

MARÉCHAL JAPONAIS (n. p.). Oku, Oyama, Terauchi.

MARÉCHAL POLONAIS (n. p.). Pilsudski.

MARÉCHAL PRUSSIEN (n. p.). Gneisenau, Moltke, Roon, Steinmetz.

MARÉCHAL ROUMAIN (n. p.). Antonescu.

MARÉCHAL RUSSE (n. p.). Menchikov.

MARÉCHAL SOVIÉTIQUE (n. p.). Bagramian, Boudienny, Ierememko, Joukov, Malinovski, Timochenko, Tchouïkov.

MARÉCHAL YOUGOSLAVE (n. p.). Tito.

MARÉCHALERIE. Atelier, écuriem, métier, paroir.

MARÉE. Basse, cotidal, estran, étale, fleuve, flot, flux, foule, fraîchin, haute, jusant, lagon, lune, mascaret, mer, morte-eau, noire, plein, océan, onde, raz, reflux, revif, rivière, syzygie, torquette, tsunami, vive-eau.

MAREMME. Acore, bayou, boue, canneberge, cob, cistude, douve, drosera, étang, étier, fagne, gâtine, grisou, hypne, kob, marais, mare, marigot, méthane, moere, noue, palud, palus, polder, salin, savane, sphaigne, tourbière, varaigne, vernier, vie.

MARENGO. Acajou, brun, brun-rouge, couleur, drap, gris, poulet, tissu, veau, veste, village.

MARETTE. Bonde, bondon, bonnet, bouchon, caban, cagoule, calotte, camail, capot, capsule, capuce, capuche, capuchon, chapeau, chaperon, coiffe, coltin, couvercle, cuculle, cupule, capulet, ouïe, tapador, tarbouche.

MARGE. Annotation, apostille, blanc, bord, bordure, brute, cash-flow, délai, différence, écart, espace, facilité, freak, freinte, intervalle, latitude, liberté, margeur, marginal, nota, sursis, temps, tolérance, trésorerie.

MARGELLE. Assise, bande, bord, bordure, collet, ganache, garde, jatte, orée, orle, ourlet, pierre, rebord, saillie, strate.

MARGER. Border, borner, boulotter, caboter, cadrer, carguer, confiner, côtoyer, délimiter, encadrer, encaisser, entourer, franger, garnir, limiter, lisérer, longer, louvoyer, orner, ourler, placer, rogner, suivre, tangenter, toucher, voisiner.

MARGINAL. Accessoire, annexe, asocial, baba, bohème, incident, secondaire, skin, skinhead, zonard.

MARGINALITÉ. Abîme, altérité, changement, désaccord, déviance, différence, dissemblance, dissimilitude, distance, distinction, divergence, diversité, division, divorce, écart, fossé, gouffre, inégalité, intervalle, nuance, séparation, variante, variation, variété.

MARGOT. Ara, avocat, babillard, bavard, causant, causeur, commère, crécelle, discoureur, discret, disert, indiscret, jacasseur, jaseur, long, loquace, orateur, pie, pipelet, prolixe, silencieux, taciturne, verbeux, volubile.

MARGOULETTE. Battre, binette, casser, dent, face, figure, ganache, mâchoire, minois, tête, visage.

MARGOUILLIS. Argile, boue, bouillasse, bourbe, compost, crotte, currure, dépôt, fange, frange, gachis, gadoue, gadouille, illuter, immondice, lie, limon, lut, merde, mousse, papette, poto-poto, rebut, salse, tourbe, vase.

MARGOULIN. Affairiste, agioteur, arriviste, calculateur, combinard, commerçant, financier, gageur, intrigant, machinateur, manipulateur, manœuvrier, maquillon, marchand, opportuniste, spéculateur.

MARGUERITE. Calistephus, chrysanthème, cordage, cuir, gerbera, leucanthème, pâquerette, reine-marguerite, roue.

MARGUILLIER. Arguillier, bedeau, bigot, fabricien, fabrique, hiérodule, laïc, marguillerie, porte-verge, sacristain.

MARI. Beau-frère, beau-père, coloc, cocu, cornard, corne, concubin, conjoint, époux, homme, jules, mec, partenaire, père, veuve.

MARIAGE. Accord, alliance, ban, carte, dirimant, divorce, dot, endogamie, épithalame, épousailles, époux, hétérogamie, homogamie, hymen, hyménée, lien, lit, mésalliance, morganatique, nef, noces, oui, polygamie, polygynie, remariage, sacrement, union, viduité.

MARIAGE, NOCES, ANNIVERSAIRES ANCIENS. Papier (1 an), coton (2 ans), cuir (3 ans), fleurs (4 ans), bois (5 ans), sucre ou fer (6 ans), laine ou cuivre (7 ans), bronze ou faïence (8 ans), faïence ou osier (9 ans), fer ou aluminium (10 ans), acier (11 ans), soie ou lin (12 ans), dentelle (13 ans), ivoire (14 ans), cristal (15 ans), porcelaine (20 ans), argent (25 ans), perle (30 ans), corail (35 ans), rubis (40 ans), saphir (45 ans), or (50 ans), émeraude (55 ans), diamant (60 ans), platine (70 ans), diamant (75 ans), chêne (80 ans).

MARIAGE, NOCES, ANNIVERSAIRES MODERNES. Horloge (1 an), porcelaine (2 ans), cristal ou verre (3 ans), appareils électriques (4 ans), argenterie (5 ans), bois (6 ans), ensemble de bureau (7 ans), dentelle (8 ans), cuir (9 ans), bijoux en diamant (10 ans), bijoux à la mode (11 ans), perle (12 ans), fourrure ou tissu (13 ans), bijoux en or (14 ans), montre (15 ans), platine (20 ans), argent (25 ans), perle (30 ans), jade (35 ans), rubis (40 ans), saphir (45 ans), or (50 ans), émeraude (55 ans), diamant (60 ans), chêne (70 ans).

MARIÉ. Bigame, conjoint, épousé, polygame, polygynie, uni.

MARIER Agencer, allier, apparier, assembler, associer, attacher, bénir, caser, combiner, conjoindre, conjuguer, contracter, convoler, endogamie, épouser, lier, maire, mésallier, remarier, réunir, river, souder, unir.

MARIGOT. Acore, bayou, basse terre, boue, cob, cistude, douve, étang, étier, fagne, gâtine, grisou, kob, lagune, marais, mare, marécage, maremme, méthane, moere, noue, palud, palus, polder, salin, savane, tourbière, varaigne, vernier.

MARIHUANA. Accro, acide, came, cannabis, cocaïne, dealer, dope, drogue, ecstasy, goure, haschich, héroïne, intoxiqué, LSD, marijuana, mixtion, morphine, mortier, neige, onguent, opium, orviétan, pot, remède, séné, seng, sniffer, speed, THG, trip.

MARIN. Ange, animal, bar, batelier, corsaire, flibustier, gabier, lamaneur, loup, luth, marinier, mariol, mariolle, matelot, mer, merle, moco, moussaillon, mousse, nautonier, navigateur, navire, necton, pilote, ponantais, signaleur, subrécargue, terre-neuvas, terre-neuvier, timonier, thon, torpilleur.

MARIN ALLEMAND (n. p.). Behaim.

MARIN AMÉRICAIN (n. p.). Melville, Popeye.

MARIN ANGLAIS (n. p.). Baffin, Chancellor, Cook, Dampier, Davis, Drake, Franklin, Frobisher, Hudson, Raleigh, Ross, Vancouver, Willoughby.

MARIN AUTRICHIEN (n. p.). Weyprecht.

MARIN BRETON (n. p.). Portzmoguer, Primauguet.

MARIN BRITANNIQUE (n. p.). McClure, Parry, Ross.

MARIN CARTHAGINOIS (n. p.). Hannon, Himilcon.

MARIN CRÉTOIS (n. p.). Néarque.

MARIN ÉCOSSAIS (n. p.). Selkirk.

MARIN ESPAGNOL (n. p.). Alaminos, Alarcon, Cano, Colomb, Elcano, Fernandez, Grijalva, Nunez, Ojeta, Pinzon, Soto, Torrès.

MARIN FLORENTIN (n. p.). Vespucci.

MARIN FRANÇAIS (n. p.). Bart, Borda, Bougainville, Bruny, Cartier, Cassard, Champlain, Charcot, Cousteau, Duquesne, Duperrey, Entrecasteaux, Forbin, Grasse, Iberville, La Pérouse, Surcouf, Villeneuve, Willaumez.

MARIN GÉNOIS (n. p.). Colomb.

MARIN GREC (n. p.). Canaris, Kanaris, Pythéas.

MARIN IRLANDAIS (n. p.). McClintock.

MARIN ITALIEN (n. p.). Verrazano, Vespucci.

MARIN NÉERLANDAIS (n. p.). Barents, Batentz.

MARIN NORMAND (n. p.). Béthencourt.

MARIN NORVÉGIEN (n. p.). Amundsen, Nansen.

MARIN PORTUGAIS (n. p.). Cabral, Cam, Cao, Cunha, Dias, Gama, Magellan, Queiros, Tristam, Tristao.

MARIN RUSSE (n. p.). Kotzebue.

MARIN VÉNITIEN (n. p.). Polo.

MARINADE. Aspic, boudin, cataplasme, conception, corroi, cosmétique, crème, émulsion, encre, escabèche, gestation, hachis, jus, mégie, mousse, muire, organisation, pain, pâte, potion, pralin, préparatifs, préparation, projet, purée, recette, rillettes, salé, sauce, saumure, sauris, soluté, rosat, tarama, timbale, vin.

MARINE. Ajust, ajut, bleu, capan, capot, coque, écore, épart, épite, espar, falun, funin, gabie, gaffe, gambe, ganse, herpe, jauge, louve, lusin, marchande, mille, naval, nœud, pale, phare, raban, racage, ralinguer, rhumb, rhums, ride, ridoir, ripage, ripement, ris, risée, roof, rouf, roulage, routeur, rumb, sabord, safran, sain, semence, starie, stop, surbau, surestarie, suspente, tape, tillac, tirant, tire-veille, tolet, tonture, tosser, touée, touret, transfiler, transport, tribordais, vaigre, vergue, vérine, videlle, vigie.

MARINER. Arroser, asperger, auréoler, badigeonner, baigner, baptiser, bassiner, doucher, étuver, guéer, humecter, imbiber, inonder, irriguer, laver, macérer, mouiller, nimber, noyer, ondoyer, plonger, submerger, traverser, tremper, tuber, verser.

MARINIER. Arche, batelier, blouse, croc, gaffe, marin, moule, nautonier, passeur, pilote, sous-marinier.

MARIONNETTE (n. p.). Charleville-Mézières, Petrouchka, Pinocchio.

MARIONNETTE. Bunraku, castelet, fantoche, ficelle, figure, guignol, joruri, mannequin, pantin, polichinelle, pupazzo.

MARIONNETTISTE FÉMININ (n. p.). Adam, Berthiaume, Blais, Brideau, Chevrette, Comtois, Da Silva, De Lorimier, Deslierres, Dufour, Gagnon, Garneau, Gascon, Goyette, Hudon, Lachance, Laplante, Lapointe, Legendre, Leprohon, Lewis, Mercille, Montgrain, Ouellet, Panneton, Perrault, Pilon, Rodrigue, Simard, Trahan, Tremblay, Venne.

MARIONNETTISTE MASCULIN (n. p.). Arsenault, Ayotte, Boisvert, Bourque, Boutin, Châles, Chapleau, Des Lauriers, Duclos, Dufour, Dussault, Fréchette, Gagné, Gagnon, Gélinas, Gilbert, Gladu, Gosley, Hammond, La Barre, Lacombe, Lalancette, Laliberté, Lapointe, Lavallée, Ledoux, Léger, Leroux, Martel, Meunier, Michaud, Paquette, Parenteau, Pellerin, Poitras, Rainville, Ranger, Régimbald, Robitaille, Rochon, Séguin, Tanguay, Tremblay, Trudeau, Umbriaco, Viens.

MARITIME. Abyssal, benthique, caf, côtier, marin, marine, mer, nautique, naval, océanique.

MARITORNE (n. p.). Don Quichotte.

MARITORNE. Acariâtre, carne, carogne, charogne, dragon, gendarme, grenadier, harpie, laide, largue, mal faite, malpropre, mégère, rombière, servante, souillon, tricoteuse, virago.

MARIVAUDAGE. Amabilité, aménité, amour, attention, baratin, civilité, complaisance, compliment, coquetterie, courtoisie, délicatesses, douceur, élégance, empressement, fadaise, fleurette, flirt, galanterie, gentillesse, gracieuseté, madrigal, politesse, prévenance, séduction.

MARIVAUDER. Amuser, badiner, batifoler, berdiner, couliner, drôle, ébattre, folâtrer, folichonner, gai, gaminer, ginguer, lutiner, niaiser, nigauder, papillonner, plaisant, plaisanter, réjouir, solacier.

MARJOLAINE. Amaracus, bâtarde, dictame de Crète, épice, herbe, labiée, origan, plante.

MARKETING. Commercialisation, distribution, marchandage, marchandise, marchéage, mercatique, merchandising, profilage.

MARLIN. Claymore, empereur, épée, espadon, makaire, poisson, poisson-épée, rostre, téléostéen.

MARLOU. Entremetteur, estafier, jules, maquereau, pim, proxénète, souteneur, truand, voyou.

MARMAILLE. Aine, architrave, armada, attroupement, bandage, bande, bandeau, bandelette, banderole, bataillon, bride, calicot, cantonnière, caste, chapelle, clan, clique, cohorte, coterie, dat, école, enfant, épitoge, équipe, escouade, film, gîte, légion, lien, mafia, masse, meute, multitude, nuée, régiment, secte, séton, troupe, troupeau, volée.

MARMELADE. Bouillie, broyé, capilotade, charlotte, charpie, compote, confiture, coulis, couscous, crème, écrasé, fracassée, fruit, gadoue, magma, meurtri, millas, piteux, polenta, porridge, purée.

MARMITAGE. Bombardement, canonnade, canonnage, cyclotron, grenadage, pilonnade, spallation, torpillage.

MARMITE. Bouteillon, braisière, cocotte, crémaillère, cuiseur, daubière, faitout, huguenote, marmitée, pot, pot-au-feu.

MARMITON. Apprenti, cuisinier, cuistot, fouille-au-pot, gâte-sauce, saucier, tournebroche.

MARMONNAGE. Ânonnement, aube, aurore, bafouillage, bafouillis, balbutiement, baragouinage, bégaiement, bredouillage, bredouillement, bredouillis, commencement, début, enfance, jargon, marmonnement, marmottage.

MARMONNEMENT. Ânonnement, aube, aurore, bafouillage, bafouillis, balbutiement, baragouinage, bégaiement, bredouillage, bredouillement, bredouillis, commencement, début, enfance, jargon, marmonnage, marmottage.

MARMONNER. Bouder, bougonner, geindre, grincher, grognasser, grogner, grommeler, gronder, marmotter, maronner, maugréer, murmurer, pester, râler, renauder, renfrogner, rognonner, ronchonner, rouscailler, rouspéter.

MARMORÉEN. Albuginé, argenté, blafard, blanc, blanchâtre, blême, chyle, cireux, crayeux, écume, immaculé, ivoirin, lacté, lactescent, laiteux, lilial, livide, neigeux, opale, opalescent, opalin, pâle, palescent.

MARMOT. Bambin, bébé, enfant, figurine, galopin, garçon, gosse, heurtoir, lardon, mioche, môme, moutard.

MARMOTTAGE. Babil, babillage, bruissement, chant, chuchotement, chuchotis, gazouillement, gazouillis, marmonnage, marmonnement, marmottage, marmottement, murmure, pépiement, ramage, susurration, susurrement.

MARMOTTE. Cerise, daman, dormir, fanchon, malle, mammifère, murmel, rongeur, siffle, siffleux, valise.

MARMOTTEMENT. Babil, babillage, bruissement, chant, chuchotement, chuchotis, gazouillement, gazouillis, marmonnage, marmonnement, marmottage, murmure, pépiement, ramage, susurration, susurrement.

MARMOTTER. Barboter, bredouiller, chuchoter, mâchonner, maronner, maugréer, murmurer, rouspéter, susurrer.

MARMOUSET. Callitriche, callithrix, homme, mammifère, midas, ouistiti, primate, singe, tamarin, type.

MARNE, VILLE (n. p.). Ai, Anglure, Avize, Ay, Beine, Champaubert, Cramant, Esternay, Francheville, Lépine, Marson, Reims, Sillery, Valmy.

MARNE. Calcaire, ciment, craie, engrais, falun, fertilisant, fumier, fumure, glaise, salse, trias, wagage.

MARNER. Agir, besogner, bosseler, bosser, boulonner, bricoler, bûcher, chiner, ciseler, cultiver, écosser, élaborer, fabriquer, façonner, galérer, manœuvrer, occuper, œuvrer, ouvrager, piocher, piocher, produire, rendre, soigner, suer, tracer, travailler, trimer, turbiner.

MAROC. Alfa, arabe, chérifien, fes, fez, kif, kiff, maghzen, mellah, rif.

MAROC, CAPITALE (n. p.). Rabat.

MAROC, LANGUE. Arabe, berbère, français.

MAROC, MONNAIE. Dirham.

MAROC, RÉGION (n. p.). Ifni.

MAROC, VILLE (n. p.). Berkane, Casablanca, Fès, Mazagan, Mogador, Nador, Oujda, Rabat, Safi, Tanger, Taza.

MARONNER. Attendre, bisquer, bougonner, bruire, bruisser, chuchoter, clapoter, crépiter, enreger, gazouiller, geindre, gémir, grogner, grommeler, gronder, marmonner, marmotter, maugréer, murmurer, rager, râler, ronchonner, susurrer.

MAROQUIN. Bourse, buvard, carton, chèvre, classeur, cuir, patte, peau, portefeuille, porte-monnaie, serviette, trousse.

MAROQUINERIE. Basane, chèvre, galuchat, maroquinage, peau, tannerie.

MAROTTE. Caprice, coiffeur, dada, idée, folie, habitude, hobby, idée, manie, routine, sceptre, tête, tic, travers, turlutaine.

MAROUETTE. Astéracée, camomille, composacée, échassier, gibier, maroute, oiseau, râle.

MAROUFLER. Adapter, adhérer, agglutiner, appliquer, appuyer, attacher, boucher, caler, clarifier, coincer, coller, consigner, convenir, donner, encoller, fixer, gommer, imposer, joindre, mastiquer, mettre, placer, punir, recaler, recoller, scotcher, serrer, suivre, tenir, transmettre.

MARQUAGE. Appellation, balivage, ceinturage, ferrage, label, lettrage, nom, rodéo, sigle.

MARQUANT. Étonnant, exceptionnel, fameux, faste, frappant, glorieux, hallucinant, historique, important, impressionnant, ineffaçable, inoubliable, mémorable, mémorial, notable, remarquable.

MARQUE. Apostille, balise, bleu, borne, cachet, cicatrice, coche, curseur, distinction, égard, empreinte, estampille, filigrane, flécher, flétrissure, gage, gnon, impression, jalon, label, martelage, modèle, note, obel, obèle, pinçon, pli, pliure, point, pointure, preuve, repère, reste, ride, salut, sceau, score, signature, signe, souligne, stigmate, strie, style, suçon, tache, témoignage, timbre, titre, trace, trait, vergeure, vestige.

MARQUÉ. Accentué, accusé, bariolé, buriné, caractérisé, cerné, chenu, choisi, compromis, émérite, épatant, étiqueté, fascié, génial, grêlé, indiqué, néfaste, net, pénétré, picoté, piqueté, prononcé, raviné, remarquable, réticulé, ridé, tacheté, tigré, tiqueté, tranché, troué, truité.

MARQUE-PAGE. Aperçu, balise, borne, cairn, cardinal, clap, coche, corne, curseur, décan, défini, degré, échelon, empreinte, index, indice, jalon, liseuse, marque, mire, papier, point, référence, repère, signe, signet, taquet, témoin, vu.

MARQUER. Accentuer, barioler, bouder, ceinturer, cocher, coter, cranter, créner, denteler, déteindre, déterminer, écrire, empreindre, entailler, étiqueter, exprimer, ferrer, flécher, graver, greneler, hachurer, inaugurer, inscrire, insculper, layer, ligner, lourer, marqueter, meurtrir, moucheter, noter, numéroter, parafer, parapher, piquer, piqueter, plisser, poinçonner, pointer, ponctuer, repérer, respirer, rire, sceller, scorer, signer, siniser, strier, tacheter, tamponner, tatouer, taveler, timbrer, tomer, tonsurer, tracer, trancher, tringler, viser, zébrer.

MARQUETÉ. Bariolé, bigarré, criblé, moucheté, piqué, piqueté, pommelé, tacheté, tavelé, truité.

MARQUETER. Barioler, bigarrer, décorer, jasper, jaspure, joaillerie, marbrer, tacheter, touche.

MARQUETERIE. Boule, boulle, mosaïque, négongo, négungo, placage, trompe-l'œil, zellige.

MARQUETEUR (n. p.). Lendinara, Uccello.

MARQUETEUR. Bédane, bois, bricoleur, charpentier, ébéniste, finisseur, gouge, ouvrier, parqueteur, pestum, rabot, râpe, scie, tabletier, valet, varlope.

MARQUEUR. Burin, crayon-feutre, feutre, gouge, poinçon, style, stylet, traceret, traceur, traçoir, trusquin.

MARQUIS (n. p.). Argenson, Azeglio, Barbezieux, Barthélemy, Beccaria, Bonchamp, Boufflers, Bouillé, Bugeaud, Capuana, Castries, Caulaincourt, Cinq-Mars, Coëtlogon, Colbert, Concini, Condorcet, Conrad, Cornwallis, Coulanges, Créqui, Crozat, Cuevas, Curson, Custine, Dalhousie, Dampierre, Dangeau, Dion, Dupleix, Duquesne, Effiat, Ensenada, Estrées, Flers, Fouquet, Galliffet, Graziani, Grouchy, Guénégaud, Halifax, La Fayette, Lansdowne, Laplace, Launay, Lauriston, Lavedan, Louvois, Luynes, Mancini, Mirabeau, Monaldeschi, Montausier, Montcalm, Montferrat, Montrose, Pérignon, Pombal, Pompignon, Pomponne, Rochefort, Rousseau, Sade, Salisbury, Seignelay, Sillery, Spinola, Swann, Tallien, Torcy, Trivulci, Vaudreuil, Vauvenargues, Villena, Villeroi, Vogüé, Wellesley.

MARQUIS. Comte, duc, fief, marquisat, noble, seigneur, titre.

MARQUISAT (n. p.). Montferrat, Saluces, Savoie, Toulouse.

MARQUISE (n. p.). Brinvilliers, Châteauroux, Châtelet, Colonna, Deffand, Entragues, Lambert, Maintenon, Merteuil, Montespan, Pompadour, Rambouillet, Rohmer, Sabli, Sévigné, Valmont.

MARQUISE. Antre, asile, auvent, bague, bergère, cabane, cagna, casemate, chenil, comtesse, couvert, dais, égide, gare, gîte, guérite, hangar, havre, île, niche, refuge, retraite, ruche, taud, tente, titre, toit.

MARRAINE. Baptême, commère, confirmation, filleul, parrainage.

MARRANT. Amusant, bouffon, burlesque, cocasse, comique, drôle, hilarant, plaisant, rigolo, tordant.

MARRE. Assez, excédé, ras-le-bol, soupé, suffit, tanné, terminé.

MARRER. Amusant, amuser, bidonner, comique, curieux, défoncer, dérider, distraire, divertir, drôle, ébaudir, éclater, égayer, étonnant, glousser, marrant, poiler, récréer, réjouir, rigoler, rire, roulant.

MARRI. Affligé, attristé, contrarié, contrit, dépité, fâché, repentant.

MARRON. Attrapé, beigne, brun, caillou, châtaigne, clandestin, couleur, coup, dupe, esclave, esculine, fruit, glacé, gnon, graine, havane, illégal, irrégulier, jeton, marronnier, nègre, noisette, puce, refait, rouge, tête-de-nègre, thyrse, véreux.

MARRONNAGE. Cavale, dégagement, chappée, équipée, escapade, évasion, fugue, fuite, incartade, liberté.

MARRONNIER. Arbre, châtaignier, chincapin, fagacée, feuillu, hippocastanacée, infusion.

MARS (n. p.). Arès, Deimos, Pathfinder, Phobos, Viking.

MARS. Aréographie, guerre, ides, insecte, martien, mois, mythologie, papillon, planète, salien.

MARSEILLAIS. Hymne, marseillaise, massaliote, phocéen.

MARSOUIN. Cétacé, cochon de mer, dauphin, delphinidé, épaulard, fantassin, militaire, soldat.

MARSUPIAL. Animal, bandicoot, bettongie, coloco, coucous, dasyure, kangourou, koala, koola, métathérien, numbat, opossum, os, péramèle, pétrogale, phalanger, phascolome, sarigue, thylacine, wallabie, wallaby, wombat, yapock, yapok.

MARTAGON. Fleur, hémérocaille, lis, lys, plante, pourpre, rose.

MARTEAU. Angrois, asseau, assette, boucharde, brochoir, ferratier, fou, heurtoir, hie, jet, laie, maillet, mailloche, manche, martinet, masse, massue, merlin, oreille, osselet, outil, panne, picot, requin, rivoir, rustique, smille, tille, têtu.

MARTELAGE. Battage, façonnage, fonte, forgeage, frappage, marque, ressuage, rétreint, zapateado.

MARTÈLEMENT. Action, battement, bruit, cognement, façonnage, flagellation, fouettement, gorgeage, fouettement, marteleur, martellement, obsession, pilonnement, pulsation, répétition, ressuage, taconeos, zapateado.

MARTELER. Accentuer, articuler, battre, détacher, écraser, emboutir, façonner, forger, frapper, pilonner, retreindre, tambouriner.

MARTIAL. Aïkido, art, belliqueux, brave, capoeira, carence, combatif, cour, dan, décidé, fer, guerrier, imposant, ippon, jiu-jitsu, judo, karaté, kendo, kung-fu, kyu, loi, militaire, ninja, prestance, résolu, tatami, tribunal.

MARTIEN. Étranger, extraterrestre, intrus, personnage, sélénite, supraterrestre, vénusien, visiteur.

MARTINET. Arbalétrier, chandelier, fouet, hirondelle, marteau, molette, oiseau, ramoneur, salangane.

MARTINGALE. Courroie, culotte, jeu, languette, patte, procédé, recette, secret, taille, truc.

MARTINIQUAIS. Acra, antillais, béké, blaff, caraïbe, créole, guadeloupéen, îles, îlien, foyalais, rhum.

MARTINIQUE, VILLE (n. p.). Ducos, Fort-de-France, Fort Royal, Gros Morne, Lamentin, La Trinité, Macouba, Sainte-Luce.

MARTRE. Belette, fouine, fourrure, hermine, kolinski, mammifère, marte, murmel, pékan, sable, zibeline.

MARTYR. Chrétien, crypte, ménologe, relique, saint, souffre-douleur, supplice, torture, victime.

MARTYR (n. p.). Foi, Foy, Gui, Guy.

MARTYR CANADIEN (n. p.). Brébeuf, Chabanel, Daniel, Garnier, Goupil, Jogues, Lalemant.

MARTYR POLONAIS (n. p.). Stanislas.

MARTYR ROMAIN (n. p.). Anastasie, Genes, Genest, Hippolyte, Sébastien.

MARTYR ET SAINT (n. p.). Alexandre, Anaclet, Anicet, Calixte, Corneille, Cyprien, Édouard, Étienne, Fabien, Genet, Georges, Lalemant, Philippe.

MARTYRE ET SAINTE (n. p.). Agathe, Barbe, Blondine, Cécile, Eulalie, Lucie, Ursule.

MARTYRE. Affliction, bûcher, croix, crucifiement, dam, douleur, écartèlement, enfer, estrapade, flammes, garrotte, géhenne, knout, lapidation, mortification, pal, peine, potence, question, roue, souffrance, supplice, torture, tourment.

MARTYRISER. Battre, crucifier, gêner, maltraiter, persécuter, supplicier, torturer, tourmenter.

MARXISME. Collectivisme, communisme, léninisme, maoïsme, marxien, marxiste, socialisme.

MARXISTE (n. p.). Auden, Berdaeff, Bloch, Boukharine, Goldmann, Krog, Lafargue, Luxemburg, Man, Mao, Mao Zedong, Mariátequi, Marx, Nexo, Politzer, Staline, Trotski, Vaillant, Vallejo.

MAS. Bastide, domaine, estancia, exploitation, fazenda, ferme, fermette, hacienda, maltôte, métairie, ranch.

MASCARA. Centrosome, cil, cirre, ensile, rimmel.

MASCARADE. Accoutrement, affublement, arlequin, camouflage, carnaval, chienlit, comédie, défilé, déguisement, hypocrisie, masque, mimétisme, momerie, occultation, spectacle, travesti, uranien.

MASCARET. Barre, bore, déferlement, eau, flux, remontée, surélévation, vague.

MASCOTTE (n. p.). Badaboum, Youppi.

MASCOTTE. Amulette, bondieuserie, effigie, fétiche, gri-gri, porte-bonheur, sortilège, talisman.

MASCULIN. Adrogène, agnat, fils, garçon, garçonnier, gars, grammaire, homme, mâle, virago, viril.

MASOCHISME. Algolagnie, algophilie, dolorisme, maso, pervers, perversion, sadomasochisme.

MASOCHISTE. Corrompu, cruel, débauché, dénaturé, dépravé, déréglé, déviant, dévoyé, diabolique, frôleur, immoral, licence, malsain, maso, méchant, monstrueux, noir, obsédé, pervers, sadique, sadomasochiste, sournois, tordu, vicieux.

MASQUAGE. Camouflage, déguisement, dissimulation, fard, léopard, maquillage, mascarade, masque, mimétisme.

MASQUE. Abri, air, aspect, bal, barrage, caché, cagoule, casque, chienlit, couvert, déguisement, déodorisant, domino, écran, fard, katchina, loup, mascarade, mascaron, moulage, respirateur, tartaglia, tir, touret, vernis, visage, voile.

MASQUER. Cacher, couvrir, déguiser, détourner, occulter, placarder, recouvrir, sauver, voiler.

MASSACRE (n. p.). Innocents, Saint-Barthélemy.

MASSACRE. Assassinat, boucherie, carnage, désastre, égorgement, exécution, extermination, gâchis, génocide, guerre, hécatombe, jeu, pogrom, pogrome, ramure, ratage, réussite, sabotage, sac, saccage, septembriseur, succès, trophée, tuerie.

MASSACRER. Abîmer, amocher, anéantir, assassiner, bousiller, décimer, défigurer, démolir, détruire, écharper, égorger, endommager, exterminer, gâcher, gâter, immoler, périr, saccager, trucider, tuer.

MASSAGE. Effleurage, embroc, embrocation, friction, manipulation, masseur, pétrissage, shiatsu, tapotement, vibromasseur.

MASSE. Abord, acinus, amas, atome-gramme, avalanche, biomasse, bloc, caillot, calotte, écume, excroissance, filon, flot, gisement, gramme, grumeau, lingot, lopin, loupe, magma, marteau, massue, merlin, motte, ombrelle, pain, paquet, paraison, pépite, peuple, phase, pilon, plomb, poids, pollinie, remblai, repoussoir, roc, rocher, rognon, tampon, tare, tourbillon, vulgum pecus, volume.

MASSELOTTE. Bavure, cavité, compacité, douche, ébauche, émission, gerbe, jet, lancer, marteau, masse, métal, pluie, pousse, rejet, rejeton, tir, trait.

MASSER. Concentrer, frapper, frictionner, frotter, grouper, malaxer, pétrir, presser, réunir.

MASSETTE. Boucharde, masse, plante, quenouille, roseau, roseau-massue, typha, typhacée.

MASSEUR. Kinésithérapeute, massologue, massothérapeute, physiothérapeute, rééducateur, soigneur.

MASSICOT. Abaque, acanthuridé, architrave, épistyle, hache-viande, hachoir, hansart, linteau, plateau, poisson, poitrail, rognoir, sommier, tailloir, talloir, toby, tranchoir, trilame, ustensile, zancle.

MASSICOTER. Arrondir, couper, diminuer, ébarber, échancrer, écourter, éjointer, émarger, éroder, pester, rager, retrancher, rogner, user.

MASSIER. Aboyeur, adjudicateur, annonceur, annonciateur, appariteur, audiencier, chantre, chaouch, crieur, encanteur, fonctionnaire, héraut, huissier, juriste, messager, notaire, officier, tabellion, vendeur.

MASSIF. Aéré, bois, bosquet, butée, chaîne, compact, corpulent, couvert, culée, emplanture, ennoyage, énorme, épais, épaulement, fourré, gaulis, gros, imposant, lourd, montagne, or, oreillon, orillon, pesant, pile, platée, propagule, pylône, ramassé, socle, solide, statif, trapu, trône.

MASSIF, AFRIQUE (n. p.). Atlas, Cristal, Drakensberg, Kilimandjaro, Nimba, Pic Uhuru, Rif, Ruwenzori.

MASSIF, ALGÉRIE (n. p.). Ajjer, Amour, Aurès, Bibans, Dahra, Djurdjura, Ouarsenis, Zab, Ziban.

MASSIF, ALLEMAGNE (n. p.). Eifel, Erzgebirge, Fichtelgebirge, Forêt-Noire, Harz, Hunsrück, Odenwald, Rhénan, Rhön.

MASSIF, ALPES (n. p.). Aar, Adamello, Adula, Bego, Bernina, Cenis, Dents du midi, Devoluy, Diois, Dru, Iseran, Karawanken, Lure, Mercantour, Oisans, Ortier, Ortler, Otztal, Paradis, Ratikon, Rose, Rousses, Saint-Gothard, Tauern, Vanoise, Viso.

MASSIF, AMÉRIQUE DU NORD (n. p.). Appalaches, Rocheuses, Saint-Elias, Saint-Élie.

MASSIF, ANGLETERRE (n. p.). Cumberland.

MASSIF, ARMÉNIE (n. p.). Ararat.

MASSIF, ASIE (n. p.). Altaï, Anti-Liban, Karakoram, Karakorum, Kouch, Pamir.

MASSIF, ATLAS SAHARIEN (n. p.). Zab, Ziban.

MASSIF, AUTRICHE (n. p.). Karawanken, Otztal, Tauern, Wienerwald.

MASSIF, AUVERGNE (n. p.). Cantas, Devès, Margeride.

MASSIF, BALKANS (n. p.). Dinariques.

MASSIF, BELGIQUE (n. p.). Ardennes.

MASSIF, BÉNIN (n. p.). Atacora, Atakora.

MASSIF, BULGARIE (n. p.). Rhodope.

MASSIF, CACHEMIRE (n. p.). Karakoram, Karakorum.

MASSIF, CANADA (n. p.). Appalaches, Chic-chocs, Rocheuses, Torngat.

MASSIF, CATALOGNE (n. p.). Montserrat.

MASSIF, CÉVENNES (n. p.). Aigoual, Espérou.

MASSIF, CHAMPAGNE (n. p.). Orient.

MASSIF, CHINE (n. p.). Altyntagh, Gasherbrun, Khingan, Kunlun, In-ling, Qin-ling, Ts.

MASSIF, ÉCOSSE (n. p.). Grampians.

MASSIF, ESPAGNE (n. p.). Bétiques, Ibériques, Maladeta, Montserrat, Nevada.

MASSIF, ÉTATS-UNIS (n. p.). Adirondack, Adirondacks, Alleghany, Allegheny, Appalaches, Ozark, Rocheuses, Wasatch.

MASSIF, ÉTHIOPIE (n. p.). Abyssinie.

MASSIF, EXTRÊME-ORIENT (n. p.). Silhote-alin.

MASSIF, FRANCE (n. p.). Aigoual, Aiguille du Dru, Aiguilles-Rouges, Allier, Alpes, Aquitain, Ardennes, Aravis, Ardèche, Ardenne, Armoricain, Aubrac, Baronnies, Bauges, Beaufort, Beaufortin, Bego, Belledone, Canigou, Cantal, Carlit, Carlitte, Cévennes, Chalais, Chartreuse, Écrins, Éouvielle, Espinouse, Estérel, Grande-Chartreuse, Dévoluy, Diois, Margeride, Massif du Mont-blanc, Maures, Mercantour, Mont-Dore, Morvan, Néouvielle, Othe, Pelvoux, Sainte-Victoire, Vosges.

MASSIF, GABON (n. p.). Belinga.

MASSIF, GRANDE-BRETAGNE (n. p.). Grampians, Snowdon.

MASSIF, GRÈCE (n. p.). Olympe, Pangée, Pinde, Rhodope.

MASSIF, GUINÉE (n. p.). Fouta-Djalon.

MASSIF, HONGRIE (n. p.). Matra.

MASSIF, INDE (n. p.). Ajanta, Aravalli, Nilgiri, Saptura.

MASSIF, INDONÉSIE (n. p.). Barisan.

MASSIF, IRAN (n. p.). Elbourz.

MASSIF, ITALIE (n. p.). Adamello, Amianta, Apennin, Apennins, Aspromonte, Bernina, Dolomites, Ortier, Ortler, Paradis.

MASSIF, JURA (n. p.). Chaux.

MASSIF KARAKORUM (n. p.). Gasherbrun.

MASSIF, LIBAN (n. p.). Hermon.

MASSIF, MACÉDOINE (n. p.). Pangée.

MASSIF, MAROC (n. p.). Anti-Atlas, Atlas, Rif.

MASSIF, MAURITANIE (n. p.). Idjil.

MASSIF, NIGER (n. p.). Aïr.

MASSIF, NORVÈGE (n. p.). Jotunheim.

MASSIF, PARIS (n. p.). Othe.

MASSIF, PORTUGAL (n. p.). Estrala.

MASSIF, PRÉALPES FRANÇAISES (n. p.). Baronnies, Bauges, Bornes, Chartreuse, Diois, Vercors.

MASSIF, PROVENCE (n. p.). Estérel. Maures, Pelvoux.

MASSIF, PYRÉNÉES (n. p.). Néouviel, Néouvielles, Rhune.

MASSIF, QUÉBEC (n. p.). Chic-chocs, Torngat.

MASSIF, ROUMANIE (n. p.). Apuseni, Bihar, Bihor, Maramures.

MASSIF, RUSSIE (n. p.). Altaï, Iablonovyï, Sikhote-Aline, Tcherski.

MASSIF, SAHARA (n. p.). Aïr, Hoggar, Ksour, Tibesti.

MASSIF, SCANDINAVIE (n. p.). Kjolen.

MASSIF, SIBÉRIE (n. p.). Iablonovyï, Tcherski.

MASSIF, SUÈDE (n. p.). Kebnekaise.

MASSIF, SUISSE (n. p.). Aar-Gothard, Adula, Bernina, Dents du midi, Diablerets, Ratikon, Saint-Gothard.

MASSIF, SYRIE (n. p.). Druzes.

MASSIF, TADJIKISTAN (n. p.). Zeravchan.

MASSIF, TCHÉCOSLOVAQUIE (n. p.). Jeseniky, Sumava.

MASSIF, THESSALIE (n. p.). Pelion.

MASSIF, TIBET (n. p.). Altyntagh.

MASSIF, TURQUIE (n. p.). Ararat.

MASSIFIER. Agrainer, arroser, couvrir, dégager, démocratiser, déverser, diffuser, disperser, disséminer, ébruiter, éclairer, émaner, émerger, emplir, envahir, épandre, éparpiller, épartir, essaimer, étaler, étendre, exhaler, fleurer, fluer, généraliser, paver, pleurer, populariser, propager, répandre, ressemer, semer, sentir, sortir, surgir, verser, vulgariser, universaliser.

MASSIVEMENT. Amèrement, cruellement, difficilement, durement, fâcheusement, fortement, grossièrement, laborieusement, lourdement, maladroitement, péniblement, pesamment.

MASSUE (n. p.). Hercules.

MASSUE. Aiguillon, arme, assommoir, bâton, batte, casse-tête, décisif, férule, gourdin, indiscutable, irréfutable, mailloche, marteau, masse, massette, matraque, mil, plombée, tinel, trique, typha.

MASSURIUM. Gammagraphie, scintigraphie, technétium.

MASTABA. Égyptien, mausolée, monument, pyramide, serdab, tombeau.

MASTÈRE. Attestation, brevet, certificat, degré, diplôme, grade, licence, papier, parchemin, titre.

MASTIC. Beige, ciment, crépi, erreur, faute, futée, galipot, jaunâtre, lentisque, mollé, pâte, résine, pâte.

MASTICAGE. Bâclage, bauge, bousillage, détérioration, gâchis, massacre, mortier, pisé, sabotage, torchis.

MASTICATEUR. Digastrique, lanterne, masséter, muscle, ptérygoïdien, ustensile.

MASTICATION. Broyage, corroyage, défilage, délissage, effilage, effilochage, effrangement, étirage, foulage, forgeage, extension, extrusion, faufilure, filature, laminage, manducation, parfilage, rognage, tendage, tirage, transfilage, tréfilage.

MASTICATOIRE. Arec, bétel, chewing-gum, coca, lentisque, masticateur, qat.

MASTIFF. Bouledogue, boxer, carlin, chien, danois, dogue, doguin, hargneux, molosse.

MASTIQUER. Boucher, broyer, chiquer, coller, joindre, luter, mâcher, mâchonner, obturer, préparer, remastiquer, triturer.

MASTITE. Glande, inflammation, mammaire, mammite.

MASTOC. Accablant, charge, écrasant, encombrant, épais, gênant, gras, gros, grossier, important, indigeste, lourd, lest, lourd, massif, oppressant, pénible, pesant, poids, pondéreux, stupide, surchargé.

MASTODONTE. Baleine, colosse, costaud, démesuré, éléphant, énorme, fort, géant, grand, gras, gros, hippopotame, mammifère, monstre, obèse, ogre, pansu, proboscidien, statue, titan, titanique.

MASTOÏDIEN. Apophyse, muscle, tympan.

MASTROQUET. Bistrot, cabaret, cabaretier, café, marchand, patron, troquet.

MASTURBATION. Attouchement, branlée, branler, branlette, crosser, crossette, onanisme.

MASTURBER. Balancer, battre, bercer, berner, brandiller, branler, chanceler, compenser, crosser, dandiner, dodeliner, frémir, glander, hésiter, jeter, osciller, peser, remuer, rouler, sauter, tripoter, vaciller, vibrer.

MASURE. Abri, appentis, baraque, bicoque, cabane, cabanon, cahutte, casemate, hutte, maison, misérable, taudis.

MASURIUM. Élément chimique, Tc, technétium.

MAT. Amati, bistre, blafard, cocagne, dépoli, fade, fané, fini, gui, livide, perdu, sourd, tapecul, terminé, terne.

MÂT. Antenne, artimon, beaupré, bigue, bôme, cacatois, cape, cocagne, coque, corne, embu, emplanture, espar, estrapade, foc, gui, hune, mâtereau, mestre, misaine, perche, perroquet, phare, poteau, tapecul, trinquet, triplure, support, vergue, voile.

MATABICHE. Arrosage, bakchich, dessous-de-table, enveloppe, gratification, pomme, pot-de-vin, pourboire.

MATADOR (n. p.). Almodóvar, Manolete, Matar, Sanchez.

MATADOR. Corrida, espada, fanfaron, fier-à-bras, espada, estocade, muleta, ra, toréador, torero, véronique.

MATAF. Marin, matelot.

MATAMORE. Bluffeur, bravache, brave, capitan, couard, fanfaron, fier-à-bras, hâbleur, rodomont, vantard.

MATCH. Bagarre, combat, compétition, lever, lutte, partie, rencontre, ring, score, round, tournoi.

MATÉ (n. p.). Amérique du Sud.

MATÉ. Arbuste, boisson, diurétique, houx, infusion, stimulant, thé, thé des Jésuites, thé du Brésil, tonique.

MATELAS. Alaise, alèse, coite, couche, coudière, couette, coussin, doubler, drap, drap-housse, duvet, futon, grabat, matelasser, matelassier, matelassure, natte, paillasse, plume, rembourrer, sommier, tampico.

MATELASSAGE. Bachotage, ballastage, bourrage, bourre, bourrer, compactage, capitonnage, damage, délayage, densification, embourrure, fourrage, garnissage, garniture, intoxication, matraquage, ouatage, propagande, rembourrage, remplissage, tassage, verbiage.

MATELASSER. Ailler, aillier amorcer, appâter, armer, baguer, boiser, border, bourrer, canner, capitonner, décorer, doubler, enrubanner, ferrer, fournir, garnir, gréer, hérisser, lotir, mâter, meubler, munir, orner, ouater, parer, rembourrer, tapisser.

MATELOT. Batelier, calier, coquerie, fusilier, gabier, hamac, lamaneur, laptot, lascar, loup, marin, marinier, marsouin, mataf, mathurin, moussaillon, mousse, navire, novice, pilotin, soutier, timonier, vaisseau, vigie.

MATELOTE. Bouillabaisse, bourride, chaudrée, cotriade, danse, mets, mouclade, oignon, pauchouse, pochouse, poisson, préparation, provençale, rouille, sauce, soupe, vin.

MÂTEMENT. Armement, avitaillement, équipement, gréage, gréement, matage, matériel, pétricherie, militarisation.

MATER. Abattre, assujettir, battre, calmer, démâter, dominer, dompter, dépolir, dresser, empêcher, épier, étouffer, gagner, humilier, macérer, mât, matir, mortifier, observer, réduire, refouler, regarder, réprimer, surmonter, vaincre.

MATÉRIALISATION. Concrétisation, édition, implantation, jalonnement, réalisation, signalisation.

MATÉRIALISER. Actualiser, concrétiser, dématérialiser, implanter, jalonner, réaliser, réel, signaliser.

MATÉRIALISME. Activisme, athéisme, cynique, doctrine, empirisme, extrémisme, marxisme, matériel, opportunisme, philosophie, pragmatisme, prosaïsme, terrorisme.

MATÉRIALISTE (n. p.). Büchner, Démocrite, Diderot, Helvétius, La Mettrie, Leucippe.

MATÉRIALISTE. Banal, commun, ordinaire, platitude, prosaïque, quelconque, terre à terre, vulgaire.

MATÉRIALITÉ. Concret, corporéité, existence, objectivisme, palpabilité, positif, réalité, réel, tangibilité.

MATÉRIAU. Béton, céramique, cermet, engin, formica, gravier, gravois, grès, liège, maçonnerie, matériel, matière, matos, outil, pansement, pisé, réfractère, stuc, substrat, tarmacadam, tissu, torchis.

MATÉRIEL. Arsenal, charnel, concret, corporel, engin, équipement, outil, manifeste, palpable, physique, réel, sensuel, surplus, tangible, temporel, terraqué, terre-à-terre, terrestre, train, visible.

MATERNEL. Congénital, initial, inné, natal, natif, naturel, né, originaire, original, originel, premier, primitif.

MATERNELLE. Crèche, garderie, halte, nourricerie, nursery, orphelinat, pouponnière, stop-enfants.

MATERNER. Cajoler, choyer, combler, couver, dorloter, entourer, materniser, protéger, soigner.

MATERNITÉ. Accouchement, délivrance, enfantement, génération, hôpital, maternel, mère.

MATHÉMATICIEN. Actuaire, algébriste, analyste, arénaire, géomètre, logisticien, professeur, statisticien.

MATHÉMATICIEN ALLEMAND (n. p.). Artin, Cantor, Dedekind, Dirichlet, Eilenberg, Einstein, Frege, Fuchs, Gauss, Goldbach, Grassmann, Hausdorff, Hesse, Hilbert, Jacobi, Klein, Kronecker, Kummer, Leibniz, Lindemann, Lipschitz, Mercator, Minkowski, Möbius, Noether, Pasch, Plücker, Regiomontanus, Riemann, Schwarz, Siegel, Staudt, Steinitz, Stevin, Titius, Weierstrass, Weyl, Zermelo.

MATHÉMATICIEN ALEXANDRIE (n. p.). Pappus, Pappos.

MATHÉMATICIEN AMÉRICAIN (n. p.). Birkhoff, Carnap, Church, Cohen, Dunford, Fisher, Gödel, Hauptman, Kleene, Minsky, Neumann, Newcomb, Quine, Russell, Shannon, Smale, Steenrod, Tarski, Weaver, Whitehead, Wiener, Zorn.

MATHÉMATICIEN ANGLAIS (n. p.). Austin, Babbage, Barrow, Bayes, Boole, Carroll, Cayley, Dee, Dunstable, Galton, Heaviside, Hooke, Moivre, Newton, Simpson, Sylvester, Taylor, Thomson, Turing, Wallis, Whitehead, Wren.

MATHÉMATICIEN ANTIQUITÉ (n. p.). Archimède.

MATHÉMATICIEN ARABE (n. p.). Battani, Hazin, Kharezmi, Thabit Ibn Qurra.

MATHÉMATICIEN BELGE (n. p.). Bourgain, Deligne, La Vallée-Poussin, Lemaitre, Quételet.

MATHÉMATICIEN BRITANNIQUE (n. p.). Babbage, Boole, Carroll, Cayley, De Morgan, Dodgson, Hawking, Heaviside, Hooke, Hoyle, Jeans, Moivre, Pearson, Penrose, Russell, Simpson, Sylvester, Turing, Wallis, Whitehead, Wiles, Wren.

MATHÉMATICIEN BYSANTIN (n. p.). Anthémios.

MATHÉMATICIEN CANADIEN (n. p.). Fields.

MATHÉMATICIEN ÉCOSSAIS (n. p.). Gregory, Maclaurin, Napier, Neper, Stirling.

MATHÉMATICIEN ESPAGNOL (n. p.). Echegaray, Torres Quevedos.

MATHÉMATICIEN FLAMAND (n. p.). Mercator, Stevin, Van Roomen.

MATHÉMATICIEN FRANÇAIS (n. p.). Alembert, Appell, Auzout, Baire, Bertrand, Bézout, Bordat, Borel, Bottin, Bouguer, Bourbaki, Boussinesq, Camichel, Carnot, Cartan, Cauchy, Cavaillès, Chasles, Chevalley, Chuquet, Clairaut, Condorcet, Connes, Coriolis, Cournot, Darboux, Delsarte, Denjoy, Desargues, Descartes, Dieudonné, Drach, Dupin, Fermat, Fourier, Fréchet, Galois, Gerbillon, Germain, Goursat, Grothendieck, Hadamard, Hébert, Hermite, Jordan, Julia, Koenigs, Lafforgue, Lagrange, Laguerre, La Hire, Lambert, Laplace, Lebesque, Legendre, Leray, L'Hospital, Lichnerowicz, Lions, Liouville, Mandelbrot, Maupertuis, Meray, Monge, Montel, Ocagne, Oulipo, Painlevé, Pascal, Picard, Poincarré, Poinsot, Poisson, Poncelet, Puiseux, Ramus, Resal, Roberval, Rolle, Sauveur, Schwartz, Serre, Sturm, Tannery, Thom, Vandermonde, Varignon, Viète, Villat, Weil, Yoccoz.

MATHÉMATICIEN GREC (n. p.). Anaxagore, Apollinios, Diophante, Ératosthène, Euclide, Héron, Hipparque, Hypatie, Hypsiclès, Pappus, Philolaos, Ptolémée, Pythagore, Thalès, Théon, Zénodore.

MATHÉMATICIEN HOLLANDAIS (n. p.). Metius, Snel Van Royen.

MATHÉMATICIEN HONGROIS (n. p.). Bolyai, Riesz.

MATHÉMATICIEN INDIEN (n. p.). Aryabhata, Brahmagupta, Haldane.

MATHÉMATICIEN IRLANDAIS (n. p.). Hamilton.

MATHÉMATICIEN ISRAÉLIEN (n. p.). Fraenkel.

MATHÉMATICIEN ITALIEN (n. p.). Bellavitis, Beltrami, Bombelli, Cardan, Cavalieri, Cremona, Enriques, Fibonacci, Galilée, Guarini, Inaudi, Levi-Civita, Marcolongo, Pacioli, Peano, Ricci, Ricci-Curbastro, Riemann, Severi, Tartaglia, Torricelli, Volterra.

MATHÉMATICIEN LITUANIEN (n. p.). Minkowski.

MATHÉMATICIEN LYDIEN (n. p.). Anthemios.

MATHÉMATICIEN MUSULMAN (n. p.). Khwarizmi.

MATHÉMATICIEN NÉERLANDAIS (n. p.). Brouwer, De Sitter, Huygens.

MATHÉMATICIEN NORVÉGIEN (n. p.). Abel, Guldberg, Lie, Skolem.

MATHÉMATICIEN PERSAN (n. p.). Khayyam.

MATHÉMATICIEN POLONAIS (n. p.). Banach, Kuratowski, Lukasiewicz, Sierpinski, Wronski.

MATHÉMATICIEN PORTUGAIS (n. p.). Nonius.

MATHÉMATICIEN RUSSE (n. p.). Fridman, Friedmann, Khintchine, Kolmogorov, Kovalevskaïa, Lobatchevski, Markov, Ostrogradski, Tchebychev.

MATHÉMATICIEN SOVIÉTIQUE (n. p.). Egorov, Guelfand, Kantorovitch, Kolmogorov, Legorov, Vinagradov.

MATHÉMATICIEN SUÉDOIS (n. p.). Fredholm.

MATHÉMATICIEN SUISSE (n. p.). Argand, Bernoulli, Cramer, Euler, Steiner.

MATHÉMATICIEN TCHÈQUE (n. p.). Bolzano.

MATHÉMATIQUE. Absolu, algébrique, algol, atto, calcul, cosinus, démonstration, géométrie, géométrique, inévitable, lemme, limbe, log, logique, logisticien, logistique, math, moyen, précis, récurrence, récursivité, sinus, sinusoïde, statistique, tenseur, trigonométrie.

MATHÉMATIQUEMENT. Absolument, fatalement, forcément, immanquablement, impérativement, inévitablement, infailliblement, nécessairement, obligatoirement, rigoureusement, sûrement.

MATHÉMATISER. Axiomatiser, blesser, choquer, fâcher, fixer, formaliser, grammaticaliser, hérisser, modéliser, offusquer, offenser, ordonner, organiser, piquer, ritualiser, scandaliser, vexer.

MATHÉMATISME. Ascétisme, hermétisme, métempsycose, philosophie, pythagorisme, végétalisme.

MATHURIN. Batelier, calier, coquerie, gabier, hamac, lamaneur, lascar, loup, marin, marinier, marsouin, mataf, matelot, moussaillon, mousse, navire, pilotin, religieux, soutier, timonier, vaisseau, vigie.

MATIÈRE. Abiogenèse, bitume, cément, ciment, colle, combustible, corps, crème, dépôt, discipline, écaille, élément, en, éosine, es, excrément, fond, glu, index, lave, lest, limaille, litière, margarine, matériau, matériel, nife, objet, pâte, pellicule, pet, pite, plexiglas, pus, résidu, saburre, sanie, selle, semoule, siccatif, smegma, substance, suie, sujet, téflon, teinture, terre.

MATIN. Am, aubade, aube, aurore, avant-midi, aurore, brunch, crépuscule, début, matinal, matinier, matutinal, osée, tôt.

MÂTIN. Bignole, cerbère, chien, concierge, coquin, garde, gardien, geôlier, molosse, pipelet, portier, sentinelle.

MATINAL. Abortif, anticipé, hâtif, lève-tôt, précipité, précoce, prématuré, prémices, pressant, pressé, tôt, urgent.

MÂTINÉ. Bâtard, croisé, croisillé, emmêlé, enchevêtré, escot, guillochis, hybride, mélangé, mêlé, métisse, croisé, superposé.

MATINÉE. Assemblée, assise, audience, audition, avant-midi, brunch, cinéma, concert, exécution, lancement, pièce, projection, réception, récital, représentation, réunion, saynète, scène, séance, session, spectacle, théâtre.

MATITÉ. Aplat, apparence, aspect, carnation, coloris, couleur, dose, émail, fondu, fraîcheur, grisaille, grisé, lividité, nuance, ombre, opulence, pâleur, pixel, rosâtre, rosé, saumon, teinte, ton, tonalité.

MATOIS. Diabolique, ficelle, filou, fin, finaud, fourbe, hypocrite, madré, malin, perfide, retors, roué, rusé.

MATOU (n. p.). Beauchemin, Félix le Chat, Raminagrobis.

MATOU. Abyssin, angora, chartreux, chat, chaton, cougouar, couguar, félin, fouet, guépard, haret, lion, lynx, mâle, margay, mimi, mine, minet, minou, mistigri, ocelot, once, oriental, persan, raminagrobis, rodilard, serval, siamois, tigre.

MATRAQUAGE. Bachotage, ballastage, bourrage, bourre, bourrer, capitonnage, compactage, damage, délayage, densification, embourrure, fourrage, garnissage, garniture, intoxication, matelassage, ouatage, propagande, rembourrage, remplissage, ruiler, verbiage.

MATRAQUE. Arme, bâton, bidule, bourrage, casse-tête, excessif, gourdin, massue, nerf, trique.

MATRAQUER. Analyser, blâmer, calomnier, censurer, commenter, criticailler, critiquer, décrier, dénigrer, dire, discuter, éreinter, étriller, étudier, examiner, flinguer, gloser, jaser, pinailler, récriminer, redire, réfuter, réprimander, reprocher, stigmatiser, vétiller.

MATRAS. Arbalète, as, azulejo, ballon, brique, carré, carreau, carrelage, cornue, dalle, laboratoire, malade, moufle, récipient, tomette, tommette, tuile, vase, verre, vitre.

MATRIARCAL. Femme, filiation, matrilatéral, matrilinéaire, matrilocal, patrilinéaire, utérin, uxorilocal.

MATRIARCAT. Agnation, alliance, ascendance, domestique, familial, femme, ménager, mère, patriarcat.

MATRICAIRE. Anthémis, cactacée, cactée, cactier, cactus, camomille, cierge, échinocactus, épiphylle, gaillardie, mamillaire, marguerite, nopal, oponce, opontiacée, opuntia, opuntiale, pereskia, peyotl, pyrethrum, tussilage, xéranthème.

MATRICE. Arrangement, cadastre, carré, coin, empreinte, estampe, étampe, forme, frappe, génération, matriciel, médaille, métrite, moule, outil, pattern, pochoir, registre, stencil, tableau, transposée, utérus.

MATRICULE. Identification, immatriculation, immatriculer, inscription, liste, numéro, registre, rôle.

MATRILINÉAIRE. Femme, filiation, matriarcal, matrilatéral, matrilocal, patrilinéaire, utérin, uxorilocal.

MATRILOCAL. Couple, époux, néolocal, patrilinéaire, résidence, uxorilocal.

MATRIMONIAL. Conjugal, dotal, hyménal, mariage, nuptial, rote.

MATRIOCHKA. Chevauchant, emboîté, équitant, gigogne, poupée, poupée russe.

MATRONE. Accoucheuse, autoritaire, avorteuse, corpulente, entremetteuse, épouse, vulgaire.

MATTHIOLE. Crucifère, giroflée, giroflée des jardins, plante, quarantaine, vélar, violier.

MATURATION. Âge, aoûtement, chaleur, coction, fécondité, floraison, mûrir, mûrissage, mûrissement, nouaison, véraison.

MATURE. Agrès, boute-hors, bout-dehors, drome, enfléchure, immature, mât, poisson, puéril, tripode, vigie.

MATURITÉ. Adulte, blettissement, coction, déhiscent, fruit, mûr, mûri, sagesse, valve, véraison, verdeur.

MAUBÈCHE. Barge, bécasse, bécasseau, bécassine, calibris, courlis, phalarope, scolopacidé, tourne-pierre.

MAUDIRE. Abhorrer, abominer, blâmer, damner, détester, exécrer, haïr, huer, injurier, jurer, maugréer, pester.

MAUDIT. Damné, démon, détestable, exécrable, fichu, putain, rejeté, réprouvé, sacré, sale, satané.

MAUDITE. Chipie, commère, cotillon, fébosse, furie, garce, gonzesse, gouine, maquerelle, mégère, putain, sale.

MAUGRÉER. Blâmer, bougonner, détester, exécrer, grommeler, haïr, jurer, maronner, maudire, pester, rouspéter.

MAURE (n. p.). Othello, Valence.

MAURE. Arabe, berbère, gourbi, maghrébin, more, moresque, musulman, pastis, saharien.

MAURICE, VILLE (n. p.). Amaury, Britannia, Chamouny, Goodlands, Highland, Mapou, Moka, Plaisance, Souillac, Surinam, Tamarin, Triolet, Vacoas.

MAURITANIE, CAPITALE (n. p.). Nouakchott.

MAURITANIE, LANGUE. Arabe, français, hassaniya, ouolof, pulaar, soninké.

MAURITANIE, MONNAIE. Ouguiya.

MAURITANIE, VILLE (n. p.). Aleg, Atar, Boutilimit, Cansado, Choum, Nouakchott, Oujeft, Rosso.

MAUSOLÉE (n. p.). Bijapur, Boukhata, Fatima, Gaète, Hadrien, Halicarnasse, Hamadan, Humayun, Lénine, Mazarin, Médicis, Taj Mahal.

MAUSOLÉE. Catafalque, cénotaphe, funéraire, monument, sépulcre, somptueux, stèle, tombe, tombeau, türbe, turbeh.

MAUSSADE. Acariâtre, acrimonieux, aigri, boudeur, bourru, chagrin, chagriné, désabusé, désagréable, ennuyeux, éteignoir, grincheux, gringe, gris, grognon, hargneux, insipide, insupportable, massacrant, mélancolique, morne, morose, pisse-froid, pisse-vinaigre, rabat-joie, renfrogné, revêche, rit, sombre, terne, triste.

MAUSSADERIE. Acariâtreté, acerbité, acidité, acrimonie, agressivité, aigreur, amertume, animosité, hargne.

MAUVAIS. Cabotin, charlatan, craignos, dangereux, défavorable, défectueux, déplorable, désagréable, déveine, foutu, funeste, grabat, hargne, histrion, ignoble, inopportun, insuffisant, kitsch, mal, malheur, malin, manque, méchant, méfait, merde, merdeux, merdique, moche, néfaste, nocif, nuisible, obscène, ordurier, peccant, pétoire, piquette, pire, pitoyable, rafiot, rage, rata, rogne, rosse, sale, saumâtre, sévices, tocard, vaurien, vinasse.

MAUVE. Aniline, bétoine, bleu, calmant, lie-de-vin, lilas, musc, parme, plante, pourpre, violet.

MAUVIETTE. Alouette, chétif, couard, faible, frêle, froussard, lâche, lulu, peureux, poltron.

MAXI. Jupe, long, manteau, maxima, maximal, maximum, mode.

MAXILLAIRE. Alvéole, auge, mâchoire, mandibulaire, maxille, os, palpe, prognathisme, trismus.

MAXIMAL. Amplitude, apogée, au coton, comble, contingent, extrémal, extrême, haut, limite, maxi, maxima, maximum, mieux, période, phase, pic, plafond, pointe, port, record, summum, ultra, valence, virulence.

MAXIMALISTE. Activiste, bolcheviste, contestataire, extrémiste, fanatique, fasciste, intégriste, radical, terroriste.

MAXIME. Adage, ana, aphorisme, axiome, devise, dicton, dit, dogme, pensée, principe, proverbe, règle, sentence.

MAXIMISER. Accroître, augmenter, baisser, déité, diminuer, élever, enchérir, enfler, hausser, hisser, lever, majorer, monter, rehausser, relever, remonter, renchérir, revaloriser, surélever, surenchérir, surhausser.

MAXIMUM. Amplitude, apogée, au coton, comble, contingent, extrême, haut, limite, maxi, maxima, maximal, mieux, période, phase, pic, plafond, pointe, port, record, summum, ultra, valence, virulence.

MAYA. Chol, glyphe, huaxtèque, indien, langue, mam, peuple, quiché, tzotzil, yucatèque.

MAYENNE, VILLE (n. p.). Ambrières, Argentre, Bais, Berne, Craon, Évron, Gorron, Lassay, Laval, Loiron, Pontmain, Renaze.

MAYONNAISE. Aillade, ailloli, aïoli, béarnaise, béchamel, coulis, ketchup, meurette, mirepoix, mouiller, poivrade, poulette, ravigote, rémoulade, roux, sauce, saupiquet, tartare, vinaigrette.

MAZDÉISME (n. p.). Ahriman, Ahura-Mazdâ, Châhpuhr, Ormuzd.

MAZDÉISTE (n. p.). Avesta, Zarathoustra, Zoroastre.

MAZDÉISTE. Avestique, cathariste, dualiste, manichéiste, mazdéen, parsi, parsiste, zoroastriste.

MAZETTE. Admiration, cheval, échec, énergique, étonnement, habile, inhabile, joueur, maladroit.

MAZOUT. Combustible, démazouter, fioul, fuel, fuel-oil, gasoil, gazole, mazouter.

MAZURKA. Air, danse, mazourka, rédowa, varsovienne.

MEA CULPA. Autocritique, aveu, confession, coup, critique, faute, regret, repentir, tort.

MÉANDRE. Bayou, coude, courbe, dédale, détour, labyrinthe, lacet, maquis, méandrique, sinuosité, zigzag.

MÉANDREUX. Anfractueux, arabesqué, courbé, détour, détourné, flexueux, méandre, méandrique, onde, ondoyant, ondulant, ondulatoire, ondulé, replié, serpentin, sinueux, sinusoïdal, spirale, tordu, tortueux.

MÉAT. Canal, cavité, clitoris, conduit, orifice, ouverture, trou, urètre, urinaire.

MEC. Amant, ami, garçon, gars, gonze, gus, gusse, homme, individu, jules, mari, pote, type, zig, zigue.

MÉCANICIEN (n. p.). Arkwright, Cornu, Crampton, Evans, Fortin, Fulton, Graham, Harrison, Hopkinson, Jacquard, Maelzel, Malandin, Marty, Michaux, Murat, Newcomen, Quénault, Renault, Rennequin, Ruhmkorff, Thimonnier, Vaucanson, Vidie, Watt.

MÉCANICIEN. Chauffeur, conducteur, diéséliste, machiniste, mécano, motoriste, réparateur, wattman.

MÉCANIQUE. Appareil, cardan, cautère, force, joule, machinal, machine, masse, mécanisme, statique, trusquin.

MÉCANIQUEMENT. Automatiquement, impulsivement, inconsciemment, instinctivement, intuitivement, involontairement, librement, motu proprio, naturellement, obligatoirement, spontanément, violemment.

MÉCANISER. Automatiser, industrialiser, informatiser, mécanisation, moderniser, motoriser, robotiser.

MÉCANISME. Appareil, cardan, commande, déclic, défense, déni, dérailleur, détente, dispositif, embrayage, engrenage, enrayage, façon, lieuse, isolation, mouvement, pas-à-pas, pédalier, piston, régulateur, reniflard, renvoi, rouage, scotomisation, sonnerie, truc, trucage, truquage, vireur.

MÉCÈNE (n. p.). Berry, Bourbon, Cuevas, Fouquet, Geoffrin, Le Tellier, Louvois, Helvétius, Maré, Martin, Médicis, Penthièvre, Pompadour, Rubinstein, Sacher, Yale.

MÉCÈNE. Altruiste, bienfaiteur, bon, charitable, commanditaire, compatissant, culturel, désintéressé, donateur, généreux, humain, humanitaire, mécénat, miséricordieux, philanthrope, protecteur, sponsor.

MÉCHAMMENT. Âcrement, âprement, brutalement, cruellement, désagréablement, désobligeamment, difficilement, durement, laborieusement, malaisément, péniblement, rudement, sèchement, sévèrement, vertement, vilement.

MÉCHANCETÉ. Aigreur, animosité, calomnie, cruauté, dureté, félonie, fiel, fion, fureur, malfaisance, malice, malignité, malveillance, noirceur, perfidie, perversité, rancune, rosse, rosserie, sadisme, scélératesse, vacherie, venin, vilenie.

MÉCHANT. Acariâtre, acerbe, affreux, agressif, amer, bienveillant, bon, brutal, corrosif, cruel, dangereux, diabolique, dur, excellent, fielleux, haineux, malfaisant, malicieux, malin, mauvais, mécréant, odieux, pervers, rossard, rosse, sadique, sarcastique, serpent, vachard, vache, venimeux, virulent.

MÈCHE. Accroche-cœur, archet, assemblache, axe, banane, bande, barre, bombe, boucle, boudin, cordeau, couette, crin, drain, épi, fraise, frise, frison, frisure, gaine, guiche, lumignon, plaie, postiche, rat-de-cave, rouflaquette, ruban, séton, touffe, toupet, tresse.

MÉCHER. Affiner, asperger, assainir, balayer, baptiser, bluter, clarifier, curer, décanter, décrotter, déféquer, dépurer, désinfecter, déterger, épurer, éluer, filtrer, laver, nettoyer, purger, purifier, raffiner, rectifier, sasser, souffrer.

MECHTA. Bastide, bicoque, bled, bourg, bourgade, camping, clocher, douar, frairie, gentilé, hameau, kraal, ksar, ksour, localité, palafitte, patelin, pays, synœcisme, trou, village, ville.

MÉCOMPTE. Aberration, abus, ânerie, bavure, bévue, blague, bourde, certitude, coquille, correction, déception, écart, égarement, errements, erreur, espérance, faute, fourvoiement, gaffe, illusion, loup, maldonne, malentendu, méprise, orthodoxie, oubli, perle, réalité, sophisme, vérité, vice.

MÉCONNAISSABLE. Changé, défiguré, différent, mué, permuté, transformé, travesti, zappé.

MÉCONNAISSANCE. Connaissance, dépréciation, gaucherie, ignorance, inexpérience, ingénuité, ingratitude, maladresse, naïveté, négligence, nouveauté, oubli.

MÉCONNAÎTRE. Désavouer, ignorer, méjuger, mésestimer, moquer, oublier, sous-estimer, tromper.

MÉCONNU. Épave, ignoré, incompris, inconnu, inédit, obscur, oublié.

MÉCONTENT. Bougon, fâché, geignard, grognard, grognon, hargneux, pincé, plaintif, renaudeur.

MÉCONTENTEMENT. Agacement, bile, chagrin, colère, contrariété, déception, défaveur, dépit, déplaisir, désappointement, disgrâce, ennui, fichtre, foutre, fureur, grincement, grogne, insatisfaction, ire, moue, plainte, regret, reproche, tempêter.

MÉCONTENTER. Agacer, aliéner, contrarier, décevoir, déplaire, fâcher, ennuyer, gémir, indisposer, irriter.

MÉCOPTÈRE. Insecte, mouche-scorpion, panorpe.

MÉCRÉANT. Athée, gentil, hérétique, impie, incrédule, incroyant, infidèle, irréligieux, méchant, païen.

MÉDAILLE. Argent, avers, banane, bijou, camée, coin, cuivre, décoration, ectype, exergue, fétiche, incus, insigne, jeton, listel, médaillon, monnaie, numismate, obvers, or, pièce, pilon, plaque, prix, revers, scapulaire.

MÉDAILLEUR. Graveur, médaille, médailliste, monétariste, monnaie, négociant.

MÉDAILLEUR (n. p.). Duvet, Leoni, Pisanello, Schaffner.

MÉDAILLON. Aigrette, alliance, anneau, bague, baguier, barrette, bijou, boucle, bracelet, breloque, broche, camée, chaîne, chaînetier, coffre, coffret, colifichet, collier, diadème, épingle, épinglette, ferronnière, fronteau, joaillier, jonc, joyau, parure, pectoral, pendant d'oreille, pendentif, pin's, tombant, triangle.

MÈDE (n. p.). Cyaxare, Ecbatane, Nabopolassar, Ouvakhshatra, Perse.

MÉDECIN (n. p.). Agricola, Esculape, Hippocrate, Nostradamus.

MÉDECIN. Aliéniste, allopathe, anamnèse, anesthésiste, auriste, caducée, cancérologue, cardiologue, charlatan, chiropraticien, chirurgien, clinicien, dermatologue, diabétologue, docteur, dr, externe, généraliste, gériatre, hématologiste, hématologue, interne, légiste, major, médicastre, obstétricien, oculiste, omnipraticien, oto-rhino-laryngologiste, ophtalmologiste, ophtalmologue, orino-laryngologiste, ORL, pathologiste, pédiatre, phoniatre, phtisiologue, pneumologue, praticien, propharmacien, psychiatre, radiologiste, radiologue, réanimateur, sidologue, spécialiste, stomatologiste, thérapeute, toubib, urgentiste, uegentologue, urologue.

MÉDECIN ALLEMAND (n. p.). Abraham, Agriocola, Alzheimer, Behring, Byackwell, Dippel, Domagk, Eberth, Ehrlich, Fliess, Gall, Groddeck, Hahnemann, Koch, Krafft-Ebing, Kretschmer, Mayer, Meibomius, Mesmer, Nicolaier, Stahl, Virchow, Wassermann.

MÉDECIN AMÉRICAIN (n. p.). Adrian, Cournand, Cushing, Erlanger, Guillemin, Hench, Huggins, Landsteiner, Quincke, Richards, Sabin, Seguin, Sperry, Spitz, Whipple.

MÉDECIN ANGLAIS (n. p.). Bright, Browne, Cheselden, Cooper, Dale, Fleming, Florey, Gilbert, Harvey, Havers, Hodgkin, Huxley, Jackson, Jenner, Jurin, Lister, Parkinson, Pott, Prout, Ross, Sydenham, Winnicott, Young.

MÉDECIN ARABE (n. p.). Avenzoar, Averroès, Avicenne, Ibn Tufayl.

MÉDECIN ARGENTIN (n. p.). Houssay.

MÉDECIN AUSTRALIEN (n. p.). Eccles.

MÉDECIN AUTRICHIEN (n. p.). Adler, Barany, Freud, Obermayer, Pirquet, Reich.

MÉDECIN BELGE (n. p.). Bordet, Decroly, Duve, Heymans.

MÉDECIN BRITANNIQUE (n. p.). Addison, Adrian, Arbuthnot, Bowlby, Bright, Dale, Flemong, Florey, Haffkine, Jenner, Jones, Katz, Macleod, Pott, Ross, Young.

MÉDECIN CANADIEN (n. p.). Banting, Béthume, Selye.

MÉDECIN CATALAN (n. p.). Sebond, Sebonde, Villeneuve.

MÉDECIN CUBAIN (n. p.). Che, Finlay, Guevara.

MÉDECIN DANOIS (n. p.). Bartholin, Dam, Finsen, Gram, Jerne, Struensee.

MÉDECIN DE L'ANTIQUITÉ (n. p.). Hippocrate.

MÉDECIN ÉCOSSAIS (n. p.). Arbuthnot, Armstrong, Hope, Laing.

MÉDECIN ESPAGNOL (n. p.). Servet.

MÉDECIN FLAMAND (n. p.). Van Helmont, Vésale.

MÉDECIN FRANÇAIS (n. p.). Antonmarchi, Arsonval, Babinski, Baudelocque, Baulieu, Bernard, Beauperthuy, Béclère, Bernier, Bichat, Binet, Bombard, Boubakeur, Bouillaud, Bretonneau, Broca, Broussais, Brown-Séquard, Cabanis, Calmette, Carden, Carrel, Chantemesse, Charcot, Colot, Corvisart, Daremberg, Dausset, Debée, Delay, Desault, Duchesne, Dupuytren, Esquirol, Étienne, Fallot, Gstant,

Guillotin, Guyon, Halpern, Hamburger, Heuyer, Itard, Jacob, Jamot, Janet, Jouvet, Jussieu, Kouchner, Laborit, La Brosse, Lacan, Laennec, Lagache, La Mettrie, Larrey, Lasègue, Laveran, Le Bon, Lejeune, Lépine, Leriche, Lwoff, Mardrus, Marat, Mondor, Montagnier, Nélaton, Nostradamus, Orfila, Paré, Pasteur, Patin, Péan, Pecquet, Perrault, Pinard, Pinel, Poiseuille, Pomiane, Portal, Portier, Quesnay, Pravaz, Rabelais, Rey, Richet, Rondelet, Roussy, Roux, Ruffié, Schweitzer, Segalin, Tarnier, Trousseau, Tubiana, Turpin, Velpeau, Villemin, Villermé, Vimont, Vulpian, Widal.

MÉDECIN GREC (n. p.). Akakia, Asclépiade, Galien, Hérophile, Hippocrate, Oribase.

MÉDECIN HONGROIS (n. p.). Ferenczi, Semmelweis.

MÉDECIN ITALIEN (n. p.). Aldrovandi, Bonaviri, Cagliostro, Cardan, Césalpin, Fallope, Galvani, Golgi, Lombroso, Malpigni, Rolando, Scaliger.

MÉDECIN JAPONAIS (n. p.). Ogino.

MÉDECIN JUIF (n. p.). Maimonide.

MÉDECIN NÉERLANDAIS (n. p.). Boerhaave, De Graaf, Eijkman.

MÉDECIN NORVÉGIEN (n. p.). Hansen.

MÉDECIN POLONAIS (n. p.). Korczak, Zamenhof.

MÉDECIN PORTUGAIS (n. p.). Antunes, Moniz.

MÉDECIN PRUSSIEN (n. p.). Virchow.

MÉDECIN QUÉBÉCOIS (n. p.). David, Grenier, Rochon.

MÉDECIN ROMAIN (n. p.). Celse.

MÉDECIN RUSSE (n. p.). Pavlov, Poliakov.

MÉDECIN SUD-AFRICAIN (n. p.). Barnard, Theiler.

MÉDECIN SUÉDOIS (n. p.). Gullstrand, Jacobaeus, Munthe.

MÉDECIN SUISSE (n. p.). Bleuler, Forel, Gesner, Jung, Paracelse, Rorscach.

MÉDECINE. Acupuncture, ase, chiropratique, chirurgie, cure, étiopathie, faculté, gériatrie, hippiatrie, hygiène, iridologie, laser, médical, médecin, microcéphalie, morgue, moxa, naturopathie, néré, O.R.L., pédiatrie, psychothérapie, purge, résidanat, séméiologie, sémiologie, zoothérapie.

MÉDIA. Caméra, écran, émission, livre, médium, radio télé, téléfilm, téléviseur, télévision, tv.

MÉDIAN. Abduction, adduction, central, ethmoïde, intermédiaire, mésocarpe, milieu, nerf, plan, veine.

MÉDIANE. Anneau, apothème, article, bipartite, corde, créneau, diagonale, diamètre, division, fraction, fragment, gène, ilion, métamère, morceau, polygone, portion, scolex, segment, somite, stylopode, telson, vecteur.

MÉDIATEUR (n. p.). Bunche, Guitton, Jeannin, Loewi, Marshall, Pinay.

MÉDIATEUR. Arbitre, conciliateur, intercesseur, intermédiaire, interposé, négociateur, pacificateur, truchement.

MÉDIATION. Accommodement, accord, aide, amiable, appui, arbitrage, arrangement, articulation, conciliation, entente, entremise, incursion, intervention, médiatisation, négociation, procédure, voie.

MÉDIATOR. Baguette, lamelle, lyre, plectre, plumasseau, sautereau.

MÉDICAL. Clinique, curatif, médicament, médicinal, paramédical, sanitaire, thérapeutique, thérapie.

MÉDICAMENT (3 lettres). AAS, AZT, P.A.S.

MÉDICAMENT (4 lettres). Dose, imao, iode, sels, séné, zinc.

MÉDICAMENT (5 lettres). Baume, codex, doser, idopa, jalep, looch, moyen, purge, sérum, sirop.

MÉDICAMENT (6 lettres). Cachet, drogue, élixir, gélule, goutte, kamala, kermès, mesure, oxymel, pellet, pilule, potion, remède, saponé, sodium, soluté, soufre, tisane, vaccin.

MÉDICAMENT (7 lettres). Alcalin, biotine, bromure, calcium, calmant, capsule, chloral, codéine, collyre, danazol, dornase, globule, granule, héroïne, laxatif, lindane, lithium, mellite, mixtion, nadolol, nitrate, onction, onguent, panacée, philtre, placébo, quinine, statine, surdose, timolol, tonique, topique, vomitif.

MÉDICAMENT (8 lettres). Abacavir, acarbose, acologie, adjuvant, aspirine, aténolol, benzoyle, busulfan, calamine, céfaclor, céfépime, céfixime, comprimé, diazépam, digoxine, docusate, doxépine, étodolac, épithème, folacine, fumarate, insuline, lausanum, lévopoda, liniment, loxapine, médecine, milotane, morphine, naproxen, opopanax, orlistat, overdose, pastille, pentosan, peroxyde, pindolol, psyllium, purgatif, ramipril, révulsif, riluzole, sinapisé, solution, sulindac, ténicide, ténifuge, ursodiol, vitamine, zaleplon, zileuton, zolpidem.

MÉDICAMENT (9 lettres). Aconitine, acyclovir, adapalène, biguanide, bisacodyl, bupropion, calcitrol, captopril, cefprozil, clomifène, clozapine, cortisone, coupe-faim, diachylon, diltiazem, édulcorer, émollient, estradiol, étoposide, excipient, fébrifuge, fentanyl, flavoxate, flutamide, foscarnet, galénique, glossette, glyburide, glycérole, glycérine, iatrogène, injection, kétorolac, lactuose, laudanium, létrozole, lidocaïne, linguette, lomustine, lorazépam, magistral, magnésium, médrysone,

mégestrol, melphalan, méthadone, minoxidil, népenthès, nystatine, officinal, oxazépam, pansement, pergolide, pharmacie, piroxicam, podofilox, posologie, prazosine, primidone, purgation, quinapril, quinolone, remontant, résolutif, rofécozib, rubéfiant, salsalate, santonine, sinapisme, succédané, sulfamide, sulpiride, thériaque, tolmétine, trazodone, valsartan, warfarine, yohimbine, zanamivir.

MÉDICAMENT (10 lettres). Alprazolam, amantadine, antipyrire, antitussif, budésonide, cataplasme, céfadroxil, céfuroxime, cétirizine, cholagogue, clémastine, clofibrate, clonazépam, colestipol, collutoire, diflunisal, électuaire, éphédrine, eucalyptol, eupeptique, fénotérol, fluoxétine, fortifiant, gargarisme, hypnotique, imipramine, interféron, isoniazide, lévamisole, loratadine, médication, mesalamine, naltrexone, naltrexone, nandrolone, nilutamide, olsalazine, opodeldoch, parentéral, paroxétine, pholcodine, prednisone, saccharolé, saccharure, stomatique, stupéfiant, tazarotène, topiramate, toxidermie, trétinoïne, trochisque, tulnéraire, vésication, vulnéraire, zidovudine.

MÉDICAMENT (11 lettres). Allopurinol, amidopyrine, amphétamine, analeptique, analgésique, anorexigène, carbamazépine, chloroquine, disulfirame, doxycycline, emménagogue, épinéphrine, finastéride, flunisolide, hypotenseur, méprobamate, minocycline, mydriatique, myorelaxant, ophtalmique, oseltamivir, paracétamol, pénicilline, pharmacopée, psychotique, psychotrope, répaglimide, rubéfaction, stomatique, thalidomide, tolbutamide, transfusion, vésicatoire.

MÉDICAMENT (12 lettres). Antibiotique, anticalcique, antiémétique, antifongique, antipaludéen, antiulcéreux, anxiolylique, barbiturique, caryolytique, cholérétique, ciclosporine, clindamycine, hémostatique, hypodermique, indométacine, masticatoire, médicamenter, metformine, pioglitazone, strophantine, suppositoire, tétracycline, vasopressine.

MÉDICAMENT (13 lettres). Antiémétisant, antipaludique, antipyrétique, antithermique, cardiotonique, desmopressine, médicamenteux, neuroleptique, pharmacologie, pharmacologue, phénobarbital, phénothiazine, rosiglitazone.

MÉDICAMENT (14 lettres). Antidépresseur, antidiuritique, antispamodique, tranquillisant.

MÉDICATION. Adjuvant, automédication, cure, prémédication, purge, soins, thérapeutique, traitement.

MÉDICINAL. Aunée, herboriste, houx, ive, mauve, remède, ricin, sauge, sureau, thérapeutique, yèble.

MÉDIÉVAL. Antique, démodé, désuet, féodal, gothique, menuet, moyen-âge, moyenâgeux.

MÉDIOCRE. Banal, bas, borné, brillant, cancre, chétif, cloche, commun, étriqué, fade, faible, humble, insuffisant, maigre, mauvais, menu, mesquin, minable, modéré, moyen, nul, ordinaire, pâle, pauvre, piètre, piteux, quétaine, ringard, terne, triste, vain, vaseux, vulgaire.

MÉDIOCREMENT. Apathie, athymie, bof, dégoût, dérisoirement, doucement, faiblement, impartialité, indifférence, insouciance, insuffisamment, légèreté, modérément, mollement, passablement, tièdement.

MÉDIOCRITÉ. Absence, arriération, asystolie, carence, crise, défaut, déficience, hypoplasie, idiotie, inanition, inaptitude, insuffisance, lacune, manque, myxœdème, pauvreté, supplétoire, tolérance, urémie, vicariant.

MÉDIRE. Accuser, arranger, attaquer, babiller, bavarder, bavasser, baver, calomnier, cancaner, clabauder, commérer, critiquer, dauber, débiner, déblatérer, décrier, dénigrer, déshabiller, diffamer, entredéchirer, gloser, jaser, potiner, ragoter.

MÉDISANCE. Accusation, anecdote, atrocité, attaque, bavardage, calomnie, cancan, clabaudage, clabauderie, commérage, diatribe, discréditation, gale, mal, on-dit, placotage, propos, racontar, ragot, satire, vipère.

MÉDISANT. Calomniateur, calomnieux, colporteur, contempteur, critique, débineur, dénigrant, dénigreur, dépréciateur, détracteur, diffamant, diffamateur, diffamatoire, infamant, potineur, potinier, rossard, vipère.

MÉDITATIF. Absorbé, contemplatif, pensif, préoccupé, recueilli, rêveur, songeur, soucieux.

MÉDITATION. Attention, cogitation, contemplation, esprit, mandala, pensée, réflexion, rêverie, thébaïde, zen.

MÉDITER. Absorber, approfondir, combiner, concentrer, contempler, délibérer, échafauder, mûrir, penser, préparer, projeter, proposer, raisonner, recueillir, réfléchir, rêver, ruminer, songer, spéculer.

MÉDITERRANÉEN. Algérien, bastiais, chypriote, corse, cypriote, égéen, étésien, levantin, sicilien, tarama.

MÉDIUM. Astrologue, ectoplasme, esprit, extralucide, liant, registre, spirite, télépathe, transe, voyant.

MÉDIUS. Doigt, majeur.

MÉDULLAIRE. Adrénaline, aplasie, canal, cortex, énostose, médulleux, moelle, noradrénaline.

MÉDUSE. Acalèphe, aurélie, charybdea, cnidaire, cuboméduse, cyanea, cyanée, ébahi, hydraire, interdit, lucernaire, nageuse, ombrelle, physalie, poumon de mer, rhizostome, scyphozoaire, tentacule, urticant.

MÉDUSER. Confondre, ébahir, envoûter, étonner, interloquer, pétrifier, sidérer, stupéfier, subjuguer.

MEETING. Amphictyonie, arène, aréopage, assemblée, bal, club, comice, comité, concile, conclave, congrès, consistoire, convention, cortès, démonstration, diète, douma, ecclésial, fête, législature, mir, parlement, plaid, quorum, regroupement, réunion, séance, sénat, synode.

MÉFAIT. Crime, dégât, délit, dommage, faute, forfait, malfaisance, malignité, nuisance, ravage.

MÉFIANCE. Crainte, défiance, désintéressement, doute, incrédulité, paranoïa, soupçon, suspicion.

MÉFIANT. Cauteleux, circonspect, défiant, farouche, ombrageux, paranoïaque, réservé, sceptique, soupçonneux, sournois, suspicieux.

MÉFIER. Contester, critiquer, défier, désespérer, douter, flairer, garder, hésiter, incertain, interroger, soupçonner, suspecter.

MÉGALITHE. Cromlech, dolmen, mégalithisme, menhir, monolithe, monument, obélisque, stèle.

MÉGALOMANE. Altier, arrogant, avantageux, bouffi, crâneur, dédaigneux, empesé, faraud, fat, fier, flambard, glorieux, guindé, hautain, infatué, mégalo, orgueilleux, outrecuidant, paon, poseur, sot, vain, vanité.

MÉGALOMANIE. Amour-propre, délire, folie, grandeur, mégalo, orgueil, suffisant, surestimation.

MÉGALOPOLE. Agglomération, communauté, mégapole, mégalopolis, métropole, ville.

MÉGAOCTET. Mo.

MÉGAPHONE. Ampli, amplificateur, audiophone, exagérer, grossir, haut-parleur, laser, porte-voix, répéteur, tuner.

MÉGAPTÈRE. Baleine, baleine à bosse, bélouga, béluga, cachalot, cétacé, dauphin, épaulard, évent, jubarte, lamantin, mammifère, marsouin, mysticète, narval, odontocète, orque, requin, rorqual, souffleur, squale.

MÉGARDE. Distraction, erreur, étourderie, inadvertance, inattention, involontairement, négligence, oubli.

MÉGATHÉRIUM. Bradype, édenté, lémurien, lent, mammifère, paresseux, synovite, tardigrade, unau.

MÉGÈRE. Acariâtre, bacchante, carogne, chipie, emportée, furie, harpie, ménade, poison, sorcière, virago.

MÉGIR. Agacer, alun, bain, basaner, battre, boucaner, bronzer, brunir, ennuyer, fatiguer, gonfler, hâler, importuner, lasser, mégis, mégisser, tanner, tourmenter.

MÉGISSIER. Chamoiseur, habilleur, ouvrier, palissonneur, peaussier, pelletier, tanneur.

MÉGOT. Blonde, brune, cape, carton, cartouche, clope, clou, cigare, cigarette, paquet, pof, robe, rouleuse, sèche.

MÉGOTER. Chicaner, chipoter, économiser, fumer, gratter, lésiner, liarder, mesquiner, rogner.

MÉHARI. Alpaga, camélidé, chameau, dromadaire, guanaco, lama, méharée, monture, vigogne.

MEILLEUR. Abonnir, as, choix, crème, élite, fleur, gratin, mieux, optimal, premier, prime, sel, suc, tête.

MEITNERIUM. Mt.

MÉJUGER. Défavoriser, déprécier, erroner, juger, mal, méconnaître, sous-estimer, tromper.

MÊLAGE. Barrière, brassage, caillebotis, claie, clôture, emmêlage, emmêlement, enchevêtrement, enlacement, entortillage, entrecroisement, entrelacement, grillage, guillochure, malaxage, tagal, treillis.

MÉLAMPYRE. Calcéolaire, cymbalaire, digitale, euphraise, hémiparasite, herbe-aux-poux, limoselle, linaire, maurandie, muflier, paulownia, pédiculaire, rhinanthe, rougeole, scrofulariacée, velvote, véronique.

MÉLANCOLIE. Amertume, bleus, blues, cafardeux, chagrin, dégoût, dépression, ennui, hibou, humeur, langueur, mal, morne, morose, neurasthénique, noirceur, nostalgie, peine, pessimiste, spleen, tristesse, vague-à-l'âme.

MÉLANCOLIQUE. Acariâtre, acrimonieux, aigri, boudeur, bourru, cafardeux, chagrin, chagriné, désabusé, désagréable, ennuyeux, grincheux, gringe, gris, grognon, hargneux, insipide, insupportable, massacrant, maussade, morne, morose, nostalgique, pessimiste, pisse-vinaigre, rabat-joie, renfrogné, revêche, rit, saturnien, sombre, ténébreux, terne, triste.

MÉLANÉSIEN. Austronésien, canaque, kanak, fidjien, langue, néo-hébridais, papou, papoua.

MÉLANGE. Accouplement, alliage, alliance, amalgame, amas, assemblage, association, assortiment, brassage, cacophonie, caribou, cérat, champart, composé, compost, confusion, égrisé, égrisée, émeri, fumier, fusion, macédoine, magma, mâtiné, mélasse, méli-mélo, mesclun, méteil, métis, métissage, miscibilité, mitraille, mixage, mixte, mixtion, mixture, mortier, muesli, musli, neutre, pâtée, poix, pot-pourri, poutine, provende, salade, salmigondis, smog, stéarine, taboulé.

MÉLANGÉ. Arc-en-ciel, bariolé, bigarré, broussaille, chamarré, chiné, composite, diapré, disparate, diversifié, émaillé, grivelé, hétéroclite, hétérogène, hybride, jaspé, madré, marbré, mêlé, moucheté, multicolore, pommelé, rayé, rompu, ronceux, tacheté, tampon, tavelé, tigré, tricolore, varié, veiné, vergeté, zébré.

MÉLANGER. Allier, amalgamer, associer, brouiller, confondre, délayer, dénaturer, diluer, embrouiller, emmêler, étourdir, fondre, fusionner, incorporer, malaxer, mêler, mixer, mixtionner, touiller.

MÉLANGEUR. Batteur, bétonneuse, bétonnière, fouet, fouette, lamineur, malaxeur, malaxeur-broyeur, pétrisseur.

MÉLANINE. Charbon, ébène, encre, houille, jais, mélanoderme, nègre, négritude, noir, noiraud, obscur, titane.

MÉLANOME. Cancer, cancéreux, grain de beauté, lentigo, mélanocyte, nævo-carcinome, nævus, tumeur.

MÉLASSE. Brouillard, confusion, mélange, misère, résidu, rhum, sirop, situation, sucre, tafia.

MELCHIOR. Alfénide, alliage, argentage, argentant, argentation, argenture, maillefort, miroiterie.

MÊLÉ. Âne, bâtard, bigarré, composite, mâtiné, métis, mulâtre, quarteron, sali, terreux.

MÉLÉAGRINE. Huître, mollusque, perle, perlière, pintadine.

MÊLÉ-CASSIS. Eau-de-vie, enroué, éraillé, rauque, rogomme, voix.

MÊLÉE. Bagarre, bataille, bousculade, brassée, cohue, combat, conflit, confusion, échauffourée, face-à-face, intervention, lutte, maul, mélange, participation, querelle, rixe, ruée, rugby, talonnage.

MÊLER. Agiter, allier, amalgamer, battre, brasser, brouiller, combiner, confondre, croiser, emmêler, entrelarder, fondre, immiscer, incorporer, ingérer, intéger, intervenir, intriguer, joindre, malaxer, mélanger, métisser, mettre, mixtionner, remuer, touiller.

MÉLÈZE. Anacardiacée, arbre, conifère, gymnosperme, larix, résineux, térébinthacée, térébenthine.

MÉLIACÉE. Acajou, adrézarach, azédarac, cedrela, lilas des Indes, margousier, mélia, plante, sipo.

MÉLISSE. Alcoolat, bénédictine, carmes, chartreuse, citronnelle, labiée, mellifère, mélitte, plante, stomachique.

MELLIFÈRE. Abeille, abricotier, acacia, ail, amandier, asclépiade, aster, bourdon, bourrache, bruyère, cardère, carotte, céleri, centaurée, cerisier, châtaignier, chou, citronnier, courge, érable, fenouil, glycine, grande astrance, haricot, héliotrope, hellébore, houx, hysope, lavande, lavandin, lierre, lotier, luzerne, marrube, mélianthe, mélicot, mélisse, melon, menthe, moutarde, oranger, origan, pastèque, phacella, pin, pissenlit, rhododendron, romarin, sapin, sarrazin, sarriette, sauge, thym, tilleul, trèfle, xylocope.

MELLIFLU. Doucereux, mellifère, mellifluent, mellite, miel, suave.

MÉLODIE. Air, aria, ariette, arioso, barcarolle, cadence, cantabile, cantilène, chanson, chant, complainte, déchant, harmonie, lied, mélopée, musique, ostinato, poème, polytonalité, refrain, rengaine, ritournelle, romance, thème.

MÉLODIEUX. Chantant, charmant, doucereux, doux, harmonieux, musical, poétique, suave.

MÉLODISTE (n. p.). Berlin, Gounod, Massenet.

MÉLODISTE. Altiste, artiste, aulète, bassiste, chanteur, choriste, compositeur, concertiste, cor, coryphée, duettiste, exécutant, flûtiste, griot, groupe, guitariste, harmoniciste, luthiste, maestro, mariachi, mélomane, ménestrel, ménétrier, musicastre, musicien, pianiste, saxophoniste, sitariste, soliste, timbalier, trio, trombone, tubiste, violoneux, violoniste, virtuose.

MÉLODRAME. Dialogue, drame, emphase, exagération, mélo, mélodramatique, pompeux, ronflant, solennel.

MELON. Arabe, brodée, cantaloup, cape, cavaillon, chapeau, cucurbitacée, fruit, melon d'eau, melon de miel, melonné, melonnière, miel, papaye, pastèque, plante, renflement, sucrin.

MÉLOPÉE. Air, cantique, chanson, chant, complainte, déclamation, mélodie, monotone, psalmodie, triste.

MÉLUSINE. Aspiole, fée, feutre, fougère, génie, korrigan, magicienne, ondin, ondine, péri, stylo, sylphide.

MEMBRANE. Amnios, aponévrose, basal, baudruche, capsule, cire, choroïde, cloison, crépine, diaphragme, endocarde, endocarpe, enveloppe, épendyme, épicarpe, épiderme, fascia, fibre, filet, frein, gaine, gangster, hymen, iris, méninge, mésocarpe, muqueuse, opercule, palmure, patagium, peau, pellucide, pellicule, péricarde, périchondre, périoste, péritoine, plèvre, plexiglas, rétine, sclère, sclérotique, séreuse, serre, tissu, tympan, valvule, volve, zeste.

MEMBRANEUX. Abruti, andouille, couenneux, crétin, cruche, débile, demeuré, gâteux, idiot, imbécile, nouille.

MEMBRE. Adepte, adventiste, affidé, affilié, agent, aile, amish, anabaptiste, apparatchik, ars, arvale, attaché, baptiste, bras, cagneux, cathare, citoyen, clausule, claviste, congressiste, cuisse, drus, druze, équin, eudiste, frère, gangster, géronte, immortel, ismaélien, ismaïlien, jambe, juré, lévite, ligueur, maffioso, mafioso, mage, membru, mennonite, militant, ministre, moignon, moine, mormon, nageoire, nazi, nomothète, oblat, ordre, pair, passioniste, patarin, patte, pauliste, pénis, pénitent, permanant, peton, phalangiste, pharisien, quaker, roue, salésien, scout, sectateur, sénateur, sens, servite, spirituel, tertiaire, théatin, thug, tory, valga, valgus, vara, varus, verge, vit.

MEMBRON. Agitateur, aine, antibois, archet, badine, baguette, bâton, broche, caducée, canne, carre, chicote, crayon, fla, frette, gong, gratte-dos, houssine, listeau, listel, liston, liteau, mailloche, plectre, ra, sillet, spatule, triboulet, verge, vergette.

MEMBRURE. Coque, couple, hiloire, lisse, livet, porque, serre, vaigre.

MÉMÉ. Aïeule, ancêtre, bonne-maman, grand-maman, grand-mère, mamie, mémère, mère-grand, vieille.

MÊME. Ainsi, analogue, aussi, auto, autre, avec, comme, dito, égal, ibid, ibidem, id, idem, identique, instar, item, itou, ligne, malgré, monotone, néanmoins, occurrent, pareil, répétition, rime, rival, salve, semblable, série, sinon, sœur, sosie, suite, synonyme, tribu, voire.

MÉMENTO. Abrégé, agenda, aide-mémoire, bloc-notes, cahier, carnet, commémoration, compendium, épitomé, guide, livre, manuel, mémo, mémorandum, note, pense-bête, prière, résumé, sommaire, synopsis, vade-mecum.

MÉMÈRE. Ara, avocat, babillard, bavard, causant, causeur, commère, crécelle, discoureur, discret, disert, indiscret, jacasseur, jaseur, laïusseur, long, loquace, margot, orateur, pie, pipelet, prolixe, silencieux, taciturne, verbeux, volubile.

MÉMÉRER. Bavarder, calomnier, colporter, commérer, divulguer, jaser, parler, placoter, rapporter.

MÉMOIRE (n. p.). Alzheimer, Binet-Simon, Delay, Ebbinghaus, Mnémosyne.

MÉMOIRE. Acte, aide, amnésie, cache, commentaire, dire, écrit, évocation, exposé, flash, mémo, mémorial, mnémonique, mnésique, muses, note, rappel, ram, relation, relevé, réminiscence, RAM, rancunier, remâche, ressasse, ROM, rumine, souvenance, tête, tilt, traité.

MÉMORABLE. Épique, fameux, faste, glorieux, historique, important, ineffaçable, inoubliable, marquant, mémorial, remarquable.

MÉMORABLEMENT. Beaucoup, diablement, énormément, fameusement, furieusement, glorieusement, héroïquement, historiquement, magnifiquement, proverbialement, rudement, splendidement, superbement.

MÉMORANDUM. Abrégé, agenda, aide-mémoire, bloc-notes, compendium, croquis, dessin, épitomé, guide, manuel, mémento, pense-bête, précis, répertoire, résumé, synopsis, vadecum, vade-mecum.

MÉMORIAL. Bâtiment, cénotaphe, colonne, construction, cromlech, dolmen, fossile, koubba, marbre, mastaba, mausolée, menhir, monolithe, monument, obélisque, odéon, pyramide, reste, ruine, souvenir, statue, stèle, stoupa, stupa, tombe, tombeau, totem, tour.

MÉMORIALISTE (n. p.). Adams, Caylus, Colette, Dangeau, Du Camp, Fromentin, Jourdain, Lamber, Léautaud, Pepys, Ramuz, Saint-Simon, Tallemant des Réaux.

MÉMORIALISTE. Annaliste, archiviste, biographe, documentaliste, historien, historiographe, paléographe.

MÉMORISATION. Classe, commémoration, conservation, conserve, cours, engrangement, ensilage, entretien, évocation, fourrage, leçon, pensée, répétition, révision, silotage, stockage, tutelle, vital.

MÉMORISER. Apprendre, conserver, enregistrer, graver, informatiser, noter, remarquer, remémorer, repasser, retenir.

MENAÇANT. Agressif, caduc, comminatoire, croulant, dangereux, fulminant, imminent, inquiétant, provocant, torve.

MENACE. Alerte, danger, fureur, indice, injure, intimidation, nuage, outrage, signe, ultimatum.

MENACER. Admonester, attendre, avertir, braquer, braver, craindre, défier, effrayer, fulminer, gesticuler, gronder, guetter, imminer, injurier, intimider, provoquer, réprimander, sommer.

MÉNADE. Bacante, bacchanale, bacchante, bassaride, charmeuses, éleide, éviade, fête, mégère, mimalonide, moustache, prêtresse, thyade, thyiade.

MÉNAGÉ. Avare, chiche, économe, grippe-sou, pingre, radin, serré.

MÉNAGE. Barda, bonne, couple, couteau, économie, entretien, éplucheur, famille, linge, maison, scène.

MÉNAGEMENT. Attention, brutal, crû, économie, égard, épargne, précaution, réserve, sec, soin.

MÉNAGER. Conserver, champlever, chèvre, chou, économiser, épargner, mesurer, nuancer, préparer, respecter, secouer.

MÉNAGÈRE. Boniche, bonne, cendrillon, domestique, employée, gouvernante, grabataire, infirmière, maid, maîtresse de maison, nourrice, nurse, servante, serveuse, sigisbée, soubrette, tendrillon.

MÉNAGERIE. Animalerie, clapier, collection, fauverie, herpétarium, insectarium, singerie, terrarium, zoo.

MENDÉLÉVIUM. Md.

MENDIANT. Argot, augustin, carme, chemineau, clochard, gredin, gueux, hère, indigent, mendigot, misérable, miséreux, nécessiteux, pauvre, pauvresse, picaro, quêteur, quêteux, robineux, sébile, servite, truand, vagabond.

MENDICITÉ. Appauvrissement, besoin, débine, dèche, dénuement, dépourvu, détresse, embarras, gêne, gouffre, indigence, manque, misère, mouise, nécessité, opulence, pauvreté, pénurie, privation, purée.

MENDIER. Chercher, demander, mendigoter, prier, quémander, quêter, rechercher, solliciter, supplier, vagabonder.

MENÉ. Abouti, accédé, conduit, exercé, guidé, tracé, transporté.

MENEAU. Architecture, baie, compartiment, croisillon, fenêtre, montant, traverse.

MENÉE. Agilement, cicatrice, congère, empreinte, gonfle, ligue, marche, sillage, trace, vestige, voie.

MENÉES. Agissements, cabale, complot, fomentation, intrigue, machination, manigance, manœuvre.

MENER. Abaisser, aboutir, accéder, agiter, aller, amener, ameuter, animer, bambocher, bourlinguer, briguer, cabaler, conduire, cornaquer, diriger, emmener, exécuter, finir, guider, induire, meneur, parfaire, réussir, terminer, tracer, traîner, trôler, vivre, voie, zoner.

MÉNESTREL (n. p.). Muset, Scott.

MÉNESTREL. Bateleur, chanteur, diseur, fou, griot, jongleur, ménétrier, musicien, poète, rebec, troubadour.

MÉNÉTRIER. Jongleur, ménestrel, musicien, poète, premier, soliste, violon, violoneux, violoniste, virtuose.

MENEUR. Agitateur, ânier, chef, cornac, démagogue, dirigeant, initiateur, leader, maître, muletier, tête, tribun.

MENHIR. Cromlech, mégalithe, monolithe, monument, peulven, pierre.

MÉNINGE. Arachnoïde, cerveau, cervelle, dural, dure-mère, encéphale, esprit, méningite, pie-mère, streptocoque.

MÉNINGITE. Arachnoïdite, inflammation, maladie, pachyméningite, spinale, syphilitique, tuberculeuse.

MÉNISQUE. Articulation, attache, croissant, genou, glène, jointure, lame, lentille, ligament, nœud, trochlée.

MÉNOPAUSE. Andropause, climatère, menstruation, menstrues, ovaire, ovulation, règles, retour.

MENOTTE. Attaches, bracelet, cabriolet, chaînes, entraves, liens, main, manchette, menotter.

MENSE. Annuité, arrérages, avantage, denier, dotation, fabrique, fruit, gain, guéri, impôt, intérêt, loyer, nominataire, pension, prébende, produit, profit, rapport, réapparu, rente, rentré, ressuscité, revenu, synodie, viager.

MENSONGE. Blague, bobard, craque, feinte, histoire, imposture, invention, menterie, racontar, salades, tromperie.

MENSONGER. Calomnieux, captieux, controuvé, erroné, fallacieux, faux, inexact, inventer, ronflant, saladier, trompeur.

MENSTRUATION. Aménorrhée, dysménorrhée, écoulement, emménagogue, époques, flux, jours, ménopause, menstrues, mois, règles.

MENSTRUES. Aménorrhée, dysménorrhée, flot, flux, hyperménorrhée, indisposition, ménopause, périodes, règles.

MENSUALITÉ. Appointements, bimestriel, brumaire, floréal, frimaire, fructidor, germinal, lunaison, mensuel, messidor, mois, nivôse, pluviôse, prairial, salaire, semestre, thermidor, traitement, trimestre, vendémiaire, ventôse.

MENSUEL. Annonce, apparition, ban, bimensuel, bulletin, dénonciation, digest, divulgation, édition, gazette, hebdo, hebdomadaire, ISBN, Issn, journal, lancement, livre, magazine, mois, numéro, organe, ouvrage, parution, proclamation, promulgation, publication, quotidien, recueil, rédactionnel, revue, signature, sortie, tabloïd, tirage.

MENSURATION. Ampleur, barymétrie, calibre, dimension, énormité, envergure, épaisseur, espace, étendue, format, grandeur, grosseur, hauteur, immense, importance, largeur, longueur, mesurage, mesure, pelvimétrie, pointure, profondeur, proportion, superficie, taille.

MENTAL. Calcul, cérébral, esprit, fou, intellectuel, moral, pensée, psychique, psychisme.

MENTALEMENT. Convaincu, étroitement, extrêmement, foncièrement, fondamentalement, fort, gros, individuellement, intimement, normativement, particulièrement, profondément, subjectivement, vivement.

MENTALISATION. Ablation, abstraction, annihilation, conceptualisation, dématérialisation, désincarnation, essentialisation, idéalisation, indifférence, intellectualisation, renoncement, spiritualisation, sublimation.

MENTALITÉ. Agir, comportement, coutume, croyance, habitude, mœurs, pensée, psychologie, us.

MENTEUR. Fallacieux, fourbe, hypocrite, mensonger, mystificateur, mythomane, perfide, trompeur.

MENTHE. Bêtise, diabolo, essence, infusion, labiée, menthol, pastille, patchouli, peppermint, plante, pouliot.

MENTION. Apostille, citation, commémoraison, copyright, décoration, dire, endos, énonciation, historique, indication, inscription, note, précision, rappel, rapport, signalement, témoignage.

MENTIONNER. Appuyer, attester, attirer, citer, consigner, distinguer, enregistrer, indiquer, inscrire, insister, nommer, rappeler, remarquer, renseigner, signaler, soulever, souligner, stipuler, susmentionner.

MENTIR. Abuser, berner, broder, duper, enfreindre, fabuler, fausser, feindre, inventer, nier, tricher, tromper.

MENTON. Armet, barbe, barbiche, bouc, duvet, fanchon, fossette, galoche, jugulaire, uppercut.

MENTONNET. Boudin, butée, clenche, clenchette, jante, languette, loquet, queue d'aronde, tenon, téton.

MENTOR. Attentif, chef, cicérone, conducteur, connaisseur, conseiller, consultant, cornac, directeur, éminence, éveilleur, expérimenté, gouverneur, guide, péon, phare, pilote, rêne, sherpa.

MENU. Bricole, carte, chétif, délicat, délié, élancé, épais, fagot, faible, filiforme, fin, fluet, fragile, frêle, fretin, gracile, grêle, haché, léger, liste, mièvre, mince, négligeable, petit, plat, rabougri, subtil, ténu, volet.

MENUET (n. p.). Boccherini, Bolzoni, Mozart.

MENUET. Composition, danse, médiéval, trio.

MENUISE. Allache, alose, anchois, clupéiforme, clupéidé, clupéoïde, dorab, élopoïde, ésocoïde, gaspareau, hareng, harenguet, mormyroïde, ostéoglossoïde, plichard, poisson, salmonoïde, sardine, sardinelle, sprat.

MENUISERIE. About, bâti, boiserie, cérat, croisée, devis, ébénisterie, écoinçon, feuillure, filet, flipot, hêtre, ipé, lambrissage, marqueterie, menuisier, nothofagus, parement, sipo, té, traceret, traçoir, trusquin.

MENUISIER (n. p.). Jacob, Joseph, Perdiguier, Saint Joseph, Sambin.

MENUISIER. Artisan, bédane, bois, bricoleur, charpentier, ébéniste, équerre, finisseur, gorget, gouge, maillet, marqueteur, ouvrier, parqueteur, pestum, rabot, râpe, scie, tabletier, traçoir, valet, varlope.

MÉNURE. Lyre, oiseau-lyre, passereau, passériforme, turdidé.

MÉPHISTOPHÉLIQUE. Démoniaque, diabolique, infernal, luciférien, pervers, satanique.

MÉPHITIQUE. Asphyxiant, délétère, fétide, irrespirable, malodorant, malsain, nocif, nuisible, puant, toxique.

MÉPHITISME. Empyreume, fétidité, infection, miasme, moisi, pestilence, puanteur, rance, ranci, relent, renfermé.

MÉPLAT. Anaglyphe, bas-relief, diptyque, estampage, large, médaillon, plane, plaquette, rude, sculpture, tragus.

MÉPRENDRE. Abuser, blouser, égarer, erreur, fourrer, fourvoyer, illusionner, leurrer, tromper.

MÉPRIS. Arrogance, cynisme, dédain, dégoût, dépit, dérision, diffamation, discrédit, espèce, fi, foin, giaour, impiété, infamie, injure, insulte, irréligion, litière, merdre, mésestime, misandrie, misérable, misogynie, moue, sans-façon, vilipender, zut.

MÉPRISABLE. Abject, arrogant, bas, canaille, chien, crétin, cynique, dédaigneux, dégoûtant, détestable, fangeux, faquin, fumier, gredin, honteux, ignoble, indigne, infâme, lâche, malfamé, malheureux, paria, salaud, salop, salopard, triste, vil, vilain.

MÉPRISANT. Arrogant, dédaigneux, dérision, difficile, distant, étranger, exorbitant, fermé, fier, foutriquet, froid, hautain, imperméable, impossible, impraticable, inabordable, inaccessible, inapprochable, indifférent, insensible, intouchable, misérable, moquerie, morgue, réfractaire, sourd.

MÉPRISE. Bévue, confusion, errata, erreur, faute, fourvoiement, inattention, malentendu, quiproquo, vengeance.

MÉPRISER. Affronter, avilir, bafouer, braver, cracher, décrier, dédaigner, défier, déprécier, désintéresser, discréditer, faire fi de, fi, flétrir, fouler, honnir, huer, lutter, menacer, moquer, narguer, saboter, snober, toiser, vilipender.

MER. Azur, bouée, braille, bras, canal, corail, côte, croisière, eau, fiord, fjord, flux, golfe, hauturier, houle, iode, jetée, lame, large, littoral, marée, marin, maritime, marnage, morse, morue, naupathie, naviguer, océan, onde, outremer, pélagie, péninsule, rade, raie, raz, reflux, sel, sterne, thalassothérapie, vive, voyage.

MER D'AMÉRIQUE (n. p.). Antilles, Sargasses.

MER D'ARCTIQUE (n. p.). Barents, Beaufort, Kara, Sibérie, Tchoiugotsk.

MER D'ASIE (n. p.). Aral, Azov, Bering, Caspienne, Chine, Japon, Kara, Lapnev, Noire, Okhotsk, Oman, Sibérie.

MER DE LA LUNE (n. p.). Australe, Crisès, Fécondité, Froid, Humbolt, Humeurs, Moscou, Nectar, Nuées, Pluies, Régionales, Rêve, Sérénité, Tempêtes, Tranquillité, Vagues, Vapeurs.

MER DE POLOGNE (n. p.). Baltique.

MER DES PAYS-BAS (n. p.). Nord.

MER D'EUROPE (n. p.). Adriatique, Baltique, Blanche, Égée, Ionienne, Irlande, Iroise, Ligurie, Marmara, Méditerranée, Myrto, Noire, Nord, Norvège, Tyrrhénienne.

MER D'OCÉANIE (n. p.). Arafoura, Banda, Celèbes, Céram, Corail, Florès, Java, Molusques, Savoe, Soulou, Tasmanie, Timor.

MERCANTI. Ambitieux, arriviste, attentiste, calculateur, combinard, contrebandier, dealer, fricoteur, intrigant, maniganceur, maquignon, margoulin, opportuniste, profiteur, spéculateur, trabendiste, trafiquant.

MERCANTILE. Avantage, avidité, bénéfice, boni, dividende, fruit, gaillard, gain, gagnant, gagné, intérêt, lucre, mercenaire, prime, profit, rabelaisien, rapport, rapporte, rendement, rétribution, revenu, truculent, salaire, usure, vibor, vibord.

MERCANTILISME. Âpreté, avidité, colbertisme, doctrine, gain, marchand, mercantile, profit.

MERCAPTAN. Alcool, composé, fétide, thiol, thiolalcool, volatil.

MERCATIQUE. Commercialisation, distribution, marchandise, marchéage, marketing, merchandising.

MERCENAIRE (n. p.). Carmagnola, Castracani, Lansquenet.

MERCENAIRE. Intéressé, lansquenet, reître, rémunéré, salaire, soldat, soudard, stipendié, vénal.

MERCERISER. Aiguille, commerce, coton, couture, magasin, mercerie, mercier, similiser.

MERCI. Approbation, discrétion, grâce, gratitude, miséricorde, pardon, pitié, politesse, remerciement.

MERCREDI. Carême, cendres.

MERCURE. Amalgame, dieu, étamage, Hg, hydrargyre, liquide, messager, métal, planète, tanonnière, thermomètre, vif-argent.

MERCURIALE. Admonestation, discours, foirolle, mercurialiser, remontrance, réprimande, reproche, semonce.

MERCURIEL. Hydrargyrique, hydrargyrisme, mercure, pommade, poussière, vapeur.

MERDE. Bas, colère, emmerder, ennui, excrément, gêné, mauvais, mépris, merder, merdique.

MERDIQUE. Complexe, confusion, dangereux, désordre, difficulté, dommageable, fatal, foireux, funeste, imbroglio, inverse, malin, malsain, mauvais, nocif, nuisible, pernicieux, préjudiciable, sans valeur, sinistre, subversif.

MÈRE. Bisaïeul, cause, dabesse, dabuche, doche, idée, famille, femelle, fruit, génitrice, goutte, madame, maman, marâtre, mater, nombreuse, nourrice, parent, patrie, pays, pie, poule, reine mère, source, supérieure, terre, utérin, vioc, vioque.

MÈRE D'ABEL (n. p.). Ève.

MÈRE D'ACHILLE (n. p.). Thétis.

MÈRE D'ANTÉE (n. p.). Gaïa, Gê.

MÈRE D'APOLLON (n. p.). Latone, Léto.

MÈRE D'ARTÉMIS (n. p.). Latone, Léto.

MÈRE D'ÉROS (n. p.). Aphrodite.

MÈRE D'HORUS (n. p.). Isis.

MÈRE D'ISAAC (n. p.). Sarah.

MÈRE DE BENJAMIN (n. p.). Rachel.

MÈRE DE CAÏN (n. p.). Ève.

MÈRE DE CASTOR (n. p.). Léda.

MÈRE DE CONSTANTIN VI (n. p.). Irène.

MÈRE DE DIONYSOS (n. p.). Sémélé.

MÈRE D'HÉRACLÈS (n. p.). Alcmène.

MÈRE DE HERMÈS (n. p.). Maia.

MÈRE D'HÉROS (n. p.). Aphrodite.

MÈRE D'HORUS (n. p.). Isis.

MÈRE D'ISAAC (n. p.). Sarah.

MÈRE D'IMAËL (n. p.). Agar.

MÈRE DE LA VIERGE (n. p.).Anne.

MÈRE DE MARIE (n. p.). Anne.

MÈRE DE MINOS (n. p.). Europe.

MÈRE DE NÉRÉIDES (n. p.). Doris.

MÈRE D'OEDIPE (n. p.). Jocaste

MÈRE DE PERSÉE (n. p.). Danaé.

MÈRE DE PHILIPPE-AUGUSTE (n. p.). Adèle, Adeloïde, Alix.

MÈRE DE POLLUX (n. p.). Léda.

MÈRE DE SALOMON (n. p.). Bethsabée.

MÈRE DE SETH (n. p.). Ève.

MÈRE DE THÉMIS (n. p.). Ge.

MÈRE DE ZEUS (n. p.). Rhéa.

MÈRE DES CYCLOPES (n. p.). Gaïa, Gê.

MÈRE DES DIEUX (n. p.). Nammu.

MÈRE DES DIEUX OLYMPIENS (n. p.). Rhéa.

MÈRE DES MUSES (n. p.). Mnémosyne.

MÈRE DES TITANS (n. p.). Gaia, Gê.

MÈRE D'ISAAC (n. p.). Sara, Sarah.

MÈRE D'ISMAËL (n. p.). Agar.

MERGUEZ. Saucisse.

MÉRIDIEN (n. p.). Agaro, Bouguer, Clairaut, Delambre, Ératosthène, Greenwich, Maupertuis, Méchain, Moreau, Picard.

MÉRIDIEN. Acupuncture, antiméridien, cercle, lieu, longitude, plan, quadrant, terre, trajet, verticale, zénith.

MÉRIDIENNE. Anesthésie, assoupissement, canapé, chaîne, coma, dodo, dormir, hypnose, inaction, léthargie, lit, narcolepsie, narcose, repos, roupillon, sieste, somme, sommeil, somnambulisme, somnolence, stupéfiant, torpeur.

MÉRIDIONAL. Accent, austral, bagasse, bourtargue, kali, midi, perle, pourtague, sacre, sud, té.

MERINGUE. Baba, baklava, beigne, biscuit, bretzel, brioche, calisson, chou, coulis, crêpe, croissant, éclair, flan, forêt-noire, friand, gâteau, gaufre, gougère, macaron, mignardise, nanan, nem, palmier, paris-brest, pâtisserie, pâté, pâté impérial, pet, plaisir, religieuse, rissole, strudel, tarte, tartelette, tourte, viennoiserie.

MÉRINOS. Agneau, agnelet, agnelle, astrakan, bé, bêler, bélier, brebis, caracul, champignon, fourrure, gigot, houle, humeur, hydne, laine, lame, mammifère, méchoui, mouflon, mousse, mouton, moutonnier, navarin, nuage, œstre, or, ovin, parc, peau, poussière, robin, ruminant, sonnette, suiveux, toison, vague, vassiveau, viande.

MERISIER. Bouleau jaune, cerise, cerisier, ébénisterie, fruit, kirsch, merise, prunus, putier, putiet.

MÉRITANT. Acceptable, bien, convenable, correct, digne, estimable, honnête, honorable, moyen, passable, respectable, satisfaisant, suffisant.

MÉRITE. Avantage, bonté, digne, droit, gloire, juste, justifié, légitime, nul, prix, qualité, rang, rare, renommée, valeur.

MÉRITER. Attirer, chercher, courir, demander, digne, donner, écoper, emporter, encourir, exiger, exposer, gagner, obtenir, passible, prêter, procurer, réclamer, remporter, risquer, valoir, voler.

MÉRITOIRE. Appréciable, bien, bon, considéré, digne, enviable, équitable, estimable, fier, louable.

MERLAN. Coiffeur, colin, gade, gadidé, lieu, poisson, surimi.

MERLE (n. p.). Amérique.

MERLE. Blanc, bleu, cingle, collier, grive, huppe, marron, merleau, merlette, montagnes, oiseau, rouge.

MERLIN. Biseau, cognée, cordage, doloire, enchanteur, hache, magicien, marteau, masse.

MERLOT. Bordeaux, bordelais, cépage, jeune, merle, raisin, vin.

MERLU. Acra, aiglefin, aurin, barbot, barbudos, blennie, brandade, brotulide, cabillaud, carapidé, colin, doris, églefin, estomac, gade, gadidé, grenadier, lieu, lingue, loquette, lotte, merlan, merluche, morue, poutassou, prostitué, stockfisch, tacaud, tork.

MERLUCHE. Colin, gade, gadidé, lingue, merlu, morue, poisson, saumon blanc, stockfish.

MÉROSTOME. Arthropode, chélicérate, gigantostracé, limule.

MÉROU. Noir, périforme, poisson, serran, serranidé.

MÉROVINGIEN. Antrustion, basterne, carolingien, leude, plaid.

MERRAIN. Ayde, ais, aises, alaise, alèse, appui, arbre, couche, dessin, dosse, dur, écoin, frise, frisette, image, lambourde, latte, madrier, palanque, planche, plinthe, recours, reproduction, ressource, scène, secours, selle, soutien, starie, support, tableau, tablette, théâtre, tremplin, tuile, vaigre, voilure, volige.

MERVEILLE. Bijou, chef-d'œuvre, féérique, joyau, miracle, pâte, pâtisserie, phénomène, prodige, trésor.

MERVEILLEUSEMENT. Absolument, admirablement, complètement, entièrement, excellemment, impeccablement, magnifiquement, parfaitement, pleinement, superbement, supérieurement, totalement, très.

MERVEILLEUX. Admirable, beau, céleste, divin, éblouissant, épatant, étonnant, excellent, extra, extraordinaire, féerique, idéal, idyllique, magnifique, mirifique, mirobolant, splendide, sublime, superbe, ultra.

MERZLOTA. Couche, gel, gelé, pergélisol, permafrost, permagel, sol, sous-sol, tjale.

MÉSADAPTÉ. Asocial, caractériel, désaxé, déséquilibré, fade, fou, inadapté, malade, marginal, misanthrope.

MÉSAISE. Angoisse, ardu, coincé, défaillance, difficile, dysphonie, embarras, ennui, faiblesse, gêne, honte, incommoder, inconfort, indisposition, laborieux, mal, mal-être, malaise, nausée, oppression, pesanteur, sophrologie, spasmophilie, tétanie, vertige.

MÉSALLIANCE. Accord, alliance, ban, carte, dirimant, divorce, dot, endogamie, épithalame, épousailles, époux, hétérogamie, homogamie, hymen, hyménée, lien, lit, mariage, morganatique, nef, noces, oui, sacrement, union.

MÉSALLIER. Déparager, épouser, forligner, inférieur, mariage, mésalliance.

MÉSANGE. Accenteur, arlequin, bridée, brune, buissonnière, caroline, charbonnière, grise, huppée, lapone, mazette, mésangette, meunière, noire, nonnette, paridé, passereau, remiz, zinziguler.

MÉSANGETTE. Accenteur, bridée, brune, buissonnière, caroline, charbonnière, grise, huppée, lapone, mazette, mésange, mésangette, meunière, noire, nonnette, oiseau, paridé, passereau, remiz, zinziguler.

MÉSAVENTURE. Accident, avatar, aventure, déboire, déconvenue, échauder, malchance, malheur, tuile.

MÉSAXONIEN. Cheval, équidé, imparidigité, mammifère, ondulé, périssodactyle, rhinocéros, tapir.

MESCALINE. Alcaloïde, drogue, hallucinogène, peyotl.

MÉSENCÉPHALE. Cerveau, encéphale, pédoncule, quadrijumeaux, tubercule.

MÉSENTENTE. Bisbille, brouille, contradiction, désaccord, désunion, discorde, dispute, froid, heurt, zizanie.

MÉSENTÈRE. Arête, autisme, barbillon, carreau, déroute, fanon, faux, hélix, mésentérique, nœud, ourlet, péritoine, pli, rebord, rempli, repli, retraite, revers, ride, sinuosité.

MÉSESTIME. Arrogance, condescendance, crânerie, cynisme, déconsidération, dédain, dégoût, dérision, discrédit, fi, fierté, hauteur, heu, injure, litière, mépris, misérable, morgue, moue, snobisme, taratata, vilipender.

MÉSESTIMER. Déprécier, dépriser, inférioriser, méconnaître, méjuger, minimiser, minorer, rabaisser, sous-estimer, sous-évaluer.

MÉSINTELLIGENCE. Brouille, désaccord, désunion, discorde, dissentiment, division, rupture.

MÉSOBLASTE. Ectoblaste, endoblaste, embryon, feuillet, gastrula, mésoderme, muscle, rein, sang, squelette.

MÉSOMORPHE. Amorphe, cristal, cristallin, nématique, paracristallin, smectique.

MÉSOPOTAMIE (n. p.). Irak.

MÉSOPOTAMIE, VILLE (n. p.). Agadé, Akkad, Babylone, Édesse, Ninive, Nippour, Our, Ourouk, Ur.

MÉSOSPHÈRE. Atmosphère, couche, mésopause, stratopause, stratosphère, thermosphère.

MÉSOTHORAX. Écusson, insecte, métathorax, prothorax, scutum.

MÉSOZOÏQUE. Crétacé, jurassique, paléontologique, secondaire, trias.

MESQUIN. Avare, bas, borné, chiche, étriqué, large, méchant, médiocre, pauvre, petit, petitesse, piètre, radin, rat, rikiki, riquiqui, sordide.

MESQUINEMENT. Avarement, chétivement, chichement, cupidement, maigrement, modestement, modiquement, parcimonieusement, pauvrement, petitement, prudemment, serré, sordidement, usurairement.

MESQUINERIE. Avarice, bassesse, étroitesse, ladrerie, lésine, médiocrité, parcimonie, petitesse, pingrerie, radinerie.

MESS. Cafétéria, cantine, carnotset, popote, réfectoire, restaurant, salle, salle à manger, triclinium.

MESSAGE. Allocution, annonce, avis, bafouille, commercial, commision, communication, courriel, cryptogramme, destinataire, discours, fax, lettre, missive, monème, mot, pneu, pub, publicité, publipostage, sans-fil, SOS, spot, télécopie, télégramme, télex, testament.

MESSAGER. Agent, ambassadeur, ange, apocrisiaire, apôtre, avant-coureur, chasseur, commissionnaire, coureur, courrier, coursier, délégué, émissaire, envoyé, estafette, facteur, grouillot, héraut, pigeon, porte-parole, porteur, précurseur.

MESSAGER DES DIEUX (n. p.). Azraël, Hermès, Mercure.

MESSAGÈRE DES DIEUX (n. p.). Iris, Renommée.

MESSAGERIE. Brouettage, camionnage, car, cargo, cession, charroi, circulation, courriel, délégation, déplacement, expédition, extase, factage, fret, importation, ire, ligne, locomotive, manutention, mél, passage, portage, roulage, route, service, train, transfert, transport, véhicule, via, vocale, voie, voiture.

MESSAGEUR. Appareil, bip, radiomessageur, récepteur, signal, téléavertisseur, télécepteur.

MESSE. Agnus, amict, autel, biner, canon, célébration, cérémonie, chant, culte, élévation, eucharistie, kyrie, ite, laudes, liturgie, musique, noire, obit, offertoire, office, paix, pale, prône, rite, rituel, sanctus, service, trentain.

MESSIE (n. p.). Annonciation, Antéchrist, Christ, Emmanuel, Haendel, Händel, Jésus.

MESSIE. Attente, bienfaiteur, envoyé, espérance, libérateur, providence, rédempteur, sauveur.

MESSIEURS. MM.

MESSIRE. Altesse, appellation, baron, chah, comte, désignation, duc, éminence, émir, frontispice, iman, lord, maestro, maître, marquis, médaille, nom, prince, révérend, revue, roi, sainteté, seigneur, sire, sultan, titulaire, titre.

MESURABLE. Appréciable, calculable, chiffrable, consistant, estimable, évaluable, grand, important, notable, perceptible, pesable, pondérable, précieux, quantifiable, remarquable, sensible, substantiel, visible.

MESURAGE. Aréage, aunage, comparaison, métrage, métrologie, stère, test, veltage.

MESURE (2 lettres). An, as, li, lm, yu.

MESURE (3 lettres). Are, bar, btu, erg, gal, gon, lux, ohm, pot, ras, tex, ton, var.

MESURE (4 lettres). Acre, aire, aune, barn, baud, beat, coda, cube, déca, déci, dose, dyne, lent, main, marc, mile, mine, mips, muid, once, part, pied, pipe, plan, posé, sone, tact, voie, watt, yard.

MESURE (5 lettres). Arobe, degré, empan, farad, lieue, ligne, litre, lumen, mètre, mille, pinte, pouce, stade, stère, toise, verge.

MESURE (6 lettres). Ampère, arpent, brasse, cicéro, coudée, espace, étalon, gallon, perche, radian, remède, setier, verste.

MESURE (7 lettres). Archine, brimade, cadence, chopine, hectare, largeur, picotin, retenue, sablier, sextant, statère.

MESURE (8 lettres). Barrique, boisseau, boujaron, capacité, contrôle, cuillère, distance, longueur, maintien, sanction.

MESURE (9 lettres). Défensive, encablure, expulsion, mesurette, métronome, périmètre, pyromètre, récipient, servitude, triboulet.

MESURE (10 lettres). Métrologie, prévention, pycnomètre, pyrométrie, réformette, superficie, tonométrie.

MESURE (11 lettres). Astrométrie, audiométrie, mensuration, pluviomètre, radiosondage, titrimétrie, tribométrie.

MESURE (12 lettres). Alcoolmétrie, chronométrie, conformateur, planimétrage, proscription, quatre-quatre, vélocimétrie.

MESURE (13 lettres). Chronométrage, circonférence, commensurable, électrométrie, hydrotimétrie,.

MESURE (14 lettres). Dynamométrique, élasticimétrie, réglementation, rétrogradation.

MESURE ANGLO-SAXONNE. Btu, mille, pica, quart, yard.

MESURE CHINOISE. Fen, hao, hou, li, mastite, pou, yu.

MESURÉ. Aré, auné, cadastré, calculé, calibré, chaîné, circonspect, modéré, prudent, réglé, régulier, sage.

MESURÉMENT. Austèrement, catimini, délicatement, discrètement, doucement, faiblement, frugalement, légèrement, lentement, modérément, mollement, mou, posément, sobrement, timidement.

MESURER. Apprécier, arer, arpenter, auner, cadastrer, calculer, calibrer, chaîner, compasser, compter, corder, cuber, doser, estimer, évaluer, jauger, jouter, juger, métrer, niveler, palper, peser, piger, raser, rectifier, régler, sonder, stérer, toiser.

MESUREUR. Analyseur, analyste, arbitre, arpenteur, chaîneur, chercheur, critique, enregistreur, examinateur, métreur, niveleur, psychologue, recherchiste, télémétreur, vérificateur, vidicon.

MET. Ajoute, arase, cesse, essai, enfante, étame, exerce, fie, hochepot, infuse, place, pose, teste.

MÉTABOLISME. Adénosine, basal, cortisone, créatine, lépotrope, métabole, porphyrie, transformation.

MÉTACARPIEN. Carpe, main, métacarpe, os, paume, phalange, sésamoïde.

MÉTAIRIE. Borde, borderie, closeau, closerie, domaine, exploitation, ferme, fermette, métayer, propriété.

MÉTAL (2 lettres). Or.

MÉTAL (3 lettres). Clé, fer, fil, pot, tub, vis.

MÉTAL (4 lettres). Aloi, armé, bore, broc, cent, clef, clou, flan, gong, gril, inox, iode, lame, lime, mine, plot, scie, seau, sous, tain, tôle, zinc.

MÉTAL (5 lettres). Acier, balle, bande, bardé, blanc, boîte, burin, câble, capot, carde, culot, drain, écrou, émail, émeri, étain, fiche, fonte, forge, fusil, gaffe, jante, jeton, lance, matir, natif, patin, plomb, poids, rivet, sabot.

MÉTAL (6 lettres). Argent, baryum, boësse, casing, cérium, césium, chrome, cobalt, cuivre, erbium, grille, indium, lingot, morfil, nickel, osmium, radium, régule, sodium, titane.

MÉTAL (7 lettres). Bimétal, bismuth, brasure, cadmium, cæsium, gallium, holmium, iridium, lithium, mercure, minerai, néodyme, niobium, platine, rhénium, rhodium, tantale, tellure, terbium, thorium, thulium, uranium, yttrium.

MÉTAL (8 lettres). Actinium, alfénide, blindage, europium, fonderie, francium, lanthane, limaille, lutécium, médaille, pointeau, polonium, rubidium, samarium, scandium, stanneux, thallium, trimétal, vanadium, vergeure.

MÉTAL (9 lettres). Aluminium, antimoine, béryllium, colombium, ferraille, germanium, glucimium, jaquemart, magnésium, manganèse, molybdène, palladium, plutonium, potassium, ruthénium, solénoïde, strontium, tungstène, ytterbium, zirconium.

MÉTAL (10 lettres). Cannetille, dinanterie, gadolinium, grenadière, jacquemart, métallique, métalliser, neptunium, orichalque, platinoïde, praséodyme, prométhéum, sidérolite, toreutique, yetterbium.

MÉTAL (11 lettres). Antomoniure, brunisssage, ferronnerie, métallifère, métallurgie, sidérolithe.

MÉTAL (12 lettres). Bimétallique, calorisation, coupellation, ferricyanure, métallogénie, protactinium.

MÉTAL (13 lettres). Bondérisation, chalcographie, métallisation, polarographie, quincaillerie.

MÉTALDÉHYDE. Combustible, limace, méta, polymère, trimère.

MÉTALLIQUE. Acéré, amer, ardu, brutal, câble, calleux, consistant, coriace, costaud, cruel, dur, enclume, épais, ferme, impitoyable, implacable, inexorable, insensible, rapointis, rappointis, rassis, résistant, rigide, robuste, roc, rude, sec, sévère, solide.

MÉTALLISATION. Argentage, bronzage, cadmiage, chromage, cuivrage, dorage, nickelage, platinage.

MÉTALLISER. Aluminer, anodiser, argenter, bronzer, chromer, cuivrer, dorer, étamer, galvaniser, métalliseur, nickeler, plaquer, platiner, plomber, zinguer.

MÉTALLOÏDE. Bore, brome, chrome, fluor, grenaille, hydrogène, iode, oxygène, phosphore, sélénium, silicium, soufre.

MÉTALLURGIE. Aciérie, centrale, fonderie, forge, haut fourneau, métal, procédé, sidérurgie, thermite, usine.

MÉTALLURGISTE (n. p.). Fréminville, Héroult, Krasucki, Le Chatelier, Martin, Osmond, Saint-Éloi, Siemens, Thomas.

MÉTALLURGISTE. Aciériste, ajusteur, chaudronnier, fondeur, forgeron, fraiseur, riveteur, sidérurgiste, soudeur.

MÉTALOGIQUE. Décidabilité, discipline, logique.

MÉTAMÈRE. Anneau, article, cercle, créneau, diagonale, division, embryon, fraction, fragment, gène, médiane, métamérie, morceau, portion, segment, somite, telson, unité, vecteur.

MÉTAMORPHIQUE. Amphibolite, anatexie, éclogite, ectinite, micaschiste, phyllade, serpentine, statite.

MÉTAMORPHOSE. Avatar, changement, conversion, évolution, forme, histogenèse, hystalyse, imago, incarnation, lycanthropie, métabol, modification, mutation, strige, stryge, transformation, transmutation, trope, virescence.

MÉTAMORPHOSER. Aérer, altérer, améliorer, amender, arrière, changer, commuer, convertir, décaler, dégénérer, déliter, désaffecter, dévier, émigrer, évoluer, falsifier, fluctuer, innover, inverser, lignifier, modifier, momifier, muer, muter, ossifier, permuter, pétrifier, pirouetter, raviser, remanier, remplacer, remuer, revenir, saccharifier, tourner, varier, virer, zapper.

MÉTAPHORE. Allégorie, catachrèse, comparaison, figure, gongorisme, icône, image, métonymie, trope, voix.

MÉTAPHORIQUE. Allégorique, anagogique, emblématique, figuratif, parabolique, représentatif, symbolique.

MÉTAPHYSIQUE. Déduction, doctrine, être, intuition, ontologie, réduction, système, théodicée.

MÉTAPSYCHIQUE. Paranormal, parapsychique, parapsychologie, prémonition, télépathie.

MÉTASTASE. Avancement, cancer, développement, diffusion, épidémie, expansion, extension, multiplication, propagation, rayonnement, reproduction, tumeur.

MÉTATARSE. Anapeste, apode, arpion, astragale, bas, bot, calcanéum, cap, cep, chaussure, équin, griffe, ïambe, jambe, myriapode, orteil, panard, pas, patte, peton, pied, piédestal, pince, plante, serre, stipe, support, tarse, vers.

MÉTATHÈSE. Adaptation, anagramme, calque, déplacement, interversion, inversion, permutation, renversement, traduction, transposition.

MÉTAYER. Bordier, closier, colon, colonat, exploitant, fermier, khammès, métairie, métayage.

MÉTAZOAIRE. Acarien, accœlomate, animal, bradype, cavité, cœlome, édenté, lémurien, lent, mammifère, mégathérium, mésentère, paresseux, synovite, tardigrade, triploblastique, unau.

MÉTEMPSYCOSE. Âme, métensomatose, mort, palingénésie, réincarnation, renaissance, transmigration.

MÉTÉORE. Astéroïde, aurore, bolide, comète, éclair, étoile, feu, halo, orage, perséides, pluie, taurides.

MÉTÉORISER. Arrondir, augmenter, ballonner, bomber, boucler, bouffer, bouffir, boursouffler, bulber, cloquer, coquiller, dilater, empâter, enfler, exagérer, gonfler, rebondir, regonfler, rengorger.

MÉTÉORISME. Accroissement, accumulation, addition, adiposité, aérocolie, aérogastrie, agglomération, amas, amoncellement, ballonnement, congestion, entassement, épanchement, épargne, flatuosité, gaz, gisement, glacier, gonflement, hydarthrose, hydropéricarde, hydropisie, investissement, lourdeur, moraine, œdème, pigmentation, quantité, rétention, tas, thésaurisation, ventosité.

MÉTÉORITE. Achondrite, aérolithe, astroblème, chondrite, comète, étoile, sidérite, sidérolite, sidérolithe.

MÉTÉOROLOGIE. Climatologie, hydrologie, géophysique, météo, prévision, radiosondage, statistique, température.

MÉTÉOROLOGISTE ou MÉTÉOROLOGUE (n. p.). Abbe, Buys-Ballot, Charney, Fitzroy, Lorenz, Melsens, Namias, Teisserenc, Wegener.

MÉTÈQUE. Allochtone, allophone, aubain, autre, el, étranger, externe, huilander, inconnu, rasta, rastaquouère, xénophobe.

MÉTHANE. Formène, gaz, grisou, méthanier, méthanol, méthyle, méthylique, triphénylméthane.

MÉTHANOL. Alcool, alcool méthylique, esprit-de-bois, méthylène, méthylique.

MÉTHIONINE. Acide, caséine, croissance, équilibre, lait, œuf, organisme.

MÉTHODE. Art, analytique, asepsie, chiropractie, chiropraxie, clonage, critère, démarche, dispositif, donnée, étape, exhaustion, façon, globale, ignipuncture, intermédiaire, jiu-jitsu, karaté, manière, marche, méthodologie, midrash, mode, ordre, pédagogie, polarographie, polygonation, précis, procédé, procédure, recette, rééducation, règle, secourisme, shiatsu, sophrologie, système, technique, upérisation.

MÉTHODIQUE. Cartésien, dialecticien, ordonné, réglé, rotation, soigneux, systématique, zootaxie

MÉTHYLE. Alcool, anesthésique, antiseptique, bleu, chlorure, esprit de bois, isoprène, méthanol, méthylène, méthylique, radical, réfrigérant, salicylate, solvant, thiazine, thionine, wintergreen.

MÉTHYLORANGE. Acidimétrie, azoïque, colorant, hélianthine, jaune-orange, réactif, rose, rouge.

MÉTICULEUSEMENT. Clairement, consciencieusement, distinctement, exactement, fidèlement, justement, nettement, pile, pilepoil, précisément, proprement, religieusement, scrupuleusement, vaguement.

MÉTICULEUX. Appliqué, attentif, consciencieux, exigeant, fidèle, maniaque, minutieux, perfectionniste, précis, regardant, rigide, rigoureux, scrupuleux, sévère, soigné, soigneux, strict, taponneux, tatillon.

MÉTICULOSITÉ. Application, argutie, attention, conscience, contiguïté, détail, diligence, exactitude, fouillé, importance, lésinerie, mesquinerie, minutie, parcimonie, poussé, précision, protocolaire, purisme, regardant, rien, soin, sollicitude, scrupule, valeur, vigilance.

MÉTIER. Appareil, art, batelier, boulot, brocante, cadre, chanteur, embaumeur, emploi, fonction, graveur, habileté, maîtrise, occupation, plombier, profession, proxénète, ramoneur, renvideur, restauration, rôle, savoir-faire, semple, serrurerie, serrurier, tonnellerie, travail, vente.

MÉTIS (n. p.) Lam, Morelos y Pavon, Riel, Tupac Amaru.

MÉTIS. Amérasien, bâtard, corneau, corniaud, créole, croisé, espèce, eurafricain, eurasiatique, eurasien, hybride, mâtiné, mélange, mêlé, métissage, mulard, mulâtre, mule, mulet, octavon, quarteron, sang-mêlé, tierceron, zambo.

MÉTISSAGE. Affinité, alliance, ars, assemblage, bloc, cohérence, communion, connexion, éclisse, ensemble, entente, fusion, jonction, liaison, ligue, mariage, monogamie, rapprochement, réunion, syndicat, trinité, union, unité, unitif.

MÉTISSER. Coudoyer, couper, croiser, décroiser, entrecroiser, entrelacer, couper, entrecroiser, harper, hybrider, mâtiner, mélanger, mêler, montrer, naviguer, passer, rencontrer, traverser, trouver, voir.

MÉTOPE. Banche, cadre, carte, claie, clin, écran, enseigne, filet, frise, lé, pancarte, panneau, panonceau, pièce, piège, stop, table, tableau, triglyphe, tympan, vantail, vitre, volet.

MÉTRAGE. Actualité, bande, clip, coupon, court, emmétrer, film, long, longueur, pellicule, pince, projection, vidéoclip.

MÈTRE. Are, centimètre, galon, li, mesure, métrique, mille, pièze, ruban, rythme, stère, toise, vers.

MÉTRER. Apprécier, arer, arpenter, auner, cadastrer, calculer, calibrer, chaîner, combiner, compasser, compter, corder, cuber, doser, évaluer, jauger, juger, mêler, mesurer, niveler, palper, peser, proportionner, raser, régler, stérer, toiser.

MÉTREUR. Analyseur, analyste, arbitre, arpenteur, chaîneur, chercheur, critique, enregistreur, examinateur, mesureur, niveleur, psychologue, recherchiste, télémétreur, vérificateur, vidicon.

MÉTRIQUE. Distance, espace, hecto, kilo, mesure, métricien, micro, prosodie, quintal, système, tonne.

MÉTRITE. Cervicite, infection, inflammation, utérus.

MÉTRO (n. p.). RER.

MÉTRO. Autocéphale, balai, métropole, métropolitain, rame, train, transport, zoreille.

MÉTROLOGIE. Aréage, aunage, comparaison, mesurage, métrage, science, stère, test, veltage.

MÉTROPOLE. Archevêché, capitale, centre, chef-lieu, évêque, métro, patrie, séminaire, urbain, ville.

MÉTROPOLITE. Aga, agha, autorité, ban, camérier, chancelier, dignitaire, éfendi, effendi, figure, hiérarque, huile, notabilité, patrice, personnage, personnalité, ponte, romain, voïévode, voïvode.

METS. Acra, aligot, aliments, animelles, blaff, blini, bortsch, brandade, brouet, bugne, cannelloni, carte, caviar, chère, civet, cotriade, cuisine, darne, entrée, épice, feijoada, financière, fondue, frichti, fricot, galantine, gnocchi, goulache, goulasch, gratin, kig ha fars, lasagne, lie, macaroni, macédoine, manger, marengo, matelote, menu, miroton, morceau de roi, nem, nourriture, oignonade, paella, pâté, pauchouse, piperade, plat, pochouse, provisions, raclette, ravioli, régal, régalade, repas, reste, rillettes, rillons, ris, risotto, roesti, rösti, rôti, salade, sashimi, sauce, soupe, spaghetti, sushi, table, taboulé, tagine, tandoori, tian, tripe, tripous, tripoux, victuailles, vivres.

METTABLE. Acceptable, admissible, assez, convenable, médiocre, moyen, passable, portable, potable.

METTEUR. Cinéaste, concepteur, créateur, exécuteur, imprimerie, producteur, réalisateur, vidéaste.

METTEUR EN SCÈNE FÉMININ (n. p.). Aubin, Baillargeon, Beaulne, Bourque, Cloutier, Corbeil, Côté, Courchesne, Cousineau, Danis, Desgroseillers, Dion, Drolet, Dutil, Faucher, Fichaud, Filiatrault, Gagnon, Gallant, Guimond, Laberge, Lanctôt, Lantagne, Lapierre, Léger, Le Guerrier, Lepage, Leriche, Magdelaine, Magny, Malacort, Mercure, Mouffe, Nadeau, Notebaert, Pelletier, Prégent, Prévost, Raymond, Ronfard, Rossignol, Simard, Tremblay.

METTEUR EN SCÈNE MASCULIN (n. p.). Alacchi, Babin, Barba, Barbeau, Bastien, Becker, Belleau, Bergeron, Bernard, Bienvenue, Bilodeau, Binet, Blay, Boilard, Borges, Boucher, Boutet, Brass, Brassard, Bromilow, Buissonneau, Cameron, Canac-Marquis, Canuel, Caron, Chapdelaine, Charest, Cloutier, Collin, Comar, Cormier, Cyr, Da Silva, Daviau, Deguisne, Delisle, Denis, Desgranges, Desjarlais, Doucet, Drolet, Dumas, Duparc, Dupuis, Filion, Forgues, Fortin, Gagnon, Gariépy, Gaudreault, Gaumond, Gélinas, Gélineau, Gosselin, Gouin, Grégoire, Guay, Hébert, Hlady, Ilial, Jalbert, Jean, Kotto, Labrosse, Lafortune, Lagrandeur, Laprise, Laroche, Lavallée, Leblanc, Leduc, Legault, Lelièvre, Lepage, Leroux, Lessard, Létourneau, Maheu, Marsolais, Maurac, Mc Gill, Meilleur, Ménard, Millaire, Mondy, Monty, Nadeau, Neufeld, Niquette, Ovadis, Poirier, Poissant, Poulain, Quintal, Retamal, Reviv, Ricard, Richard, Ronfard, Roussel, Roy, Sabourin, Saucier, St-André, Simard, Soldevila, Spensley, Stein, Tassé, Thibodeau, Tremblay, Vincent, Wiriot.

METTRE (3 lettres). Bas.

METTRE (4 lettres). Fier, mise, tuer.

METTRE (5 lettres). Aérer, armer, caler, caser, caver, clore, dater, faire, fixer, garer, gêner, hâter, jouer, lever, loger, lotir, mâter, mêler, plier, polir, poser, rimer, roder, semer, tarir, taxer, tomer, vêler, vêtir, viser, vouer.

METTRE (6 lettres). Araser, bouter, briser, cacher, camper, casser, cesser, claver, coller, couler, éditer, égarer, étager, étaler, farder, ficher, foncer, former, foutre, friser, ganter, hacher, isoler, lancer, langer, lister, livrer, mécher, moudre, ombrer, pendre, pétrir, placer, poster, ranger, relier, rouler, saisir, seller, signer, sommer, tenter, terrer, tester.

METTRE (7 lettres). Abouter, abriter, agneler, ajouter, alerter, allumer, ameuter, anneler, aposter, arrêter, asseoir, coffrer, coincer, confire, coucher, défaire, démolir, dépecer, dévider, dresser, écraser, écrouer, élargir, émettre, emmêler, empiler, empoter, encager, enfouir, engager, enliser, enrêner, enrôler, ensiler, épuiser, espérer, établir, exercer, exposer, glisser, guêtrer, indexer, initier, irriter, lacérer, libérer, lourder, mariner, menacer, obliger, opposer, parquer, planter, prendre, ravaler, remiser, rentrer, revêtir, séparer, stocker, tourner.

METTRE (8 lettres). Abaisser, aboucher, accorder, alléguer, attarder, cercaire, clôturer, embraser, encaquer, endosser, enfermer, engrener, ensacher, entasser, entraver, flanquer, grumeler, inculper, inféoder, ingénier, préparer, procurer, rajouter, relâcher, reléguer, remettre, renvoyer, résilier, retarder, saccager, tartiner, terminer.

METTRE (9 lettres). Accoucher, accoupler, accumuler, actionner, affleurer, affronter, amonceler, approcher, assembler, béatifier, bousculer, cochonner, concilier, conformer, dissoudre, diviniser, écheveler, effectuer, émanciper, embarquer, enflammer, enfourner, engranger, fracasser, harnacher, immuniser, installer, instruire, mémoriser, mobiliser, numéroter, peaufiner, préserver, provoquer, rabaisser, rationner, regrouper, remplacer, renverser, retourner, retraiter, rubriquer, versifier.

METTRE (10 lettres). Accommoder, apostiller, bâillonner, confronter, contraster, courroucer, détériorer, ébouriffer, entreposer, environner, horripiler, incarcérer, incriminer, installer, réinscrire, retrancher, sanctifier, séquestrer, stabiliser, transposer, vampiriser, vulgariser.

METTRE (11 lettres). Agenouiller, bouleverser, contraindre, déchiqueter, embrouiller, enharnacher, interrompre, prédisposer, thésauriser.

METTRE (12 lettres). Compromettre, controverser, disqualifier, entreprendre, marginaliser.

MEUBLE. Armoire, bahut, banc, bar, battant, bibliothèque, buffet, bureau, cabine, cabinet, case, casier, causeuse, chaise, chiffonnier, classeur, coffre, commode, console, crédence, desserte, discothèque, divan, dressoir, encoignure, étagère, fauteuil, fichier, foi, gondole, huche, layette, lit, lutrin, médaillier, mobilier, orgue, panetière, paravent, péri, présentoir, prie-Dieu, pupitre, rack, scriban, scribanne, secrétaire, semainier, sétailier, siège, sofa, table, toilette, tourteau, travailleuse, tas.

MEUBLER. Ameublir, démeubler, emplir, équiper, garnir, occuper, remeubler, remplir, semer.

MEUGLEMENT. Appel, beuglement, braillement, braiment, cri, hurlement, mugissement, vocifération.

MEUGLER. Appeler, beugler, bovin, brailler, bramer, crier, hurler, meuglant, mugir, vociférer.

MEULE. Affiloir, aiguiser, aiguisoir, aléseuse, barge, broyeur, concasseur, couche, cylindre, émoudre, gerbier, lame, lapidaire, meulier, meulon, mob, moyette, pailler, ribler, ripe, tas.

MEULER. Acérer, activer, affiler, affûter, agacer, aiguillonner, aiguiser, appointer, blanchir, broyer, chever, dégrossir, écacher, émorfiler, émoudre, exciter, fusil, meule, meulette, queue, rectifier, repassage, repasser, tranchant, usiner.

MEUNERIE. Abée, bief, buse, joc, minoterie, moulin, moulinette, noix, reillère, roue, trémillon.

MEUNIER (n. p.). Birkenhead.

MEUNIER. Able, blatte, cafard, chevaine, chevenne, chevesne, farine, mésange, minotier, pinot, poisson.

MEUNIÈRE. Mésange, sole, truite.

MEURTHE-ET-MOSELLE, VILLE (n. p.). Baccarat, Batilly, Bayon, Briey, Écrouves, Foug, Francheville, Gerbevillier, Jarny, Laxou, Liverdun, Longwy, Ludrès, Nancy, Rehon, Sion, Vaudemont, Vitrey.

MEURTRE. Assassinat, crime, déicide, égorgement, élimination, empoisonnement, étranglement, étripage, fratricide, hécatombe, homicide, infanticide, matricide, parricide, régicide, suicide, tuerie.

MEURTRI. Avarie, blessé, blessure, confus, contondant, coti, écrasé, fané, foulé, foulure, noir, poché, talé, tallé.

MEURTRIER (n. p.). Barbe-Bleue, Brutus, Cassius, Égisthe, Macrin, Oreste, Othello, Publius.

MEURTRIER. Assassin, bandit, criminel, cruel, féroce, homicide, inculpé, parricide, sanglant, sanguinaire, sbire, tueur.

MEURTRIÈRE. Amok, arbalétrière, barbacane, canonnière, ouverture, tueuse.

MEURTRIR. Attiger, blesser, contusionner, cotir, déchirer, écraser, endolorir, fouler, mâchurer, massacrer, navrer, taler.

MEURTRISSURE. Blessure, bleu, bosse, contusion, coup, dommage, ecchymose, noir, plaie, tache, taler, talure.

MEUSE, VILLE (n. p.). Avioth, Bouligny, Commercy, Épernay, Étain, Souilly, Spincourt, Stenay, Vaubecourt, Verdun, Void.

MEUTE. Abondance, affluence, armada, armée, attroupement, bande, bataillon, clique, cohorte, cohue, concentration, curée, essaim, flopée, flot, forêt, foule, gang, horde, kyrielle, quête, tribu, troupe.

MÉVENTE. Banqueroute, carence, chute, crise, culbute, débâcle, déconfiture, dépression, dette, effondrement, faillite, fiasco, insolvabilité, krach, liquidation, marasme, naufrage, récession, ruine.

MEXICAIN. Amblystome, chicano, chili, fajita, salsepareille, sisal, taco, xipho, xiphophore.

MEXIQUE (n. p.). Anahuac, Aztèque, Inca, Mariachi.

MEXIQUE, CAPITALE (n. p.). Mexico.

MEXIQUE, LANGUE. Espagnol, maya, mixtèque, nahuatl, otomi, zapotèque.

MEXIQUE, MONNAIE. Peso.

MEXIQUE, VILLE (n. p.). Acapulco, Aguascalientes, Ameca, Cancun, Chihuahua, Choix, Durango, Guadalajara, La Paz, Len, Leon, Mérida, Mexico, Oaxaca, Puebla, Queretaro, Tampico, Tehuantepec, Tepic, Tiaxcala, Tijuana, Tollan, Toluca, Tula, Veracruz.

MEZZANINE. Balcon, corbeille, entresol, étage, fenêtre, galerie, loggia, niveau, orchestre, théâtre.

MEZZOGIORNO (n. p.). Abruzzes, Basilicate, Calabre, Campanie, Midi, Molise, Pouilles, Sardaigne, Sicile.

MEZZO-SOPRANO, CHANTEUSE (n. p.). Amos, Aubé, Beaudry, Beaulieu, Beaupré, Bédard, Bergeron, Boucher, Bovet, Brehmer, Brodeur, Cartier, Chaput, Chartier, Chiocchio, Choinière, Clavet, Comtois, Corbeil, Couture-Joachim, Dansereau, Dind, Dion, Dufour, Duguay, Dumont, Dumontet, Duval, Fay, Ferland, Fillion-Biro, Fleury, Flibotte, Gaudreau, Girard, Girouard, Guyot, Harbour, Keklikian, Laferrière, Lamarche, Lambert, Lapointe, Lavigne, Leblanc, Lemelin, Lessard, Levac, Marchand, Martin, Martineau, Matteau, Mayer, Mizera, Murray, Nelson, Novembre, Ouellet-Gagnon, Paltiel, Paquet, Parizeau, Pavelka, Pelletier, Poulain, Poulin Racine, Rioux, Robert, Rose, Roy, St-Jean, Samson, Sanders, Senécal, Sevadjian, Tardif, Vachon, Vaillancourt, Verschelden.

MI. À moitié, bémol, demi, dièse, encablure, majeur, mile, mille, mineur, moitié, note, semi.

MIASME. Arôme, effluve, émanation, exhalaison, fétidité, fumet, odeur, parfum, puanteur, senteur, souffle, vapeur.

MIAULEMENT. Appel, avertissement, clabaudement, clameur, exclamation, huchement, miaou, son.

MIAULER. Appeler, avertir, brailler, chialer, clamer, crier, larmoyer, maronner, pleurnicher, pleurer.

MICA. Biotite, clivable, granit, granulite, lépidolite, lépidolithe, muscovite, tufeau, tuffeau.

MICELLE. Agrégat, anion, atome, boson, corpuscule, da, de, di, du, électron, épisome, gluon, ion, ka, kaon, lepton, méson, micron, morceau, mu, muon, neutrino, neutron, nucléon, oc, oui, particule, poudre, van, vice, von.

MICHE. Azyme, baguette, bis, biscotte, boule, brie, bun, chanteau, chapelure, croissant, croûte, fesse, ficelle, flûte, four, gressin, havi, hostie, mie, miette, oba, pain, pané, pita, porteuse, sagou, salignon, sec, toast.

MICHELINE. Automotrice, autorail.

MI-CLOS. Accessible, accueillant, béant, cosmopolite, déclaré, délabré, éclos, entamé, entrouvert, épanoui, évasé, éventré, fendu, fente, franc, inauguré, large, libéral, libre, orifice, ouvert, percé, perméable, tolérant, troué, stomatoscope.

MICMAC. Calcul, complot, écheveau, embrouillamini, imbroglio, manigance, maquis, méli-mélo, peuple, tribu.

MICOCOULIER. Arbre, cormier, feuillu, orme, orme de Sibérie, ormeau, ulmacée, urticale.

MICRO. Baladeur, basic, capteur, girafe, microphone, perche, petit.

MICROBE. Acétobacter, amibe, amylobacter, arsine, asepsie, bacille, bactérie, brucella, coque, entérocoque, ferment, germe, glossine, gonocoque, gram, microbien, microcoque, nain, spirille, spirochète, stomose, streptocoque, typhose, vibrion, virgule, virus, zooglée.

MICROBIOLOGIE. Bactériologie, étuve, gélatine, microbiologiste, mycologie, parasitologie, virologie.

MICROBIOLOGISTE (n. p.). Bordet, Fleming, Frappier, Guérin, Metchnikoff, Pasteur, Ramon, Smith, Waksman.

MICROCOSME (n. p.). Croll, Crollius, Paracelse, Scève.

MICROCOSME. Ascidie, être, figue de mer, homme, landerneau, macrocosme, microcosmique, milieu, violet.

MICROFILM. Achrome, album, anaglyphe, description, diaphragme, écran, film, image, instantané, iso, peinture, photo, photographie, photocopie, photostat, portrait, pose, posemètre, représentation, tirage, vue.

MICRO-ONDE. Chauffage, four, onde, radar.

MICRO-ORGANISME. Adénovirus, aérobie, anaérobie, animalcule, bactérie, flore, germe, lentivirus, leptospire, microbe, mycoplasme, myxovirus, papillomavirus, protiste, provirus, septique, vibrion, virus.

MICROPROCESSEUR. Circuit, ordinateur, puce.

MICROPYLE. Anatrope, anthérozoïde, fécondation, nucelle, orifice, ovule.

MICROSCOPE. Binoculaire, frottis, loupe, oculaire, œilleton, statif, ultramicroscope.

MICROSCOPIQUE. Amibe, asque, cytodiagnostic, favus, invisible, liposome, minuscule, navicule, nostoc, oïdium, ostiole, perlite, petit, plancton, puccinia, rhizoctone, rotifère, sarcopte, stomate.

MICTION. Compisser, évacuer, pipi, pisser, pissoter, pissouiller, pollakiurie, urine, uriner.

MIDI. Accent, adret, après-midi, avant-midi, austral, butor, cade, déjeuner, démon, dîner, garou, grau, mante, mas, matin, médium, méridien, méridional, milieu, mollé, oc, pm, seps, sexte, soulane, sud, têt.

MIDINETTE. Apprentie, arpète, cousette, couturière, fille, mineure, mode, modiste, naïve, ouvrière.

MIE. Amie, belle, biche, bichette, chapelure, dame, goutte, miette, miton, œil, pain, panure, pas, rien.

MIEL. Abeille, beignet, cire, emmiellé, favus, gaufre, hydromel, miellé, nougat, ours, oxymel, rob, ruche.

MIELLÉ. Ambré, bond, blondasse, blondinet, bouton-d'or, chrysolite, citrine, doré, galant, flavescent, jaune, lin, olivine, or, péridot, platine, pierre, quartz, serpentine, silicate, topaze, topazolite.

MIELLÉE. Débordement, distillation, éruption, exsudation, extravasation, flux, fuite, infiltration, inondation, miellure, naufrage, noyade, ravinement, sécrétion, submersion, sueur, transpiration.

MIELLEUSEMENT. Benoîtement, doucereusement, fadement, mièvrement, onctueusement, simplement, tranquillement.

MIELLEUX. Cauteleux, douceâtre, doucereux, emmiellé, face, hypocrite, mièvre, onctueux, patelin, sucré.

MIETTE. Atome, bribe, brin, brisure, débris, émier, fragment, mie, morceau, once, peu, pièce, râpé, restant.

MIEUX. Bien, élite, meilleur, nec plus ultra, perle, pis-aller, plus, plutôt, supérieur, suprême, top.

MIEUX-ÊTRE. Amélioration, apaisement, cicatrisation, convalescence, cure, délitescence, efflorescence, guérison, rémission, répit, résorption, résurrection, rétablissement, salut, soulagement, traitement.

MIÈVRE. Affecté, fade, fragile, gentil, gnangnan, insipide, joli, maniéré, menu, mignard, mou, naïf, rose, sentimental, sirupeux, sucré.

MIÈVREMENT. Benoîtement, doucereusement, fadement, mielleusement, onctueusement, simplement, tranquillement.

MIÈVRERIE. Affectation, afféterie, fadeur, maniérisme, mignardise, préciosité, singularité.

MIGNARD. Adorable, avenant, beau, bien, charmant, chou, coquet, croquignolet, cute, délicieux, doucereux, gentil, gentillet, gracieux, joli, mièvre, mignon, mignonnet, plaisant, ravissant, trognon, vénuste.

MIGNARDEMENT. Adroitement, agréablement, bien, coquettement, élégamment, gracieusement, habillement, harmonieusement, joliment, magnifiquement, mignonnement, plaisamment, superbement.

MIGNARDISE. Affecté, bordure, caresse, délicat, délicatesse, doux, gâterie, gentillesse, grâce, mignon, œillet.

MIGNON. Adorable, aimable, avenant, bellot, bijou, biquet, charmant, chou, complaisant, craquant, croquignolet, délicat, efféminé, favori, filet, gentil, giton, gracieux, homosexuel, joli, mignonnet, mimi, péché, trognon.

MIGNONNEMENT. Adroitement, agréablement, bien, coquettement, élégamment, gracieusement, habillement, harmonieusement, joliment, magnifiquement, mignardement, plaisamment, superbement.

MIGNONNETTE. Échantillon, fleur, gravillon, mignardise, œillet, poivre, réséda, salade, saxifrage.

MIGNOTER. Bichonner, cajoler, caresser, choyer, dorloter, flatter, pommader, soigner, traiter.

MIGRAINE. Céphalalgie, céphalée, douleur, encéphalgie, hémicrânie, mal de bloc, mal de tête, migraineux.

MIGRANT. Abattu, déraciné, émigrant, émigré, exilé, expatrié, immigrant, immigré, importé, réfugié, transplanté.

MIGRATEUR. Émigrant, erratique, migrant, mobile, nomade, oiseau, pèlerin, saisonnier, transhumant, voyageur.

MIGRATION. Changement, déplacement, diapédèse, errance, estivage, exode, invasion, lessivage, montaison, remue.

MIJAURÉE. Affectée, bêcheuse, chichiteuse, femme, pécore, péronnelle, pimbêche, prétentieuse, ridicule.

MIJOTAGE. Bouillissage, braisage, coction, concordance, cuisson, cuite, daube, douleur, étouffée, étuvée, rôtissage.

MIJOTER. Bouillir, combiner, cuire, cuisiner, étuver, fricoter, manigancer, mitonner, ourdir, préparer, tramer.

MIKADO. Basileus, bataille, césar, empereur, empire, gibelin, guelfe, impérial, jonchet, kaiser, khan, légat, monarque, régant, rescrit, roi, sénat, sire, sultan, trône, tsar, tzar.

MIL. Céréale, couscous, fléole des prés, miliaire, mille, millet, panic, perrière, sorgho, tchapalo.

MILDIOU. Champignon, moisissure, phycomycète, plasmopara, rouille, siphomycète, vigne.

MILIAIRE. Affection, bédouine, fièvre, gale, glande, granulie, mil, suette, tuberculose.

MILICE. Armée, bataillon, brigade, cohorte, colonne, corps, mamelouk, mameluk, troupe.

MILICIEN. Armée, artilleur, cadet, casernier, centurie, civil, déserteur, estafette, fantassin, galon, gendarme, général, gi, goumier, grade, guerrier, hussard, légionnaire, marsouin, martial, militaire, officier, ost, rata, recrue, serval, service, soldat, soldatesque, stratégique, supplétif, traîneur, troupier.

MILIEU. Alto, âme, aura, axe, biome, céans, centre, contour, dans, diaphyse, dîner, élément, emmi, en, entourage, entre, espace, ghetto, in situ, intérieur, jet-set, landerneau, médian, microcosme, midi, minuit, mitan, naturel, parmi, pègre, sein, sérail, société, sphère, terreau, univers, vif.

MILITAIRE. Armée, artilleur, cadet, casernier, centurie, civil, déserteur, estafette, fantassin, filleul, galon, gendarme, général, gi, goumier, grade, guerrier, horse-guard, hussard, invalide, légionnaire, marsouin, martial, milicien, missilier, officier, ordonnance, ost, parachutiste, permissionnaire, perte, pontonnier, rata, recrue, réduction, réformé, régulier, rengager, réserviste, riz-pain-sel, servant, service, shogoun, shogun, soldat, soldatesque, stratégique, supplétif, territoriale, trainglot, traîneur, tringlot, troupier.

MILITANT. Activiste, adepte, allié, barbu, camelot, écologiste, fidèle, grognard, guerrier, partisan, pétroleuse, syndicaliste, vert.

MILITANT SOCIALISTE (n. p.). Briand, Clément, Jaurès, Labrousse, Semprum.

MILITANTISME. Accrue, action, activité, agitation, ardeur, athlétisme, conduite, dynamisme, énergie, entrain, éréthisme, éruption, exercice, force, inertie, mouvement, occupation, service, vigueur, vitalité, vivacité, zèle.

MILITARISTE. Belliciste, boutefeu, épervier, guerrier, guerroyeur, martial, militaire, va-t-en-guerre.

MILITER. Agir, appuyer, combattre, constituer, défendre, engager, fidéliser, lutter, parler, participer, plaider.

MILLE. Date, kilo, majorité, mesure, mil, millage, mille-feuille, millénaire, millésime, milli, milliard, millième, millier, million, retraite.

MILLE-PATTES. Anténatte, géophile, gloméris, iule, lithobie, macrofaune, myriapode, scolopendre, scutigère.

MILLÉSIME. Année, bouche, cuvée, date, majorité, millésimer, retraite, vin, vintage, yeux.

MILLET. Balai, blé, céréale, doura, maïs, mil, moha, panic, panicum, sorgho, tchapalo.

MILLIGRAMME. Mg.

MILLILITRE. Ml.

MILLIMÈTRE. Mm.

MILLIONNAIRE. Abondant, aisé, argenté, argenteux, cossu, crésus, étoffé, fertile, fortuné, galetteux, grenu, huppé, ladre, milliardaire, multimillionnaire, nanti, nourri, opulent, or, pactole, parvenu, pauvre, possédant, pourvu, rentier, riche, richissime, rupin, samit.

MILLITHERMIE. Kilocalorie, mth.

MILLIVOLT. Mv.

MILOUIN. Anatidé, barnache, bernache, bernacle, bièvre, canard, colvert, cygne, eider, fuligule, garrot, harle, macreuse, mandarin, morillon, mulard, oie, palmipède, pilet, plongeur, sarcelle, souchet, tadorne.

MIME. Acteur, contorsion, expression, gestes, imitateur, mimique, pantomime, signes, sourd et muet.

MIME FÉMININ (n. p.). Alepin, Belleau, Moisan, Paré, Sylvain, Rubinstein.

MIME MASCULIN (n. p.). Arbour, Benoît, Boissé, Bolduc, Carez, Dagenais, Debureau, Diamond, Fregoli, Gendreau, Lorrain, Marceau, Marx, Morneau, Pierrot, Raynaud, Sauvageau, Talbot, Trudel.

MIMER. Affecter, contrefaire, copier, feindre, imiter, jouer, parodier, plagier, reproduire, simuler, singer.

MIMÉTISME. Affinité, air, air de famille, analogie, caméléon, connexion, désaccord, différence, disparité, forme, image, morphisme, parenté, portrait, propriété, reproduction, ressemblance, semblable, similitude, sosie.

MIMI. Attouchement, cajolerie, câlin, câlinerie, caresse, chatterie, effleurement, frôlement, gâterie, mamours.

MIMIDÉ. Moqueur.

MIMIQUE. Contorsion, expression, gestes, mime, mimodrame, pantomime, pierrot, ridicule, signes.

MIMODRAME. Contorsion, expression, gestes, mime, mimique, pantomime, pierrot, ridicule, signes.

MIMOSA. Acacia, amourette, arbuste, herbacée, légumineuse, mimosée, néré, sensitive.

MIMOSACÉE. Acacia, albizia, amourette, arbre à soi, entada, inga, mimosa, néré, parkia, propopis.

MINABLE. Abominable, craignos, culcul, déguenillé, dérisoire, étriqué, gueux, hère, lamentable, looser, loqueteux, loser, médiocre, mesquin, minus, misérable, miteux, moche, nul, paumé, pauvre, piètre, piteux, pitoyable, vil.

MINABLEMENT. Déplorablement, dérisoirement, désastreusement, douloureusement, lamentablement, misérablement, miteusement, pauvrement, piètrement, piteusement, pitoyablement, tristement.

MINARET (n. p.). Adalia, Antalya, Giralda, Kutubiyya, Sainte-Sophie.

MINARET. Beffroi, campanile, donjon, guette, islam, mirador, mosquée, muezzin, nuraghe, phare, tour, tourelle.

MINAUDER. Abuser, aguicher, allécher, appâter, attirer, charmer, conquérir, convaincre, corrompre, débaucher, décevoir, déshonorer, détourner, éblouir, enjôler, ensorceler, entortiller, envoûter, fasciner, plaire, séduire, suborner, tenter, vamper.

MINAUDERIE. Abus, afféterie, appât, attirance, grâce, grimace, manière, mine, moue, pitrerie, simagrée, singerie.

MINAUDIER. Altier, arrogant, capricieux, chichiteux, chochotte, condescendant, dédaigneux, distant, façonnier, fier, grimacier, hautain, maniéré, méprisant, pimbêche, précieux, sarcastique, supérieur.

MINBAR. Ambon, basilique, catafalque, canthère, chaire, chaise, chœur, église, estrade, faldistoire, homilétique, hourd, jubé, perchoir, plateau, pupitre, rostre, siège, stalle, tribune.

MINCE. Aigu, allongé, barde, bâton, bible, délicat, délié, effilé, élancé, épais, étroit, fil, filiforme, fin, fluet, folié, fracile, frêle, fuselé, gracile, grêle, gros, lame, large, latte, léger, maigre, médiocre, menu, négligeable, petit, piètre, pincé, plat, pruine, ru, scarieux, svelte, ténu, tôle, tulle.

MINCEUR. Acuité, adresse, astuce, bêtise, clairvoyance, délicatesse, délié, épais, finasserie, finesse, flair, grâce, gracilité, ineptie, intelligence, maigre, malice, menu, niaiserie, ort, perspicacité, raffinement, ruse, sagacité, sel, sottise, spirituel, stratagème, stupidité, subtilité, sveltesse, tact, ténu, ténuité.

MINCIR. Abîmer, abraser, abuser, affaiblir, amincir, amoindrir, araser, avachir, biaiser, consommer, corroder, dépenser, disposer, effacer, effriter, élimer, émeri, émousser, entamer, épointer, épuiser, érafler, éroder, fatiguer, finasser, gâter, laminer, limer, maganer, meuler, miner, mordre, raguer, râper, rayer, roder, ronger, ruser, saper, servir, user, vider.

MINE (n. p.). Bor, Chuquicamata, Erzberg, Laurion, Schefferville, Springs, Teniente.

MINE. Agacerie, air, apparence, bouille, bure, cage, carrière, complexion, contenance, expression, figure, génie, gisement, gîte, grimace, houillère, mèche, minauderie, mineur, minière, minot, or, physionomie, porion, puits, sautage, singerie, soufrière, tout-venant, visage.

MINER. Abattre, attaquer, caver, consumer, creuser, déduire, détruire, éroder, gruger, ronger, ruiner, saper, subversif, user.

MINERAI (3 lettres). Roc.

MINERAI (4 lettres). Gîte, mine, stot.

MINERAI (5 lettres). Fluor, fonte, forge, galet, haver, matte, oxyde, plomb, spath, tutie, veine.

MINERAI (6 lettres). Albite, blende, bocard, crayon, galène, gangue, granit, havage, lavoir, pellet, pierre, rocher, scorie, sinter, speiss, sphène, tuthie.

MINERAI (7 lettres). Alunite, bauxite, berline, caillou, caliche, cinabre, cuprite, ferreux, ferrite, granulé, laverie, minette, minière, réalgar, schlich, stibine, sulfure, uranium, wolfram.

MINERAI (8 lettres). Argyrose, autunite, boracite, calamine, hématite, latérite, limonite, mâchefer, roselier, schlamms.

MINERAI (9 lettres). Alumineux, amphibole, anglésite, antimoine, cuprifère, malachite, pierrette.

MINERAI (10 lettres). Garniérite, hornblende, lépidolite, pechblende, plombifère, tourmaline.

MINERAI (11 lettres). Argentifère, cassitérite, latéritique, lépidolithe, lixiviation, minéralogie.

MINÉRAL (2 lettres). Or.

MINÉRAL (3 lettres). Eau, fer.

MINÉRAL (4 lettres). Azur, gîte, mica, mine, talc.

MINÉRAL (5 lettres). Ambre, béryl, borax, fibre, géode, gypse, nitre, opale, plomb, règne, sable, spath, trona, uvite, veine, vichy.

MINÉRAL (6 lettres). Acmite, albite, argent, argile, augite, blende, cénite, cuivre, galène, gneiss, halite, haüyne, kaolin, illite, natron, pyrite, pyrope, quartz, rutile, soufre, speiss, sphène, topaze, yénite, zircon.

MINÉRAL (7 lettres). Adamine, adamite, alunite, amiante, anatase, apatite, archise, arsenic, asbeste, axinite, azurite, bauxite, belgite, bézoard, biotite, bismuth, boléite, bornite, brucite, calcite, caliche, cinabre, cristal, cuprite, desmine, diamant, dolomie, dravite, elbaïte, épidote, euclase, exitède, ferrite, gahnite, granite, hopéite, ilvaïte, inésite, jadéite, kaïnite, kernite, kinoïte, kyanite, leifite, leucite, mercure, okenite, orthite, orthose, pendage, pennine, platine, réalgar, ricéite, stibine, sylvine, thorite, tronite, ulexite, wardite, wolfram, zéolite, zincite, zoïsite.

MINÉRAL (8 lettres). Acerdèse, actinote, adulaire, ægirine, aérolite, akontite, allanite, almandin, alurgite, analcime, anapaite, andesine, argyrose, artinite, augelite, autunite, barytine, bavénite, bétafite, binarite, bixbyite, bronzite, brookite, calamine, cérusite, chabasie, charoite, chiléite, chlorite, chromite, corindon, creedite, crocoïse, cryolite, cubanite, datolite, diallage, diaspore, digenite, diopside, dioptase, disthène, dressant, énargite, epsomite, erionite, eugénite, eumanite, euxenite, fassaïte, fluorine, fluorite, fuchsite, gibbsite, giuffite, goethite, graphite, gyrolite, hanksite, hauérite, hématite, hépatite, idocrase, ilménite, kulanite, lazulite, lazurite, limonite, linarite, linnéite, lyellite, mesolite, milarite, mimétite, monazite, nouméite, oligiste, olivines, orpiment, péridots, pétalite, plateure, prehnite, rhodoïse, rosasite, sanguine, sanidine, sardoise, sardonyx, sédérite, sélénite, sidérose, sodalite, sommaïte, spinelle, stellite, stilbite, sugilite, titanite, towanite, triphane, tyrolite, unionite, vogénite, whiteite, wolfeite, wurtzite, xenotime, yanolite, zéolithe, zippeite.

MINÉRAL (9 lettres). Aimantine, amphibole, andradite, anglésite, anhydrite, anorthite, antimoine, antlerite, aragonite, argentite, atacamite, bénitoïte, beraunite, berlinite, bytownite, cajuelite, carlosite, carnotite, cavansite, célestine, célestite, churchite, cinnamite, cliachite, cobaltite, columbite, copiapite, cornetite, covelline, covellite, cuprifère, danburite, deville, dialogite, dufrenite, dundasite, enstatite, érythrite, eudialyte, euthalite, feldspath, ferberite, glaucodot, glaucomie, gmelinite, gormanite, gratonite, grenatite, harmotome, herderite, hilairite, kermesite, kolwezite, kottigite, magnétite, malachite, manganite, marcasite, margarite, marionite, mélitites, millérite, mispickel, mordenite, mullanite, murianite, muscovite, natrolite, néphéline, neptunite, nickéline, nickélite, nitratine, olivénite, omphazite, ottrélite, pargasite, pectolite, périclase, phacolite, phénacite, phénakite, proustite, purpurite, pyrauxite, rhodizite, rhodonite, scolécite, scorodite, sépiolite, simarlite, sinhalite, sobralite, sodaniter, spodumène, stichtite, strengite, sylvanite, taaffeite, tellurium, tétartine, tinkalite, tombazite, trémolite, tridymite, tsumebite, turnérite, turquoise, uraninite, uvarovite, variscite, vivianite, wavellite, whitérite, willémite, wulfénite.

MINÉRAL (10 lettres). Actinolite, æschynite, alumobéryl, antimonite, arsénolite, baratovite, berthonite, bismuthine, bittersalz, bournonite, calaverine, calcédoine, carnallite, chalcolite, chalcosine, chalcosite, chessylite, chizeulite, chrysolite, colémanite, collinsite, cordiérite, cylindrite, emplectite, eosphorite, érubescite, eytlantite, gadolinite, giobertite, glaubérite, heulandite, hornblende, kimberlite, kirghizite, kupaphrite, lépidolite, liroconite, lollingite, mégabasite, mottramite, oligoclase, orthoclase, phosgénite, polubasite, sanbornite, sapphirine, serpentine, smaragdite, spartalite, sphalérite, stannolite, sturmanite, succinnite, torbernite, vanadinite, whewellite.

MINÉRAL (11 lettres). Amblygonite, bindheimite, bitterspath, chloritoïde, cristallisé, descloïzite, inorganique, labradorite, minéralogie, molybdénite, sillimanite, vésuvianite, zinnwaldite.

MINÉRAL (12 lettres). Bismuthinite, calvonigrite, henimorphite, pyromorphite, strontianite, zincoferrite.

MINÉRAL (13 lettres). Arsénoppyrite, crénothérapie, déminéraliser.

MINÉRALIER. Bateau, cargo, laquier, navire, transbordeur, vraquier.

MINÉRALISER. Ajuster, altérer, aménager, amender, changer, corriger, décaler, défaire, déguiser, détourner, dévier, fossiliser, manier, métamorphoser, modifier, pétrifier, rajuster, réaménager, rectifier, relever, remanier, réviser, toiletter, transformer, varier.

MINÉRALOGIE (4 lettres). Mica, talc.

MINÉRALOGIE (5 lettres). Béryl, biaxe, cliver, géode, natif.

MINÉRALOGIE (6 lettres). Argile, gabbro, galène, grenat, halite, hyalin, pyrite, quartz, rutile, sphène, topaze, zircon.

MINÉRALOGIE (7 lettres). Alumine, apatite, azurite, biotite, clivage, épidote, olivine, orthose, péridot, réalgar, stibine, wolfram, zéolite.

MINÉRALOGIE (8 lettres). Actinote, almandin, andésite, autunite, barytine, chlorite, cryolite, disthène, dolomite, épigénie, géologie, gibbsite, goethite, hématite, ilménite, jadéite, labrador, lazurite, monazite, néphrite, oligiste, orpiment, sanguine, saponite, sardoine, sardonyx, sidérite, sidérose, spinelle.

MINÉRALOGIE (9 lettres). Aragonite, argentite, cargneule, cobaltine, corindon, fledspath, glauconie, hornblende, kaolinite, magnésite, magnétite, marcasite, migmatite, mispickel, morganite, muscovite, néphéline, sépiolite, trémolite, uraninite.

MINÉRALOGIE (10 lettres). Aciculaire, concrétion, cordiérite, gemmologie, giobertite, héliotrope, isométrique, microcline, œil-de-chat, oligoclase, pechblende, plombifère, pyrolusite, pyrrhotite, serpentine, sillimanite, staurotide, tourmaline, vanadinite.

MINÉRALOGIE (11 lettres). Andalousite, cassitérite, monocristal, œil-de-tigre, plagioclase, smithsonite, triclinique, valentinite.

MINÉRALOGISTE (n. p.). Beudant, Bravais, Brongniart, Friedel, Haüy, Lacroix, Mohs, Romé de l'Isle, Sénarmont, Wallerant.

MINERVE (n. p.). Acropole, Athéna, Érechthéion, Jupiter, Parthénon, Propylées.

MINERVE. Bouclier, acropole, cariatide, chouette, citadelle, monument, poupe, proue.

MINESTRONE. Bisque, bouillie, bouillon, brouet, chaudrée, cille, clair, consommé, crème, coulis, gaspacho, julienne, jus, lavasse, lavure, louche, oille, panade, philtre, pistou, potage, purée, soupe, soupière, velouté.

MINETTE. Aguichante, aguicheuse, allumeuse, attirante, lascive, lupuline, mignonne, nymphette, provocante, sexy.

MINEUR (n. p.). Asie, Stakhanov, Thorez.

MINEUR. Acolytat, anthracose, borin, coron, étude, fourneau, galibot, gamme, génie, haveur, impubère, jeune, lampe, majorité, moindre, ordre, ouvrier, petit, piqueur, porion, pupille, rivelaine, saper, tuteur.

MINEUSE. Arpenteuse, chenilles, défoliatrice, fileuse, géomètre, processionnaire, terricole.

MINI. Court, habillement, jupe, maxi, miniature, minuscule, petit, vêtement, zeste.

MINIATURE. Dessin, enluminure, mini, minuscule, peinture, petit, portrait, réduction, webcam.

MINIATURISTE (n. p.). Bailly, Beauneveu, Behzad, Bihzad, Bourdichon, Fouquet, Jacquemart de Hesdin, Limbourg, Monaco, Pucelle, Tabriz, Tavernier, Wasiti.

MINIBUS. Autobus, autocar, bibliobus, bus, car, gyrobus, impérial, métrobus, navette, patache, trolleybus.

MINIMAL. Amenuiser, bas, limite, manquant, minimum, moins, plancher, seul, seulement.

MINIME. Dérisoire, infime, insignifiant, méprisant, minuscule, misérable, modique, nain, petit, ridicule, trace.

MINIMISER. Adoucir, amoindrir, amortir, atténuer, diluer, diminuer, minorer, rapetisser, réduire, voiler.

MINIMUM. Amenuiser, bas, limite, manquant, minimal, moins, plancher, seul, seulement.

MINISTÈRE. Apostolat, cabinet, charge, emploi, entremise, fonction, messe, pléban, portefeuille.

MINISTÉRIEL. Agrée, avoué, exécutif, gouvernemental, notaire, officiel, portefeuille, taxe.

MINISTRE. Argentier, attorney, député, envoyé, garde, iman, lévite, lord, pasteur, prêtre, rabbin, sous-ministre, vizir.

MINITEL. Annuaire, minitéliste, répertoire, télécommunication, téléphone, télévente, vidéotex.

MINOIS. Binette, bouille, face, faciès, figure, frimousse, museau, physionomie, tête, trait, visage.

MINORATIF. Adversaire, adverse, altération, blâme, contraire, défavorable, dépréciatif, désavantageux, ennemi, funeste, hostile, malsain, mauvais, mitigé, néfaste, négatif, nuisible, opposé, péjoratif, pernicieux.

MINORATION. Baisse, faiblesse, amortissement, atténuation, décote, miette, moindre, réduction.

MINORER. Abaisser, abréger, affaiblir, aléser, amoindrir, amortir, asservir, atomiser, atténuer, bâillonner, baisser, brésiller, broyer, changer, clochardiser, comprimer, contracter, déterminer, diminuer, écrabouiller, effriter, égruger, élégir, émier, émietter, forcer, gracier, grainer, grener, gruger, incinérer, léviger, limer, limiter, mater, minimiser, modérer, moudre, museler, piler, pulvériser, ramener, réduire, quarter, râper, ristourner, ruiner, surbaisser, tasser, triturer, unifier, user.

MINORITAIRE. Décalé, déphasé, déplacé, détourné, égaré, individualiste, marginal, perdu, retardé.

MINORITÉ. Élite, frange, ghetto, inférieur, mineur, minoritaire, opposition, particularisme, quantité, visible.

MINOT. Arc, arc-boutant, blé, bossoir, doubleau, enfant, épautre, épeautre, farine, gamin, maïzena, minoterie, misaine, semoule, tiers-point, titi, torana, touselle.

MINOTERIE. Broyeur, broyeuse, buse, déchiqueteur, détritoir, égrugeoir, joc, maillerie, meunerie, minotier, moulin, moulinette, noix, pressoir, reillère, roue, trémillon, triturateur, vanne.

MINOTIER. Farine, industriel, meunerie, meunier, minot, minoterie.

MINUIT. Concert, fêtard, médianoche, nocturne, nuit, nuitée, obscurité, sérénade, vespéral.

MINUSCULE. Exigu, infime, lilliputien, microbe, microbien, mini, minime, modeste, modique, nain, petit, trace.

MINUTAGE. Calendrier, délais, échéancier, horaire, planification, programme, projet, registre, planning.

MINUTE. Acte, copie, étude, heure, instant, min, minuter, minuterie, moment, note, original, seconde.

MINUTER. Chiffrer, compter, copier, écrire, estimer, nombrer, tabler.

MINUTERIE. Ancre, cadran, carillon, cartel, chronomètre, clepsydre, comtoise, coucou, garde-temps, gnomon, horloge, jacquemart, jaquemart, montre, morbier, pendule, régulateur, réveille-matin, sablier, vrillette.

MINUTIE. Application, argutie, attention, conscience, contiguïté, détail, diligence, exactitude, fouillé, importance, lésinerie, mesquinerie, méticulosité, parcimonie, poussé, précision, protocolaire, purisme, regardant, rien, soin, sollicitude, scrupule, valeur, vigilance.

MINUTIER. Adjudication, archive, contrat, dataire, dossier, étude, loi, maître, notaire, sis, tabellion.

MINUTIEUSEMENT. Abondamment, bref, brièvement, compendieusement, court, densément, elliptiquement, grosso modo, intensément, laconiquement, rapidement, résumé, schématiquement, sommairement, succinctement.

MINUTIEUX. Attentif, chicaneur, consciencieux, délicat, détaillé, exigeant, filtrage, léché, maniaque, méthodique, méticuleux, mesquin, particulier, puriste, raffiné, regardant, scrupuleux, soigneux, sourcilleux, subtil, taponneux, tatillon, vétillard, vétilleux, vigilant, zigonneux.

MIOCÈNE. Hipparion, mollasse, oligocène, pliocène, pontien, rhinocéros, ruminant, singe.

MIOCHE. Bambin, bébé, chérubin, enfant, gamin, gosse, lardon, marmot, môme, moucheron, petiot, petit.

MIR. Assemblée, commune, organisation, paysan, staroste, village.

MIRABELLE. Agen, cerisette, damas, diapré, drupe, eau-de-vie, ente, icaque, madeleine, mirabellier, moyeu, perdrigon, prune, pruneau, prunelle, prunus, quetsche, reine-claude, rosacée.

MIRABILIS. Belle-de-nuit, bougainvillée, fleur, nyctage, nyctaginée, plante.

MIRACLE. Chance, étonnant, hasard, manne, merveille, mystère, prodige, surnaturel, thaumaturge.

MIRACULÉ. Débarqué, dépris, éclos, édité, émise, émoulu, éviscération, indemne, issu, jailli, lancé, naufragé, né, réchappé, rescapé, sorti, survivant, vivace, vivant.

MIRACULEUX. Admirable, beaucoup, colossal, considérable, épatant, étonnant, extraordinaire, fabuleux, fantastique, fou, génial, inouï, merveilleux, mirobolant, monstrueux, phénoménal, prestigieux, prodigieux.

MIRADOR. Aguets, attention, belvédère, conduite, contrôle, épiement, espionnage, faction, filature, filtrage, garde, guet, inspection, minaret, observation, patrouille, protection, soin, surveillance, tour, tutelle, vigilance.

MIRAGE. Abstraction, abstrait, apparence, attrait, berlue, chimère, eau, fantasme, illusion, imagination, lumière, mensonge, merveille, mirement, œuf, phénomène, reflet, rêve, rêverie, séduction, vision.

MIRBANE. Absinthe, anis, arbre, cajeput, captieux, entité, essence, éthylène, être, fond, huile, indol, indole, nature, néroli, nitrobenzène, nizeré, oléolat, parfumerie, suc.

MIRE. Apothicaire, but, butte, cible, grain, image, jalon, jalon-mire, médecin, niveau, objet, œilleton, stadia, sujet.

MIRER. Contempler, examiner, mireur, observer, refléter, regarder, renvoyer, vérifier, viser.

MIRETTES. Achromatopsie, anchylop, atone, bigle, bourgeon, bouton, calot, cil, cornée, cristallin, cyclope, emmétrope, espion, exophtalmie, exorbité, glaucome, globe, greffe, iris, judas, larme, loucher, magique, ocelle, œil, ommatidie, ophtalmie, orbite, organe, pousse, prunelle, pupille, quinquet, regard, rétine, stemmate, taie, talion, torve, uvée, uvéite, vision, voir, vue, yeux.

MIRIFIQUE. Admirable, beau, brillant, colossal, éblouissant, ébouriffant, épatant, époustouflant, étonnant, excellent, extraordinaire, fabuleux, fantastique, faramineux, féerique, incroyable, merveilleux, mirobolant, phénoménal, surprenant.

MIRLITON. Bigophone, flûte, flûteau, gazou, instrument, refrain, roseau, shako, turlututu, vers.

MIRMILLON. Belluaire, bestiaire, boxeur, cavalier, cirque, combattant, ergastule, gladiateur, hoplomaque, laniste, lutteur, mercenaire, parmulaire, pugiliste, rétiaire, samnite, sécuteur, thrace.

MIROBOLANT. Abasourdissant, ahurissant, bouleversant, colossal, confondant, déconcertant, dérangeant, ébahissant, ébouriffant, époustouflant, étonnant, extraordinaire, fabuleux, faramineux, mirifique, phénoménal.

MIROIR. Épreuve, espion, étape, étude, focal, foyer, glace, image, leurre, peinture, piège, psyché, réflecteur, reflet, représentation, reproduction, rétro, rétroviseur, réverbère, site, spéculaire, trumeau, verre.

MIROITANT. Brillant, chatoyant, coruscant, éblouissant, éclatant, étincelant, flamboyant, fulgurant, luisant, lumineux, radieux, rayonnant, reluisant, resplendissant, rutilant, scintillant, terne.

MIROITEMENT. Brasillement, brillance, chatoiement, coruscation, éblouissement, éclat, étincellement, fascination, flamboiement, irisation, mirage, nacré, papillotage, reflet, scintillement, séduction.

MIROITER. Briller, chatoyer, éblouir, entrevoir, mirer, réfléchir, reluire, renvoyer, séduire, valoir.

MISAINE. Fortune, mât, minois, minot, pistolet, trinquet, trinquette, voile.

MISANDRE. Androphobe, antiféministe, machiste, macho, misanthrope, misogyne, phallo, phallocrate, sexiste.

MISANTHROPE. Antisocial, asocial, atrabilaire, bourru, ermite, farouche, haine, insociable, maussade, misandre, pessimiste, pleurnicheur, reclus, sauvage, solitaire, solitude, sombre, triste.

MISANTHROPIE. Abomination, acrimonie, amertume, androphobie, animosité, antagonisme, antipathie, aversion, baver, colère, détestation, dissension, fanatisme, fiel, haine, horreur, hostilité, inimitié, intolérance, mépris, misandrie, misogynie, querelle, rancune, répulsion, ressentiment, rivalité, vengeance, xénophobie.

MISCELLANÉES. Album, ana, analectes, anthologie, atlas, bestiaire, bêtisier, bible, bouquin, brochure, cartulaire, catalogue, chrestomathie, chronique, code, dictionnaire, digest, divan, écrit, edda, florilège, formulaire, hadith, isopet, livre, protocole, psautier, publication, recueil, rituel, sermonnaire, silves, solfège, sottisier, spicilège, spicule, varia, ysopet.

MISE. Assemblage, cave, citation, contribution, élargissement, émise, émission, enjeu, gageure, investiture, martingale, massacre, masse, pari, part, parturition, placement, poule, recyclage, refonte, salut, sommation, titre, ultimatum, va-tout.

MISE EN SCÈNE. Accomplissement, confection, création, effet, exécution, mascarade, œuvre, production, réalisation.

MISER. Boussicoter, caver, compter, enchérir, engager, gager, jouer, parier, parler, ponter, renchérir, risquer, voir.

MISÉRABLE. Bas, calamiteux, chétif, défavorisé, démuni, dénué, famélique, gueux, hère, indigent, lamentable, loqueteux, malheureux, minable, minime, miséreux, miteux, nécessiteux, paria, pauvre, pitié, pouillerie, pouilleux, sordide, truand, va-nu-pieds, vil.

MISÉRABLEMENT. Déplorablement, dérisoirement, désastreusement, douloureusement, lamentablement, minablement, miteusement, pauvrement, piètrement, piteusement, pitoyablement, tristement.

MISÈRE. Adversité, bagatelle, bassesse, besoin, débine, dèche, déchéance, dénuement, détresse, ennui, épave, famine, ilote, indigence, malheur, manque, mistoufle, mouise, néant, nécessité, panade, panne, pauvreté, peine, pépin, pitié, purée, ruine.

MISERERE. Air, chant, colique, iléus, musique, occlusion, prière, psaume, vulgate.

MISÉREUX. Abandonné, assisté, chétif, claquepatin, clochard, crève-la-faim, délaissé, démuni, dénué, épave, fauché, gueux, hère, ilote, indigent, itinérant, loqueteux, mendiant, minable, misérable, pauvre, purotin, quêteux, robineux, ruiné.

MISÉRICORDE. Charité, clémence, compassion, console, grâce, indulgence, merci, pardon, pitié.

MISÉRICORDIEUX. Affectateur, altruiste, apporteur, bienfaiteur, bon, charitable, compatissant, désintéressé, donateur, fournisseur, généreux, humain, humanitaire, mécène, protecteur, souscripteur, testateur.

MISOGYNE. Androphobe, antiféministe, machiste, macho, misandre, misanthrope, phallo, phallocrate, sexiste.

MISOGYNIE. Abomination, acrimonie, amertume, androphobie, animosité, antagonisme, antipathie, aversion, baver, colère, détestation, dissension, fanatisme, fiel, haine, horreur, hostilité, inimitié, intolérance, mépris, misandrie, misanthropie, querelle, rancune, répulsion, ressentiment, rivalité, vengeance, xénophobie.

MISSEL. Anthologie, antiphonaire, bible, bréviaire, directoire, diurnal, eucologe, livre, none, ordinal, psautier.

MISSILE (n. p.). Exocet, ICBM, IRBM, Milan, MLRS, MRBM, MSBS, Polaris, Scud, SLBM, Tomahawk, Von Braun.

MISSILE. Air-air, air-mer, air-sol, engin, exocet, fusée, missilier, projectile, roquette, trajectographie.

MISSION. Ambassade, apostolat, charge, commission, délégation, députation, devoir, éclairage, église, émissaire, espionnage, espionner, évangélisation, fonction, guetteur, légat, mandat, organisation, patrouille, pêcheur, reconnaissance, sortie, travail.

MISSIONNAIRE. Apôtre, évangélisateur, évangéliste, messager, patrouille, prêtre, récollet, religieux.

MISSIONNAIRE (n. p.). Manès, Mani, Paul, Pierre, Saint-Paul, Saint-Pierre.

MISSIONNAIRE ANGLAIS (n. p.). Eliot, Pritchard.

MISSIONNAIRE BELGE (n. p.). Damien, De Veuster.

MISSIONNAIRE BRITANNIQUE (n. p.). Gildas, Liningstone, Pritchard.

MISSIONNAIRE BYZANTIN (n. p.). Méthode.

MISSIONNAIRE CHINOIS (n. p.). Confucius.

MISSIONNAIRE ÉCOSSAIS (n. p.). Livingstone.

MISSIONNAIRE ESPAGNOL (n. p.). Acuna, François Xavier, Navarrete.

MISSIONNAIRE FLAMAND (n. p.). Verbiest.

MISSIONNAIRE FRANÇAIS (n. p.). Bataillon, Bus, Gerbillon, Foucauld, Huc, Javouney, Labat, Lalemant, Laure, Lavigerie, Marquette, Schweitzer, Vincent de Paul.

MISSIONNAIRE ITALIEN (n. p.). Ricci.

MISSIONNAIRE JUIF (n. p.). Paul, Pierre, Saint-Paul, Saint-Pierre.

MISSIONNAIRE NORVÉGIEN (n. p.). Égède.

MISSIONNAIRE PERSE (n. p.). Manès, Mani.

MISSIONNARIAT. Apostolat, campagne, catéchèse, catéchisation, catéchisme, croisade, endoctrinement, évangélisation, intoxication, pastorale, persuasion, prédication, propagande, propagation, prosélytisme.

MISSIVE. Babillarde, billet, bref, dépêche, écrit, épître, lettre, message, mot, note, pétition, pli, pneu.

MISTIGRI. Abyssin, angora, cartes, chartreux, chat, chaton, cougouar, couguar, félin, fouet, guépard, haret, jeu, lion, lynx, margay, matou, mimi, mine, minet, minou, ocelot, once, oriental, persan, raminagrobis, rodilard, serval, siamois, tigre, valet de trèfle.

MISTRAL. Blizzard, bourrasque, colère, cyclone, grain, intempérie, orage, ouragan, perturbation, poudrerie, rafale, simoun, sirocco, tempête, tornade, tourbillon, tourmente, trompe, typhon, vent.

MITAINE. Ceste, gant, gantelet, main, manicle, manique, marionnette, miton, moufle, suède.

MITAN. Âme, aréna, arsenal, axe, base, centrifuge, centre, cerveau, cheville, cœur, fort, foyer, giron, gravité, home, lieu, milieu, nife, nœud, noir, nombril, noyau, ombilic, point, pôle, sein, siège.

MITE. Acarien, acarus, amibe, argas, champignon, douve, écornifleur, ectoparasite, filariose, gale, gui, insecte, inutile, ixode, larve, lente, miter, œstre, oxyure, parasite, pou, puce, superflu, tænia, teigne, ténia, tinéidé, tique, trou, troué, urédo, varron, ver.

MI-TEMPS. Arrêt, attente, battement, chant, délassement, demi, entracte, halte, interruption, intervalle, pause, pause-café, point, récréation, relâche, répit, repos, sieste, silence, soupir, stagnation, station, suspension, trêve.

MITER. Abimer, attaquer, crever, défoncer, forer, ouvrir, percer, perforer, ranger, trouer.

MITEUSEMENT. Déplorablement, dérisoirement, désastreusement, douloureusement, lamentablement, minablement, misérablement, pauvrement, piètrement, piteusement, pitoyablement, tristement.

MITEUX. Attristé, lamentable, malheureux, minable, misérable, pauvre, pitoyable, pouilleux, sordide, triste.

MITHRIDATISATION. Acétylcystéine, alexipharmaque, amyle, antidote, atropine, contrepoison, déféroxamine, dérivatif, dimercaprol, diversion, exutoire, leucovorine, mithridatisation, naloxone, physostigmine, phytonadione, pralidoxime, protamine, remède, succimer, thériaque.

MITHRIDATISER. Accoutumer, entraîner, immuniser, inoculer, insensibiliser, taurobole, vacciner.

MITIGATION. Accroissement, adoucissement, allégement, amélioration, amoindrissement, apaisement, assouplissement, atténuation, baume, bémol, blutage, congé, consolation, dictame, euphémisme, lénification, sassement, tamisage.

MITIGÉ. Adouci, diminué, incertain, mélangé, mêlé, modéré, nuancé, partagé, relâché, tempéré, tiède.

MITIGEUR. Bain, chantepleure, col-de-cygne, eau, mélangeur, prise, robinet, robinetterie.

MITOCHONDRIE. Adénosine, biologie, cellule, chondriome, chondriosome, germen, organite

MITONNER. Combiner, cuire, cuisiner, dorloter, fricoter, manigancer, mijoter, préparer, soigner.

MITOSE. Anaphase, caryocinèse, centromère, méiose, métaphase, mitotique, prophase, télophase.

MITOYEN. Adjacent, attenant, central, commun, connexe, contigu, intermédiaire, médian, moyen, mur, voisin.

MITOYENNETÉ. Application, argutie, attention, conscience, contact, contiguïté, détail, diligence, exactitude, importance, lésinerie, mesquinerie, méticulosité, minutie, parcimonie, poussé, précision, protocolaire, proximité, purisme, regardant, rien, soin, sollicitude, scrupule, valeur, vigilance, voisinage.

MITRAILLAGE. Arrosage, bombardement, chaumage, canonnage, faucardage, fauchage, pilonnage, torpillage.

MITRAILLE. Balle, bombe, boulet, canon, cartouche, décharge, ferraille, flèche, fusée, grenade, missile, mitraillette, monnaie, obus, ogive, pierre, projectile, pruneau, roquette, tir, torpille, trait.

MITRAILLER. Assaillir, bombarder, canonner, descendre, filmer, fusiller, mitraillage, occire, photographier, pilonner, tirer, tuer.

MITRAILLETTE. Arme, fusil, kalachnikov, mitrailleuse, pistolet-mitrailleur, sulfateuse.

MITRAILLEUR. Achat, arme, autorité, commande, décrispation, demande, détente, électrode, exige, fusil, fusilleur, gâchette, grille, impérieux, manette, ordonne, ordre, télécommande, tireur.

MITRE. Afro, appareil, bandeau, bavolet, béret, bibi, bombe, bonnet, boucle, boudin, brosse, calot, cape, capeline, casque, chevelure, cloche, coiffure, cornette, épi, évêque, fanon, fez, figaro, képi, melon, mitral, mollusque, ornement, pouf, pschent, tarbouch, tarbouche, tiare, toque, truffe, turban.

MITRON. Boulanger, chef, coq, cordon-bleu, cuisinier, cuistot, fricasseur, gargotier, gâte-sauce, maître, maître coq, maître d'hôtel, maître queux, marmiton, pâtissier, pizzaioli, poissonnier, queux, recette, rôtisseur, saucier, toque, traiteur.

MIXER. Brouiller, broyer, combiner, confondre, emmêler, étourdir, mélanger, mêler, mixeur.

MIXTE. Bichelamar, combiné, composé, géminé, hybride, intermédiaire, mélangé, mêlé, panaché.

MIXTION. Amalgame, combinaison, fusion, mariage, mélange, panachage, réunion, union.

MIXTURE. Admixtion, agencement, alliage, alliance, amalgame, amarrage, arrangement, assemblage, calcul, chlorure, combinaison, dosage, grenouillère, hydrate, liage, ligature, magouillage, magouille, mariage, mélange, phosgène, projet, réunion, réussite, spéculation, système, union.

MNÉMONIQUE. Aide, amnésie, cache, commentaire, dire, évocation, mémo, mémoire, mnésique, muse, note, rappel, ram, réminiscence, RAM, rancunier, remâche, ressasse, ROM, rumine, souvenance, tête, tilt, traité.

MNÉMOTECHNIQUE. Association, mémoire, mémorisation, mnémotechnie, mnésique, séquence.

MNÉSIQUE. Acte, aide, amnésie, cache, commentaire, dire, écrit, évocation, exposé, mémo, mémoire, mnémonique, muses, note, rappel, ram, relation, relevé, réminiscence, rancunier, remâche, ressasse, rumine, souvenance, tête, tilt, traité.

MOA. Aptéryx, autruche, autruchon, casoar, coureur, dinornis, échassier, émeu, épyornis, kiwi, nandou, ratite, repyornis, sotte, struthio, struthionidé.

MOBILE. Agité, ambulant, amovible, cause, changeant, clé, clef, cloison, fugitif, gouvernail, inconstance, index, levier, luette, motif, mouvant, nilles, nomade, raison, rotor, soldat, tangon, volant, volet.

MOBILIER. Ameublement, bazar, boule, décoration, gage, ménage, meuble, nominatif, pompadour.

MOBILISATION. Appel, conscription, effort, enrôlement, évocation, guerre, rappel, rassemblement.

MOBILISER. Ameublir, appeler, concentrer, embrigader, enrôler, focaliser, lever, rameuter, rappeler, recruter, réquisitionner.

MOBILITÉ. Arthroplastie, fluctuation, inconstance, instabilité, tribart, variabilité, versatilité.

MOBYLETTE. Boguet, cyclomoteur, derny, meule, mob, moto, motocyclette, pétrolette, solex, trottinette, vélomoteur, vespa.

MOCASSIN. Babouche, botte, bottine, chaussure, chouclaque, cothurne, derby, escarpin, espadrille, galoche, godasse, gougoune, grole, grolle, mule, pantoufle, sabot, salomé, sandale, savate, soulier, tennis.

MOCHE. Affreux, atroce, bête, défiguré, dégoûtant, grossier, hideux, horrible, laid, mauvais, mochard, mocheté, vilain.

MOCHETÉ. Affreux, atroce, beau, chafouin, défiguré, difforme, fadasse, hideux, horrible, ignoble, inesthétique, informe, laid, laideron, laideur, mauvais, mochard, moche, monstrueux, odieux, pou, ridé, singe, tocard, turpide, vilain.

MOCO. Marin, moko, provençal, toulonnais.

MODALITÉ. Aléthique, anisogamie, circonstance, condition, forme, manière, particularité, qualité, solidarité, terme.

MODE. Armure, aviation, avion, bateau, branché, camion, camionnage, coutume, cri, écholocalisation, écholocation, étouffée, étuvée, façon, fantaisie, forme, genre, goût, grisette, habitude, hérédité, in, maritime, mitose, mœurs, moissonnage, must, optatif, potentiel, prédation, raga, régie, rétro, scissiparité, style, tendance, usage, verbe, viviparisme, vogue, voie.

MODELAGE. Ajouré, armature, bosse, buste, ciselage, dard, décoration, ébauche, façonnage, figurine, figurisme, gisant, glyptique, gravure, grisaille, image, maquette, monument, moulure, plastique, relief, repoussage, sculpture, statuaire, statue, statuette, stèle, taille, tête, torse, totem.

MODELÉ. Démuni, façonné, formé, imbu, infatué, malaxé, pénétré, pétri, plein, pressé, rempli, sfumato, travaillé.

MODÈLE. Archétype, canon, création, ébauche, échantillon, esquisse, essai, étalon, exemple, forme, gabarit, idéal, imitation, mannequin, miniature, motif, moule, nature, nu, original, paradigme, parangon, patron, phare, pochoir, prototype, règle, spécimen, standard, type.

MODELER. Céroplastique, emboîter, façonner, fixer, former, imiter, pétrir, plastique, remodeler, sculpter.

MODÉLISER. Axiomatiser, blesser, choquer, fâcher, fixer, formaliser, grammaticaliser, hérisser, mathématiser, offenser, offusquer, ordonner, organiser, piquer, ritualiser, scandaliser, vexer.

MODÉRANTISTE. Altruiste, centriste, dévoué, égoïste, égocentriste, individualiste, modéré, oisif.

MODÉRATEUR. Contrepoids, équilibrant, équilibrateur, équilibreur, pondérateur, régulateur, stabilisateur.

MODÉRATION. Chasteté, circonspection, diète, discernement, économie, épargne, frein, limite, mesure, modestie, patience, pondération, raison, réserve, retenue, sagesse, sédation, sobriété, tempérance.

MODÉRÉ. Abordable, andante, assagi, calme, chaste, discret, doux, freiné, frugal, mesuré, mitigé, modeste, modique, modulé, pondéré, posé, raisonnable, retenu, sage, simple, sobre, tempérant, tempéré.

MODÉRÉMENT. Apathie, athymie, bof, dégoût, dérisoirement, doucement, faiblement, impartialité, indifférence, insouciance, insuffisamment, légèreté, médiocrement, mollement, passablement, tièdement.

MODÉRER. Adoucir, amortir, apaiser, atténuer, freiner, mesurer, mitiger, ralentir, réserver, retenir, tempérer.

MODERNE. Actuel, branché, contemporain, futurisme, neuf, nouveau, novateur, présent, récent.

MODERNISER. Actualiser, adapter, rajeunir, réactualiser, réformer, relooker, renouveler, rénover, retailler.

MODESTE. Bonaste, bonhomme, chaste, convenable, correct, décent, discret, effacé, humble, immodeste, limité, innocent, médiocre, menu, mesuré, modéré, modique, obscur, pauvre, petit, pudibond, pudique, pur, raisonnable, réservé, sage, simple.

MODESTEMENT. Avarement, chétivement, chichement, cupidement, maigrement, mesquinement, modiquement, parcimonieusement, pauvrement, petitement, prudemment, serré, sordidement, usurairement.

MODESTIE. Décence, décorum, discrétion, douceur, fatuité, humilité, innocence, modération, modicité, orgueil, pudeur, pureté, qualité, réserve, respect, retenue, simplicité, suffisance, timidité, vanité, vertu.

MODICITÉ. Banal, bas, commun, dérisoire, exiguïté, faible, inférieur, insuffisant, médiocrité, mince, minime, misérable, modestie, modique, petit, petitesse, peu, ridicule.

MODIFIABLE. Adaptable, altérable, canapé-lit, changeable, conversible, convertissable, convertible, escamotable, métamorphosable, pliant, rabattable, repliable, transformable, transmuable, transmutable.

MODIFICATION. Ajustement, altération, aménagement, amendement, assimilation, changement, correction, décalage, défaire, déguisement, déflexion, déviation, extension, interversion, lésion, modulation, nasonnement, passivation, perturbation, rectification, réformation, remaniement, retouche, transformation, transgenèse, transgénose, valse, variation.

MODIFIÉ. Bariolé, bigarré, calcifié, changeant, complexe, contrefait, différent, disparate, diversifié, hétéroclite, marbré, méconnnaissable, mélangé, mêlé, moucheté, multiforme, multiple, nombreux, nuancé, pluriel, tacheté, tigré, transformé, varié.

MODIFIER. Ajuster, altérer, aménager, amender, changer, corriger, décaler, défaire, déguiser, détourner, dévier, évoluer, falsifier, manier, maquiller, métamorphoser, mettre, minéraliser, mouvementer, rajuster, réaménager, rectifier, refaire, réformer, relever, remanier, remodeler, remontage, retoucher, réviser, toiletter, transformer, tripatouiller, truquer, varier.

MODILLON. Appui, console, corniche, mutule, ornement, support.

MODIQUE. Abordable, accessible, avantageux, banal, bas, commun, dérisoire, exigu, faible, inférieur, insuffisant, maigre, médiocre, mince, minime, misérable, modeste, modicité, petit, peu, raisonnable, ridicule.

MODIQUEMENT. Avarement, chétivement, chichement, cupidement, maigrement, mesquinement, modestement, parcimonieusement, pauvrement, petitement, prudemment, serré, sordidement, usurairement.

MODISTE. Apprenti, apprêteuse, arpète, casquettier, chapelier, cousette, couturier, couturière, midinette, ouvrière.

MODULABLE. Adaptable, adaptabilité, ajustable, altérable, flexible, mobile, possible, souple.

MODULATION. Accent, accentuation, Am, FM, inflexion, intensité, intonation, ma, MF, mouvement, oscillation, saccade, vibration.

MODULE. Base, constituant, composante, coordonnée, corps, diode, élément, étoupe, fragment, ingrédient, martensite, membre, morceau, organe, partie, pièce, portance, principe, terme, unité.

MODULER. Adapter, bourdonner, chanter, chantonner, détonner, fredonner, pondérer, varier.

MOELLE. Amourette, amourettes, colonne, crâne, leucose, os, médullaire, médulle, myélite, palmite, sagou, spinal.

MOELLEUX. Douillet, doux, duveteux, fondant, mou, onctueux, satin, souple, tendre, velouté, vin.

MOELLON. Blocaille, hérisson, hourdage, libage, limousage, maçon, parpaing, pierre, smillage.

MOERE. Acore, bayou, boue, cob, cistude, douve, étang, étier, fagne, gâtine, grisou, kob, lagune, marais, mare, marécage, maremme, marigot, méthane, noue, palud, palus, polder, salin, savane, tourbière, varaigne, vernier, vie.

MŒURS. Abjection, bible, caractère, catin, comportement, conduite, convention, coutume, débauche, ensemble, fonds, genre, habitude, liberté, manière, moral, moralité, niche, pratique, principe, règle, rite, tradition, us, us et coutumes, usage.

MOHAIR. Agneline, angora, bure, bourre, cardigan, carmeline, cheviotte, chèvre, corde, coton, couaille, étaim, lainage, laine, lanice, loden, mère, mite, mouton, noces, ouate, poil, ruban, satin, sorie, toison, tonte, tuque, tweed, vigogne.

MOHAWK. Amérindien, indien, iroquois.

MOI. Alter ego, âme, bibi, déictique, ego, empathie, je, me, mézig, mézigue, mien, pascal, self, surmoi, vous.

MOIGNON. Ars, billot, bouscotte, branche, chicot, chott, colonne, corps, courçon, croc, crossette, dard, débris, dent, écot, fragment, fût, lambourde, lignée, morceau, souche, stipe, tige, tirelire, torse, tronc.

MOINDRE. Affaiblir, amoindrir, bas, contracter, diminuer, inférieur, iota, mineur, petit, secondaire.

MOINE. Acier, anachorète, bonze, bouillotte, caloyer, camaldule, cénobite, chaufferette, convers, défroqué, église, ermite, frère, froc, lama, moinillon, monacal, monastère, père, phoque, prêtre, récipient, religieux, régulier, starets, stariets, thérapeute, toupie, vautour, vœu.

MOINE ALLEMAND (n. p.). Luther.

MOINE ANGLAIS (n. p.). Augustin, Austin, Bède, Bède le Vénérable, Willibrod, Willibrord.

MOINE ANTIOCHE (n. p.). Nestorius.

MOINE ATHÉNIEN (n. p.). Gilles.

MOINE BELGE (n. p.). Bavon.

MOINE BÉNÉDICTIN (n. p.). Augustin, Austin, Bède, Bède le Vénérable, Mabillon, Pérignon, Rabelais, Robert de Molesmes, Romuald.

MOINE BOUDDHISTE (n. p.). Mu Ri, Nichiren.

MOINE BRITTONIQUE (n. p.). Pélage.

MOINE BULGARE (n. p.). Paisu.

MOINE BYZANTIN (n. p.). Eutychès.

MOINE CHINOIS (n. p.). Mu qi, Zhu da.

MOINE CORBIE (n. p.). Ratramne.

MOINE FRANÇAIS (n. p.). Bernard de Clairvaux, Guillaume de Nangis, Hugues de Cluny, Mabillon, Robert d'Arbrissel, Robert de Molesmes.

MOINE GALLOIS (n. p.). Maclou, Malo.

MOINE GREC (n. p.). Palamas.

MOINE GAULOIS (n. p.). Prosper d'Aquitaine.

MOINE IRLANDAIS (n. p.). Colomba, Colomban.

MOINE ITALIEN (n. p.). Angelico, Damien, Jean Gualbert, Gratien, Guarini, Lippi, Martini, Romuald

MOINE JAPONAIS (n. p.). Bashô, Nichiren, Sesshu.

MOINE NORMAND (n. p.). Bertin.

MOINE PICARD (n. p.). Hélinand de Froidmont.

MOINE SYRIEN (n. p.). Baradée, Baradai.

MOINE THÉATIN (n. p.). Guarini.

MOINEAU. Domestique, friquet, gailletin, oiseau, passereau, piaf, piaffe, pierrot, plocéidé, républicain, type.

MOINERIE. Abbaye, béguinage, abescat, chartreuse, cloître, clôture, commanderie, communauté, couvent, église, fromage, laure, lavra, monastère, moutier, prieuré, solesme, thélème, vidame.

MOINILLON. Bénédictin, bouddhiste, bonze, caodaïsme, capucin, carme, chartreux, cloître, congréganiste, convers, croyant, curé, derviche, dévot, dominicain, ermite, eudiste, foi, frère, jésuite, juif, juste, lai, laïc, laïque, manichéisme, moine, mystique, oblat, pape, père, piétisme, pieux, pratiquant, prémontré, prêtre, rabbin, récollet, recteur, régulier, religieux, sacré, saint, séculier, sulpicien, trappiste, trinitaire, védisme.

MOINS. Amenuiser, bas, inférieur, manquant, minimum, minus, moindre, néanmoins, prou, seulement.

MOIRAGE. Brillant, chatoiement, chatoyant, écho, éclat, flamboyant, irisation, moire, miroitement, moiré, moirure, opale, opalescence, orient, reflet, réflexion, réfraction, satiné.

MOIRÉ. Brillé, chatoyé, étoffe, lustrer, moirage, ondé, parque, reflet, reflété, satiné, soie, varié.

MOIRER. Azurer, biser, brillanter, bruir, chiner, ciseler, colorer, friser, gaufrer, glacer, gommer, lustrer, ocrer, peinturer, racinette, recolorer, regommer, repeinturer, reteindre, rocouer, satiner, teindre.

MOIRURE. Bigarrure, brillantine, chatoiement, marbrure, lustration, moirage, reflet.

MOIS. Août, avril, bimensuel, bimestriel, calendes, calendrier, date, décembre, février, janvier, juillet, juin, lunaison, mai, mars, mensualité, mensuel, nones, novembre, octobre, ramadan, semestre, septembre, thermidor.

MOIS RÉPUBLICAIN. Brumaire, floréal, frimaire, fructidor, germinal, messidor, nivôse, pluviôse, prairial, thermidor, vendémiaire, ventôse.

MOÏSE (n. p.). Aaron, Amalécites, Bible, David, Deutéronome, Josué, Madianite, Nébo, Rouge, Saül, Sïnai, Thora, Torah, Yahvé.

MOÏSE. Bassinette, ber, berce, berceau, bercelonnette, bers, calotte, chariot, charmille, cité, couchette, couffe, couffin, coupole, crèche, lit, nacelle, naissance, nef, nid, origine, panier, tin, tonnelle, treille, voûte.

MOISIR. Altérer, attendre, chancir, croupir, gâter, morfondre, pourrir, rancir, rester, séjourner, stagner.

MOISISSURE. Acide, altération, aspergille, auréole, blettissure, chanci, chancissure, croupissure, empuse, ergot, fleur, levure, moisissement, monilie, mucor, pégot, pénicillium, rancissure, sporotriche, trichophyton, vert, zygomycètes.

MOISSON. Août, chaume, coupage, coupe, cueillage, cueillette, estivandier, éteule, fauchaison, fenaison, gains, glanage, glanures, lauriers, masse, messier, ramassage, quantité, récolte, saison.

MOISSONNER. Abattre, accumuler, amasser, aoûter, arracher, couper, cueillir, décimer, extraire, faucher, gagner, gerber, glaner, javeler, multiplier, ramasser, récolter, recueillir, remporter, scier, tuer.

MOISSONNEUSE. Abeille, apiéceuse, cheville, fourmi, grisette, laineuse, midinette, nattière, ouvrière.

MOITE. Halitueux, humecté, humide, imbibé, main, moiter, mouillé, peau, suant, sueur.

MOITEUR. Humectage, humidification, hydratation, mouillage, mouillé, mouillure, palatalisation, trempage.

MOITIÉ. Abricot, à demi, Am, as, austral, casseau, demi, demi-mesure, éco, épouse, époux, fifty-fifty, hémi, légitime, longe, mari, métis, mi, midi, milieu, mi-temps, oreillon, pamplemousse, pêche, pm, régulier, semi.

MOKA. Baba, bûche, cake, calisson, clafoutis, couque, dartois, éclair, frangipane, galette, gâteau, gaufre, génois, génoise, gougère, kouglof, kugelhof, macaron, millas, millefeuille, nougat, opéra, pâtisserie, petit four, pudding, ramequin, roulé, sablé, saint-honoré, savarin, tourte, tuile, vacherin.

MOL. Canton, faible, flou, inerte, lâche, mollet, mou, souple, sybarite, tendre, veule.

MOLAIRE. Abcès, appétit, bouche, bridge, canine, carie, carnassier, cément, chaîne, couronne, croc, défense, dent, denteluré, dentition, édenté, émail, engrenage, gomphose, incisive, mâchoire, morfil, odontologie, or, osanore, pince, pissenlit, prémolaire, quenotte, rancune, sagesse, salade, surdent, talion.

MOLASSE. Alios, argile, arkose, cérame, grès, jaquelin, jaqueline, jarre, quartzite, séricine, tourie.

MOLDAVE. Aroumain, danubien, hospodar, latin, roumain, valaque, transylvain, transylvanien.

MOLDAVIE, CAPITALE (n. p.). Chisinau.

MOLDAVIE, LANGUE. Bulgare, roumain, russe, turc, ukrainien.

MOLDAVIE, MONNAIE. Leu, lei (pluriel).

MOLDAVIE, VILLE (n. p.). Balti, Belts, Cahul, Calarasi, Causani, Chisinau, Darochia, Floresti, Iasi, Keinar, Leova, Soroca.

MÔLE. Avogadro, barrage, brise-lames, darse, digue, embarcadère, horst, jetée, lune, musoir, poisson-lune, quai.

MOLÉCULE. Adn, antiprotéase, atome, céramide, cétène, cétone, conformation, corpuscule, dimère, élément, éthylénique, flavine, hydrocarbure, ligand, macromolécule, nucléophile, particule, peptide, phase, prophase, protéine, réactant, récepteur.

MOLÈNE. Bouillon-blanc, cierge, plante, scrofulacée, tisane, verbascacée.

MOLESTER. Accabler, agacer, asticoter, battre, bousculer, brusquer, brutaliser, importuner, lyncher, malmener, maltraiter, martyriser, rabrouer, rudoyer, tantaliser, tenailler, torturer, tourmenter, violenter.

MOLETAGE. Carreaux, carroyage, damier, échiquier, grille, investissement, moustiquaire, quadrillage, trame.

MOLETTE. Balancine, clé, cône, éperon, fraise, galet, jumelles, outil, patin, ponte, roulette, roue, trépan.

MOLIÈRE (n. p.). Alceste, Amphitryon, Argon, Baron, Béjart, Boursault, Boyron, Célimène, Cotin, Dandin, Don Juan, Géronte, Harpagon, Jacques, Jourdain, L'Avare, Lully, Misanthrope, Scapin, Sganarelle, Sosie, Tartuffe, Trissotin.

MOLLASSE. Apathique, faible, flasque, inconsistant, indolent, mollachu, mollasson, mou, paresseux.

MOLLEMENT. Benoîtement, calmement, doucement, flegmatiquement, froidement, gentiment, impassiblement, imperturbablement, paisiblement, patiemment, placidement, posément, sereinement, tranquillement.

MOLLESSE. Abandon, apathie, atonie, cagnardise, faiblesse, indolence, lâcheté, langueur, lenteur, morbidesse, nonchalance, paresse, somnolence, souplesse, vélocité, vigueur, volonté, volupté.

MOLLET. Amolli, blèche, blet, chair, cire, détendu, dolent, doux, ductile, faible, flasque, flexible, flou, herbe, inerte, lâche, lent, loque, mol, mollasse, mollasson, mou, paresseux, pâte, pâteux, poumon, pulpe, souple, sural, tendre, tiède, veule.

MOLLETIÈRE. Aine, architrave, bandage, bandeau, bandelette, banderole, bande, bride, calicot, cantonnière, caste, ceinture, courroie, cravate, écharpe, épaulette, épitoge, étole, frise, galon, guêtre, lanière, lé, lido, lien, liséré, mèche, passepoil, pellicule, penture, plinthe, raie, rail, rayure, sangle, sous-pied, sparadrap, surdos, trépointe, zone.

MOLLETON. Blanchet, doublier, étoffe, nappe, napperon, sous-nappe, sous-tapis, thibaude, tissu.

MOLLETONNER. Aventurer, coller, doubler, embarquer, enfoncer, engager, fourrer, garnir, glisser, immiscer, insinuer, introduire, jeter, lancer, loger, mettre, ouater, placer, plonger.

MOLLETONNEUX. Calicot, cotonneux, duvet, duveté, duveteux, edelweiss, flanelle, floconneux, gilet, laine, laineux, madapolam, ouate, pelucheux, percaline, perse, pilou, satin, tissu, toile, tomenteux, voile.

MOLLIR. Amollir, baisser, blettir, décliner, diminuer, faiblir, flancher, fléchir, lâcher, plier, ramollir, relâcher.

MOLLO. Adagio, bas, décanter, délicatement, doucement, faiblement, graduellement, insinuer, légèrement, lentement, mollement, paisiblement, pianissimo, piano, posément, tâter, tendrement, tranquillement.

MOLLUSQUE (3 lettres). Mou, mye.

MOLLUSQUE (4 lettres). Bave, clam, cirre, coque, donax, doris, harpe, hélix, lambi, mitre, moule, murex, nacre, nasse, olive, ormet, pinne, sépia, solen, ovule, physe, taret, turbo, vénus.

MOLLUSQUE (5 lettres). Arche, arion, bulle, bulot, chame, cirre, coque, donax, doris, harpe, hélix, lambi, mitre, moule, murex, nacre, nasse, olive, ormet, pinne, sépia, solen, ovule, physe, taret, turbo, vénus.

MOLLUSQUE (6 lettres). Actéon, anomie, buccin, calmar, casque, cérite, chiton, cirrhe, conque, scampi, cyprée, donace, fuseau, hélice, homard, huître, limace, limnée, lymnée, mactre, natice, ormeau, ormier, pecten, peigne, physie, pignon, poulpe, praire, rocher, seiche, triton, troche, troque, vermet, violet, volute.

MOLLUSQUE (7 lettres). Aplysie, bivalve, calamar, cardial, cérithe, cochlée, couteau, décapode, dentale, gravier, gryphée, itiérie, limaçon, limette, manteau, mulette, nautile, palléal, patelle, philine, pholade, pieuvre, pourpre, pulmone, rudiste, strombe, telline, testacé, trialle.

MOLLUSQUE (8 lettres). Acéphale, ammonite, anodonte, antilles, bénitier, bernique, clovisse, coquille, décapode, encornet, escargot, haliotis, isocarde, lutraire, octopode, ostréide, paludine, pétoncle, planorbe, scaphite, spondyle, tridacne, univalve.

MOLLUSQUE (9 lettres). Argonaute, bélemnite, bigorneau, casquette, colimaçon, crépidula, ferraille, haliotide, lithodome, littorine, mollasson, néopilina, oscabrion, pantoufle, péristome, petit-gris, ptéropode, tentacule, xylophage.

MOLLUSQUE (10 lettres). Ampillaire, coquillage, gastropode, invertébré, jambonneau, lithophage, pélécypode, porcelaine, scaphopode, térébellum, testacelle, turritelle.

MOLLUSQUE (11 lettres). Amphineures, céphalopode, gastéropode, hémocyanine, malacologie, nudibranche, trochophore, vénéricarde.

MOLLUSQUE (12 lettres). Oreille-de-mer, prosobranche, saint-jacques, tectibranche.

MOLLUSQUE (14 lettres). Lamellibranche, opisthobranche, polyplacophore.

MOLOCH. Alligator, amblyrhynque, amphisbène, anolis, caïman, caméléon, crocodile, dragon, gavial, gecko, héloderme, iguane, lacertien, lézard, orvet, reptile, saurien, scincidé, varan, zonure.

MOLOSSE. Bignole, cerbère, chien, concierge, garde, gardien, geôlier, mâtin, pipelet, portier, sentinelle.

MOLTO. Beaucoup, poco, rythme, très.

MOLUQUES (n. p.). Aru, Buru, Céram, Halmahera, Indonésie, Kei.

MOLUQUES. Giroflier, limule.

MOLY (n. p.). Circé, Odyssée, Ulysse.

MOLY. Ail, aillade, allium, aulx, cébillon, ciboulette, cive, civette, gousse, légume, oignon, pistou, rocambole.

MOLYBDÈNE. Mo, stellite.

MÔME. Bambin, bébé, chérubin, chiard, enfant, gamin, gosse, lardon, marmot, mioche, moucheron, petiot, petit.

MOMENT. Alors, agonie, an, année, à pic, arrêt, aube, aurore, brunante, brune, carat, crise, date, débuché, débucher, déjà, dès lors, échéance, éclair, entrefaite, époque, étale, gué, halte, heure, ici, in extremis, instant, intervalle, jour, journée, lever, matinée, milieu, minute, mois, naissance, séance, seconde, soir, spin, temps, tour, tournant.

MOMENTANÉ. Accalmie, armistice, aulofée, auloffée, bref, brusque, congé, court, défaillance, engourdissement, éphémère, palliatif, passager, pause, précaire, provisoire, rémittence, retraité, subit, temporaire, transitoire.

MOMENTANÉMENT. Attendant, épinglage, intérim, passagèrement, provisoirement, temporairement, transitoirement.

MOMERIE. Affectation, artifice, bigoterie, cachotterie, caricature, comédie, déguisement, dissimulation, duplicité, feinte, finauderie, grimace, hypocrisie, invention, leurre, malice, mensonge, parade, ruse, simulation, singerie, tromperie.

MOMIE. Cadavre, canope, dessécher, embaumer, fossile, inerte, natron, natrum, racornir, sclérose.

MOMIFICATION. Assèchement, dépérissement, déshumidification, déshydratation, dessèchement, dessiccation, égouttage, embaumement, endurcissement, étiolement, évaporation, racornissement, sclérose, séchage, tarissement, thanatopraxie.

MOMIFIER. Conserver, dessécher, embaumer, fossiliser, racornir, rétrograder, scléroser, sécher.

MONACAL. Ascétique, austère, couronne, dépouillé, froc, moine, monial, nu, rigoureux, spartiate.

MONACO (n. p.). Albert, Grimaldi, Monte-Carlo, Rainier.

MONACO. Monégasque.

MONADE. Actif, entéléchie, infusion, pythagoricien, simple, spirituel, substance, théorie.

MONARCHIE. Digne, noble, princier, réal, régalien, reine, riche, roi, royal, souverain, vénitien.

MONARCHIQUE. Dynastie, fastueux, impérial, princier, réal, réale, régalien, royal, royauté, souveraineté.

MONARCHISME. Anachorétisme, ascèse, ascétisme, cilice, discipline, doctrine, dressage, enseignement, érémitisme, fouet, haire, mortification, ordre, règle, royalisme, rigueur.

MONARCHISTE (n. p.). Bonald, Broglie, La Fayette, Lvov, Maurras, Muv.

MONARCHISTE. Chouan, chouannerie, légitimiste, muscadin, nominataire, roi, royaliste, ultra, vendéen.

MONARQUE. Autocrate, bey, césar, chef, chérif, despote, dynaste, émir, empereur, kaiser, khalife, khan, majesté, maharadja, négus, papillon, potentat, prince, ras, reine, roi, seigneur, souverain, tsar, tyran.

MONASTÈRE. Abbaye, ashram, bonzerie, cartulaire, cellérier, chartreuse, cloître, communauté, couvent, ermitage, higoumène, lamaserie, laure, lavra, moine, monial, moustier, moutier, prieuré, séculier, tour, vihara.

MONASTIQUE. Claustral, conventuel, froc, kondo, moine, moinerie, monacal, monial, régulier.

MONCEAU. Accumulation, amas, amoncellement, éboulis, échafaudage, élévation, fichoir, masse, montjoie, noyau, nuage, paquet, pile, quantité, ramas, ramassis, tas, taupinée, taupinière, tertre.

MONDAIN. Cabot, cabotin, complaisant, homosexuel, précieux, prétentieux, salonnard, snob, snobinard.

MONDÉ. Abattu, altéré, amaigri, brisé, débarrassé, décousu, dédoublé, défait, démêlé, déterré, épuisé, exténué, orge.

MONDE. Cosmos, création, entier, féerie, foule, gens, globe, groupe, humanité, ici-bas, immensité, infini, lieu, milieu, mondain, mondial, nature, paillette, peuple, planète, réunion, société, terre, tous, univers, vie.

MONDER. Abraser, approprier, astiquer, balayer, briquer, caréner, curer, cureter, décaper, décortiquer, décrasser, décrotter, déterger, écaler, écumer, écurer, émonder, énouer, épousseter, faire, fourbir, frotter, laver, lessiver, nettoyer, ôter, polir, purger, racler, ramoner, râteler, ratisser, récurer, relaver, rincer, séparer.

MONDIAL. Coupe, général, global, international, mondialiser, planétaire, universel.

MONÈME. Lexème, lexical, linguistique, message, morphème, mot, terminologie, unité, vocable.

MONÈRE. Amibe, amibien, amiboïde, bactérie, entamibien, être, procaryote, protozoaire, pseudopode, rhizomastigide, rhizopode, schizopyrénide, unicellulaire, vampyrelle.

MONERGOL. Aéronautique, biergol, catergol, diergol, ergol, hydrazine, lithergol, propergol.

MONÉTAIRE. Argentier, banquier, capitaliste, financier, mécène, nucingen, payeur, pécuniaire.

MONGOLIE, CAPITALE (n. p.). Oulan-Bator.

MONGOLIE, LANGUE. Kazakh, mongol.

MONGOLIE, MONNAIE. Tugrik.

MONGOLIE, VILLE (n. p.). Altai, Darhan, Mouren, Moron, Olgi, Oulan-Bator, Ourga, Soumber.

MONGOLISME. Chromosome, congénital, déficit, infirmité, maladie, malformation, trisomisme.

MONIAL. Communauté, compagnie, congréganiste, congrégation, corps, fraternité, frère, hospitalier, missionnaire, moine, nonne, ordre, père, prêtre, religieux, religion, réunion, salésien, silenciaire, société, sœur.

MONITEUR. Amuseur, animateur, créateur, écran, éducateur, enseignant, entraîneur, instituteur, instructeur, lecteur, maître, meneur, monitorat, mono, organisateur, pédagogue, présentateur, prof, professeur, professoral, protagoniste, régent, rhéteur, surveillant, vivifiant.

MONITORAGE. Espionnage, filature, fileterie, filoche, furetage, garde, gardiennage, guet, îlotage, inspection, observation, patrouille, renseignement, ronde, sentinelle, surveillance, veille, vigie, vigilance.

MONITION. Admonestation, admonition, avertissement, blâme, correction, engueulade, exhortation, gronderie, leçon, mercuriale, objurgation, remontrance, réprimande, reproche, savon, semonce, sermon, vesparie, vesperie.

MONNAIE. Agnelle, as, aspre, assignat, aureus, avers, billet, billon, cauri, cauris, cruzeiro, darique, denier, deutsche, devise, dinar, douzain, ducat, écu, espèces, exergue, face, ferraille, fifrelin, florin, frai, gros, gulden, incurvé, incus, inti, khmer, krona, kwacha, kyat, leone, liard, lire, lunaire, maille, markost, mitraille, monnayage, numéraire, numismate, or, pape, para, parisis, piaillons, pièce, piécette, pistole, réal, reis, richesse, sen, sesterce, statère, sicle, singe, sol, sou, sucre, tael, tala, talent, teston, thaler, thune, toman, tournois, tughrik, tulden, tune, ureneli, yen.

MONNAIE, AFGHANISTAN. Abaze, abbasi, afghani, amania, pul, riyal, rupee.

MONNAIE, AFRIQUE. Métro.

MONNAIE, AFRIQUE CENTRALE. Centime, franc.

MONNAIE, AFRIQUE DU SUD. Cent, daalder, florin, krugerand, livre, rand.

MONNAIE, ALBANIE. Franc, lek, qintar, quintar.

MONNAIE, ALGÉRIE. Centime, dinar.

MONNAIE, ALLEMAGNE. Deutsche mark, euro, ostmark, pfennig.

MONNAIE, ANDORRE. Franc, peseta.

MONNAIE, ANGLETERRE. Achey, couronne, esterlin, florin, guinée, livre, noble, ora, pence, penny, pound, shilling, sixpence, souverain, tuppence.

MONNAIE, ANGOLIE. Angolar, centavo, escudo, kwanza, macuta, macute.

MONNAIE, ANTIQUE. Serrate, tétradrachme.

MONNAIE, ARABIE SAOUDITE. Riyal.

MONNAIE, ARGENTINE. Argentino, austral, centavo, peso.

MONNAIE, ARMÉNIE. Ruble.

MONNAIE, AUSTRALIE. Cent, dollar, dump, livre, schilling, tray, zack.

MONNAIE, AUTRICHE. Albertin, couronne, ducat, florin, groschen, guiden, heller, kreuzer, krone, lire, schilling, zehner.

MONNAIE, AZERBAÏDJAN. Manat.

MONNAIE, BAHAMAS. Dollar.

MONNAIE, BAHREIN. Dinar.

MONNAIE, BANGLADESH. Paisa, Taka.

MONNAIE, BARBADE. Dollar.

MONNAIE, BELGIQUE. Belga, brabant, centime, crocard, euro, franc, patar.

MONNAIE, BÉNIN. Centime, franc.

MONNAIE, BERMUDES. Dollar.

MONNAIE, BOHÊME. Thaler.

MONNAIE, BOLIVIE. Boliviano, centavo, peso.

MONNAIE, BOSNIE-HERZÉGOVINE. Dinar.

MONNAIE, BOTSWANA. Pula, rand.

MONNAIE, BRÉSIL. Centara, cruzeiro, demi-joe, dobra, joe, milréal, réal.

MONNAIE, BULGARIE. Lei, leu, lev, leva, stotinki.

MONNAIE, BURKINA-FASO. Centime, franc.

MONNAIE, BURUNDI. Centime, franc.

MONNAIE, BYZANCE. Besant.

MONNAIE, CAMBODGE. Piastre, puttan, riel, sen.

MONNAIE, CAMEROUN. Centime, franc.

MONNAIE, CANADA. Cent, dollar, huard, huart, ours, piastre.

MONNAIE, CAP-VERT. Centavo, escudo.

MONNAIE, CARAÏBES. Dollar.

MONNAIE, CHILI. Condor, escudo, libra, peso.

MONNAIE, CHINE. Cash, cent, fen, fyng, mace, nin, piao, pu, renminbi, sycee, taël, tiao, yuan.

MONNAIE, CHYPRE. Euro, livre.

MONNAIE, COLOMBIE. Centavo, condor, peseta, peso, réal.

MONNAIE, COMORES. Centime, franc.

MONNAIE, CONGO. Centime, franc.

MONNAIE, CORÉE. Chon, woh, won.

MONNAIE, COSTA RICA. Centimo, colon, colone.

MONNAIE, CROATIE. Dinar, kuna, lipa.

MONNAIE, CUBA. Centavo, cuarenta, peso.

MONNAIE, DANEMARK. Couronne, frederik, fyrk, krone, one, ora, ore, rigsdaler, skilling.

MONNAIE, DJIBOUTI. Centime, franc.

MONNAIE, ÉCOSSE. Écu, demy, doit, folles, lion, mark, rial, ryal

MONNAIE, ÉGYPTE. Ahmadi, asper, dinar, dirham, fils, fodda, gersh, girsh, kees, livre, medin, millième, para, piastre, riyal.

MONNAIE, ÉQUATEUR. Centavo, sucre.

MONNAIE, ESPAGNE. Alfonso, centimo, cob, cuarto, dinero, dobla, doublon, duro, escudo, euro, maravédis, peseta, peso, pistole, réal.

MONNAIE, ESTONIE. Couronne, euro, kroon, lat, sent.

MONNAIE, ÉTATS-UNIS. Dollar.

MONNAIE, ÉTHIOPIE. Amole, besa, birr, dollar, girsh, harf, kharaf, levant, paraca, talari.

MONNAIE, EUROPE. Écu, euro, eurodevise, eurodollar.

MONNAIE, EXTRÊME-ORIENT. Sapèque, sen, yen.

MONNAIE, FINLANDE. Mark, markka, penni.

MONNAIE, FRANCE. Cent, centime, denier, écu, euro, franc, liard, louis, napoléon, obole, pistole, sou, teston, thune, tune.

MONNAIE, GABON. Centime, franc.

MONNAIE, GHANA. Ackey, cédi.

MONNAIE, GRÈCE. Drachme, lepte, statère.

MONNAIE, GUATEMALA. Centavo, peso, quetzal.

MONNAIE, GUINÉE. Centimo, ekuele, iliy, peseta, syli.

MONNAIE, GUYANE. Dollar.

MONNAIE, HAÏTI. Centime, gourde.

MONNAIE, HÉBREUX. Sicle.

MONNAIE, HONDURAS. Centavo, lempira, peso.

MONNAIE, HONGRIE. Balas, euro, filler, forint, gara, gulden, pengo, kreuzer.

MONNAIE, HONG KONG. Dollar.

MONNAIE, INDE. Abidi, anna, crore, fels, lac, paisa, pice, pie, roupie, tara.

MONNAIE, INDONÉSIE. Roupie, rupiah, sen.

MONNAIE, IRAN. Asar, bisti, daric, dinar, gran, lari, larin, pahlavi, pul, rial, shahi, toman.

MONNAIE, IRAQ. Dinar, fils.

MONNAIE, IRLANDE. Pence, livre, rap, real, shilling, turney.

MONNAIE, ISLANDE. Aurar, eyrir.

MONNAIE, ISRAËL. Agora, agorot, livre, mil, pruta, shekel, sicle.

MONNAIE, ITALIE. Centesini, ducat, euro, grano, lire, paoli, scudo, sequin, soldo, testone, zecchino.

MONNAIE, JAMAÏQUE. Dollar, quattie.

MONNAIE, JAPON. Bu, cash, ichebu, koban, mibu, mon, oban, rin, rio, sen, shu, tempo, yen.

MONNAIE, JORDANIE. Dinar, fils.

MONNAIE, KENYA. Livre, shilling.

MONNAIE, KOWEÏT. Dinar, fils.

MONNAIE, LAOS. At, att, kip.

MONNAIE, LETTONIE. Euro, lats.

MONNAIE, LIBAN. Livre, piastre.

MONNAIE, LIBÉRIA. Piastre.

MONNAIE, LIBYE. Dinar.

MONNAIE, LIECHTENSTEIN. Franc, franken, rappen.

MONNAIE, LITHUANIE. Centas, euro, fennig, lit, litas, marka, ostmark, skatiku.

MONNAIE, LUXEMBOURG. Centime, franc.

MONNAIE, MACAO. Avo, pataca, pataco.

MONNAIE, MACÉDOINE. Denar.

MONNAIE, MADAGASCAR. Centime, franc.

MONNAIE, MALAISIE. Ringgit, sen, tampang, taro, tra, trah.

MONNAIE, MALAWI. Kwacha, tambala.

MONNAIE, MALI. Centime, franc.

MONNAIE, MAROC. Dirham.

MONNAIE, MAURITANIE. Ouguiya.

MONNAIE, MEXIQUE. Adobe, astèque, centavo, claco, cuarto, dinero, onza, peso, piastre, tiaco.

MONNAIE, MOLDAVIE. Ban, bani, lei, leu, lev, ley, triens, uncia.

MONNAIE, MONACO. Centime, franc.

MONNAIE, MONGOLIE. Mongo, tugrik.

MONNAIE, MONTÉNÉGRO. Dinar, florin, para, perpera.

MONNAIE, MOZAMBIQUE. Centavo, escudo, kobo, metical.

MONNAIE, NAMIBIE. Rand.

MONNAIE, NÉPAL. Anna, mohar, paisa, pice, roupie.

MONNAIE, NICARAGUA. Centavo, cordoba oro, peso.

MONNAIE, NIGER. Centime, franc.

MONNAIE, NIGERIA. Kobo, naira.

MONNAIE, NORVÈGE. Couronne, ore.

MONNAIE, NOUVELLE-ZÉLANDE. Dollar.

MONNAIE, ORIENT. Sicle.

MONNAIE, OUGANDA. Shilling.

MONNAIE, PAKISTAN. Anna, paisa, pice, roupie.

MONNAIE, PANAMA. Balboa, cent, centesimo.

MONNAIE, PARAGUAY. Centimo, guarani, peso.

MONNAIE, PAYS-BAS. Florin, Gulden.

MONNAIE, PÉROU. Centavo, dinero, inti, libra, reseta, sol.

MONNAIE, PHILIPPINES. Centavo, conant, peseta, peso.

MONNAIE, POLOGNE. Euro, zloty.

MONNAIE, PORTUGAL. Avo, conto, couronne, dobra, escudo, indio, joe, justo, macuta, octave, pataca, peca, réal, roupie, testad.

MONNAIE, QATAR. Dirham, riyal.

MONNAIE, RÉPUBLIQUE DOMINICAINE. Franco, oro, peso.

MONNAIE, RÉPUBLIQUE TCHÈQUE. Couronne, euro.

MONNAIE, ROME. As, aureus, sesterce.

MONNAIE, ROUMANIE. Ban, bani, lei, leu, lev, ley, triens, uncia.

MONNAIE, ROYAUME-UNI. Livre.

MONNAIE, RUSSIE. Abassi, altin, bisti, copec, genga, grosh, kopek, rouble, shaur.

MONNAIE, SALVADOR. Centavo, colon, peso.

MONNAIE, SÉNÉGAL. Centime, franc.

MONNAIE, SINGAPOUR. Dollar

MONNAIE, SLOVAQUIE. Couronne, euro.

MONNAIE SLOVÉNIE. Euro, tolar.

MONNAIE, SOMALIE. Besa, centemisi, shilling.

MONNAIE, SOUDAN. Livre, piastre.

MONNAIE, SRI LANKA. Roupie.

MONNAIE, SUÈDE. Couronne, ore, sek.

MONNAIE, SUISSE. Centime, franc, vreneli.

MONNAIE, SYRIE. Lire, livre, piastre, talent.

MONNAIE, TAIWAN. Dollar, yuan.

MONNAIE, TANZANIE. Cent, shilling.

MONNAIE, TCHAD. Centime, franc.

MONNAIE, TCHÉCOSLOVAQUIE. Couronne, ducat, euro, heller, koruna.

MONNAIE, THAÏLANDE. At, att, baht, cutty, fuang, satang, tical.

MONNAIE, TIBET. Tanga.

MONNAIE, TOGO. Centime, franc.

MONNAIE, TRINITÉ-TOBAGO. Dollar.

MONNAIE, TUNISIE. Dinar, dollar, millime.

MONNAIE, TURQUIE. Akcha, asper, aspre, attun, kurus, lire, livre, para, piastre, sequin.

MONNAIE, UKRAINE. Grivna, hryvnia, karbovanet.

MONNAIE, UNION EUROPÉENNE. Écu, euro.

MONNAIE, URUGUAY. Centesimo, centisimo, peso.

MONNAIE, VENEZUELA. Bolivar, centimo, fuerte, medio, morocota, peso, réal, venezolano.

MONNAIE, VENISE. Ducat, sequin.

MONNAIE, VIETNAM. Dong, hao, piastre, xu.

MONNAIE, YÉMEN. Dinar, fils, rial.

MONNAIE, YOUGOSLAVIE. Dinar, fils, para.

MONNAIE, ZAÏRE. Makuta, zaïre.

MONNAIE, ZAMBIE. Kwacha, ngwee.

MONNAIE-DU-PAPE. Cruciféracée, herbe aux écus, lunaire, plante.

MONNAYER. Accorder, convertir, monnayeur, négocier, payer, régler, traiter, transformer, vendre.

MONO. Monitoring, moniteur, monophonie, monophonique.

MONOCHROME. Clair-obscur, couleur, grisaille, monocolore, monochromie, uni, unicolore, uniforme.

MONOCORDE. Continu, endormant, ennuyeux, fade, fastidieux, grisaille, languissant, lassant, monotone, morne, psalmodique régulier, répétitif, ronron, semblable, terne, traînant, uniforme, uniformité.

MONOCOTYLÉDONE. Acotylédone, aracée, butome, dicotylédone, lemnacée, marante, massette, misère, musacée, naïade, naias, palmier, plante, potamot, roseau, scitaminale, tacca, tépale, typha, zostère.

MONOCYTE. Acidophile, défense, éosinophile, exsudat, globule, granulocyte, infiltrat, leucocyte, lymphocyte, mastzelle, mononucléaire, myélocyte, neutrophile, phagocyte, polynucléaire, sang.

MONODONTIDÉ. Béluga, monodon, monodone, narval.

MONOGRAMME. Abrégé, abréviation, chiffre, chrisme, ichthus, ichtys, IHS, lettre, marque, signature.

MONOÏQUE. Ambisexué, amphigame, androgyne, androgynie, androgynoïde, bisexué, femme, fleur, gyrandroïde, hermaphrodite, intersexué, monocline, noisetier, plante, transsexuel, unisexué.

MONOLITHE. Bloc, cromlech, dolmen, mégalithe, menhir, monument, obélisque, roc, stèle, un.

MONOLITHISME. Cohésion, compacité, consistance, coriacité, dureté, fermeté, force, homogénéité, indélébilité.

MONOLOGUE. Aparté, composition, discours, monodie, radotage, seul, soliloque, tirade, tunnel.

MONOLOGUER. Aborder, agir, annoncer, ânonner, babiller, bafouiller, baragouiner, bavarder, bêler, bléser, bredouiller, causer, chuchoter, claironner, corner, crier, dauber, débiter, délirer, dénigrer, dire, discourir, disserter, divaguer, évoquer, exposer, exprimer, extravaguer, grailler, gueuler, haranguer, hurler, jacter, jargonner, jaser, joual, laconisme, marmotter, nasiller, négociation, palabrer, parler, patois, péronier, picard, placoter, prononcer, rouchi, sic, soliloquer, susurrer, tarir, tchatcher, tonitruer, tonner, trahir, vociférer.

MONOLOGUISTE (n. p.). Deschamps.

MONOLOGUISTE. Amuseur, baroque, bohème, bouffon, capricieux, changeant, excentrique, fantaisiste, fantasque, farfelu, funambulesque, humoriste, original, pittoresque, rigolo, tordu, versatile.

MONÔME. Accompagnement, caravane, convoi, cortège, cour, défilé, deuil, escorte, procession, ribambelle, suite.

MONONUCLÉAIRE. Acidophile, défense, éosinophile, exsudat, globule, granulocyte, infiltrat, leucocyte, lymphocyte, mastzelle, monocyte, myélocyte, neutrophile, phagocyte, polynucléaire, sang.

MONOPLÉGIE. Anesthésie, ankylose, asthénie, atonie, atrophie, béribéri, catalepsie, dysarthrie, hémiplégie, paralysie, paraplégie, parésie, prostration, quadraplégie, rage, sclérose, sidération, strychnine, triplégie.

MONOPHYSITE. Adepte, copte, doctrine, hétérodoxe, jacobite, manichéen, melchite, melkite.

MONOPOLE. Asiento, banvin, cartel, duopole, oligopole, possession, privilège, régale, régie, trust.

MONOPOLISATEUR. Accapareur, agioteur, baissier, boursicoteur, dévoreur, haussier, initié, preneur, spéculateur.

MONOPOLISER. Accaparer, centraliser, privilégier, rafler, réserver, squatter, squattériser, truster.

MONOSACCHARIDE. Amidon, aside, cellulose, diholoside, disaccharide, héparine, heptose, hexose, octose, ose, pentose, polyholoside, polyoside, polysaccharide, raffinose, ribose, tétrose, triose.

MONOTHÉISME. Alliance, bahaïsme, christianisme, islam, judaïsme, vocation, sacrifice, sikhisme.

MONOTONE. Continu, endormant, ennuyeux, fade, fastidieux, grisaille, languissant, lassant, monocorde, morne, régulier, répétitif, ronron, semblable, terne, traînant, uniforme, uniformité.

MONOTONEMENT. Assidûment, constamment, continuellement, continûment, également, exactement, infiniment, localement, permanence, platement, ponctuellement, recta, régulièrement, semblablement, uniformément.

MONOTONIE. Bureaucratie, classique, coutume, croûton, aigreur, encroûté, ennui, habitude, ornière, pli, préjugé, quotidien, répétition, ronron, routine, sous-programme, tic, train-train, us.

MONOTRÈME. Amphibien, cloaque, échidné, marsupial, oiseau, ornithorynque, ovipare, reptile.

MONOTROPE. Plante, pirolacée, sucepin.

MONOTYPE. Composeuse, dessin, estampe, finn, gravure, linotype, machine, peinture, voilier.

MONOVALENT. Azotyle, univalent, valence, vinyle.

MONOXYDE. Carbone, CO, gaz, incolore, inodore, oxyde, protoxyde, toxique.

MONOZYGOTE. Bivitellin, dizygote, jumeaux, œuf, univitellin.

MONSEIGNEUR (n. p.). Echevarria, Lefebvre, Lemaîtrem Makarios.

MONSEIGNEUR. Mgr.

MONSIEUR. Don, gentleman, homme, M, messire, Mr, personnalité, personne, sahib, señor, sieur, sir, tartempion, untel.

MONSTERA. Aracée, aroïdacée, aroïdée, philodendron, plante.

MONSTRANCE. Autel, custode, eucharistie, foyer, hostie, laraire, messe, montre, offrandes, orfèvrerie, orgueil, ostensoir, pierre, reliquaire, reposoir, sacrifices, saint-sacrement, tabernacle, table.

MONSTRE (n. p.). Caliban, Charybde, Chimère, Ectromèle, Grendel, Léviathan, Loch Ness, Minotaure, Sainte-Marthe, Scylla.

MONSTRE. Avorton, basilic, chimère, cyclope, démentiel, dragon, fée, géant, génie, gorgone, harpie, hippogriffe, hydre, lamie, licorne, mauvais, monstrueux, nain, phénix, phénomène, phocomèle, pygmée, scélérat, sirène, sphinx, tarasque, tératologie.

MONSTRUEUSEMENT. Abominablement, affreusement, atrocement, déplaisamment, désagréablement, détestablement, disgracieusement, épouvantablement, horriblement, laidement, très.

MONSTRUEUX. Abominable, affreux, anormal, atroce, bizarre, bossu, bot, bote, colossal, difforme, énorme, excessif, forme, hideux, horrible, inhumain, laid, phénoménal, tarasque, tératologique.

MONSTRUOSITÉ. Abomination, anencéphalie, anomalie, atrocité, difformité, horreur, ignominie, malformation, polydactylie.

MONT. Butte, clou, colline, élévation, hauteur, massif, monceau, montagne, monticule, mt, pénil, pic, sommet.

MONTAGE. Accommodation, agencement, ajustement, apiéceur, assemblage, choix, coaptation, dressage, embiellage, emmanchement, encadrage, habillement, jonction, kit, mise, parure, raccord, sellerie, soudure, va-et-vient.

MONTAGNARD. Alpenstock, alpiniste, clephte, député, filibeg, gavache, gavot, gavotte, génovéfain, girondin, highlander, kéfir, képhir, kilt, klephte, isard, mazot, remue, sherpa, varappeur.

MONTAGNE. Aiguille, alpestre, alpin, arête, butte, chaîne, cime, col, colline, contrefort, crête, drumlin, élévation, éminence, falaise, glacier, kettle, obstacle, massif, mont, monticule, moraine, orogène, orogenèse, plateau, quantité, pic, piton, serra, sierra, sommet, tas, vallée, versant, vire.

MONTAGNE, AFRIQUE CENTRALE (n. p.). Karre, Kayagangiri, Kilimandjaro, Mongos, Tinga.

MONTAGNE, AFRIQUE DU SUD (n. p.). Aux, Drakensberg, Injasuti, Kathkin, Kop, Sneeuwberg, Stormberg, Table, Witwatersrand.

MONTAGNE, AFRIQUE DU NORD (n. p.). Atlas.

MONTAGNE, ALASKA (n. p.). Bear, Bona, Elias, Michalson, Michelson, Redoubt, Sanford, Spurr.

MONTAGNE, ALBANIE (n. p.). Koritnjk, Pindus, Shala.

MONTAGNE, ALGÉRIE (n. p.). Ahaggar, Aissa, Atlas, Aures, Chelia, Dahra, Djurjura, Kabylia, Mouydir, Onk, Tahat, Zab.

MONTAGNE, ALLEMAGNE (n. p.). Alpes, Brocken, Erzgebirge, Feldgerg, Fichtelberg, Forêt Noire, Harz, Ore, Rhoen, Zugspitze.

MONTAGNE, ALPES (n. p.). Dru, Eiger, Lure, Meije, Viso.

MONTAGNE, ALSACE (n. p.). Vosges.

MONTAGNE, ANDORRE (n. p.). Cataperdis, Estanyo, Pyrénées.

MONTAGNE, ANGLETERRE (n. p.). Black, Cambrian, Cumbrian, Pennine, Snowdon.

MONTAGNE, ANGOLA (n. p.). Chela, Loviti, Moco.

MONTAGNE, ARABIE SAOUDITE (n. p.). Razih, Tuwayq.

MONTAGNE, ARGENTINE (n. p.). Aconcagua, Andes, Chato, Conico, Copahue, Domuyo, Famatina, Insahuasi, Laudo, Longavi, Murallon, Olivares, Payun, Peteroa, Pissis, Potro, Rincon, Toro, Tronador.

MONTAGNE, ARMÉNIE (n. p.). Aladagh, Ararat, Karabekh, Taurus.

MONTAGNE, AUSTRALIE (n. p.). Augustus, Bartie, Béal, Bongong, Brockman, Bruce, Cradle, Cuthbert, Doreen, Garnet, Gawler, Gregory, Herbert, Isa, Jusgrave, Kosciusko, Magnet, Morgan, Mulligan, Murchison, Olga, Ord, Ossa, Round, Surprise, Vermon, Wooddroffe, Zeil.

MONTAGNE, AUTRICHE (n. p.). Alpes, Dolomites, Eisenerz, Kitzbuhel, Rhatikon, Stubai, Tyrol, Tyroliennes.

MONTAGNE, AZERBAÏDJAN (n. p.). Caucase.

MONTAGNE, BANGLADESH (n. p.). Chittagong, Keokradong.

MONTAGNE, BARBADE (n. p.). Chalky, Hiliaby.

MONTAGNE, BELGIQUE (n. p.). Ardennes, Condroz.

MONTAGNE, BÉNIN (n. p.). Atakora.

MONTAGNE, BIRMANIE (n. p.). Arakan, Chin, Dawna, Kachin, Karenni, Lushai, Manipur, Naga, Nattaung, Patkai, Pegu, Peguyoma, Popa, Saramati, Tenasserim, Victoria.

MONTAGNE, BOLIVIE (n. p.). Ancohuma, Andes, Cordillière, Cusco, Cuzco, Huascane, Illampu, Illimani, Jara, Ollague, Mururata, Potosi, Sajama, Sansimon, Santiago, Sorata, Sunsas, Tocorpuri, Zapaleri.

MONTAGNE, BORNÉO (n. p.). Iran, Kapuas, Kinabalu, Kinibalu, Muller, Nijaan, Raja, Saran, Schwaner, Tebang.

MONTAGNE, BOSNIE-HERZÉGOVINE (n. p.). Alpes, Dinaric.

MONTAGNE, BRÉSIL (n. p.). Acarai, Amambai, Bandeira, Carajas, Geral, Gradaus, Gurupi, Itatiaia, Mar, Neblina, Oragaos, Organ, Pacaraima, Parima, Piaui, Roncador, Roraima, Tombador, Urucum.

MONTAGNE, BRUNEI (n. p.). Teraja, Tutong, Ulu.

MONTAGNE, BULGARIE (n. p.). Balkans, Botev, Kom, Musala, Musallah, Pirin, Rila, Sapka, Sredna, Vikhren.

MONTAGNE, BURKINA-FASO (n. p.). Nakourou, Tema, Tenakourou, Tenekourou.

MONTAGNE, BURUNDI (n. p.). Nyamisana, Nyarwana.

MONTAGNE, CAMBODGE (n. p.). Cardamom, Dangrek, Éléphant, Pan.

MONTAGNE, CAMEROUN (n. p.). Bambuto, Batandji, Cameroun, Kapsiki, Mandara, Mbabo.

MONTAGNE, CANADA (n. p.). Assiniboine, Caribou, Cascade, Columbia, Hazelton, Jacques-Cartier, Laurentides, Logan, Mackenzie, Nelson, Purcell, Richardson, Rocheuses, Shickshock, Tremblant.

MONTAGNE, CAP-VERT (n. p.). Cano, Fogo.

MONTAGNE, CHILI (n. p.). Apiwan, Arenal, Burney, Chado, Chaltel, Cochrane, Conico, Copiapo, Fitzroy, Hudson, Isluga, Jervis, Maca, Maipo, Maipu, Paine, Palpana, Poquis, Potro, Pular, Rincon, Toro, Torre, Tronador, Tupungato, Valentin, Velluda, Yanteles, Yogan.

MONTAGNE, COLOMBIE (n. p.). Abibe, Andes, Ayapel, Baudo, Chamusa, Chita, Cocuy, Cordillère, Cristobal, Huila, Lina, Oriengal, Pasto, Perija, Purace, Sotara, Tolima, Tunahi.

MONTAGNE, CORÉE (n. p.). Chiri, Diamond, Halla, Kwanmo, Kyebang, Nangnim, Paektu, Sobaek, Taebaek, Wang.

MONTAGNE, COSTA RICA (n. p.). Barba, Blanco, Central, Gongora, Guanacaste, Irazu, Poas, Talamanca, Turrialba.

MONTAGNE, CRÈTE (n. p.). Dikte, Ida, Juktas, Lasithi, Madaras, Phino, Psiloriti, Théodore, Thriphte.

MONTAGNE, CROATIE (n. p.). Alpes, Julian, Styrian.

MONTAGNE, CUBA (n. p.). Camaguey, Copper, Cristal, Maestra, Organos, Trinidad, Turquino.

MONTAGNE, DANEMARK (n. p.). Bavnehoj, Ejer, Himmebjaerget, Skovhoj, Yding.

MONTAGNE, DJIBOUTI (n. p.). Gouda.

MONTAGNE, ÉCOSSE (n. p.). Attow, Cheviot, Grampian, Highlands, Ochil, Sidlaw, Trossachs.

MONTAGNE, ÉGYPTE (n. p.). Gharib, Katerina, Katherina, Sinai, Uekia.

MONTAGNE, ÉQUATEUR (n. p.). Andes, Antisana, Cayambe, Chimborazo, Condor, Cotocachi, Cotopaxi, Picchincha, Sangay.

MONTAGNE, ESPAGNE (n. p.). Albarracin, Alcaraz, Almanzoe, Aneto, Asturies, Banuelo, Cantabrian, Catalan, Cerredo, Cuenca, Demanda, Estats, Europa, Gata, Gredos,

Guadarrama, Iberian, Magina, Moncayo, Morena, Mulhacen, Nethou, Nevada, Penalara, Perdido, Pyrénées, Rouch, Teide, Teleno, Toledo, Torrecilla.

MONTAGNE, ÉTATS-UNIS (n. p.). Aix, Alaska, Antero, Appalaches, Bedford, Brooks, Bross, Cascade, Catskill, Chugach, Davidson, DeLong, Elbert, Endicott, Essex, Evans, Foraker, Grizzly, Harvard, Helena, Hood, Jack, Katahdin, Kenai, Kilauea, Lincoln, Logan, Massive, McKinley, Mesabi, Mitchell, Muir, Olympic, Olympus, Ouachita, Ozark, Pocono, Rainier, Rocky, Russel, Shasta, Spokane, Washington, Whitney, Wrangell, Yale.

MONTAGNE, ÉTHIOPIE (n. p.). Amba, Batu, Choke, Guge, Guna, Rasdashan, Talo.

MONTAGNE, FINLANDE (n. p.). Haldetsokka, Haltia, Laltiva, Saari, Selka.

MONTAGNE, FRANCE (n. p.). Alpes, Ardennes, Blanc, Jura, Noir, Or, Pelat, Pyrénées, Saint-Michel, Vosges.

MONTAGNE, GABON (n. p.). Balaquri, Birougou, Chaillu, Cristal, Iboundji, Mikongo.

MONTAGNE, GÉORGIE, EUROPE (n. p.). Caucase.

MONTAGNE, GHANA (n. p.). Afadjato, Akwapim.

MONTAGNE, GIBRALTAR (n. p.). Misery, Tariq.

MONTAGNE, GRÈCE (n. p.). Athos, Grammos, Helicon, Hymette, Ida, Idhi, Lthome, Œta, Olympe, Ossa, Pamassus, Parnasse, Peleon, Pélion, Pentélique, Pinde, Rhodope, Smolikas, Targetos.

MONTAGNE, GUATEMALA (n. p.). Acatenango, Agua, Atitlan, Cuchumatanes, Fuego, Madre, Mico, Pacaya, Tacana, Tajamulco, Tajumuko, Toliman.

MONTAGNE, HAÏTI (n. p.). Cahos, Lahotte, Laselle, Macaya, Noires, Troudeau.

MONTAGNE, HONDURAS (n. p.). Agalta, Celaque, Cordillère, Esperanza, Pija.

MONTAGNE, HONG-KONG (n. p.). Castle, Victoria.

MONTAGNE, HONGRIE (n. p.). Alpes, Bakony, Borzsony, Bukk, Carpates, Cserhat, Gerecse, Kekes, Korishegy, Matra, Mecsek, Tatra, Vetes, Zempleni.

MONTAGNE, INDE (n. p.). Abu, Aravalli, Distaghil, Gasherbrum, Himalaya, Karakoram, Masherbrum, Nanga, Rakaposhi.

MONTAGNE, IRAK (n. p.). Halgurd, Kurdistan, Qaarade, Qalate, Zagros.

MONTAGNE, IRAN (n. p.). Demavend, Elburz, Zagros.

MONTAGNE, IRLANDE (n. p.). Benna, Beola, Carrantuohill, Comeragh, Croagh, Errigal, Galty, Moume, Muckish, Patrick, Wicklow.

MONTAGNE, ISLANDE (n. p.). Askja, Hekla, Hvannadalshnukur, Joku, Katia, Laki, Orafajokul, Suntsey.

MONTAGNE, ISRAËL (n. p.). Atzmon, Carmel, Harif, Hatira, Meiron, Meron, Nafh, Ramon, Sagi, Tabor, Thabor.

MONTAGNE, ITALIE (n. p.). Alpes, Amaro, Apennins, Blanc, Cassin, Cimone, Como, Dolomites, Etna, Maritimes, Ortles, Rosa, Somma, Stromboli, Vésuve, Viso, Vulcano.

MONTAGNE, JAMAÏQUE (n. p.). Blue.

MONTAGNE, JAPON (n. p.). Akan, Asahi, Asama, Aso, Asosan, Enasan, Fuji, Fujisan, Fujiyama, Haku, Hakusan, Hiuchi, Hondo, Kiusiu, Kujusan, Tokachi, Uso, Yari, Yariga, Yesso, Zao.

MONTAGNE, JAVA (n. p.). Amat, Gede, Lawoe, Murjo, Prahu, Raoeng, Semeroe, Semuru, Slamet, Soembing.

MONTAGNE, JORDANIE (n. p.). Jabal, Jebel, Nébo, Ramm.

MONTAGNE, KENYA (n. p.). Aberdare, Elgon, Kenya, Kinyaa, Kirinyaga, Kulai, Logonot, Matian, Nyira, Nyiru.

MONTAGNE, LAOS (n. p.). Atwat, Bia, Copi, Khat, Khoung, Lai, Loi, San, Tiubia.

MONTAGNE, LESOTHO (n. p.). Central, Drakensberg, Injasuti, Machache, Maloti, Maluti.

MONTAGNE, LIBAN (n. p.). Liban.

MONTAGNE, LIBÉRIA (n. p.). Bong, Niete, Nimba, Putu, Uni, Wutivi.

MONTAGNE, LIBYE (n. p.). Bettle Peak, Green, Tibesti.

MONTAGNE, LIECHTENSTEIN (n. p.). Alpes, Naafkopf, Rhatikon, Vordergrauspitz.

MONTAGNE, LITHUANIE (n. p.). Juozapine, Samogitian.

MONTAGNE, LUNE (n. p.). Alembert, Altai, Apennins, Caucase, Carpathes, Doerfel, Jura, Leibniz, Pyrénées, Taurus.

MONTAGNE, LUXEMBOURG (n. p.). Ardennes, Burgplatz, Huldange, Wemperhardt.

MONTAGNE, MADAGASCAR (n. p.). Ankaratra, Boby, Maromokotro, Tsaratanana, Tsiafajavona.

MONTAGNE, MALAISIE (n. p.). Binaija, Blumut, Brassey, Bulu, Crocker, Hose, Iban, Iran, Kapuas, Kinabalu, Leuser, Main, Mulu, Murjo, Niapa, Ophir, Raja, Rindjani, Slamet.

MONTAGNE, MALAWI (n. p.). Livingstone, Mianje, Mulanje.

MONTAGNE, MALI (n. p.). Iforas, Manding, Mina.

MONTAGNE, MAROC (n. p.). Abyla, Anti-Atlas, Atlas, Bani, Djebel, Haut-Atlas, Moyen-Atlas, Rif, Sarro, Toubkal, Tidiguin.

MONTAGNE, MEXIQUE (n. p.). Chiapas, Citlaltepetl, Colima, Ixtacihuati, Orizaba, Paricutin, Popocatepetl, Tacana, Tocula.

MONTAGNE, MONGOLIE (n. p.). Altaï, Cast, Edrengijn, Ich, Kentei, Khangaï, Khentei, Lablonovyï, Orog, Ovoo, Saïan, Sevrej.

MONTAGNE, MONTÉNÉGRO (n. p.). Dinariques, Durmitor.

MONTAGNE, MOZAMBIQUE (n. p.). Binga, Lebombo.

MONTAGNE, NAMIBIE (n. p.). Brandberg, Khomas, Koakoveld.

MONTAGNE, NÉPAL (n. p.). Annapurna, Cho-Oyu, Churia, Dhaulagiri, Everest, Gosainthan, Himalaya, Himalchuli, Kanchenjunga, Lhotse, Mahabharat, Makalu, Manaslu, Siwalik.

MONTAGNE, NICARAGUA (n. p.). Leon, Madera, Managua, Mogoton, Momotombo, Negro, Saslaya, Telica, Viejo.

MONTAGNE, NIGER (n. p.). Aïr, Bagzane, Greboun.

MONTAGNE, NORVÈGE (n. p.). Blodfjel, Dovrefjell, Galdhoepig, Galdhopiggen, Glitretind, Harteigen, Jotunheim, Kjolen, Langfjell, Myrdalfjell, Numedal, Ramnanosi, Snohetta, Sogne, Telemark, Ustetind, Vbmesnosi.

MONTAGNE, NOUVELLE-ZÉLANDE (n. p.). Allen, Aorangi, Aspiring, Cameron, Chope, Coronet, Cook, Eden, Egmont, Ernslaw, Flat, Huiarau, Lyall, Messenger, Mitre, Murchison, Ngauruhoe, Ohope, Otari, Owen, Pihanga, Raukumara, Remarkables, Richmond, Ruahine, Ruapehu, Stokes, Tasman, Tauhera, Tauranga, Tongariro, Tutamee, Tyndall, Young.

MONTAGNE, OMAN (n. p.). Hafit, Harim, Nakhl, Qara, Tayin, Verte.

MONTAGNE, OUGANDA (n. p.). Elgon, Oboa, Margherita, Mufumbiro, Ruwenzori, Virunga.

MONTAGNE, PAKISTAN (n. p.). Broad Peak, Gasherbrum, Himalaya, K2, Karakoram, Kirthar, Makran, Pab, Pub, Salt, Sulaiman.

MONTAGNE, PALESTINE (n. p.). Nebo.

MONTAGNE, PANAMA (n. p.). Baru, Chico, Chiriqui, Columan, Cordillère, Darien, Gandi, Maje, Santiago, Tabasara, Veragua.

MONTAGNE, PÉROU (n. p.). Andes, Cordillère, Coropuna, Huamina, Huascaran.

MONTAGNE, PHILIPPINES (n. p.). Albay, Apo, Askja, Banahao, Canlaon, Hibok, Iba, Mayo, Mayon, Pagsan, Pulog, Taal.

MONTAGNE, POLOGNE (n. p.). Beshchady, Beskid, Carpates, Pieniny, Rysy, Sudeten, Tatra.

MONTAGNE, PORTO RICO (n. p.). Cayey, Cordillère, Guilarte, Luquilla, Punta, Toro, Torrecilla, Yunque.

MONTAGNE, PORTUGAL (n. p.). Acor, Bornes, Caldeirao, Caramulo, Gerez, Lapa, Larouco, Marao, Monchique, Mousa, Peneda.

MONTAGNE, QUÉBEC (n. p.). Adstock, Albert, Appalaches, Assem, Brome, Chics-Chocs, Cônes, Garceau, Gosford, Iberville, Jacques-Cartier, Jacques-Rousseau, Laurentides, Logan, Orford, Otish, Richardson, Royal, Sainte-Anne, Saint-Sauveur, Shefford, Table, Torngat, Tremblant.

MONTAGNE, RÉPUBLIQUE DOMINICAINE (n. p.). Baoruco, Centrale, Duarte, Gallo, Neiba, Orientale, Septentrionale, Tina.

MONTAGNE, ROUMANIE (n. p.). Apuseni, Balkans, Banat, Bihor, Caliman, Carpates, Codrul, Fagaras, Moldavian, Moldoveanu, Negoi, Pietrosu, Rodnei, Transylvanie.

MONTAGNE, RUSSIE (n. p.). Altaï, Anadyr, Belukha, Caucase, Crimée, Dzhughur, Elbrus, Khibiny, Koryak, Lenin, Narodnaïa, Oural, Pamirs, Pobedy, Sayan, Stanovi, Stanovoi, Zhiguli.

MONTAGNE, RWANDA (n. p.). Karisimbi, Mitumba, Muhavura, Virunga.

MONTAGNE, SALVADOR (n. p.). Izalco, Santa Ana.

MONTAGNE, SAMOA (n. p.). Alava, Fito, Matafao, Silisili, Vaea.

MONTAGNE, SÉNÉGAL (n. p.). Gounou.

MONTAGNE, SICILE (n. p.). Ætna, Apennins, Atlas, Erei, Erici, Etna, Hybla, Iblei, Ibrei, Moro, Nebrodi, Peloritani, Sori, Stromboli, Vulcano.

MONTAGNE, SIERRA LEONE (n. p.). Bintimani, Loma.

MONTAGNE, SIKKIM (n. p.). Darjeeling, Dongkya, Donkhya, Himalaya, Kanchenjunga, Singalili.

MONTAGNE, SINGAPOUR (n. p.). Mandai, Panjang.

MONTAGNE, SLOVAQUIE (n. p.). Carpates, Sudètes.

MONTAGNE, SOMALIE (n. p.). Guban, Surud Ad, Migiurtinia.

MONTAGNE, SOUDAN (n. p.). Darfour, Dongotona, Imatong, Kinyeti, Nuba.

MONTAGNE, SRI LANKA (n. p.). Adams, Pedro, Pidurutalagala.

MONTAGNE, SUÈDE (n. p.). Ammar, Helags, Kebne, Kebnekaise, Kjolen, Ovniks, Sarjek, Sarv.

MONTAGNE, SUISSE (n. p.). Albula, Alpes, Balmhorn, Bermina, Beverin, Burgenstock, Cervin, Diablerets, Dôle, Dom, Dufourspitze, Eiger, Finsteraarhorn, Grimsel, Jungfrau, Jura, Karpf, Linard, Matterhorn, Pilate, Pizela, Rheinwaldhorn, Righi, Rigi, Rotondo, Rosa, Säntis, Todi, Weisshom, Wetterhorn.

MONTAGNE, SURINAM (n. p.). Emma, Guyannes, Julianatop, Kayser, Orange, Wilhelmina.

MONTAGNE, SWAZILAND (n. p.). Drakensberg, Emlembe, Highveld.

MONTAGNE, SYRIE (n. p.). Alawite, Ansarieh, Ansariyya, Carmel, Hermon, Liban, Nusairiyya.

MONTAGNE, TADJIKISTAN (n. p.). Zaravchan.

MONTAGNE, TAIWAN (n. p.). Morrison, Taitung, Tatun, Tzukao.

MONTAGNE, TANZANIE (n. p.). Kibo, Kilimandjaro, Meru, Ngorongoro, Uhuru, Usambara.

MONTAGNE, TCHAD (n. p.). Tibesti, Touside.

MONTAGNE, TCHÉCOSLOVAQUIE (n. p.). Carpates, Gerlach, Gerlachovka, Grant, Krkonose, Ore, Sudeten, Sumava, Tatra.

MONTAGNE, THAÏLANDE (n. p.). Bilauktaung, Dwana, Inthanon, Khieo, Maelamun, Phanom.

MONTAGNE, THESSALIE (n. p.). Olympe, Œta, Ossa, Pinde.

MONTAGNE, TIBET (n. p.). Bandala, Everest, Himalaya, Kailas, Kamet, Karakoram, Kunlun, Sajum.

MONTAGNE, TOGO (n. p.). Atakora, Baumann, Koronga, Togo.

MONTAGNE, TUNISIE (n. p.). Atlas, Chambi, Mrhila, Tebessa, Zaghouan.

MONTAGNE, TURQUIE (n. p.). Ak, Ala, Aladagh, Alai, Ararat, Bingol, Bolgar, Dagh, Erciyas, Hasan, Hinis, Honaz, Kara, Karacali, Murat, Murit, Pontic, Suphan, Taurus.

MONTAGNE, UKRAINE (n. p.). Carpates, Crimée.

MONTAGNE, URUGUAY (n. p.). Animas, Cuchilla, Mirado.

MONTAGNE, VANUATU (n. p.). Lopeti, Tabwemasana.

MONTAGNE, VENEZUELA (n. p.). Andes, Bolivar, Concha, Cordillère, Cuneva, Duida, Gurupira, Icutu, Imutaca, Masalti, Merida, Pacaraima, Pao, Parima, Pava, Roraima, Sierra, Turimiquire, Yair, Yumari.

MONTAGNE, VIETNAM (n. p.). Annamese, Badinh, Badink, Cordillère, Fansipan, Knontran, Nindhoa, Ninhhoa, Ngoklinh, Ngoklink, Tchepone, Tclepore.

MONTAGNE, YÉMEN (n. p.). Djehaff, Shuayb, Thamir.

MONTAGNE, YOUGOSLAVIE (n. p.). Alpes, Balkans, Dinaric, Karawanken, Karst, Rhodope.

MONTAGNE, ZAÏRE (n. p.). Crystal, Margherita, Mitumba, Nyaragongo, Ruwenzori, Virunga.

MONTAGNE, ZAMBIE (n. p.). Mafinga, Muchinga.

MONTAGNE, ZIMBABWE (n. p.). Chimanimani, Inyanga, Inyangani, Manica, Matopo, Vumba.

MONTAISON. Accroissement, ascension, augmentation, côte, crue, diapir, élévation, escalade, escalier, flux, gravissement, grimpade, grimpée, marchepied, montée, monte-pente, raidillon, rampe, rapaillon.

MONTANT. Ante, arrérages, capital, cens, chiffre, colonne, coût, dû, écot, en-cours, flux, goût, levant, meneau, nombre, pied-droit, piédroit, pilastre, portant, pot, quête, quotité, précompte, prix, recette, relevé, saveur, selle, somme, tarif, taux, terme, total.

MONTE-CHARGE. Ascenseur, descendeur, élévateur, liftier, monte-plats, monte-sacs, retour, service.

MONTÉE. Afflux, ascension, chemin, côte, crue, diapir, élévation, envolée, escalade, escalier, essor, flux, grimpée, grimpette, marchepied, montaison, monte-pente, pente, poya, raidillon, rampe, spirale, voûte, vrille.

MONTE-EN-L'AIR. Aiglefin, bandit, brigand, cambrioleur, canaille, chenapan, cleptomane, criminel, détrousseur, entôleur, escroc, filou, fraudeur, fripon, larron, malandrin, malfaiteur, pillard, receleur, tire-laine, truand, voleur.

MONTÉNÉGRO, CAPITALE (n. p.). Poddorica.

MONTÉNÉGRO, LANGUE. Serbo-croate.

MONTÉNÉGRO, MONNAIE. Dinar.

MONTÉNÉGRO, VILLE (n. p.). Antivari, Bar, Cattaro, Dulcigno, Kotor, Poddorica, Titograd.

MONTER. Aller, ascensionner, augmenter, cabaler, croître, dresser, élever, embarquer, emmancher, entrer, escalader, exalter, franchir, gravir, grimper, hausser, hisser, lever, marcher, organiser, percher, préparer, remonter, sertir, voler, vriller.

MONTEUR. Assembleur, brocheur, carlinguier, compilateur, grimpeur, interpréteur, relieur, remonteur, synthétiseur.

MONTGOLFIÈRE. Aérodyne, aéronaute, aérostat, aérostier, agrès, ballon, dirigeable, guiderope, lest, zeppelin.

MONTICULE. Baseball, butte, cairn, colline, coteau, dune, éminence, mont, montagne, taupinière, terril, tertre.

MONTMORENCY. Cerise, chute, commune, connétable, duc, famille, griotte, maison, maréchal, pâtisserie, ville.

MONTRABLE. Acceptable, accointances, bien, bienséant, convenable, correct, décent, digne, fréquentable, honnête, honorable, moral, présentable, rangé, recommandable, réglé, respectable, sérieux, sortable.

MONTRE. Apparat, cadran, chrono, chronomètre, coucou, démonstratif, devanture, effet, étalage, étale, exhibition, exposition, horloger, léontine, oignon, ostentation, parade, pyroscope, remontoir, salle, savonnette, tocante, toquante, vitrine.

MONTRER. Arborer, ceci, déballer, découvrir, dénoter, déployer, désigner, émerger, empresser, étaler, exhiber, exposer, guider, indiquer, offrir, oser, ostensible, présenter, preuve, produire, prouver, remontrer, signaler, surclasser, trahir, voir.

MONTREUR. Marionnettiste, saltimbanque.

MONTUEUX. Abrupt, accidenté, âpre, bosselé, brut, calleux, capricieux, changeant, délicat, déséquilibré, disproportionné, hérissé, inégal, injuste, instable, irrégulier, montagneux, raboteux, ridé, rude, rugueux, scalène, variable.

MONTURE. Assemblage, cadre, cheval, coursier, fût, haquenée, méhari, montage, mouflette, porte-scie, selle, sertissage.

MONUMENT (n. p.). Arc de triomphe, Arche, Capitole, Invalides, Nesle, Odéon, Opéra, Panthéon, Parthénon.

MONUMENT. Bâtiment, cénotaphe, colonne, construction, cromlech, dolmen, fossile, gisant, koubba, marbre, mastaba, mausolée, mémorial, menhir, monolithe, monoptère, obélisque, odéon, pyramide, reste, ruine, souvenir, statue, stèle, stoupa, stupa, tombe, tombeau, totem, tour.

MONUMENTAL. Colossal, démesuré, énorme, étonnant, gigantesque, immense, propylée.

MOQUE. Boille, gobelet, godet, morve, quart, récipient, rhyton, rince-bouche, tasse, verre, vidrecome.

MOQUER. Blaguer, chiner, charrier, cirer, contreficher, contrefoutre, distraire, foutre, gausser, goberger, ironiser, mépriser, payer, plaisanter, railler, ridiculiser, taper, taquiner, vanner.

MOQUERIE. Blague, brocard, dérision, fion, ironie, malice, parodie, pied de nez, raillerie, risée, sarcasme, sardonique, satire, turlututu.

MOQUETTE. Carpette, carpettier, étoffe, jeu, mise, natte, paillasson, tapis, tenture, thibaude.

MOQUEUR. Breneux, caustique, chat, chineur, comique, drôle, facétieux, farceur, goguenard, gouailleur, ironique, narquois, persifleur, plaisant, railleur, réjouisseur, ricaneur, rieur, sarcastique.

MORACÉE. Antiaris, arbre à pain, broussonetia, figuier, jacquier, jaques, jaquier, moroïdée, mûrier, upas.

MORAILLE. Baquettes, barrette, bigoudi, casse-noix, caveçon, clamp, clé, clip, crampon, croche, davier, épiloir, épingle, fortification, frisoir, fronce, happe, outil, pince, pincette, pli, serre-nez, tenaille, trétoire, tricoises.

MORAINE. Avalanche, brandon, bride, calcin, calein, chute, débris, déchet, décombres, détritus, éclat, épave, fragment, gaize, guano, gratture, immondice, miette, poussière, rebut, reliquat, relief, relique, reste, rognure, ruine, tesson.

MORAL. Âme, bien, bon, crime, dose, enfer, ennui, fable, faute, immoral, intellectuel, juste, leçon, mal, mental, mentalité, mœurs, net, noble, probe, propre, psychique, psychologique, pur, sain, sens, vénal, vertueux.

MORALE. Admonestation, capucinade, catéchisme, conscience, déontologie, devoir, éthique, homélie, latitudinaire, leçon, maxime, mœurs, parénèse, philosophie, principe, probité, religion, rigorisme, spirituel, vertu.

MORALEMENT. Comptable, honnêtement, mentalement, psychiquement, psychologiquement, vertueusement.

MORALISATEUR. Conférencier, discoureur, diseur, moraliste, orateur, prêcheur, prédicant, prédicateur, sermonneur, télévangéliste.

MORALISER. Admonester, catéchiser, chapitrer, entacher, morigéner, pervertir, prêcher, régénérer, sermonner.

MORALISTE. Catholique, décideur, épicuriste, intellectuel, prêcheur, prédicateur, sermonneur.

MORALISTE ALLEMAND (n. p.). Busenbaum.

MORALISTE ANGLAIS (n. p.). Golding.

MORALISTE BELGE (n. p.). Davignon.

MORALISTE ESPAGNOL (n. p.). Valdés.

MORALISTE FRANÇAIS (n. p.). Bonnard, Charron, Cioran, Clouzot, Demaison, Estaunié, Faret, Hincmar, Joubert, Labruyère, La Rochefoucauld, Louÿs, Montaigne, Renard, Rivière, Vauvenargues.

MORALISTE GREC (n. p.). Angelopoulos, Plutarque, Socrate.

MORALISTE HOLLANDAIS (n. p.). Érasme.

MORALISTE LATIN (n. p.). Tacite.

MORALISTE POLONAIS (n. p.). Rej.

MORALISTE ROUMAIN (n. p.). Cioran.

MORALISTE SUISSE (n. p.). Ostervald, Ramuz, Rougemont.

MORALITÉ. Ascétisme, conclusion, conduite, conscience, crime, enseignement, intégrité, honnêteté, leçon, mœurs, morale.

MORASSE. Écrit, épreuve, imprimé, libelle, livre, maculature, minerve, police, tract, typographie, variorium.

MORATOIRE. Amnistie, appel, arrêt, atermoiement, crédit, date, délai, dilatoire, échéance, grâce, libérer, limite, préavis, prolongation, relâche, remise, répit, repos, retard, retardement, starie, sursis, temps, terme.

MORBIDE. Dépravé, déprimant, impur, insalubre, maladif, malsain, obsessif, pathologique, pervers, pourri, souffreteux.

MORBIDESSE. Abandon, apathie, atonie, cagnardise, délicatesse, faiblesse, indolence, lâcheté, langueur, lenteur, mollesse, nonchalance, paresse, somnolence, souplesse, vélocité, vigueur, volonté, volupté.

MORBIHAN, VILLE (n. p.). Allaire, Auray, Baud, Belz, Bono, Carnac, Caudan, Groix, Guer, Hennebont, Locmine, Lorient, Malestroit, Mauron, Muzillac, Pontivy, Questembert, Quiberon, Riantec, Rohan, Sarzeau, Vannes.

MORCEAU. Aile, allegro, aloyau, amourettes, ana, analectes, as, baron, bois, bloc, bouchée, bout, canard, cantabile, chique, coin, confit, contre-filet, dé, débris, éclat, écriteau, émier, entame, étude, filet, flanchet, fragment, gîte, hacher, jumeau, lambeau, lange, largo, latte, lento, lichette, linge, lotir, macreuse, miette, morce, mordache, motte, muleta, noisette, onglet, palanche, paleron, parcelle, partie, pépite, piler, quignon, ris, selle, soli, solo, tapon, tempe, tesselle, tison, tranche, triturer, tronçon.

MORCELABLE. Atomisable, dissociable, divisible, isolable, partageable, sécable, séparable, subdivisible.

MORCELER. Brésiller, émietter, casser, couper, dépecer, fragmenter, hacher, incomplet, parcellaire, partager.

MORCELLEMENT. Atomisation, décomposition, découpage, démembrement, désagrégation, dislocation, dispersion, division, éparpillement, fractionnement, fragmentation, lotissement, pack, remembrement.

MORDACHE. Bagou, bagout, baratin, bavardage, bavasserie, boniment, éloquence, étaut, faconde, jactance, mâchoire, plaque, tchatche.

MORDACITÉ. Arrogance, audace, cynisme, dédain, désinvolture, effronterie, fatuité, fierté, hardiesse, hauteur, impertinence, importance, impudence, insolence, ironie, mépris, morguer, orgueil, outrecuidance, suffisance.

MORDANT. Acerbe, acéré, acide, acidulé, âcre, agressif, aigre, aigu, âpre, brûlant, causticité, caustique, collant, corrosif, cuisant, emporte-pièce, énergique, entrain, épicé, gnaque, grinçant, incisif, niaque, ornement, piquant, rongeant, ronger, satirique, sur, teinture, vif, virulent, vivacité.

MORDÉE. Béatilles, becquée, bouchée, briffée, croquée, entrée, goulée, léchée, lichette, lippée, mâchée, morce, morceau, morsure, petit-four, rocher, salpicon.

MORDICUS. Âprement, farouchement, fermement, obstinément, opiniâtrement, résolument, tenacement.

MORDILLER. Altérer, attaquer, becqueter, brûler, consumer, corroder, dévorer, éroder, grignoter, gruger, mâchonner, mâchouiller, manger, miner, mordillage, mordre, piquer, ronger, saper, user.

MORDORÉ. Bonbon, bronze, brun, caramel, caramélisé, colorant, doré, friandise, roudoudou, toffee.

MORDORURE. Aquatinte, basané, beige, bis, bistre, brun, châtain, kakie, lavie, mat, mordoré, olivâtre, suie.

MORDRE. Appât, broyer, gruger, mâcher, mâchonner, mâchouiller, mordiller, percer, perdre, remordre, ronger.

MORDU. Adepte, amoureux, enragé, épris, fanatique, féru, fervent, fou, passionné, saut, toqué.

MOREAU. Baie, cavale, cheval, haquenée, haras, jument, mule, mulet, noir, ponette, pouliche, poulin, poulinière, suitée.

MORELLE. Aubergine, contractuelle, courge, mélongène, mélongine, moussaka, solanum, tue-chien, viédase.

MORFAL. Anthropophage, croque-mitaine, gargantua, géant, goule, lamie, mangeur, ogre, vampire, vorace.

MORFIL. Abcès, appétit, aspérité, barbe, bouche, bridge, canine, carie, chaîne, croc, couronne, défense, dent, dentelure, dentition, édenté, émail, gomphose, incisive, mâchoire, molaire, odontologie, osanore, pince, quenotte.

MORFLER. Boxeur, émarger, embourser, empocher, encadrer, encaisser, endurer, essuyer, entourer, punition, recevoir, rentrée, resserrer, rivière, route, subir, supporter, toucher.

MORFONDRE. Angoisser, biler, énerver, inquiéter, languir, ronger, soucier, stresser, tourmenter, tracasser.

MORGANITE. Aigue-marine, béryl, bésicles, émeraude, gemme, héliodore, pierre précieuse, rose.

MORGELINE. Caryophyllacée, coquelourde, espargoute, gerceau, grenadin, gypsophile, lychnis, mouron, mouron-blanc, nielle, œillet, saponaire, scléranthe, silène, spargoutte, spergule, stellaire, tagètes, turquette, vaccaire.

MORGUE. Altier, arrogance, athanée, cadavre, hautain, institut, languissant, mort, orgueil, rogue.

MORIBOND. Agonisant, déclinant, ennuyeux, expirant, incurable, languissant, mourant, subclaquant.

MORICAUD. Basané, bronzé, brun, bruni, cuivré, doré, enfant, foncé, loupiot, nègre, noiraud, personne.

MORIGÉNER. Admonester, attraper, chapitrer, corriger, éduquer, élever, gourmander, gronder, houspiller, malmener, moraliser, rappeler, redresser, réprimander, semoncer, sermonner, tancer.

MORILLE. Ascomycète, aspergille, bière, champignon, discomycète, gyromitre, helvelle, levure, lichen, pénicillium, pézizale, pézize, pyrénomycète, terpès, terfesse, terfèze, truffe, tubérale, tubéracée.

MORILLON. Anatidé, canard, émeraude, fuligule, milouin, oiseau, onyx, pierre, raisin noir, smaragdin.

MORIO. Araschnia, belle-dame, orchidée, paon, papillon, tortue, vanesse, vanillier, vulcain.

MORMON (n. p.). Idaho, Smith, Utah, Young.

MORMON. Adepte, doctrine, mormonisme, polygamie, protestant, religion, théocratie.

MORNE. Abattu, accablé, affligé, anneau, assombri, atone, bouton, bovin, cafardeux, ennuyeux, éteint, gris, languissant, maussade, mélancolique, monotone, morose, obscur, plat, sombre, taciturne, temps, terne, triste, tristounet.

MORNIFLE. Baffe, beigne, beignet, calotte, claque, coup, emplâtre, gifle, giroflée, mandale, pain, pêche, rouste, soufflet, talmouse, taloche, tape, tapette, taquet, tarte, torgnole.

MOROCÉE. Jacquier, jaquier, mûrier, upas.

MORON. Abruti, bête, borné, crétin, demeuré, hébété, idiot, imbécile, niais, nigaud, sot, stupide.

MOROSE. Abattu, affecté, affligé, aigri, altéré, amer, angoissé, assombri, atone, attristé, cafardeux, chagrin, douloureux, ennui, maussade, mélancolique, morosité, pensif, plaintif, renfrogné, silencieux, sombre, taciturne, triste, tristounet.

MOROSITÉ. Âcreté, affliction, aigreur, amertume, âpreté, bile, chagrin, découragement, dégoût, dépit, douloureux, dulcifier, empoisonner, fiel, méchanceté, mélancolie, morose, peine, pessimisme, rancœur, ressentiment, tristesse.

MORPHÈME. Affixe, allomorphe, grammatical, lexème, lexical, monème, racine, signification, unité.

MORPHINE. Apomorphine, encéphaline, dextromoramide, enképhaline, héroïne, méthadone, morphinique, morphinisme.

MORPHINIQUE. Came, dope, hallucinogène, méthadone, mithridatisme, morphinomanie, neige, opiacée.

MORPHISME. Affinité, air, air de famille, analogie, caméléon, connexion, désaccord, différence, disparité, forme, image, mimétisme, parenté, portrait, ressemblance, semblable, similitude, sosie.

MORPHOLOGIE. Anatomie, andrologie, aspect, forme, géomorphologie, gynécologie, négroïde, tjäle, typologie.

MORPION. Borréliose, calige, gamin, défaut, enfant, garçon, jeu, lécanie, lente, mélophage, morbaque, parasite, phtiriase, phtirius, pou, pouilleux, pubis, ricin, tique, toto, typhus, vermine.

MORS. Bride, bridon, carton, cheval, dent, étau, filet, frein, guide, mâchoire, pince, rêne, saillie, têtière.

MORSE. Code, cône, emmanchement, moine, odobénidé, otarie, phoque, pinnipède, rohart, SOS, télégraphie, vache marine.

MORSURE. Attaque, gravure, marque, mordée, mordillage, plaie, piqûre, rage, sodoku, venin.

MORT. Agonie, bridge, cadavre, cartes, cessation, coma, décédé, décès, défunt, dépouille, dernier, deuil, disparu, dormition, éteint, étranglé, euthanasie, fatigué, faucheuse, feu, fin, glas, grand saut, héritage, jeu, la Camarde, létal, macchabée, martyre, mat, morgue, nécrose, noyade, noyer, obit, obituaire, occis, passage, perte, posthume, rage, restes, séjour, testament, thanate, tombe, tombeau, transi, trépas, trépassé, trucidé, vampire, victime.

MORTAISE. Adent, brèche, cavité, clavette, coche, coupure, cran, créneau, crevasse, échancrure, égratignure, enclenche, encoche, engravure, entaille, épaufrure, faille, fente, hoche, incision, marque, moucheture, onglet, raie, rainure, rayure, scarification, sillon, tenon.

MORTALITÉ. Décès, disparition, fatalité, létalité, mortinatalité, néomortalité, surmortalité.

MORT-AUX-RATS. Pesticide, poison, raticide, rongicide.

MORTEL. Ennuyeux, fatal, final, homme, létal, meurtrier, mortifère, péché, tache, tuable, ultime, vivant.

MORTIER. Bauge, béton, bombarde, boue, bouloir, canon, chape, chaux, ciment, coiffure, coulis, crapouillot, crépi, égrugeoir, gâchis, gunite, maçon, obusier, plâtre, pierrier, pilon, pommadier, rabot, ruilée, rusticage, solin, torchis.

MORTIFÈRE. Assommant, barbant, barbifiant, embêtant, emmerdant, empoisonnant, endormant, ennuyant, enquiquinant, fastidieux, fatigant, lassant, létal, plat, mortel.

MORTIFIANT. Agaçant, blessant, brisant, cinglant, contrariant, endêver, énervant, enrageant, fâcheux, froissant, frustrant, gêneur, horripilant, humiliant, importun, pis, pléthore, rageant, râlant, sot, tic, tuile, vexant.

MORTIFICATION. Abstinence, affront, ascèse, ascétisme, austérité, blessure, camouflet, cilice, continence, dépouillement, discipline, faisandage, gangrène, haire, humiliation, jeûne, macération, nécrose, nécroptie, pénitence, vexation.

MORTIFIÉ. Affligé, conscrit, discipliné, faisandé, humilié, macéré, mâché, nécrosé, ordonné, penaud, sacrifié.

MORTIFIER. Affliger, crucifier, discipliner, faisander, humilier, jeûner, macérer, mâcher, martyriser, nécroser, sacrifier, taler.

MORTUAIRE. Deuil, funèbre, funéraire, glas, lugubre, macabre, obituaire, obsèques, triste.

MORT-VIVANT. Fantôme, larve, lémure, périsprit, spectre, zombie.

MORUE. Acra, aiglefin, aurin, barbot, barbudos, blennie, brandade, brotulide, cabillaud, carapidé, colin, doris, églefin, estomac, femme, frac, gade, gadidé, grenadier, habit, lieu, lingue, loquette, lotte, merlan, merlu, merluche, morutier, poisson, poutassou, prostituée, stockfisch, tacaud, tork.

MORVE. Acholie, anurèse, bile, biligenèse, chandelle, civette, copahu, crachat, diurèse, eau, excrétion, glaire, humeur, lactation, lacté, larme, moque, mucosité, mucus, présure, salive, sébum, sécrétion, sérum, sialorrhée, suc, sueur, urine, venin.

MORVEUX. Ambitieux, ampoulé, arrogant, chiqué, crâneur, faraud, fat, fier, gamin, imbu, orgueilleux, pécore, pédant, péteux, poseux, précieux, présomptueux, prétentieux, snob, snobinard, sot, vain, vaniteux.

MOSAÏQUE. Abacule, marqueterie, mélange, millefiori, patchwork, pavage, pot-pourri, tesselle.

MOSAÏSTE (n. p.). Baldovinetti, Cavallini, Cimabue, Gaddi, Uccello.

MOSELLE, VILLE (n. p.). Amneville, Bellange, Bitche, Borny, Carling, Delme, Dieuze, Fameck, Florange, Fontoy, Ganges, Gorze, Gravelotte, Gravelottes, Grosbliederstroff, Lorquin, Marspich, Metz, Moussey, Ottange, Pange, Richemont, Rombas, Talange, Terville, Verny, Vigy, Volmunster, Woippy, Yutz.

MOSETTE. Armure, camail, capuche, capuchon, coule, domino, manteau, mozette, pèlerine, plume.

MOSQUÉE. Caaba, islam, iwan, kaaba, minaret, mihrab, minbar, quibla, temple, zaouïa, zawiya.

MOT. Abracadrabra, adverbe, amen, anagramme, apax, boutade, calembour, cheville, croisé, dicton, dit, écho, emprunt, épigramme, épithète, eubactérie, expression, gag, glossaire, grille, hapax, homonyme, hybride, incipit, lapsus, lexicographie, lexie, malsonnant, maxime, monème, monosémique, morphème, mot-clé, mot-clef, négation, néologisme, nom, onomatopée, oxyton, palindrome, parole, paronyme, paroxyton, passe, phrase, polysémie, polysémique, présentatif, prolytique, pronom, propos, provincialisme, régime, régionalisme, rhétorique, rime, sentinelle, signe, synonyme, terme, textuel, titre, tmèse, trigramme, trilitère, usage, verbe, vers, vocable, vocabulaire.

MOTARD. Bécane, bicycle, chopper, meule, monture, moto, motomarine, motoneige, pétrolette, scooter.

MOTEL. Auberge, cambuse, caravansérail, crèche, hall, hôtel, logis, lupanar, maison, palace, passe, pension, relais, taule.

MOTET. Antienne, cantique, chant, complies, composition, laudes, médiante, miserere, monodie, pénitentiaux, psalmiste, psaume, psautier, sacré, verset, versicule.

MOTEUR. Action, aérobie, aéromoteur, agent, âme, animateur, artisan, auteur, broum, caler, came, capot, cause, diesel, éolien, instigateur, motif, motivateur, moulin, nerf, promoteur, raté, réacteur, rotor, turbine, turbo.

MOTIF. Ajoure, ajourer, attendu, bêtise, bucrane, cause, comment, considérant, considération, décision, décor, dessein, écaille, excuse, explication, figue, fin, finalité, fondement, grief, incrustation, intention, justification, leitmotiv, mobile, moteur, objet, ostinato, ove, panachure, pastille, pâtisserie, pois, prétexte, propos, puisque, quadrillé, raison, semi, si, sujet, sur, thème, torsade, triskèle, uni, uraeus, vain, vignette.

MOTION. Apodose, assertion, avance, axiome, énoncé, équipolation, formule, geste, incise, lemme, loi, marché, offre, ouverture, phrase, prémisse, projet, proposition, résolution, tautologie, théorème, thèse, toast, ultimatum.

MOTIVANT. Encourageant, incitateur, incitatif, inspirateur, instaurateur, instigateur, invitant, inviteur, mobilisateur, prometteur, stimulant, stimulateur.

MOTIVATION. Cause, explication, hédonisme, mobile, raison, relation, satiation, stimulation, version.

MOTIVER. Causer, conduire, décider, démotiver, entraîner, inciter, justifier, mener, mobile, proposer, stimuler.

MOTO. Bécane, bicycle, chopper, meule, monture, motard, motomarine, motoneige, pétrolette, quad, scooter, trail, trial.

MOTOCROSS. Compétition, course, cyclomoteur, enduro, moto, sport, trial, VTT.

MOTOCYCLETTE. Bécane, bicycle, chopper, meule, monture, motard, motocross, motomarine, motoneige, pétrolette, scooter.

MOTOCYCLISTE (n. p.). De Coster.

MOTOCYCLISTE. Criapin, motard, motoball, motocross, trial.

MOTORISATION. Agencement, arrangement, aménagement, arrangement, campement, emménagement, équipement, établissement, installation, intronisation, investiture, organisation, pose, secteur.

MOTORISER. Aligner, automatiser, codifier, formuler, informatiser, machiner, mécaniser, robotiser, télématiser.

MOTRICE. Draisine, dyscénie, dyspraxie, locomotive, mouvement, plaque, tracteur, turbine.

MOTS-CROISISTE. Amateur, cruciverbiste, mots-croisés, verbicruciste.

MOTTE. Beurre, butte, cube, élévation, émotté, émotteuse, glèbe, masse, morceau, roulage, terre, tontine, vason.

MOTTEUX. Cou-blanc, cul-blanc, oiseau, passereau, traquet, turdidé.

MOTTON. Argent, boule, caillot, coaguler, coagulium, cuite, embolie, farine, flocon, floculation, grumeau, maton, migraine, morceau, motte, œuf, peine, phlébite, somme, throbolyse, thrombose, thrombus.

MOTUS. Arrêter, avaler, boucler, cacher, celer, chut, déguiser, dissimuler, dit, enfouir, étouffer, garder, mentir, mimer, omettre, omis, retenir, sauter, secret, silence, souffler, taire, tenir, tu, voiler.

MOU. Amolli, amorphe, apathique, atone, avachi, aveulir, blèche, blet, chair, cire, détendu, dolent, doux, ductile, faible, flasque, flexible, flou, gnangnan, herbe, indolent, inerte, lâche, lambin, lent, loque, mol, mollachu, mollasse, mollasson, molesse, mollet, paresseux, passif, pâte, pâteux, poumon, pulpe, ramollo, savonneux, souple, tendre, tiède, veule.

MOUCHARABIEH. Bande, barbelés, barbelure, barricade, barrière, cancel, chancel, claie, claire-voie, clôture, échalier, échelle, enclos, escabeau, espalier, étrier, grillage, grille, haie, palis, treillage, triquet.

MOUCHARD. Cafard, cafardeur, cookie, délateur, dénonciateur, espion, indic, indicateur, informateur, sycophante.

MOUCHARDER. Balancer, cafarder, dénoncer, donner, épier, espionner, observer, rapporter, redire, trahir.

MOUCHE. Abeille, appât, asile, asticot, brûlot, carte, cheval, chevreuil, chiure, collant, diptère, domestique, drosophile, éristale, glossine, hématobie, insecte, leurre, lucilie, luciole, manne, mélophage, moucheron, muscidé, noire, œstre, panorpe, poil, police, psilopa, simulie, stomox, stomoxe, stratiome, syrphe, tachina, tachine, taon, tipule, tsé-tsé, volucelle.

MOUCHER. Admonester, avertir, azorer, blâmer, chicaner, condamner, disputer, engueuler, étriller, gourmander, gronder, houspiller, laver, mater, menacer, moraliser, morigéner, prêcher, reprendre, réprimander, savonner, semoncer, sermonner, tancer.

MOUCHERON. Bambin, bébé, chandelle, chérubin, chironome, diptère, enfant, gamin, gosse, lardon, insecte, marmot, mioche, môme, mouche, moucheronner, petiot, petit, simulie.

MOUCHETÉ. Chiné, criblé, fleuret, marqueté, piqué, piqueté, sabre, taché, tacheté, tavelé, tigré, tiqueté, truite.

MOUCHETER. Bigarrer, cribler, garnir, marquer, marqueter, piquer, piqueter, tacheter, taveler, tigrer.

MOUCHETTE. Bouvement, bouvet, ciseau, colombe, corniche, découpure, doucine, feuilleret, flamboyant, gorget, guillaume, guimbarde, larmier, menuisier, pestum, rabot, riflard, sabot, soufflet, varlope.

MOUCHETURE. Adent, brèche, cavité, clavette, coche, coupure, cran, créneau, crevasse, échancrure, égratignure, enclenche, encoche, engravure, entaille, épaufrure, faille, fente, hoche, incision, madrière, maillure, marque, mortaise, onglet, raie, rainure, rayure, scarification, sillon, tache, tacheture, tenon.

MOUCHOIR. Anguillade, bâillon, carré, étoffe, fichu, foulard, kleenex, linge, modestie, papier, pochette, tissu.

MOUCHURE. Amas, crachat, glaire, jetable, morve, mucine, mucosité, mucus, muqueux, pituite, sécrétion.

MOUDRE. Battre, briser, broyer, écraser, moulage, mouture, piler, pulvériser, réduire, remoudre, rouer, triturer.

MOUE. Arrogance, baboune, bouderie, condescendance, contorsion, crânerie, cynisme, dédain, dérision, discrédit, expression, fi, froncement, grimace, injure, lippe, litière, mépris, misérable, vilipender.

MOUETTE (n. p.). Bonaparte, Tchekhov.

MOUETTE. Goéland, lariforme, mauve, oiseau, phalarope, pygmée, rieuse, rosée, stercoraire, sterne, tridactyle.

MOUFFETTE. Conepatus, moufette, putois, sconse, skons, skunks, spilogale, traquet, zorille.

MOUFLE. Arbalète, assemblage, ballon, chape, cornue, four, gant, gant de crin, mitaine, miton, palan, poulie, vase.

MOUILLAGE. Abri, ancrage, amarrage, embossage, humectage, humidification, hydratation, immersion, moiteur, mouillé, mouillure, palais, palatalisation, palatin, palatial, phonème, plongement, reverdissage, trempage.

MOUILLÉ. Ancre, arrosé, aspergé, baigné, canard, délavé, détrempé, eau, humide, imbibé, noyé, ruisselant, saucé, trempé.

MOUILLER. Ancrer, arroser, asperger, baigner, baptiser, délaver, détremper, doucher, éclabousser, embosser, empenneler, humecter, imbiber, inonder, noyer, pénétrer, plonger, rade, remouiller, saucer, sécher, suer, touer, tremper, uriner.

MOUILLETTE. Baignade, baigner, baignoire, bain, balnéation, douche, étuve, mégis, pataugeoire, saucette, sauna, trempette.

MOUILLOIR. Arroseur, arrosoir, aspergeur, chantepleure, gicleur, humecteur, irrigateur, mouilleur, sprinkler.

MOUILLURE. Humectage, humidification, hydratation, moiteur, mouillage, mouillé, palatalisation, trempage.

MOUISE. Appauvrissement, besoin, débine, dèche, dénuement, dépourvu, détresse, embarras, gêne, gouffre, indigence, manque, mendicité, misère, nécessité, opulence, panade, pauvreté, pénurie, privation, purée.

MOULAGE. Cachet, caractère, coin, ectype, empreinte, flan, fonte, fossile, fumé, griffe, impression, majoration, marque, masque, médaille, morne, moule, oblitération, pas, piste, sceau, surcharge, trace, type, vestige.

MOULANT. Adhérant, adhésif, agglutinant, ajusté, bas, collant, crampon, étriqué, étroit, glaireux, gluant, gommé, gommeux, importun, juste, léotard, nylon, pantalon, petit, poisseux, serré, sirupeux, tendu, visqueux.

MOULÉ. Bâti, convenable, écriture, équilibré, fichu, foutu, harmonieux, lettre, proportionné, régulier, roulé, serré, supé, tourné.

MOULE. Abaisse, anodonte, banche, bouchot, byssus, calibre, caseret, dariole, empreinte, exemple, faisselle, forme, huître, lingotière, maladroit, matrice, mère, modèle, mollasson, mollusque, mulette, mytiliculture, original, patron, plaque, timbale, type, veule, virole.

MOULER. Adapter, ajuster, boudineuse, calligraphier, collant, couler, dessiner, épouser, façonner, fondre, former, gainer, moulage, moulant, mouleur, nylon, remouler, reproduire, serrer, surmouler, tirer.

MOULIN. Abée, aile, aileron, ante, bée, bief, broyeur, broyeuse, buse, déchiqueteur, détritoir, égrugeoir, joc, maillerie, meunerie, minoterie, moulinette, noix, pressoir, reillère, roue, trémillon, triturateur, vanne.

MOULINET. Canne à pêche, crécelle, dévidoir, hélice, mouvement, rabatteur, rabatteur, tambour, touret, tourniquet.

MOULT. Assez, beaucoup, bien, bigrement, drôlement, excessivement, extra, extrêmement, fort, fortement, furieusement, grand, hyper, infiniment, invraisemblable, joliment, particulièrement, prodigieusement, remarquablement, super, sur, tantinet, terriblement, très.

MOULU. Brisé, broyé, café, claqué, courbatu, éreinté, esquinté, fatigué, fourbu, réduit, rompu, vanné.

MOULURE. Anglet, astragale, bague, bande, bourseau, bouvement, cavet, cadre, cannelure, cimaise, corniche, doucine, filet, gorge, listeau, listel, liston, marli, moulduration, nervure, ove, pestum, profil, quart-de-rond, réglet, scotie, stéréobate, talon, tore.

MOURANT. Agonisant, déclinant, endormant, ennuyeux, expirant, fastidieux, moribond, subclaquant.

MOURIR. Ad patres, agoniser, assassiner, avaler sa chique, calancher, caner, canner, clamecer, clamser, claquer, clore, crever, décéder, défunter, disparaître, éteindre, étouffer, expirer, finir, noyer, passer, payer, périr, rouer, succomber, tomber, trépasser.

MOURON. Blanc, caryophyllacée, morgeline, plante, primulacée, pyxide, samole, souci, stellaire.

MOUSQUET. Arme, arquebuse, armurier, artillerie, biscaïn, biscayen, busc, carabine, chassepot, chien, crosse, escopette, espingole, flingue, fusil, hammerless, infanterie, lebel, mitraillette, mousqueton, pétoire, rifle, tromblon, winchester.

MOUSQUETON. Arme, arquebuse, armurier, artillerie, busc, carabine, chassepot, chien, crosse, escopette, espingole, flingue, fusil, hammerless, infanterie, lebel, mitraillette, mousquet, pétoire, rifle, tromblon, winchester.

MOUSQUETAIRE (n. p.). Aramis, Athos, d'Artagnan, Porthos.

MOUSQUETAIRE. Aristocrate, cavalier, écuyer, fantassin, galant, gentilhomme, gentleman, hobereau, noble, sire.

MOUSSAILLON. Batelier, calier, coquerie, gabier, hamac, lamaneur, lascar, loup, marin, marinier, marsouin, mataf, matelot, mathurin, mousse, navire, pilotin, soutier, timonier, vaisseau, vigie.

MOUSSE. Apprenti, broue, bryophyte, bulle, charophyte, crème, écume, émoussé, flocon, hypne, leucobryum, lichen, matelot, marin, monie, moussaillon, muscinée, neige, platine, point, propagule, soda, sphaigne, tapis, urne, usnée.

MOUSSELINE. Fontange, gaze, giselle, jabot, moustiquaire, organdi, singalette, tarlatane.

MOUSSER. Acclamer, applaudir, approuver, bluffer, célébrer, chanter, encenser, enorgueillir, exagérer, exalter, flatter, glorifier, grossir, louanger, louer, moussoir, pavoiser, pétiller, prévaloir, prôner, rocher, targuer, valoir, vanter.

MOUSSERON. Agaric, champignon, comestible, griset, marasme, meunier, nez-de-chat, tricholome.

MOUSSEUX. Asti, blanquette, brut, champagne, cidre, écumeux, pétillant, spumante, spumeux, vin.

MOUSSOIR. Batteur, bétonneuse, bétonnière, drummer, fouet, fouette, lamineur, malaxeur-broyeur, malaxeur, mélangeur, moulinette, percussionniste, pétrin, pétrisseur, rabatteur, robot, tambourinaire, tambourineur, ustensile.

MOUSSON. Abat, alizé, averse, bruine, eau, giboulée, grain, ondée, orage, pluie, précipitation, vent.

MOUSTACHE. Bacante, bacchante, barbe, brosse, canard, chevelure, cheveu, cil, crin, duvet, fourrure, hérissé, hirsute, jarre, laine, mantelure, mohair, mue, peigne, pelage, pileux, pinceau, plan, plume, poil, robe, soie, sourcil, tif, tisonné, toison, ubrisses, vibrisse.

MOUSTACHU. Barbu, chevelu, cilié, hirsute, pelu, pilifère, poilu, pubescent, soldat, velu, villeux.

MOUSTIQUE. Aédès, anophèle, arbovirus, bébite, bibitte, brûlot, chevreuil, chironome, cousin, culex, diptère, insecte, malingre, maringouin, mouche noire, petit, puceron, simulie, stégomie, stégomya, stomoxe, taon, tipule.

MOÛT. Chaptaliser, cuve, fermentation, glucomètre, jus, mistelle, pèse-moût, reversoir, viner.

MOUTARD. Bambin, bébé, enfant, figurine, galopin, garçon, gosse, heurtoir, lardon, marmot, mioche, môme.

MOUTARDE. Condiment, douce, forte, gaz, jaune, ravenelle, sanve, sénevé, tartare, ypérite.

MOUTIER. Abbaye, béguinage, abescat, chartreuse, cloître, commanderie, communauté, couvent, église, fromage, laure, lavra, moinerie, monastère, prieuré, solesme, thélème, vidame.

MOUTON. Agneau, agnelet, agnelle, astrakan, baron, bé, bêler, bélier, brebis, caracul, champignon, chaton, filet, flock-book, fourrure, gigot, houle, humeur, hydne, karacul, lacaune, laine, lame, mammifère, méchoui, mérinos, mouflon, mousse, moutonnier, navarin, nuage, œstre, or, ovin, parc, peau, piétin, poussière, pré-salé, robin, ruminant, sabrage, selle, sonnette, suiveux, toison, tremblante, vague, vassiveau, viande.

MOUTONNÉ. Brumeux, confus, couvert, frisé, fumeux, gris, nébuleux, nuageux, obscur, orageux, vague.

MOUTONNER. Anneler, aplatir, bichonner, boucler, calamistrer, canneler, coquiller, crêpeler, crêper, crespeler, effleurer, friser, frisotter, frôler, lisser, onduler, permanenter, raser, ratiner, risquer.

MOUTONNEUX. Acculée, agité, déchaîné, démonté, houleux, orageux, tempête, tumultueux, vague.

MOUTONNIER. Admorateur, compilateur, contrefacteur, copieur, copiste, épigone, fausseur, imitateur, mérinos, mime, parodiste, pasticheur, plagiaire, simulateur, suiveur.

MOUTURE. Blutage, broyage, fleurage, grain, gruau, issue, minoterie, moudre, son, version.

MOUVANCE. Abaissement, allégeance, appartenance, asservissement, attachement, circonscription, dépendance, domaine, fief, partie, propriété, rayon, secteur, seigneur, spécialité, tenure, territoire, vassal.

MOUVANT. Agité, ambulant, animé, changeant, dépendant, erratique, flottant, fluctuant, fluctueux, fluent, fluide, fugitif, instable, kaléidoscopique, lisse, mobile, mouvance, ondoyant, oscillant, remuant, sable, syrte, volant.

MOUVEMENT (n. p.). Action française, Beat generation, Black Muslims, CNPF, COBRA, Confédération paysanne, Croix-rouge, ETA, FLN, FLQ, Fluxus, FN, France libre, Front national, Greenpeace, Hamas, Hezbollah, Inkatha, JOC, Longue marche, Louvavitch, MEDEF, OAS, Pathet Lao, Polisario, Réforme, Révolution culturelle, Révolution de velours, Risorgimento, Rose-Croix, Sillon, Sinn Féin, Taiping, Trek, UMP.

MOUVEMENT (2 lettres). Go, mû, va.

MOUVEMENT (3 lettres). Cri, hop, jet, pas, tic, vie, vif, vol.

MOUVEMENT (4 lettres). Acte, choc, clin, coup, dada, élan, flux, jeté, kata, onde, punk, rage, rond, ruée, saut, tour.

MOUVEMENT (5 lettres). Agité, balan, bougé, cours, danse, degré, désir, ébats, écart, effet, étale, frein, galop, geste, guide, houle, lacet, largo, lento, leste, marée, passe, piqué, point, pompe, porté, rasta, recul, revif, roque, ruade, salto, taxie, volte.

MOUVEMENT (6 lettres). Abatée, action, adagio, afflux, amorti, branle, colère, course, épaulé, frison, marche, mesure, mobile, motion, nastie, pédèse, pesade, pogrom, praxie, presto, reflux, relevé, remous, retour, roulis, ryhtme, zigzag.

MOUVEMENT (7 lettres). Abattée, acculée, action, agitato, allégro, andante, attaque, cadence, émersion, envolée, frisson, houleux, kinésie, marteau, motrice, moulinet, passion, plongée, progrès, revival, rexisme, saccadé, sursaut, tangage, vitesse.

MOUVEMENT (8 lettres). Acinésie, activité, agoniste, akinésie, approche, athétose, auloffée, automate, caracole, cinétique, fauvisme, jeunesse, malstrom, motilité, mutation, nutation, piétisme, rotation, secousse, sionisme, statique, tactisme, traction, vocation.

MOUVEMENT (9 lettres). Abduction, agitation, animation, battement, chartisme, évolution, expansion, félibrige, hochement, impulsion, lettrisme, maelström, manœuvre, nystagmus, péristome, pronation, rastafari, rebond, récession, remuement, révérence, roulement, syncinésie, tentation, va-et-vient, véhémence, vibration.

MOUVEMENT (10 lettres). Aspiration, contorsion, écologisme, écoulement, épaulé-jeté, flottement, glissement, haussement, méthodiste, ondoiement, ondulation, pivotement, plongement, ralliement, révolution, romantisme, soubresaut, soulèvement, subsidence, subination, tourbillon, wahhabisme.

MOUVEMENT (11 lettres). Accelerando, autoguidage, balancement, circulation, dandinement, déplacement, ébranlement, haut-le-corps, moderniste, néoréalisme, oscillation, palpitation, papillotage, séparatisme, spartakisme, télékinésie.

MOUVEMENT (12 lettres). Ballottement, chassé-croisé, clignotement, décélération, fermentation, frémissement, frétillement, grouillement, indiscipline, millénarisme, panislamiste, pentecôtisme, syndicalisme, tournoiement.

MOUVEMENT (13 lettres). Aérodynamique, déclenchement, effervescence, fourmillement, rétrogression, somnambulisme.

MOUVEMENT (14 lettres). Mécontentement, ralentissement, rebondissement, rétablissement, situationniste.

MOUVEMENT (15 lettres). Attendrissement, existentialisme, insubordination, rejaillissement, trémoussement.

MOUVEMENT ARTISTIQUE. Avant-garde, baroque, constructivisme, cubisme, expressionnisme, futurisme, modernisme, muralisme, naturalisme, préromantisme, réalisme, surréalisme, symbolisme, underground.

MOUVEMENT POLITIQUE. Écologisme, fédéralisme, kémalisme, luddisme, maoïsme, nationalisme, nazisme, néonazisme, panafricanisme, panaméricanisme, panarabisme, paneuropianisme, rexime, sionisme, spartakisme.

MOUVEMENT RELIGIEUX. Bastiste, carlisme, hamas, hassidisme, iconoclame, iconoclastie, islamisme, jansénisme, mormon, pentecôtisme, piétisme, quaker, ritualisme, wahhabisme.

MOUVEMENTÉ. Accidenté, agité, animé, houleux, orageux, remuant, tourmenté, troublé, tulmutueux, vivant.

MOUVOIR. Actionner, agiter, aller, animer, avancer, balancer, bouger, caracoler, changer, circuler, danser, déplacer, errer, manœuvrer, marcher, muter, osciller, porter, pousser, ramer, remuer, tirer, tourner, voler, vriller.

MOYEN. Acceptable, aide, alibi, armement, armure, atour, atout, avec, biais, chemin, combinaison, commun, convenable, correct, courant, demi-mesure, détour, échappatoire, entremise, expédient, facilité, façon, faux-fuyant, filon, fin, force, formule, honnête, intermédiaire, irrecevable, issue, joint, lambda, leurre, levier, manière, manœuvre, mécanique, médian, médiocre, mesure, méthode, modéré, normal, par, passable, pouvoir, prévention, procédé, processus, prophylaxie, quelconque, ranimation, réadaptation, réanimation, remède, rêne, résolution, ressource, sauvegarde, savoir, secours, secret, séduction, sésame, signet, soin, sous, tactique, thermalisme, train, truc, viatique, voie.

MOYENÂGEUX. Antique, caduc, démodé, dépassé, désuet, féodal, gothique, médiéval, menuet, moyen-âge, suranné.

MOYENNANT. Compensation, condition, contrepartie, contrepoids, échange, pour, prix, vendu, vente.

MOYENNE. Adage, base, canon, code, convention, credo, critère, espérance, esprit, iso, loi, milieu, moindre, norme, note, principe, raison, règle, règlement, standard, statutaire, vérité, vitesse.

MOYENNEMENT. Ainsi, aussitôt, autant, comme, couci-couça, de même, dito, id, idem, instar, itou, même, modérément, moitié-moitié, pareil, pareillement, pas mal, passablement, pour, quand, tel, tièdement.

MOYETTE. Airée, botte, bouquet, colonne, engerber, faisceau, gerbe, gerbier, girandole, grain, jet, meule.

MOYEU. Aboutage, ajustage, articulation, assemblage, axe, emboîtement, emboîture, embrayage, encastrement, enchâssement, essieu, imbrication, incrustation, insertion, jonction, marqueterie, mosaïque, roue, sertissure.

MOZAMBIQUE, CAPITALE (n. p.). Maputo.

MOZAMBIQUE, LANGUE. Chicheua, chona, maconde, macualomué, portugais, tonga.

MOZAMBIQUE, MONNAIE. Centavo, escudo, kobo, metical.

MOZAMBIQUE, VILLE (n. p.). Caia, Chibuto, Cobue, Guro, Manica, Maputo, Maua, Moma, Nacala, Palma, Panda, Pemba, Songo, Unango, Xai Xai.

MTS. Blennorragie, blessure, cancer, chancre mou, chancrelle, chlamydia, condylome, gonorrhée, hépatite, induré, infection, lésion, luétine, maladie, mycoplasme, sida, syphilis, tabès, tréponème, trichomonas, tumeur, ulcération, ulcère, vérole.

MU. Anion, atome, boson, corpuscule, da, de, di, du, électron, épisome, gluon, ion, ka, kaon, lepton, méson, micelle, morceau, muon, neutrino, neutron, nucléon, oc, oui, particule, poudre, van, vice, von.

MUABLE. Caméléon, capricant, capricieux, changeant, divers, fantaisiste, fantasque, flottant, imprévisible, incertain, inconsistant, inconstant, indécis, inégal, instable, irrégulier, lunatique, mobile, pantin, variable, versatile.

MUCILAGE. Adhésivité, agar-agar, agglutination, compacité, crassitude, glutination, mucosité, résistance, viscosité.

MUCOR. Acide, aspergille, auréole, blettissure, chanci, chancissure, croupissure, empuse, ergot, fleur, levure, moisissement, moisissure, monilie, pégot, pénicillium, rancissure, sporotriche, trichophyton, vert, zygomycètes.

MUCOSITÉ. Amas, crachat, glaire, humeur, jetable, mouchure, mucine, mucus, muqueux, pituite.

MUCUS. Glaire, morve, mucine, mucosité, pituite, sécrétion, suc, suint.

MUE. Cage, changement, dépouille, ecdysone, exuvie, métamorphose, muance, peau, puberté.

MUER. Actionner, changer, convertir, déplumer, dépouiller, mutilé, peau, perdre, transmuer, transformer.

MUET. Acteur, amuïr, aphone, cabane, caché, carpe, cinéma, coi, comparse, discret, fermé, figurant, interdit, interloqué, mutisme, mutiné, parole, secret, silencieux, sourd-muet, taciturne, taire, voix.

MUETTEMENT. Allusivement, euphémiquement, implicitement, parenté, tacitement.

MUEZZIN. Agent, bey, bureaucrate, crieur, curateur, employé, eurocrate, fonctionnaire, intendant, islamique, légat, magistrat, minaret, moniteur, préfet, proviseur, scribe, sous-ministre, tabellion, tour, wali.

MUFLE. Butor, goujat, grossier, indélicat, malappris, malotru, malpoli, museau, nez, rustre.

MUFLERIE. Discourtoisie, effronterie, goujaterie, grossièreté, impertinence, impolitesse, importunité, incivilité, inconvenance, incorrection, indélicatesse, indiscrétion, insolence, irrespect, irrévérence, rusticité, sans-gêne.

MUFLIER. Antirrhinum, asarina, gueule-de-loup, maurandella, maurandya, scrofulariacée.

MUGE. Âne, bardeau, bardot, cabot, cheval, métis, mule, mulet, ouitouche, poisson, poutarque.

MUGIR. Beugler, brailler, bramer, crier, gronder, hurler, meugler, rugir.

MUGISSEMENT. Appel, beuglement, braillement, braiment, cri, hi-han, hurlement, meuglement, vocifération.

MUGUET. Amourette, aspérule, brize, candidose, convallaria, heuchera, liliacée, moisissure, muguette, terpinéol, terpinol.

MUID. Bachotte, baril, barrique, benne, bonde, botte, boucaud, caque, charge, cuve, douve, foissière, foudre, fût, futaille, gonne, jable, louve, mèche, pipe, quart, râpe, récipient, seau, tin, tine, tonne, tonneau, tune, vase.

MULÂTRE. Bâtard, corneau, corniaud, créole, espèce, eurafricain, eurasien, hybride, mâtiné, mélange, mêlé, métis, mulard, mulâtresse, mule, mulet, octavon, quarteron, zambo.

MULE. Buté, chausson, encroûté, endurci, entêté, mulet, obstiné, opiniâtre, pantoufle, passeur, tenace, têtu.

MULET. Baie, cavale, cheval, haquenée, haras, jument, moreau, mulassier, mule, ponette, pouliche, poulin, poulinière, suitée.

MULETA. Alépine, alun, basin, batiste, batik, bord, bure, casimir, cati, châle, cotonnade, drap, escot, étamine, étoffe, faena, feutre, gaze, grain, granité, lé, laine, linge, madras, mérinos, mohair, moire, mousseline, ottoman, pan, peluche, piqué, ras, ratine, reps, sari, sarong, satin, satinette, sergé, singalette, soie, suédine, surah, taffetas, tarlatane, tartan, tenture, textile, tiretaine, tissu, trentain, tulle, tussor, un, uni, velours, veloutine, zénana.

MULETTE. Abomasum, bedaine, bile, bonnet, buste, caillette, chyme, cœur, estomac, feuillet, gaster, gastrectomie, gésier, io, jabot, meulette, panse, poche, queue, rumen, sac, sein, tripe, ulcère, urogastre, ventre, ventricule.

MULOT. Campagnol, champs, chouette, hibou, lemming, muridé, rat, souris, surmulot, ville.

MULTICOLORE. Arc-en-ciel, bariolé, bigarré, broussaille, chamarré, composite, diapré, disparate, diversifié, émaillé, grivelé, hétéroclite, hétérogène, hybride, jaspé, madré, marbré, mélangé, mêlé, moucheté, pommelé, rayé, ronceux, tacheté, tavelé, tigré, tricolore, varié, veiné, vergeté, zébré.

MULTILINGUE. Bilingue, multicurel, plurilingue, polyglotte, trilingue.

MULTIMILLIONNAIRE. Abondant, aisé, argenté, argenteux, cossu, crésus, étoffé, fertile, fortuné, galetteux, grenu, huppé, ladre, milliardaire, millionnaire, nanti, nourri, opulent, or, pactole, parvenu, pauvre, possédant, pourvu, rentier, riche, richissime, rupin, samit.

MULTINATIONALE. Cartel, combinat, conglomérat, consortium, entente, groupe, société, trust.

MULTIPLE. Abondant, apériteur, autre, comminutif, divers, entier, maint, nombreux, pluriel, varié.

MULTIPLET. Binaire, binon, bit, ensemble, octet, octuplet, ordinateur, trépan.

MULTIPLICATEUR. Bague, cube, doubleur, faute, pistole, objectif, redoublant, redoubleur, répétition.

MULTIPLICATION. Augmentation, bouturage, clone, déca, diffusion, division, doublage, essaimage, fois, foisonnement, marcottage, még, méga, mitage, oeilletonnage, prolifération, propagation, propagule, règle, scissiparité, table, téra.

MULTIPLICITÉ. Beaucoup, considérable, giga, multitude, nombre, pluralisme, pluralité, quantité.

MULTIPLIER. Augmenter, carrer, centupler, cloner, cuber, décupler, doubler, entasser, essaimer, foisonner, marcotter, nonupler, octupler, oeilletonner, peupler, propager, provigner, pulluler, quadrupler, quintupler, répéter, septupler, sextupler, tripler.

MULTITUDE. Affluence, afflux, amas, armée, avalanche, cohue, essaim, flopée, flot, foison, foule, fourmilière, légion, luxe, marée, masse, nombre, nuée, palanquée, peuple, profusion, pullulement, quantité, régiment, tas, trâlée, troupeau, univers, vulgum pecus.

MULTIVOIE. Liaison, multiplex, multiplexage, multiplexeur, téléphonie.

MUNGO. Aseptique, bourgeon, cause, départ, embryon, fœtus, germe, germicide, grain, graine, kyste, levain, malt, microbe, neurotrope, œuf, origine, plantule, proligère, semence, source, sperme, spore, touraillon.

MUNI. Bastionné, bômé, doté, écailleux, équipé, ergoté, fourni, garni, nanti, outillé, pourvu.

MUNICIPAL. Adjoint, comté, conseiller, curie, décurion, dizenier, édile, jurât, maire, MRC.

MUNICIPALITÉ. Agglomération, capitale, cité, commune, localité, métropole, territoire, village, ville.

MUNIFICENCE. Bienfait, charité, don, générosité, largesse, libéralité, magnificence, prodigalité.

MUNIFICENT. Bienfaisant, bon, généreux, large, libéral, magnanime, magnifique, prodigue.

MUNIR. Armer, blinder, cuirasser, doter, embâtonner, enchemiser, équiper, fournir, garnir, gratifier, gréer, instrumenter, lotir, meubler, monter, nantir, outiller, pourvoir, précautionner, prémunir, prendre, radiobaliser, ravitailler, saboter, shunter, signaliser, tuteurer.

MUNITION. Arguments, arme, artillerie, batterie, bombardement, canon, canonnade, casemate, décharge, faucon, feu, missile, mitraille, mortier, pilonnage, poudrière, rafale, roquette, salve, serpentine, sexe, soute, tir.

MUON. Anion, atome, boson, corpuscule, da, de, di, du, électron, épisome, gluon, ion, ka, kaon, lepton, méson, micelle, morceau, mu, neutrino, neutron, nucléon, oc, oui, particule, poudre, van, vice, von.

MUQUEUSE. Albican, angine, aphte, caduque, cancroïde, catharre, chyle, chyme, coryza, endomètre, gastrite, gencive, glaire, ictère, membrane, mucus, muguet, œstrus, ozène, pemphigus, rhinite, rhume, stomatite, toux, ulite.

MUR (n. p.). Atlantique, Aurélien, Berlin, Fédérés, Hadrien, Lamentations, Pictes, Rideau de Fer.

MUR. Accoudoir, allège, bajoyer, blet, brique, cimaise, cloison, clos, clôture, contre-mur, courtine, crête, dame, division, échiffre, enceinte, épaulement, étai, fondant, maise, muraille, murer, muret, murette, obstacle, palissade, pan, parapet, paroi, perré, podium, précoce, prêt, rempart, saillant, son, talute.

MÛR. Adulte, blet, complet, cueillir, élime, formé, fruit, parfait, pensé, point, précose, prêt, réfléchi, suffisamment, usé.

MURAGE. Bagne, captivité, claustration, collocation, détention, écrou, emmurage, emmurement, emprisonnement, enfermement, fermer, incarcération, internement, prison, réclusion, séquestration, tôle.

MURAILLE. Archière, bastingage, bouchain, canonnière, courtine, difficulté, dyke, enceinte, escarpe, fortification, fruit, hanche, hourd, meurtrière, mur, paroi, quai, rempart, trébuchet, vibor, vibord.

MURAL. Affichette, affichette, annonce, avis, colleur, couronne, écriteau, enseigne, étagère, fresque, ornement, pancarte, panneau, placard, plante, poster, proclamation, réclame.

MÛRE. Baie, bombyx, framboise, fruit, graine, meuron, mûrier, mûron, noir, rocher, ronce, tapa.

MURER. Aveugler, boucher, camoufler, condamner, dissimuler, enfermer, entourer, fermer, isoler.

MURET. Appui, banquette, cloison, mur, muretin, murette, pan, panneau, parapet, paroi, podium.

MURETIN. Appui, banquette, cloison, mur, muret, murette, pan, panneau, parapet, paroi, podium.

MURETTE. Accoudoir, allège, blet, brique, cimaise, cloison, clos, clôture, contre-mur, crête, dame, division, échiffre, enceinte, épaulement, étai, maise, muraille, mur, murer, muret, obstacle, palissade, pan, parapet, paroi, précoce, prêt, rempart, saillant, son.

MUREX. Gastéropode, gastropode, mollusque, pourpre, prosobranche, rocher.

MÛRI. Aoûté, approfondi, digéré, étudié, jeune, médité, mijoté, pensé, préparé, réfléchi, vert.

MURIDÉ. Arvicole, campagnol, gerbille, hamster, lemming, mammifère, mulot, ondatra, rat, rongeur, surmulot, souris.

MÛRIR. Affiner, aoûter, approfondir, blé, blettir, calculer, combiner, couver, cuire, digérer, dorer, épi, étudier, grandir, former, imaginer, jeune, méditer, mijoter, préparer, réfléchir, ruminer, traluire, vert.

MÛRISSAGE. Aoûtement, coction, fécondité, floraison, grenaison, maturation, nouaison, nouure, véraison.

MÛRISSEMENT. Décadence, désuétude, gérontisme, maturation, obsolescence, sénescence, sénilisme, vieillissement.

MURMEL. Daman, fanchon, fourrure, malle, marmotte, siffle, siffleux, vison.

MURMURE. Bourdonnement, bruissement, bruit, chuchotement, chuchotis, gazouillis, gémissement, grognement, grognerie, marmottage, marmottement, plainte, roucoulade, roucoulement, soupir, susurre, susurrement, vésiculaire.

MURMURER. Bougonner, bruire, bruisser, chuchoter, clapoter, crépiter, crier, gazouiller, geindre, gémir, grogner, grommeler, gronder, marmonner, marmotter, maronner, maugréer, râler, rogner, rognonner, ronchonner, susurrer.

MÛRON. Barbelé, broussaille, épine, framboise, framboisier, mûre, mûrier, ronce, ronceraie, roncier.

MUSACÉE. Abaca, arbre du voyageur, bananier, plante, ravenala, strelitzia.

MUSARAIGNE. Carrelet, insectivore, musette, pachyure, soricidé, souris, suncus, toupaye, tupaja.

MUSARDER. Amuser, badauder, baguenauder, balader, bredouiller, déambuler, errer, fainéanter, farnienter, flâner, glander, glandouiller, lambiner, lanterner, musardise, muser, paresser, promener, rêvasser, traînasser, traîner, vadrouiller.

MUSC. Castor, cerf, cervidé, covette, huile, mauve, muscadin, musqué, ondatra, ovibos, parfum, rat.

MUSCADE. Boule, condiment, épice, fruit, garus, macis, muscadier, muscadin, noix, rose, snob.

MUSCADIN. Dandy, élégant, excentrique, fat, incroyable, merveilleux, muguet, royaliste, thermidor.

MUSCADINE. Ampélopsis, arçon, arcure, cep, cépage, clos, cochylis, cru, cuvée, érinose, floraison, hautain, hautin, lambruche, lambrusque, mélanose, mildiou, nouaison, oïdium, pampre, phylloxéra, phytopte, plant, provin, raisin, retercer, rot, sarment, terroir, treille, uval, vendange, véraison, vigne, vignoble, vin, vinée.

MUSCARDIN. Loir, mammifère, rongeur.

MUSCAT. Asti, cépage, frontignan, lacryma-christi, magala, picardan, pinard, raisin, samos, vin.

MUSCICAPIDAES. Gobe-moucheron, grive, merle, roitelet, solitaire, traquet.

MUSCLE (3 lettres). Bot, tic.

MUSCLE (4 lettres). Fort, long, nerf, rond.

MUSCLE (5 lettres). Atone, chair, cœur, droit, fibre, force, gaine, myome, nodal, psoas, tonus.

MUSCLE (6 lettres). Anconé, biceps, clonie, clonus, houppe, radial, souris, tarzan, tendon, thénar.

MUSCLE (7 lettres). Créatine, cubital, dentelé, fessier, frontal, iliaque, jambier, musculo, myalgie, oblique, palatin, pectine, pédieux, pelvien, poplité, scalène, tenseur, tétanos, trapèze, triceps, vigueur.

MUSCLE (8 lettres). Agoniste, brachial, ciliaire, claquage, clonique, créatine, deltoïde, dystonie, glossien, ligament, lombaire, masséter, membrane, myocarde, myocarde, myologie, palmaire, paupière, peaucier, pectoral, péronier, releveur, risorius, rotateur, soléaire, splénius, temporal, tonicité.

MUSCLE (9 lettres). Abaisseur, abducteur, adducteur, arrecteur, choanoïde, couturier, crémaster, élévateur, excitable, extenseur, glycogène, hypotonie, mâchelier, mésoderme, musculeux, myographe, myopathie, pectoraux, puissance, rhomboïde, sphincter, staphylin, surcostal, tétanisme.

MUSCLE (10 lettres). Abdominaux, aponévrose, diaphragme, expirateur, hypertonie, mastoïdien, mésoblaste, musculaire, myasthénie, obturateur, pathétique, pharyngien, polysarcie, quadriceps, sourcilier, supinateur, thyroïdien, volontaire.

MUSCLE (11 lettres). Amyotrophie, contraction, fléchisseur, musculature, orbiculaire, sarcoplasme, trémulation, zygomatique.

MUSCLE (12 lettres). Constricteur, fibrillation, hétérophorie, ptérygoïdien, triangulaire, vermiculaire.

MUSCLE (13 lettres). Arthrogrypose, horripilateur, myorelaxation, sacro-lombaire.

MUSCLE (14 lettres). Coracobrachial, dermatomyosite, proprioception.

MUSCLE (15 lettres). Intermusculaire, intramusculaire.

MUSCLÉ (n. p.). Tarzan.

MUSCLÉ. Athlétique, autoritaire, bréviligne, brutal, costaud, droit, énergique, fort, herculéen, nerveux, puissant, robuste.

MUSCOVITE. Biotite, clivable, granit, granulite, lépidolite, lépidolithe, mica, minéral, tufeau, tuffeau.

MUSCULATION. Actomyosine, gonflette, exercice, exerciseur, gonflette, musculature, volume.

MUSCULATURE. Actomyosine, anatomie, body-building, carcasse, châssis, corps, culturisme, enveloppe, exercice, exerciseur, gonflette, gymnastique, morphologie, muscle, musculation, volume.

MUSE (n. p.). Apollon, Calliope, Clio, Érato, Euphémé, Euterpe, Hélicon, Hippocrène, Melpomène, Mnémosyne, Musagète, Polymnie, Tanit, Terpsichore, Thalie, Uranie.

MUSE. Déesse, égérie, fleuve, fontaine, inspiration, inspiratrice, montagne, musagète, musée, poésie, vers.

MUSEAU. Boutoir, groin, gueule, hure, minois, mufle, muselière, narine, nez, proboscidien, tapir, trompe, visage.

MUSÉE (n. p.). Carnavalet, Cernuschi, Cluny, Ermitage, Grévin, Guggenheim, Guimet, Homme, Louvre, Marine, Marmottan, Metropolitan, Orangerie, Orsay, Prado, quai Branly.

MUSÉE. Art, collection, conservatoire, galerie, insectarium, mémorial, muséum, pinacothèque, salon, sanctuaire.

MUSELER. Attacher, bâillonner, brider, caveçon, censurer, contenir, démuseler, dompter, empêcher, enchaîner, endiguer, étouffer, étrangler, garroter, juguler, mater, muselière, opprimer, pronateur, refréner, réprimer, retenir, taire.

MUSELLEMENT. Bâillonnement, boycottage, caviardage, censure, filtrage, imprimatur, interdiction, suppression.

MUSER. Amuser, attendre, batifoler, errer, fainéanter, flâner, fredonner, lambiner, musarder, pétouiller, vaguer.

MUSETTE. Bal, biniou, chevrette, cornemuse, danse, gibecière, instrument, loure, musaraigne, sac, sacoche.

MUSÉUM. Art, collection, conservatoire, galerie, insectarium, mémorial, musée, pinacothèque, salon, sanctuaire.

MUSICAL. Artistique, chantant, dolce, doux, fado, harmonieux, jazz, mélodieux, raag, raga, rai, rock, ska, soul, tenuto.

MUSICALEMENT. Cycliquement, euphoniquement, harmonieusement, harmoniquement, itérativement, mélodieusement, mélodiquement, périodiquement, rythmiquement, symphoniquement.

MUSICALITÉ. Cadence, euphonie, fidélité, harmonie, nombre, rythme, sonorité.

MUSICIEN. Altiste, artiste, aulète, bassiste, chanteur, choriste, compositeur, concertiste, cor, coryphée, duettiste, exécutant, flûtiste, griot, groupe, guitariste, harmoniciste, luthiste, maestro, mariachi, mélodiste, mélomane, ménestrel, ménétrier, musicastre, pianiste, saxophoniste, sitariste, soliste, taraf, timbalier, trio, trombone, tubiste, violoneux, violoniste, virtuose.

MUSICIEN ALLEMAND (n. p.). Bach, Beethoven, Brahms, Cramer, Egk, Pfitzner, Quantz, Schumann, Wagner, Walden.

MUSICIEN AMÉRICAIN (n. p.). Armstrong, Basie, Bechet, Beiderbecke, Birks, Blakey, Calloway, Dylan, Gillespie, Hampton, Lanier, Lemott, Miller, Morton, Oliver, Roach, Whiteman, Wonder.

MUSICIEN ANGLAIS (n. p.). Byrd, Gibbons, Monk.

MUSICIEN BELGE (n. p.). Souris.

MUSICIEN BRITANNIQUE (n. p.). Starkey.

MUSICIEN ESPAGNOL (n. p.). Cabezon, Espinel, Espla, Pablo.

MUSICIEN FINLANDAIS (n. p.). Sibélius.

MUSICIEN FLAMAND (n. p.). Ockeghem, Okeghem.

MUSICIEN FRANÇAIS (n. p.). Assouci, Assoucy, Bouzignac, Casadesus, Clérambault, Couperin, Delalande, Dufay, Martenot, Poliakoff, Reinhardt, Roussel, Sarrette, Schaeffer, Solal.

MUSICIEN GREC (n. p.). Amphion, Arion, Orphée, Terpandre.

MUSICIEN INDIEN (n. p.). Khan, Shankar.

MUSICIEN ITALIEN (n. p.). Rosa, Savinio, Stradella, Verdi.

MUSICIEN POLONAIS (n. p.). Chpin.

MUSICIEN ROUMAIN (n. p.). Xenakis.

MUSICIEN TCHÈQUE (n. p.). Popper.

MUSICOGRAPHE (n. p.). Lavignac, Marmontel.

MUSICOLOGUE ALLEMAND (n. p.). Adorno, Chrysander, Sach.

MUSICOLOGUE AMÉRICAIN (n. p.). Einstein.

MUSICOLOGUE ANGLAIS (n. p.). Grove.

MUSICOLOGUE AUTRICHIEN (n. p.). Köchel, Paumgartner, Wellesz.

MUSICOLOGUE BELGE (n. p.). Closson, Collaer, Fétis, Gevaert, Pothier, Van den Borren, Van Maldeghem.

MUSICOLOGUE ESPAGNOL (n. p.). Eslava, Pedrell, Salazar.

MUSICOLOGUE FRANÇAIS (n. p.). Aubry, Ballif, Boucourechliev, Chailley, Coussemaker, Danjou, Dufourcq, Écorcheville, Emmanuel, Expert, Gastoué, Gérold, La Laurencie, Laloy, Leibowitz, Pincherle, Pirro, Prunières, Roland-Manuel, Sainte-Foix, Schaeffner, Schweitzer.

MUSICOLOGUE IRLANDAIS (n. p.). Farmer.

MUSICOLOGUE ITALIEN (n. p.). Malipiero, Matini.

MUSICOLOGUE MEXICAIN (n. p.). Salazar.

MUSICOLOGUE SUISSE (n. p.). Handschin, Mooser.

MUSIQUE (2 lettre). Do, fa, la, mi, op, ré, si, ut.

MUSIQUE (3 lettre). Air, art, clé, cor, duo, ode, piu, pop, raï, rap, ska, sol, tar, ten.

MUSIQUE (4 lettre). Aria, beat, clef, coda, funk, jazz, lied, opus, raag, raga, rock, solo, soul, taal, tala, trio, yé-yé.

MUSIQUE (5 lettre). Assai, bagad, banjo, bémol, blues, canon, chant, comma, conga, corde, couac, danse, dièse, disco, dolce, étude, flûte, forte, fugue, kyrie, largo, messe, morna, motet, neume, nouba, opéra, portée, rondo, salsa, sixte, sonal, swing, tacet.

MUSIQUE (6 lettre). Accord, adagio, amusie, arioso, arpège, basson, boston, cancan, chœur, croche, cuivre, fusion, gagaku, jingle, legato, médium, menuet, mesure, octave, reggae, rubato, sistre, soupir, techno, tenuto, tiento, tierce, trille, triton, zydeco.

MUSIQUE (7 lettre). Agitato, allegro, amoroso, andante, ariette, baroque, blanche, cadence, calypso, cantate, clairon, country, fanfare, karaoé, lyrique, mélodie, mirliton, morceau, mordant, requiem, ripieno, rondeau, sextuor, strette, syncopé, triolet.

MUSIQUE (8 lettre). Audition, euphonie, festival, flamenco, flonflon, floklore, harmonie, mélomane, miserere, moderato, musicien, notation, opérette, ostinato, prologue, rapsodie, registre, septième, sérénade, sérielle, staccato, terzetto, vocalise.

MUSIQUE (9 lettre). Andantino, atonalité, balalaïka, barcarolle, bossa-nova, cantabile, charivari, classique, harmonica, impromptu, indicatif, interlude, larghetto, leitmotiv, mélomanie, réduction, rhapsodie, ricercare, sforzando, sostenuto.

MUSIQUE (10 lettre). Allegretto, charleston, concertant, expressivo, fortissimo, magnificat, musiquette, ritardando.

MUSIQUE (11 lettre). Appogiature, compositeur, mentonnière, rinforzando, ritournelle, rock and roll, trois-quatre.

MUSIQUE (12 lettre). Instrumental, musicalement, musicopgraphe, philharmonie, quatre-quatre.

MUSOIR. Barrage, batardeau, brise-lame, chaussée, digue, estacade, jetée, levée, môle, palplanche, turcie.

MUSQUÉ. Castor, cerf, cervidé, covette, huile, mauve, muscadin, musc, ondatra, ovibos, parfum, rat.

MUSSOLINI (n. p.). Badoglio, Benito, Ciano, Cortellazzo, Duce.

MUSTÉLIDÉ. Belette, blaireau, carcajou, carnivore, fouine, furet, glouton, hermine, loutre, mammifère, marte, martre, mouffette, pékan, putois, ratel, vison, zibeline, zorille.

MUSULMAN (n. p.). Ben Laden, Bin Laden, Coran, Djihäd, Hadj, La Mecque, Mahomet.

MUSULMAN. Aga, agha, alcoran, alem, aman, arabe, arch, ayatollah, bey, cadi, calife, charia, chiite, coran, émir, fakir, fatma, giaour, hadj, harem, hégire, iman, imam, islamique, kadi, mahométan, marabout, maure, molla, mollah, more, mudéjar, muezzin, mufti, mulla, muphti, ouléma, raïa, ramadan, raya, religion, sarrasin, soufi, sourate, sultan, sunna, sunnite, turc, uléma, vizir, zarabe.

MUTATEUR. Apôtre, bessemer, convertisseur, éolienne, évangélisateur, ondulateur, missionnaire, transformateur.

MUTATION. Adaptation, autonomie, changement, droit, exéat, mélanisme, muter, nasard, transmettre.

MUTATIONNISME. Biogenèse, créationnisme, darwinisme, doctrine, évolutionnisme, fixisme, génétique, lamarckisme, mitchourinisme, néodarwinisme, systématique, théorie, transformisme.

MUTILATION. Ablation, amputation, automutilation, autotomie, castration, coupe, coupure, excision.

MUTILÉ. Amputé, blessé, castrat, cul-de-jatte, édenté, estropié, infirme, invalide, manchot, unijambiste.

MUTILER. Amputer, blesser, briser, casser, châtrer, couper, détériorer, détruire, diminuer, éborgner, écharper, écouer, écourter, émasculer, enlever, estropier, raccourcir, retrancher, tronquer, vandaliser.

MUTIN. Badin, coquin, désobéissant, espiègle, luron, lutin, malicieux, peste, polisson, rebelle, révolté, taquin, vif.

MUTINER. Braquer, insurger, pester, protester, rebeller, refuser, révolter, sédition, soulever.

MUTINERIE (n. p.). Bounty, Marty, Potemkine.

MUTINERIE. Agitation, désordre, émeute, insurrection, rébellion, révolte, sédition, soulèvement.

MUTISME. Aphasie, aphonie, arrêt, bâillon, black-out, calme, celé, chut, coi, étouffement, motus, mystère, non-dit, omis, paix, pause, réticence, secret, silence, sourdine, taire, temps, tu.

MUTITÉ. Acalculie, affection, agnosie, alexie, amusie, aphasie, apraxie, astéréognosie, asymbolie, cécité, hypoacousie, otospongiose, somatognosie, sourd-muet, surdi-mutité, surdité, tympanoplastie.

MUTUALISME. Attachement, autogestion, babouvisme, bolchevisme, chartisme, collectivisme, collégialité, communisme, dirigisme, doctrine, égalitarisme, étatisme, gauche, impérialisme, léninisme, maoïsme, marxisme, nationalisme, patriotisme, progressisme, stalinisme, trotskisme.

MUTUALITÉ. Aide, adjoint, alun, appui, assistance, assistant, aumône, auxiliaire, avance, bourse, cadeau, canne, charité, collaborateur, complice, concours, contribution, coopération, don, engrais, entraide, grâce, incitation, prêt, renfort, ressource, second, seconder, secours, service, servir, solidarité, SOS, soutien, subside, subvention.

MUTUEL. Bilatéral, couple, dépendant, interdépendance, partage, réciproque, simultané, solidaire.

MUTUELLEMENT. Bilatéralement, échange, entraide, inversement, réciproquement, vice versa.

MYALGIE. Constriction, contraction, contracture, contraire, convulsion, crampe, crispation, effet, épreinte, étranglement, fibrillation, impatiences, ligature, pincement, pression, spasme, tension, trisme, trismus.

MYCODERME. Candida, ferment, kéfir, képhir, levure, muguet, nystatine, saccharomyce, striction, zymase.

MYCOSE. Actinomycose, affection, anthracnose, candida, candidose, épimomycose, fusariose, gale, histoplasmose, mildiou, nystatine, oïdium, piétin, pourridié, sporotrichose, tavelure, teigne, trichophytie.

MYDRIASE. Augmenter, ballonnement, bronchectasie, chaleur, dilatation, distension, divulsion, emphysème, enflure, étendre, expansion, gaz, gonflement, intumescence, mégacôlon, pupille, varice.

MYGALE. Araignée, animal, arachnide, araignée, aranéide, argyronète, épeire, faucheur, faucheux, galéode, latrodecte, lycose, malmignatte, ségestrie, tarentule, tégénaire, terrier, théridion, thomise.

MYOCARDE. Cardiomyopathie, cœur, infarctus, ischémie, muscle, myocardie, myocardite.

MYOCASTOR. Castor, castoridé, coypou, mammifère, myopotame, ragondin.

MYOGRAPHIE. Abaque, camembert, canevas, contraction, courbe, dessin, diagramme, ébauche, enregistrement, graphique, isogramme, logo, muscle, myogramme, nomogramme, sonagramme, tableau, trace.

MYOPATHIE. Anormal, déficience, dégénérescence, dysgénésie, dysplasie, dystrophie, malformation.

MYOPE. Amétrope, bigle, bigleux, borné, miraud, miro, myopie, perspicace, voir.

MYOPIE. Albinos, amétropie, borgne, bridé, cerne, châsses, éborgner, emmétropie, exorbité, larme, lu, lunette, mirettes, oculiste, œil, ommatidie, ophtalmologiste, regard, sourcil, taupe, vairon, vision, vue, yeux.

MYOPOTAME. Castor, castor du Chili, castoridé, coypou, fourrure, mammifère, myocastor, ragondin.

MYOSOTIS. Herbe d'amour, herbe aux perles, ne-m'oubliez-pas, oreille-de-souris, piloselle.

MYRIADE. Abondance, accumulation, avalanche, débauche, débordement, déluge, flot, foule, infinité, kyrielle, largesse, libéralité, luxe, masse, monceau, multiplicité, multitude, munificence, nuée, orgie, pluie, prodigalité, profusion, quantité, surabondance.

MYRIAPODE. Antennate, arthropode, géophile, gloméris, iule, lithobie, mille-pattes, scolopendre, segments.

MYRIOPHYLLE. Aquarium, caniveau, cassis, crique, fossé, plante, rigole, rivelet, rivière, rivulaire, ruisseau, ruisseler, ruisselet, ruisson, ru, ruz, volant d'eau.

MYRRHE. Balsamier, balsamodendron, baume, baumier, beaumier, myroxyle, myroxylon, odoriférant.

MYRTACÉE. Cajeput, eucalyptus, giroflier, goyavier, grenadier, jambosier, myrte, niaouli.

MYRTILLE. Abrêtier, abrêtnoir, airelle, bleuet, brimbelle, éricacée, luce, lucet, moret, raisin-des-bois, teint-vi, vaccinier.

MYSTÈRE. Âbime, arcane, caché, cachotterie, discrétion, doctrine, dogme, drame, énigme, ésotérisme, inconnu, magie, mystérieux, mystique, noir, noirceur, obscurité, ombrage, ombre, pithiatisme, prudence, secret, trinité, vérité, voile.

MYSTÉRIEUX. Caché, ésotérique, étrange, impénétrable, obscur, occulte, secret, sibyllin, ténébreux.

MYSTICISME. Anagogie, contemplation, écritures, élévation, exégèse, explication, extase, ravissement, symbolisme.

MYSTIFICATEUR. Bobardier, contrefacteur, captieux, copieur, copiste, déformateur, démarqueur, escroc, falsificateur, faussaire, faux-monnayeur, fripon, imitateur, pasticheur, plagiaire, posticheur, trompeur, voleur.

MYSTIFICATION. Attrape, canular, duperie, farce, fumisterie, galéjade, imposture, supercherie, tromperie.

MYSTIFIER. Abuser, attraper, avoir, fumiste, duper, leurrer, moquer, rouler, tourmenter, tromper.

MYSTIQUE (n. p.). Bektachi, Bektachiyya, Böhme, Birgitta, Bridget, Brigitte, Emerson, Fox, Groote, Halladji, Kabir, Kempis, Krüdener, Molinos, Rose-croix, Sainte Brigitte, Sainte Germaine, Sainte Hilegarde, Sébastien, Suso, Tauler.

MYSTIQUE. Allégorie, anagogie, chimérique, croyance, croyant, enragé, exalté, fabuleux, fanatique, hassidisme, illuminé, imaginaire, inexpliqué, inspiré, irréel, légendaire, quiétisme, rasta, rastafari, religion, soufisme, transverbérer.

MYSTIQUEMENT. Amèrement, amoureusement, âprement, cher, chèrement, chrétiennement, dévotement, durement, moralement, onéreusement, pieusement, religieusement, respectueusement, spirituellement, tendrement.

MYTHE. Allégorie, chimère, conte, croyance, fable, fantaisie, fiction, légende, prométhéen, récit, utopie.

MYTHIFIER. Acclamer, applaudir, approuver, bluffer, célébrer, chanter, encenser, enorgueillir, exagérer, exalter, flatter, glorifier, grossir, louanger, louer, magnifier, mousser, pavoiser, prévaloir, prôner, targuer, vanter.

MYTHIQUE. Chimérique, fabuleux, fantastique, fictif, illusoire, imaginaire, irréel, légendaire.

MYTHOLOGIE. Croyances, elfe, fable, fantasmagorique, légende, mythe, oréade, panthéon, récits, tradition.

MYTHOLOGIE, CRÉATURE FANTASTIQUE (n. p.). Basilic, Centaures, Cerbère, Cyclope, Dragon, Griffon, Harpie, Licorne, Minotaure, Pégase, Satyre, Sphinx, Sirène, Triton.

MYTHOLOGIE, DIEU DE L'OLYMPE (n. p.). Aphrodite, Apollon, Arès, Artémis, Athéna, Cronos, Dionysos, Hadès, Héphaïstos, Héra, Hermès, Hestia, Poséidon, Zeus.

MYTHOLOGIE, DIEU ÉGYPTIEN (n. p.). Ammon, Anubis, Hathor, Horus, Isis, Osiris, Ptah, Râ, Seth, Thôt.

MYTHOLOGIE, DIEU NORDIQUE (n. p.). Ases, Balder, Freyja, Freyr, Frigg, Heimdal, Holder, Loki, Odin, Thor, Walkyrie.

MYTHOLOGIE, HÉROS GREC (n. p.). Achille, Bellérophon, Héraclès, Hercule, Jason, Œdipe, Persée, Thésée, Ulysse.

MYTHOLOGIE, LÉGENDE GRECQUE (n. p.). Antigone, Delphes, Érinye, Mégère, Œdipe, Prométhée, Tantale.

MYTHOLOGIE, LÉGENDE ROMAINE (n. p.). Curiace, Horace, Rémus, Romulus.

MYTHOMANE. Affabulateur, berneur, caractériel, fabulateur, hâbleur, menteur, mytho, simulateur, voleur.

MYTHOMANIE. Affabulation, allégation, baratin, fable, fabulation, récit, rêvasserie, trame.

MYTILÈNE (n. p.). Alcée, Arginuses, Cypsélos, Égée, Épicure, Grèce, Lesbos.

MYXINE. Agathe, anguiforme, cyclostome, lamproie, vertébré.

MYXOMYCÈTE. Acrasia, acrasiale, champignon, dictyostelium, eumycète, fuligo, mycétozoaire, mucida, myxamibe, myxogastrea, octomyxa, plasmode, plasmodiphora, stemonitis, woroinua.

MYXOVIRUS. Grippe, influenza, oreillons, pneumonie.

N

N. Azote, nano, newton, nord, tilde.

NABAB. Aisé, capitaliste, fastueux, gouverneur, musulman, officier, opulent, riche, satrape, sultan, titre, trésor.

NABIS, GROUPE DES (n. p.). Bernard, Bonnard, Cazalis, Denis, Maillol, Moreau, Morrice, Rason, Redon, Roussel, Sérusier, Vallotton, Valtat, Vuillard.

NABOT. Avorton, contrefait, courtaud, freluquet, gnome, homoncule, lilliputien, nain, petit, trapu.

NACARAT. Chair, coq de roche, couleur, incarnadin, incarat, rose, rouge, rouge clair, vermeil.

NACELLE. Barque, cabine, canot, carénage, esquif, habitacle, lest, nef, panier, porte-bébé, siège, suspente.

NACRÉ. Burgau, burgaudine, chromatisé, irisé, moiré, opalin, perle, troche, troque.

NACRE. Burgau, burgaudine, gastropode, jambonneau, lamellibranche, marine, mollusque, perle, pinna, pinne.

NACRER. Chromatiser, colorer, iriser, marbrer, opalescent, opalin, opaliser, zébrer.

NÆVUS. Angiome, envie, fraise, grain de beauté, lentigo, lentille, malformation, mélanome, naevi, signe, tache.

NAGE. Brasse, crawl, dos, eau, écume, embarras, libre, manière, marinière, moiteur, nageoire, natation, papillon, papillonneur, palme, planche, rame, scull, sudation, suer, sueur, transpirer, trudgeon.

NAGEOIRE. Aile, aileron, anale, apode, aviron, caudale, cycloptère, diptérygien, dorsale, hétérocerque, homocerque, macropode, palme, pectoral, pelvienne, penniforme, ptéro, sépiole, uropode, vessie.

NAGER. Baigner, brasse, crawler, ébarber, embarrasser, émerger, flotter, fluctuer, natation, patauger, ramer, renflouer.

NAGEUR (n. p.). Fraser, Mark Spitz, Thorpe, Weissmuller.

NAGEUR. Baigneur, brasseur, crawleur, dossiste, grenouille, necton, ondin, plancyon, rameur, salpe, sportif.

NAGUÈRE. Anciennement, antan, antiquement, autrefois, dernièrement, jadis, passé, récemment.

NAÏADACÉE. Déesse, dryade, hamadryade, hyades, naïade, napée, neek, néréide, nymphe, océanide, oréade.

NAÏADE. Déesse, dryade, hamadryade, hyades, naïadacée, napée, neek, néréide, nymphe, océanide, oréade.

NAÏF. Bête, bonasse, candide, confiant, crédule, cucul, dupe, enfantin, gauche, gilles, gobe-mouche, gobeur, gogo, idiot, ingénu, ingnorant, innocent, jeune, jeunot, jobard, niais, nigaud, novice, pigeon, poire, poisson, primaire, puéril, ravi, serin, simple, simplet, spontané, zozo.

NAIN. Avorton, bès, bonsaï, crapoussin, étoile, figurine, freluquet, génie, gnome, gringalet, korrigan, lilliputien, lutin, miniature, minuscule, mirmiton, nabot, nanifier, naniser, niflungen, petit, pygmée, sept, tom-pouce.

NAISSANCE. Apparition, atavisme, berceau, création, début, don, éclosion, endogène, généalogie, genèse, hérédité, infus, inné, issu, jour, légitime, natif, nativité, naturel, né, noble, origine, pedigree, retombée, souche, source, vernix caseosa.

NAISSANT. Allantoïde, amnios, chorion, commençant, fivete, fœtal, gastrula, germe, embryonnaire, endoblaste, endoderme, état, gonocyte, initial, larvaire, larve, mésoblaste, mésoderme, métencéphale, morphogenèse, neurula, ouraque, primitif, squelettique, synergide.

NAÎTRE. Apparaître, commencer, créer, croître, éclore, émerger, germer, lever, percer, renaîtresortir, venir, voir.

NAÏVE. Apprentie, arpète, cousette, crédule, fille, gribouille, image, jeune, midinette, mineure, oiselle, simple.

NAÏVEMENT. Absurdement, bêtement, comiquement, dérisoirement, drôlement, plaisamment, ridiculement, stupidement.

NAÏVETÉ. Bonhomie, candeur, crédulité, foi, fraîcheur, ingénuité, innocence, jorbardise, simplicité, spontanéité.

NAJA. Aspic de Cléopâtre, bongare, bungare, cobra, cracheur, serpent, serpent à lunettes, uræus.

NAMIBIE, CAPITALE (n. p.). Windhoek.

NAMIBIE, LANGUE. Afrikaans, anglais, khoi, ovambo.

NAMIBIE, MONNAIE. Dollar.

NAMIBIE, VILLE (n. p.). Aminius, Andara, Asab, Auchas, Aus, Berseba, Keetmanshoop, Luderitz, Ngoma, Opuwo, Warmbad, Windhoek, Witvlei.

NANA. Femme, fille, gonzesse, greluche, madame, maîtresse, nénette, pépé, poulette, poupée, souris.

NANISME. Anomalie, difformité, élagage, handicap, infirmité, nain, ravalement, taille, trisomie.

NANKIN. Jaune, paillette, pongé, pou-de-soie, poult-de-soie, surah, taffetas, tissu, toile, trentain, ville, zénana.

NANTI. Diapré, doté, éludé, embelli, esquivé, paré, parure, pigeonné, pomponné, pourvu, prêt, riche.

NANTIR. Armer, doter, éluder, embellir, garantir, garnir, monter, munir, pourvoir, procurer, prendre, saisir.

NANTISSEMENT. Antichrèse, armement, dotation, embellissement, gage, gratification, montage.

NAOS. Cella, ciel, édicule, église, loge, pronaos, salle, sanctuaire, tabernacle, temple.

NAPEL. Aconit, orange, plante, renonculacée.

NAPHTALÈNE. Antimite, benzonaphtol, colorant, goudron, hydrocarbure, naphte, parfum, tétraline.

NAPHTE. Combustible, essence, fioul, fuel, gaz, gazoline, kérosène, mazout, pétrole, vaseline.

NAPOLÉON (n. p.). Antommarchi, Antonmarchi, Austerlitz, Bonaparte, Elbe, Eugénie, Iéna, Invalides, Longwood, Louis, Sainte-Hélène, Stein, Ulm, Waterloo.

NAPPAGE. Amandié, anionique, crémage, émulsion, glaçage, latex, lavasse, looch, mûrir, panchromatique, sauce.

NAPPE. Aquifère, couche, eau, engravure, étang, lac, linge, marais, mer, napperon, ouatine, phréatique, senne, set.

NAPPERON. Dessous, dessus, doublier, jeté, linge, longe, molleton, nappage, nappe, serviette, set, sous-verre.

NARCISSE. Amaryllidacée, corbularia, coucou, hermione, jeannette, jonquille, porillon, trompette.

NARCISSISME. Amour-propre, audolâtrie, avarice, captativité, égocentrisme, égoïsme, égolâtrie, égotisme, indifférence, individualisme, insensibilité, intérêt, introversion, je, moi, nombrilisme, personnel, soi-même.

NARCOSE. Analgésie, anesthésie, assoupissement, coma, hypnose, léthargie, narcolepsie, sommeil, sopor.

NARCOTIQUE. Calmant, crack, datura, drogue, hypnotique, opium, somnifère, soporeux, soporifique.

NARD. Ail, aromate, asaret, graminée, herbacée, lavande, parfum, plante, valérianacée, valériane.

NARGUER. Affronter, attaquer, braver, défier, lutter, menacer, mépriser, moquer, provoquer, regarder.

NARGUILÉ. Bouffarde, cachotte, calumet, chibouque, chibouk, chilom, cigarette, houka, jacob, kalioun, narghilch, narghilé, pipe, pipette, shilom, tabac, trompe, turque.

NARINE. Choane, errhin, évent, morve, museau, naseau, nez, œstre, trou, vibrisse.

NARQUOIS. Badineur, chineur, filou, goguenard, gouailleur, malicieux, malin, moqueur, railleur, rieur, rusé.

NARRATEUR. Anecdotier, auteur, cénacle, conteur, descripteur, diseur, écrivain, historien, journaliste, lettre, nègre, personne, poète, raconteur, récitant, réciteur, romancier, scribouilleur.

NARRATION. Allocution, annonce, article, conte, contine, discours, épopée, évangile, fable, fleuve, harengue, histoire, historiette, lai, légende, nouvelle, prêche, prône, récit, rédaction, relation, roman, rumeur, sinanthrope.

NARRER. Conter, décrire, dépeindre, dire, exposer, narrateur, peindre, raconter, rappeler, rapporter, réciter, relater.

NARSE. Affaissement, bourbier, creux, fondrière, frayée, habitude, marécage, ornière, sillon, trace, trou.

NARTHEX. Antichambre, entrée, hall, passage, porche, portique, propylée, réception, salle, vestibule.

NARVAL. Béluga, béluga, cétacé, licorne de mer, mammifère, monodontiné, odontocète, unicorne.

NASAL. Armet, fosse, morfondure, morve, nez, ozène, rhinite, rhinologie, trompe, voile, voûte.

NASARD. Autonomie, changement, droit, exéat, jeu, larigot, mélanisme, mutation, muter, orgue, quinte, transmettre.

NASARDE. Affront, algarade, avanie, brimade, cafard, camouflet, chiquenaude, empoisonnement, ennui, honte, huée, humiliation, incartade, injure, invective, malheur, mortification, offense, outrage, scène, sortie, soufflet, traitement, vexation.

NASE. Aile, antilope, appendice, avant, blair, blase, camus, clairvoyance, devant, épaté, épistaxis, évent, fanal, flair, goûter, idiot, intuition, narine, nasillard, naze, nez, odorat, perspicacité, pif, pifomètre, piton, renifler, sagacité, tarin, truffe.

NASEAU. Cheval, évent, narine, nase, nez, piton, truffe.

NASILLARD. Catarrheux, enchifrené, enrhumé, grippé, nasal, rhume, son, tousseur, toussoteur, voix.

NASILLER. Aborder, agir, annoncer, ânonner, babiller, bafouiller, baragouiner, bavarder, bêler, bléser, bredouiller, causer, chuchoter, claironner, corner, crier, dauber, débiter, délirer, dénigrer, dire, discourir, disserter, divaguer, évoquer, exposer, exprimer, extravaguer, grailler, gueuler, haranguer, hurler, jacter, jargonner, jaser, joual, laconisme, marmotter, monologuer, négociation, palabrer, parler, patois, péronier, picard, placoter, prononcer, rouchi, sic, soliloquer, susurrer, tarir, tchatcher, tonitruer, tonner, trahir, vociférer.

NASIQUE. Apelle, atèle, avahi, aye-aye, babouin, bonobo, cébidé, chimpanzé, chirogale, colobe, douc, drill, échidné, entelle, éroïde, galago, gelada, gibbon, gorille, guéréza, hocheur, hom, homidé, homme, hoolock, hurleur, indri, lagotriche, lémur, lémuridé, lémurien, loris, macaque, magot, maki, mandrill, mirza, mongo, moustac, orang-outan, oréopithèque, ouakari, ouistiti, papion, pinché, primate, proconsul, sajou, saki, sapajou, simien, singe, talapoin, tamarin, tarsien, tarsier, totis, toupaye.

NASITORT. Alénois, cardamine, cresson, cressonnière, crucifère, nasiller, véronique.

NASSE. Casier, filet, gastropode, instrument, osier, mollusque, natice, panier, pêche, piège, ruche.

NATAL. Congénital, initial, inné, maternel, natif, naturel, né, originaire, original, originel, premier, primitif.

NATATION. Brasse, crawl, dos, libre, nage, papillon, piscine, planche, sport, synchronisée.

NATIF. Aborigène, autochtone, brut, congénital, habitant, inné, levantin, naissance, naturel, originaire.

NATION. Allégeance, cité, collectivité, communauté, état, étranger, gens, gent, international, multinational, national, nationalité, panthéon, patrie, pays, peuple, pile, population, race, tiers.

NATIONALISATION. Collectivisation, dirigisme, étatisation, réforme, socialisme, socialisation.

NATIONALISER. Collectiviser, déposséder, étatiser, exproprier, fusionner, socialiser, transférer.

NATIONALISME. Attachement, autogestion, babouvisme, bolchevisme, chartisme, chauvinisme, collectivisme, collégialité, communisme, dirigisme, doctrine, égalitarisme, étatisme, gauche, impérialisme, léninisme, maoïsme, marxisme, mutualisme, patriotisme, progressisme, stalinisme, trotskisme.

NATIONALISTE. Chauvin, cocardier, facho, fasciste, impérialiste, partisan, patriote, zélote.

NATIONALISTE ALLEMAND. Fasciste, nazis.

NATIONALISTE FLAMMAND. Flamingant.

NATIONALISTE QUÉBÉCOIS. Blocquiste, péquiste.

NATIONALITÉ. Allégeance, apatride, cité, citoyenneté, collectivité, communauté, état, gens, gent, mixte, nation, naturalisation, panthéon, patrie, pays, peuple, pile, population, race, ressortissant.

NATIONS UNIES (n. p.). ONU.

NATIVITÉ (n. p.). Noël.

NATIVITÉ. Astral, avant, cantique, ellébore, fête, hellébore, naissance, thème.

NATTAGE. Cannage, cordage, empaillage, rempaillage, tressage.

NATTE. Brin, cheveux, cagerotte, caget, couffin, estère, jonc, macaron, paillasson, paille, tapis, torchon, tresse.

NATTER. Corder, dénatter, entrecroiser, entrelacer, tapisser, tordre, tresser.

NATURALISATION. Allégeance, apatride, assujetti, cité, collectivité, communauté, état, gens, gent, justiciable, nationalité, panthéon, patrie, pays, peuple, pile, population, race, ressortissant, subsistant.

NATURALISÉ. Ahuri, bête, empaillé, empoté, endormi, imbécile, indolent, inerte, inertie, jobard, niais.

NATURALISER. Acclimater, bourrer, canner, couvrir, empailler, envelopper, garnir, pailler, rempailler.

NATURALISTE. Animal, authentique, botaniste, empailleur, erpétologiste, herpétologiste, idéaliste, minéralogiste, nature, plante, réaliste, taxidermiste, zoologiste, zoologue.

NATURALISTE ALLEMAND (n. p.). Chamisso, Ehrenberg, Humboldt, Oken, Vogt, Werner.

NATURALISTE AMÉRICAIN (n. p.). Agassiz, Audubon, Dana.

NATURALISTE ANGLAIS (n. p.). Banks, Catesby, Darwin, Davis, Edwards, Ellis, Hales, Owen, Ray, Wray.

NATURALISTE AUTRICHIEN (n. p.). Lorenz, Mendel.

NATURALISTE BRITANNIQUE (n. p.). Banks, Darwin, Huxley, Owen, Wallace.

NATURALISTE CANADIEN (n. p.). Kirouac, Marie-Victorin.

NATURALISTE DANOIS (n. p.). Steensen, Sténon.

NATURALISTE FRANCAIS (n. p.). Belon, Blainville, Blanchard, Bonpland, Broussonet, Buffon, Charcot, Cotteau, Daubenton, Ducrotay, Dujardin, Duvernoy, Giraud-Soulavie, Grandidier, Lacepède, Lamarck, Latreille, Lesson, Milne-Edwards, Monod, Orbigny, Perrier, Réaumur, Rondelet, Savigny, Sonnini, Zola.

NATURALISTE IRLANDAIS (n. p.). Heafey.

NATURALISTE ITALIEN (n. p.). Aldrouandi, Bassano, Césalpin, Huber, Redi, Vanini.

NATURALISTE JAPONAIS (n. p.). Shimazaki Toson.

NATURALISTE LATIN (n. p.). Pline l'Ancien.

NATURALISTE ITALIEN (n. p.). Aldrouandi,

NATURALISTE NÉERLANDAIS (n. p.). Boerhaave, Swammerdam, Van Leeuwenhoek.

NATURALISTE NORVÉGIEN (n. p.). Nansen.

NATURALISTE ROMAIN (n. p.). Pline.

NATURALISTE RUSSE (n. p.). Dokoutchaïev.

NATURALISTE SUÉDOIS (n. p.). Linné, Nilson, Nilsson, Nordenskjold, Strindberg.

NATURALISTE SUISSE (n. p.). Agassiz, Bonnet, Deluc, Forel, Gesner, Huber, Saussure.

NATURE. Acabit, aloi, brut, caractère, calibre, cause, création, écologie, en soi, entité, espèce, esprit, essence, existence, foncier, force, genre, humanité, indigène, inné, luxuriante, monde, principe, pur, qualité, quiddité, radical, réalité, univers, vert, vrai.

NATUREL. Aborigène, aisé, ambiance, authentique, autochtone, bio, brut, commun, écru, élément, élémentaire, espèce, étoffe, habitant, humanité, indigène, infuse, ingénu, inné, naïf, naissance, natif, normal, ordinaire, pur, rationnel, univers, vrai.

NATURELLEMENT. Agréablement, aisément, avantageusement, bien, bien-être, commodément, commodité, convenu, favorablement, facilement, fluide, honorablement, mécaniquement, précieusement, profitablement, simplement, souple, utilement.

NATURISME. Doctrine, hippocratique, nudisme, nudité.

NATURISTE. Camp, culturiste, nudiste, revue.

NAUCORE. Acanthe, actée, bardane, bigote, cimex, cimicaire, gendarme, insecte, nèpe, notonecte, parasite, pentatome, punaise, pyrocose, ranatre, réduve, rhynchotes, thumb-tack, vélie.

NAUFRAGÉ (n. p.). Alcinoos, Calypso, Nausicaa, Robinson Crusoé, Ulysse.

NAUFRAGE (n. p.). Ajax, La Pérousse, Méduse, Titanic.

NAUFRAGE. Avarie, banqueroute, désastre, coulé, dérive, désastre, disparaître, échec, échouage, effondrement, épave, faillite, fiasco, insuccès, malheur, naufragé, naufrageur, perdition, perte, ruine, sinistre, submersion.

NAUFRAGEUR. Creuseur, démolisseur, destructeur, ensevelisseur, enterreur, fossoyeur, pilleur, saboteur.

NAUMACHIE. Aspect, attraction, ballet, curiosité, danse, démonstration, exhibition, fantasmagorie, féerie, happening, joruri, matinée, music-hall, numéro, pièce, prestation, représentation, revue, saynète, scène, show, spectacle, variété, vue.

NAUPATHIE. Aversion, berk, beurk, découragement, dégoût, démoralisation, écœurement, haut-le-cœur, lassitude, mal de mer, mépris, nausée, ras-le-bol, répugnance, répulsion, soulèvement.

NAUSÉABOND. Abject, cochon, dégueulasse, dégoûtant, écœurant, empesté, empuanti, grossier, fétide, horrible, ignoble, infect, malodorant, nauséeux, puant, rebutant, répugnant, sale, vireux.

NAUSÉE. Abominable, anorexie, antipathie, aversion, blasement, berk, beurk, chagrin, dégoût, écœurant, écœurement, éloignement, ennui, fastidieux, haut-le-cœur, horreur, inappétence, las, lassitude, mal de cœur, répugnance, répulsion, saleté, vomissement.

NAUSÉEUX. Affreux, dégoûtant, écœurant, exécrable, fétide, horrible, immonde, infâme, infect, laid, malpropre, odieux, rebutant, repoussant, répugnant, répulsif, salaud, saligaud, salop, sordide, visqueux.

NAUTILE. Ammonite, argonaute, bélemnite, berthe, buire, cache-pot, calmar, céphalopode, figuline, hanap, kraken, mollusque, octopode, pieuvre, potiche, pot-pourri, poulpe, seiche, torchère, vase.

NAUTIQUE. Amphibie, aquacole, aquatique, benthique, benthonique, fluviatile, fontinal, lacustre, marin, maritime, navigation, naval, palustre, radeau, raft, rafting, ski, sport, yacht.

NAUTONIER. Bachoteur, barreur, batelier, bélandrier, capitaine, conducteur, directeur, gondolier, guide, lamaneur, locman, marinier, matelot, mentor, navigateur, nocher, pilote, responsable, timonier.

NAVAJA. Arme, baïonnette, couteau, coutelas, crid, criss, dague, dos, épée, fer, kandjar, kriss, lame, manche, poignard, scramasaxe, stylet, surin.

NAVAL. Abyssal, benthique, caf, côtier, marin, marine, maritime, mer, nautique, océanique.

NAVET. Brassica, crucifère, mauvais, nanar, napus, navau, navetière, rabiole, racine, rave, tornep, turnep, turneps.

NAVETTE (n. p.). Chalenger, Columbia, Chrétien, Edwards, Endeavour, Glenn, Loewy, Nicollier, Spacelab.

NAVETTE. Allée, bobine, canette, crucifère, frivolité, orbiteur, spatial, va-et-vient, venue, yoyo.

NAVIGANT. Aviateur, commandant, copilote, kamikaze, mazouteur, navigateur, rampant, pilote, raid, vol.

NAVIGABLE. Canalisable, flottable, innavigable, kayakable, navigabilité, passe, praticable.

NAVIGATEUR. Aiguilleur, bourlingueur, caboteur, découvreur, fureteur, marin, pilote, viking, voyageur.

NAVIGATEUR ALLEMAND (n. p.). Behaim.

NAVIGATEUR AMÉRICAIN (n. p.). Peary.

NAVIGATEUR ANGLAIS (n. p.). Baffin, Carteret, Cavendish, Chancellor, Cook, Dampier, Davis, Franklin, Frobisher, Hawkins, Hudson, Ralegh, Raleigh, Vancouver, Wallis, Willoughby.

NAVIGATEUR BELGE (n. p.). Gerlache de Gomery.

NAVIGATEUR BRITANNIQUE (n. p.). Byron, Carteret, Cook, Dalrymple, Franklin, McClure, Nares, Parry, Ross, Vancouver, Wallie.

NAVIGATEUR CARTHAGINOIS (n. p.). Hannon, Himilcon.

NAVIGATEUR CHINOIS (n. p.). Zheng He.

NAVIGATEUR CRÉTOIS (n. p.). Néarque.

NAVIGATEUR DANOIS (n. p.). Bering.

NAVIGATEUR ÉCOSSAIS (n. p.). Chancellor.

NAVIGATEUR ESPAGNOL (n. p.). Alaminos, Alarcon, Cano, Colomb, Elcano, Fernandez, Grijalva, Mendana, Nino, Nova, Nunez, Ojeda, Ojeta, Oli, Olid, Pinzon, Pizarro, Soto, Torres.

NAVIGATEUR FLORENTIN (n. p.). Vespucci.

NAVIGATEUR FRANÇAIS (n. p.). Baudin, Bougainville, Cartier, Champlain, Charcot, Duperrey, Entrecasteaux, Gerbault, La Pérouse, Lemoyne, Tabarly.

NAVIGATEUR GÉNOIS (n. p.). Colomb, Noli.

NAVIGATEUR GREC (n. p.). Pythéas.

NAVIGATEUR HOLLANDAIS (n. p.). Barents, Barentz, Block, Houtmann, Janszoom, Le Maire, Pilsaert, Roggeveen, Schouten, Tasman, Theodorus, Van Diémen, Van Weert, Vlaming, Vries.

NAVIGATEUR IRLANDAIS (n. p.). McClintock.

NAVIGATEUR ITALIEN (n. p.). Cabot, Caboto, Manzoli, Verrazano, Verrazzano, Vespucci.

NAVIGATEUR NÉERLANDAIS (n. p.). Barents, Barentz, Tasman.

NAVIGATEUR NÉO-ZÉLANDAIS (n. p.). Blake.

NAVIGATEUR NORMAND (n. p.). Béthencourt.

NAVIGATEUR NORVÉGIEN (n. p.). Amundsen, Nansen.

NAVIGATEUR PORTUGAIS (n. p.). Albuquerque, Cabral, Cam, Cao, Cunha, Dias, Diaz, Gama, Magellan, Queiros, Torres, Tristam, Tristao, Vasco de Gama, Zargo.

NAVIGATEUR RUSSE (n. p.). Chelekhov, Kotzebue, Krusenstern.

NAVIGATEUR SCANDINAVE (n. p.). Viking.

NAVIGATEUR VÉNITIEN (n. p.). Cadamosto, Marco Polo, Polo.

NAVIGATION. Aérien, astronautique, astronef, avion, boulinage, cabotage, canal, circumpolaire, éclaireur, étoc, fluvial, fureteur, haut-fond, hauturière, loran, marine, maritime, nautique, naval, périple, spatial, tramping, trémater, yachting.

NAVIGUER. Boulinier, bourlinguer, caboter, cingler, croiser, explorer, filer, fureter, louvoyer, nager, navire, pérégriner, piloter, remonter, sillonner, surfer, trimarder, vagabonder, voguer, voile, voyager.

NAVIPLANE. Aérofoil, aéroglisseur, hovercraft, hydroglisseur, terraplane.

NAVIRE (n. p.). Argo, Bounty, Exodus.

NAVIRE (3 lettres). Bac, bau, ber, lof, mât, nef, nez, tin.

NAVIRE (4 lettres). Acon, bord, cale, erre, étai, lège, lest, loch, long, pont, port, quai, rade, roof, vrac.

NAVIRE (5 lettres). Avant, aviso, barge, brick, cargo, coque, épave, flûte, gatte, liner, prame, senau, sloop, tramp, yacht.

NAVIRE (6 lettres). Bateau, brûlot, drague, dromon, étrave, galère, galion, ponton, quille, rafiot, tanker, tender, trière.

NAVIRE (7 lettres). Câblier, caraque, galéace, galiote, courier, négrier, polacre, roulier, steamer, trirème, vedette.

NAVIRE (8 lettres). Abordeur, armateur, baladeur, baliseur, bananier, bâtiment, butanier, chaloupe, chasseur, corsaire, corvette, croiseur, cuirassé, équipage, flotille, galéasse, paquebot, sacoléva, sacolève, transport, vaisseau, varangue, vraquier.

NAVIRE (9 lettres). Affréteur, argonaute, baleinier, brigantin, canonière, caravelle, cargaison, céréalier, chalutier, débardeur, destroyer, éclaireur, écoutille, encalminé, escorteur, hydroptère, méthanier, pétrolier, pinardier, préceinte, trois-mâts.

NAVIRE (10 lettres). Brise-glace, canonnière, gouvernail, polytherme, remorqueur, sistership, torpilleur, traversier, trois-ponts.

NAVIRE (11 lettres). Appontement, avitailleur, charbonnier, porte-avions, porte-barges, submersible, supertanker, trois-quarts.

NAVIRE (12 lettres). Appareillage, long-courrier, patrouilleur, ravitailleur, terre-neuvien, transbordeur.

NAVRANT. Acerbe, acéré, acide, âcre, agressif, aigre, aigu, amer, âpre, ardu, bière, blessant, brûlant, choquant, cinglant, coupable, coupant, cru, cruel, cuisant, déchirant, déplacé, déplaisant, dur, douleur, écorchant, étripant, étrivant, fiel, froissant, gênant, grivois, impoli, lamentable, lésant, mordant, offensant, onde, pénible, souffrant, triste, ulcérant, vexant.

NAVRÉ. Affecté, affligé, attristé, chagriné, contrarié, déçu, désappointé, désenchanté, désolé, peiné.

NAVRER. Attrister, chagriner, contrarier, décevoir, déchirer, dépiter, désappointer, désenchanter, désoler, ennuyer, fâcher.

NAZI. Allemand, antinazi, capo, gestapo, hitlérien, kapo, néonazi, raciste, shoah, SS, zyklon.

NAZISME. Doctrine, fascisme, hitlérisme, national-socialisme, néo-fascisme, néonazisme.

NÉ. Adultérin, apparu, bâtard, berceau, cadet, créé, dernier-né, éclos, fils, habitant, indigène, issu, mort-né, naissance, natal, natif, néon, noble, nouveau-né, origine, part, posthume, prématuré, puîné, tardillon, utérin.

NÉANMOINS. Cependant, mais, malgré, malheureusement, nonobstant, pourtant, tant, toujours, toutefois.

NÉANT. Abîme, absence, abstention, chaos, chimère, erreur, fatuité, fumée, futilité, illusion, inexistant, lacune, manque, misère, nirvâna, non-être, nul, révocation, rien, vacance, vacuité, vanité, vide, zéro.

NÉANTISATION. Absorption, anéantissement, annihilation, déconstruction, démolition, destruction, dévastation, disparition, effacement, élimination, enlèvement, éradication, fin, gommage, liquidation, mort, suppression.

NÉANTISER. Abattre, abolir, anéantir, annihiler, annuler, briser, détruire, écraser, écrouler, effacer, effondrer, éliminer, exténuer, exterminer, extirper, massacrer, nirvana, réduire, rejeter, ruiner, sidérer, sombrer, user, vaincre.

NEBKA. Aspre, barkhane, butte, colline, côte, coteau, dune, élévation, erg, hauteur, mont, montagne, monticule, oyat.

NÉBULEUSE (n. p.). Andromède, Crabe, Hubble, Orion.

NÉBULEUSEMENT. Abord, alentour, approximativement, auprès, autour, avoisinant, bordure, entour, entourage, environnement, environs, imprécis, parage, près, proche, proximité, quelque, relatif, vaguement, voisinage.

NÉBULEUX. Abscons, amphigourique, brumeux, confus, étoile, hermétique, nuageux, obscur, vaporeux, voilé.

NÉBULISER. Catapulter, combiner, éjaculer, éjecter, envisager, envoyer, fomenter, jeter, lancer, manigancer, méditer, mijoter, mûrir, ourdir, passer, penser, postillonner, projeter, progresser, propulser, rêver, songer, tramer, vaporiser.

NÉBULISEUR. Aérographe, aérosol, atomiseur, bombe, bouilloire, brumisateur, dessiccateur, évaporateur, gicleur, inhalation, pulvérisateur, rejaillissant, retombant, spray, vaporisateur.

NÉBULOSITÉ. Brouillon, clair, clair-obscur, clarté, contre-jour, éclairage, éclat, embrasement, flou, fouée, jour, limpidité, louche, lueur, lumière, luminosité, nébuleux, netteté, nuage, nuageux, obscurité, précision, troublé.

NÉCESSAIRE. Absolu, besoin, écritoire, essentiel, exigé, fatal, forcé, important, inconditionné, indispensable, ingéniosité, inhérent, loi, obligé, onglier, papeterie, premier, primordial, requis, urgent, utile, vital.

NÉCESSAIREMENT. Absolument, fatalement, forcément, immanquablement, impérativement, inévitablement, infailliblement, mathématiquement, obligatoirement, rigoureusement, sûrement.

NÉCESSITÉ. Besoin, contrainte, devoir, impératif, indigence, inéluctable, malade, urgence, utilité.

NÉCESSITER. Commander, demander, exiger, falloir, impliquer, imposer, obliger, réclamer.

NÉCESSITEUX. Assisté, besogneux, défavorisé, démuni, dénué, famélique, gagne-petit, gueux, impécunieux, indigent, malheureux, mécréant, mendiant, misérable, miséreux, pauvre, pouilleux.

NÉCROBIE. Chacal, charognard, corneille, goéland, hyène, nécrophage, orfraie, urubu, vautour.

NÉCROLOGIE. Avis, avis de décès, décès, deuil, disparu, faire-part, feu, fin, liste, mort, mortalité, nécrologue, notice, perte, posthume, registre, restes, rubrique, trépas.

NÉCROMANCIE. Acclamation, appel, commémoration, devin, écho, évocation, magicien, magie, mémento, mémoire, mention, mobilisation, mort, psychagogie, rappel, reflet, souvenance, souvenir, spiritisme.

NÉCROPHORE. Borniol, cormoran, croquemort, embaumeur, ensevelisseur, fossoyeur, insecte.

NÉCROPOLE (n. p.). Carthage, Cerveteri, Chiusi, Escorial, Gwalior, Kwangju, Mitla, Nazca, Saqqarah, Sidon, Struthof, Tanagra, Volterra.

NÉCROPOLE. Catacombes, cimetière, columbarium, mausolée, morgue, ossuaire, sérapéum, tombeau.

NÉCROPSIE. Analyse, anatomie, autopsie, cadavre, columbarium, décomposition, déconstruction, démontage, dissection, division, docimasie, examen.

NÉCROSE. Altération, caséeux, escarre, eschare, gangrène, infarci, infarctus, mort, mortification, nécrotique.

NÉCROSER. Abîmer, altérer, avarier, bruiner, carier, caséifier, corrompre, détériorer, endommager, gâter, gangrener, infecter, mortifier.

NECTAR. Acétone, boisson, breuvage, eau, essence, exsudat, fondue, humeur, jus, lait, liquide, mélasse, mellifère, rasade, ruisseau, sérosité, sérum, sève, sirop, sperme, suc, tisane, venin, vesou.

NECTARINE. Abeille, brugnon, fruit, guêpe, pêche.

NÉERLANDAIS. Afrikaan, batave, flamand, germanique, hollandais, langue.

NEF. Ambon, bas-côté, bateau, bâtiment, chevet, déambulatoire, église, jubé, narthex, navire, transept, vaisseau.

NÉFASTE. Abcès, dangereux, défavorable, défendu, déplorable, désastreux, dommageable, fâcheux, fatal, funeste, maléfique, malheureux, malsain, mauvais, mortel, nuisible, parasite, peste, tragique, vermine.

NÉFLIER. Arbre, arbrisseau, arbuste, aubépine, blet, eriobotrya, fruit, nèfle, rosacée.

NÉGATEUR. Analyste, bougon, bougonneur, critiqueur, détracteur, éreinteur, grincheux, juge, récriminateur, réquisiteur.

NÉGATIF. Anion, guère, image, inverse, machiavélisme, moins, ne, nèfle, ni, non, opposé, pas, refus.

NÉGATION. Faux, guère, in, na, ne, nenni, ni, nihilisme, non, pantoute, pas, point, rebuffade, refus.

NÉGATIVEMENT. Aucunement, goutte, macache, mie, nenni, nullement, pantoute, pas, pas du tout, point, rien.

NÉGATIVISME. Alarmisme, capitulateur, catastrophisme, défaitisme, inquiétude, pessimisme, scepticisme.

NÉGATON. Anion, atome, boson, corpuscule, dépisome, électron, Ev, gluon, ion, ka, kaon, lepton, méson, micelle, micron, microsonde, morceau, mu, muon, neutrino, neutron, nucléon, oc, oui, particule, positon, positron, poudre, van, vice, volt, von, wehnelt.

NÉGLIGÉ. Abandonné, débraillé, délaissé, déshabillé, lâché, malpropre, omis, perdant, relâché, relâchement, sale, tu.

NÉGLIGEABLE. Accessoire, à la noix, dérisoire, insignifiant, gnognote, gnognotte, presque, vétille.

NÉGLIGEMMENT. Dégoûtamment, impurement, malproprement, répugnamment, salement, sordidement.

NÉGLIGENCE. Abandon, ellipse, erreur, incurie, insouciance, lâcheté, laisser-aller, malfaçon, omission, oubli, six-quatre-deux.

NÉGLIGENT. Appliqué, désordonné, fainéant, flâneur, indolent, lâche, nonchalant, paresseux, soigneux.

NÉGLIGER. Abandonner, abstenir, bâcler, dédaigner, délaisser, désintéresser, droper, dropper, laisser, louper, manquer, méconnaître, négligeable, omettre, oublier, saboter, sacrifier, sauter.

NÉGOCE. Activité, affaires, agio, agiotage, billonnage, business, commerce, encan, fricotage, gain, magouillage, malversation, manigance, maquignonnage, négociant, simonie, trafic, traite, tripotage.

NÉGOCIABLE. Aliénable, cessible, commercialisable, concessible, exportable, possible, transférable, transigible.

NÉGOCIANT. Acheteur, bilan, chargeur, commerçant, consignataire, demi-grossiste, détaillant, exportateur, galas, grossiste, importateur, marchand, nt, numismate, place, tenue, trafiquant.

NÉGOCIATEUR. Agent, arbitre, commissaire, conciliateur, démarcheur, diplomate, médiateur, numismate.

NÉGOCIATION. Arrangement, conciliation, conversation, démarche, diplomatie, discussion, échange, marathon, marchandage, neutre, pourparlers, préalable, préliminaire, renégociation, tractation, transaction.

NÉGOCIER. Aboucher, accorder, arranger, concerter, convenir, débattre, dialoguer, discuter, escompter, magasiner, mobiliser, monnayer, parlementer, proposer, régler, renégocier, traiter, transmettre, transiger, vendre, virage.

NÉGONDO. Acéracée, érable, érable à Giguère, négundo.

NÈGRE. Africain, bronzé, case, couleur, créole, crépu, mélanoderme, négrier, négritude, négro, noir, réécriveur.

NÉGUS. Absolu, autorité, bey, chah, chef, despote, duc, empereur, indépendant, ior, khan, maître, monarque, monnaie, pape, pharaon, potentat, pouvoir, prince, régent, reine, roi, shah, souverain, sultan, suprême, suzerain, tétrarque, tsar, tyran.

NEIGE. Avalanche, banc, blanc, blizzard, came, charrue, chenu, coco, coke, congère, gadoue, gadouille, glacier, grêle, héroïne, névé, nival, nivéal, obier, perce-neige, pneu, poudrerie, poudreuse, ski, skieur, soupe, tiaffe, tôlée, tombée, viorne.

NEIGER. Dévaler, floconner, neigeasser, neigeoter, précipiter, reneiger, tomber.

NEIGEUX. Blanc, blanchâtre, couvert, crayeux, enneigé, froid, immaculé, laiteux, marmoréen, opale, opalin.

NEM. Baba, baklava, beigne, biscuit, bretzel, brioche, calisson, chou, coulis, crêpe, croissant, éclair, flan, forêt-noire, friand, gâteau, gaufre, gougère, macaron, meringue, mignardise, nanan, palmier, paris-brest, pâtisserie, pâté, pâté impérial, pet, plaisir, religieuse, rissole, strudel, tarte, tartelette, tourte, viennoiserie.

NÉMATHELMONTHE. Annélide, apode, arénicole, ascaride, ascaris, asticot, bilharzie, cestode, chenilles, ciron, cirre, distome, douve, filaire, flat, helminthe, iule, larve, lombric, magnan, nématode, némerte, néréide, néréis, nu, oxyure, palot, planaire, polychète, sabelle, sangsue, serpule, solitaire, spirorbe, strongle, strongyle, tænia, taret, ténébrion, ténia, térébelle, trématode, trichine, ver, vermicide, vermicule, vermidien, vermifuge.

NÉMATOCÈRE. Brachycère, diptère, insecte, mouche, moustique, myiase, phlébotome, puce, simulie, taon.

NÉMATODE. Anguillule, ascaride, ascaris, filaire, miracidium, oxyure, strongle, strongyle, trichine, trichocéphale, tylenchus, ver.

NÉMERTE. Annélide, apode, arénicole, ascaride, ascaris, asticot, bilharzie, cestode, chenilles, ciron, cirre, distome, douve, filaire, flat, helminthe, iule, larve, lombric, magnan, némathelminthe, nématode, néréide, néréis, nu, oxyure, palot, planaire, polychète, sabelle, sangsue, serpule, solitaire, spirorbe, strongle, strongyle, tænia, taret, ténébrion, ténia, térébelle, trématode, trichine, ver, vermicide, vermicule, vermidien, vermifuge.

NEMROD. Chasseur.

NÉNETTE. Femme, fille, fillette, maîtresse, nana, pépé, poupée, tête.

NENNI. Aucunement, goutte, macache, mie, négativement, non, nullement, pantoute, pas, point, rien.

NÉNUPHAR. Barclaya, jaunet, lis d'eau, lotos, lotus, nymphæa, nymphéa, nymphéacée, plante, ranale.

NÉO. Actuel, ancien, annonce, antique, bleu, différent, frais, inaccoutumé, inédit, inhabituel, inouï, insolite, itération, jeune, mode, moderne, né, neuf, nouveau, nouvelle, novice, original, part, récent, vert.

NÉODYME. Didyme, Nd.

NÉOGÈNE. Cénozoïque, éocène, miocène, nummulitique, oligocène, paléogène, paléogène, pliocène.

NÉOLOGIE. Abréviation, début, engagement, entrée, entrisme, épinglage, exorde, inclusion, injection, introduction, intromission, intrusion, mitre, porte, préambule, préface, prélude, prologue, texte.

NÉON. Éclairage, fluorescent, gaz, lampe, Ne, poisson, tube.

NÉOPHYTE. Catéchumène, converti, débutant, inexpérimenté, neuf, nouveau, novice, païen, prosélyte.

NÉOPLASME. Cancer, cancérigène, cancérogenèse, cancérophobie, carcinogenèse, carcinome, cancroïde, épithélioma, épithéliome, fongus, leucémie, malin, métastase, sarcome, squirrhe, taxol, tumeur.

NÉOTTIE. Fleur, nid-d'oiseau, orchidée, plante, saprophyte.

NÉPAL, CAPITALE (n. p.). Katmandou.

NÉPAL, LANGUE. Bhojpuri, hindi, maithili, népali, newari, tamang.

NÉPAL, MONNAIE. Roupie.

NÉPAL, VILLE (n. p.). Bajura, Butwal, Chainpur, Dharan, Duna, Ghasa, Ilam, Jiri, Jomoson, Jumla, Katmandou, Lukla, Malka, Marpha, Patan, Phidim, Sihja, Simara, Tansen, Those.

NÉPÈTE. Cataire, chataire, herbe-aux-chats, infusion, labiacée, labiée, nepeta, plante, valériane.

NÉPHRITE. Actinote, ambigu, amphibole, calcique, hornblende, inflammation, jade, syénite, trémolite.

NÉPOTISME. Acception, chouchoutage, clientélisme, combine, copinage, dorlotement, entente, entraide, faveur, favoritisme, flatterie, partialité, partisannerie, passe-droit, patronage, piston, pistonnage, préférence.

NEPTUNIUM. Np.

NÉRÉIDES (n. p.). Amphitrite, Annélide, Cymodocé, Dynaméné, Galatée, Glaucé, Nérée, Thalia, Thétis.

NERF. Adrénergique, auditif, axillaire, concision, connectif, cubital, dynamisme, extoderme, efférent, énergie, énervation, force, gustatif, hypoglosse, inervation, innerver, lombaire, médian, muscle, neurale, neurone, névrite, oculogyre, optique, perforant, pneumogastrique, rachidien, ressort, sacré, sciatique, spinal, tendon, trijumeau, tronc, vague, vigueur.

NÉROLI. Bergamotier, bigaradier, choisya, citrus, fleur, huile, maclura, naffe, oranger, parfum.

NÉRON (n. p.). Agrippine la Jeune, Britannicus, Burrus, Calpurnius, Galpa, Julio-Claudiens, Locuste, Narcisse, Octavie, Pallas, Pierre, Poppée, Sénèque, Vespasien, Vindex.

NERPRUN. Alaterne, arbuste, bourdaine, épine du cerf, épineux, plante, prunier, purgatif, rhamnacée.

NERVEUSEMENT. Anxieusement, bouleversement, convulsivement, fébrilement, fiévreusement, frénétiquement, hystériquement, impatiemment, spasmodiquement, sursautement, vivement.

NERVEUX. Agité, contracté, convulsif, émotif, énervé, excité, fébrile, filet, folache, hypernerveux, neural, tendu.

NERVI. Assassin, bandit, individu, meurtrier, porteur, sbire, spadassin, tueur, tueur à gages, vaurien.

NERVOSITÉ. Agacement, agitation, énervement, éréthisme, exaspération, excitation, fébrilité, hystérie, impatience, inquiétude, irritabilité, irritation, névrose, surexcitation, tension.

NERVURE. Arête, carde, feuille, filet, lierne, lierre, ligne, moulure, mucron, nerf, nervation, ogive, palmifide, passe-poil, pli, relief, renforcement, réticule, saillie, tiercéron, trinervé, veine, veinure, voûtain.

NERVURER. Adonner, agrémenter, ajouter, assaisonner, barder, border, broder, chamarrer, colorer, dorer, embellir, enjoliver, enluminer, illustrer, imager, moulurer, nieller, nimber, orner, ouvrer, parer, tapisser, tarabiscoter, veiner.

NESTORIEN. Disciple, doctrine, hérésiarque, hérétique, hétérodoxe, manichéen, nestorianisme.

NET. Blanc, brut, catégorique, clair, clean, distinct, exempt, explicite, expressément, filet, formel, frais, franc, immaculé, impeccable, intact, internet, let, lumineux, marqué, précis, probe, prononcé, propre, pur, réel, sale, sec, tranché, vide, vif, visible.

NETTEMENT. Abruptement, articulé, brusquement, brutalement, caractérisé, carrément, catégoriquement, clairement, crûment, directement, droit, fermement, franc, franchement, hardiment, hautement, librement, net, raide, raidement, recta, résolument, rondement, vertement.

NETTETÉ. Clarté, exactitude, justesse, limpidité, précision, propreté, pureté, rigueur, transparence.

NETTOIEMENT. Abstention, assainissement, astiquage, balayage, bichonnage, brossage, déflation, digitalisation, époussetage, épuration, exploration, nettoyage, scannage, scanner, scanneur, scanning, scanographie.

NETTOYABLE. Blanchissable, lavable, lessivable, récurable.

NETTOYAGE. À-fond, blanchissage, curetage, décrassage, épluchage, lavage, lessivage, purge, rasage, ravalement, savonnage, tararage.

NETTOYANT. Acétone, anesthésique, antiseptique, bleu, dégraissant, détachant, diluant, dissolvant, esprit de bois, isoprène, liquide, méthyle, méthylène, polaire, radical, soluté, solvant, thiazine, thionine.

NETTOYÉ. Aisé, antisalissure, appauvri, chétif, clochard, cossu, décavé, dédoré, démuni, désargenté, failli, fauché, fortuné, gueux, hère, indigent, ladre, lessivé, liquidé, minable, miséreux, paumé, pauvre, riche, ruiné.

NETTOYER. Abraser, approprier, assassiner, astiquer, balayer, briquer, brosser, caréner, curer, cureter, débarbouiller, décaper, décrasser, décrotter, désincruster, déterger, écumer, écurer, émonder, énouer, épousseter, faire, fourbir, frotter, laver, lessiver, monder, ôter, panosser, peaufiner, polir, poutser, poutzer, purger, racler, ramoner, ravaler, râteler, ratisser, récurer, regratter, relaver, rincer, sabler, séparer.

NETTOYEUR. Balayeur, blanchisseur, décrotteur, détacheur, émondeur, laveur, lessive, ramoneur.

NEUF. Créé, débutant, ennéade, ennéagone, étrenne, flambant, frais, inconnu, inédit, inexploré, IX, moderne, néophyte, neuvain, neuvième, nonidi, nouveau, novice, original, pur, récent, régénéré, trouvé, vierge.

NEUNEU. Ballot, balourd, béat, bébête, benêt, bêta, bête, calino, cave, cornichon, cucul, dadais, fada, gille, godiche, habens, imbécile, inepte, inerte, innocent, jobard, minus, naïf, niais, nigaud, nunuche, oie, pochetée, serin, simplet, sot, zozo.

NEURASTHÉNIE. Abattement, angoisse, asthénie, cafard, céphalée, courbature, dépression, déprime, fatigue, indécision, insomnie, mélancolie, névrose, pessimisme, psychasthénie, spleen, tristesse.

NEURASTHÉNIQUE. Angoissé, cafardeux, dépressif, déprimé, hypocondriaque, mélancolie.

NEUROBIOLOGISTE AUSTRALIEN (n. p.). Eccles.

NEUROBIOLOGISTE BRITANNIQUE (n. p.). Katz.

NEUROBIOLOGISTE FRANÇAIS (n. p.). Changeux.

NEUROCHIRURGIEN AMÉRICAIN (n. p.). Cushing.

NEURODÉPRESSEUR. Antipsychotique, anxiolytique, benzodiazépine, butyrophénone, chlorpromazine, diazépam, halopéridol, médicament, neuroleptique, phénothiazine, psycholeptique, psychose, psychotrope, tranquillisant.

NEUROLEPTIQUE. Antipsychotique, anxiolytique, benzodiazépine, butyrophénone, chlorpromazine, diazépam, halopéridol, médicament, neurodépresseur, phénothiazine, psycholeptique, psychose, psychotrope, tranquillisant.

NEUROLOGIE. Agnosie, alexie, ataxie, chorée, dyslexie, neurologue, neurologiste, névrologie.

NEUROLOGISTE CANADIEN n. p.). Penfield.

NEUROLOGUE ALLEMAND (n. p.). Kretschmer, Wernicke.

NEUROLOGUE ANGLAIS (n. p.). Hodgkin, Huxley, Jackson.

NEUROLOGUE AMÉRICAIN (n. p.). Golstein, Prusiner.

NEUROLOGUE AUTRICHIEN (n. p.). Wagner-Jauregg.

NEUROLOGUE BRITANNIQUE (n. p.). Jackson.

NEUROLOGUE FRANÇAIS (n. p.). Babinski, Brown-Séquard, Charcot, Janet, Magendie, Marie.

NEUROLOGUE SOVIÉTIQUE (n. p.). Louria, Luria.

NEURONE. Axone, contact, dendrite, glial, glie, inhibition, microglie, nerf, névroglie, synapse.

NEUROPHYSIOLOGISTE AMÉRICAIN (n. p.). Erlanger, Sperry.

NEUROPHYSIOLOGUE BRITANNIQUE (n. p.). Head.

NEUROPSYCHIATRE FRANÇAIS (n. p.). Dolto.

NEUROPSYCHIATRE SUISSE (n. p.). Rorschach.

NEUROTRANSMETTEUR. Adrénaline, amine, catécholamine, dopamine, encéphaline, enképhaline, GABA, hormone, médiateur, neuromédiateur, nerveux, noradrénaline, sérotonine.

NEUTRALISATION. Arrêt, asphyxie, blocage, coinçage, décontamination, désactivation, engourdissement, enraiement, enrayage, entrave, freinage, grippage, immobilisation, immobilisme, impuissance, inhibition, obstruction, paralysie, ralentissement, sclérose, stagnation.

NEUTRALISER. Absorber, annuler, arrêter, atténuer, bloquer, compenser, contrebalancer, contrebuter, contrecarrer, déloger, désactiver, dompter, enfumer, enrayer, étouffer, frapper, juguler, maîtriser, paralyser, phagocyter.

NEUTRALISME. Abstention, arbitrage, droiture, égalité, équitabilité, équité, flegme, impartialité, indifférence, insensibilité, intégrité, justice, légalité, modération, neutralité, objectivité, probité, raison.

NEUTRALISTE. Accommodant, colombe, doux, imbelle, iréniste, non-violent, objecteur de conscience, pacifiste, tolérant.

NEUTRALITÉ. Abandon, abstention, chasteté, continence, diète, frugalité, impartialité, indifférence, jeûne, ligué, modération, objectivité, passivité, privation, pureté, récusation, refus, régime, renonciation, renoncement, restriction, sobriété, virginité.

NEUTRE. Aseptisé, couleur, fade, impartial, impersonnel, indifférent, morne, neutralité, noyau, objectif, terne.

NEUTRON. Antineutron, atome, bombe, deutéron, étoile, hadron, masse, noyau, particule, proton.

NEUVAINE. Alignement, ave, cascade, chaîne, chapelet, clane, colonne, combinaison, consécution, dizaine, égrainer, égrener, glane, grain, kyrielle, mala, pater, prières, psautier, rosaire, série, succession, suite.

NEUVIÈME. Climatérique, iota, neuf, none, nonidi, prairial, ramadan, sagittaire, septembre.

NEVEU. Arrière-neveu, filleul, népotisme, nièce, petit-neveu, postérité.

NEVEU D'ABRAHAM (n. p.). Lot, Loth.

NEVEU DE CALIGULA (n. p.). Néron.

NEVEU DE DAVID (n. p.). Joab.

NEVEU DE TURENNE (n. p.). Duras.

NÉVRALGIE. Brachialgie, critique, douleur, GABA, migraine, nerf, neurotomie, sciatique, sensible.

NÉVRALGIQUE. Amidopyrine, analgésique, antalgique, antidouleur, antinévralgique, antipyrine, aspirine, calmant, carbamazépine, dextromoramide, douleur, encéphaline, morphine, opodeldoch, paracétamol, parégorique, thridace.

NÉVRITE. Alcoolisme, gangrène, inflammation, lésion, multinévrite, nerf, polynévrite, radiculite.

NÉVROGLIE. Axone, cellule, dendrite, glial, glie, inhibition, microglie, neurone, sinapse, tissu.

NÉVROPTÈRE. Aile, chrysope, fourmillon, mantispe, mégaloptère, planipenne, raphidioptère.

NÉVROSÉ. Aliéné, anormal, cinglé, dément, désaxé, déséquilibré, détraqué, forcené, fou, furieux, inflation, instable, interné, loufoque, mondide, morbide, névropathe, piqué, psychopathe, timbré, toqué.

NÉVROSE. Folie, hystérie, neurasthénie, névropathie, obsession, psychasthénie, psychogenèse.

NEZ (n. p.). Cléopâtre, Cyrano, Polichinelle, Pinocchio.

NEZ. Aile, antilope, appendice, avant, blair, blase, blaze, camard, camus, clairvoyance, devant, épaté, épistaxis, évent, fanal, flair, goûter, intuition, narine, nase, naseau, nasillard, naze, odorat, perspicacité, pif, pifomètre, piton, renifler, sagacité, tarin, truffe.

NI. Égal, équilibre, impartial, indifférent, négatif, négation, neutre, sans que, tarin, tiède.

NIABLE. Attaquable, bénin, bon, chétif, controversable, débile, discutable, énervé, épuisé, étiolé, faible, fatigué, fluet, grêle, léger, menu, mou, pâle, petit, précaire, réfutable, usé, veule, vil, vulnérable.

NIAIS. Ballot, balourd, béat, bébête, benêt, bêta, bête, calino, cave, cornichon, cruche, cucul, dadais, enfariné, fada, gille, godiche, gourde, gribouille, habens, imbécile, inepte, inerte, innocent, jacques, jobard, minus, naïf, neuneu, nigaud, nunuche, oie, pochetée, serin, simplet, sot, zozo.

NIAISEMENT. Absurdement, bestialement, bêtement, brutalement, idiotement, naïvement, sottement, stupidement.

NIAISER. Anticiper, attendre, bayer, compter, croquer le marmot, durer, épier, escompter, espérer, éterniser, guetter, illico, languir, macérer, mariner, maronner, menacer, moisir, patienter, poireauter, poireauter, poser, pourrir, traîner.

NIAISERIE. Ânerie, attrape, baliverne, bêtise, cucul, fadaise, foutaise, ineptie, ingénuité, naïveté, rien, sottise, stupidité.

NIAISEUX. Absurde, andouille, âne, béjaune, benêt, bêta, bête, borné, buse, con, crétin, dadais, dinde, étourdi, fada, fat, grue, idiot, ignorance, imbécile, inepte, infatué, naïf, nase, navet, neuneu, niais, nigaud, nono, nunuche, oie, poire, ridicule, simple, sot, stupide.

NIAULE. Allylique, amylique, armagnac, bitter, brandevin, brandy, cognac, digestif, drink, éthanol, fine, flegme, genièvre, gin, gnole, goutte, kirsch, liqueur, marc, menthe, menthol, mirabelle, niole, ouzo, raki, rhodinol, rhum, rye, saké, schnaps, scotch, spiritueux, stérol, tafia, tequila, vodka, whisky.

NIAOULI. Commerce, essencerie, huile, infusion, myrtacée, parfumerie, pharmacie, thymiatechnie.

NIB. Absence, aucun, bu, cancre, clopinettes, dénué, épuisé, fainéant, frelampier, goutte, intérêt, iota, mais, mie, néant, niaiserie, non-être, nu, nul, pas, peu, point, rien, sans, sec, seulement, tari, valeur, vide, zéro.

NICARAGUA, CAPITALE (n. p.). Managua.

NICARAGUA, LANGUE. Anglais, créole, espagnol, garifuna, miskito, rama, suma.

NICARAGUA, MONNAIE. Cordaoba Oro.

NICARAGUA, VILLE (n. p.). Asturias, Boaco, Granada, Jalapa, Leon, Managua, Manama, Masaya, Ocotal, Potosi, Rama, Rivas, Rosita, Sebaco, Siuna, Somoto, Telica, Tuma.

NICHE. Attrape, cabane, cavité, chien, enfeu, facétie, farce, maison, mihrab, muqarnas, renforcement, saint.

NICHÉE. Abri, aire, bauge, béjaune, cocon, couvée, couvoir, demeure, dénicher, foyer, gîte, guêpier, habitation, logement, maison, mue, niais, nichoir, nid, nida, nidifier, nité, nitée, repaire, retraite, termitière, toit.

NICHER. Abriter, airer, blottir, cacher, habiter, installer, loger, nid, nidifier, percher, placer, tapir.

NICHOIR. Abri, aire, bauge, béjaune, cocon, couvée, couvoir, demeure, dénicher, foyer, fourmilière, gîte, guêpier, habitation, logement, maison, néottie, niais, nichée, nid, nidifier, nité, repaire, retraite, termitière, toit.

NICHON. Boule, doudoune, enjoliveur, flotteur, jos, lolo, néné, nibard, robert, rotoplot, sein, téton.

NICKEL. Argentan, iconel, invar, monel, Ni, nichrome, permalloy, platinite, propre, rangé, speiss.

NICOTINE. Alcaloïde, bupropion, chique, cigare, cigarette, excitant, fumer, gris, havane, manoque, passage, perlot, peton, pétun, priseur, râpé, rôle, scaferlati, seita, solanacée, tabac, tabagie, virginie.

NICOTISME. Accro, botulisme, drogue, empoisonnement, endoctrination, ergotisme, intoxication, poison, propagande, tabagisme, urémie.

NICTATION. Clignement, clignotement, cillement, oiseau, papillotage, papillotement, paupière.

NID. Abri, aire, bauge, béjaune, cocon, couvée, couvoir, demeure, dénicher, foyer, fourmilière, gîte, guêpier, habitation, logement, maison, néottie, niais, nichée, nichoir, nida, nidicole, nidifier, nidifuge, nité, repaire, retraite, souille, termitière, toit.

NID-DE-PIE. Blockhaus, cache, charge, émetteur, emplacement, emploi, essencerie, fonction, grade, mirador, observatoire, place, poste, radio, sémaphore, situation, télévision, tour, tourelle, vigie.

NID-D'OISEAU. Fleur, néottie, orchidée, plante, saprophyte.

NIDIFIER. Abri, aire, bauge, béjaune, cocon, couvée, couvoir, demeure, dénicher, foyer, gîte, guêpier, habitation, logement, maison, mue, niais, nichée, nichoir, nid, nida, nité, nitée, repaire, retraite, termitière, toit.

NIÈCE. Arrière-nièce, filleule, neveu, petite-nièce.

NIELLE. Blé, brouillard, émail, gerzeau, gravure, incrustation, lychnis, niellure, nigelle, plante, pluie.

NIELLER. Adonner, agrémenter, ajouter, assaisonner, barder, border, broder, chamarrer, colorer, dorer, embellir, enjoliver, enluminer, illustrer, imager, moulurer, nervurer, nimber, orner, ouvrer, parer, tapisser, tarabiscoter, veiner.

NIELSBOHRIUM. Ns.

NIER. Abjurer, cacher, contester, contredire, défendre, démentir, dénier, désavouer, disconvenir, dissimuler, disconvenir, mentir, négateur, occulter, récuser, réfuter, rejeter, renier, rester, rétracter.

NIÈVRE (n. p.). Clamecy, Corbigny, Donzy, Dornes, Fourchambault, Imphy, Lormes, Luzy, Nevers, Tannay, Varzy.

NIGAUD. Badaud, ballot, balourd, bébête, benêt, bêta, bête, bobet, borné, calino, cave, cornichon, dadais, fada, gauche, godiche, habens, inepte, jobard, maladroit, minus, naïf, neuneu, niais, nicodème, nouille, serin, simple, sot.

NIGAUDERIE. Absurdité, ânerie, baliverne, balourdise, bêtise, bévue, billevesée, boulette, brioche, connerie, crétinerie, fadaise, faute, ganacherie, ignorance, ineptie, injure, insanité, niaiserie, sornette, sottise, stupidité.

NIGELLE. Cheveux de Vénus, condiment, lampette, nielle, poivrette, quatre-épices, renonculacée, toute-épice.

NIGER, CAPITALE (n. p.). Niamey.

NIGER, LANGUE. Haoussa, français, kanuri, peul, tamachaq, touareg, zarma.

NIGER, MONNAIE. Franc.

NIGER, VILLE (n. p.). Aney, Bangui, Bilma, Bosso, Dakoro, Diffa, Loga, Niamey, Say, Tahoua, Tera, Tunia, Zinder.

NIGERIA, CAPITALE (n. p.). Abuja.

NIGERIA, LANGUE. Anglais, haoussa, ibo, yoruba.

NIGERIA, MONNAIE. Naira.

NIGERIA, VILLE (n. p.). Aba, Abeokuta, Abuja, Agueusie, Auna, Baga, Bama, Benin, Biu, Ede, Enugu, Ibadan, Ife, Ikere, Ila, Ilesha, Ilorin, Iwo, Kaduna, Kano, Kari, Lagos, Minna, Mubi, Onitsha, Os, Yola, Zaria.

NIHILISME. Anarchisme, aporétique, athéisme, cricisme, défiance, doute, dubitatif, euroscepticisme, incertitude, incrédulité, indifférence, méfiance, non croyant, pyrrhonisme, refus, scepticisme, soupçon.

NIHILISTE. Activiste, agitateur, anarchiste, contestataire, cordelier, desperado, émeutier, extrémiste, factieux, futuriste, gauchiste, insurgé, insurrectionnel, militant, novateur, putschiste, rebelle, revendicateur, révolté, révolutionnaire, séditieux, subversif, terroriste, trublion.

NILGAUT. Addax, aepycérotiné, alcéphalus, algazelle, antilope, biche, bubale, capricorne, catoblépas, cob, damalisque, dorcade, éland, gazelle, gnou, guib, impala, kif, kob, okapi, oryx, ourébi, saïga, springbok.

NILLE. Articulation, bigue, cabestan, caliorne, chèvre, cric, doigt, giron, manchon, manivelle, palan, pantoire, pouliot, tambour, tirefort, tourillon, treuil, vindas, winch.

NIMBE. Aura, auréole, cercle, cerne, couronne, diadème, gloire, halo, mandorie, nuage.

NIMBER. Auréoler, baigner, ceindre, coiffer, couronner, encercler, entourer, envelopper, orner.

NIMBUS (n. p.). Daix.

NIMBUS. Cumulonimbus, nimbostratus, nuage, professeur.

NIO (n. p.). Homère, los.

NIOBIUM. Nb.

NIPPER. Accoutrer, fagoter, fringer, frusquess, habiller, nippes, revêtir, saper, vêtement, vêtir.

NIPPES. Chiffons, défroques, fringues, frusquess, guenilless, haillons, hardes, harpail, oripeaux, vêtements.

NIPPON. Asiate, asiatique, bouddha, geisha, japonais, jaune, karaté, kimono, koto, samouraï, sushi, to, xanthoderme, yen.

NIQUE. Astuce, attrape, badinage, bagatelle, bêtise, blague, bouffonnerie, boutade, canular, dérision, espièglerie, facétie, farce, fin, frime, gag, galéjade, jeu, lazzi, moquerie, mystification, pitrerie, plaisanterie, quolibet, raillerie, rire, rocambole, satire, sel, singerie, tour, turlupinade.

NIRVANA. Béatitude, bouddhisme, douleur, jaïnisme, félicité, hinayana, karma, paradis, sérénité.

NITESCENCE. Éclat, émanation, émission, fluorescence, halo, infrarouge, radiation, rayonnement, reflet.

NITRATE. Ammonal, ammonitre, azotate, azote, caliche, iode, natron, natronite, natrum, nitre, nitrite, salpêtre.

NITRE. Ammonal, ammonitre, azotate, azote, caliche, iode, natronite, nitrate, nitrite, salpêtre.

NITREUX. Azoteux.

NITRIQUE. Acide, azotique, eau-forte, nitrocellulose, nitroglycérine, pentrite, xyloïde.

NITROGÈNE. Azote, N.

NITROGLYCÉRINE. Cordite, diatomite, dynamite, ester, glycérine, trinitrine, tripoli.

NIVEAU. Araser, bac, barre, cote, degré, échelle, échelon, égal, étage, étiage, flottaison, force, hauteur, luxe, marée, mezzanine, mire, nappe, palier, plan, pompe, ras, ressaut, social, sorte, standing, strate, taux, type, vie, volée.

NIVELÉ. Abaissé, abattu, aplani, aplati, arasé, égal, égalisé, plat, rabaissé, rabattu, uni, uniforme.

NIVELER. Abaisser, abattre, aplanir, araser, déniveler, écrêter, égaliser, polir, rabaisser, rabattre, ragréer, tempérer, unir.

NIVELEUR. Démarieuse, écroûteuse, égalisateur, émotteuse, grader, motorgrader, niveleuse.

NIVELLEMENT. Analogiquement, aussi, balancement, comme, comparable, conformément, continuation, également, équivalent, identiquement, item, même, pareillement, plus, semblablement, similairement.

NIVÉOLE. Amaryllidacée, clochette d'hiver, galanthe, goutte de lait, perce-neige, plante.

NIXE. Capacité, démon, diable, djinn, don, elfe, éfrit, esprit, farfadet, fée, follet, génie, gnome, harpie, imagination, incube, lutin, lyre, nain, ondin, penchant, monstre, muse, nature, ondin, sirène, succube, sylphe, troll.

NOBEL, PRIX DE CHIMIE (n. p.). Alder, Anfinsen, Arrhenius, Aston, Barton, Berg, Bosch, Boyer, Brown, Buchner, Butenandt, Calvin, Chu, Ciechanover, Cornforth, Crowfoot, Curie, Curl, Debye, Diels, Eigen, Fischer, Flory, Giauque, Gilbert, Grignard, Haber, Hahn, Harden, Haworth, Hershko, Herzberg, Hevesy, Heyrovsky, Hinshelwood, Hoffman, Fischer, Joliot-Curie, Karrer, Kendrew, Kroto, Kuhn, Langmuir, Leloir, Libby, Lipscomb, Martin, McMillan, Mitchell, Moissan, Moore, Mulliken, Natta, Nernst, Norrish, Northrop, Onsager, Ostwald, Pauling, Porter, Pregl, Prelog, Prigogine, Ramsay, Richards, Robinson, Rose, Ruzicka, Sabatier, Sanger, Seaborg, Skou, Smalley, Soddy, Stanley, Staudinger, Stein, Summer, Svedberg, Synge, Tiselius, Todd, Urey, Van't Hoff, Vigneaud, Virtanen, Von Baeyer, Von Euler-Chelpin, Walker, Wallach, Werner, Wieland, Wilkinson, Willstätter, Windaus, Wittig, Woodward, Ziegler, Zsigmondy.

NOBEL, PRIX DE LITTÉRATURE (n. p.). Agnon, Aleixandre, Anderson, Andric, Asturias, Beckett, Below, Benavente, Bergson, Bjornson, Böll, Bounine, Broglie, Buck, Camus, Carducci, Chadwick, Cholokhov, Churchill, Compton, Davisson, Deledda, Dirac, Echegaray, Eliot, Elytis, Eucken, Faulkner, France, Franck, Galsworthy, Gide, Gjellerup, Hamsun, Hauptmann, Heisenberg, Hemingway, Hertz, Hess, Hesse, Jelinek, Jensen, Jiménez, Johnson, Karlfeldt, Kawabata, Kipling, Lagerkvist, Lagerlôf, Laxness, Lewis, Maeterlinck, Mann, Martin du Gard, Martinson, Mauriac, Mistral, Mommsen, Montale, Neruda, O'Neill, Pasternak, Perrin, Pirandello, Pontoppidan, Quasimodo, Raman, Reymont, Richardson, Rolland, Russel, Sachs, Saint-John-Perse, Sartre, Seferis, Shaw, Sienkiewick, Sillanpaa, Singer, Soljenitsyne, Spitteler, Steinbeck, Sully-Prudhomme, Szymborska, Tagore, Thomson, Undset, Von Heidenstam, Von Heysse, White, Wilson, Yeats.

NOBEL, PRIX DE PAIX (n. p.). Addams, Angell, Arnoldson, Asser, Bajer, Balch, Beernaert, Borlaug, Bourgeois, Boyd-Orr, Brandt, Branting, Briand, Buisson, Bunche, Cassin, Cecil, Chamberlain, Cremer, Croix-Rouge, Dawes, Ducommun, Dunant, Estournelles, Fried, Gobat, Hammarskjôld, Henderson, Hull, Jouhaux, Kellogg, King, Kissinger, Lafontaine, Lange, Luthuli, Maathai, Marshall, Moneta, Mott, Nansen, Noel-Baker, Ossietzky, Passy, Pauling, Pearson, Pire, Quidde, Ramoz-Horta, Renault, Roosevelt, Root, Saavedra, Sadate, Sakharov, Satô, Schweitzer, Sôderblom, Stresemann, Sûttner, Teresa, Tutu, Wilson.

NOBEL, PRIX DE PHYSIOLOGIE-MÉDECINE (n. p.). Adrian, Arber, Axel, Axelrod, Baltimore, Banting, Bavany, Beadle, Bekesy, Bloch, Blumberg, Bordet, Bovet, Burnet, Buck, Carrel, Chain, Claude, Cori, Cormack, Cournand, Crick, Dale, Dam, Delbruck, Doherty, Doisy, Domagk, Dulbecco, Duve, Eccles, Edelman, Ehrlich, Eijkman, Einthoven, Enders, Erlanger, Euler, Fibiger, Finsen, Fleming, Florey, Forssmann, Frisch, Gajdusek, Gasser, Golgi, Granit, Guillemin, Gullstrand, Hartline, Hench, Hershey, Hesse, Heymans, Hill, Hodgkin, Holly, Hopkins, Hounsfield, Houssay, Huggins, Huxley, Jacob, Katz, Khorana, Koch, Kocher, Kornberg, Kossel, Krebs, Krogh, Landsteiner, Laveran, Lipmann, Loewi, Lorenz, Luria, Lynen, Lwoff, Medawar, Meyerhof, Minot, Monod, Morgan, Muller, Murphy, Nathan, Nicolle, Nirenberg, Ochoa, Palade, Pavlov, Porter, Ramón Y Cajal, Reichstein, Richards, Richet, Ross, Rous, Schally, Sherrington, Smith, Spemann, Sutherland, Szent-Gyôrgyl, Tatum, Temin, Theiler, Theorell, Tinbergen, Von Behring, Wagner-Jauregg, Waksman, Wald, Warburg, Watson, Weller, Whipple, Wilkins, Yalow, Zinkernagel.

NOBEL, PRIX DE PHYSIQUE (n. p.). Anderson, Alvarez, Appleton, Bardeen, Barkla, Bassov, Becquerel, Bethe, Blackett, Bloch, Bohr, Born, Bragg, Brattain, Bridgman, Broglie, Chadwick, Chamberlain, Chen Ning-Yang, Cockcroft, Compton, Cooper, Curie, Dalén, Davisson, Dirac, Einstein, Esaki, Fermi, Feynman, Franck, Frank, Gabor, Gell-Mann, Giaever, Glaser, Glashow, Goeppert-Mayer, Guillaume, Heisenberg, Hess, Hofstadter, Jensen, Josephson, Kamerlinghonnes, Kapitza, Kastler, Kusch, Landau, Lawrence, Lee, Lenard, Lippmann, Lorentz, Marconi, Michelson, Millikan, Môssbauer, Mott, Néel, Osheroff, Pauli, Penzias, Perrin, Planck, Powell, Prokhorov, Rabi, Raman, Rayleich, Richardson, Richter, Rôntgen, Ryle, Salam, Schrieffer, Schwinger, Segré, Shockley, Siegbahn, Stark, Stern, Tamm, Tcherenkov, Thomson, Ting, Tomonaga, Townes, Tsung Dao-Lee, Van Der Waals, Vleck, Von Laue, Weinberg, Wien, Wigner, Wilson, Zernike.

NOBEL, PRIX DE SCIENCE ÉCONOMIQUE (n. p.). Friedman, Frish, Hayek, Hicks, Kantorovitch, Koopmans, Kuznets, Leontieff, Lewis, Mead, Mirrlees, Ohlin, Samuelson, Schultz, Simon, Vickrey.

NOBÉLIUM. No.

NOBILIAIRE. Aristocratique, chic, distingué, élégant, hétérie, noble, patricien, princier, racé, raffiné, ultrachic.

NOBLE. Altesse, aristocrate, baron, boyard, chevaleresque, chevalier, courageux, digne, duc, écuyer, élevé, fief, fier, généreux, gentilhomme, géotrupe, hidalgo, hobereau, magnanime, majestueux, né, nobiliaire, noblaillon, olympien, page, praticien, racé, relevé, respectable, roture, roturier, sublime, titré, varlet, vicomte.

NOBLEMENT. Bravement, crânement, courageusement, dignement, fièrement, honorablement, justement.

NOBLESSE. Aristocratie, beauté, dignité, distinction, élégance, élévation, estime, fierté, générosité, gentry, grandeur, hauteur, honorabilité, magnanimité, majesté, nom, pompe, prestance, style, tiers.

NOCE. Bamboche, bamboula, bombe, bringue, cortège, débauche, excès, fête, foire, mariage, nouba, nuptial, réjouissance, ribouldingue.

NOCES (n. p.). Cana.

NOCES. Accord, alliance, ban, carte, dirimant, divorce, dot, épithalame, épousailles, époux, hymen, hyménée, lien, lit, mariage, morganatique, nef, oui, union.

NOCES, ANNIVERSAIRES ANCIENS. Papier (1 an), coton (2 ans), cuir (3 ans), fleurs (4 ans), bois (5 ans), sucre ou fer (6 ans), laine ou cuivre (7 ans), bronze ou faïence (8 ans), faïence ou osier (9 ans), fer ou aluminium (10 ans), acier (11 ans), soie ou lin (12 ans), dentelle (13 ans), ivoire (14 ans), cristal (15 ans), porcelaine (20 ans), argent (25 ans), perle (30 ans), corail (35 ans), rubis (40 ans), saphir (45 ans), or (50 ans), émeraude (55 ans), diamant (60 ans), platine (70 ans), diamant (75 ans), chêne (80 ans).

NOCES, ANNIVERSAIRES MODERNES. Horloge (1 an), porcelaine (2 ans), cristal ou verre (3 ans), appareils électriques (4 ans), argenterie (5 ans), bois (6 ans), ensemble de bureau (7 ans), dentelle (8 ans), cuir (9 ans), bijoux en diamant (10 ans), bijoux à la mode (11 ans), perle (12 ans), fourrure ou tissu (13 ans), bijoux en or (14 ans), montre (15 ans), platine (20 ans), argent (25 ans), perle (30 ans), jade (35 ans), rubis (40 ans), saphir (45 ans), or (50 ans), émeraude (55 ans), diamant (60 ans), chêne (70 ans).

NOCEUR. Bambochard, bambocheur, débauché, fêtard, noctambule, viveur.

NOCHER (n. p.). Caron, Charon.

NOCHER. Aviateur, barreur, batelier, capitaine, chasseur, chauffeur, cicérone, commandant, conducteur, copilote, cornac, guide, lamaneur, ligne, locman, marin, nautonier, pilote, responsable, skipper, timonier, ulmiste.

NOCIF. Asphyxiant, contaminé, dangereux, dévastateur, dommageable, funeste, malfaisant, mauvais, néfaste, négatif, nocuité, nuisible, pathogène, pernicieux, poison, ravageur, toxique, violent, virulent.

NOCIVITÉ. Dangereux, damnable, diabolique, dommageable, fatal, funeste, mal, malfaisant, malin, malsain, mauvais, méfait, nocif, nuisible, pernicieux, peste, poison, préjudiciable, sinistre, subversif.

NOCTAMBULE. Badaud, baladeur, flâneur, glaneur, passant, promeneur, randonneur, vadrouilleur.

NOCTUELLE. Agrotis, bryophile, catocala, chariclée, dilobe, hadène, hypène, leucanie, mamestre, xanthie, xylocampe.

NOCTULE. Chauve-souris, oreillard, pipistrelle, sérotine, vespertilion, vespertilionidé.

NOCTURNE. Concert, duc, fêtard, hibou, minuit, nuit, nuitée, obscurité, rapace, sérénade, vespéral.

NOCUITÉ. Contraire, corrupteur, dangereux, délétère, dommageable, dopant, funeste, insalubre, malsain, mauvais, néfaste, nocif, nuisible, parasite, périlleux, pernicieux, pire, sain, taupe, tort, vermine.

NODAL. Basal, basique, capital, concluant, convaincant, critique, crucial, décisif, définitif, délibératif, délicat, déterminant, essentiel, fondamental, important, irréfutable, noueux, prépondérant, probant, vital.

NODOSITÉ. Broussin, excroissance, exostose, kyste, loupe, nodule, nœud, noueux, nouure, renflement, tubercule.

NODULE. Accrétion, accumulation, aegagropile, agglomérat, agglutinat, agrégat, amas, ambre-gris, bézoard, bloc, calcul, concrétion, coprolithe, léprome, masse, oolithe, oolite, otolithe, pierre, pisolite, pisolithe, sédiment, stalactite, tophus.

NOÉ (n. p.). Ararat, Canaan, Cham, Japhet, Lamech, Sem.

NOÉ. Arche, biblique, déluge, île, vin.

NOËL. Arbre, avent, bûche, cantique, ellébore, fête, hellébore, nativité, sapin.

NOÈSE. Acte, adage, âme, axiome, but, cauchemar, cœur, compréhension, concept, dogme, entendement, esprit, idée, intelligence, ionisme, méditation, pensée, phénoménologie, raison, réflexion, rêvasserie, rêverie, rhétorique, sentiment.

NŒUD. Agui, articulation, attache, bifurcation, boucle, catogan, centre, chaîne, cocarde, collet, coulant, cul-de-porc, difficulté, floche, fond, hic, intrigue, issurtille, lacet, lâche, lacs, lasso, lien, malandre, nodal, noduleux, œil, os, papillon, péripétie, point, prussik, rose, rosette, sinusal.

NOIR (n. p.). Afrique.

NOIR. Café, canaque, carbone, cafre, charbon, de jais, deuil, ébène, encre, enivré, funeste, houille, ivre, jais, magie, mélanine, mélanoderme, messe, mouton, nègre, négritude, noiraud, note, obscur, or, radis, ténébreux, titane, triste.

NOIRÂTRE. Basané, bistre, bore, bronzer, brun, foncé, fuligineux, nègre, négrillon, nocturne, ombre, pessimiste, sépia.

NOIRAUD. Auburn, bai, basané, beige, bis, bistre, boucané, bronzé, brûlé, brun, brunâtre, café, cannelle, caramel, châtaigne, châtain, chêne, chocolat, corinthe, drabe, halé, kaki, feuille morte, marron, moka, mordoré, morée, noisette, ocre, puce, sépia, tanné, terreux, tête-de-Maure, tête-de-nègre.

NOIRCEUR. Ambiguïté, chaos, clair-jour, clair-obscur, confusion, demi-jour, doute, incertitude, noir, nuage, nuée, nuit, obscurité, ombrage, ombre, opacité, pénombre, soir, soirée, ténèbres, vague.

NOIRCIR. Barbouiller, biser, bistrer, calomnier, charbonner, culotter, descendre, discréditer, enfumer, estomper, foncer, fumer, grisailler, mâchurer, maculer, médire, obscurcir, ombrer, salir, teindre.

NOIRCISSEMENT. Assombrissement, effacement, épaississement, inconnu, nébulosité, obscurcissement, occultation, opacification, rembrunissement, vaporeusement, voilement.

NOIRCISSURE. Accroc, albugo, bavure, bleu, cerne, crasse, dartre, éclaboussure, énanthème, envie, éphélide, grain de beauté, lentigo, leucoma, leucome, lunule, macule, maille, maillure, meurtrissure, moucheture, naevi, nævus, ocellé, ordure, ouvrage, pâté, pétéchie, pige, sale, saleté, salissure, sanglant, son, souillure, spot, tache, taie, vibice.

NOIRE. Africaine, croche, magie, mouche, note, ronde.

NOISE. Bagarre, bisbille, chicane, combat, débat, discussion, dispute, lutte, querelle, provocation, rixe.

NOISERAIE. Amandaie, amanderaie, boisement, coudraie, coudrette, endroit, noisetterie, plantation, verger.

NOISETIER. Arachide, arbuste, areca, avellana, avelinier, bétulacée, colurna, corylacée, corylus, coudraie, coudre, coudrette, coudrier, maxima, monoïque, noiseraie, noisette, noix.

NOISETTE. Achaine, akène, amande, aveline, beurre, brun-roux, casse-noisettes, coco, coquerelle, dragée.

NOIX (n. p.). Grenoble.

NOIX. Anacarde, arec, aréquier, bétel, brou, cajou, cerneau, coco, coir, cola, coque, écale, écalot, écrou, enveloppe, fessier, fret, fruit, galle, kola, huile, macis, moulin, muscade, noyer, pacane, pécan, rien, sans valeur, veau.

NOLIS. Apige, bagage, capacité, cargaison, charge, chargement, charter, fret, lège, marchandise, nolage, réserve.

NOLISEMENT. Affrètement, agence, chargement, charte-partie, charter, contrat, nolisage, transbordement.

NOLISER. Affréter, avion, charger, charter, chartériser, fret, fréter, louage, louer, pourvoir, transport.

NOM. Anthroponome, anthroponomie, apparence, appellation, attribut, connu, dénomination, désignation, épicène, éponyme, famille, griffe, illusion, indice, label, lignage, lignée, marque, matronyme, mot, patronyme, pseudo, pseudonyme, prénom, prête-nom, pseudo, pseudonyme, qualificatif, réputation, signature, sobriquet, substantif, substantiver, surnom, terme, titre, toponyme, vocable.

NOMADE (n. p.). Abel, Cimmériens, Cosaques, Gétules, Hottentots, Huns, Khoï, Massagètes, Moabites, Numides, Sarmates, Toubou.

NOMADE. Ambulant, arabe, aventurier, bédouin, bohémien, changeant, errant, forain, gitan, horde, instable, itinérant, migrateur, mobile, robineux, rôdeur, romanichel, semi-nomade, targui, touareg, trimardeur, tsigane, tzigane, vagabond, voyageur.

NOMBRABLE. Attendre, calculer, boulier, boullier, chiffrer, compter, déduire, dénombrer, dépouiller, escompter, espérer, estimer, évaluer, exister, fier, figurer, inventorier, miser, nombrer, recenser, reposer, spéculer, supposer, tabler.

NOMBRE. Abscisse, âge, algèbre, armada, arrondir, beaucoup, chiffre, compte, constante, densité, effectif, entier, épacte, fréquence, harmonie, infinité, légion, maint, millier, multiplicité, numéral, numéro, poignée, pointure, quantité, quaternion, quorum, rond, rondeur, score, surnombre, tant, tirage, vie.

NOMBRER. Calculer, compter, boulier, chiffrer, déduire, dénombrer, dépouiller, énumérer, escompter, espérer, estimer, évaluer, fier, figurer, inventorier, miser, recenser, reposer, spéculer, supposer, tabler.

NOMBREUX. Abondant, cadencé, dense, innombrable, maint, mult, multi, multiple, oligopsone, poly, rythmé, serré, volée.

NOMBRIL. Axe, centre, cicatrice, cœur, foyer, intermédiaire, lambouri, milieu, nœud, ombilic, pivot.

NOMBRILISME. Amour-propre, audolâtrie, avarice, captativité, égocentrisme, égoïsme, égolâtrie, égotisme, indifférence, individualisme, insensibilité, intérêt, introversion, je, moi, narcissisme, personnel, soi-même.

NOMBRILISTE. Autistique, déréel, égocentrique, égoïste, indifférent, individualiste, introverti, narcissiste.

NOME. Administration, aumônerie, bureau, chant, cogérance, curie, dème, division, douane, fisc, gérance, gestion, juridiction, mairie, ministère, poème, poste, régie, régime, syndic, trust.

NOMENCLATURE. Catalogue, état, inventaire, jargon, lexique, liste, relevé, répertoire, terminologie, vocabulaire.

NOMINAL. Agio, conventionnel, extrinsèque, fictif, nominatif, pair, supin, syntagme, théorique.

NOMINATION. Affectation, choix, désignation, intégration, mention, promotion, sélection, syntagme.

NOMMÉ. Alias, appelé, choisi, conscrit, datif, élu, hélée, sélectionné, surnommé, susnommé, susdit, susdénommé, trié.

NOMMER. Appeler, baptiser, bombarder, choisir, citer, créer, désigner, élire, épeler, instituer, qualifier, placer, rebaptiser, renonçant, voter.

NON. Aucunement, désaccord, na, négatif, négation, nenni, ni, niet, oui, pas, refus.

NONCE. Ablégat, ambassadeur, apostolique, bref, chef, concile, conclave, encyclique, induit, légat, nonciature, œcuménique, pape, père, poncif, représentant, Saint-Siège, serviteur, tiare, vicaire.

NONCHALANCE. Apathie, indolence, lenteur, léthargie, mollesse, négligence, paresse, relax, tiédeur.

NONCHALANT. Alangui, amorphe, apathique, cool, décontracté, désinvolte, désoeuvré, détendu, endormi, indolent, insouciant, langoureux, languide, léger, lent, léthargique, mollasse, momie, mou, négligent, paresseux, tiède, vague.

NON-CONFORMISME. Égocentrisme, égoïsme, égotisme, indépendance, individualisme, narcissisme.

NON-CONFORMISTE. Anticonformiste, artiste, asocial, baba, babacool, beatnik, be-in, bohème, contestataire, dissident, fantaisiste, freak, gitan, hippie, indépendant, individualiste, insouciant, marginal, morave, original, punk, romani, tzigane.

NON-CROYANT. Agnostique, athée, impie, incroyant, musulmam raskol.

NON-DIT. Aphasie, aphonie, arrêt, bâillon, black-out, calme, celé, chut, coi, étouffement, motus, mutisme, mystère, omis, paix, pause, réticence, secret, silence, sourdine, taire, temps, tu.

NON-ÊTRE. Absence, âne, aucun, bu, cancre, clopinettes, dénué, épuisé, fainéant, frelampier, goutte, intérêt, iota, mais, mie, néant, niaiserie, nib, non, nu, nul, pas, peu, point, rien, sans, sec, seulement, tari, valeur, vide, zéro.

NON-JUIF. Boiteux, chrétien, étranger, goï, goim, goy, goye, goyim, infidèle, musulman, païen.

NON-LIEU. Absolution, absoudre, acquittement, aman, amnistie, condamner, disculpation, excuser, expier, grâce, gracier, octroi, oublier, pardon, relaxe, remettre, reprendre, réprimander, réprouver, sauf-conduit, souffrir, soumettre, soumission, stigmatiser.

NON-MÉTAL. Azote, bore, arsenic, astate, brome, carbone, chlore, fluor, germanium, halogène, iode, métalloïde, oxygène, phosphore, polonium, sélénium, silicium, soufre, tellure.

NON-MUSULMAN. Agape, baptisé, catholique, chrétien, copte, croix, ébonite, galiléen, giaour, goï, goy, infidèle, lapsi, logos, orthodoxe, païen, paroissien, protestant, relaps, roumi, schismatique, uniate.

NONNETTE. Bernache, canepetière, cravant, empereur, mésange, oie, oiseau, outarde, religieuse.

NONOBSTANT. Alors, arrêter, cependant, contre, déplaire, empêchant, mais, malgré, malheureusement, néanmoins, pendant que, pourtant, seulement, tandis que, toutefois.

NON-SENS. Aberrant, absurde, apagogique, balourd, biscornu, déraisonnable, dingue, extravagant, farfelu, faux, fou, grotesque, idiot, illogique, incohérent, inepte, insane, insensé, irrationnel, niais, raisonnable, ridicule, saugrenu, sot, stupide.

NON-VOYANT. Absolu, amaurotique, amblyope, aveugle, braille, cataracte, malvoyant, taupe, total.

NOPAL. Cactacée, cactée, cactus, cochenilles, dysenterie, figue, matricaire, oponce, opuntia, plante.

NORD. Arctique, bise, boréal, boussole, chti, chtimi, lapon, nordet, nordique, pôle, septentrion, yankee.

NORDIQUE (n. p.). Lagerlöf, Québec, Scandinavie, Suède.

NORDIQUE. Arctique, ase, boréal, dieu, féroïn, hyperboréen, langue, légende, mer, polaire, scandinave, septentrional.

NORDISTE (n. p.). Farragut, Gettysburg, Grant, Lincoln, Sherman.

NORDISTE. Carpetbagger, dissidence, fédéral, rupture, sécession, séparation, sudiste, yankee.

NORIA. Air, chapelet, critère, défilé, élévateur, godet, hydraulique, machine, sakièh, va-et-vient.

NORMAL. Attendu, classique, commun, compréhensible, conforme, correct, courant, droit, école, eutocie, habituel, légitime, logique, naturel, ordinaire, paranormal, régulier, sain, santé, tempo.

NORMALEMENT. Abstraitement, accoutumée, classiquement, communément, couramment, idéalement, généralement, habituellement, ordinairement, rituellement, théoriquement, traditionnellement, usité, usuellement.

NORMALISATION. Codification, homogénéisation, prêt-à-porter, rationalisation, simplification, standardisation, systématisation, tempéré, unification, uniformisation.

NORMALISER. Adapter, codifier, harmoniser, homogénéiser, rationaliser, réglementer, régler, régulariser, réguler, simplifier, standardiser, systématiser, tayloriser, tempérer, unifier, uniformiser.

NORMALITÉ. Accord, affinité, alignement, analogie, bien-fondé, canonicité, concordance, conformité, correction, harmonie, isonomie, juste, justesse, légalité, légitimité, parité, régularité, rituel, similitude, union, unisson, unité, validité.

NORMAND. Ambigüité, anglo-normand, augeron, bocage, bovin, dialecte, évent, français, ope, rusé, trou.

NORME. Adage, anomal, archétype, base, canon, code, convention, credo, critère, échantillon, esprit, étalon, idéal, iso, loi, modèle, morale, moyenne, normatif, principe, raison, règle, règlement, standard, statutaire, vecteur, vérité, VHS.

NORVÈGE, CAPITALE (n. p.). Oslo.

NORVÈGE, LANGUE. Norvégien.

NORVÈGE, MONNAIE. Couronne.

NORVÈGE, VILLE (n. p.). Alesund, Alta, Bergen, Bodo, Gol, Halden, Hol, Larvik, Lom, Mo, Molde, Moss, Nesna, Oslo, Otta, Vardo, Voss.

NORVÉGIEN. Européen, langue, nordique, omelette, renne, scandinave, voilier.

NOS. Notre, nous.

NOSOLOGIE. Choix, classement, classification, discipline, hiérarchie, ordre, posologie, rang, sae, taxinomie, taxon, taxonomie, taxum.

NOSTALGIE. Blues, cafard, ennui, fado, langueur, mal, mélancolie, regret, saudage, spleen, tristesse.

NOSTALGIQUE. Acariâtre, acrimonieux, aigri, boudeur, bourru, cafardeux, chagrin, chagriné, désabusé, désagréable, ennuyeux, grincheux, gringe, gris, grognon, hargneux, insipide, insupportable, massacrant, maussade, mélancolique, morne, morose, pessimiste, pisse-vinaigre, rabat-joie, renfrogné, revêche, rit, saturnien, sombre, ténébreux, terne, triste.

NOTA BENE. Annotation, apostille, commentaire, glose, nb, note, notule, remarque.

NOTABILITÉ. Aga, agha, autorité, ban, camérier, chancelier, dignitaire, éfendi, effendi, figure, hiérarque, huile, métropolite, patrice, patriciat, personnage, personnalité, ponte, romain, voïévode, voïvode.

NOTABLE. Appréciable, beaucoup, cacique, considérable, djamaa, djemaa, estime, figure, gloire, important, insigne, marquable, notabilité, notablement, personnalité, remarquable, sensible.

NOTABLE JUIF (n. p.). Nicodème.

NOTABLEMENT. Abondamment, amplement, beaucoup, considérablement, énormément, vastement.

NOTAIRE. Adjudication, contrat, dataire, étude, loi, maître, minutier, notarié, officier, saute-ruisseau, sis, tabellion.

NOTAMMENT. Particulièrement, principalement, proprement, singulièrement, spécialement, surtout.

NOTARIÉ. Agréé, approuvé, arbitre, attitré, authentique, certifié, commissaire, consacré, officiel, public.

NOTATION. Annotation, chorégraphique, neume, observation, pensée, réalisation, rudiments, symbole, tablature, tempo.

NOTE. Anacrouse, anacruse, annotation, aperçu, apostille, billet, blanche, canard, couac, croche, douloureuse, écrit, facture, finale, glose, manchette, médiante, mémo, mémorandum, mention, musique, nb, ne, noire, nota, nota bene, notule, pédale, quintolet, référence, remarque, renvoi, ronde, scolie, sensible, syncope, tenuto, tessiture, ton, tonique, ut.

NOTE DE MUSIQUE. Bémol, blanche, croche, do, fa, la, mi, noir, noire, ré, ronde, si, sol, ton, ut.

NOTER. Acter, agencer, album, annoter, calepin, commenter, consigner, corriger, coter, écrire, enregistrer, ficher, griffonner, indiquer, inscrire, marquer, obel, obèle, relever, sacquer, saquer, scribouiller, signifier, souligner.

NOTHOFAGUS. About, boiserie, cérat, ébénisterie, écoinçon, hêtre, lambrissage, marqueterie, menuiserie.

NOTICE. Abrégé, avertissement, avis, éphéméride, exposé, indication, guide, notule, préambule, préface, résumé.

NOTIFICATION. Annonce, appel, avis, ban, commandement, décret, dénonciation, signification.

NOTIFIER. Annoncer, avertir, aviser, commander, communiquer, dire, intimer, signifier.

NOTION. Abstraction, a priori, apriorité, base, concept, conceptuel, connaissance, conscience, doctrine, donnée, élément, idée, instruction, nombre, principe, prolégomènes, rudiment, sens, sentiment, téologie, vernis.

NOTIONNEL. Abstractif, abstrait, cérébral, conceptuel, idéel, immatériel, intellectuel, spéculatif, théorique.

NOTOIRE. Avéré, célèbre, certain, clair, connu, élément, manifeste, notoriété, patent, public, su.

NOTOIREMENT. Clairement, consciencieusement, distinctement, exactement, fidèlement, incontestablement, justement, manifestement, méticuleusement, nettement, perceptiblement, précisément, proprement, religieusement, scrupuleusement, vaguement, visiblement.

NOTORIÉTÉ. Achalandage, célébrité, gloire, nom, percer, poser, publicité, renom, renommée, réputation.

NOTRE. Nos, nous.

NOTRE-DAME. ND.

NOTRE-SEIGNEUR. NS.

NOTULE. Annotation, brillant, distinct, distingué, éclatant, émérite, éminent, épatant, ère, étonnant, exposé, extra, extraordinaire, fameux, formidable, frappant, génial, gratiné, important, marquant, marque, mémorable, notable, note, particulier, rare, remarquable, rude, saillant, scolie, sensass, sensationnel, signalé, supérieur, unique.

NOUAGE. Amarrage, ancrage, arrimage, attache, calage, encartage, épinglage, étrive, ferrement, fixage, fixation, implantation, inclusion, insertion, intercalation, lamanage, ligature, lusin, nouement, sanglage.

NOUAISON. Aoûtement, chaleur, coction, fécondité, floraison, maturation, mûrissage, nouure, véraison.

NOUBA. Beuverie, clique, cor, cuivre, débauche, fête, harmonie, java, lyre, noce, orchestre, raout, trompe.

NOUC. Noucle, nœud, noueux.

NOUE. Acore, bayou, boue, canneberge, cob, cistude, douve, drosera, étang, étier, fagne, gâtine, grisou, hypne, kob, marais, mare, maremme, marigot, méthane, moere, palud, palus, polder, salin, savane, sphaigne, tourbière, varaigne, vernier, vie.

NOUEMENT. Amarrage, ancrage, arrimage, attache, attelage, calage, encartage, étrive, fixation, harnachage, lamanage, liage, ligature, lusin, nouage, renouement, sanglage, tordage.

NOUER. Attacher, atteler, boucler, élaborer, enrêner, établir, harnacher, joindre, lacer, lier, organiser, renouer, tordre.

NOUET. Amict, bande, chiffon, compresse, dessous, drap, essuie-mains, essuie-tout, vavette, linceul, linge, nappage, nappe, pale, palle, pattemouille, sous-vêtement, toile, tortillon, trousseau, voile.

NOUEUX. Bancal, bancroche, cagneux, difforme, inégal, noduleux, tordu, tors, tortillard, vara, varus.

NOUGAT. Amuse-gueule, baba, biscuit, bonbon, canapé, chatterie, confiserie, douceur, friandise, gâteau, gâterie, gourmandise, macaron, nanan, nougatine, œuf, papillote, pâtisserie, pied, praline, sucette, sucrerie, tarte, tire, touron, tourteau, truffe.

NOUILLE. Abaisse, abruti, barbotine, cannelloni, ciment, croûte, friton, génoise, indolent, koulibiac, lasagne, macaroni, mou, pâte, ravioli, semoule, spaghetti, spaghettini, surimi, tagliatelle, tortellini, vermicelle.

NOUMÈNE. Dasein, doctrine, dogme, dualisme, école, équanimité, falsafa, gnose, idée, idéologie, loi, mythe, objet, pensée, péripatétisme, philosophie, principes, sagesse, sens, sérénité, sujet, système, théorie, thèse.

NOUNOU. Bonne d'enfant, bonniche, gardienne, gouvernante, infirmière, mamie, nourrice, nurse, servante.

NOURRAIN. Babiroussa, cochon, cochonnet, épic, glouton, goret, grogne, ladre, laie, marcassin, pachyderme, pécari, phacochère, porc, porcelet, potamochère, pourceau, sanglier, soie, solitaire, truie, verrat.

NOURRI. Dense, étoffé, riche, saprophage.

NOURRICE (n. p.). Ino.

NOURRICE. Assistante, berceuse, bidon, bonne, gardienne, gouvernante, nounou, nurse, réserve.

NOURRICIER. Beau-père, lait, nourrissant, nutricier, nutritif, parâtre, pourvoyeur, sang, sève, suc.

NOURRIR. Agrainer, alimenter, allaiter, amplifier, caresser, couver, élever, enfler, enrichir, entretenir, étoffer, feu, fortifier, gaver, gorger, grossir, instruire, manger, rassasier, ravitailler, régaler, repaître, restaurer, soutenir, sucer, sustenter, tir.

NOURRISSANT. Appréciable, conséquent, consistant, gros, important, riche, sérieux, substantiel.

NOURRISSEMENT. Absorption, alimentation, allaitement, approvisionnement, convertisseur, élevage, fourniture, gavage, malbouffe, nourrissage, nourriture, paisson, perfusion, ravitaillement, régime, repas, suralimentation, sustentation.

NOURRISSEUR. Agrarien, agriculteur, agronome, areur, betteravier, colon, cultivateur, éleveur, engraisseur, épandeur, exploitant, fermier, gaveur, horticulteur, jardinier, labour, laboureur, maraîcher, partiaire, pasteur, paysan, paysannat, planteur, producteur, serriste, terrien.

NOURRISSON. Areu, athrepsie, bébé, enfançon, enfant, nouveau-né, petiot, petit, poupard, poupon, rejeton, tout-petit.

NOURRIT. Mamelle, détritivore, limivore, phage, planctophage, sein, suralimenté, vore.

NOURRITURE. Aliment, alpiste, ambroisie, appât, avoine, becquée, becquetance, bectance, béquée, bouffe, bouffetance, boustifaille, céréale, chènevis, chère, comestible, foin, malbouffe, mangeaille, manne, nutrition, os, pain, pâtée, pâture, pitance, ragougnasse, ragoût, rata, repas, soupe, subsistance, ventrée, victuailles, vivres.

NOUURE. Aoûtement, chaleur, coction, fécondité, floraison, maturation, mûrissage, nouaison, véraison.

NOUVEAU. Actuel, ancien, annonce, antique, bleu, bizut, bizuth, derechef, différent, frais, inaccoutumé, inédit, inhabituel, inouï, insolite, itération, jeune, mode, moderne, né, néo, neuf, nouveau-né, nouvelle, novice, original, part, récent, recrue, vert, vieux.

NOUVEAUTÉ. Achat, calicot, inaccoutumé, inattendu, inédit, inhabituel, innovation, insolite, inusité, jeunesse, livre, mode, moderne, néo, neuf, patente, primeur, publication, récent, tendance.

NOUVELLE. Actualité, anecdote, annonce, bruit, canard, cancan, conte, écho, événement, fable, info, information, message, neuf, on-dit, palingénésie, pétard, potin, récit, réimpression, roman, rumeur, scoop.

NOUVELLE-ÉCOSSE (n. p.). Acadie, Cap Breton, Sydney.

NOUVELLE-FRANCE (n. p.). Acadie, Champlain, Charlevoix, Verrazano.

NOUVELLE-GUINÉE (n. p.). Asmat, Irian, Jaya, Papous, Santani, Sepik.

NOUVELLEMENT. Depuis, fraîchement, jeunement, néophyte, récemment, récent, renouvellement.

NOUVELLE-ZÉLANDE, CAPITALE (n. p.). Welligton.

NOUVELLE-ZÉLANDE, LANGUE. Anglais, maori.

NOUVELLE-ZÉLANDE, MONNAIE. Dollar.

NOUVELLE-ZÉLANDE, VILLE (n. p.). Alexandra, Dunedin, Foxton, Gore, Hamilton, Hastings, Hutt, Levin, Marton, Milton, Napier, Nelson, Ohai, Oxford, Ross, Taupo, Welligton.

NOUVELLISTE. Animateur, annonceur, chroniqueur, columniste, commentateur, correspondant, courriériste, critique, écrivain, éditorialiste, envoyé, journaliste, pigiste, poète, publiciste, rédacteur, reporter, romancier.

NOUVELLISTE ALLEMAND (n. p.). Böll, Hartleben, Hermlin, Rinser, Storm.

NOUVELLISTE AMÉRICAIN (n. p.). Benét, Bierce, Bishop, Hemingway, Oates, Saroyan.

NOUVELLISTE BELGE (n. p.). Burniaux, Thiry.

NOUVELLISTE CHNOIS (n. p.). Lu Xun.

NOUVELLISTE DANOIS (n. p.). Nexo.

NOUVELLISTE ESPAGNOL (n. p.). Espriu.

NOUVELLISTE FINLANDAIS (n. p.). Haanpää, Waltari.

NOUVELLISTE FRANÇAIS (n. p.). Curnonsky, Gobineau, Hardellet.

NOUVELLISTE GREC (n. p.). Papadhiamandis, Xenopoulos.

NOUVELLISTE HONGROIS (n. p.). Kosztolányi.

NOUVELLISTE IRLANDAIS (n. p.). Joyce.

NOUVELLISTE ITALIEN (n. p.). Bandello, Pirandello.

NOUVELLISTE NÉERLANDAIS (n. p.). Vestdijk.

NOUVELLISTE NÉO-ZÉLANDAIS (n. p.). Mansfield.

NOUVELLISTE RUSSE (n. p.). Garchine, Kouprine, Zamiatine.

NOUVELLISTE SUISSE (n. p.). Schaffner.

NOVA. Astre, astronomie, chariot, constellation, destin, destinée, étoile, galaxie, météore, météorite, naine, nébuleuse, pulsar, quasar, sidéral, soleil, star, supergéante, supernova, véga.

NOVATEUR. Ancêtre, annonciateur, audacieux, avant-gardiste, créateur, devancier, initiateur, innovateur, introducteur, inventeur, messager, moderne, pionnier, précurseur, prédécesseur, prophète, révolutionnaire, visionnaire.

NOVATION. Commutation, changement, échange, fabulation, remplacement, substitution, transfert.

NOVICE. Apprenti, aspirant, béjaune, béotien, bleu, bizut, bizuth, candide, commençant, débutant, écolier, élève, émérite, expert, ignorant, inexpérimenté, jeune, néophyte, neuf, nouveau, recrue, stagiaire.

NOVICIAT. Apprentissage, début, dyscalculie, dysgraphie, épreuve, exercice, expérience, formation, initiation, instruction, préparation, probation, processus, stage, stagiaire.

NOYADE. Débordement, distillation, éruption, exsudation, extravasation, flux, fuite, hydrocution, infiltration, inondation, miellée, naufrage, ravinement, sécrétion, submersion, sueur, transpiration.

NOYAU. Amande, âme, atome, barysphère, cadre, centre, cycle, drupe, endocarpe, graine, groupe, haploïde, hélion, isotope, milieu, neutron, nèfe, nifé, nucléide, nuclide, œuf, olive, origine, pavie, pépin, pignon, proton, siphoïde, triton.

NOYAUTAGE. Entrisme, espionnage, implantage, infiltration, noyauter.

NOYAUTER. Acolyte, affidé, agent, comparse, compère, complice, confiance, confident, connivence, espion, partisan.

NOYER (n. p.). Grenoble.

NOYER. Arbre, boire, bois, drupe, immerger, inonder, juglandacée, juglans, noix, perdre, périr, tuer.

NU. À poil, chauve, danseuse, découvert, dégarni, dénudé, déplumé, dépouillé, désert, déshabillé, dévêtu, dévoilé, impudique, mort, nudisme, nudiste, nudité, nûment, pauvre, simple, topless, ver, vérité, vide.

NUAGE. Altocumulus, altostratus, assombrissement, brouillard, brume, cirro-cumulus, cirro-stratus, cirrus, cumulo-nimbus, cumulus, ennui, mouton, nébulosité, nimbo-stratus, nimbus, nue, nuée, obnubiler, panne, strato-cumulus, stratus, vapeurs, voile, vortex.

NUAGEUX. Brumeux, confus, couvert, fumeux, gris, moutonné, nébuleux, obscur, orageux, vague, voilé.

NUANCE. Assortiment, brin, coloration, couleur, degré, différence, distinguo, finesse, gradation, grain, grivelure, modération, note, nuer, once, pointe, reflet, soupçon, subtilité, teint, teinte, ton, tonalité, valeur, virer.

NUANCÉ. Bariolé, bigarré, changeant, complexe, diapré, différent, disparate, distinct, divers, diversifié, hétéroclite, hétérogène, irisé, marbré, mélangé, mêlé, modifié, multiforme, multiple, nombreux, nué, pluriel, tigré, transformé, varié.

NUANCER. Adoucir, assortir, atténuer, colorer, dégrader, différencier, diversifier, exprimer, iriser, mélanger, mesurer, mitiger, modérer, nuer, pondérer, teindre, teinter, tempérer, varier, virer.

NUBILE. Adolescent, formé, mariable, pubère, réglé.

NUBILITÉ. Adolescence, jeunesse, formation, mariage, minorité, préadolescence, procréation, puberté.

NUCLÉAIRE. Angstrœm, angström, arme, atome, atomique, hydrogène, plutonium, réacteur.

NUCLÉIQUE. ADN, ARN, cytosine, deuton, noyau, nuclide, proton, purique, thymine, triton, xanthine.

NUCLÉON. Anion, atome, boson, corpuscule, da, de, di, du, électron, épisome, gluon, ion, ka, kaon, lepton, méson, micelle, morceau, mu, muon, neutrino, neutron, oc, oui, particule, poudre, tau, van, vice, von.

NUDISME. Adamien, adamite, doctrine, naturisme, nudiste, nudité, nuement, nûment, simplement.

NUDISTE. Camp, culturiste, naturiste, revue.

NUDITÉ. Grivoiserie, grossièreté, immodestie, impudeur, indécence, malpropreté, obscénité, pornographie.

NUÉE. Armada, beaucoup, essaim, multitude, myriade, nuage, nue, peu, quantité, tapée, tapisserie.

NUEMENT. Aisément, bêtement, bonhomme, bonnement, bourgeoisement, carrément, déguisement, facilement, fardé, franquette, naturellement, nûment, simplement, sommairement, seulement, uniment, uniquement.

NUER. Adoucir, assortir, atténuer, colorer, couleur, différencier, diversifier, mélanger, mesurer, mitiger, modérer, nuancer, teindre, teinter, varier, virer.

NUIRE. Abîmer, aider, avilir, causer, compromettre, contrarier, contrecarrer, déconsidérer, desservir, détraquer, gâter, gêner, léser, mal, malheur, malveillance, médire, retourner, ruiner, salir, saper, ternir, tort, trahir, vexer.

NUISANCE. Atteinte, baraterie, châtiment, dam, détriment, dommage, gêne, lésion, mal, perte, préjudice, tort.

NUISETTE. Chemise de nuit, découvert, dégarni, dénudé, déshabillé, dévêtu, douillette, jaquette, judogi, kimono, négligé, peignoir, pyjama, robe, saut-de-lit, sortie de bain, tenue, tunique, vêtement.

NUISIBILITÉ. Dangerosité, destructivité, édacité, létalité, léthalité, nocivité, nocuité, perniciosité.

NUISIBLE. Contraire, corrupteur, dangereux, défavorable, délétère, dommageable, dopant, funeste, insalubre, malfaisant, malsain, mauvais, néfaste, nocif, nocuité, parasite, périlleux, pernicieux, pire, rongeur, sain, taupe, tort, toxique, vermine.

NUISIBLEMENT. Dangereusement, défavorablement, désavantageusement, dramatiquement, funestement, gravement, grièvement, imprudemment, mal, malencontreusement, sérieusement, terriblement.

NUIT. Brune, guet, loup, minuit, nocturne, noir, nuitée, nyctalope, obscurité, phare, pitoyable, sérénade, tombée, tout.

NUL. Annulé, aucun, bête, caduc, crétin, faux, idiot, ignare, ignorant, imbécile, incapable, incompétent, inefficace, inexistant, lamentable, néant, oblitéré, pas, pat, périmé, personne, point, remis, rien, sans, valeur, zéro.

NULLEMENT. Aucunement, goutte, macache, mie, négativement, nenni, pantoute, pas, point, rien.

NULLITÉ. Bon à rien, branleur, gougnafier, incapable, incompétent, inefficacité, médiocre, nul, ringard, ristourne, zéro.

NUMÉRAIRE. Additif, afat, aide, aide-soignant, annexe, assistant, avocat, avoir, auxiliaire, complice, contractuel, être, extra, intérimaire, mi-temps, monnaie, remplaçant, scripte, secondaire, stagiaire, subsidiaire, supplétif, surnuméraire.

NUMÉRATEUR. Aliquote, centésimal, commun, démoniteur, diviseur, fraction, sous-multiple.

NUMÉRATION. Catalogue, cens, chiffrage, comptage, compter, décompte, dénombrement, détail, économétrie, énumération, état, évaluation, inventaire, liste, litanie, recensement, revue, rôle, statistique.

NUMÉRIQUE. Chiffré, coefficient, corrélateur, digital, intensité, octal, quantitatif, statistique.

NUMÉRISER. Digitaliser, traitement, scanner, scannériser.

NUMÉRO (n. p.). ISBN, ISSN.

NUMÉRO. As, atomique, attraction, chiffre, comédie, exhibition, farceur, folio, gaillard, grébiche, grébige, gribiche, lascar, loto, lotto, loustic, matricule, no, nombre, original, postal, quantième, série, show, solo, spectacle, suite, vert.

NUMÉROTAGE. Chiffrage, cotation, foliotage, immatriculation, marquage, numérotation, pagination.

NUMÉROTATION. Chiffrage, cotation, foliotage, foliotation, immatriculation, minéralisation, numérotage, pagination, tatouage.

NUMÉROTER. Chiffrer, classer, compter, coter, distinguer, folioter, marquer, matriculer, paginer, tomaison.

NUMISMATE. Collectionneur, fruste, médaille, médailliste, monétariste, monnaie, négociant.

NUMISMATE FRANÇAIS (n. p.). Lenormant, Mionnet, Peiresc, Waddington.

NUMMULITIQUE. Éocène, ologocène, paléogène, paléogène.

NUNAVUT (n. p.). Iqaluit, Okalik.

NUNUCHE. Absurde, andouille, âne, bébête, béjaune, benêt, bêta, bête, borné, buse, con, crétin, dadais, dinde, étourdi, fada, fat, grue, idiot, ignorance, imbécile, inepte, infatué, naïf, nase, navet, neuneu, niais, niaiseux, nigaud, nono, oie, poire, ridicule, simple, sot, stupide, valeur.

NUOC-MÂM. Achards, ail, aromate, assaisonnement, câpre, cerfeuil, chutney, ciboule, ciboulette, condiment, coriandre, cumin, échalote, épice, gingembre, girofle, harissa, huile, ketchup, macis, moutarde, muscade, paprika, pili-pili, poivre, sassafras, sauce, sel, tapenade, vinaigre, vinaigrette.

NUPTIAL. Alliance, conjugal, dotal, époux, hyménal, mariage, matrimonial, poêle, union.

NUQUE. Arrière, cervical, cervicalgie, cou, couvre-nuque, énuquer, nucal, occiput, postérieur, tête.

NURSE. Boniche, bonne, domestique, employée, garde, gouvernante, grabataire, infirmière, maid, ménagère, nourrice, servante, serveuse, sigisbée, soubrette, tendrillon.

NUTRITIF. Consistant, fortifiant, hydroponique, nourrissant, riche, roboratif, substantiel, suspenseur.

NUTRITION. Alibile, atrophie, discipline, ensemble, hypotrophie, nourricier, nutritif, prédation, processus, trophique.

NUTRITIONNISTE. Diététicien, diététiste, médecin, spécialiste.

NYCTAGINACÉE. Belle-de-nuit, bougainvillée, dicotylédone, mirabilis, nyctage, plante.

NYCTALOPE. Chat, nocturne, nuit, nyctalopie, tarsien, voir.

NYLON. Abaca, adipique, agave, banlon, byssus, câble, chalaze, coir, coton, dacron, dralon, fibre, fibreux, fibrille, filandre, filament, goretex, kapok, kevlar, laine, lastex, ligament, lin, lycra, orlon, orlontagal, papier, piassava, pite, plastique, raphia, rayonne, rhovyl, rilsan, soie, tampico, téflon, tergal, térylène, tractus, verranne.

NYMPHE (n. p.). Acis, Atlantide, Atlas, Callirrhoé, Callisto, Calypso, Chloris, Daphné, Daphnis, Diane, Dionée, Écho, Égérie, Galatée, Naïade, Napée, Néréides, Nixe, Océanide, Oréade, Pan Syrinx, Triton.

NYMPHE. Chenilles, chrysalide, daphné, divinité, dryade, fille, grâce, hamadryade, hespéridé, hyades, muse, naïade, napée, néréide, nixe, nymphal, océanide, ondine, oréade, pléiade, pupe, satyre, triton.

NYMPHÉACÉE. Arille, lis d'eau, lotus, nénuphar, nélombo, nelumbo, plante, ranale, victoria.

NYMPHÉE. Bain, balnéation, cuvette, douche, étuve, fangothérapie, hammam, hermès, immersion, lavage, maillot, mégis, nu, piscine, râbler, salle, sauna, sel, siège, solarium, strigile, suée, sueur, thermes, trempette, tub.

NYMPHETTE. Aguicheuse, charmeuse, coquette, fille, ingénue, lolita, mignonne, minette, petite, tendron.

NYMPHOMANE. Érotomane, érotomaniaque, maniaque, obsédé, satyriasique, sexuelle.

NYSTAGMUS. Affection, mouvements, nerveux, oculaire, secousse, trouble, vision.

O

OAHU (n. p.). Hawaii, Honolulu, Pearl Harbor.

OARISTYS. Amour, amourette, aventure, bucolique, caprice, églogue, engouement, idéal, idylle.

OASIS (n. p.). Aioun, Amia, Artaouiya, Awi, Badia, Baka, Brak, Chât, Delger, Dib, Douz, Elet, Gafsa, Kaija, Menia, Minia, Mzab, Obo, Oued, Ouki, Richa, Sada, Sakha, Sebha, Siouah, Wad, Zabran, Zilfi.

OASIS. Abri, adrar, asben, asile, désert, eau, havre, igli, îlot, jardin, mery, mzab, oasien, oued, refuge, repos, retraite.

OBÉDIENCE. Dépendance, docilité, église, fidélité, obéissance, observance, ordre, permission, soumission, subordination.

OBÉIR. Accepter, accomplir, acquiescer, admettre, céder, conformer, déférer, désobéir, écouter, esclave, fléchir, gouverner, incliner, inféoder, mater, observer, obtempérer, patrie, plier, respecter, soumettre, suivre, traîner.

OBÉISSANCE. Allégeance, assujettissement, aveugle, dépendance, discipline, docilité, fidélité, joug, libre, mater, obédience, observance, passivité, schlague, servilité, soumission, subordination, sujétion, vœu.

OBÉISSANT. Attaché, écoutant, dépendant, docile, sage, soumis, souple, subordonné, têtu.

OBÉLISQUE (n. p.). Concorde, Héliopolis, Louksor, Louqsor, Louxor, Naurouze.

OBÉLISQUE. Aiguille, cadrature, carrelet, clocher, dard, flèche, hiéroglyphe, monolithe, monument, orphie, pierre, pin, pinacle, pyramidion, saperde, tarière, telson, tourillon.

OBÉRER. Accabler, alourdir, charger, compromettre, endetter, grever, peser, ruiner, surcharger.

OBÈSE. Bedonnant, corpulent, énorme, gras, gros, hippopotame, pansu, ventripotent, ventru.

OBÉSITÉ. Adiposité, ampleur, bedaine, brioche, corpulence, embonpoint, enflure, graisse, grassouillet, gros, grosseur, gourmandise, panse, pléthore, réplétion, rondelet, rondeur, rondouillard, surabondance, ventrosité.

OBI (n. p.). Ob, Sibérie.

OBI. Ceinture, costume, soie, sorcier

OBIER. Arbrisseau, arbuste, boule de neige, laurier-tin, pimbina, viburnum, viorne.

OBJECTER. Dire, discuter, exciper, infirmer, opposer, proposer, récuser, réfuter, rejeter, répondre.

OBJECTEUR. Accusateur, adversaire, contradicteur, débatteur, défenseur, frondeur, improbateur, opposant.

OBJECTIF. Ambition, aplanat, but, cible, désir, dessein, diaphragme, fin, final, fish-eye, grand angle, intention, juste, lentille, ligne, neutre, obturateur, œil, optique, point, positif, sténopé, subjectif, téléobjectif, viseur, vrai, zone, zoom.

OBJECTION. Argument, contestation, difficulté, estoppel, mais, observation, opposition, prolepse, refus.

OBJECTIVEMENT. Concrètement, effectivement, empiriquement, en fait, expérimentalement, guère, matériellement, positivement, pratiquement, quasiment, réalistement, réellement, tangiblement, véritablement, vraiment.

OBJECTIVITÉ. Apodicticité, authenticité, droiture, égalité, équité, évidence, existence, flagrance, flegme, impartialité, indifférence, insensibilité, intégrité, justesse, justice, modération, neutralité, vérité.

OBJET. Affûtiau, amer, amulette, article, attrape, babiole, bibelot, bidule, bijou, bondieuserie, bouche-trou, brimborion, brol, broutille, but, cacaille, cale, canon, cause, chef, cheni, chenil, chenit, chose, colifichet, défroque, dessein, dinanderie, document, doudou, enjeu, épave, fève, fétiche, fin, fourbi, fourniment, gadget, gag, ivoire, jouet, joujou, joyau, kitch, kitsch, laque, onde, outil, machin, magnétopause, marchandise, maroquinerie, merle, meuble, motif, nanar, noème, organe, palladium, panoplie, paquet, passion, patente, poire, pomme, porte-bonheur, porte-malheur, produit, rareté, référent, relique, roue, serre-livres, stérilet, supplice, talisman, tapette, tirelire, trésor, truc, ulve, ustensile, vintage, vannerie, zinzin.

OBJURGATION. Accusation, adjuration, blâme, imploration, prière, réprimande, reproche, requête, supplication.

OBLAT. Bénédictin, bouddhiste, bonze, carme, cloître, congréganiste, croyant, curé, derviche, dévot, ermite, eudiste, foi, frère, jésuite, juif, juste, lai, moine, mystique, pape, père, pieux, pratiquant, prêtre, rabbin, récollet, religieux, sacré, saint, séculier, sulpicien, trappiste, trinitaire.

OBLATION. Abnégation, agneau, aruspice, autel, cène, eucharistie, hécatombe, holocauste, hostie, immolation, ite, libation, lustration, messe, offrande, propitiation, renoncement, rite, sacrement, sacrifice, taurobole, victime.

OBLAT MARIE. OM.

OBLAT MARIE-IMMACULÉE. OMI.

OBLIGATION. Allégeance, assignation, astreinte, bénévole, bien, boulet, charge, commandement, contrainte, corvée, dette, devoir, dilemme, dîme, endogamie, exigence, exogamie, impôt, loi, must, nécessité, responsabilité, servitude, sujétion, traite.

OBLIGATOIRE. Fatal, forcé, formalité, impératif, imposé, inéluctable, inévitable, nécessaire, péremptoire, rigoureux, vital.

OBLIGATOIREMENT. Automatiquement, convulsif, disjoncteur, forcé, forcément, immanquable, inconscient, inévitable, instinctif, involontaire, ipso facto, irréfléchi, machinal, réflexe, spontané.

OBLIGÉ. Commandé, contraint, débiteur, dû, emprunteur, débirentier, fatal, forcé, formel, immanquable, impératif, impérieux, indispensable, lige, nécessaire, obligatoire, reconnaissant, redevable, rentré, rigoureux, tenu.

OBLIGEANCE. Affabilité, amabilité, aménité, attention, bagatelle, bienveillance, complaisance, délicatesse, douceur, empressement, gentillesse, gracieuseté, mignardise, prévenance, serviabilité, tour.

OBLIGEANT. Affable, aimable, brave, complaisant, galant, gentil, prévenant, secourable.

OBLIGER. Astreindre, condamner, contraindre, dénicher, engager, expatrier, forcer, imposer, lier, réduire, servir.

OBLIQUE. Biais, biseau, chanfrein, chicane, corne, détour, dévié, diagonale, en épi, gauche, incliné, indirect, infléchi, lien, louche, muscle, scalène, serge, slash, suspect, tortueux, torve, travers, twill.

OBLIQUEMENT. Allusivement, bale, blé d'Inde, cheveux, cloison, crib, diagonalement, épi, épillet, évasivement, groupe, indirectement, inflorescence, loge, mèche, ornement, rachis, ouvrage.

OBLIQUER. Abaisser, apiquer, baisser, chanceler, coucher, décliner, descendre, déverser, examiner, favoriser, incliner, intéresser, occuper, opter, pencher, piquer, porter, pousser, préférer, rejeter, renverser, trébucher.

OBLIQUITÉ. Appétit, aspiration, attrait, bienfaisance, bonté, caprice, chavirer, déclinaison, déclivité, désir, dévoiement, envie, fruit, gîte, goût, inclinaison, infléchissement, inflexion, isocline, penchant, pente, talus, tendance, voie.

OBLITÉRATION. Effacement, embolie, obstruction, obturation, occlusion, opalisation, tamponnement.

OBLITÉRER. Anéantir, boucher, détruire, effacer, estomper, obstruer, tamponner, timbre.

OBLONG. Allongé, aubergine, bidet, gariguette, long, moule, olive, ovoïdal, pacane, pécan.

OBNUBILATION. Agitation, angoisse, anxiété, aveuglement, cassement, contrariété, crépusculaire, désagrément, difficulté, diminution, hébétude, inconscience, obscurcissement, préoccupation, torpeur.

OBNUBILER. Aveugler, brouiller, embrumer, hanter, obséder, obscurcir, poursuivre, priver, troubler, voiler.

OBOLE. Adresse, aumône, bienfait, bienvenue, cadeau, charité, dédicace, denier, don, donation, écot, envoi, holocauste, hommage, immolation, libation, oblation, offrande, offre, opisthodome, quote-part, sacrement, sacrifice, vœu, votif.

OBOMBRER. Abriter, aider, aile, apaiser, assurer, calmer, conserver, défendre, épargner, éviter, garantir, garder, garer, égide, éviter, fiabiliser, garantir, garder, préserver, protéger, providence, rassurer, sauver, secourir, sécuriser, tranquilliser.

OBREPTICE. Dissimulé, furtif, inventé, mensonger, omis, subreptice.

OBSCÈNE. Cochon, dégoûtant, épicé, érotique, graveleux, grivois, impur, indécent, ordurier, salace, sale, vicieux.

OBSCÉNITÉ. Bassesse, cochonceté, cochonnerie, gaillardise, gauloiserie, grivoiserie, grossièreté, horreur, impudicité, inconvenance, indécence, licence, malpropreté, ordure, ordurier, polissonnerie, trivialité, vulgarité.

OBSCUR. Abscons, amphigourique, assombri, brumeux, caché, chargé, confus, couvert, embrouillé, embrumé, énigmatique, enténébré, épais, ésotérique, foncé, fuligineux, fumeux, hermétique, humble, ignoré, incompréhensible, inconnu, indistinct, inintelligible, mystérieux, nébuleux, noir, nuageux, obscurci, ombreux, opaque, profond, secret, sibyllin, sombre, ténébreux, terne, touffu, triste, vague, vaseux, voilé.

OBSCURANTISME. Alchimie, cabalisme, divination, émeri, ésotérisme, gnose, inintelligibilité, fermé, garniture, hermétisme, ignorance, kabbale, luté, nébuleux, obscurité, occultisme, opacité, scellé, secret.

OBSCURANTISTE. Arriéré, birbe, opposé, passé, passéiste, réactionnaire, recul, rétrograde.

OBSCURCI. Aveugle, cécité, clarifié, éclipsé, élucidé, embrumé, nébuleux, noir, sombre.

OBSCURCIR. Assombrir, brouiller, cacher, couvrir, éclipser, effacer, embrumer, ennuager, enténébrer, foncer, noircir, obnubiler, obombrer, offusquer, ombrager, ombrer, opacifier, rembrunir, voiler.

OBSCURCISSEMENT. Assombrissement, effacement, épaississement, inconnu, nébulosité, noircissement, obnubilation, occultation, opacification, rembrunissement, vaporeusement, voilement.

OBSCURÉMENT. Abstraitement, confusément, évasivement, imprécisément, indistinctement, pêle-mêle, vaguement.

OBSCURITÉ. Ambiguïté, black-out, brume, chaos, confusion, dédale, doute, épaisseur, incertitude, mystère, noir, noirceur, nuage, nuée, nuit, ombrage, ombre, opacité, pénombre, soir, soirée, ténèbres, vague.

OBSÉCRATION. Contrition, déprécation, dévotion, exercice, invocation, litanie, méditation, oraison, orémus, patenôtre, pèlerinage, prière, recueillement, rhétorique, souhait, supplication, triduum.

OBSÉDANT. Entêtant, harcelant, hantise, lancinant, persistant, poursuite, préoccupation, tourmente.

OBSÉDÉ. Aveuglé, érotomane, érotomaniaque, fou, hanté, inquiet, malade, maniaque, obnubilé, préoccupé, tourmenté.

OBSÉDER. Assiéger, ennuyer, hanter, hypnotiser, importuner, lanciner, obnubiler, occuper, persécuter, posséder, poursuivre, préoccuper, tourmenter, tracasser, travailler, trotter.

OBSÈQUES. Deuil, enfouissement, ensevelissement, enterrement, funèbre, funérailles, glas, glauque, inhumation, lugubre, macabre, mortuaire, sépulture, sinistre, sombre, triste.

OBSÉQUIEUX. Empressé, flatteur, lécheur, mielleux, plat, poli, rampant, servile, soumis, visqueux.

OBSÉQUIOSITÉ. Banalité, bassesse, cliché, courbette, évidence, fadaise, fadeur, généralité, inconsistance, insignifiance, insipidité, médiocrité, monotonie, obéissance, pâleur, pauvreté, platitude, servilité, sottise, vassalité, vilenie.

OBSERVABLE. Actuel, admis, assuré, attesté, authentique, certain, concret, démontré, effectif, établi, exact, existant, existentiel, factuel, fondé, historial, historique, palpable, présent, réel, tangible.

OBSERVANCE. Canon, commandement, loi, obéissance, observation, pratique, réforme, règle, respect.

OBSERVATEUR. Attentif, auditeur, critique, curieux, diplomate, épieur, guetteur, historien, mirador, officier, participant, scrutateur, spectateur, surveillant, témoin, vigie, vigilant.

OBSERVATION. Analyser, attention, avertissement, commentaire, considération, critique, étude, empirique, espionnite, examen, expérience, horoscope, météo, minutieuse, note, obéissance, panoptique, pensée, pratique, probité, réflexion, remarque, réprimande, reproche.

OBSERVATOIRE. Blockhaus, cache, charge, émetteur, emplacement, emploi, essencerie, fonction, grade, lieu, mirador, nid-de-pie, place, poste, radio, sémaphore, situation, télévision, tour, tourelle, vigie.

OBSERVER. Accomplir, acquitter, analyser, avertir, conformer, considérer, critiquer, épier, étudier, examiner, garder, mirer, noter, obéir, pratiquer, réfléchir, regarder, remarquer, remplir, rendre, réprimander, scruter, suivre, surveiller, tâter, tenir, toiser, veiller, vigie, voir.

OBSESSIF. Déprimant, impur, insalubre, maladif, malsain, morbide, pathologique, pourri, souffreteux.

OBSESSION. Crainte, ennui, érotomanie, fixe, fixette, hantise, idée, manie, névrose, psychose, souci, tracas.

OBSESSIONNEL. Compulsif, gageur, impulsionnel, joueur, maniaque, miseur, monomane, parieur.

OBSIDIENNE. Agate, albâtre, andésite, aplite, ardoise, arénite, argile, basalte, bauxite, calcaire, cipolin, craie, diapir, diorite, ectinite, écueil, éluvion, émeri, endogène, éruptif, exogène, falun, gaize, gneiss, granit, granite, granulite, gravier, grenu, grès, gypse, houille, jaspe, kaolin, lignite, limon, lœss, lumachelle, marne, meulière, minerai, nunatak, péridotite, pierre, ponce, rétinite, rhyolite, roc, roche, rocher, ruiniforme, sable, salin, schiste, serpentine, silex, stéatite, stérile, syénite, tarsienne, téphrite, tripoli, tuf, zéolite, zéolithe.

OBSOLESCENCE. Abandon, anachronisme, ancienneté, antiquité, archaïsme, caducité, décrépitude, délabrement, désaffection, désuétude, survivance, usure, vétusté, vieillesse, vieillissement.

OBSOLESCENT. Anachronique, annulé, arriéré, attardé, caduc, caduque, démodé, dépassé, désuet, expiré, inactuel, invalide, nul, obsolète, perdu, périmé, rétrograde, suranné, usé.

OBSOLÈTE. Ancien, caduc, démodé, dépassé, déprécié, désuet, périmé, sorti, suranné, vieilli, vieux.

OBSTACLE. Abattis, barrage, barre de spa, barricade, barrière, blocage, brisant, brook, bull-fish, butoir, difficulté, dirimant, écueil, embarras, embûche, empêchement, encombrement, entrave, épave, frein, gêne, mur, objection, oxer, palanque, point, récif, rédhibitoire, résistance, retranchement, rivière, rocher, serrure, spa, tribulations, verrou.

OBSTÉTRICIEN (n. p.). Semmelweis.

OBSTÉTRICIEN. Accoucheur, gynécologue, maïeuticien, matrone, médecin, parturologue, sage-femme.

OBSTÉTRIQUE. Accouchement, avortement, bas, délivrance, dystocie, élaboration, enfantement, eutocie, forceps, gésine, gestation, grossesse, maternité, naissance, part, parturition, puerpéral, trigémellaire.

OBSTINATION. Acharnement, assiduité, aveuglement, constance, détermination, entêtement, fermeté, insistance, mordicus, opiniâtreté, persévérance, persistance, résistance, résolution, ténacité, volonté.

OBSTINÉ. Buté, coriace, encroûté, endurci, entêté, insensible, mule, opiniâtre, persévérant, persistant, tenace, têtu.

OBSTINÉMENT. Âprement, farouchement, fermement, mordicus, opiniâtrement, résolument, tenacement.

OBSTINER. Acharner, braquer, buter, contredire, entêter, insister, piquer, résister, soutenir, persister.

OBSTRUCTION. Atrésie, barrage, congestion, dame, digue, éboulis, écluse, embâcle, embolie, empêchement, engorgement, engouement, glissement, iléus, oblitération, obstacle, obstructionnisme, occlusion, opposition, résistance.

OBSTRUER. Barrer, barricader, bloquer, boucher, congestionner, embarrasser, embouteiller, empêcher, encombrer, encrasser, engorger, fermer, gorger, oblitérer, obturer, opiler, remplir.

OBTEMPÉRER. Acquiescer, céder, conformer, exécuter, incliner, obéir, observer, respecter, soumettre.

OBTENIR. Accrocher, acheter, acquérir, arracher, avoir, capter, cartonner, compulser, conquérir, décrocher, emprunter, extorquer, gagner, glaner, impétrer, obtention, payer, qualifier, recevoir, recueillir, remporter, retenir, séduire, sortir, soutirer, taper, venger.

OBTENTION. Achat, acquêt, acquisition, action, appropriation, chaland, commande, commissions, conquêt, course, échange, emplette, fiducie, magasinage, mémorisation, provision, usucapion.

OBTENU. Acheté, acquis, atteint, capté, emprunté, eu, extorqué, gagné, glané, impétré, possible, sorti.

OBTURATEUR. Cache-prise, clapet, déclencheur, étrangleur, fusil, quenouille, robinet, soupape, trou, valve.

OBTURATION. Barrage, bouchage, bouclage, cloisonnage, cloisonnement, clôture, colmatage, compactage, cylindrage, damage, fermeture, interception, oblitération, occlusion, plombage, roulage, tassage.

OBTURER. Aurifier, boucher, combler, dentiste, fermer, ligaturer, obstruer, mastiquer, photographier, plomber.

OBTUS. Angle, arrondi, balourd, bête, borné, bouché, épais, inintelligent, lourd, lourdaud, pesant, sot.

OBUS. Bombe, boulet, canon, culot, marmite, mortier, obusier, ogive, projectile, shrapnel, shrapnell.

OBVENIR. Advenir, appartenir, dévolu, échéance, échoir, expirer, incomber, obtenir, revenir, succession, suranner, tomber.

OBVERS. Argent, avers, cuivre, ectype, fétiche, insigne, listel, médaille, médaillon, monnaie, or, pièce, plaque, revers, scapulaire.

OBVIE. Appert, assuré, certain, clair, constant, contestable, criant, discutable, douteux, évident, flagrant, formel, frappant, incontestable, indiscutable, limpide, manifeste, net, notoire, palpable, patent, positif, sûr, visible.

OBVIER. Abstenir, cavaler, conjurer, contourner, crayonner, croquer, défiler, dérober, dessiner, détourner, disparaître, dissiper, écarter, éluder, enfuir, esquiver, évasif, éviter, fuir, non, pallier, parer, partir, pocher, remédier, tracer.

OC. Absolument, accord, agrément, assentiment, assurément, aveu, bien, bon, certainement, certes, da, entendu, évidemment, jà, mariage, merci, occitan, oïl, opiner, ouais, oui, parfait, parfaitement, si, soit, volontiers.

OCCASION. Affaires, aubaine, brocante, cas, cause, chance, circonstance, conjoncture, éventualité, facilité, fois, hasard, heur, incidence, lieu, moment, occurrence, opportunité, piège, possibilité, temps, tentation, terrain.

OCCASIONNEL. Accidentel, contingent, dispendieux, épisodique, exceptionnel, incident, occasionnalisme, sporadique.

OCCASIONNELLEMENT. Accidentellement, casuellement, fortuitement, hasard, incidemment, inopinément.

OCCASIONNER. Amener, appeler, apporter, attirer, causer, créer, déchaîner, déterminer, donner, engendrer, entraîner, faire, fournir, induire, motiver, nécessiter, porter, prêter, produire, provoquer, susciter.

OCCIDENT (n. p.). Arbogast, Arnoul, Auguste, Bérenger, Charlemagne, Dioclétien, Gratien, Honorius, Pacifique.

OCCIDENT. Alliés, couchant, ouest, océan, occidental, pays, ponant, soleil.

OCCIDENTAL. Alliés, blanc, couchant, est, jaune, levant, occident, orient, ouest, ponant, ponantais.

OCCIPUT. Cerveau, crâne, inca, lambda, lambdoïde, lobe, inion, nuque, occipital, os, tête, wormien.

OCCIRE. Abattre, achever, assassiner, assommer, décimer, descendre, égorger, éliminer, étouffer, étrangler, étriper, immoler, lapider, massacrer, nettoyer, saigner, servir, trucider, tuer, zigouiller.

OCCITAN. Absolument, accord, agrément, assentiment, assurément, aveu, bien, bon, certainement, certes, da, entendu, évidemment, jà, mariage, merci, oc, oïl, opiner, ouais, oui, parfait, parfaitement, si, soit, volontiers.

OCCLURE. Arrêter, bâcler, barrer, barricader, boucher, boucler, cacher, cadenasser, cicatriser, ciller, claquemurer, claquer, cligner, clore, coudre, enfermer, faufiler, fermer, lacer, murer, placarder, river, sceller, souder, verrouiller.

OCCLUSION. Affriquée, assimilation, atrésie, blocage, bouchage, click, fermer, fermeture, iléus, invagination, mâchoire, obstruction, obturation, opalisation, opération, perturbation, pontage, volvulus.

OCCULTATION. Absence, agonie, agranulocytose, analgésie, ankylose, décès, déclin, délitescence, départ, deuil, disparition, dissolution, dystrophie, éclipse, éloignement, évanoui, fin, fondu, fugue, mort, paralysie, sédation, soleil.

OCCULTE. Astral, cabale, cabalistique, caché, chakra, clandestin, cryptique, ectoplasme, ésotérisme, hérésie, hermétique, hétérie, mafia, mage, magie, mancie, mana, mystérieux, possédé, secret, souterrain.

OCCULTEMENT. Anonymement, catimini, clandestinement, confidentiellement, discrètement, furtivement, incognito, secrètement, sourdement, sourdine, souterrainement, subrepticement.

OCCULTER. Cacher, camoufler, couvrir, déguiser, disparaître, dissimuler, éclipser, envelopper, escamoter, étouffer, farder, intercepter, maquiller, masquer, obturer, offusquer, recouvrir, taire, voiler.

OCCULTISME. Alchimie, archimagie, ésotérisme, gnose, goétie, hermétisme, illumination, kabbale, magie, mystagogie, mystère, parapsychisme, psychomancie, radiesthésie, spiritisme, théurgie.

OCCULTISTE. Adepte, adhérent, affidé, alchimiste, cathare, converti, défenseur, devin, disciple, fidèle, initié, magicien, médium, militant, partisan, prosélyte, recrue, secte, soutien, sympathisant, tenant, zélateur.

OCCULTISTE ANGLAIS (n. p.). Dee.

OCCULTISTE BRITANNIQUE (n. p.). Blavatzky, Crowley.

OCCULTISTE FRANÇAIS (n. p.). Kardec.

OCCUPATION. Activité, affaire, baliverne, besogne, dada, distraction, emploi, état, fonction, giron, hobby, loisir, ouvrage, place, tâche, travail.

OCCUPANT. Agresseur, cananéen, colon, colonisateur, despote, dictateur, dominateur, doryphore, ennemi, envahisseur, habitant, impérialiste, oppresseur, persécuteur, potentat, tortionnaire, squatteur, touriste, tyran, usurpateur.

OCCUPATION. Agrément, amusement, bagatelle, distraction, jeu, lecture, lire, passe-temps, plaisir.

OCCUPÉ. Absorbé, accablé, accaparé, actif, affairé, assujetti, chargé, désoccupé, écrasé, employé, engagé, indisponible, pris, squatté, tenu.

OCCUPER. Absorber, accaparer, affairer, agir, assiéger, brasser, caracoler, dominer, durer, emplir, faire, hanter, investir, mener, obséder, peupler, pouponner, prendre, préoccuper, réoccuper, rester, squatter, squattériser, tenir, trôner, tuer le temps, vaquer.

OCCURRENCE. Alibi, cas, circonstance, condition, conjoncture, détail, donnée, événement, éventualité, existence, face, fait, impondérable, lieu, modalité, moment, occasion, opportuniste, rencontre, situation.

OCÉAN (n. p.). Antarctique, Arctique, Atlantique, Beaufort, Indien, Pacifique.

OCÉAN. Abîme, abondance, abysse, biome, eau, flots, gouffre, hadal, immensité, mer, ponant.

OCÉANAUTE. Apnéiste, aquanaute, homme-grenouille, plongeur, scaphandrier, submersible, tubiste.

OCÉANIEN. Antillais, calambac, cubain, cypriote, fidjien, haïtien, ilien, îlienne, insulaire, sicilien.

OCÉANIQUE FOSSE (n. p.). Bonin, Kermadec, Java, Kouriles, Mariennes, Nouvelle-Bretagne, Philippines, Porto Rico.

OCÉANOGRAPHE (n. p.). Albert, Charcot, Cousteau, Legendre, Maury, Nansen, Piccard, Sverdrup.

OCELLE. Achromatopsie, anchylop, atone, bigle, bourgeon, bouton, calot, cil, cornée, cristallin, cyclope, emmétrope, espion, exophtalmie, exorbité, glaucome, globe, greffe, iris, judas, larme, loucher, magique, mirette, œil, ophtalmie, orbite, organe, pousse, prunelle, pupille, quinquet, regard, rétine, stemmate, taie, talion, torve, uvée, uvéite, vision, voir, vue, yeux.

OCRE. Argilacé, argile, banc, barbotine, bauge, bentonite, bille, bol, boue, brique, calamité, chamotte, erbue, gault, glaise, groie, kaolin, marne, ombre, parafango, pisé, salbande, sep, sial, sil, terre, tuile.

OCRER. Barbouiller, barioler, bistrer, bleuter, colorer, colorier, dorer, empourprer, encrer, enluminer, farder, iriser, nuancer, orner, panacher, peindre, pigmenter, rehausser, relever, rosir, rougir, safraner, teindre, teinter.

OCTANE. Acétylène, alcane, alcène, allène, allylène, amylène, benzène, butane, cyclane, diène, diesel, éthylène, heptane, hydrocarbure, hylène, mazout, naphtaline, oléfine, pentane, propane, styrène, térébenthine, terpène, toluène.

OCTAVE. Arrêt, avent, battement, carême, coma, créneau, distance, écart, écartement, entracte, entre, espace, étape, intermède, intervalle, laps, métope, quarte, quinte, sas, seconde, sixte, tierce, vide.

OCTAVIN. Bec, diaule, fifre, fistule, flageolet, fluette, flûte, flûtiau, galoubet, horion, larigot, monaule, nay, ney, pan, piccolo, picrate, pipeau, traversière, turlututu.

OCTET. Binaire, binon, bit, huit, informatique, internet, mégaoctet, multiplet, trépan, unité.

OCTOCORALLIAIRE. Alcyonaire, gorgone, mou, pennatulidé, pieuvre, poulpe, stolonifère, tubipore.

OCTOGONE. Huit, huitième, octant, octave, octavo, octid, octies octidi, octuple, polygone.

OCTOPODE. Ammonite, argonaute, bélemnite, calmar, céphalopode, kraken, mollusque, nautile, pieuvre, poulpe, seiche.

OCTROI. Allocation, aman, attribution, cadeau, concession, contribution, don, douane, droit, participation, ronde.

OCTROYER. Accorder, allouer, attribuer, bailler, concéder, consentir, donner, prendre, sucrer.

OCULAIRE. Barnique, binocle, cobra, conserve, cornée, glaucome, jumelle, longue-vue, lorgnette, lorgnon, lunette, microscope, naja, os, réfracteur, sextant, sclérotique, spectateur, télescope, théodolite, transit, verres.

OCULISTE. Médecin, ophtalmologiste, phtalmologiste, ophtalmologue, optométriste, vision.

OCULUS. Ajour, baie, battant, cantonnière, châssis, croisée, espagnolette, fenêtre, hublot, jalousie, lucarne, lunette, meneau, œil-de-bœuf, oreille, oriel, rideau, soupirail, store, tabatière, tenture, vanterne, vasistas, volet.

ODALISQUE. Call-girl, catin, chipie, cocotte, courtisane, fille, garce, grue, hétaïre, micheton, morue, péripatéticienne, pétasse, poule, poupée, prostituée, putain, pute, racoleuse, radeuse, ribaude, roulure, salope, traînée.

ODE. Anacréontique, cantique, canzone, chant, dithyrambe, divan, élégie, épode, hymne, odelette, poème.

ODEUR. Argent, arôme, bouche, bouquet, brûlé, effluve, émanation, évent, fade, fétidité, fragrance, fumet, goût, graillon, iodé, méphitique, moisi, muse, parfum, pestilence, puanteur, rance, ranci, relent, renfermé, rôti, roussi, sainteté, sauvagine, senteur.

ODIEUX. Abject, abominable, atroce, désagréable, détestable, exécrable, haïssable, ignoble, immonde, impossible, indigne, infâme, infernal, insupportable, intolérable, invivable, méchant, noir, pénible, puant, rebutant, révoltant, terrible.

ODOBÉNIDÉ. Moine, morse, otarie, phoque, pinnipède, rohart.

ODOMÈTRE. Compte-pas, compte-tours, instrument, hodomètre, odographe, odomètre, pédomètre, piéton, podomètre.

ODONATE. Aeschne, agrion, anisoptère, demoiselle, hie, insecte, libellule, mademoiselle, zygoptère.

ODONTALGIE. Agitation, agressivité, animosité, colère, crise, fièvre, frénésie, fureur, furie, hydrophobie, ire, irritation, mal, mal de dent, maladie, manie, passion, rage, tollé, violence.

ODONTOCÈTE. Baleine, balénoptère, cachalot, cétacé, épaulard, mammifère, mégaptère, mysticète, rorqual.

ODORANT. Ambré, anisé, aromatique, aromatisé, embaumé, épicé, fragrant, odoriférant, parfumé, suave, tutti frutti.

ODORAT. Anosmie, antenne, flair, fumet, nez, odeur, odoration, olfaction, pif, roussi, sagace, sens.

ODORIFÉRANT. Aromatique, aromatisant, baume, odorant, parfumant, parfumé, puant, thym.

ODYSSÉE (n. p.). Alcinoos, Circé, Hélios, Homère, Lotophage, Mentor, Nausicaa, Perséis, Phéacien, Polyphème, Ulysse.

ODYSSÉE (n. p.). Aventure, balade, circuit, croisière, déplacement, excursion, exil, expédition, exploration, incursion, itinéraire, méhara, navigation, parcours, passage, pèlerinage, pérégrination, périple, promenade, raid, randonnée, route, tourisme, tournée, traversée, virée, visite, voyage.

ŒDÈME. Anasarque, asystolie, éléphantiasis, enflure, gonflement, myxœdème, quincke, tuméfaction, tumeur.

OEDIPE (n. p.). Antigone, Électre, Étéocle, Ismène, Jocaste, Laïus, Polynice, Sphinx.

ŒIL. Achromatopsie, anchylop, atone, bigle, bourgeon, bouton, calot, cil, cornée, cristallin, cyclope, emmétrope, espion, exophtalmie, exorbité, glaucome, globe, greffe, iris, judas, larme, latent, loucher, magique, mirette, ocelle, ommatidie, ophtalmie, orbite, organe, pousse, prunelle, pupille, quinquet, regard, rétine, stemmate, taie, talion, torve, uvée, uvéite, vision, voir, vue, yeux.

ŒIL-DE-BŒUF. Fenêtre, lucarne, oculi, oculus.

ŒIL-DE-CHAT. Bijou, chrysobéryl, pierre, quartz.

ŒIL-DE-PERDRIX. Cal, callosité, calus, cor, corne, durillon, induration, oignon, tylose.

ŒILLADE. Agacerie, atone, attention, ci-contre, clin d'œil, considération, couvercle, égard, fulgurant, inaperçu, interstice, lumière, meurtrière, œil, ouverture, perception, regard, torve, vis-à-vis, vision, vitreux, vue, yeux.

ŒILLÈRE. Bacul, bât, bateuil, bourre, bracelet, bricole, bride, bridon, caveçon, collier, croupière, culeron, dossière, frontal, guide, harnais, harnois, licol, licou, montant, mors, muserolle, reculement, sangle, sautoir, sellette, sous-gorge, surdos, têtière, timon, trait, valoir, ventrière.

ŒILLET (n. p.). Inde.

ŒILLET. Anneau, barbatus, bordure, boutonnière, composée, cosse, deltoïde, dianthus, fleur, grenadin, lacet, marais, mignardise, mignonnette, œil-de-pie, plante, renfort, tagète, tagette, trou, trouet.

ŒILLETON. Accru, bille, bion, bourgeon, bouton, bouture, cépée, cosson, courson, descendant, drageon, enfant, fils, gourmand, greffe, jet, marcotte, pousse, provin, rejeton, scion, stolon, surgeon, talle.

ŒNOLOGUE. Clos, cru, encépagement, erbue, herbue, parchet, vendange, vigne, vigneron, vignoble, vin.

ŒNOTHÉRACÉE. Épilobe, fuchsia, œnothera, œnothère, onagracée, onagrariacée, onagre.

ŒNOTHÈRE. Catapulte, herbe aux ânes, œnothéracée, œnothera, onagre, ongulé, plante.

ŒSOPHAGE. Cregnole, créniaule, gosier, herbière, jabot, larynx, querniaule, régurgitation, ruminant.

OESTRE. Bœuf, cheval, chèvre, hypoderme, insecte, mérinos, mouche, mouton, narine, parasite.

ŒSTRUS. Boire, chaleur, comportement, lutéal, lutéinique, œstrogène, ovulation, phénomène, rut.

ŒUF. Caviar, coco, coque, coquille, couvain, couvée, couvi, frai, germe, glaire, graine, île flottante, incubation, larve, lente, mimosa, nichet, omelette, oosphère, oospore, origine, ovale, ové, ovocyte, ōvoïdal, ovoïde, ovotide, ovule, poutargue, rogue, seiche, vitellus, zygote.

ŒUVRE. Allégorie, anthologie, art, berquinade, carène, chant du cygne, création, dessin, diptyque, élégie, fable, film, gore, lithographie, livre, mobile, monument, multiple, nouvelle, opéra, opérette, opus, ouvrage, page, patronage, pièce, pochade, poème, récit, réplique, roman, sculpture, sonatine, tableau, tâche, témoin, tétralogie, travail, trilogie, turquerie, unité, vieillerie.

ŒUVRER. Activer, affairer, agir, besogner, bosseler, bosser, boulonner, bricoler, bûcher, chiner, ciseler, cultiver, écosser, élaborer, fabriquer, façonner, manœuvrer, occuper, organisation, ouvrager, piocher, piocher, produire, rendre, soigner, suer, tracer, travailler, trimer, turbiner.

OFFENSANT. Amer, blessant, choquant, cinglant, contumélieux, désagréable, dur, injurieux, insultant, vexant.

OFFENSE. Affront, attaque, atteinte, attentat, avanie, blessure, camouflet, coup, désobéissance, faute, félonie, incartade, injure, insolence, insulte, outrage, péché, pénitence, talion, vendetta, vengeance.

OFFENSER. Affronter, attaquer, atteindre, bafouer, blesser, choquer, déblatérer, déplaire, enfreindre, fâcher, formaliser, froisser, heurter, incorrecte, injurier, insulter, léser, outrager, outrer, pécher, piquer, scandaliser, ulcérer, vexer.

OFFENSEUR. Adversaire, affronteur, agresseur, arrogant, assaillant, attaquant, effronté, ennemi, frondeur, harceleur, impertinent, impoli, impudent, insulteur, oppresseur, persécuteur, provocateur, violeur.

OFFENSIF. Agressif, bagarreur, batailleur, brutal, courageux, football, malveillant, rude, violent.

OFFENSIVE. Accusation, agression, assaut, attaque, attentat, botte, braquage, chant, charge, combat, congestion, crise, critique, ictus, initiative, interception, mord, nerf, paralysie, progrès, raid, rescousse, ruade, saignée, sangsue, scène, sus.

OFFERT. Acheter, consacrer, dédicacer, dédier, donné, donner, enchérir, fournir, immoler, montrer, offrir, payer, porter, présenter, procurer, produire, proposer, recevoir, régaler, sacrifier, vendre, votif, vouer.

OFFICE. Agence, bref, bureau, canonicat, charge, culte, devoir, divin, domestique, emploi, entremise, étude, fonction, liturgie, lucernaire, matines, messe, none, nouveauté, obit, offrande, none, prime, procure, religion, salut, semi-officiel, service, sexte, titre, vêpres.

OFFICIALISER. Affermir, affirmer, agréer, appuyer, assurer, attester, autoriser, avérer, certifier, cimenter, confirmer, corroborer, entériner, garantir, homologuer, légaliser, plaider, prouver, ratifier, sceller, valider, vérifier, viser.

OFFICIANT. Célébrant, curé, desservant, diacre, épistolier, fidèle, prêtre, sous-diacre.

OFFICIEL. Agréé, approuvé, arbitre, attitré, authentique, certificat, certifié, commissaire, consacré, juge, public.

OFFICIELLEMENT. Canoniquement, conformément, constitutionnellement, correctement, dûment, juridiquement, légalement, légitimement, licitement, normal, réglementaire, régulier, régulièrement, valable, validement.

OFFICIER. Adjudant, aga, agha, agréé, amiral, avoué, bey, camérier, capitaine, caporal, centurion, chambrier, colonel, coroner, échanson, écuyer, élu, enseigne, général, gonfalonier, gonfanonier, greffier, guidon, héraut, huissier, icoglan, licteur, lieutenant, maire, major, maréchal, nabab, notaire, palatin, panetier, porte-étendard, prévôt, rang, sénéchal, serdeau, sergent, shérif, traîneur, vauguemestre.

OFFICIER ALLEMAND (n. p.). Eichmann, Immelmann, Münchhausen, Röhm, Stauffenberg.

OFFICIER ANGLAIS (n. p.). Falstaff, Lawrence.

OFFICIER CANADIEN (n. p.). Salaberry.

OFFICIER CORSE (n. p.). Arena, Bacciochi.

OFFICIER ESPAGNOL (n. p.). Cortés.

OFFICIER FRANÇAIS (n. p.). Adrets, Assas, Bange, Bayard, Bournazel, d'Artagnan, Dangeau, Dreyfus, Duquesne, Éon, Épernon, Esterhazy, Fonck, Frenay, Garnier, Grasse, Kersaint, Laclos, Lamy, Laussedat, Lauzun, Le Prieur, Loti, Maisonneuve, Montbrun, Morin, Rossel, Soubise, Sourdis, Vigny.

OFFICIER HOLLANDAIS (n. p.). Tromp.

OFFICIER ITALIEN (n. p.). Carmagnola, Colleoni.

OFFICIER YOUGOSLAVE (n. p.). Mihajlovic.

OFFICIEUX. Aimable, attentionné, authenticité, bienveillant, bon, brave, charitable, civil, complaisant, déférent, empressé, galant, obligeant, poli, privé, serviable.

OFFICINAL. Codex, herbe, jasmin, pharmacie, plante, prescription, remède, sauge, véronique.

OFFICINE. Apothicaire, atelier, boutique, droguier, guérison, laboratoire, mauvais, médicinale, nuisible, opiat, pharmaceutique, pharmacie, plante, secret, thériaque.

OFFRANDE. Adresse, aumône, bienvenue, cadeau, charité, choéphore, dédicace, denier, don, donation, envoi, holocauste, hommage, immolation, libation, oblation, obole, offre, opisthodome, sacrement, sacrifice, tronc, vœu, votif.

OFFRE. Avance, avertissement, demande, encan, enchère, exhibition, objet, offrande, offreur, OPA, OPE, OPR, OPV, mise, objet, pack, place, pollicitation, présentation, proposition, rébus, soumission, suggestion, surenchère.

OFFRIR. Acheter, consacrer, dédicacer, dédier, donner, enchérir, exposer, fournir, immoler, montrer, payer, porter, présenter, prêter, procurer, produire, proposer, recevoir, régaler, remettre, sacrifier, servir, taper, vendre, vouer.

OFFUSQUER. Blesser, choquer, déplaire, froisser, heurter, injurier, insulter, ulcérer, vexer.

OFLAG. Camp, camp de travail, goulag, officier, offlag, stalag.

OGIVE. Arc, arcade, arceau, cintre, formeret, gable, gothique, lancette, obus, ogival, tête, tierceron, voûte.

OGRE. Anthropophage, croque-mitaine, gargantua, géant, goule, lamie, mangeur, morfal, vampire, vorace.

OHM. Conductance, électricité, endurance, force, méghon, MHO, multimètre, obstacle, obstruction, ohmmètre, ohmique, oméga, opposition, rébellion, rénitence, résistance, rhéostat, siemens, unité, volt.

OIE. Ansé, anser, ansériforme, barnache, bécassine, bernache, blanche, cacarder, canapetière, canard, civet, criailler, jars, jeu, niais, oiseau, oiselle, oison, outarde, palme, palmipède, parade, pas, rillons, rosière, scirpe, sot.

OIGNON. Ail, bulbe, caïeu, ciboule, ciboulette, cive, civet, cor, durillon, échalote, glane, groupe, montre, plante.

OINDRE. Baptiser, baume, bénir, consacrer, crémer, enduire, frictionner, frotter, graisser, huiler, oing, oint, onction, onguent, lubrifier, sacrer.

OINT. Accommodage, affectation, apprêt, béni, calandrage, cati, catissage, collage, décati, disposition, dressage, empois, enduit, glaçage, habillage, préparatif, préparation, recherche, vaporisage.

OISE, VILLE (n. p.). Attichy, Auneuil, Beauvais, Betz, Bresles, Chambly, Chantilly, Clairoix, Clermont, Compiège, Creil, Éragny, Froissy, Mouy, Nivilliers, Noyon, Pierrefonds, Senlis.

OISEAU (3 lettres). Aix, ani, ara, coq, crax, duc, fou, glu, moa, nid, oie, pic, pie, roc, vol.

OISEAU (4 lettres). Alca, alle, anas, auge, buse, cane, cire, dodo, émou, émeu, geai, gode, grue, ibis, jaco, jars, kiwi, lacs, lori, lulu, lyre, œuf, olor, paon, pape, piaf, râle, rets, rock, skua, tohi, veuf, zizi.

OISEAU (5 lettres). Agace, agami, aigle, ajaia, alque, argas, argus, babil, barge, biset, butor, cagou, calao, chama, circé, colin, crave, cygne, dinde, duvet, eider, essor, filet, freux, ganga, gluau, goglu, grèbe, grive, guano, harle, héron, hibou, hocco, huard, huart, huppe, junco, kagou, labbe, loris, merle, milan, moine, noddi, oison, pilet, pioui, pipit, poule, rémiz, serin, sirli, tarin, tourd, tyran, urubu, veuve, viréo, volée.

OISEAU (6 lettres). Æthia, agasse, aiglon, alauda, alcidé, alcyon, autour, bécard, bec-fin, bruant, bulcus, busard, caille, canard, canari, casoar, cincle, condor, coucou, cui-cui, dindon, draine, dronte, droute, dur-bec, faisan, faucon, garrot, grouse, harpie, hoazin, jacana, jaribu, jaseur, kakawi, leipoa, loriot, martin, mauvis, ménure, nandou, nigaud, oriole, pétrel, pigeon, pinson, pitpit, pivert, puffin, quéléa, ramier, rapace, ratite, rieuse, saphir, sterne, strige, tétras, tinamu, torcol, torcou, toucan, tourte, trogon, uraète, vacher, verdin.

OISEAU (7 lettres). Actitis, amazili, anatidé, anatiné, anhinga, apodidé, aptéryx, aramidé, ardéidé, aviaire, bécasse, béjaune, bec-scie, bengali, caneton, carouge, chocard, choucas, cigogne, colibri, colombe, col-vert, corbeau, courlan, courlis, crabier, cracidé, échasse, effraie, élanion, épeiche, flamant, foulque, frégate, friquet, gerfaut, goéland, griffon, gros-bec, guêpier, guiraca, gypaète, halbran, harelde, harfang, havelde, hulotte, ictérie, judelle, kamichi, keskidi, linotte, litorne, mainate, manchot, manteau, mergule, mésange, milouin, moineau, moqueur, motteux, mouchet, mouette, nyctale, oiselet, orfraie, ortolan, outarde, palombe, pélican, perdrix, phaéton, pic-bois, pic-vert, pierrot, pintade, pluvian, pluvier, pondeur, poussin, quetzal, rollier, roselin, sifilet, sittèle, sizerin, souchet, spatule, sucrier, tadorne, tangara, tantale, tinamou, touraco, traquet, vanneau, vautour, verdier, voilier.

OISEAU (8 lettres). Acanthis, ægolius, agelaius, aigrette, alaudidé, albatros, alouette, amazilia, ansériné, appelant, autruche, avocette, becfigue, bendirei, bernache, bernacle, bihoreau, blongios, cacatoès, caracara, cardinal, carinate, chevêche, choquard, chouette, circaète, cochevis, colombin, cormoran, coulicou, cul-blanc, dinornis, émouchet, épervier, épyornis, fauvette, fournier, fuligule, glaréole, grand-duc, gravelot, grivette, guifette, hobereau, huîtrier, hypolaïs, lagopède, loriquet, macareux, macreuse, mandarin, mange-mil, marabout, marmette, martinet, maubèche, mégapode, merlette, meunière, morillon, naucière, nocturne, nonnette, oisillon, ombrette, ortalide, paruline, perruche, petit-duc, pigeonne, pingouin, plongeon, plongeur, pouillot, pygargue, quiscale, récollet, repyornis, roitelet, rupicole, sarcelle, sittelle, sylvette, tisserin, sturnidé, volaille.

OISEAU (9 lettres). Accenteur, accipiter, aéronaute, aimophila, alectoris, ammoapiza, balbuzard, bécasseau, bécassine, bec-croisé, bouvreuil, canardeau, casse-noix, certhiidé, chamaéidé, chat-huant, chemineau, chevalier, cigogneau, colombine, corneille, couroucou, dénicheur, diablotin, échassier, échelette, émerillon, étourneau, falconidé, francolin, gallinacé, gallinule, gélinotte, géocoucou, gorge-bleu, guignette, guillemot, hirondeau, lariforme, marouette, mauviette, merle bleu, milouinan, musophage, œdicnème, palmipède, passereau, passerine, perroquet, phalarope, phragmite, pique-bois, rossignol, salangane, sansonnet, sauvagine, solitaire, sturnelle, syrrhapte, tiercelet, tourdelle, troupiale, tyranneau.

OISEAU (10 lettres). Ægithalos, alcédinidé, ammodramus, amphispiza, apodiforme, ardéiforme, bartavelle, carougette, cathartidé, coq-de-roche, crécerelle, dickcissel, dindonneau, effarvatte, épeichette, érismature, faisandeau, grimpereau, hirondelle, hochequeue, indicateur, lavandière, lophophore, oiseau-lyre, paradisier, phénopèple, pie-grièche, pigeonneau, pique-bœuf, psittacidé, rouge-gorge, rouge-queue, secrétaire, spioncelle, sporophile, tichodrome, trochilidé, troglodyte.

OISEAU (11 lettres). Accipitridé, acridothère, chanterelle, charadriidé, chevêchette, dendrocygne, engoulevent, épouvantail, fou de bassan, gobe-mouches, jean-le-blanc, moucherolle, percnoptère, pyrrhuloxia, républicain, rousserolle, serpentaire, stercoraire, succenturié, tourterelle, travailleur.

OISEAU (12 lettres). Æchmophorus, aigle-pêcheur, archéoptéryx, bec-en-ciseaux, bombycillidé, caprimulgidé, chardonneret, oiseau-mouche, ornithologie, ornithologue, plectrophane, tourne-pierre.

OISEAU (13 lettres). Bergeronnette, gobe-moucheron, lamellirostre, martin-pêcheur, paille-en-queue, pélécaniforme.

OISEAU (14 lettres). Charadriiforme, colombigalline, gobe-moucherons, martin-chasseur.

OISEAU (15 lettres). Caprimulgiforme, hirondelle de mer, oiseau du paradis, oiseau-trompette, struthioniforme.

OISELET. Aigle, approche, balle, birdy, bois, cadet, caddie, caddy, club, drive, driveur, droper, dropper, fairway, fer, golf, green, grip, links, match-play, miniature, minigolf, par, pitch, rough, roulé, slice, tee, terrain, vert.

OISELEUR. Éleveur, faisandier, filet, oiselier, nourrisseur, piégeur, tenderie, zootechnicien.

OISEUX. Épineux, futile, inactif, inutile, musard, oisif, paresseux, stérile, superficiel, superflu, vain, vide.

OISIF. Badaud, désœuvré, doré, fainéant, inactif, indolent, inemployé, inoccupé, musard, oiseux, traîne-savates.

OISILLON. Couvée, famille, œufs, marmaille, nichée, ponte, portée, produit, progéniture, race, tribu.

OISIVETÉ. Chômage, congé, désœuvrement, détente, farniente, flânerie, inaction, inertie, loisir, paresse, relâche, répit, repos.

OLAV (n. p.). Olaf.

OLÉACÉE. Arbre, caducée, arbuste, forsythia, frêne, jasmin, lilas, oléastre, olivier, orne, troène.

OLÉAGINEUX. Amandier, arachide, colza, gras, graisseux, huileux, lin, olivier, soja, soya, tournesol.

OLÉASTRE. Caducée, élæagnus, oléiculteur, olivaie, olivâtre, oliveraie, olivette, olivier, osmanthus.

OLÉFINE. Acétylène, alcane, alcène, allène, allylène, amylène, benzène, butane, cyclane, diène, diesel, éthylène, heptane, hydrocarbure, hylène, mazout, naphtaline, octane, pentane, propane, styrène, térébenthine, terpène, toluène.

OLÉODUC. Adduction, branchement, canalisation, colonne, conduit, conduite, égout, émissaire, ensouillage, gazoduc, griffon, pipe, pipeline, réseau, sea-line, tubulure, tuyau.

OLÉ-OLÉ. Affranchi, aisé, assuré, autonome, célibataire, commodité, délibéré, délié, disponible, divorcé, émancipé, évadé, familier, franc, hardi, indépendant, léger, leste, libre, net, osé, souverain, vacant.

OLÉUM. Acescent, acide, acidulé, âcre, acrimonieux, aigre, alanine, amer, arsénique, asparagine, borique, bromique, caprylique, caustique, chlorique, citrique, désagréable, eau-forte, glycérique, glycocolle, histidine, hyposulfureux, lactique, lessant, leucine, malique, oxacide, palmitique, phtalique, picrique, piquant, salicylique, serine, silicique, stéarique, sulfurique, sur, suret, surette, thiosulfurique, tryptophane, tyrosine, urique, valine, vanadique, vinaigré, vitriol.

OLFACTION. Dysosmie, ethmoïde, flair, fumet, nez, odeur, odorat, pif, rhinencéphale, roussi, sens.

OLIBRIUS. Bravache, excentrique, fantaisiste, hâbleur, original, pédant, phénomène, type.

OLIFANT. Chevalier, cor, corne, défense d'éléphant, ivoire, oliphant, trompe.

OLIGARCHIE. Argyrocratie, aristocratie, dynaste, famille, ploutocratie, puissant, synarchie.

OLIGOCÈNE. Cénozoïque, éocène, miocène, néogène, nummulitique, paléogène, paléogène.

OLIGOCHÈTE. Annélide, limicole, lombric, terricole, tubicole, tubifex, ver, ver de terre.

OLIGOCLASE. Albite, aluminosilicate, amazonite, arkose, bytownite, feldspath, kaolin, labrador, lapis, lapis-lazuli, lazurite, microline, orthose, perlite, pétunsé, plagioclase, syénite, trachyte.

OLIGO-ÉLÉMENT. Aluminium, argent, arsenic, calcium, chrome, cobalt, cuivre, fer, fluor, iode, lithium, magnésium, manganèse, molybdène, nickel, or, phosphore, potassium, sélénium, silicium, sodium, soufre, zinc.

OLIGOPHRÉNIE. Arriération, crétinisme, débilité, déficience, déficit, faiblesse, idiotie, imbécillité, insuffisance, retard.

OLIVAIE. Caducée, élæagnus, oléastre, oléiculteur, olivâtre, oliveraie, olivette, olivier, osmanthus.

OLIVÂTRE. Basané, bis, bistre, brun, cireux, foncé, plombé, mat, terreux, verdâtre, vert.

OLIVE. Actinote, couleur, donace, donax, huile, maillotin, maye, olivacée, olivâtre, olivette, picholine, scouffin, tue-diable.

OLIVERAIE. Olivaie, olivette, olivier.

OLIVETTE. Olivaie, oliveraie, raisin, tomate.

OLIVIER. Caducée, élæagnus, oléacée, oléastre, oléiculteur, olivaie, olivâtre, oliveraie, olivette, osmanthus.

OLIVINE. Basalte, chrysolite, gravier, joaillerie, minéral, péridot, pierre, serpentine, topaze.

OLLAIRE. Armoise, gravier, olivine, joaillerie, péridot, pierre, roche, serpentine, silicate, topaze.

OLYMPE. Astre, azur, calotte, céleste, ciel, cieux, climat, coupole, dais, éden, empyrée, éther, exil, firmament, frise, infini, là-haut, lit, mythologie, nirvâna, oasis, paradis, parnasse, séjour, voûte, walhalla.

OLYMPIEN. Auguste, C.I.O., digne, divinité, hiératique, impérial, imposant, majestueux, serein, solennel.

OMAN, CAPITALE (n. p.). Mascate.

OMAN, LANGUE. Arabe.

OMAN, MONNAIE. Rial.

OMAN, VILLE (n. p.). Amal, Dank, Ibra, Mascate, Natih, Ruwi, Sib, Sur.

OMBELLE. Bouton, camomille, capitule, chaton, cône, conique, conoïde, cornacée, corymbe, cyme, épi, fleur, glomérule, grappe, inflorescence, involucre, ombellule, papyrus, parapluie, parasol, spadice.

OMBELLIFÈRE. Ache, æthusa, anet, aneth, angélique, anis, berce, carotte, carvi, céleri, cerfeuil, chervis, ciguë, crithme, cumin, éthuse, fenouil, férule, hydrocotyle, livèche, maceron, œnanthe, opopanax, panais, panicaut, persil, peucédan, rave, sanicle, sanicule, sison, sium, thapsis.

OMBILIC. Épigastre, funiculaire, lambouri, intermédiaire, milieu, nombril, ombilical, siège.

OMBRAGE. Abri, ambiguïté, chaos, clair-obscur, confusion, demi-jour, doute, incertitude, lumière, noir, noirceur, nuage, nuée, nuit, obscurité, ombre, opacité, pénombre, protection, ténèbres, vague.

OMBRAGER. Assombrir, brouiller, cacher, couvrir, embrumer, ennuager, enténébrer, foncer, noircir, obnubiler, obscurcir, ombrer, opacifier.

OMBRAGEUX. Angoissé, craintif, défiant, méfiant, peureux, pointilleux, soupçonneux, susceptible, vicieux.

OMBRE. Abri, apparence, couvert, dessin, estompe, fantôme, incarcéré, noir, nuage, obscurité, ocre, opacité, pénombre, poisson, prison, reflet, secret, soupçon, teinte, trace, trait, ubac, versant, zone.

OMBRELLE. En-cas, marquise, masse, méduse, parapluie, parasol, pébroc, pépin, riflard.

OMBRER. Calquer, chiner, colorier, croquer, dessiner, estomper, figurer, griffonner, lever, maquiller, orner, planifier, profiler, projeter, relever, saillir, silhouetter, tableau, tatouer, tracer.

OMBUDSMAN. Advenant, arbitre, arrangeur, conciliateur, droit, égal, équitable, histoire, impartial, indifférent, intègre, intermédiaire, juge, juste, médiateur, modérateur, négociateur, neutre, objectif.

OMELETTE. Baveuse, coco, coque, coquille, couvain, couvée, couvi, frai, germe, graine, incubation, larve, lente, nichet, œuf, oosphère, oospore, origine, ovale, ové, ovocyte, ovoïdal, ovoïde, ovotide, ovule, piperade, poutargue, rogue, seiche.

OMERTA. Acte, arrêt, arrêté, bill, canon, code, délit, destin, droit, édit, fuero, justice, justicier, légal, lévirat, loi, norme, obligation, ordonnance, règle, règlement, ripuaire, salique, talion, thora, torah.

OMETTRE. Cacher, celer, couvrir, dissimuler, escamoter, manquer, négliger, oublier, passer, sauter, taire.

OMIS. Mutisme, négligé, obreptice, oublié, passé, sauté, silence, taire, tu.

OMISSION. Absence, amnésie, bourdon, défaut, distraction, ellipse, étourderie, faute, inattention, inexécution, lacune, manque, négligence, oubli, prétérition, privation, restriction, réticence, trou, vide.

OMNIBUS. Auto, automobile, autorail, bagnole, baladeuse, berline, bolide, break, buggy, cab, cabriolet, calèche, car, char, coach, coche, coupé, duc, épave, fardier, fiacre, fourgonnette, guimbarde, jardinière, jeep, landau, limousine, mulet, poussette, tacot, tapecul, taxi, téléga, télègue, teuf-teuf, torpédo, tram, turbo, utilitaire, van, véhicule, victoria, voiture.

OMNIPOTENCE. Arbitraire, autoritarisme, caporalisme, despotisme, dictature, domination, hégémonie, majesté, pouvoir, prééminence, primauté, souverain, souveraineté, supériorité, suprématie, uniate.

OMNIPOTENT. Absolu, dominateur, hégémonique, souverain, totalitaire, tout-puissant, tyrannique.

OMNIPRATICIEN. Généraliste, médecin.

OMNIPRÉSENCE. Absence, alibi, assiduité, bilocation, disparition, efficacité, éloignement, essence, existence, infestation, partout, présence, régularité, supporter, ubiquisme, ubiquité.

OMNIPRÉSENT. Actuel, aujourd'hui, assistant, cadeau, contemporain, courant, don, dot, étrenne, existant, gâterie, immédiat, legs, oblation, offrande, moderne, présent, réalité, témoin, verbe, ubiquitaire.

OMNISCIENCE. Acquis, bagage, compétence, connaissance, éducation, sagesse, savant, savoir, science.

OMNIVORE. Acromion, blaireau, caille, cochon, coq, dinde, dindon, faisan, galliforme, gallinacé, mangouste, perdrix, pintade, porc, poule, raton, rongeur, suricate, surikate.

OMOPLATE. Acromion, clavicule, coracoïde, épaule, glénoïdal, glénoïde, os, paleron, scapulaire.

ON. Autre, certain, gens, quelqu'un, vox populi.

ONAGRACÉE. Dialypétale, épilobe, fuchsia, jussiée, ludwigia, œnothéracée, onagre, plante.

ONAGRARIACÉE. Épilobe, fuchsia, œnothéracée, onagraire, onagre.

ONAGRE. Âne, artiodactyle, catapulte, cheval, daman, hémione, mammifère, œnothère, ongulé, périssodactyle, rhinocéros.

ONANISME. Attouchement, branlée, branler, branlette, crosser, crossette, masturber, masturbation.

ONANISTE. Branleur, crosseur, fainéant, feignant, flemmard, glandeur, indécis, jean-foutre, masturbateur, paresseux.

ONC. Aucun, définitivement, jamais, nul, oncques, onques, sans, toujours, trente-six, zéro.

ONCE. Atome, brin, centime, doigt, goutte, grain, gramme, gros, léopard, marc, miette, oz, panthère, sou, soupçon.

ONCLE (n. p.). Sam, Tom.

ONCLE. Avunculaire, avunculat, case, monocle, parent, père, tante, tonton.

ONCLE DE MAHOMET (n. p.). Abbas.

ONCLE DE PLATON (n. p.). Critias.

ONCOGÈNE. Cancérigène, cancérogène, cancérologue, carcinogène, gène, oncologiste, tumeur.

ONCTION. Application, crème, douceur, friction, huile, larme, liniment, oing, oint, pépin, suint.

ONCTUEUSEMENT. Benoîtement, doucereusement, fadement, mielleusement, mièvrement, simplement, tranquillement.

ONCTUEUX. Crémeux, doucereux, doux, mielleux, moelleux, patelin, savonneux, sucré, velouté.

ONDATRA. Campagnol, castor, cave, chandelle, chiche, danseuse, loutre, mammifère, mulot, musqué, palmiste, potorou, queue, radin, rat, rat musqué, raton, rongeur, souris, surmulot, vermine, xérus.

ONDE (n. p.). Alfven, Angstrom, Broglie, Compton, Fleming, Hertz, Martenot, Planck, Tcherenkov, V.H.F.

ONDE. Antenne, cycle, eau, écho, flot, fréquence, hertz, houle, Hz, lame, maser, mer, micro-onde, modulation, nœud, ondée, ondemètre, ondomètre, radar, radio, R.D.F., son, sonar, sonnerie, tonnerre, train, tsunami, ultrason, vague.

ONDÉE. Abat, averse, bruine, cataracte, déluge, douche, drache, eau, giboulée, grain, mousson, orage, pluie.

ONDINISME. Eau, érotisation, génie, nageuse, nixe, ondin, sexe, urine, urinaire, urolagnie

ON-DIT. Bruit, cancan, commérage, écho, nouvelle, ouï-dire, potin, racontar, ragot, rumeur, vent.

ONDOIEMENT. Agitation, cannelure, colline, coulée, cran, dune, flottement, frémissement, frisson, lancement, onde, ondulation, oscillation, mont, montagne, pli, repli, ride, sinuosité, val, vallée.

ONDOYANT. Changeant, flamboyant, flottant, houle, mobile, moire, ondulant, sinuant, varié.

ONDOYER. Abuser, adoucir, agiter, amadouer, apaiser, balancer, baptiser, bercer, bourrichon, branler, cadence, calmer, charmer, consoler, dodeliner, endormir, espérer, flotter, illusionner, lénifier, leurrer, onduler, remuer, soulager, tromper, voleter.

ONDULANT. Angle, courbe, détour, détourné, flexueux, méandre, mouvant, onde, ondoyant, ondulé, onduleux, replié, serpentin, serpigineux, sinueux, spirale, tordu, tortillé, tortueux, zigzag.

ONDULATION. Agitation, cannelure, colline, coulée, cran, dune, flottement, frémissement, frisson, lancement, onde, ondoiement, oscillation, mont, montagne, ola, ondoiement, pli, plissement, repli, ride, sinuosité, vague, val, vallée.

ONDULER. Calamistrer, flotter, friser, ondoyer, papillonner, serpenter, sinueux, spirale, tortiller.

ONÉREUSEMENT. Amèrement, amoureusement, âprement, cher, chèrement, chrétiennement, dévotement, durement, moralement, mystiquement, pieusement, religieusement, respectueusement, tendrement.

ONÉREUX. Cher, coûteux, dispendieux, écrasant, exorbitant, inarbodable, lourd, pesant, prohibitif, ruineux, trop.

ONGLE. Albugo, corne, coupe-ongles, éperon, ergot, griffe, kératine, lunule, onychophagie, onyxis, rubis, sabot, serre, unguéal, unguifère.

ONGLÉE. Crevasse, enflure, engelure, érythème, froidure, gelure, gerçure, lésion, malandre, peau, rougeur.

ONGLET. Bec-de-corbin, bédane, berceau, biseau, bouchard, burin, cisaille, ciselet, cisoir, échenilloir, entablure, gouge, gradine, matoir, molette, mouchette, planoir, poinçon, riflard, rondelle, sécateur.

ONGLETTE. Bédane, burin, charnière, ciseau, drille, échoppe, estampe. gravettien, gravure, guilloche, pointe.

ONGUENT. Balsamique, baume, cérat, crème, embrocation, emplâtre, égyptiac, épithème, graisse, liniment, miton, oindre, parfum, pâte, pommade, populéum.

ONGULÉ. Âne, artiodactyle, daman, gnou, lama, mésaxonien, onagre, périssodactyle, renne, rhinocéros, saïga, tapir.

ONIRIQUE. Cauchemar, chimère, gîte, illusion, onirisme, oniromancie, rêve, rêverie, songe, vision.

ONIRISME. Acousmie, aliénation, apparition, autoscopie, cauchemar, chimère, délire, démence, déraison, divagation, fantasme, folie, hallucination, illusion, lévitation, mirage, photopsie, trip, vision.

ONIROMANCIE. Apothéose, astrologie, augure, cabale, cartomancie, conjecture, divination, extase, géomancie, horoscope, intuition, mancie, numérologie, oracle, ornithomancie, prédiction, présage, prescience, pronostic.

ONOMATOPÉE. Ah, aïe, areu, bah, bataclan, bip, bla-bla, boum, brouhaha, cahin-caha, chut, clac, clic, cocorico, couic, crac, cric, crisser, dring, euh, flac, flic flac, floc, flonflon, gazouillis, glouglou, gnangnan, hi, hi-han, miaou, paf, patata, pif, ping-pong, ploc, plouf, rantanplan, rataplan, roucoulement, susurrer, tac, teuf-teuf, tic, tictac, toc, vrombir, youyou, zest.

ONTOLOGIE. Connu, connaissance, conscience, éducation, érudition, évidence, existentialisme, expérience, gnose, idée, ignorance, instruction, lumière, métaphysique, notion, prescience, savoir, science, sens, su, teinture, théorie, vu.

ONYX. Agate, bille, calcédoine, camée, cilice, cornaline, jaspe, pierre, pite, roche, sardoine, sardonyx, sisal.

ONZE. Hendécagone, novembre, onzain, onzième, saphique, thermidor, XI.

OOSPHÈRE. Anthérozoïde, gamète, ovocyte, ovogénie, ovotide, ovule, spermatie, spermatozoïde.

OPACIFICATION. Assombrissement, effacement, épaississement, inconnu, nébulosité, noircissement, obscurcissement, occultation, opalisation, rembrunissement, vaporeusement, voilement.

OPACITÉ. Alchimie, cataracte, divination, émeri, épaisseur, ésotérisme, fermé, garniture, hermétisme, infiltrat, inintelligibilité, luté, nébuleux, néphélion, obscurité, occultisme, ombre, scellé, secret, translucidité.

OPALE. Girasol, granuline, hyalite, hydrophane, opalescent, opalin, opaline, pierre, résinite, silex.

OPALESCENT. Albuginé, argenté, blafard, blanc, blanchâtre, blême, chyle, cireux, crayeux, écume, immaculé, ivoirin, lacté, lactescent, laiteux, lilial, livide, marmoréen, neigeux, opale, opalin, pâle, palescent.

OPALIN. Albuginé, argenté, blafard, blanc, blanchâtre, blême, chyle, cireux, crayeux, écume, immaculé, irisé, ivoirin, lacté, lactescent, laiteux, lilial, livide, marmoréen, nacré, neigeux, opale, opalescent, pâle, palescent.

OPALISER. Chromatiser, colorer, dévitrifier, iriser, marbrer, nacrer, opalescent, opalin, zébrer.

OPAQUE. Abstrus, ardu, assombri, clair, compliqué, couvrant, dense, diaphane, émail, épais, fuligineux, grès, impénétrable, incompréhensible, jaspe, mystérieux, noir, obscur, ombre, opacité, sibyllin, sombre, ténébreux, transparent, voilé.

OPE. Abîme, antre, aven, bled, boire, brèche, caverne, cavité, chas, clapier, coupure, creux, crevasse, dalot, entonnoir, évent, excavation, fente, fissure, fosse, larron, narine, normand, œil, œillet, orifice, ouverture, passage, patelin, pénétrer, perforation, piqûre, puits, sténose, terrier, trou, trouée, vide.

OPENFIELD. Agreste, bled, brousse, cabale, cambrousse, campagne, champ, champagne, champêtre, clôture, croisade, forestier, guerre, nature, pays, plaine, pré, publicité, rural, rustique, sillon, terroir, villégiature.

OPÉRA. Aria, ballet, bouffe, cavatine, comique, danse, drame, entracte, final, jingxi, lyrique, œuvre, opérette, oratorio, ouverture, parolier, poème, rat, récitatif, spectacle, tétralogie, théâtre, vaudeville.

OPÉRA, AUTEUR (n. p.). Absil, Almira, Azil, Beethoven, Bellini, Berlioz, Charpentier, Cherubini, Haëndel, Handel, Indy, Mendelssohn, Mozart, Puccini, Rinaldo, Rossini, Schubert, Smetana, Tchaïkovski, Verdi, Wagner.

OPÉRA D'ASIL (n. p.). Peau d'âne.

OPÉRA DE BEETHOVEN (n. p.). Fidelio.

OPÉRA DE BEGIN (n. p.). Jingxi.

OPÉRA DE BELLINI (n. p.). Norma.

OPÉRA DE BERG (n. p.). Lulu, Woyzeck.

OPÉRA DE BERLIOZ (n. p.). Cellini, Troyens.

OPÉRA DE BIZET (n. p.). Carmen.

OPÉRA DE CAVELLI (n. p.). Didon.

OPÉRA DE CHERUBINI (n. p.). Médée.

OPÉRA DE CHOSTAKOVITCH (n. p.). Le nez.

OPÉRA DE DELIBES (n. p.). Lakmé.

OPÉRA DE GERSHWIN (n. p.). Summertime.

OPÉRA DE GLUCK (n. p.). Alceste.

OPÉRA DE HAENDEL (n. p.). Agrippina, Almira, Floridante, Ottone, Rinaldo, Rodelinde, Scipione.

OPÉRA DE GOUNOD (n. p.). Faust.

OPÉRA DE LEONCAVALLO (n. p.). Paillasse.

OPÉRA DE MASSENET (n. p.). Hérodiade, Manon, Salomé.

OPÉRA DE PÉKIN (n. p.). Jingxi.

OPÉRA DE PIAVE (n. p.). Rigoletto.

OPÉRA DE PLANQUETTE (n. p.). Rip.

OPÉRA DE PUCCINI (n. p.). La bohème, Madame Butterfly, La tosca, Turandot.

OPÉRA DE ROSSINI (n. p.). Le barbier de Séville, Guillaume Tell, Otello, Othello.

OPÉRA DE SAINT-SAËNS (n. p.). Samson.

OPÉRA DE STRAUSS (n. p.). Ariane, Hérodiade, Hérodias.

OPÉRA DE THOMAS (n. p.). Mignon.

OPÉRA DE VERDI (n. p.). Aïda, Othello, La traviata, Rigoletto.

OPÉRA DE VINCENT D'INDY (n. p.). Fervaal.

OPÉRA DE WAGNER (n. p.). Parsifal, Tannhäuser.

OPÉRA DE ZIMMERMANN (n. p.). Soldats.

OPÉRATEUR. Cadreur, chef, conducteur, guérisseur, interne, manipulateur, modulo, preneur, radio, radionavigant.

OPÉRATION (3 lettres). Cal, tri.

OPÉRATION (4 lettres). Agio, bloc, moto, raid, test.

OPÉRATION (5 lettres). Dépôt, érine, ferme, lever, opéré, purge, rafle, règle, siège, visée.

OPÉRATION (6 lettres). Action, arcane, assaut, calcul, change, cuvage, érigne, frappe, greffe, honing, nouage, preuve, report, rodage, somme, sortie, suture, trépan, virage.

OPÉRATION (7 lettres). Azurage, diérèse, enquête, étêtage, exérèse, greffon, lifting, occlure, plaçure, plastie, reprise, retrait, roulage, sabrage.

OPÉRATION (8 lettres). Ablation, addition, bouclage, calculer, centrage, couchage, courtage, curetage, cuvaison, démarche, dérayer, descente, division, drainage, éjection, escompte, ligature, recoudre, retaille, salaison, virement.

OPÉRATION (9 lettres). Anaplasie, arbitrage, assertion, capsulage, chemisage, chirurgie, clavetage, curretage, diversion, étêtement, expertise, façonnage, formalité, hémostase, hostilité, lobotomie, manœuvre, matricage, repiquage, vagotomie.

OPÉRATION (10 lettres). Algorithme, amputation, anaplastie, anastomose, arthrodèse, autogreffe, brunissage, césarienne, colectomie, colostomie, complétion, entreprise, évidemment, lobectomie, ostéotomie, vasectomie, xénogreffe.

OPÉRATION (11 lettres). Arrestation, autoplastie, carburation, cardiotomie, cystectomie, dévaluation, gastrotomie, laparotomie, lixiviation, maintenance, mammectomie, paracentèse, répartement, sorcellerie, surgélation, transaction, trépanation, titrisation, vivisection.

OPÉRATION (12 lettres). Amalgamation, angioplastie, circoncision, colpoplastie, commissuroto, distillation, entérostomie, hystérotomie, infibulation, intervention, mammoplastie, néphrectomie, ostéoplastie, ovariectomie, restauration, rhinoplastie, soustraction, trachéotomie.

OPÉRATION (13 lettres). Arthroplastie, caprification, hystérectomie, kératoplastie, laryngectomie, plasmaphérèse, recommandation.

OPÉRATION (14 lettres). Amygdalectomie, dépolarisation, multiplication, prostatectomie, stomatoplastie, thoracoplastie, transformation.

OPÉRATION (15 lettres). Appendicectomie, clitoridectomie, contre-offensive, différentiation.

OPÉRATIONNEL. Avance, calé, commodat, contrat, créance, crédit, décidé, découvert, dette, disposé, emprunt, kit, location, mature, mûr, paré, partant, préparé, prêt, rendu, subside, taillé, usure, warrant.

OPERCULE. Abeille, capsule, couvercle, épiglotte, gélule, inaudible, membrane, ouïe, péritoine, poisson, vantail.

OPÉRÉ. Amputé, condamné, constant, donneur, endurant, eunuque, greffé, malade, patient, transfusé.

OPÉRER. Accomplir, agir, charcuter, cuire, déféquer, délisser, dérater, effectuer, exécuter, faire, incuber, macler, muter, piller, pratiquer, procéder, produire, recouper, réopérer, réséquer, résorber, saisir, tapir, vinifier, zarzuela.

OPÉRETTE (n. p.). Cantinière, Cloches de Corneville, Lady Be Good, Mascotte, Rip, Véronique, Veuve Joyeuse.

OPÉRETTE. Aria, ballet, bouffe, cavatine, comique, danse, drame, entracte, final, jingxi, lyrique, œuvre, opéra, oratorio, ouverture, parolier, poème, rat, récitatif, spectacle, tétralogie, théâtre, vaudeville.

OPHIDIEN. Anaconda, colubridé, crétacé, eunecte, ophiolâtrie, ophiologie, reptile, serpent.

OPHIURE. Astéride, échinoderme, encrine, étoile de mer, holothure, invertébré, oursin, prédateur.

OPHTALMIE. Achromatopsie, anchylop, atone, bigle, bourgeon, bouton, calot, cil, cornée, cristallin, cyclope, emmétrope, espion, exophtalmie, exorbité, glaucome, globe, greffe, iris, judas, lampe, larme, loucher, magique, mirette, ocelle, œil, orbite, organe, pousse, prunelle, pupille, quinquet, regard, rétine, stemmate, taie, talion, torve, uvée, uvéite, vision, voir, vue, yeux.

OPHTALMOLOGIE. Conjonctivite, contactologie, épisclérite, hyalite, iritis, kératite, oculiste, œil, ophtalmologue, optométrie, orthoptie, panophtalmie, rétinite, sclérite, uvéite, vision.

OPIACÉ. Codéine, diacode, drogue, élixir, laudanum, méconine, morphine, morphinique, narcéine, narcotique, opiacer, opiat, opiomane, opium, papavérine, pavot, remède, sombre, stupéfiant, thériaque.

OPIAT. Catholicon, diascordium, électuaire, épithème, miel, orviétan, poudre, remède, thériaque.

OPILER. Barrer, bloquer, boucher, bouchonner, dégorger, désopiler, embarrasser, embouteiller, encombrer, encrasser, engorger, enneiger, envaser, fermer, oblitérer, obstruer, saturer, surcharger.

OPILION. Anthropode, arachnide, araignée, coupeur, faucheur, faucheux, lycose, mygale, phalangide.

OPINEL. Amassette, arme, bistouri, canif, couteau, couteau de poche, couteau suisse, eustache, grattoir, jambette, laguiole, lame, machette, mollusque, navaja, onglet, poignard, soie, solen, surin.

OPINER. Accepter, acquiescer, adhérer, adopter, approuver, choisir, conseiller, consentir, considérer, croire, déclarer, embrasser, émettre, endoctriner, estimer, exprimer, juger, oui, raviser, remarquer, sanctionner.

OPINIÂTRE. Accrocheur, acharné, déterminé, doctrinaire, durable, entêté, entier, fermeté, inébranlable, insistant, mêlé, mordicus, obstiné, persévérant, raide, rebel, récalcitrant, résistant, résolu, rétif, tenace, têtu, volontaire.

OPINIÂTREMENT. Âprement, farouchement, fermement, mordicus, obstinément, résolument, tenacement.

OPINIÂTRETÉ. Acharnement, assiduité, constance, détermination, entêtement, fermeté, obstination, persistance, refus, ténacité.

OPINION. Appréciation, avis, blâme, conviction, credo, doctrine, dogme, doxologie, école, erreur, estime, évaluation, goût, hérésie, idée, imagination, impression, infatué, jugement, mésestimé, paradoxe, point de vue, position, préjugé, présomption, présomptueux, prévention, qu'en-dira-t-on, rang, renom, réputation, sens, sentiment, soupçon, stéréotype, théorie, thèse, ultra, universalisme, vote, vox populi.

OPIUM. Amok, codéine, diacode, drogue, élixir, euphorie, excitant, fumerie, laudanum, méconine, morphine, narcéine, narcotique, opiacé, opiat, papavérine, pavot, pipe, stupéfiant, suc, thébaïne.

OPONCE. Barbarie, cactacée, cactée, cactus, figue, figuier, matricaire, nopal, opuntia, plante.

OPOSSUM. Coloco, coucou, dasyure, kangourou, koala, koola, marsupial, numbat, os, péramèle, pétrogale, phalanger, phascolome, philander, sarigue, thylacine, wallabie, wallaby, wombat, yapock, yapok.

OPPIDUM (n. p.). Alésia, Angers, Bibracte, Ensérune, Gergovie, Uxellodunum, Vix.

OPPIDUM. Agglomération, bourg, bourgade, bourgmestre, centre, cité, décapole, garnison, hameau, hanse, hôtel, lieu-dit, localité, maire, métropole, municipal, patrie, township, urbain, village, ville.

OPPORTUN. Adéquat, attentisme, bienvenu, bon, convenable, favorable, inopportun, intempestif, propice, utile.

OPPORTUNÉMENT. Analytiquement, à point nommé, cohéremment, convenablement, correctement, dûment, équitablement, exactement, impartialement, justement, légitimement, logiquement, pertinemment, précisément, rationnellement.

OPPORTUNISME. Ajournement, assignation, atermoiement, attentisme, bénéfice, bourse, décalque, délai, gain, procrastination, réforme, refus, remise, renvoi, report, retard, retardement, sursis, temporisation.

OPPORTUNISTE. Ambitieux, arriviste, attentiste, calculateur, combinard, intrigant, maniganceur, maquignon, profiteur.

OPPORTUNITÉ. À-propos, cas, chance, croyance, débouché, embauche, éventualité, faculté, force, hypothèse, indication, loisir, moyen, occasion, permission, possibilité, pouvoir, probabilité, sursis, virtualité.

OPPOSANT. Adversaire, antagoniste, antithèse, athlète, attaqueur, bloqueur, boxeur, challenger, compétiteur, concurrent, contestataire, contradicteur, contraire, détracteur, dissident, émule, ennemi, hétérodoxe, prétendant, rival.

OPPOSÉ. Adverse, antagoniste, antinational, antipode, antithèse, contradictoire, contraire, défavorable, derrière, différent, divergent, envers, extrême, fratricide, hostile, incompatible, inverse, nadir, pôle, rebelle, résistant, rétrograde, revers, révolté, rival, veto, vis-à-vis.

OPPOSER. Adosser, alléguer, annuler, armer, braver, cabrer, choquer, combattre, comparer, confronter, contrarier, contrastrer, contrecarrer, contrer, dédire, désunir, diviser, étayer, exclure, lutter, nier, objecter, obvier, réagir, réfuter, repousser, rompre, rouspéter, séparer, supporter, violer.

OPPOSITE. Antilogie, antinomie, antipode, antithèse, contradiction, contraire, contraste, dichotomie, divergence, envers, inverse, opposé, opposition, polarité, réciproque, vis-à-vis.

OPPOSITION. Antagonisme, collision, combat, conflit, contraste, dichotomie, dissension, dissentiment, duel, guerre, hérésie, heurt, hostilité, immobilisme, litige, lutte, mais, minorité, non, obscurantisme, pôle, pourtant, refus, résistance, révolte, rivalité, syzygie, tiraillement, verso, versus, veto, vs.

OPPRESSANT. Accablant, affolant, angoissant, brûlant, chaud, écrasant, étouffant, lourd, suffocant.

OPPRESSÉ. Abattu, abruti, accablé, affligé, agonisant, alourdi, assommé, atterré, chargé, comblé, couvert, crevé, criblé, écrasé, engueulé, éploré, épuisé, éreinté, essoufflé, étouffé, fatigué, haletant, lassé, opprimé, surchargé, tondu, tué, vanné.

OPPRESSER. Accabler, angoisser, écraser, étouffer, étreindre, gêner, lourd, opprimer, tyranniser.

OPPRESSEUR. Autocrate, coercitif, despote, dictateur, dominateur, envahisseur, occupant, oppressif, opprimant, persécuteur, potentat, répressif, souverain, tortionnaire, tyran, tyrannique, usurpateur.

OPPRESSIF. Absolu, autocratique, despotique, dictatorial, dominateur, impérieux, totalitaire, tyrannique.

OPPRESSION. Angoisse, asphyxie, asservissement, assujettissement, cauchemar, chaînes, domination, dyspnée, esclavage, halètement, joug, malaise, poids, serrement, servitude, suffocation, sujétion, tyrannie.

OPPRIMÉ. Abattu, abruti, accablé, affligé, agonisant, alourdi, aplati, assommé, atterré, blessé, broyé, camus, chargé, comblé, couvert, crevé, criblé, écrasé, engueulé, épaté, éploré, épuisé, éreinté, essoufflé, étouffé, fatigué, haletant, lassé, oppressé, rasé, rué, surchargé, tondu, tué, vanné.

OPPRIMER. Accabler, acharner, asservir, assujettir, courber, écraser, fouler, harceler, importuner, museler, persécuter, respirer, soumettre, subjuguer, tyranniser.

OPPROBRE. Abjection, avilissement, déshonneur, flétrissure, honte, humiliation, ignominie, infamie, turpitude.

OPTER. Accepter, adopter, alterner, arrêter, choisir, convaincre, convenir, décider, décréter, déterminer, élire, jeter, juger, pencher, préférer, prendre, régler, résoudre, trancher, voter.

OPTION. Alternative, arrhes, choix, dilemme, élection, gré, levée, préférence, stellage.

OPTICIEN (n. p.). Grégory, Meatyard, Passemant, Ramsden, Zeiss.

OPTICIEN. Conjonctivite, contactologie, contactologiste, contactologue, épisclérite, hyalite, iritis, kératite, oculiste, ophtalmologie, optométrie, orthoptie, panophtalmie, rétinite, sclérite, uvéite.

OPTIMAL. Absolu, accompli, achevé, admirable, adorable, bien, complet, conjugaison, consommé, deal, divin, élite, excellent, fignolé, fin, idéal, impeccable, incomparable, infini, irréprochable, magistral, meilleur, mûr, parfait, peaufiné, perfection, perle, prétérit, rare, réussi, rêvé, saint.

OPTIMISME. Aise, allégresse, béatitude, bonheur, contentement, détente, enivrement, euphorie, exaltation, extase, hallucinogène, ivresse, joie, manie, nicotine, opium, plénitude, satisfaction, soulagement.

OPTIMISTE. Actif, activité, affairé, agissant, attitude, confiant, créateur, dynamique, énergique, animé, constructif, diligent, dynamique, efficace, force, pep, positif, tonicité, triomphaliste, utopiste, vitalité.

OPTIMUM. Acmé, apex, apogée, apothéose, cime, climax, comble, culminant, culmination, excès, faîte, fin, fort, limite, maximum, meilleur, paroxysme, pinacle, plafond, point, sommet, summum, triomphe, zénith.

OPTION. Alternative, anthologie, appareillement, choisir, choix, crème, décision, dilemme, échelle, électif, élection, élimination, élite, éventail, facultatif, gratin, ou, recueil, sélectif, sélection, tri, variété.

OPTIONNEL. Alternative, anthologie, appareillement, choisir, choix, crème, décision, dilemme, échelle, électif, élection, élimination, élite, éventail, facultatif, gratin, libre, option, ou, recueil, sélectif, sélection, tri, variété.

OPTIQUE. Afocal, angle, biaxe, focal, lunette, nerf, objectif, oculaire, œil, vergence, verre, viseur, visuel, vue, yeux.

OPTOMÈTRE. Acuité, amétrope, appareil, œil, réfractomètre, vision.

OPULENCE. Abondance, aisance, argent, avoir, bien, butin, capital, écu, finance, fonds, fortune, gêne, luxe, misère, moyens, or, pactole, pauvreté, prospérité, ressources, richesse, somptuosité, trésor.

OPULENT. Abondant, aisé, ample, cossu, faste, fort, généreux, gros, nabab, nanti, plein, riche.

OPUNTIA. Cactacée, cactée, cactus, figuier, figuier de Barbarie, nopal, oponce, plante, raquette, tige.

OPUS. Appareil, op, terme.

OPUSCULE. Album, brochure, cahier, calepin, carnet, catalogue, document, écrit, fascicule, imprimé, librettiste, livre, livret, manuel, ouvrage, parution, plaquette, publication, recueil, volume.

OR (n. p.). Fort Knox, Midas, Pactole, Saturne.

OR. Âge, Au, aurifère, barre, blanc, carat, claim, cher, clinquant, dinar, dorage, doré, dorure, ducat, filé, galon, jaune, jaunet, lingot, métal, monnaie, mussif, noces, noir, orfèvre, oripeau, paillette, pépite, richesse, veau, vermeil.

OR NOIR. Pétrole.

ORACLE. Devin, divination, opinion, prédiction, prophète, prophétie, vaticination, vérité.

ORAGE. Agité, averse, bourrasque, brouille, calamité, cyclone, dégât, dispute, éclat, fureur, gros, mistral, ouragan, orageux, perturbation, pluie, revers, scène, tempête, temps, tension, tourmente, trompe, trouble, typhon, vent.

ORAGEUSEMENT. Beaucoup, bruyamment, lourdement, sonorement, tapageusement, tumultueusement, valdinguer.

ORAGEUX. Agité, colère, déchaîné, houleux, nuageux, rhéteur, tempétueux, tourmenté, tumultueux.

ORAISON. Discours, éloge, homélie, invocation, jaculatoire, méditation, orémus, pater, postcommunion, prière, secrète.

ORAL. Bouche, buccal, dire, écrire, examen, expression, parlé, plaidoirie, verbal, vive voix.

ORANGE. Agrume, bergamote, bichof, bigarade, carotène, clémentine, couleur, fruit, grenat, jaune, maltaise, mandarine, napel, navel, orangette, rocou, sanguine, sardoine, saumon, saumoné, sunkist, tango, valence, valencia, zeste.

ORANGER. Arbre, bergamotier, bigaradier, choisya, citrus, maclura, naffe, néroli, rutacée.

ORANG-OUTANG. Anthropoïde, anthropomorphe, arboricole, frugivore, jocko, pongidé, singe.

ORATEUR. Apologiste, avocat, baratineur, causeur, conférencier, débatteur, défenseur, discoureur, diseur, éloquent, foudre, harangueur, parleur, péroreur, prêcheur, prédicant, prédicateur, rhéteur, tribun, verve.

ORATEUR ANGLAIS (n. p.). Fox, Pitt.

ORATEUR ATHÉNIEN (n. p.). Démosthène, Eschine, Hégésippe, Hypéride, Isocrate, Lycurgue, Lysias, Phocion.

ORATEUR CANADIEN (n. p.). Papineau.

ORATEUR FRANÇAIS (n. p.). Berryer, Danton, Fénelon, Jaurès, Massillon, Mirabeau, Poincarré, Riqueti, Saint-Just.

ORATEUR GREC (n. p.). Aeschines, Démétrios, Démosthène, Isée, Isocrate.

ORATEUR LATIN (n. p.). Quintilien.

ORATEUR ROMAIN (n. p.). Cicéron, Scipion, Symmaque.

ORATOIRE. Apodose, chapelle, discours, église, envolée, genre, joute, privé, public, tirade.

ORATORIEN (n. p.). Gratry, Labadie, Malebranche, Massillon, Quesnel, Simon, Tencin.

ORATORIO. Acteur, apocalypse, bouleversement, calamité, catastrophe, chorédrame, cinéma, comédie, drame, film, fléau, hilarodie, malheur, mélo, mélodrame, nô, œuvre, opéra, pièce, plat, sotie, sottie, tragédie, zarzuela.

ORBE. Balle, ballon, bâton, bombe, boule, cerceau, cercle, cerne, circonférence, circulaire, concentrique, cylindrique, éclisse, étoile, globe, ivre, jeton, lune, miche, orbiculaire, orbite, potelé, rond, saoul, sphère, sphérique.

ORBICULAIRE. Balle, ballon, bâton, bombe, boule, cerceau, cercle, cerne, circonférence, circulaire, concentrique, cylindrique, éclisse, étoile, ivre, jeton, lune, miche, muscle, orbe, orbite, orifice, potelé, rond, saoul, sphérique, sphincter.

ORBITE. Abside, apoastre, aphélie, apogée, aposélène, apside, écliptique, rond, périastre, périgée, périhélie, périsélène, zone.

ORCHESTRATION. Adaptation, harmonisation, instrumentation, karaoké, organisation, répartition.

ORCHESTRE. Chef, ensemble, fanfare, gamelan, groupe, harmonie, mezzanine, musique, opéra, OSM, tutti.

ORCHESTRER. Amplifier, arranger, composer, diriger, divulguer, harmoniser, instrumenter, organiser, réorchestrer.

ORCHIDACÉE. Angraecum, cattleya, épipactis, limodorum, liparis, orchidée, orchis, pollinie, vanda, vanillier, zygopétale.

ORCHIDÉE. Ada, aéricole, catleya, cattleya, épiphyte, irène, labelle, liparis, monandre, néottie, nid-d'oiseau, ophis, ophrys, orchidacée, orchis, phajus, plante, rhizotome, sabot-de-Vénus, salep, satyrion, vanda, vanilles, vanillier, zygopétale, zygopetalum.

ORCHIS. Angraecum, cattleya, épipactis, limodorum, liparis, orchidacée, orchidée, pollinie, vanda, vanillier, zygopétale.

ORDINAIRE. Accoutumé, banal, commun, connu, courant, général, habituel, moyen, normal, pauvre, usuel.

ORDINAIREMENT. Abstraitement, accoutumée, classiquement, communément, couramment, idéalement, généralement, habituellement, normalement, rituellement, théoriquement, traditionnellement, usité, usuellement.

ORDINATEUR (n. p.). Apple, Eckert, IBM, Mac, Palm, PC, Stibitz, Zuse.

ORDINATEUR. Bug, clone, computer, computeur, dédié, lecteur, mémoire, micro-processeur, ordi, PC, veille.

ORDINATION. Clerc, conférer, consécration, diaconat, évêque, ordinant, pasteur, recevoir, sacre, sacrement.

ORDO. Agenda, alphapage, année, cahier, calendrier, calepin, carnet, livre, manifold, mémento, ordonnance, programme, registre, semainier.

ORDONNANCE. Acte, agencement, arrangement, arrêt, budget, capitulaire, contrôle, décret, directive, édit, formation, jugement, loi, mander, non-lieu, ordo, ordre, plan, précepte, prescription, proportion, règle, règlement, rescrit, soldat.

ORDONNÉ. Agencé, décerné, exigé, intimé, mandé, méthodique, numérique, ordre, organisé, prêtre, rangé, réglé, serré, statué.

ORDONNER. Agencer, aménager, arranger, classer, commander, consacrer, consigner, décerner, décréter, dicter, dire, disposer, enjoindre, exiger, harmoniser, imposer, inviter, mander, obliger, organiser, prescrire, ranger, régler, renvoyer, sommer.

ORDOVICIEN. Archéen, calcicordé, cambrien, georgien, paléozoïque, précambrien, primaire, silurien, trilobites.

ORDRE. Agencement, alignement, arrangement, catégorie, chronologie, classe, classement, commandement, consigne, cursus, directive, disposition, firman, harmonie, hiérarchie, hue, injonction, jarretière, loi, mandat, méthode, nature, ordonnance, prescription, rang, rangé, rit, semonce, structure, stop, subordination, suite, système, tri, ultimatum, va, vœu.

ORDRE, INSECTES. Archiptère, coléoptère, diploure, diptère, hyménoptère, isoptère, lépidoptère, névroptère, odonate, orthoptère, protoure, rhynchote, thysanoure.

ORDRE RELIGIEUX, FEMME (n. p.). Augustine, Bénédictine, Carmélite, Clarisse, Fille du Calvaire, Fille de la Charité, Fille Réparatrice du Divin-Cœur, Petite fille de Saint-Joseph, Petite Franciscaine de Marie, Petite Sœur des Pauvres, Religieuse du Sacré-Cœur, Sœur adoratrice du Précieux-Sang, Sœur de la Divine Providence, Sœur de la Providence, Sœur de l'Assomption de la Sainte-Vierge, Sœur de la Miséricorde, Sœur de Notre-Dame de la Charité du Bon-Pasteur, Sœur de Notre-Dame des Anges, Sœur de Notre-Dame-du-Bon-Conseil, Sœur de Notre-Dame-du-Perpétuel-Secours, Sœur Grise, Sœur missionnaire de l'Immaculée Conception, Sœur missionnaire du Christ-Roi, Sœur Oblate, Ursuline.

ORDRE RELIGIEUX, HOMME (n. p.). Assomptionniste, Bénédictin, Capucin, Carme, Clerc de Saint-Viateur, Dominicain, Eudiste, Franciscain, Frère de l'Instruction chrétienne, Frère de la Charité, Frère du Sacré-Cœur, Frère des Écoles chrétiennes, Frère Mariste, Jésuite, Oblat, Mendiant, Missionnaire d'Afrique, Père Blanc

d'Afrique, Père du Saint-Sacrement, Père Mariste, Prêtre de Saint-Sulpice, Rédemptoriste, Servite, Trappiste.

ORDURE. Boue, bourre, caca, charogne, chiure, crasse, débris, déchets, détritus, excrément, fange, fiente, fumier, gadoue, ignominie, immondice, infamie, malpropreté, merde, obscénité, pourriture, poussière, rebut, saleté, vide-ordures, vidoir.

ORDURIER. Abject, bas, choquant, coprolalie, épicé, gras, graveleux, grivois, grossier, honteux, ignoble, immonde, impudique, infâme, méprisable, obscène, salace, salaud, sale, salopard, saloperie, trivial, vil, vilain.

ORÉADE. Déesse, déise, déité, demi-dieu, dieu, divinité, faune, hymen, idole, mythologie, naïade, nymphe, prier, ris, sylvain, voue, walkyrie.

ORÉE. Alèse, amure, arête, bande, berge, biseau, bord, bordure, cercle, cordon, côte, extrémité, flanc, grève, haie, lacustre, lèvre, limbe, limite, liséré, lisière, littoral, marge, marli, ourlet, paroi, plage, rebord, rive, virer, zone.

OREILLARD. Âne, céphalote, chauve-souris, chéiroptère, chiroptère, fer-à-cheval, harpie, mammifère, mégaderme, myoptère, noctule, pipistrelle, rhinolophe, roussette, souris-chaude, vampire, vespertilion.

OREILLE. Âne, aqueduc, asaret, audition, caisse, cérumen, confiance, enclume, escalope, esgourde, étrier, eustache, faveur, hélix, labyrinthe, limaçon, lobe, manette, marteau, monaural, orillon, osselet, otalgie, otique, otite, ouïe, ourlet, paracentèse, pavillon, poignée, rocher, saccule, tempe, trompe, tympan, utricule, vestibule.

OREILLE-DE-MER. Abalone, haliotide, haliotis, mollusque, ormeau, ormet, ormier.

OREILLE-DE-SOURIS. Borraginacée, cyme, herbe d'amour, myosotis, ne-m'oubliez-pas, plante.

OREILLER. Carré, chevet, confidence, coussin, literie, pierre, polochon, repose-tête, taie, traversin.

OREILLONS. Abricot, glande, infection, maladie, orchite, orillon, ourle, ourlien, parotide, pêche.

ORFÈVRE. Argent, art, bijou, bijouterie, bijoutier, bouterolle, burin, ciseau, ciselet, ciseleur, dé, échoppe, éloi, expert, filigrane, or, orfévré, recingle, repercer, repoussé, résingle, saie, sautoir, surtout, tracelet, turc.

ORFÈVRE ALLEMAND (n. p.). Fust.

ORFÈVRE AMÉRICAIN (n. p.). Tiffany.

ORFÈVRE ESPAGNOL (n. p.). González.

ORFÈVRE FRANÇAIS (n. p.). Auguste, Ballin, Delaune, Duvet, Éloi, Froment-Meurice, Germain, Meissonnier, Puiforcat, Roettiers, Thomassin.

ORFÈVRE ITALIEN (n. p.). Brunellescini, Cellini, Finiguerra, Ghiberti, Leoni, Pollaiolo, Verrocchio.

ORFÈVRE RUSSE (n. p.). Fabergé.

ORFÈVRERIE. Bijou, bijouterie, chaînetier, chaîniste, chef-d'œuvre, ciselet, horlogerie, jaspe, joaillerie, marcassite, merveille, nacre, orfèvre, ostensoir, parurerie, perfection, perloir, pierreries, touche, triboulet, verroterie.

ORFRAIE. Aigle, aigle de mer, chouette, huard, huart, oiseau, ossifrage, pygargue, rapace.

ORGANDI. Fontange, gaze, giselle, jabot, mousseline, moustiquaire, singalette, tarlatane.

ORGANE (3 lettres). Arc, axe, bec, nez, toc, vue.

ORGANE (4 lettres). Adné, aile, apex, dard, dent, foie, hile, lobe, main, mâle, nerf, œil, peau, pied, poil, rate, rein, roue, sein, sens, sexe, tête, voix, yeux.

ORGANE (5 lettres). Asque, barre, boîte, bulbe, butée, bysse, caduc, canal, cœur, corne, corps, corti, épine, fleur, frein, fruit, gaine, guide, mèche, média, moyen, ovule, pénis, plume, revue, spore, verge, vulve.

ORGANE (6 lettres). Archet, cupule, fundus, glande, gliome, gosier, graine, induit, langue, membre, muscle, oogone, ovaire, pétale, pistil, plante, poumon, racine, sétacé, siphon, stylet, suçoir, syrinx, tâteur, tiroir, utérus, volant, vrille.

ORGANE (7 lettres). Acuminé, antenne, ascidie, bisexué, chariot, crampon, étamine, feuille, journal, induvie, journal, lacinée, limaçon, mémoire, oreille, parties, ressort, semelle, sessile, stipité, stomate, tarière, urcéole, viscère.

ORGANE (8 lettres). Adventif, amygdale, androcée, apothèse, appareil, bisexuel, branchie, carapace, clitoris, coulisse, endogène, flotteur, lancéolé, nectaire, ombrelle, parapode, placenta, prothèse, registre, rudiment, scarieux, utricule, ventouse, vésicule.

ORGANE (9 lettres). Amplectif, apothécie, appendice, archégone, atrophier, collapsus, déhiscent, enveloppe, épididyme, flagellum, follicule, involucre, marsupial, médulleux, néphridie, oviscapte, périthèce, propagule, protonéma, roulement, tentacule, vicariant.

ORGANE (10 lettres). Angiologie, cnidocyste, cryptogame, déhiscence, émonctoire, marcescent, séquenceur.

ORGANE (11 lettres). Biloculaire, corrélateur, déclencheur, glandulaire, nématocyste, oviposteur, succenturie.

ORGANE (12 lettres). Accélérateur, additionneur, articulateur, mobilisateur, pédicellaire, soustracteur.

ORGANEAU. Agrès, alliance, anal, anneau, annelé, ansé, arceau, bague, beigne, bélière, boucle, bride, cercle, cerne, chaînon, chevalière, collier, combinaison, coulant, créole, cricoïde, cucurbitain, cucurbitin, écusson, embrayage, erse, erseau, esse, étalingure, étrier, frette, jonc, maille, maillon, manchon, manilles, mésothorax, métamère, morne, œillet, piton, porte-clefs, porte-clés, proglottis, prothorax, rapprochement, segment, telson, ténia, tire-fond, virole.

ORGANIQUE. Embolie, lésionnel, lipide, œuf, physiologique, physique, somatique, stase.

ORGANISATEUR. Amuseur, animateur, créateur, écran, éducateur, enseignant, entraîneur, instituteur, instructeur, lecteur, maître, meneur, moniteur, pédagogue, présentateur, prof, professeur, professoral, protagoniste, régent, rhéteur, surveillant, vivifiant.

ORGANISTEUR ALLEMAND (n. p.). Baader.

ORGANISTEUR FRANÇAIS (n. p.). Barrot, Carnot, Killy, Magnan, Ponthière.

ORGANISTEUR MONGOL (n. p.). Tchoïbalsan.

ORGANISTEUR PHILIPPIN (n. p.). Ramos.

ORGANISATION (n. p.). ANC, BBC, CENTO, CIA, Croix-Rouge, FAO, NASA, OAS, OCAM, OCDE, OEA, OIT, OMS, ONU, OPEP, OTAN, SDN, U.N.I.T.A.

ORGANISATION. Accommodement, accord, adaptation, agencement, affabulation, aménagement, arrangement, association, charpente, coiffure, cohésion, combinaison, compromis, conciliation, conduite, configuration, constitution, coordination, disposition, distribution, économie, entente, formule, ghilde, gilde, guilde, groupement, hiérarchie, installation, machine, mafia, milice, mission, mouvement, ordonnancement, patronage, préparation, projet, prud'homme, régie, répartition, structure, système, texture, tribalisme.

ORGANISER. Agencer, aménager, arranger, axer, classer, combiner, composer, conspirer, coordonner, créer, diriger, fixer, fonder, improviser, instaurer, monter, nouer, orchestrer, ordonner, planifier, préparer, prévoir, rationaliser, régler, réorganiser, structurer, systématiser.

ORGANISME. Administration, aérobie, agence, algue, anatomie, anticorps, benthos, central, chefferie, corps, daterie, embryon, enveloppe, euglène, eurytherme, forme, hôte, hôtesse, mésozoaire, micro-organisme, morphologie, musculature, observatoire, réassureur, service, sténotherme, xérophile.

ORGANISTE ALLEMAND (n. p.). Bach, Buxtehude, Froberger, Pachelbel, Praetorius.

ORGANISTE AMÉRICAIN (n. p.). Basie, Ives, Ross.

ORGANISTE ANGLAIS (n. p.). Blow, Boyce, Bull, Byrd, Gibbens.

ORGANISTE AUTRICHIEN (n. p.). Bruckner.

ORGANISTE BELGE (n. p.). Franck, Froidebise, Jongen, Lemmens, Peeters.

ORGANISTE BRITANNIQUE (n. p.). Herschel.

ORGANISTE CANADIEN (n. p.). Dumouchel, Gilbert, Pelletier.

ORGANISTE DANOIS (n. p.). Buxtehude.

ORGANISTE ESPAGNOL (n. p.). Cabezón.

ORGANISTE FLAMAND (n. p.). Isaac, Isaak.

ORGANISTE FRANÇAIS (n. p.). Alain, Anglebert, Aquin, Balbastre, Boëly, Boulanger, Charpentier, Clérambault, Cochereau, Costeley, Couperin, Dandrieu, Danjou, Daquin, Dufourq, Dupré, Durand, Duruflé, Fauré, Frank, Gigout, Grigny, Guilmont, Langlais, Lebègue, Marchal, Marchand, Messiaen, Pierné, Pugno, Rameau, Saint-Saëns, Titelouze, Tournemire, Vierne, Widor.

ORGANISTE IRLANDAIS (n. p.). Stanford.

ORGANISTE ITALIEN (n. p.). Bassani, Cavalli, Carissimi, Frescobaldi, Gabrieli.

ORGANISTE NÉERLANDAIS (n. p.). Leonhardt, Sweelink.

ORGANISTE POLONAIS (n. p.). Moniuszko.

ORGANISTE QUÉBÉCOIS (n. p.). Hétu.

ORGANISTE SUISSE (n. p.). Mooser, Reichel.

ORGANISTE WALLON (n. p.). Du Mont.

ORGANITE. Acrosome, cellule, centride, centrosome, chloroplaste, chondriosome, constituant, dictyosome, golgi, leucite, lysosome, mitochondrie, nitrosé, noyau, organelle, plaste, protozoaire, ribosome, suc, vibratile.

ORGASME. Éjaculation, épectase, extase, jouissance, paradis, plaisir, sexuel, spasme, volupté.

ORGE. Arête, barbe, bière, blé, céréale, cervoise, drêche, écourgeon, escourgeon, froment, germoir, grain, herbacée, hordéine, kvas, kwas, malt, méat, mondé, orgeat, paumelle, perlé, scotch, seigle, sucre, touraillon, whisky.

ORGEAT. Adoucissant, béthique, café, capillaire, cocktail, dépuratif, diacode, érable, eupeptique, eupnéique, excipient, expectorant, fortifiant, grenadine, julep, limon, looch, mélasse, pectoral, sirop, tonique.

ORGELET. Chalaze, chalazion, compère-loriot, furoncle, hordéole, paupière, tumeur.

ORGIE. Bacchanale, débauche, délire, excès, fête, luxure, overdose, prodigalité, profusion, rite.

ORGUE (n. p.). Casavan, Espaly, Limonaire.

ORGUE. Basson, cornet, jeu, laie, lance-roquette, meuble, nasard, parfumeur, pédale, point, positif, prismes, récit, régale, registration, soupape, tuyau.

ORGUE DE MER. Anthozoaire, cnidaire, hexacoralliaire, madréporaire, madrépore, méandrine, polypier, squelette, tubipore, zoanthère.

ORGUEIL. Arrogance, dignité, égoïsme, fatuité, fermeté, fierté, futile, gloire, gloriole, hauteur, infatuation, insolence, mégalo, mégalomane, mégalomanie, morgue, présomption, prétention, suffisance, superbe, vanité, victorieux.

ORGUEILLEUX. Altier, arrogant, avantageux, bouffi, crâneur, dédaigneux, empesé, faraud, fat, fier, flambard, glorieux, guindé, hautain, infatué, mégalo, mégalomane, outrecuidant, paon, poseur, sot, vain, vanité.

ORIENT (n. p.). Asie, Chine, Égypte, Inde, Japon, Ur.

ORIENT. Aga, agha, arabe, eau, est, haïk, hindou, khôl, kief, levant, lustre, maçon, oriental, pal, pierrerie, soleil, turc, ville.

ORIENTALISTE (n. p.). Cantemir, Decamps, Defrémery, Delaporte, Dhorme, Dozy, Dulaurier, Dupont-Sommer, Eastwick, Eichhorn, Freiligrath, Galland, Grousset, Jones, Langlès, Langlois, Mardrus, Massignon, Postel, Rawlinson, Renou, Rückert, Sacy, Schlegel, Silvestre de Sacy.

ORIENTATION. Aiguillage, axe, cardinal, constante, direction, écholocation, engagement, épitaxie, explosion, exposition, gyromètre, ligne, ménotaxie, position, réorientation, sens, situation, taxie, tendance, tournant, tournure, trajectoire, voie.

ORIENTER. Aiguiller, amurer, axer, brancher, braquer, canaliser, centrer, conduire, décliner, destiner, diriger, disposer, enligner, exposer, finaliser, guider, lieu, mettre en panne, reconnaître, réorienter, repérer, retrouver, tourner, trouver, viser.

ORIENTEUR. Andragogue, cicérone, édificateur, éducateur, enseignant, éveilleur, façonneur, formateur, instituteur, instructeur, maître, mentor, moniteur, moralisateur, précepteur, professeur, rééducateur.

ORIFICE. Ajustage, anus, aperture, astrésie, aven, blastopore, bouche, cardia, cathéter, cloaque, cratère, créneau, écoutille, entrée, étampure, évent, filière, gicleur, glotte, hiatus, méat, micropyle, narine, naseau, nombril, ombilic, oreillard, ostiole, ouverture, pore, pupille, pylore, stomie, trou, ventouse, vidoir, vulve.

ORIFLAMME. Banderole, bandière, bannière, baucen, baverolle, couleurs, drapeau, emblème, enseigne, étendard, fanion, flamme, gonfalon, gonfanon, guidon, labarum, marque, oriflamme, pavillon, pennon, sigle, tanka.

ORIGAMI. Art, papier, pliage.

ORIGAN. Amaracus, aromate, bâtarde, dictame de Crète, labiacée, labié, marjolaine, plante.

ORIGINAIRE. Aborigène, acadien, autochtone, caucasique, commencement, génération, guppy, habitant, indigène, inné, issu, latin, moco, natif, naturel, originel, primitif, sorti, venir, venu, vernaculaire.

ORIGINAL. Archétype, bizarre, différent, distinct, drôle, énergumène, excentrique, extravagant, inclassable, inédit, initial, insolite, manuscrit, minutaire, minute, modèle, neuf, nouveau, olibrius, originel, particulier, personnel, pittoresque, primitivement, prototype, rare, recherché, source, texte, type.

ORIGINALITÉ. Aseptisé, audace, bizarrerie, cachet, étrangeté, excentricité, fantaisie, fraîcheur, hardiesse, indépendance, individualité, innovation, invention, loufoquerie, nouveauté, particularité, personnalité, singularité, type.

ORIGINE. Aurore, base, berceau, cause, commencement, création, de, début, départ, extraction, formation, genèse, germe, habitant, mère, naissance, né, noble, où, premier, principe, provenance, responsable, ruisseau, siège, souche, source, tête, type.

ORIGINEL. Congénital, initial, inné, maternel, natal, natif, naturel, originaire, original, premier, primitif.

ORIGNAL. Animal, cerf, cervidé, élan, élan d'Amérique, élan du Canada.

ORIN. Barbe, bourre, brosse, chevelure, cheveu, cil, corde, crin, duvet, foin, fourrure, hérissé, hirsute, jarre, laine, liste, mantelure, mohair, moustache, mue, naturiste, nu, ongle, peigne, pelage, pilosité, pinceau, plume, poil, robe, selle, sensille, soie, sourcil, tif, tisonné, toison, vibrisse, zain.

ORIOLE. Carouge, emberizidae, loriot, oiseau, orgelet, oriol, passereau, strurnelle, troupiale.

ORIPEAU. Apparence, broderie, défroque, étoffe, faux, frusques, guenilles, habit, haillon, hardes, lame, loque, nippe.

ORLE. Accotement, berge, berme, bord, bordure, borne, cadre, caniveau, contour, côte, encadrement, frange, grève, hiloire, lé, lice, limite, lisière, littoral, marge, orée, ourlat, ourlet, paroi, quai, rain, rive, trêcheur, trescheur, trottoir.

ORME. Aloum, arbre, attente, graphiose, homeau, lapin, loupe, ormaie, ormeau, ormille, ormoie, ptelea, samare, tortillard, ulmacée, ulmus, ypréau, zelkova.

ORMEAU. Coquillage, haliotide, haliotis, hormille, oreille de mer, ormet, ormier, ypréau.

ORNE, VILLE (n. p.). Alençon, Athis, Bellème, Carrouges, Flers, Francheville, Mésséi, Mortagne, Noce, Passais, Sees, Seez, Tinchebray, Trun, Vimoutiers.

ORNÉ. Brodé, décoré, embelli, étoilé, fléché, fleuri, fleuronné, gemmé, historié, illustré, imagé, lamé, lauré, paré, tarabiscoté.

ORNEMENT (3 lettres). Arc, blé, écu, épi, ors, ove, pan.

ORNEMENT (4 lettres). Ache, aile, chou, ciel, dard, jonc, lion, lobe, lyre, more, muse, natte, orbe, orle, paon, rose, urne,.

ORNEMENT (5 lettres). Aigle, amict, amour, ancre, atour, bande, cavet, cépée, cœur, corde, corne, coupe, crête, croix, culot, cygne, drapé, escot, étole, fleur, frise, fruit, gerbe, gland, grain, jabot, lance, lotus, magot, maure, mitre, mufle, nœud, ogive, olive, palme, raide, ruban, ruche, singe, tiare.

ORNEMENT (6 lettres). Accolé, adossé, amande, ananas, bambou, cartel, cimier, cloche, conque, cordon, crosse, damier, disque, dorure, dragon, étoile, feston, flèche, foudre, frange, frette, gloire, godron, goutte, grappe, griffe, guivre, harpie, hélice, hermès, lierre, listel, liston, masque, méduse, ménade, nymphe, oiseau, pagode, pampre, parure, patère, phénix, pompon, postes, ramage, redan, redent, revers, rosace, sequin, sirène, soleil, sphinx, thyrse, trille, triton, vasque, volute, zigzag.

ORNEMENT (7 lettres). Abeille, acanthe, alérion, atlante, bacchus, bossage, bouquet, bucrane, caducée, camaïeu, campane, chardon, chevron, chimère, cimaise, collier, console, contour, cravate, créneau, dauphin, diamant, drapeau, écaille, écusson, ellipse, emblème, falbala, fleuron, fresque, gorgone, grenade, griffon, laurier, léopard, licorne, liseron, losange, macaron, méandre, moiries, mordant, moulure, musette, néréide, ombelle, panache, pectoral, redenté, rinceau, rosette, serpent, trident, watteau.

ORNEMENT (8 lettres). Affronté, aigrette, annelure, arcature, attribut, baguette, bergerie, bouclier, bracelet, carquois, chicorée, chasuble, chouette, coquille, couronne, cylindre, demi-lune, écoinçon, éventail, faisceau, faucille, flambeau, graffiti, grecques, marbrure, mascaron, modillon, nénuphar, orbevoie, palmette, pyramide, sévérité, trou-trou.

ORNEMENT (n. p.). (9 lettres). Aphrodite, Dioscures.

ORNEMENT (9 lettres). Allégorie, arabesque, armoiries, astragale, banderole, bestiaire, canéphore, cannelure, cartouche, centaures, chapiteau, corbeille, croissant, découpure, dentelure, denticule, échiqueté, entrelacs, épaulette, feuillage, fioriture, gibecière, grisaille, guirlande, marmouset, médaillon, obélisque, odalisque, papillote, rudenture, quinconce, triglyphe, trompette.

ORNEMENT (10 lettres). Cariatides, cassolette, chamarrure, cordelière, croisillon, cul-de-lampe, gargouille, guillochis, lambrequin, mignardise, moucheture, pendeloque, quadrilobe, rai-de-cœur, sagittaire.

ORNEMENT, PIÈCE (11 lettres). Aiguillette, bec-de-corbin, bucentaures, imbrication, infoliature, quart-de-rond, trompe-l'œil, vermiculure.

ORNEMENT (12 lettres). Amortissement, chrysanthème, enjolivement, fanfreluche.

ORNEMENT (13 lettres). Chèvrefeuille, fantasmagorie, queue-de-cochon.

ORNEMENTAL. Accessoire, beau, déco, décoratif, design, esthétique.

ORNEMENTATION. Amazonite, art, décor, décoration, embellissement, parure, pavois, racinage, rococo.

ORNEMENTER. Agrémenter, ajouter, border, broder, décorer, dorer, embellir, lamer, orner, parer, semer.

ORNER. Adonner, agrémenter, ajouter, assaisonner, barder, border, broder, chamarrer, colorer, dorer, émailler, embellir, empanacher, emplumer, enjoliver, enluminer, enrubanner, festonner, fleurir, garnir, guillocher, illustrer, imager, incruster, marqueter, moulurer, nervurer, nieller, nimber, ouvrer, pailleter, panacher, parer, pavoiser, saupoudrer, tapisser, tarabiscoter, veiner.

ORNIÈRE. Cartayer, creux, fondrière, frayée, habitude, orniérage, routine, sillon, trace, trou, voie.

ORNITHOLOGIE. Oiseau, ornithologiste, ornithose, science, zoologie.

ORNITHOLOGISTE (n. p.). Audubon, Dion, Peterson.

ORNITHOLOGISTE. Bagueur, oiseau, ornithologie, ornithomancie, zoologiste

ORNITHOLOGUE (n. p.). Audubon, Dion, Peterson.

ORNITHOLOGUE. Bagueur, oiseau, ornithologiste, ornithomancie, zoologiste

ORONGE. Amanite, amanite des Césars, champignon, golmote, golmotte, muscarine, tue-mouches.

ORPAILLEUR. Chercheur, curieux, explorateur, fouineur, or, orpaillage, pailleteur, scientiste, vin.

OROPHARYNX. Abaisse-langue, anatomie, arrière-gorge, bouche, pharynx.

ORPHELIN. Abandonné, champi, enfant, frustré, mineur, orphelinat, privé, pupille.

ORPHÉON. Air, cantatrice, cantilène, cappella, chant, chœur, choral, credo, fado, gospel, hymne, introït, lied, mélopée, monodie, motet, musique, nénies, Noël, ode, oiseau, péan, pluriel, poème, priapée, prose, psaume, ramage, rhapsodie, rive, sanctus, solea, thrène, voceri, vocero.

ORPHIE. Aiguille de mer, aiguillette, bécasse de mer, bécassine, obélisque, poisson.

ORPIN. Anacampseros, byrnesia, gormania, graptopetalum, joubarbe, perruque, rhodiola, sedastrium, sédum, verniculaire.

ORQUE. Baleine, bateau, cétacé, dauphin, épaulard, gibard, mammifère, monstre, odontocète.

ORSEILLE. Colorant, lichen, parelle, pâte, pourpre, roccella, rocelle, teinture.

ORTEIL. Doigt, doigt de pied, gros, ongle, panaris, pédicure, phalange, pied, pouce, samara, syndactylie.

ORTHÈSE. Appareil, attelle, bridge, corset, dentier, implant, orthodontie, partiel, prothèse, silicone, stent.

ORTHODOXE. Austérité, chrétien, conforme, conformiste, consistance, dureté, église, fidèle, hétérodoxe, juif, manichéen, melchite, melkite, pur, raideur, rigidité, rigueur, sévérité, solidité, traditionnel, uniate.

ORTHODOXIE. Catholicisme, conformiste, conservatisme, conventionnalisme, doctrine, droite, hésychasme, higoumène, ligne, norme, prêtre, règle, souna, sounna, sunna, uniate, vérité, vrai.

ORTHOGONAL. Aire, axial, carré, centre, cercle, cône, côté, courbe, diamètre, géométrie, normal, perpendiculaire, pi, rayon, rectangle, rhombe, sinus, symétrie, théorème, tore, triangle, vecteur.

ORTHOGRAPHE. Cacographie, dictée, écrire, écriture, graphie, homographe, paronyme, règle, usage.

ORTHOGRAPHIER. Cacographier, calligraphier, composer, consigner, dactylographier, écrire, griffonner, homographier, marquer, noter, paronymer, rédiger, signer, taper, tester, tracer.

ORTHOPÉDIQUE. Attelle, ceinture, corset, genouillère, gouttière, lombostat, mentonnière, minerve, semelle, talonnette.

ORTHOPHONIE. Accent, bégaiement, blésité, débit, diérèse, dystomie, élocution, fricatif, grasseyement, iotacisme, lallation, lambdacisme, logopédie, nez, parole, phrasé, prononciation, rhotacisme, synalèphe, synérèse.

ORTHOPHONISTE. Auxilière, langage, logopède, logopédiste, phoniatre, spécialiste.

ORTHOPNÉE. Ahanement, anhélance, anhélation, apnée, asthme, dyspnée, essoufflement, étouffement, halètement, han, oppression, pantellement, polypnée, pousse, ronflement, sibilation, stertor, stridor, suffocation, tachypnée.

ORTHOPTÈRE. Acridien, bacille, blatte, caelifère, campode, cancrelat, coquerelle, courtilière, criquet, empuse, ensifère, grillon, mante, phasme, phyllie, podure, pou, psoque, sauterelle, taupe-grillon.

ORTHOSE. Adulaire, albite, aluminosilicate, amazonite, arkose, bytownite, feldspath, kaolin, labrador, lapis, lapis-lazuli, lazurite, microline, oligoclase, perlite, pétunsé, plagioclase, syénite, trachyte.

ORTIE. Actinie, anémone, apétale, belle-dame, dioïca, formique, lamier, lamium, plante, urens, urtica, urticacée.

ORTOLAN. Alouette, ambroisie, bruant, fringillidé, mauviette, oiseau, passereau, zizi.

ORVET. Acrochorde, apode, insectivore, lézard, reptile, saurésie, saurien, serpent de verre, tarentule, venimeux.

ORYX. Algazelle, antilope, passereau, tisserin.

ORYZA. Graminée, riz.

OS (3 lettres). Hic.

OS (4 lettres). Côte, dent, inca, ossu.

OS (5 lettres). Arête, atlas, calus, canon, carie, carpe, crâne, crête, épine, fémur, genou, glène, ilion, joint, jugal, luxer, moule, nonos, ozone, pépin, pubis, sépia, sinus, tarse, tibia, vomer.

OS (6 lettres). Bassin, coccyx, cotyle, écueil, étrier, fibula, hanche, hyoïde, manche, moelle, osmium, osseux, péroné, radial, radius, rocher, rotule, sacrum, seiche, unguis, zygoma.

OS (7 lettres). Attelle, coronal, cubitus, cuboïde, enclume, engrais, frontal, humérus, iliaque, ischion, lunette, malaire, marteau, osséine, osselet, ostéite, ostéome, pétreux, régloir, scapula, sternum, ulnaire, wormien.

OS (8 lettres). Apophyse, carcasse, croupion, désosser, diaphyse, épiphyse, esquille, ethmoïde, exostose, fracture, hyoïdien, ligament, mâchoire, malléole, mastoïde, olécrane, omoplate, ossature, ossement, osso-buco, pariétal, périoste, phalange, problème, tympanal, vertèbre.

OS (9 lettres). Astragale, calcanéum, cartilage, charpente, clavicule, impaction, mésoderme, métacarpe, métaphyse, métatarse, occipital, ossements, ostéogène, ostéopore, ostologie, pisiforme, scaphoïde, sésamoïde, spnénoïde, squelette, structure, synostose.

OS (10 lettres). Cunéiforme, épiphysite, fontanelle, fourchette, maxillaire, mésoblaste, ostéolithe, pisciforme, trapézoïde.

OS (11 lettres). Dislocation, ostéoblaste, ostéoclasie, ostéoclaste, ostéopathie, ostéoporose, semi-lunaire.

OS (12 lettres). Ossification, ostéologie, ostéomalacie, ostéomyélite, ostéoplastie, ostéosarcome.

OSCABRION. Amphineure, chiton, gastropode, mollusque, polyplacophore, seiche, tunique.

OSCAR. Bénéfice, cadeau, césar, citation, compensation, coupe, diplôme, don, excitation, faveur, félix, gratification, laurier, loyer, médaille, ours, palme, podium, pourboire, prime, prix, récompense, rémunération, salaire, travail, tribut.

OSCILLANT. Branlant, chancelant, croulant, défaillant, faible, flageolant, flottant, fragile, glissant, hésitant, incertain, instable, liquide, menacé, monnaie, pécloter, précaire, titubant, trébuchant, vacillant.

OSCILLATEUR. Alternateur, amplidyne, cryoalternateur, dynamo, excitatrice, génératrice, magnéto, turboalternateur.

OSCILLATION. Agitation, balancement, bercement, branlement, dandinage, dandinement, dodelinement, ébranlement, fluctuation, hésitation, larsen, libration, mouvement, onde, remuage, roulis, secousse, seiche, tangage, tremblement, variation, vibration.

OSCILLER. Balancer, baller, bercer, branler, chanceler, dodeliner, dodiner, ébranler, flageoler, flotter, hésiter, incertain, onduler, pendre, rouler, tanguer, tituber, trébucher, trembler, trembloter, vaciller, vibrer.

OSCULATEUR. Abside, almicantarat, anneau, arc, arcade, aréole, auréole, baiser, bandage, boucle, cénacle, cerceau, cercle, cerne, cirque, club, courbe, disque, équidistant, halo, jante, listel, lobe, lune, manchette, nimbe, orbe, orbiculaire, osculari, pi, plan, rayon, relier, rond, rouet, sinus, surface, tour.

OSÉ. Audacieux, aventureux, choquant, cru, exagéré, excessif, gaillard, grivois, grossier, hardi, hasardé, hasardeux, imprudent, inconvenant, indécent, leste, libre, licencieux, olé olé, périlleux, pimenté, poivré, risqué, salé, scabreux, suicidaire, téméraire, verdeur.

OSE. Amidon, cellulose, cétose, disaccharide, glucide, glucidique, glucose, glycogène, holoside, insuline, inverti, mannose, oside, pentose, polyoside, rutine, saccharide, saccharose, sucrate, sucre.

OSEILLE. Acide, aigrette, argent, blé, change, espèces, fric, oxalique, oxalis, patience, purée, rumex, surelle, vinette.

OSER. Affronter, avancer, avant, aventurer, aviser, braver, chercher, efforcer, encourir, entreprendre, essayer, filet, goûter, permettre, risquer, tenter, venir, vouloir.

OSIDE. Amidon, cellulose, disaccharide, glucide, glucidique, glucose, glucoside, glycogène, hétéroside, holoside, insuline, inverti, mannose, ose, polyoside, rutine, saccharide, saccharose, sucrate, sucre.

OSIER. Banne, ciste, claie, courtisan, hart, jonc, lien, obier, oseraie, pleyon, salicacée, saulaie, saule, van, vime, viorne.

OSMIUM. Métal, os.

OSMONDE. Cannelle, clayton, fougère aquatique, plante, royale.

OSMOSE. Cession, délocalisation, déplacement, identification, interpénétration, projection, reversement, téléchargement, traduction, transfert, transmission, transplantation, transport, vente, virement.

OSMOTIQUE. Hypertonique, hypotonique, isotonique, oncotonique.

OSSATURE. Armature, cadre, canevas, charpente, longeron, os, pan, plan, squelette, structure.

OSSELET. Enclume, étrier, jeu, marteau, nonos, os, ossuaire, relique, tumeur.

OSSEMENTS. Cadavre, carcasse, cendres, os, ossuaire, relique, restes, squelette.

OSSEUX. Amaigri, amenuisé, aminci, cachectique, carcan, carcasse, cheval, côte, crâne, décharné, efflanqué, élancé, émaciation, épine, étique, étisie, grêle, maigre, marasme, mince, sec, squelettique, voûte.

OSSIFICATION. Calcification, conversion, endurcissement, fixation, ostéogenèse, ostéogénie.

OSSUAIRE. Canevas, carcasse, charnier, charpente, hyoïde, mort, os, ossature, polypier, squelette, tarse.

OST. Appel, armada, armée, bataillon, brigade, camp, centurie, cohorte, corps, escouade, escadron, force, galon, grade, host, infanterie, junte, légion, marine, milice, militaire, peloton, régiment, salut, soldat, troupe.

OSTÉITE. Anthracnose, bruine, carie, cariogène, charbon, dégradation, inflammation, nielle, rouille.

OSTENSIBLE. Apparent, éclatant, évident, manifeste, ostentatoire, patent, perceptible, sensible, visible, voyant.

OSTENSOIR. Autel, custode, eucharistie, foyer, hostie, laraire, messe, monstrance, montre, offrandes, orfèvrerie, orgueil, pierre, reliquaire, reposoir, sacrifices, tabernacle, table.

OSTENTATION. Affectation, bravade, étalage, faste, fla-fla, gloriole, monstrance, montre, orgueil, parade, pyxide, vanité.

OSTENTATOIRE. Apparent, éclatant, évident, manifeste, patent, perceptible, sensible, théâtrale, visible, voyant.

OSTÉOGENÈSE. Calcification, ossification, ostéogénie.

OSTÉOPATHIE. Articulaire, chondromatose, maladie, manipulation, os, ostéopathe, rachidien, synarthrose.

OSTÉOPOROSE. Accablement, appauvrissement, asthénie, courbature, épuisement, éreintement, exhaure, exténuation, fatigue, fragilité, harassement, lassitude, os, raréfaction, tarissement, usure.

OSTRACISER. Bannir, boycotter, éliminer, exiler, quarantaine, repousser.

OSTRACISME. Abandonner, abolir, annoncer, avorter, ban, bannir, boycott, chasser, déféquer, déporter, écarter, éloigner, émigrer, exclure, exiler, expatrier, expulser, interdire, ostraciser, proscrire, proscrit, quarantaine, refouler, reléguer, renvoyer.

OSTRÉICULTURE. Conchyliculture, détroquage, élevage, huître, ostracéostréidé, ostréicole, parquetier, parquier, parqueur, perquier.

OSTROGOTH. Barbare, bizarre, bourru, grossier, impoli, inconvenant, malappris, rustaud, type.

OTAGE. Caution, détenu, esclave, gage, garant, kidnapper, prisonnier, rançon, répondant.

OTARIE. Barbu, capuchon, crabier, cistophore, gris, léopard de mer, lion de mer, loup, loutre de mer, mammifère, marbré, marin, moine, morse, odobénidé, ours, phoque, pinnipède, rubans, selle.

ÔTER (4 lettres). Tuer.

ÔTER (5 lettres). Lever, limer, parer, peler, raser, ravir, rayer, tirer, vider, voler.

ÔTER (6 lettres). Abolir, barrer, biffer, casser, couper, écaler, élider, énouer, épiler, épucer, épurer, érater, étêter, exiler, glaner, guérir, isoler, plumer, priver, radier, rogner, sevrer, ternir.

ÔTER (7 lettres). Abroger, annuler, aplanir, châtier, déduire, défiler, dégager, dénuder, dépolir, dépoter, dérater, dévêtir, écorcer, écosser, écrémer, effacer, effaner, égrener, émonder, enlever, entamer, essuyer, évincer, exclure, libérer, mutiler, prendre, retenir, retirer, sarcler, séparer.

ÔTER (8 lettres). Arracher, aveugler, cueillir, débâcler, déballer, débander, déblayer, déboiser, déboîter, débonder, déborder, débotter, débrider, déclouer, déferrer, défibrer, défoncer, dégainer, déganter, dégarnir, dégommer, dégoûter, dégrafer, délester, dénicher, déplumer, dépocher, déranger, désaérer, désarmer, désosser, détacher, détrôner, dévisser, écorgner, écroûter, éliminer, emporter, éplucher, équeuter, expurger, extirper, extraire, prélever, ramasser, révoquer.

ÔTER (9 lettres). Chaponner, débarquer, déboucher, débourber, débourrer, décaisser, décapiter, déchaîner, décharger, décharner, décompter, décrotter, défalquer, démancher, déraciner, destituer, extorquer, supprimer.

ÔTER (10 lettres). Confisquer, décacheter, décalotter, décarreler, déchausser, décourager, déculotter, déposséder, dépouiller, déshériter, échenillesr, effeuiller, épousseter, exproprier, retrancher, soustraire.

ÔTER (11 lettres). Débarrasser, décortiquer, découronner, déharnacher, déshabiller, excommunier.

ÔTER (12 lettres). Dénationaliser, désenvenimer, désincruster, ébourgeonner.

OTITE. Diabolo, double, inflammation, labyrinthite, mal, maladie, mastoïdite, oreille, tubotympanite, tympanite.

OTOCYSTE. Aérocyste, bouton, cholécystite, cystique, liposome, phlyctène, pustule, saccule, utricule, vésicule.

OTTOMAN. Aga, agha, empan, escot, étoffe, muleta, sultan, tarbouch, tarlatane, tartan, turban, turc, tussor.

OTO-RHINO-LARYNGOLOGIE. Auriste, médecin, O.R.L.

OTTOMAN. Canapé, causeuse, divan, estrade, lit, méridienne, récamier, siège, sofa, veilleuse.

OU. Alias, alternative, autrement, endroit, équivalence, lieu, plutôt, sinon, soit, temps.

OUAILLE. Agape, baptisé, brebis, catholique, chrétien, copte, croix, ébonite, fidèle, galiléen, goï, goy, homme, infidèle, lapsi, logos, mathurin, mozarabe, orthodoxe, païen, paroissien, protestant, relaps, roumi, schismatique, iniate.

OUANANICHE. Saumon, saumon d'eau douce.

OUAOUARON. Grenouille, grenouille-taureau.

OUATÉ. Agréable, aimable, amène, amorti, assourdi, bénin, câlin, caressant, charitable, clément, docile, doucereux, doux, étouffé, feutré, gentil, indulgent, langoureux, liant, moelleux, mol, mou, paisible, riant, satin, sirupeux, sociable, souple, soyeux, suave, sucré, tendre, tranquille, velouté.

OUATER. Ailler, aillier amorcer, appâter, armer, baguer, boiser, border, bourrer, canner, capitonner, décorer, doubler, enrubanner, ferrer, fournir, fourrer, garnir, gréer, hérisser, lotir, mâter, matelasser, meubler, molletonner, munir, orner, parer, rembourrer, tapisser.

OUBLI. Abandon, abnégation, absence, amnésie, codicille, défaillance, disparition, distraction, égarement, erreur, étourderie, faute, gaufre, ingratitude, inattention, lacune, loup, manque, manquement, négligence, omission, pardon.

OUBLIER. Abandonner, absoudre, consoler, délaisser, désapprendre, échapper, effacer, enterrer, éteindre, étourdir, lâcher, laisser, manquer, mépriser, négliger, omettre, passer, perdre, relâcher, sauter, sortir, taire.

OUBLIETTE. Basse-fosse, cabanon, cachot, cellule, cul-de-basse, fosse, geôle, prison, projet, violon.

OUBLIEUX. Absent, amnésique, distrait, égoïste, étourdi, indifférent, ingrat, insouciant, négligent.

OUEST. Alliés, blanc, couchant, est, jaune, levant, occident, occidental, orient, poire, ponant.

OUGANDA, CAPITALE (n. p.). Kampala.

OUGANDA, LANGUE. Anglais, kiganda, kiswahili.

OUGANDA, MONNAIE. Shilling.

OUGANDA, VILLE (n. p.). Apoka, Arua, Bamunaniki, Bombo, Goli, Kampala, Kiboga, Masaka, Myanzi, Njeru, Wobulenzi, Yumbe.

OUI. Absolument, accord, agrément, assentiment, assurément, aveu, bien, bon, certainement, certes, da, entendu, évidemment, jà, mariage, merci, oc, oïl, ok, opiner, ouais, parfait, parfaitement, séo, si, soit, volontiers.

OUÏ-DIRE. Avis, bourdonnement, bruit, canard, confusion, dire, écho, éclat, esclandre, médisance, murmure, nouvelle, on, on-dit, opinion, potin, racontar, ragot, rumeur, scandale, tapage, transpire, tumulte.

OUÏE. Aïe, auditif, audition, branchie, contrariété, douleur, écoute, entendre, esse, fente, inaudible, inquiétude, opercule, oreille, ouille, ouverture, oyant, sens, sourd, surdité, surprise.

OUILLE. Aïe, auditif, audition, branchie, contrariété, douleur, écoute, entendre, esse, fente, inaudible, inquiétude, opercule, oreille, ouverture, oyant, sens, sourd, surdité, surprise.

OUILLER. Bouffir, bourrer, caser, charger, combler, compléter, emplir, enfler, enfumer, envahir, étrangler, farcir, fourrer, garnir, gorger, jointoyer, liaisonner, meubler, occuper, pénétrer, plomber, remplir, rengréner, saturer, truffer, verser.

OUÏR. Accepter, admettre, attraper, audition, auditionner, comprendre, dissonant, écouter, embrasser, entendre, insinuer, ouï-dire, ouïe, percevoir, portugaise, prêter, saisir, tonnerre, ultrason, union, unir, vouloir.

OUISTITI. Callitriche, callithrix, homme, mammifère, marmouset, midas, primate, singe, tamarin, type.

OUKASE. Amirauté, arrêté, attend, autant, autorité, avance, commandement, consigne, décret, direction, directive, décision, décret, empire, état-major, loi, marche, ordre, puissance, recule, regarde, sommation, ukase, ultimatum, va.

OUR. Ur.

OURAGAN. Baguio, bourrasque, cyclone, orage, tempête, tornade, trombe, trouble, typhon.

OURDIR. Arranger, brasser, cantre, combiner, comploter, conspirer, machiner, manigancer, monter, nouer, organiser, préparer, tisser, tracer, tramer, tresser.

OURLER. Border, confectionner, coudre, couture, encadrer, ficeler, monter, nouer, roulotter, tisser.

OURLET. Accotement, berge, berme, bord, bordure, borne, cadre, caniveau, contour, côte, encadrement, frange, grève, hiloire, lé, lice, limite, lisière, littoral, marge, orée, orle, ourlat, paroi, quai, rain, rive, roulotte, trêcheur, trescheur, trottoir.

OURS. Arctique, baribal, barribal, brun, busserole, callisto, ermite, grizzli, grizzly, kodiak, misanthrope, noir, nounours, otarie, oursin, ourson, panda, plantigrade, polaire, sauvage, septentrion, solitaire, ursidé.

OURSIN. Châtaigne, échinoderme, hérisson, invertébré, melon, micraster, pédicellaire, spatangue, test.

OURSON. Accru, bébé ours, descendant, drageon, enfant, fils, gourmand, jet, koala, provin, rejeton.

OUSTE. Oust, zou.

OUTARDE. Barnache, bernache, bernacle, canard, canepetière, cravant, empereur, nonnette, oie, otididé.

OUTIL (2 lettres). Dé.

OUTIL (3 lettres). Clé, fer, hie, pic.

OUTIL (4 lettres). Aide, buis, clef, croc, dame, étau, faux, houe, lame, lime, main, râpe, ripe, saie, saye, scie, tour, truc.

OUTIL (5 lettres). Alène, batte, bêche, burin, drège, écang, écope, engin, foret, fusil, gâche, galet, galon, gouet, gouge, hache, kriss, louve, masse, mèche, meule, moyen, pelle, perce, pince, picot, pince, plane, râble, rabot, serpe, silex, valet.

OUTIL (6 lettres). Archet, asseau, bédane, biface, biseau, biveau, boësse, bouvet, broche, ciseau, cognée, coutre, doleau, doloir, drille, égoïne, embout, entoir, fraise, gratte, machin, matoir, oiseau, paroir, pioche, pointe, râteau, rodoir, smille, taraud, toupie, touret, trépan, vrille.

OUTIL (7 lettres). Alésoir, assette, bêchoir, berceau, bigorne, binette, chopper, drille, équerre, estampe, évidoir, filière, jabloir, machine, mandrin, marteau, molette, perçoir, racloir, rénette, rouanne, scieuse, sciotte, tarière, truelle, varlope.

OUTIL (8 lettres). Affiloir, affinoir, aissette, allumoir, amorçoir, appareil, bourroir, bourseau, chassoir, cisaille, couperet, ébarboir, émondoir, faucille, grattoir, grugeoir, jablière, jabloire, matériel, peceuse, plantoir, raclette, rainette, recingle, sarcloir, sécateur, tenaille, trusquin.

OUTIL (9 lettres). Accordoir, aiguisoir, arrachoir, atomiseur, carottier, ébauchoir, retendoir, sarclette, tenailles, tournevis, ustensile.

OUTIL (10 lettres). Bouterolle, brunissoir, carotteuse, débouchoir, dégorgeoir, instrument, pelle-bêche, serfouette.

OUTIL (11 lettres). Coupe-papier, cure-oreille, décapsuleur, ouvre-boîtes, pelle-pioche, pied-de-biche, taillandier, vilebrequin.

OUTIL (12 lettres). Bec-de-corbeau, hache-légumes, marteau-pilon, passe-partout, shopping-tool, taillanderie, taille-crayon.

OUTILLAGE. Apparaux, aria, armement, arsenal, bagage, barda, bidule, chose, équipement, fatras, fourbi.

OUTILLER. Armer, blinder, cuirasser, embâtonner, enchemiser, équiper, fournir, garnir, gratifier, gréer, instrumenter, lotir, monter, munir, nantir, pourvoir, précautionner, prémunir, shunter, soutenir, tuteurer.

OUTLAW. Audacieux, aventureux, aventurier, bandit, boucanier, bourlingueur, conquistador, condottiere, corsaire, entreprenant, errant, escroc, hasardeux, imprévoyant, intrigant, mandrin, osé, picaresque, pirate, résolu, risqueur, ruffian, rufian, téméraire.

OUTRAGE. Affront, ans, attaque, atteinte, avanie, blasphème, calomnie, camouflet, coup, délit, fouet, humiliation, infamie, injure, insulte, invective, menace, offense, poème, soufflet, tort, viol.

OUTRAGEANT. Abusif, blessant, envahissant, exagéré, excessif, illégitime, immodéré, impropre, incorrect, indu, infondé, inique, injurieux, injuste, injustifié, insultant, léonin, mauvais, offensant, possessif, sévère, usurpatoire.

OUTRAGER. Attenter, bafouer, conspuer, contrevenir, cracher, écharper, huer, injurier, insulter, maudire, offenser, violer.

OUTRAGEUSEMENT. Abusivement, démesurément, effrénément, exagérément, excessivement, hyperboliquement, immodérément, large, outre mesure, prodigalement, surabondamment, trop.

OUTRAGEUX. Abusif, anormal, astronomique, avare, bigot, corsé, excessif, démesuré, déraisonnable, disproportionné, enfer, énorme, exagéré, excès, exorbitant, extravagant, extrême, fol, fou, immodéré, intempérant, intempestif, ladre, monstrueux, outrancier, prude, rage, salé, torride, trop, violent.

OUTRANCE. Abus, démesure, enflure, exagération, excès, exubérance, outré, revanche, tapageur, violence.

OUTRANCIER. Abusif, débridé, déchaîné, délirant, démesuré, déraisonnable, déréglé, effréné, exagéré, excessif, exorbitant, extravagant, extrême, forcé, immodéré, intempérant, outré, scandaleux, tapageur.

OUTRE. Battre, bouc, dépasser, devancer, distancer, dominer, éclipser, emporter, excès, fort, item, laisser, outrepasser, par-dessus, plus, prédominer, primer, sac, surclasser, surmonter, surpasser, trop, utricule.

OUTRÉ. Exagéré, excessif, fort, immodéré, indigné, insolent, révolté.

OUTRECUIDANCE. Aplomb, arrogance, désinvolture, effronterie, fatuité, impertinence, infatuation, impudence, insolence, morgue, orgueil, présomption, prétention, suffisance, témérité, vanité.

OUTRECUIDANT. Arrogant, effronté, fat, impertinent, infatué, insolent, orgueilleux, prétentieux, suffisant, vaniteux.

OUTREMER. Air, atmosphère, au-delà, azur, blason, bleu, bleu ciel, céleste, cérulé, céruléen, cérulescent, ciel, empurée, éther, firmament, lapis, lapis-lazuli, mer, minéral, smalt, verre, voûte.

OUTREPASSE. Abonnement, clause, convention, crime, fixe, forfait, marchandage, somme, trahison.

OUTREPASSER. Abonner, abuser, dépasser, enfreindre, excéder, franchir, passer, transgresser.

OUTRER. Charger, choquer, dramatiser, exagérer, forcer, grossir, indigner, offenser, révolter, scandaliser, suffoquer.

OUVERT. Accessible, accueillant, béant, cosmopolite, déclaré, délabré, dépoitraillé, éclos, entamé, entrouvert, épanoui, évasé, éventré, fendu, fente, franc, inauguré, large, libéral, libre, orifice, percé, perméable, tolérant, troué, stomatoscope.

OUVERTEMENT. Carrément, clairement, crûment, droitement, franchement, franco, hautement, librement, loyalement, net, nettement, ostensiblement, publiquement, simplement, sincèrement, très, vraiment.

OUVERTURE. Abée, accès, angle, archière, barbacane, baie, béance, béer, braguette, brèche, carneau, cavité, chantepleure, commencer, cratère, créneau, daleau, dalot, diaphragme, écoutille, écubier, embrasure, emmanchure, entrée, esse, évasure, exutoire, fenestration, fenêtre, fente, fermeture, gueulard, gueule, hiatus, hublot, inauguration, judas, laparotomie, largeur, lucarne, lumière, lunette, mâchicoulis, méat, meurtrière, nable, narine, nocturne, œil, ope, orifice, ouïe, ouvreau, panneau, passe-plat, péristome, pertuis, pore, porte, prélude, regard, rosace, sabord, soupirail, stomate, trachéotomie, trapillon, trappe, trou, trouée, tubulure, tuyère, varaigne, ventouse, voie.

OUVRAGE (3 lettres). Épi, mur, ode, tas.

OUVRAGE (4 lettres). Dais, fort, four, isbn, loge, môle, opus, plan, pont, tête, tome.

OUVRAGE (5 lettres). Atlas, bible, bijou, bribe, cadre, claie, copie, devis, digue, écrit, émail, essai, étude, guide, livre, masse, musée, opéra, oriel, palée, passe, peine, pièce, poème, point, rampe, redan, roman, salon, tâche, tissu, usuel, voûte.

OUVRAGE (6 lettres). Abrégé, corvée, décoré, écluse, labeur, manuel, massif, œuvre, plâtre, précis, redent, réduit, relief, siphon, statue, talmud, traité, tricot, tunnel, viaduc.

OUVRAGE (7 lettres). Annales, bastion, besogne, bluette, chemise, croisée, ébauche, étayage, exergue, gravure, implexe, incipit, logette, logique, lucarne, macramé, mélange, méthode, opaline, orfévré, ravelin, recueil, tableau, tissage, travail.

OUVRAGE (8 lettres). Annuaire, brochure, casemate, cavalier, mémorial, monument, opuscule, samizdat, treillis.

OUVRAGE (9 lettres). Anaglyphe, appendice, archétype, baldaquin, barbacane, charpente, coédition, émaillure, embrasure, entrevous, fascicule, filigrane, incunable, manuscrit, mécanique, monolithe, patchwork, plomberie, référence, sculpture.

OUVRAGE (10 lettres). Couvrement, maçonnerie, menuiserie, orfèvrerie, porte-à-faux, production, serrurerie, traduction.

OUVRAGE (11 lettres). Aide-mémoire, capitonnage, chef-d'œuvre, compilation, échafaudage, publication, vocabulaire.

OUVRAGE (12 lettres). Complication, construction, élucubration, encyclopédie, hagiographie, iconographie.

OUVRAGÉ. Ciselé, débosselé, étudié, fignolé, fini, fouillé, léché, œuvré, orfévré, ouvré, peaufiné, poli, recherché, soigné, sophistiqué, travaillé.

OUVRAGER. Activer, affairer, agir, besogner, bosseler, bosser, boulonner, bricoler, bûcher, chiner, ciseler, cultiver, écosser, élaborer, fabriquer, façonner, occuper, manœuvrer, œuvrer, orner, ouvrer, piocher, rendre, piocher, produire, soigner, suer, tracer, travailler, trimer, turbiner.

OUVRANT. Abattant, battant, battant, clapet, couvercle, obturateur, obturateur, opercule, panneau, rabat, vantail, vasista, vasistas, volet.

OUVRER. Activer, affairer, agir, besogner, bosseler, bosser, boulonner, bricoler, bûcher, chiner, ciseler, cultiver, écosser, élaborer, fabriquer, façonner, occuper, manœuvrer, œuvrer, orner, ouvrager, ouvraison, ouvrer, piocher, procéder, rendre, piocher, produire, soigner, suer, tracer, travailler, trimer, turbiner.

OUVREUR. Bridgeur, gouverneur, ouvrier, papetier, placier, plongeur, skieur, stadiaire, stadier.

OUVRIER. Apiéceur, cantonnier, canut, carrier, claviste, dalleur, débardeur, ébéniste, éboueur, égoutier, étameur, foreur, garçon, homme, lamaneur, lamineur, leveur, limousin, lissier, machiniste, maçon, main-d'œuvre, manœuvrier, mineur, monteur, nattier, orpailleur, os, paludier, paveur, péon, piqueur, plaqueur, porcelainier, praticien, repasseur, sagard, saisonnier, schlitteur, scieur, sellier, souffleur, tabletier, tâcheron, tanneur, terrassier, tisserand, tourneur, trancheur, trimardeu, tubiste, vidangeur, voilier.

OUVRIÈRE. Abeille, apiéceuse, cheville, fourmi, grisette, laineuse, midinette, moissonneuse, nattière, remmailleuse.

OUVRIR. Aérer, canaliser, clé, clef, crever, crocheter, débarrer, débouchonner, débourrer, décacheter, décapsuler, démasquer, déplier, déverrouiller, écailler, écarquiller, éclore, écosser, entrouvrir, épanouir, éventrer, forcer, percer, pratiquer, sabrer, soutirer, trépaner.

OUVROIR. Agence, armurerie, arsenal, atelier, boutique, brûlerie, cabinet, chantier, corderie, couture, fabrique, forge, garage, laboratoire, laverie, lavoir, local, loge, menuiserie, studio, usine.

OUZBÉKISTAN, CAPITALE (n. p.). Tachkent.

OUZBÉKISTAN, LANGUE. Ouzbek.

OUZBÉKISTAN, MONNAIE. Sum.

OUZBÉKISTAN, VILLE (n. p.). Almalyk, Boukhara, Denaou, Gazli, Moubarek, Mouinak, Noukous, Outchkoudouk, Tachkent, Tchimbai, Termez.

OUZO. Alcool, anis, anisette grecque, boisson, liqueur.

OVAIRE. Adhérent, épigyne, fleur, infère, lutéal, lutéine, ovariectomie, ovarite, ovule, style, supère.

OVALE. Circuit, courbe, écu, ellipse, ellipsoïde, football, gonade, oblong, œil-de-bœuf, œuf, ové, ovoïde.

OVATION. Acclamation, applaudissement, ban, cri, honneur, hourra, ola, olé, salutation, triomphe, vivat.

OVATIONNER. Acclamer, accueillir, adorer, applaudir, conspuer, échanger, honorer, huer, présenter, proclamer, récompenser, respecter, saluer, siffler, triompher, vénérer, visiter.

OVE. Boucle, cercle, courbe, échine, œuf, orbe, orbite, orle, ornement, ovale, ovoïde, rond.

OVERDOSE. Crack, dormir, drogue, effarant, étonnant, haschich, héroïne, inouï, morphine, narcose, narcotique, opium, piqué, renversant, seringue, sidérant, stupéfiant, surdose, surprenant, troublant.

OVIN. Antenais, bélier, bœuf, bouc, bouquetin, bovidé, brebis, chèvre, mouflon, mouton, ovidé.

OVIPARE. Amphibien, couleuvre, monotrème, oiseau, poisson, pondeur, reptile, serpent, vivipare.

OVIPOSITEUR. Charnière, foreuse, mèche, organe, oviscapte, queue-de-cochon, quillier, sonde, tarière, vrille.

OVISCAPTE. Charnière, foreuse, ovipositeur, queue-de-cochon, quillier, sonde, tarière, vrille.

OVNI. Aberrant, anormal, atypique, cigare volant, déviant, inclassable, indéfinissable, indéterminable, irrégulier, objet volant non identifié, original, soucoupe volante, spécial, ufo, ufologie.

OVOÏDE. Allongé, elliptique, oblong, œuf, ogival, ovalaire, ovale, ové, oviforme, ovoïdal, ovule, thymus.

OVULATION. Chaleur, comportement, cycle, œstrogène, œstrus, ménopause, phénomène, rut.

OVULE. Amphimixie, anatrope, arille, campylotrope, cellule, chalaze, embryon, funicule, germe, graine, gymnospermie, micropyle, nucelle, œuf, oosphère, ovaire, placenta, tégument, vitellus.

OXALIDE. Acétoselle, acide, allégresse, alléluia, chant, cri, herbe, oxalidée, oxalis, surelle.

OXHYDRYLE. Oxhydryle, hydroxyle.

OXONIUM. Anion, atome, cation, composite, électron, ion, ionique, ligand, particule, redox.

OXYCHLORURE. Algaroth, émétique, vomitif, vomitique.

OXYDANT. Anticorrosion, antioxydant, antirouille, désoxydant, minium, ozone, réducteur.

OXYDATION. Acrylique, combustion, étain, oxydoréduction, oxygène, ozone, patine, rouille, térébique.

OXYDE. Aétite, alumine, baryte, bioxyde, calamine, chaux, cuprite, émail, erbine, étain, éther, glucine, ilménite, litharge, lithine, magnétite, massicot, métal, oligiste, rouille, rutile, safre, silice, smalt, spinelle, ténorite, tutie, urane, uranite, vanadinite, ytterbium, yttria, zircone.

OXYDER. Brûler, comburer, détériorer, détruire, enrouiller, peroxyder, ronger, rouiller, vert-de-gris.

OXYGÉNATION. Aération, air, climatisation, distraction, échangeur, éclaircissement, évacuation, lanternon, purification, renouvellement, répartition, souffle, soufflerie, tunnel, ventilateur, ventilation.

OXYGÈNE. Air, anoxémie, anoxie, borique, comburant, élément, gaz, O, oxyde, oxygéner, ozone, poumon, sang.

OXYGÉNER. Aérer, décolorer, éventer, gazer, ozonifier, respirer, ventiler.

OXYMORE. Alliance, assemblage, audace, figure de style, oxymoron, rapprochement, rhétorique.

OXYSULFURE. Osbornite, oxygène, soufre.

OXYTÉTRACYLINE. Antibiotique, terrafungine.

OYAT. Caquilier, chiendent, des sables, diotis, dune, élyme, gourbet, graminée, herbacée, roquette de mer.

OZALID. Bromure, épreuve, papier, positif, sensible, typographie.

OZOCÉRITE. Alcane, bougeoir, bougie, chandelier, chandelle, cierge, cire, cire d'abeille, cirier, encaustique, éteignoir, hydrocarbure, lampion, lumignon, ozokérite, paraffine, rouloir, stéarine, stencil.

OZONE. Air, assainisseur, couche, déodorant, dépollueur, désodorisant, gaz, nettoyeur, trou.

P

PACAGE. Bestiaux, bétail, défends, défens, paddock, herbage, lit, paissance, parcours, pâtis, pâturage, pâture, pré, transhumance.

PACAGER. Brouter, herbager, manger, paître, pâturer, viander.

PACANE. Amande, anacarde, arec, bétel, brou, cachou, cerneau, coco, coir, écale, enveloppe, fessier, hickory, juglandacée, kola, muscade, noyer d'Amérique, moulin, muscade, noix, noyer, pécan.

PACANIER. Arbre, carya illinoensis, caryer, hickory, juglandacée, noyer, pacane, pécan.

PACEMAKER. Encourageant, incitateur, inspirateur, instaurateur, instigateur, mobilisateur, motivant, stimulateur.

PACHA (n. p.). Achmet, Ali, Bonneval, Djazzar, Glaoui, Glawi, Tawfio, Tripolitaine.

PACHA. Aboulique, aï, bey, cancre, commandant, édenté, faignant, fainéant, feignant, flâneux, glandeur, gouverneur, indolent, inerte, lâche, lambin, lambineux, larve, mou, négligent, nonchalant, oisif, padichah, paresseux, sultan.

PACHYDERME. Éléphant, épaississement, hippopotame, mammifère, ongulé, porc, rhinocéros.

PACIFICATEUR. Arbitre, conciliateur, indulgent, intercesseur, intermédiaire, interposé, médiateur, négociateur, truchement.

PACIFICATION. Amélioration, convalescence, désamorçage, dotal, magnétophone, guérison, modération, reconstitution, recouvrement, régénération, remise, restauration, restitution, rétablissement, salut.

PACIFIER. Adoucir, apaiser, arranger, calmer, pacificateur, pacifiste, paix, retenir, tranquilliser.

PACIFIQUE. Belliqueux, calme, débonnaire, doux, irénique, paisible, paix, placide, tranquille.

PACIFISTE. Accommodant, colombe, doux, imbelle, iréniste, neutraliste, non-violent, objecteur de conscience, tolérant.

PACOTILLE. Bibelot, camelote, cochonnerie, colifichet, factice, marchandise, nanar, rien, toc, verroterie.

PACTE. Accommodement, accord, alliance, armistice, arrangement, compromis, concordat, consensus, contrat, convenance, convention, engagement, entente, marché, paix, protocole, tontine, traité, transaction.

PACTISER. Accéder, accepter, accommoder, accorder, acheter, arbitrer, arranger, céder, commercer, composer, concéder, conclure, convenir, entendre, faiblir, négocier, prêter, traiter, transiger, vendre.

RUPIN. Abondant, aisé, argenté, argenteux, aristo, cossu, étoffé, fertile, fortuné, galetteux, grenu, huppé, ladre, milliardaire, millionnaire, multimillionnaire, nanti, nourri, opulent, or, pactole, parvenu, pauvre, possédant, pourvu, rentier, riche, richissime, samit.

PADDOCK. Clos, clôture, corral, courtine, enceinte, enclos, jardin, mur, parc, pâturage, secco, vivier.

PADINE. Agar-agar, algine, algue, balbianie, bleue, botrydium, caulerpe, cauperpe, chlorelle, chlorophycée, conferve, coralline, cyanobactérie, cyanophycée, diatomée, diplopore, euglène, floridée, fucus, goémon, janie, laminaire, macrocystis, macrocyte, mougeotia, navicule, némale, némalion, nostoc, phéophycée, pluricellulaire, porphyra, protocoque, protophyte, rhodophycée, rouge, sargasse, spirogyre, sushi, ulve, unicellulaire, varech, vauchérie, zygnéma.

PAF. Éméché, enivré, gris, ivre, rond, saoul, soûl.

PAGAIE. Aviron, branche, godille, liesse, pale, pelle, perhe, rame, ramette, tuteur.

PAGAILLE. Anarchie, bazar, chienlit, confusion, désordre, fouillis, foutoir, gabegie, merde, souk.

PAGANISME. Agnosticisme, apostasie, athéisme, blasphème, désacralisation, doute, froideur, gentilité, hérésie, impiété, incrédulité, incroyance, indifférence, infidélité, irréligion, libertinage, matérialisme, panthéisme, péché, polythéisme, profanation, reniement, sacrilège, scandale, scepticisme.

PAGAYER. Avironner, canoter, déramer, godiller, nager, ramer, souquer, tirer.

PAGAYEUR. Avironneur, canotier, chapeau, coiffure, godilleur, gondolier, nageur, rameur, skiffeur.

PAGE. Blanche, carton, débit, destin, encart, feuille, feuillet, folio, forme, garçon, garde, lit, marge, noble, nota, onglet, paginer, pageot, pajot, papier, passage, recto, rôle, signet, site, texte, tourne, tribune, trousse, une, valet, verso.

PAGEL. Beryx, canthère, coryphène, dorade rose, griset, pageau, pageot, pagre, poisson, rousseau, sar.

PAGEOT. Alèse, ber, chevet, ciel, coite, couchette, couchis, couette, divan, dodo, drap, épi, grabat, hamac, jar, jard, justice, lire, lit, litière, mariage, meuble, page, pajot, pieu, plumard, pucier, ravin, ru, ruelle, ruisseau, sofa, sultane, tara.

PAGINATION. Chiffrage, cotation, foliotage, foliotation, immatriculation, marquage, numérotation, tatouage.

PAGINER. Chiffrer, coter, folioter, immatriculer, marquer, matriculer, numéroter, tatouer.

PAGNE. Braguet, chlamyde, étoffe, java, paréo, prétexte, rein, sampot, sari, sarong, shentit, toge.

PAGODE. Basilique, caitya, capitole, cathédrale, chapelle, église, fanum, figurine, loge, manche, monoptère, mosquée, naos, oratoire, pagodon, panthéon, pavillon, spéos, statuette, synagogue, temple, teocalli, tholos, ziggourat.

PAGURE. Anomoure, bernard-l'ermite, cénobite, coquillage, crabe des cocotiers, crustacé, décapode, piade.

PAHLAVI. Langue, monnaie, pehlevi, pehlvi, perse.

PAIE. Appointements, cachet, commission, cotise, droit, émoluments, gages, gain, guelte, honoraires, indemnité, jeton, loyer, mensualité, paiement, payement, pourboire, prêt, prime, profit, rémunération, rétribution, salaire, service, solde, traitement, vacation, versement, virement.

PAIEMENT. Acompte, acquittement, amortissement, annuité, à-valoir, avance, défraiement, dépôt, émoluments, libération, rappel, règlement, remboursement, rémunération, renversement, rétribution, télépaiement, versement.

PAÏEN. Agnostique, athée, apostat, gentil, gentry, goï, goy, hérétique, idolâtre, impie, incirconcis, incrédule, incroyant, infidèle, irréligieux, libre penseur, mécréant, néophyte, polythéiste, prosélyte, renégat.

PAILLARD. Cochon, coquin, égrillard, gaillard, gaulois, gras, grivois, hardi, impudique, lascif, libertin.

PAILLARDISE. Alacrité, enjouement, gaillardise, gaudriole, gauloiserie, grivoiserie, joyeuseté, polissonnerie.

PAILLASSE. Amuseur, arlequin, baladin, bas, bateleur, bête, bizarre, bouffe, bouffon, clown, comédie, comique, drôle, farceur, fol, fou, gai, grabat, gracioso, joyeux, loustic, opérette, pantin, pasquin, pitre, ridicule, triboulet, vil, zani, zanni.

PAILLASSON. Abrivent, brise-vent, carpette, claie, essuie-pieds, marchepied, natte, paille, plat, servile, tapis.

PAILLE. Bauge, beurre-frais, brie, chalumeau, chaume, empailleur, épi, fétu, fourrage, glu, glui, glume, humus, intermédiaire, jaune, litière, natte, niche, paillasson, picot, poutre, rien, ruche, ruiné, tige, tuyau.

PAILLER. Aléseuse, broyeur, concasseur, émoudre, gerbier, meule, meulon, moyette, outil, ribler, ripe, sabler.

PAILLET. Boisson, bouillon, clairet, paillette, pinard, rosat, vin.

PAILLETER. Brillancer, consteller, couvrir, disperser, disséminer, émailler, éparpiller, étendre, étoiler, hérisser, jeter, oceller, orner, moucheter, parsemer, piquer, recouvrir, répandre, saupoudrer, semer.

PAILLETTE. Au, aurifère, aventurine, carat, claim, clinquant, doré, dorure, lamelle, lingot, métal, monnaie, noces, or, orfèvre, oripeau, ornement, paille, pailloire, paillon, papillotte, richesse, veau, vermeil.

PAILLON. Anneau, boucle, chaînon, clinquant, écaille, filet, folle, gansette, haubert, jaseran, lamelle, maillage, maille, manchon, miton, monnaie, obole, oripeau, paillette, plaque, point, tamis, tontine.

PAILLOTE. Alvéole, cabane, cabanon, carbet, case, chaumière, compartiment, construction, gourbi, hutte, subdivision.

PAIN. Azyme, baguette, ballon, bâtard, bis, biscotte, brie, bun, chanteau, chapelure, croissant, croûte, entame, fesse, ficelle, fluette, flûte, four, gifle, gressin, grigne, havi, hostie, maïs, miche, mie, miette, mollet, mouillette, muffin, oba, œil, panaire, pan-bagnat, pané, paneterie, panetier, panification, pistolet, pita, polka, porteuse, quignon, rassis, rôtie, sagou, salignon, sec, taillaule, tartine, toast, tourteau, tresse, viennoiserie.

PAIR (n. p.). Augereau, Blaquière, Clarke, Fabvier, Lefebvre, Lauriston, Macdonald, Mollien, Mouton, Portalis, Soult.

PAIR. As, collègue, deux, égal, hors, lord, même, noble, nombre, pairesse, parité, premier, sénat, vassal.

PAIRE. Apparier, couple, deux, doublet, full, joindre, lorgnon, lunette, poucettes, tandem.

PAIRIE. Abbé, aga, agha, altesse, appellation, AR, ayatollah, baron, bégum, billet, brevet, certificat, chah, charge, comte, czar, dignité, diplôme, distinction, dom, droit, duc, éfendi, effendi, em, éminence, émir, ès, essai, frère, frontispice, führer, grade, iman, infant, khédive, lord, madame, mademoiselle, maestro, maharadjah, maharaja, mahatma, majesté, maître, manchette, marquis, médaille, messire, mollah, mulla, mullah, monsieur, mullah, négus, nom, père, portefeuille, prince, rabbi, reis, révérend, revue, shah, sainteté, sieur, sir, sire, sultan, titulaire, titre, trésor, tsar, tzar.

PAISIBLE. Agité, aimable, béat, benoît, bon, calme, coi, cool, débonnaire, doux, inoffensif, luette, modéré, mouton, pacifique, pantouflard, peinard, pépère, perturbé, placide, posé, serein, soumis, tranquille, troublé.

PAISIBLEMENT. Benoîtement, calmement, doucement, flegmatiquement, froidement, impassiblement, imperturbablement, pacifiquement, patiemment, placidement, posément, sereinement, tranquillement.

PAÎTRE. Alpage, brouter, envoyer, gagner, herbager, herbeiller, manger, pacager, pâtis, pâtre, pâturer, promener, viander.

PAIX. Bonheur, calme, chut, entente, harmonie, holà, olivier, ordre, répit, repos, RIP, sérénité, silence, trêve, union.

PAKISTAN, CAPITALE (n. p.). Islamabad.

PAKISTAN, LANGUE. Anglais, baloutchi, ourdou, pachtou, pendjabi, sindhi, urdu.

PAKISTAN, MONNAIE. Roupie.

PAKISTAN, VILLE (n. p.). Alipur, Astore, Bannu, Bhera, Dacca, Dadu, Hafizabad, Islamabad, Karachi, Kasur, Kohat, Kotri, Mach, Malamjabba, Ormara, Pasni, Sahiwal, Sui, Urak.

PAL. Croix, équipolé, équipollé, flanc, injecteur, instrument, palée, pieu, plantoir, supplice, système, vergette.

PALABRE. Bavardage, conciliabule, conversation, débat, discours, discussion, justice, marchandage, procès.

PALABRER. Bavarder, concilier, converser, discourir, discutailler, discuter, disserter, épiloguer, laïusser, pérorer.

PALACE. Casbah, casino, castel, château, cour, couronne, demeure, édifice, évêché, harem, hôtel, lambris, luxe, manoir, mikado, monument, musée, palais, résidence, salle, sérail, ulite, voile.

PALAFITTE. Bled, bourg, bourgade, douar, hameau, kraal, localité, patelin, synœcisme, terramare, trou, village, ville.

PALAIS (n. p.). Alcazar, Alhambra, Bagello, Belvédère, Bourbon, Bruhl, Buckingham, Capitole, Chaillot, Cité interdite, Dam, Doges, Élysée, Kremlin, Médicis, Pitti, Prado, Split, Trocadéro, Tuileries, Vatican, Verdala, Versailles, Westminster, Zappelon.

PALAIS. Bouche, casbah, casino, castel, château, cour, couronne, demeure, édifice, évêché, goût, harem, hôtel, justice, lambris, luette, manoir, mikado, monument, musée, palace, prétoire, salle, sérail, tribunal, ulite, voile, voûte.

PALAN. Bigue, cabestan, caliorne, chèvre, cric, drisse, giron, grue, guinde, levage, manivelle, moufle, nilles, palanquer, pantoire, poulie, pouliot, tambour, tirefort, tourillon, treuil, vindas, winch.

PALANGRE. Badine, bagasse, bambou, bâton, béquille, béquillon, canne, club, fêle, gaule, jonc, libouret, makila, mayotte, moulinet, palangrotte, panne, piolet, pommeau, rhum, roseau, rotin, scion, stick, trimmer, vesou.

PALANQUE. Ayde, ais, aises, alaise, alèse, appui, arbre, couche, dessin, dosse, dur, écoin, frise, frisette, image, lambourde, latte, madrier, merrain, planche, plinthe, recours, reproduction, ressource, scène, secours, selle, soutien, starie, support, tableau, tablette, théâtre, tremplin, tuile, vaigre, voilure, volige.

PALANQUIN. Banc, chaise, course, fauteuil, filanzane, litière, paquebot, siège, transat, trorote, vinaigrette.

PALATALISATION. Humectage, humidification, hydratation, moiteur, mouillage, mouillé, mouillure, palais, palatal, palatin, palatial, phonème, trempage.

PÂLE. Blafard, blanc, blanchâtre, blême, blet, bleu, cireux, clair, délavé, émacié, éteint, exsangue, fade, faible, fané, gris, hâve, incolore, linge, livide, maladif, mauve, pâlichon, pâlot, plat, plombé, terne, terreux, vert.

PALÉE. Balise, barrage, bâton, bouchot, couche, digue, duit, échalas, épi, épieu, estacade, fraise, jetée, lançage, levée, pal, palis, perche, pieu, pilori, pilot, pilotin, piquet, poteau, rame, tuteur, vouge.

PALEFRENIER. Avenier, boy, chasseur, cocher, convers, cuisinier, domestique, familial, familié, foyer, gardien, harnacheur, jardinier, lad, larbin, maison, majordome, nurse, page, rustre, servante, serveur, serviteur, valet.

PALEFROI. Alezan, allure, amble, anglo-arabe, anglo-normand, ars, arzel, aubère, bai, baillet, balzan, barbe, bas-jointé, bégu, bouleté, bourrin, brassicourt, cagneux, canasson, canon, carcan, carne, cavale, cavalier, cavecé, châtaigne, cheval, cob, courbatu, coursier, court-jointé, crinière, croupe, dada, demi-sang, destrier, embarre, encastré, encolure, ensellé, équin, étalon, galop, garrot, genet, goussaut, haridelle, hippocampe, hongre, hunter, isabelle, jarret, limonier, mésair, mézair, monture, mors, mule, mustang, outsider, panard, percheron, piaffeur, pinçard, poitrail, polo, poney, pur-sang, racer, ramingue, relais, rosse, rouan, roussin, rubican, ruer, sabot, sommier, stepper, steppeur, tarpan, trot, trotteur, turf, yearling, zain.

PALÉMON. Apogée, apothéose, arôme, arrangement, botte, bouquet, brassée, comble, couronnement, écrevisse, crevette, faisceau, fleur, fumet, gale, gerbe, groupe, mèche, queue, réunion, senteur, talle, touffe, toupet, toupillon, trochard, trochet.

PALÉOGÈNE. Cénozoïque, danien, éocène, ère, néogène, nummulitique, oligocène, paléocène.

PALÉOGRAPHE. Annaliste, archiviste, biographe, documentaliste, égyptologue, historien, historiographe, papyrologue.

PALÉOGRAPHIE. Continent, cryptanalyse, déchiffrage, déchiffrement, décodage, décryptage, décryptement, époque.

PALÉOLITHIQUE. Acheuléen, atérien, capsien, clactonien, holocène, moustérien, solutréen.

PALÉONTOLOGIE. Anthropologie, fossile, géologie, micropaléotologie, oryctographie, oryctologie, paléobotanique, paléontologue, paléozoologie, paléontologiste, préhistorique, science.

PALÉONTOLOGISTE (n. p.). Agassiz, Boule, Coppens, Vuvier, Davidson, Eldresge, Gandry, Gould, Leakey, Mantell, Owen, Peyer, Teilhard de Chardin.

PALÉONTOLOGISTE. Micropaléontologiste, paléobiologiste, paléobotaniste, paléoécologiste, paléozoologiste.

PALERON. Abaisse-langue, aube, bat, battoir, choix, couchoir, épaule, férule, omoplate, pale, palette.

PALESTINE, VILLE (n. p.). Bethel, Bethléem, Endor, Gaza, Gomorrhe, Hébron, Jéricho, Jérusalem, Silo.

PALET. Aréole, anneau, bobèche, cd, cd-rom, cercle, cicatricule, compact, discobole, discoïdal, discoïde, discophile, disque, enregistrement, flan, frisbee, galette, microsillon, pierre, pigeon, piston, plateau, rayon, rondelle, roue.

PALETOT. Anorak, blazer, blouson, boléro, caban, cabi, canadienne, cardigan, carmagnole, défaite, dolman, doudoune, échec, gilet, hoqueton, jaquette, kabic, kabig, manteau, moumoute, pourpoint, redingote, saharienne, spencer, sweater, tricot, tunique, vareuse, veste, veston, vêtement.

PALETTE. Abaisse-langue, ais, aube, bat, battoir, choix, couchoir, férule, pale, paleron, roue.

PALÉTUVIER. Arbre, bruguiera, mangle, manglier, mangrove, pneumatophore, rhiphoracée, rhizophore.

PÂLEUR. Albâtre, anémie, blancheur, chlorose, exsangue, fadeur, hâve, hypochromie, lividité, pauvreté, platitude.

PALIER. Carré, degré, échelon, étage, niveau, phase, plate-forme, rampe, recette, rez-de-chaussée, repos, volée.

PALIÈRE. Marche, plalier, plain-pied, porte.

PALINDROME. Adverbe, amen, anagramme, apax, boutade, croisé, dicton, dit, écho, emprunt, épigramme, épithète, expression, gag, glossaire, grille, hapax, homonyme, lapsus, lexie, maxime, monème, mot, mot-clé, mot-clef, négation, néologisme, nom, onomatopée, parole, paronyme, passe, phrase, propos, régionalisme, rhétorique, rime, sentinelle, synonyme, terme, textuel, tmèse, usage, verbe, vers, vocable.

PALINGÉNÉSIE. Âme, métempsycose, métensomatose, mort, réincarnation, renaissance, stoïcisme, transmigration.

PALINODIE. Acrobatie, cabriole, changement, danse, dérobade, désaveu, échappatoire, galipette, moulinet, pirouette, plaisanterie, poème, retournement, rétractation, revirement, toupie, tour, tourbillon, virevolte, volte-face.

PÂLIR. Blêmir, changer, décolorer, délaver, défraîchir, déteindre, faiblir, faner, flétrir, passer, ternir, verdir.

PALIS. Archet, baguette, barre, bâton, batte, bois, bourdon, brigadier, bêche, canne, clôture, digon, épieu, férule, gaule, gorge, gourdin, hampe, houlette, jalon, jauge, jonc, lance, latte, lituus, matraque, pédum, pieu, piquet, refouloir, rodoir, sceptre, scion, thyrse, tige, trique, verge.

PALISSADE. Abrivent, barrière, charmille, clôture, enclos, fortification, hais, lice, mur, palanque, palis, secco.

PALISSADER. Achever, arrêter, barrer, barricader, borner, ceindre, ceinturer, clore, clôturer, conclure, échalier, enceindre, enclore, entourer, environner, fermer, finir, lever, limiter, murer, occlure, protéger, terminer.

PALISSER. Accouder, accouer, accrocher, agrafer, amarrer, ancrer, attacher, atteler, botteler, brêler, caler, cheviller, clouer, coller, coudre, coupler, cramponner, dévoter, enchaîner, engager, enjuguer, ficeler, fixer, harder, lacer, lier, ligoter, nouer, pendre, plaire, river, souder, visser.

PALISSON. Adoucissant, anticalcaire, assouplissant, assouplisseur, chamoiserie, dégras, rinçage.

PALISSONNEUR. Chamoiseur, habilleur, mégissier, ouvrier, peaussier, pelletier, tanneur.

PALLADIUM. Pd.

PALLIATIF. Adéquat, apparent, astuce, calmant, combine, convenable, échappatoire, expédiant, expédient, exutoire, indiqué, moyen, opportun, provisoire, remède, ressource, soin, solution, traitement, truc.

PALLIER. Adoucir, affaiblir, amoindrir, atténuer, cacher, calmer, compenser, déguiser, dénaturer, dissimuler, mitiger, modérer, pourvoir, protéger, rattraper, remédier, résoudre, sauver, suppléer, voiler.

PALLIUM. Boa, cache-col, cache-nez, châle, chèche, cortex, écharpe, étole, fichu, foulard, guimpe, mantille, ornement.

PALMACÉE. Arécacée, chamérops, cocotier, doum, kentia, latanier, licuala, palmier, phytéléphas, raphia, sagoutier.

PALMARÈS. Best-seller, hit parade, lauréat, liste, récompense.

PALME. Apothéose, bractée, décoration, feston, feuille, gloire, honneurs, insigne, mesure, palette, triomphe.

PALMETTE. Accolage, candélabre, cordon, échelle, espalier, gymnastique, mur, palissade, rameur, rangée.

PALMER. Allonger, aplatir, briser, dépression, dominer, écraser, étaler, humilier, presser, rabattre, river, tomber.

PALMIER. Acrocomia, arec, aréquier, borasse, borassus, chamérops, cocotier, cycas, dattier, doum, élacis, éléis, jubéa, kentia, latanier, nipa, palmiste, phénix, phœnix, raphia, rondier, rônier, rotang, sagouier, sagoutier, talipot.

PALMIPÈDE. Albatros, anatidé, ansériforme, canard, cane, caneton, chien, cormoran, cygne, flamant, fou, frégate, fuligule, goéland, grèbe, guillemot, harle, hirondelle, huart, labbe, labre, lariforme, manchot, mergule, mouette, oie, oison, pélécaniforme, pélican, pétrel, pingouin, plongeaon, puffin, rieuse, skua, stercoraire, sterne.

PALMISTE. Arec, chou, cocotier, écureuil, merle des Antilles, palmier, passereau, rat, xérus.

PALOMBE. Biset, colombe, colombin, pigeon, ramereau, ramier, tourterelle.

PALOT. Bâton, coin, épic, garde, jalon, jeu, pal, perche, pic, pieu, piquet, rame, sardine, tune, tuteur.

PALOURDE. Acéphale, bivalve, clam, clovisse, coque, couteau, donax, huître, lamellibranche, mollusque, moule, peigne, pélécypode, pétoncle, pinnothère.

PALPABILITÉ. Concret, corporéité, existence, matérialité, objectivisme, positif, réalité, réel, tangibilité.

PALPABLE. Apparent, clair, concret, effectif, évident, existant, haptique, manifeste, matériel, patent, perceptible, physique, positif, réel, sensible, tactile, tangible, vérifiable, visible.

PALPER. Caresser, empocher, encaisser, examiner, manifeste, peloter, sensible, sonder, taponner, tâter, toucher.

PALPITANT. Alléchant, attachant, attirant, attrayant, avantageux, bon, bouleversant, brillant, captivant, curieux, éminent, émouvant, fructueux, important, intéressant, juteux, lucratif, passionnant, payant, poignant, prenant, remarquable, rémunérateur, rentable, séduisant, touchant, utile.

PALPITATION. Affolement, bousculade, brusquerie, empressement, fondre, fougue, frénésie, grêle, hâte, impatience, impétuosité, irréflexion, lenteur, longueur, neige, pluie, précipitation, promptitude, rapidité, ruade, vitesse, vivacité.

PALPITER. Agiter, battre, brasiller, cœur, cogner, éprouver, frémir, panteler, ressentir, scintiller, vibrer.

PALTOQUET. Grossier, imbécile, impoli, insignifiant, nain, prétentieux, rustaud, rustre, vaniteux.

PALUCHE. Battoi, cuiller, dextre, louche, main, menotte, patoche, patte, pince, pogne, senestre.

PALUCHER. Caresser, lutiner, masturber, papouiller, patiner, peloter, taponner, tripatouiller, tripoter.

PALUD. Acore, bayou, boue, cob, cistude, douve, étang, étier, fagne, gâtine, grisou, kob, marais, mare, marécage, maremme, marigot, méthane, moere, noue, palus, polder, salin, savane, tourbière, varaigne, vernier, vie.

PALUDARIUM. Animalerie, clapier, fauverie, herpétarium, insectarium, singerie, terrarium, vivarium.

PALUDISME. Anémie, anophèle, chloroquine, fièvre, impaludation, malaria, palude, quinine.

PÂMER. Admirer, affaiblir, céder, craquer, défaillir, disparaître, dissiper, émerveiller, évanouir, évanouissement, extasier, faiblir, fiabilité, flancher, lacune, pâmoison, suffoquer, syncope, tomber, trébucher.

PÂMOISON. Défaillance, disparition, dissipation, évanouissement, faiblesse, malaise, syncope.

PAMPA. Alpage, biome, carvie, champ, embouche, engane, herbage, lande, napée, noue, pacage, pâtis, pâturage, pelouse, pradelle, prairie, pré, ranch, savane, schorre, somme, steppe, terrain, vallée.

PAMPHLET. Blason, brochure, brûlot, caricature, critique, diatribe, écho, écrit, encart, épigramme, factum, feuille, libellé, livre, journaliste, mazarinade, moquerie, opuscule, pamphlétaire, pasquinade, placard, polémiste, satire, tract.

PAMPHLÉTAIRE (n. p.). Béraud, Böll, Drumont, Ferré, Grignon, Guth, Karr, Lemonnier, Montalvo, Pound, Rocheford, Scioppius, Steele.

PAMPHLÉTAIRE. Auteur, compositeur, diariste, dramaturge, écrivailleur, écrivain, essayiste, glossateur, historien, libelliste, librettiste, narrateur, nouvelliste, parolier, poète, polémiste, psalmiste, préfacier, prosateur, revuiste, romancier, satiriste, scénariste, scripteur.

PAMPLEMOUSSE. Agrume, citrus, fruit, grapefruit, grappe, pamplemoussier, pomelo, rutacée.

PAMPRE. Branche, brindille, épamprer, grappe, ornement, pousse, raisin, rameau, vigne, vignette.

PAN. Ægipan, allège, basque, bruit, colombage, côté, coup, enrayure, étoffe, face, filet, flanc, flûte, giron, guète, guette, lé, lupercales, morceau, mur, ossature, panique, pantet, partie, syringe, syrinx, trumeau, veste.

PANACÉE. Arbre, catholicon, ginseng, guérir, médicament, moyen, panace, panax, polychreste, remède, solution.

PANACHAGE. Barbouillage, bariolage, bigarrure, chamarrure, diaprure, disparité, diversité, mélange, variété.

PANACHE. Aigrette, allure, bariolé, bière, brio, culbuter, éclat, lustre, mélange, mêlé, plume, plumet.

PANACHER. Barbouiller, barioler, bigarrer, chamarrer, colorer, diaprer, disparate, diversifier, jasper, marbrer, mélanger, mêler, orner, peinturer, rayer, tacher, taveler, tigrer, varier, veiner, zébrer.

PANACHURE. Bigarrure, jaspure, marbrure, moirure, racinage, rayure, tigré, veiné, veinure, zébré.

PANADE. Bisque, besoin, bouillie, bouillon, brouet, chaudrée, cille, clair, consommé, crème, coulis, gaspacho, julienne, jus, lavasse, lavure, louche, minestrone, misère, oille, pain, philtre, pistou, potage, purée, soupe, soupière, velouté.

PANAMA, CAPITALE (n. p.). Panama.

PANAMA. Canal, chapeau, isthme, pays.

PANAMA, LANGUE. Espagnol, guaymí, kuna.

PANAMA, MONNAIE. Balboa.

PANAMA, VILLE (n. p.). Anton, Balboa, Cristobal, Gualaca, Nata, Ocu, Panama, Pocri, Portobelo, Sabanitas, Santiago, Sona.

PANARIS. Abcès, enflure, gonflement, inflammation, mal blanc, paronyme, tourniole, vire.

PANAX. Aralia, araliacée, dicotylédone, fatsia, ginseng, hédéracée, lierre, panace, praliacée, racine, schefflera.

PANCARTE. Affiche, affichette, annonce, avis, charte, écriteau, enseigne, panneau, papier, placard, plaque.

PANCRACE. Bagarre, boxe, catch, combat, curée, grève, guerre, jiu-jitsu, joute, judo, karaté, lice, lutte, mêlée, prise, pugilat, querelle, savate, sumo.

PANCRÉAS. Caroncule, fagoue, glande, glucagon, insuline, sécrétine, suc, trypsine, wirsung.

PANDA. Carnivore, herbivore, mammifère, plantigrade, ursidé.

PANDÉMIE. Animal, brucellose, choléra, contagion, enzootie, épidémie, épizootie, grippe, lèpre, maladie, manie, peste, pian, prémonitoire, rubéole, suette, traction, trousse-galant, typhus, variole, vomito.

PANDÉMONIUM. Abîme, abysse, averne, barathre, barathum, châtiment, chthonienne, damnation, damné, désordre, diable, enfer, géhenne, infernal, léviathan, limbes, licencieux, parque, sulfureux, supplice.

PANDIT. Centralisateur, chef, conducteur, coryphée, entraîneur, gourou, groupeur, guide, guru, leader, magistère, mahatma, maître, meneur, pasteur, phare, rassembleur, sage, pape, unificateur.

PANDORE (n. p.). Deucalien, Épiméthée, Pyrrha.

PANDORE. Agent, boîte, brigadier, carabinier, cogne, condé, ennui, gendarme, griffe, guignol, hareng, îlotier, inspecteur, investigateur, limier, luth, militaire, pic, police, policier, punaise, rebiffe, source.

PANÉGYRIQUE. Acclamation, apologie, compliment, discours, écrit, éloge, félicitations, louange, parole.

PANEL. Aperçu, approximation, échantillon, exemplaire, gabarit, idée, modèle, patron, prototype, sample, spécimen.

PANER. Argenter, barder, beurrer, boucher, cacher, cocher, coiffer, combler, complanter, consteller, couvercle, couvrir, déguiser, dissimuler, empierrer, enchausser, enduire, enfaîter, engluer, enrubanner, enterrer, envelopper, garantir, habiller, housser, immuniser, inonder, iodurer, maquiller, métalliser, moisir, napper, ombrager, parsemer, peindre, placarder, plâtrer, prémunir, préserver, recouvrir, réparer, revêtir, rocher, salpêtrer, semer, terrer, vêtir, voiler.

PANETON. Banéton, banneton, bannette, boutique, clisse, corbeille, pain, panier, panneton, vivier.

PANGOLIN. Carnassier, édenté, fourmi, mammifère, pholidote, termite.

PANIC. Céréale, graminée, herbacée, mil, millet, millet des oiseaux, moha, panicum, panis.

PANICAUT. Acanthe, artichaut, bosse, brasier, carde, cardère, cardon, carline, centaurée, chardon-Roland, cirse, difficulté, échinops, kentrophylle, oiseau, onoporde, onopordon, pédane, piquant, sarrette, serrette.

PANICULE. Chaton, épi, épillet, fleur, grappe, inflorescence, phlox, spadice.

PANIER. Banne, bourriche, cabas, cageot, casse, cloyère, corbeille, corbillon, couffin, dépensier, dilapidateur, élite, flein, gabion, gaspilleur, gouffre, hotte, manne, mannequin, nacelle, nasse, nichoir, paneton, porte-bouteilles, rasse, ruche, scouffin, semoir, van, vendangeoir.

PANINI. Bun, casse-croûte, casse-dalle, guedille, hamburger, pain, panini, sandwich, sous-marin, zwieback.

PANIQUANT. Affolant, alarmant, angoissant, effrayant, effroyable, épouvantable, horrifiant, terrifiant, terrorisant.

PANIQUE. Affolement, angoisse, effroi, épouvante, frayeur, peur, psychose, sauve-qui-peut, terreur.

PANIQUER. Affoler, angoisser, bouleverser, effrayer, énerver, épouvanter, fuir, paranoïer, sauver, terrifier.

PANKA. Assortiment, choix, flabellum, gamme, éon, éventail, éventoir, flabellum, panca, punka, sélection.

PANNE. Accident, accroc, arrêt, avarie, barde, bassin, boucherie, couenne, coupure, démuni, ennui, graisse, hors service, lard, incident, interruption, pauvre, poêle, poutre, rade, suspens, tilt, voile.

PANNEAU. Banche, brisement, cadre, carte, claie, clin, écran, enseigne, entrefenêtre, fibraglo, filet, lé, métope, oculus, œil-de-bœuf, ouverture, pancarte, panonceau, pièce, piège, polyptyque, porte, secco, stop, table, tableau, tapé, trappe, trumeau, tympan, vantail, vitre, volet.

PANONCEAU. Affiche, affichette, carreau, carte, écriteau, écusson, enseigne, panneau, placard, plaque.

PANOPLIE. Affaire, appareil, arme, arsenal, bagage, centre, chantier, dépôt, ensemble, équipage, équipement, fabrique, magasin, matériel, poudrière, quantité, réserve, sainte-barbe, stock, usine.

PANORAMA. Décor, endroit, étendue, étude, lieu, paysage, perspective, pittoresque, site, spectacle, tableau, vue.

PANORPE. Insecte, mécoptère, mouche, mouche-scorpion, névroptère.

PANOSSE. Carré, carreau, case, coin, corbeille, dossard, échiquier, équipollé, foulard, lange, massif, morceau, mouchoir, parterre, pièce, quadrilatère, quadrillé, ravioli, rectangle, serpillière, set, torchon, wassingue.

PANSE. Abdomen, bedaine, bedon, bide, cloche, crépine, estomac, haggis, pansu, poche, rumen, ventre.

PANSEMENT. Bandage, bande, catin, charpie, compresse, crêpe, écharpe, gaze, mèche, ouate, poupée, sparadrap.

PANSER. Adoucir, apaiser, bander, brosser, calmer, débrider, emmailloter, étriller, fomenter, poser, soigner.

PANSU. Arrondi, bedonnant, bombé, convexe, galbé, gros, obèse, rebondi, renflé, ventripotent, ventru.

PANTAGRUEL (n. p.). Dipsode, Gargantua, Panurge, Rabelais.

PANTAGRUÉLIQUE. Abondant, adéphagie, affamé, albatros, avide, cochon, dévorant, faim, gargantuesque, glouton, goinfre, goulu, gourmand, morfal, ogre, rapace, rat, sphyrène, uranoscope, vorace.

PANTALON. Blue-jean, braies, caleçon, cigarette, corsaire, cuissard, culotte, falzar, fendard, fendart, froc, fuseau, futaie, futal, grimpant, jean, jeans, jodhpurs, knicker, knickers, moresque, pantin, pyjama, quadrille, salopette, saroual, sarouel, talonnette, valseur.

PANTALONNADE. Arlequinade, bouffonnerie, boulevard, burlesque, clownerie, comédie, démonstration, drôlerie, facétie, farce, hypocrisie, limerick, parodie, pitrerie, plaisanterie, sottise, subterfuge.

PANTELANT. Chair, ému, époumoné, essoufflé, haletant, palpitant, poussif, suffocant, tremblant.

PANTELER. Agiter, époumoner, essouffler, étouffer, haleter, pomper, respirer, souffler, suffoquer, trembler.

PANTHÉON (n. p.). Alcobaça, Jupiter, Paris, Rome, Tanit, Trimurti, Westminster.

PANTHÉON. Basilique, capitole, cathédrale, célébrité, chapelle, église, élite, fanum, loge, mosquée, naos, oratoire, pagode, spéos, synagogue, taled, taleth, temple, teocalli, théogonie, tholos, vedette, ziggourat.

PANTHÈRE. Animal, bête, carnassier, carnivore, eyra, fauve, félidé, félin, guépard, jaguar, léopard, once, puma.

PANTIÈRE. Filet, oiseau, once, pantène, pantenne.

PANTIN. Arlequin, bamboche, bouffon, clown, fantoche, figurine, girouette, guignol, jouet, joujou, mannequin, margotin, marionnette, naïf, niais, pantalon, pante, polichinelle, poupée, pupazzo, versatile.

PANTOIS. Abasourdi, ahuri, bouche bée, coi, coite, confondu, déconcerté, ébahi, éberlué, estomaqué, étonné, haletant, hébété, interdit, interloqué, médusé, pantelant, pétrifié, sidéré, soufflé, stupéfait, suffoqué, surpris.

PANTOMIME. Contorsion, expression, gestes, mime, mimodrame, mimique, pierrot, ridicule, signes.

PANTOUFLARD. Casanier, mémère, paisible, pépère, popote, pot-au-feu, renfermé, sédentaire.

PANTOUFLE. Babouche, charentaise, chausson, chaussure, godasse, gougoune, mocassin, mule, savate.

PANURE. Chapelure, croûte, enrobage, friture, gratin, miche, mie, pain, pane, paner, râpe.

PAON. Faire la roue, gallinacé, oiseau, orgueilleux, paonne, paonneau, papillon, saturnie, vaniteux.

PAPA. Aïeul, beau-père, bisaïeul, consanguin, créateur, dab, dabe, fondateur, géniteur, parent, père.

PAPAL. Intégriste, papalin, papimane, papiste, pontifical, tiare, ultramontain.

PAPARAZZI. Amateur, artisan, commerçant, développeur, opérateur, photographe, professionnel, scandale.

PAPAS. Évêque, patriarche, pope, prêtre.

PAPAVÉRACÉE. Chélidoine, coquelicot, éclaire, œillette, pavot, plante, ponceau, sanguinaire.

PAPAYE. Cantaloup, cape, cavaillon, champignon, cucurbitacée, fruit, melon, pastèque, sucrin.

PAPE (n. p.). Adrien, Agapit, Agathon, Alexandre, Anaclet, Anastase, Anicet, Anthère, Benoît, Boniface, Caius, Calixte, Célestin, Clément, Conon, Constantin, Corneille, Damase, Dieudonné, Dionysius, Donus, Éleuthère, Étienne, Eugène, Eusèbe, Eutychien, Évariste, Fabien, Félix, Formose, Gélase, Grégoire, Hilaire, Honorius, Hormisdas, Hygin, Innocent, Jean, Jean-Paul, Jules, Landon, Léon, Libère, Lin, Lucius, Marc, Marcel, Marcellin, Martin, Melchiade, Nicolas, Pascal, Paul, Pélage, Pie, Pierre, Pontien, Romain, Sabinien, Serge, Séverin, Silvère, Simplice, Sirice, Sisinnius, Sixte, Soter, Sylvestre, Symnaque, Télesphore, Théodore, Urbain, Valentin, Victor, Vigile, Vitalien, Zacharie, Zéphirin, Zozime.

PAPE. Ablégat, bref, camérier, chef, concile, conclave, encyclique, gibelin, guelfe, induit, légat, motu proprio, nonce, œcuménique, passerine, père, pontife, sainteté, Saint-Siège, serviteur, tiare, ultramondain, vicaire.

PAPELARD. Douceâtre, doucereux, dévot, faux, hypocrite, mielleux, papier, pharisien, tartufe.

PAPELARDISE. Bégueule, cafardise, cautèle, comédie, déloyauté, dévotion, duplicité, fausseté, félonie, hypocrisie, mascarade, papelard, pharisaïsme, pruderie.

PAPERASSE. Atonalité, bâtarde, brahmi, braille, calligraphie, caractère, cunéiforme, cursif, devanagari, écriture, gothique, gribouillage, gribouillis, kana, nagari, ogham, oncial, onciale, plume, prose, script, scriptural, sténographie, style, tablature, texte.

PAPERASSERIE. Abus, arnaque, débordement, dérèglement, désordre, détournement, errements, exagération, excès, formalité, inconduite, injustice, intempérance, mal, népotisme, outrance, tricherie, tromperie.

PAPERASSIER. Buraliste, bureaucrate, commis, fonctionnaire, gratte-papier, rond-de-cuir, scribe, scribouillard.

PAPESSE (n. p.). Jeanne.

PAPETERIE. Boutique, bureau, fourniture, industrie, librairie, magasin, scolaire, usine.

PAPETIER. Bridgeur, gouverneur, ouvreur, ouvrier, papetier-libraire, placier, plongeur, stadiaire, stadier.

PAPIER. Aérogramme, alfa, apollon, argent, assiette, bande, béquet, becquet, bible, billet, bulle, buvard, carton, chute, coupe, crépon, cuve, document, dominotier, écrit, effet, émeri, encre, épair, espèces, essuie-tout, feuille, filigrane, forme, hollande, japon, journal, kraft, maculature, macule, main, noces, oignon, origami, page, papelard, paperasse, papillote, parchemin, pâte, pelure, pièce, pile, plan, pontuseau, rame, ramette, serpente, serviette, sesbania, sesbanie, stencil, tenture, titre, vélin, vergé.

PAPILIONACÉE. Ajonc, arachide, baguenaudier, bugrane, coronilles, ers, érythrine, fayot, fève, fenugrec, genêt, glycine, haricot, légumineuse, lentille, lotier, lupin, luzerne, physostigma, pois, réglisse, robinier, sainfoin, sesbanie, soja, sophora, soya, téphrosie, trèfle, trigonelle, ulex, vesce.

PAPILLE. Émergence, éminence, gustatif, gustative, houppe, langue, nerf, optique, papillifère.

PAPILLOME. Acrochordon, chélidoine, fic, fy, nævus, peau, poireau, rhinanthe, tumeur, verrue.

PAPILLON. Acidalie, adonis, aglossa, agrostide, agrotis, alucite, argus, argynne, belle-dame, cache, carpocapse, chenilles, chrysalide, cocon, cochylis, conchylis, conelle, cossus, chrysalide, crambe, danaïde, écrou, eudémis, géomètre, gonelle, gonnelle, lépidoptère, leucanie, lycène, machaon, manne, mantelée, mars, mite, monarque, morio, noctuelle, noctuidé, nymphalidé, paon, paon de nuit, parnassien, phalène, piéride, porte-queue, pyrale, saturnie, satyre, sépiole, sphinx, teigne, tinéidé, tordeuse, uranie, vanesse, vulcain, xanthie, zeuzère, zygène.

PAPILLONNANT. Agité, batifolant, clignotant, flottant, folâtrant, instable, miroitant, mobile, mouvant, scintillant, virevoltant.

PAPILLONNER. Agiter, batifoler, butiner, clignoter, débattre, flirter, folâtrer, miroiter, voltiger.

PAPILLOTE. Bigoudi, bobinage, bobinement, bonbon, boucle, circonvolution, confetti, coquille, diablotin, enroulement, friandise, ornement, pailles, paillette, papier, rouleau, spirale, spire, volute, vrille.

PAPILLOTEMENT. Chatoiement, clignement, clignotement, éclat, miroitement, pétillement, scintillement.

PAPILLOTER. Ciller, cligner, clignoter, miroiter, papillonner, paupière, refléter, scintiller, vaciller.

PAPISTE. Catholique, guelfe, iconolâtre, intégriste, papal, papalin, papimane, partisan, pontifical, ultramondain.

PAPOTAGE. Babillage, bavardage, boniment, cancan, caquetage, commérage, frivolité, insignifiance, ragot.

PAPOTER. Babiller, bavarder, cancaner, caqueter, causer, commérer, converser, discuter, jacasser, potiner.

PAPRIKA. Aromate, cari, carive, cary, corail des jardins, curry, harissa, pili-pili, piment, poivre d'Espagne, poivron.

PAPULE. Abcès, adénite, anthrax, bourbillon, bouton, chancre, clou, éminence, empyème, fistule, furoncle, inflammation, kyste, lésion, orgelet, panaris, parulie, phlegmon, pus, pustule, saillie, scrofule, tumeur.

PAPYRUS. Cypéracée, cyperus, égyptien, laiche, manuscrit, ombelle, phragmite, plante, roseau.

PAQUEBOT (n. p.). Britannia, Léviathan, Lusitania, Normandie, Pilsudski, Queen Mary, Rising Sun, Titanic.

PAQUEBOT. Bateau, croisière, liner, navire, steward, tonnage, transat, transatlantique, vaisseau.

PÂQUERETTE. Anémone, aster, astéracée, composacée, érigéron, fleur, infusion, marguerite, plante, vergerette.

PÂQUES. Agneau, carême, communion, comput, confession, équinoxe, férié, fête, passage, pardon, pénitence, pessah, résurrection, septuagésime.

PAQUET. Bagage, balle, ballot, ballotin, baluchon, balluchon, bêtise, boule, caisse, colis, emballage, liasse, masse, monceau, objet, pack, pacson, pile, quantité, rame, ramette, rouleau, sachet, sizain, sixain, tas.

PAR. Après, attendu, avant, avec, chez, concernant, contre, dans, de, deçà, delà, depuis, derrière, dès, devant, durant, en, entre, envers, ès, excepté, fors, hormis, hors, jusque, malgré, moyennant, négation, outre, parmi, passé, pendant, plein, pour, près, proche, sans, sauf, selon, sous, suivant, supposé, sur, touchant, trans, vers, via, vu.

PARABASE. Crochet, digression, écart, entre, épisode, incise, parenthèse, placage, remarque, sic, tiret.

PARABOLE. Allégorie, analogie, apologie, apologue, assimilation, comparaison, courbe, fable, histoire, image, ladre, lien, morale, obscur, parabolique, paraboliquement, paranoïde, récit, symbole, voile.

PARABOLIQUE. Allégorique, anagogique, emblématique, figuratif, métaphorique, représentatif, symbolique.

PARACHÈVEMENT. Aboutissement, accomplissement, achèvement, apothéose, but, chapeau, chute, clôture, complémentarité, complétude, conclusion, consommation, couronnement, dénouement, entéléchie, fin, finition, perfectionnement, terme.

PARACHEVER. Aboutir, accomplir, achever, chiader, ciseler, clôturer, compléter, conclure, consommer, couronner, dénouer, fignoler, finir, lécher, limer, meuler, parfaire, peaufiner, perfectionner, polir, rectifier, terminer.

PARACHRONISME. Anachronisme, avant, chronologie, date, délai, erreur, faute, retard, ultérieur, tard.

PARACHUTAGE. Abandon, abdication, acquittement, défection, délaissement, délivrance, démission, déprise, désertion, désintérêt, dessaisissement, droppage, forfait, recul, lâchage, largage, rachat, résignation.

PARACHUTE. Deltaplane, dorsal, frein, parapente, pépin, saut, suspente, torche, ventral, voilure.

PARACHUTER. Abandonner, courir, délaisser, déposer, désigner, droper, dropper, enfuir, filer, larguer, négliger.

PARACHUTISTE (n. p.). Hilsz, Le pen

PARACHUTISTE. Béret rouge, chuteur, commando, para, roulé-boulé, sauteur, soldat, sport, stick.

PARADE. Affectation, carrousel, crédence, carrousel, défense, défilé, montre, procession, revue, riposte, tenue.

PARADER. Afficher, caboTiner, défiler, exhiber, frimer, montrer, pavaner, plastronner, poser, présenter, trôner.

PARADIGME. Archétype, classe, canon, échantillon, ensemble, essai, étalon, exemple, forme, gabarit, idéal, mannequin, modèle, nature, nu, original, parangon, patron, prototype, règle, série, spécimen, standard, type.

PARADIS (n. p.). Éden, Genèse, Géhenne, Olympe, Walhalla.

PARADIS. Amome, balcon, céleste, ciel, éden, élysée, empyrée, évasion, firmament, fiscal, havre, houri, jardin, maniguette, nirvana, oasis, pigeonnier, poulailler, royaume, sein, séjour, terrestre, voûte.

PARADISIAQUE. Divin, édénique, enchanteur, féerique, idyllique, irréel, merveilleux, sublime.

PARADISIER. Drépanornis, épimaque, manucodie, oiseau, oiseau du paradis, passereau, sifilet.

PARADOXAL. Anormal, bizarre, caractéristique, combat, curieux, différent, drôle, épatant, étrange, extraordinaire, inouï, ostrogot, particulier, phénoménal, rare, remarquable, saugrenu, singulier, unique.

PARADOXE. Absurdité, antinomie, bizarrerie, boutade, contradiction, contraire, contresens, énormité, illogique, illogisme, incohérence, inconséquence, opinion, originalité, pensée, singularité, sommeil, sophisme.

PARAFE. Abréviation, commencer, début, double, initiale, lettre, lettrine, monogramme, sigle, trait.

PARAFFINE. Alcane, bougeoir, bougie, chandelier, chandelle, cierge, cire, cirier, emballage, éteignoir, lampion, lumignon, ozocérite, ozokérite, rouloir, stencil.

PARAGE. Abord, accès, alentour, approche, coin, contrée, environs, pays, région, secteur, voisinage.

PARAGRAPHE. Alinéa, développement, intertitre, lettrine, passage, signe, subdivision, verset.

PARAGUAY, CAPITALE (n. p.). Asunción.

PARAGUAY, LANGUE. Espagnol, guarani.

PARAGUAY, MONNAIE. Guarani.

PARAGUAY, VILLE (n. p.). Assomption, Asunción, Formosa, Horqueta, Ita, Itacuburi, Pilar, Rosario, Yaguaron, Yuti.

PARAÎTRE. Apparaître, aspect, briller, éclore, montrer, naître, poindre, présenter, produire, réapparaître, ressortir, sembler, simuler, surgir, transparaître, vouloir.

PARALLÈLE. Barre, clandestin, correspondant, semblable, isoclinal, semblable, similaire, strie, symétrique.

PARALLÈLEMENT. Aussi, avenant, également, idem, identiquement, mêmement, pareillement, semblablement, uniformément.

PARALLÉLÉPIPÈDE. Abacule, bloc, boîte, boulier, brique, cube, dé, élément, élève, hexaèdre, litre, losange, maille, mosaïque, multiple, pavé, peintre, polyèdre, rhomboèdre, stère, tesselle, zellige.

PARALLÉLOGRAMME. Carré, diamant, losange, quadrangle, quadrilatère, rectangle, rhomboïde, trapèze.

PARALOGISME. Aberration, absurdité, apagogie, artifice, circularité, illogisme, pétition, sophisme.

PARALYSANT. Engourdissant, entravant, étouffant, glaçant, glacial, inhibant, intimidant, pétrifiant, réfrigérant:

PARALYSÉ. Éclopé, engourdi, estropié, gelé, immobile, impotent, infirme, invalide, pénétré, perclus, sidéré, transi, transpercé.

PARALYSER. Aider, ankyloser, annihiler, arrêter, bloquer, empêcher, engourdir, figer, freiner, geler, glacer, immobiliser, inhiber, intimider, méduser, neutraliser, pétrifier, putréfier, sidérer, tétaniser, transir.

PARALYSIE. Anesthésie, ankylose, asthénie, atonie, atrophie, béribéri, catalepsie, dysarthrie, hémiplégie, monoplégie, paraplégie, parésie, prostration, quadraplégie, rage, sclérose, sidération, strychnine, tétraplégie, triplégie.

PARALYTIQUE. Amputé, difforme, estropié, handicapé, impotent, infirme, invalide, mutilé, paralysé, paraplégique.

PARAMÈTRE. Argument, catégorème, donnée, élément, identificateur, indice, inconnue, principe, variable.

PARANGON. Aperçu, copie, duplicata, échantillon, édifiant, édition, épreuve, exemplaire, exemple, gabarit, honnête, justificatif, modèle, moral, parfait, patron, polycopie, prototype, réplique, triplicata, saint, spécimen, vertueux.

PARANOÏA. Confusion, défiance, délire, démence, espionite, exagération, folie, obsession, parano, psychose.

PARANORMAL. Clairvoyance, intuition, métapsychique, parapsychique, parapsychologie, précognition, prémonition, prescience, pressentiment, psychokinésie, surnaturel, télépathie, transmission.

PARAPENTE. Aérodyne, aile, cerf-volant, deltaplane, parachute, planeur.

PARAPET. Abri, balustrade, banquette, berme, clôture, garde-fou, merlon, mur, muraille, muret, talus.

PARAPHASIE. Anastrophe, chiasme, contrepet, hyperbate, inversion, métathèse, permutation, régression, verlan.

PARAPHE. Aval, certification, classeur, contreseing, dossier, émargement, endos, endossement, estampille, griffe, initiale, officialisation, parafe, sceau, scel, seing, signature, souscription, trait, visa.

PARAPHER. Apostiller, authentifier, certifier, contresigner, griffer, initialer, officialiser, signature, signer, viser.

PARAPHRASE. Amplification, commentaire, développement, explication, fantaisie, glose, imitation, traduction, targum.

PARAPHRASER. Amplifier, annoter, commenter, développer, éclaircir, expliquer, gloser, imiter, traduire.

PARAPHRASEUR. Acteur, bonimenteur, causeur, comédien, exégète, interprète, porte-parole, scoliaste, traducteur.

PARAPLÉGIE. Anesthésie, ankylose, asthénie, atonie, atrophie, béribéri, catalepsie, dysarthrie, hémiplégie, monoplégie, paralysie, parésie, prostration, quadraplégie, rage, sclérose, sidération, strychnine, triplégie.

PARAPLUIE. En-cas, marquise, ombrelle, parasol, passe, patronage, pébroc, pébroque, pépin, protection, riflard.

PARAPSYCHIQUE. Clairvoyance, intuition, métapsychique, paranormal, parapsychologie, précognition, prémonition, prescience, pressentiment, psychokinésie, télépathie, surnaturel, transmission.

PARAPSYCHOLOGIE. Archimagie, ésotérisme, hermétisme, intuition, métapsychique, paranormal, parapsychique, prémonition, prescience, pressentiment, psychique, psychokinèse, psychokinésie, télépathie.

PARAPSYCHOLOGUE (n. p.). Rhinr.

PARASITAIRE. Ascaridiase, axène, axénique, dysenterie, parasitique, piroplasmose, symbiotique, zoonose.

PARASITE. Acarien, acarus, amibe, argas, ascaride, bonamia, champignon, douve, écornifleur, ectoparasite, empuse, filariose, gale, gui, insecte, inutile, ixode, larve, lente, moisissure, œstre, orobanche, oxyure, pou, puce, sacculine, superflu, tænia, teigne, ténia, tique, urédo, varroa, varon, varron, ver, vermine, virus.

PARASITOSE. Acariose, amibiase, borréliose, dysenterie, kala-azar, leishmaniose, leptospirose, mycose, myiase, malaria, onchocercose, oxyurose, paludisme, pédiculose, piroplasmose, sodoku, spirillose, spirochétose, toxocarose, toxoplasmose, trichomonase, trombidiose, trypanosomiase, verminose.

PARASOL. Abri, écran, en-cas, marquise, ombrelle, parapluie, pébroc, pépin, pin, riflard, vélarium.

PARAVENT. Cacher, couverture, écran, éventail, filtre, garde-feu, moniteur, panneau, pare-étincelles, pare-soleil.

PARC (n. p.). Armorique, Banff, Bauges, Borghèse, Boulogne (bois de), Cahokia, Camargue, Causses, Central Park, Cheviot, Disneyland, Everglades, Forillon, Grand Canyon, Hyde Park, Jardins de Métis, Jasper, Louisbourg, Mercantour, Mingan, Parc des Princes, Veluwe, Versailles, Vincennes, Wolin, Yellowstone, Yosemite.

PARC. Arboretum, cirque, clayère, enclos, huîtrière, jardin, manège, marenne, ménagerie, moulière, parquet, pâtis, pâturage, tortille, zoo.

PARCELLE. Atome, bloc, bribe, brin, coin, copeau, écaille, égrugeure, étincelle, flammèche, fraction, fragment, grain, limaille, lopin, lot, mie, miette, morceau, ouche, paillette, parchet, particule, partie, portion, postillon, rang, terrain.

PARCHEMIN. Cosse, diplôme, écrou, garde, juif, manuscrit, palimpseste, papier, phylactère, queue, titre, vélin.

PARCIMONIE. Avarice, avidité, compte-gouttes, cupidité, économie, épargne, insuffisance, ladrerie, lésine, mesquinerie, mesure, minutie, péché, petitesse, pingrerie, radinerie, rapacité, thésaurisation.

PARCIMONIEUX. Avare, avaricieux, chiche, court, économe, favorable, insuffisant, jeune, ladre, marchandeur, mesquin, mesuré, modeste, rapiat, regardant, ric-rac.

PARCOURIR. Arpenter, balayer, battre, courir, couvrir, décrire, dévaler, examiner, explorer, feuilleter, franchir, grimper, inspecter, lire, monter, peser, prospecter, regarder, relire, remonter, scruter, sillonner, suivre, tour, traverser, visiter, voir.

PARCOURS. Awalé, chemin, cheminement, circuit, course, distance, étape, itinéraire, link, manège, marche, pacage, pâturage, révolution, ronde, route, sans faute, sillage, slalom, terrain, tour, tracé, trajet, voie, volée, walé.

PARDESSUS. Cache-poussière, imperméable, jaquette, manteau, outre, par-dessous, pelisse, surtout, veste, vêtement.

PARDON. Absolution, amnistie, excuse, grâce, hein, indulgence, miséricorde, oubli, rédemption, rémission, yom kippour.

PARDONNABLE. Amnistiable, excusable, expiable, graciable, oubliable, rémissible, réparable, tolérable, véniel.

PARDONNER. Absoudre, acquitter, admettre, amnistier, condamner, enterrer, excuser, expier, gracier, innocenter, oublier, remettre, reprendre, réprimander, réprouver, souffrir, stigmatiser, tolérer.

PARÉ. Diapré, doté, éludé, embelli, esquivé, évité, nanti, orné, parure, pigeonné, pomponné, pourvu, prêt.

PARE-BRISE. Essuie-glace, grattoir, lave-glace, lave-vitre, plaque, protection, vignette, vitre.

PARE-ÉCLATS. Abri, blindage, rempart, terrassement.

PARE-ÉTINCELLES. Coupe-feu, couverture, écran, éventail, filtre, garde-feu, panneau, paravent, pare-feu.

PAREIL. Adéquat, ainsi, analogue, aussi, conforme, congénère, égal, équivalent, ibidem, id, idem, identique, ita, itou, kif-kif, même, pair, réciproque, ressemblant, semblable, sic, similaire, synonyme, tel, uniforme.

PAREILLEMENT. Aussi, avenant, également, idem, identiquement, mêmement, parallèlement, semblablement, uniformément.

PAREMENT. Bardage, décoration, enduit, orfroi, ornement, parure, rabat, réticulé, revers, surface.

PARENCHYME. Carnisation, hépatique, lacuneux, palissadique, pancréatique, pneumonie, rénal.

PARENT. Affin, agnat, aïeul, aïeux, aîné, allié, analogue, ancêtre, apparenté, ascendant, bru, cadet, cognat, collatéral, consanguin, consort, cousin, cousine, dab, dabe, époux, famille, frère, gendre, géniteurs, germain, grand-mère, grand-père, mari, mère, neveu, nièce, oncle, parenthèse, père, proche, procréateur, sang, siens, sœur, tante, tantine, tata, utérin, vioc, vioque, voisin.

PARENTÉ. Adoption, affin, affinité, agnation, alliance, allié, analogie, classificatoire, cognation, consanguinité, côté, cousin, cousinage, degré, famille, liaison, lien, parentale, rapport, relation, sang, union.

PARENTHÈSE. Crochet, digression, écart, entre, épisode, incise, parabase, placage, remarque, sic, tiret.

PARÉO (n. p.). Tahiti.

PARÉO. Amazone, cotillon, cotte, crinoline, écossaise, enjuponner, fustanelle, jupette, jupe, jupon, kilt, maxi, mini, manou, pagne, robe, tahitien, tutu, vertugadin, vêtement.

PARER. Adoniser, affubler, afistoler, arranger, arrêter, attifer, bichonner, décorer, diaprer, éluder, embellir, enjoliver, enrubanner, esquiver, éviter, habiller, obvier, orner, parure, pigeonner, pomponner, prêt, remédier, vêtir.

PARÉSIE. Anesthésie, ankylose, asthénie, atonie, atrophie, béribéri, catalepsie, dysarthrie, hémiplégie, monoplégie, paraplégie, paralysie, prostration, quadraplégie, rage, sclérose, sidération, strychnine, triplégie.

PARESSE. Apathie, cosse, fainéantise, flemme, indolence, inertie, lenteur, lourdeur, mollesse, négligence, oisiveté.

PARESSER. Buller, errer, fainéanter, flâner, flemmarder, glander, lambiner, lézarder, musarder, muser, traîner.

PARESSEUX. Aboulique, aï, cancre, cossard, édenté, faignant, fainéant, feignant, flâneux, flemmard, indolent, inerte, lâche, lambin, lambineux, larve, mammifère, mou, négligent, nonchalant, oisif, pacha, singe, tire-au-cul, tire-au-flanc, unau, xénarthre.

PARFAIRE. Achever, améliorer, arranger, châtier, chiader, ciseler, compléter, enjoliver, fignoler, finir, lécher, limer, parachever, peaufiner, perfectionner, perler, polir, raboter, raffiner, revoir, soigner, terminer.

PARFAIT. Absolu, accompli, achevé, ad hoc, admirable, adorable, bien, complet, conjugaison, consommé, divin, élite, excellent, fignolé, fin, idéal, impeccable, incomparable, infini, irréprochable, magistral, magnifiquem mûr, peaufiné, perfection, perle, prétérit, rare, réussi, rêvé, saint, sublime, superbe.

PARFAITEMENT. Absolument, admirablement, assurément, bien, bigrement, complètement, entièrement, excellemment, impeccablement, magnifiquement, merveilleusement, pleinement, superbement, supérieurement, totalement, très.

PARFILAGE. Broyage, corroyage, défilage, délissage, effilage, effilochage, effrangement, étirage, folage, forgeage, extension, extrusion, faufilure, filature, laminage, rogné, tendage, tirage, transfilage, tréfilage.

PARFILER. Annuler, arracher, briser, casser, céder, claquer, couper, crever, déceler, décrocher, défaire, désaxer, desceller, écorner, édenter, effiler, enfoncer, éreinter, fêler, fendre, forcer, fracasser, fracturer, licencier, péter, rompre, tisser.

PARFOIS. Constamment, continuellement, fois, occasion, occasionnellement, quelquefois, rarement, tantôt.

PARFUM. Anis, aromate, arôme, baume, bouquet, eau, effluve, émanation, encens, essence, exhalaison, extrait, fragrance, fumet, haleine, huile, ionone, iris, jasmin, monoï, musc, nard, néroli, odeur, onguent, opopanax, orgue, oriental, patchouli, rose, senteur, thym, vanilles, vert.

PARFUMÉ. Ambré, anisé, aromatisé, embaumé, épicé, fragrant, musqué, odorant, odoriférant, praliné, suave, tutti frutti.

PARFUMER. Ambrer, aniser, aromatiser, dégager, embaumer, épicer, imprégner, odorer, praliner, sentir, vanillier.

PARFUMERIE. Ambréine, commerce, essencerie, ionone, niaouli, pharmacie, thymiatechnie, tonka.

PARI. Agacerie, agression, attaque, bravade, cartel, cause, challenge, couplé, décision, défi, duel, enjeu, excitation, gage, gageure, incitateur, inspiration, irritation, jeu, jumelé, manque, mise, mutuel, passe, provocation, quarté, quinté, roulette, suggestion, tentation, tiercé.

PARIA. Cagot, dédaigné, exclu, exécré, ilote, intouchable, marginal, maudit, méprisable, misérable, rejeté, réprouvé.

PARIADE. Alliance, appariement, couple, deux, domino, doublet, duo, duumvirat, dyade, élément, énergie, force, glisseur, laisse, ménage, paire, patrilocal, quadrille, tandem, tension, thermocouple, torsion, union, valeur, vecteur, virilocal.

PARIAN. Assiette, barbotine, bibelot, biscuit, caraque, céladon, chine, émail, faïence, ivoire, kaolin, magot, plat, porcelaine, pot, poterie, potiche, statuette, tasse, translucide, vaisselle, verre, verroterie.

PARIDÉ. Accenteur, bridée, brune, buissonnière, caroline, charbonnière, grise, huppée, lapone, mazette, mésange, mésangette, meunière, noire, nonnette, oiseau, passereau, rémiz, zinziguler.

PARIER. Affirmer, blinder, caver, défier, engager, enjeu, gager, hasarder, jouer, miser, parieur, ponter, risquer.

PARIÉTAIRE. Artocarpe, elatostema, épinard, helxine, mûrier, ortie, perce-muraille, pilea, ramie, urticacée.

PARIÉTAL. Aile, à-pic, bajoyer, cadre, carpelle, claustra, cloison, contremarche, crâne, dalot, dosse, éponte, membrane, mur, muraille, palais, paroi, plomb, ptôse, rupestre, séparation, thoracique, tuyau, tympan, valvule, versant, voûte.

PARIEUR. Compulsif, flambeur, gageur, impulsionnel, joueur, maniaque, miseur, monomane, obsessionnel, turfiste.

PARIS (n. p.). Lutèce.

PARISIEN. Biscuit, français, gamin, gavroche, pain, parigot, parisis, pointu, titi.

PARITÉ. Adéquation, communauté, comparaison, égal, égalité, identité, iso, même, pair, paritaire, partout, similitude.

PARJURE. Abandon, adultère, apostasie, dédit, déloyauté, dérogation, désaveu, écart, entorse, erreur, fantaisie, félonie, forfaiture, fugue, hérésie, inconstance, inexactitude, ingratitude, inobservation, liaison, manquement, passade, perfidie, reniement, rupture, scélératesse, trahison, traître, traîtrise, transgression, tromperie, violation.

PARKA. Amict, caban, cagoule, cape, capot, capote, chape, ciré, coule, douillette, gabardine, gueuse, himation, houppelande, imperméable, mante, manteau, mantelet, maxi, paletot, pardessus, pèlerine, pelisse, plan, poncho, raglan, redingote, saie, tabar, tabard, toge, voile.

PARKING. Autoport, box, garage, parc, parcage, parcotrain, stationnement, tarmac.

PARKINSON. Acinésie, akinésie, dopamine, hypertonie, parkinsonisme, rigidité, scopolamine, tremblement.

PARLANT. Babillard, bavard, causant, causeur, communicatif, jacasseur, jacteur, loquace, volubile.

PARLE. Créolophone, dialectisant, disert, hispanophone, polyglotte, rhéteur, taiseux.

PARLEMENT (n. p.). Capitole, Capitolin, Knesset, Lagting, Odelsting, Reichsrat, Reichstag, Storting, Westminster.

PARLEMENT. Assemblée, chambre, député, douma, godillot, olim, sénat, sénateur, union, urne.

PARLEMENTAIRE (n. p.). Pym, Walpole.

PARLEMENTAIRE. Délégué, député, élu, émissaire, envoyé, godillot, orléanisme, pair, pairesse, représentant, représentatif, sénateur.

PARLEMENTER. Argumenter, bredouiller, débattre, discuter, négocier, palabrer, pourparler, traiter.

PARLER. Aborder, agir, annoncer, ânonner, babiller, bafouiller, baragouiner, bavarder, bêler, bléser, brailler, bredouiller, causer, chuchoter, claironner, cockney, corner, crier, dauber, débiter, déblatérer, déboutonner, déclamer, dégoiser, délirer, dénigrer, dépenser, dire, discourir, disert, disserter, divaguer, écorcher, évoquer, exposer, exprimer, extravaguer, grailler, gueuler, haranguer, hurler, jacter, jargonner, jaser, joual, laconisme, marmotter, monologuer, moufter, nasiller, négociation, palabrer, pataquès, patois, péronier, picard, placoter, pontifier, prononcer, recauser, reparler, rouchi, sic, soliloquer, susurrer, tarir, tchatcher, tonitruer, tonner, trahir, vociférer.

PARLEUR. Ara, bavard, bonimenteur, causeur, conférencier, crieur, disert, diseur, gueuleur, jaseur, pie.

PARLOIR. Amphithéâtre, antichambre, apadana, auditorium, aula, bauge, cabinet, cella, cénacle, chambre, cinéma, classe, dortoir, échaudoir, enceinte, entrée, étude, exèdre, foyer, galerie, hall, iwan, loge, mégaron, mess, morgue, naos, odéon, pièce, planétarium, prétoire, réfectoire, salle, salon, séjour, studio, théâtre, trinquet, vivoir.

PARLOTE. Babil, babillage, bagou, baragouinage, baratin, bavardage, bla-bla, cancan, caquetage, caquètement, jacassement, jactance, japotage, jaspinage, margotage, papotage, patata, patati, potin, racontar, ragot, verbiage.

PARME. Aubergine, framboise, indigo, jambon, lilas, mauve, mauvéine, pourpre, prune, violet, violine.

PARMI. Au milieu, avec, chez, dans, dedans, emmi, en, entre, envers, milieu, nombre, près de, sur, trier.

PARODIE. Calquage, calque, caricature, charge, contrefaçon, copiage, copie, couplet, décalque, démarquage, emprunt, glose, imitation, mômerie, moquerie, parodier, pastiche, simulacre, singerie, travestissement.

PARODIER. Calquer, caricaturer, contrefaire, copier, déformer, imiter, moquer, pasticher, plagier, simuler, singer.

PAROI. Aile, à-pic, bajoyer, cadre, carpelle, claustra, cloison, contrecoeur, contremarche, dalot, dosse, éponte, membrane, mur, muraille, palais, pariétal, plancher, plomb, ptôse, séparation, surface, tuyau, tympan, valvule, versant, vire, voûte.

PAROISSE. Clocher, commune, cure, église, feu, fidèle, hameau, pasteur, plébain, prône, village.

PAROISSIEN. Eucologe, fidèle, individu, messe, missel, ouailles, prière, type.

PAROLE. Aménité, ânerie, annotation, aparté, aphasie, apophtegme, assurance, babil, balbutiement, balourdise, bêtise, blasphème, borborygme, bredouillage, bredouillement, bredouillis, compliment, dire, discours, disert, élocution, éloge, énormité, eurêka, exhortation, expression, gaffe, galanterie, gentillesse, grimoire, grognement, grossièreté, impiété, incongruité, infamie, injure, insanité, invective, jactance, juron, langage, langue, malentendu, malsonnant, maxime, menace, merci, mot, niaiserie, objurgations, ordure, panégyrique, plante, propos, prose, rengaine, réponse, ronchonnement, rosserie, saleté, sésame, sottise, stupidité, sunna, tirade, vacherie, verbe, verbiage, vexation, vilenie, vocifération.

PAROLIER (n. p.). Aznavour, Berger, Brassens, Brel, Charlebois, Dabadie, Delanoë, Dylan, Ferré, François, Jagger, John, Lapointe, Leclerc, Lemay, Lennon, Marnay, Plamondon, Salvador, Souchon, Vian.

PAROLIER. Auteur, chansonnier, compositeur, conteur, créateur, dramaturge, écrivain, essayiste, glossateur, historien, librettiste, narrateur, nouvelliste, poète, préfacier, prosateur, romancier, satiriste, scénariste, scripteur.

PAROS. Albâtre, brocatelle, calcaire, carrare, chaux, cipolin, dalle, dolomie, granit, granite, griotte, gypse, jaspe, liais, lumachelle, marbre blanc, marmoréen, onyx, ophite, portor, sarrancolin, stuc, table, tarso, terrazo, tuile, turquin, veiné, zinc.

PAROTIDE. Glande, gonade, oreillons, parotidien, parotidite, salive.

PAROXYSME. Accès, acmé, aigu, apogée, apothéose, colère, comble, crise, culminant, exacerbation, extrême, faîte, haut, maximum, perfection, rage, raptus, redoublement, sommet, summum, survolté, zénith.

PARPAILLOT. Agnostique, anticlérical, athée, calviniste, huguenot, impie, irréligieux, protestant.

PARPAING. Aggloméré, amas, bloc, briquette, combustible, hourdis, masse, moellon, panneau, staff, stuc, synderme.

PARQUE (n. p.). Décima, Moire, Morta, Nona, Thémis.

PARQUE. Avenir, chance, décès, destin, demain, destinée, devenir, disparition, étoile, existence, fatalité, fortuité, fortune, futur, hasard, horizon, karma, lendemain, mort, perte, prédestination, providence, sort.

PARQUER. Confiner, empiler, enfermer, entasser, esquicher, garer, installer, serrer, stationner, tasser.

PARQUET. Bardeau, carrelage, chevron, enclos, foyer, frotteuse, justice, lambourde, languette, magistrat, magistrature, marqueterie, moquette, mosaïque, parc, parqueterie, plancher, plate-forme, sapin, sol, tapis, tribunal, tuile.

PARRAIN. Baptême, caution, chef, compère, filleul, garant, introducteur, mafia, témoin, tuteur.

PARRAINAGE. Assurance, aval, cautionnement, charge, consigne, couverture, ducroire, engagement, gage, garant, garantie, nantissement, obligation, promesse, salut, stick, sponsorat, warrant.

PARRAINER. Aider, appuyer, cautionner, épauler, patronner, promouvoir, protéger, recommander, soutenir.

PARSEMÉ. Argenté, bimétal, blindé, capsulé, cotonneux, déguisé, enduit, enterré, étame, fermé, galvanisé, habillé, laqué, pané, parqueté, plaqué, plumeté, recouvert, saburral, téflonisé, tisonné, trempé, verni, vêtu.

PARSEMER. Brillancer, consteller, couvrir, disperser, disséminer, émailler, éparpiller, étendre, étoiler, hérisser, jeter, oceller, orner, moucheter, pailleter, piquer, recouvrir, répandre, saupoudrer, semer.

PART. Aller, apport, champart, contingent, contribution, copartage, départ, déplace, dividende, écot, émolument, en aparté, intérêts, lopin, lot, mense, partage, participe, particule, partie, partition, portion, quirat, quota, quote-part, ration, ristourne, sort, tantième, va.

PARTAGE. Absolu, butin, découpage, démembrement, diamètre, dichotomie, division, exclusif, fractionnement, léonin, liquidation, lot, marc, mitigé, part, partition, répartition, scission, séparation, sort, total, trifide, zonage.

PARTAGÉ. Brisé, commun, déchiré, dépecé, divis, divisé, écartelé, écartillé, embarrassé, favorisé, gradué, hésitant, indivis, loti, mélangé, mêlé, mutuel, parti, perplexe, réciproque, segmenté, séparé, tiraillé.

PARTAGER. Assoler, couper, débiter, découper, dédoubler, démembrer, départir, dépecer, distribuer, diviser, doter, épouser, fader, favoriser, fractionner, fragmenter, graduer, liquider, lotir, morceler, partir, ramifier, repartager, répartir, segmenter, séparer, ventiler.

PARTANCE. Appareillage, début, départ, embarquement, exode, provenance.

PARTANT. Ainsi, chaud, concurrent, disposé, emballé, favorable, par conséquent, participant, prêt.

PARTENAIRE. Acolyte, adjoint, affidé, aide, alter ego, allié, amant, ami, associé, cavalier, coéquipier, collègue, compagnon, complice, copain, correspondant, danseur, équipier, interlocuteur, joueur, second.

PARTERRE. Clos, closerie, corbeille, hortillonnage, jardin, massif, parc, pelouse, planche, plate-bande, public.

PARTHÉNOGÉNÉTIQUE. Agame, autofécondation, autogamie, fécondation, parthéno-carpie.

PARTI. Ami, bannière, barré, brigue, cabale, camp, cause, clan, coalition, commencé, coterie, éméché, ému, engagé, exit, faction, famille, gai, gris, groupe, inféodé, issu, ivre, opte, option, part, partie, partisan, ribouldingue, secte.

PARTIAL. Déloyal, équitable, injuste, objectif, orienté, partisan, prévenu, subjectif, tendancieux, zoïle.

PARTIALITÉ. Favoritisme, goût, option, penchant, plutôt, prédilection, préférence, préjugé, prévention.

PARTICIPANT. Adhérent, affilié, compétiteur, concurrent, débatteur, intervenant, membre, relayeur, souscripteur.

PARTICIPATION. Affiliation, aide, apport, association, assistance, collaboration, collusion, communion, complicité, concours, conspiration, contribution, coopération, dans, écot, implication, intéressement, sympathie.

PARTICIPE. Bu, dû, eu, lu, mû, né, part, passé, plu, prend, présent, pu, su, supin, tu, verbe, vu.

PARTICIPER. Aider, appartenir, apporter, assister, associer, banqueter, collaborer, concourir, contribuer, coopérer, dépendre, éprouver, manifester, mêler, militer, partager, procéder, relever, ressortir, tenir, tremper.

PARTICULARISATION. Caractérisation, choix, définition, détermination, distinction, élection, spécification.

PARTICULARISER. Caractériser, différencier, distinguer, préciser, remarquer, signaler, singulariser.

PARTICULARITÉ. Anecdote, anomalie, arabisme, autonomie, bizarrerie, caractéristique, circonstance, détail, étrangeté, excentricité, idiopathie, modalité, originalité, phonétisme, propriété, qualité, rareté, singularité, spécificité.

PARTICULE. Anion, atome, boson, corpuscule, da, de, di, du, électron, épisome, gluon, ion, ka, kaon, lepton, mac, méson, mésoton, micelle, microbille, morceau, mu, muon, neutrino, neutron, nucléon, oc, oui, photon, pi, pion, poudre, prion, tau, tauon, van, vice, von.

PARTICULIER. Bizarre, caractéristique, distinct, distinctif, individu, individuel, intime, local, méticuleux, original, personnel, privé, propre, rare, respectif, séparé, spécial, spécifique, subjectif, typique, unique.

PARTICULIÈREMENT. Éminemment, exceptionnellement, notamment, principalement, privément, proprement, remarquablement, séparément, singulièrement, spécialement, spécifiquement, surtout.

PARTIE. Anche, anse, bamboche, deuxième, écoumène, élément, embouchure, encolure, engrêlure, épigastre, épisode, exorde, fargues, fasce, fraction, fragment, giron, grappillon, gras, greffon, grenier, hémi, issue, isthme, justice, lambeau, lame, lobe, lopin, lot, manche, mat, match, méplat, mi, miette, moitié, morceau, oreille, pan, panse, pantalon, parcelle, part, particule, partitif, pièce, portion, pulpe, quart, quartier, râble, région, retroussis, revêtement, ribouldingue, rive, rob, roesti, scène, section, segment, semi, set, soie, stator, surlonge, système, tiers, tiré, tourillon, tranche, trio, tronc, tronçon.

PARTIEL. Acompte, à-valoir, démixtion, dentier, diète, épreuve, imparfait, incomplet, limité, manie.

PARTIR. Abandonner, aller, barrer, battre, casser, cavaler, débouler, décamper, défiler, dégager, déguerpir, déloger, départ, détaler, disparaître, éclipser, émigrer, évader, exiler, filer, fuir, ôter, quitter, repartir, retourner, rogner, se faire la malle, sortir, tirer, venir.

PARTISAN. Acolyte, adepte, adhérent, admirateur, affidé, affilié, aide, allié, ami, associé, attaché, dévoué, disciple, élitiste, fan, fanatique, faucon, favorable, féal, fellaga, fidèle, gibelin, groupie, guelfe, hussite, inconditionnel, libertaire, koulak, lige, membre, militant, nationaliste, orienté, partageux, parti, partial, passéiste, patriote, positiviste, pro, protectionniste, radical, rasta, rastafari, rationaliste, rattachiste, réaliste, recrue, réformiste, rénovateur, révolutionnaire, ritualiste, sectaire, sectateur, ségrégationniste, séide, sioniste, souverainiste, supporter, tenant, ultraroyaliste, vériste.

PARTITIF. Anse, des, deuxième, du, embouchure, engrêlure, fraction, giron, greffon, grenier, hémi, justice, lame, lobe, lopin, lot, manche, mat, mi, miette, moitié, morceau, pan, parcelle, part, particule, partie, portion, région, rob, semi, set, stator.

PARTITION. Distribution, division, écartelé, indépendance, musique, reprise, séparation, tableur, texte.

PARTOUT. Absence, alibi, assiduité, bilocation, disparition, efficacité, éloignement, essence, existence, infestation, omniprésence, parité, présence, régularité, supporter, ubiquisme, ubiquiste, ubiquité, universel.

PARTURITION. Accouchement, avortement, bas, crapaud, délivrance, dystocie, élaboration, enfantement, eutocie, forceps, gésine, gestation, gravité, grossesse, maternité, naissance, obstétrique, part, puerpéral, réalisation, terme, tranchée, travail, trigémellaire.

PARTUROLOGUE. Accoucheur, gynécologue, maïeuticien, matrone, médecin, obstétricien, sage-femme.

PARU. Comparu, éclos, édité, imprimé, nouveauté, paraître, pondu, produit, publié, semblé, sorti.

PARURE. Accessoire, affiquet, affûtiaux, ajustement, atours, attifet, bijou, boa, bracelet, broche, collier, coquetterie, décoration, diadème, embellissement, enjolivement, garniture, joyau, ornement, nippe, ornement, parement, parer, toilette.

PARUTION. Annonce, apparition, ban, bulletin, dénonciation, digest, divulgation, édition, gazette, hebdo, hebdomadaire, ISBN, Issn, journal, lancement, livre, magazine, mensuel, numéro, organe, ouvrage, proclamation, promulgation, publication, quotidien, recueil, rédactionnel, revue, sortie, tabloïd, tirage.

PARVENIR. Accéder, accorder, arriver, atteindre, découvrir, envoyer, obtenir, réaliser, réussir, sauter, succéder, tomber, toucher, transmettre, venir.

PARVENU. Adulte, agioteur, arrivé, arriviste, figaro, policé, pu, rasta, rastaquouère, réussi, riche, savoir-vivre

PARVIS. Agencement, agora, arrangement, barreau, billet, château, citadelle, disposition, emplacement, emploi, endroit, entrée, espace, fauteuil, ferté, fonction, fort, gîte, halle, job, lieu, occurrence, ordre, parc, place, position, poste, rang, rôle, savane, sellette, siège, site, situation, strapontin, sur, terrain, volume.

PAS. Adage, allure, andain, appui, aucun, bésef, bézef, chassé, clerc, coda, col, danse, démarche, enjambée, étape, foulée, glissade, goutte, jalon, manège, marche, mie, négation, nul, nullement, peu, pédomètre, podomètre, point, préséance, progrès, promenade, prose, seuil, stavug, stawug, trace.

PASCAL. Pa.

PAS-D'ÂNE. Astéracée, cactacée, épée, escalier, garde, herbe aux teigneux, matricaire, protection, tussilage.

PAS-DE-CALAIS, VILLE (n. p.). Aire, Annay, Arras, Aubigny, Beaumont, Berck, Calais, Carvin, Coulogne, Dourges, Drocourt, Henin, Lens, Liévin, Montreuil, Sallaumines, Samer, Vermelles, Vimy.

PASQUIN. Amuseur, arlequin, baladin, bas, bête, bizarre, bouffon, clown, comédie, comique, drôle, farceur, fol, fou, gai, gracioso, histrion, joyeux, loustic, opérette, paillasse, pantin, pitre, ridicule, triboulet, vil, zani, zanni.

PASQUINADE. Blason, brochure, brûlot, caricature, critique, diatribe, écho, écrit, encart, épigramme, factum, feuille, libellé, livre, journaliste, mazarinade, moquerie, opuscule, pamphlet, placard, polémiste, raillerie, satire, tract.

PASSABLE. Acceptable, admissible, approuvable, assez, convenable, médiocre, mettable, moyen, potable.

PASSABLEMENT. Adéquat, amplement, assez, autant, basta, class, congru, convenable, honnêtement, marre, modérément, moyennement, passable, plutôt, préférence, relativement, suffisant, valablement.

PASSACAILLE (n. p.). Campra, Charpentier, Lully.

PASSACAILLE. Ariette, barcarolle, berceuse, chacone, chaconne, danse, divertimento, duetto, impromptu, motet, nocturne, opéra, pièce de musique, sonate.

PASSADE. Amourette, aventure, béguin, bricole, caprice, course, fantaisie, flirt, goût, idylle, liaison, tocade.

PASSAGE. Allée, berme, boyau, brèche, cairn, canal, chenal, circulation, citation, clouté, col, coloration, corridor, coulé, couloir, coursive, défilé, détroit, élan, endroit, extrait, filtration, franchissement, galerie, glissement, gorge, goulet, gué, infiltration, insert, issue, modulation, page, pas, passe, passerelle, passim, pertuis, pont, porte, ras, reprise, résorption, réveil, rue, saut, saut-de-mouton, séchage, séroconversion, seuil, sforzando, sillage, sublimation, texte, traboule, trait, transformation, transition, traversée, verset, vomitoire.

PASSAGER. Aéronaute, bref, durable, éphémère, évanescent, fugitif, momentané, précaire, provisoire, rapide, stand-by, temporaire, transitoire, ulmiste.

PASSANT. Animé, badaud, coulant, flâneur, fréquenté, marcheur, passager, piéton, populeux, promeneur.

PASSATION. Abandon, abdication, aliénation, apostasie, arrêt, capitulation, cessation, cession, confiance, défection, démission, départ, désertion, désuétude, détente, divorce, don, donation, épave, exposition, forfait, fugue, fuite, hérésie, lâchage, luxure, négligence, nonchalance, plaquage, reculade, rejet, renonciation, suspension, trahison.

PASSE (n. p.). Aa, Adour, Agout, Ain, Allier, Ariège, Aron, Aude, Dniepr, Elbe, Escant, Eure, Iding, Ienisseï, Ill, Indre, Isar, Isère, Isle, Iton, Leine, Loir, Moselle, Oise, Orb, Orne, Saône, Tarn, Vienne.

PASSE. Canal, chenal, circonstance, circulation, circule, coup, défilé, détroit, état, goulet, histoire, issue, jadis, moment, passage, passe-partout, période, position, rétrospection, révolu, situation, veille.

PASSÉ. Accompli, ancien, antan, aoriste, autrefois, conjugaison, décoloré, défraîchi, défunt, dernier, devenu, ecmnésie, écoulé, ex, hier, iconoclaste, jadis, mort, omis, précédent, prétérit, rétro, rétroactif, révolu, tradition, tu, vieilli.

PASSE-DROIT. Acquis, apanage, attribution, avantage, bénéfice, faveur, illégalité, prérogative, privilège.

PASSÉISME. Conformisme, conservatisme, droite, droitisme, intégrisme, modération, suivisme, traditionalisme.

PASSÉISTE. Arriéré, attardé, birbe, droidiste, obscurantiste, opposé, passé, réactionnaire, recul, rétrograde.

PASSEMENT. Agrément, aiguillette, broderie, chenilles, chou, cordon, crêpe, crépine, dentelle, dragonne, épaulette, filet, frange, galon, ganse, gland, houppe, lacet, laisse, motif, natte, nœud, picot, ruban, tissu.

PASSEMENTER. Bordurer, cadrer, congédier, crépiner, enrubanner, galonner, ganser, garnir, mouler, ornementer, orner.

PASSEMENTERIE. Agrément, brandebourg, broderie, dentelle, frange, garniture, passepoil.

PASSE-MONTAGNE. Cagoulard, cagoule, camail, capuche, capuchon, capulet, coiffure, cuculle, manteau, passe-montagne.

PASSE-PARTOUT. Brosse, bouterolle, cadre, carton, cartouche, clé, clef, crochet, dièse, do, encadrement, fa, forure, jeep, marie-louise, mystère, nain, outil, panneton, passe, rossignol, scie, serrurier, sol, solution, sûreté, triçoise, trousseau.

PASSE-PASSE. Artifice, attrape, illusion, jonglerie, magie, prestidigitation, repos, tour, truc.

PASSEPOIL. Bande, bord, bordure, borne, entrée, haie, lé, limite, liséré, lisière, mur, orée, ourlet, rain, ruilée.

PASSEPORT. Approbation, attestation, autorisation, ita, laisser-aller, laissez-passer, licence, lu, mira, visa, vu.

PASSER. Aller, bleuter, chauler, circuler, conclure, couler, couper, cribler, croiser, devancer, devenir, dissiper, dribbler, écouler, effleurer, enfiler, enfuir, enlacer, entrer, énumérer, envoler, étendre, évoluer, excéder, faufiler, filtrer, fixer, flamber, franchir, frôler, fusiller, herser, hiberner, hiverner, lécher, loger, moduler, mourir, occulter, omettre, papillonner, pardonner, peaufiner, pourlécher, raser, ratatiner, ratiner, refiler, rincer, repasser, rétrograder, rouler, sasser, sauter, sortir, tabasser, tamiser, tirer, transformer, transmettre, traverser, triballer, vagabonder, zapper.

PASSERAGE. Cardamine, cruciféracée, crucifère, cresson, herbacée, nasitort, plante, rage.

PASSEREAU (3 lettres). Pie.

PASSEREAU (4 lettres). Geai, lyre, pape, pipi, veuf, zizi.

PASSEREAU (5 lettres). Agace, brève, calao, chama, goglu, grive, huppe, linot, merle, pipit, rémiz, serin, shama, sirli, tarin, tyran, veuve, viréo.

PASSEREAU (6 lettres). Aronde, bec-fin, bruant, bulbul, canari, cincle, draine, drenne, jaseur, loriot, malure, margot, mauvis, ménure, oriole, paridé, picidé, pinson, pitpit, proyer, quelea, verdin.

PASSEREAU (7 lettres). Bengali, carouge, colibri, corbeau, corvidé, cotinga, friquet, gros-bec, guêpier, jacasse, linotte, mainate, mésange, moineau, moqueur, motteux, ortolan, rollier, sittèle, sittidé, sizerin, tangara, traquet, turdidé, verdier.

PASSEREAU (8 lettres). Alouette, becfigue, cardinal, cul-blanc, épimaque, farlouse, fauvette, fournier, grenadin, martinet, plocéidé, pouillot, quiscale, roitelet, rupicole, sittelle, sturnidé, sylviidé, tisserin.

PASSEREAU (9 lettres). Accenteur, bec-croisé, bouvreuil, casse-noix, corneille, échelette, étourneau, eurylaime, mauviette, merle d'eau, monticole, passerine, phragmite, rossignol, sansonnet, souimanga, trogonidé, troupiale.

PASSEREAU (10 lettres). Conirostre, coq-de-roche, grimpereau, hirondelle, hochequeue, lavandière, lévirostre, merle blanc, oiseau-lyre, paradisier, pie-grièche, pique-bœuf, rouge-gorge, rouge-queue, tichodrome, trochilidé, troglodyte.

PASSEREAU (11 lettres). Engoulevent, fringillidé, gobe-mouches, moucherolle, républicain, rousserolle, ténuirostre, travailleur.

PASSEREAU (12 lettres). Chardonneret, oiseau-mouche, passériforme.

PASSEREAU (13 lettres). Bergeronnette, martin-pêcheur.

PASSERELLE. Baignoire, escalier, kiosque, passage, passavant, plan, pont, rambarde, relation, support.

PASSÉRIDÉ. Accenteur, amarante, astrild, bengali, capucin, estrildiné, euplecte, foudi, malimbe, mange-mil, moineau, motacilliné, négrette, niverolle, passériné, pipit, plocéiné, prunelliné, tisserin.

PASSÉRIFORME. Bec-fin, carinate, fauvette, gréai, ménurie, moineau, passereau, sizerin, tichodrome, tisserin.

PASSERINE. Arbrisseau, arbuste, bois-gentil, daphné, garou, lauréole, malherbe, pape, sainbois, thyméléacée.

PASSET. Agenouilloir, échalier, échalis, escabeau, escabelle, escalier, marche, marchepied, siège, tabouret.

PASSE-TEMPS. Agrément, amusement, bagatelle, distraction, divertissement, jeu, lecture, lire, occupation, plaisir.

PASSEUR. Bachoteur, barcarolle, bateleur, batelier, canotier, gabarier, fourmi, gondolier, marin, marinier, matelot, pilote.

PASSE-VELOURS. Amarante, blé rouge, blé de vache, carabe, ciseau, couturière, jardinière, mélampyre, outil, pin, plante, prêle, queue de cheval, queur-de-renard, scrofulariacée, sergent, sumac, vinaigrier.

PASSIBLE. Amendable, coupable, encourir, entraîner, exposer, mériter, pendable, risquer.

PASSIF. Actif, apathique, bilan, dette, déponant, engourdi, grammaire, inerte, patient, perte, supporter, verbe, yin.

PASSIFLORE. Barbadine, caerulea, fleur de la passion, grenadille, maracudja, passifloracée, passion.

PASSION. Adoration, affection, amour, ardeur, attachement, avidité, béguin, bibliomanie, dada, désir, élan, enthousiasme, envie, excès, faible, feu, flamme, fumeur, fureur, idolâtrie, joie, maladie, manie, obsession, passiflore, rage, rêve, sentiment, vice.

PASSIONNANT. Affolant, attachant, attrayant, captivant, électrisant, émouvant, empoignant, enivrant, éperdument, excitant, impressionnant, intéressant, palpitant, passionnément, prenant, ravissant, saisissant, séduisant.

PASSIONNÉ. Aficionado, allumé, amant, amoureux, âpre, ardent, boutefeu, brûlant, brutal, captivé, chaud, dévorant, enflammé, enragé, enthousiaste, éperdu, épris, exalté, excité, fana, féru, fervent, fou, ivre, lyrique, mordu, toqué, véhément, violent.

PASSIONNEL. Crime, déraisonnable, drame, frénétique, incontrôlé, intéressé, jaloux, obsessionnel.

PASSIONNÉMENT. Activement, ardemment, avidement, chaudement, énergiquement, force, fortement, fougueusement, furieusement, gloutonnement, soupirer, vigueur, vivement, voracement.

PASSIONNER. Animer, captiver, emballer, embraser, émouvoir, enfiévrer, enflammer, engouer, enthousiasmer, enticher, éveiller, envoûter, exalter, exciter, fanatiser, fasciner, galvaniser, remuer, surexciter, toquer.

PASSIVITÉ. Amorphe, apathie, apathique, atone, éteint, inaction, indifférence, inertie, quiétisme, torpeur, yin.

PASSOIRE. Chinois, couloire, crible, écrémette, écrémoir, égouttoir, filtre, tamis, trépied, trier, ustensile.

PASTEL. Bâtonnet, cocagne, coraigne, couleur, crayon, dessin, guède, isatis, pastelier, pastelliste, peinture, renard.

PASTELLISTE (n. p.). Carriera, Degas, La Tour, Liotard, Nanteuil, Nattier, Perronneau, Redon, Rosalba.

PASTÈQUE. Citre, coloquinte, cucurbitacée, fessier, melon, melon d'eau, pépon, péponide.

PASTEUR. Berger, capselle, chef, clergyman, évêque, ministre, mission, missionnaire, pâtre, prêtre, révérend.

PASTEUR ALLEMAND (n. p.). Bonhoeffer, Niemöller.

PASTEUR AMÉRICAIN (n. p.). Channing, King, Penn.

PASTEUR ANGLAIS (n. p.). Wesley.

PASTEUR BRITANNIQUE (n. p.). Kingsley.

PASTEUR CANADIEN (n. p.). Vroom.

PASTEUR DANOIS (n. p.). Grundtvig.

PASTEUR FRANÇAIS (n. p.). Boegner, Claude, Pressensé, Stewart.

PASTEUR NÉERLANDAIS (n. p.). Gomar, Gomarus.

PASTEUR NORVÉGIEN (n. p.). Egede.

PASTEUR SUD-AFRICAIN (n. p.). Malan.

PASTEUR SUISSE (n. p.). Ostervald, Schutz, Viret, Zwingli.

PASTEURISATION. Aseptisation, autoclave, castration, contraceptif, désinfection, émasculation, étuve, ozonisation, stérilisation, tyndallisation, upérisation, vapeur, vasectomie, vasotomie.

PASTEURISER. Appauvrir, aseptiser, assainir, assécher, castrer, châtrer, désinfecter, dessécher, émasculer, épuiser, étuver, homogénéiser, javelliser, mutiler, purifier, stériliser, tarir, upériser.

PASTICHE. Calquage, calque, caricature, charge, contrefaçon, copiage, copie, couplet, décalque, démarquage, emprunt, glose, imitation, mômerie, moquerie, parodie, simulacre, singerie, travestissement.

PASTICHER. Caricaturer, contrefaire, copier, imiter, parodier, pasticheur, plagier, simuler.

PASTICHEUR. Bobardier, contrefacteur, captieux, copieur, copiste, déformateur, démarqueur, escroc, falsificateur, faussaire, faux-monnayeur, fripon, imitateur, mystificateur, plagiaire, posticheur, trompeur, voleur.

PASTILLE. Bonbon, cachet, comprimé, disque, dragée, implant, muscadin, pilule, pois, rond, timbre.

PASTIS. Anis, apéritif, aria, boisson, confus, embrouillamini, embrouille, gâchis, imbroglio, mauresque, pastaga, tomate, tuile.

PASTORAL. Agreste, berger, bergerette, bergerie, bucolique, campagnard, campagne, champêtre, églogue, idylle, idyllique, pasteur, paysan, ranz, rural, rustique, spirituel, symphonie, villanelle.

PASTOUREAU. Abbé, berger, bouvier, capelan, chevrier, chien-loup, clerc, curé, gardeur, gardien, houlette, houppelande, labri, malinois, marcaire, muletier, pasteur, pastoral, pastourelle, pâtre, porcher, prêtre, ranz, vacher, vénus.

PATACHE. Autobus, autocar, bibliobus, bus, car, gyrobus, métrobus, minibus, navette, rotonde, trolleybus.

PATARAS. Bon à rien, cordage, désordonné, étai, gougnafier, hauban, incapable, médiocre, nullité, zéro.

PATARASSE. Bouchon, calfat, coin, délot, étoupe, goudron, navire, poix, résine.

PATARIN. Adepte, albigeois, bogomile, cathare, clergé, hérétique, parfait, relaps, sectaire, secte.

PATATE. Chips, croustille, ipomée, parmentière, pomme de terre, ronde, roseval, stupide, topinambour, volubilis.

PATATE DOUCE. Aviculaire, belle-de-jour, campanelle, clochette des blés, convolvulacée, convolvulus, fleur, ipomée, liseron, liset, plante, renouée, salsepareille, scammonée, soldanelle, traînasse, volubilis, vrillée.

PATATRAS. Badaboum, borborygme, boucan, boum, bourdonnement, brouhaha, broum, bruissement, bruit, cancan, chahut, charivari, chuintement, clac, clapotis, clappement, clic, cliquetis, cornage, coup, crac, crépitation, crépitement, cri, cric, crissement, crisser, croc, déclic, détonation, drelin, dring, écho, éclat, esclandre, flac, floc, fracas, friture, froufrou, galop, gargouillement, gargouillis, gazouillement, gazouillis, grabuge, grattement, grincement, huée, hurlement, martèlement, murmure, pan, pet, pétard, pif, potin, ra, râle, râlement, ramdam, raté, ronflement, ronron, rot, roucoulade, roucoulement, roucoulis, rumeur, son, stridor, stridulation, tac, tapage, tic, tic-tac, tintamarre, tintement, T.N.T., toc, tocsin, tonnerre, tumulte, vacarme, vlan.

PATAUD. Andouille, balourd, brise-fer, brise-tout, empêtré, empoté, gaffeur, gauche, godichon, grossier, inapte, incapable, inconsidéré, inhabile, lourd, lourdaud, maladroit, malavisé, malhabile, niais, sot.

PATAUGER. Barboter, embarrasser, gadouiller, marcher, nager, patouiller, patrouiller, piétiner.

PÂTE. Abaisse, barbotine, beigne, beignet, biscuit, cannelloni, ciment, coing, colle, croûte, eugénate, feuilletage, filer, fondant, fraiser, fraser, friand, fricandeau, friton, futé, génoise, koulibiac, lasagne, macaroni, mastic, mortier, nouille, pâté, pâtisserie, pâton, penne, pirojki, plastisol, ravioli, sablé, sirop, spaetzle, spaetzli, spaghetti, spaghettini, surimi, tagliatelle, tofu, tortellini, vermicelle, vol-au-vent.

PATÉ. Aspic, boucan, boucherie, bouilli, broche, carne, carpaccio, casher, chair, daube, farce, friand, fricandeau, friton, fumet, graisse, gril, grillade, haché, lapin, lunch, macreuse, oie, pain, paupiette, pemmican, pita, porc, récipient, rillettes, rôt, rôti, semelle, tartare, terrine, viande, volaille.

PÂTÉE. Châtiment, correction, dégelée, dérouillée, fessée, friton, pâton, peignée, pile, piquette, raclée, rossée, volée.

PATELIN. Bled, doucereux, faux, flatteur, hypocrite, mielleux, onctueux, pays, région, trou, village.

PATELLE. Bernicle, bernique, chapeau, coquillage, gastropode, mollusque, plat, prosobranche, vase.

PATÈNE. Aiguière, alcarazas, amphore, ampoule, ballon, bol, boue, bouteille, buire, calice, canette, canope, carafe, cassolette, cérame, ciboire, cloche, cornue, cratère, cruche, encensoir, fange, gargoulette, hanap, hydrie, jarre, jatte, limicole, limon, matras, navette, parfum, pot, pot-pourri, potiche, récipient, seau, soliflore, tasse, thomas, urinal, urne, vase, verre.

PATENT. Aigre, apparent, aveuglant, certain, choquant, clair, constant, criant, drôle, éclatant, écrier, évident, flagrant, frappant, glapissant, honteux, hurlant, incontestable, manifeste, révoltant, scandaleux, visible.

PATENTE. Attitré, autorisation, avéré, brevet, contribution, diplôme, évidente, impôt, licence, notoire, patenter, reconnu.

PATENTER. Altérer, bidouiller, bricoler, contrefaire, déguiser, falsifier, maquiller, trafiquer, travestir, truquer.

PATER. Chapelet, Notre-Père, oraison, patenôtre, pater noster, père, prière.

PATÈRE. Affût, bipied, bougeoir, bras, cariatide, chevalet, cintre, colonne, épontille, essieu, faste, faucre, gaine, lampadaire, mât, patin, piédestal, pilier, pivot, pylône, socle, soutien, stencil, support, télamon, tin, trépied, tréteau, vau.

PATERNALISTE. Arrogant, condescendant, dédaigneux, hautain, méprisant, outrecuidant, protecteur, supérieur.

PATERNE. Affectionné, aide, ange, appui, armure, asile, bienveillant, cuirasse, défenseur, doucereux, galipot, garde, gardien, gorille, lare, mécène, patron, père, protecteur, saint, soutien, talisman, totem, tuteur.

PATERNEL. Aide, ange, appui, armure, asile, bon, cuirasse, défenseur, galipot, garde, gardien, gorille, indulgent, lare, mécène, paternité, patron, père, protecteur, saint, soutien, talisman, totem, tuteur.

PÂTEUX. Amolli, amorphe, atone, avachi, aveulir, blèche, blet, chair, cire, détendu, dolent, doux, ductile, faible, flasque, flexible, flou, gnangnan, herbe, indolent, inerte, lâche, lent, loque, mol, mollachu, mollasse, mollasson, mollet, mou, paresseux, pâte, pulpe, souple, tendre, tiède, veule.

PATHÉTIQUE. Attendrissant, bouleversant, déchirant, dramatique, émotionnant, émouvant, impressionnant, navrant, passionnant, poète, poignant, prenant, saisissant, touchant, troublant, vibrant.

PATHOGÈNE. Asphyxiant, contaminé, dangereux, dévastateur, dommageable, funeste, malfaisant, mauvais, néfaste, négatif, nocif, nocuité, nuisible, pernicieux, poison, ravageur, toxique, violent, virulent.

PATHOLOGIE. Andrologie, maladie, mastologie, rhinologie, sang, science, spasmophilie, tétanie.

PATHOLOGIQUE. Acidose, andrologie, anormal, akinésie, anatomie, caféisme, coprolalie, gynécologie, hépatologie, ictus, maladif, mastologie, morbide, ophtalmologie, pistule, pus, tétanie, urémie.

PATHOLOGISTE (n. p.). Murphy.

PATHOS. Affectation, boursouflure, dramatique, emphase, galimatias, mélodrame, propos, recherche.

PATIBULAIRE. Corde, croix, équerre, estrapade, fourche, gibet, gibier, girafe, inquiétant, louche, méfiant, menaçant, portemanteau, potence, sinistre, supplice, suspect, té, victime, visage.

PATIEMMENT. Benoîtement, calmement, doucement, flegmatiquement, froidement, impassiblement, imperturbablement, paisiblement, placidement, posément, sereinement, tranquillement.

PATIENCE. Attente, calme, casse-tête, constance, courage, délai, douceur, effort, endurance, flegme, impatience, indulgence, jeu, longanimité, oseille, passivité, persévérance, plante, puzzle, quiétude, réussite, rumex, tolérance, vertu.

PATIENT. Anamnèse, ânier, bon, client, condamné, constant, débonnaire, docile, doux, endurant, impatient, indulgent, inlassable, malade, mulet, opéré, passif, persévérant, pratique, résigné, roué, stoïque, tenace, tolérant.

PATIENTER. Attendre, contenir, différer, permettre, poireauter, résigner, souffrir, supporter, temporiser, tolérer.

PATIN. Affût, axel, bipied, bougeoir, bras, cariatide, carre, chevalet, cintre, colonne, épontille, essieu, faste, faucre, gaine, glisse, hockey, lampadaire, lutz, mât, patère, piédestal, pilier, pivot, pylône, roller, short track, ski, socle, soutien, stencil, support, télamon, tin, traîneau, trépied, tréteau, vau.

PATINAGE. Déflexion, déportement, dérapage, déviation, écart, échappée, embardée, escapade, faute, ripage.

PATINER. Axel, chasser, couler, déraper, entrer, errer, glisser, insérer, insinuer, parler, ramper, riper, rouler, skier, tomber.

PATINETTE. Baladeuse, chariot, cyclecar, express, jouet, landau, pétrolette, poussette, trottinette, véhicule, voiturette.

PATINEUR (n. p.). Boucher, Brasseur, Charest, Henie, Lambert.

PATINEUR. Araignée d'eau, baladin, boy, cavalier, charmeur, coryphée, danseur, débrouillard, derviche, équilibriste, étoile, farandoleur, funambule, gambilleur, gigoteux, gigueux, gincheur, hydromètre, matassin, mime, partenaire, pétauriste, plokiste, testicule, tourneur, twisteur, valseur.

PATINOIRE. Amphithéâtre, aréna, artificielle, forum, glace, naturelle, piste.

PÂTIR. Agoniser, décliner, dégrader, dépérir, endurer, éprouver, languir, péricliter, ressentir, souffrir, subir.

PÂTIS. Agrostide, agrostis, alpage, brome, cardamine, champ, colchique, embouche, engane, friche, herbage, lande, nard, noue, pacage, pampa, parc, pâturage, pelouse, prairie, pré, savane, steppe, vallée.

PÂTISSERIE. Baba, baklava, beigne, biscuit, bretzel, brioche, calisson, casse-museau, chausson, chou, coulis, croissant, éclair, flan, forêt-noire, friand, gâteau, gaufre, gougère, macaron, meringue, merveille, mignardise, muffin, nanan, nonette, palmier, paris-brest, parisianisme, pâté, pet, petit-four, pièce, plaisir, religieuse, rissole, strudel, talmousse, tarte, tartelette, taillaule, tourte, tuile, viennoiserie.

PÂTISSIER. Boulanger, confiseur, fouacier, fournier, geindre, gindre, mitron, panifier, pétrir, pétrisseur.

PÂTISSON. Citrouille, coloquinte, courge, courgette, cucurbitacée, giraumon, giraumont, potimarron, potiron, zuchette.

PATOCHE. Battoi, cuiller, dextre, louche, main, menotte, paluche, patte, pince, pogne, senestre.

PATOIS. Argot, charabia, dialecte, idiome, langue, parler, parlure, patoiser, rouchi, sabir, slang.

PATOUILLER. Altérer, falsifier, manipuler, modifier, remanier, trafiquer, tripatouiller, tripoter, truquer.

PATRAQUE. Anémité, détraqué, égrotant, faible, fatigué, fichu, incommodé, indisposé, malade, souffrant.

PÂTRE. Abbé, armailli, berger, bouvier, capelan, chevrier, chien-loup, clerc, curé, gardeur, gardien, houlette, houppelande, labri, malinois, marcaire, muletier, pasteur, pastoral, pastoureau, porcher, prêtre, ranz, vacher, vénus.

PATRIARCAT. Aristocratie, avantagé, chanceux, choisi, élu, esthétisant, exemption, exceptionnel, favori, favorisé, fortuné, gâté, idéal, nanti, nomenklatura, parfait, pourvu, privilégié, riche, unique, verticité.

PATRIARCHE (n. p.). Abraham, Alexandre, Antoine le Grand, Athanase, Athênagoras, Cham, Cyrille, Énoch, Flavien, Grégoire, Hénoch, Isaac, Jacob, Japhet, Jean, Jean-Paul, Job, Joseph, Keroularios, Lamech, Léon, Maron, Mathusalem, Moïse, Nestorius, Nicéphore, Nikon, Noé, Paul, Photios, Photius, Sem, Serge, Sergius, Seth.

PATRIARCHE. Ancestral, ancêtre, biblique, chef, évêque, père, prophète, titre, tribu, vieillard.

PATRICE (n. p.). Constantin, Crescent, Crescentius.

PATRICE. Aga, agha, autorité, ban, camérier, chancelier, dignitaire, éfendi, effendi, figure, hiérarque, huile, métropolite, notabilité, patricial, patriciat, personnage, personnalité, ponte, romain, voïévode, voïvode.

PATRICIEN (n. p.). Catilina, César, Claudius, Cornaro, Corner, Crescentin, Dandolo, Morosini, Scipion, Sylla.

PATRICIEN. Aristocrate, citoyen, hobereau, nobiliaire, noble, patriciat, patron, plèbe, plébéien, princier, sacré.

PATRIE. Apatride, banni, bercail, berceau, cité, civisme, communauté, contrée, eldorado, état, expatrié, foyer, localité, mère, milieu, natal, nation, patriote, pays, province, rapatrier, région, territoire, ville.

PATRIE, ABRAHAM (n. p.). Our, Ur.

PATRIE, AMPÉRE (n. p.). Lyon.

PATRIE, ANACRÉON (n. p.). Grèce, Téos.

PATRIE, ANDRÉ (MAURICE) (n. p.). Alès.

PATRIE, ANGUIER (n. p.). Eu.

PATRIE, ANSERMET (n. p.). Suisse, Vevey.

PATRIE, AVED (n. p.). Douai.

PATRIE, AVEDON (n. p.). New York.

PATRIE, BEETHOVEN (n. p.). Bonn.

PÂTRIE, BEMBO (n. p.). Venise.

PATRIE, BERNADOTTE (n. p.). Pau, Stockholm.

PATRIE, BLANQUI (n. p.). Nice.

PATRIE, BOISROBERT (n. p.). Caen.

PATRIE, BORDA (n. p.). Dax, Paris.

PATRIE, CHAMPLAIN (n. p.). Brouage.

PATRIE, CORTOT (n. p.). Nyon.

PATRIE, CUECO (n. p.). Corrèze.

PATRIE, DANIEL-ROPS (n. p.). Épinal.

PATRIE, DARLAN (n. p.). Nérac.

PATRIE, DARU (n. p.). Montpellier.

PATRIE, DAUDET (n. p.). Nîmes.

PATRIE, DUNANT (n. p.). Genève, Suisse.

PATRIE, EINSTEIN (n. p.). Ulm.

PATRIE, FOCH (n. p.). Tarbes.

PATRIE, FONTENELLE (n. p.). Rouen.

PATRIE, FOOTTIT (n. p.). Manchester.

PATRIE, GAMBETTA (n. p.). Cahors.

PATRIE, GARIBALDI (n. p.). Montevideo, Nice.

PATRIE, GARY (n. p.). Vilna, Vilnius.

PATRIE, GÉNÉRAL DE GAULLE (n. p.). Lille.

PATRIE, HAFIZ (n. p.). Chiraz.

PATRIE, HIPPOCRATE (n. p.). Cos, Thessalie.

PATRIE, JACQUART (n. p.). Lyon.

PATRIE, LALO (n. p.). Lille.

PATRIE, LAMARTINE (n. p.). Mâcon.

PATRIE, MALET (n. p.). Dole.

PATRIE, MALHERBE (n. p.). Caen.

PATRIE, MASSÉNA (n. p.). Nice

PATRIE, MASSENET (n. p.). Montaud.

PATRIE, NICOT (n. p.). Nîmes.

PATRIE, NIEDERMEYER (n. p.). Nyon.

PATRIE, NIN (n. p.). Neuilly.

PATRIE, PARMÉNIDE (n. p.). Élée.

PATRIE, PASTEUR (n. p.). Dole.

PATRIE, PÉGUY (n. p.). Orléans.

PATRIE, REMBRANDT (n. p.). Leyde.

PATRIE, TELLIER (n. p.). Amiens.

PATRIE, TENCIN (n. p.). Grenoble.

PATRIE, TOURGUENIEV (n. p.). Orel.

PATRIE, TURENNE (n. p.). Sedan.

PATRIE, ULYSSE (n. p.). Ithaque.

PATRIE, VALENTINO (n. p.). Castellaneta.

PATRIE, VALÉRY (n. p.). Sète.

PATRIE, VARIGNON (n. p.). Caen.

PATRIE, VILAR (n. p.). Frontignac, Sète.

PATRIE, VILLAURUTIA (n. p.). Mexico.

PATRIE, VOLTA (n. p.). Côme.

PATRIE, VOLTAIRE (n. p.). Paris.

PATRIE, ZÉNON (n. p.). Cition, Cittium, Élée.

PATRIE, ZETKIN (n. p.). Wiederau.

PATRIE, ZÉVACO (n. p.). Ajaccio.

PATRIE, ZINOVIEV (n. p.). Pakhtino.

PATRIMOINE. Apanage, bien, capital, domaine, génome, héritage, mobilier, part, propriété, richesse, succession.

PATRIOTE. Chauvin, chauviniste, civisme, cocardier, étroit, nationaliste, partisan, séparatiste.

PATRIOTE ARGENTIN (n. p.). Belgrano, San Martin.

PATRIOTE BULGARE (n. p.). Botev, Rakovski.

PATRIOTE CANADIEN (n. p.). Bédard, Bouchette, Cardinal, Cartier, Chénier, Daunais, Decoigne, Delorimier, Duquet, Hamelin, Narbonne, Nelson, Papineau, Perrault, Portneuf, Sanguinet, Simard, Viger.

PATRIOTE CORSE (n. p.). Ornano, Paoli.

PATRIOTE CUBAIN (n. p.). Marti.

PATRIOTE FRANÇAIS (n. p.). Déroulède, Saint-Just, Viala.

PATRIOTE GENEVOIS (n. p.). Bonivard.

PATRIOTE GÉNOIS (n. p.). Balilla.

PATRIOTE GREC (n. p.). Botsaris, Botzaris, Rhigas.

PATRIOTE HONGROIS (n. p.). Kossuth, Németh.

PATRIOTE ITALIEN (n. p.). Belgiojoso, Foscolo, Garibaldi, Guerrazzi, Manin, Mazzini, Nievo, Orsini, Pellico.

PATRIOTE NAPOLITAIN (n. p.). Pere.

PATRIOTE NICARAGUAYEN (n. p.). Sandino.

PATRIOTE PHILIPPIN (n. p.). Rizal.

PATRIOTE POLONAIS (n. p.). Bar, Kosciuszko, Niemcewicz.

PATRIOTE QUÉBÉCOIS 1837-1838 (n. p.). Bouchette, Brown, Cardinal, Cartier, Chevalier, Chénier, Côté, Daunais, Decoigne, De Lorimier, Duquette, Duvernay, Fabre, Gagnon, Girouard, Hamelin, Hindelang, Lafleur, Lafontaine, Laforest, Lamoureux, Marchesseault, Morin, Narbonne, Nelson, Papineau, Perrault, Robert, Sanguinet, Viger.

PATRIOTE SERBE (n. p.). Princip.

PATRIOTE SUISSE (n. p.). Bonivard, Fürst, Ochs.

PATRIOTE SUÉDOIS (n. p.). Topelius.

PATRIOTE TCHÈQUE (n. p.). Zizka.

PATRIOTE VÉNÉZUÉLIEN (n. p.). Miranda, Sucre.

PATRIOTE VAUDOIS (n. p.). Davel.

PATRIOTIQUE. Civique, civisme, conscient, dévouement, idéaliste, numéro, patriote, scoutisme.

PATRIOTISME. Attachement, autogestion, babouvisme, bolchevisme, chartisme, chauvinisme, collectivisme, collégialité, communisme, dirigisme, doctrine, égalitarisme, étatisme, gauche, impérialisme, léninisme, maoïsme, marxisme, mutualisme, nationalisme, progressisme, stalinisme, trotskisme.

PATRON. Baesine, base, bistro, bistrot, bistrotier, boss, chef, maître, modèle, patronat, prof, protecteur, saint, st, singe, tenancier, taulier, tôlier.

PATRON AUBERGISTES (n. p.). Julien.

PATRON AGRICULTEUR (n. p.). Ménard.

PATRON ALPINISTE (n. p.). Bernard, Saint-Bernard.

PATRON ALSACE (n. p.). Odile.

PATRON ANGLETERRE (n. p.). Georges, St-Georges.

PATRON ARCHERS (n. p.). Sébastien.

PATRON AVOCATS (n. p.). Saint-Yves, Yves.

PATRON BOULANGERS (n. p.). St-Honoré.

PATRON CHASSEURS (n. p.). Eustache, Hubert.

PATRON CHIRURGIENS (n. p.). Côme, Cosme, Damien.

PATRON CORDONNIERS (n. p.). Crépin, Crépinien.

PATRON COUVREURS (n. p.). Fourrier.

PATRON DENTISTES (n. p.). Apolline.

PATRON ÉCOSSE (n. p.). André.

PATRON DANEMARK (n. p.). Knud, Knut.

PATRON IRLANDE (n. p.). Patrice, Patrick.

PATRON JARDINIERS (n. p.). Adélard, Fiacre.

PATRON NAPLES (n. p.). Janvier.

PATRON ORFÈVRES (n. p.). Éloi.

PATRON MÉTALLURGISTES (n. p.). Éloi.

PATRON PÂTISSIERS (n. p.). Macaire.

PATRON PEINTRES ET MÉDECINS (n. p.). Luc, Saint-Luc

PATRON POLOGNE (n. p.). Casimir, Stanislas.

PATRON RAVENNE (n. p.). Vital.

PATRON RUSSIE (n. p.). Nicolas.

PATRON TRAVAILLEURS (n. p.). Joseph (saint).

PATRON VIGNERONS (n. p.). Vincent.

PATRON VOLEURS (n. p.). Hermès.

PATRON VOYAGEURS (n. p.). Christophe, Julien.

PATRONAGE. Appui, auspices, concours, égide, faculté, glèbe, parrainage, pouvoir, protection, soutien.

PATRONAT. Boss, C.N.P.F., embaucheur, employeur, enrôleur, management, patron, rabatteur, recruteur.

PATRONE DE l'ALSACE (n. p.). Odile.

PATRONNE DE BRUXELLES (n. p.). Gudule.

PATRONNE DE l'IRLANDE (n. p.). Brigide.

PATRONNE MUSICIENS (n. p.). Cécile, Sainte-Cécile.

PATRONE DE PARIS (n. p.). Geneviève.

PATRONE DES SERVANTES (n. p.). Marthe.

PATRONNER. Aider, appuyer, cautionner, épauler, parrainer, promouvoir, protéger, recommander, soutenir.

PATRONYME. Apparence, appellation, attribut, connu, dénomination, désignation, famille, illusion, label, lignage, lignée, marque, mot, nom, pseudonyme, prénom, prête-nom, qualificatif, réputation, sobriquet, substantif, surnom, terme, titre, vocable.

PATROUILLE, Bataillon, Commando, détachement, filature, formation, guet, mission, ronde, surveillance.

PATTE. Accroche-cœur, adresse, apode, bande, berce, bride, carrefour, cuissot, épaulette, ergot, favoris, grésillon, habileté, jambe, jarret, main, maxillipède, pataud, pattu, pied, pince, ravisseuse, ride, rouflaquette, sabot, serre, tarse, technique, trait, trumeau, vervelle.

PATTE-D'OIE. Ansérine, carrefour, creux, crispation, derme, embranchement, épiderme, fourche, grime, ligne, onde, ondulation, ornière, peau, pli, plissement, rabougri, raie, ratatiné, ride, ridule, sillon, strié, striure, veine, veinule, veinure.

PATTE-DE-LOUP. Chanvre d'eau, eupatoire, labiée, lycope, marrube d'eau, pied-de-loup, plante.

PATTEMOUILLE. Chamoisine, chiffon, éponge, lavette, linge, serpillière, tampon, toile à laver, torchon, wassingue.

PATTU. Empaillé, empêtré, empoté, épais, gauche, godiche, guindé, imbécile, incapable, maladroit, pataud, paysan.

PÂTURAGE. Alpage, alpe, auge, champ, estive, gagnage, herbage, llanos, mayen, pacage, pampa, parc, pâture, prairie, pré, terre.

PÂTURE. Affenage, aliment, appât, asticot, becquée, besoin, désir, engrais, herbage, nourriture, pacage, pâtée, pâtis, pitance, pré, vairon, ver.

PÂTURER. Alpage, brouter, envoyer, estiver, gagner, herbager, herbeiller, manger, pacager, paître, pâtis, pâtre, pâturage, promener, viander.

PÂTURIN. Alyssum, agrostis, armeria, céraiste, crételle, cynoglosse, fétuque, gazon, graminée, herbe, ivraie, pelouse, poa, ray-grass, saxifrage, sedum, statice.

PAUCHOUSE. Bouillabaisse, bourride, chaudrée, cotriade, danse, matelote, mets, mouclade, oignon, pêcheur, pochouse, poisson, préparation, provençale, rouille, sauce, soupe, vin.

PAUMÉ. Égaré, gantelet, malheureux, minable, misérable, miteux, paumier, perdu, piteux, pitoyable, thétar.

PAUMELLE. Arête, bande, barbe, battant, bielle, bière, blé, céréale, cervoise, charnière, drêche, écourgeon, escourgeon, ferrure, froment, grain, hordéine, malt, méat, orge, penture, planche, scotch, seigle, whisky.

PAUMIER. Brame, brocard, cervidé, daim, daine, dama, daneau, dine, faon, hère, mégacéros, paumure, ramure.

PAUMOYER. Bâtir, border, brocher, broder, coudre, découdre, faufiler, fil, haler, linger, machine, monter, nerf, noisetier, ourler, piquer, raccommoder, rapiécer, suturer, tailler, unir.

PAUPÉRISME. Appauvrissement, dénuement, disette, indigence, manque, misère, pauvreté, pénurie, population.

PAUPIÈRE. Blépharite, chassie, cil, clignement, clin, conjonctivite, entropion, nictitante, orgelet, palpébral, ptôse, ptôsis.

PAUPIETTE. Alouette, barde, biscotte, bord, canapé, côté, coupe, darne, division, écu, émincé, escalope, fil, fraction, lamelle, lèche, morceau, part, partie, portion, quartier, rond, rondelle, rôtie, rouelle, tartine, tête, toast, tranche.

PAUSE. Arrêt, attente, battement, chant, délassement, entracte, halte, inaction, interruption, intervalle, mi-temps, pause-café, point, récréation, relâche, répit, repos, sieste, silence, soupir, stagnation, station, suspension, trêve.

PAUVRE (n. p.). Job.

PAUVRE. Aisé, appauvri, aride, chétif, clochard, cossu, démuni, dépourvu, désavantagé, déshérité, gueux, fortuné, hère, indigent, ladre, minable, miséreux, nécessiteux, panné, pauvrette, piteux, pouilleux, riche, ruiné, serré, zonard.

PAUVREMENT. Avarement, chétivement, chichement, cupidement, maigrement, mesquinement, modestement, modiquement, parcimonieusement, petitement, prudemment, serré, sordidement, usurairement.

PAUVRETÉ. Besoin, détresse, disette, famine, indigence, infécondité, insuffisance, misère, mouise, paupérisme, pénurie, pétrin, pouillerie, stérilité.

PAVAGE. Béton, carapace, carrelage, chemisier, cocon, couche, cuvelage, dalle, dorure, enduit, garniture, guipage, lambris, lino, linoléum, macadam, pavé, perré, pilosité, revêtement, rudération, stuc, tuile, tuileau.

PAVANE. Cour, anse, gaillarde, lent, musique, noble, pièce, solennel.

PAVANER. Afficher, crâner, étaler, frimer, marcher, paonner, parader, paraître, plastronner, poser, promener, rengorger.

PAVÉ. Adobe, asphalte, bloc, brique, carreau, carrelage, dallage, dalle, dame, hie, livre, pavage, pierre, rue, sol.

PAVEMENT. Carreau, carrelage, catelle, dallage, dalle, mosaïque, pavage, planelle, revêtement, rudération, sol, tomette.

PAVER. Asphalter, bitumer, briqueter, carreler, couvrir, daller, damer, décarreler, demoiselle, dresser, goudronner, joncher, macadam, pavage, pavement, recouvrir, repavage, repavement, repaver, revêtir, rudération.

PAVILLON. Abri, aile, bannière, battant, belvédère, berne, bungalow, chalet, cor, cottage, drapeau, étendard, flamme, gloriette, gopura, guérite, guidon, kiosque, maison, marque, mignonnette, muette, oreille, pagode, pagodon, rotonde, tente, tonnelle, tourelle, villa.

PAVOIS. Ancile, arme, blindage, bouclier, broquel, carapace, champ, cuirasse, défense, écu, égide, exalter, fargues, garde-corps, guige, ombon, orle, pavillon, pelta, pelte, protection, rempart, rondache, rondelle, sauvegarde, scutum, targe.

PAVOISER. Acclamer, applaudir, approuver, bluffer, célébrer, chanter, encenser, enorgueillir, exagérer, exalter, flatter, glorifier, grossir, louanger, louer, magnifier, mousser, prévaloir, prôner, targuer, vanter.

PAVOT. Calmant, capsule, coquelicot, fleur, fumariacée, hallucinogène, huile, infusion, laiteux, laudanum, morphine, œillette, olivette, opiacée, opium, papaver, papavéracée, plante, ponceau, somnifère.

PAYANT. Avantageux, bénéfique, bon, bonifiant, efficace, enrichissant, favorable, fécond, fertile, fructifiant, fructueux, gagnant, intéressant, juteux, lucratif, précieux, productif, profitable, rémunérateur, rentable, salutaire, utile.

PAYE. Appointements, cotise, impayé, paie, paiement, péage, raque, rétribution, salaire, solde, somme, terme.

PAYER. Acheter, acquitter, appointer, banquer, casquer, corrompre, cotiser, débourser, décaisser, défrayer, dépenser, douiller, étriller, offrir, quote-part, raquer, régler, rembourser, rémunérer, rétribuer, salarier, servir, soudoyer, sous-payer, stipendier, surpayer.

PAYEUR. Argentier, avare, boursier, caissier, chevalier, comptable, contrôleur, facturier, trésorier.

PAYS. Bled, bourg, bourgade, campagne, cocagne, coin, contrée, eldorado, émergent, état, grenier, intérieur, lieu, lilliput, mère, nation, partenaire, patelin, patrie, peuple, producteur, province, quart-bouillon, quart-monde, région, république, rivage, satellite, territoire, tiers-monde, tigre, zone.

PAYS, AFRIQUE (n. p.). Afrique du Sud, Algérie, Angola, Bénin, Botswana, Burundi, Cabinda, Cameroun, Cap, Congo, Djibouti, Égypte, Éthiopie, Gabon, Gambie, Ghana, Guinée, Kenya, Lesotho, Libéria, Libye, Madagascar, Mali, Maroc, Mauritanie, Mozambique, Namibie, Natal, Niger, Nigéria, Orange, Ouganda, Rhodésie, Rwanda, Sénégal, Somalie, Soudan, Swaziland, Tanganie, Tchad, Togo, Transvaal, Tunisie, Zaïre, Zambie, Zimbabwe.

PAYS, AMÉRIQUE CENTRALE (n. p.). Bahamas, Costa Rica, Cuba, Haïti, Honduras, Mexique, Nicaragua, Panama, République dominicaine.

PAYS, AMÉRIQUE DU NORD (n. p.). Canada, États-Unis, Mexique.

PAYS, AMÉRIQUE DU SUD (n. p.). Argentine, Bolivie, Brésil, Chili, Colombie, Équateur, Guatemala, Guyane, Nicaragua, Panama, Paraguay, Pérou, Salvador, Surinam, Uruguay, Venezuela.

PAYS, AMÉRIQUE LATINE (n. p.). Argentine, Bolivie, Brésil, Chili, Colombie, Costa Rica, Cuba, Équateur, Guatemala, Haïti, Honduras, Mexique, Nicaragua, Panama, Paraguay, Pérou, République dominicaine, Salvador, Uruguay, Venezuela.

PAYS, ARABIE (n. p.). Arabie Saoudite, Bahreïn, Émirats, Katar, Koweït, Oman, Qatar, Saoudite, Yémen.

PAYS, ASIE (n. p.). Afghanistan, Arabie, Cachemire, Cambodge, Ceylan, Chine, Corée, Éolide, Éolie, Inde, Indonésie, Ionie, Irak, Iran, Israël, Iturée, Japon, Kazakhstan, Kurdistan, Laos, Liban, Mésopotamie, Mongolie, Pakistan, Palestine, Perse, Philippines, Russie, Syrie, Thaïlande, Tibet, Turquie, Vietnam.

PAYS, ASIE CENTRALE (n. p.). Kazakhstan, Kirghizstan, Mongolie, Ouzbékistan, Tadjikistan, Turkménistan, Xinjiang.

PAYS, ASIE SUD-EST (n. p.). Birmanie, Brunei, Cambodge, Indonésie, Laos, Malaisie, Philippines, Singapour, Thaïlande, Vietnam.

PAYS, BALKANS (n. p.). Albanie, Bulgarie, Grèce, Roumanie, Turquie, Yougoslavie.

PAYS, EUROPE (n. p.). Albanie, Allemagne, Angleterre, Autriche, Baltes, Belgique, Bulgarie, Croatie, Danemark, Eire, Élide, Espagne, Estonie, Finlande, France, Grande-Bretagne, Grèce, Hongrie, Irlande, Islande, Italie, Lettonie, Luxembourg, Norvège, Pologne, Portugal, Roumanie, Russie, Slovaquie, Suède, Suisse, Tchécoslovaquie, Turquie, Yougoslavie.

PAYS, INDOCHINE (n. p.). Birmanie, Cambodge, Laos, Malaisie, Thaïlande, Vietnam.

PAYS, OCÉANIE (n. p.). Australie, Nouvelle-Guinée, Nouvelle-Zélande.

PAYS, PROCHE-ORIENT (n. p.). Égypte, Israël, Liban, Syrie, Turquie.

PAYSAGE. Aspect, bocage, cadre, décor, dessin, genre, horizon, panorama, perspective, site, vue.

PAYSAGISTE (n. p.). Bril, Constable, Corot, Daubigny, Dughet, Dupré, Huet, Jongkind, Kent, Riopelle, Ruisdael, Ruysdael, Sisley, Turner, Vanloo, Vlaminck, Wang Wei.

PAYSAGISTE. Architecte, décorateur, dessinateur, intimiste, jardinier, jardiniste, peintre.

PAYSAN (n. p.). Ferré, Hauser, Winkelried, Zapata.

PAYSAN. Agricole, agriculteur, bouseux, campagnard, cocassier, cul-terreux, cultivateur, fellah, fermier, gaucho, habitant, jacques, koulak, laboureur, manant, moujik, pecmot, pécore, péon, péquenaud, péquenot, plouc, plouk, poète, rural, rustaud, rustique, rustre, terrien, vilain.

PAYS-BAS, VILLE (n. p.). Alkmaar, Lamere, Amersfoort, Amsterdam, Apeldoorn, Arnhem, Assen, Bergen, Breda, Delf, Edam, Ede, Emmen, Gouda, Haarlem, La Haye, Leyde, Nimegue, Utrecht, Velsen, Venlo, Zeist.

PAYS-BAS, CAPITALE (n. p.). Amsterdam.

PAYS-BAS, LANGUE. Néerlandais.

PAYS-BAS, MONNAIE. Florin.

PÉAGE. Abonnement, apport, contribution, cotisation, droit, écot, part, prorata, quote-part, pont, tantième.

PÉAN (n. p.). Apollon.

PÉAN. Air, cantatrice, cantilène, cappella, chant, chœur, choral, credo, fado, gospel, hymne, introït, lied, mélopée, monodie, motet, musique, nénies, Noël, ode, oiseau, orphéon, pluriel, poème, priapée, prose, psaume, ramage, rhapsodie, rive, sanctus, solea, thrène, voceri, vocero.

PEAU. Acné, basané, bolbos, corpuscule, couenne, croco, croupon, cuir, cutané, cuticule, daim, dépouille, écharner, épicarpe, épiderme, exuvie, galuchat, gourme, impétigo, kératose, lait, lèpre, leucoderme, lézard, lupus, maroquinerie, mégisserie, mélanoderme, morico, mue, nœvus, outre, parchemin, pelage, pellagre, pelleterie, pellicule, pelure, pilosité, pityriasis, prurigo, psoriasis, ra, robe, rubéfaction, sauvagine, suède, tégument, triballe, veau, velot, vélin, xanthoderme, xérodermie.

PEAUFINAGE. Achèvement, affinage, amélioration, arrangement, complètement, correction, enjolivement, fignolage, finition, garnissage, léchage, perfectionnement, polissage, purification, raffinement, retouche, révision.

PEAUFINER. Achever, astiquer, ciseler, fignoler, lécher, nettoyer, parachever, parfaire, perfectionner, polir, soigner.

PEAUSSERIE. Basane, chamoiserie, galuchat, lainé, maroquinage, maroquinerie, palisson, peau, suède, tannerie.

PEAUSSIER. Chamoiseur, habilleur, ouvrier, mégissier, palissonneur, pelletier, tanneur.

PÉBROC. En-cas, marquise, ombrelle, parapluie, parasol, passe, patronage, pébroque, pépin, protection, riflard.

PÉCARI. Babiroussa, bacon, cochon, cochonnet, débauché, épic, glouton, goret, grogne, jambon, ladre, laie, lard, marcassin, nourrain, pachyderme, phacochère, porc, porcelet, potamochère, pourceau, rillons, salé, sanglier, sétacé, soie, solitaire, truie, verrat.

PECCADILLE. Bêtise, bricole, faute, misère, péché, rien, véniel, vétille.

PECHBLENDE. Actinium, minerai, oxyde, péchurane, radium, uraninite, uranite, uranium.

PÊCHE. Aiche, alberge, ansière, brugnon, chute, coup, dandinette, déchu, drège, drupe, empile, envie, esche, esche, faute, filet, fruit, halieutique, harengaison, libouret, melba, moulinet, nectarine, oreillons, pavie, peau, pêcher, poisson, turlute, verme, vice, wading.

PÉCHÉ. Adultère, avarice, blasphème, capital, colère, débauche, envie, faible, faiblesse, faute, gourmandise, impénitence, impiété, ire, luxure, mal, mortel, offense, orgueil, originel, paresse, sacrilège, stupre, tache, tare, travers, véniel, vice.

PÉCHÉ CAPITAUX. Avarice, colère, envie, gourmandise, luxure, orgueil, paresse.

PÊCHER. Braconner, dandinette, découvrir, dégoter, dénicher, draguer, palancher, palangrer, prendre, repêcher, trouver.

PÊCHERIE. Anguillère, argile, bordigue, gord, lieu, piège, verveux.

PÊCHEUR. Aigle, cap-hornier, chalutier, dragueur, harenguier, homardier, langoustier, morutier, sardinier, saumonier.

PÉCORE. Animal, bête, campagnard, cheptel, femme, paysan, pecque, peigne, pimbèche, pintade, rural, sot.

PECTEN. Coquille Saint-Jacques, lamellibranche, mollusque, peigne, ricardeau, ricardot.

PECTINE. Colle, colloïde, gélatine, gelée, gélifiant, glycocolle, ichtyocolle, pelliculage, réticulation.

PECTORAL. Boule, buste, carrure, cœur, coffre, corsage, côte, décolleté, estomac, étoffe, giron, gorge, hampe, jabot, mamelle, muscle, nageoire, nichon, poitrine, poumon, rational, sein, téton, thorax, torse, tronc, ventre.

PÉCULAT. Brigandage, concussion, déprédation, exaction, extorsion, forfaiture, malversation, prévarication, rapine.

PÉCULE. Ag, aloi, argent, arrhes, avance, avoir, billet, blé, bourse, capital, cash, collargol, douille, écu, espèces, fonds, fortune, fric, galette, impécunieux, lingot, magot, métal, mise, monnaie, oseille, pèze, pognon, prêt, radis, recette, ressource, richesse, rond, saignée, sou, sous, statère, taper, thune, tune, vermeil.

PÉCUNE. Adresse, aisance, alibi, appui, aptitude, argent, défense, excuse, expérience, ingéniosité, mine, moyen, opulence, pécuniaire, prospérité, ressource, richesse.

PÉCUNIAIRE. Argent, arrhes, avance, avoir, billet, blé, bourse, capital, cash, collargol, crisbi, denier, douille, écu, électrum, enjeu, escarcelle, espèces, flouse, flouze, fonds, fortune, fric, galette, grisbi, impécunieux, lingot, magot, mise, monnaie, oseille, pécule, pèze, pognon, prêt, radis, recette, ressource, richesse, rond, saignée, sous, statère, taper, thune, tiroir-caisse, trèfle, tune, vermeil.

PÉDAGOGIE. Didactique, éducation, enseignement, instruction, maître, pédagogue, pédant, scolaire.

PÉDAGOGIQUE. Didactique, discours, éducateur, éducatif, éducationnel, méthode, scolaire, théorie.

PÉDAGOGUE (n. p.). Boulanger, Buisson, Claparède, Coubertin, Cousinet, Decroly, Delsarte, Dewey, Ferrière, Freinet, Freire, Fröbel, Itard, Kergomard, Lancaster, Lavrovski, Leibowitz, Makarenko, Montessori, Neill, Popard, Rollin, Steiner.

PÉDAGOGUE. Animateur, didacticien, éducateur, enseignant, instructeur, maître, moniteur, professeur.

PÉDALE. Bémol, cyclisme, homosexuel, levier, manivelle, marche, palonnier, pédalier, pédéraste, sang-froid, sélecteur, tirasse.

PÉDALER. Avancer, balancer, bouler, bourlinguer, charrier, cheminer, déplacer, duper, emporter, en danseuse, enrouler, entraîner, entuber, errer, escroquer, fraiser, fraser, lover, marcher, rôder, rouler, torsader, tourner, tricoter, tromper, vaquer.

PÉDANT. Bonze, censeur, cuistre, docte, doctoral, fat, franc, grave, magister, poseur, prétentieux, professoral, solennel, sot, suffisant, us, vaniteux.

PÉDANTESQUE. Ampoulé, cuistre, déclamateur, docte, doctoral, doctrinaire, emphatique, ex cathedra, gnomique, grave, magistral, moral, pédant, pompeux, pontifiant, professoral, sentencieux, solennel.

PÉDANTISME. Affectation, cuistrerie, didactisme, dogmatisme, érudition, fatuité, pédanterie, sottise, suffisance.

PÉDÉRASTE. Efféminé, émasculé, éon, femelle, féminin, homosexuel, mièvre, mou, pédophile, travesti, uranien.

PÉDÉRASTIE. Androgamie, androphilie, homosexualité, inversion, lesbianisme, saphisme, uranisme.

PÉDESTRE. À pied, jogging, marathon, pedibus, pied, piéton, randonnée, trek, trekkeur, trekking.

PÉDIATRE (n. p.). Debré, Robbin, Winnicott.

PÉDICULAIRE. Angélonia, bartschia, calcéolaire, composée, digitale, euphraise, herbe-aux-poux, limoselle, linaire, maurandie, mélampyre, muflier, paulownia, plante, poux, rhinanthe, scrofularaicée, véronique.

PÉDICULOSE. Anoploure, lente, mallophage, morpion, phtiriase, pou.

PEDIGREE. Ancêtre, arbre, ascendance, ascendant, chronique, commencement, dénombrement, descendance, descendant, extraction, famille, filiation, généalogie, implexe, lignée, origine, phylogénie, race.

PÉDIMENT. Bonnette, enduit, glacis, pente, piémont, rempart, rocheux, talus, vernis, verseau, vertugadin.

PÉDONCULE. Bractée, cyme, gynophore, ombilical, pédicelle, queue, rafle, râpe, réceptacle, sessile, tige.

PEGMATITE. Granite, granulite, grenu, orthose, porpegmatite, porphyroïde, protogine, rhyolite, roche, thyolite.

PÈGRE. Canaille, escroc, gangster, maffia, mafia, malfaiteur, milieu, motard, truand, truanderie, voleur.

PEIGNE. Affinoir, blousse, brosse, cadre, carde, démêloir, drège, ébauchoir, édenté, garde, grège, mollusque, pecten, pectiné, peignage, peignure, râteau, ros, ruban, séran, sérançoir, sourdine, stoff, tissu.

PEIGNÉE. Châtiment, correction, dégelée, dérouillée, fessée, pâtée, pile, piquette, raclée, rossée, volée.

PEIGNER. Arranger, bichonner, brosser, carder, coiffer, crêper, démêler, dénouer, houpper, soigner, testoner.

PEIGNOIR. Blouse, découvert, dégarni, dénudé, déshabillé, dévêtu, douillette, jaquette, kimono, négligé, nuisette, pilou, pyjama, robe de chambre, saut-de-lit, sortie-de-bain, vêtement.

PEINARD. Apaisé, béat, calme, coi, confiant, détendu, dormant, endormi, flegmatique, impassible, lent, paisible, pépère, quiet, rasséréné, rassuré, sage, serein, silencieux, sûr, tranquille.

PEINDRE. Barbouiller, barioler, brosser, chiqueter, couvrir, croquer, décrire, étaler, glacer, gribouiller, griffonner, grisailler, laquer, noircir, peinturer, peinturlurer, pocher, poser, repeindre, ripoliner, spatuler, veiner.

PEINE. Affliction, ahan, amende, bagne, bannissement, calamité, chagrin, châtiment, dam, déportation, difficulté, expiation, fatigue, galère, guillotine, mal, misère, mort, pénalité, pendaison, pénitence, peu, pilori, prison, punition, purger, réclusion, ronce, supplice, suspense, tracas, travail.

PEINER. Accabler, affecter, affliger, ahaner, attrister, blesser, briser, chagriner, chier, consterner, débattre, déplaire, désoler, émouvoir, évertuer, fâcher, fatiguer, infliger, lutter, navrer, remuer, sévir, souffrir, suer, toucher, trimer, troubler, vexer.

PEINTRE. Animalier, aquarelliste, artiste, badigeonneur, barbouilleur, chevalet, coloriste, fauvisme, figuratif, fresquiste, imagier, macchiaioli, pastelliste, paysagiste, pistoleur, portraitiste, rapin, romaniste, ruiniste, veinette.

PEINTRE ALLEMAND (n. p.). Albers, Altdorfer, Asam, Baldung, Beckmann, Bellmer, Beuys, Burgkmair, Corinth, Cornelius, Cranach, Dix, Dürer, Elsheimer, Ernst, Fauve, Feuerbach, Friedrich, Grosz, Grünewald, Heckel, Holbein, Kiefer, Kirchner, Klee, Knaus, Leibl, Liebermann, Liss, Lochner, Lyss, Macke, Marc, Mengs, Menzel, Netscher, Nolde, Overbeck, Richter, Schinkel, Schwitters, Winterhalter, Witz, Wols.

PEINTRE ALSACIEN (n. p.). Baldung, Schongauer.

PEINTRE AMÉRICAIN (n. p.). Albers, Allston, Archipenko, Audubon, Bolton, Calder, Cassatt, Chase, Cole, Davis, De Kooning, Dove, Drake, Eakins, Feininger, Francis, Freeman, Fuller, Gorky, Grosz, Hart, Heaffy, Healy, Hopper, Hunt, Johns, Kline, Kosuth, Lichtenstein, Millais, Muller, Morse, Moses, Motherwell, Newman, Nicoll, O'Keeffe, Oldenburg, Overbeck, Page, Pascin, Patchen, Peale, Pollock, Rauschenberg, Ray, Rosenquist, Rothko, Sargent, Shahn, Steele, Stella, Sully, Tanguy, Tobey, Volk, Warhol, Weir, Wesselmann, West, Whistler, Wood.

PEINTRE ANGLAIS (n. p.). Beachey, Beardsley, Blake, Bonington, Brown, Burne-Jones, Constable, Cooper, Egg, Etty, Fenton, Foster, Gainsborough, Gibson, Girtin, Grant, Henry, Hockney, Hogarth, Holbein, Hoppner, Hunt, Kokoschka, Lawrence, Lely, Lewis, Millais, Morris, Murray, Nicholson, Parsons, Pettie, Raeburn, Reynolds, Roberts, Romney, Rossetti, Sisley, Turner.

PEINTRE ARMÉNIEN (n. p.). Carzou.

PEINTRE ATHÉNIEN (n. p.). Euphronios, Exekias, Micon.

PEINTRE AUTRICHIEN (n. p.). Hundertwasser, Klimt, Kokoschka, Maulbertsch, Pacher, Schiele.

PEINTRE BELGE (n. p.). Alechinsky, Bosch, Defrance, De Groux, Delvaux, Ensor, Khnopff, Mabuse, Magritte, Meunier, Navez, Peire, Permeke, Rops, Servranckx, Spilliaert, Stevens, Van De Velde, Wiertz, Wouters.

PEINTRE BRÉSILIEN (n. p.). Portinari.

PEINTRE BRITANNIQUE (n. p.). Bacon, Blake, Greenaway, Hockney, Hogarth, Hunt, Millais, Pasmore, Raeburn, Reynolds, Sisley, Sutherland, Turner.

PEINTRE CANADIEN (n. p.). Ananny, Archambault, Arndt, Bolduc, Bonet, Borduas, Dumouchel, Eaton, Fortin, Gagnon, Hart, Krieghoff, Leduc, Lemieux, Massicotte, Morrice, Pellan, Riopelle, Russell, Villeneuve, Yacurto.

PEINTRE CATALAN (n. p.). Borrassa.

PEINTRE CHILIEN (n. p.). Matta.

PEINTRE CHINOIS (n. p.). Che-T'ao, Liu Ki, Lü Ji, Ma Yuan, Mi Fei, Mi Fu, Muqi, Ni Tsan, Ni Zan, Shitao.

PEINTRE COLOMBIEN (n. p.). Botero.

PEINTRE CUBAIN (n. p.). Lam.

PEINTRE DANOIS (n. p.). Abildgaard, Jorn.

PEINTRE ÉCOSSAIS (n. p.). Jameson.

PEINTRE ÉQUATORIEN (n. p.). Guayasamin.

PEINTRE ESPAGNOL (n. p.). Alvarez, Arroyo, Bermejo, Berruguete, Borrassa, Cano, Carreno, Dali, Goya, Greco, Gris, Herrera, Huguet, Miranda, Miro, Moralès, Murillo, Pacheco, Pareja, Picasso, Ribalta, Ribera, Sanchez, Spagnoletto, Tapies, Vélasquez, Zurbaran.

PEINTRE FLAMAND (n. p.). Bellegambe, Brauwer, Bril, Broederlam, Brouwer, Bruegel, Calvaert, Campin, Christus, Coecke, Coxcie, David, De Crayer, De Momper, De Vos, Diepenbeek, Eyck, Flémalle, Fijt, Fyt, Gossaert, Gossart, Jansens, Jordaens, Mabuse, Matsys, Memling, Moro, Patinir, Pourbus, Rubens, Snijders, Snyders, Spranger, Teniers, Vaenius, Van Cleve, Van Der Meulem, Van Dyck, Van Eyck, Van Mander, Van Orley, Vos.

PEINTRE FLORENTIN (n. p.). Alberti, Buontalenti, Castagno, Cimabué, Gaddi, Gozzoli, Orcagna, Pontormo, Uccello.

PEINTRE FRANÇAIS (n. p.). Aillaud, Arp, Atlan, Bailly, Balthus, Barye, Bauchant, Bazaine, Bazille, Beaudin, Beauneveu, Bellechose, Bellmer, Bérard, Bernard, Besnard, Bissière, Blanchard, Boily, Bombois, Bonheur, Bonnard, Bonnat, Boucher, Boudin, Bouguereau, Boullongne, Bourdichon, Bourdon, Bracquemond, Braque, Brauner, Buffet, Buren, Cabanel, Caillebotte, Callot, Cappiello, Carmontelle, Caron, Carpeaux, Carrière, Cassandre, Cézanne, Chabaud, Chagall, Champaigne, Chardin, Chassériau, Cheret, Clouet, Colin, Corneille, Corot, Courbet, Courtois, Cousin, Coutaud, Couture, Coypel, Cross, Cueco, Dabit, Daubigny, Daumier, David, Debré, Debucourt, Decamps, Degas, Degottex, Delacroix, Delaroche, Delaunay, Denis, Derain, Desnoyer, Desportes, Desvallières, Detroy, Dévéria, Deyrolle, Domergue, Doré, Drouais, Dubuffet, Duchamp, Dufy, Dughet, Dunoyer, Dupré, Dutuit, Eisen, Ernst, Erté, Estève, Étex, Fabre, Faivre, Fantin-Latour, Fautrier, Flandrin, Forain, Foujita, Fouquet, Fragonard, François, Friesz, Froment, Fromentin, Garouste, Gauguin, Gavarni, Gérard, Gérome, Géricault, Gillot, Gleizes, Goerg, Granet, Greuze, Gromaire, Gros, Gruber, Guérin, Guide, Guigou, Guillaumin, Guys, Hantaï, Harpignies, Hartung, Hélion, Herbin, Huet, Ingres, Isabey, Jacob, Jacquemart, Johannot, Jourdain, Jouvenet, Julian, Kandinski, Kisling, Klein, Klingsor, Labisse, La Fosse, La Fresnaye, La Hire, Lancret, Lanskoy, La Patellière, Largillière, Larionov, Latour, Laurencin, Laurens, Lebourg, Lebrun, Léger, Legros, Lemoyne, LeNain, Leprince, Lesueur, Lhote, Limbourg, Limosin, Lorjou, Lorrain, Lurçat, Maillot, Malaval, Mane-Katz, Manessier, Manet, Manguin, Marcoussis, Marquet, Masson, Mathieu, Matisse, Meissonier, Messagier, Metzinger, Michaux, Mignard, Millet, Monet, Monnoyer, Monory, Monticelli, Moreau, Morisot, Nabi, Nanteuil, Natoire, Nattier, Oudry, Ozenfant, Parrocel, Pater, Perronneau, Pevsner, Picabia, Pignon, Pissarro, Poliakoff, Pougny, Poussin, Prouve, Prud'hon, Quarton, Raffet, Ranson, Raysse, Rebeyrolle, Redon, Renoir, Réquichot, Rigaud, Robert, Rouault, Rousseau, Saint-Aubin, Sérusier, Seurat, Signac, Sima, Solomos, Soulages, Soutine, Staël, Steinlen, Subleyras, Tal-Coat, Toulouse-Lautrec, Trouille, Utrillo,

Valadon, Vasarely, Vien, Vignon, Villon, Vivin, Vlaminck, Vouet, Vuillard, Waroquier, Watteau.

PEINTRE GREC (n. p.). Antiphile, Apelle, Greco, Parrhasios, Polygnote, Protogénès, Timanthe, Zeuxis.

PEINTRE HOLLANDAIS (n. p.). Avercamp, Backhuysen, Bol, Bosch, Bouts, Brauwer, Claesz, Cuyp, Doesburg, Dow, Hals, Helst, Hobbema, Hooghe, Jongkind, Maas, Maes, Metsu, Metzu, Mondrian, Neer, Potter, Rembrandt, Ruisdael, Ruysdael, Saenredam, Steen, Terborch, Terbrugghen, Veen, Weenix.

PEINTRE HONGROIS (n. p.). Munkacsy.

PEINTRE IMPRESSIONNISTE (n. p.). Boudin, Cézanne, Degas, Gauguin, Monet, Pissaro, Renoir, Sisley, Van Gogh.

PEINTRE ISRAÉLIEN (n. p.). Agam.

PEINTRE ITALIEN (n. p.). Abbate, Adami, Albane, Angelico, Arcimboldo, Baciccia, Baldovinetti, Balla, Baroccio, Bartolomeo, Bassano, Beccafumi, Bellini, Boccioni, Boldini, Botticelli, Bramante, Bronzino, Canaletto, Caranche, Caravage, Caravaggio, Carpaccio, Carra, Carrache, Cavallini, Cimabue, Corrège, Cremonini, Crivelli, De Vinci, Dominiquin, Fini, Francia, Garofalo, Ghirlandaio, Giordano, Giorgione, Giotto, Gozzoli, Guardi, Guerchin, Lippi, Longhi, Lorenzetti, Lotto, Luini, Magnasco, Magnelli, Mantegna, Martini, Masaccio, Michel-Ange, Modigliani, Morandi, Moretto, Music, Orcagna, Palma, Paolo, Parmesan, Pérugin, Peruzzi, Pinturicchio, Pisanello, Pontormo, Pordenone, Primatice, Raphaël, Reni, Romain, Rosa, Rosselli, Rosso, Sarto, Sassetta, Savinio, Severini, Signorelli, Sodama, Solimena, Spada, Tiepolo, Tintoret, Tisi, Titien, Tura, Uccello, Vasari, Véronèse, Verrocchio, Vinci, Vivarini, Zuccaro, Zucchi.

PEINTRE JAPONAIS (n. p.). Basho, Buson, Harunobu, Hiroshige, Hokusai, Kiyonaga, Kiyonobu, Korin, Moronobu, Okyo, Sesshü, Sharaku, Sotatsu, Tessais, Tosa, Utamaro, Yosa Buson.

PEINTRE MEXICAIN (n. p.). Orozco, Rivera, Siqueiros, Tamayo.

PEINTRE NÉERLANDAIS (n. p.). Aertsen, Appel, Avercamp, Berchem, Corneille, Cornelisz, Cuyp, Dou, Gossart, Hals, Heda, Mabuse, Metsu, Mondrian, Moro, Potter, Ruisdael, Steen, Terborch, Van Gogh, Vermeer, Weenix.

PEINTRE NORVÉGIEN (n. p.). Munch.

PEINTRE POLONAIS (n. p.). Kantor, Witkiewicz.

PEINTRE PORTUGAIS (n. p.). Gonçalves.

PEINTRE QUÉBÉCOIS (n. p.). Archambault, Bibo, Bolduc, Bonet, Borduas, Cosgrove, Côté, Fortin, Gagnon, Hudon, Iacurto, Lecor, Leduc, Lemieux, Krieghoff, Fortin, Massicotte, Mireault, Molinari, Morrice, Pellan, Riopelle, Villeneuve.

PEINTRE ROUMAIN (n. p.). Grigorescu.

PEINTRE RUSSE (n. p.). Bakst, Erté, Gherassimov, Gontcharova, Kandinsky, Levitane, Levitski, Lissitzky, Malevitch, Répine, Rodtchenko, Rothko, Roublev, Roubliov, Serov, Tatline.

PEINTRE SIENNOIS (n. p.). Lorenzetti.

PEINTRE SINO-AFRICAIN (n. p.). Lam.

PEINTRE SOUABE (n. p.). Witz.

PEINTRE SUD-AFRICAIN (n. p.). Breytenbach.

PEINTRE SUÉDOIS (n. p.). Roslin, Zorn.

PEINTRE SUISSE (n. p.). Auberjonois, Ben, Bill, Böcklin, Calame, Erni, Füssli, Gessner, Giacometti, Graf, Holdler, Kirchner, Klee, Liotard, Robert, Witz.

PEINTRE RUSSE (n. p.). Erte, Lissitzky, Repine, Roublev, Roubliov, Sérov, Vroubel.

PEINTRE TCHÈQUE (n. p.). Kupka, Manes, Mucha.

PEINTRE VÉNÉZUÉLIEN (n. p.). Soto.

PEINTRE VÉNITIEN (n. p.). Tintoret, Vivarini.

PEINTURE. Aquarelle, art, cadre, camaïeu, couleur, détrempe, diorama, embu, film, fresque, gouache, gribouillage, gribouillis, grisaille, image, kakémono, laque, lavis, lunette, makimono, marine, miniature, minium, nuancier, palette, pastel, paysage, pictural, plafond, pochade, portrait, priapée, puncture, ripolin, sfumato, siccativité, tableau, tachiste, tanka, tempera, totem, trompe-l'œil, vue.

PEINTURER. Barbouiller, barioler, brosser, chiqueter, couvrir, croquer, décrire, étaler, glacer, gribouiller, griffonner, grisailler, laquer, noircir, peindre, peinturlurer, pocher, poser, repeindre, ripoliner, spatuler, veiner.

PÉJORATIF. Adversaire, adverse, altération, blâme, contraire, défavorable, dépréciatif, désavantageux, ennemi, funeste, hostile, malsain, mauvais, mitigé, néfaste, négatif, nuisible, opposé, pernicieux.

PÉKIN. Affable, amène, civil, convenable, correct, courtois, état, gentil, laïque, liste, mariage, militaire, péquin.

PELADE. Alopécie, atrichie, calvitie, chauve, décalvation, favus, ophiase, ophiasis, porrigo, teigne, tonsure.

PELAGE. Chabraque, fourrure, hyène, isatis, livrée, maillé, manteau, peau, peler, poil, robe, sable, schabraque, toison.

PÉLAMIDE. Albacore, bonite, dasyatis, germon, madrague, pélamyde, poisson, serpent, thon, thonine.

PELÉ. Aride, chauve, dégarni, dénudé, déplumé, desséché, nu, rare, ras, tondu.

PÉLÉCANIFORME. Cormoran, frégate, paille-en-queue, phaéton, phalocrocorax, pélican, stéganopode.

PÊLE-MÊLE. Bordel, bric-à-brac, capharnaüm, désordre, fatras, fouillis, fourbi, foutoir, gâchis, micmac, pagaille, vrac.

PELER. Décortiquer, dégarnir, démasquer, dépouiller, dérober, desquamer, dessécher, écailler, écorcer, écorcher, enlever, éplucher, excorier, exfolier, geler, grelotter, muer, ôter, pelade, perdre, pleumer, racler, rober.

PÈLERIN. Coquille, dévot, faucon, fidèle, hadj, hadji, lanier, requin, touriste, visiteur, voyageur.

PÈLERINAGE. Assomptionniste, culte, défilé, dévotion, hadj, hadji, jubilé, liesse, pardon, visite, voyage.

PÈLERINE. Aumusse, berthe, camail, cape, capuchon, collet, manteau, mosette, mozette, veste.

PÉLIADE. Ammodyte, aspic, céraste, guivre, heurtante, méchant, ophidien, pyramide, reptile, serpent, venin, vipère, vipereau, vive.

PÉLICAN. Alambic, crochet, établi, frégate, harle, oiseau, onocrotale, palmipède, pélécaniforme, stéganopode.

PELISSE. Amict, caban, cagoule, cape, capot, capote, chape, douillette, fourrure, gueuse, imperméable, mante, manteau, mantelet, maxi, paletot, pardessus, pèlerine, plan, poncho, raglan, redingote, saie, tabar, tabard, toge, touloupe, voile.

PELLE. Bêche, bogue, chute, drague, ébraisoir, écope, épuisette, escoupe, étrier, godet, grattoir, houlette, palette, palon, pelleteuse, mécanique, outil, palette, palon, râble, raille, ramassette, ramassoire, sasse, spatule, trax.

PELLETER. Balayer, débarrasser, déblayer, débroussailler, décongestionner, défricher, dégager, dégrossir, délivrer, déneiger, désencombrer, désobstruer, enlever, évacuer, gratter, libérer, nettoyer, ôter, peller, vider.

PELLETIER. Chamoiseur, habilleur, mégissier, ouvrier, palissonneur, peaussier, tanneur.

PELLICULE. Bande, baudruche, bobine, cellophane, cliché, couche, cuticule, écaillure, écalure, enveloppe, envie, épaisseur, épicarpe, épiderme, feuil, film, frasil, lamelle, membrane, mère, oiseau, parcelle, peau, pépie, rouleau, voile.

PELLUCIDE. Clair, cristallin, dépoli, diaphane, hyalin, limpide, lucide, mica, œuf, perméable, porcelaine, scarieux, translucide, transparent, vaseline.

PÉLOBATE. Agua, alyte, amphibien, anoure, atélope, batracien, bave, calamite, cornu, crapaud, fouisseur, frai, grenouille, houston, loche, pélobatidé, pélodyte, pipa, pustule, rascasse, têtard.

PELOTAGE. Attouchement, caresse, chatouillement, contact, coup, effleurement, pression, tact, tâtement, tripotage.

PELOTE. Balle, basque, boule, chistera, manoque, maton, motte, pala, paume, peloton, rebot, sphère, trinquet.

PELOTER. Caresser, dévider, effleurer, flatter, frotter, jouer, lutiner, palper, peloteur, toucher, tripoter.

PELOTONNER. Blottir, dévider, groupe, lover, ramasser, ratatiner, recroqueviller, replier, tapir.

PELOUSE. Abatis, aérodrome, aire, champ, clos, court, culture, emplacement, esplanade, fond, friche, gazon, golf, grève, herbe, lice, lieu, lopin, marais, marécage, pinède, piste, prairie, propriété, ravière, relief, rocaille, roseraie, savane, ségala, semis, sol, talus, terrain, terre, terroir, turf, vertugadin.

PELTE. Ancile, arme, blindage, bouclier, broquel, carapace, champ, cuirasse, défense, écu, égide, guige, ombon, orle, pavois, pelta, protection, rempart, rondache, rondelle, sauvegarde, scutum, targe.

PELUCHE. Animal, étoffe, jouet, pelucheux, pilou, pluche, poilu, teddy-bear, tissus, toutou, velu.

PELUCHEUX. Calicot, cotonneux, duvet, duveté, duveteux, edelweiss, flanelle, floconneux, gilet, laine, laineux, madapolam, molletonneux, ouate, percaline, perse, pilou, satin, tissu, toile, tomenteux, voile.

PELURE. Blousse, bourrette, bran, bride, cendre, chute, copeau, débris, déchet, déperdition, détritus, écaille, enveloppe, épluchure, freinte, immondice, limaille, manteau, ordure, papier, peau, perte, raclure, rebut, reliquat, résidu, riblon, robe, rognure, sciure, scorie, tunique, urée, vêtement, vin.

PÉNAL. Civil, code, contravention, crime, délit, destitution, droit, infraction, loi, peine, règlement.

PÉNALISATION. Amende, arrêt, blâme, censure, damnation, dépens, désavantage, destitution, distancement, handicap, peine, pénaliser, pénalité, pensum, punition, réprimande, retenue, sanction, suspension.

PÉNALISER. Châtier, corriger, désavantager, donner, énerver, handicaper, imposer, infliger, prescrire, sanctionner.

PÉNALITÉ. Amende, astreinte, châtiment, dédit, peine, pénal, penalty, punition, relégation, sanction, surtaxe.

PÉNATES. Abri, demeure, divinités, domicile, effigie, foyer, habitation, lares, logis, maison, refuge, statue.

PENAUD. Confus, contrit, déconcerté, déconfit, embarrassé, gêné, honteux, péteux, piteux, quinaud.

PENCHANT. Amour, aptitude, attirance, attrait, béguin, caprice, concupiscence, couché, désir, disposition, facilité, faible, faiblesse, génie, goût, inclinaison, lascivité, lubricité, malice, méchanceté, obligeance, passion, pente, prédisposition, propension, sympathie, tendance, tendresse, vice, vocation, volonté.

PENCHÉ. Abandonné, accepté, acquiescé, baissé, biais, capitulé, clin, corne, couché, croc, descendu, détour, dévié, gauche, incliné, indirect, infléchi, lien, louche, oblique, pentu, prédisposé, scalène, serge, suspect, tortueux, torve, travers.

PENCHER. Abaisser, apiquer, baisser, chanceler, coucher, décliner, descendre, déverser, examiner, favoriser, incliner, intéresser, obliquer, occuper, opter, piquer, porter, pousser, préférer, rejeter, renverser, trébucher.

PENDAISON. Châtiment, corde, coupable, damné, gibet, hart, mort, pendu, potence, suspension, supplice.

PENDANT. Alors, ballan, ballant, cependant, correspondant, dans, de, double, durant, en, fanon, lâche, lors, lorsque, pendeloque, pendentif, pendouillant, pour, puisque, quand, réplique, semblable, symétrie, symétrique, tandis, tombant.

PENDARD. Arsouille, aventurier, bandit, brigand, canaille, chenapan, coquin, crapule, débauché, délinquant, fripon, fripouille, galapiat, garnement, gouape, gredin, malfaisant, mauvais, mécréant, sacripant, vaurien, voyou.

PENDELOQUE. Baccarat, base, cristal, druse, épitaxine, face, géode, isoédrique, lame, macle, nicol, noces, noyau, œil, phénocristal, quartz, raphide, rhomboèdre, stras, strass, trémie, trichite, uniaxe, verre, verroterie.

PENDENTIF. Aigrette, alliance, anneau, bague, baguier, barrette, bijou, boucle, bracelet, breloque, broche, chaîne, chaînetier, coffre, coffret, colifichet, collier, diadème, épingle, épinglette, ferronnière, fronteau, joaillier, jonc, joyau, médaillon, parure, pectoral, pendant d'oreille, pin's, tombant, triangle.

PENDERIE. Affiche, armoire, avis, buffet, cagibi, criteau, écriteau, épreuve, feuille, garde-robe, pancarte, placard, suspendre.

PENDOUILLER. Abattre, achopper, affaisser, allonger, basculer, choir, chuter, crouler, culbuter, débouler, déchoir, ébouler, écrouler, étaler, glisser, neiger, pendiller, pendre, périr, pleuvoir, rouler, soir, sombrer, souscrire, succomber, tomber, valdinguer.

PENDRE. Accrocher, assassiner, attacher, balancer, ballant, baller, bouffette, étrangler, fanon, fixer, mort, osciller, pendiller, pendouiller, pendu, repentir, retenir, retomber, soutenir, suspendre, tomber, traîner, tuer.

PENDU (n. p.). Aman, Caracciolo, Cuauhtémoc, Foullon, Marigny, Nerval, Riego, Riel, Savonarole, Semblançay, Vlassov.

PENDU. Châtiment, corde, coupable, damné, gibet, hart, mort, pendaison, potence, suspension, supplice.

PENDULE. Balancier, barillet, cartel, compensateur, coucou, fourchette, horloge, montre, neuchâteloise, pendillon, pendulaire, penduler, pendulette, radiesthésie, régulateur, réveil, réveille-matin, sourcier, trotteuse.

PÊNE. Bec-de-cane, clé, clef, demi-tour, encoche, gâche, gâchette, mortaise, panneton, serrure.

PÉNÉTRABLE. Abscons, accessible, adéquat, atteignable, attrapable, clair, compréhensible, concevable, défendable, explicable, facile, intelligible, naturel, normal, pardonnable, saisissable, simple, touchable.

PÉNÉTRANT. Aigu, âpre, délié, divinateur, fin, fulgurant, incisif, mordant, obtus, perçant, sagace, subtil, vif, voie.

PÉNÉTRATION. Acuité, envenimation, finesse, imprégnation, infection, infusion, invagination, mixtion, noulet, osmose, percée, percolation, perspicacité, profondeur, sagacité, viol.

PÉNÉTRÉ. Assimilé, confit, convaincu, enfoncé, entré, imbu, imprégné, plein, rempli, sujet, touché, transi, trempé.

PÉNÉTRER. Accéder, aller, assimiler, aventurer, descendre, embarquer, enfoncer, engager, engouffrer, engourdir, entrer, envahir, filtrer, fourrer, imbiber, imprégner, infiltrer, insinuer, instiller, introduire, larder, lire, mêler, percer, piquer, remplir, rentrer, scruter, transir, traverser, trou.

PÉNIBLE. Amer, âpre, ardu, cassant, difficile, dur, effort, emmerdeur, éprouvant, épuisant, éreintant, exténuant, fâcheux, fatigant, fichu, forçant, fort, honte, laborieux, lourd, malaisé, malheureux, moche, mortel, pesant, poignant, rigoureux, rude, triste, tuant, vache, vide.

PÉNIBLEMENT. Amèrement, cruellement, difficilement, durement, fâcheusement, forceps, fortement, laborieusement, lourdement.

PÉNICHE. Automoteur, barge, bateau, batellerie, boat-house, chaland, convoi, embarcation, molusson.

PÉNICILLINE. Amoxicilline, ampicilline, antibiotique, bacampicilline, chlorhydrate, injection, médicament, traitement.

PÉNICILLIUM. Ascomycète, champignon, chrysogenum, moisissure, mucor, pénicille, requeforti, simplicissium.

PÉNINSULE. Angle, appendice, arête, aspérité, avancée, avancement, avant-garde, langue, presqu'île, progression, saillie.

PÉNINSULE ANGLETERRE (n. p.). Cornouailles, Portland.

PÉNINSULE ARABIE (n. p.). Katar, Qatar.

PÉNINSULE ASIE (n. p.). Arabie, Inde, Indochine, Malaisie.

PÉNINSULE CANADA (n. p.). Acadienne, Avalon, Boothia, Labrador, Melville, Ungava.

PÉNINSULE CHINE (n. p.). Kowloon.

PÉNINSULE ÉGYPTE (n. p.). Sina¸i.

PÉNINSULE ÉTATS-UNIS (n. p.). Alaska, Cape Cod, Cod, Floride, Manhattan.

PÉNINSULE EUROPE (n. p.). Ibérique.

PÉNINSULE FRANCE (n. p.). Bretagne.

PÉNINSULE GRÈCE (n. p.). Attique.

PÉNINSULE ITALIE (n. p.). Sorrente.

PÉNINSULE MEXIQUE (n. p.). Yucatan.

PÉNINSULE QUÉBEC (n. p.). Gaspésie, Ungava.

PÉNINSULE RUSSIE (n. p.). Kamtchatka, Kola, Taïmyr.

PÉNINSULE TUNISIE (n. p.). Cap Bon.

PÉNINSULE TURQUIE (n. p.). Gallipoli.

PÉNIS. Bite, bitte, braquemart, foutoir, gland, membre, pénien, phallus, queue, sexe, verge, vit, zizi, zob.

PÉNITENCE. Absolution, abstinence, ascétisme, austérité, carême, châtiment, contrition, discipline, expiation, gage, haire, jeûne, mortification, pardon, peine, punition, ramadan, regret, repentir, résipiscence, sacrement.

PÉNITENCIER. Bagne, carcéral, confesseur, geôle, incarcération, prison, régime, salut, taule.

PÉNITENT (n. p.). Benoît-Joseph Labre, Jérôme, Saint-Jérôme.

PÉNITENT. Anachorète, ascète, cénobite, contrit, ermite, flagellant, honteux, jeûneur, lollard, moine, pèlerin, repentant.

PÉNITENTIAIRE. Auburnien, carcéral, cellulaire, disciplinaire, geôle, maton, prison, taulard.

PENNE. Aile, aileron, brin, empennage, halbrené, pâte, penon, plume, rectrice, rémige, ruban.

PENNON. Bande, bavolet, bolduc, décamètre, élastique, faveur, galon, ganse, guirlande, jarretelle, lacs, liséré, lisière, mèche, padou, penon, rail, rosette, ruban, serpentin, signet, soie, sparganier, tagliatelle.

PÉNOMBRE. Ambiguïté, chaos, clair-obscur, confusion, demi-jour, doute, incertitude, lumière, noir, noirceur, nuage, nuée, nuit, obscurité, ombrage, ombre, opacité, soir, soirée, ténèbres, vague.

PENSABLE. Concevable, croyable, envisageable, imaginable, percevable, possible, réalisable, sentable.

PENSANT. Argument, avisé, circonspect, compréhensif, équilibré, équitable, intelligent, judicieux, juste, légitime, logique, modéré, normal, pondéré, prévoyant, probable, preuve, probable, prudent, raisonnable, rationnel, réaliste, réfléchi, sage, sensé, vigilant.

PENSÉ. Calculé, cogitation, conçu, estimé, étudié, introspection, méditation, mûri, questionnement, recueillement, réfléchi, réflexion, remâchement, rumination.

PENSE-BÊTE. Acclamation, anamnèse, appel, batterie, bis, commémoration, évocation, commémoration, lettre, mémento, mémoire, mention, mobilisation, rappel, relance, remembrance, retour, sonnerie, souvenance, souvenir.

PENSÉE. Adage, âme, axiome, but, cauchemar, cérébral, cœur, compréhension, concept, dao, déréel, dogme, entendement, esprit, fleur, idée, intelligence, ionisme, maxime, méditation, message, noème, noèse, paradoxe, raison, réflexion, rêvasserie, rêverie, rhétorique, sentiment, tao, trivialité.

PENSER. Aspirer, aviser, cogiter, concevoir, croire, dire, envisager, espérer, estimer, évoquer, examiner, extravaguer, figurer, imaginer, jongler, juger, méditer, opiner, percevoir, présumer, prévoir, raisonner, réfléchir, repenser, rêver, revoir, ruminer, songer, soucier, subsumer, trouver.

PENSEUR (n. p.). Confucius, Deleuze, Kierkegaard, Steiner.

PENSEUR. Jongleur, libertin, libre, libre-penseur, méditatif, pensif, philosophe, raisonneur, rêveur, sage.

PENSIF. Absent, absorbé, abstrait, attentif, comtemplateur, contemplatif, contrarié, distrait, ennuyé, inattentif, lointain, lunatique, méditatif, occupé, philosophe, préoccupé, rêvasseur, rêveur, songeur, soucieux.

PENSION. Hôtel, institution, internat, logement, maison, pensionnat, préhension, préretraite, rente, retraite, revenu, réversion, semestre, somme, trousseau.

PENSIONNAIRE. Chambreur, condamné, élève, hôte, interne, locataire, pensionné, prisonnier, pupille.

PENSIONNAT. Collège, cours, couventin, école, externat, institution, internat, lycée, pension, retraite.

PENSIONNÉ. Coin, écart, écarté, éloigné, isolé, perdu, reculé, rentier, retiré, retraité, solitaire, tanière.

PENSIONNER. Arrenter, entretenir, octroyer, pourvoir, renter, retraiter, subventionner.

PENSIVEMENT. Contemplativement, rêveusement, songeusement, soucieusement.

PENSUM. Amende, châtiment, condamnation, correction, corvée, décharge, dérogation, exemption, expiation, impunité, knout, leçon, peine, pénalité, punition, répression, retenue, sanction, supplice, talion, travail, vindicte.

PENTACLE. Amulette, anneau, astérisque, bague, bétyle, bondieuserie, charme, effigie, étoile, fétiche, grigri, gris-gris, idole, mascotte, médaille, or, phylactère, porte-bonheur, porte-chance, psellion, sachet, scapulaire, talisman.

PENTATEUQUE. Bible, cinq, deutéronome, exode, genèse, juif, lévitique, nombres, torah.

PENTATHLON. Cinq, course, cross, équitation, escrime, lutte, natation, pistolet, revolver, saut, tir.

PENTE. Abrupt, clinomètre, côte, déclivité, dépouille, descente, dressant, égout, escarpement, glacis, inclinaison, inclinomètre, montée, mur, pendage, pentu, piste, rampe, replat, talus, versant.

PENTURE. Articulation, axe, bielle, biellette, charnière, combe, essieu, gond, manivelle, paumelle.

PÉNURIE. Absence, appauvrissement, besoin, carence, crise, défaut, dénuement, détresse, disette, embarras, épuisement, faute, gêne, gouffre, indigence, insuffisance, manque, mendicité, misère, pauvreté, privation, rareté.

PEP. Allant, ardeur, chaleur, coup, dynamisme, élan, entrain, ferveur, humour, incisif, punch, tonus, vitalité.

PÉPÈRE. Calme, confortable, grand-papa, grand-père, paisible, peinard, pépé, posé, tranquille, vieillard.

PÉPERIN. Gargoulette, perméable, pierre, poreux, porosité, spongieux, tuf, volcan.

PÉPIEMENT. Babil, babillage, bruissement, chant, chuchotement, cri, cui-cui, gazouillement, gazouillis, murmure, ramage.

PÉPIER. Chanter, crier, gazouiller, jacasser, jaser, moineau, oiseau, pépiement, piauler, poussin.

PÉPIN. Accident, complication, difficulté, écueil, ennui, érucique, graine, hic, obstacle, os, parapluie, problème.

PÉPINIÈRE. Arboretum, arboriculture, arbre, couvent, école, fleur, horticulture, jardinage, jardinier, mine, origine, pépiniériste, plant, plantation, plante, terreau, séminaire, source, sylviculture, vivier.

PÉPINIÉRISTE. Agrumiculteur, arboriculteur, arboriste, cultivateur, forestier, fruiticulteur, horticulteur, pépinière, planteur, sylviculteur.

PÉPITE. Bout, brèche, brisure, cassure, classe, craque, craquelure, crevasse, déchirure, ébréchure, éclat, écornure, entaille, faille, fêlure, fendillement, fente, fissure, fragment, gerçure, lambel, miette, morceau, nugget, or, parcelle, poussière.

PEPSINE. Achylie, ase, diastase, enzyme, ferment, gastrique, invertase, invertine, peptone, suc.

PEPTIDE. Atome, corpuscule, dimère, élément, flavine, ligand, molécule, particule, protéine, récepteur.

PÉQUENOT. Agricole, agriculteur, broussard, campagnard, cultivateur, fellah, fermier, gaucho, habitant, laboureur, manant, paysan, pecmot, péon, plouc, plouk, poète, rural, rustaud, rustique, rustre, terrien, vilain.

PÉQUIN. Affable, amène, civil, convenable, correct, courtois, état, gentil, laïque, liste, mariage, militaire, pékin.

PERÇAGE. Couronne, creusage, drillage, filetage, forage, fraisage, fraisement, sondage, taraudage, vrillement.

PERCALE. Bandoline, brillantine, cosmétique, fixateur, fixatif, gel, gomina, laque, pommade, tissu.

PERÇANT. Aigu, âpre, bruyant, cinglant, éclatant, pénétrant, piquant, pointu, strident, taraudant, térébrant, vif.

PERCÉ. Abcès, ajouré, crevassé, criblé, écrou, fenestré, flûte, ouvert, perforé, roché, trou, troué.

PERCÉE. Ajouré, brèche, déchirure, notoriété, ouverture, progrès, réussite, succès, trouée.

PERCEMENT. Affouillement, approfondissement, creusage, déblai, défoncement, forage, riser, sonde.

PERCE-MURAILLE. Artocarpe, elatostema, épinard, helxine, mûrier, ortie, pariétaire, pilea, plante, ramie, urticacée.

PERCE-NEIGE. Amaryllidacée, galanthus, galantine, nivéole, plante, violette de la Chandeleur, violier.

PERCE-OREILLE. Aurelière, dermaptère, forficule, insecte, labidoure, labidura, pince-oreille.

PERCEPTEUR. Canalisation, collecteur, conduit, drain, guignoleux, quêteur, réceptacle, receveur, taxateur.

PERCEPTIBLE. Audible, compris, inaudible, insaisissable, palpable, prononcé, réel, saisi, sensible, tangible, visible.

PERCEPTION. Audition, chromatopsie, conscience, fisc, fiscalité, gustation, intuition, levée, œil, recouvrement, rentrée, représentation, sensation, vision.

PERCER. Ajourer, aléser, blesser, clore, creuser, crever, cribler, déboucher, encorner, enferrer, étamper, fenestrer, forer, larder, mandriner, ouvrir, pénétrer, perforer, piquer, poinçonner, réussir, saborder, saigner, transpercer, trouer, tuer, vriller.

PERCERETTE. Avant-clou, chignole, drille, foret, fraise, fraisoir, mèche, percette, perceuse, perçoir, vrille.

PERCEUSE. Chignole, cirre, cirrhe, drille, filament, foret, foreuse, hélice, lesbienne, liseron, mèche, nervé, outil, queue-de-cochon, spirale, taraud, tarière, tordu, tribade, vice, vilebrequin, vis, vrille.

PERCEVABLE. Concevable, croyable, discernable, envisageable, imaginable, pensable, possible, recouvrable, sentable.

PERCEVOIR. Apercevoir, collecter, concevoir, discerner, distinguer, empocher, encaisser, entendre, entrevoir, éprouver, esthésie, flairer, lever, ouïr, ramasser, recevoir, recouvrer, recueillir, repérer, retirer, saisir, sentir, toucher, voir.

PERCHE. Âge, aine, alinette, armature, apex, archet, badine, baguette, balancier, bar, bâton, bâtonnet, croc, écoperche, étemperche, gaffe, gaule, girafe, goujonnière, grémille, juchoir, mailloche, mât, merrain, pieu, rame, rouable, serran, tendeur, trolley, tuteur.

PERCHER. Accrocher, brancher, coucher, crécher, demeurer, grimper, habiter, gîter, jouquer, jucher, loger, monter, nicher, perchage, percheur, perchoir, placer, poser, reposer, résider, rester, trouver, vivre.

PERCHIS. Bocage, bois, boisé, boqueteau, bosquet, breuil, châtaigneraie, chênaie, forêt, futaie, sylve.

PERCHISTE. Acrobate, athlète, bateleur, changeant, équilibriste, pantin, sauteur, versatile.

PERCHOIR. Abri, catafalque, estrade, jouquoir, juc, juchée, juchoir, poulailler, promontoire, tribune, volière.

PERCIFORME. Anabas, barbier, barracuda, cabot, gobie, goujon de mer, mérou, périophtalme, poisson, téléostéen.

PERCLUS. Ankylosé, engourdi, gourd, impotent, inactif, inerte, infirme, lourd, noué, paralysé, raide, souffrant.

PERÇOIR. Avant-clou, chignole, drille, foret, fraise, fraisoir, mèche, percerette, perceuse, vrille.

PERCOLATION. Absorption, alunage, endosmose, imbibition, imprégnation, incération, infiltration, insalivation, pénétration.

PERÇU. Conçu, démotivé, droit, dû, inouï, orchestre, ouï, réalité, reçu, réel, senti, steel band, touché, vu.

PERCUSSION. Auscultation, balafon, batterie, bongo, célesta, choc, collision, coup, cymbale, exploration, fusil, gamelan, heurt, impact, impulsion, maracas, marteau, sistre, tambour, tambourine, timbale, triangle.

PERCUSSIONNISTE. Batteur, claironneur, cymbalier, drummer, fouet, joueur, lamineur, malaxeur, mélangeur, moussoir, musicien, pianiste, rabatteur, tambourinaire, tambourineur, timbalier.

PERCUTANÉ. Absorption, aérophagie, alimentation, assimilation, concentration, consommation, déglutition, délitescence, désorption, diffusion, dissolution, fusion, géophagie, ingestion, inhalation, puvathérapie, malabsorption, rachat, résorption.

PERCUTANT. Captivant, émouvant, envoûtant, frappant, hallucinant, impressionnant, influant, inouï, irrésistible, pénétrant, persuasif, poignant, saisissant, séduisant, sidérant, soufflant, stupéfiant, surprenant.

PERCUTER. Blesser, caramboler, choquer, emboutir, encadrer, frapper, heurter, percuteur, planter, tamponner, télescoper, toucher.

PERDANT. Battu, conquis, culbuté, défait, défaitiste, écrasé, enfoncé, eu, fuyard, gâcheur, gougnafier, inapte, incapable, incompétent, invincible, lâche, looser, loser, raté, rendu, subjugué, terrassé, vaincu.

PERDITION. Abîme, aléa, anéantissement, danger, débauche, détresse, naufrage, péché, perte, ruine.

PERDRE. Achever, adirer, amaigrir, baguenauder, basculer, capoter, changer, clairsemer, décatir, décliner, défaillir, défleurir, dégénérer, démâter, dépérir, déplumer, désintégrer, égarer, égoutter, éteindre, faiblir, flâner, fondre, gâter, glander, glandouiller, glisser, mollir, mourir, muer, musarder, niaiser, oublier, palir, pâtir, paumer, peler, périmer, périr, ramollir, ravir, reperdre, rétrograder, rouiller, ruiner, saigner, scléroser, succomber, tasser, tomber, tourner, trébucher, user.

PERDREAU. Bartavelle, chanterelle, ganga, grouse, lagopède, oiseau, perdrix, pouillard.

PERDRIX. Bartavelle, caille, chukar, gélinotte, glaréole, grise, lacet, oiseau, perdreau, tétras.

PERDU. Abîmé, adiré, avertissement, avis, condamné, cuit, décati, déphasé, désert, détourné, disparu, écarté, égaré, éloigné, errant, flambé, introuvable, isolé, fichu, foutu, gâché, incurable, lointain, ôté, paumé, reculé, retiré, ruiné.

PERDURER. Assidûment, bientôt, constamment, continuellement, continûment, définitivement, éternellement, futur, imprescriptible, incessamment, indéfiniment, permanence, perpète, toujours.

PÈRE. Abbé, aïeul, ancêtre, assassin, auteur, beau-père, bisaïeul, compositeur, consanguin, créateur, curé, dab, dabe, dieu, fondateur, géniteur, papa, pape, parâtre, parent, pater familias, paternel, patrilocal, patrimoine, prêtre, sénateur, vioc, vioque.

PÈRE ACHILLE (n. p.). Pélée.

PÈRE AGAMEMNON (n. p.). Atrée.

PÈRE AJAX (n. p.). Oïlée, Télamon.

PÈRE ALCYONE (n. p.). Éole.

PÈRE AMPHION (n. p.). Zeus.

PÈRE AMPHITRYON (n. p.). Alcée.

PÈRE ANDROMAQUE (n. p.). Éétion.

PÈRE ANTÉE (n. p.). Poséidon.

PÈRE APOLLON (n. p.). Zeus.

PÈRE ARAM (n. p.). Sem.

PÈRE ARTÉMIS (n. p.). Zeus.

PÈRE ASCAGNE (n. p.). Énée.

PÈRE CHAM (n. p.). Noé.

PÈRE CRONOS (n. p.). Ouranos.

PÈRE CYCLOPES (n. p.). Ouranos.

PÈRE ÉGLISE GRECQUE (n. p.). Irénée.

PÈRE ÉGISTHE (n. p.). Thyeste.

PÈRE ÉNÉE (n. p.). Anchise.

PÈRE HÉRACLÈS (n. p.). Zeus.

PÈRE HERMÈS (n. p.). Zeus.

PÈRE HORUS (n. p.). Osiris.

PÈRE IOLE (n. p.). Eurytos.

PÈRE IULE (n. p.). Énée.

PÈRE JACOB (n. p.). Isaac.

PÈRE JAPHET (n. p.). Noé.

PÈRE JASON (n. p.). Éson.

PÈRE MATHUSALEM (n. p.). Énoch.

PÈRE MINOS (n. p.). Zeus.

PÈRE MNÉMOSYNE (n. p.). Ouranos.

PÈRE MUSES (n. p.). Jupiter, Zeus.

PÈRE NAUSICAA (n. p.). Alcinoos.

PÈRE NÉRÉIDES (n. p.). Nérée.

PÈRE NOÉ (n. p.). Lamech.

PÈRE NOËL (n. p.). Nicolas, Santa Claus

PÈRE OEDIPE (n. p.). Laïos.

PÈRE ORPHÉE (n. p.). Œagre.

PÈRE OURANOS (n. p.). Gaïa.

PÈRE RAMSÈS II (n. p.). Séti.

PÈRE SEM (n. p.). Noé.

PÈRE SISYPHE (n. p.). Éole.

PÈRE TÉLÉMAQUE (n. p.). Ulysse.

PÈRE THÉSÉE (n. p.). Égée.

PÈRE TITANS (n. p.). Ouranos.

PÈRE ULYSSE (n. p.). Laërte.

PÈRE ZEUS (n. p.). Cronos, Kronos.

PÉRÉGRINATION. Aventure, balade, circuit, croisière, déplacement, excursion, exil, expédition, exploration, incursion, itinéraire, méhara, navigation, odyssée, parcours, passage, pèlerinage, périple, promenade, raid, randonnée, route, tourisme, tournée, traversée, virée, visite, voyage.

PÉRÉGRINER. Boulinier, bourlinguer, caboter, cingler, croiser, explorer, filer, fureter, louvoyer, nager, naviguer, piloter, remonter, sillonner, surfer, trimarder, vagabonder, voguer, voyager.

PÉREMPTION. Arrêté, butoir, commandement, date, décision, décret, échéance, édit, expiration, fin, forclusion, loi, observation, ordonnance, péremptoire, prescription, règlement, rite, terme, tombée, usucapion.

PÉREMPTOIRE. Absolu, autoritaire, cassant, catégorique, concluant, coupant, crucial, décisif, dogmatique, estoppel, indiscutable, irréfutable, obligatoire, probant, réplique, systématique, tranchant.

PÉRENNE. Abusif, bave, canal, dalot, débit, débord, débouché, décharge, drain, durable, écoulement, égout, égouttement, épanchement, éruption, évier, flux, gourme, hématidrose, jet, jetage, laps, larmoiement, leucorrhée, long, longtemps, onde, otorragie, otorrhée, permanent, phléborragie, saignement, stillation, suintement, torrent, vente.

PÉRENNISER. Conserver, continuer, demeurer, durabiliser, durable, durer, entretenir, éterniser, garder, immortaliser, maintenir, perdurer, perpétuer, reproduire, rester, titulariser, transmettre.

PÉRENNITÉ. Assidu, assidûment, constamment, constant, continuellement, continuité, durabilité, éternel, éternité, généralement, immortalité, invariablement, perpétuité, stabilité, toujours, uniforme.

PÉRÉQUATION. Allotissement, assiette, attribution, cession, coéquation, contingentement, diffusion, distribution, égalité, horaire, ordre, partage, quote-part, rajustement, répartition, taxe, tri.

PERFECTIBLE. Améliorable, amendable, curable, guérissable, réformable, soignable, susceptible.

PERFECTIF. Accompli, achevé, complet, consommé, délai, distingué, effectué, fait, fini, idéal, impeccable, imperfectif, incomparable, irréalisable, magistral, mieux, modèle, parfait, passé, précipité, réalisé, révolu, sonné, terminé, venir.

PERFECTION. Absolu, achèvement, amélioration, beau, beauté, bijou, bonté, couronnement, divinement, entéléchie, excellence, fin, fini, idéal, idéalement, joyau, maestria, maestro, maturité, merveille, parfait, perle, purisme, qualité, summum.

PERFECTIONNÉ. Abouti, arrivé, assimilable, bénéfique, chouette, conçu, échafaudé, élaboré, exécuté, fabriqué, fadé, fumant, imaginé, lauréat, parfait, pensé, recherché, réussi, sophistiqué, succès, triomphal, venu.

PERFECTIONNEMENT. Achèvement, affinage, amélioration, arrangement, complètement, correction, enjolivement, fignolage, finition, garnissage, léchage, peaufinage, polissage, purification, raffinement, retouche, révision.

PERFECTIONNER. Achever, affiner, améliorer, amender, bonifier, châtier, chiader, compléter, corriger, cultiver, élaborer, épurer, évoluer, fignoler, idéaliser, parachever, parfaire, peaufiner, progresser, retoucher, sophistiquer, travailler.

PERFECTIONNISTE. Chatouilleux, consciencieux, délicat, exigeant, maniaque, méticuleux, mesquin, minutieux, paperassier, pointilleux, procédurier, puriste, raffiné, scrupuleux, sourcilleux, subtil, tatillon.

PERFIDE. Cauteleux, déloyal, fallacieux, faux, fourbe, hypocrite, inconstant, infidèle, machiavélique, méchant, noir, rusé, scélérat, serpent, sournois, ténébreux, traître, trompeur, venimeux, vipérin, volage.

PERFIDEMENT. Artificieusement, captieusement, cauteleusement, déloyalement, démagogiquement, fallacieusement, hypocritement, insidieusement, machiavéliquement, sournoisement, traîtreusement, trompeusement.

PERFIDIE. Déloyauté, dissimulation, droiture, duplicité, fausseté, fourberie, franchise, hypocrisie, infidélité, loyauté, machiavélisme, malice, méchanceté, noirceur, rosserie, ruse, scélératesse, sincérité, sournoiserie, traîtrise, venin.

PERFORATEUR. Fileteur, machine-outil, perceur, perforant, taraudeur, térébrant, tourmentant, tricône, tunnelier.

PERFORATION. Abîme, antre, aven, bled, boire, brèche, caverne, cavité, chas, clapier, coupure, cratère, créneau, creux, crevasse, dalot, entonnoir, évent, excavation, fente, fissure, forure, fosse, larron, lumière, narine, nid-de-poule, normand, œil, œillet, ope, orifice, ouverture, passage, patelin, pénétrer, piqûre, pore, puits, sténosé, terrier, trou, trouée, vide.

PERFORER. Cavité, forer, larder, pénétrer, percer, poinçonner, térébrer, transpercer, traverser, trouer, vriller.

PERFORMANCE. Action, avantage, best-seller, bonheur, coach, compétition, efficacité, efficience, efficient, épreuve, exploit, gain, gloire, hit, prospérité, prouesse, record, réussite, succès, triomphe, trophée, victoire, vogue.

PERFORMANT. Affriolant, aguichant, aimable, alléchant, appât, attachant, attirable, attirant, attracteur, attrait, attrayant, captivant, charmant, compétitif, concurrentiel, engageant, fascinateur, magnétique, piquant, ravissant, séduisant, sexy, tentant.

PERFUSION. Gonagre, goutte-à-goutte, gouttelette, intraveineux, introduction, larme, liposome, mère, mie, orteil, pas, pâté, perle, podagre, postillon, rectal, remplissage, rhumatisme, rien, roupie, stalagmomètre, tectile, tophus.

PERGÉLISOL. Couche, gel, merzlota, permafrost, permagel, sol, tjale.

PERGOLA. Abri, belvédère, berceau, charmille, filet, gloriette, kiosque, tonnelle, treille, treillis, vigne.

PÉRI. Autour, charmeuse, diseuse, écu, fée, génie, harpie, magicienne, mégère, meuble, sirène, sorcière.

PÉRIANTHE. Calice, corolle, épigyne, étamine, fleur, hypogyne, induvie, infère, pistil, tétale.

PÉRIASTRE. Acmé, altitude, aphélie, apoastre, apogée, apothéose, apside, ascension, cime, comble, culminant, élévation, faîte, gloire, maximum, mont, nadir, périgée, pinacle, point, sommet, summum, triomphe, zénith.

PÉRICARDE. Arrière-faux, cœur, délivre, enveloppe, fibreux, gargousse, gousse, séreuse.

PÉRICARPE. Albuginée, ampoule, arille, baie, bale, barder, bogue, brou, calice, chemise, chorion, clisse, cocon, coque, coquille, cosse, couverture, dé, délivre, écale, écorce, endocarpe, enveloppe, épicarpe, étui, fourreau, gaine, gargousse, genouillère, giron, glume, glumelle, housse, légume, membrane, mésocarpe. momie, peau, périsprit, placenta, pli, récipient, rétine, robe, sac, scrotum, taie, tégument, test, tunique, zoécie.

PÉRICLÈS (n. p.). Agariste, Alcibiade, Alcméonide, Anaxagore, Aspasie, Éphialtès, Parthénon, Phidias, Shakespeare, Sophocle, Xanthippos.

PÉRICLITER. Agoniser, baisser, couler, décliner, dégrader, délabrer, dépérir, enfoncer, languir, ruiner.

PÉRIDINIEN. Algue, amibe, coccolithophore, diatomée, dinothrix, euglène, prégarine, protiste, protozoaire, stigma.

PÉRIDOT. Chrysolite, gravier, joaillerie, minéral, olivine, pierre, serpentine, silicate, topaze.

PÉRIGÉE. Acmé, altitude, aphélie, apoastre, apogée, apothéose, apside, ascension, cime, comble, culminant, élévation, faîte, gloire, maximum, mont, nadir, périastre, pinacle, point, sommet, summum, triomphe, zénith.

PÉRIL. Alarme, crise, danger, détresse, écueil, embûche, hasard, menace, piège, récif, risque, sauf.

PÉRILLEUX. Acrobatie, alarmant, audacieux, aventureux, brûlant, cascade, critique, dangereux, délicat, difficile, glissant, hardi, hasardeux, intrépide, menaçant, nuisible, osé, risqué, saut, savonneux, scabreux.

PÉRIMÉ. Anachronique, annulé, arriéré, attardé, caduc, caduque, démodé, dépassé, désuet, échu, expiré, inactuel, invalide, nul, obsolescent, obsolète, perdu, rétrograde, suranné, usé, vétuste, vieux.

PÉRIMÈTRE. Bord, circonférence, contour, distance, enceinte, périphérie, pourtour, quadrant, tour, zone.

PÉRINÉE. Anal, anus, épisiotomie, épisiotomie, génital, périnéorraphie, rectum, troufignon.

PÉRIODE (n. p.). Afton, Avent, Cent Ans, Cent-Jours, Moyen-âge.

PÉRIODE. Âge, an, annales, année, apocode, automne, avent, bloque, cinquantaine, coda, congé, créneau, crétacé, crise, cueillette, cycle, décade, décennie, décours, degré, durée, époque, éocène, ère, étape, été, gestion, heure, hiver, invasion, lustre, intermède, intervalle, jomon, lustre, millénaire, minoen, minorité, miocène, mi-temps, morte-saison, néogène, nouaison, nouure, octave, œstrus, phase, pliocène, protohistoire, quarantaine, quatre-temps, printemps, réitération, revif, révolution, rut, saros, semailles, séquence, session, siècle, soixantaine, stade, stage, temps, trentaine, trias, tunnel, vache, vingtaine.

PÉRIODICITÉ. Cadence, chronicité, cyclicité, durée, régularité, répétition, rythme, rythmicité, saisonnalité.

PÉRIODIQUE. Alternatif, annal, annuel, bimensuel, biennal, cyclique, évection, fixe, fréquent, habituel, hebdo, hebdomadaire, journal, magazine, mensuel, publication, régulier, revue, successif, tabloïd.

PÉRIOSTE. Amnios, aponévrose, ascite, basal, cire, choroïde, cloison, cœlioscopie, endocarde, enveloppe, épendyme, épiderme, fibre, filet, gaine, gangster, hymen, iris, membrane, méninge, opercule, peau, pellicule, péritoine, péritonite, plèvre, râtelle, rétine, sclérotique, tissu, tympan, volve, zeste.

PÉRIPATÉTICIENNE. Amazone, call-girl, catin, chipie, cocotte, courtisane, fille, garce, grue, hétaïre, micheton, morue, pétasse, poule, poupée, prostituée, putain, pute, racoleuse, radeuse, ribaude, roulure, salope, tapineuse, traînée.

PÉRIPÉTIE. Aléa, avatar, aventure, catastrophe, changement, crise, dénouement, épisode, événement, imprévu, incident, intrigue, nœud, rebondissement, revirement, rocambolesque, tribulation, trouble.

PÉRIPHÉRIE. Banlieue, bord, circonférence, contour, faubourgs, jante, périmètre, pourtour, tour, train.

PÉRIPHÉRIQUE. Allée, artère, autoroute, avenue, banlieue, boulevard, ceinture, chemin, cours, dérouleur, excentrique, extérieur, extrinsèque, jante, mail, périf, périph, ring, rocade, rue, suburbain, tour, train.

PÉRIPHRASE. Antonomase, biais, circonlocution, courbe, détour, déviation, équivalent, euphémisme, expression, fuite, manège, méandre, paraphrase, repli, retour, ruse, sinuosité, tour, virage, zigzag.

PÉRIPLE. Balade, circuit, croisière, déplacement, excursion, exil, expédition, exploration, incursion, itinéraire, méhara, navigation, odyssée, parcours, passage, pèlerinage, pérégrination, promenade, raid, randonnée, route, tour, tourisme, tournée, traversée, virée, visite, voyage.

PÉRIR. Altérer, anéantir, consumer, couler, crouler, décimer, dépérir, détruire, disparaître, écrouler, expirer, faucher, finir, geler, immoler, mourir, noyer, sombrer, succomber, tomber, trépasser, tuer.

PÉRISSABLE. Altérable, biodégradable, caduc, chétif, corruptible, court, débile, délicat, éphémère, épuisé, faible, fragile, frêle, fugace, incertain, instable, mortel, passager, précaire, putrescible, risqué.

PÉRISSODACTYLE. Âne, cheval, équidé, imparidigité, mésaxonien, rhinocéros, tapir, tapiridé, zèbre.

PÉRISSOIRE. As, barque, canoë, canot, embarcation, kayak, pirogue, yole.

PÉRISTOME. Abée, accès, angle, archère, barbacane, baie, béer, brèche, cavité, commencer, cratère, créneau, daleau, dalot, écoutille, écubier, embrasure, entrée, esse, évasure, fenêtre, fente, fermeture, gueulard, hublot, inauguration, laparotomie, lucarne, méat, meurtrière, narine, nocturne, œil, ope, orifice, ouïe, ouverture, panneau, piètement, pore, prélude, soupirail, trou, trouée, tubulure, tuyère.

PÉRISTYLE. Colonnade, corridor, couloir, pœcile, porche, porte, portique, pronaos, tambour, torana, torii, vestibule.

PÉRITHÈCE. Croît, écidie, fructification, fruit, infrutescence, prospérer, rendement, urédospore.

PÉRITOINE. Amnios, aponévrose, ascite, basal, cire, choroïde, cloison, cœlioscopie, endocarde, enveloppe, épendyme, épiderme, fibre, filet, gaine, gangster, hymen, iris, membrane, méninge, opercule, peau, pellicule, périoste, péritonite, plèvre, ratelle, rétine, sclérotique, tissu, tympan, volve, zeste.

PERLANT. Pétillant, vin.

PERLÉ. Abattu, altéré, amaigri, brisé, débarrassé, décousu, dédoublé, défait, démêlé, déterré, épuisé, exténué, orge.

PERLE. Absurdité, bijou, boule, coton, eau, erreur, fil, globule, goutte, gouttelette, grain, grève, huître, ineptie, lapsus, mil, mulette, noces, œil, olivette, orient, parangon, perlier, perlière, perlouse, perlouze, phénix, pintadine, semence.

PERLER. Couler, dégouliner, dégoutter, échapper, écouler, emperler, exsuder, filtrer, fuir, gouttelettes, parfaire, parfait, peaufiner, perfection, pleurer, ruisseler, soigner, suer, suinter, transpirer, transsuder.

PERMAFROST. Couche, gel, merzlota, permagel, pergélisol, sol, tjale.

PERMAGEL. Couche, gel, merzlota, pergélisol, permafrost, sol, tjale.

PERMANENCE. Constance, continu, continuité, durée, éternité, monotonie, poste, psalmodie, stabilité, stamm, veille.

PERMANENT. Cicatrice, constant, continu, continuel, durable, endémique, éternel, fixe, immobile, immuable, inaltérable, incessant, monotone, pérenne, perpétuel, persistant, régulier, stable, toujours, uniforme.

PERMANENTE. Anneler, aplatir, bichonner, boucler, canneler, crêper, draper, effleurer, étoffer, friser, frisotter, frôler, lisser, minivague, moutonner, onduler, raser, ratinage, ratiner, risquer.

PERMANENTER. Anneler, aplatir, bichonner, boucler, calamistrer, canneler, coquiller, crêpeler, crêper, crespeler, croller, effleurer, friser, frisotter, frôler, lisser, moutonner, onduler, raser, ratiner.

PERMÉABILITÉ. Clarté, cristallin, déliquescence, diaphane, diascopie, eau, épair, épidiascope, évidence, filigrane, glassnost, hyaloïde, légèreté, limpidité, mat, pénétrabilité, porosité, suée, transparence, vitrophanie.

PERMÉABLE. Absorbant, accessible, ouvert, pénétrable, poreux, réceptif, sensible, spongieux, spongiforme.

PERMETTRE. Accepter, accorder, acquiescer, admettre, agréer, approuver, autoriser, commander, concéder, consentir, endurer, hasarder, laisser, mener, octroyer, oser, passer, reclasser, risquer, souffrir, supporter, tolérer.

PERMIEN. Autunien, cambrien, carbonifère, dévonien, ère, ordovicien, primaire, silurien.

PERMIS. Admissible, approbation, autorisé, document, droit, exéat, illicite, interdit, juste, laissez-passer, légal, légitime, libre, licence, licite, loisible, passavant, passe, permission, sauf-conduit, toléré.

PERMISSIF. Élastique, large, latitudinaire, laxiste, libéral, permissivité, possible, relâché, tolérant.

PERMISSION. Acceptation, accord, acquiescement, agrément, approbation, autorisation, brevet, congé, consentement, dispense, droit, exeat, habilitation, imprimatur, licence, licet, loisir, passe, patente, perm, perme, permis, pouvoir, sortie.

PERMISSIVITÉ. Accoutumance, bienveillance, complaisance, compréhension, condescendance, convivialité, humanité, indulgence, laxisme, libéralisme, lupanar, mansuétude, ouverture, patience, tolérance.

PERMUTABLE. Changeable, commuable, commutable, interchangeable, remplaçable, substituable, transposable.

PERMUTATION. Bijection, commutation, échange, interversion, inversion, substitution, transposition.

PERMUTER. Changer, commuter, copermuter, échanger, intervertir, permutant, substituer, transposer.

PERNICIEUX. Dangereux, damnable, dévastateur, diabolique, dommageable, fatal, funeste, mal, malfaisant, malin, malsain, mauvais, méfait, nocif, nocivité, nuisible, peste, poison, préjudiciable, sinistre, subversif.

PERNICIOSITÉ. Dangerosité, destructivité, édacité, létalité, léthalité, nocivité, nocuité, nuisibilité.

PÉRONÉ. Astragale, calcanéum, cheville, fibula, jambe, malléole, muscle, os, péronier, tibia.

PÉRONNELLE. Bavarde, bêcheuse, chichiteuse, femme, fille, mijaurée, pécore, pimbêche, prétentieuse, sotte.

PÉRORAISON. Allocution, boniment, causerie, conférence, discours, dissertation, dit, éloge, énigme, exorde, exposé, harangue, homélie, laïus, mensonge, oraison, parole, plaidoyer, prêche, sermon, sornette, topo.

PÉRORER. Causer, discourir, disserter, épiloguer, palabrer, parler, plaider, pontifier, prêcher, présenter, raisonner, réciter.

PÉROREUR. Avocat, baratineur, causeur, conférencier, débatteur, défenseur, discoureur, diseur, foudre, harangueur, moralisateur, orateur, parleur, prêcheur, prédicant, prédicateur, rhéteur, tribun, verve.

PÉROU, CAPITALE (n. p.). Lima.

PÉROU, LANGUE. Aymara, espagnol, quechua.

PÉROU, MONNAIE. Sol.

PÉROU, VILLE (n. p.). Ancon, Arequipa, Ayacucho, Cuzco, Ica, Ilo, Iquitos, Jauja, Junin, Lima, Nisibis, Pisco, Piura, Sidon, Tacna.

PERPENDICULAIRE. Aplomb, apothème, droit, flèche, hauteur, horizontal, jas, lisse, orthogonal, pied, sinus, théorème.

PERPÉTRATION. Accomplissement, alcool, bière, boisson, bouillon, consommation, denrée, dépense, emploi, fin, godet, jus, liqueur, pot, rafraîchissement, rasade, ration, réalisation, santé, usage, utilisation, verre.

PERPÉTRER. Accomplir, acheter, achever, acquitter, arriver, célébrer, commettre, effectuer, épurer, exécuter, faire, finir, fournir, obéir, observer, opérer, peaufiner, procéder, réaliser, réussir, remplir, satisfaire, sonner, suivre, terminer.

PERPÉTUATION. Conservation, constance, continuité, durabilité, durée, éternel, fixe, infantilisme, longévité, néoténie, obstination, opiniâtreté, persistance, rémanence, réverbération, ténacité, stroboscopie, vitalité.

PERPÉTUEL. Constant, continu, continuel, durable, éternel, fréquent, habituel, immortel, immuable, impérissable, incessant, indéfinitivement, ininterrompu, interminable, longtemps, permanent, relégation, toujours.

PERPÉTUELLEMENT. Bientôt, constamment, continuellement, continûment, éternellement, immuablement, inaltérablement, incessamment, indéfiniment, infiniment, invariablement, permanence, toujours.

PERPÉTUER. Conserver, continuer, demeurer, durer, entretenir, éterniser, garder, immortaliser, maintenir, perdurer, pérenniser, perpétuation, persister, prolonger, reproduire, résister, rester, subsister, survivre.

PERPÉTUITÉ. Assidu, assidûment, constance, constant, continuellement, continuité, durée, éternel, éternité, généralement, immortalité, invariablement, pérennité, perpète, perpette, stabilité, toujours, uniforme, vie.

PERPLEXE. Agité, embarrassé, hésitant, incertain, indécis, intrigue, rêveur, soupçonneux, suspens, troublant.

PERPLEXITÉ. Agitation, doute, embarras, hésitation, gêne, incertitude, indécision, indétermination, irrésolution, scrupule, soupçon.

PERQUISITION. Coup de filet, descente, enquête, fouille, inquisition, inspection, rafle, recherche, visite.

PERRÉ. Béton, carapace, carrelage, chemisier, cocon, couche, cuvelage, dalle, devanture, dorure, enduit, garniture, guipage, lambris, lino, linoléum, macadam, mur, pavage, pavé, pilosité, revêtement, stuc, tuile, tuileau.

PERRON. Degré, entrée, escalier, galerie, montoir, seuil.

PERROQUET. Ara, cacatoès, cacatois, cire, conure, euphème, foc, hunier, jaco, jacot, jaquot, jacquot, jaser, kakapo, kakatoès, lori, loriquet, maraceux, mélopsitte, nestor, oiseau, paléonis, perruche, psittacidé, psittacose, rosalbin, scare, voile.

PERRUCHE. Bavard, femme, inséparables, mégère, ondulée, perroquet, psittacidé, psittacose, pygmée.

PERRUQUE. Cheveux, coiffure, fontange, moumoute, perruquier, postiche, sartine, tignasse, toupet, travail.

PERRUQUIER. Artisan, barbier, capilliculteur, coiffeur, fabricant, figaro, merlan, posticheur.

PERSAN. Bazr, chah, chat, dari, divan, farsi, iranien, kan, khan, kpehlvi, parsi, péri, perse, persique, shah.

PERSAN (n. p.). Dari, Zoroastre.

PERSE (n. p.). Iran.

PERSE. Aman, chah, farsi, islam, mazdéisme, satrape, shah, zend.

PERSE, VILLE (n. p.). Bagdad, Ecbatane, Marathon, Nisibis, Persépolis.

PERSÉCUTER. Accabler, acharner, brûler, gêner, harceler, importuner, martyriser, obséder, poursuivre, torturer, tourmenter, tyranniser.

PERSÉCUTEUR (n. p.). Hiéroclès, Tiridate, Valérien.

PERSÉCUTEUR. Affronteur, agresseur, autocrate, brimeur, cruel, despote, dictateur, dominateur, draconien, harceleur, maître, oiseau, oppresseur, roi, roitelet, sadique, satrape, souverain, tourmenteur, tyran, vexateur.

PERSÉCUTION. Brimade, délire, dragonnades, harcèlement, lapidation, martyre, paranoïa, supplice, torture.

PERSÉPHONE (n. p.). Coré, Déméter, Korè, Proserpine.

PERSÉVÉRANCE. Acharnement, assiduité, constance, courage, détermination, endurance, entêtement, fermeté, insistance, obstination, opiniâtreté, patience, persistance, résolution, suite, ténacité, têtu.

PERSÉVÉRANT. Acharné, constant, entêté, fidèle, inlassable, obstiné, opiniâtre, patient, persistant, tenace, têtu.

PERSÉVÉRER. Accrocher, acharner, buter, continuer, demander, demeurer, entêter, insister, obstiner, opiniâtrer, patienter, perdurer, persister, pourchasser, poursuivre, presser, talonner, tenir, traquer.

PERSICAIRE. Bistorte, infusion, oseille, patience, polygonacée, renouée, rhubarbe, rumex, sarrasin.

PERSIENNE. Battant, battement, châssis, contrevent, jalousie, loqueteau, store, tourniquet, volet.

PERSIFLAGE. Agacement, dérision, gouaille, ironie, mépris, moquerie, raillerie, ridicule, risée, sarcasme, taquinerie.

PERSIFLER. Achaler, agacer, asticoter, bafouer, blaguer, braver, canuler, chicaner, chiner, embêter, harceler, lutiner, mystifier, picosser, picoter, railler, ridiculiser, tanner, tarabuster, taquiner, tourmenter.

PERSIFLEUR. Blagueur, brocard, caustique, charrieur, chineur, facétieux, goguenard, gouailleur, impertinent, ironique, ironiste, moqueur, mordant, narquois, railleur, ricaneur, rieur, sarcastique, sardonique, satirique.

PERSIL. Aethuse, apiol, chinois, condiment, épice, éthuse, persicot, persillade, persillé, plante.

PERSISTANCE. Conservation, constance, continuité, durabilité, durée, endémie, éternel, fixe, infantilisme, longévité, maintien, néoténie, obstination, opiniâtreté, rémanence, réverbération, ténacité, stroboscopie, vitalité.

PERSISTANT. Continu, durable, entêté, fixe, gravé, immuable, imprimé, incessant, opiniâtre, permanent, rémanent, sempervirent.

PERSISTER. Acharner, continuer, demeurer, durer, obstiner, perdurer, persévérer, rester, subsister, tenir.

PERSONNAGE (n. p.). Aladin, Ali Baba, Batman, Cendrillon, Don Quichotte, Dracula, Frankenstein, Gavroche, Maigret, Mélusine, Merlin, Otello, Othello, Pantalon, Pierrot, Pinocchio, Polichinelle, Quasimodo, Robin Crusoé, Scapin, Snoopy, Superman, Tarzan.

PERSONNAGE. Avatar, ayatollah, bouffon, camarilla, clown, comparse, confident, croque-mitaine, dignitaire, ectoplasme, énergumène, escobar, fat, fouettard, grosse légume, héros, huile, individu, mandarin, marabout, martien, messie, monstre, nom, numéro, orant, paltoquet, panthéon, pierrot, ploutocrate, polichinelle, pommeau, protagoniste, rôle, sacripant, scène, trickster, type, vip, zèbre.

PERSONNAGE BIBLIQUE (n. p.). Aaron, Abdias, Abner, Abraham, Adam, Aggée, Amnon, Amos, André, Anne, Antéchrist, Aram, Arroi, Aser, Assuérus, Balthazar, Barabbas, Barthélemy, Booz, Daniel, David, Déborah, Élie, Élisée, Esau, Esther, Ézéchiel, Goliath, Habacuc, Hérodiade, Holopherne, Isaïe, Ismaël, Jephté, Jérémie, Jéroboam, Jésus, Joachim, Job, Joël, Jonas, Joseph, Josué, Judas, Jude, Léa, Lia, Marc, Mardochée, Marie, Mathias, Michée, Messie, Moïse, Nahum, Nathan, Néhémie, Nemrod, Osée, Paul, Pierre, Ruth, Sara, Sarah, Sem, Thomas.

PERSONNALISER. Caractériser, customiser, définir, désigner, déterminer, distiguer, expliciter, marquer, spécifier.

PERSONNALITÉ. Connu, ego, gotha, has been, jet-set, jet-society, légume, magnat, notable, ombudsman, originalité, quelqu'un, sommité.

PERSONNE (2 lettres). As, on.

PERSONNE (3 lettres). Âme, ami, âne, ego, gus, mec, moi, mou, nul, oie, pie, pur, qui, rat, roi, tué, vif, vip, zig.

PERSONNE (4 lettres). Ange, buse, cave, coco, diva, dupe, être, gale, gens, gogo, hère, hôte, juge, lige, lope, mage, même, mime, nain, noix, noir, ogre, oint, ours, ovni, pair, pape, pâte, pays, pool, raté, ravi, reçu, rôle, scie, serf, tête, tiré, type, typo, veau, voix, yogi, zani, zéro.

PERSONNE (5 lettres). Allié, amant, ânier, argus, athée, autre, avare, baron, bonze, brute, cador, clown, crack, démon, élève, émule, épave, évadé, extra, fable, faune, filou, fléau, flirt, furet, garde, géant, génie, grand, héros, homme, huile, huron, idole, jaune, ladre, larve, loque, luron, maçon, major, marié, mâtin, merle, métro, minus, momie, monde, moule, nabot, nègre, nobel, otage, outil, pacsé, paria, parti, pendu, pèrin, perle, peste, pièce, piqué, pitre, plaie, plouc, poète, poids, poire, ponte, proie, râblé, rejet, rente, riche, robot, ronde, ruine, sage, saisi, serve, sieur, singe, sonde, sosie, sourd, sujet, ténor, tiers, titan, tueur, tyran, ultra, vache, vague, volée, zèbre, zombi.

PERSONNE (6 lettres). Adepte, adulte, affidé, agrégé, ancien, animal, arrivé, ascète, asiate, assuré, bohème, calure, cheval, cireur, client, coquin, crétin, crieur, croisé, cruche, dandin, député, détenu, dîneur, dragon, énigme, ennemi, ermite, escroc, espion, fidèle, fripon, glaçon, fretin, garant, gigolo, gredin, intrus, laceur, leader, légume, licier, limace, logeur, loueur, lugeur, machin, magnat, maître, martyr, masque, mécène, médium, membre, mémère, meneur, mentor, mignon, milieu, mireur, modèle, morfal, mortel, mouton, nageur, noceur, novice, numéro, oracle, ordure, ouvreur, pantin, pareil, parent, passant, patate, pataud, payeur, paysan, pédant, perche, peseur, péteux, phénix, piéton, pilote, pioche, pilier, pingre, piorne, pipier, pirate, plieur, poison, populo, poseur, potier, priant, proche, protée, quidam, raider, râleur, rameur, raseur, raveur, recrue, relais, renard, repris, réseau, ribaud, rieuse, rigolo, rôdeur, salaud, savant, savate, scieur, second, semeur, statue, suppôt, syndic, tablée, talent, tapeur, teigne, teneur, tireur, tocard, toréra, torero, tortue, tourbe, toxico, trâlée, trésor, trieur, tuteur, usager, vacher, vaincu, vassal, veneur, videur, vipère, vivant, viveur, volcan, voleur, voyant, voyeur, zélote, zigoto, zombie.

PERSONNE (7 lettres). Adjoint, ancêtre, arbitre, artisan, artiste, asperge, associé, attaché, battant, boiteux, boutefeu, brigand, cabotin, calibre, camelot, canneur, cannier, cariste, casseur, causeur, caviste, censeur, chameau, citadin, colleur, contact, croûton, détenue, djobeur, drapier, éboueur, échalas, échappé, économe, élément, esthète, exemple, fâcheux, faiseur, fauteur, filleul, fonceur, fumiste, fusible, ganache, gazette, glaneur, gourmet, grutier, guignol, inculpé, joggeur, lâcheur, lavette, lauréat, lécheur, lecteur, lève-tôt, liftier, lingère, lissier, livreur, macaque, machine, mal-aimé, mal-logé, manager, manitou, marieur, masseur, m'as-tu-vu, matheux, mazette, médecin, mentoré, météore, métreur, metteur, meunier, microbe, mocheté, moineau, monteur, morveux, mouleur, nattier, négrier, néorural, notable, nouille, nullité, offreur, ogresse, orateur, orfèvre, pagayeur, parieur, partant, parvenu, passeur, patient, pêcheur, peintre, pendant, penseur, perceur, pète-sec, piégeur, pierrot, pieuvre, pilleur, pipelet, piqueur, piqueux, pisseur, placeur, placier, planqué, planton, poisson, polluer, pompier, pontier, porcher, porteur, possédé, potiche, preneur, préposé, prévenu, priseur, produit, protégé, proxène, puriste, purotin, quêteur, recours, réfugié, remueur, renégat, rentier, rentrer, retrayé, rewriter, rhéteur, richard, rolleur, rossard, routard, routeur, sableur, sagouin, sangsue, saunier, sauveur, serpent, serveur, smicard, soldeur, sommité, sondeur, sonneur, sorcier, soudeur, soupeur, soutien, soutier, spectre, stadier, starter, stomisé, subrogé, suivant, suiveur, surdoué, surfeur, tagueur, tanneur, tartufe, taupier, tendeur, terreur, terrien, testeur, thésard, tisseur, tombeur, tondeur, toquard, traceur, trayeur, tuilier, valseur, vampire, vandale, vanneur, vannier, vaurien, vendeur, vengeur, verrier, verseau, vétéran, vibrion, victime, violeur, vis-à-vis, vitrier, zapeur.

PERSONNE (8 lettres). Abatteur, alter ego, anathème, apiéceur, apnéiste, apprenti, assassin, assimilé, baba-cool, baissier, bien-aimé, blaireau, bonhomme, branleur, brasseur, brise-fer, brise-feu, caissier, caméléon, canaille, candidat, carpette, chaperon, choriste, claqueur, confrère, conquête, créature, critique, croulant, délateur, dresseur, écailler, écervelé, échalote, échanson, échotier, éclusier, égorgeur, élagueur, électeur, élégante, émetteur, émeutier, emplâtre, étranger, étudiant, exploité, factotum, flambeur, frondeur, gaillard, gueulard, hérisson, histrion, hôtelier, illuminé, individu, ironiste, kamikaze, karatéka, lampiste, lèche-cul, loucheur, magicien, manageur, mandarin, manucure, marcheur, marqueur, mécréant, mêle-tout, mendiant, messager, mesureux, milicien, minorité, miséreux, moniteur, moricaud, néophyte, niveleur, officiel, oiseleur, opticien, original, paludier, paradeur, parasite, partisan, pashmina, passager, patineur, patriote, péagiste, pénitent, péroreur, phraseur, piocheur, pionnier, plaideur, pleurant, plagiste, plaisant, plombier, plongeur, pochetée, pointure, pompiste, porc-épic, potinier, prête-nom, primitif, prophète, pyromane, quelqu'un, raboteur, radoteur, ramoneur, rapatrié, rapporté, receleur, receveur, récitant, redresse, régatier, relation, réplique, résidant, résident, retraité, revenant, réviseur, ronfleur,

saboteur, saigneur, saligaud, salopard, sanisant, sans-abri, sans-gêne, sapiteur, scorpion, seigneur, sinisant, soiffard, sonneur, sophiste, souillon, squatter, stoppeur, storiste, styliste, sybarite, tâcheron, tartuffe, tatoueur, taxateur, touriste, tourneur, traînard, traîneur, traqueur, trekkeur, troqueur, trouveur, truqueur, turfiste, vagabond, valentin, vélivole, vigneron, virtuose, visiteur, voiturée, voyageur, zélateur.

PERSONNE (9 lettres). Accordeur, agitateur, andouille, annonceur, arriviste, ayatollah, baudruche, bourgeois, bourrique, brise-tout, camarilla, cauchemar, chochotte, choéphore, commensal, confident, défendeur, dénicheur, dinosaure, desperado, doctorant, écorcheur, émissaire, endormeur, escrimeur, étourneau, éveilleur, exécutant, fricoteur, garnement, girouette, impétrant, imposteur, imprimeur, intendant, jeune-turc, jubilaire, locataire, lotisseur, machiavel, mannequin, maquignon, maraîcher, mauviette, médiateur, mégissier, méhariste, mésadapté, meurtrier, militaire, miroitier, narrateur, nasilleur, nautonier, navetteur, négociant, nettoyeur, non-valeur, numismate, offenseur, orienteur, outilleur, paniquard, parfumeur, pataugeur, pédagogue, pelletier, pendulier, perchiste, pestiféré, pétrolier, pharisien, phénomène, philistin, piaillard, piailleur, piédouche, piqueteur, pitonneux, pizzaïlo, plagiaire, plaignant, plâtrier, polémiste, politique, porte-fort, postérité, postulant, praticien, prédateur, prisonnier, professer, profiteur, promotion, prosélyte, rabâcheur, rabat-joie, rabatteur, raffineur, ramasseur, ramendeur, rancunier, ravaudeur, ravisseur, rebouteur, rebouteux, réclamant, recourant, recruteur, rédacteur, redevable, régimbeur, régisseur, remettant, rémouleur, repasseur, répondant, repreneur, résistant, ressource, retrayant, revendeur, saccageur, salonnard, samboïste, sans-le-sou, sans-logis, sans-parti, sans-souci, sardinier, sauveteur, savonnier, semainier, semblable, semencier, serrurier, sommelier, souffleur, sous-marin, sous-ordre, souverain, squatteur, stagiaire, suborneur, succédané, supérieur, supplicié, supporter, tacticien, tapissier, tavernier, télexiste, tenancier, testateur, théâtreux, tire-au-cul, tisserand, tonnelier, transfuge, tréfileur, trembleur, trépassé, trésorier, tripoteur, va-nu-pieds, veloutier, vénérable, vérifieur, vétéciste, vététiste, vieillard, violateur, vivandier, voyagiste.

PERSONNE (10 lettres). Affairiste, amphitryon, anachorète, apiculteur, archiviste, aventurier, ayant cause, ayant droit, baby-boomer, bouche-trou, cacographe, charognard, cleptomane, concitoyen, délinquant, échangiste, énergumène, épistolier, étalagiste, fine mouche, gagne-petit, gribouille, guérisseur, hurluberlu, iconolâtre, imprésario, indivisaire, interprète, laborantin, libérateur, lieutenant, mainteneur, malfaiteur, maquilleur, massacreur, mastodonte, matraqueur, mécanicien, mégalomane, moutardier, naufrageur, navigateur, noblaillon, noctambule, non—salarié, oculariste, orpailleur, ostéopathe, paillasson, partenaire, particulier, pendulaire, pensifleur, perfection, perruquier, pétrisseur, philosophe, pinailleur, plaisantin, planchiste, plasticien, plumassier, politicard, politicien, population, porte-croix, possesseur, pourvoyeur, précurseur, producteur, profession, prolétaire, protection, protestant, repoussoir, prétentant, providence, provincial, qualiticien, randonneur, rapporteur, raquetteur, redresseur, registraire, remplaçant, rentoileur, réparateur, répétiteur, repoussoir, retoucheur, retraitant, révélation, ribambelle, rimailleur, risque-tout, robinetier, roboticien, saisissant, saurisseur, sauterelle, scrutateur, secouriste, secrétaire, sentinelle, sermonneur, signataire, simulateur, spectateur, succession, supporteur, sursitaire, sycophante, tartempion, tchatcheur, technicien, teinturier, téléacteur, terrassier, théoricien, thérapeute, toupilleur, tout-venant, toxicomane, traducteur, trafiquant, tricoteuse, troglodyte, typographe, usurpateur, vendangeur, vernisseur, vieillesse, vinaigrier, vitrioleur.

PERSONNE (11 lettres). Babyboumeur, bimbelotier, bouquetière, calligraphe, caractériel, carriériste, chiffonnier, chorégraphe, cofondateur, compatriote, compilateur, crève-la-faim, épouvantail, faire-valoir, inprécateur, intermittent, lèche-bottes, maquettiste, marchandeur, marionnette, maroquinier, minitéliste, moins-disant, naturaliste, nécromancien, négociateur, non-résident, nourrisseur, numérologue, observateur, oléiculteur, oniromancien, ordonnateur, palefrenier, passementier, persécuteur, plaisancier, point de mire, poissonnier, poitrinaire, pomiculteur, pourfendeur, poursuivant, prédicateur, préparateur, programmeur, propre-à-rien, prospecteur, psychopathe, rabouilleur, réalisateur, récidiviste, rempailleur, répartiteur, responsable, riziculteur, rotativiste, saint-esprit, sans-papiers, scootériste, self-made-man, spécialiste, spéculateur, superviseur, surveillant, thaumaturge, tire-au-flanc, travailleur, trouble-fête, unijambiste, usufruitier, vélivoliste, vétérinaire, vignettiste, viticulteur.

PERSONNE (12 lettres). Aquarelliste, attributaire, bourlingueur, boute-en-train, chiromancien, conférencier, conservateur, consommateur, croisiériste, entremetteur, gestionnaire, indemnitaire, juillettiste, malentendant, manipulateur, mécanographe, milliardaire, papillonneur, parachutiste, parapentiste, parlementaire, pensionnaire, permanencier, personnalité, philanthrope, photographe, pique-niqueur, pisciculteur, plasturgiste, pleurnichard, pleurnicheur, polichinelle, porte-drapeau, prédécesseur, prescripteur, présentateur, propriétaire, proscripteur, protagoniste, questionneur, raccommodeur, radioamateur, ravitailleur, recherchiste, renonciateur, représentant, restaurateur, sidérurgiste, souscripteur, standardiste, sylviculteur, symphoniste, syndicaliste, téléacheteur, téléphoniste, tortionnaire, transporteur, triomphateur, trompe-la-mort, vadrouilleur, vaticinateur, vinification, vivificateur, vocalisateur, vociférateur.

PERSONNE (13 lettres). Accordéoniste, diététicienne, globe-trotteur, personnaliser, pétitionnaire, pince-sans-rire, pique-assiette, pisse-vinaigre, porte-bannière, poule mouillée, professionnel, pronostiqueur, protestataire, réactionnaire, récipiendaire, récriminateur, relationniste, renchérisseur, renonciataire, ressortissant, tête de linotte, traîne-savates, transcripteur, universitaire, versificateur.

PERSONNE (14 lettres). Extraterrestre, monopolisateur, radiesthésiste, réceptionnaire, réceptionniste, sainte-nitouche, souffre-douleur, téléconseiller, téléspectateur, tripatouilleur.

PERSONNEL. Attaché, bonne, direction, domestiques, effectif, employés, exclusif, individuel, intime, perso, privé, subjectif.

PERSONNELLEMENT. Individuellement, intimement, isolément, nominativement, particulièrement, soi-même.

PERSONNIFICATION (n. p.). Apollon, Iris, Oncle Sam, Ouranos, Phébus, Sam.

PERSONNIFICATION. Allégorie, analogie, apologie, assimilation, association, catachrèse, comparaison, destin, équivalence, figure, image, incarnation, lien, métaphore, parabole, parallèle, parenté, personnification, rapport, relation, ressemblance, symbole, type.

PERSONNIFIER. Décrire, dépeindre, désigner, dessiner, évoquer, exposer, exprimer, figurer, idéaliser, imaginer, imiter, incarner, jouer, mimer, peindre, rappeler, représenter, reproduire, styliser, symboliser, tracer.

PERSPECTIVE. Angle, aspect, avenue, axonométrie, côté, débouché, fuite, idée, horizon, optique, panorama, voie, vue.

PERSPICACE. Aigu, avisé, clairvoyant, fin, fort, futé, éveillé, ingénieux, intelligent, judicieux, lucide, lumineux, malin, mordant, obtus, pénétrant, perçant, piquant, profond, psychologue, sagace, sensé, subtil.

PERSPICACITÉ. Acuité, clairvoyance, discernement, finesse, flair, lucidité, observation, pénétration, sagacité, vue.

PERSPIRATION. Anhidrose, anidrose, antisudoral, antisudorifique, diaphorèse, étuve, évaporation, excrétion, exhalation, exsudation, moiteur, rejet, sauna, sudation, suée, suerie, sueur, transpiration, vapeur.

PERSUADER. Amadouer, attirer, capter, captiver, convaincre, décider, déterminer, éblouir, émouvoir, endoctriner, enjôler, entraîner, exciter, exhorter, gagner, graver, inculquer, insinuer, inspirer, parler, saisir, séduire, suggérer, tenter, toucher.

PERSUASIF. Adoucisseur, amadoueur, attirant, captivant, convaincant, décisif, éblouissant, éloquent, émouvant, enjôlant, entraînant, excitant, exhortant, gagnant, grave, inculquant, insinuant, inspirant, saisissant, séducteur, touchant.

PERSUASION. Ascendant, brio, captation, charme, conviction, éloquence, expression, influence, séduction.

PERTE. Absence, aliénation, amimie, amnésie, analgésie, analgie, anergie, anorexie, anosmie, aphasie, aphémie, apoplexie, apraxie, catalepsie, cécité, coma, coulage, décadence, décès, déchéance, dégât, déperdition, déphasage, désaffection, deuil, discrédit, disgrâce, dommage, échec, éclipse, évanouissement, éviction, forclusion, gaspillage, héméralopie, hémorragie, ire, leucorrhée, mal, manque, métrorragie, mue, mutilation, naufrage, privation, résultat, ruine, sacrifice, saignée, scotome, surdimutité, surdité, syncope, tassement, tribut.

PERTINEMMENT. Analytiquement, à point nommé, cohéremment, convenablement, correctement, dûment, équitablement, exactement, impartialement, justement, légitimement, logiquement, opportunément, précisément, rationnellement.

PERTINENCE. Adon, à-propos, bien-fondé, convenance, esprit, légitimité, opportunité, présence, repartie, utile.

PERTINENT. Approprié, compétent, congru, convenable, distinctif, judicieux, juste, justifié, opportun.

PERTUIS. Brèche, brisure, col, détroit, dommage, entaille, entame, orifice, ouverture, passage, percée, trou, trouée.

PERTUISANE. Arme, bâton, celte, ciseau, coupe-coupe, croissant, ébranchoir, échenilloir, élagueur, émondoir, épieu, fauchard, faucille, guisarme, hallebarde, hast, outil, sécateur, serpe, serpette, vouge.

PERTURBATEUR. Agitateur, baguette, émeutier, entraîneur, factieux, fasciste, fomenteur, illégal, insurgé, meneur, mutin, provocateur, réactionnaire, révolté, révolutionnaire, sectaire, séditieux, subversif, troubleur, trublion, ultra.

PERTURBATION. Agitation, apraxie, bourrasque, commotion, dérangement, explosion, lésion, orage, ouragan, parasite, sillage, stress, tempête, tornade, trouble.

PERTURBER. Bouleverser, bourrasser, brouiller, choquer, déranger, déséquilibrer, déstabiliser, désorganiser, désorienter, émotionner, endommager, gêner, interférer, léser, parasiter, stresser, tempêter, traumatiser, troubler.

PERVENCHE. Apocynacée, azuré, bleu-mauve, couleur, fleur, infusion, lavande, lilas, plante, police.

PERVERS. Corrompu, cruel, débauché, dénaturé, dépravé, déréglé, déviant, dévoyé, diabolique, frôleur, immoral, licence, malsain, maso, masochiste, méchant, monstrueux, noir, obsédé, pathologique, sadique, sournois, tordu, vicieux.

PERVERSION. Abjection, adultère, altération, anomalie, avarice, bestialité, corruption, débauche, dépravation, dérèglement, déviance, déviation, égarement, folie, masochisme, méchanceté, sadisme, sadomasochisme, stupre, vice.

PERVERSITÉ. Aigreur, calomnie, cruauté, dureté, félonie, fiel, fion, fureur, malfaisance, malice, malignité, malveillance, méchanceté, noirceur, perfidie, rancune, rosse, sadisme, scélératesse, vacherin, venin, vilenie.

PERVERTIR. Altérer, assainir, débaucher, dénaturer, corrompre, débaucher, déformer, dépraver, dévier, dévoyer, empoisonner, fausser, gâter, infecter, mal, perversion, perversité, pourrir, vicier.

PERVERTISSEUR. Asphyxiant, corrupteur, dangereux, délétère, démoralisateur, dépravant, immoral, irrespirable, malfaisant, malsain, mauvais, nocif, nuisible, pernicieux, pervers, séducteur, suborneur, toxique.

PESAMMENT. Amèrement, cruellement, difficilement, durement, fâcheusement, fortement, gauchement, grossièrement, laborieusement, lourdement, maladroitement, massivement, péniblement.

PESANT. Accablant, charge, écrasant, encombrant, épais, gênant, gras, grave, gros, grossier, important, indigeste, lent, lest, lourd, massif, mastoc, oppressant, pénible, poids, pondéreux, stupide, surchargé.

PESANTEUR. Apesanteur, attraction, densité, équilibre, exosphère, fardeau, force, gal, gêne, géoïde, gravitation, gravité, haltère, inertie, lenteur, lest, lourdeur, malaise, masse, poids, utricule, violence.

PESÉE. Carat, charge, densité, drachme, effort, épaisseur, étalon, faix, fardeau, force, frai, grain, gramme, importance, last, livre, lourdeur, marc, masse, mesure, mine, once, ort, pesage, pesanteur, peson, poids, poussée, pression, quintal, quantité, remords, responsabilité, sicle, souci, statère, tare, tonne.

PESER. Apprécier, approfondir, appuyer, balancer, calculer, charger, coûter, débattre, délibérer, discuter, estimer, évaluer, examiner, fatiguer, jauger, juger, mesurer, obérer, planer, presser, soupeser, supputer, tarer.

PESETA. Pta. Âcreté, affliction, aigreur, amertume, âpreté, bile, chagrin, découragement, dégoût, dépit, douloureux, dulcifier, empoisonner, fiel, méchanceté, mélancolie, morose, morosité, peine, rancœur, ressentiment, tristesse.

PESSIMISME. Âcreté, affliction, aigreur, amertume, âpreté, bile, chagrin, découragement, dégoût, dépit, douloureux, dulcifier, empoisonner, fiel, méchanceté, mélancolie, morosité, peine, pessimisme, rancœur, ressentiment, tristesse.

PESSIMISTE. Alarmiste, atrabilaire, bileux, bilieux, catastrophiste, décadent, défaitiste, dépressif, hypocondriaque, inquiet, maussade, mélancolique, misanthrope, morose, négatif, neurasthénique, noir, optimiste, paniquard, sinistrose.

PESTE. Bacille, bubon, chameau, démon, empester, épidémie, fléau, gale, maladie, méchant, mégère, mongol, néfaste, pesteux, pestiféré, pestilent, poison, puce, rat, streptomycine, teigne, virago, yersin.

PESTER. Colère, enrager, exprimer, fulminer, fumer, invectiver, irriter, maronner, râler, rager, rogner.

PESTICIDE. Défoliant, fongicide, herbicide, infecte, insecticide, mort-aux-rats, poison, raticide, rongicide.

PESTILENCE. Empyreume, fétidité, infection, méphitisme, miasme, moisi, puanteur, rance, ranci, relent, renfermé.

PESTILENTIEL. Contagieux, délétère, écœurant, empyreumatique, épidémique, fétide, gerbant, infect, irrespirable, malodorant, malsain, méphitique, nauséabond, odeur, puant, putride, quarantenaire.

PET. Antenne, diffusion, éclatement, écoulement, éjaculation, émanation, émission, énurésie, éructation, éruption, flatuosité, gaz, irradiation, jet, lâchée, luminescence, multiplex, pétarade, péter, rot, ruissellement, surémission, vent, vesse.

PET-DE-NONNE. Beigne, beignet, brik, coup, croquignole, gifle, muffin, pet-de-sœur, pomme, rondelle de pâte.

PÉTALE. Aile, apétale, corolle, diapétale, étendard, feuille, fleur, gamopétale, labelle, labile, ligule, limbe, lobe.

PÉTANQUE. Boule, bouliste, cochon, cochonnet, garil, goret, jeu, pitchoun, pointer, tireur, triplette.

PÉTANT. Exact, juste, pile, précis, sonnant, tapant.

PÉTARADE. Air, après, avent, ballet, bride, chant, continuation, cortège, danse, épopée, escalier, escorte, etc., file, filon, fur, haie, liste, mélodie, mots, neuvaine, note, numéros, pagination, premier, processus, prolongement, queue, rang, rangée, séquelle, séquence, série, succession, suite, trâlée, variété.

PÉTARD. Amorce, bombe, bruit, cigarette, colère, derrière, explosif, fessier, pistolet, potin, scandale, sensation, signal, tapage.

PÉTAUDIÈRE. Amphictyonie, arène, aréopage, assemblée, bal, club, comice, comité, concile, conclave, confusion, congrès, consistoire, convention, cortes, désordre, diète, djamaa, douma, ecclésial, fête, groupe, landtag, législature, meeting, mercuriale, mir, panégyrie, parlement, plaid, plénière, quorum, regroupement, réunion, sabbat, séance, sénat, synagogue, synode.

PÉTAURISTE. Acrobate, annéliste, antipodiste, barriste, bateleur, bâtonniste, batoude, cascadeur, contorsionniste, culbuteur, équilibriste, fildefériste, funambule, gymnaste, jongleur, matassin, psylle, saltateur, trapéziste, voltigeur.

PÉTÉCHIE. Alios, derme, hémorragie, herpès, lunule, puppura, rougeâtre, saignement, tache, vibice.

PÉTER. Bourrer, briller, briser, casser, chatoyer, craquer, craqueter, crépiter, déborder, détoner, éclater, étinceler, exploser, grésiller, jaillir, mousser, péteur, pétiller, rayonner, recaler, rompre, scintiller.

PÉTEUX. Bancal, boiteux, défaut, défectueux, déficient, faible, faute, fautif, foireux, imparfait, inadéquat, incorrect, inexact, infirme, insuffisant, loser, mal, manqué, mauvais, perdant, peureux, poltron, râpé, raté, taré, vicieux, vulnérable.

PÉTILLANT. Animé, brillant, bruit, champagnisé, déluré, effervescent, enjoué, éveillé, étincelant, flamboyant, fringant, gazéifié, gazeux, moussant, mousseux, perlant, scintillant, sémillant, spitant, vif.

PÉTILLEMENT. Chatoiement, clignement, clignotement, éclat, miroitement, papillotement, scintillement.

PÉTILLER. Brasiller, briller, bulle, chatoyer, craquer, craqueter, crépiter, éclat, éclater, étinceler, flamboyer, fulgurer, gazéifier, grésiller, jaillir, luire, miroiter, mousser, péter, pétillant, rayonner, scintiller.

PÉTIOLE. Axe, conjugué, décurrent, feuille, gaine, hampe, limbe, pédoncule, penne, queue, rachis, rafle, tige.

PETIT. Ample, atome, bambin, bas, bébé, chétif, considérable, court, courtaud, élevé, exigu, faible, fluet, gnome, grand, haut, infime, iota, lilliputien, limité, menu, mesquin, mignon, mognonnet, minime, minuscule, mioche, moindre, nabot, nain, oison, petiot, peu, piétaille, pitchoun, poussin, pygmée, râblé, rabougri, ramassé, rikiki, riquiqui, rond, trognon.

PETITEMENT. Avarement, chétivement, chichement, cupidement, maigrement, mesquinement, modestement, modiquement, parcimonieusement, pauvrement, prudemment, serré, sordidement, usurairement.

PETITESSE. Bassesse, défaut, délicatesse, diminutif, étroitesse, exiguïté, finesse, mesquinerie, micro, modicité.

PETIT FOUR. Baba, bûche, cake, calisson, clafoutis, couque, dartois, éclair, frangipane, galette, gâteau, gaufre, génois, génoise, gougère, kouglof, kugelhof, macaron, millas, millefeuille, moka, nougat, opéra, pâtisserie, pudding, ramequin, roulé, sablé, saint-honoré, savarin, tourte, tuile, vacherin.

PETIT-GRIS. Clocheton, écureuil, escargot, escargot chagriné, fourrure, menu-vair, poil, vair.

PÉTITION. Adjuration, appel, demande, écrit, instance, placet, plainte, prière, requête, sollicitation, sophisme.

PETIT-LAIT. Babeurre, colostrum, kéfir, képhir, lactosérum, puron, résidu, sérac, sérum, veriou.

PÉTOCHE. Alarme, angoisse, anxiété, crainte, effroi, émoi, frayeur, frousse, fuite, impavide, panique, peur, phobie, poltronnerie, souleur, suée, terreur, trac, transe, trembler, trouille, veinette, venette.

PÉTOIRE. Arme, carabine, fusil, naphte, revolver, rigolo, sarbacane, tire-pois, tube.

PETON. Anapeste, apode, arpion, astragale, bas, bot, calcanéum, cap, cep, chaussure, gambette, griffe, ïambe, jambe, métatarse, myriapode, orteil, panard, pas, patte, pied, piédestal, pince, plante, serre, stipe, support, tarse, vers.

PÉTREL. Clinfoc, cul-blanc, harle, hydrobatidé, oiseau, palmipède, procellariiforme, tourmentin.

PÉTRI. Démuni, façonné, formé, imbu, infatué, malaxé, modelé, pénétré, plein, pressé, rempli, travaillé.

PÉTRIFIANT. Affolant, ahurissant, déconcertant, éblouissant, enchanteur, ensorcelant, ensorceleur, envoûtant, étonnant, étourdissant, extraordinaire, frappant, impressionnant, saisissant, stupéfiant, surprenant, troublant.

PÉTRIFICATION. Calcin, dépôt, diagenèse, fossilisation, incrustation, marqueterie, ornement, sertissage, tartre.

PÉTRIFIÉ. Cloué, ébahi, foudroyé, immobile, interdit, médusé, paralysé, saisi, sidéré, statufié, stupéfait, suffoqué, tétanisé.

PÉTRIFIER. Clouer, couvrir, ébahir, éclair, effrayer, entartrer, figer, fixer, fossiliser, foudroyer, glacer, incruster, lapidifier, méduser, paralyser, pierre, river, saisir, sidérer, statufier, suffoquer, tétaniser, tonnerre, transir.

PÉTRIN. Accident, coffre, embarras, maie, mait, malaxeur, mée, pain, pénible, situation, tracas, trouble.

PÉTRIR. Assouplir, brasser, broyer, écraser, façonner, former, fouler, fraiser, gâcher, gonfler, imprimer, malaxer, manier, manipuler, marcher, masser, mélanger, modeler, palper, pétrissage, pétrisseur, presser, remplir, remuer, travailler.

PÉTRISSAGE. Effleurage, façonnage, friction, massage, modelage, shiatsu, tapotement, vibromasseur.

PÉTRISSEUR. Batteur, bétonneuse, bétonnière, drummer, fouet, fouette, gindre, lamineur, malaxeur, mélangeur, moussoir, percussionniste, pétrin, rabatteur, tambourinaire, tambourineur.

PÉTROGALE. Coloco, coucou, dasyure, kangourou, koala, koola, mammifère, marsupial, numbat, opossum, os, péramèle, phalanger, phascolome, philander, sarigue, thylacine, wallabie, wallaby, wombat, yapock, yapok.

PÉTROLE. Bidon, bitume, brai, brent, brut, essence, fioul, fuel, gaz, gazoline, huile, kérosène, naphte, reformage, roche, vaseline.

PÉTROLETTE. Bécane, cyclomoteur, meule, monture, moto, motocyclette, scooter, vélomoteur, voiturette.

PÉTROLIER. Baril, bateau, butanier, cargo, citerne, méthanier, minéralier, navire, superpétrolier, tanker.

PÉTROLIÈRE (n. p.). BP, Esso, Exon, Shell, Texaco, Total, Ultramar.

PÉTULANCE. Activité, agitation, animation, apaisement, ardeur, barattement, calme, clapotement, coi, confusion, délire, dissipation, effervescence, émeute, émoi, émotion, fermentation, fièvre, flux, grogne, grouillement, houle, inquiétude, ire, mouvement, nervosité, orage, pacification, quiet, reflux, remous, tempête, tremblement, trouble, turbulence, vivacité.

PÉTULANT. Action, ardeur, badin, brio, fol, fou, fringant, geste, impétueux, turbulent, vif, violent.

PEU. Aéré, atome, bagatelle, besef, bezef, bref, brin, broutille, chouïa, élémentaire, élite, frugal, goutte, grain, guère, larme, lerche, lueur, maigre, maille, médiocre, miette, mince, passager, petit, poco, poil, pointe, profusion, prou, quantité, rare, rarement, rien, soupçon, succinct, tantinet, zeste.

PEUPLADE (n. p.). Amazones, Francs, Galates, Hittites, Huns, Iakoutes, Iapyges, Myrmidons, Petchenègues.

PEUPLADE. Citoyens, clan, collectivité, ethnie, groupe, groupement, habitants, horde, peuple, race, tribu.

PEUPLE. Commun, diaspora, eskimo, ethnocide, ethnos, foule, gent, habitant, horde, inuit, moabite, masse, monde, multitude, nation, peuplade, plèbe, populace, population, populo, prolétariat, public, racaille, race, ripuaire, rom, rue, sémite, sous-peuplé, tribu, vulgaire, vulgum pecus.

PEUPLÉ. Colonisé, établi, fourni, fréquenté, habité, installé, meublé, occupé, populeux, rempli, surpeuplé, vivant.

PEUPLE, AFRIQUE AUSTRALE (n. p.). Bantous, Bochiman, Boschiman, Ngoni, Xhosa, Xosa, Zoulous.

PEUPLE, AFRIQUE CENTRALE (n. p.). Sao.

PEUPLE, AFRIQUE DU NORD (n. p.). Berbères.

PEUPLE, AFRIQUE DU SUD (n. p.). Cafres, Xhosa, Xosa.

PEUPLE, AFRIQUE MÉRIDIONALE (n. p.). Hottentots, Kru.

PEUPLE, AFRIQUE NOIRE (n. p.). Bantou, Dogons, Sénoufo.

PEUPLE, AFRIQUE OCCIDENTALE (n. p.). Haoussa, Kru, Sarakolés, Sarakollés, Soninkés, Yoruba.

PEUPLE, ALGÉRIE (n. p.). Touareg.

PEUPLE, ALLLEMAND (n. p.). Wendes.

PEUPLE, AMAZONIE (n. p.). Jivaro.

PEUPLE, AMÉRINDIEN (n. p.). Mam, Tucano, Tukano.

PEUPLE, AMÉRIQUE LATINE (n. p.). Quechua, Tucano, Tukano.

PEUPLE, ARABIE (n. p.). Bédouins.

PEUPLE, ARABIE DU SUD (n. p.). Himyarite.

PEUPLE, ASIE CENTRALE (n. p.). Avars.

PEUPLE, ASIE ORIENTALE (n. p.). Aïnous.

PEUPLE, AZERBAÏDJAN (n. p.). Azéri, Azéris.

PEUPLE, BÉNIN (n. p.). Éoué, Fon.

PEUPLE, BIRMANIE (n. p.). Chan, Kachin, Karen, Shan.

PEUPLE, BOLIVIE (n. p.). Aymara, Chiquitos.

PEUPLE, BORNÉO (n. p.). Dayak, Iban.

PEUPLE, BRÉSIL (n. p.). Bororo, Chiquitos, Gé, Tucano, Tukano.

PEUPLE, BURKINA FASO (n. p.). Bobo, Lobi, Mossi, Sarakolés, Sarakollés, Soninkés, Touareg.

PEUPLE, BURUNDI (n. p.). Hutu, Tutsi, Twa.

PEUPLE, CAMBODGE (n. p.). Cham, Khmers, Malais.

PEUPLE, CAMEROUN (n. p.). Moum.

PEUPLE, CANADA (n. p.). Abénaquis, Agnier, Algonquins, Apache, Assiniboins, Attikameks, Cree, Cris, Eskimo, Esquimaux, Etchemin, Goyogouin, Huron, Inuit, Iroquois, Malécite, Micmac, Mohawk, Onneyout, Onnontagué, Outagami, Outaouais, Sioux, Souriquois, Tsonnontouan.

PEUPLE, CAUCASE (n. p.). Ibères, Ossètes, Tchétchènes.

PEUPLE CELTIQUE (n. p.). Gaels.

PEUPLE, CHINE (n. p.). Dong, Evenks, Hui, Li, Méo, Miao.

PEUPLE, CÔTE-D'IVOIRE (n. p.). Agni, Bété, Gourou, Lobi.

PEUPLE, ÉCOSSE ANCIENNE (n. p.). Pictes.

PEUPLE, ESPAGNE (n. p.). Celtibères.

PEUPLE, ÉTATS-UNIS (n. p.). Acolaopissas, Apache, Atakapas, Catawbas, Cherokees, Cheyenne, Chinook, Chitimachas, Choctaw, Comanche, Creek, Hidatsas, Illinois, Mandan, Mohawk, Navabo, Nez Percé, Paiute, Pawnee, Pieds-Noirs, Pomo, Séminole, Seneca, Shoshone, Sioux, Tête-Plate.

PEUPLE, ÉTHIOPIE (n. p.). Galla, Oromo.

PEUPLE, EUROPE (n. p.). Lapons.

PEUPLE, GABON (n. p.). Fan, Fang.

PEUPLE, GAULE (n. p.). Aulerques, Bagaudes, Cadurci, Cadurques, Calètes, Carnutes, Cénomans, Éduens, Lémovices, Ligures, Lingons, Senones, Sénons, Sénonais, Séquanais, Séquanes, Séquaniens, Trevires, Voconces, Volces, Volques.

PEUPLE, GERMANIE (n. p.). Bructères, Burgondes, Goths, Saxons, Teutons, Visigoths, Wisigoths.

PEUPLE, GHANA (n. p.). Agni, Éoué, Ewe, Fanti.

PEUPLE, GRÈCE (n. p.). Doriens, Éoliens.

PEUPLE, GUATÉMALA (n. p.). Mam.

PEUPLE, INDE (n. p.). Garo, Ho, Jat, Munda, Nadou, Tamil, Tamoul.

PEUPLE, INDOCHINE (n. p.). Khmers.

PEUPLE, INDONÉSIE (n. p.). Kei.

PEUPLE, IRAN (n. p.). Mèdes.

PEUPLE, ITALIE (n. p.). Étrusques, Osques, Sabins, Samnites.

PEUPLE, KENYA (n. p.). Kamba, Masai, Massaï.

PEUPLE, LANGUE THAÏE (n. p.). Li.

PEUPLE, LIBYE (n. p.). Touareg.

PEUPLE, MALI (n. p.). Dogon, Sarakholés, Sarakollés, Songhaï, Soninkés, Sonrhaïs, Touareg.

PEUPLE, MEXIQUE (n. p.). Aztèques, Chichimèques, Chickasaw, Choctaw, Hopis, Mam, Mayas, Mimbre, Mohave, Natchez, Pueblos, Totonaques, Yumas, Zapotèques.

PEUPLE, MONGOLIE (n. p.). Evenks.

PEUPLE, MOZAMBIQUE (n. p.). Tsonga.

PEUPLE, NAMIBIE (n. p.). Herero, Hottentots, Khoï, Khoïsan.

PEUPLE, NIGER (n. p.). Touareg.

PEUPLE, NIGERIA (n. p.). Edo, Ibo, Tiv, Yorouba, Yoruba.

PEUPLE, NOUVELLE-CALÉDONIE (n. p.). Canaque, Kanak.

PEUPLE, NOUVELLE-GUINÉE (n. p.). Papoua, Papous.

PEUPLE, NOUVELLE-ZÉLANDE (n. p.). Maori, Maoris.

PEUPLE, OUGANDA (n. p.). Ganda.

PEUPLE, PAKISTAN (n. p.). Jat.

PEUPLE, PARAGUAY (n. p.). Chiquitos, Gé, Guarani.

PEUPLE, PÉROU (n. p.). Aymara, Chimu, Incas.

PEUPLE, PHILIPPINES (n. p.). Igorot, Moro, Tagal, Tagalog.

PEUPLE, POLYNÉSIE (n. p.). Maori.

PEUPLE, PROCHE-ORIENT (n. p.). Sémite.

PEUPLE, RUSSIE (n. p.). Aïnous, Evenks, Ossètes, Oudmourtes, Tchouvaches, Votiaks.

PEUPLE, RWANDA (n. p.). Hutu, Tutsi.

PEUPLE, SAHARA (n. p.). Toubou.

PEUPLE, SÉNÉGAL (n. p.). Diola, Sarakholés, Sarakollés, Sérères, Soninkés, Toucouleur, Wolof.

PEUPLE, SIBÉRIE (n. p.). Bouriate, Evènes, Evenks, Tchouktches, Toungouses.

PEUPLE, SIERRA LEONE (n. p.). Mendé, Temné, Timné.

PEUPLE, SLAVE (n. p.). Lusace, Sorabes.

PEUPLE, SOMALIE (n. p.). Issa.

PEUPLE, SOUDAN (n. p.). Nuer, Zandé.

PEUPLE, SRI LANKA (n. p.). Vedda.

PEUPLE, TANZANIE (n. p.). Masai, Massaï, Ngoni.

PEUPLE, THAÏLANDE (n. p.). Karen.

PEUPLE, THESSALIE (n. p.). Lapithes.

PEUPLE, TOGO (n. p.). Éoué, Ewe.

PEUPLE, TURQUIE (n. p.). Tujue, Turcomans, Turkmènes.

PEUPLE, VIETNAM (n. p.). Hmong, Méo.

PEUPLE, ZAÏRE (n. p.). Kuba, Luba, Zandé.

PEUPLE, ZAMBIE (n. p.). Lozi.

PEUPLEMENT. Colonisation, érablière, immigration, multiplication, natalité, occupation, plantation, propagation.

PEUPLER. Aleviner, coloniser, emplir, empoissonner, ensemencer, habiter, meubler, occuper, regarnir, remplir, rempoissonner, repeupler.

PEUPLIER (n. p.). Canada, Caroline, Hollande, Italie, Lombardie, Virginie.

PEUPLIER. Aloyard, arbre, argenté, aubrelle, balsamier, baumier, blanc, essence, faux-tremble, gris, grisard, liard, noir, palmer, pible, pivou, populiculture, pyramidal, salicoside, sargent, tremble, velu, ypréau.

PEUR. Affres, alarme, angoisse, anxiété, baliser, chocotte, crainte, effaré, effroi, émoi, épouvante, frayeur, frousse, fuite, hou, impavide, nosophobie, panique, pétoche, phobie, poltronnerie, pusillanime, souleur, suée, terreur, trac, transe, trembler, trouille, veinette, venette, vertige.

PEUREUX. Affolé, apeuré, audacieux, anxieux, brave, chiard, couard, courageux, craintif, dégonflé, effaré, froussard, fuyard, héros, impavide, inquiet, lâche, péteux, poltron, pusillanime, timide, trouillard, vaillant, valeureux.

PEUT-ÊTRE. Ainsi, doute, éventuellement, occasionnellement, plausiblement, possibilité, possible, possiblement, probablement, sans doute, sinon.

PÈZE. Argent, pèse.

PHAÉTON. Aurige, automédon, charretier, cocher, collignon, collignon, conducteur, oiseau, patachier, patachon.

PHAGOCYTE. Absorption, annexion, cellule, dépendance, fusion, fusionnement, germen, globule, hématie, incorporation, intégration, leucocyte, lymphocyte, monocyte, mononucléaire, rattachement, réunion.

PHAGOCYTOSE. Absorption, anabolisme, assimilation, biosynthèse, caillette, cellule, chimisme, coction, digestion, eupepsie, feuillet, ingestion, mérycisme, métabolisme, nutrition, rumination, transformation.

PHALACROCORAX. Cormoran.

PHALANGE. Bataillon, coalition, doigt, forme, orteil, pied, phalangette, phalangine, forme, os, troupe.

PHALANGER. Coloco, coucou, dasyure, kangourou, koala, koola, marsupial, numbat, opossum, os, péramèle, pétrogale, phascolome, philander, sarigue, thylacine, wallabie, wallaby, wombat, yapock, yapok.

PHALÈNE. Arpenteuse, chenilles, crépusculaire, déliquescent, géomètre, mineuse, papillon.

PHALLOCRATE. Aguicheur, allumeur, batifoleur, cavaleur, casanova, charmeur, conquérant, coureur, cruiseur, don juan, dragueur, enjôleur, ensorceleur, envoûteur, flambeur, flirteur, gino, machiniste, macho, maquereau, phallo, séducteur, sexiste, tentateur, tombeur.

PHALLOÏDE. Agaric, amadouvier, balliote, barigoule, champignon de Paris, colimaçon, coucoumelle, pratella, psalliote.

PHALLUS. Braquemart, champignon, foutoir, godemiché, ithyphallique, membre, organe, pénis, satyre, sexe, verge, zizi.

PHARAON (n. p.). Abydos, Amenemhat, Aménophis, Amménémès, Apriès, Bocchoris, Bokénranef, Chéops, Chéphren, Djoser, Horemheb, Khéops, Khéphren, Méneptah, Merneptah, Mineptah, Ménès, Mentouhotep, Montouhotep, Mykérinos, Mykérinus, Néchao, Nectanibis, Nectanebo, Nékao, Népheritès, Pépi, Psammétik, Psammétique, Ramsès, Saïte, Sénousret, Sésostris, Séthi, Séti, Snéfrou, Thoutmès, Thoutmôsis, Toutankhamon, Zeser.

PHARAON. Chef, empereur, mage, monarque, pectorat, pharaonien, pharaonique, prince, pschent, roï, souverain, tsar.

PHARE (n. p.). Alexandrie, Barfleur, Cordouan, Corogne, Coubre, Eckmüll, Fréhel, Lindau, Penmarch, Pharos, Saint-Mathieu.

PHARE. Balise, cerise, fanal, feu, flambeau, guide, gyrophare, lanterne, mât, modèle, sémaphore, tour.

PHARISAÏSME. Bigoterie, bigotisme, bondieuserie, cagoterie, dévotion, fausseté, hypocrisie, jésuitisme, tartuferie.

PHARISIEN (n. p.). Nicodème.

PHARISIEN. Artificiel, bigot, cagot, déloyal, dissimulé, faux, félon, fourbe, franc, grimacier, hypocrite, imposteur, judas, juif, loyal, mielleux, papelard, rusé, simulateur, sournois, tartufe, tartuffe.

PHARMACEUTIQUE. Apothicaire, guérison, médicinale, officine, opiat, plante, rosat, thériaque.

PHARMACIE. Codex, comprimé, drogue, drugstore, médicament, niaouli, officine, phytopharmacie, pilule, rosat.

PHARMACIEN (n. p.). Baumé, Berthelot, Caventou, Coué, Coutu, Guignard, Homais, Nativelle, Parmentier, Pelletier, Tiffeneau, Vauquelin.

PHARMACIEN. Alchimiste, apothicaire, caducée, herboriste, officine, ordonnancier, poilphard, potard.

PHARMACOLOGISTE (n. p.). Bovet.

PHARMACOLOGUE (n. p.). Bovet, Fourneau, Heymans, Laborit, Loewi.

PHARMACOPÉE. Codex, codices, formulaire, livre, manuscrit, nomenclature, recueil, remède, répertoire.

PHARYNGITE. Catarrhe, congestion, coryza, foin, grippe, mauve, ozène, rhinite, rhume, sternutation, toux.

PHARYNX. Abaisse-langue, angine, arrière-gorge, gosier, œsophage, oropharynx, pharyngite, pharynx.

PHASCOLOME. Animal, bandicoot, bettongie, coloco, coucous, dasyure, kangourou, koala, koola, mammifère,, marsupial, numbat, opossum, os, péramèle, pétrogale, phalanger, sarigue, thylacine, wallabie, wallaby, wombat, yapock, yapok.

PHASE. Anaphase, apparence, aspect, avatar, biostasie, changement, crise, débat, degré, échelon, épisode, étape, exploitation, finition, forme, lune, métaphase, métastase, palier, paroxysme, partie, période, quartier, round, stade, stage, succession, temps, tour, transition.

PHASIANIDÉ. Argus, bartavelle, caille, colin, coq, dinde, dindon, faisan, galliforme, gallinacé, leghorn, lophophore, oiseau, paon, perdreau, perdrix, pintade, poularde, poule, poulet, poussin, tétras.

PHASME. Acridien, bacille, bâtonnet, blatte, campode, cancrelat, chéleutoptère, coquerelle, empuse, herbivore, insecte, mante, orthoptère, phasmidé, phasmoptère, phyllie, podure, pou, psoque.

PHÉNATE. Anthranol, carvacrol, crésol, dioxine, naphtol, phénol, phénolate, résorcine, thymol.

PHÉNICIEN (n. p.). Aléria, Baalbek, Balbek, Cadmos, Mahdia, Tyr.

PHÉNICIEN. Amorrite, arabe, araméen, carthaginois, éthiopien, hébreux, israélite, juif, sémite.

PHÉNIX. Aigle, as, constellation, coq, dattier, fleur, génie, idéal, modèle, nec, oiseau, perle, prodige, unique.

PHÉNOL. Anthranol, bakélite, carvacrol, crésol, dioxine, naphtol, phénate, pyrogallol, résorcine, salol, thymol.

PHÉNOLATE. Anthranol, carvacrol, crésol, dioxine, naphtol, phénate, phénol, résorcine, sel, thymol.

PHÉNOMÉNAL. Énorme, épique, étonnant, extraordinaire, fabuleux, fantastique, faramineux, formidable, homérique, inimaginable, inouï, monstrueux, monumental, prodigieux, sensationnel, spécial.

PHÉNOMÈNE. Aérobie, apparence, arc-en-ciel, artefact, as, brouillard, complication, cycle, danse, effet, el niño, événement, excentrique, explosion, glossolalie, interférence, merveille, météore, miracle, mirage, olibrius, onirisme, ovni, passage, personnage, phase, phosphène, probabilité, prodige, raz-de-marée, réaction, réalité, réfraction, rouleau, semblant, supraconduction, sucreusement, télétoxie, transfert, travail.

PHÉNOMÉNOLOGIE. Acte, adage, âme, axiome, but, cauchemar, cœur, compréhension, concept, dogme, entendement, esprit, idée, intelligence, ionisme, méditation, noèse, pensée, raison, réflexion, rêvasserie, rêverie, rhétorique, sentiment.

PHÉNOTHIAZINE. Antipsychotique, anxiolytique, benzodiazépine, butyrophénone, chlorpromazine, diazépam, halopéridol, médicament, neurodépresseur, neuroleptique, psycholeptique, psychose, psychotrope, tranquillisant.

PHÉOPHYCÉE. Alginique, algue, fluide, fucus, laminaire, laminariacée, padine, régime, ruban.

PHILANTHROPE. Ami, amour, bienfaisant, bob, bonté, charitable, donnant, généreux, mécénat.

PHILANTHROPE AMÉRICAIN (n. p.). Mellon.

PHILANTHROPE ANGLAIS (n. p.). Nightingale, Wallace.

PHILANTHROPE BRITANNIQUE (n. p.). Besant, Wallace.

PHILANTHROPE CANADIEN (n. p.). Berthelet.

PHILANTHROPE FRANÇAIS (n. p.). Boucicaut, Chamousset, Delessert, Haüt, Tayler, Walter.

PHILANTHROPE JUIF (n. p.). Camondo.

PHILANTHROPE SUISSE (n. p.). Dunant, Moynier.

PHILANTHROPE TURC (n. p.). Camondo.

PHILANTHROPIE. Aide, allocentrisme, altruisme, bienfaisance, bonté, charité, générosité, mécénat.

PHILANTHROPIQUE. Altruiste, bon, charitable, compatissant, désintéressé, généreux, humain, humanitaire, humanitariste, mécène, miséricordieux, missionnaire.

PHILATÉLIE. Album, cachet, enveloppe, estampille, marque, sceau, tampon, timbre, vignette.

PHILIPPINES, CAPITALE (n. p.). Manilles.

PHILIPPINES, LANGUE. Anglais, tagalog.

PHILIPPINES, MONNAIE. Peso.

PHILIPPINES, VILLE (n. p.). Allen, Angeles, Bago, Baguio, Batangas, Bulan, Cabanatuan, Cadiz, Iba, Jolo, Labo, Lingayen, Manilles, Mati, Morong, Naga, Pili, Rizal, Roxas, Subic, Tabaco, Tagum, Vigan, Virac.

PHILIPPIQUE. Accusation, attaque, blâme, calomnie, charge, chasse, crime, critique, culpabilisation, dénigrement, diatribe, diffamation, grief, imputation, incrimination, inculpation, médisance, plainte, poursuite, reproche, réquisitoire.

PHILISTIN (n. p.). Ascalon, Asdod, Eqron, Gat, Gaza.

PHILISTIN. Analphabète, barbare, béotien, fermé, ignare, ignorant, illettré, incapable, inculte, nul, philistin.

PHILODENDRON. Aracée, arbuste, aroïdacée, aroïdée, fleur, monstera, plante.

PHILOLOGIE. Critique, érudition, grammaire, langage, langue, linguistique, littérature, texte.

PHILOLOGUE (n. p.). Bailly, Barrow, Budé, Dacier, Darmesteter, Delcourt, Dumézil, Grimm, Hamadhani, Hariri, Humboldt, Ivanov, Karadzic, Ménage, Plamondon, Quicherat, Renan, Tolkien.

PHILOSOPHE. Cynique, éléate, empiriste, humaniste, idéologue, métaphysicien, penseur, personnalisme, phénoménologue, platonisme, sage, scolastique, sophiste, spinoziste.

PHILOSOPHE ALEXANDRIN (n. p.). Plotin.

PHILOSOPHE ALLEMAND (n. p.). Adorno, Bauer, Baumgarten, Bloch, Boehme, Böhme, Bopp, Brentano, Cassirer, Diez, Driesch, Eberhard, Eckart, Eckhart, Engels, Eucken, Fechner, Feuerbach, Fichte, Gadamer, Habermas, Hamann, Hegel, Heidegger, Herbart, Hoffer, Horkheimer, Husserl, Jaspers, Kant, Kautsky, Leibniz, Lotze, Marx, Mendelssohn, Natorp, Nietzsche, Otto, Reichenbach, Reuchlin, Rosenkranz, Scheler, Schelling, Schleiermacher, Schopenhauer, Spengler, Stein, Stirner, Strauss.

PHILOSOPHE AMÉRICAIN (n. p.). Arendt, Carnap, Durant, Emerson, Marcuse, Peirce, Rawls, Searle, Whitehead.

PHILOSOPHE ANGLAIS (n. p.). Austin, Bacon, Bentham, Bradley, Burton, Clarke, Coleridge, Guillaume, Hobbes, Locke, Mill, Reid, Spencer.

PHILOSOPHE ARABE (n. p.). Averroès, Avicenne, Biruni, Farabi, Kindi.

PHILOSOPHE AUTRICHIEN (n. p.). Buber, Feyerabend, Freud, Mach, Meinong, Neurath, Popper, Schülz, Steiner, Wittgenstein.

PHILOSOPHE BELGE (n. p.). Cumont, Hostelet, Prigogine, Stengers.

PHILOSOPHE BRITANNIQUE (n. p.). Adhere, Ayer, Bradley, Freud, Hume, Lewis, Mill, Popper, Priestley, Prior, Reid, Russell, Ryle, Spencer, Strawson, Wittgenstein.

PHILOSOPHE CANADIEN (n. p.). Taylor.

PHILOSOPHE CATALAN (n. p.). Lulle, Sabunde.

PHILOSOPHE CHINOIS (n. p.). Confucius, Lao-Tseu, Laozi, Mencius, Mengzi, Mo-Tseu, Mozi, Tchou Hi, Zhuangzi, Zhu Xi.

PHILOSOPHE DANOIS (n. p.). Kierkegaard.

PHILOSOPHE ÉCOSSAIS (n. p.). Erigène, Hamilton, Hume, Reid, Scot.

PHILOSOPHE ESPAGNOL (n. p.). Campoamor, Ors, Suarez.

PHILOSOPHE FRANÇAIS (n. p.). Abélard, Alain, Alembert, Alquié, Althusser, Aron, Bachelard, Bayle, Bergson, Berr, Blondel, Bodin, Bonald, Boutroux, Brunschvicg, Buchez, Budé, Buridan, Cabanis, Camus, Canguilhem, Cavaillès, Cioran, Comte, Condillac, Condorcet, Cournot, Cousin, Deleuze, Derrida, Desanti, Descartes, Diderot, Duhem, Ey, Foucault, Fourier, Gassendi, Goldmann, Gratry, Guénon, Guitton, Hamelin, Helvétius, Holbach, Jankélévitch, Jouffroy, Koyré, Lefebvre, Lefort, Leroux, Levinas, Littré, Mably, Maistre, Malebranche, Marcel, Maritain, Mersenne, Montesquieu, Mounier, Parain, Politzer, Quicherat, Ramus, Rauh, Renan, Renouvier, Ribot, Ricoeur, Sartre, Serres, Taine, Volney, Wahl, Weil.

PHILOSOPHE GREC (n. p.). Anacharsis, Anaxagore, Anaximène, Antisthène, Archelaos, Aristote, Arrien, Athénée, Bias, Callisthène, Carnéade, Celse, Chilon, Chrysippe, Cléobule, Cratippe, Démocrite, Diogène, Éléates, Eléatique, Empedocle, Épicure, Épiménide, Ératosthène, Gorgias, Héraclite, Hypatie, Jamblique, Leucippe, Ménippe, Myson, Parménide, Phédon, Phérécyde, Philon, Pittacos, Platon, Plotin, Plutarque, Porphyre, Proclus, Prodicos, Protagoras, Pyrrhon, Pythagore, Socrate, Solon, Thalès, Thémistios, Théophraste, Timon, Tyrtamos, Xénophane, Zénon, Zoïle.

PHILOSOPHE HOLLANDAIS (n. p.). Érasme, Spinoza.

PHILOSOPHE HONGROIS (n. p.). Lukacs.

PHILOSOPHE INDIEN (n. p.). Aurobindo, Gandhi, Nagarjuna, Krishnamurti, Ramanuja.

PHILOSOPHE INDONÉSIEN (n. p.). Alisjahbana.

PHILOSOPHE IRLANDAIS (n. p.). Érigène, Hutcheson.

PHILOSOPHE ISLAMIQUE (n. p.). Algazel, Ghazali.

PHILOSOPHE ISRAÉLIEN (n. p.). Buber, Scholem.

PHILOSOPHE ITALIEN (n. p.). Bruno, Campanella, Cardan, Croce, Ficin, Gentile, Gioberti, Gramsci, Guarini, Vanini, Vico.

PHILOSOPHE JUIF (n. p.). Avicébron, Maimonide, Philon.

PHILOSOPHE LATIN (n. p.). Apulée, Boèce, Lucrèce, Sénèque.

PHILOSOPHE NÉERLANDAIS (n. p.). Boerhaave, Gravesande.

PHILOSOPHE POLONAIS (n. p.). Dembowski, Lukasiewicz.

PHILOSOPHE RUSSE (n. p.). Berdiaeff, Berdiaev, Bielinski, Chestov, Dobrolioubov, Tchernychevski.

PHILOSOPHE STOÏCIEN (n. p.). Épictète.

PHILOSOPHE SUÉDOIS (n. p.). Swedenborg.

PHILOSOPHE SUISSE (n. p.). Bonnet, Secrétan.

PHILOSOPHER. Argumenter, discuter, épiloguer, ergoter, pinailler, pontifier, raisonner, ratiociner, rêver.

PHILOSOPHIE. Dasein, doctrine, dogme, dualisme, école, équanimité, falsafa, gnose, idée, idéologie, loi, mythe, noumène, objet, maïeutique, noème, noèse, ontique, ontologie, pensée, péripatétisme, phénoménisme, philo, pluralisme, principes, réification, sagesse, sens, sérénité, spéculation, substance, sujet, système, télénomie, téléonomie, théorie, thèses, transcendance.

PHILTRE. Amour, aphrodisiaque, breuvage, charme, décoction, diablerie, élixir, magie, magistère, maléfice.

PHIMOSIS. Asphyxie, astriction, astringence, choke, constriction, contraction, étouffement, étranglement, garrot, paralysie, paraphimosis, pertuis, resserrement, rétrécissement, suffocation, strangulation.

PHLÉBITE. Apoplexie, attaque, caillot, cataplexie, cérébrale, congestion, embâcle, embolie, engorgement, grumeau, hémorragie, hyperémie, ictus, oblitération, obstruction, pléthore, pulmonaire, résistance, thrombose.

PHLÉBOTHROMBOSE. Apoplexie, attaque, caillot, cataplexie, cérébrale, congestion, embâcle, embolie, engorgement, grumeau, hémorragie, hyperémie, ictus, oblitération, obstruction, phlébite, pléthore, pulmonaire, résistance, thrombose.

PHLEGMON. Abcès, adénite, anthrax, bourbillon, bouton, chancre, clou, empyème, fistule, flegmon, fourchet, furoncle, inflammation, kyste, orgelet, panaris, papule, parulie, pus, pustule, scrofule, tumeur.

PHLOX (n. p.). Cambell, Charles Curtiss, Charlotte, Daisy Hill, Élisabeth Arden, Elisabeth Cambell, Jacqueline Maille, Jules Sandeau, Kathe, Marianne, Marjerie, Rembrandt, Turandot, Van den berg.

PHLOX. Aida, albo-roséa, aquarelle, bijou, blue eyes, brigadier, caroline, dépressa, ensifolia, grandiflora, hilda, lilacina, malmaison, orange, signal, sophie, spitfire, starfire.

PHLYCTÈNE. Ampoule, apostème, ballonnement, bombement, bosse, bouffissure, boursouflage, boursouflure, bulle, cloche, cloque, emphase, enflure, fluxion, gonflement, grandiloquence, œdème, tension, tumeur, vésicule.

PHOBIE. Achmophobie, acrophobie, aérodromophobie, aérophobie, agoraphobie, algophobie, androphobie, arachnophobie, aversion, crainte, dégoût, éreutophobie, érythrophobie, haine, horreur, peur, phobique, terreur, zoophobie.

PHOCIDÉ. Blanchon, phoque.

PHOCŒNIDÉS. Marsouin.

PHOCOMÉLIE. Acrocéphalie, angiome, bec-de-lièvre, craniosténose, défaut, délétion, dysmélie, dysplasie, extrophie, hypostasia, imperfection, malformation, monstruosité, nævus, spina-bifida, tératogénie.

PHŒNICOPTERIDÆS. Flamant.

PHOLADE. Bioluminescence, bivalve, fluorescence, gastéropode, gastropode, lamellibranche, lampyre, luciole, mollusque, pholade, phosphorescence, photogenèse.

PHONATION. Calcitonine, débit, épiglotte, glande, glotte, goitre, gosier, larynx, thypoxine, thyroïde, trachée.

PHONÈME. Allophone, aperture, archiphonème, consonantique, consonne, orthophonie, phonique, voyelle.

PHONÉTIQUE (n. p.). API, Jespersen, Rousselot, Schwitters, Troubetskoï.

PHONÉTIQUE. Adjectif, adverbe, analyse, apocope, article, barbarisme, cas, figure, genre, grammaire, langage, langue, locution, mélique, mode, nom, norme, palatal, passif, pluriel, pronom, proparoxyton, règle, rime, singulier, structure, syntaxe, temps, tmèse, vélaire, verbe.

PHONOGRAPHE. Chaîne, électrophone, juke-box, phono, phonocapteur, pick-up, platine, tourne-disque.

PHOQUE (n. p.). Alaska, Protée, Weddell.

PHOQUE. À capuchon, amphibie, barbu, blanchon, capuchon, crabier, cistophore, échourie, fourrure, gris, huile, léopard, léopard de mer, loup, mammifère, marbré, marin, moine, otarie, oumiak, pinnipède, ross, rubans, selle, veau.

PHOSPHATE. Apatite, autunite, laxulite, monazite, renardite, turquoise, uranite, variscité, vivianite, wavellité.

PHOSPHORE. P.

PHOSPHORESCENCE. Bioluminescence, fluorescence, lampyre, luciole, luminescence, pholade, photogenèse.

PHOSPHORESCENT. Brillant, éclairage, fluorescent, gaz, lampe, luminescent, lumineux, néon, photogène.

PHOT. Lux, Ph.

PHOTOGÉNIQUE. Avantagé, cinégénique, exceptionnel, favorisé, flatteur, idéal, parfait, privilégié, télégénique, unique.

PHOTOGRAPHE. Amateur, artisan, commerçant, développeur, opérateur, paparazzi, personne, professionnel.

PHOTOGRAPHE ALLEMAND (n. p.). Krull, Salomon, Sander, Steinert, Wien, Wols.

PHOTOGRAPHE AMÉRICAIN (n. p.). Adams, Arbus, Avedon, Brady, Capa, Curtis, Evans, Fairchild, Frank, Friedlander, FARIEDMANN, Gibson, Horst, Kertész, Klein, Mapplethorpe, Meatyard, Michals, Muggeridge, Muybridge, Outerbridge, Penn, Ray, Steichen, Smith, Stieglitz, Strand, Weston, Winogrand.

PHOTOGRAPHE ANGLAIS (n. p.). Beaton, Cameron, Fenton, Muybridge.

PHOTOGRAPHE BRÉSILIEN (n. p.). Salgado.

PHOTOGRAPHE BRITANNIQUE (n. p.). Beaton, Brandt.

PHOTOGRAPHE CANADIEN (n. p.). Karsh, Ruest.

PHOTOGRAPHE FRANÇAIS (n. p.). Atget, Bayard, Boudat, Brassaï, Cartier-Bresson, Clergue, Depardon, Disdéri, Doisneau, Freund, Lartigue, Nadar, Nori, Plossu, Ronis, Sieff.

PHOTOGRAPHE ITALIEN (n. p.). Giacomelli.

PHOTOGRAPHE JAPONAIS (n. p.). Shiraoka.

PHOTOGRAPHE QUÉBÉCOIS (n. p.). Désilet, Gaby, Livernois.

PHOTOGRAPHE PÉRUVIEN (n. p.). Chambi.

PHOTOGRAPHE SUISSE (n. p.). Franck.

PHOTOGRAPHE RUSSE (n. p.). Choumoff, Drankov, Rodtchenko, Sanki, Sliousariev, Sysoev, Titarenko, Tutov.

PHOTOGRAPHE TCHÈQUE (n. p.). Koudelka, Sudek.

PHOTOGRAPHIE. Achrome, album, anaglyphe, aps, densité, description, diaphragme, écran, film, image, instantané, iso, microfilm, peinture, photo, photocopie, photostat, pixel, polaroid, portrait, pose, posemètre, renforçateur, renforcement, représentation, révélateur, sensitomètre, spectogramme, sténopé, tirage, vue.

PHOTOGRAPHIER. Cadrer, cinématographier, enregistrer, filmer, mitrailler, réaliser, tourner, zoomer.

PHOTOMÈTRE. Densitomètre, lumière.

PHOTOPHORE. Coupe, flambeau, lampe, mineur, organe, porteur, réflecteur, spéléologue, statue.

PHOTOTYPE. Cliché, contretype, épreuve, image, négatif, peau, pellicule, photocopie, plaque.

PHRAGMITE. Acore, arundo, bambou, chalumeau, férule, gynérium, jonc, papyrus, pipeau, roseau.

PHRASE. Allusion, bribe, exemple, expression, leitmotiv, mantra, mot, neume, parole, paroxysme, période, prophase, slogan, style, verset.

PHRASÉOLOGIE. Accouplage, accouplement, ajustage, alésage, appareil, armature, assemblage, brunissage, débourrage, embiellage, empatture, ennéade, grille, jonction, limage, mosaïque, panache, phrase, trémie, triade.

PHRASEUR. Abondant, amplificateur, bavard, causant, délayé, diffus, discoureur, jacasseur, laïusseur, loquace, paraphrase, phraseur, prolixe, redondant, scolastique, succinct, superflu, verbeux, volubile.

PHRATRIE. Aulique, bande, caste, clan, confrérie, congrégation, érié, ethnie, famille, fratrie, gang, genre, groupe, groupuscule, horde, peuplade, peuple, race, serviteurs, smala, smalah, tentes, totem, tribal, tribu.

PHRYGANE. Bricole, coltineur, coolie, crocheteur, faquin, induvie, insecte, nervi, portefaix, porteur, sherpa.

PHTALIQUE. Acescent, acide, acidulé, âcre, acrimonieux, aigre, alanine, amer, arsénique, asparagine, borique, bromique, caprylique, caustique, chlorique, citrique, désagréable, eau-forte, glycérique, glycocolle, histidine, hyposulfureux, lactique, lessant, leucine, malique, oléum, oxacide, palmitique, picrique, piquant, salicylique, serine, silicique, stéarique, sulfurique, sur, suret, surette, thiosulfurique, tryptophane, tyrosine, urique, valine, vanadique, vinaigré, vitriol.

PHTIRIUS. Anoploure, lente, mallophage, morpion, pédiculose, phtiriase, pou, pubis.

PHTISIE. Consomption, étisie, galopante, thionine, phtisique, pneumonie, thionine, tuberculose.

PHYCOMYCÈTE. Blastodadiale, champignon, chytridiale, chytridiomycète, hypochytriade, hypochytriomycète, monoblépharidale, olpidiale, oomycète, péronosporacée, siphomycète, zygomycète.

PHYLACTÈRE. Abraxas, aétite, amulette, anneau, bague, bétyle, bondieuserie, charme, effigie, fétiche, grigri, gris-gris, idole, mascotte, médaille, or, pentacle, porte-bonheur, porte-chance, psellion, sachet, scapulaire, talisman, téfillin, téphillin.

PHYLLOTAXIE. Annal, annuel, feuillaison, feuillée, foliation, frondaison, renouvellement, verdure.

PHYLUM. Agnat, descendant, enfant, épigone, famille, filiation, fils, génération, héritier, hoirie, issu, lignée, mémoire, nadir, né, postérité, progéniture, race, rejeton, souche, successeur, succession, suite.

PHYSALIS. Amour-en-cage, alkékenge, coqueret, fruit, infusion, plante, solanacée, solanée.

PHYSÉTÉRIDÉ. Cachalot.

PHYSICIEN. Acousticien, astrophysicien, atomiste, biophysicien, chimiste, dynamicien, thermicien, thermodynamicien.

PHYSICIEN ALLEMAND (n. p.). Abbe, Aepinus, Bednorz, Bethe, Bothe, Braun, Bunsen, Clausius, Einstein, Elster, Fahrenheit, Fraunhofer, Gauss, Geiger, Geissler, Gerlach, Guericke, Heisenberg, Helmholtz, Hertz, Hittorf, Jensen, Jordan, Kirchhoff, Kundt, Laue, Lenard, Linde, Mayer, Mössbauer, Nernst, Neumann, Ohm, Planck, Plücker, Poggendorff, Prandtl, Roentgen, Röntgen, Schottky, Schwarzschid, Seebeck, Sommerfeld, Stark, Weber, Wehnelt, Weizsäcker, Wien.

PHYSICIEN AMÉRICAIN (n. p.). Anderson, Bardeen, Bell, Bethe, Bloembergeb, Bridgman, Chandrasekhar, Compton, Coolidge, Cooper, Cormack, Cronin, Davisson, Debye, Edison, Esaki, Feynman, Fitch, Franck, Franklin, Friedman, Gamow, Gell-Mann, Gibbs, Glaser, Glashow, Goddard, Goudsmit, Hall, Henry, Hess, Hofstadter, Hughes, Hulse, Kusch, Lamb, Langmuir, Lawrence, Lederman, Lewis, Maiman, McMillan, Michelson, Millikan, Morse, Mulliken, Onsager, Oppenheimer, Pauli, Pound, Pupin, Purcell, Rabi, Richter, Rowland, Rumford, Schawlow, Schrieffer, Schwinger, Segrès, Shockley, Spitzer, Stern, Szilard, Tesla, Ting, Townes, Uhlenbeck, Van Allen, Weinberg, Wigner, Wilson, Wood, Yalow.

PHYSICIEN ANGLAIS (n. p.). Appleton, Aston, Atwood, Barkla, Barlow, Barrow, Blackett, Born, Bragg, Cavendish, Chadwick, Cockcroft, Compton, Crookes, Dalton, Davy, Dirac, Eddington, Faraday, Gray, Heaviside, Hooke, Hughes, Jeans, Joule, Maxwell, Mosely, Newton, Nicholson, Powell, Rayleigh, Richardson, Stokes, Thomson, Wheatstone, Wollaston.

PHYSICIEN AUTRICHIEN (n. p.). Boltzmann, Doppler, Hess, Loschmidt, Mach, Meitner, Schrödinger, Stefan.

PHYSICIEN BELGE (n. p.). Melsens.

PHYSICIEN BRITANNIQUE (n. p.). Appleton, Aston, Barkla, Barlow, Black, Blackett, Born, Brewster, Cavendish, Chadwick, Cockcroft, Cormack, Dalton, Daniell, Dirac, Eddington, Ewing, Faraday, Gabor, Gray, Heaviside, Hewish, Josephson, Joule, Kelvin, Kerr, Maxwell, Moseley, Mott, Nicholson, Nicol, Powell, Ramsden, Rankine, Rayleigh, Richarson, Talbot, Thomson, Wheatstone, Wilson, Wollaston, Young.

PHYSICIEN CANADIEN (n. p.). Bell, Herzberg, Routh, Taylor, Wilson.

PHYSICIEN DANOIS (n. p.). Bohr, Oersted, Orsted.

PHYSICIEN ÉCOSSAIS (n. p.). Appleton, Baird, Black, Brewster, Brown, Dewar, Gregory, Kerr, Maxwell.

PHYSICIEN DE L'ANTIQUITÉ (n. p.). Archimède.

PHYSICIEN FLAMAND (n. p.). Stevin.

PHYSICIEN FRANÇAIS (n. p.). Abragam, Amontons, Ampère, Arago, Arsonval, Auger, Babinet, Barthélemy, Becquerel, Bélin, Biot, Blondel, Borda, Bose, Boussinesq, Branly, Bravais, Broglie, Cailletet, Carnot, Castaing, Charles, Charpak, Chrétien, Clapeyron, Claude, Coriolis, Cotton, Coulomb, Curie, Deprez, Duclaux, Dufay, Dulong, Fabry, Fizeau, Foucault, Fourier, Fresnel, Gennes, Guinier, Holweck, Janssen, Joliot-Curie, Kastkler, Koenigs, Lambert, Langevin, Laplace, Ledru, Lippmann, Lissajous, Malus, Mariotte, Mascart, Masson, Néel, Niepce, Nollet, Papin, Pascal, Peltier, Perey, Perrault, Perrin, Petit, Planté, Poiseuille, Pouillet, Raoult, Réaumur, Regnault, Roberval, Sauveur, Savart, Thévenin, Vidie, Villard, Weiss.

PHYSICIEN GÉORGIEN (n. p.). Ambartsoumian.

PHYSICIEN GREC (n. p.). Archimède, Straton.

PHYSICIEN HONGROIS (n. p.). Eotvos.

PHYSICIEN INDIEN (n. p.). Bose, Raman.

PHYSICIEN IRLANDAIS (n. p.). Andrews, Boyle, Hamilton, Larmor, Stokes, Stoney, Tyndall.

PHYSICIEN ITALIEN (n. p.). Avogadro, Borelli, Fermi, Galilée, Galvani, Giorgi, Marconi, Melloni, Nobili, Porta, Righi, Rubbia, Torricelli, Venturi, Volta, Volterra.

PHYSICIEN JAPONAIS (n. p.). Yukawa.

PHYSICIEN NÉERLANDAIS (n. p.). Debye, Gravesande, Huygens, Keesom, Lorentz, Zeeman, Zernike.

PHYSICIEN NORVÉGIEN (n. p.). Birkeland, Widerõe.

PHYSICIEN PAKISTANAIS (n. p.). Salam.

PHYSICIEN PRUSSIEN (n. p.). Fahrenheit.

PHYSICIEN ROUMAIN (n. p.). Coanda.

PHYSICIEN RUSSE (n. p.). Bassov, Joukovski, Lenz, Lomonossov, Tsiolkovski.

PHYSICIEN SOVIÉTIQUE (n. p.). Bassov, Kapitsa, Landau, Lenz, Prokhorov, Sakharov, Tcherenkov, Veksler.

PHYSICIEN SUÉDOIS (n. p.). Alfven, Angström, Arrhenius, Celsius, Rydberg, Siegbahn.

PHYSICIEN SUISSE (n. p.). Balmer, Bernoulli, Deluc, Guillaume, Guye, Larive, Müller, Pauli, Piccard, Pictet.

PHYSIOLOGIE. Endocrinologie, ergologie, gynécologie, hépatologie, hypnologie, mastologie, néphrologie, science.

PHYSIOLOGIQUE. Embolie, lésionnel, lipide, œuf, organique, physique, rut, somatique, stase.

PHYSIOLOGISTE. Endocrinologue, neurophysiologiste, psychophysiologiste.

PHYSIOLOGISTE ALLEMAND (n. p.). Fechner, Gmelin, Helmholtz, Langerhans, Lotze, Meyerhof, Warburg.

PHYSIOLOGISTE AMÉRICAIN (n. p.). Erlanger, Gasser.

PHYSIOLOGISTE ANGLAIS (n. p.). Carlisle, Sherrington.

PHYSIOLOGISTE AUTRICHIEN (n. p.). Breuer.

PHYSIOLOGISTE BRITANNIQUE (n. p.). Bell, Galton, Sherrington.

PHYSIOLOGISTE CANADIEN (n. p.). Banting, Best, Macleod, Selye.

PHYSIOLOGISTE DANOIS (n. p.). Krogh.

PHYSIOLOGISTE ÉCOSSAIS (n. p.). Macleod.

PHYSIOLOGISTE FRANÇAIS (n. p.). Bernard, Bert, Bichat, Broussais, Flourens, Lapicque, Magendie, Marey, Portier, Quinton, Ranvier, Richet, Vulpian.

PHYSIOLOGISTE HOLLANDAIS (n. p.). Einthoven.

PHYSIOLOGISTE NÉERLANDAIS (n. p.). Eijkman, Einthoven.

PHYSIOLOGISTE RUSSE (n. p.). Pavlov.

PHYSIOLOGISTE SUÉDOIS (n. p.). Euler.

PHYSIOLOGISTE SUISSE (n. p.). Hess.

PHYSIONOMIE. Air, allure, apparence, aspect, attitude, expression, caractère, expression, face, faciès, figure, humeur, mimique, mine, minois, physique, ressemblance, sociogramme, traits, visage.

PHYSIQUE. Charnel, corporel, corps, formes, intime, matériel, mathématique, mil, organique, physionomie, plastique, sexe.

PHYSIQUEMENT. Concrètement, effectivement, empiriquement, expérimentalement, matériellement, objectivement, positivement, pratiquement, prosaïquement, réalistement, réellement, tangiblement.

PHYTOLOGIE. Algologie, cryptogamie, dendrologie, mycologie, paléobotanique, palynologie, phytopathologie.

PHYTOPHAGE. Animal, herbivore, insecte, végétal.

PHYTOTHÉRAPIE. Balnéation, balnéothérapie, cure, élixir, émoluments, ergothérapie, gemmothérapie, héliothérapie, médication, mer, plante, régime, soin, thalassothérapie, thérapie, traitement, végétal.

PIAFFER. Agiter, bouillir, fouler, frapper, impatienter, patauger, piétiner, taper, trépigner.

PIAILLER. Babiller, brailler, cacarder, couiner, criailler, crier, gazouiller, jaboter, jaser, piauler, protester, râler.

PIANISTE. Accompagnateur, interprète, musicien, tapoteur, virtuose.

PIANISTE ALLEMAND (n. p.). Bülow, Gieseking, Hummel. Kempff.

PIANISTE AMÉRICAIN (n. p.). Arrau, Blake, Brubeck, Copland, Evans, Garner, Horowitz, Jarrett, Lewis, Monk, Peterson, Powell, Rubinstein, Serkin, Solal, Tatum, Taylor, Waller.

PIANISTE AUTRICHIEN (n. p.). Brendel, Czerny, Hummel.

PIANISTE CANADIEN (n. p.). Gould, Peterson.

PIANISTE CHILIEN (n. p.). Arrau.

PIANISTE ESPAGNOL (n. p.). Albéniz, Turina.

PIANISTE FRANÇAIS (n. p.). Alkan, Casadesus, Cortot, Cziffra, François, Long, Nat.

PIANISTE HONGROIS (n. p.). Bartok, Cziffra, Gyorgy, Liszt, Sandor, Sebök.

PIANISTE IRLANDAIS (n. p.). Field.

PIANISTE ISRAÉLIEN (n. p.). Barenboïm.

PIANISTE ITALIEN (n. p.). Benedetti, Busoni, Pollini.

PIANISTE POLONAIS (n. p.). Chopin, Paderewski.

PIANISTE QUÉBÉCOIS (n. p.). Abel, Gagnon, Lefèvre, Lortie, Mathieu.

PIANISTE ROUMAIN (n. p.). Haskil, Lipatti.

PIANISTE RUSSE (n. p.). Rachmaninov, Rubinstein, Scriabine, Skriabine.

PIANISTE SOVIÉTIQUE (n. p.). Richter.

PIANISTE SUISSE (n. p.). Magaloff.

PIANISTE TCHÈQUE (n. p.). Dussek, Dusik, Smetana.

PIANO. Bastringue, casserole, célesta, clavecin, crapaud, demi-queue, épinette, étouffoir, mécanique, note, queue, sforzando, toccata, virginal.

PIANOTER. Battre, claironner, clamer, cogner, colporter, diffuser, estocader, férir, frapper, jouer, proclamer, propager, ratonner, répandre, sataner, satonner, tambouriner, taper, tapoter, trépigner.

PIASTRE. Argent, avare, baise-la-piastre, billet, dollar, gourde, monnaie, piécette, symbole.

PIAULE. Bagne, cabane, cachot, cage, carcéral, cellule, chambre, détenu, écrou, ergastule, forçat, forteresse, geôle, ham, maison, oubliette, pénitencier, prison, société, taule, tôle, trou, turne, violon.

PIAULER. Aboyer, acclamer, ameuter, appeler, avertir, bêler, beugler, brailler, bramer, clabauder, chuinter, clamer, coasser, crialler, crier, crouler, dire, écrier, égosiller, gémir, glapir, grailler, grogner, gueuler, hennir, hululer, hurler, jaboter, meugler, mugir, pépier, piailler, raire, réer, trisser, ululer, vagir, vociférer.

PIAZZA. Agora, carré, esplanade, forum, parvis, place, placette, rond-point, square.

PIBALE. Anguille, civelle, congre, gymnote, lampresse, leptocéphale, lycoris, matelote, sargasse, serpent.

PIBROCK (n. p.). Écosse.

PIBROCK. Biniou, breton, cabrette, cornemuse, dondaine, flûte, gaïda, loure, musette, outre, poche, vèze.

PIC (n. p.). Aiguille, Aneto, Aret, Aspet, Bigorre, Botev, Carlit, Carlitte, Communisme, Ger, Gerlachovsky, Kilimandjaro, Lustou, Maladeta, Marguerite, Mauberme, Midi, Montcalm, Musala, Néouvielle, Nore, Osseau, Pobedy, Pobiedy, Staline, Teide, Uhuru.

PIC. Aiguille, corne, dent, dru, épeiche, escarpe, ger, midi, mont, oiseau, outil, pic-bois, picot, pioche, pique-bois, rivelaine, têt.

PIC, OISEAU. À cocarde, à dos barré, à dos brun, à dos noir, à dos rayé, à face blanche, à front doré, à moustaches rouges, à poitrine rouge, arlequin, à tête blanche, à tête rouge, à ventre jaune, à ventre rose, à ventre roux, calotte rouge, chevelu, de Californie, de Lewis, des chênes, des saguaros, de Williamson, épeichette, flamboyant, grand, maculé, mineur, pic-vert, pivert, rivelaine, rosé, tridactyle.

PICARDIE (n. p.). Aisne, Amiens, Bresle, Marquenterre, Oise, Ponthieu, Somme, Vimeu.

PICCOLO. Bec, coup, diaule, fifre, fistule, flageolet, fluette, flûte, flûtiau, galoupet, horion, larigot, mie, mirliton, monaule, nay, ney, octavin, pain, pan, picrate, pipeau, syrinx, traversière, turlututu, vin.

PICHENETTE. Bine, chiquenaude, coup, croquignole, flipper, nasarde, petit cochon, pichenotte, tapette.

PICHET. Anse, balthazar, biberon, bidon, bocal, bombonne, bonbonne, bordelaise, bouteille, broc, cannette, carafe, col, cruche, cruchon, cul, demi, dive, fillette, fiole, flacon, fond, gourde, if, jéroboam, litre, magnum, mathusalem, nabuchodonosor, panse, pot, quart, réhoboam, thermos, verre.

PICHOLINE. Actinote, couleur, donace, donax, huile, maillotin, maye, olivacée, olivâtre, olive, olivette, scouffin, tue-diable.

PICIFORME. Carinate, grimpeur, pic, pic épeiche, pic flamboyant, pic-vert, pivert, toucan.

PICOLER. Absorber, auge, avaler, boire, buvoter, déguster, écluser, écoper, gobelotter, goûter, humer, ingurgiter, lamper, lapement, laper, lécher, libations, licher, lipper, pinter, pomper, prendre, régalade, sabler, sabrer, savourer, siroter, tchin-tchin, téter, toast, trait, trinquer, vider.

PICORER. Atermoyer, autopsier, bouquiner, chasser, chercher, circonvenir, courtiser, demander, étudier, farfouiller, fouiller, fourrager, fureter, hésiter, quémander, quérir, questionner, quêter, rechercher, rivaliser, sonder, scruter, tâter, tâtonner, tenter, trifouiller, trôler, viser.

PICOSSER. Achaler, agacer, asticoter, blaguer, braver, canuler, chicaner, chiner, embêter, harceler, lutiner, mystifier, persifler, picorer, picoter, tanner, tarabuster, taquiner, tourmenter.

PICOT. Acéré, acuminé, aigu, apex, ardillon, aube, barbe, bec, bout, brocard, cap, cime, ciselet, clou, corne, cuspide, échoppe, ergot, estoc, extrémité, faîte, haut, nunatak, peu, pic, piton, pointe, rivet, rostre, sommet, tôt.

PICOTE. Alastrim, bouton, claveau, éruption, fièvre, grêlé, maladie, peau, pustule, variole, vérole.

PICOTEMENT. Agacement, agnosie, aigreur, aura, chaleur, chatouillement, démangeaison, émoi, émotion, euphorie, excitation, fatigue, fourmillement, froid, hallucination, impression, malaise, nausée, odeur, oppression, paresthésie, perception, pesanteur, phosphène, plaisir, prurit, sensation, sensibilité, sentiment, son, surprise, tact, tiraillement, vertige.

PICOTER. Becqueter, chatouiller, démanger, piquer, picorer, picosser, taquiner, trouer, variole.

PICRATE. Diaule, fifre, fistule, galoupet, horion, larigot, mauvais vin, mie, mirliton, monaule, nay, ney, octavin, piccolo, picrate, sel, syrinx, vin.

PICTURAL. Aquarelle, art, cadre, camaïeu, couleur, fresque, gouache, gribouillage, gribouillis, grisaille, image, lavis, luminisme, marine, pastel, paysage, peinture, portrait, ripolin, synthétisme, tableau, vue.

PIDGIN. Argot, argotique, argotiste, calo, charabia, cockney, éperon, fric, idiome, jar, jargon, javanais, jobelin, joual, langue, marollien, moco, môme, parler, patois, sabir, slang, verlan, vocabulaire.

PIE. Agace, agache, agasse, avocette, bavard, boréale, cheval, commère, corvidé, crécelle, épeichette, fromage, grièche, margot, méninge, oiseau, œuvre, passereau, phraseur, piat, pie-grièche, pieux, vêtement.

PIÈCE (3 lettres). Axe, clé, écu, fou, fût, pal, pan, roi, sep.

PIÈCE (4 lettres). Acte, bloc, broc, busc, came, cent, clef, dame, drap, épar, gond, lien, loge, part, pêne, pion, plat, sole.

PIÈCE (5 lettres). About, alèse, bacon, balai, bande, barde, bride, butée, canon, capot, carré, châle, chant, coupe, échec, écrou, étage, étuve, fiche, giron, habit, ïambe, jeton, loure, meule, moyeu, pivot, rayon, recto, reine, salle, salon, tacon, titre, unité, volée.

PIÈCE (6 lettres). Alaise, atrium, bavoir, billon, bureau, butoir, cagibi, cellule, duetto, butoir, cadène, carène, élégie, embase, espèce, étrave, fumoir, guidon, labium, lierne, loggia, mandat, organe, partie, pétard, plaque, rebras, réduit, safran, séjour, sépale, tépale.

PIÈCE (7 lettres). Battant, boudoir, bourrée, bricole, cabinet, cellier, cellule, cuiller, culasse, curseur, élément, équerre, étambot, filière, linteau, manchon, monnaie, morceau, navette, nursery, œillet, prélude, rouelle, rugueux, saynète, scherzo, tergite, têtière, théâtre, tonneau, véranda, vreneli.

PIÈCE (8 lettres). Appareil, araignée, assiette, baladeur, cabochon, caronade, cavalier, celebret, chevêtre, chambrée, cuillère, cylindre, division, document, éjecteur, fourrure, fracasser, fragment, guêpière, longrine, piécette, plastron, raquette, tesselle.

PIÈCE (9 lettres). Boute-hors, caractère, épigramme, huisserie, languette, plaquette, rayonneur, romancero, trésaille.

PIÈCE (10 lettres). Artillerie, balançoire, bout-dehors, chambrière, collecteur, contrefort, dégagement, extracteur, fourchette.

PIÈCE (11 lettres). Antichambre, arbalétrier, contrefiche, couvre-nuque, crémaillère, pied-de-biche.

PIÈCE (12 lettres). Divertimento, dressing-room, procès-verbal, protégé-tibia, soutien-gorge.

PIÈCE D'ARME À FEU. Baguette, bipied, canon, chargeur, charnière, chien, clé, collier, crosse, culasse, détente, embouchoir, glissière, grenadière, guidon, hausse, fût, levier, magasin, platine, pontet, trépied.

PIÈCE DE BOIS. Accore, âge, arêtier, bâcle, barre, bat-flanc, béquille, billot, bitte, chevron, éclisse, enter, équerre, épar, épart, espar, étai, étrésillon, gui, hie, joug, lierne, linteau, liure, madrier, mansarde, mât, noulet, palançon, pieu, pilot, poteau, poutre, racinal, rame, savate, sep, seuil, sillet, sole, solive, soliveau, taquet, tasseau, tenon, thune, timon, tin, trésaille, tréteau, tronche, tune.

PIÈCE D'ÉCHEC. Blanche, cavalier, dame, fou, noire, pat, pion, reine, roi, tour.

PIÈCE DE MUSIQUE. Aria, ariette, arioso, barcarolle, berceuse, divertimento, duetto, gaillarde, impromptu, louvre, matchiche, mazurka, motet, nocturne, offertoire, passacaille, pastorale, polka, polonaise, ricercare, romance, rondeau, rondo, sarabande, sonate, tambourin, tango, toccata, tyrolienne.

PIÈCE DE THÉÂTRE. Atellanes, comédie, farce, fatrasie, féerie, iambe, pastorale, revue, rôle, saynète, tétralogie, tragédie.

PIÈCE D'ORNEMENT (3 lettres). Blé, écu, épi, ove, pan.

PIÈCE D'ORNEMENT (4 lettres). Ache, aile, chou, ciel, dard, jonc, lion, lobe, lyre, more, muse, natte, orbe, rose.

PIÈCE D'ORNEMENT (5 lettres). Aigle, amour, ancre, cavet, cépée, corde, corne, coupe, crête, croix, culot, cygne, drapé, escot, fleur, frise, fruit, gerbe, gland, grain, lance, lotus, magot, maure, mufle, nœud, ogive, olive, palme, singe.

PIÈCE D'ORNEMENT (6 lettres). Accolé, adossé, amande, ananas, bambou, cartel, cloche, conque, crosse, damier, disque, dragon, étoile, feston, flèche, foudre, frette, gloire, godron, grappe, griffe, guivre, harpie, hélice, hermès, lierre, listel, masque, méduse, ménade, nymphe, oiseau, pagode, pampre, patère, phénix, pompon, ramage, rosace, sequin, sirène, soleil, sphinx, thyrse, triton, vasque, volute, zigzag.

PIÈCE D'ORNEMENT (7 lettres). Abeille, acanthe, alérion, atlante, bacchus, bossage, bouquet, bucrane, caducée, campane, chardon, cimaise, collier, console, contour, créneau, dauphin, diamant, drapeau, écaille, écusson, ellipse, emblème, fleuron, fresque, gorgone, grenade, griffon, laurier, léopard, licorne, liseron, losange, méandre, moiries, moulure, musette, néréide, ombelle, panache, rinceau, rosette, serpent, trident, watteau.

PIÈCE D'ORNEMENT (8 lettres). Affronté, annelure, aphrodite, arcature, armoirie, attribut, baguette, bergerie, bouclier, carquois, chicorée, chevron, chimère, chouette, couronne, cylindre, demi-lune, écoinçon, éventail, faisceau, faucille, flambeau, graffiti, grecques, marbrure, mascaron, modillon, nénuphar, orbevoie, palmette, pyramide.

PIÈCE D'ORNEMENT (9 lettres). Allégorie, arabesque, armoiries, astragale, banderole, bestiaire, canéphore, cannelure, cartouche, centaures, chapiteau, corbeille, croissant, découpure, dentelure, denticule, dioscures, échiqueté, entrelacs, feuillage, fioriture, gibecière, grisaille, guirlande, médaillon, marmouset, obélisque, odalisque, quinconce, trompette.

PIÈCE D'ORNEMENT (10 lettres). Cariatides, cassolette, cordelière, croisillon, cul-de-lampe, gargouille, guillochis, lambrequin, mignardise, quadrilobe, sagittaire.

PIÈCE D'ORNEMENT (11 lettres). Bec-de-corbin, bucentaures, imbrication, infoliature, quart-de-rond, trompe-l'œil, vermiculure.

PIÈCE D'ORNEMENT (12 lettres). Chrysanthème.

PIÈCE D'ORNEMENT (13 lettres). Amortissement, chèvrefeuille, fantasmagorie, queue-de-cochon.

PIÈCE D'UN NAVIRE. Ancre, bastingage, étambot, foc, mât, pont, timon.

PIED. Anapeste, apode, arpion, astragale, au pied levé, bas, bot, calcanéum, cap, cep, chaussure, debout, équin, griffe, ïambe, jambe, latte, métatarse, myriapode, orteil, panard, pas, patte, pédestre, pédibus, pédicure, pédieux, peton, piédestal, pince, pincement, plante, ripaton, serre, soleret, stipe, support, talus, tarse, vers.

PIED-D'ALOUETTE. Consoude, dauphinelle, delphinium, herbe-aux-poux, patte-d'alouette, pédiculaire, staphisaigre.

PIED-DE-BICHE. Bec, biseau, burin, chanfrein, ébiseler, écossé, embouchure, entaillé, hoyau, oblique, sifflet.

PIED-DE-VEAU. Aracée, arum, calla, gouet, herbacée, monocotylédone, plante, serpentaire.

PIÉDESTAL. Acrotère, admiration, base, piédouche, prestige, socle, stylobate, support, tore, trône.

PIÈGE. Aiche, appât, appeau, article, attrape, cage, chausse-trappe, écueil, embûche, esche, feinte, filet, gluau, insidieux, leurre, nasse, panneau, quatre-de-chiffre, ratière, rets, souricière, syllabe, tapette, taupière, tenderie, tapette, trappe, traquenard, traquet, trébuchet, utricule.

PIÉGER. Attraper, capturer, chasser, coincer, colleter, empiéger, enlacer, oiseler, piper, tendre, tonneler, trapper.

PIÉGEUR. Attrapeur, braconnier, chasseur, colleteur, fauconnier, piqueur, pisteur, portier, trappeur, veneur.

PIE-GRIÈCHE. Acariâtre, boréale, femme, grise, mégère, migratrice, oiseau, passereau.

PIERRAILLE. Abattis, abcès, adipeux, amas, banquise, bloc, boule, bourre, branchage, cal, chaton, colline, crassier, dune, éminence, empilement, empyème, entassement, fatras, fétras, feu, foule, filasse, jar, jard, liasse, lithiase, lot, masse, meule, mitraille, monceau, mousse, névé, noyau, nuage, ossuaire, pannicule, paquet, pierre, pile, plexus, ruée, salage, sécas, sérac, sore, tas, terril, tout, trésor.

PIERRE. Adulaire, aétite, aigue-marine, améthyste, aventurine, béryl, besicles, bétyle, brique, cabochon, caillasse, caillou, calcul, camée, castine, claveau, corindon, déroctage, diamant, émeraude, galet, gemme, gravelle, grenat, grès, gypse, hépatite, hyacinthe, imposte, intaille, jade, lapidaire, lapis, lause, lauze, lazuli, liais, lithophage, marbre, malachite, margelle, menhir, mica, moellon, molette, morganite, murger, obélisque, œil-de-chat, œil-de-tigre, olivine, ollaire, opale, palet, panneresse, parpaing, pendeloque, péridot, perle, philosophale, pierreries, ponce, roc, roche, rubis, sanguine, saphir, sardoine, silex, tombe, topaze, tourmaline, tumulus, turquoise, voûte, zircon.

PIERRE DE NAISSANCE. Grenat (janvier), améthyste (février), aigue-marine (mars), diamant (avril), émeraude (mai), perle (juin), rubis (juillet), péridot (août), saphir (septembre), opale (octobre), topaze (novembre), turquoise (décembre).

PIERREUX. Basse, caillouteux, chaotique, dentelaire, dur, fjeld, graveleux, nunatak, pédiment, pétré, raboteux, râpeux, rauque, rocailleux, rocheux, rude, sain, saxatile, saxicole, spath, staphylier.

PIERROT. Bouvreuil, déguisé, drôle, gille, individu, masque, moineau, oiseau, pantin, piaf, zig, zigoto.

PIÉTÉ. Affection, amour, attachement, chapelet, croix, culte, dévotion, édification, ferveur, indulgencier, neuvaine, pharisien, pieux, recueillement, religion, religiosité, respect, sacramental, sainteté, vénération.

PIÉTINEMENT. Ajournement, arrérage, arrêt, arriéré, atermoiement, attarder, bourre, décalage, délai, démodé, dysphasie, gap, hypotrophie, lenteur, moratoire, péril, périmé, prolongation, remise, retard, tard, traîne.

PIÉTINER. Acharner, agiter, fouler, frapper, languir, malmener, patauger, piaffer, stagner, taper, trépigner.

PIÉTON. Excursionniste, marcheur, passant, piétaille, piétonnier, promeneur, randonneur, tourniquet, venant.

PIÉTRAIN. Porc, race.

PIÈTRE. Affreux, chétif, dérisoire, faible, gougnafier, insignifiant, médiocre, mesquin, minable, misérable, miteux, pas grand-chose, pauvre, petit, piètrement, piteux, ridicule, singulier, triste.

PIÈTREMENT. Défectueusement, déplorablement, faiblement, imparfaitement, insuffisamment, mal, médiocrement.

PIEU. Balise, bâton, bouchot, couche, duit, échalas, épi, épieu, estacade, fraise, hamac, lançage, lit, mat, page, pal, palée, palis, palplanche, perche, pieuter, pilori, pilot, pilotin, piquet, poteau, rame, tuteur, vouge.

PIEUSE. Archiconfrérie, fervente, mystique, pie.

PIEUSEMENT. Amèrement, amoureusement, âprement, cher, chèrement, chrétiennement, dévotement, durement, moralement, mystiquement, onéreusement, religieusement, respectueusement, tendrement.

PIEUVRE. Araignée, câble, céphalopode, chatou, chatrou, mollusque, monstre, octopus, poulpe, sandow, tenteur, tentacule.

PIEUX. Archiconfrérie, ascète, béat, benoît, bigot, bondieusard, bouchot, cagot, complainte, croyant, dévot, dévotion, échalas, édifiant, fervent, pal, pharisien, pie, pieusement, piété, pratiquant, religieux.

PIEZE. Pz.

PIF. Blair, exclamation, flair, museau, nase, narine, nez, odorat, olfaction, onomatopée, pifer, piffer, tarin, truffe.

PIFFER. Aimer, antipathie, blairer, éprouver, estimer, pifer, ressentir, sentir, souffrir, supporter, voir.

PIFOMÈTRE. Clairvoyance, discernement, flair, futur, intuition, lucidité, nez, odorat, pif, subtilité.

PIGE. An, année, article, balai, compris, écrit, étalon, longueur, mesure, mieux, millésime, piger, pigiste, règle, rénumération, tâche, tige, travail.

PIGEON. Argile, biset, boulant, capucin, carme, cave, cire, colombe, colombin, colomphile, coulon, dindon, dupe, ectopiste, eu, fuie, ganga, gogo, goura, naïf, oiseau, ordre, palombe, paon, pattu, ramier, tarte, tourte, tourterelle, vole, voyageur.

PIGEONNER. Abuser, amuser, berner, cocufier, décevoir, désappointer, dol, duper, égarer, enjôler, errer, feinter, flouer, frauder, frustrer, gourer, gruger, illusionner, induire, infaillible, léser, leurrer, lober, mentir, méprendre, piper, posséder, refaire, rouler, trahir, tricher, tromper, truc.

PIGEONNIER. Brassière, cage, colombier, épinette, gloriette, nichoir, poussinière, soutien-gorge, volière.

PIGER. Abuser, agrafer, agripper, appâter, arrêter, atteindre, attraper, blâmer, comprendre, contracter, gober, gripper, happer, hasard, injurier, obtenir, piéger, pogner, prendre, rattraper, rejoindre, réprimander, saisir, sort, tirer, toucher, tromper.

PIGMENT. Albiniste, bêta-carotène, bétanine, bilirubine, carotène, chlorophylle, coeruleum, colorant, couleur, flavonoïde, grain, hémoglobine, lithopone, lipochrome, lithopone, lutéine, lycopène, mélanine, mélanose, minium, phycocyanine, quercétine, rocou, sardoine, tache, urobiline, xanthophylle.

PIGMENTATION. Accaparement, accroissement, accumulation, addition, adiposité, aérogastrie, agglomération, amas, amoncellement, avarice, ballonnement, congestion, économie, entassement, épanchement, épargne, flatuosité, gaz, gisement, gonflement, hydarthrose, hydropéricarde, hydropisie, investissement, lourdeur, moraine, œdème, quantité, rétention, tas, thésaurisation, ventosité.

PIGMENTÉ. Achrome, agrémenté, coloré, fleuri, foncé, orné, peinturé, tacheté, teinturé.

PIGNON. Amortisseur, donace, donax, gâble, lanterne, olive, pigne, pin, roue, satellite, tympan.

PIGNOUF. Aigrefin, butor, cavalier, cochon, déloyal, déplacé, escroc, goujat, grossier, impoli, inconvenant, indélicat, inélégant, irrégulier, malhonnête, malséant, maquignon, mèche, mesquin, mufle, rustre, sot, véreux.

PILAF. Arac, arak, basmati, blé, céréale, épice, nem, pilau, rack, raki, risotto, riz, saké, saki.

PILASTRE. Ante, cannelure, colonne, cornier, dosseret, montant, pile, pilier, rudenté, saillie, soutien, strie, support.

PILCHARD. Allache, alose, boîte, galon, mess, rogue, sagax, sardine.

PILE. Accu, amas, assiette, atomique, bac, batterie, côté, coup, défaite, dépôt, ensemble, envers, exact, face, générateur, insuccès, pal, pâté, photopile, pierre, pilepoil, pilier, pôle, pont, précis, revers, sèche, solaire, tablier, tas, volée.

PILER. Accumuler, amasser, arrêter, atténuer, battre, broyer, concasser, corroyer, écraser, empiler, entasser, fouler, freiner, marcher, moudre, piétiner, pilon, pulvériser, réduire, rosser, stocker, tasser, triturer.

PILEUX. Barbe, bourre, brosse, chevelure, cheveu, cil, crin, duvet, foin, fourrure, hérissé, hirsute, jarre, laine, mantelure, mohair, moustache, mue, naturiste, nu, ongle, peigne, pelage, pilosité, pinceau, plume, poil, robe, selle, soie, sourcil, tif, tisonné, toison, vibrisse.

PILIER. Aiguille, ante, appui, balustre, base, colonne, défenseur, étai, étançon, familier, habitué, jambe, lanterne, libage, partisan, pédicule, pilastre, pile, pilori, portier, poteau, pylône, sac, soutien, support, trafusoir, trumeau.

PILI-PILI. Aromate, cari, carive, cary, corail des jardins, curry, harissa, paprika, piment, poivre d'Espagne, poivron.

PILIPINO. Indonésien, langue, Philippines, tagal, tagalog.

PILLAGE. Appropriation, butin, concussion, dégât, déprédation, dévastation, invasion, rapine, ravage, razzia, sac, saccage.

PILLARD. Bandit, brigand, casseur, détrousseur, écumeur, iconoclaste, pilleur, ribaud, saccageur, voleur.

PILLARDS (n. p.). Huns, Normands, Vikings.

PILLER. Abîmer, accaparer, copier, détruire, dévaliser, dévaster, écumer, envahir, plagier, ravager, razzier, ruiner, saccager, voler.

PILLEUR. Anthropophage, atroce, avare, barbare, bête, brute, cannibale, clan, copieur, cruel, dur, germain, grossier, horde, inhumain, maure, mongol, pirate, plagiaire, sans-cœur, sauvage, violeur, voleur.

PILOCARPE. Alcaloïde, arbuste, aurantiacée, collyre, jaborandi, pilocarpine, plante, rutacée.

PILON. Battre, bistortier, bourroir, broyeur, cuisse, dame, destruction, jambe, jambon, molette, porphyre, ribot.

PILONNAGE. Arrosage, bombardement, chaumage, canonnage, faucardage, fauchage, mitraillage, torpillage.

PILONNER. Bombarder, broyer, canonner, cogner, détruire, écraser, frapper, influer, marteler, piler.

PILORI. Carcan, cataste, clouer, croix, cyphon, flétrir, mépris, pilier, poteau, roue, signaler, vindicte.

PILOSELLE. Diurétique, épervière, myosotis, plante.

PILOSITÉ. Barbe, bourre, brosse, chevelure, cheveu, cil, crin, duvet, foin, fourrure, hérissé, hirsute, hirsutisme, jarre, laine, liste, mantelure, mohair, moustache, mue, naturiste, nu, ongle, orin, peigne, pelage, pileux, pinceau, plume, poil, robe, selle, sensille, soie, sourcil, tif, tisonné, toison, vibrisse, zain.

PILOTE (n. p.). Aldrin, Armstrong, Auriol, Blériot, Breguet, Carpentier, Charron, Chrétien, Clark, Closterman, Cochran, Daurat, Earhart, Ferrari, Fonk, Gagarine, Galland, Guillaumet, Mermoz, Noguès, Saint-Exupéry, Schumacher, Shepard, Villeneuve, Voisin.

PILOTE. Aéronaute, aérostier, aviateur, barreur, capitaine, chasseur, chauffeur, cicérone, commandant, conducteur, cornac, copilote, dispositif, guide, kamikaze, lamaneur, ligne, locman, logiciel, marin, nautonier, nocher, poisson, prototype, requin, responsable, skipper, timonier, ulmiste.

PILOTER. Conduire, cornaquer, diriger, gouverner, guider, manager, mener, téléguider, voler.

PILOTIS. Carcan, colonne, échalas, mât, pal, pièce, pieu, pilori, piquet, poteau, sabot, tournisse.

PILULAIRE. Adiante, adiantum, aigle, alsophila, asplénium, athyrium, azolla, capillaire, cétérac, cétérach, cheveu-de-Vénus, crosse, dryoteris, filicale, filicinée, fougère, fougerole, indusie, limbe, ophioglosse, osmonde, pécoptéris, pinnule, polypode, pteridium, rhizoïde, royale, scolopendre, sore.

PILULE. Bol, boule, boulette, cachet, comprimé, dragée, gélule, granule, médicament, pellet, raclée, volée.

PILULIER. Boîte, bonbonnière, boîtier, cagnotte, caisse, caque, carton, case, casier, cassette, classeur, coffre, compartiment, crâne, custode, écrin, emballage, épisode, étui, justice, lanterne, pochette, poubelle, serinette, tabatière, tirelire, tiroir, tronc, urne, voûte.

PIMBÊCHE. Bêcheuse, caillette, chichiteuse, chipie, maniérée, mijaurée, pécore, pincée, prétentieuse.

PIMENT. Aromate, cari, carive, cary, chili, corail des jardins, curry, harissa, paprika, pili-pili, poivre d'Espagne, poivron.

PIMENTÉ. Alléchant, attachant, attirant, attrayant, avantageux, bon, brillant, captivant, curieux, éminent, émouvant, épicé, fructueux, important, intéressant, juteux, lucratif, oiseux, palpitant, payant, poignant, prenant, remarquable, rémunérateur, rentable, séduisant, touchant, utile.

PIMENTER. Accommoder, agrémenter, ailler, ajouter, apprêter, aromatiser, assaisonner, condimenter, émailler, épicer, maltraiter, moutarder, persiller, poivrer, rehausser, relever, saler, sucrer, vinaigrer.

PIMPANT. Agile, alarme, allègre, alerte, ameute, animé, appel, avertissement, bip, danger, dégourdi, déluré, émerillonné, entrain, éveillé, fringant, gaillard, impétueux, ingambe, intense, léger, leste, menace, péril, pétulant, preste, prompt, rapide, signal, sirène, souple, tocsin, vif, vigilant.

PIMPRENELLE. Anis, herbacée, herbe, plante, rosacée, salade, sanguisorbe.

PIN (n. p.). Attis, Atys, Autriche, Virginie.

PIN. Albicaule, argenté, aristé, arole, arolle, balfour, blanc, chihuahua, cône, coulter, elliot, englemann, épicéa, épineux, galipot, gemme, glabre, gomme, gris, jeffrey, marais, mélèze, monterey, muriqué, pinastre, pinède, pignons, pinastre, piquant, pive, ponderosa, rigide, rouge, sapin, sables, souple, sucre, sylvestre, tardif, torrey, vrillé.

PINACÉE. Abiès, abiétacée, abiétinée, araucaria, arbre, arolle, cèdre, cembro, cèdre, chermès, cône, conifère, cupressacée, épicéa, épinette, mélèze, pesse, pignet, pignon, pin, résineux, sapin, sapinette, spruce, stuga.

PINACLE. Amortissement, apogée, clocheton, comble, couronnement, éloge, faîte, haut, pignon, sommet, vantardise.

PINACOTHÈQUE. Art, collection, conservatoire, galerie, musée, muséum, peinture, salon.

PINAILLER. Analyser, blâmer, calomnier, censurer, commenter, criticailler, critiquer, décrier, dénigrer, dire, discuter, éreinter, étriller, étudier, examiner, flinguer, gloser, jaser, récriminer, redire, réfuter, réprimander, reprocher, stigmatiser, vétiller.

PINARD (n. p.). Alsace, Anjou, Toscane.

PINARD. Aligoté, asti, ayse, beaujolais, blanc, blanquette, bordeaux, brouilly, cellier, chablis, chais, champagne, château, chianti, clairet, crémant, cru, déci, dive, falerne, fruité, ginguet, ivre, larme, mâcon, madère, malaga, médoc, moselle, moût, muscadet, muscat, nectar, pineau, pinot, piquette, pomerol, pommard, porto, pouilly, retsina, rioja, rond, rosé, rouge, rouquin, sancerre, sauternes, sève, sherry, vendange, vermouth, vigne, vin, vinaigre, xérès.

PINCE. Appendice, barre, barrette, bec-de-cane, bigoudi, bras, brucelles, casse-noix, clamp, clip, davier, dent, épiloir, épincette, épingle, frisoir, fronce, hémostatique, incisive, levier, main, outil, pincette, pli, sabot, tenaille, trétoire, vêtement.

PINCÉ. Affecté, coincé, collet monté, compassé, étudié, guindé, maniéré, mince, pimbêche, prise, quantité.

PINCEAU. Ante, appuie-main, baguette, barbichette, blaireau, blush, brosse, élancé, ente, faisceau, hampe, jambe, pénicillé, pied, pincelier, putois, queue-de-morue, rai, rayon, repique, rouleau, style, touffe.

PINCÉE. Atome, becquée, bouchée, brin, carat, cuillerée, dose, gorgée, goulée, goutte, gouttelette, inconnue, intensité, lichette, noisette, nombre, nuage, once, peu, poil, pointe, quantité, quelque, ration, reste, rincette, somme, tétée, trace, unité, zeste.

PINCEMENT. Accolé, accouplement, baisé, blocage, caresse, coït, contraction, ébourgeonnage, embrassade, enlacement, enserrement, étau, étreinte, pinçade, pinçage, pizzicato, serrement, striction.

PINCER. Arrêter, cueillir, morailler, mordre, piquer, plectre, prendre, presser, rote, saisir, serrer, vibrer

PINCE-SANS-RIRE. Amuseur, attrapeur, bouffon, boute-en-train, clown, comique, drôle, espiègle, facétieux, farceur, humoriste, humour, impassible, ironie, ironiste, moqueur, pitre, plaisantin, sarcastique.

PINDARIQUE. Affecté, amphigourique, ampoulé, bombastique, bouffi, boursouflé, contourné, creux, déclamateur, déclamatoire, discours, emphatique, enflé, grandiloquent, guindé, pompeux, prétentieux, redondant, ronflant, sonore, style, vide.

PINGOUIN. Alcidé, gorfou, guillemot, homme, individu, macareux, manchot, mergule, oiseau, palmipède.

PING-PONG. Balle, basket, coup, court, double, drive, droit, égalité, espadrille, filet, let, lift, lob, manche, match, net, out, partie, pongiste, raquette, revers, smash, tamis, tennis, tennis de table.

PINGRE. Avare, avaricieux, chiche, économe, grippe-sou, lésineur, ménager, radin, rat, serré, tire-sou.

PINGRERIE. Avarice, avidité, cupidité, économie, ladrerie, lésine, mesquinerie, mesure, minutie, parcimonie, péché, radinerie, rapacité, thésaurisation.

PINNE. Gastropode, jambonneau, lamellibranche, marine, mollusque, nacre, pinna.

PINNIPÈDE. Barbu, capuchon, crabier, cistophore, gris, loup, marbré, marin, moine, otarie, phoque, rubans, selle.

PINOT. Aligoté, asti, ayse, beaujolais, blanc, blanquette, bordeaux, brouilly, cellier, chablis, chais, champagne, château, chianti, clairet, crémant, cru, déci, dive, falerne, fruité, ginguet, ivre, larme, mâcon, madère, malaga, médoc, meunier, moselle, moût, muscadet, muscat, nectar, pinard, pineau, piquette, pomerol, pommard, porto, pouilly, retsina, rioja, rond, rosé, rouge, rouquin, sancerre, sauternes, sève, sherry, tokay, vendange, vermouth, vigne, vin, vinaigre, xérès.

PIN'S. Agrafe, attache, boucle, broche, clip, crampe, crochet, épingle, épinglette, fermail, fermoir, ferret, fibule.

PINSON. Chanteur, conirostre, fringillidé, gai, granivore, grenadin, oiseau, passereau, passériforme.

PINTADINE. Belon, cancale, huître, lamellibranche, méléagrine, mollusque, perle, perlière.

PINTE. Boire, chope, chopine, demi, fillette, lait, litre, mesure, pinter, pot, roquille, setier.

PINTER. Absorber, auge, avaler, boire, buvoter, déguster, écluser, écoper, gobelotter, goûter, humer, ingurgiter, lamper, lapement, laper, lécher, libations, licher, lipper, picoler, pomper, prendre, régalade, sabler, sabrer, savourer, siroter, tchin-tchin, téter, toast, trait, trinquer, vider.

PIN-UP. Arlequin, bamboche, bouffon, clown, cover-girl, fantoche, figurine, guignol, jouet, joujou, mannequin, margoton, marionnette, modèle, pantalon, pantin, play-girl, polichinelle, poupée, starlette, vedette.

PIOCHE. Arrachoir, bigot, bine, binette, creuser, déchasussoir, houe, hoyau, outil, pic, piémontaise, têtu, tire-terre.

PIOCHER. Ameublir, besogner, bûcher, creuser, étudier, fouiller, fouir, peiner, piger, saper, terrasser.

PIOCHEUR. Bosseur, col bleu, ouvrier, pelleteur, pionnier, puisatier, remblayeur, taluteur, terrassier, travailleur.

PIOLET. Badine, bagasse, bambou, bâton, béquille, béquillon, canne, club, fêle, gaule, jonc, libouret, makila, mayotte, moulinet, palangre, palangrotte, panne, pioche, pommeau, rhum, roseau, rotin, scion, stick, trimmer, vesou.

PION. Awalé, charret, dame, damer, échec, étude, fiche, jeton, loto, méson, pi, pièce, soldat, surveillant, walé.

PIONCER. Anesthésique, assoupir, dormir, écraser, endormir, narcolepsie, narcose, narcotique, opium, pavot, reposer, ronfler, roupiller, sieste, somme, sommeiller, somnifère, somnoler, soporifique, stupéfiant, traîner.

PIONNIER, NOUVELLE-FRANCE (n. p.). Isabel, Magnan, Rinfret.

PIONNIER. Aventurier, bâtisseur, colon, conquérant, créateur, découvreur, défricheur, dirigeant, explorateur, incitateur, innovateur, inspirateur, instigateur, meneur, moteur, piocheur, premier, promoteur, sapeur, soldat.

PIORNER. Chialer, chigner, couiner, crier, crisper, crisser, geindre, gémir, grignoter, grincer, jérémiader, jérémier, lamenter, larmoyer, murmurer, piailler, piauler, pleurnicher, pleurer, rager, strider.

PIPE. Bouffarde, brûle-gueule, cachotte, calumet, chibouque, chibouk, chilom, cigarette, culot, flouer, fourneau, houka, jacob, Kalioub, narghilé, narguilé, opium, pipée, piper, pipette, shilom, tabac, talon, terre, trompe, turque, tuyau.

PIPEAU. Appeau, bec, chalumeau, diaule, fifre, fistule, flageolet, fluette, flûte, flûtiau, galoupet, inefficace, larigot, mie, mirliton, monaule, navire, nay, ney, octavin, pain, pan, piccolo, shilom, syrinx, traversière, turlututu, verre.

PIPELET. Avocat, babillard, bavard, bonimenteur, causant, causeur, commère, concierge, discoureur, discret, disert, indiscret, jacasseur, jaseur, laïusseur, loquace, margot, orateur, pie, prolixe, taciturne, verbeux, volubile.

PIPELINE. Canalisation, collecteur, conduit, conduite, égout, galerie, gazoduc, oléoduc, sea-line, tube, tunnel, tuyau.

PIPER. Attraper, babiller, chanter, chasser, crier, flouer, glousser, leurrer, silence, tromper, tricher, truquer.

PIPÉRACÉE. Bétel, cubèbe, cubeda, dicotylédone, kava, kawa, nigrum, peperomia, piper, plante, poivrier.

PIPERADE. Œuf, omelette, poivron, spécialité, tomate.

PIPERIE. Appât, appeau, artifice, dandinette, devon, duperie, feinte, illusion, imposture, leurre, piège, ruse, tromperie.

PIPÉRONAL. Acétal, acétaldéhyde, alcool, aldéhyde, éthanal, essence, héliotropine, sassafras.

PIPETTE. Bouffarde, brûle-gueule, cachotte, calumet, chibouque, Kalioub, narguilé, pipe, tube.

PIPEUR. Abuseur, artificieux, bobardier, bonimenteur, captieux, décevant, déloyal, dupeur, exploiteur, fallacieux, faux, feinteur, fraudeur, illusoire, mensonger, menteur, perfide, tricheur, trompeur.

PIPI. Anurie, eau, pissat, pisse, prostate, purin, rein, urée, urine.

PIPIT. Becfigue, bédouine, farlouse, oiseau, motacillidé, passereau, pitpit, des prés, spioncelle.

PIQUANT. Acerbe, acéré, acide, âcre, aigre, aigu, aiguillon, amer, caustique, cuisant, épicé, épine, fort, froid, incisif, mordant, pénétrant, perforant, piment, pointu, poivré, relevé, relief, satirique, saveur, savoureux, sel, tanrec, tenrec, vif.

PIQUE. Âcre, aigri, alèse, arme, as, beau, brocard, carte, dame, dard, demi-pique, dépit, épine, esponton, fou, haste, javelot, joug, lance, moquerie, note, piqûre, pointe, quolibet, raillerie, rosserie, vanne, vin, vol.

PIQUÉ. Abattée, aculéate, allumé, braque, cinglé, dingue, esponton, fêlé, fou, frappé, givré, jeté, marqué, marteau, moucheté, parsemé, personne, piqueté, piqueur, ravagé, taché, tacheté, timbré.

PIQUE-ASSIETTE. Chemarotze, commensal, convive, écornifleur, hôte, invité, parasite.

PIQUE-FEU. Fourgon, râble, ringard, rouable, tire-braise, tisonnier.

PIQUE-NIQUE. Agape, banquet, barbecue, bombance, brunch, buffet, casse-croûte, cène, collation, déjeuner, dîner, dînette, en-cas, festin, frichti, frugal, gala, gastronomie, gourmandise, goûter, gueuleton, lippée, lunch, médianoche, menu, orgie, popote, réfection, régal, repas, reste, réveillon, ripaille, soupe, souper, tétée, thé.

PIQUER. Aiguillonner, attraper, becqueter, brocarder, chiper, coudre, darder, démanger, dérober, enclouer, entrelarder, éperonner, foncer, fondre, gratter, intriguer, larder, mordre, percer, picoter, pincer, plonger, repiquer, tatouer, voler.

PIQUET. Bâton, cavalier, coin, épic, garde, jalon, jeu, pal, palot, perche, pic, pieu, rame, sardine, tune, tuteur.

PIQUETER. Baliser, borner, délimiter, jalonner, limiter, manifester, marquer, piquer, repérer, tacheter, tracer.

PIQUETTE. Boisson, boîte, buvande, cidre, criquet, échec, leçon, pile, raclée, rossée, vin, volée.

PIQUEUR. Braconnier, chasseur, colleteur, fauconnier, piégeur, pisteur, portier, pourboire, trappeur, veneur.

PIQUOIR. Aiguille, alène, broche, épingle, épinglette, ferret, lardoire, poinçon, pointu, raie, subulé, trocart.

PIQÛRE. Aigreur, aiguille, août, attaque, blessure, capiton, couture, dé, galle, injection, mouche, moustique, plaie, poindre, point, ponction, puncture, scorpion, seringue, stupéfiant, tache, trou, venin, vermoulure, vive.

PIRATE (n. p.). Barberousse, Clipperton, Maboule, Nau, Olonois, Rollon, Scots.

PIRATE. Aigrefin, air, aventurier, avion, bandit, boucanier, brigand, clandestin, contrebandier, corsaire, cracker, cupide, écumeur, escroc, filou, flibustier, forban, fripouille, illicite, intrigant, pillard, pirater, requin, vol, voleur.

PIRATER. Copier, démarquer, écumer, escroquer, frauder, imiter, modifier, plagier, repiquer, reproduire, voler.

PIRATERIE. Appropriation, assassinat, brigandage, cambriolage, crime, déprédation, détournement, détroussement, enlèvement, entôlage, escroquerie, extorsion, flibusterie, grappillage, kleptomanie, larcin, malversation, pillage, racket, rafle, razzia, saccage, spoliation, subtilisation, vol.

PIRE. Catastrophe, comparatif, empiré, inférieur, mauvais, moindre, pis, pis-aller, plus, rempiré, superlatif.

PIROGUE. Bateau, canoë, canot, catamaran, embarcation, laptop, pagaie, pinasse, uba, yole.

PIROUETTE. Acrobatie, cabriole, changement, culbute, danse, demi-tour, dérobade, échappatoire, fouette, fuite, galipette, moulinet, palinodie, pantalonnade, plaisanterie, retournement, revirement, saut, toupie, tour, tourbillon, virevolte, volte-face.

PIROUETTER. Anordir, berner, bistourner, braquer, cinéma, contourner, déformer, détourner, dévier, dévirer, éviter, faner, fermenter, finir, girer, nordir, orienter, persifler, pivoter, railler, rôder, rouler, ruminer, sur, suri, tordre, toupiller, tourner, tournicoter, tournoyer, virer, virevolter, visser, volter.

PIS. Mamelle, organe, pire, pis-aller, remeuil, sein, tétine, trayon.

PISCICULTURE. Agropastoral, apicole, apiculture, aquiculture, aquariophilie, auge, avicole, aviculture, cuniculiculture, cuniculture, élevage, embouche, estancia, ganaderia, héliciculture, ostréiculture, nursery, parc, pastoral, pastoralisme, salmoniculture, terrarium, trotting, trutticulture, zootechnie.

PISCINE (n. p.). Siloé.

PISCINE. Baignoire, bain, bassin, caldarium, nager, pataugeoire, pataugeuse, pédiluve, plonger, thermes.

PISCIVORE. Balbuzard, biophage, goéland, harle, ichtyophage, manchot, pingouin, poisson.

PISSE-FROID. Agaçant, assommant, barbant, canulant, chiant, désagréable, embarrassant, embêtant, emmerdant, empoisonnant, endormant, ennuyeux, éteignoir, fâcheux, fade, fastidieux, fatigant, insipide, lassant, long, maussade, monotone, morose, mortel, pisse-vinaigre, rasant, raseur, rasoir, rebutant, sciant, suant, vexant.

PISSEMENT. Bouillonnement, débordement, ébullition, éclaboussement, écoulement, émission, épanchement, éruption, évacuation, explosion, extrusion, giclée, hématurie, jaillissement, jet, sortie, surgissement.

PISSENLIT. Acaule, barabant, bédane, chiroux, dent-de-lion, fleur, picris, plante, salade, taracanum.

PISSER. Anurie, compisser, couler, évacuer, fuir, pipi, pissoter, pissotière, rédiger, suinter, uriner, urinoir.

PISSE-VINAIGRE. Acariâtre, acrimonieux, aigri, boudeur, bourru, cafardeux, chagrin, chagriné, désabusé, désagréable, ennuyeux, grincheux, gringe, gris, grognon, hargneux, insipide, insupportable, massacrant, maussade, mélancolique, morne, morose, nostalgique, pessimiste, rabat-joie, renfrogné, revêche, rit, saturnien, sombre, ténébreux, terne, triste.

PISTACHE. Amande, arachide, cacahuète, graine, jade, lentisque, nougat, pistachier, staphylier, tilleul.

PISTACHIER. Anacardiacée, arbre, lentisque, pistache, staphylier, térébenthine térébinthacée, térébinthe.

PISTE. Altiport, autodrome, chemin, circuit, corde, cynodrome, draille, empreinte, foulée, hors-piste, indice, manège, marque, paddock, passage, pente, rocade, route, sautoir, sentier, sillon, ski, terrain, toboggan, trace, vélodrome, voie.

PISTER. Dépister, épier, filer, guetter, marquer, passer, racoler, sillonner, suivre, surveiller, tracer.

PISTEUR. Braconnier, chasseur, colleteur, fauconnier, piégeur, piqueur, portier, trappeur, veneur.

PISTIL. Carpelle, dard, fleur, fruit, gynécée, ovaire, protogynie, reproduction, stigmate, style.

PISTOLET. Arçon, arme, arquebuse, bouteille, browning, calibre, colt, feu, flingot, flingue, flobert, fusil, lance-amarre, luger, magnum, mauser, mitraillette, mitrailleur, parabellum, pétard, pétoire, pistoleur, pommeau, porte-amarre, revolver, rigolo, seringue, urinal.

PISTON. Appui, bugle, cylindre, intervention, maître-cylindre, parrainage, patronage, pistonner, pompe, protection, recommandation, soutien.

PISTONNER. Aider, appuyer, avantager, conseiller, encourager, épauler, exhorter, intervenir, patronner, pousser, prêcher, préconiser, prôner, protéger, recommander, référer, soutenir, supporter.

PITANCE. Aliment, couvert, denrée, gage, manger, mets, nourriture, pain, pâtée, portion, rata, ration, repas, table.

PITEUX. Abominable, affligeant, affreux, atroce, compote, confus, contrit, déplorable, honteux, lamentable, mauvais, médiocre, minable, misérable, miteux, navrant, piètre, piteusement, pitoyable, triste.

PITHÉCANTHROPE. Ammonite, anas, ancien, artefact, atlanthrope, calamite, empreinte, fossile, géologie, nummulite, oiseau, pemphix, platax, poisson, préhistoire, reptile, tabulé, trilobite, vieillard, zoolite.

PITHIATISME. Aura, délire, excitation, folie, frénésie, hypocondrie, hystérie, nervosité, névrose, psychiatrique.

PITIÉ. Apitoyer, bonté, charité, clémence, cœur, commisération, compassion, compation, dur, humain, impitoyable, jérémiade, mansuétude, merci, miséricorde, pitoyable, plainte, sentiment, sourd, sympathie.

PITON. Aiguille, aspérité, bouton, cheval, cime, clou, jeton, manillon, neck, pic, pionnier, pointe, sommet, vis.

PITOYABLE. Calamiteux, compatissant, déplorable, déplorant, funeste, généreux, lamentable, mal, médiocre, méprisable, minable, misérable, miteux, moche, navrant, piteux, regrettable, triste, vaseux.

PITOYABLEMENT. Déplorablement, dérisoirement, désastreusement, douloureusement, lamentablement, minablement, misérablement, miteusement, pauvrement, piètrement, piteusement, tristement.

PITRE. Acrobate, baladin, bouffon, charlot, clown, comédien, comique, guignol, paillasse, paradiste, rigolo, singe.

PITRERIE. Astuce, attrape, badinage, bagatelle, bêtise, blague, bouffonnerie, boutade, canular, clownerie, dérision, espièglerie, facétie, farce, fin, frime, gag, galéjade, jeu, lazzi, moquerie, mystification, plaisanterie, quolibet, raillerie, rire, rocambole, satire, sel, singerie, tour, turlupinade.

PITTORESQUE. Beau, cachet, coloré, couleur, épique, expressif, folklorique, original, relief, site, truculent, typique.

PITUITE. Alcoolique, caille, dégurgitation, émétique, flegme, gastrite, glaireux, glande, hématémèse, humeur, hypophyse, mérycisme, mucosité, muqueuse, régurgitation, renard, vomissement, vomissure.

PITUITER. Brouisse, caille, calorifère, caséine, coagule, margauder, margot, pituiter, puron, tirasse, tome, yaourt, yogourt.

PIU. Beaucoup, bis, davantage, encore, excès, item, maximum, mieux, outre, plus, prime, rab, supérieur, surplus, surtout, sus, trop.

PIVERT. Becquebois, charpentier, colapte, damette, épeiche, oiseau, percebois, pic, picot, pic-vert, pique-bois.

PIVOT. Agent, appui, arbre, axe, base, bielle, central, centre, force, grain, origine, racine, soutien, support, tourillon.

PIVOTANT. Abattée, angle, champ, chemin, circulaire, coin, coude, courbe, courbure, détour, giratoire, grève, méandre, noyau, orbiculaire, pivot, retour, revanche, rotatif, rotatoire, rotor, tour, tournant, virage.

PIVOTEMENT. Acrobatie, cabriole, danse, demi-tour, dérobade, échappatoire, galipette, moulinet, palinodie, pirouette, plaisanterie, retournement, revirement, tête-à-queue, toupie, tour, tourbillon, virevolte, volte-face.

PIVOTER. Axer, changer, enfoncer, organiser, pirouetter, toupiller, tourner, tournoyer, virer, virevolter, visser.

PLACAGE. Aiguille, bractée, cape, carotte, carpelle, conjugué, contre-plaqué, crosse, découpé, décurrent, décussé, écaille, encart, engainant, fane, feuillage, feuille, folio, fronde, imparipenné, journal, livre, page, palme, palmifide, palmilobé, palmiparti, palmiséqué, papier, pellicule, pelté, penné, perfolié, pétiole, pubescent, rame, revêtement, robe, rosette, thé, tôle, tract, trifolié, unifolié, verticillé, vénir.

PLACARD. Affiche, armoire, avis, buffet, cagibi, criteau, écriteau, épreuve, feuille, fourre-tout, pancarte, penderie.

PLACARDER. Agir, alunir, amerrir, appliquer, apposer, appuyer, asseoir, atterrir, baiser, claver, couronner, déposer, engluer, enlier, installer, jeter, mettre, miner, photographier, placer, planter, poser, situer, soulever.

PLACE (n. p.). Alésia, Bastille, Bitche, Bourse, Concorde, Étoile, Nation, Observatoire, Rouge, Tiananmen, Vendôme, Vosges.

PLACE. Agencement, agora, arrangement, barreau, billet, château, citadelle, disposition, emplacement, emploi, endroit, entrée, espace, fauteuil, ferté, fonction, fort, forum, gîte, halle, job, lieu, occurrence, ordre, parc, parvis, placette, position, poste, rang, rôle, rond-point, savane, sellette, siège, site, situation, strapontin, sur, terrain, volume.

PLACEMENT. Action, ajustage, bourse, commission, constitution, création, disposition, édification, établissement, fixation, installation, investissement, mise, orientation, réemploi, remploi, rente.

PLACENTA. Arrière-faix, axile, chalaze, cotylédon, faix, môle, ombilical, prolan, secondines, trophoblaste.

PLACENTAIRE. Carnassier, cétacé, chéiroptère, créodonte, curie, dermoptère, division, édenté, euthérien, insectivore, lagomorphe, ongulé, mammifère, membrane, primate, rongeur, sirénien.

PLACER. Antéposer, aposter, armer, arranger, asseoir, caler, caser, centrer, coller, déplacer, déposer, disposer, distribuer, enclaver, espacer, établir, fixer, fourrer, insérer, installer, interposer, juxtaposer, lever, loger, mettre, percher, peser, planter, poser, positionner, poster, préposer, rajuster, ranger, ravaler, recharger, rehausser, remettre, remiser, reporter, satelliser, seoir, serrer, servir, situer, transposer.

PLACET. Acte, appel, combattant, demande, démarche, diligence, écrit, faveur, grâce, instance, invitation, oui, pétition, prière, quête, requête, réquisition, rogations, saisine, service, siège, soldat, supplication, supplique, vœu.

PLACETTE. Agora, carré, esplanade, forum, parvis, piazza, place, rond-point, square.

PLACIDE. Calme, cool, décontracté, doux, flegmatique, froid, impassible, imperturbable, modéré, paisible, serein, tranquille.

PLACIDEMENT. Benoîtement, calmement, doucement, flegmatiquement, froidement, impassiblement, imperturbablement, inébranlablement, paisiblement, patiemment, posément, sereinement, tranquillement.

PLACIDITÉ. Accalmie, agité, ataraxie, béat, bonasse, bouillant, calme, coi, cool, déchaîné, détendu, dur, emporté, énervé, excité, flegme, froid, impatient, ire, irrité, modéré, oasis, paisible, paix, patient, placide, pondéré, posé, quiet, rassis, réfléchi, relax, sage, serein, sérénité, silence, tranquille, tranquillité, turbulent, violent, zen.

PLACIER. Agent, calicot, commis, démarcheur, employé, guide, ouvreur, représentant, siège, vendeur, voyageur.

PLACOTER. Babiller, bagouler, barjaquer, bavarder, bavasser, cancaner, caqueter, causer, commérer, débiter, discourir, jaboter, jacasser, jacter, jaser, jaspiller, jaspiner, médire, palabrer, papoter, parler, potiner, répandre, verbaliser.

PLAFOND. Altitude, caisson, ciel, haut, lambris, limite, lustre, plafonnier, plancher, soffite, solive, vélum, voûte.

PLAFONNER. Arrêter, croupir, culminer, enliser, languir, marcher, piétiner, ralentir, séjourner, stagner, végéter.

PLAGAL. Authentique, cadence, mode, musical, plain-chant, quarte, quinte, grave.

PLAGE. Aplat, berge, bord, écart, grève, lagon, laisse, rivage, rive, sable, surface, tablette, temps, tong, vive.

PLAGIAIRE. Bobardier, contrefacteur, captieux, copieur, copiste, déformateur, démarqueur, escroc, falsificateur, faussaire, faux-monnayeur, fripon, imitateur, mystificateur, pasticheur, posticheur, trompeur, voleur.

PLAGIAT. Calquage, calque, contrefaçon, copiage, copie, démarquage, emprunt, imitation, larcin, pillage, pilleur.

PLAGIER. Approprier, butiner, compiler, copier, imiter, piller, piller, pirater, prendre, puiser, reproduire, voler.

PLAGIOCLASE. Albite, aluminosilicate, amazonite, arkose, bytownite, feldspath, kaolin, labrador, lapis, lapis-lazuli, lazurite, microline, oligoclase, orthose, perlite, pétunsé, sodium, syénite, trachyte.

PLAIDER. Débouter, défendre, intenter, intercéder, irrecevabilité, parler, plaideur, plaidoirie, postuler, suspicion.

PLAIDEUR. Argumentateur, chicaneur, chicanier, ergoteur, procédurier, processif, raisonneur, rhétoricien, vendeur.

PLAIDOIRIE. Action, apologétique, apologie, défense, éloge, exposé, logographe, plaidoyer, postulation, réquisitoire.

PLAIDOYER. Apologétique, apologie, défendre, défense, discours, justification, plaid, plaidoirie, pro domo.

PLAIE (n. p.). Égypte.

PLAIE. Balafre, blessure, bleu, brûlure, cicatrice, coupure, écorchure, gerçure, lésion, morsure, pansement, séton, stigmate, ulcère.

PLAIGNANT. Accablant, accusateur, calomniateur, chicaneur, chicanier, compromettant, délateur, demandeur, dénonciateur, espion, mouchard, plaintif, procédurier, râleur, réclamant, révélateur, sycophante.

PLAIGNARD. Braillard, brailleur, chicaneur, chicanier, critiqueur, critiqueux, débatteur, discuteur, frustré, insatisfait, mécontent, raisonneur, rechignard, rechigneux, récriminateur, regimbeur, rouspéteur, vitupérateur.

PLAIN. Cuve, écu, égal, émail, étage, marée, niveau, plain-pied, plat, plein, rez-de-jardin, tannerie, uni.

PLAINDRE. Accuser, apitoyer, bêler, chialer, crier, dénoncer, exhaler, geindre, gémir, grogner, gronder, lamenter, lésiner, palabrer, piauler, pester, pleurer, pleurnicher, protester, râler, réclamer, récriminer, renauder, rouspéter.

PLAINE (n. p.). Abraham, Amazonie, Argentan, Brandebourg, Campine, Chaco, Chawiyah, Chêlif, Chouf, Craw, Élam, Flandre, Frise, Gharb, Haouz, Hesbaye, Idistaviso, Jarres, Limagnes, Livradois, Macina, Marquenterre, Massimas, Midlands, Mitidja, Norfolk, Ogaden, Paraiba, Polabi, Polésie, Puszta, Rharb, Roanne, Saron, Sharon, Sibérie, Tadle.

PLAINE. Bassin, campagne, champ, delta, étendue, huerta, llanos, pampa, piémont, piedmont, prairie, pré, steppe, toundra.

PLAINTE. Accusation, bêlement, complainte, cri, doléance, élégie, geignement, gémissement, girie, grief, grognerie, hélas, hurlement, jérémiade, lamentation, larmoiement, murmure, pétition, plaignant, pleur, râle, récrimination, réprimande, reproche.

PLAINTIF. Chialeur, dolent, geignant, gémissant, gnangnan, grincheux, plaignant, pleurnichard, pleurard, râleur.

PLAIRE. Agréer, aimer, allécher, amuser, apprécier, attirer, avenant, botter, captiver, charmer, coiffer, combler, complaire, contenter, convenir, délecter, enchanter, engager, enivrer, ensorceler, fasciner, flatter, ravir, réjouir, revenir, satisfaire, séduire, sourire.

PLAISAMMENT. Absurdement, agréablement, bouffon, bouffonnement, burlesquement, comiquement, délicieusement, dérisoirement, drôlement, facétieusement, grotesquement, joliment, ridiculement, risiblement.

PLAISANCE. Amabilité, complaisance, indulgence, fatuité, obligeance, politesse, prévenance, serviabilité.

PLAISANT. Agréable, aimable, amusant, attrayant, beau, bon, bouffon, captivant, charmant, cocasse, comique, drolatique, drôle, engageant, facétieux, gai, gentil, gracieux, joli, loustic, piquant, plaisantin, réjouissant, riant, rigolo, risible, séduisant, spirituel, sympa, sympathique, turlupin.

PLAISANTER. Amuser, badiner, batifoler, blaguer, canuler, charrier, chiner, galéjer, gausser, gouailler, ironiser, jouer, moquer, railler, rieur, rigoler, rire, spirituel, taquiner, trickster, turlupiner, zwanzer.

PLAISANTERIE. Astuce, attrape, badinage, badinerie, bagatelle, bêtise, blague, bouffonnerie, boutade, brimade, burlesque, canular, dérision, espièglerie, facétie, dadaise, farce, fin, frime, gag, galéjade, gaudriole, jeu, lazzi, moquerie, mystification, pitrerie, quolibet, raillerie, rire, rocambole, satire, sel, tour, tour pendable, turlupinade, vanne, witz, zwanze.

PLAISANTIN. Badin, blagueur, bouffon, coquin, farceur, fin, joueur, loustic, mystificateur, rieur, turlupin.

PLAISIR. Agrément, aise, amitié, amusement, bamboche, bien-être, bonheur, charme, contentement, déduit, délectation, délice, désir, distraction, divertissement, ébats, épicurien, extase, gaieté, gré, hédonisme, jeu, joie, jouissance, lascif, libido, luxure, masturbation, onanisme, passe-temps, récréation, régal, rire, ris, sadisme, salace, satisfaction, volupté.

PLAN (n. p.). Barbarossa, Barberousse, Beveridge, Canjuers, Dawes, Delta, Dumbarton Oaks, Marshall, Tanaka, Young.

PLAN. Abrégé, aile, billot, cadre, canevas, carte, compas, croquis, dessein, dessin, diagramme, égal, épure, équerre, esquisse, étalon, foil, idée, insert, osculateur, ossature, planche, plane, plat, poli, projet, règle, schéma, slip, stratégie, surface, tir, té, topo, traçoir, tremplin, uni, versant.

PLANCHE. Ayde, ais, aises, alaise, alèse, appui, arbre, couche, dessin, dosse, dur, écoin, frise, frisette, hachoir, image, jeannette, lambourde, latte, madrier, merrain, palanque, perche, plan, plinthe, recours, reproduction, ressource, scène, secours, selle, skate, skateboard, soutien, starie, support, tableau, tablette, théâtre, tranchoir, tremplin, tuile, vaigre, voilure, volige.

PLANCHER. Estrade, étage, étai, gril, parquet, place, plafond, planchéier, plate-forme, platelage, pont, seuil, sol, solive, trémie.

PLANCHETTE. Abaque, ais, aisseau, attelle, bardeau, claquette, échandole, escarpolette, jeannette, lattage, latte, panneau, patience, pistolet, planche, plioir, racloir, table, tablette, taloche, tavillon, tire-botte, tirette, trottinette.

PLANCHISTE. Surfeur, véliplanchiste.

PLANCTON. Baleine, benthos, crevette, crustacé, euphasia, krill, larve, méduse, necton, œuf, pelagos, phytoplancton, zooplancton.

PLANE. Anaglyphe, bas-relief, diptyque, emboutissage, empreinte, escroquerie, estampage, gravure, large, matriçage, malversation, médaillon, méplat, plaquette, rude, sculpture, tragus, vastringue, vol.

PLANELLE. Accident, adobe, aretière, argile, biscuit, brique, briquette, carreau, chantignole, dalle, égout, embêtement, enfaîteau, ennui, faîtière, imbriqué, mésaventure, pavé, planelle, plaquette, toit, toiture, tuile.

PLANER. Dominer, flotter, peser, planage, rêvasser, rêver, soutenir, survoler, voler, voleter, voltiger, unifier.

PLANÉTAIRE. Astral, céleste, électron, général, global, international, mondial, sidéral, universel.

PLANÈTE (n. p.). Achille, Cérès, Charon, Deimos, Hector, Hermès, Junon, Jupiter, Lune, Mars, Mercure, Neptune, Pallas, Patrocle, Phobos, Pluton, Saturne, Sedna, Terre, Uranus, Vénus, Vesta, Xena.

PLANÈTE. Aérolithe, apex, aphélie, ascendant, astéroïde, astre, astrologie, biome, décan, ellipse, étoile, globe, jovien, lune, monde, mondial, orbe, orbite, phase, protoplanète, satellite, sextil, soleil, terre, trine, troyenne, vénusien.

PLANEUR. Aérodyne, aile, anti-vrille, avion, cerf-volant, deltaplane, parachute, parapente, raboteur, vastringue.

PLANIFICATION. Calendrier, combinaison, conjonction, coordination, copulative, et, ni, ou, praxie, synchronisation.

PLANIFIER. Agencer, arranger, calculer, combiner, composer, organiser, prévoir, programmer, régler.

PLANISPHÈRE. Carte, géorama, globe, mappemonde, mercador, planisphère.

PLANOIR. Bec-de-corbin, bédane, berceau, biseau, bouchard, burin, cisaille, ciselet, cisoir, échenilloir, entablure, gouge, gradine, matoir, molette, mouchette, onglet, outil, poinçon, riflard, rondelle, sécateur.

PLANQUE. Abri, asile, cache, cachette, cave, coin, fond, mystère, niche, recoin, refuge, repli, retraite, taire.

PLANQUER. Abriter, blottir, cacher, émigrer, exiler, expatrier, mucher, musser, nicher, réfugier, tapir, terrer.

PLANT. Bouture, cep, cépage, cru, insert, ormille, pépinière, pied, plante, pousse, semis, talle, tige, variété.

PLANTAGE. Anicroche, aria, avanie, avaro, avatar, bogue, bug, cafard, contrariété, déboire, dégoût, désagrément, difficulté, embarras, embêtement, ennui, enquiquinement, épine, épreuve, erreur, hic, incident, lassitude, os, panne, pépin, souci, tracas, tuile.

PLANTAIN. Alisma, alisme, apétale, bananier, bilabiée, buglosse, calice, campanule, circée, clochette, corolle, enveloppe, flûteau, labiée, ligulée, muflier, papilionacée, pentapétale, pétale, plantaginacée, urcéolé.

PLANTARD. Bois, branche, bras, brindille, cannage, chiffonne, corne, courçon, courson, crossette, écotée, éperon, ergot, frondaison, greffe, gluau, marcotte, membre, membrure, pipeau, planton, rameau, ramée, ramure, rejeton, rotang, roting, scion, sou, tronc, vinée.

PLANTATION. Amandaie, arboretum, aunaie, bananeraie, boisement, boulaie, cédrière, érablière, noiseraie, olivaie, oliveraie, orangeraie, ormaie, ormoie, oseraie, palmeraie, peuplement, peupleraie, pignada, pinède, pinière, poivrière, reboisement, reforestation, repiquage, ronceraie, rizière, rôneraie, roseraie, rouvraie, sapinière, saulaie, saussaie, tremblaie, verger, vigne, vognoble.

PLANTÉ. Adiré, affolé, clairsemé, dépravé, dévoyé, désaxé, désorienté, dispersé, disséminé, effaré, égaré, émaillé, éparpillé, épars, éperdu, errant, fol, fou, fourvoyé, hagard, halluciné, hébété, ivre, perdu, sporadique, troublé.

PLANTE (3 lettres). Ail, ase, ers, gui, ive, lin, lis, lys, mil, pin, rue, suc, zéa.

PLANTE (4 lettres). Ache, alfa, aloe, anis, arum, chou, cive, colza, fève, geum, houx, iris, ixia, jonc, kali, meum, mila, moly, orge, oyat, pied, pois, pote, puya, rave, sium, soja, spic, tare, taro, thym, tige.

PLANTE (5 lettres). Acore, actée, agave, aloès, amome, aneth, arbre, aspic, aster, aunée, berce, béris, betel, bette, bugle, caduc, caléa, calla, carvi, ciguë, ciste, cobée, cocos, cumin, dolic, douve, drave, éléis, élève, ficus, fleur, flore, fruit, gazon, germe, gesse, gnète, gombo, gouet, henné, herbe, inule, ipéca, jacée, jalap, liane, lilas, lotus, luffa, lupin, mâche, macre, mauve, melon, mesem, napel, navet, niébé, nopal, orobe, orpin, ortie, panax, pavot, plant, pomme, pouya, prêle, phlox, radis, ramie, ricin, rumex, sanve, sapin, sauge, sedum, serve, sisal, souci, soude, spart, stipa, tabac, tacca, tiaré, typha, usnée, vanda, vélar, vesce, yucca, zamia.

PLANTE (6 lettres). Acacia, aconit, adonis, alisma, alisme, alysse, ananas, aralia, arnica, azalée, azolla, bambou, berlue, bleuet, blette, bougie, bryone, butome, cactée, cactus, cardon, céleri, cereus, cierge, cissus, clivia, coléus, cosmos, coucou, courge, crocus, crosne, cubèbe, cydadale, dahlia, daphné, datura, dionée, elodea, élodée, érable, éthuse, eubèbe, fatsia, férule, génépi, gnetum, grémil, gourde, hédera, hysope, ibéris, igname, ipomée, isatis, isoète, ivette, ivraie, jasmin, jaunet, kentia, kochia, labiée, laiche, lamier, légume, lierre, linnée, lotier, luzula, luzule, lycope, malope, manioc, massif, menthe, millet, mimosa, mimule, misère, molène, morène, mouron, mousse, muguet, naïade, népète, nérine, nielle, nivéal, niveau, onagre, ononis, oponce, origan, orvale, oxalis, pastel, pensée, persil, peyotl, picris, pirole, pistia, plumet, pteris, pyrole, quinoa, rampon, réséda, rochea, roseau, safran, sagine, salade, samole, sapote, scille, scirpe, sénevé, sésame, silène, soleil, sparte, spirée, tagète, tamier, tomate, trèfle, trille, trolle, tulipe, ullucu, vulpin, zamier, zinnia.

PLANTE (7 lettres). Acanthe, achilée, actinie, æchmea, aethuse, agérate, althaea, alyssum, ancolie, anémone, apétale, arbuste, armoise, arroche, arthuse, asperge, ballote, bardane, baselle, basilic, bégonia, benoîte, bétoine, brocoli, bruyère, bugrane, cactier, calatéa, cardère, carline, carotte, cataire, célosie, céréale, chaïote, chardon, chayote, ciboule, clarkia, cranson, cresson, curcuma, cuscute, dictame, dioïque, dolique, drosera, drosère, encrine, épiaire, épilobe, épinard, éplaire, érigron, faux-lis, fenouil, ficaire, ficoïde, figuier, flûteau, fougère, fraisier, freesia, fuchsia, gaillet, garance, gazania, gerbera, ginseng, girarde, glaïeul, glycine, godétia, gourbet, grenade, haricot, hélodée, houblon, houlque, ibéride, jarosse, jussiée, kadsura, lantana, laurier, lavande, liatris, linacée, linaire, piparis, liriope, liseron, lithops, livèche, lobelia, lobélie, lobivia, lopezia, lunaire, luzerne, lychnis, lycoris, lythrum, maceron, maranta, marante, margose, marrube, mélicot, mélisse, mélitte, mikania, mimulus, minette, molinia, monarde, moracée, morelle, muflier, musacée, muscari, myrrhis, navette, negondo, negundo, nélombo, nélumba, nélumbo, nemesia, némésie, nigelle, nivéale, nivéole, nopalea, oeillet, ombilic, ononide, opuntia, oranger, oseille, osmonde, ourisia, oxalide, papareh, papyrus, parodia, pas-d'âne, pétunia, phoenix, picride, pigamon, pivoine, poireau, potager, potamot, potiron, psilote, ptéride, raifort, rebutia, renouée, romarin, rosacée, rudéral, rutacée, sagette, sanicle, sarrète, sclarée, séneçon, solanum, solisia, souchet, statice, tagetes, tagette, tanacée, taxacée, textile, thlaspi, tilleul, ulluque, uva-ursi, végétal, velvote, vératre, vétiver, violier, vitacée, voilier, vriesia, waitzia, ximenia, ximénie.

PLANTE (8 lettres). Absinthe, abutilon, adiantum, agavacée, ageratum, alléluia, alliaire, amandier, amarante, ansérine, auricule, bananier, basilier, bistorte, blechnum, buglosse, cactacée, caladion, caladium, calathéa, caméline, capselle, capucine, cerfeuil, cerisier, chataire, chirette, cinéaire, codiæum, colocase, consoude, cretelle, cyclamen, digitale, dicentra, doucette, dracæna, ellébore, endymion, éricacée, érigeron, estragon, euphorbe, faux-buis, fittonia, fourrrage, frigoule, gardénia, géranium, gentiane, gessette, giroflée, gloxinia, grapelle, grateron, guimauve, hibiscus, hottonia, jacinthe, jarousse, julienne, kennedia, laiteron, lanterne, lathyrus, lauréole, lavandin, lavatère, lentille, leucosum, libertia, ludwigia, lupuline, lycopode, malvacée, mange-mil, marabout, martagon, massette, matucana, monoïque, monstera, mosaïque, moutarde, myosotis, myrtacée, nægelia, narcisse, nasitort, nénuphar, nivicole, oenanthe, opopanax, orchidée, orontium, pandanus, panicaut, passerage, pastèque, patience, peucedan, phacella, phormion, phormium, physalis, plantain, plantule, poivrier, polygala, polygale, polygame, populage, porillon, pourpier, psyllium, psilotum, raipouce, ravenala, rhinante, rhubarbe, rose d'eau, roquette, rossolis, rubanier, rubiacée, rupestre, rutabaga, sainfoin, salsifis, saluinia, sanicule, sarrasin, sarrette, saururus, savourée, saxatile, saxicole, serpolet, sidalcée, sisymbre, solidago, sorcière, spergule, stapelia, stapelie, tanaisie, tigridie, tue-chien, typhacée, urticale, verveine, victoria, violette, viperine, wulfenia, xanthium, zérumbet.

PLANTE (9 lettres). Agapanthe, agripaume, alkékenge, amaryllis, amourette, amsinckia, anthurium, artichaut, asclépias, asparagus, asplenium, asphodèle, balsamine, barbotine, barigoule, belladone, belle-dame, bipinelle, botanique, bourrache, bouton d'or, bryophyte, calendula, campanule, cardamine, cardamone, cardiaque, centaurée, châtaigne, chayotte, clématite, clochette, colchique, concombre, cordyline, coréopsis, coriandre, cornuelle, cotonnier, cotylédon, douce-amère, edelweiss, eupatoire, euphraise, farigoule, faux aloès, filicinée, forestier, fumeterre, gaillarde, galantine, gingembre, grassette, gratteron, halophile, halophyte, hélianthe, héllébore, hépatique, impatiens, jeannette, jonquille, jusquiame, kalanchoe, lampourde, lenticule, limaguère, lycophyte, lysimaque, malachite, malpighie, matthiole, maurandya, médicinal, mélianthe, ményanthe, mignotise, mirabilis, monanthès, moniliose, monnayère, monotrope, monvillea, momordica, nepenthès, œnothère, organette, orobanche, parisette, paronyque, passerose, patchouli, pédéromia, peltandra, perruque, pervenche, pfeiffera, picridium, pied-de-coq, pilocarpe, pipéracée, pissenlit, pouilleux, primevère, pulicaire, quinquina,

rafflesia, rafflésie, ravenelle, remontant, renoncule, rhinanthe, rhipsalis, rosularia, rudbeckia, saladette, salicaire, salicorne, salissant, santoline, saponaire, sapotille, sarriette, saxifrage, scabieuse, sensitive, serratule, stelitzia, stellaire, stetsonia, stramoine, stratiote, tête-noire, trétragone, tournesol, triandrie, tubéreuse, turquette, tussilage, urticacée, valériane, vermifuge, véronique, villarsia, volubilis, xérophyte.

PLANTE (10 lettres). Abricotier, acanthacée, aigremoine, anémophile, aphelandra, aponogeton, arbrisseau, aromatique, asclépiade, aspergette, aspidistra, billbergia, bonne-femme, canneberge, cassolette, chélidoine, ciboulette, citronnier, cochléaire, coquelicot, crête-de-coq, cymbalaire, cynoglosse, dent-de-lion, dentelaire, échinopsis, épiphyllum, espergonte, eucalyptus, fatshedera, flèche d'eau, fraxinelle, gaulthérie, germandrée, gypsophile, héliotrope, immortelle, indigotier, lysichitum, maianthème, mamillaire, mandragore, marguerite, marjolaine, matricaire, melocactus, mercuriale, mignardise, nidularium, nummulaire, ornemental, pâquerette, pariétaire, passiflore, pectinaria, perce-neige, persicaire, phalangère, phytolaque, piaranthus, pied-de-lion, pied-de-veau, pinguicula, poinsettia, pontederia, potentille, pontédérie, primerolle, psilophyte, pulmonaire, pulsatille, pyracantha, pyrostegis, quenouille, sagittaire, sansevière, sapindacée, sarracenia, sarracénie, scorsonère, seticereus, silicicole, soldanelle, strelitzia, strelitzie, tillandsia, titanopsis, toute-bonne, trigonelle, verbénacée, vulnéraire, xéranthème, zygocactus.

PLANTE (11 lettres). Acroclinium, amour-en-cage, ampélidacée, belle-de-jour, belle-de-nuit, calcéolaire, chamædorea, châtaignier, clandestine, citronnelle, entomophile, filicophyte, filicopside, framboisier, hémérocalle, hydrocotyle, légumineuse, linaigrette, limnocharis, lophocereus, mamillopsis, menispermum, myriophylle, naturaliste, nephrolépis, papilionacé, passe-velours, patte-de-loup, pédiculaire, pimprenelle, platycerium, polygonacée, saintpaulia, sanguinaire, sanguisorbe, sarcocaulon, scolopendre, scrofulaire, scutellaire, sélaginelle, spergulaire, ruine-de-Rome, topinambour, utriculaire, utricularia, vallisnérie, vendangeuse, xeranthenum.

PLANTE (12 lettres). Anémone de mer, aquifoliacée, chrysanthème, échinocactus, gueule-de-loup, guttiféracée, herbe aux écus, millepertuis, myriophyllum, nyctaginacée, philodendron, pieds-d'oiseau, pomme de terre, quatre-épices, reine-des-prés, renonculacée, roseau-massue, sabot-de-Vénus, salpiglossis, saxifragacée, staphisaigre, tradescantia, valérianelle, verniculaire, zingibéracée.

PLANTE (13 lettres). Amaryllidacée, asclépiadacée, attrape-mouche, buisson-ardent, césalpiniacée, chanvre de l'eau, chèvrefeuille, dimorphotheca, équisétophyte, gloire-du-matin, herbe aux chats, hydrofilicale, mangoustanier, monnaie du pape, pied-d'alouette, phytothérapie, quatre-saisons, quintefeuille, salsepareille.

PLANTE (14 lettres). Anémone des bois, bougainvillier, caryophyllacée, cresson alénois, herbe-aux-perles, oléoprotéagineux, ptéridospermée, sceau-de-Salomon.

PLANTER. Abandonner, arborer, boiser, camper, complanter, cultiver, dresser, élever, enfoncer, enraciner, ensemencer, ficher, fourvoyer, gourer, hisser, implanter, piquer, pitonner, placer, plaquer, replanter, quitter, semer, transplanter, tromper.

PLANTIGRADE. Arctique, blaireau, brun, busserole, digitigrade, callisto, ermite, grissly, grizzli, kodiak, misanthrope, noir, nounours, otarie, ours, oursin, ourson, panda, sauvage, septentrion, solitaire, ursidé.

PLANTOIR. Haque, pal, planteuse, repiquer, repiqueuse, semer, taravelle, tracelet, traceret, traçoir.

PLANTON. Agent, archer, argoulet, armée, bleu, capitaine, cipaye, colonel, conscrit, combattant, cosaque, cuirassier, dragon, éclaireur, estradiot, fusilier, général, GI, guerrier, homme, lancier, major, mercenaire, militaire, officier, papal, poilu, police, pompier, ranger, recrue, réserviste, samouraï, sapeur, sentinelle, sergent, serre-joint, soldat, tirailleur, triaire, troufion, uhlan, vaguemestre, vélite, vétéran, zouave.

PLANTULE. Albumen, aseptique, bourgeon, cause, cotylédon, départ, embryon, fœtus, germe, germer, germicide, grain, graine, kyste, levain, malt, microbe, mungo, neurotrope, œuf, origine, proligère, semence, source, sperme, spore, tige, tigelle, touraillon.

PLANTUREUX. Abondant, avantageux, beaucoup, copieux, corpulent, dodu, épanoui, fécond, fertile, gargantuesque, généreux, gras, opulent, pantagruélique, plantureusement, plein, rebondi, riche, rond.

PLAQUAGE. Abandon, abdication, aliénation, apostasie, arrêt, capitulation, cessation, cession, confiance, défection, démission, départ, désertion, désuétude, détente, divorce, don, donation, épave, exposition, forfait, fugue, fuite, hérésie, lâchage, luxure, négligence, nonchalance, passation, reculade, rejet, renonciation, suspension, trahison.

PLAQUE. Abaisse-langue, ais, armure, biopuce, cascabelle, contrecoeur, contre-feu, crapaudine, croûte, dalle, disque, écaille, éclisse, écran, écusson, feuille, filière, fourrure, glome, halo, inscription, lame, leucoplasie, marbre, mordache, naïve, névé, palastre, palâtre, palette, pancarte, paroi, pinnule, plaquette, pochoir, pose, repère, sabot, signal, sole, somme, stèle, table, tampon, taque, timbre, typon, voyany.

PLAQUEMINIER. Aracée, arbre, arbuste, caque, ébénacée, ébinier, figue, figuecaque, kaki, plaquemine.

PLAQUER. Abandonner, aplatir, appliquer, appuyer, balancer, coller, couvrir, dorer, doubler, entomber, lâcher.

PLAQUETTE. Ailette, alvéole, brochure, carreau, cartel, couche, disque, éclisse, épaulière, feuille, frein, globulin, livraison, livre, livret, magazine, pièce, plaque, puce, revue, sabot, sang, stèle, tessère, tuile.

PLASMA. Albumine, alexine, créatine, fluide, gaz, globule, hydrémie, lipidémie, liquide, sérum.

PLASMOCYTE. Accoutumance, dispense, exemption, franchise, immunité, insensibilité, mithridatisme, tolérance.

PLASTE. Amyloplaste, leucite, organite, modeler, plastie.

PLASTIC. Acétate, beauté, celluloïd, chirurgie, corps, explosif, flexible, forme, influençable, malléable, maniable, matière, mou, nylon, physique, plastique, PVC, rhodoïd, souple, styrène, téflon, vinyle.

PLASTICITÉ. Agilité, aisance, complaisance, diplomatie, docilité, ductilité, élasticité, facilité, flexibilité, kiné, kinésithérapie, légèreté, liant, malléabilité, maniabilité, rouillé, rubato, souplesse, sveltesse.

PLASTICIEN (n. p.). Boltanski, Hausman, Kowalski, Moholy-Nagy, Morellet, Permeke, Rauschenberg, Stael.

PLASTIQUE. Acétate, beauté, celluloïd, chirurgie, corps, explosif, flexible, forme, influençable, malléable, maniable, matière, mou, nylon, physique, plastic, PVC, rhodoïd, souple, styrène, téflon, vinyle.

PLASTRON. Basquine, bavette, blouse, buste, bustier, canezou, caraco, chemise, chemisette, chemisier, corsage, corset, cuirasse, détachement, empiècement, escrime, guimpe, jabot, jaquette, pièce, veste.

PLASTRONNER. Bluffer, bomber, crâner, esbroufer, fanfaronner, frimer, paonner, parader, pavaner, poser, vanter.

PLAT. Animelles, apprêt, assiette, assortiment, banal, baratiner, blaff, blanquette, bouquetière, camus, chili con carne, chop suey, courtiser, couscous, dodine, draguer, égal, entrée, entremets, escargotière, estouffade, étouffade, fade, fondue, gnocchi, haggis, légumier, lisse, marengo, matété, matété, matoutou, mince, mironton, miroton, morceau, mouclade, moussaka, nœud, omelette, paella, papet, patène, pièce, plan, poli, pot-au-feu, potée, ragoût, raplapla, râpure, ratatouille, ravier, risotto, rognonnade, rösti, sashimi, service, spécialité, suprême, tabulaire, tagine, tajine, tandoori, tartiflette, tian, turbotière, uni, usé, vaisselle, waterzoï, yassa, zakouski.

PLATEAU. Damier, échiquier, fjeld, hamada, mesa, montagne, palette, plaine, planche, planèze, plaque, plat, proscénium, puna, revers, scène, set, support, table, tailloir, tampon, tandoori, tassali, tassili, tepui, théâtre, tourne-disque, tournette, tréteau, veld.

PLATEAU, AFRIQUE (n. p.). Adamaoua, Karroo.

PLATEAU, ALGÉRIE (n. p.). Tademaït.

PLATEAU, ARABIE SAOUDITE (n. p.). Nadjd, Nedjd.

PLATEAU, AUVERGNE (n. p.). Cézallier.

PLATEAU, BELGIQUE (n. p.). Fagnes, Herve.

PLATEAU, BRÉSIL (n. p.). Mar.

PLATEAU, CACHEMIRE (n. p.). Ladakh.

PLATEAU, CAMEROUN (n. p.). Adamaoua.

PLATEAU, CÉVENNES (n. p.). Coiron.

PLATEAU, CHINE (n. p.). Ordos.

PLATEAU, ESPAGNE (n. p.). Meseta.

PLATEAU, ÉTATS-UNIS (n. p.). Alleghany, Allegheny, Mesa Verde.

PLATEAU, ÉTHIOPIE (n. p.). Ogaden.

PLATEAU, FRANCE (n. p.). Albion, Aubrac, Boulonnais, Brie, Calvados, Canjuers, Caux, Cézallier, Coiron, Combraille, Combrailles, Crémieu, Ensérune, Entremont, Glières, Langres, Lannemezan, Larsac, Millevaches, Reims, Revard, Saint-Maure-de-Touraine, Satory, Sidobre, Valbonne.

PLATEAU, INDE (n. p.). Deccan, Dekkan, Ladakh, Shillong.

PLATEAU, ISRAËL (n. p.). Golan.

PLATEAU, KAZAKHSTAN (n. p.). Manguychlak, Oust-Ourt.

PLATEAU, LIBYE (n. p.). Fezzan.

PLATEAU, MADAGASCAR (n. p.). Imerina.

PLATEAU, MASSIF ARMORICAIN (n. p.). Choletais, Mauges.

PLATEAU, MASSIF CENTRAL (n. p.). Gévaudan, Larzac, Méjan, Méjean, Millevaches, Ségala.

PLATEAU, MEXIQUE (n. p.). Anahuac.

PLATEAU, NIGÉRIA (n. p.). Adamaoua, Jos.

PLATEAU, OUZBÉKISTAN (n. p.). Oust-Ourt.

PLATEAU, RUSSIE (n. p.). Anabar.

PLATEAU, SAHARA ALGÉRIEN (n. p.). Tademaït.

PLATEAU, SUISSE (n. p.). Jorat.

PLATEAU, SYRIE (n. p.). Golan.

PLATE-FORME. Argamasse, balcon, bat-flanc, belvédère, chariot, dispersal, échafaud, estrade, étage, galerie, hune, ice-shelf, nid, palier, plancher, plateau, plongeoir, podium, ponton, porte-hauban, poulaine, praticable, programme, quai, radeau, ras, semi-submersible, shelf, tablier, terrain, terrasse, vigie.

PLATEMENT. Assidûment, constamment, continuellement, continûment, également, exactement, infiniment, localement, monotonement, permanence, ponctuellement, régulièrement, semblablement, uniformément.

PLATHELMINTHE. Acoelomate, cestode, douve, planaire, platode, tænia, ténia, trématode, turbellarié, ver.

PLATINE. Pt.

PLATITUDE. Banalité, bassesse, cliché, courbette, évidence, fadaise, fadeur, généralité, inconsistance, insignifiance, insipidité, médiocrité, monotonie, pâleur, pauvreté, plat, poncif, servilité, sottise, vilenie.

PLATODE. Bilharzia, bilharzie, bilharziose, parasite, plathelminthe, schistosomiase, trématode, turbellarié, ver.

PLATONICIEN (n. p.). Alexandrie, Ammonios, Celse, Ennéades, Gallien, Platon, Plotin, Porphyre.

PLATONICIEN. Académicien, auteur, cénacle, conteur, écrivain, épistolier, immortel, ironiste, jetonnier, journaliste, lettre, nègre, néoplatonicien, plumitif, poète, pseudonyme, rédacteur, romancier, scribe, scribouilleur.

PLATONIQUE. Chaste, décent, éthéré, formel, idéal, imaginaire, immaculé, innocent, pudique, pur, théorique.

PLÂTRAS. Déblais, débris, décharge, déchirage, décombre, dépôt, fouille, gravats, gravois, terrassement, terre.

PLÂTRE. Chape, chaux, coquille, couvert, crépi, déguisé, dissimulé, enduit, fardé, faux, fromage, gypse, incuit, lambris, liant, maçon, mortier, moule, orthèse, ouvrage, pierre, pigeon, plâtrier, sculpture, simulé, solin, staff, statue, stuc.

PLÂTRER. Argenter, barder, beurrer, boucher, cacher, cocher, coiffer, combler, complanter, consteller, couvercle, couvrir, déguiser, dissimuler, empierrer, enchausser, enduire, enfaîter, engluer, enrubanner, enterrer, envelopper, garantir, habiller, housser, immuniser, inonder, iodurer, maquiller, métalliser, moisir, napper, ombrager, paner, parsemer, peindre, placarder, prémunir, préserver, recouvrir, réparer, revêtir, rocher, ruiler, salpêtrer, semer, terrer, vêtir, voiler.

PLÂTRIER. Gypsier, maçon, ouvrier, peintre, plafonneur, ravaleur, tailleur.

PLATYRHINIEN. Alouate, atèle, cébidé, grisolle, hurleur, ouarine, primate, saï, saki, singe.

PLAUSIBILITÉ. Allure, apparence, aspect, bienséance, convenance, cosmétique, crédibilité, couleur, croûte, décor, écorce, enveloppe, extérieur, façade, figure, forme, frime, idée, lueur, mine, mirage, ombre, oripeaux, ostensible, perceptible, phase, probabilité, semblant, simulacre, soupçon, teinte, tournure, vernis, visible, vraisemblance.

PLAUSIBLE. Acceptable, admissible, apparence, apparent, bien, concevable, crédible, croyable, possible, prétexte, probable, trompeur, valable, visible, vrai, vraisemblable.

PLAUSIBLEMENT. Ainsi, éventuellement, occasionnellement, peut-être, possible, possiblement, probablement, sans doute.

PLÈBE. Client, commun, foule, lie, peuple, plébéien, populace, populaire, populo, prolétariat, racaille, roturier, tribun.

PLÉBÉIEN. Aristocrate, indigent, manuel, noble, ouvrier, pauvre, paysan, prolétaire, salarié, tâcheron, travailleur.

PLÉBISCITE. Approbation, consultation, élection, élu, loi, majorité, ratification, référendum, scrutin, vote.

PLÉBISCITER. Approuver, choisir, confirmer, consulter, élire, ratifier, réélire, référendum, voter.

PLECTOGNATHE. Arbalétrier, balistidé, diodon, gymnodonte, scléroderme, tétraodontiforme, tétrodon.

PLECTRE. Baguette, banjo, cithare, grattoir, guitare, lamelle, luth, lyre, mandoline, médiator, plumasseau, pointe, sautereau, shamisen, tige.

PLÉIADE (n. p.). Alcyone, Astérope, Baïf, Bellay, Belleau, Céléno, Dorat, Électre, Gobineau, Jodelle, Opitz, Maïa, Mérope, Peletier, Ronsard, Taygète.

PLÉIADE. Aréopage, constellation, étoile, foule, groupe, myriade, mythologie, nombre, nymphe, réunion.

PLEIN. Abondant, absolu, ample, animé, âpre, bondé, bon enfant, bourré, chargé, comble, complet, couvert, débordant, dense, désemplir, dodu, écumant, entier, étoffé, farci, fort, gras, gros, imbu, imprégné, infatué, infesté, ivre, massif, nourri, pénétré, pétri, plantureux, potelé, ras, rempli, replet, rond, saturé, seul, total, vidé.

PLEINEMENT. Animé, bondé, bourré, complet, complètement, délié, entièrement, étoffé, rassasié, saturé.

PLÉISTOCÈNE. Atlanthrope, dinornis, ère, glyptodon, mégacéros, mégathérium, ours, période.

PLÉNIER. Absolu, accompli, adéquat, circonstancié, complet, consommé, costard, costume, détaillé, entier, exhaustif, fin, fini, intégral, mûr, parfait, plein, précis, ras, rempli, révolu, terminé, total, tout, unanime, universel, vendu.

PLÉNIÈRE. Assemblée, conférence, générale, indulgence, rémission, réunion, totale.

PLÉNIPOTENTIAIRE (n. p.). Nesselrode.

PLÉNIPOTENTIAIRE. Agent, ambassadeur, consul, diplomate, émissaire, envoyé, légat, ministre, nonce, représentant.

PLÉNITUDE. Abondance, ampleur, épanouissement, force, intégralité, maturité, pléthore, totalité.

PLÉNUM. Adjonction, agapes, agrégat, amalgame, anastomose, annexion, anthrax, assemblée, baba, bal, banc, brelan, carillon, claque, collection, collège, colonie, comité, concile, conciliabule, duo, éclisse, ennéade, enquête, épissure, escadre, faisceau, flottille, groupe, harde, jamboree, jonction, ligature, litée, mariage, meeting, mélange, meute, nocturne, paire, pléiade, portée, présentation, quatuor, quintette, ramassis, rame, raout, rastel, recueil, réunion, salade, sauterie, séance, société, soirée, synthèse, tas, trio, troupeau, union, zooglée.

PLÉONASME. Battologie, cheville, datisme, grammaire, redite, redondance, répétition, tautologie.

PLÉTHORE. Abondance, afflux, excès, foison, obèse, obésité, plénitude, réplétion, saturation, surabondant, surplus.

PLÉTHORIQUE. Abondant, ample, commun, considérable, copieux, dense, dru, épais, excessif, exubérant, fécond, fertile, foisonnant, fourni, fructueux, généreux, giboyeux, gros, large, luxuriant, nombreux, opulent, plantureux, pluvieux, pullulant, riche, surabondant, volubile, volumineux.

PLEUR. Complainte, cri, éploré, hi, jérémiades, lamentation, larme, plaintes, pleurs, sanglots, sève, soupir, suintement.

PLEURANT. Anse, arc, arcade, arcature, arceau, arche, baie, courbe, imposte, local, loge, organe, piédroit, vousseau, voûte.

PLEURARD. Chialeur, dolent, geignant, gémissant, gnangnan, grincheux, larmoyant, plaignant, plaintif, pleurnichard, pleurnicheur, râleur.

PLEURER. Affliger, brailler, chialer, chigner, crier, déplorer, éplorer, fondre, geindre, gémir, implorer, lamenter, larmoyer, miauler, piauler, plaindre, pleurnicher, pleureur, pleureuse, réclamer, regretter, saigner, sangloter, témoigner, supplier.

PLEURÉSIE. Empyème, inflammation, pleurite, pleural, pleurésie, pleurite, plèvre, pneumonie, poumon, purulente.

PLEUREUR. Dolent, éploré, geignard, gémissant, larmoyant, plaignard, plaintif, pleurnichard, plaurnicheur.

PLEURNICHE. Bougon, fâché, geignard, grognard, grognon, hargneux, mécontent, pincé, plaintif, renaudeur.

PLEURNICHER. Brailler, braire, chialer, chigner, chouiner, couiner, geindre, gémir, lamenter, larmoyer, lyrer, miauler, piailler, piauler, piorner, plaindre, pleurer, pleurnicheur, sangloter, vagir, verser, zerver.

PLEURNICHERIE. Accusation, bêlement, complainte, cri, doléance, élégie, geignement, gémissement, girie, grief, grognerie, hélas, hurlement, jérémiade, lamentation, larmoiement, murmure, pétition, plaignant, plainte, pleur, pleurnichement, râle, récrimination, réprimande, reproche.

PLEURONECTIDÉ. Carrelet, elbot, flétan, halibut, légine, limande, pleuronecte, plie, poisson, sole, turbot.

PLEUTRE. Couard, craintif, dégonflé, froussard, lâche, peureux, poltron, pusillanime, trouillard, veule.

PLEUTRERIE. Anxiété, caponnade, couardise, crainte, dégonflage, effroi, émoi, faiblesse, frayeur, frousse, fuite, lâcheté, mollesse, peur, phobie, poltronnerie, pusillanimité, souleur, suée, terreur, trac, transe, trouille, veinette.

PLEUVINER. Brouilasser, bruiner, brumasser, crachiner, gouttiner, mouillasser, pleuvasser, pleuvocher, pleuvoter.

PLEUVOIR. Arroser, bruiner, couler, crachiner, dégringoler, dracher, flotter, inonder, mouiller, pisser, pleuvasser, pleuviner, pleuvoter, pluviner, pluvioter, repleuvoir, roiller, tomber, tremper.

PLÈVRE. Feuillet, hydrothorax, membrane, périoste, péritoire, pleural, pleurésie, pleurite, poumon.

PLEYON. Arçon, branche, brin, brindille, chimère, cor, dard, écot, faux, greffon, lambourde, lien, mère, osier, pampre, playon, plion, provin, rameau, ramification, ramille, ramure, rotang, rotin, sarment.

PLI. Aine, anticlinal, billet, boudin, bouillon, bourrelet, cassure, corne, couture, creux, étiré, fanon, flexure, friser, fronce, froncis, godage, godailler, goder, godet, isoclinal, lettre, levée, manie, marque, message, missive, mot, nervure, pince, pliure, poche, repli, revers, ride, routine, saignée, sillon.

PLIABLE. Adaptable, agile, aisé, décontracté, dégagé, délié, docile, ductile, élastique, facile, félin, flexible, flou, gracieux, lâche, laine, léger, leste, liant, malléable, maniable, mou, pliant, riant, soumis, souple.

PLIANT. Accommodant, articulé, berthon, complaisant, convertible, diptyque, docile, escamotable, facile, faible, flexible, lit, malléable, rabattable, repliable, siège, soufflet, souple, transat, transformable.

PLIE. Alèse, amure, arête, bande, berge, biseau, bord, bordure, carrelet, cercle, cordon, côte, équitant, extrémité, flanc, grève, haie, lacustre, lèvre, limbe, limite, liséré, lisière, littoral, marge, marli, orée, ourlet, paroi, plage, rebord, rive, virer, zone.

PLIER. Affaisser, arquer, brocher, céder, corner, couder, courber, doubler, dresser, écorner, enrouler, fausser, ferler, fermer, fléchir, godailler, incliner, infléchir, plisser, ployer, mourir, prêter, reculer, replier, serrer, succomber, tordre.

PLINTHE. Angle, arête, aspérité, avance, balèvre, bec, bosse, bourrelet, came, cheville, corne, côte, dent, éminence, éperon, ergot, exophtalmie, orillon, prognathisme, rebord, relief, saillie, solin, sourcil, talon, tenon, tête-de-clou, thénar, trait, tubercule.

PLIOCÈNE. Astien, éléphant, hipparion, oligocène, miocène, pontien, rhinocéros, ruminant, singe.

PLISSÉ. Chiffonné, contracté, déformé, desséché, flétri, fraise, fripé, jabot, noué, parcheminé, pelotonné, plissure, pince, rabougri, racorni, ramassé, rapetissé, ratatiné, replié, ridé, tassé, toque.

PLISSEMENT. Creux, crispation, derme, épiderme, froncement, grime, ligne, onde, ondulation, ornière, patte-d'oie, peau, pli, rabougri, raie, ratatiné, ride, ridule, sillon, strié, striure, veine, veinule, veinure.

PLISSER. Bouchonner, boucler, carguer, chiffonner, crêper, doubler, ferler, fléchir, friper, friser, froisser, froncer, gaufrer, gercer, goder, goudronner, grimacer, onduler, plier, ployer, relever, replisser, rider, trousser, tuyauter.

PLOCÉIDÉ. Domestique, friquet, moineau, oiseau, passereau, piaf, piaffe, pierrot, tisserin.

PLOIEMENT. Arçonnage, arcure, arrondi, bombage, cambre, cambrure, cintrage, circularité, concavité, convexité, courbe, courbement, courbure, fléchissement, parabolicité, recourbement, rondeur, rotondité, sinuosité, tortuosité.

PLOMB. Cendrée, chevrotine, flint, fusible, litharge, métal, Pb, saturne, saturnin, sceau, tuyau, verre.

PLOMBAGE. Amalgame, barrage, bouchage, bouclage, cloisonnage, clôture, colmatage, compactage, cylindrage, damage, fermeture, interception, oblitération, obturation, occlusion, roulage, tassage.

PLOMBAGINE Azurite, bitume, carbone, carbure, charbon, diamant, fonte, graphite, hydrocarbure, jais.

PLOMBÉ. Blafard, blême, cireux, dent, fléau, livide, makila, obturée, palangrotte, pâle, terreux.

PLOMBER. Aplomber, boucher, cloisonner, clôturer, emplir, frapper, lester, obturer, poquer, sceller, souder, vérifier.

PLONGEON. Alopécie, bief, cabriole, cascade, cataracte, chute, culbute, défaite, défeuillaison, défloraison, défoliation, dégringolade, descente, desquamation, éboulement, écroulement, effeuillaison, effeuillement, effondrement, exfoliation, faillir, gadin, glissade, huard, huart, pluie, ptôse, saut, tombé.

PLONGER. Abîmer, baigner, couler, échauder, endeuiller, immerger, renverser, replonger, sauter, sonder, submerger, tremper.

PLONGEUR (n. p.). Despatie.

PLONGEUR. Baigneur, cormoran, fuligule, homme-grenouille, océanaute, oiseau, perle, pingouin, scaphandrier.

PLONGEUSE (n. p.). Bernier, Pelletier.

PLOT. Bille, billon, billot, bûche, bûchette, chouquet, cube, grume, pitoune, rondin, stère, tronche, tronchet.

PLOUTOCRATE (n. p.). Crésus.

PLOUTOCRATE. Financier, heureux, influent, milliardaire, millionnaire, nabab, nanti, puissant, rentier, riche.

PLOYÉ. Courbe, ductible, fléchi, flexible, infléchi, mou, plie, ploiement, souple, tordu, versatile.

PLOYER. Accoutumer, arquer, assujettir, céder, courber, faiblir, fléchir, incliner, infléchir, plier, recourber.

PLUIE. Abat, averse, bâche, battante, bruine, chute, crachin, déluge, drache, drue, eau, embrun, flopée, flotte, giboulée, grain, grêle, grésil, groisil, irroration, mousson, nielle, nuée, ondée, orage, perséide, pluviosité, poudrin, rincée, roille, saucée, tombée, tomber, verglas.

PLUMAGE. Agami, camail, grèbe, livrée, maillé, manteau, mue, pennage, plumaison, plume.

PLUMARD. Couche, couchette, dodo, grabat, lit, paddock, page, pageot, pagnot, paillasse, pieu, pucier, plume.

PLUME. Alule, auteur, balai, bec, boa, calame, calamus, camail, couteau, duvet, écritoire, écriture, empennage, empenne, huppe, lit, pattu, pennage, penne, penon, plumage, plumule, poil, pointe, ptéryle, rectrice, rémige, style, stylo, tectrice, texte, vaccinostyle, vexille, vibrisse.

PLUMEAU. Aspirateur, balai, balayette, brosse, coco, écouvette, écouvillon, épi, époussette, épuration, escoube, faubert, goret, guipon, houssoir, lave-pont, levier, oust, plumard, queue, ramon, rubis, sorcière, tête-de-loup, torchon, vadrouille.

PLUMER. Arracher, décaver, déplumer, déposséder, dépouiller, déposséder, escroquer, filouter, voler.

PLUMET. Aigrette, bleue, casoar, crête, faisceau, garzette, huppe, neigeuse, ornement, panache, plume, roussâtre.

PLUMITIF. Agenda, album, archives, auteur, bureaucrate, cadastre, cahier, calepin, chiffrier, écrivailleur, écrivaillon, écrivain, écrivassier, journal, livre, matrice, matricule, minutier, obituaire, olim, registre, répertoire, rôle, scribouillard, sommier, terreur, tessiture, ton, tonalité, voix.

PLUMULE. Bourgeon, bouton, bouture, branche, brin, brout, croissance, drageon, dyspnée, gemmule, germe, greffe, jet, luxuriant, pampre, plant, plante, pointu, pousse, poussif, rejet, rejeton, repousse, revenue, scion, talle.

PLUPART. Beaucoup, généralité, majorité, monde, ordinairement, presque, tous.

PLURALISME. Accompagnement, bilinguisme, coexistence, cohabitation, coïncidence, concomitance, contemporanéité, diglossie, dualité, isochronie, néoténie, rencontre, simultanéité, synchronie.

PLURALITÉ. Diversité, foule, kyrielle, majorité, masse, multiplicité, multitude, nombre, pluriel, unité.

PLURIEL. Bigarré, complexe, composite, différent, disparate, pl, pluralité, plus qu'un, plusieurs, soli, varié.

PLUS. Accru, au-delà, beaucoup, bis, boni, bonus, ci-après, encore, davantage, encore, excès, item, maint, maximum, meilleur, mieux, outre, pire, pis, piu, prime, prou, rab, summum, supérieur, surplus, supra, surtout, sus, trop.

PLUSIEURS. Beaucoup, consensus, divers, force, fréquence, hécatombe, itératif, macédoine, maint, mainte, mêlée, moult, multitude, polygame, polyglotte, polyvalent, quelques, tmèse, total, union, versicolore, volée.

PLUTONIQUE. Balsate, gabbro, ijolite, magma, plagioclase, pluton, pyroxène, roche, syénite.

PLUTONIUM. Pu.

PLUTÔT. Acceptablement, adéquat, amplement, assez, autant, basta, class, congru, convenable, marre, mieux, passable, passablement, préférablement, préférence, relativement, suffisant, valablement.

PLUVIER. Charadriidé, haradriidorme, courlieu, courlis, échassier, gambette, guigne, sanderling, vanneau.

PLUVIEUX. Abondant, ample, commun, considérable, copieux, dense, dru, épais, excessif, exubérant, fécond, fertile, foisonnant, fourni, fructueux, généreux, giboyeux, gros, large, luxuriant, nombreux, opulent, plantureux, pléthorique, pullulant, riche, surabondant, volubile, volumineux.

PNEU. Antidérapant, ballon, bandage, bleu, boudin, boyau, dépêche, enveloppe, exprès, jante, pneumatique, pompe, quatre-saisons, radial, rechange, rechapage, rustine, télégramme, tubeless.

PNEUMATIQUE. Bandage, bleu, boudin, boyau, dépêche, enveloppe, exprès, pneu, pompe, télégramme.

PNEUMOCONIOSE. Anthracose, asbestose, bitumose, byssinose, maladie, nosoconiose, poussière, schistose, sidérite, sidérose, silicose, subérose, zincose.

PNEUMOCOQUE. Bactérie, cocci, diplocoque, entérocoque, gonocoque, méningocoque, streptocoque.

PNEUMONIE. Amibiase, bronchectasie, bronchite, empyème, fluxion, infection, inflammation, légionnaire, lobaire, maladie, myxovirus, parenchyme, phtisie, pleurésie, pneumocoque, SRAS, toux.

PÔ. Éridan, fontanili, padan, pasdus, poise, polonium, transpadan.

POCHADE. Canevas, carcasse, commencement, crayon, croquis, description, dessin, ébauche, esquisse, essai, étude, forme, griffonnage, idée, maquette, œuvre, peinture, plan, projet, schéma, tableau.

POCHARD. Alcoolémique, alcoolique, buveur, débauché, ivrogne, poivrot, saoul, soul, soûlard, soûlon.

POCHE. Abajoue, anévrisme, bâche, bourse, caillette, cerne, chausse, civette, cuiller, estomac, filet, fonte, gant de toilette, gésier, gousset, jabot, kangourou, musc, panse, pochette, psautier, révolver, rumen, sac, sachet, valise, vessie, violon.

POCHER. Arrêter, attendre, brosser, broyer, concasser, croquer, croustiller, dépenser, dessiner, dilapider, ébaucher, écrabouiller, écraser, esquisser, gaspiller, gruger, manger, mastiquer, mordre, peindre, voler.

POCHETÉE. Abruti, ahuri, andouille, âne, béjaune, bête, borné, bourrique, buse, cloche, con, crétin, dadais, empoté, fat, idiot, ignorance, imbécile, maladroit, naïf, niais, nigaud, pochée, poire, sot, stupide, valeur.

POCHETTE. Alvéole, blague, conférencier, cornet, étui, fourre, gousset, paquet, poche, réticule, sachet, trousse, violon.

POCHOIR. Chablon, estampe, étampe, forme, frappe, génération, matrice, matriciel, médaille, modèle, moule, patron, stencil, transposée.

POCHON. Ambigu, bigle, bigleux, cuiller, douteux, farouche, glauque, louche, loucheur, mâchure, menaçant, oblique, patibulaire, poche, strabisme, suspect, torve, travers, trouble, ustensile.

POCHOUSE. Bouillabaisse, bourride, chaudrée, cotriade, danse, matelote, mets, mouclade, oignon, pauchouse, pêcheur, poisson, préparation, provençale, rouille, sauce, soupe, vin.

POCHOTHÈQUE. Bibliothécaire, bouquiniste, librairie, livre, parution, poche.

PODESTAT (n. p.). Bargello, Gherardesca, Ugolin.

PODESTAT. Archonte, bourgmestre, cadi, cours, décemvir, échevin, édile, éphore, fonctionnaire, juge, jurât, magistrat, maire, maître, ministre, polémarque, préfet, préteur, prévarication, procureur, robe, robin, surveillant, toque, tribun

PODICIPÉDIDÉ. Grèbe, oiseau, palmipède.

PODION. Ambulacraire, ambulacre, échinoderme, podia, promener, révulsion, sangsue, suce, trou, ventouse.

PODIUM. Estrade, honneur, médaille, mur, muret, plate-forme, soubassement, tribune.

POÊLE. Barbecue, brûleur, calorifère, casserole, chaleur, crêpe, crêpière, cuisinière, dais, drap, feu, four, fourneau, frire, hypocauste, insert, panne, poêlée, poêlle, poêlon, prose, réchaud, réchauffeur, salamandre, téflon, ustensile.

POÊLÉE. Braisière, casserole, chaudronnée, cocotte, couscoussier, daubière, faitout, marmite, soupière, terrinée.

POÊLON. Caquelon, casse, casserole, chaudron, chevrette, gratin, marguerite, poêle, sauteuse, sautoir, ustensile.

POÈME. Acrostiche, aïkai, aïku, ballade, bucolique, cantate, cantilène, cantique, canzone, dizain, églogue, élégie, épigramme, épilogue, épique, épithalame, épître, épode, épopée, geste, haïkai. haïku, huitain, hymne, iambe, idylle, kaïkaï, kaïku, lai, lied, limerick, lyrique, mélodie, neuvain, node, ode, odelette, onzain, pantoum, poésie, prosodie, qasida, quatrain, rapsodie, rhapsodie, rondo, rime, rapsodie, rhapsodie, rondeau, septain, sextine, sizain, sixain, sonnet, stance, strophe, tenson, terza rima, triolet, vers, virelai.

POÈME DE BYRON (n. p.). Lara.

POÈME DE CHÉNIER (n. p.). Ïambes.

POÈME DE VIRGILE (n. p.). Énéide.

POÈME D'HOMÈRE (n. p.). Iliade, Odyssée.

POÉSIE. Blason, fable, harmonie, lyrisme, macaronique, minnesänger, muse, ode, pastourelle, poème, priapée, rime, romance, rondeau, rondo, sonnet, strophe, vers, versification.

POÈTE. Aède, auteur, barde, chanteur, chantre, cigale, écrivain, félibre, griot, griotte, intimiste, lakiste, lyrique, métricien, parnassien, poétereau, rhétoriqueur, rimailleur, rimeur, scalde, troubadour, trouvère, vers-libriste, versificateur.

POÈTE AFRICAIN (n. p.). Griot, Griotte, Scalde.

POÈTE ALGÉRIEN (n. p.). Yacine.

POÈTE ALLEMAND (n. p.). Arndt, Aue, Benn, Brecht, Büchner, Bürger, Chamisso, Dehmel, Enzensberger, Fischart, Folz, George, Gryphius, Gunther, Hagedorn, Härtling, Hartman Von Aue, Hebbel, Heine, Hesse, Hölderlin, Holz, Klabund, Kleist, Klinger, Klopstock, Körner, Liliencron, Mörike, Novalis, Opitz, Rückert, Sachs, Schiller, Storm, Tannhäuser, Uhland, Unruth, Voss, Wackenroder, Walther, Wolfram.

POÈTE ALSACIEN (n. p.). Brandt, Brant.

POÈTE AMÉRICAIN (n. p.). Agee, Ashbery, Auden, Barlow, Berryman, Bishop, Brodsky, Bryant, Burroughs, Carroll, Corso, Crane, Dickinson, Emerson, Ferlinghetti, Frost, Ginsberg, Jarrell, Jones, Lindsay, Longfellow, Lowell, Macleish, Masters, Olson, Patchen, Poe, Pound, Roethke, Sanburg, Shapiro, Snyder, Viereck, Whitman, Wilbur.

POÈTE ANGLAIS (n. p.). Abercrombie, Aldington, Arnold, Barker, Beddoes, Betjeman, Blake, Brooke, Browning, Butler, Byron, Chatterton, Chaucer, Coleridge, Collins, Congreve, Cowley, Cowper, Crabbe, Crashaw, Cynewulf, Donne, Drayton, Drinkwater, Dryden, Eliot, Empson, Enright, Fuller, Gascoigne, Gascoyne, Gay, Goldsmith, Gray, Herbert, Herrick, Hulme, Keats, Keble, Langland, Lovelace, Lydgate, Marlowe, Marston, Masefield, Meredith, Milton, Phillips, Pope, Rossetti, Sassoon, Scott, Shakespeare, Shelley, Sidney, Sillitoe, Southey, Spender, Spenser, Surrey, Swinburne, Tennyson, Treece, Wordsworth, Wyat, Young.

POÈTE ANGLO-NORMAND (n. p.). Béroul, Wace.

POÈTE ANGOLAIS (n. p.). Neto.

POÈTE ANTILLAIS (n. p.). Césaire, Walcott.

POÈTE ARABE (n. p.). Antar, Antara, Djarir, Farazdaq, Jarīr, Mutanabbi.

POÈTE ARGENTIN (n. p.). Andrade, Gutiérrez, Hernandez, Lugones, Yupanqui.

POÈTE ARMÉNIEN (n. p.). Issaakian.

POÈTE ATHÉNIEN (n. p.). Cratinos.

POÈTE AUTRICHIEN (n. p.). Bachmann, Celan, Grün, Hamerling, Hofmannsthal, Lenau, Trakl, Zeddlitz.

POÈTE BELGE (n. p.). Carême, Eekhoud, Elskamp, Gezelle, Ghil, Michaux, Norge, Rodenbach, Verhaeren.

POÈTE BRÉSILIEN (n. p.). Andrade, Bandeira, Durao.

POÈTE BRITANNIQUE (n. p.). Brontë, Burns, Byron, Coleridge, Collins, Colman, Cowper, Eliot, Gray, Keats, Milton, Shelley, Swinburne, Tennyson, Thomas, Thomson, White, Wyat, Wyatt, Young.

POÈTE BULGARE (n. p.). Botev, Vazov.

POÈTE CANADIEN (n. p.). Bowering, Crémazie, Desrochers, Fréchette, Garneau, Leclerc, Miron, Nelligan, Pratt, Sulte, Vigneault.

POÈTE CATALAN (n. p.). Lulle.

POÈTE CHILIEN (n. p.). Huidobro, Mistral, Neruda.

POÈTE CHINOIS (n. p.). CaoCao, Chetao, DuFu, LiBaï, LiBo, LiPo, Nit San, Ni Zan, QuYuan, Shi Tao, SouChe, SuDongpo, SuShi, Tou Fou, WangWei.

POÈTE CROATE (n. p.). Gundulic.

POÈTE CUBAIN (n. p.). Batista, Guilén, Marti.

POÈTE DANOIS (n. p.). Ewald, Grundtvig, Holberg, Jensen, Oehlenschläger, Staffeldt.

POÈTE ÉCOSSAIS (n. p.). Armstrong, Burns, Cernuda, Dunbar, Lindsay, Lyndsay, MacDiarmid, Macpherson, Muir, Ossian.

POÈTE ÉGYPTIEN (n. p.). Chawqi, Chedid.

POÈTE ÉQUATORIEN (n. p.). Olmedo.

POÈTE ESPAGNOL (n. p.). Alberti, Aleixandre, Balbuena, Bécquer, Campoamor, Castillejo, Diamante, Encina, Ercilla, Espriu, Garcia, Garcilaso, Guillén, Herrera, Jiménez, Machado, Manrique, March, Montemayor, Quintana, Rivas, Samaniego, Unamuno, Verdaguer, Villena.

POÈTE FINLANDAIS (n. p.). Diktonius, Gripenberg, Holappa, Kailas, Kivi, Lönnrot, Runeberg, Topelius.

POÈTE FLAMAND (n. p.). Second.

POÈTE FLORENTIN (n. p.). Rinuccini.

POÈTE FRANC (n. p.). Flodoard.

POÈTE FRANÇAIS (n. p.). Apollinaire, Aragon, Arp, Artaud, Arvers, Assouci, Aubanel, Aubigné, Baïf, Banville, Barbier, Bartas, Bataille, Baudelaire, Bellay, Belleau, Benserade, Béranger, Bertaut, Bertrand, Boileau, Boisrobert, Bonnefoy, Bouilhet, Bousquet, Brizeux, Cadou, Chapelain, Char, Chartier, Chaulieu, Chênedollé, Chenier, Collerye, Colletet, Corbière, Corneille, Cotin, Cros, Daumal, Delavigne, Derème, Déroulède, Deschamps, Desnos, Desportes, Dierx, Duchamp, Duhamel, Éluard, Emmanuel, Faret, Fargue, Follain, Fort, France, Garnier, Géraldy, Ghil, Gilbert, Glissant, Gombauld, Gras, Gréban, Gresset, Gringore, Guérin, Guillevic, Heredia, Hugo, Isou, Jabès, Jammes, Jasmin, Jodelle, Jouve, Kahn, Klingsor, Labé, Laforgue, Lamartine, Larbaud, Latouche, Lautréamont, Magny, Mainard, Malherbe, Mallarmé, Marmontel, Marot, Maynard, Médicis, Michaux, Milosz, Mistral, Moréas, Noël, Nouveau, Obaldia, Orléans, Péguy, Peletier, Péret, Pichette, Piron, Polignac, Pompignan, Ponge, Ponsard, Prévert, Quinault, Racan, Racine, Régnier, Reverdy, Rimbaud, Robin, Ronsard, Rostand, Rotrou, Rousseau, Rutebeuf, Scève, Segalen, Seghers, Sponde, Tailhade, Tzara, Vacquerie, Valéry, Vaughan, Verlaine, Vian, Vicaire, Vigny, Vitrac, Villon, Vivien, Voiture, Voltaire.

POÈTE GALLOIS (n. p.). Watkins.

POÈTE GREC (n. p.). Aedes, Alcée, Alcman, Anacréon, Aratos, Archiloque, Arion, Aristophane, Avienus, Bacchylide, Callinos, Cratinos, Diphile, Elytis, Épicharme, Eschyle, Euripide, Hésiode, Homère, Ménandre, Ménippe, Mimnerme, Nonos, Palamas, Phrynichos, Pindare, Quintus, Rangabê, Rangabês, Rangavis, Ritsos, Sapho, Sappho, Seféris, Sikelianos, Simonide, Solomos, Sophocle, Stace, Stésichore, Terpandre, Thalélas, Thalès, Théocrite, Théognis, Thespis, Tyrtée.

POÈTE GUATÉMALTÈQUE (n. p.). Asturias.

POÈTE HOLLANDAIS (n. p.). Hooft, Second, van Den Vondel.

POÈTE HONGROIS (n. p.). Ady, Arany, Balassa, Balassi, Babits, Gyongyosi, Jozsef, Kisfaludy, Kölcsey, Petofi, Vörösmarty.

POÈTE INDIEN (n. p.). Ausone, Bhartrihari, Ghalib, Iqbal, Jayadeva, Kalidasa, Tagore, Tulsidas, Vallathol.

POÈTE INDONÉSIEN (n. p.). Alisjahbana.

POÈTE IRANIEN (n. p.). Bahar.

POÈTE IRLANDAIS (n. p.). Joyce, Moore, Yeats.

POÈTE ISRAÉLIEN (n. p.). Guilboa, Shlonsky, Tchernikhovsky.

POÈTE ITALIEN (n. p.). Alfieri, Arioste, Berchet, Berni, Boccace, Boiardo, Bonaviri, Borgese, Campana, Carducci, Caro, Casa, Casti, Castiglione, Cavalcanti, Cena, Dante, Fiumi, Folengo, Foscolo, Froissard, Gaeta, Giusti, Govoni, Gozzano, Guarini, Guinizelli, Leopardi, Marinetti, Marino, Martini, Masolino, Métastase, Montale, Monti, Parini, Pascoli, Pavese, Pétrarque, Pulci, Quasimodo, Rosa, Saba, Tasse, Tassoni, Ungaretti.

POÈTE JAPONAIS (n. p.). Basho, Kenko, Shimazaki.

POÈTE JUIF (n. p.). Avicébron.

POÈTE LATIN (n. p.). Accius, Ausone, Catulle, Ennius, Ennodius, Fortunat, Horace, Juvénal, Lucain, Lucilius, Lucrèce, Martial, Naevius, Novius, Orens, Ovide, Perse, Properce, Prudence, Stace, Térence, Tibulle, Virgile.

POÈTE LIBANAIS (n. p.). Adonis, Gibran, Schéhadé.

POÈTE MEXICAIN (n. p.). Cruz, Gorostiza, Paz, Reyes, Villaurutia.

POÈTE MOLDAVE (n. p.). Negruzzi.

POÈTE NÉERLANDAIS (n. p.). Nieuwland, Vestdijk.

POÈTE NICARAGUAYEN (n. p.). Dario.

POÈTE NIGÉRIEN (n. p.). Soyinka.

POÈTE NORVÉGIEN (n. p.). Bjornson, Bull, Ibsen, Lie, Welhaven, Wergeland, Wildenvey.

POÈTE PERSAN (n. p.). Anvari, Attar, Djami, Ferdousī, Firdoussi, Firdusi, Gorgani, Hafiz, Khayyam, Nezami, Nizami, Onsori, Rūdakī, Saadi, Sadi.

POÈTE PÉRUVIEN (n. p.). Chocano, Vallejo.

POÈTE, PLÉIADE (n. p.). Baïf, Bellay, Belleau, Dorat, Jodelle, Peletier du Mans, Pontus de Tyard, Ronsard.

POÈTE POLONAIS (n. p.). Iwaszkiewicz, Kochanowski, Krasicki, Krasinski, Mickiewicz, Mitosz, Morsztyn, Norwid.

POÈTE PORTUGAIS (n. p.). Camoëns, Camoes, Herculano, Pessoa, Vicente.

POÈTE QUÉBÉCOIS (n. p.). Blais, Crémazie, Desrochers, Duguay, Ferland, Fréchette, Garneau, Grandbois, Lavallée, Leclerc, Miron, Morin, Narrache, Nelligan, Péloquin, Saint-Denys-Garneau, Savard, Vigneault.

POÈTE ROUMAIN (n. p.). Alecsandri, Arghezi, Carlova, Celan, Eminescu, Minulescu, Petöfi, Tzara.

POÈTE RUSSE (n. p.). Akhmatova, Annenski, Blok, Derjavine, Essenine, Goumiliev, Ivanov, Joukovski, Kamenski, Kheraskov, Khlebnikov, Kouzmine, Lessenine, Mandelstam, Nekrassov, Pouchkine, Ryleïev, Sologoub, Toutchev, Trediakovski, Tsvetaïeva.

POÈTE SCANDINAVE (n. p.). Scalde.

POÈTE SÉNÉGALAIS (n. p.). Senghor, Wade.

POÈTE SLOVAQUE (n. p.). Holly.

POÈTE SOVIÉTIQUE (n. p.). Bagritski, Cherchenievitch, Evtou, Evtouchenko, Maïakovski, Pasternak, Tvardovski, Voznessenski.

POÈTE SUD-AFRICAIN (n. p.). Breytenbach.

POÈTE SUÉDOIS (n. p.). Almquist, Bellman, Ekelöf, Ekelund, Hallström, Ling, Rudbeck, Snoilsky, Stiernhielm, Tegner.

POÈTE SUISSE (n. p.). Bodmer, Gessner, Lavater, Meyer, Olivier, Spitteler.

POÈTE TCHÈQUE (n. p.). Holan, Kohout, Kollar, Hora, Kolar, Neruda, Nezval, Seifert, Vrchlicky.

POÈTE TURC (n. p.). Baki, Fuzuli, Hikmet, Holan, Nedim.

POÈTE UKRAINIEN (n. p.). Chevtchenko.

POÈTE VÉNÉZUÉLIEN (n. p.). Bello.

POÉTIQUE. Aérien, antenne, belles-lettres, calligramme, céleste, élancé, élevé, épopée, éthéré, harmonie, léger, immatériel, lyrique, mousseux, muse, pur, romantique, svelte, théorie, vaporeux, vers, versification.

POÉTISER. Dire, embellir, enjoliver, expliquer, idéaliser, poésie, rimailler, rimer, ronsardiser, versifier.

POGNON. Ag, aloi, argent, arrhes, avance, avoir, billet, blé, bourse, capital, cash, collargol, douille, écu, espèces, fonds, fortune, fric, galette, impécunieux, lingot, magot, métal, mise, monnaie, oseille, pécule, pèze, prêt, radis, recette, ressource, richesse, rond, saignée, sou, sous, statère, taper, thune, tune, vermeil.

POGROM. Agitation, émeute, insurrection, meute, mutinerie, pillage, rébellion, révolte, sédition, soulèvement, trouble.

POIDS. As, carat, charge, densité, drachme, épaisseur, étalon, faix, fardeau, force, frai, grain, gramme, importance, last, livre, lourdeur, marc, masse, mesure, mine, once, ort, pesanteur, pesée, pondéral, poussée, quantité, quintal, remords, responsabilité, sicle, souci, statère, tare, tonne.

POIGNANT. Douloureux, dramatique, émouvant, empoignant, impressionnant, navrant, pathétique, piquant, prenant.

POIGNARD. Arme, baïonnette, couteau, coutelas, crid, criss, coutille, dague, dard, dirk, dos, épée, fer, gaine, kama, kandjar, kangiar, kriss, lame, manche, miséricorde, navaja, scramasaxe, sicaire, stylet, surin, yatagan.

POIGNARDER. Blesser, chouriner, darder, dégainer, égorger, frapper, harponner, piquer, suriner.

POIGNE. Activité, ardeur, autorité, bras, ciseau, courage, énergie, fermeté, force, fort, fougue, inévitable, intensité, lion, mana, manu militari, nerf, poids, potentiel, pouvoir, puissance, résistance, union, vent, vigueur, violence, volume.

POIGNÉE. Anse, bec-de-cane, crémone, espagnolette, glane, grain, groupe, manche, mancheron, manette, palonnier.

POIGNET. Articulation, bras, carpe, carpien, chemise, main, manchette, menotte, montre, poigne.

POIL. Barbe, bourre, brosse, chevelure, cheveu, cil, crin, duvet, foin, fourrure, hérissé, hirsute, hispide, impériale, jarre, kératine, laine, liste, mantelure, mohair, mouche, moustache, mue, naturiste, nu, ongle, orin, paraphyse, peigne, pelage, pileux, pilosité, pinceau, plume, rhizoïde, robe, selle, sensille, soie, sourcil, tif, tisonné, toison, tonture, vibrisse, zain.

POILER. Amuser, badiner, bidonner, contraction, éclat, égayer, gai, glousser, gondoler, grimace, hilarité, joie, marrer, moquer, pâmer, pouffer, quolibet, railler, ri, ricaner, rictus, rigoler, rioter, rire, risée, risette, sourire, zygomatique.

POILU. Brabichu, barbu, chevelu, cilié, crépu, hirsute, moustachu, pelu, pilifère, pubescent, soldat, velu, villeux.

POINÇON. Alène, chasse-clou, ciseau, coin, emporte-pièce, épissoir, estampille, faîteau, mandrin, marque, pointeau, style, titre, trait, trocart.

POINÇONNER. Cacheter, contrôler, découper, estampiller, frapper, marquer, percer, perforer, timbrer, trouer.

POINDRE. Apparaître, blesser, commencer, émerger, froisser, lever, naître, paraître, percer, piquer, pointer, surgir.

POING. Allonge, attaque, boxe, dormir, droit, gauche, rappe, garde, main, portée, punch, riposte, rixe, taper.

POINT. Abscisse, acmé, à pic, aucunement, avis, cap, cardinal, chalaze, clé, clef, cœur, commissure, culmen, direction, emplacement, endroit, entablure, ère, espèce, est, feston, goutte, grené, grènetis, hile, imminent, ippon, jersey, lieu, mouche, mûr, nadir, négation, nœud, non, nord, nord-est, nord-ouest, ouest, pas, peu, pleurodynie, plumetis, pointe, ponctuel, punctum, score, siège, sommet, station, sud, surjet, tréma, vue, zénith.

POINTAGE. Analyse, apurement, confirmation, considération, contrôle, critique, démonstration, enquête, enregistrement, épluchage, épreuve, essai, étude, évaluation, examen, expérience, expertise, filtrage, inspection, inventaire, justification, marque, observation, recensement, récolement, reconnaissance, révision, revue, surveillance, test, vérification.

POINT CARDINAL. Est, midi, nord, ouest, sud.

POINT CULMINANT (n. p.). Aconcagua, Aneto, Aoraki, Apo, Arrée, Blanc, Boten, Cinto, Cook, Dufour, Everest, Logan, Lozère, Vinson.

POINT CULMINANT. Absolu, achèvement, acmé, amélioration, apogée, beau, beauté, bijou, bonté, combe, couronnement, crête, divinement, entéléchie, excellence, fin, fini, idéal, idéalement, joyau, maturité, merveille, parfait, perfection, perle, qualité, sommet, summum.

POINT DE VUE. Aperçu, appréciation, avis, blâme, calcul, commentaire, credo, dépriser, dogme, école, erreur, estimation, estimé, évaluation, examen, expertise, goût, hérésie, idée, imagination, impression, jugement, juste, méconnu, note, observation, opinion, paradoxe, prisée, rang, selon, sens, sentiment, thèse.

POINT D'UNION. Alliance, ars, assemblage, bloc, cohérence, communion, fusion, jonction, liaison, ligue, mariage, rapprochement, réunion, syndicat, trinité, unité.

POINTE. Acéré, acuminé, aigu, apex, ardillon, aube, barbe, bec, bigorne, bout, brocard, cap, chardon, cime, ciselet, clou, corne, cuspide, échoppe, ergot, estoc, extrémité, faîte, gendarme, haut, musoir, nunatak, peu, pic, picot, piton, potron-minet, rappointis, rivet, rostre, sommet, tamponnoir, tôt, traceret.

POINTEAU. Alène, ciseau, coin, épissoir, estampille, faîteau, mandrin, marque, poinçon, style, titre, trait, trocart.

POINTER. Ajuster, apparaître, arriver, braquer, cocher, contrôler, dénoncer, diriger, émerger, enregistrer, jaillir, marquer, mirer, naître, noter, orienter, paraître, régler, relever, tendre, timbrer, tirer, venir, vérifier, viser.

POINTEUR. Boulier, chiffreur, codeur, compteur, cryptographe, dictée, encodeur, enregistreur, horodateur, indicateur, magnétophone, mouchard, péritéléphonie, tachymètre, taximètre, volucompteur.

POINTILLER. Argumenter, attaquer, batailler, cautionner, chicaner, contester, controverser, critiquer, démentir, disconvenir, discuter, disputer, douter, ergoter, manifester, nier, plaider, rejeter, renier.

POINTILLEUX. Appliqué, attentif, chicaneur, consciencieux, exigeant, maniaque, méticuleux, minutieux, pinailleur, rigoureux, scrupuleux, soigneux, sourcilleux, susceptible, tatillon, vétillard, vétilleux.

POINTU. Acéré, acuminé, affecté, affiné, affûté, aigre, aigu, aiguisé, appliqué, appointé, contracté, effilé, élevé, exigeant, fin, lance, mince, minutieux, perçant, pieu, piquant, pointu, sec, spécialisé, susceptible, vétilleux.

POINTURE. Ampleur, barymétrie, calibre, dimension, énormité, envergure, épaisseur, espace, étendue, format, grandeur, grosseur, hauteur, immense, importance, largeur, longueur, mensuration, mesurage, mesure, pelvimétrie, profondeur, proportion, superficie, taille.

POIRE. Bergamote, besi, beurré, blanquette, bonasse, bon-chrétien, catillac, cidre, coing, comice, conférence, crassane, doyenne, duchesse, énéma, glane, guyot, hâtiveau, liard, louise-bonne, marquise, melba, muscadelle, naïf, passe-crassane, piriforme, poirier, rousselet, williams.

POIREAU. Allium, attendre, flamiche, liliacée, mérite, plante, poireauter, poirette, porette, porreau, porrum, verrue.

POIREAUTER. Attendre, différer, espérer, languir, macérer, mariner, patienter, poiroter, retarder, traîner.

POIRÉE. Belette, bette à carde, bouille, cardon, côte, face, figure, fiole, frimousse, gueule, minois, tête, traits, visage.

POIRIER. Aigrin, arbre, brindille, dard, équilibre, poire, pommier, rosacée, tigre, tigre du poirier.

POIS. Bliblis, chiche, gesse, goulu, hâtiveau, légume, mange-tout, pastille, pisolithe, purée, soja, soya.

POISEUILLE. Pl.

POISON. Aconitine, antiar, appât, apprêt, arsenic, blanc d'argent, chameau, céruse, ciguë, curare, datura, démon, digitaline, épinochette, ésérine, mégère, peste, sardinelle, strychnine, tanghin, teigne, toxine, toxique, upas, vénéneux, venin, virago, virus.

POISSE. Accident, cerisier, déveine, fatalité, guigne, guignon, infortune, malchance, malheur, scoumoune, vicissitude.

POISSER. Arrêter, attraper, coller, couvrir, déveine, encrasser, enduire, engluer, épaissir, huiler, prendre, salir.

POISSEUX. Agglutinant, collant, gluant, gommé, gommeux, gras, pégueux, poissant, poix, sali, visqueux.

POISSON (3 lettres). Ayu, bar, ide, nid, sar, vif, zée.

POISSON (4 lettres). Able, ange, chat, doré, épée, féra, flet, frai, gade, gril, hotu, lieu, lote, loup, lump, lune, mafé, môle, muge, nase, néon, opah, page, parc, pâté, plie, raie, rets, sole, spet, thon, tian, toby, vase, vive.

POISSON (5 lettres). Alose, brème, cabot, carpe, colin, cotte, danio, darne, devon, digon, dorée, elbot, fanon, gobie, guppy, huhli, idole, labre, laité, lamie, loche, lompe, lotte, manta, mante, merlu, mérou, morue, mulet, omble, ombre, pagel, pagre, pajot, platy, sabre, scare, seine, sprat, sushi, tacon, tétra, torsk, tourd, xipho.

POISSON (6 lettres). Alevin, anabas, aurins, barbue, bonite, céteau, chabot, coffre, congre, crapet, cyprin, diodon, dorade, discus, exocet, flétan, fretin, gadidé, gardon, goujon, griset, gyrino, hareng, lançon, lingue, maigre, marlin, mature, médaka, merlan, minque, murène, myxine, orphie, pageot, pégase, perche, pilote, rémora, requin, rouget, sandre, saumon, sciène, serran, silure, squale, tacaud, tanche, tarpon, trigle, truite, turbot, vairon, zangle.

POISSON (7 lettres). Ablette, achigan, allache, anchois, angelet, aurélie, baliste, barbeau, barbote, béloaga, blennie, brochet, capelan, chimère, clarias, colombo, daurade, dormeur, églefin, éperlan, équille, espadon, friture, girelle, gonelle, gourami, grondin, grunion, gymnote, haddock, lampris, lavaret, lépisme, limande, liparis, lisette, makaire, mendole, menuise, meunier, nasique, ombrine, pagelle, picarel, piranha, quinnat, régalea, remonte, rochier, sardine, sashimi, sébaste, spatule, sterlet, tambour, thonine, tilapia, touladi, tringle, vieille, voilier.

POISSON (8 lettres). Aiglefin, aiguillat, anableps, anguille, bachotte, banneton, barbotte, baudroie, bondelle, bouvière, carassin, carrelet, chevaine, chevenne, chevesne, clupéidé, corégone, empereur, épinoche, gambusie, gonnelle, grémille, julienne, lamproie, merluche, murénidé, nourrain, opercule, pélamide, poulamon, rascasse, rotengle, rousseau, scalaire, sciénidé, scorpène, sélacien, sphyrène, squatina, squatine, surmulet, tétrodon, torpille, turbotin, vandoise, vangeron, vengeron.

POISSON (9 lettres). Amphisile, anomalops, barracuda, blépharis, cabillaud, catostome, ceratodus, chinchard, dipneuste, estabèche, esturgeon, grenadier, harenguet, holostéen, hydrocyon, ichtyoïde, koulibiac, lepidotus, loricaire, macropode, maquereau, ouitouche, perchaude, pharillon, porte-épée, poutargue, poutassou, roussette, saumoneau, scombridé, serranidé, squawfish, syngnathe, synodonte, tranchoir.

POISSON (10 lettres). Castagnole, centriscus, cyclostome, hippocampe, lépidostée, lépisostée, malachigan, maskinongé, ouananiche, placoderme, perciforme, pisciforme, protoptère, saumonette, téléostéen, uranoscope, xiphophore.

POISSON (11 lettres). Arbalétrier, blanchaille, cœlacanthe, menuisaille, ostéichtyen, poisson-chat, poisson-épée, poisson-lune, poisson-scie, saint-pierre.

POISSON (12 lettres). Chaenichthys, chondrostéen, crapaud de mer, crapet-soleil, dactyloptère, pisciculture, poisson-globe.

POISSON (13 lettres). Anacanthinien, chondrichtyen, élasmobranche, labidochromis, papillon-de-mer, pleuronectidé, poisson-castor.

POISSON (14 lettres). Chondrichthyen, eusthenopteron, poisson d'argent, poisson-paradis.

POISSON D'ARGENT. Aptère, aptérygote, insecte, lépisme, thysanoure.

POITRAIL. Barde, bricole, buste, cœur, devant, encolure, poitrine, sein, sternum, thorax, torse.

POITRINE. Angine, boule, buste, caisse, carrure, cœur, coffre, corsage, côte, décolleté, estomac, giron, gorge, hampe, jabot, mamelle, magret, nichon, pancetta, pectoral, poitrail, poumon, sein, sternum, téton, thorax, torse, tronc, ventre.

POIVRE. Agnus-castus, apprêt, aromate, assaisonnement, blanc, câpre, cayenne, condiment, épice, gattilier, grabeau, guinée, malaguette, mignonnette, maniguette, moutarde, nigelle, noir, oille, safran, sarriette, sauce, sel, vert, vinaigre.

POIVRÉ. Assaisonné, beurré, corsé, enivré, épicé, grivois, grossier, ivre, licencieux, obscène, osé, relevé, salé.

POIVRER. Additionner, alcooliser, beurrer, biturer, boire, enivrer, mûrir, noircir, pocharder, soûler, viner.

POIVRIER. Ava, bétel, chavica, cubèbe, cubeda, ivrogne, kava, kawa, nigrum, piper, pipéracée.

POIVRON. Aromate, basquais, fruit, infusion, légume, paprika, piment, piperade, solanacée.

POIVROT. Alcoolique, alcoolo, anonyme, arsouille, buveur, cheire, coulée, débauché, dipsomane, dipsomaniaque, éthylique, intempérant, ivrogne, picoleur, pochard, pochetron, pochtron, soiffard, soûlard, soûlon.

POIX. Calfat, colle, couret, galgal, galipot, goudron, ligneul, mirepoix, mou, résine, sapin.

POKER. As, bluff, brelan, carré, carte, cave, décaver, dés, flush, full, jeu, paire, quinte, royal, séquence, stud, zanzi.

POLAIRE. Antarctique, arctique, austral, boréal, cercle, étoile, froid, nord, nordique, ours, zone.

POLAR. Action, anecdote, conte, dalmate, détective, feuilleton, film, histoire, intrigue, ladin, livre, manuscrit, nouvelle, policier, prologue, rêve, roman, romancer, romanesque, scénario, thriller, tissu, vêtement.

POLARD. Absorbé, anxieux, chagriné, ennuyé, inquiet, libre, pensif, préoccupé, songeur, soucieux, tendu, tracassé.

POLARISATION. Abattis, abcès, accumulation, adipeux, amalgame, amas, amoncellement, banc, banquise, bloc, boule, bourre, branchage, cal, chaton, concentration, congère, dune, éboulis, empyème, ensablement, entassement, fatras, fétras, feu, flocon, foule, filasse, glomérule, jar, jard, liasse, lithiase, lot, masse, meule, mitraille, monceau, mousse, névé, noyau, nuage, ossuaire, pannicule, paquet, pierraille, pierre, pile, plexus, polarité, ramassis, rocaille, ruée, salage, sécas, sérac, sore, tas, tout, trésor, tumulus.

POLARISER. Affriander, affrioler, aguicher, allécher, alerter, amener, appâter, aspirer, attirer, attraction, attraper, avertir, capter, causer, charmer, conduire, drainer, enrôler, entraîner, flatter, humer, leurrer, occasionner, piéger, plaire, provoquer, racoler, ravir, recruter, séduire, solliciter, souligner, sucer, tenter, tirer, tousser, trôner, valoir, venir.

POLARITÉ. Antilogie, antinomie, antipode, antithèse, bifurcation, contradiction, contraire, contraste, dichotomie, divergence, division, envers, inverse, opposé, opposite, opposition, partage, pôle, réciproque, vis-à-vis.

POLATOUCHE. Animal, anomalure, arboricole, bauge, burunduk, chikaree, écureuil, fouquet, gris, mammifère, noir, pétauriste, rat-palmiste, rongeur, sciuridé, souslik, spermophile, suisse, sunda, tamia, volant, xérus.

POLDER. Acore, bayou, boue, cob, cistude, douve, étang, étier, fagne, gâtine, grisou, kob, lac, marais, mare, marécage, maremme, marigot, méthane, moere, noue, palud, palus, salin, savane, terre, tourbière, varaigne, vernier, vie.

PÔLE. Aimant, apex, attraction, axe, boréal, borne, boussole, céleste, central, centre, courbe, douane, électricité, électrode, entité, essieu, extrémité, haut, nord, opposé, point, sphère, sud, terme, terre.

POLÉMIQUE. Apologétique, controverse, débat, discussion, dispute, factum, irénique, pugnacité.

POLÉMISTE (n. p.). Alvaro, Arnaud, Bloy, Chesterton, Clémenceau, Gourmont, Krog, Laurent, Mauriac, Péguy, Rivarol, Tagore, Tailhade, Voltaire.

POLÉMISTE. Auteur, compositeur, diariste, dramaturge, écrivailleur, écrivain, essayiste, glossateur, historien, libelliste, librettiste, narrateur, nouvelliste, pamphlétaire, parolier, poète, psalmiste, préfacier, prosateur, revuiste, romancier, satiriste, scénariste, scripteur.

POLÉMONIACÉE. Bleu, campanulacée, cobaca, cobéa, cobée, liane, phlox, plante, strophantus.

POLI. Affable, aimable, bienséant, brillant, cérémonieux, châtié, civil, ciré, correct, courtois, cultivé, déférent, éclat, égrisé, élimé, frotté, galant, glacé, honnête, limé, lisse, lustré, mat, net, obséquieux, patiné, plan, plat, ras, terne, uni, urbain, usé.

POLICE (n. p.). CRS, DGSE, DST, FBI, Gestapo, IGS, KGB, MP, PJ, PP, RCMP, RG, Scotland Yard, SQ, SS, Stasi.

POLICE. Agent, argousin, assurance, brigade, calot, clou, commissariat, cop, coroner, délateur, flic, fonte, gendarme, gestapo, indic, indicateur, milice, policier, poste, poulet, rousse, sbire, schupo, vingt-deux, sûreté.

POLICÉ. Adulte, agioteur, arriviste, civilisé, figaro, parvenu, raffiné, rasta, rastaquouère, réussi, riche, savoir-vivre.

POLICER. Améliorer, amender, changer, châtier, chauler, civiliser, composter, corriger, dompter, épurer, erbue, faluner, fumer, gâter, guérir, keuf, limer, marner, modifier, polir, punir, redresser, réformer, remender, réparer.

POLICHINELLE. Bouffon, clown, fantoche, guignol, jouet, mannequin, marionnette, pantin, pitre, rigolo.

POLICIER (n. p.). Burma, Carter, Colombo, Holmes, Lupin, Maigret, Marlowe, Rouletabille, Winsey.

POLICIER. Agent, ange, argousin, bobby, bourre, chien, cogne, condé, constable, CRS, détective, enquêteur, flic, garde, gardien, gendarme, hirondelle, îlotier, inspecteur, keuf, limier, poulet, ripou, roman, rousse, roussin, sbire, sentinelle, sûreté, vache.

POLIMENT. Adorablement, affablement, agréablement, aimablement, amiablement, amicalement, bien, chaleureusement, choettement, complaisamment, cordialement, délicatement, gentiment, sympathiquement.

POLIOMYÉLITE. Antipoliomyélite, infection, inflammation, maladie, moelle, paralysie, polio, viral.

POLIR. Adoucir, affiner, aiguiser, aléser, astiquer, brunir, cirer, civiliser, corriger, dégrossir, doucir, égaliser, égriser, fignoler, finir, fourbir, frotter, gréser, limer, lisser, lustrer, meuler, parfaire, peaufiner, poncer, ragréer, repolir, retoucher, ribler, unir.

POLISSAGE. Adoucissage, aiguisage, avivage, brunissage, buffle, cirage, corrasion, doucissage, égrisage, fignolage, fourbissage, frottage, léchage, limage, peaufinage, ponçage, rodage, sassage, usure.

POLISSEUR. Affileur, affûteur, aiguiseur, brunisseur, étau, limeur, raboteuse, rémouleur, repasseur.

POLISSON. Canaille, chenapan, coquin, croustillant, dissipé, drôle, égrillard, espiègle, fripon, galopin, gamin, garnement, gaulois, graveleux, grivois, leste, libertin, libre, licencieux, merdeux, obscène, osé, paillard, vagabond.

POLISSONNERIE. Bassesse, cochonceté, cochonnerie, gaillardise, gauloiserie, grivoiserie, grossièreté, impudicité, inconvenance, indécence, licence, obscénité, ordure, ordurier, trivialité, vulgarité.

POLISTE. Abeille, aculéate, ammophile, astate, bembex, blastophage, corset, éristale, eumène, frelon, guêpe, hyménoptère, ichneumon, nectarine, polybie, sphex, vespidé, zèthe, zéthus.

POLITESSE. Affabilité, agréer, amabilité, aménité, cérémonie, civilité, correction, courbette, courtoisie, décence, étiquette, galanterie, manières, mondanité, respect, révérence, salamalecs, savoir-vivre, tact, urbanité, vouvoiement.

POLITICIEN. Athénien, casserolier, démosthène, éloquent, gouvernant, orateur, politicard.

POLITICIEN ALBANAIS (n. p.). Hodja, Hoxha, Zog.

POLITICIEN ALGÉRIEN (n. p.). Abbas, Ben Bella, Boudiaf, Boumediene, Chadli, Zeroual.

POLITICIEN ALLEMAND (n. p.). Abetz, Bebel, Brandt, Ebert, Goring, Henlein, Heinemann, Herzog, Hess, Heuss, Hindenburg, Hitler, Honecker, Köhl, Lübke, Neurath, Papen, Pieck, Scheel, Stein, Stoph, Ulbricht, Weizsäcker.

POLITICIEN AMÉRICAIN (n. p.). Adams, Arthur, Bush, Carter, Cleveland, Clinton, Coolidge, Eisenhower, Filmore, Ford, Garfield, Grant, Harding, Harrison, Hayes, Hoover, Hull, Jackson, Jay, Jefferson, Johnson, Kennedy, Lincoln, McKinley, Madison, Monroe, Nixon, Polk, Reagan, Roosevelt, Taft, Taylor, Truman, Tyler, Washington, Wilson.

POLITICIEN ANGLAIS (n. p.). Churchill, Peel.

POLITICIEN ANGOLAIS (n. p.). Neto.

POLITICIEN ARGENTIN (n. p.). Avellaneda, Menem, Pern, Peron, Sarmiento, Videla.

POLITICIEN ATHÉNIEN (n. p.). Périclès, Solon.

POLITICIEN AUTRICHIEN (n. p.). Adler, Figl, Raab, Renner, Waldheim.

POLITICIEN BANGLADAIS (n. p.). Rahman.

POLITICIEN BELGE (n. p.). Beernaert, Destree, Eyskens, Lebeau, Spaak.

POLITICIEN BIRMAN (n. p.). Thant.

POLITICIEN BOSNIAQUE (n. p.). Izetbegovic.

POLITICIEN BRÉSILIEN (n. p.). Cardoso, Dutra, Fonseca, Goulart, Peixoto, Vargas.

POLITICIEN BRITANNIQUE (n. p.). Acton, Bagot, Bevan, Bevin, Churchill, Cripps, Fox, Grey, Heath, Peel, Pitt, Pym, Snowden, Webb.

POLITICIEN BULGARE (n. p.). Dimitrow, Stambolijski, Zivkov.

POLITICIEN BYZANTIN (n. p.). Psellos.

POLITICIEN CAMEROUNAIS (n. p.). Ahidjo, Biya.

POLITICIEN CANADIEN (n. p.). Abbott, Bennett, Borden, Bowell, Chrétien, Clark, King, Lapointe, Laurier, Macdonald, Mackenzie, Meighen, Mulroney, Papineau, Pearson, Saint-Laurent, Thompson, Trudeau, Tupper.

POLITICIEN CHILIEN (n. p.). Allende, Bello, Frei, Montt, Pinochet.

POLITICIEN CHINOIS (n. p.). Gnomorno, Mao.

POLITICIEN CHYPRIOTE (n. p.). Makarios.

POLITICIEN CONGOLAIS (n. p.). Lumumba, Mobutu, Naouabi, Youlou.

POLITICIEN CORÉEN (n. p.). Rhee.

POLITICIEN CROATE (n. p.). Tudjman.

POLITICIEN CUBAIN (n. p.). Castro, Guevara.

POLITICIEN DANOIS (n. p.). Struensée.

POLITICIEN ÉGYPTIEN (n. p.). Moubarak, Nasser, Sadate.

POLITICIEN ÉQUATORIEN (n. p.). Flores, Olmedo.

POLITICIEN ESPAGNOL (n. p.). Calvosotelo, Caudillo, Franco, Lerma, Perez.

POLITICIEN FINLANDAIS (n. p.). Kekkonen, Koivisto, Mannerheim, Paasikivi.

POLITICIEN FRANÇAIS (n. p.). Arago, Arena, Auriol, Barbes, Barnave, Bert, Birague, Blum, Briand, Caillaux, Chirac, Coty, Déat, Debré, De Gaulle, Deroulede, Deschanel, Doumer, Doumerque, Fallières, Faure, Favre, Fould, Fréron, Garat, Gay, Gensonne, Grévy, Guadet, Hébert, Herriot, Isambert, Jaurès, Larocque, Laval, Lebrun, Loubet, Marat, Maret, Millerand, Mitterrand, Molé, Mollien, Mun, Pache, Péri, Pétain, Poher, Poincaré, Pompidou, Ribot, Rochet, Sartine, Sée, Tallien, Tardien.

POLITICIEN GABONAIS (n. p.). Bongo, M'ba.

POLITICIEN GÉORGIEN (n. p.). Chevarnadzé.

POLITICIEN GHANÉEN (n. p.). Nkrumah, Rawlings.

POLITICIEN GREC (n. p.). Capodistria, Caramanlis, Papadhopoulos, Papadopoulos.

POLITICIEN GUINÉEN (n. p.). Cabral, Touré.

POLITICIEN HAÏTIEN (n. p.). Aristide, Duvalier, Lonverrure, Pétion.

POLITICIEN HOLLANDAIS (n. p.). Witt.

POLITICIEN HONGROIS (n. p.). Deak, Göncz, Nagy, Tisza.

POLITICIEN INDIEN (n. p.). Dessai, Gandhi, Nehru.

POLITICIEN INDONÉSIEN (n. p.). Suharto, Sukarno.

POLITICIEN IRAKIEN (n. p.). Aref, Hussein, Husayn.

POLITICIEN IRANIEN (n. p.). Kassem, Mossadegh, Rafsandjani.

POLITICIEN IRLANDAIS (n. p.). Butt, Griffith, O'Brien, Ormonde.

POLITICIEN ISRAÉLIEN (n. p.). Begin, Eban, Eshkol, Meir, Peres, Shekel, Weizmann.

POLITICIEN ITALIEN (n. p.). Azeglio, Calvosotelo, Ciano, Cinaudi, Cipriani, Dini, Duce, Einaudi, Giano, Giolitti, Ginaudi, Gramsci, Gronchi, Longo, Matteotti, Moro, Mussolini, Nenni, Orlando, Pertini, Rienzo, Rossi, Saragat, Scalfaro, Sturzo, Turati.

POLITICIEN JAPONAIS (n. p.). Nobunaga, Sato.

POLITICIEN KÉNYEN (n. p.). Kenyatta.

POLITICIEN LAOTIEN (n. p.). Souphanouvong.

POLITICIEN LIBANAIS (n. p.). Chamoun, Gemayel, Joumblatt.

POLITICIEN LIBÉRIEN (n. p.). Tubman.

POLITICIEN LIBYEN (n. p.). Kadhafi.

POLITICIEN MALGACHE (n. p.). Ratsiraka, Tsiranana.

POLITICIEN MALIEN (n. p.). Keita.

POLITICIEN MEXICAIN (n. p.). Cardenas, Diaz, Juarez, Sapasa, Zapata, Zedillo.

POLITICIEN NÉERLANDAIS (n. p.). Drees, Kok.

POLITICIEN NICARAGUAYEN (n. p.). Ortega, Somoza.

POLITICIEN NIGÉRIEN (n. p.). Diori.

POLITICIEN NORVÉGIEN (n. p.). Quisling.

POLITICIEN OTTOMAN (n. p.). Pasa, Talatpasa.

POLITICIEN PAKISTANAIS (n. p.). Bhutto, Ziau.

POLITICIEN PANAMÉEN (n. p.). Noriega.

POLITICIEN PARAGUAYEN (n. p.). Lopez, Stroessner.

POLITICIEN PÉRUVIEN (n. p.). Fujimori, Perez-de-Cuellar.

POLITICIEN PHILIPPIN (n. p.). Marcos.

POLITICIEN POLONAIS (n. p.). Gierek, Jaruzelski, Walesa.

POLITICIEN PORTUGAIS (n. p.). Braga, Carmona, Eanes, Saldanha, Soares, Spinola.

POLITICIEN ROMAIN (n. p.). Caton, César, Milon, Rufin.

POLITICIEN ROUMAIN (n. p.). Alecsandri, Bratianu, Ceausescu, Iliescu, Iorga.

POLITICIEN RUSSE (n. p.). Andropov, Beria, Brejnev, Doudaïev, Eltsine, Gorbatchev, Khrouchtchev, Lénine, Nep, Staline.

POLITICIEN SALVADORIEN (n. p.). Duarte.

POLITICIEN SÉNÉGALAIS (n. p.). Diouf, Senghor.

POLITICIEN SERBE (n. p.). Milosevic.

POLITICIEN SOVIÉTIQUE (n. p.). Beria, Tchernenko.

POLITICIEN SUD-AFRICAIN (n. p.). Botha, Smuts.

POLITICIEN SUD-AMÉRICAIN (n. p.). Bolivar.

POLITICIEN SUÉDOIS (n. p.). Palme.

POLITICIEN SUISSE (n. p.). Ador, Kruger, Motta, Ochs.

POLITICIEN SYRIEN (n. p.). Assad, Asad.

POLITICIEN TANZANIEN (n. p.). Nyerere.

POLITICIEN TCHADIEN (n. p.). Habré, Tombalbaye.

POLITICIEN TCHÈQUE (n. p.). Benes, Gottwald, Hacha, Husak, Masaryk, Menderes, Novotny, Svoboda.

POLITICIEN TUNISIEN (n. p.). Bourguiba.

POLITICIEN TURC (n. p.). Evren, Gürsel, Inönü, Kemal, Ozal.

POLITICIEN UKRAINIEN (n. p.). Petlioura.

POLITICIEN VÉNÉZUÉLIEN (n. p.). Betancourt, Paez.

POLITICIEN VIETNAMIEN (n. p.). Hô Chi Minh.

POLITICIEN YOUGOSLAVE (n. p.). Tito.

POLITICIEN ZAÏROIS (n. p.). Kasavubu, Mobutu.

POLITICIEN ZAMBIEN (n. p.). Kaunda.

POLITICIEN, ZIMBABWE (n. p.). Mugabe.

POLITIQUE. Anarchie, autarcie, campagne, centrisme, concertation, doctrine, échiquier, élitisme, maccarthisme, maccartisme, nep, népotisme, parlementaire, poujadisme, protectionniste, realpolitik, tract.

POLITIQUEMENT. Adroit, adroitement, ambassadorial, astucieusement, brillamment, diplomatiquement, faufilement, finement, habilement, insinusement, politique, prudemment, savamment.

POLITOLOGUE (n. p.). Butler, Dion, Carrère d'Encausse.

POLLEN. Allogamie, anthère, entomophilie, fleur, palynologie, pollinie, pollinose, poudre, spore, tétrade, thèque.

POLLINISATEUR. Abeille, allogamie, fécondateur, reproducteur.

POLLINISATION. Allogamie, anémophilie, conception, entomophilie, fécondation, génération, gestation, reproduction.

POLLUÉ. Crotté, déshonoré, encrassé, entaché, impur, maculé, merdeux, noir, noirci, sali, souillé, taché, terni.

POLLUER. Altérer, avilir, contaminer, corrompre, crotter, dégrader, dépolluer, empester, empoisonner, flétrir, gâter, infecter, infester, maculer, masturber, mazouter, noircir, profaner, salir, souiller, tacher, vicier.

POLLUTION. Abus, avilissement, dégradation, impureté, outrage, profanation, sacrilège, smog, souillure, violation.

POLOCHON. Bataille, chevet, boudin, coussin, fonçailles, oreiller, sac, traversin.

POLOGNE, CAPITALE (n. p.). Varsovie.

POLOGNE, LANGUE. Polonais.

POLOGNE, MONNAIE. Euro, zloty.

POLOGNE, VILLE (n. p.). Auschwitz, Belxec, Bialystok, Brzeg, Bytom, Chelm, Cracovie, Elk, Gdansk, Gubin, Itawa, Jaslo, Lublin, Lodz, Nysa, Opole, Pila, Plock, Radom, Sopot, Torun, Varsovie, Wloclawek, Zary.

POLONAISE. Danse, gâteau, langue, logique, logico-mathématique, musique, notation, pièce.

POLONIUM. Po.

POLTRON (n. p.). Arlequin, Falstaff, Panurge.

POLTRON. Capon, chiard, couard, couillon, crabe, craintif, dégonflé, faible, foireux, frileux, froussard, gille, lâche, mou, oiseau, péteux, peureux, pleutre, poule mouillée, pusillanime, taffeur, timide, timoré, trouillard, veule.

POLTRONNERIE. Anxiété, couardise, crainte, effroi, émoi, faiblesse, frayeur, frousse, fuite, lâcheté, peur, phobie, pleutrerie, pusillanimité, souleur, suée, terreur, trac, transe, trouille, veinette.

POLYAMIDE. Acétamide, acétanilide, amide, aniline, asparagine, benzamide, diamide, formanide, lactame, nylon, urée.

POLYARTHRITE. Inflammation, rhumatisme.

POLYCHLORURE DE VINYLE. P.V.C.

POLYCOPIE. Copie, double, duplicata, duplication, enregistrement, ichtus, minute, notation, original, poly, polycopier, relevé, report, reproduction, stencil, transcription.

POLYCOPIER. Calquer, contrefaire, copier, décalquer, dessiner, doubler, emprunter, exprimer, imiter, peindre, produire, recopier, refléter, répéter, reporter, reprendre, représenter, reproduire, retranscrire, ronéoter, ronéotyper, singer, stencil, tirer, transcrire.

POLYÈDRE. Cube, décaèdre, dièdre, dodécaèdre, face, heptaèdre, hexaèdre, icosaèdre, octaèdre, parallélépipède, pentaèdre, polyédrique, polygone, prisme, prismoïde, pyramide, rhomboèdre, tétraèdre, trapézoèdre, trièdre.

POLYESTER. Dacron, fibre, fil, lurex, nylon, plastifiant, serge, synthétique, tergal, téréphtalate, térylène, tissu, xylène.

POLYGAME. Adultère, adultérin, amant, bigame, cocu, cocuage, cocufiage, complice, concubin, coquage, cornard, débauche, fornication, infidèle, infidélité, liaison, maîtresse, marimélard, onobate, polyandre, polygyne, trahison, tromperie.

POLYGAMIE. Bigamie, monogamie, mormon, polyandrie, polygynie.

POLYGLOTTE. Bilingue, langue, multiculturel, multilingue, plurilingue, trilingue.

POLYGONACÉE. Bistorte, oseille, patience, persicaire, renouée, rhubarbe, rumex, sarrasin, serpentaire.

POLYGONE. Apothème, concave, côté, décagone, dodécagone, ennéagone, hendécagone, heptagone, hexagone, octogone, pentadécagone, pentagone, pentédécagone, quadrilatère, sommet, transversale, tulle.

POLYMÈRE. Acrylique, copolymère, élastomère, époxy, isoprène, métaldéhyde, polyvinyle, PTFE, PVC, silicone.

POLYMORPHE. Diversiforme, hétéromorphe, hétéromorphie, multiforme, protéiforme, variable, varié.

POLYNÉSIEN. Austronésien, faré, hawaïen, kava, kawa, langue, marquesan, tahitien, tamouré, tiki.

POLYNÔME. Binôme, condisciple, couple, faire, jumelle, longue-vue, lorgnette, lunette, monôme, trinôme.

POLYNUCLÉAIRE. Cellule, exsudat, germen, globule, hématie, leucocyte, lymphocyte, monocyte, mononucléaire.

POLYPE. Acétabule, actinie, alvéole, anémone, bras, cnidaire, cœlentérés, corail, corne, cul-de-sac, éponge, furoncle, gamazoïde, gonophore, gonozoïde, gorgonaire, gorgone, hexacoralliaire, hydranthe, loofa, madréporaire, madrier, millépore, sac, tubipore, tumeur, zoanthaire.

POLYPEPTIDE. Acide, albumose, aminé, angiotensine, molécule, polypeptidique, protamine.

POLYPHÈME (n. p.). Acis, Cyclope, Galatée, Poséidon, Ulysse.

POLYPIER. Anthozoaire, cnidaire, hexacoralliaire, madréporaire, madrépore, méandrine, squelette, tubipore, zoanthère.

POLYPODIACÉE. Adiante, asplénium, capillaire, cétérac, cheveu-de-Vénus, fougère, polypode, scolopendre.

POLYPORE. Agaric, amadouvier, basidiomycète, champignon, chanterelle, clavaire, cordinaire, fistuline, foie-de-bœuf, fraise, girolle, hydne, inocybe, rouille, pied-de-mouton, souchette, urédinée.

POLYSACCHARIDE. Amidon, aside, cellulose, diholoside, disaccharide, héparine, heptose, hexose, monosaccharide, octose, ose, pentose, polyholoside, polyoside, raffinose, ribose, tétrose, triose.

POLYSÉMIE. Ambiguïté, ambivalence, amphibologie, dilogie, double entente, double, énigme, double sens, équivoque, incertitude, indétermination, monosémie, mot, obscurité, pluralité, plurivocité, sens.

POLYTECHNICIEN. Corpsard, élève, pipo, polytechnique.

POLYURÉTHANE. Benzoate, butyrine, carbonate, corps, élastique, élastomère, gaïacol, glycéride, lactone, méthacrylate, mousse, oléate, peinture, plastique, polyuréthanne, stéarate, triester, uréthane, uréthanne, vernis.

POLYVALENCE. Atome, bivalence, capacité, électron, faraday, monovalence, négatif, nombre, orange, pentavalence, plurivalence, positif, quadrivalence, tétravalence, trivalence, univalence, valence.

POLYVALENT. Adage, astral, céleste, commun, complet, cosmique, cosmopolite, encyclopédique, entier, étendu, général, mondial, œcuménique, omniscient, panacée, plurivalent, tout, universel.

POMMADE. Baume, crème, embrocation, gale, gomina, lanoline, liniment, onguent, pommader, populéum, rosat, uve.

POMMADER. Bichonner, brillanter, cajoler, caresser, choyer, dorloter, flatter, mignoter, soigner, traiter.

POMME (n. p.). Adam, Atalante, Ève, Tell.

POMME. Api, arrosoir, aspersoir, boskoop, calva, calville, canada, capendu, châtaigne, cidre, clochard, évanoui, fameuse, fruit, golden, granny-smith, lobo, mancenilles, patate, paradis, pépin, pigne, pive, pommier, macintosh, reinette, starking, tomate.

POMMEAU. Arçon, boule, canne, fût, gaule, kandjar, piolet, pistolet, quartaut, sabre, selle.

POMME DE PIN. Bouclier, cocotte, cône, conique, conirostre, conoïde, cornet, couchoir, pive, strobile.

POMME DE TERRE. Bintje, chips, croustille, mousseline, patate, porc, rata, ratte, roseval, topinambour, vitelotte.

POMMELER. Barioler, bigarrer, daim, griveler, jasper, maculer, marqueter, moucheter, oceller, ocelot, marqueter, persiller, piquer, piqueter, pommer, rayer, salir, tacher, tacheter, taveler, tiqueter, truiter.

POMMETTE. Api, apophyse, éméché, fossette, gai, gris, ivre, joue, plaque, zygoma, zygomatique.

POMMIER. Aigrin, arbre, baccata, coronaria, douçain, doucin, malus, paradis, pathos, pommeraie, pommettier, prunifolia, pumila, rambour, rosacée, sirène, solennel, surin, sylvestri, tailleur, verger.

POMOLOGIE. Acériculture, arboculture, culture, oléiculture, pomiculture, pomoculture, sylviculture.

POMPE. Apparat, appareil, calandre, canon, cérémonial, cérémonie, cylindre, décor, éclat, emphase, étalage, faste, grandeur, lance, luxe, magnificence, majesté, motopompe, ostentation, seringue, solennité, somptuosité, splendeur, vide-cave.

POMPER. Absorber, aspirer, attirer, boire, copier, drainer, emparer, épuiser, imbiber, puiser, soutirer, sucer.

POMPETTE. Amboulé, chaudasse, éméché, émoustillé, gai, gris, ivre, joyeux.

POMPEUX. Ampoulé, bouffi, déclamatoire, emphatique, fastueux, grandiloquent, prétencieux, sentencieux, solennel, somptueux.

POMPIER. Fellation, feu, histrionique, pinpon, sapeur, sirène, solennel, pathos, pin-pon, sapeur, tailleur.

POMPON. Aigrette, boule, chrysanthème, comble, dahlia, fanfreluche, floche, houppe, pomponner, rose, touffe, tuque.

POMPONNÉ. Diapré, doté, éludé, embelli, endimanché, esquivé, évité, nanti, orné, paré, parure, pigeonné, pourvu, prêt, soigné.

POMPONNER. Attifer, apprêter, bichonner, endimancher, habiller, mignoter, parer, pommarder, toiletter, vêtir.

PONANT. Couchant, levant, marin, occident, océan, ouest, ponantais, région, vent.

PONÇAGE. Adoucissage, aiguisage, avivage, brunissage, buffle, cirage, corrasion, doucissage, égrisage, fignolage, fourbissage, frottage, léchage, limage, peaufinage, polissage, rodage, sassage, usure.

PONCEAU. Andrinople, calmant, capsule, carminé, coquelicot, corail, cramoisi, écarlate, garance, huile, laudanum, morphine, œillette, olivette, opium, papaver, pavot, ponceau, pont, rouge, rubis.

PONCER. Bourriquet, décaper, égriser, émeriser, frotter, gréser, grésir, nettoyer, passer, polir, récurer, sabler.

PONCIF. Banalité, bateau, cliché, idée, évidence, fadaise, lieu, ordinaire, stéréotype, topique, truisme, vieillerie.

PONCTION. Adénogramme, amniocentèse, décompte, déduction, défalcation, liposuccion, précompte, prélèvement, réquisition, retenue, saignée, saisie, soustraction, thoracentèse, thoracocentèse, trigone.

PONCTIONNER. Carotter, décimateur, enlever, exiger, extraire, imputable, lever, ôter, peler, percevoir, prélever, prendre, puiser, retenir, retirer, retrancher, rogner, soustraire, soutirer, tirage, zester.

PONCTUALITÉ. Alésage, application, assiduité, autorégulation, exactitude, fidélité, ponctualité, régularisation, régularité.

PONCTUATION. Comma, crochet, exclamation, guillemet, interrogation, parenthèse, point, point-virgule, slash, tiret, virgule.

PONCTUEL. Assidu, exact, fidèle, horloge, inétendu, point, recta, régulier, religieux, scrupuleux.

PONCTUELLEMENT. Assidûment, constamment, continuellement, continûment, exactement, infiniment, localement, permanence, recta, régulièrement.

PONCTUER. Accentuer, corriger, diviser, marquer, phraser, renforcer, scander, souligner, virguler.

PONDÉRATEUR. Contrepoids, équilibrant, équilibrateur, équilibreur, modérateur, régulateur, stabilisateur.

PONDÉRATION. Accord, agitation, balancement, calme, compensation, déséquilibre, équilibre, exaltation, fébrilité, harmonie, mesure, modération, nervosité, poids, pondérable, pondéral, pondérer, retenue.

PONDÉRÉ. Calme, éclairé, équilibré, judicieux, mesuré, modéré, posé, raisonnable, rangé, rassis, réfléchi, sage, sain.

PONDÉRER. Balancer, ballaster, boucler, centrer, compenser, contrebalancer, contrepeser, corriger, équilibrer, gymnastique, harmoniser, immobile, modérer, niveler, nuancer, otolithe, sain, senser, tempérer.

PONDÉREUX. Accablant, charge, écrasant, encombrant, épais, gênant, gras, grave, gros, grossier, important, indigeste, lent, lest, lourd, massif, mastoc, oppressant, pénible, pesant, poids, stupide, surchargé.

PONDRE. Adresser, annoter, brouillonner, calligraphier, composer, consigner, dactylographier, dédicacer, écrire, écrivailler, écrivasser, gribouiller, griffonner, marquer, noter, orthographier, préfacer, rédiger, taper, tester, tracer, transcrire.

PONEY. Alezan, allure, amble, anglo-arabe, anglo-normand, ars, arzel, aubère, bai, baillet, balzan, barbe, bas-jointé, bégu, bouleté, bourrin, brassicourt, cagneux, canasson, canon, carcan, carne, cavale, cavalier, cavecé, châtaigne, cheval, cob, courbatu, coursier, court-jointé, crinière, croupe, dada, demi-sang, embarre, encastré, encolure, ensellé, équin, étalon, galop, garrot, genet, goussaut, haridelle, hippocampe, hongre, hunter, isabelle, jarret, limonier, mérens, mésair, mézair, mors, mule, mustang, outsider, palefroi, panard, percheron, piaffeur, pinçard, poitrail, polo, ponette, pottock, pur-sang, racer, ramingue, relais, rosse, rouan, roussin, rubican, ruer, sabot, shetland, sommier, stepper, steppeur, tarpan, tocard, toquard, trot, trotteur, turf, yearling, zain.

PONGIDÉ. Anthropoïde, anthropomorphe, australopithèque, chimpanzé, gibbon, gorille, orang-outang, singe.

PONT. Arc, arche, bac, butée, catilever, culée, dentier, dunette, entrepont, gaillard, gué, jetée, livet, lunette, passerelle, péage, pile, ponceau, pont-levis, pont-rail, ponton, roof, rouf, sambuque, spardeck, suspente, tablier, tillac, trigone, viaduc, voûte.

PONT BOSNIE-HERZÉGOVINE (n. p.). Mostar.

PONT ÉTATS-UNIS (n. p.). Golden Gate, Manhattan, Verrazano.

PONT FRANCE (n. p.). Bénezet, Garabit, Gard, Normandie, Sospel, Valentré.

PONT GRÈCE (n. p.). Poséidon, Rion-Antirion.

PONT ITALIEN (n. p.). Rialto.

PONT MONTRÉAL (n. p.). Ahunsic, Champlain, Honoré Mercier, Jacques-Cartier, Lachapelle, Le Gardeur, Louis Bisson, Papineau-Leblanc, Pie IX.

PONT PARIS (n. p.). Alexandre III, Alma, Archevêché, Arcole, Austerlitz, Avignon, Bercy, Bir-Hakeim, Concorde, Garigliand, Grenelle, Iéna, Invalides, Mandela, Marie, Mirabeau, National, Nelson, Neuf, Normandie, Pont-Neuf, Royal, Sully, Tolbiac, Tournelle.

PONT QUÉBEC (n. p.). Champlain, Jacques-Cartier, Lafontaine, Laviolette, Legardeur, Mercier, Papineau, Pierre-Laporte, Québec, Viau, Victoria.

PONT ROMAIN (n. p.). Alcantara, Milvius.

PONT SUÈDE (n. p.). Öland.

PONT VENISE (n. p.). Rialto.

PONTE. Agha, caïd, chef, frai, huile, leader, maître, meneur, œuf, parrain, pondoir, seigneur, tête.

PONTER. Accoler, agréger, amasser, assembler, associer, assortir, attacher, bloquer, brider, centraliser, coaliser, colliger, concentrer, conglomérer, coudre, encercler, englober, enquêter, entasser, épisser, fusionner, grouper, joindre, lacer, lier, mêler, rabouter, raccorder, rallier, rapprocher, rassembler, rattacher, recueillir, regrouper, rejoindre, relier, rencontrer, réunir, unir.

PONTIFE. Bonze, chef, évêque, gonflé, leader, légat, meneur, pape, pédant, prélat, prêtre, souverain, vicaire.

PONTIFIANT. Ampoulé, cuistre, docte, doctoral, doctrinaire, emphatique, ex cathedra, gnomique, grave, magistral, moral, pédant, pédantesque, pompeux, professoral, sentencieux, solennel.

PONTIFICAL. Évêque, index, mitre, monsignor, paladin, pape, rituel, soldat, tunicelle, zouave.

PONTIFIER. Causer, célébrer, discourir, disserter, doctoral, emphase, épiloguer, laïusser, palabrer, parler, pédantiser, pérorer, philosopher, pindariser, plaider, pontifiant, prêcher, présenter, raisonner, réciter.

PONTON. Arche, bac, bâche, barge, barque, bateau, bâtiment, berge, blague, caboteur, canoë, canot, canular, cargo, chaland, chaloupe, chalutier, chebec, corvette, couffa, doris, drakkar, embarcation, éperon, étrave, ferry, ferry-boat, flotte, frégate, galère, gondole, grue, jonque, kayac, langoustier, margota, monitor, morutier, navire, nef, péniche, pinasse, pirogue, plateforme, polacre, poupe, prao, proue, radeau, rafiot, rostre, servitude, skiff, sous-marin, steamer, terre-neuvas, thonier, transbordeur, traversier, vaisseau, vedette, yacht.

POOL. Cartel, communauté, consortium, coopération, entente, équipe, groupe, groupement, staff, syndicat.

POPOTE. Agape, banquet, bombance, brunch, buffet, cafétéria, casse-croûte, cène, collation, cuisine, déjeuner, dîner, dînette, en-cas, festin, frichti, frugal, gala, goûter, gueuleton, lippée, lunch, médianoche, menu, mess, orgie, pique-nique, réfection, réfectoire, régal, repas, reste, réveillon, ripaille, soupe, souper, tétée, thé.

POPULACE. Bas, canaille, commun, défavorisé, écume, foule, lazzarone, lie, masse, multitude, pègre, peuple, plèbe, populacier, populaire, populo, prolétariat, racaille, roture, tourbe, vermine, vulgaire.

POPULAGE. Bassin-d'or, bouton-d'or, calendula, fleur, herbacée, plante, renonculacée, souci d'eau, souci des marais.

POPULAIRE. Célébrité, connu, disco, folklorique, gloire, légendaire, peuple, plébéien, pop, prolétaire, roturier.

POPULAIREMENT. Aisément, banalement, communément, couramment, facilement, fréquemment, habituellement, ordinairement, parfaitement, prosaïquement, souvent, trivialement, usuellement, vulgairement.

POPULARISER. Agrainer, arroser, couvrir, dégager, démocratiser, départir, déverser, diffuser, disperser, disséminer, ébruiter, éclairer, émaner, émerger, emplir, envahir, épandre, éparpiller, essaimer, étaler, étendre, exhaler, fleurer, fluer, paver, pleurer, propager, répandre, ressemer, semer, sentir, sortir, surgir, verser, vulgariser, universaliser.

POPULARITÉ. Audience, célébrité, cote, gloire, légendaire, légende, notoriété, renom, renommée, réputation, vogue.

POPULATION. Allogène, autochtone, citoyens, clan, collectivité, ethnie, gens, groupe, habitants, horde, ismaélite, isolat, kanak, nation, pays, peuplade, peuple, phratrie, public, race, renom, ruchée, société, tribu.

POPULEUX. Animé, battu, couru, désert, familier, fourmillant, fréquenté, isolé, malfamé, passant, suivi.

POQUER. Abîmer, bosseler, bosser, bossuer, cabosser, cobir, déformer, fatiguer, fausser, marteler.

PORC. Babiroussa, bacon, cochon, cochonnet, débauché, épic, glouton, goret, grogne, jambon, ladre, laie, lard, marcassin, nourrain, pachyderme, pécari, phacochère, piétrain, porcelet, potamochère, pourceau, rillons, salé, sanglier, sétacé, soie, solitaire, truie, verrat.

PORCELAINE (n. p.). Chine, Limoges, Limousin, Médicis, Meissen, Mennecy, Japon, Saxe, Sèvres.

PORCELAINE. Assiette, barbotine, bibelot, biscuit, caraque, céladon, chine, émail, faïence, ivoire, japon, kaolin, magot, mollusque, noces, parian, plat, pot, poterie, potiche, statuette, tasse, translucide, vaisselle, verre, verroterie.

PORCELET. Babiroussa, cochon, cochonnet, épic, glouton, goret, grogne, ladre, laie, marcassin, nourrain, pachyderme, pécari, phacochère, porc, potamochère, pourceau, sanglier, soie, solitaire, truie, verrat.

PORCHE. Accès, barrière, chasseur, clédar, entrée, guichet, hayon, hec, herse, huis, huis-clos, introduction, issue, moyen, ouverture, passage, pêne, portail, porte, portique, portière, portillon, poterne, seuil, sortie, vantail, verrou, vestibule.

PORCHER (n. p.). Eumée, Ivajlo.

PORCHERIE. Abri, auge, bauge, boiton, buret, désordonné, écurie, étable, porcher, sale, soue, tet, trou.

PORCIN. Artiodactyle, culard, hippopotame, ongulé, pécari, porcelet, sanglier, suiforme, truie, verrat.

PORE. Cavité, fissure, interstice, intervalle, lenticelle, orifice, oscule, sébum, stomate, sueur, tanne, trou.

POREUX. Écume de mer, gargoulette, papier-filtre, pénétrable, perméable, porosité, sépiolite, spongieux, tuf.

PORNOGRAPHIE. Canaillerie, cochon, cochonceté, cochonnerie, gaillardise, gauloiserie, grivoiserie, grossièreté, hard, indécence, obscène, obscénité, porno, pornographe, prostitué, soft.

PORNOGRAPHIQUE. Bestial, érogène, érotique, licencieux, obscène, porno, scabreux, sensuel, sexé, sexuel, voluptueux.

POROSITÉ. Clarté, cristallin, déliquescence, diaphane, diascopie, eau, épair, épidiascope, évidence, filigrane, glassnost, hyaloïde, légèreté, limpidité, mat, pénétrabilité, perméabilité, suée, transparence, vitrophanie.

PORPHYRIE. Adénosine, basal, cortisone, créatine, lipotrope, maladie, métabolisme, transformation.

PORT. Abri, attache, bassin, boucau, col, dock, havre, hoverport, jetée, maintien, marina, môle, posture, rade, transbordeur.

PORT, AÇORES (n. p.). Ponta Del Gava.

PORT, AFRIQUE (n. p.). Bata.

PORT, AFRIQUE DU SUD (n. p.). Alfred, Cap, Cap Town, Durban, East London, Edwards East, Elisabeth, Hatcourt, Keylargo, Le Cap, Luederitz, Maputo, Mbabane, Nolloth, Owen, Port Louis, Pretoria, Richard Bay, Saldanha, Sète, Shepstone, Victoria..

PORT, AFRIQUE OCCIDENTALE (n. p.). Cotonou, Freetown.

PORT, ALASKA (n. p.). Anchorage, Dutch Arbour, Fairbanks, Seward, Sitka, Valdez, Whittier.

PORT, ALBANIE (n. p.). Durrës, Durresi, Vlora, Vlorë.

PORT, ALGÉRIE (n. p.). Alger, Anc, Annaba, Arzew, Bejaia, Bône, Bougie, Collo, Delly, Djidjelli, Ghazaouet, Jijel, Mestghanem, Nemours, Oran, Philippeville, Qoll, Skikda.

PORT, ALLEMAGNE (n. p.). Altona, Brême, Dortmund, Duisburg, Düsseldorf, Emden, Flensburg, Hambourg, Heilbronn, Hobart, Kiel, Lubeck, Magdeburg, Peenemunde, Ratisbonne, Rostock, Stralsund, Stuttgart, Wesseling, Wilhelmshaven, Wismar.

PORT, ALSACE (n. p.). Strasbourg.

PORT, ANGLETERRE (n. p.). Barrow, Birkenhead, Bristol, Chatham, Cowes, Devonport, Douvres, Exeter, Falmouth, Folkestone, Gloucester, Gravesend, Grimsby, Hartlepool, Hasting, Hull, Immingham, Kingston-Upon-Hull, Lancaster, Liverpool, Londres, Middlesbrough, Newcastle, Plymouth, Poole, Preston, Scarborough, Southampton, Sunderland, Truro, Tynemouth, Yarmouth.

PORT, ANGOLA (n. p.). Benguela, Lobito.

PORT, ANTILLES FRANÇAISES (n. p.). Gustavia.

PORT, ARABIE SAOUDITE (n. p.). Al-Mukha, Damman, Djedda, Moka, Ras Tannura.

PORT, ARDENNES (n. p.). Givet.

PORT, ARGENTINE (n. p.). Bahia Blanca, Buenos Aires, Parana.

PORT, ASIE (n. p.). Singapour.

PORT, ATHÈNES (n. p.). Pirée.

PORT, AUSTRALIE (n. p.). Albert, Augusta, Brisbane, Darwin, Geelong, Hobart, Launceston, Melbourne, Newcastle, Porthedland, Sydney, Townville, Weipa, Whyalla.

PORT, BALÉARES (n. p.). Mahon.

PORT, BALTIQUE (n. p.). Helsinki, Memel, Riga.

PORT, BANGLADESH (n. p.). Chittagonci, Narayanganj.

PORT, BELGIQUE (n. p.). Anvers, Bruges, Flémalle, Gand, Namur, Nieuport, Ostende, Souverain, Wandre, Zeebrugge.

PORT, BÉOTIE (n. p.). Aulis.

PORT, BÉNIN (n. p.). Cotonou.

PORT, BIOLORUSSIE (n. p.). Vitebsk.

PORT, BIRMANIE (n. p.). Moulmein, Sittwe, Tavoy.

PORT, BRÉSIL (n. p.). Arcaju, Bahia, Belem, Fortaleza, Macapa, Macéio, Manaus, Natal, Niteroi, Pernambouc, Recife, Rio, Rio de Janeiro, Salvador, Santos, Vitoria.

PORT, BRETAGNE (n. p.). Brest, Concarneau, Lorient.

PORT, BRUGES (n. p.). Zeebrugge.

PORT, BULGARIE (n. p.). Burgas, Varna.

PORT, CALVADOS (n. p.). Honfleur.

PORT, CAMBODGE (n. p.). Kompongsom, Sihanoukville.

PORT, CAMEROUN (n. p.). Douala.

PORT, CANADA (n. p.). Aklavik, Amherst, Brest, Cacouna, Canso, Caraquet, Churchill, Dalhousie, Darmouth, Digby, Fogo, Gaspé, Halifax, Kingston, Louisbourg, Oshawa, Owensound, Plaisance, Port-Cartier, Prince-Rupert, Saint-Jean, Sarnia, Sept-Îles, Shédiac, Sydney, Toronto, Trenton, Trinity, Vancouver, Victoria, Windsor, Yarmouth.

PORT, CANARIES (n. p.). Santa Cruz.

PORT, CHILI (n. p.). Antofagasta, Aranco, Arauco, Arenas, Arica, Caldera, Coquimbo, Iquique, Puerto Montt, Punta Arenas, Santarem, Talca, Talcahuano, Valparaiso, Vivia, Vladivia.

PORT, CHINE (n. p.). Amoy, Andong, Canton, Dairen, Dalian, Hong-Kong, Macao, Ningbo, Qingdao, Shanghai, Siang-T'an, Swatow, Taku, Tianjin, Tsingtao, Wen-Tcheaou, Wenzhou, Wou-Hou, Wuhu, Xiamen, Xiangtan, Yental, Yingkou.

PORT, CHYPRE (n. p.). Famagouste, Limassol.

PORT, COLOMBIE (n. p.). Barranquilla, Buenaventura, Cartagena, Cienaga, Santa Marta.

PORT, CONGO (n. p.). Matadi, Pointe-Noire.

PORT, CORÉE DU NORD (n. p.). Chinnampo, Chongjin, Hingnam, Matadi, Nampo, Wonsan.

PORT, CORÉE DU SUD (n. p.). Chemulpo, Fusan, Inchon, Kunsan, Masan, Mokpo, Pohang, Pusan, Ulsan.

PORT, CORSE (n. p.). Calvi, Porto-Vecchio, Saint-Florent, Sagone.

PORT, COSTA RICA (n. p.). Limon.

PORT, CÔTE-D'IVOIRE (n. p.). San Pedro.

PORT, CRÊTE (n. p.). Candie, Héraklion, Iraklion.

PORT, CROATIE (n. p.). Dubrovnik, Rijeka, Split, Zadar.

PORT, CUBA (n. p.). Gibara, Havane, Manzannillo, Matanzas, Nuevitas, Preston, Santiago.

PORT, DANEMARK (n. p.). Aalborg, Aarhus, Alborg, Arhus, Copenhague, Elseneur, Esbjerg, Halborg, Odense, Nyborg, Randers.

PORT, ÉCOSSE (n. p.). Aberdeen, Ayr, Dunbar, Dundee, Grangemouth, Greenock, Kirkcaldy.

PORT, ÉGYPTE (n. p.). Damiette, Port-Saïd, Suez.

PORT, ÉQUATEUR (n. p.). Esmeraldas, Guayaquil.

PORT, ÉRYTHRÉE (n. p.). Assab, Massaoua.

PORT, ESPAGNE (n. p.). Algésiras, Alicante, Alméria, Aviles, Barcelone, Bilbao, Cadix, Carthagène, Ceuta, Corogne, Dundee, Ferrol, Gijon, Huelva, Magala, Mahon, Mataro, Port-Bou, Saint-Sébastien, San Fernando, Sanlicar, Santander, Tarragone, Valence, Vigo.

PORT, ÉTATS-UNIS (n. p.). Baltimore, Beaumont, Boston, Buffalo, Charleston, Chicago, Duluth, Élisabeth, Érié, Galveston, Hamton, Long Beach, Lorain, Los Angeles, Lynn, Milwaukee, Mobile, Newark, New-Bedford, New Haven, New-Norfolk, Newport, New York, Norfolk, Oakland, Philadelphie, Portland, Portsmouth, Saint-Paul, Saint-Petersburg, San Diego, San Francisco, Seattle, Stamford, Tampa, Toledo, Townssend.

PORT, ÉTHIOPIE (n. p.). Assab, Massaoua, Riga.

PORT, FINLANDE (n. p.). Abo, Helsinki, Kotka, Oulu, Pori, Turku, Vaasa.

PORT, FRANCE (n. p.). Antibes, Auray, Belz, Bordeaux, Brest, Caen, Calais, Ciotat, Dieppe, Gennevilliers, La Rochelle, Le Havre, Marseille, Mèze, Nantes, Nice, Palais, Rochefort, Saint-Malo, Sète, Strasbourg, Toulon.

PORT, GABON (n. p.). Libreville, Owendo, Port-Gentil.

PORT, GÉORGIE (n. p.). Soukhoumi.

PORT, GHANA (n. p.). Sekondi-Takoradi, Tema.

PORT, GOLFE PERSIQUE (n. p.). Kharg.

PORT, GRANDE-BRETAGNE (n. p.). Bristol, Cardiff, Cowes, Dundee, Exeter, Folkestone, Gillingham, Gosport, Grangemouth, Greennock, Grimsby, Hartepool, Ipswich, Liverpool, Londres, Middlesbrough, Milford, Milford Haven, Newcastle, Newhaven, Newport, Plymouth, Poole, Portsmouth, Port Talbot, Southampton, Southend-on-Sea, South Shields, Sunderland, Swansea, Tynemouth.

PORT, GRÈCE (n. p.). Chio, Corcyre, Corfou, Corinthe, Éleusis, Ghythio, Gythéion, Hermoupolis, Kalamata, Kavala, Khania, La Canée, Nauplie, Navarin, Patras, Pirée, Pylos, Salonique, Thessalonique, Volos.

PORT, GROENLAND (n. p.). Nuuk.

PORT, GUATEMALA (n. p.). Ocos.

PORT, GUINÉE ÉQUATORIALE (n. p.). Bata.

PORT, GUYANA (n. p.). Georgetown.

PORT, GUYANE FRANÇAISE (n. p.). Sinnamary.

PORT, HAÏTI (n. p.). Cap-Haïtien, Port-au-Prince.

PORT, HOLLANDE (n. p.). Dordrecht.

PORT, HONDURAS (n. p.). Téla.

PORT, INDE (n. p.). Alleppey, Bhavnagar, Bombay, Calicut, Cochin, Daman, Damao, Diu, Goa, Kalinada, Karikal, Kozhikode, Madras, Quilon, Surat, Tuticorin.

PORT, INDOCHINE (n. p.). Oc-Eo.

PORT, INDONÉSIE (n. p.). Cirebon, Manado, Medan, Medano, Padang, Palembang, Pékalongan, Pontianak, Samarinda, Semarang, Surabaya, Tanjung, Télukbetung, Tjirebon.

PORT, IRAK (n. p.). Bassora, Basra, Fao.

PORT, IRAN (n. p.). Abadan, Khurramchahahr, Lavan.

PORT, IRLANDE (n. p.). Belfast, Calway, Cobh, Cork, Drogheda, Dublin, Fastnet, Limerick, Londonderry, Sligo, Waterford.

PORT, ISLANDE (n. p.). Reykjavik.

PORT, ISRAËL (n. p.). Acre, Akko, Ashdod, Eilat, Elath, Goteborg, Haifa, Netanya, Palerme.

PORT, ITALIE (n. p.). Acieale, Amalfi, Ancône, Anzio, Augusta, Bari, Barletta, Brindisi, Castellamare, Catane, Cefalu, Cefaw, Chioggia, Di Stabia, Gaète, Gela, Gênes, La Spezia, Livourne, Molfetta, Naples, Orties, Palerme, Piombino, Portici, Pouzzoles, Rialto, Savone, Spezia, Syracuse, Tarente, Termini, Trieste.

PORT, JAKARTA (n. p.). Tandjungpriok.

PORT, JAMAÏQUE (n. p.). Kingston.

PORT, JAPON (n. p.). Aomori, Antonio, Beppu, Chiba, Fukuoka, Fukuyama, Hachinohe, Hakodate, Hiroshima, Imabari, Kagoshima, Kashima, Kawasaki, Kanazawa, Kobe, Kure, Kushiro, Moji, Mozi, Muroran, Nagasaki, Nagoya, Niigata, Niihama, Oita, Osaka, Otaru, Sasebo, Shimizu, Shimonoseki, Takamatsu, Tokyo, Tomakomai, Ube, Wakayama, Yatsushiro, Yokkaichi, Yokohama, Yokosuka.

PORT, KAZAKHSTAN (n. p.). Aktaou, Atyraou, Chevchenko, Gouriev.

PORT, KENYA (n. p.). Mombasa, Mombassa.

PORT, KOWEÏT (n. p.). Mina Al-Ahmadi.

PORT, LETTONIE (n. p.). Daugavpils, Liepaja, Riga, Ventspils.

PORT, LIBAN (n. p.). Sayda, Sidon, Tripoli.

PORT, LIBÉRIA (n. p.). Monrovia.

PORT, LUXEMBOURG (n. p.). Mertert, Wasserbillig.

PORT, LYBIE (n. p.). El-Sider, Misourata, Misurata, Tobrouk.

PORT, MADAGASCAR (n. p.). Antserranana, Mahajanga, Toamasina, Toleara, Toliara, Tuléar.

PORT, MAJORQUE (n. p.). Palma, Pollensa.

PORT, MALAISIE (n. p.). Georgetown, Mallacca, Melaka.

PORT, MALTE (n. p.). Valetta.

PORT, MAROC (n. p.). Agadir, Casablanca, Essaouira, Jadida, Kenitra, Larache, Lyautey, Mohammedia, Safi, Tanger.

PORT, MAURITANIE (n. p.). Cansado, Nouadhibou, Port-Étienne.

PORT, MÉDITERRANÉE (n. p.). Oran, Sète, Toulon.

PORT, MEXIQUE (n. p.). Acapulco, Campeche, Ensenada, Manzanillo, Mazatlan, Minatidan, Progreso, Tampico, Veracruz.

PORT, MOZAMBIQUE (n. p.). Beira, Maputo, Marques, Quelimane, Sofala.

PORT, NAMIBIE (n. p.). Lüderitz, Walvis Bay.

PORT, NIGERIA (n. p.). Lagos, Port Harcourt.

PORT, NORMANDIE (n. p.). Tréport.

PORT, NORVÈGE (n. p.). Bergen, Hammerfest, Kristiansand, Narvik, Oslo, Stavanger, Tromso, Trondheim.

PORT, NOUVELLE-CALÉDONIE (n. p.). Nouméa.

PORT, NOUVELLE-ZÉLANDE (n. p.). Auckland, Dunedin, Wellington.

PORT, PAKISTAN (n. p.). Karachi.

PORT, PALESTINE (n. p.). Ascalon.

PORT, PANAMA (n. p.). Aspinwall, Colon.

PORT, PAPOUASIE (n. p.). Rabaul.

PORT, PAYS DE GALLES (n. p.). Newport, Talbot.

PORT, PAYS-BAS (n. p.). Amsterdam, Dordrecht, Edam, Ennéer, Flessingue, Helder, Ijmuiden, Rotterdam, Terneuzen, Vlaardingen, Vlissinger.

PORT, PÉROU (n. p.). Callao, Chimbote, Iquitos, Talara, Trujillo.

PORT, PHILIPPINES (n. p.). Bacolod, Batangas, Cavite, Davao, Iloilo, Luçons, Negros, Zamboanga.

PORT, POLOGNE (n. p.). Gdansk, Gdynia, Szczecin.

PORT, POLYNÉSIE FRANÇAISE (n. p.). Papeete.

PORT, PORTO RICO (n. p.). Mayaguez, Ponce.

PORT, PORTUGAL (n. p.). Faro, Lisbonne, Macao, Matasinhos, Porto, Setubal.

PORT, QUÉBEC (n. p.). Baie-Comeau, Blanc-Sablon, Cacouna, Gaspé, Montréal, Nathasquan, Port-Cartier, Québec, Rimouski, Sept-Îles, Sorel, Trois-Rivières.

PORT, RÉPUBLIQUE DOMINICAINE (n. p.). Saint-Domingue

PORT, ROME ANTIQUE (n. p.). Ostie.

PORT, ROUMANIE (n. p.). Braili, Constanta, Galati.

PORT, RUSSIE (n. p.). Gorki, Igarka, Kaliningrad, Kirov, Leningrad, Mourmansk, Nakhodka, Novorossick, Oufa, Rostov-sur-le-Don, Saratov, Taranrog, Vladivostok.

PORT, SÉNÉGAL (n. p.). Dakar, Kaolack, Rufisque, Saint-Louis, Zighinchor.

PORT, SICILE (n. p.). Catane, Gela, Marsala, Syracuse, Trapani.

PORT, SOMALIE (n. p.). Berbera.

PORT, SOUDAN (n. p.). Port-Soudan.

PORT, SRI LANKA (n. p.). Colombo, Galle, Jaffna, Kolamba.

PORT, SUÈDE (n. p.). Elseneur, Gävle, Göteborg, Halmstad, Helsingborg, Kalmar, Karlskrona, Lulea, Malmö, Norrköping, Nyköping, Pitea, Skelleftea, Sundsvall, Umea.

PORT, SUISSE (n. p.). Bâle.

PORT, SURINAM (n. p.). Paramaribo.

PORT, SYRIE (n. p.). Latakieh, Lattaquié.

PORT, TAHITI (n. p.). Papeete, Vaiété.

PORT, TAIWAN (n. p.). Gaoxiong, Jilong, Kao-Hiong, Kaohsiong, Kaohsiung, Ki-Long, Tainan.

PORT, TANZANIE (n. p.). Dares, Salaam, Salam, Tanga.

PORT, TERRE-NEUVE (n. p.). Bonavista, Botwood, Marystown, Placentia, St-John.

PORT, TEXAS (n. p.). Houston.

PORT, TOGO (n. p.). Lomé, Porto-Seguro.

PORT, TUNISIE (n. p.). Gabès, Goulette, Monastir, Sfax, Skhirra, Sousse.

PORT, TURQUIE (n. p.). Adalia, Antalya, Antioche, Constantinople, Dnieppropetrovsk, Iskenderun, Istanbul, Izmir, Mersin, Samsun, Sinop, Trabzon, Trébizonde, Zonguldak.

PORT, U.R.S.S (n. p.). Arkhangelsk, Astrakhan, Balaklava, Batoumi, Dniepropetrovsk, Gorki, Ievpatoria, Igarka, Kaliningrad, Liepaia, Mourmansk, Nakhodka, Odessa, Saratov, Sébastopol, Vladivostok.

PORT, UKRAINE (n. p.). Ievpatoria, Kertch, Marioupol, Mykolaïv, Nikolaïev, Odessa, Sébastopol.

PORT, URUGUAY (n. p.). Salto.

PORT, VENEZUELA (n. p.). La Guaira, Puerta Cabello, Pueta Lacruz.

PORT, VIETNAM (n. p.). Camranh, Danang, Haiphong, Nhatrang, Qui Nhon, Rachgia.

PORT, YÉMEN (n. p.). Aden, Hodeïda, Moka, Mukalla.

PORT, YOUGOSLAVIE (n. p.). Bar, Cattaro, Dubrovnik, Kotor, Rijeka, Split, Zadar.

PORT, ZAÏRE (n. p.). Matadi.

PORTABLE. Baladeur, bazooka, canoë, canot, clédar, convenable, mettable, portatif, sans-fil, transportable, walkman.

PORTAGE. Brouettage, camionnage, car, cargo, cession, charroi, circulation, délégation, déplacement, expédition, extase, factage, fret, importation, ire, ligne, locomotive, manutention, messagerie, passage, roulage, route, train, transfert, transport, véhicule, via, voie, voiture.

PORTAIL. Canton, coin, emplacement, endroit, entrée, façade, galbe, lieu, localité, nef, panorama, paysage, perspective, place, porte, position, pylône, rose, site, situation, spectacle, vue, Web.

PORTANCE. Base, composante, constituant, coordonnée, corps, diode, élément, étoupe, fragment, ingrédient, martensite, membre, module, morceau, organe, partie, pièce, principe, terme, unité.

PORTANT. Admis, admissible, bien, bon, dispos, dru, fort, gaillard, recevable, robuste, sain, valable, valide.

PORTATIF. Baladeur, bazooka, canoë, canot, clédar, convenable, mettable, portable, transportable, walkman.

PORTE (n. p.). Asnières, Aubervilliers, Auteuil, Bercy, Boulogne, Clignancourt, Dauphine, Gentilly, Ivry, Jérusalem, Lionnes, Maillot, Montreuil, Orléans, Rome, Thèbes, Trézène, Turquie, Versailles, Vincennes.

PORTE. Accès, arceau, bâcle, barrière, battant, chasseur, clédar, cochère, entrée, épar, épart, guichet, hayon, hec, herse, huis, introduction, issue, lourde, moyen, ouverture, passage, pêne, porche, portail, portelone, portière, portillon, poterne, sas, seuil, sortie, vantail, verrou.

PORTÉ. Arboré, asséné, attiré, champ, conduit, degré, disposé, élément, élu, enclin, hauteur, mis, niveau, rayon, sphère, soutien, support, tendance, turbulent.

PORTE-BÉBÉ. Barque, carénage, cigogne, couffin, esquif, kangourou, nacelle, panier, porte-bébé, siège, suspente.

PORTE-BONHEUR. Amulette, bijou, bondieuserie, fétiche, fer-à-cheval, grigri, mascotte, talisman, trèfle.

PORTE-DOCUMENT. Attaché-case, calepin, cartable, mallette, portefeuille, serviette.

PORTE-DRAPEAU. Enseigne, gonfalier, officier, porte-bannière, porte-étendard, porte-fanion, vexillaire.

PORTÉE. Agnelée, capacité, champ, clavier, degré, efficacité, hauteur, litée, nichée, niveau, notation, rayon, sphère, stance.

PORTE-ÉTENDARD. Enseigne, gonfalier, officier, porte-bannière, porte-drapeau, porte-fanion, vexillaire.

PORTEFAIX. Bricole, coltineur, coolie, crocheteur, faquin, nervi, phrygane, portageur, porteur, sherpa.

PORTEFEUILLE. Bourse, buvard, carton, classeur, escarcelle, maroquin, patte, porte-monnaie, porte-bois, porte-cartes, sac, serviette, trousse.

PORTEMANTEAU. Arc-boutant, boissoir, bordage, cintre, crochet, patère, patibulaire, potence.

PORTE-PAROLE. Argumentant, caution, endosseur, garant, parrain, répondant, représentant, responsable.

PORTE-POUSSIÈRE. Aveiniau, bêche, drague, écope, épuisette, étrier, filet, filoche, fraloche, godet, haveneau, houlette, palette, palon, grattoir, pelle, puche, râble, raille, ramassette, ramassoire, sasse, spatule.

PORTE-QUEUE. Caudataire, grand porte-queue, machaon, lépidoptère, papillon, porte-traîne, suivant.

PORTER. Affruiter, agacer, agir, aller, arborer, asséner, attenter, barder, blesser, bière, coltiner, décider, descendre, diffamer, diriger, édifier, élever, élire, encliner, énerver, entraîner, étendre, étrenner, imputer, inscrire, lever, mettre, minorer, outrer, puer, regarder, rendre, reporter, retirer, saisir, scandaliser, subordonner, suborner, supporter, tendre, tomber, toucher, transporter.

PORTEUR. Ânée, bagagiste, coltineur, commissionnaire, coolie, courrier, coursier, débardeur, déchargeur, déménageur, détenteur, estafette, facteur, laptot, livreur, messager, nervi, portefaix, sakka, sherpa.

PORTE-VOIX. Ampli, amplificateur, audiophone, exagérer, grossir, gueulard, haut-parleur, mégaphone, répéteur, tuner.

PORTIER. Bignole, casernier, cerbère, chasseur, clerc, concierge, garde, gardien, geôlier, gorille, guichetier, huissier, loge, pibloque, pipelet, porte-clés, porterie, portière, suisse, tourier, tourière, veilleur.

PORTION. Apanage, arc, bief, champ, corps, dimension, division, dose, estran, fraction, fragment, lopin, lot, main, morceau, mot, nappe, parcelle, part, partie, pièce, quartier, quotité, rampe, ration, réserve, secteur, section, segment, séquestre, travée, tronçon, zone.

PORTIONNAIRE. Acquéreur, adjudicataire, affectataire, allocataire, attributaire, bénéficiaire, client, colégataire, donataire, gagnant, héritier, légataire, nominataire, prestataire, universel.

PORTIQUE. Corridor, couloir, narthex, péristyle, pœcile, porche, porte, pronaos, tambour, torana, torii, vestibule.

PORTLAND. Argile, béton, calcaire, ciment, liant, lien, mortier, silico-alumineux, ville.

PORTO RICO, CAPITALE (n. p.). San Juan.

PORTO RICO, LANGUE. Anglais, espagnol.

PORTO RICO, MONNAIE. Dollar.

PORTO RICO, VILLE (n. p.). San Juan.

PORTO. Apéritif, sauce, vin, vintage.

PORTRAIT. Album, autoportrait, buste, camée, caricature, charge, description, dessin, effigie, face, figure, genre, image, figure, gravure, momie, peinture, représentation, signalement, statue, tableau, tête, visage.

PORTRAITISTE (n. p.). Apelle, Aved, Beaton, Bellini, Clouet, Gainsborough, Ghirlandaio, Holbein, Jouvenet, Lecocq, Lely, Lotto, Nadar, Nos, Rembrandt, Van Dyck, Velasquez, Winterhalter.

PORTRAITISTE. Caricaturiste, figuriste, graveur, imagier, peintre.

PORTUGAIS. Lusitain, lusitanien, lusophone.

PORTUGAL (n. p.). Lusitanie.

PORTUGAL, CAPITALE (n. p.). Lisbonne.

PORTUGAL, LANGUE. Portugais.

PORTUGAL, MONNAIE. Escudo.

PORTUGAL, VILLE (n. p.). Almada, Aveiro, Avis, Aviz, Barreiro, Batalha, Béja, Braga, Crato, Evora, Faro, Fatima, Lisbonne, Nisa, Oporto, Ovar, Porto, Regua, Tomar.

PORTUNE. Appelant, araignée-de-mer, brachyoure, crabe, crabe à laine, crustacé, étrille, fantôme, fouisseur, limule, maïa, macrocheire, pinnothère, poupart, sacculine, tourteau.

POSADA. Auberge espagnol, cabaret, cambuse, caravansérail, crèche, gîte, guinguette, hall, hôtel, logis, lupanar, maison, motel, palace, pension, posada, rambouillet, relais, restaurant, taule, taverne.

POSE. Affection, application, attitude, calme, coiffe, cover-girl, équilibre, exposition, froid, grave, installation, instantané, mannequin, mesuré, position, posture, rassis, réfléchi, sage, sérieux, surexposer.

POSÉMENT. Benoîtement, calmement, doucement, flegmatiquement, froidement, impassiblement, imperturbablement, paisiblement, patiemment, placidement, sereinement, tranquillement.

POSER. Agir, alunir, amerrir, appliquer, apposer, appuyer, asseoir, atterrir, baiser, claver, couronner, déposer, engluer, enlier, ériger, installer, jeter, mettre, miner, photographier, placarder, placer, planter, remiser, reposer, situer, soulever, superposer, supposer.

POSEUR. Affecté, apprêté, artificiel, bêcheur, compassé, fat, maniéré, minaudier, pédant, prétentieux, snob, vaniteux.

POSITIF. Absolu, assuré, authentique, bénéfique, bon, certain, concret, décidé, degré, établi, évident, exact, fondé, formel, franc, manifeste, orgue, oui, précis, réel, sérieux, strict, sûr, typon, utile, vrai.

POSITION. Articulé, attitude, cas, clé, clef, condition, coordonnées, décubitus, disposition, emplacement, emploi, estime, gisement, grip, guêpier, inclinaison, lieu, localisation, milieu, niveau, occlusion, perdition, place, point, quadrilatère, queue, radicalisme, rang, rappel, rétroversion, révisionnisme, séant, sis, site, situation, stable, station, statut, tête-bêche.

POSITIONNER. Affecter, aposter, armer, arranger, asseoir, caler, caser, centrer, charger, commettre, déplacer, déposer, disposer, employer, espacer, établir, fixer, fourrer, insérer, installer, interposer, lever, liftier, loger, mettre, peser, placer, poser, poster, préposer, rajuster, ranger, rehausser, remiser, seoir, serrer, servir, situer.

POSITIVEMENT. Concrètement, effectivement, empiriquement, en fait, expérimentalement, guère, matériellement, objectivement, pratiquement, quasiment, réalistement, réellement, tangiblement, véritablement, vraiment.

POSITIVISME. Action, allure, attitude, carrure, conduite, contenance, contorsion, crânerie, décubitus, démagogie, dogmatisme, éclectisme, ethos, hanchement, ligne, maintien, manière, morgue, négativisme, pantomime, port, pose, position, posture, prestance, procédé, raciste, sexisme, tenue, ton, tournure, triomphalisme, utopisme.

POSITIVISTE (n. p.). Comte, Duguit, Littré.

POSITIVISTE. Agnostique, atomiste, baconiste, comtien, hylozoïste, matérialiste, mécaniste, objectiviste.

POSITIVITÉ. Chasse, décèlement, découverte, dénichement, dépistage, détection, détermination, diagnostic, écholocation, identification, localisation, pronostic, récognition, reconnaissance, repérage, révélation, spatialisation.

POSOLOGIE. Aloi, chlorométrie, comparaison, dimension, dosage, dose, équilibre, format, grandeur, harmonie, mélange, mesure, moyen, pièce, pourcentage, proportion, quantité, rapport, sur, titre, vaste.

POSSÉDA. Eut.

POSSÉDANT. Abondant, aisé, argenté, argenteux, aristo, cossu, étoffé, fertile, fortuné, galetteux, grenu, huppé, ladre, milliardaire, millionnaire, multimillionnaire, nanti, nourri, opulent, or, pactole, parvenu, pauvre, pourvu, rentier, riche, richissime, rupin, samit.

POSSÉDÉ. Connu, démoniaque, détenu, dominé, ensorcelé, envoûté, eu, furieux, pris, tenu, vaincu.

POSSÉDER. Ai, aie, ait, as, avoir, baiser, bénéficier, connaître, démoniaque, détenir, disposer, duper, égarer, eu, feinter, garder, jouir, ont, pourvu, prendre, propriété, rouler, situer, tenir, tromper, trousser, vaincre.

POSSESSEUR. Actionnaire, baron, dépositaire, détenteur, feudataire, maître, propriétaire, seigneur, titulaire, vassal.

POSSESSIF. Abusif, adjectif, captatif, dominateur, exclusif, intolérant, jaloux, leur, ma, mes, mien, mon, nos, nôtre, possessivité, pronom, sa, ses, sien, son, ta, tes, tien, ton, vos, vôtre.

POSSESSION (n. p.). Cap-Vert, Crète, Daman et Piu, Luxembourg, Maurice, Naples, Saint-Frusquin.

POSSESSION. Actif, avoir, bien, chose, de, désir, garde, monopole, prise, propriété, saisine, ségrairie.

POSSESSIVITÉ. Ambition, âpreté, avarice, avidité, concupiscence, convoitise, cupidité, désir, faim, gloutonnerie, insatiable, mégotage, mesquinerie, parcimonie, pingrerie, rapacité, soif, vampirisme, voracité.

POSSIBILITÉ. Alternative, autonomie, cas, chance, croyance, débouché, doute, embauche, éventualité, facilité, faculté, force, hypothèse, limite, loisir, moyen, occasion, opportunité, ouverture, permission, peut-être, pouvoir, probabilité, sursis, virtualité, visibilité.

POSSIBLE. Admissible, applicable, compétitif, compréhensible, concevable, douteux, espérance, éventuel, exécutable, facile, facultatif, faisable, hasardeux, incertain, légal, libre, loisible, plausible, potentiel, pouvoir, praticable, probable, réalisable, virtuel, vraisemblable.

POSSIBLEMENT. Actualisation, peut-être, potentiellement, pratiquement, presque, quasiment, sans doute, virtuellement.

POSTAL. Code, code-barres, courrier, cryptage, décalogue, deutéronome, gombette, loi, malle, morse, nip, pénal, P.T.T., recommandation, règle, titre.

POSTE. Blockhaus, cache, chaire, charge, émetteur, emplacement, emploi, essencerie, flamme, fonction, garnison, grade, mirador, nid-de-pie, observatoire, placard, place, postillon, préside, radio, sémaphore, situation, télévision, tour, tourelle, vigie.

POSTER. Adresser, affiche, affût, aposter, assigner, camper, embusquer, envoyer, établir, expédier, guetter, installer, loger, maller, mettre, photo, placer, planter, surveiller.

POSTÉRIEUR. Après, arrière, arrière-train, avenir, cadet, caducité, consécutif, croupe, cul, derche, derrière, fesses, fessier, futur, grasset, large, nuque, prochain, puiné, séant, siège, subséquent, suivant, talon, train-arrière, ultérieur.

POSTÉRIEUREMENT. Après, bis, deuxièmement, deusio, deuzio, second, secondement, secundo, suivant.

POSTÉRITÉ. Avenir, descendance, descendant, enfant, fils, génération, progéniture, race, tribu.

POSTHUME. Cadavre, cartes, coma, décédé, décès, défunt, dépouille, dernier, deuil, disparu, éteint, étranglé, euthanasie, fatigué, feu, fin, glas, héritage, jeu, létal, macchabée, mat, morgue, mort, nécrose, noyade, noyer, obit, obituaire, occis, perte, post mortem, rage, restes, séjour, sonnerie, testament, tombe, tombeau, trépas, trépassé, trucidé, victime.

POSTICHE. Ajouté, artificiel, boniment, cheveux, coiffure, factice, faux, mensonge, moumoute, perruque.

POSTIER. Facteur, messager, officier, planton, poste, sous-officier, télégraphiste, vaguemestre.

POSTILLON. Bave, baveux, broue, crachat, eau, écume, liquide, mousse, mucus, salive, spumosité, venin.

POST-SCRIPTUM. Addendum, ajout, annexe, codicille, P.S.

POSTULANT. Aspirant, candidat, demandeur, impétrant, poursuivant, prétendant, quémandeur, solliciteur.

POSTULAT. Absolu, authenticité, axiome, certitude, convention, dogme, doxologie, énoncé, évidence, exactitude, foi, juste, justesse, oracle, orthodoxie, preuve, principe, réalité, science, supposition, sûreté, théorème, truisme, valeur, véracité, vérité, vrai.

POSTULER. Affirmer, briguer, candidature, demander, énoncer, poser, quémander, revendiquer, solliciter.

POSTURE. Allure, asana, attitude, condition, contenance, état, lotus, maintien, pose, position, situation, station.

POT. Baraka, cache-pot, chance, channe, coquemar, coup, cruche, germoir, godet, enjeu, jacquelin, jacqueline, jarre, laitière, marmite, moutardier, persillère, pichet, poterie, potiche, potier, récipient, réunion, tabac, terrine, têt, tinette, vase, verre.

POTABLE. Acceptable, approuvable, bon, buvable, consommable, moyen, passable, possible, pur, sain.

POTACHE. Apprenti, bleu, cégépien, collégien, écolier, élève, enfant, étudiant, lycéen, novice.

POTAGE. Argenteuil, bisque, bouillie, bouillon, brouet, chaudrée, cille, clair, consommé, crème, coulis, florentine, gaspacho, julienne, jus, lavasse, lavure, louche, minestrone, oille, panade, philtre, pistou, purée, soupe, soupière, tourin, velouté.

POTAGER. Ail, asperge, betterave, cardon, carotte, céleri, chou, courge, échalote, endive, épinard, estragon, fève, haricot, jardin, laitue, oignon, navet, panais, persil, poireau, pois, radis, tomate.

POTARD. Alchimiste, apothicaire, caducée, herboriste, officine, ordonnancier, pharmacien, poilphard.

POTASSE. Acide, âcre, acrimonieux, affilé, causticité, caustique, corrosif, mordant, sublimé, usable, virulent.

POTASSER. Apprendre, bloquer, bûcher, chiader, étudier, piocher, revoir, travailler.

POTASSIUM. K.

POT-AU-FEU. Bouilli, bouteillon, braisière, casanier, cocotte, crémaillère, cuiseur, daubière, faitout, huguenote, marmite, marmitée, miroton, pantouflard, pépère, popote, pot, potée, sédentaire.

POT-DE-VIN. Arrosage, bakchich, dessous-de-table, enveloppe, gratification, matabiche, pomme, pourboire.

POTE. Allié, alter ego, ami, camarade, collègue, compagnon, confrère, connaissance, copain, intime, mec, proche.

POTEAU. Ami, carcan, colonne, copain, échalas, mât, pal, pièce, pieu, pilier, pilori, pilotis, piquet, pote, sabot, tournisse.

POTÉE. Abrasif, borné, émeri, émeriser, étain, garbure, grésoir, oille, plat, polir, sabler, stupide.

POTELÉ. Charnu, dodu, gras, grassouillet, gros, joufflu, plein, poupard, poupin, rebondi, replet, rond, rondelet.

POTENCE. Corde, croix, équerre, estrapade, gibet, gibier, girafe, patibulaire, portemanteau, supplice, té, victime.

POTENTAT. Autocrate, chef, despote, despotique, dictateur, monarque, souverain, tsar, tzar, tyran.

POTENTIALITÉ. Cas, chance, croyance, débouché, embauche, éventualité, faculté, force, hypothèse, indication, loisir, moyen, occasion, opportunité, permission, possibilité, pouvoir, probabilité, sursis, virtualité.

POTENTIEL. Évolution, force, gisement, influx, possible, prospect, puissance, tension, virtuel, voltage.

POTENTIELLEMENT. Actualisation, possiblement, pratiquement, presque, quasiment, virtuellement.

POTENTILLE. Ansérine, atrosanguinea, aurea, chénopode, fruticosa, herbe, nepalensis, quintefeuille, rosacée, tormentille.

POTERIE. Céramique, darbouka, étain, faïence, figurine, grès, majolique, porcelaine, pot, sial, sil, terre.

POTERNE. Accès, barrière, chasseur, clédar, entrée, guichet, hayon, hec, herse, huis, huis-clos, introduction, issue, moyen, ouverture, passage, pêne, porche, portail, porte, portique, portière, portillon, seuil, sortie, vantail, verrou, vestibule.

POTICHE. Amphore, berthe, bouteille, buire, cache-pot, canalisation, candélabre, canope, cérame, chandelier, figuline, flambeau, lampe, nautile, pot, pucheux, récipient, torchère, urne, vaisseau, vase, vote.

POTIER. Céramiste, faïencier, porcelainier, toupinier, tour, tupinier.

POTIN. Bavardage, boucan, bruit, cancan, caquetage, caquètement, causer, clabaudage, commérage, jaser, médisance, on-dit, pipelet, racontar, raffut, ragot, ramdam, rumeur, tapage, tintamarre, vacarme.

POTINER. Babiller, bagouler, barjaquer, bavarder, bavasser, cancaner, caqueter, causer, commérer, débiter, discourir, jaboter, jacasser, jacter, jaser, jaspiller, jaspiner, médire, palabrer, papoter, parler, placoter, répandre, verbaliser.

POTION. Boire, breuvage, cordial, élixir, guérir, julep, looch, magie, magique, médicament, préparation.

POTIRON. Carabaça, champignon, citrouille, courge, cougourde, cuje, fistuline, polypore, poutiron.

POT-POURRI. Cocktail, compilation, macédoine, medley, mélange, mosaïque, patchwork, ragoût, vase.

POU. Ambrosia, anoploure, aptère, borréliose, calige, cochenilles, insecte, lécanie, lente, mallophage, mélophage, morpion, parasite, pédiculaire, phtiriase, phtirius, pouilleux, psoque, pubis, ricin, staphisaigre, tique, toto, typhus, vampire, vermine.

POUACRE. Avare, avaricieux, hiche, cupide, dépensier, dissipateur, économe, gaspilleur, gredin, grigou, grimelin, grippe-sou, harpagon, ladre, lésineur, liard, liardeur, malpropre, pingre, prodigue, radin, rapiat, rat, sale, séraphin, serré, vautour, vil, vilain.

POUAH. Abominable, anorexie, antipathie, aversion, blasement, berk, beurk, chagrin, dégoût, écœurement, éloignement, ennui, fastidieux, fi, haut-le-cœur, horreur, inappétence, las, lassitude, nausée, repoussant, répugnance, répulsion, saleté.

POUBELLE. Bagnole, ballastage, changement, dépotoir, éboueur, écoulement, fosse, nettoyage, vidange.

POUCE. Alule, chiquenaude, doigt, empan, index, ligne, mesure, oisif, orteil, pied, po, thénar, toton.

POUDRE. Balistite, came, cannelle, carbogène, détergent, détersif, égrisé, farine, henné, iris, kif, lupulin, lupuline, malt, neige, perlimpinpin, plâtre, pollen, potée, poudrin, poussière, pulvérin, pruine, racahout, râpé, safran, sciure, talc, vermoulure.

POUDRER. Broyer, couvrir, enfariner, maquiller, moudre, râper, sabler, saupoudrer, talquer, triturer.

POUDRERIE. Blizzard, bourrasque, colère, cyclone, grain, intempérie, mistral, orage, ouragan, perturbation, rafale, simoun, sirocco, tempête, tornade, tourbillon, tourmente, trompe, typhon, vent.

POUDRIN. Abat, averse, bâche, bruine, chute, crachin, déluge, drache, eau, embrun, flopée, flotte, giboulée, grain, grêle, grésil, groisil, irroration, nielle, nuée, ondée, orage, perséide, pluie, rincée, roille, saucée, verglas.

POUDROIEMENT. Anéantir, atome, balayures, boue, bouillie, broutilles, capilotage, cendre, charpie, débris, détritus, efflorescence, escarbille, miette, misères, moudre, pollen, poudre, poussière, riens, sable, sciure, scorie, stuc.

POUF. Balancelle, banc, banquette, blocus, canapé, centre, chaire, chaise, escabeau, escabelle, escarpolette, es, est, être, fauteuil, lieu, pape, pliant, rotin, séant, sein, selle, sellette, siège, sis, stalle, strapontin, tabouret, tara, tare, trépied, trône.

POUFFÉ. Amusé, crampé, éclaté, esclaffé, gloussé, marré, pâmé, ri, tordu.

POUFFER. Amuser, badiner, éclater, esclaffer, glousser, marrer, moquer, pâmer, ricaner, rire, tordre.

POUFFIASSE. Amazone, call-girl, catin, cocotte, courtisane, fille, garce, grue, hétaïre, micheton, morue, péripatéticienne, pétasse, pierreuse, poule, poufiasse, poupée, prostituée, putain, putassier, pute, racoleuse, radeuse, ribaude, roulure, traînée, trottoir.

POUILLERIE. Absolu, apogée, bout, dernier, désespéré, exagéré, excessif, extraordinaire, extrême, final, immodéré, infini, limite, outrance, pénurie, raffinement, sommet, summum, suprême, terminal, ultime, ultra.

POUILLEUX. Clochard, crasseux, crotté, gueux, hère, gueux, loqueteux, misérable, miséreux, sale, vermineux.

POULAILLER. Abri, cabane, cage, coq, enclos, galerie, juchoir, mue, paradis, poule, volière, têt.

POULAIN. Âne, ânesse, ânon, antenais, bidet, cheval, crack, débutant, dourine, équidé, espoir, gourme, hémione, jument, pouliche, poulinière, protégé, suitée, mule, rampe, suitée, talent, yearling, zèbre.

POULBOT. Amour, ange, angelot, bara, bébé, champi, chérubin, clergeon, démon, diable, diablotin, doux, enfant, fille, fils, gamin, garnement, gosse, héritier, loupiot, marmot, mioche, môme, moricaud, moutard, négrillon, noireau, nouveau-né, oblat, orphelin, part, peste, petit, polisson, poupard, poupon, puéril, sagouin, scout, têtard.

POULE. Agami, caqueter, cave, cocotte, coq, enjeu, fille, foulque, froussard, gallinacé, gallinule, géline, gélinotte, glousser, houdan, jeu, lâche, leghorn, marans, mise, œuf, pleutre, poltron, pondeuse, poularde, poulette, sultane, wyandotte.

POULET. Agent, argousin, barbecue, chapon, coq, coquelet, flic, lettre, marengo, policier, poulette, poussin, schupo, yassa.

POULICHE. Âne, ânesse, ânon, antenais, bidet, cheval, crack, débutant, dourine, équidé, espoir, gourme, hémione, jument, poulain, poulinière, protégé, suitée, mule, rampe, suitée, talent, yearling, zèbre.

POULIE. Agrès, barbotin, bigue, brin, chape, cône, corde, écoperche, galoche, gerseau, gorge, gréement, gréer, molette, moufle, noix, palan, poulieur, pouliethérapie, réa, roue, rouet, tambour.

POULINER. Accoucher, agneler, cochonner, concevoir, créer, enfanter, engendrer, générer, procréer, produire, vêler.

POULINIÈRE. Baie, cavale, cheval, haquenée, haras, jument, moreau, mule, mulet, ponette, pouliche, poulin, suitée.

POULIOT. Antispasmodique, bigue, cabestan, caliorne, chèvre, cric, giron, herbe, manivelle, menthe, nilles, palan, palanquer, pantoire, plante, tambour, tirefort, tourillon, treuil, vindas, winch.

POULPE. Ammonite, argonaute, bélemnite, calmar, céphalopode, kraken, mollusque, nautile, octopode, pieuvre, seiche.

POULS. Alternant, arythmie, battement, cadence, diastole, dicrote, formicant, pulsation, rythme, systole.

POUMON. Aspirer, byssinose, expirer, fressure, haleine, lobe, lobectomie, mou, plèvre, poitrine, rejeter, respirer.

POUPE. Acropole, arcasse, arrière, bateau, citadelle, étambot, minerve, monument, navire, proue, tableau.

POUPÉE. Baigneur, bébé, catin, étoupe, femme, fille, figurine, filasse, gigogne, guindeau, jouet, mâchoire, mandrin, mannequin, matriochka, nana, pansement, pépée, poupard, poupin, poupon, sparadrap, treuil.

POUPON. Bambin, bébé, chérubin, crèche, enfance, enfant, mioche, môme, nourrisson, poupée.

POUPONNER. Absorber, accaparer, affairer, agir, assiéger, brasser, caracoler, dominer, durer, emplir, faire, hanter, mener, obséder, occuper, peupler, prendre, préoccuper, réoccuper, rester, squatter, squattériser, tenir.

POUPONNIÈRE. Crèche, garderie, halte, jardin d'enfants, maternelle, nourricerie, nursery, orphelinat, stop-enfants.

POUR. Afin, ami, but, contre, contrepartie, faveur, favorable, intention, pendant, pro, réparation, vers, vouloir.

POURBOIRE. Bakchich, bonne main, cadeau, dringuelle, gratification, matabiche, pièce, récompense, service, somme, tip.

POURCEAU. Cochon, cochonnet, épicurien, grognement, hédoniste, jouisseur, porc, porcher, verrat.

POURCENTAGE. Adjudication, degré, guelte, probabilité, proportion, quota, rapport, service, surremise, tantième, taux, teneur.

POURCHASSER. Aspirer, chasser, courir, courser, galvauder, hanter, poursuivre, rechercher, talonner, traquer.

POURFENDRE. Accuser, attaquer, blâmer, briser, casser, charger, cliver, condamner, couper, critiquer, débiter, désapprouver, éclisser, étoiler, éventrer, inciser, fêler, fendre, fissurer, rompre, scier, scinder, tuer.

POURLÉCHER. Aller, bleuter, chauler, circuler, conclure, couler, couper, cribler, croiser, devancer, devenir, dissiper, dribbler, écouler, effleurer, enfiler, enfuir, enlacer, entrer, énumérer, envoler, étendre, évoluer, excéder, filtrer, fixer, flamber, franchir, frôler, fusiller, herser, hiberner, hiverner, lécher, loger, moduler, mourir, occulter, omettre, pardonner, passer, peaufiner, raser, ratatiner, ratiner, refiler, rincer, rouler, sasser, sauter, sortir, tabasser, tamiser, tirer, transmettre, traverser, vagabonder, zapper.

POURPARLERS. Conversation, dialogue, discussion, entretien, interlocuteur, négociation, parlementer, tractations.

POURPOINT. Anorak, blazer, blouson, boléro, caban, cabi, canadienne, cardigan, carmagnole, défaite, dolman, doudoune, échec, hoqueton, jaquette, kabig, kabic, moumoute, paletot, redingote, saharienne, spencer, tricot, tunique, vareuse, veste, veston, vêtement.

POURPRE. Amarante, bordeaux, cardinal, carmin, cerise, colorant, couleur, cramoisi, dignité, étoffe, fièvre, grenat, impérial, incarnat, murex, orseille, pavée, pourprin, purpurin, rocher, rouge, rougeur, royal, sang, tyr, vermeil, vermillon, violacé, violine.

POURPRIN. Amarante, bardane, bordeaux, cardinal, colorant, couleur, cramoisi, dignité, fièvre, garance, grenat, impérial, murex, orseille, pourpre, purpurin, rouge, rougeur, royal, tyr, violacé, violine.

POURQUOI. Agent, ainsi, aussi, base, car, cause, comment, explication, intention, motif, question, raison.

POURRI. Abîmé, altéré, avarié, blet, blette, corrompu, décomposé, faisandé, gangrené, gâté, humide, malandre, moisi, nidoreux, perverti, piqué, pluvieux, putride, ripou, temps, tourné, véreux.

POURRIR. Abâtardir, altérer, avarier, avilir, blettir, chancir, corrompre, croupir, décomposer, dégénérer, dégrader, encroûter, gangrener, gâter, moisir, putréfier, souiller, stagner, tourner, ulcérer, vicier.

POURRISSEMENT. Altération, biodégradation, boucanage, corruption, décomposition, faisandage, fermentation, gangrène, mortification, pourriture, putréfaction, putrescence, putridité, suiffage, thanatomorphose.

POURRITURE. Altération, blettissement, blettissure, carie, charogne, corruption, décomposition, dépravation, faisandage, fermentation, fumier, gangrène, loque, maladie, monilia, ordure, perversion, putréfaction, rhizopus.

POURSUITE. Accusation, action, après, assignation, charge, chasse, course, demande, enquête, examen, exercice, harcèlement, justice, lièvre, persécution, poursuivant, procès, projecteur, recherche, retraite, trousse, vendetta, vindicte.

POURSUIVANT. Admissible, appelant, chômeur, demandeur, quémandeur, requérant, serveur, solliciteur, tapeur.

POURSUIVRE. Aspirer, assiéger, briguer, cerf, chasser, chercher, continuer, courir, courre, courser, ester, foncer, forcer, hanter, harceler, importuner, intenter, justice, lapider, lièvre, lutiner, persécuter, pourchasser, pousser, presser, rechercher, talonner, tracer, traquer, viser.

POURTANT. Autant, cependant, mais, malgré, malheureusement, néanmoins, nonobstant, or, seulement, toutefois.

POURTOUR. Andain, banlieue, bord, centure, cercle, circonférence, circuit, contour, déambulatoire, périmètre, périphérie, tour.

POURVOI. Acte, appel, demande, exhortation, intimation, recours, requête, ressource, servir, user, voie.

POURVOIR. Alimenter, approvisionner, armer, attitrer, dédicacer, don, doter, douer, ensemencer, équiper, établir, fenêtrer, fournir, garnir, gorger, gréer, légender, mâter, monter, munir, nantir, orner, recommander, recouvrir, référencer, remonter, subvenir, subsister, suffire.

POURVOYEUR. Affréteur, armateur, bailleur, charter, donateur, fournisseur, fréteur, locateur, noliseur, transporteur.

POURVU. Ailé, alifère, armé, assisté, assorti, caulescent, doté, doué, espérons, fortuné, garni, monté, muni, nanti, ombiliqué, onglé, onguiculé, ongulé, onguligrade, posséder, puisse, riche, si, unciné, unguifère.

POUSSE. Bourgeon, bouton, bouture, branche, brin, brout, croissance, drageon, dyspnée, germe, greffe, incite, jet, luxuriant, pampre, plant, plante, plumule, pointu, poussée, poussif, pulsion, rejet, rejeton, repousse, revenue, scion, talle.

POUSSÉE. Accès, acculé, bourrade, bousculade, charge, choc, coup, crise, éclos, élan, enclin, épaulée, éruption, force, grandi, impulsion, jet, montée, mû, née, poids, point, pression, propulsion, refrain, tendance.

POUSSER. Acculer, agir, amener, animer, balayer, bousculer, boutonner, chasser, couiner, crier, croître, déborder, développer, drosser, éloigner, émettre, encourager, enfoncer, entrainer, étendre, exciter, exhaler, feuler, forcir, grandir, huer, hurler, impulser, inciter, induire, jeter, lever, mener, mouvoir, mugir, piauler, presser, propulser, provoquer, réduire, refouler, rencogner, repousser, rouler, rugir, serrer, sortir, soulever, stimuler, traquer, vagir, venir.

POUSSETTE. Baladeuse, caddie, chariot, cyclecar, draisine, express, landau, pétrolette, trottinette, voiturette.

POUSSEUR. Accélérateur, amplificateur, analyste, booster, concepteur, développeur, impulseur, informaticien, lanceur, photographe, propulseur, renforcement, société, stimulateur.

POUSSIÈRE. Anéantir, atome, balayures, boue, bouillie, broutilles, capilotage, cendre, charpie, débris, détritus, efflorescence, escarbille, miette, minon, misères, moudre, mouton, pollen, poudre, poudroiement, riens, sable, sciure, scorie, stuc, vannée, vannure.

POUSSIF. Anhélant, époumoné, épuisé, essoufflé, étouffé, haletant, impatient, pâmé, pantelant, pantois.

POUSSIN. Basse-cour, canard, cane, canette, caneton, chapon, civet, coq, dinde, dindon, dindonneau, jars, mue, œuf, oie, oison, pâton, pintade, pintadeau, poulailler, poule, poulet, volaille, volatile.

POUSSINIÈRE. Balance, cage, colombier, couveuse, gloriette, nichoir, oiseau, piège, pigeonnier, trébuchet, volière.

POUSSOIR. Bouton, clé, clenche, clenchette, combinateur, commande, commutateur, conjoncteur, contact, coupleur, discontacteur, disjoncteur, interrupteur, manostat, sélecteur, télécommande.

POUTRAGE. Armature, arpentage, bâti, cadre, carcasse, chaînage, charpente, châssis, étayage, lisoir, ossature.

POUTRE. Agrès, ais, arbalétrier, barrot, bau, boulin, bow-string, chevêtre, chevron, entrait, étai, étambot, faîte, hec, jas, lambourde, linçoir, longeron, longrine, madrier, ope, paille, pieu, planche, poitrail, portique, poutrelle, sapine, soffite, solive, support, tangon, travée.

POUTRELLE. Agrès, ais, arbalétrier, barrot, bau, boulin, bow-string, chevêtre, étai, étambot, hec, jas, lambourde, longeron, madrier, ope, paille, pieu, planche, poutre, sapine, soffite, solive, support, tangon.

POUTSER. Astiquer, blinquer, briquer, curer, décrasser, fourbir, frotter, nettoyer, peaufiner, polir, récurer.

POUTURE. Abonnissement, amélioration, amendement, assolement, bonification, chaulage, compostage, déchaumage, écobuage, embouche, engraissement, enrichissement, ensemencement, épandage, épandeur, fertilisation, fumage, fumaison, fumigation, fumure, irrigation, jachère, limonage, marnage, phosphatage, plâtrage, soufrage, sulfatage, terreautage.

POUVOIR. Action, acuité, agir, attribution, autorisation, ban, bureaucratie, capacité, choix, commander, décider, dictature, droit, empire, évoquer, faculté, force, habileté, hégémonie, imperium, latitude, liberté, libre arbitre, mandarinat, mandat, médiocratie, moyen, munir, omnipotence, ordre, possibilité, procréation, pu, puissance, ravitailler, recouvrir, règne, savoir, séduction, subvenir, suffire, talisman, thaumaturgie, tout-puissant, trône, tyrannie, vouloir, voyoucratie.

PRAGMATIQUE. Achalandé, acheteur, acquis, adapté, aisé, art, astucieux, auto-stop, commode, concret, coutume, éclectisme, efficace, émérite, essai, facile, fair-play, fonctionnel, malcommode, maniable, mantique, matériel, possible, positif, pratique, routine, usage, usuel, utile.

PRAGMATISME. Apparence, classification, critère, exemple, idée, indice, modèle, moyen, norme, règle.

PRAIRE. Bivalve, clam, coquillage, lamellibranche, mollusque, vénus, verrucosa.

PRAIRIE. Alpage, biome, carvie, champ, embouche, engane, herbage, lande, napée, noue, pacage, pampa, pâtis, pâturage, pelouse, pradelle, pré, ranch, savane, schorre, somme, steppe, terrain, vallée.

PRAIRIE AMÉRICAINE (n. p.). Far West, Middle West.

PRAIRIE FRANCAISE (n. p.). Pré-aux-Clercs.

PRAIRIE SUISSE (n. p.). Grütli, Rütli.

PRALINE. Amuse-gueule, baba, biscuit, bonbon, canapé, chatterie, confiserie, douceur, friandise, gâterie, gourmandise, macaron, nanan, nougat, papillote, pâtisserie, sucette, sucrerie, tire, touron, truffe.

PRASÉODYME. Didyme, métal, pr.

PRATICABLE. Carrossable, commode, exécutable, facile, faisable, jetée, possible, réalisable, viable.

PRATICIEN. Docteur, ensemblier, licier, lissier, médecin, professionnel, spécialiste, stratège, technicien, thérapeute.

PRATIQUANT. Bénédictin, bouddhiste, bonze, carme, cloître, congréganiste, croyant, curé, derviche, dévot, ermite, eudiste, foi, frère, jésuite, juif, juste, lai, moine, mystique, oblat, pape, père, pieux, prêtre, rabbin, récollet, religieux, sacré, saint, séculier, sulpicien, trappiste, trinitaire.

PRATIQUE. Achalandé, acheteur, acquis, adapté, aisé, art, astucieux, auto-stop, commode, concret, coutume, éclectisme, efficace, émérite, essai, facile, fair-play, fonctionnel, malcommode, maniable, mantique, matériel, piercing, possible, positif, pragmatique, réaliste, routine, triolismr, usage, usuel, utile.

PRATIQUEMENT. Concrètement, effectivement, empiriquement, en fait, expérimentalement, guère, matériellement, objectivement, positivement, quasiment, réalistement, réellement, tangiblement, véritablement, vraiment.

PRATIQUER. Acquérir, amputer, boycotter, castrer, charcuter, déboucher, écobuer, éprouver, essayer, évider, exécuter, exercer, expérimenter, faire, livrer, miner, occuper, opérer, percer, perforer, piper, repiquer, skier, sodomiser, tâter, toréer, vasectomiser, viner.

PRÉ. Agrostide, agrostis, alpage, brome, cardamine, champ, colchique, domaine, embouche, engane, herbage, lande, mouillère, nard, noue, pacage, pampa, pâtis, pâturage, pelouse, prairie, savane, schorre, steppe, vallée.

PRÉALABLE. Antérieur, antécédent, auparavant, avant, précaire, précédent, préliminaire, premier, premièrement.

PRÉALABLEMENT. Ancien, antérieurement, auparavant, avant, ci-devant, déjà, précédemment, préliminairement, tôt.

PRÉAMBULE. Avant-propos, avertissement, avis, commencement, début, discours, exorde, introduction, notice, préface, préléminaire, prélude, prémices, présentation, prodrome, prolégomènes, prologue.

PRÉAVIS. Admonestation, admonition, alerte, avertissement, avis, blâme, conseil, gare, klaxon, leçon, lettre, marque, menace, mise en garde, monition, monitoire, observation, postface, préambule, prologue, recommandation, remontrance, réprimande, reproche, semonce, sifflet, signe, suggestion, tocsin, trompe, voix.

PRÉBENDE. Allocation, arrérages, avantage, bénéfice, chômage, faveur, fromage, lucratif, revenu.

PRÉCAIRE. Aléatoire, croulant, éphémère, fragile, fugace, incertain, instable, maladif, passager, révocable.

PRÉCAMBRIEN. Algonkien, antécambrien, archéen, cambrien, ère, huronien, primaire, protérozoïque.

PRÉCARISER. Affaiblir, changer, déjeter, dépeigner, déphaser, déplacer, dérégler, désaxer, désemparer, déséquilibrer, déstabiliser, détraquer, dévier, ébranler, écarter, égarer, fragiliser, gêner, importuner, infléchir, nuire, perturber.

PRÉCARITÉ. Brièveté, caducité, changement, déséquilibre, évanescence, fragilité, fugacité, instabilité.

PRÉCAUTION. Défense, garantie, hivernage, méfiance, ménagement, mesure, prudence, soin, sûreté.

PRÉCAUTIONNER. Armer, blinder, cuirasser, embâtonner, enchemiser, équiper, fournir, garnir, gratifier, gréer, instrumenter, lotir, monter, munir, nantir, outiller, pourvoir, prémunir, shunter, soutenir, tuteurer.

PRÉCAUTIONNEUSEMENT. Circonspection, logiquement, modérément, préventivement, probablement, prudemment, raisonnablement, rationnellement, sagement, sensément, vigilamment.

PRÉCAUTIONNEUX. Circonspect, minutieux, prévenant, prudent, scrupuleux, souteneux, soigneux.

PRÉCÈDE. Air, aïeul, allégresse, ambiance, ambiophonie, ascendant, atmosphère, aura, bonheur, cadre, climat, condition, convivialité, décor, enjouement, entourage, entrain, gaieté, lieu, milieu, sfumato, sphère, tonalité.

PRÉCÉDEMMENT. Ancien, antérieurement, auparavant, avant, ci-devant, déjà, préalablement, préliminairement, tôt.

PRÉCÉDENT. Annuellement, antan, antécédent, antérieur, avant, avant-garde, dernier, ex, exemple, jurisprudence, justification, ouverture, passé, pré, préalable, préambule, premier, prénatal, référence, réversal, unique.

PRÉCÉDER. Annoncer, antérieur, anticiper, ci, dépasser, devancer, diriger, distancer, émaner, marcher, passer, placer, préluder, prénatal, prendre, préparer, prévenir, primitif, prodrome, prologue, succéder.

PRÉCELLENCE. Aîné, aînesse, antériorité, avant, droit, pré, premier-né, préséance, prima, primauté, prioritaire, priorité.

PRÉCEPTE. Adage, aphorisme, apophtegme, commandement, conseil, coutume, dogme, enseignement, forme, formule, leçon, loi, maxime, mise, morale, norme, ordre, pratique, principe, règle, règlement, rite, sentence, soutra.

PRÉCEPTEUR (n. p.). Adrien, Aristote, Beauvilliers, Bossuet, Buchanan, Burrus, Candide, Dubois, Fénelon, Fleury, Genlis, Héloïse, Hölderlin, Joukovski, La Bruyère, Mentor, Politien.

PRÉCEPTEUR. Andragogue, cicérone, édificateur, éducateur, enseignant, éveilleur, façonneur, formateur, instituteur, instructeur, maître, mentor, moniteur, moralisateur, orienteur, professeur, rééducateur.

PRÊCHE. Avant, discours, exhortation, harangue, homélie, moralisateur, prédication, prône, sermon.

PRÊCHER. Annoncer, catéchiser, christianiser, conseiller, convertir, discourir, enseigner, évangéliser, exhorter, haranguer, instruire, moraliser, préconiser, prescrire, prôner, recommander, sermonner, vanter.

PRÊCHEUR. Avocat, baratineur, causeur, conférencier, débatteur, défenseur, discoureur, diseur, foudre, harangueur, moralisateur, orateur, parleur, péroreur, prédicant, prédicateur, rhéteur, tribun, verve.

PRÊCHI-PRÊCHA. Défaut, litanie, rabâchage, radotage, redite, refrain, rengaine, répétition, ritournelle.

PRÉCIEUSEMENT. Attentivement, chèrement, consciencieusement, curieusement, méticuleusement, minutieusement, onéreusement, précisément, proprement, ruineusement, scrupuleusement, soigneusement.

PRÉCIEUX. Avantageux, beau, bon, cher, fleuron, inestimable, maniéré, parfait, rare, riche, snob, utile.

PRÉCIOSITÉ. Affectation, afféterie, euphuisme, gongorisme, maniérisme, mièvrerie, mignardise, recherche, singularité.

PRÉCIPICE. Abîme, anfractuosité, aven, cavité, crevasse, danger, désastre, gouffre, malheur, ravin, rempart, ruine.

PRÉCIPITAMMENT. Allegro, ardemment, beaucoup, brusquement, brutalement, chauffer, durement, embraser, fortement, fulgurant, intensément, précipitamment, pressant, prestement, profondément, promptement, rapidement, riposter, scherzando, sèchement, vivement.

PRÉCIPITATION. Affolement, bousculade, brusquerie, empressement, fondre, fougue, frénésie, grêle, hâte, impatience, impétuosité, irréflexion, lenteur, longueur, mousson, neige, palpitation, pluie, précipité, promptitude, rapidité, ruade, vitesse, vivacité.

PRÉCIPITER. Accélérer, activer, brusquer, charger, courir, élancer, floculer, foncer, garrocher, hâter, jeter, lancer, presser, ruer, tomber.

PRÉCIS. Abrégé, absolu, argus, bref, catégorique, certain, clair, concis, conforme, court, défini, distinct, exact, explicite, expressément, fin, fixé, formel, franc, implicite, juste, net, pétant, pile, point, ponctuel, positif, réel, rigoureux, serré, strict, sûr, tapant, texte, tir, traité.

PRÉCISÉMENT. Clairement, consciencieusement, distinctement, exactement, fidèlement, justement, méticuleusement, nettement, pile, pilepoil, proprement, recta, religieusement, scrupuleusement, vaguement.

PRÉCISER. Ajuster, caractériser, clarifier, définir, délimiter, dessiner, détailler, déterminer, développer, distinguer, établir, expliciter, fixer, particulariser, redéfinir, souligner, spécifier, stipuler.

PRÉCISION. Clarté, concision, détail, exactitude, fermeté, justesse, même, minutie, nébuleux, netteté, rigueur, sûreté.

PRÉCOCE. Achondroplastie, anticipé, avancé, éjaculation, hâtif, mûr, prématuré, pressé, prodige, sénilisme, vernalisation.

PRÉCOCEMENT. Hâtivement, précipitation, prestement, promptement, rapidement, rapido, sitôt, tôt, vite.

PRÉCOCITÉ. Avance, brusquerie, brutalité, colère, crac, dureté, hâte, hostilité, impatience, prématurité, raideur, rapidité, rudesse, rudoiement, sécheresse, soudaineté.

PRÉCOGNITION. Clairvoyance, intuition, métapsychique, paranormal, parapsychique, parapsychologie, prémonition, prescience, pressentiment, psychokinésie, surnaturel, télépathie, transmission.

PRÉCOMPTE. Adénogramme, décompte, déduction, défalcation, estimation, liposuccion, ponction, prélèvement, réquisition, retenue, saignée, saisie, soustraction, thoracentèse, trigone.

PRÉCONISER. Conseiller, indiquer, louer, recommander, prêcher, prescrire, prôner, recommander, vanter.

PRÉCONISER. Annuler, assigner, commander, décréter, demander, dicter, disposer, édicter, enjoindre, fixer, forclore, imposer, observer, ordonner, prêcher, prescrire, proposer, recommander, régler, suggérer.

PRÉCURSEUR (n. p.). Adam, Ader, Argant, Bacon, Barbezon, Bierce, Groddeck, Icare, Lumière.

PRÉCURSEUR. Ancêtre, annonciateur, avant-coureur, avant-gardiste, créateur, devancier, fourrier, héraut, hydraule, initiateur, innovateur, inventeur, messager, nicotinique, novateur, pionnier, prédécesseur, promoteur, prophète, provitamine.

PRÉDATEUR. Animal, busard, chacal, charognard, chasseur, corbeau, corneille, fauve, goéland, hibou, hyène, pieuvre, plombiste, rapace, requin, tueur, turc, urubu, vautour.

PRÉDATION. Alibile, atrophie, chasse, nourricier, nutritif, hypotrophie, nutrition, proie, rapace.

PRÉDÉCESSEUR. Aïeul, aïeux, ancêtre, avant-garde, devancier, initiateur, innovateur, novateur, pionnier, précurseur.

PRÉDESTINATION. Avenir, chance, décès, destin, demain, destinée, devenir, disparition, étoile, existence, fatalité, fortuité, fortune, futur, hasard, horizon, karma, lendemain, mort, parque, perte, providence, sort.

PRÉDESTINER. Appeler, assurer, conserver, darbysme, destiner, disposer, économiser, élire, élu, épargner, garder, incliner, laisser, louer, ménager, monopoliser, prédestination, préparer, réserver, retenir, vouer.

PRÉDÉTERMINISME. Abandon, acceptation, adjudication, allégeance, déterminisme, devis, fatalisme, obédience, obéissance, offre, ordre, passivité, renoncement, résignation, servitude, soumission, victime.

PRÉDICANT. Avocat, baratineur, causeur, conférencier, débatteur, défenseur, discoureur, diseur, foudre, harangueur, intervenant, orateur, parleur, participant, péroreur, prêcheur, prédicateur, rhéteur, rhétoricien, tribun, verve.

PRÉDICAT. Adjectif, apanage, attribut, caractéristique, contingence, cuivré, emblème, marque, particularité, pedum, prédication, prérogative, proposition, propriété, qualité, relation, signe, symbole, syntagme.

PRÉDICATEUR. Conférencier, discoureur, diseur, évangéliste, lollard, moralisateur, orateur, prêcheur, prédicant, sermonneur, télévangéliste.

PRÉDICATEUR ANGLAIS (n. p.). Booth, Bunyan, Donne, Fox.

PRÉDICATEUR BRITANNIQUE (n. p.). Booth.

PRÉDICATEUR ÉCOSSAIS (n. p.). Dunbar.

PRÉDICATEUR FRANÇAIS (n. p.). Bossuet, Bourdaloue, Carré, Chayla, Cotin, Eudes, Feuardent, Fléchier, Hyacinthe, Lacordaire, Loyson, Maillard, Mascaron, Massillon.

PRÉDICATEUR ITALIEN (n. p.). Savonarole.

PRÉDICATEUR TCHÈQUE (n. p.). Hus.

PRÉDICATION. Abat-voix, chaire, discours, lollard, mission, oracle, prédicant, prophétie, sermon.

PRÉDICTION. Annonce, astrologie, augure, cassandre, horoscope, prédicateur, présage, prophétie, révélation.

PRÉDILECTION. Adoration, affection, amitié, amour, attachement, bonté, caresse, cœur, complaisance, dévotion, dévouement, dilection, douceur, effusion, égards, flamme, gentillesse, humanité, inclination, passion, sensibilité, sentiment, sympathie, tendresse, zèle.

PRÉDIRE. Annoncer, arriver, augurer, deviner, dire, présager, promettre, pronostiquer, prophétiser, vaticiner.

PRÉDISPOSÉ. Affaiblir, anémie, bénin, blême, bon, chétif, débile, enclin, énervé, épuisé, éreinté, étiolé, faiblard, faible, fatigué, fluet, grêle, léger, menu, mince, mou, pâle, penchant, petit, porté, précaire, sexe, usé, veule, vil, vulnérable.

PRÉDISPOSER. Amadouer, amener, appeler, avancer, destiner, disposer, incliner, influencer, penchant, porter, pousser, préadapter, prédéterminer, prédestiner, préparer, tendance.

PRÉDISPOSITION. Adresse, appellation, aptitude, art, bosse, capacité, compétence, digestibilité, disposition, don, endurance, esprit, facilité, faculté, fécondité, finesse, génie, goût, habilitation, habileté, infus, inné, natif, né, oreille, penchant, propension, qualification, réceptivité, sensualité, talent, tendance, test, titre.

PRÉDIT. Annonciateur, augure, avant-coureur, cassandre, devin, héraut, précurseur, premier, présage, prémonitoire, prophétique.

PRÉDOMINANCE. Avantage, dessus, dominance, domination, hégémonie, leadership, prépondérance, prééminence, préférence, prépondérance, préséance, primauté, priorité, supériorité, suprématie.

PRÉDOMINANT. Âme, axe, capital, cardinal, central, centre, clé, clef, centre, décisif, directeur, dominant, essentiel, fondamental, grand, important, maître, manualité, nerf, pivot, premier, primordial, principal.

PRÉDOMINER. Battre, bouc, dépasser, devancer, distancer, dominer, éclipser, emporter, fort, important, item, laisser, outre, outrepasser, par-dessus, plus, prévaloir, primer, sac, surclasser, surmonter, surpasser.

PRÉÉMINENCE. Domination, hégémonie, leadership, prédominance, prépondérance, primauté, supériorité, suprématie.

PRÉFACE. Avant-propos, avertissement, avis, canon, début, discours, introduction, messe, notice, postface, préambule, préfacier, prélude, présentation, proème, prolégomènes, prologue, prodrome, texte.

PRÉFECTURE (n. p.). Cayenne, Cergy, Créteil, Faya-Largeau, Izumo, Moronobu.

PRÉFECTURE. Arrondissement, canton, chef-lieu, circonscription, cité, comté, délimitation, dème, division, district, doyenné, éparchie, finage, igamie, localiser, pagus, préfet, restreindre, secteur, zone.

PRÉFÉRABLE. Ad hoc, adonne, afférent, analysant, approprier, attitré, choisi, convient, habillé, hominem, idoine, impropre, meilleur, messeoir, mieux, rêvé, seyant, sied, supérieur, va, valoir.

PRÉFÉRABLEMENT. Acceptablement, adéquat, amplement, assez, autant, basta, class, congru, convenable, marre, mieux, passable, passablement, plutôt, préférence, relativement, suffisant, valablement.

PRÉFÉRÉ. Attiré, attitré, chéri, choisi, chouchou, coqueluche, copain, élu, favori, fétiche, mieux, privilégié.

PRÉFÉRENCE. Affection, avantage, faiblesse, goût, option, partialité, penchant, plutôt, prédilection, propension.

PRÉFÉRER. Adopter, aimer, attitrer, chérir, choisir, choyer, élire, gêter, incliner, meilleur, opter, pencher.

PRÉFET (n. p.). Bourienne, Burrus, Cassiodore, Chiappe, Cicognani, Collett, Haussmann, Lépine, Moulin, Papinien, Rambuteau, Réal, Séjan, Symmaque, Tibère, Ulbien.

PRÉFET. Arabe, archonte, bourgmestre, cadi, cours, décemvir, échevin, édile, éparque, éphore, fonctionnaire, juge, jurât, magistrat, maire, maître, ministre, podestat, polémarque, préteur, prévarication, procureur, robe, robin, surveillant, toque, tribun.

PRÉFIGURER. Accoler, annoncer, apparaître, croire, dessiner, figurer, imaginer, incarner, interpréter, ongle, personnifier, réaliser, réfléchir, réincarner, représenter, revivre, symboliser, verbe.

PRÉFIXE. Ab, abs, ad, aer, anté, anti, archi, auto, bi, co, da, déca, deuto, di, dia, éco, épi, éso, ex, extra, géo, hect, hémi, hyper, im, in, infra, inn, inter, intra, ir, iso, juxta, kilo, me, meg, méga, mes, méso, méta, mi, micro, milli, mono, nano, nécro, néo, ob, oct, octo, para, per, phil, pico, post, pré, préverbe, pseudo, re, rétro, semi, sesqui, simili, sub, super, supra, syn, télé, téra, tétra, thermo, trans, ultra, yocto, yotta.

PRÉFIXE MULTIPLICATEUR. Atto, centi, déca, giga, hecto, meg, méga, nano, peta, pico, téra.

PRÉFIXER. Adsorber, amarrer, ancrer, arrêter, arrimer, asseoir, assujettir, attacher, caler, claveter, clouer, coincer, coller, coter, déterminer, enraciner, entoiler, établir, évaluer, fermer, ficher, figer, fixer, graver, immigrer, imprimer, installer, lier, mémoriser, pendre, punaiser, reclouer, régler, retenir, river, router, sine die, stabiliser, suspendre, terminer, visser.

PRÉHENSILE. Absorbant, accrocheur, captivant, entièrement, essuie-tout, fascinant, hydrophile, palpitant, perméable, pince, préhenseur, prenant, queue, saisissant, singe.

PRÉHENSION. Arrestation, arrêt, butin, capture, ciseau, clé, clef, conquête, descente, dispute, emprise, enlèvement, levée, moyen, prendre, prise, proie, querelle, rafle, saisie, saisir, saisissement, scène, tentacule, unité.

PRÉHISTOIRE. Ancien, archéologie, démodé, fossile, géologie, mésolithique, paléontologie, sillez, würm.

PRÉHISTORIEN (n. p.). Binford, Bird, Breuil, Childe, Lartet, Mortillet, Peyrony.

PRÉHISTORIQUE. Anachronique, ancien, antédiluvien, antique, archaïque, arriéré, caduc, démodé, dépassé, désuet, fossile, inactuel, moyenâgeux, obsolescent, obsolète, périmé, préhistoire, suranné, vétuste.

PRÉHOMONIDÉ. Fossile, hominien, homo erectus, hominidé, pithécanthrope, sinanthrope.

PRÉJUDICE. Atteinte, baraterie, châtiment, dam, danger, désavantage, détriment, dommage, gêne, grief, lésion, mal, nuisance, perte, risque, tort.

PRÉJUDICIABLE. Antithétique, attentatoire, contraire, dangereux, défavorable, désavantageux, dommageable, fatal, funeste, inverse, malin, malsain, mauvais, nocif, nuisible, pernicieux, sinistre, subversif.

PRÉJUDICIER. Abîmer, accuser, blâmer, blesser, censurer, condamner, critiquer, dauber, désapprouver, excommunier, flétrir, honnir, huer, incriminer, interdire, larder, nuire, proscrire, punir, reprendre, réprimander, reprocher, saler, salir, sévir, stigmatiser, vitupérer.

PRÉJUGÉ. A priori, cliché, démagogique, domination, erreur, habitude, idée, imposé, jugement, œillère, opinion, parti pris, passion, préconçu, préoccupation, présomption, routine, snob, supposition, tradition.

PRÉJUGER. Annoncer, anticiper, augurer, avant, découvrir, devancer, dévoiler, empiéter, envisager, escompter, espérer, prédire, présager, présumer, prévoir, sonder, supposer, usurper, visionnaire.

PRÉLART. Bâche, carpette, couvre-plancher, lino, linoléum, marqueterie, moquette, tapis, toile, tuile.

PRÉLASSER. Abandonner, abdiquer, capituler, céder, confier, décrocher, délaisser, démettre, démissionner, dériver, déserter, désister, donner, droper, dropper, évacuer, flancher, fuir, goberger, jeter, lâcher, laisser, larguer, léguer, lézarder, livrer, luxure, négliger, oublier, partir, plaquer, quitter, rancart, royaumer, renier, renoncer, semer, séparer, succomber, trahir, vider.

PRÉLAT. Cardinal, chamoine, évêque, exarque, métropolite, mitre, monsignore, nonce, pape, pontife, primat, protonotaire, tunicelle, vice-légat.

PRÉLAT ALLEMAND (n. p.). Ketteler, Ratzinger.

PRÉLAT AMÉRICAIN (n. p.). Spellman.

PRÉLAT ANGLAIS (n. p.). Arundel, Atterbury, Lanfranc, Langton, Laud, Newman, Pole, Wolsey.

PRÉLAT BELGE (n. p.). Grauls, Hamer, Mercier, Suenens.

PRÉLAT BRITANNIQUE (n. p.). Manning, Wiseman.

PRÉLAT CANADIEN (n. p.). Léger, Roy, Turcotte.

PRÉLAT CROATE (n. p.). Strosmajer.

PRÉLAT DANOIS (n. p.). Eskil, Pauli.

PRÉLAT ESPAGNOL (n. p.). Albornoz, Balbuena, Cisneros, Léandre, Ildefonse, Pacien, Tosta, Varela.

PRÉLAT FRANÇAIS (n. p.). Ailly, Amyot, Balue, Bernier, Bertrand, Bérulle, Bossuet, Bourbon, Briçonnet, Cauchon, Daniélou, Darboy, Dupanloup, Expilly, Fauchet, Fesch, Fillastre, Foulques, Frayssinous, Freppel, Lacordaire, Laval, Lavigerie, Lefebvre, Liénart, Lubac, Lustiger, Massillon, Maurin, Maury, Pavillon, Pompignan, Richelieu, Suhard, Sully, Tisserant, Tournon, Villot.

PRÉLAT GALLO-ROMAIN (n. p.). Avit, Avitus.

PRÉLAT GREC (n. p.). Athênagoras, Damaskinos, Dhamaskinos, Eusèbe, Oikonomos, Paulus.

PRÉLAT HONGROIS (n. p.). Mindszenty.

PRÉLAT IRLANDAIS (n. p.). Malachie.

PRÉLAT ITALIEN (n. p.). Balducci, Cajetan, Caprara, Cauchon, Gasparri, Liutprand, Riario.

PRÉLAT MILANAIS (n. p.). Birague.

PRÉLAT POLONAIS (n. p.). Krasicki, Wojtila, Wyszynski.

PRÉLAT RUSSE (n. p.). Nikon.

PRÉLAT SUD-AFRICAIN (n. p.). Tutu.

PRÉLAT SUÉDOIS (n. p.). Söderblom.

PRÉLAT TANZANIEN (n. p.). Rugambwa.

PRÈLE. Algue, champignon, cistule, cryptogame, entomostracé, équisétinée, filicinée, fougère, isoète, lycopode, lycopodinée, mildiou, plante, ptéridophyte, presle, queue-de-rat, rouille, soie, sore, spore, stipe, urne.

PRÉLÈVEMENT. Amortissement, biopsie, contribution, coupe, cueillage, distraction, impôt, ponction, réserve, saignée, soutirage, taxe.

PRÉLEVER. Carotter, décimateur, distraire, enlever, exiger, extraire, imposer, imputable, lever, ôter, peler, percevoir, ponctionner, prendre, puiser, retenir, retirer, retrancher, rogner, soustraire, soutirer, tirage, zester.

PRÉLIMINAIRE. Avant-propos, commencement, début, exorde, initiation, introductif, introduction, lemme, liminaire, négociation, préalable, préambule, préface, prélude, préparatoire, présélection, prodrome, prologue.

PRÉLUDE. Annonce, coma, commencement, début, introduction, ouverture, préambule, préliminaire, prologue.

PRÉLUDER. Alerter, annoncer, apprendre, augurer, avertir, aviser, citer, commencer, communiquer, déceler, déclarer, dénoncer, dénoter, dire, exhaler, exposer, indiquer, informer, instruire, lire, marquer, notifier, parler, prêcher, prédire, présager, proclamer, publier, reparler, recauser, révéler, signaler, sonner, tinter.

PRÉMATURÉ. Abortif, anticipé, avancé, hâtif, matinal, précipité, précoce, prémices, pressant, pressé, tôt, urgent.

PRÉMÉDITATION. Assassinat, but, calcul, conception, dessein, entreprise, guet-apens, idée, intention, ligue, malveillance, meurtre, objet, plan, programme, projet, réflexion, résolution, visée, voie, vue.

PRÉMÉDITER. Calculer, combiner, couver, machiner, manigancer, mijoter, ourdir, préparer, projeter, tramer.

PRÉMICES. Alpha, amorce, arrivée, aube, aurore, avènement, blet, bout, commencement, de, début, déclenchement, départ, embryon, entrée, germe, initial, lever, matin, naissance, natif, novice, orée, origine, ouverture, principe, seuil, source, tête.

PREMIER (n. p.). Adam, Épiméthée, Icare, Noé.

PREMIER. Abc, aîné, ancêtre, aoriste, a priori, as, aube, baccalauréat, calendes, capital, chef, créateur, début, dominant, ébauche, entame, étrenne, genèse, incipit, initial, liminaire, maire, major, meilleur, original, origine, patron, pionnier, précurseur, primarité, primauté, prime, primidi, primitif, princeps, priorité, prochain, propédeutique, rang, roi, supérieur, têtard, tête, un.

PREMIER MINISTRE ANGLAIS (n. p.). Clarendon, Danby.

PREMIER MINISTRE ARABIE SAOUDITE (n. p.). Fayçal, Faysal.

PREMIER MINISTRE AUSTRALIEN (n. p.). Hawke, Howard, Keating, Menzies.

PREMIER MINISTRE BELGE (n. p.). Brouckère, Dehaene, Eyskens, Jaspar, Lefèvre, Martens, Spaak, Van Acker, Van Zeeland, Verhofstadt.

PREMIER MINISTRE BIRMAN (n. p.). Newin.

PREMIER MINISTRE BRITANNIQUE (n. p.). Aberdeen, Addington, Asquith, Attlee, Baldwin, Balfour, Blair, Bolingbroke, Bute, Callaghan, Cambell, Bannerman, Canning, Chamberlain, Churchill, Derby, Disraeli, Douglasss-Home, Eden, Gladstone, Grenville, Grey, Heath, Macmillan, Major, Melbourne, Palmerston, Peel, Pitt, Russell, Salisbury, Thatcher, Wellington, Wilson.

PREMIER MINISTRE BULGARE (n. p.). Stambolijski.

PREMIER MINISTRE CAMBODGIEN (n. p.). Hun Sen, Lon Nol, Norodom Sihanouk, Pol Pot.

PREMIER MINISTRE CANADIEN (n. p.). Abbott, Bennett, Borden, Bowell, Campbell, Chrétien, Clark, Diefenbaker, Harper, King, Laurier, Macdonald, Mackenzie King, Martin, Meighen, Mulroney, Pearson, Saint-Laurent, Thompson, Trudeau, Tupper, Turner.

PREMIER MINISTRE CHINOIS (n. p.). Chou En-Lai, Hua Guofeng, Li Peng, Yuan Shikaï, Zhou Enlai.

PREMIER MINISTRE CINGHALAIS (n. p.). Senanayake.

PREMIER MINISTRE CONGOLAIS (n. p.). Lumumba.

PREMIER MINISTRE CUBAIN (n. p.). Castro.

PREMIER MINISTRE DANOIS (n. p.). Rasmussen, Schlüter.

PREMIER MINISTRE ÉGYPTIEN (n. p.). Nahhas Pacha.

PREMIER MINISTRE ESPAGNOL (n. p.). Floridablanca, Lerma, Sagasta.

PREMIER MINISTRE ÉTHIOPIEN (n. p.). Zenawi.

PREMIER MINISTRE FINLANDAIS (n. p.). Kekkonen, Lipponen.

PREMIER MINISTRE FRANÇAIS (n. p.). Auriol, Balladur, Barre, Bérégovoy, Chaban-Delmas, Chirac, Couve de Murville, Cresson, Debré, Dubois, Fabius, Jospin, Juppé, Mauroy, Messmer, Mitterrand, Pompidou, Raffarin, Richelieu, Rocard, Villepin, Viviani.

PREMIER MINISTRE GREC (n. p.). Caramanlis, Karamanlis, Mavrocordato, Mavrokordhatos, Papaghos, Papagos, Papandhreou, Simitis, Venizélos.

PREMIER MINISTRE HAÏTI (n. p.). Latortue.

PREMIER MINISTRE HONGROIS (n. p.). Antal, Nagy.

PREMIER MINISTRE INDIEN (n. p.). Nehru, Rao, Singh, Vajpayee.

PREMIER MINISTRE IRANIEN (n. p.). Mossadegh.

PREMIER MINISTRE IRLANDAIS (n. p.). Ahern, De Valera, Lynch, Trimble.

PREMIER MINISTRE ISRAÉLIEN (n. p.). Barak, Eshkol, Meir, Netanyahou, Olmert, Peres, Rabin, Shamir, Sharon.

PREMIER MINISTRE ITALIEN (n. p.). Alberoni.

PREMIER MINISTRE JAPONAIS (n. p.). Sato Eisaku, Toyotomi Hideyoshi.

PREMIER MINISTRE LAOTIEN (n. p.). Souvanna Phouma.

PREMIER MINISTRE LIBANAIS (n. p.). Aoun, Hariri, Karamé.

PREMIER MINISTRE LUXEMBOURGEOIS (n. p.). Juncker, Santer.

PREMIER MINISTRE MONGOL (n. p.). Tchoibalsan.

PREMIER MINISTRE NÉERLANDAIS (n. p.). Balkenende, Kok, Lubbers.

PREMIER MINISTRE NORVÉGIEN (n. p.). Brundtland.

PREMIER MINISTRE NUNAVUT (n. p.). Okalik.

PREMIER MINISTRE PAKISTANAIS (n. p.). Bhutto.

PREMIER MINISTRE PALESTINIEN (n. p.). Ahmad Qoreï.Mahmous Abbas.

PREMIER MINISTRE PÉRUVIEN (n. p.). Pérez de Cuéllar

PREMIER MINISTRE POLONAIS (n. p.). Jaruzelski, Mazowiecki.

PREMIER MINISTRE PORTUGAIS (n. p.). Barroso, Guterres, Pombal, Silvas, Soares, Socrates.

PREMIER MINISTRE ROUMAIN (n. p.). Bratianu.

PREMIER MINISTRE RUSSE (n. p.). Poutine.

PREMIER MINISTRE QUÉBEC (n. p.). Barrette, Bertrand, Bouchard, Boucher, Bourassa, Charest, Chapleau, Chauveau, Duplessis, Flynn, Godbout, Gouin, Johnson, Joly, Landry, Lesage, Lévesque, Marchand, Mercier, Mousseau, Ouimet, Parent, Parizeau, Ross, Taillon, Taschereau.

PREMIER MINISTRE SÉNÉGALAIS (n. p.). Diouf.

PREMIER MINISTRE SERBE (n. p.). Kostunica.

PREMIER MINISTRE SIERRA LEONE (n. p.). Stevens.

PREMIER MINISTRE SLOVAQUE (n. p.). Meciar.

PREMIER MINISTRE SRI LANKAIS (n. p.). Bandaranaike, Jayawardene.

PREMIER MINISTRE SUD-AFRICAIN (n. p.). Botha, Smuts, Verwoerd, Vorster.

PREMIER MINISTRE SUÉDOIS (n. p.). Bildt, Carlsson, De Geer, Palme, Persson.

PREMIER MINISTRE TCHADIEN (n. p.). Habré.

PREMIER MINISTRE TCHÉCOSLOVAQUE (n. p.). Masaryk.

PREMIER MINISTRE TCHÈQUE (n. p.). Klaus.

PREMIER MINISTRE TURC (n. p.). Demirel, Ecevit, Erdogan, Inönü, Özal.

PREMIER MINISTRE UKRAINIEN (n. p.). Louchtchenko, Koutchma.

PREMIER MINISTRE VIETNAMIEN (n. p.). Ngô Pinh Diêm, Pharvandông.

PREMIER MINISTRE ZIMBABWE (n. p.). Mugabe, Smith.

PREMIÈRE (n. p.). Pandore.

PREMIÈRE. Avant, classe, début, entame, ère, exorde, générale, inédit, qualité, prémices, reine, rudiment, semelle.

PREMIÈREMENT. A priori, auparavant, avant, initialement, préalable, précaire, préliminaire, premier, primo.

PREMIER-NÉ. Aîné, aînesse, antériorité, avant, droit, pré, précellence, préséance, prima, primauté, prioritaire, priorité.

PRÉMISSE. Amorce, embryon, enthymème, fait, germe, mineur, origine, racine, source, syllogisme.

PRÉMOLAIRE. Abcès, appétit, bouche, bridge, canine, carie, carnassier, cément, chaîne, couronne, croc, défense, dent, dentelure, dentition, édenté, émail, engrenage, gomphose, incisive, mâchoire, molaire, morfil, odontologie, or, osanore, pince, pissenlit, quenotte, rancune, sagesse, salade, surdent, talion.

PRÉMONITION. Anticipation, divination, flair, impression, instinct, intuition, métapsychique, paranormal, parapsychique, parapsychologie, précognition, prédiction, prescience, pressentiment, prévision, télépathie.

PRÉMONITOIRE. Annonciateur, avant-coureur, devin, héraut, précurseur, premier, présage, prodromique, prophétique.

PRÉMUNIR. Alerter, armer, assurer, avertir, garantir, parer, précautionner, prévenir, protéger, renforcer, vacciner.

PRENANT. Absorbant, attirant, captivant, intéressant, palpitant, passionnant, ravissant, séduisant.

PRENDRE (4 lettres). Lacs, lire, ôter, rire.

PRENDRE (5 lettres). Aimer, boire, dîner, figer, jouer, louer, munir, noter, parer, peser, piger, ravir, tirer, virer, voler.

PRENDRE (6 lettres). Arguer, avaler, capter, cesser, chiper, choper, courir, écoper, forcer, frimer, gagner, glacer, imiter, manier, mouler, naître, obvier, partir, pêcher, piéger, pincer, piquer, puiser, rafler, saisir, servir, souper.

PRENDRE (7 lettres). Aborder, acheter, adopter, agrafer, arrêter, assumer, badiner, choisir, coincer, dérober, écrémer, emmener, emparer, engager, engluer, enlever, envahir, envoyer, épouser, rapiner, régaler, relever, retirer, toucher.

PRENDRE (8 lettres). Absorber, accepter, affréter, agripper, apponter, arracher, atterrir, attester, attraper, bedonner, capturer, décamper, déjeuner, embraser, empiéter, enferrer, festoyer, goberger, louvoyer, prélever, protéger, rabioter, ramasser, respirer, succéder.

PRENDRE (9 lettres). Accaparer, bifurquer, conquérir, conspirer, consulter, empoigner, emprunter, engloutir.

PRENDRE (10 lettres). Accoutumer, engraisser, intercepter, ponctionner, ratiboiser, recueillir, renseigner, reprendre, soustraire, surprendre.

PRENDRE (11 lettres). Administrer, appréhender, contraindre, embarrasser, intercepter, plastronner, sanctionner, tergiverser.

PRENDRE (12 lettres). Américaniser, collationner, entreprendre, inexpugnable, saucissonner.

PRENEUR. Acheteur, amateur, amodiataire, bailleur, commandataire, concessionnaire, créancier, distributeur, emphytéote, intermédiaire, intéressé, loueur, opérateur, prêteur, propriétaire, représentant, son, sponsor, titulaire.

PRENEUR À BAIL. Actionnaire, amodiataire, associé, bailleur, capitaliste, commandataire, emphytéote, jetonnier, partenaire, porteur, propriétaire, sociétaire.

PRÉNOM. Antécédent, apôtre, évangéliste, nom, pape, petit nom, saint.

PRÉNOM FÉMININ (3 lettres) (n. p.). Éva, Ève, Ida, Léa, Lia, Mia, Zoé.

PRÉNOM FÉMININ (4 lettres) (n. p.). Alma, Anne, Emma, Irma, Lise, Luce, Lyne, Nora, Olga, Rita, Rose.

PRÉNOM FÉMININ (n. p.) (5 lettres) (n. p.). Adèle, Agnès, Alice, Aline, Anita, Chloé, Diane, Doris, Édith, Élise, Gemma, Irène, Josée, Julie, Laura, Laure, Liane, Linda, Lucie, Manon, Marie, Maude, Megan, Ninon, Noémi, Odile, Olive, Paule, Renée, Sarah.

PRÉNOM FÉMININ (6 lettres) (n. p.). Agathe, Amélie, Andrée, Angèle, Ariane, Aurore, Audrey, Berthe, Carine, Carmen, Carole, Cécile, Céline, Claire, Claude, Daphné, Denise, Éliane, Élodie, Éloïse, Émélie, Émilie, Esther, France, Gisèle, Hélène, Ingrid, Jeanne, Judith, Karine, Léonie, Lolita, Louise, Lyanne, Muriel, Nicole, Noëlla, Odette, Pamela, Régine, Sandra, Simone, Sophie, Sylvie, Ursule, Yvette, Yvonne.

PRÉNOM FÉMININ (7 lettres) (n. p.). Abeille, Adéline, Alberte, Aufélie, Barbara, Blanche, Camille, Chantal, Colette, Colombe, Corinne, Danièle, Dolorès, Estelle, Eulalie, Éveline, Gaétane, Ginette, Jessica, Josette, Justine, Liliane, Lucille, Martine, Mélanie, Michèle, Monique, Pascale, Rachèle, Rolande, Rosalie, Solange, Suzanne, Thérèse, Valérie, Vanessa, Viviane, Yolande.

PRÉNOM FÉMININ (8 lettres) (n. p.). Adrienne, Béatrice, Brigitte, Clémence, Danielle, Dorothée, Fabienne, Fernande, Florence, Francine, Germaine, Gilberte, Huguette, Isabelle, Jacinthe, Jocelyne, Lorraine, Marcelle, Marianne, Mathilde, Mireille, Murielle, Nathalie, Raymonde, Sandrine, Victoria, Violaine, Violette, Virginie.

PRÉNOM FÉMININ (9 lettres) (n. p.). Alexandra, Angélique, Armandine, Catherine, Célestine, Charlotte, Christine, Constance, Dominique, Élisabeth, Ernestine, Françoise, Gabrielle, Geneviève, Georgette, Géraldine, Ghislaine, Henriette, Joséphine, Madeleine, Micheline, Stéphanie, Véronique, Victorine.

PRÉNOM FÉMININ (10 lettres) (n. p.). Antoinette, Bernadette, Christiane, Emmanuelle, Frédérique, Jacqueline, Marguerite.

PRÉNOM FÉMININ (11 lettres) (n. p.). Victorienne.

PRÉNOM MASCULIN (2 lettres) (n. p.). Al, Ed.

PRÉNOM MASCULIN (3 lettres) (n. p.). Guy, Léo, Luc, Max.

PRÉNOM MASCULIN (4 lettres) (n. p.). Aimé, Alex, Carl, Éloi, Éric, Érik, Igor, Ivan, Jean, Joël, Karl, Léon, Marc, Noël, Omer, Paul, Réal, Rémi, René, Yann, Yvan, Yves, Yvon.

PRÉNOM MASCULIN (5 lettres) (n. p.). Alain, André, Bruno, David, Denis, Donat, Émile, Félix, Henri, Hervé, Jules, Louis, Oscar, Ovide, Raoul, Régis, Roger, Serge, Simon.

PRÉNOM MASCULIN (6 lettres) (n. p.). Adrien, Albert, Alexis, Alfred, Amédée, Armand, Arsène, Arthur, Aubert, Benoît, Cédric, Claude, Damase, Damien, Daniel, Edmond, Ernest, Eudore, Eugène, Gaétan, Gaston, Gérald, Gérard, Gilles, Hector, Hubert, Hugues, Ignace, Irénée, Jérôme, Joseph, Julien, Justin, Lionel, Léonce, Lucien, Marcel, Marius, Martin, Maxime, Michel, Odéric, Odilon, Pascal, Pierre, Robert, Roland, Romain, Ronald, Samuel, Thomas, Trista, Valère, Victor, Xavier.

PRÉNOM MASCULIN (7 lettres) (n. p.). Anatole, Antoine, Auguste, Bernard, Charles, Clément, Édouard, Émilien, Étienne, Fernand, Florent, Gabriel, Germain, Georges, Gilbert, Hilaire, Isidore, Jacques, Jérémie, Jocelyn, Lambert, Laurent, Laurier, Léopold, Mathias, Mathieu, Maurice, Médéric, Nicolas, Normand, Olivier, Patrice, Patrick, Raphaël, Sylvain, Raymond, Ricardo, Richard, Romuald, Rosaire, Rosario, Séverin, Vincent, Wilfrid, Yannick.

PRÉNOM MASCULIN (8 lettres) (n. p.). Alphonse, Benjamin, Bertrand, Emmanuel, François, Frédéric, Valentin, Ghislain, Grégoire, Philippe, Stéphane.

PRÉNOM MASCULIN (9 lettres) (n. p.). Alexandre, Christian, Dominique, Guillaume, Sébastien.

PRÉNOM MASCULIN (10 lettres) (n. p.). Christophe.

PRÉNOMMER. Apostropher, apparaître, appeler, aspirer, assigner, attirer, baptiser, bénir, biper, caser, choisir, citer, commander, convier, convoquer, crier, demander, désigner, désirer, élever, élire, enrôler, entraîner, épeler, évoquer, exiger, héler, hep, holà, hucher, incorporer, interpeller, intimer, intituler, inviter, invoquer, mander, maudire, mobiliser, nommer, pst, qualifier, rappeler, réclamer, recourir, recruter, référer, remettre, requérir, siffler, solliciter, sonner, SOS, souhaiter, soumettre, surnommer, téléphoner.

PRÉNOTION. Anticipation, à-valoir, avance, avancement, avenir, devancement, empiétement, futurologie, présage, prescience, présomption, prévision, prolepse, pronostic, prospective, science-fiction, usurpation.

PRÉOCCUPANT. Accablant, affligeant, algique, amer, chagrin, critique, cruel, cuisant, dangereux, déchirant, difficile, douloureux, dramatique, endolori, éprouvant, grave, malheureux, pénible, sensible, triste.

PRÉOCCUPATION. Agitation, angoisse, anxiété, aria, ennui, état d'âme, préjugé, soin, souci, tourment, tracas.

PRÉOCCUPÉ. Absorbé, anxieux, chagriné, ennuyé, inquiet, libre, pensif, polard, songeur, soucieux, tendu, tracassé.

PRÉOCCUPER. Chiffonner, embarrasser, ennuyer, inquiéter, penser, soucier, tarabuster, titiller, tourmenter, tracasser, travailler, trotter.

PRÉPARATEUR. Adjoint, aide, assistant, associé, collaborateur, collaborationniste, collègue, espion, état-major, incivique, lecteur, maréchaliste, moniteur, pétainiste, pétainiste, précurseur, répétiteur, second, traître.

PRÉPARATIF. Appareil, apprêt, armement, branle-bas, confection, dispositif, élaboration, organisation, préparation.

PRÉPARATION. Apprentissage, apprêt, aspic, bâtonnier, baume, boudin, brandade, calcul, cataplasme, conception, corroierie, cosmétique, crème, écobuage, élaboration, embrocation, émulsion, encre, entraînement, escabèche, galette, gestation, grisons, guacamole, hachis, julep, jus, lait, laudanum, liniment, marinade, masque, matelote, médaillon, mégie, mirepoix, mousse, museau, opiat, organisation, osso-buco, pain, pâte, pâtisserie, pemmican, pistou, pommade, potion, poudre, pralin, préparatifs, projet, purée, quenelle, recette, rillettes, rillons, risotto, rissolé, rogue, rosat, rougail, rouille, roux, sabayon, salpicon, sauce, saucisse, saumure, saupiquet, sauté, soluté, rosat, tablette, tarama, teinture, timbale, vin.

PRÉPARATOIRE. Avant-projet, classe, commencement, cours, étude, exorde, exploratoire, hypotaupe, introductif, introduction, khâgne, préalable, préambule, préface, préliminaire, prélude, projet, prologue.

PRÉPARÉ. Accommodé, arrangé, bouilli, braisé, brut, cuit, disposé, écru, étudié, improvisé, ort, prêt, taillé.

PRÉPARER. Accommoder, aménager, apprêter, arranger, calculer, chamoiser, comploter, concerter, concocter, couver, cuire, disposer, doser, dresser, élaborer, entraîner, façonner, fomenter, fourbir, hongroyer, infuser, manigancer, méditer, ménager, mettre, mijoter, mitonner, ourdir, peaufiner, planifier, praliner, prédisposer, préméditer, prévoir, réorganiser, réserver, rober, seller, tamponner, tramer, tricoter, trousser.

PRÉPONDÉRANCE. Avantage, dessus, domination, hégémonie, influence, leadership, prédominance, prééminence, préférence, préséance, primauté, priorité, supériorité, suprématie, transcendance.

PRÉPONDÉRANT. Dominant, essentiel, prédominant, prééminent, premier, primordial, principal, supérieur.

PRÉPOSÉ. Agent, amareyeur, bibliothécaire, buraliste, cachetier, chargé, commis, crieur, délégué, employé, facteur, garde-barrière, guichetier, panetier, pompiste, représentant, responsable, salarié, tourier, travailleur, voyer.

PRÉPOSER. Affecter, aposter, armer, arranger, asseoir, caler, caser, centrer, charger, commettre, déplacer, déposer, disposer, employer, espacer, établir, fixer, fourrer, insérer, installer, interposer, lever, liftier, loger, mettre, peser, placer, poser, positionner, poster, rajuster, ranger, rehausser, remiser, seoir, serrer, servir, situer.

PRÉPOSITION. Après, attendu, avant, avec, chez, concernant, contre, dans, de, deçà, delà, depuis, derrière, dès, devant, durant, en, entre, envers, ès, excepté, fors, hormis, hors, jusque, malgré, moyennant, négation, outre, par, parmi, passé, pendant, plein, pour, prépositif, prépositionnel, près, proche, sans, sauf, selon, sous, suivant, supposé, sur, syntagme, touchant, trans, vers, via, voilà, vu.

PRÉPUCE. Anatomie, circoncision, gland, longueur, pénis, phimosis, posthite, repli, sexe, tringle, verge.

PRÉROGATIVE. Attribut, attribution, avantage, autorité, avantage, dignité, don, droit, émériat, faculté, honneur, immunité, indult, juridiction, nomenklatura, pouvoir, préséance, privilège, véto.

PRÈS. Adjacent, approximativement, attenant, auprès, autour, contigu, contre, court, instance, jouxté, limitrophe, lès, lez, loin, mitoyen, presque, proche, quasi, quasiment, ras, rasibus, récent, tangent, tangente, touchant, touche-touche, voici, voisin.

PRÉSAGE. Annonce, augure, auspices, demande, devinette, flair, futur, horoscope, menace, prédiction, prodrome, signe, symptôme.

PRÉSAGER. Annoncer, anticiper, augurer, conjecturer, menacer, prédire, préluder, prévoir, promettre, pronostiquer.

PRESBYTÈRE. Abbé, archiprêtre, couvent, cure, curial, habitation, maison, paroisse, prêtre, puritain.

PRESBYTÉRIEN. Adventiste, anglican, baptiste, calviniste, conformiste, darbysme, évangéliste, fondamentaliste, hérétique, huguenot, luthérien, mennonite, méthodiste, morave, mormon, orangiste, pentecôtiste, piétiste, protestant, puritain, quaker, réformé, revival.

PRESBYTIE. Acclimatation, accommodation, accoutumance, adaptation, ajustement, apprivoisement, assuétude.

PRESCIENCE. Anticipation, avenir, flair, intuitif, intuition, prémonition, pressentiment, prévision, pronostic.

PRESCRIPTEUR. Administrateur, cadre, décideur, décisionnaire, directeur, dirigeant, gestionnaire, patron, responsable.

PRESCRIPTION. Arrêté, commandement, décision, décret, délai, édit, expiration, forclos, forclusion, kashrout, loi, observation, ordonnance, ordre, péremption, prescripteur, ramadan, recommandation, règle, règlement, rite, terme, usucapion.

PRESCRIRE. Annuler, assigner, commander, décréter, demander, dicter, disposer, édicter, enjoindre, fixer, forclore, imposer, interdire, observer, ordonner, préconiser, proposer, recommander, régler, suggérer, vouloir.

PRESCRIT. Anniversaire, apparat, bardage, bénédiction, cérémonie, cortège, culte, défilé, derviche, édicté, étiquette, fête, formalité, gala, inauguration, isolation, ite, liturgie, messe, office, onction, ordre, parade, pompe, règles, rite, sacre, système, taffetas, tonsure, vêtage, vêture.

PRÉSÉANCE. Avantage, dessus, droit, étiquette, pas, pouvoir, prédominance, prérogative, privilège, protocole.

PRÉSÉLECTION. Adoption, archivage, catalogage, choix, classement, criblage, décision, désignation, discernement, élimination, enlevé, index, indexation, ordre, tamisé, tri, triage, volet.

PRÉSENCE. Absence, aérogastrie, alibi, assiduité, autorité, devant, disparition, éloignement, esprit, essence, existence, hum hum, infestation, influence, omniprésence, régularité, sang-froid, supporter, talent, ubiquité, vivacité, vue.

PRÉSENT. Actuel, aujourd'hui, assistant, cadeau, contemporain, courant, don, dot, étrenne, existant, gâterie, immédiat, legs, oblation, offrande, omniprésent, moderne, prime, réalité, témoin, usage, verbe.

PRÉSENTABLE. Acceptable, approuvable, bien élevé, convenable, décent, montrable, potable, sortable.

PRÉSENTATEUR. Animateur, annonceur, commentateur, démonstrateur, prompteur, serveur, vedette.

PRÉSENTATION. Exhibition, image, maquette, offre, mouture, production, représentation, service, tenue, typographie, visualisation.

PRÉSENTÉ. Catégorique, clair, clé, clef, cloqué, compréhensible, détaillé, explicite, formel, limpide, net, précis, typé.

PRÉSENTEMENT. Actuellement, aujourd'hui, maintenant, moment, nouvellement, ores, récemment.

PRÉSENTER. Aligner, amener, annoncer, arranger, avoir, caler, décliner, dessiner, diriger, disposer, donner, éditer, étaler, exciter, exhiber, expliquer, exposer, imiter, importer, intéresser, mériter, minimiser, montrer, offrir, paraître, plaire, porter, poser, posséder, produire, proposer, rappeler, représenter, revenir, sembler, servir, taxer, visualiser, voir.

PRÉSENTOIR. Barque, comptoir, devanture, duchesse, étal, étalage, gondole, tourniquet, vitrine.

PRÉSERVATIF. Anticonceptionnel, antidote, capote, condom, contraceptif, diaphragme, pessaire, pilule, stérilet.

PRÉSERVATION. Abri, conservation, continuation, défense, garantie, maintien, persistance, protection, sauvegarde.

PRÉSERVER. Abriter, aider, aile, assurer, conserver, dé, défendre, épargner, éviter, garantir, garder, garer, égide, éviter, garantir, garder, mécène, obombrer, parer, protéger, providence, sauvegarder, sauver, secourir, sécuriser, toit.

PRÉSIDENCE. Conseil, consistoire, coprésidence, fonction, président, présidentiel, vice-présidence.

PRÉSIDENT. Administrateur, chef, coprésident, conseiller, dataire, directeur, pdg, septennat, speaker, vénérable.

PRÉSIDENT, AFGHANISTAN (n. p.). Karzai.

PRÉSIDENT, AFRIQUE DU SUD (n. p.). Botha.

PRÉSIDENT, ALBANIE (n. p.). Zog, Zogu.

PRÉSIDENT, ALGÉRIE (n. p.). Boumediene, Chadli.

PRÉSIDENT, ALLEMAGNE (n. p.). Heinemann, Herzog, Heuss, Hindenburg, Honecker, Lübke, Pieck, Scheel, Ulbrick.

PRÉSIDENT, ANGOLA (n. p.). Neto.

PRÉSIDENT, ARGENTINE (n. p.). Menem, Kirchner, Peron, Sarmiento, Videla.

PRÉSIDENT, AUTRICHE (n. p.). Renner.

PRÉSIDENT, BOLIVIE (n. p.). Marales

PRÉSIDENT, BOSNIE-HERZÉGOVINE (n. p.). Izetbegovic.

PRÉSIDENT, BRÉSIL (n. p.). Cardoso, Dutra, Fonseca, Lula da Silva, Vargas.

PRÉSIDENT, BULGARIE (n. p.). Parvanov.

PRÉSIDENT, CAMEROUN (n. p.). Ahidjo, Biya.

PRÉSIDENT, CHILI (n. p.). Allende, Bachelet, Pinochet.

PRÉSIDENT, CHINE (n. p.). Hu Jintao, Jiang Zemin.

PRÉSIDENT, CHYPRE (n. p.). Makarios.

PRÉSIDENT, CIO (n. p.). Rogge, Samaranch.

PRÉSIDENT, CORÉE DU SUD (n. p.). Kim Dae-Jung, Kim Young-Sam, Rhee.

PRÉSIDENT, CROATIE (n. p.). Tudjman.

PRÉSIDENT, CUBA (n. p.). Castro.

PRÉSIDENT, ÉGYPTE (n. p.). Moubarak, Nasser, Sadate.

PRÉSIDENT, ÉQUATEUR (n. p.). Flores, Moreno.

PRÉSIDENT, ESPAGNE (n. p.). Caudillo, Franco.

PRÉSIDENT, ÉTATS-UNIS (n. p.). Adams, Arthur, Buchanan, Bush, Carter, Cleveland, Clinton, Coolidge, Eisenhower, Fillmore, Ford, Garfield, Grant, Harding, Harrison, Hayes, Hoover, Jackson, Jefferson, Johnson, Kennedy, Lincoln, Madison, McKinley, Monroe, Nixon, Pierce, Polk, Reagan, Roosevelt, Taft, Taylor, Truman, Tyler, Van Buren, Washington, Wilson.

PRÉSIDENT, FINLANDE (n. p.). Kekkonen, Koivisto, Paasikivi.

PRÉSIDENT, FRANCE (n. p.). Auriol, Bonaparte, Carnot, Casimir-Perier, Chirac, Coty, de Gaulle, Deschanel, Doumer, Doumergue, Fallières, Faure, Giscard d'Estaing, Grévy, Lebrun, Loubet, Mac-Maho, Millerand, Mitterand, Pétain, Poher, Poincaré, Pompidou, Thiers.

PRÉSIDENT, GABON (n. p.). Bongo, M'ba.

PRÉSIDENT, GÉORGIE (n. p.). Chevarnadzé, Saakachvili.

PRÉSIDENT, GRÈCE (n. p.). Caramanlis, Papadhopoulos.

PRÉSIDENT, GUINÉE (n. p.). Cabral, Macias.

PRÉSIDENT, HAÏTI (n. p.). Aristide, Duvalier, Pétion, Préval.

PRÉSIDENT, HONGRIE (n. p.). Göncz.

PRÉSIDENT, INDONÉSIE (n. p.). Suharto, Sukarno.

PRÉSIDENT, IRAK (n. p.). Al-Yaouar, Aref.

PRÉSIDENT, IRAN (n. p.). Rafsandjani.

PRÉSIDENT, IRLANDE (n. p.). Devalera.

PRÉSIDENT, ITALIE (n. p.). Badoglio, Berlusconi, Dini, Einaudi, Gronchi, Leone, Mussolini, Napolitano, Pertini, Saragat, Scalfaro, Segni.

PRÉSIDENT, KENYA (n. p.). Kenyatta.

PRÉSIDENT, LIBAN (n. p.). Chamoun, Gemayel.

PRÉSIDENT, LIBYE (n. p.). Kadhafi.

PRÉSIDENT, MACÉDOINE (n. p.). Trajkovski.

PRÉSIDENT, MALI (n. p.). Keita.

PRÉSIDENT, MEXIQUE (n. p.). Cardenas, Diaz, Fox, Zedillo.

PRÉSIDENT, NICARAGUA (n. p.). Aleman, Bolanos, Chamorro, Diaz, Ortega, Somoza.

PRÉSIDENT, NIGER (n. p.). Diori, Tandja.

PRÉSIDENT, OLP (n. p.). Yasser Arafat.

PRÉSIDENT, PAKISTAN (n. p.). Bhutto.

PRÉSIDENT, PALESTINE (n. p.). Mahmoud Abbas, Yasser Arafat.

PRÉSIDENT, PANAMA (n. p.). Noriega, Torrijos.

PRÉSIDENT, PÉROU (n. p.). Fujimori.

PRÉSIDENT, PHILIPPINES (n. p.). Aquino, Marcos.

PRÉSIDENT, POLOGNE (n. p.). Jaruzelski, Kwasniewski, Walesa.

PRÉSIDENT, PORTUGAL (n. p.). Braga, Carmona, Eanes, Soares, Spinola.

PRÉSIDENT, ROUMANIE (n. p.). Ceausescu.

PRÉSIDENT, RUSSIE (n. p.). Eltsine, Lénine.

PRÉSIDENT, SÉNÉGAL (n. p.). Diouf.

PRÉSIDENT, SERBIE (n. p.). Milosevic.

PRÉSIDENT, SLOVÉNIE (n. p.). Gasparovic.

PRÉSIDENT, SUISSE (n. p.). Kruger.

PRÉSIDENT, SYRIE (n. p.). Asad, Assad.

PRÉSIDENT, TANZANIE (n. p.). Nyerere.

PRÉSIDENT, TCHAD (n. p.). Habré, Tombalbaye.

PRÉSIDENT, TCHÉCOSLOVAQUIE (n. p.). Benes, Gottwald, Hacha, Husak, Masaryk, Novotny.

PRÉSIDENT, TCHÉTCHÉNIE (n. p.). Doudaïev, Kadyrov, Svoboda.

PRÉSIDENT, TUNISIE (n. p.). Bourguiba.

PRÉSIDENT, TURQUIE (n. p.). Gürsel, Inönü, Kemal.

PRÉSIDENT, UNION SOVIÉTIQUE (n. p.). Brejnev, Gorbatchev, Khrouchtchev, Staline.

PRÉSIDENT, VENEZUELA (n. p.). Betancourt, Chavez, Gallegos, Paez.

PRÉSIDENT, YOUGOSLAVIE (n. p.). Tito.

PRÉSIDENT, ZAMBIE (n. p.). Kaunda.

PRÉSIDENT, ZIMBABWE (n. p.). Mugabe.

PRÉSIDER. Aboutir, accompagner, administrer, agir, aiguiller, aller, amener, clore, conduire, conduite, diriger, emmener, entraîner, gérer, gouverner, guider, manœuvrer, mener, orienter, piloter, régenter, router, surveiller, téléguider.

PRESLEY. (n. p.). Aron, Elvis, Gladys, Graceland, Lisa-Marie, Memphis, Mississippi, Priscilla, Tupelo, Vermon.

PRÉSOMPTIF. Acquéreur, bénéficiaire, diadoque, héritier, hoir, hoirie, légataire, préciput, successeur.

PRÉSOMPTION. Charge, conjoncture, hypothèse, jugement, opinion, orgueil, piste, prétention, prévision, suffisance, témérité.

PRÉSOMPTUEUX. Ambitieux, fat, humble, modeste, outrecuidant, réservé, simple, suffisant, vaniteux.

PRESQUE. Approximativement, avancé, comme, guère, négligeable, peu, pratiquement, près, quasi, quasiment.

PRESQU'ÎLE (n. p.). Apchéron, Avalon, Cod, Cotentin, Crimée, Crozon, Giens, Hel, Kathiawar, Kola, Malacca, Manguychlak, Melville, Paraguana, Péloponnèse, Quiberon, Rhuys, Taïmyr, Tehuantepec.

PRESQU'ÎLE. Bec, cap, isthme, péninsule, pointe, promomtoire.

PRESSANT. Appuyé, ardent, immédiat, impératif, impérieux, important, instant, irrésistible, urgent.

PRESSE (n. p.). AFP, Associated Press, PC, Presse canadienne, Reuter, Tass, UPI.

PRESSE. Calanque, étau, étreinte, machine, mordache, mors, multitude, piège, presse, ramasse, rotative.

PRESSÉ. Bourre, compact, comprimé, dépêché, étreint, gêné, hâté, impatient, lent, posément, serré, touffu, urgent.

PRESSE-CITRON. Entonnoir, essoreuse, instrument, presse-agrume, presse-orange, ustensile.

PRESSENTIMENT. Appréhension, avant-goût, avertissement, crainte, demande, divination, espérance, espoir, futur, impression, intelligence, intuition, prédiction, prémonition, présage, présomption, prévision.

PRESSENTIR. Annoncer, demander, deviner, douter, entrevoir, flairer, prédire, présager, prévoir, sentir, subodorer.

PRESSE-PAPIERS. Mémoire, millefiori.

PRESSER. Accélérer, activer, appliquer, appuyer, bousculer, broyer, catir, comprimer, dépêcher, écraser, esquicher, étreindre, exciter, fouler, hâter, imprimer, peser, pétrir, pincer, pousser, pressurer, repasser, serrer, talonner, tasser, urger, vendanger.

PRESSING. Blanchisseur, blanchisserie, buanderie, buandier, cireur, curandier, décrotteur, dégraisseur, détacheur, grattoir, lavandier, lavandière, laveur, lessiveur, nettoyeur, plongeur, teinturerie, teinturier.

PRESSION. Artérielle, atmosphérique, autoclave, bar, bière, bouton, coercition, compression, CONSTRICTION, contrainte, étreinte, force, influence, injection, isobare, manostat, millibar, pesée, poussée, POUSSETTE, presseur, resserrement, sollicitation, stress, tension, timbre, ventouse.

PRESSOIR. Cave, cellier, fouloir, hec, maie, maillotin, maye, meule, oppression, vigne, vin.

PRESSURER. Appuyer, compresser, comprimer, condenser, diminuer, écourter, écraser, entasser, épais, esquicher, étrangler, laminer, masser, presser, pétrir, rabaisser, raccourcir, réduire, refouler, resserrer, restreindre, serrer, tasser.

PRESTANCE. Air, allure, apparence, aspect, carrure, chic, élégance, fièrement, maintien, mine, tenue.

PRESTATAIRE. Abandonnataire, adjudicataire, affectataire, aliénataire, allocataire, attributaire, ayant droit, bénéficiaire, cessionnaire, client, colégataire, gagnant, héritier, légataire, impétrant, nominataire, récipiendaire.

PRESTATION. Aide, allocation, apport, assermentation, contribution, corvée, discours, fourniture, indemnité, laïus, pension, performance, prestataire, prêt, réparation, RETRAITE, revenu, service, show, spectacle.

PRESTE. Actif, agile, alerte, diligent, habile, leste, prompt, rapide, souple, urgent, véloce, vif, vite.

PRESTEMENT. Agilement, expéditivement, hâtivement, lentement, promptement, rapidement, rondement, tôt.

PRESTESSE. Agilité, célérité, diligence, précision, promptitude, rapidité, vélocité, vitesse, vivacité.

PRESTIDIGITATEUR (n. p.). Choquette, Copperfield, Ledru, Oudini, Robert-Houdin.

PRESTIDIGITATEUR. Acrobate, artiste, escamoteur, illusionniste, jongleur, magicien, manipulateur, physicien, truqueur.

PRESTIDIGITATION. Apparence, érotomanie, erreur, ésotérisme, fantasme, gnose, goétie, hermétisme, idée, illusion, leurre, magie, manipulation, mirage, occultisme, phantasme, rêve, songe, talisman, théosophie, théurgie, utopie.

PRESTIGE. Ascendant, attrait, aura, auréole, célébrité, charisme, charme, crédit, éclat, gloire, illusion, importance, influence, lustre, magie, poids, pouvoir, prestigieux, prodige, rayonnement, renom, renommé, séduction, tyrannie, valorisant.

PRESTIGIEUX. Admirable, beaucoup, colossal, considérable, épatant, étonnant, extraordinaire, fabuleux, fantastique, fou, génial, inouï, merveilleux, miraculeux, mirobolant, monstre, monstrueux, phénoménal, prodigieux

PRESTO. Abrégé, activement, agile, alerte, aussitôt, bientôt, dare-dare, diligemment, expéditivement, hâtivement, intelligent, leste, précipitamment, prompt, rapide, subitement, subito, tôt, trait, véloce, vite.

PRÉSUMABLE. Acceptable, admettable, admissible, apparent, conjecturable, devinable, éventuel, plausible, possible, présumer, prévisible, probable, putatif, rationnel, vraisemblable.

PRÉSUMER. Accroire, admette, augurer, censer, conjecturer, croire, estimer, penser, présager, présumable, soupçonner, supposer.

PRÉSUPPOSER. Accepter, accorder, accueillir, admettre, adopter, affilier, agréer, autoriser, avaler, avouer, caler, comporter, croire, déclarer, divulguer, hospitaliser, initier, introduire, introniser, nier, permettre, recaler, recevoir, reconnaître, récuser, souffrir, supposer, tolérer, voir.

PRÊT. Avance, calé, commodat, contrat, créance, crédit, décidé, découvert, dette, disposé, emprunt, kit, location, mature, mûr, opérationnel, paré, partant, préparé, rendu, résolu, subside, taillé, tournage, usure, warrant.

PRÊT-À-PORTER. Alésage, bradage, broderie, composition, conception, confection, couture, création, exécution, fabrication, façon, œuvre, ouvrage, paternité, piqure, production, réalisation, synthèse, taille, usinage.

PRÉTENDANT. Amant, amoureux, aspirant, candidat, cour, courtisan, fiancé, postulant, poursuivant, promis, soupirant.

PRÉTENDRE. Affirmer, alléguer, ambitionner, aspirer, avancer, déclarer, dire, entendre, exiger, fiancé, flatter, garantir, lorgner, prétendant, prétexter, prévaloir, réclamer, revendiquer, soutenir, viser, vouloir.

PRÉTENDU. Admis, affirmé, apocryphe, attribué, censé, conjectural, cru, douteux, emprunt, espéré, estimé, factice, faux, fiancé, imaginaire, incertain, magie, point, présage, présumé, pseudo, putatif, si, soi-disant, supposé.

PRÉTENDUMENT. Apparemment, censément, erronément, faussement, fautivement, improprement, incorrectement, inexactement, injustement, mal, présumément, soi-disant, supposément, vicieusement.

PRÉTENTIEUX. Affecté, ambitieux, ampoulé, arrogant, bêcheur, blanc-bec, chiqué, chochote, crâneur, faraud, fat, fier, frimeur, gommeux, imbu, morveux, orgueilleux, pécore, pédant, péteux, poseux, précieux, présomptueux, snob, snobinard, sot, vain, vaniteux.

PRÉTENTION. Ambition, bravoure, crânerie, dandysme, fanfaronnade, fatuité, infatuation, orgueil, outrecuidance, présomption, revendication, suffisance.

PRÊTER. Accorder, aider, attacher, attribuer, avancer, céder, composer, concéder, confier, convenir, créditer, dégager, écouter, entendre, filer, imputer, jurer, louer, observer, offrir, ouïr, plier, porter, prêt, reconnaître.

PRÉTÉRITION. Absence, bourdon, désavantager, ellipse, faute, inattention, lacune, léser, manque, négligence, omission, oubli, prétérit, prétériter, restriction, rhétorique, trou, verbal, verbe, vide.

PRÉTEUR (n. p.). Cicéron, Marius, Quintus, Tacite.

PRÊTEUR. Bailleur, banquier, commanditaire, créancier, fesse-mathieu, propréteur, usurier, vampire, vautour.

PRÉTEXTE. Alibi, allégation, apparence, argument, avance, cause, couleur, couverture, défaite, échappatoire, excuse, faux-fuyant, faux-semblant, masque, matière, mensonge, motif, objection, opposition, raison, robe, ruse, subterfuge, toge, voile.

PRÉTEXTER. Alléguer, arguer, argumenter, avancer, couvrir, exciper, excuser, justifier, objecter, opposer, prétendre.

PRÉTOIRE. Accusé, agréé, appel, aréopage, assises, audience, aulique, avoué, barre, bâtonnier, chambre, comité, conseil, cour, curie, daterie, droit, estrade, héliaste, instance, juge, jugement, juridiction, jurisprudence, justice, officialité, maréchaussée, palais, parquet, plaidoyer, procédure, rote, salle, sanhédrin, sénéchaussée, siège, tribunal.

PRÊTRE. Abbé, archevêque, augure, aumônier, bonze, célébrant, chaman, chanoine, chef, clerc, confesseur, consacré, curaillon, curé, cureton, desservant, diacre, directeur, druide, ecclésiastique, épulon, évêque, fécial, fétial, hiéroplante, lama, lazariste, mage, ministre, missionnaire, monseigneur, officiant, ordonné, papas, pape, pasteur, pénitencier, père, pope, presbytéral, prêtraille, quindécemvir, recteur, sacerdoce, sacrificateur, salien, séculier, vicaire.

PRÊTRE, ALEXANDRIE (n. p.). Arius.

PRÊTRE ALLEMAND (n. p.). Döllinger.

PRÊTRE ANGLAIS (n. p.). Ball, Domne.

PRÊTRE ARIEN (n. p.). Arius.

PRÊTRE BELGE (n. p.). Cardijn.

PRÊTRE BRITANNIQUE (n. p.). Manning, Newman.

PRÊTRE ÉGYPTIEN (n. p.). Manéthon.

PRÊTRE ESPAGNOL (n. p.). Orose.

PRÊTRE FRANÇAIS (n. p.). Alzon, Ars, Bérulle, Blanchard, Daunou, Émery, Eudes, Fleury, Foucauld, Fourier, Gratry, Lacordaire, Lamennais, Latreille, Lemaistre, Lemire, Loisy, Lustiger, Olier, Pierre, Quesnel, Siccard.

PRÊTRE GAULOIS (n. p.). Eubage, Ovates.

PRÊTRE GREC (n. p.). Plutarque.

PRÊTRE HÉBREUX (n. p.). Aaron, Héli.

PRÊTRE HÉRÉSIARQUE (n. p.). Montan, Montanus.

PRÊTRE ITALIEN (n. p.). Cavalieri, Ficin, Gioberti, Neri, Sturzo, Vanini.

PRÊTRE JUIF (n. p.). Caïdae, Esdras, Ezra, Hyrcan, Zacharie.

PRÊTRE ORIENTAL (n. p.). Papas.

PRÊTRE ROMAIN (n. p.). Épulon, Hippolyte, Luperque, Novatien.

PRÊTRESSE (n. p.). Bacchante, Io, Iphigénie.

PRÊTRESSE. Bacchante, druidesse, pythie, pythonisse, vestale.

PRÊTRISE. Acolytat, clergie, cléricature, diaconat, épiscopat, ministère, ordre, pastorat, sacerdoce, sécularité.

PREUVE. Adminicule, affirmation, alibi, argument, assurance, charge, copie, corroborer, critère, démonstration, gage, indice, justification, logique, manifestation, marque, motif, pièce, raison, reçu, signe, témoignage, témoin.

PREUX. Bon, bougre, brave, chevalier, couard, courageux, crâner, droit, fanfaron, gaillard, hardi, héros, honnête, intrépide, lâche, malhonnête, matamore, mauvais, parangon, poltron, pusillanime, rodomont, tartarin, valeureux, vaillant, valeureux.

PRÉVALOIR. Dominer, draper, emporter, prédominer, prétendre, primer, réclamer, régner, supplanter, targuer, vanter.

PRÉVARICATEUR. Corrompu, délateur, écoulé, félon, judas, marron, perfide, ripou, stipendié, trahi, traître, vendu.

PRÉVARICATION. Action, compromission, concussion, exaction, ingérence, malversation, manque, trahison.

PRÉVENANCE. Amabilité, attention, courbette, délicatesse, égards, gentillesse, obligeance, politesse, soin.

PRÉVENANT. Affable, agréable, aimable, attentif, attentionné, avenant, complaisant, délicat, empressé, entourer, poli.

PRÉVENIR. Alarmer, alerter, annoncer, anticiper, antilithique, antirachitique, avertir, aviser, biper, complaisance, détourner, devancer, dire, empêcher, empressement, éviter, informer, instruire, obvier, parer, remédier, signaler.

PRÉVENTIF. Capote, condom, contraceptif, diaphragme, éveil, préservatif, prophylactique, stérilet.

PRÉVENTION. Antipoison, crainte, défiance, détention, disgrâce, doute, incrédulité, jalousie, méfiance, passion, précaution, préjugé, prophylaxie, prudence, réserve, scepticisme, soupçon, surveillance, suspection, suspicion.

PRÉVENTIVEMENT. Circonspection, logiquement, modérément, précautionneusement, probablement, prudemment, raisonnablement, rationnellement, sagement, sensément, vigilamment.

PRÉVENTORIUM. Clinique, dispensaire, hôpital, hospice, médical, polyclinique, refuge, sanatorium, thérapeutique.

PRÉVENU. Accusé, acquitté, averti, examen, fort, inculpé, marqué, net, plaidoirie, prononcé, récépissé, reçu, suspect.

PRÉVISIBLE. Acceptable, admissible, annoncé, apparent, conjecturable, couru, devinable, éventuel, plausible, possible, présumable, présumer, probable, putatif, rationnel, téléphoné, vraisemblable.

PRÉVISION. Alerter, anticipation, attente, avertissement, avis, budget, conjecture, coudrier, divination, flair, hypothèse, indexation, météo, météorologie, planning, présage, pronostic, prophétie, vue.

PRÉVISIONNEL. Budgétaire, contrôle, enveloppe, équilibre, étude, financier, impasse, pécuniaire.

PRÉVOIR. Alerter, anticiper, attendre, augurer, avertir, aviser, conjecturer, deviner, entrevoir, envisager, flairer, indexer, juger, organiser, prédire, préjuger, présager, pressentir, prévenir, programmer, projeter, pronostiquer, sentir, supposer, supputer.

PRÉVÔT (n. p.). Aubriot, Boileau, Boillesve, Flesselles.

PRÉVÔT. Agent, baile, escrimeur, fonction, magistrat, officier, père, prévôtal, surveillant, titre.

PRÉVÔT DE PARIS (n. p.). Aubriot, Boileau, Boillesve, Essarts.

PRÉVÔT DES MARCHANDS (n. p.). Flesselles, Jouvenel, Juvénal, Marcel,

PRÉVOYANCE. Attention, cautèle, caution, circonspection, clairvoyance, défiance, imprévoyant, minutie, précaution, prévention, prudence, prévoyant, réflexion, réserve, ruse, sagacité, sagesse, vigilance.

PRÉVOYANT. Argument, avisé, circonspect, compréhensif, équilibré, équitable, intelligent, judicieux, juste, légitime, logique, modéré, normal, pensant, pondéré, probable, preuve, probable, prudent, raisonnable, rationnel, réaliste, réfléchi, sage, sensé, vigilant.

PRÉVU. Alerté, anticipé, appris, attendu, averti, avisé, capable, compétent, connaisseur, cultivé, deviné, éclairé, entrevu, envisagé, expérimenté, flairé, instruit, prédit, prévenu, savant, subjectif, su.

PRIE-DIEU. Accotoir, accoudoir, agenouilloir, appui-bras, balcon, balustrade, bras, genou, meuble, protection, repose-bras, siège, support, soutien.

PRIER. Adjurer, adorer, appeler, conjurer, convier, demander, engager, enjoindre, exaucer, harceler, humilier, implorer, insister, intercéder, inviter, invoquer, obséder, réclamer, recourir, solliciter, supplier.

PRIÈRE. Absoute, acte, adjuration, agnus dei, anamnèse, angélus, appel, ave, ave maria, bénédicité, canon, credo, cri, demande, démarche, déprécation, doxologie, gloria, grâce, introït, laudes, libera, litanie, mémento, neuvaine, objuration, oraison, orant, orate, orémus, patenôtre, pater, requête, requiem, rosaire, salat, salut, salve, sollicitation, supplication.

PRIEUR. Abbé, bénéficier, cloître, communauté, doyen, oblat, orant, prieuré, priorat, religieux, supérieur.

PRIEURÉ (n. p.). Abailard, Abélard, Ganagobie.

PRIEURÉ. Abbadie, abbatiale, abbaye, abbé, béguinage, chartreuse, cloître, commanderie, communauté, couvent, église, fromage, laure, lavra, moinerie, monastère, moutier, solesme, thélème, vidame.

PRIMA DONNA. Cantatrice, chanteuse, diva, divette, mezzo, opéra, soprano, voix.

PRIMAIRE. Abc, aîné, ancêtre, as, aube, baccalauréat, capital, chef, créateur, début, dominant, ébauche, entame, étrenne, genèse, incipit, initial, liminaire, maire, meilleur, original, origine, patron, pionnier, précurseur, premier, primarité, primauté, prime, primidi, primitif, princeps, priorité, prochain, propédeutique, rang, roi, supérieur, têtard, tête, un.

PRIMAT (n. p.). Armagh, Canterbury, Esztergom, Etchmiadzine, Gniezno, Lanfranc, Lavigerie, Malachie, Mindszenty, Roy, Uppsala.

PRIMAT. Apostolique, archevêque, auxiliaire, avranche, coadjuteur, concile, crosse, dignitaire, éminence, épiscopat, évêché, évêque, homélie, mitre, monseigneur, nonce, ordre, pasteur, pontife, prélat, remi, sacre, supériorité, trône, vicaire.

PRIMATE. Apelle, atèle, avahi, aye-aye, babouin, bonobo, cébidé, chimpanzé, chirogale, colobe, douc, drill, échidné, entelle, éroïde, galago, gelada, gibbon, gorille, guéréza, hocheur, hom, homidé, homme, hoolock, hurleur, indri, lagotriche, lémur, lémuridé, lémurien, loris, macaque, magot, maki, mandrill, mirza, mongo, moustac, nasique, orang-outan, oréopithèque, ouakari, ouistiti, papion, patas, pinché, pongidé, proconsul, sajou, saki, sapajou, simien, singe, sivathèque, talapoin, tamarin, tarsien, tarsier, totis, toupaye, vervet.

PRIMAUTÉ. Avantage, dessus, droit, prédominance, prééminence, prépondérance, primat, priorité, supériorité.

PRIME. Assurance, boni, bonus, escompte, pécule, plus, prix, programmation, récompense, report, somme, surprime, vif.

PRIMER. Avantager, couronner, dominer, emporter, gratifier, prédominer, prévaloir, récompenser, régner, surpasser.

PRIMEROSE. Althæa, fleur, guimauve, passerose, primerose, rose, rose trémière.

PRIMESAUTIER. Animé, automatique, cordial, déluré, direct, franc, guilleret, impulsif, inconscient, inné, involontaire, irréfléchi, libre, naïf, naturel, propre, rapide, sincère, spontané, vif, volontaire.

PRIMEUR. Commencement, étrenne, fraîcheur, nouvelle, nouveauté, prémices, primeuriste, scoop.

PRIMEURISTE. Agriculteur, auteur, betteravier, céréalier, créateur, cultivateur, fabricant, horticulteur, hyménium, initiateur, inventeur, maraîcher, producteur, salinier, surproducteur.

PRIMEVÈRE. Auricule, coucou, fleur de printemps, herbacée, plante, primerolle, primulacée.

PRIMITIF. Ancien, archaïque, brut, chaos, frustre, grossier, initial, originaire, premier, rudimentaire, simple, tribu.

PRIMO. A priori, articulation, bordereau, ci, comptable, compte, décompte, dénombrement, détail, dito, énumération, etc., item, liste, litanie, premier, premièrement, secundo, semel, tertio.

PRIMOGÉNITURE. Âge, aîné, aînesse, ancêtre, ancien, antériorité, baderne, birbe, concepteur, doyen, droit, ordre, patriarche, priorité, succession, vieillard, vieux.

PRIMORDIAL. Capital, décisif, dominant, essentiel, fondamental, important, majeur, nécessaire, prépondérant, principal, vital.

PRIMORDIALEMENT. Absolument, capitalement, essentiellement, fondamentalement, grandement, nécessairement, notamment, particulièrement, principalement, singulièrement, spécialement, surtout, vitalement, vraiment.

PRIMULACÉE. Anagallis, androsace, cyclamen, lysimaque, mouron, plante, primevère, samoie, soldanelle.

PRINCE. Altesse, A.R., archiduc, audience, calife, chérif, consort, daïmio, émir, héritier, kan, khan, magnat, monarque, nabab, noble, page, prêtre, radjah, rajah, ras, raz, règne, rhingrave, roi, royal, seigneur, sultan, tyran, vizir.

PRINCE (n. p.). Lucifer, Satan.

PRINCE ALBANAIS (n. p.). Ghika, Scanderbeg.

PRINCE AQUITAINE (n. p.). Woodstock.

PRINCE ARGIEN (n. p.). Argos.

PRINCE CAPÉTIEN (n. p.). Alphonse de France, Berry, Dunois.

PRINCE DÉMONS (n. p.). Satan.

PRINCE ÉCOSSAIS (n. p.). Macbeth.

PRINCE ÉGYPTE (n. p.). Néchao, Nékao.

PRINCE GALILÉE (n. p.). Tancrède.

PRINCE ESPAGNOL (n. p.). Felipe.

PRINCE ÉTHIOPIE (n. p.). Memnon.

PRINCE FRANÇAIS (n. p.). Duc deMorny, Eu, Joinville, Mayenne, Montfort, Napoléon-Charles, Orléans.

PRINCE HONGROIS (n. p.). Arpad, Géza.

PRINCE IRAN (n. p.). Hulabu.

PRINCE JUDA (n. p.). Zorobabel.

PRINCE JUTLAND (n. p.). Hamlet.

PRINCE KIEV (n. p.). Iaroslav, Oleg le Sage.

PRINCE LOMBARD (n. p.). Adalgis.

PRINCE MADRID (n. p.). Jaime.

PRINCE MOLDAVE (n. p.). Bogdan, Cantemir, Étienne, Sturdza.

PRINCE MONACO (n. p.). Rainier.

PRINCE MONGOL (n. p.). Batu, Hulagu.

PRINCE MOSCOU (n. p.). Ivan.

PRINCE MOSKOVA (n. p.). Ney.

PRINCE NEUCHÂTEL (n. p.). Berthier.

PRINCE OTTOMAN (n. p.). Djem.

PRINCE PALMYRE (n. p.). Odenath.

PRINCE PAYS-BAS (n. p.). Claus.

PRINCE PERSE (n. p.). Bardiya, Cambyse, Smerdis.

PRINCE POLOGNE (n. p.). Casimir, Mieszko.

PRINCE PORTUGAIS (n. p.). Henri.

PRINCE PRUSSIEN (n. p.). Blücher, Hohenlohe, Kronprinz..

PRINCE SAIS (n. p.). Néchao, Nekao.

PRINCE SAVOIS (n. p.). Philibert, Vivtor-Emmanuel.

PRINCE SAXE-COBOURG-GOTHA (n. p.). Ferdinand.

PRINCE SERBE (n. p.). Kraljevic, Miroslav.

PRINCE TRANSYLVANIE (n. p.). Bethlen, Étienne.

PRINCE TROIE (n. p.). Énée, Ganymède.

PRINCEPS. Abc, aîné, ancêtre, as, aube, baccalauréat, capital, chef, créateur, début, dominant, ébauche, entame, étrenne, genèse, incipit, initial, liminaire, maire, meilleur, original, origine, patron, pionnier, précurseur, premier, primaire, primarité, primauté, prime, primidi, primitif, priorité, prochain, propédeutique, rang, roi, supérieur, têtard, tête, un.

PRINCESSE (n. p.). Agrippine, Angoulème, Bérénice, Berthe, Charlotte, Didon, Dino, Édith, Édithe, Élissa, Haya, Hérodiade, Hésione, Léda, Mariamme, Miriam, Olga, Olympias, Polyxène, Rodogune, Salomé, Ursins.

PRINCESSE. Beauté, bégum, grande-duchesse, impératrice, maharani, pharaonne, rani, reine, souveraine, titre.

PRINCIER. Aristocratique, beau, éblouissant, éclatant, fastueux, hôtel, luxueux, magnificence, magnifique, mausolée, noble, opulent, pompeux, riche, royal, royalement, somptueux, splendide, superbe.

PRINCIPAL. Âme, axe, capital, cardinal, central, centre, clé, clef, centre, décisif, directeur, dominant, essentiel, fondamental, grand, important, maître, nerf, pivot, prédominant, premier, primordial.

PRINCIPALEMENT. Absolument, essentiellement, notamment, particulièrement, singulièrement, spécialement, surtout.

PRINCIPAUTÉ (n. p.). Achaïe, Andorre, Chimay, Hohenzollern, Koutaïssi, Liechtenstein, Lippe, Luxembourg, Monaco, Montbéliard, Monténégro, Morée, Moscou, Neuchâtel, Opava, Patras, Piombino, Pontecorvo, Saxe-Cobourg, Souzdalie, Suède, Thuringe, Transylvanie, Trénoux, Valachie, Vatican, Vladimir, Waldeck.

PRINCIPE. Agent, âme, apiol, archétype, auteur, axe, axiome, base, cause, clé, clef, commencement, créateur, credo, critère, dao, doctrine, élément, essence, forme, germe, idée, irone, karma, karman, loi, maxime, mœurs, nature, norme, origine, pensée, postulat, raison, règle, sève, source, soutien, suc, tao, théorie, tiers, unité, iniversalité, vérité, vie, virus.

PRINTANIER. Frais, gai, jeune, léger, neuf, nouveau, vernal.

PRINTEMPS. Équinoxe, éveil, jeunesse, printanier, printanisation, regain, renaissance, renouveau, reprise, retour, réveil, vernal.

PRIODONTE. Armadille, dasypus, édenté, euphractus, grand tatou, mammifère, tatou, tolypeute, xénarthre.

PRIORITAIRE. Aîné, aînesse, antériorité, avant, droit, précellence, premier-né, préséance, prima, primauté, priorité.

PRIORITÉ. Aîné, aînesse, antériorité, avant, droit, pré, précellence, premier, préséance, prima, primauté, prioritaire.

PRIS. Accaparé, affairé, attrapé, bu, débordé, épris, enferré, eu, exalté, fait, féru, figé, isolé, louable, occupé, repris.

PRISE. Appontage, bec, butin, capture, catch, ciseau, clé, clef, ciseau, conquête, dispute, dose, emprise, enlèvement, esseau, gel, levée, lutte, moyen, péritel, pièce, proie, querelle, rafle, rondade, saisie, sang, scène, son, unité, vêture, vue.

PRISÉ. Apprécié, arbitré, calculé, coté, déterminé, égard, estimé, évalué, expertisé, hommage, honneur, mérite, navigué, orgueil, préféré, taxé, vénéré, vogue.

PRISE DE LUTTE. Ciseau, clé, clef.

PRISER. Adorer, aimer, apprécier, calculer, comprendre, considérer, coter, déterminer, discerner, estimer, évaluer, expertiser, goûter, idéaliser, jauger, jouir, juger, louer, mésestimer, mesurer, noter, palper, peser, pétuner, préférer, priseur, prix, saisir, sentir, sniffer.

PRISME. Biprisme, cale-étalon, coin, couteau, cristal, dispersion, irisation, jumelle, lunette, nicol, orgue, orthorhombique, parallélépipède, polyèdre, réfraction, spectre, tuyau.

PRISON (n. p.). Abbaye, Alcatraz, Bastille, Bordeaux, Carmes, Chillon, Clichy, Conciergerie, Fresnes, If, Labyrithe, Mazas, Plombs, Port-Royal, Roquette, Sainte-Pélagie, Salpêtrière.

PRISON. Bagne, barreau, bloc, cabane, cachot, cage, carcéral, cellule, centrale, clou, écrou, derrière les barreaux, ergastule, forçat, forteresse, geôle, ham, in pace, latomies, oubliette, pénitencier, ponton, préau, taule, tôle, trou, violon.

PRISONNIER. Bagnard, captif, captivité, cep, condamné, déporté, détenu, écrou, enfermé, écrou, esclave, forçat, galérien, interné, lien, oflag, otage, reclus, relégué, séquestré, taulard, tôlard, transporté.

PRIVATION. Absence, anorexie, anoxie, besoin, captivité, dam, défaut, emprisonnement, entrave, faim, famine, inanition, insomnie, jeûne, manque, perte, ramadan, rareté, retenue, retrait, sacrifice, sans, ségrégation, servage, sevrage, stupidité, surdité, vide.

PRIVATISER. Décollectiviser, dénationaliser, dépouiller, désétatiser, entreprise, perdre, restituer.

PRIVAUTÉS. Affabilité, amitié, camaraderie, connaissance, diminutif, familiarité, fraternité, intimité, tu.

PRIVÉ. Aréique, apprivoisé, aseptisé, bâillonné, caché, démuni, dénué, dépourvu, désemparé, froid, impotent, inanimé, incognito, individuel, intérieur, intime, libre, lié, ligoté, muet, particulier, perclus, perdu, perso, personnel, réduit, sec, sevré.

PRIVER. Affaiblir, affamer, assécher, décapiter, démunir, dénuer, déposséder, dépouiller, déshériter, désoler, destituer, émasculer, enchaîner, enlever, estropier, étioler, forclore, frustrer, interner, licencier, ligoter, limoger, ôter, rançonner, refuser, résoudre, saigner, sevrer, spolier, sourd, spolier.

PRIVILÈGE. Apanage, atout, attribution, avantage, bénéfice, caste, concession, dispense, droit, exemption, faculté, faveur, franchise, honneur, immunité, indult, licence, monopole, passe-droit, prérogative, séparation, valise.

PRIVILÉGIÉ. Aristocratie, avantagé, chanceux, choisi, élu, esthétisant, exemption, exceptionnel, favori, favorisé, fortuné, gâté, happy few, idéal, nanti, nomenklatura, parfait, patriarcat, pourvu, riche, unique, verticité.

PRIVILIGIER. Aider, appuyer, avantager, chérir, choisir, chouchouter, choyer, contribuer, donner, doter, douer, élire, encourager, esthétiser, faciliter, favoriser, lotir, pousser, préférer, protéger, seconder, servir, sourire, soutenir.

PRIX. Achat, change, cher, condition, cote, cours, coût, devis, estimation, factage, fret, inconvénient, lauréat, loyer, marché, médaille, montant, port, rançon, récompense, rémunération, revient, somme, tarif, taux, taxe, tenu, trophée, valeur.

PRIX (n. p.). Craaford, Goncourt, Femina, Lénine, Médicis, Nobel, Pulitzer, Staline.

PRIX NOBEL DE CHIMIE (n. p.). Alder, Anfinsen, Arrhenius, Aston, Barton, Bosch, Boyer, Brown, Buchner, Butenandt, Calvin, Chu, Cornforth, Crowfoot, Curie, Curl, Debye, Diels, Eigen, Fischer, Flory, Giauque, Grignard, Haber, Hahn, Harden, Haworth, Herzberg, Hevesy, Heyrovsky, Hinshelwood, Joliot-Curie, Karrer, Kendrew, Kroto, Kuhn, Langmuir, Leloir, Libby, Lipscomb, Martin, McMillan, Mitchell, Moissan, Moore, Mulliken, Natta, Nernst, Norrish, Northrop, Onsager, Ostwald, Pauling, Phillips, Porter, Pregl, Prelog, Prigogine, Ramsay, Richards, Robinson, Ruzicka, Sabatier, Sanger, Seaborg, Skou, Smalley, Soddy, Stanley, Staudinger, Stein, Summer, Svedberg, Synge, Tiselius, Todd, Urey, Van't Hoff, Vigneaud, Virtanen, Von Baeyer, Von Euler-Chelpin, Walker, Wallach, Werner, Wieland, Wilkinson, Willstätter, Windaus, Wittig, Woodward, Ziegler, Zsigmondy.

PRIX NOBEL DE LITTÉRATURE (n. p.). Agnon, Aleixandre, Anderson, Andric, Asturias, Beckett, Below, Benavente, Bergson, Bjornson, Böll, Bounine, Broglie, Buck, Camus, Carducci, Chadwick, Cholokhov, Churchill, Compton, Davisson, Deledda, Dirac, Echegaray, Eliot, Elytis, Eucken, Faulkner, France, Franck, Galsworthy, Gide, Gjellerup, Hamsun, Hauptmann, Heisenberg, Hemingway, Hertz, Hess, Hesse, Jensen, Jiménez, Johnson, Karlfeldt, Kawabata, Kipling, Lagerkvist, Lagerlôf, Laxness, Lewis, Maeterlinck, Mann, Martin du Gard, Martinson, Mauriac, Mistral, Mommsen, Montale, Neruda, O'Neill, Pasternak, Perrin, Pirandello, Pontoppidan, Quasimodo, Raman, Reymont, Richardson, Rolland, Russel, Sachs, Saint-John-Perse, Sartre, Seferis, Shaw, Sienkiewick, Sillanpaa, Singer, Soljenitsyne, Spitteler, Steinbeck, Sully-Prudhomme, Szymborska, Tagore, Thomson, Undset, Von Heidenstam, Von Heyse, White, Wilson, Yeats.

PRIX NOBEL DE LA PAIX (n. p.). Addams, Angell, Arafat, Arnoldson, Asser, Bajer, Balch, Beernaert, Borlaug, Boyd-Orr, Bourgeois, Brandt, Branting, Briand, Buisson, Bunche, Cassin, Cecil, Chamberlain, Cremer, Croix-Rouge, Dawes, Ducommun, Dunant, Estournelles, Fried, Gobat, Hammarskjôld, Henderson, Hull, Jouhaux, Kellogg, King, Kissinger, Lafontaine, Lange, Luthuli, Marshall, Moneta, Mott, Nansen, Noel-Baker, Ossietzky, Passy, Pauling, Pearson, Pères, Pire, Quidde, Rabin, Ramoz-Horta, Renault, Roosevelt, Root, Saavedra, Sadate, Sakharov, Satô, Schweitzer, Sôderblom, Stresemann, Suttner, Teresa, Tutu, Wilson.

PRIX NOBEL DE PHYSIOLOGIE-MÉDECINE (n. p.). Adrian, Arber, Axelrod, Baltimore, Banting, Bavany, Beadle, Bekesy, Bloch, Blumberg, Bordet, Bovet, Burnet, Carrel, Chain, Claude, Cori, Cormack, Cournand, Crick, Dale, Dam, Delbruck, Doherty, Doisy, Domagk, Dulbecco, Duve, Eccles, Edelman, Ehrlich, Eijkman, Einthoven, Enders, Erlanger, Euler, Fibiger, Finsen, Fleming, Florey, Forssmann, Frisch, Gajdusek, Gasser, Golgi, Granit, Guillemin, Gullstrand, Hartline, Hench, Hershey, Hesse, Heymans, Hill, Hodgkin, Holly, Hopkins, Hounsfield, Houssay, Huggins, Huxley, Jacob, Katz, Khorana, Koch, Kocher, Kornberg, Kossel, Krebs, Krogh, Landsteiner, Laveran, Lipmann, Loewi, Lorenz, Luria, Lynen, Lwoff, Medawar, Meyerhof, Minot, Monod, Morgan, Muller, Murphy, Nathan, Nicolle, Nirenberg, Ochoa, Palade, Pavlov, Porter, Ramón Y Cajal, Reichstein, Richards, Richet, Ross, Rous, Schally, Sherrington, Smith, Spemann, Sutherland, Szent-Gyôrgyl, Tatum, Temin, Theiler, Theorell, Tinbergen, Von Behring, Wagner-Jauregg, Waksman, Wald, Warburg, Watson, Weller, Whipple, Wilkins, Yalow, Zinkernagel.

PRIX NOBEL DE PHYSIQUE (n. p.). Alvarez, Anderson, Appleton, Bardeen, Barkla, Bassov, Becquerel, Bethe, Blackett, Bloch, Bohr, Born, Bragg, Brattain, Bridgman, Broglie, Chadwick, Chamberlain, Chen Ning-Yang, Cockcroft, Compton, Cooper, Dalén, Davisson, Dirac, Einstein, Esaki, Fermi, Feynman, Franck, Frank, Gabor, Gell-Mann, Giaever, Glaser, Glashow, Goeppert-Mayer, Groos, Guillaume, Heisengerg, Hess, Hofstadter, Jensen, Josephson, Kamerlinghonnes, Kapitza, Kastler, Kusch, Landau, Lawrence, Lee, Lenard, Lippmann, Lorentz, Marconi, Michelson, Millikan, Mössbauer, Mott, Néel, Osheroff, Pauli, Penzias, Perrin, Planck, Politzer, Powell, Prokhorov, Rabi, Raman, Rayleich, Richardson, Richter, Röntgen, Ryle, Salam, Schrieffer, Schwinger, Segré, Shockley, Siegbahn, Stark, Stern, Tamm, Tcherenkov, Thomson, Ting, Tomonaga, Townes, Tsung Dao-Lee, Van der Waals, Vleck, Von Laue, Weinberg, Wien, Wigner, Wilczek, Wilson, Zernike.

PRIX NOBEL DE SCIENCE ÉCONOMIQUE (n. p.). Friedman, Frish, Hayek, Hicks, Kantorovitch, Koopmans, Kuznets, Leontieff, Lewis, Mead, Mirrlees, Ohlin, Samuelson, Schultz, Simon, Vickrey.

PROBABILISME. Criticisme, nihilisme, positivisme, pragmatisme, relativisme, scepticisme, subjectivisme.

PROBABILITÉ. Apparence, certitude, conjecture, croyance, fiabilité, hypothèse, nombre, pronostic, stockfisch.

PROBABLE. Acceptable, admissible, apparent, captieux, chance, envisageable, éventuel, improbable, incertain, plausible, possible, présumable, présumer, prévisible, putatif, rationnel, réalisable, soutenable, spécieux, vraisemblable.

PROBABLEMENT. Apparemment, assurément, certainement, effectivement, franchement, gravement, peut-être, plausiblement, réellement, sérieusement, solennellement, véritablement, vraisemblablement.

PROBANT. Certain, concluant, convaincant, décisif, éloquent, entraînant, évident, indéniable, logique, probatoire.

PROBATION. Abandon, ajournement, anhydrobiose, apnée, arrêt, catalepsie, cessation, condamné, crise, délai, épreuve, gel, grève, lustre, moratoire, pause, plafonnier, relâche, répit, repos, suspension, trêve.

PROBE. Droit, équitable, fidèle, honnête, impartial, intact, intègre, juste, loyal, moral, pur, respectable, vertueux.

PROBITÉ. Conscience, délicatesse, droiture, exactitude, fidélité, franchise, honnêteté, honneur, improbité, incorruptibilité, intégrité, justice, loyauté, mérite, morale, observation, probe, rectitude, scrupule, vertu.

PROBLÉMATIQUE. Aléatoire, complexe, douteux, équivoque, hasardeux, hypothétique, incertain, paradigmatique.

PROBLÈME. Aporie, bébête, bibite, casse-tête, clé, colle, conflit, défi, difficulté, doute, énigme, ennui, enquiquinement, exercice, faim, hic, lézard, mystère, nœud, os, paradigme, patate chaude, point, puzzle, question, souci, thème, tuile.

PROBOSCIDIEN. Dinothérium, éléphant, éléphantidé, mammouth, mastodonte, pachydermique.

PROCÉDÉ. Allure, artifice, attitude, chantage, chiromancie, cinérama, conduite, décalcomanie, détrempé, dispositif, effet, façon, fantasmagorie, fluatation, fonderie, formule, hélio, héliogravure, instantané, manière, méandre, média, méthode, méthodologie, modulation, moyen, offset, pastillage, pattinsonage, phototypie, plasturgie, processus, quadri, quadriphonie, queue, raffinage, recette, règle, remontrance, ruse, scintigraphe, scintigraphie, sérographie, sgraffite, simili, similigravure, sténo, taxe, technique, truc, trucage, truquage, typographie, variation.

PROCÉDER. Agir, balancer, copier, découler, délayer, détremper, émaner, faire, oindre, processer, récoler, relever, tâtonner, tourner.

PROCÉDURE. Accès, action, assignation, audit, avoué, chicane, dire, expulsion, faillite, formalité, instance, marche, mécanisme, médiation, méthode, poursuite, procès, ratification, recours, référendum, règle, règlement, référé, réquisition, stratégie, tactique, technique, tribunal, urgence, vérification.

PROCÉDURIER. Argumentateur, chicaneur, chicanier, ergoteur, plaideur, processif, raisonneur, rhétoricien, vendeur.

PROCELLARIIDÉ. Albatros, diomédéidé, fulmar, oiseau, pétrel, phaéton, procellariiforme, puffin.

PROCÈS (n. p.). Dreyfus, Héliée, Numberg, Nuremberg, Riom.

PROCÈS. Action, affaire, cas, cause, chicane, conflit, constat, contestation, crime, débat, démarche, dépens, dilatoire, dispute, fond, frais, instance, instruction, justice, litige, palabre, plaideur, plaignant, poursuite, procédure, processus, verbal.

PROCESSEUR. Chique, information, microprocesseur, multiprocesseur, puce, semi-conducteur.

PROCESSIF. Argumentateur, chicaneur, chicanier, ergoteur, plaideur, procédurier, raisonneur, rhétoricien, vendeur.

PROCESSION. Cérémonie, cortège, dais, défilé, file, marche, parade, pardon, rogation, suite.

PROCESSUS. Acculturation, algorithme, cours, déroulement, développement, dollarisation, évolution, fonction, genèse, haplologie, image, imprégnation, induction, marche, maturation, mécanisme, modulation, pédogenèse, procédé, procès, progrès, prolongement, refoulement, rétroaction, suite.

PROCÈS-VERBAL. Acte, constat, contravention, dire, protocole, rapport, recès, recez, relation, verbalisation.

PROCHAIN. Attenant, autrui, direct, futur, immédiat, imminent, parent, près, proche, rapproché, suivant, voisin.

PROCHAINEMENT. Autre, avant-coureur, bientôt, immédiat, imminence, incessamment, près, presque, proche, rapidement, rapproché, sous peu, tantôt, tôt, vite.

PROCHE. Adjacent, approchant, attenant, auprès, avoisinant, contigu, environnant, immédiat, imminent, jouxte, juxtaposé, limitrophe, parent, près, prochain, proximité, rapproché, récent, ressemblant, semblable, sur, voici, voisin.

PROCHE-ORIENT (n. p.). Égypte, Israël, Liban, Syrie, Turquie.

PROCLAMATION. Affirmation, annonce, appel, autodafé, avis, ban, canonisation, communiqué, déclaration, décret, dénonciation, divulgation, édit, manifeste, promulgation, propagation, publication, rescrit, révélation, serment.

PROCLAMER. Affirmer, annoncer, appel, autoproclamer, ban, claironner, clamer, confesser, corner, crier, déclarer, dévoiler, divulguer, manifester, professer, prononcer, propager, publier, reconnaître, révéler.

PROCONSUL. Administrateur, amman, as, autocrate, caïd, calife, chambrier, chancelier, cheik, curion, dey, despote, dictateur, duc, duce, économe, émir, factotum, gérant, hérésiarque, iman, intendant, maire, maître, ovate, pacha, pape, parrain, père, potentat, prote, rapin, régisseur, sachem, satan, shah, shérif, roi, tête, tyran, vizir.

PROCORDÉ. Appendiculaire, ascidie, doliolide, larvacée, pérennicorde, salpe, salpide, tunicié, urocordé.

PROCRASTINATION. Ajournement, assignation, atermoiement, attentisme, bénéfice, bourse, décalque, délai, gain, opportunisme, réforme, refus, remise, renvoi, report, retard, retardement, sursis, temporisation.

PROCRASTINER. Ânonner, balancer, barguiner, branler, broncher, céder, chiner, danser, discuter, douter, hésiter, osciller, perplexe, reculer, renoncer, réticence, taponner, tâtonner, tergiverser, vaciller, vasouiller.

PROCRÉATION. Dépôt, emblavage, ensemencement, épandage, fécondation, fruit, germe, grain, graine, insémination, in vitro, malthusianisme, pépin, reproduction, semailles, semence, semis, sperme.

PROCRÉER. Accoucher, créer, enfanter, engendrer, former, procréateur, procréatif, régénérer, reproduire.

PROCTITE. Anus, inflammation, rectite, rectocolite, rectum.

PROCUANIDÉ. Raton laveur.

PROCURATEUR. Allié, ange, apôtre, arrière, avocat, avoué, bloqueur, conseiller, défenseur, gardien, justicier, libéro, partisan, pilier, plaideur, procurateur, protecteur, redresseur, soutien, tenant, tuteur.

PROCURATION. Acte, commission, courtage, délégation, légation, mandat, mission, pouvoir, rémunération, représentation.

PROCURE. Agréable, ambroisie, avantageux, béatifique, bon, bureau, confortable, débouché, douillet, doux, euphorisant, frais, frocoteur, gratifiant, heureux, honorifique, jouissif, nourricier, office, plaisant, profitable, rémunérateur, rentable, voluptieux

PROCURER. Apporter, assurer, attirer, avoir, caser, causer, concilier, dispenser, disposer, distribuer, donner, engendrer, fournir, gagner, gratifier, livrer, loger, nantir, placer, pourvoir, prendre, puiser, rapporter, sauver, trouver, venger.

PROCUREUR (n. p.). Foucquet, Fouquet, La Chalotais, Réal, Vychinski.

PROCUREUR. Accusateur, attorney, avocat, avoué, défenseur, général, magistrat, religieux, substitut.

PRODIGALITÉ. Abondance, accumulation, avalanche, débauche, débordement, déluge, flot, foule, infinité, kyrielle, largesse, libéralité, luxe, magnificence, masse, monceau, multiplicité, multitude, munificence, myriade, nuée, orgie, pluie, profusion, quantité, surabondance.

PRODIGE. Aigle, as, bollé, crack, dépensier, doué, étonnement, excellent, génie, incroyable, magie, magique, merveille, miracle, perfection, phénix, phénomène, précoce, prestige, rare, surdoué, virtuose.

PRODIGIEUSEMENT. Absolument, affreusement, assai, assez, bien, bigrement, comble, diablement, drôlement, énormément, excessivement, extra, extrêmement, formidablement, fort, fortement, foutrement, furieusement, grand, hyper, infiniment, invraisemblable, joliment, moult, parfaitement, particulièrement, remarquablement, réussi, rudement, super, sur, tantinet, terriblement, très, vachement, vraiment.

PRODIGIEUX. Admirable, beaucoup, colossal, considérable, énorme, épatant, étonnant, extraordinaire, fabuleux, fantastique, faramineux, fou, génial, inouï, merveilleux, miraculeux, mirobolant, monstrueux, monumental, phénoménal, prestigieux, spectaculaire.

PRODIGUE. Avare, bon, charitable, dépensier, économe, gaspilleur, généreux, large, libéral, lousse.

PRODIGUER. Consumer, contribuer, dépenser, dilapider, dissiper, donner, économiser, épauler, gaspiller, montrer.

PRODROME. Aura, bubon, ictus, indice, marque, préface, présage, signe, symptôme, syndrome, symptôme.

PRODUCTEUR (n. p.). Disney, Eastwood, Grierson, Ince, Kaiser, Korda, Lucas, McCarey, Moretti.

PRODUCTEUR. Agriculteur, auteur, betteravier, caviste, céréalier, créateur, fabricant, gommier, hyménium, industriel, initiateur, inventeur, lampe, légumier, maraîcher, pool, primeuriste, réalisateur, salinier, surproducteur, trust.

PRODUCTIF. Bon, déporter, exploitant, fécond, fertile, fructueux, imaginatif, juteux, lucratif, profitable, prolifère, rentable.

PRODUCTION. Accord, annone, apparition, création, cru, émission, fantasme, film, fruit, grainage, miellée, œuvre, ouvrage, phanère, pisciculture, poil, produit, réalisation, récolte, rendement, rêve, sidérurgie, suppuration, surproduction, travail, valeur.

PRODUCTIVITÉ. Capacité, dynamisme, efficacité, efficience, performance, rendement, sidérurgie.

PRODUIRE. Affruiter, agacer, agir, alliage, arriver, causer, charbonner, citer, craquer, créer, crier, crisser, débiter, décoiffer, dégager, donner, éclater, écrire, effet, élaborer, élancer, élucubrer, émettre, enfanter, engendrer, extraire, faire, fructifier, générer, grener, grincer, gronder, improviser, jeter, léser, mousser, opérer, pondre, porter, racer, rapporter, rendre, résonner, rider, ronfler, rouiller, sauner, sécréter, siffler, siller, soutenir, tinter, tintinnabuler, tirer, travailler, voir, vrombir.

PRODUIT (n. p.). PIB, PNB, PSC.

PRODUIT. Acier, additif, amorce, antimite, blé, broyat, butin, carré, cirage, crème, cru, cuvée, demi-produit, dentifrice, déodorant, détergent, détersif, effet, ersatz, fini, fœtus, fruit, fumé, gel, gobeleterie, grésile, héroïne, huile, ingrédient, intermédiaire, issue, légume, lessive, malt, marchandise, marque, mascara, métabolite, miel, niellage, niellure, nouveauté, œuf, ovaire, porcelaine, provision, raffinat, recette, récolte, salaison, savon, semi-fini, semi-produit, soie, spécialité, tofu, tôle, travail, usure, volée.

PROÉMINENCE. Angle, appendice, arcade, bosse, bouton, creux, éminence, mamelonné, protubérance, saillie.

PROÉMINENT. Apparent, arcade, bombé, bossu, bouton, gros, haut, protubérant, renflé, saillant, supérieur.

PROFANATEUR. Barbare, casseur, destructeur, dévastateur, hooligan, iconoclaste, saboteur, saccageur, vandale.

PROFANATION. Abus, avilissement, dégradation, outrage, pollution, sacrilège, souillure, viol, violation.

PROFANE. Béotien, civil, débutant, ignorant, laïc, mondain, naïf, non-initié, novice, séculier, temporel.

PROFANER. Avilir, contaminer, déflorer, dégrader, déshonorer, détériorer, empoisonner, étranger, flétrir, gâter, ignorant, pervertir, polluer, profanateur, profanation, prostituer, salir, souiller, ternir, vicier, violer.

PROFÉRER. Adresser, cracher, débagouler, dire, émettre, éructer, jeter, pousser, prononcer, rugir, sacrer, vitupérer, vociférer, vomir.

PROFÈS. Bigot, bondieusard, calotin, catholique, clerc, clérical, ecclésiastique, ensoutané, pharisien, religieux.

PROFESSER. Afficher, apprendre, déclarer, enseigner, manifester, pratiquer, proclamer, soutenir, vomir.

PROFESSEUR (n. p.). Isée, Nicole.

PROFESSEUR. Certifié, émérite, enseignant, instituteur, instructeur, lecteur, maître, maître d'armes, mandarin, magister, mentor, moniteur, palme, patron, pédagogue, précepteur, privat-docent, privat-dozent, prof, professoral, régent, rhéteur, robe, toge, universitaire.

PROFESSEUR DE MUSIQUE (n. p.). Boulanger, Cortot, Perlemuter, Vlado.

PROFESSION. Activité, art, barreau, boulot, carrière, charge, déclaration, emploi, engagement, état, foi, froc, fumisterie, gagne-pain, job, mannequinat, métier, office, proclamation, profès, programme, projet, qualité, robe, travail, vie.

PROFESSIONNEL. Architecte, arpenteur, avocat, chirurgien, comptable, deb, démonstrateur, dentiste, docteur, émailleur, émérite, gemmeur, glacier, herboriste, ingénieur, journaliste, lainier, médecin, notaire, pédicure, pilote, praticien, pro, projectionniste, psychologue, ravaleur, relieur, résinier, routeur, spécialiste, staffeur, truquiste.

PROFESSORAL. Cuistre, docte, doctoral, doctrinaire, emphatique, enseignant, ex cathedra, gnomique, grave, magistral, moral, pédant, pédantesque, pompeux, pontifiant, sentencieux, solennel.

PROFIL. Aspect, aubaine, bénéfice, contour, côté, dessin, gain, galbe, narcodollar, parti, profilé, sacome.

PROFILÉ. Agrandi, allongé, asséné, couché, crochet, décontracté, détendu, effilé, elliptique, étendu, étiré, filé, fin, long, mince, nématoïde, oblong, ovulaire, ovale, ovalisé, ovoïde, rail, repos, sieste, tendu, tiré.

PROFILER. Apparaître, brosser, découper, dessiner, détacher, ébaucher, esquisser, galber, présenter, silhouetter.

PROFIT. Acquêt, acquisition, aubaine, avantage, bénéfice, bien, boni, butin, casuel, compte, émolument, enrichissement, faveur, fruit, gain, gratte, intérêt, lucre, narcodollar, pactole, paie, part, parti, pour, produit, rapport, rente, revenu, superprofit, utilité, vide.

PROFITABILITÉ. Avantage, bénéfice, profit, rendement, rémunération, rentabilité, réussite, succès.

PROFITABLE. Avantageux, bénéfique, bon, bonifiant, efficace, enrichissant, favorable, fécond, fertile, fructifiant, fructueux, gagnant, intéressant, juteux, lucratif, payant, précieux, productif, rémunérateur, rentable, salutaire, utile.

PROFITER. Abuser, apprécier, bénéficier, déguster, exploiter, goûter, jouir, saisir, savourer, tirer, utiliser.

PROFITEUR. Aigrefin, ambitieux, arriviste, attentiste, bénéficiaire, calculateur, combinard, exploitant, exploiteur, intrigant, manigancer, maquignon, opportuniste, prébendier, pressureur, souteneur, sybarite.

PROFOND. Abîme, abstrait, bas, creux, enfoncé, extatique, haut, impénétrable, intense, lourd, obscur, ria, saint.

PROFONDÉMENT. Convaincu, extrêmement, foncièrement, fondamentalement, fort, gros, intimement, viscéralement, vivement.

PROFONDEUR. Abîme, abysse, creux, épaisseur, hadal, hauteur, intensité, pénétration, puits.

PROFUSION. Abondance, afflux, ampleur, beaucoup, débauche, débordement, étalage, excès, exubérance, foule, libéralité, luxe, mer, monde, multitude, orgie, prodigalité, pullulation, pullulement, pulluler, rare, style, surabondance.

PROGÉNITURE. Descendance, enfant, fille, fils, lignée, petit, portée, postérité, rejeton, smala.

PROGESTÉRONE. Grossesse, hormone, lutéal, lutéine, jaune, ovaire, pigment, placenta, progestatif.

PROGNATHE. Barres, bouche, carnassière, clavier, dent, denture, étau, fanon, ganache, mâchoire, mandibule, margoulette, maxillaire, mordache, mors, os, proéminence, saillie, scie, trisme, trismus.

PROGRAMMATION. Algol, assemblage, basic, cobol, fortran, identification, lisp, pascal, prolog.

PROGRAMME. Amorce, applet, application, calendrier, compilateur, dessein, direct, éditeur, émission, énoncé, exposé, imprimé, liste, livret, logiciel, menu, méthode, moniteur, orsec, plan, progiciel, prospectus, route, tableur, utilitaire.

PROGRAMMER. Calculer, chiffrer, coder, codifier, compter, configurer, crypter, cryptographier, déconditionner, encoder, escompter, espérer, estimer, évaluer, mesurer, nombrer, numéroter, prganiser, planifier, prévoir, quantifier.

PROGRÈS. Amélioration, amendement, ascension, augmentation, avancée, avancement, bond, cheminement, courant, degré, essor, étape, évolution, marche, mieux, mieux-être, montée, pas, percée, plus, réforme, réussite, succès.

PROGRESSER. Acheminer, améliorer, avancer, cheminer, élever, évoluer, gagner, gradation, infiltrer, monter, perfectionner, propager.

PROGRESSIF. Ascendant, consomption, crescendo, croissance, élévation, fondu, gradué, graduel, lent, sape.

PROGRESSION. Accroissement, acheminement, aggravation, amélioration, ascension, avance, avancée, avancement, bond, chemin, croissance, évolution, fil, gradation, marche, montée, pas, poussée, propagation.

PROGRESSISTE (n. p.). Joumblatt, Marx, Pathet Lao.

PROGRESSISTE. Avancé, bolchevique, bolcho, collectiviste, communiste, gauchiste, idéaliste, léniniste, marxiste, réformiste, révolutionnaire, rouge, saint-simonisme, social-démocrate, socialiste.

PROGRESSIVEMENT. Compte-gouttes, crescendo, doucement, graduellement, lentement, poco a poco.

PROHIBER. Admettre, arrêter, autoriser, bannir, boycotter, censurer, condamner, défendre, empêcher, exclure, excommunier, illicite, inhiber, interdire, permettre, prévenir, proscrire, rejeter, supprimer, suspendre.

PROHIBITIF. Astronomique, cher, chérot, coûteux, élevé, excessif, exorbitant, faramineux, fou, hors de prix, inabordable, ruineux, salé.

PROHIBITION. Alcool, bootlegger, censure, condamnation, défense, embargo, empêchement, exclusion, index, interdiction, interdit, libre-échange, prohibitionniste, proscription, speakeasy, suspension, tempérance.

PROIE. Aigle, bouc émissaire, butin, capture, dépouille, faucon, obsédé, orfraie, prise, rapace, serre, victime.

PROJECTEUR. Flash, gamelle, lampe, lumière, moviola, passerelle, phare, poursuite, réflecteur, rampe, spot, visionneuse.

PROJECTILE. Balle, bolide, bombe, boulet, cartouche, décharge, dragée, engin, flèche, fléchette, fusée, grenade, missile, mitraille, munition, obus, ogive, pierre, plomb, pruneau, rocket, roquette, tir, torpille, trait.

PROJECTION. Anaglyphe, boulet, cinémascope, composant, conforme, crachement, diaporama, éjaculation, élévation, épidiascope, éruption, film, image, jet, kinétoscope, lancement, lapilli, moviola, séance, spectacle, spot, vidéo.

PROJET. Bill, but, canevas, carton, chantier, chimère, désir, dessein, dessin, devis, ébauche, enjeu, esquisse, étude, fin, gadget, gageure, idée, imperfection, inspiration, intention, loi, machination, maquette, menée, mouture, pionnier, plan, programme, rêve, schéma, si, topo, trame, utopie, visée, vue.

PROJETER. Bâtir, catapulter, combiner, dinguer, éjaculer, éjecter, envisager, envoyer, fomenter, jeter, lancer, manigancer, méditer, mijoter, mûrir, nébuliser, ourdir, passer, penser, postillonner, progresser, propulser, rêver, sauter, songer, tramer, vaporiser, vomir.

PROJETEUR. Aménageur, architecte, bâtisseur, chef, compas, concepteur, constructeur, créateur, décorateur, édificateur, équerre, ingénieur, inventeur, ornement, paysagiste, règle, style, té, traçoir, urbaniste.

PROLACTINE. Acholie, anurèse, bile, biligenèse, civette, copahu, crachat, diurèse, eau, excrétion, glaire, humeur, lactation, lacté, lait, larme, morve, mucus, pis, présure, salive, sébum, sécrétion, sérum, sialorrhée, suc, sueur, urine, venin.

PROLAPSUS. Descente, épiplocèle, étranglement, évagination, gastrocèle, hédrocèle, hépatocèle, hernie, hiatal.

PROLÉGOMÈNES. Avant-propos, avertissement, avis, canon, discours, introduction, messe, notice, notion, postface, préambule, préface, prélude, présentation, prodrome, proème, prologue, prodrome, texte.

PROLEPSE. Anticipation, à-valoir, avance, avancement, avenir, devancement, empiétement, futurologie, prénotion, présage, prescience, présomption, prévision, pronostic, prospective, science-fiction, usurpation.

PROLÉTAIRE. Indigent, manœuvre, manuel, ouvrier, pauvre, paysan, plébéien, prolo, salarié, travailleur.

PROLÉTARIAT. Bas, canaille, commun, défavorisé, écume, foule, lazzarone, lie, masse, multitude, pègre, peuple, plèbe, populace, populaire, populo, racaille, roture, tourbe, travailleur, vermine, vulgaire.

PROLIFÉRATION. Accroissement, adénoïde, augmentation, cancer, foisonnement, kahler, leucémie, leucose, lymphosarcome, multiplication, ostéophyte, tumeur.

PROLIFÉRER. Abonder, engendrer, foisonner, fourmiller, grouiller, multiplier, prospérer, pulluler, reproduire.

PROLIFICITÉ. Bourgeon, conception, copiable, étalon, fécondité, fertilité, imitable, reproductibilité, reproduction.

PROLIFIQUE. Abondant, avantageux, copieux, débordant, fécond, fertile, florissant, foisonnant, fructueux, généreux, gras, inépuisable, intarissable, lapin, lapinisme, nombreux, plantureux, productif, prolifère, riche.

PROLIXE. Abondant, bavard, copieux, diffus, disert, éloquent, long, prolixité, succinct, verbeux.

PROLIXITÉ. Abondance, bagou, débit, diarrhée, éloquence, emballement, expansivité, expressivité, exubérance, facilité, faconde, logomachie, logorrhée, loquacité, verbiage, verbosité, verve, volubilité.

PROLOGUE. Avertissement, introduction, liminaire, préambule, préface, préliminaire, prélude, présentation.

PROLONGATION. Allongement, continuation, dédain, délai, poursuite, prolongement, prorogation, rallonge, ramification, réabonnement, retard, suite, supplément, supplémentaire, sursis, survie, tenue.

PROLONGEMENT. Appendice, auricule, axone, cône, cylindraxe, éperon, extension, mucron, pourtour, procès, prospérité, propagation, racine, ramification, retard, rostre, ruée, queue, soie, style, suite, survie, voûte, wharf.

PROLONGER. Abréger, accroître, allonger, augmenter, continuer, diminuer, durer, écourter, étendre, éterniser, étirer, perpétuer, persister, poursuivre, pousser, proroger, raccourcir, rallonger, survivre, tenir, traîner.

PROMENADE. Avenue, baguenaude, balade, cavalcade, chevauchée, circuit, cours, course, croisière, déambulation, échappée, équipée, errance, excursion, flâner, flânerie, mail, parc, pas, pespective, randonnée, tour, tournée, trek, vadrouille, virée, voyage.

PROMENER. Aller, balader, conduire, déambuler, marcher, passer, randonner, rôder, traînailler, traînasser, traîner, transporter, trôler, vadrouiller.

PROMENEUR. Badaud, baladeur, excursionniste, flâneur, glaneur, noctambule, passant, randonneur, vadrouilleur.

PROMESSE. Acceptation, annonce, assurance, ban, billet, contrat, convention, engagement, expectative, fiançailles, fidélité, foi, gageure, honneur, lune, obligation, offre, option, otage, oui, parole, promission, prometteur, protestation, réservât, serment, signe, singe, vent, vœu.

PROMÉTHÉUM. Pm.

PROMETTEUR. Aguichant, blé, encourageant, engageant, politicien, promesse, réformateur, si, suborneur.

PROMETTRE. Acquitter, affirmer, annoncer, assurer, certifier, compter, déclarer, donner, engagement, engager, espérer, envisager, fiancer, jurer, obliger, offrir, prédire, prêter, protester, surenchérir, vouer.

PROMIS. Bien-aimé, chose, condamné, contrat, destiné, engagé, fiancé, futur, réfléchi, terre, voué.

PROMISCUITÉ. Attache, communication, compagnie, contact, correspondance, côtoiement, coudoiement, entourage, familiarité, fréquentation, habitude, intelligence, intimité, liaison, lien, relation, voisinage.

PROMONTOIRE (n. p.). Actium, Antifer, Beachy Head, Cap-Martin, Diamant, Drepanum, Finisterre, Fréhel, Jobourg, Juby, Laurion, Milazzo, Misène, Mycale, Puy de Dôme.

PROMONTOIRE. Avancée, belvédère, cap, éminence, éperon, falaise, nez, pointe, puy, saillie.

PROMOTEUR. Animateur, auteur, cause, centre, créateur, initiateur, moteur, précurseur, réalisateur.

PROMOTION. Accession, année, avancement, classe, clip, concours, cuvée, élévation, flash, galon, grade, lancement, nomination, plv, position, promo, promu, réclame, stimulation, triomphe, volée.

PROMOUVOIR. Adouber, bombarder, élever, ériger, favoriser, mousser, nommer, porter, pousser, vendre.

PROMPT. Actif, alerte, bref, brusque, choquable, coléreux, colérique, débit, diligent, émotif, emporté, empressé, expéditif, habile, hâtif, immédiat, instantané, irascible, lent, leste, précoce, preste, rapide, soudain, souple, subit, urgent, véloce, vif, vite.

PROMPTEMENT. Dare-dare, immédiatement, prestement, rapidement, rondement, royalement, sitôt, soudainement, tôt, vite.

PROMPTITUDE. Accélération, activité, agilité, brusquerie, célérité, dextérité, diligence, empressement, entrain, fougue, hâte, lenteur, précipitation, prestesse, rapidité, urgence, vélocité, vitesse, vivacité.

PROMU. Approuvé, bachelier, breveté, certifié, diplômé, docteur, émoulu, garanti, licencié, maître, universitaire.

PROMULGATION. Affirmation, annonce, appel, autodafé, avis, ban, communiqué, déclaration, décret, dénonciation, divulgation, édit, proclamation, propagation, publication, rescrit, révélation, serment.

PROMULGUER. Attester, décréter, divulguer, édicter, émettre, officialiser, ordonner, publier, savoir.

PRONAOS. Antichambre, aqueduc, aula, entrée, galerie, hall, naos, narthex, opisthodome, oreille, porche, portique, propylée, temple, vestibule.

PRÔNER. Affirmer, assurer, célébrer, glorifier, louer, prêcher, préconiser, prescrire, proclamer, recommander, vanter.

PRONOM DÉMONSTRATIF. Ça, celle, celle-ci, celle-là, celles, celles-ci, celles-là, celui, celui-ci, celui-là, ceux, ceux-ci, ceux-là, ci, icelle, icelui.

PRONOM FAMILIER. Te, toi, tu.

PRONOM INDÉFINI. Aucun, autre, autrui, chacun, même, nul, on, personne, plusieurs, quelqu'un, quiconque, rien, tel, tout, un, une, unes, uns.

PRONOM PERSONNEL. Elle, elles, en, eux, il, ils, je, la, le, les, leur, lui, me, moi, nous, se, soi, te, toi, tu, vous, y.

PRONOM POSSESSIF. Leur, leurs, mien, mienne, miennes, miens, nôtre, nôtres, sien, sienne, siennes, siens, tien, tienne, tiennes, tiens, vôtre, vôtres.

PRONOM RÉFLÉCHI. Soi.

PRONOM RELATIF. Auquel, auxquelles, auxquels, desquelles, desquels, dont, duquel, laquelle, lequel, lesquelles, lesquels, que, quel, qui, quoi.

PRONONCÉ. Accentué, accusé, arbitral, arrêté, déclaré, dit, énoncé, fatidique, ferme, formel, fort, lecture, marqué, perceptible, prononçable, prononciation, rendu, résolu, souligné, vif, visible.

PRONONCER. Accentuer, appuyer, articuler, balbutier, chuchoter, condamner, décider, détacher, dicter, dire, écrier, émettre, énoncer, exprimer, formuler, grasseyer, juger, jurer, marteler, nasaliser, nommer, parler, proférer, réciter, rendre, scander, zésayer.

PRONONCIATION. Accent, babil, bégaiement, blésité, débit, diérèse, dystomie, élocution, fricatif, grasseyement, iotacisme, lallation, lambdacisme, liaison, logopédie, nez, orthophonie, parole, phrasé, prononcé, provincialisme, rhotacisme, synalèphe, synérèse, zézaiement.

PRONOSTIC. Annonce, apparence, conjecture, jugement, prédiction, prévision, prophétie, prospective, supposition.

PRONOSTIQUER. Annoncer, augurer, conjecturer, prédire, présager, prévoir, promettre, prophétiser.

PROPADIÈNE. Allène, hydrocarbure.

PROPAGANDE. Activisme, battage, cabale, campagne, croisade, persuasion, publicité, tract.

PROPAGATEUR (n. p.). Bazard, Charlemagne, Considérant, Guérangeur, Guesde, Jourdain, Le Dantec, Leibowitz, Maekama, Perdiccas, Quesnel, Venceslas.

PROPAGATEUR. Apostolat, apôtre, civilisateur, colporteur, défenseur, disciple, diffuseur, divulgateur, évangélisateur, missionnaire, partisan, prédicateur, prosélyte, semeur, vulgarisateur.

PROPAGATION. Apostolat, avancement, communication, contagion, développement, diffusion, écho, épidémie, étendue, expansion, extension, infiltration, métastase, microbouturage, multiplication, planétarisation, progrès, rayonnement, reproduction, transmission.

PROPAGÉ. Attesté, célèbre, commun, connaissance, connu, découvert, donné, escient, évident, incognito, insu, lu, notoire, personnalité, populaire, reconnu, renommé, répandu, réputé, su, sujet, transmis, vu.

PROPAGER. Bouturer, colporter, courir, circuler, commémorer, diffuser, disséminer, divulguer, ébruiter, émettre, enseigner, irradier, multiplier, œilletonner, parsemer, populariser, proclamer, répandre, repiquer, ressemer, semer, soulever, transmettre, transplanter, voler, vulgariser.

PROPÉDEUTIQUE. Abc, aîné, ancêtre, as, aube, baccalauréat, capital, chef, créateur, début, dominant, ébauche, entame, étrenne, genèse, incipit, initial, liminaire, maire, meilleur, original, origine, patron, pionnier, précurseur, premier, primaire, primarité, primauté, prime, primidi, primitif, princeps, priorité, prochain, rang, roi, supérieur, têtard, tête, un.

PROPENSION. Dipsomanie, disposition, extraversion, fatigabilité, inclination, introversion, penchant, tendance, vocation.

PROPERGOL. Autopropulsion, biergol, catergol, diergol, ergol, hydrazine, lithergol, monergol, moteur-fusée.

PROPFAN. Écrou, hélice, pale, rotor, spirale, tire-bouchon, tors, turbine, ventilateur, vis, volute, vrille.

PROPHÈTE. Astrologue, augure, bible, devin, enchanteur, gourou, guru, hadith, hérault, mage, malheur, médium, nabi, oracle, patriarche, prédicateur, pythonisse, starets, stariets, sybille, vaticinateur, voyant.

PROPHÈTE (n. p.). Amos, Élie, Élisée, Élisse, Ésaïe, Eubage, Isaïe, Jérémie, Mahomet, Nabi, Nathan, Omar, Osée, Protée.

PROPHÈTE CELTE (n. p.). Eubage.

PROPHÈTE DE LA BIBLE (n. p.). Amos, Daniel, Élie, Élisée, Ézéchiel, Osée.

PROPHÈTE DE L'ISLAM (n. p.). Mahomet, Mohammed.

PROPHÈTE D'ISRAËL (n. p.). Élie, Isaïe, Jérémie, Moïse, Nabi.

PROPHÈTE HÉBREU (n. p.). Amos, Élie, Élisée, Isaïe, Jérémie, Jonas, Moïse, Nabi, Nathan, Osée.

PROPHÈTE IRANIEN (n. p.). Mahomet.

PROPHÈTE JUIF (n. p.). Abdias, Aggée, Amos, Daniel, David, Élie, Élisée, Esaie, Ézéchiel, Habacuc, Haggaï, Isaïe, Jérémie, Joël, Jonas, Malachie, Michée, Nahum, Nathan, Obadya, Osée, Zacharie.

PROPHÈTE PERSE (n. p.). Zoroastre.

PROPHÉTESSE (n. p.). Cassandre, Pythie.

PROPHÉTESSE GERMANIQUE (n. p.). Velléda.

PROPHÉTESSE D'ISRAËL (n. p.). Déborah.

PROPHÉTIE. Annonce, divination, oracle, prédiction, prémonition, prévision, prospective, vaticination.

PROPHÉTIQUE. Annonciateur, avant-coureur, devin, héraut, précurseur, premier, prémonitoire, présage, prodromique.

PROPHÉTISER. Annoncer, deviner, fiction, futur, patriarche, prédire, pronostiquer, vaticiner.

PROPHYLACTIQUE. Capote, condom, contraceptif, diaphragme, éveil, préservatif, préventif, stérilet.

PROPHYLAXIE. Antipoison, crainte, défiance, disgrâce, doute, incrédulité, jalousie, méfiance, passion, précaution, préjugé, prévention, protection, protéger, prudence, réserve, scepticisme, soupçon, suspection, surveillance, suspicion.

PROPICE. Ami, approprié, bon, commode, contraire, convenable, favorable, néfaste, opportun, pré, propitiatoire, utile.

PROPITIATION. Abnégation, aruspice, autel, cène, hécatombe, holocauste, immolation, ite, libation, lustration, messe, oblation, offrande, renoncement, rite, sacrement, sacrifice, taurobole, victime.

PROPORTION. Aloi, comparaison, deuto, dimension, docimasie, dosage, dose, équilibre, eurythmie, format, grandeur, harmonie, moyen, pièce, pourcentage, pro rata, rapport, suivant, sur, taux, titre, vaste.

PROPORTIONNÉ. Bâti, beau, convenable, équilibré, fichu, foutu, harmonieux, moulé, régulier, roulé, tourné.

PROPORTIONNEL. Carentiel, degré, dont, événementiel, manchette, poids, que, quel, qui, quoi, relatif.

PROPORTIONNÉMENT. Collationnement, comparativement, confrontation, corrélativement, relativement.

PROPORTIONNER. Convenir, découpler, doser, évaluer, mesurer, métrer, moyenner, peser, travailler, usiner.

PROPOS. À point nommé, au fait, baliverne, bave, bienvenu, billevesée, bla-bla, but, calembredaine, commentaire, dessein, discours, duo, escarmouche, fadaise, fanfaronnade, faribole, flatterie, gaudriole, gauloiserie, horreur, intention, lemme, médisance, mensonge, mièvrerie, naïvetés, onde, râbachage, radotage, ragots, rectificateur, résolution, ritournelle, saloperie, scatologie, sel, thème, vantardise.

PROPOSANT. Conseiller, demandant, offrant, présenteur, projeteur, proposeur, soumettant, soumissionnaire.

PROPOSER. Avancer, compter, dire, enchérir, exposer, formuler, inviter, libeller, négocier, offrir, présenter, soumettre, suggérer.

PROPOSITION. Antithèse, apodose, assertion, avance, axiome, énoncé, équipolation, formule, hypothèse, incise, lemme, loi, marché, mineure, motion, négation, offre, ouverture, phrase, prédicat, prémisse, projet, raisonnement, réciproque, sirène, tautologie, théorème, thèse, toast, ultimatum.

PROPRE. Annexe, apte, blanc, bon, clair, clean, crasse, curé, distinct, essentiel, essuyé, fraternel, honnête, idoine, intrinsèque, lavé, luisant, moral, net, nettoyer, nickel, nom, personnel, pimpant, potable, propret, pur, récuré, rincé, risible, sain, sale, soigné, style, taille.

PROPREMENT. Clairement, consciencieusement, distinctement, exactement, fidèlement, honnêtement, justement, méticuleusement, nettement, ponctuellement, précisément, recta, réellement, religieusement, scrupuleusement.

PROPRET. Excellent, immaculé, impeccable, irréprochable, net, nickel, parfait, propre, soigné.

PROPRETÉ. Clarté, décence, élégance, fraîcheur, hygiène, malpropreté, netteté, pureté, toilette, tripotage.

PROPRIÉTAIRE. Actionnaire, baesine, base, châtelain, détenteur, féodal, laird, maître, planteur, possesseur, proprio, récoltant, seigneur, titulaire, yeoman.

PROPRIÉTÉ. Aplat, attribut, bien, capital, chiralité, closeau, closerie, dermographie, domaine, droit, efficacité, élasticité, faculté, hacienda, inconsistance, jouissance, maison, métairie, mimétisme, monopole, posséder, possessif, pouvoir, qualité, résistance, reviviscence, titre, usage, vertu.

PROPRIOCEPTION. Articulation, déplacement, muscle, os, récepteur, sensibilité, statique, tendon

PROPULSER. Bombarder, catapulter, déplacer, éjecter, envoyer, jeter, lancer, pousser, projeter, rendre.

PROPULSEUR. Action, effort, élan, engin, force, moteur, poussée, réacteur, statoréacteur.

PROPULSION. Allergie, autodéfense, catalyser, conséquence, divergence, effet, émotion, force, fusée, latent, poussée, pyrogénation, réaction, réflexe, réponse, répulsif, rétroaction, turbo, urtification.

PROPYLÈNE. Acroléine, acrylonitrile, alcool, aldéhyde, aldol, aldose, chloral, cinnamique, éthanol, formaldéhyde, furfural, furfurol, glucose, glycérine, hydrocarbure, imine, polypropène, propane, propène.

PRORATA. Apport, contribution, cotisation, droit, écot, part, péage, proportion, quote-part, quotité, tantième.

PROROGATION. Accroissement, agrandissement, affinement, ajout, ajoutage, allongement, appendice, augmentation, développement, élongation, étirement, extension, prolongation, prolongement, tension.

PROROGER. Abréger, accroître, ajourner, allonger, augmenter, continuer, diminuer, durer, écourter, étendre, éterniser, étirer, perpétuer, persister, poursuivre, pousser, prolonger, raccourcir, survivre, tenir, traîner.

PROSAÏQUE. Banal, commun, matérialiste, monotonie, ordinaire, plat, platitude, popote, quelconque, vulgaire.

PROSAÏQUEMENT. Concrètement, effectivement, empiriquement, expérimentalement, matériellement, objectivement, physiquement, positivement, pratiquement, réalistement, réellement, tangiblement.

PROSAÏSME. Activisme, antiterrorisme, associationnisme, athéisme, cynique, doctrine, empirisme, évolutionnisme, extrémisme, lockisme, matérialisme, opportunisme, philosophie, pragmatisme, sensualisme, terrorisme.

PROSATEUR (n. p.). Buffon, Calvin, Cicéron, Defoe, Djahiz, Larra, Neruda, Rej, Remizov.

PROSATEUR. Auteur, compositeur, diariste, dramaturge, écrivailleur, écrivain, essayiste, glossateur, historien, libelliste, librettiste, narrateur, nouvelliste, pamphlétaire, parolier, poète, polémiste, psalmiste, préfacier, revuiste, romancier, satiriste, scénariste, scripteur.

PROSCENIUM. Bain, baignoire, bassin, cuve, douche, jacuzzi, loge, mezzanine, piscine, sabot, salle, spa.

PROSCRIPTION. Bannissement, condamnation, disgrâce, élimination, éviction, exil, expulsion, interdiction, prohibition, proscrit.

PROSCRIRE. Abolir, bannir, blâmer, censurer, chasser, condamner, écarter, exclure, exiler, expulser, honnir, rejeter, réprouver.

PROSCRIT. Abstrait, ajourné, banni, bref, court, disparaît, échappé, efface, éphémère, évanescent, exilé, fugace, fugitif, fuyard, intérimaire, momentané, passager, précaire, provisoire, rapide, réfugié, temporaire, transitoire.

PROSE. Auteur, chant, écriture, essai, hymne, langage, poème, poésie, prosaïque, roman, séquence.

PROSECTEUR. Analyseur, analyste, anatomiste, bissecteur, disséqueur, psychanalyste, psychologue.

PROSÉLYTE. Adepte, adhérent, affidé, alchimiste, allié, ami, beatnik, cathare, clientèle, converti, défenseur, disciple, école, fidèle, initié, membre, militant, néophyte, occultiste, partisan, recrue, secte, soutien, sympathisant, tenant, zélateur.

PROSÉLYTISME. Abnégation, apostolat, application, ardeur, assiduité, attention, bénévolat, cœur, courage, dévotion, dévouement, diligence, émulation, empressement, enthousiasme, fanatisme, ferveur, foi, passion, vigilance, vigueur, vivacité, volontariat, zèle.

PROSIMIEN. Aï, aye-aye, bradype, cheiromys, hapalémur, indri, lémurien, maki, potto, primate, singe.

PROSOBRANCHE. Bernicle, bernique, coquillage, gastropode, mollusque, murex, patelle, stretoneure.

PROSODIE. Alternatif, chorégraphie, danse, gymnique, métrique, rythmique, scansion, versification.

PROSOPOPÉE. Antithèse, comparaison, concession, discours, énumération, euphémisme, figure, gradation, hyperbole, image, litote, métonymie, orateur, périphrase, procédé, rhétorique, statue, symbole, trope.

PROSPECTER. Ambitionner, arpenter, battre, briguer, chercher, courir, courtiser, draguer, enquérir, étudier, examiner, explorer, inspecter, flirter, mendier, parcourir, pourchasser, quêter, rechercher, sonder, viser.

PROSPECTION. Accès, apprêt, débauche, dual, enquête, étude, exploration, fouille, friand, investigation, luxure, onanisme, quête, raffinement, recherche, repérage, revue, scripophilie, sondage, spéculation, tâtonnement, travail.

PROSPECTIVE. Anticipation, à-valoir, avance, avancement, avenir, devancement, empiétement, futurologie, prénotion, présage, prescience, présomption, prévision, prolepse, pronostic, science-fiction, usurpation.

PROSPECTUS. Affiche, annonce, avis, brochure, dépliant, feuille, imprimé, promotion, tract.

PROSPÈRE. Beau, brillant, calcicole, calcifuge, faste, favorable, fécond, florissant, heureux, resplendissant, riche.

PROSPÉRER. Aller, croître, développer, fleurir, gagner, grandir, grossir, marcher, plaire, progresser, proliférer, réussir.

PROSPÉRITÉ. Abondance, argent, bien-être, bonheur, essor, gloire, intéressement, réussite, richesse, succès.

PROSTATE. Ablation, glande, gonade, pipi, prostatectomie, prostatique, urine, vasectomie.

PROSTERNATION. Adoration, affection, agenouillement, amour, appréciation, courbette, courtoisie, culte, déférence, égard, estime, honneur, idolâtrie, prosternement, respect, révérence, salamalecs, salut, vénération.

PROSTERNEMENT. Agenouillement, complaisance, génuflexion, humiliation, inclinaison, prosternation, prostration.

PROSTERNER. Adorer, aduler, agenouiller, aimer, aplatir, apprécier, courber, déférer, estimer, iconolâtrer, idolâtrer, honorer, ignocoler, mage, prosternement, ramper, respecter, saluer, vénérer, zoolâtrer.

PROSTITUÉE. Amazone, call-girl, catin, cocotte, courtisane, créature, entraîneuse, fille, garce, grue, hétaïre, micheton, morue, péripatéticienne, pétasse, pierreuse, poule, poupée, putain, putassier, pute, racoleuse, radeuse, ribaude, roulure, schabraque, traînée, trottoir.

PROSTITUER. Avilir, dégrader, déshonorer, maquereauter, prostitution, putasser, tapiner, vendre.

PROSTITUTION. Charnel, corruption, débauche, dégradation, lunapar, proxénétisme, racolage, tapin, trafic, traite, trottoir, vice.

PROSTRATION. Abattement, accablement, affaissement, anéantissement, apathie, dépression, effondrement, torpeur.

PROSTRÉ. Abattu, accablé, affligé, anéanti, brisé, claqué, consterné, coupé, découragé, dégoûté, démoli, démoralisé, déprimé, désolé, détruit, effondré, énervé, faible, inerte, las, morne, morose, mou, moulu, scié, sombre, tué, vaincu.

PROTACTINIUM. Pa.

PROTAGONISTE. Acteur, animateur, créateur, héros, instigateur, meneur, personnage, promoteur.

PROTECTEUR (n. p.). Akbar, Archéolacs, Beauvilier, Bellay, Bès, Faune, Faunus, Lupercus, Nicolas, Raphaël, Saturne, Taylor, Tladoc.

PROTECTEUR. Aide, ange, appui, armure, appui, asile, bienfaiteur, cil, cocon, cuirasse, défenseur, galipot, garde, gardien, gorille, lare, mécène, médiateur, parapluie, parasol, paternel, patron, père, régent, saint, soutien, talisman, totem, tuteur.

PROTECTION. Abri, aile, appui, armure, asile, égide, étui, masque, mécénat, patronage, pectoral, sauvegarde, serviette, test, tutélaire, tutelle.

PROTECTORAT (n. p.). Annam, Bahreïn, Bao-Daï, Bardo, Bénin, Botswana, Brunei, Comores, Corée, Galicie, Kharezm, Khwarazm, Kiribati, Marsa, Rajput, Sarawak, Sikkim, Swaziland, Tonga, Tonkin, Zanzibar.

PROTÉE. Amblystome, amphiume, bolitoglosse, necture, pléthodonte, pleurodèle, salamandre, triton, urodèle.

PROTÉGÉ. Abrité, assuré, carapace, chouchou, cuirassé, favori, ombragé, poulain, prémuni, réservé, sauvegardé.

PROTÉGER. Abriter, ados, aider, appuyer, barder, bénir, blinder, breveter, convoyer, cuirasser, défendre, endurcir, épiner, escorter, favoriser, fortifier, garantir, garder, griller, isoler, materner, parer, patronner, pistonner, prémunir, préserver, recommander, sauvegarder, soutenir, sur, veiller.

PROTÉINE. Alanine, aleurone, alexine, amine, caséine, enzyme, ferrédoxine, gélatine, globine, globuline, gluten, hirudine, histone, hordéine, leptine, leucine, lipoprotéine, macromolécule, macroprotéine, myoglobine, myosine, oncotique, ovalbumine, protide, récepteur, scatol, scatole, scléroprotéine, sérine, zéine.

PROTESTANT (n. p.). Arminius, Barth, Bèze, Boers, Bonhoeffer, Bouillon, Bultmann, Calas, Coligny, Condé, Cullmann, Duquesne, Livingstone, Luther, Osiander, Parnell, Sabatier, Socin, Sully, Tillich, Trimble, Vinet, Weber, Zinzendorf.

PROTESTANT. Adventiste, anglican, baptiste, calviniste, conformiste, darbysme, évangéliste, fondamentaliste, hérétique, huguenot, luthérien, mennonite, méthodiste, morave, mormon, orangiste, pentecôtiste, piétiste, presbytérien, puritain, quaker, réformé, revival.

PROTESTANTISME. Adventiste, anabaptisme, anglicanisme, baptiste, calvinisme, darbysme, épiscopalisme, luthérianisme, mennonite, méthodisme, parpaillot, pentecôtisme, presbytérien, quaker, religionnaire, revival, unitarisme.

PROTESTATION. Acte, appel, beuglante, blâme, chahut, clameur, contestation, huée, plainte, promesse, réclamation, récrimination, rouspétance, schproum, tollé.

PROTESTER. Affirmer, arguer, assurer, attaquer, clabauder, contester, crier, désapprouver, élever, grogner, gronder, indigner, moufter, objecter, opposer, pétitionner, plaindre, promettre, râler, réclamer, récriminer, renauder, rouscailler, rouspéter, ruer.

PROTÊT. Amnistie, attentat, bienfait, bill, bref, dahir, déclinatoire, décret, droit, écrit, écrou, effort, forfaiture, formalité, fraude, injustice, irradié, loi, offre, ordonnance, qualité, ratification, réescompte, rescrit, rite, sceau, seing, sujet, testament, texte, titre, trahison, union.

PROTHALLE. Acrospore, apothécie, ascospore, asque, champignon, conidie, élément, fougère, hyménium, lame, macrospore, microspore, phéospore, rhizoïde, spermatie, spore, unicellulaire, urédospore, zygospore.

PROTHÈSE. Appareil, bridge, dentier, implant, jaquette, orthèse, orthodontie, partiel, silicone, stent.

PROTHÉSISTE. Audioprothésiste, denturologiste, denturologue, technicien.

PROTIDE. Caséine, fibrine, gluten, légumine, peptone, peptide, protéase, protéine, trypsine.

PROTISTE. Algue, amibe, coccolithophore, diatomée, euglène, grégarine, levure, péridinien, stigma.

PROTOCOLAIRE. Application, argutie, attention, conscience, contiguïté, détail, diligence, exactitude, fouillé, importance, lésinerie, mesquinerie, méticulosité, minutie, parcimonie, poussé, précision, purisme, regardant, rien, soin, sollicitude, scrupule, valeur, vigilance.

PROTOCOLE. Accord, bienséance, cérémonial, convention, décorum, ftp, rite, traité, wab, web, www.

PROTON. Atome, baryon, deutéron, hadron, hypéron, masse, méson, neutron, noyau, quark.

PROTOPLASME. Cellule, chondriome, coacervat, cytoplasme, dendrite, ectoplasme, endoplasme, eucaryote, hyaloplasme, organelle, organite, plasmode, sarcoplasme, syncytium, syncytium, vacuole.

PROTOTYPE. Archétype, benzène, clone, étalon, exemplaire, kilogramme, mètre, modèle, original, pilote.

PROTOXYDE. Chaux, hilarant, litharge, massicot, oxyde.

PROTOZOAIRE. Acanthaire, actinopode, amibe, amibien, cilié, coccidie, euglène, flagellé, foraminifère, hématozoaire, infusoire, leishmania, leishmanie, leptospire, noctiluque, nummulite, paramécie, plasmodium, radiolaire, rhizoflagellé, rhizopode, sporozoaire, stentor, toxoplasme, trichomonas, trypanosome, volvoce, volvox, vorticelle, zooflagellé.

PROTUBÉRANCE. Angle, apophyse, apostume, appendice, bosse, côte, élévation, éminence, excroissance, gibbosité, mamelon, maniement, mésencéphale, monticule, piton, proéminence, saillie, tubérosité.

PROTUBÉRANT. Apparent, arcade, bombé, bossu, bouton, gros, haut, proéminent, renflé, saillant, supérieur.

PROU. Accessoire, à-côté, addenda, additif, addition, ajout, appendice, appoint, cahier, complément, excédent, extra, net, plus, rab, rabe, rabiot, rallonge, remplacement, renfort, supplément, surcroît, surfilage, surplus.

PROUE. Avant, bateau, cap, coqueron, éperon, étrave, figure, nez, poue, poupe, saillie, vaisseau, yacht.

PROUESSE. Acte, action, bravoure, courage, exploit, performance, preux, record, réussite, succès, vaillance.

PROUVER. Accabler, affirmer, appuyer, arguer, attester, avérer, confirmer, corroborer, déduire, démontrer, dénoter, disculper, établir, garantir, illustrer, inférer, justifier, laver, marquer, montrer, réfuter, révéler, vérifier, voir.

PROVENANCE. Base, cause, création, dérivation, germe, influence, issu, origine, produit, racine, souche, source.

PROVENÇAL. Ailloli, aïoli, boric, bouillabaisse, brandade, fada, matelote, moco, oc, pistou, tian.

PROVENDE. Abondance, acompte, aiguade, aliment, amas, approvisionnement, avance, cellier, chèque, denrée, dépôt, en-cas, fourniture, munitions, nourriture, provision, réserve, somme, soute, stock, victuaille, vivres.

PROVENIR. Découler, dériver, émaner, issu, naître, originer, partir, procéder, recruter, résulter, sortir, tenir, tirer, venir.

PROVERBE. Adage, aphorisme, apophtegme, axiome, bible, célèbre, comédie, déclaration, devise, dicton, énoncé, exemple, formule, gnomique, maxime, modèle, parole, pensée, pièce, précepte, réflexion, règle, saynète, scène, sentence, tel.

PROVERBIAL. Connu, fameux, glorieux, gnomique, illustre, notoire, sentencieux, traditionnel, typique.

PROVERBIALEMENT. Beaucoup, diablement, énormément, fameusement, furieusement, glorieusement, héroïquement, historiquement, magnifiquement, mémorablement, rudement, splendidement, superbement.

PROVIDENCE. Avenir, bienfaiteur, chance, ciel, destin, destinée, Dieu, événement, hasard, personne, protecteur, sauveur, secours.

PROVIDENTIEL. Accident, aléa, aléatoire, aventure, bonheur, chance, circonstance, dé, destin, déveine, errant, fortuitement, fortune, hasard, imprévu, incident, jeu, occasion, malchance, miracle, pile, sort, veine.

PROVIN. Cep, orne, ouillère, oullière, pide de vigne, provignage, provigner, sarment, treille, vigne.

PROVINCE. Canton, circonscription, comté, département, division, duché, état, land, légat, patrie, pays, principauté, satrapie, territoire.

PROVINCE AFRIQUE DU SUD (n. p.). Natal, Orange.

PROVINCE ALLEMAGNE (n. p.). Land.

PROVINCE ARABIE SAOUDITE (n. p.). Asir, Hasa, Nadjo, Nedjd, Nedjed, Nedjo.

PROVINCE AUTRICHE (n. p.). Tyrol.

PROVINCE BELGIQUE (n. p.). Anvers, Brabant, Flandre, Hainaut, Hesbaye, Liège, Limbourg, Luxembourg, Namur.

PROVINCE CANADA (n. p.). Alberta, Colombie-Britannique, Île-du-Prince-Édouard, Manitoba, Nouveau-Brunswick, Nouvelle-Écosse, Nunavut, Ontario, Québec, Saskatchewan, Terre-Neuve.

PROVINCE CHINE (n. p.). An-Houel, Anhui, Anhwei, Chekiang, Chensi, Fujian, Fukien, Gansu, Guangdong, Hainan, Hebei, Heilungkiang, Henan, Honan, Hopei, Hou-Nan, Hou-Pei, Hubei, Hunan, Hupe, Hupei, Jiangsu, Jiangxi, Jilin, Kansu, Kiaangsu, Kiangsi, Ki-Lin, Kirin, Kwangsi-Chuang, Kwangtung, Kwiechow, Shansi, Shantung, Shensi, Sinkiang, Szechwan, Tao, Tibet, Tsinghai, Yunan, Yunnan.

PROVINCE ÉGYPTE (n. p.). Fayoum.

PROVINCE ESPAGNE (n. p.). Alava, Albacete, Alicante, Almeria, Avila, Badajoz, Barcelona, Basques, Biscaye, Burgos, Caceres, Cadiz, Castellon, Ciudad-Real, Cordoba, Cuenca, Gerona, Guadalajara, Guipuzcoa, Huelva, Huesca, Jaen, La Coruna, Lerida, Lugo, Lusitanie, Madrid, Magala, Murcia, Navarra, Orense, Oviedo, Palencia, Pontevedra, Salamanca, Santander, Saragosse, Séville, Soria, Tarragona, Teruel, Toledo, Valladolid, Valencia, Vascongadas, Vizlaya, Zamoro.

PROVINCE ÉTHIOPIE (n. p.). Choa.

PROVINCE FRANCE (n. p.). Ain, Aisne, Allier, Alpes-de-Haute-Provence, Alpes-Maritimes, Ardèche, Ardennes, Ariège, Aubes, Aude, Aveyron, Bas-Rhin, Béarn, Beauce, Belfort, Bouches-du-Rhône, Calvados, Cantal, Charente, Charente-Maritime, Cher, Corrèze, Corse-du-Sud, Côte-d'Or, Côtes-du-Nord, Creuse, Deux-Sèvres, Dauphiné, Dordogne, Doubs, Drôme, Essonne, Eure, Eure-et-Loir, Finistère, Gard, Gers, Gironde, Haute-Corse, Haute-Garonne, Haute-Loire, Haute-Marne, Haute-Saône, Haute-Savoie, Haute-Vienne, Haut-Rhin, Hautes-Alpes, Hautes-Pyrénées, Hauts-de-Seine, Hérault, Ille-et-Vilaine, Indre, Indre-et-Loire, Isère, Jura, Landes, Languedoc, Loir-et-Cher, Loire, Loire-Atlantique, Loiret, Lot, Lot-et-Garonne, Lozère, Maine-et-Loire, Manche, Marne, Mayenne, Meurthe-et-Moselle, Meuse, Morbihan, Moselle, Nièvre, Nord, Oise, Orne, Paris, Pas-de-Calais, Puy-de-Dôme, Pyrénées-Atlantiques, Pyrénées-Orientales, Rhône, Saint-Denis, Saône-et-Loire, Sarthe, Savoie, Seine, Seine-et-Marne, Seine-Maritime, Somme, Tarn, Tarn-et-Garonne, Val-de-Marne, Val-d'Oise, Var, Vaucluse, Vendée, Vienne, Vosges, Yonne, Yvelines.

PROVINCE GAULE ROMAINE (n. p.). Narbonnaise.

PROVINCE INDE (n. p.). Agra, Andhra, Aoudh, Bengale, Berar, Bihar, Bombay, Goa, Gujarat, Gujerat, Katch, Kerala, Madhya, Madras, Maharastra, Mysope, Oriss, Orissa, Pendjab, Penjab, Pradesh, Rajasthan, Tamil Nadu, Utar.

PROVINCE IRLANDE (n. p.). Leinster, Munster, Ulster.

PROVINCE ITALIE (n. p.). Abruzze, Émilie, Latium, Ligurie, Lombardie, Lucanie, Marches, Molise, Ombrie, Piémont, Sicile, Toscane, Trentin, Tridentine, Vénétie.

PROVINCE PALESTINE (n. p.). Judée.

PROVINCE PAYS-BAS (n. p.). Brabant, Drenthe, Flevoland, Frise, Groningue, Gueldre, Hollande, Limbourg, Overijssei, Utrecht, Zélande.

PROVINCE PERSE (n. p.). Lorestan, Luristan.

PROVINCE QUÉBEC (n. p.). P.Q., QC.

PROVINCIAL. Bouteux, brousseux, campagnard, glaiseux, habitant, paysan, pécore, péquenot, rural, rustre.

PROVINCIALISME. Dialectalisme, dialectisme, gaucherie, mot, originalité, particularité, régionalisme, tournure.

PROVISEUR. Agent, bureaucrate, directeur, employé, fonctionnaire, légat, magistrat, muezzin, préfet, sous-ministre.

PROVISION. Abondance, achat, acompte, aiguade, aliment, amas, approvisionnement, arrhes, avance, cellier, chèque, commission, denrée, dépôt, en-cas, fourniture, munitions, provende, réserve, somme, soute, stock, viatique, victuaille, vivres.

PROVISOIRE. Bref, camp volant, court, intérim, momentané, passager, précaire, temporaire, transitoire.

PROVISOIREMENT. Attendant, épinglage, intérim, momentanément, passagèrement, temporairement, transitoirement.

PROVOCANT. Affriolant, agressif, aguichant, batailleur, belliqueux, choquant, désirable, incendiaire, osé, sensuel.

PROVOCATEUR (n. p.). Burton, Gainsbour, Gaultier, Trier, Wilde.

PROVOCATEUR. Agitateur, agresseur, attaquant, boutefeu, combattant, comploteur, duelliste, écarteur, incitateur, provoc, provocant.

PROVOCATION. Agacerie, agression, agressivité, appel, attaque, bravade, cartel, cause, combat, défi, duel, excitation, gageure, incitation, infériorité, inspiration, instigation, irritation, provoc, suggestion, tentation.

PROVOQUE. Agace, allume, anémiant, cariant, détonateur, entraîne, givrant, lytique, purge, salivant.

PROVOQUER. Agacer, aguicher, allumer, amener, amorcer, bouleverser, braver, causer, chercher, convier, déclencher, défier, éclipser, émoustiller, émouvoir, engendrer, entourer, entraîner, envenimer, évaporer, éveiller, exciter, flanquer, fronder, halluciner, inciter, indigner, indiquer, ioniser, irriter, naître, occasionner, plaire, pousser, produire, renverser, sensibiliser, solliciter, soulever, stresser, susciter, tenter, tétaniser.

PROXÉNÈTE. Courtier, demi-sel, entremetteur, gigolo, jules, mac, maquereau, pim, pimp, profiteur, protecteur, souteneur.

PROXÉNÉTISME. Charnel, corruption, débauche, dégradation, maquereautage, maquerellage, mondain, prostitué, prostitution, racolage, tambour, tapin, trafic, traite, trottoir, vice.

PROXIMITÉ. Analogie, approche, avoisiner, boomerang, coin, confins, contiguïté, coude-à-coude, degré, distal, imminence, mitoyenneté, parenté, pour, près, proche, promiscuité, voisin, voisinage.

PRUCHE. Cône, conifère, fiacre, haricot, pin, sapin, sapinette, sapinière, tsuga, violon.

PRUDE. Affecté, austère, bégueule, chaste, dévot, honnête, modeste, pruderie, pudibond, pudique, puritain, rigoriste.

PRUDEMMENT. Avarement, chichement, logiquement, modérément, précautionneusement, préventivement, probablement, raisonnablement, rationnellement, sagement, sensément, serré, vigilamment.

PRUDENCE. Attention, cautèle, caution, circonspection, défiance, imprudence, minutie, précaution, prévision, prévoyance, prudent, maturité, réflexion, réserve, ruse, sagacité, sagesse, serré, vertu, vigilance.

PRUDENT. Averti, avisé, calme, cauteleux, circonspect, frileux, mesuré, précautionneux, réservé, sagace, sage, serré, timide, timoré, timide.

PRUDERIE. Affectation, bégueulerie, bégueulisme, cafardise, cautèle, comédie, déloyauté, duplicité, fausseté, félonie, hypocrisie, mascarade, papelardise, prude, pudeur, pudibonderie, puritanisme.

PRUINE. Bogue, brou, coque, coquille, cosse, cossette, couche, écale, écalure, écorce, efflorescence, épicare, feuillet, fruit, peau, pellicule, pelure, péricarpe, robe, tégument, zeste.

PRUNE. Agen, balle, catherine, cerisette, compote, confiture, contravention, couleur, damas, damassine du Japon, diapré, drupe, ente, fruit, icaque, madeleine, mauve, mirabelle, moyeu, perdrigon, pruneau, prunelle, prunus, quetsche, reine-claude, rien, violet.

PRUNEAU. Abricot, amande, balle, cerise, drupe, fruit, myrobalan, noix, noyau, olive, pêche, prune, quetsche.

PRUNELLE. Atropine, fruit, iris, lire, myopie, ocelle, œil, prune, pupille, quetsche, quinquet.

PRUNELLIER. Arbre, frugifère, infusion, marmottier, prunelle, prunier, prunus, rosacée, rhynchite.

PRUNIER. Dominotier, laurier-cerise, marmottier, mirabellier, prunelaie, prunellier, prunus, ximénia, ximénie.

PRUNUS. Abricotier, amandier, cerasus, cerisier, laurier, merisier, myrobolan, pêcher, persica, prunier, ximénia, ximénie.

PRURIGINEUX. Dermatose, dermique, dyshidrose, dysidrose, eczéma, épidermique, érythémateux.

PRURIGO. Acné, adné, candiose, cutané, dermatose, derme, dyskératose, ecthyma, eczéma, érythrasma, érythrodermie, érythrose, favus, furonculose, gale, ichtyose, impétigo, intertrigo, kératose, leucoplasie, lichen, lupus, peau, pédiculose, pityriasis, psoralène, psoriasis, puvathérapie, sclérodermie, ulcère.

PRURIT. Agacement, agnosie, aigreur, aura, chaleur, chatouillement, démangeaison, désir, émoi, émotion, euphorie, excitation, fatigue, fourmillement, froid, hallucination, impression, irritation, malaise, nausée, odeur, oppression, perception, pesanteur, phosphène, picotement, plaisir, sensation, sensibilité, sentiment, son, surprise, tact, tiraillement, vertige.

PRUSSIATE. Acide, Bleu-de-Prusse, cyanhydrique, cyanure, prussique.

PRUSSIK. Nœud.

PRYTANE. Archonte, bourgmestre, cadi, cours, décemvir, échevin, édile, éfendi, effendi, émérite, éphore, épitoge, éponyme, fécial, fétial, fonctionnaire, juge, jurât, magistrat, maire, ministre, podestat, polémarque, préfet, préteur, prévarication, procureur, questeur, robe, robin, sénateur, stratège, toque, tribun.

PSALLETTE. Chanteur, chœur, chorale, choriste, école, maîtrise, manécanterie, orphéon.

PSALLIOTE. Agaric, agaricacée, basidiomycète, champignon, pholiote, pratelle, rosé-des-prés.

PSALMODIER. Ânonner, chanter, débiter, déclamer, dire, lire, mémoriser, monologuer, monotone, prier, prononcer, psalmodie, psaume, raconter, rapporter, réciter.

PSALMODIQUE. Continu, endormant, ennuyeux, fade, fastidieux, grisaille, languissant, lassant, monocorde, monotone, morne, régulier, répétitif, ronron, semblable, terne, traînant, uniforme, uniformité.

PSAUME. Antienne, cantique, chant, complies, de profundis, doxologie, laudes, médiante, miserere, motet, pénitentiaux, psalmiste, psalmodie, psalmodier, psautier, répons, sacré, verset, versicule.

PSAUTIER. Album, ana, analectes, anthologie, atlas, bestiaire, bêtisier, bible, bouquin, brochure, cartulaire, catalogue, chrestomathie, chronique, code, dictionnaire, digest, divan, écrit, edda, florilège, formulaire, hadith, isopet, livre, protocole, publication, recueil, rituel, sermonnaire, silves, solfège, sottisier, spicilège, spicule, varia, ysopet.

PSEUDONYME. Anagramme, cryptonyme, dénommé, emprunt, guerre, identité, nom, plume, pseudo, surnom, untel.

PSEUDO-TUMEUR. Cancer, cancérigène, cancérogenèse, cancérologue, cancérophobie, carcinogenèse, carcinoïde, carcinome, épithélioma, épithéliome, fongus, leucémie, malin, métastase, néoplasme, sarcome, sida, squirrhe, taxol, tumeur.

PSITT. Attention, concentration, dissipation, distraction, égard, empressement, esprit, étourderie, garde, gare, hem, hep, inattention, intérêt, vigilance.

PSITTACIDÉ. Ara, cacatoès, carinate, cire, conure, euphème, foc, hunier, jaco, jacot, jacquot, jaser, lariquet, lori, maraceux, mélopsitte, oiseau, paléonis, perroquet, perruche, psittacose, rosalbin, scare, voile.

PSITTACISME. Allitération, assonance, bi, bis, chaîne, écho, écholalie, encore, fois, fréquence, ibidem, id, idem, itération, litanie, périssologie, pléonasme, radotage, rechute, redite, redondance, refrain, rengaine, répétition, reprise, resucée, retour, révision, ritournelle, scie, série, suite, sur, tautologie, tirade, train-train, trémolo.

PSORALÈNE. Acné, adné, candiose, cutané, dermatose, derme, dyskératose, ecthyma, eczéma, érythrasma, érythrodermie, érythrose, favus, furonculose, gale, ichtyose, impétigo, intertrigo, kératose, leucoplasie, lichen, lupus, peau, pédiculose, pityriasis, prurigo, psoriasis, puvathérapie, sclérodermie, ulcère.

PSYCHANALYSE. Anal, analyse, ça, caractère, ego, étude, mental, moi, pénétration, perversion, psy, refoulement, réitération, sadique, sadisme, sadomasochisme, scène, stade, sublimation, surmoi, transfert.

PSYCHANALYSTE. Analyseur, analyste, anatomiste, bissecteur, disséqueur, prosecteur, psychologue.

PSYCHANALYSTE ALLEMAND (n. p.). Abraham, Groddeck.

PSYCHANALYSTE AMÉRICAIN (n. p.). Alexander, Bettelheim, Devereux, Erikson, Fromm, Horney, Kardiner, Reich, Skinner, Spitz, Szasz.

PSYCHANALYSTE ANGLAIS (n. p.). Winnicott.

PSYCHANALYSTE AUTRICHIEN (n. p.). Adler, Rank, Rosenfeld, Reich.

PSYCHANALYSTE BRITANNIQUE (n. p.). Balint, Bion, Freud, Jones, Klein, Winnicott.

PSYCHANALYSTE FRANÇAIS (n. p.). Bonaparte, Dolto, Guattari, Kristeva, Lacan, Lagache, Laplanche, Manoni.

PSYCHANALYSTE HONGROIS (n. p.). Ferenczi, Roheim.

PSYCHASTHÉNIE. Abattement, angoisse, asthénie, cafard, céphalée, courbature, dépression, déprime, faiblesse, fatigue, indécision, insomnie, mélancolie, molesse, neurasthénie, névrose, pessimisme, spleen, tristesse.

PSYCHÉ. Âme, archée, atman, cœur, conscience, conscient, ego, esprit, glace, individualité, miroir, moi, mystère, pensée, principe, psychique, psychisme, psychologie, souffle, spiritualité, transcendance, vie.

PSYCHIATRE. Aliéniste, neuropsychologue, psy, psychanalyste, psychologue, psychothérapeute, thérapeute, verbigération.

PSYCHIATRE ALLEMAND (n. p.). Freud, Jaspers, Kraepelin, Krafft-Ebing, Kretschmer.

PSYCHIATRE AMÉRICAIN (n. p.). Alexander, Devereux, Festinger, Skinner, Spitz, Szasz.

PSYCHIATRE ANGLAIS (n. p.). Cooper, Laing.

PSYCHIATRE AUTRICHIEN (n. p.). Adler, Bettelheim, Breuer, Freud, Wagner-Jauregg.

PSYCHIATRE BRITANNIQUE (n. p.). Balint, Bion, Bowlby, Cooper, Laing.

PSYCHIATRE ÉCOSSAIS (n. p.). Laing.

PSYCHIATRE FRANÇAIS (n. p.). Delay, Dolto, Esquirol, Ey, Heuyer, Janet, Magnan, Pinel.

PSYCHIATRE MARTINIQUAIS (n. p.). Fanon.

PSYCHIATRE SUISSE (n. p.). Bleuler, Forel, Jung, Piccard, Rorschach, Starobinski.

PSYCHIATRIE. Anthropologie, anthropométrie, criminologie, obsession, oligophrénie, psychologie, rituel, schizophrénie, sinistrose, sismothérapie, sociologie, victimologie.

PSYCHIATRIQUE. Aura, délire, excitation, folie, frénésie, hystérie, hystérique, nervosité, névrose, pithiatisme.

PSYCHIQUE. Âme, conscient, esprit, intellectuel, mental, moral, pensée, rêve, spirituel, stress, trauma.

PSYCHISME. Âme, archée, atman, cœur, conscience, conscient, ego, esprit, glace, individualité, mental, miroir, moi, mystère, pensée, principe, psyché, psychique, psychologie, souffle, spiritualité, transcendance, vie.

PSYCHOANALEPTIQUE. Antidépresseur, antidépressif, énergisant, euphorisant, psychotonique.

PSYCHODRAME. Alourdissement, ambiance, amplification, développement, dramatisation, emphase, exagération, méthode, outrance, querelle, redondance, sociodrame, symbolisation.

PSYCHOLEPTIQUE. Antipsychotique, anxiolytique, benzodiazépine, butyrophénone, chlorpromazine, diazépam, halopéridol, médicament, neurodépresseur, neuroleptique, phénothiazine, psychose, psychotrope, tranquillisant.

PSYCHOLOGIE. Âme, amour, béhaviorisme, caractère, comportement, confort, conscience, égocentrisme, fantasme, feed-back, génétisme, mental, mentalité, nativisme, pédologie, pénétration, prégnance, psy, psycho, psychologue, réaction, réflexogène, renforcement, réponse, représentation, répression, rôle, roman, satiation, scotomiser, sentiment, sociogenèse, suggestibilité, transfert.

PSYCHOLOGIQUE. Analyse, bien, bon, guerre, immoral, influence, intellectuel, juste, mal, mental, mentalité, mœurs, moral, probe, psychique, psychopolémologie, sain, spirituel, test, vertueux.

PSYCHOLOGIQUEMENT. Honnêtement, mentalement, moralement, psychiquement, rationnellement, vertueusement.

PSYCHOLOGUE. Analyste, chercheur, évaluateur, inspecteur, médecin, orienteur, philosophe, psy.

PSYCHOLOGUE ALLEMAND (n. p.). Brentano, Ebbinghaus, Fechner, Stumpf, Wertheimer, Wundt.

PSYCHOLOGUE AMÉRICAIN (n. p.). Baldwin, Bruner, Catell, Dewey, Ehrenfels, Gesell, Guilford, Guttman, Hall, Harlow, Hull, Kardiner, Katz, Koffka, Köhler, Lewin, Moreno, Pradines, Skinner, Stevens, Thorndike, Thurstone, Titchener, Tolman, Watson.

PSYCHOLOGUE AUTRICHIEN (n. p.). Adler, Bettelheim, Ehrenfels.

PSYCHOLOGUE BRITANNIQUE (n. p.). Eysenck, Spearman.

PSYCHOLOGUE CANADIEN (n. p.). Hebb.

PSYCHOLOGUE FRANÇAIS (n. p.). Binet, Coué, Janet, Fraisse, Guillaume, Piéron, Pradines, Ribot, Wallon, Zazzo.

PSYCHOLOGUE SOVIÉTIQUE (n. p.). Vygotski.

PSYCHOLOGUE SUISSE (n. p.). Claparède, Flournoy, Inhelder, Piaget.

PSYCHOPATHE. Aliéné, anormal, cinglé, dément, désaxé, déséquilibré, détraqué, forcené, fou, furieux, inflation, instable, interné, loufoque, mondide, morbide, névropathe, névrosé, piqué, timbré, toqué.

PSYCHOPÉDAGOGUE AMÉRICAIN (n. p.). Rogers.

PSYCHOPÉDIATRE AMÉRICAIN (n. p.). Gesell.

PSYCHOPÉDIATRE ANGLAISE (n. p.). Freud.

PSYCHOSE. Aliénation, angoisse, confusion, délire, démence, folie, mental, obsession, panique, paranoïa, paraphrénie.

PSYCHOSOCIOLOGUE AMÉRICAIN (n. p.). Festinger, Lewin, McDougall, Moreno.

PSYCHOSOCIOLOGUE FRANÇAIS (n. p.). Stoetzel.

PSYCHOTHÉRAPEUTE. Aliéniste, neuropsychologue, psychanalyste, psychiatre, psychologue, thérapeute.

PSYCHOTHÉRAPIE. Biofeedback, cure, médication, onirothérapie, psychothérapie, soins, thérapie, traitement.

PSYCHOTIQUE. Antipsychotique, butyrophénone, chlorpromazine, clomipramine, clozapine, fluphénazine, halopéridol, loxapine, mésoridazine, molindone, perphénazine, phénothiazine, prochlorpérazine, promazine, thiodazine, thiothixène, trifluopérazine.

PSYCHOTONIQUE. Amidopyrine, amitriptyline, amoxapine, antidépresseur, anxiolytique, barbiturique, bupropoin, calmant, clomipramine, doxépine, énergisant, fluoxétine, imipramine, maprotiline, neuroleptique, nortriptyline, phénelzine, phénobarbital, psychotrope, sédatif, thymoanaleptique, tranquillisant, tranylcypromine, trazodone.

PSYCHOTROPE. Amidopyrine, amitriptyline, amoxapine, antidépresseur, anxiolytique, barbiturique, bupropoin, calmant, clomipramine, doxépine, énergisant, fluoxétine, imipramine, maprotiline, neuroleptique, nortriptyline, phénelzine, phénobarbital, psychotonique, sédatif, thymoanaleptique, tranquillisant, tranylcypromine, trazodone.

PSYLLE. Acrobate, annéliste, antipodiste, barriste, bateleur, bâtonniste, batoude, cascadeur, cigale, contorsionniste, culbuteur, équilibriste, fildetériste, funambule, gymnaste, insecte, jongleur, matassin, pétauriste, salvateur, trapéziste, voltigeur.

PSYLLIUM. Bourdaine, cathartique, dépuratif, évacuant, lavement, laxatif, libératoire, lustral, mauve, purgatif, purge, purificateur, purificatoire, séné, senne, sorbitol, suppositoire, tamar, vidant.

PTÉRIDOPHYTE. Algue, champignon, cistule, cryptogame, entomostracé, équisétinée, filicinée, fougère, isoète, lycopode, lycopodinée, mildiou, plante, prêle, presle, rouille, soie, sore, spore, stipe, urne.

PTÉRANODON. Animal, crétacé, édenté, fossile, ptérosauriens, reptile volant.

PTÉROPODE. Classe, gastéropode, gastropode, mollusque, nageoire.

PTYALINE. Amidon, amylase, arthritisme, ase, carboxylase, diastase, émulsine, entérokinase, enzyme, érepsine, invertase, invertine, laccase, lactase, lipase, maltase, myrosine, oxydase, papaïne, pepsine, protéase, saccharase, sucrase, thrombine, trypsine, zymase.

PUANT. Chanceux, dédaigneux, dégoutant, désagréable, écoeurant, empesté, empuanti, fétide, fétidité, fort, hircin, impudent, infect, insupportable, malodorant, miasmatique, nauséabond, odieux, pestilentiel, puanteur, putride, répugnant, vaniteux.

PUANTEUR. Arôme, effluve, émanation, exhalaison, fétidité, fumet, odeur, miasme, parfum, senteur, souffle, vapeur.

PUB. Affichage, affiche, annonce, battage, néon, propagande, publicité, réclame, slogan, tam-tam, tapage, teaser.

PUBÈRE. Adolescent, composé, développé, établi, formé, gauchi, juvénile, mature, mûr, nubile, pétri, réglé.

PUBERTÉ. Adolescence, éphèbe, formation, impubère, ingrat, nuance, muer, nubilité, pénil, pubère.

PUBESCENCE. Adolescence, âge, éphébéité, jeunesse, juvénilité, minorité, nubilité, préadolescent, puberté.

PUBESCENT. Chêne, doux, duveté, duveteux, lanugineux, poilu, tige, tomenteux, velu, velouté, villeux.

PUBIS. Mont de Vénus, morpion, ovulaire, pénil, pénis, phtiriase, phtirius, pubalgie, pubien, sexe.

PUBLIC. Agora, assemblée, assistance, audience, auditeur, auditoire, café, chambrée, collectivité, ennemi, éventer, foire, forum, foule, galerie, gens, huis clos, ivresse, lecteur, notoire, parterre, peuple, privé, salle, scandale, spectateur.

PUBLICATION. Annonce, apparition, argus, ban, bulletin, dénonciation, digest, divulgation, édition, fanzine, gazette, hebdo, hebdomadaire, ISBN, Issn, journal, lancement, livre, magazine, mensuel, numéro, organe, ouvrage, parution, périodique, proclamation, promulgation, quotidien, recueil, rédactionnel, revue, sortie, tabloïd, tirage.

PUBLICISER. Agrainer, arroser, couvrir, dégager, démocratiser, départir, déverser, diffuser, disperser, disséminer, ébruiter, éclairer, émaner, émerger, emplir, envahir, épandre, éparpiller, essaimer, étaler, étendre, exhaler, fleurer, fluer, paver, pleurer, populariser, propager, répandre, ressemer, semer, sentir, sortir, surgir, verser, vulgariser, universaliser.

PUBLICISTE. Animateur, annonceur, chroniqueur, columniste, commentateur, correspondant, courriériste, critique, écrivain, éditorialiste, envoyé, journaliste, nouvelliste, pigiste, poète, rédacteur, reporter, romancier.

PUBLICISTE ALLEMAND (n. p.). Görres, Pudendorf.

PUBLICISTE AMÉRICAIN (n. p.). Franklin, Laurence, Paine, Payne.

PUBLICISTE FRANÇAIS (n. p.). Bainville, Cabet, Carrel, Cassagnac, Delord, Desmoulins, Drumont, Eichthal, Havas, Macé, Merle, Proudhon, Suard, Vitu.

PUBLICISTE HONGROIS (n. p.). Jokai.

PUBLICISTE ITALIEN (n. p.). Beccaria, Bonesana.

PUBLICISTE PORTUGAIS (n. p.). Pinto.

PUBLICISTE QUÉBÉCOIS (n. p.). Bouchard.

PUBLICISTE RUSSE (n. p.). Bielinski, Belinshi, Katkof, Nekrassov.

PUBLICISTE SUISSE (n. p.). Baumgartner.

PUBLICITÉ. Affichage, affiche, annonce, battage, bruit, néon, propagande, pub, réclame, slogan, tam-tam, tapage, teaser.

PUBLIÉ. Annoncé, divulgué, édité, émis, imprimé, ISBN, Issn, lancé, officiel, paru, public, réimprimé, révélé, sorti.

PUBLIER. Afficher, annoncer, avertir, aviser, colporter, connaître, corner, crier, déclarer, décréter, divulguer, donner, écrire, édicter, éditer, émettre, exposer, faire, fulminer, gémir, imprimer, lancer, paraître, proclamer, promulguer, prononcer, réimprimer, répandre, tirer, voir.

PUBLIQUEMENT. Carrément, clairement, crûment, droitement, franchement, franco, haut, hautement, légalement, librement, loyalement, net, nettement, officiellement, ostensiblement, ouvertement, simplement, sincèrement, très, vraiment.

PUCE. Chique, daphnie, ectoparasite, insecte, marché, microprocesseur, parasite, semi-conducteur, talitre.

PUCEAU. Ado, adolescent, adonis, bachelier, béjaune, blanc-bec, cadet, chaste, chérubin, continent, éphèbe, fan, galipin, garçon, hymen, jeune, jouvenceau, jouvencelle, novice, nymphette, page, pédopsychiatrie, scout, teen-ager, tendron.

PUCELLE. Abstinent, ascétique, chaste, continent, décent, demoiselle, dépucelage, dépuceler, immaculé, innocente, modeste, prude, puceau, pucelage, pudique, pur, rosière, sage, vertueux, vestale, vierge, virginal, virginité.

PUCERON. Aleurode, chermès, coccinelle, cochenilles, kermès, lanifère, lanigère, miellat, pemphigus, phylloxéra, rhynchote.

PUCIER. Alèse, ber, chevet, ciel, coite, couche, couchette, couchis, couette, divan, dodo, drap, épi, grabat, hamac, jar, jard, justice, lire, lit, litière, pageot, paillasse, pieu, procuste, mariage, ravin, ru, ruelle, ruisseau, sofa, sultane.

PUDDING. Baba, bûche, cake, clafoutis, couque, dartois, éclair, frangipane, galette, gâteau, gaufre, génois, génoise, gougère, kouglof, kugelholf, macaron, millas, millefeuille, moka, nougat, opéra, pâtisserie, ramequin, roulé, sablé, saint-honoré, savarin, tourte, vacherin.

PUDEUR. Chasteté, décence, délicatesse, discrétion, honneur, honte, prude, pruderie, pudibonderie, pudicité, pureté, réserve, retenue, vergogne, vertu.

PUDIBOND. Bégueule, chaste, collet monté, décent, délicat, discret, prude, pudibonderie, pudique, puritain, timide.

PUDIBONDERIE. Affectation, bégueulerie, bégueulisme, cafardise, cautèle, comédie, déloyauté, duplicité, fausseté, félonie, hypocrisie, mascarade, papelardise, pruderie, pudeur, puritanisme, réserve, timidité.

PUDICITÉ. Chasteté, décence, délicatesse, discrétion, honneur, honte, prude, pruderie, pureté, réserve, retenue, vertu.

PUDIQUE. Chaste, décent, délicat, honte, immaculé, modeste, prude, pudeur, pur, réservé, sage, vergogne.

PUDIQUEMENT. Angéliquement, chastement, décemment, discrètement, exclusivement, intégralement, moralement, purement, saintement, totalement, uniquement, vertueusement, virginalement.

PUER. Ase, chlinguer, cocoter, cocotter, dégager, émaner, empester, empuantir, infecter, odorer, puant, renfermé, schlinguer, sentir, suffoquer.

PUÉRIL. Baliverne, bébé, dérisoire, enfant, enfantillage, enfantin, frivole, futile, gaminerie, immature, infantile, inutile, mièvre, naïf, neutre, puérilité, stérile, vain.

PUÉRILITÉ. Badinerie, bagatelle, baliverne, dérisoire, détail, enfantillage, frivolité, futilité, infantilité, infime, insignifiance, mièvrerie, mineur, minime, minutie, négligeable, niaiserie, rien, vanité, vétille.

PUGILAT. Affrontement, athlète, bagarre, boxe, catch, ceste, combat, judo, lutte, pancrace, pugiliste, rixe, sport.

PUGILISTE. Athlète, batailleur, boxeur, catcheur, judoka, lutteur, pancarte.

PUGNACE. Agressif, bagarreur, batailleur, belliqueux, combatif, coriace, guerrier, offensif, querelleur, teigneux.

PUGNACITÉ. Agressivité, bagarre, boxe, catch, clé, collision, combat, curée, duel, grève, guerre, jiu-jitsu, joute, judo, karaté, lice, lutte, magouillage, magouille, mêlée, pancrace, prise, pugilat, querelle, rixe, savate.

PUÎNÉ. Après, benjamin, cadet, descendant, frérot, griveton, infant, jeune, junior, né, sororat.

PUIS. Adonc, ainsi que, alors, après, de plus, ensuite, et, outre, pis, pis après, subséquemment.

PUISARD. Aven, bétoire, cavité, chantoir, cloup, égout, fosse, gouffre, igue, perte, précipice, puits, tindoul.

PUISER. Baqueter, consulter, emprunter, extraire, glaner, pêcher, piocher, pomper, prélever, prendre, procurer, pucher, puisette, seau, servir, taper, tirer, traire, trouver, urne.

PUISQUE. Attendu, car, cause, comme, conjonction, dès, enfin, étant donné, motif, parce que, pendant, raison, rapport.

PUISSAMMENT. Abondamment, amplement, beaucoup, considérablement, énormément, fastueusement, fort, fortement, grandement, immensément, infiniment, luxueusement, princièrement, richement, royalement, spacieusement, vastement.

PUISSANCE. Acuité, à tue-tête, autorité, capacité, dynamisme, effet, efficacité, empire, énergie, éon, épaisseur, état, étoile, faculté, force, grandeur, impérium, intensité, loi, magie, mana, marine, possibilité, potentiel, pouvoir, punch, seigneurie, sort, sthénie, superpuissance, toute-puissance, trône, turbo, vigueur, watt.

PUISSANT. Capable, efficace, énergique, étoffé, fort, grand, haut, impétueux, influent, intense, marquant, omnipotent, potentat, prépondérant, redoutable, riche, robuste, titan, véhément, vigoureux, violent, virulent.

PUITS (n. p.). Champmol, Moïse.

PUITS. Artésien, aven, bétoire, bure, cavité, citerne, coffrage, creusé, excavation, fonçage, fontaine, forage, foré, huile, igue, margelle, mine, naturel, picot, pierrier, pompe, puisard, raval, réservoir, rouet, sonde, source, trou.

PULL-OVER. Chandail, débardeur, gilet, jersey, polo, pull, shetland, survêtement, sweat-shirt, tricot.

PULLULANT. Abondant, ample, commun, considérable, copieux, dense, dru, épais, excessif, exubérant, fécond, fertile, foisonnant, fourni, fructueux, généreux, giboyeux, gros, large, luxuriant, nombreux, opulent, plantureux, pléthorique, pluvieux, riche, surabondant, volubile, volumineux.

PULLULEMENT. Affluence, afflux, amas, armée, avalanche, cohue, essaim, flopée, flot, foison, foule, fourmilière, légion, luxe, marée, masse, multitude, nombre, nuée, profusion, quantité, surabondance, tas, troupeau, univers, vulgum pecus.

PULLULER. Abonder, foisonner, fourmiller, grouiller, multiplier, proliférer, reproduire, surabonder.

PULMONAIRE. Borraginacée, congestion, embolie, grippe, peste, pneumonie, poumon, rhume.

PULMONÉ. Ancylus, bullin, colimaçon, escargot, gastéropode, limace, limaçon, limnée, loche, mollusque.

PULPE. Acra, bouillie, casse, chair, charnu, dent, doigt, luffa, tamar, tamarin, tissu, tourteau.

PULPEUX. Arrondi, charnu, corpulent, dodu, enveloppé, épais, gras, grassouillet, lèvre, potelé, replet, rond.

PULQUE. Agave, aloès, arborescents, bainesii, boisson, calambac, calambar, calambour, chicotin, ciliaris, cocktail, éru, ferox, karata, liliacée, manilles, pite, placatilis, plante, tambac, vaombe, variegata, vera.

PULSATION. Barbillon, batillage, battant, battement, choc, coup, frappement, ictus, oscillation, palpiter, pouls, radian.

PULSION. Atome, cœur, courage, dynamisme, efficacité, effort, électricité, énergie, éros, faiblesse, fermeté, force, inerte, instinct, libido, mollasson, mollesse, mordant, pep, pétrole, photon, pile, tendance, tension, thanatos, tonus, vertu, vigueur, vitalité, watt.

PULVÉRISATEUR. Aérographe, aérosol, atomiseur, bombe, brumisateur, gicleur, inhalation, nébuliseur, pistolet, poudreuse, rejaillissant, retombant, spray, sulfateuse, vaporisateur.

PULVÉRISATION. Évaporation, distillation, gazéification, ionoplastie, nébulisation, sublimation, vaporisation, volatilisation.

PULVÉRISER. Asperger, atomiser, broyer, désintégrer, détruire, émier, exploser, fixer, moudre, réduire, vaporiser, voler.

PULVÉRULENCE. Délitescence, éclosion, effleurir, efflotescence, épanouissement, exanthème, floraison, salpêtre.

PULVÉRULENT. Ciment, farine, fécule, neige, poudre, poudrerie, poudreux, souffleuse, toner.

PUMA. Carnassier, carnivore, cougar, couguar, cougouar, eyra, félidé, félin, guépard, once.

PUNAISE. Acanthe, actée, bardane, bigote, cimex, cimicaire, clou, ectoparasite, gendarme, insecte, naucore, nèpe, notonecte, parasite, pentatome, pyrocorise, pyrocose, pyrrhocoris, ranatre, réduve, rhynchotes, rostre, soldat, thumb-tack, vélie.

PUNCH. Blague, boisson, boxeur, citron, coup, daiquiri, dynamisme, efficacité, énergie, force, humour, incisif, jus, liqueur, nerf, pep, puissance, puncheur, punching-ball, rhum, riposte, sucre, tonus, vitalité.

PUNIR. Battre, châtier, coller, condamner, corriger, crucifier, décapiter, dompter, écarteler, énerver, expier, fesser, flétrir, frapper, gifler, infliger, mater, payer, redresser, réduire, réprimer, sacquer, saquer, saler, sanctionner, sévir, venger.

PUNISSABLE. Auteur, chef, comptable, condamnable, conscient, contremaître, cornac, coupable, dirigeant, endosse, engagé, fautif, fourrier, garant, instigateur, mature, officiel, pendable, réfléchi, régisseur, responsable.

PUNITIF. Acharné, haineux, malveillant, rancunier, régressif, revanchard, vengeur, vindicatif, violent.

PUNITION. Amende, arrêt, châtiment, blâme, colle, condamnation, correction, expiation, fouet, impunité, knout, leçon, peine, pénalité, pénitence, pensum, répression, retenue, sanction, supplice, talion, vindicte.

PUPAZZO. Arlequin, bamboche, bouffon, clown, fantoche, figurine, girouette, guignol, jouet, joujou, mannequin, margotin, marionnette, naïf, niais, pantalon, pantin, polichinelle, poupée, versatile.

PUPE. Chenilles, chrysalide, daphné, divinité, dryade, fille, grâce, hamadryade, hespéridé, hyades, muse, naïade, napée, néréide, nixe, nymphal, nymphe, océanide, ondine, oréade, pléiade, pupipare, satyre, triton.

PUPILLE. Atropine, enfant, ésérine, incapable, iris, lire, mineur, mydriase, myopie, myosis, œil, orphelin, prunelle.

PUPITRE. Aigle, ambon, bureau, clavier, console, lutrin, meuble, porte-copie, scriban, table, tableau.

PUR. Absolu, affiné, blanc, candide, chaste, clair, degré, droit, épuré, éthéré, fidélité, fin, franc, fraîcheur, inaltéré, ingénu, innocent, intact, intrinsèque, irréprochable, lilial, limpide, lis, lys, natif, naturel, net, parfait, saint, serein, simple, vertueux, vierge, virginal.

PURÉE. Aligot, anchoïade, anchoyade, bouillie, brouillard, coulis, estouffade, garbure, gêne, misère, mouise, pauvreté.

PUREMENT. Angéliquement, chastement, décemment, discrètement, exclusivement, intégralement, moralement, pudiquement, saintement, totalement, uniquement, vertueusement, virginalement.

PURETÉ. Blancheur, candeur, chasteté, clarté, continence, droiture, eau, épurement, fraîcheur, idéal, ingénuité, innocence, innocent, intégrité, limpidité, netteté, propreté, pudeur, pur, virginité, vertu.

PURGATIF. Cathartique, dépuratif, diurétique, drastique, évacuant, hydragogue, ricin, séné.

PURGATION. Catharsis, dépuratif, laxatif, purgatif, purge.

PURGE. Corvée, dépuratif, épuration, lavement, laxatif, pensum, punition, purgatif, purgation.

PURGER. Curer, débarrasser, dégager, éliminer, épurer, évacuer, expier, expulser, purifier, vider.

PURGEUR. Clapet, conduite, écluse, obturateur, ouverture, porte, reniflard, soupape, valve, valvule, vannelle.

PURIFICATION. Ablution, aération, affinage, axénisation, baptême, catharsis, dépuratif, dépuration, dialyse, élimination, épuration, fête, fonderie, lavement, lustration, nettoyage, purgation, purgatoire, rectification.

PURIFIER. Affiner, asperger, assainir, balayer, baptiser, bluter, clarifier, curer, décanter, décrotter, déféquer, dépurer, désinfecter, déterger, épurer, éluer, filtrer, laver, lustral, nettoyer, purger, raffiner, rectifier, sasser.

PURIN. Amendement, apport, biologique, compost, crotte, crottin, cyanamide, engrais, fertilisant, fiente, fumier, fumure, gadoue, guano, humus, lisier, nourrain, porc, poudrette, terreau, urée, urine, wagage.

PURISTE. Consciencieux, délicat, détaillé, exigeant, filtrage, méticuleux, mesquin, minutieux, raffiné, regardant, scrupuleux, soigneux, sourcilleux, subtil, taponneux, tatillon, vétillard, vétilleux, zigonneux.

PURITAIN (n. p.). Cromwell, Eliot.

PURITAIN. Austère, bégueule, chaste, étroit, janséniste, momier, prude, protestant, pudibond, puriste, rigide, rigoriste, sévère.

PURPURA. Acné, ébullition, énanthème, éruption, exanthème, hémogénie, herpès, impétigo, lichen, miliaire, peau, pétéchie, poussée, rash, roséole, sortie, urticaire, vaccinelle, vaccinide, vibice.

PURPURIN. Amarante, bardane, bordeaux, cardinal, colorant, couleur, cramoisi, dignité, fièvre, garance, grenat, impérial, murex, orseille, pourpre, pourprin, purpurine, rouge, rougeur, royal, tyr, violacé, violine.

PUR-SANG. Alezan, allure, amble, anglo-arabe, anglo-normand, ars, arzel, aubère, bai, baillet, balzan, barbe, bas-jointé, bégu, bouleté, bourrin, brassicourt, cagneux, canasson, canon, carcan, carne, cavale, cavalier, cavecé, châtaigne, cheval, cob, courbatu, coursier, court-jointé, crinière, croupe, dada, demi-sang, embarre, encastré, encolure, ensellé, équin, étalon, galop, garrot, genet, goussaut, haridelle, hippocampe, hongre, hunter, isabelle, jarret, limonier, mésair, mézair, mors, mule, mustang, outsider, palefroi, panard, percheron, piaffeur, pinçard, poitrail, polo, poney, racer, ramingue, relais, rosse, rouan, roussin, rubican, ruer, sabot, sommier, stepper, steppeur, tarpan, tocard, toquard, trot, trotteur, turf, yearling, zain.

PURULENT. Ichor, phlegmoneux, purulence, pus, pyodermite, sanie, sanieux.

PUS. Abcès, blennorrhée, boue, bourbillon, chassie, collection, drain, écoulement, empyème, exsudat, gourme, humeur, ichor, infection, jaunâtre, leucocyte, purulent, pyogène, pyorrhée, pyurie, sanie, suppurer, vomique.

PUSILLANIME. Brave, couard, craintif, faible, frileux, frilosité, froussard, lâche, pétochard, peureux, pleutre, poltron, poule mouillée, pusillanimité, timide, timoré, trouillard, veule.

PUSTULE. Abcès, adénite, apostème, apostume, bouton, bube, budon, bulle, chancre, ciron, clou, confluence, dépôt, écrouelle, élevure, éruption, impétigo, lèpre, lésion, psora, psore, pus, pustuleux, tumeur, vésicule.

PUTAIN. Call-girl, catin, chipie, cocotte, courtisane, fille, garce, gaupe, grue, hétaïre, juron, micheton, morue, odalisque, péripatéticienne, pétasse, poule, poupée, prostituée, pute, racoleuse, radeuse, ribaude, roulure, salope, traînée.

PUTATIF. Admis, affirmé, apocryphe, attribué, censé, conjectural, cru, douteux, emprunt, espéré, estimé, factice, faux, imaginaire, incertain, point, présage, présumé, prétendu, pseudo, si, soi-disant, supposé.

PUTOIS. Brosse, fouine, fourrure, furet, kolinski, mammifère, moufette, mustélidés, pinceau, vison.

PUTRÉFACTION. Altération, corruption, décomposition, infection, miasme, moisissure, nécrose, pourrissement, pourriture, putrécence, putridité.

PUTRÉFIER. Décomposer, empester, gâter, glacer, infecter, moisir, pourrir, puer, putride.

PUTRIDE. Corrupteur, décomposé, fétide, immoral, infect, malsain, pernicieux, pervers, pourri, putréfiable, putrescence, putrescent.

PUTSCH. Affleurement, agitation, bulle, écaillage, émeute, excitation, exhaussement, insurrection, intifada, levage, levée, pronunciamento, putschiste, redressement, répulsion, révolte, révolution, saut, sédition, soulèvement.

PUY-DE-DÔME, VILLE (n. p.). Ambert, Aydat, Chamalières, Champeix, Clermont-Ferrand, Issoire, Meiseix, Mosac, Murol, Rion, Royat, Sauxillanges, Tauves, Thiers, Veyre.

PYGARGUE. Aigle, aigle de mer, falconiforme, huard, oiseau, orfraie, pêcheur, rapace.

PYGMÉE. Africain, homoncule, homuncule, myrmidon, nabot, nain, négrille, petit, riquiqui.

PYLÔNE. Colonne, mât, pilier, portail, poteau, sapine, support, tour, trinôme.

PYORRHÉE. Abcès, blennorrhée, boue, bourbillon, chassie, collection, drain, écoulement, empyème, exsudat, gourme, humeur, ichor, infection, jaunâtre, leucocyte, purulent, pus, pyogène, pyurie, sanie, vomique.

PYRALE. Aglossa, carpocapse, chenilles, crambe, maladie, papillon, paraponyx, pomme, vigne.

PYRAMIDAL. Accumulation, amas, balai, botte, bouquet, bysse, byssus, câble, fagot, faisceau, feston, flambeau, foudre, gerbe, grappe, ligament, lumière, pinceau, sémème, spot, tendon, torche, virgation.

PYRAMIDE (n. p.). Chéops, Chéphren, Dachour, Giseh, Khéops, Khéphren, Louvre, Meïdoum, Mykérinos, Saqqarah, Téocali, Téocalli.

PYRAMIDE. Aiguille, amas, apothème, cairn, camelle, cheminée, escalade, mastaba, tas, tétraèdre, trémie, tronc.

PYRÉNÉES-ATLANTIQUES, VILLE (n. p.). Accous, Artix, Bayonne, Biarritz, Bidache, Juraçon, Lacq, Lescar, Morlaas, Mourenx, Nay, Pontacq.

PYRÉNÉES-ORIENTALES, VILLE (n. p.). Cabestany, Canet, Elne, Perpignan, Py, Saillagousse, Vinca.

PYRÉNÉITE. Almandin, alpes, grenat, grenat noir.

PYREX. Bocal, bock, calcin, carreau, chope, coupe, cristal, demi, fic, fiole, flûte, glace, gobelet, godet, opaline, pot, pyrex, résistant, smalt, soyer, stras, strass, suin, tournée, verre, vitre, vitreux.

PYREXIE. Amaril, antipyrétique, aphteuse, apyrexie, brucellose, crise, défervescence, équine, fébrifuge, fébrilité, fièvre, frénésie, hectique, malaria, or, paludisme, sueur, température, urticaire, vitulaire, vomito.

PYRIMIDIQUE. Adénine, base, cytosine, guanine, hydroxylamine, monobase, purique, pyrimidine, rosaniline, thymine, uracile, xanthine.

PYRITE. Blende, chalcopyrite, chalcosine, cinabre, galène, ichtyol, nase, orpiment, plomb, réalgar, stibine, sulfure, thallium, vermillon, ypérite, zinc.

PYROLYSE. Ablation, altération, analyse, blet, blette, biodégradation, corruption, cracking, décomposition, dégradation, dénitrification, désagrégation, désintégration, division, fermentation, humus, photolyse, pourriture, putréfaction, séparation, tmèse.

PYROMANE. Brûleur, criminel, feu, impulsion, incendiaire, pétroleur, séditieux, subversif.

PYROXÈNE. Actinote, ægyrine, alamosite, albite, amiante, amphibole, andradite, béryl, calamite, caldasite, cérite, cordiérite, disthène, écume, émeraude, épidote, feldspathoïde, garniérite, grenat, jade, kaolinite, lapis, larsénite, leucite, magnétite, pectolite, péridot, phénacite, serpentine, sidérolite, silicate, sphène, spodumène, stéatite, talc, thorite, trémolite, yttrialite, zéolite, zéolithe, zircon.

PYRRHOCORIS. Acanthe, actée, bardane, bigote, cimex, cimicaire, clou, ectoparasite, gendarme, insecte, naucore, nèpe, notonecte, parasite, pentatome, punaise, pyrocorise, pyrocose, ranatre, réduve, rhynchotes, rostre, soldat, thumb-tack, vélie.

PYRRHONISME. Aporétique, défiance, doctrine, doute, incertitude, incrédulité, indifférence, méfiance, nihilisme, pyrrhonien, refus, scepticisme, soupçon.

PYTHAGORISME. Ascétisme, hermétisme, mathématisme, métempsycose, philosophie, végétalisme.

PYTHIE. Apollon, devin, devineresse, magicienne, prophétesse, pythien, pythonisse, sibylle.

PYTHON. Boa, boïdé, diasis, molure, morélia, python-tigre, réticulé, royal, serpent, tigre, vert.

PYTHONISSE. Astrologue, devin, femme, magicien, oracle, prophétesse, sorcier, voyant.

PYURIE. Blennorragie, chaude-lance, chaude-pisse, chtouille, gonococcie, gonocoque, gonorrhée, phallorrhée, ulcère, urine.

PYXIDE. Boîte, capsule, ciboire, couvercle, custode, hostie, jusquiame, mouron, plantain, vase.

Q

QANUN. Cithare, graphie, kanun.

QAT. Arbuste, célastracée, chique de kat, drogue, hallucinogène, kat, khat, masticatoire, plante.

QATAR, CAPITALE (n. p.). Doha.

QATAR, LANGUE. Arabe.

QATAR, MONNAIE. Riyal.

QATAR, VILLE (n. p.). Doha, Dukhan, Fuwayrit.

QUADRANGULAIRE. Carré, obélisque, pyramidion, quadrilatéral, rectangulaire, trinquet.

QUADRANT. Arc, bord, cercle, circonférence, contour, demi-droite, distance, enceinte, grade, périmètre, périphérie, pourtour, quart, quatre-vingt-dix degrés, tour, zone.

QUADRATURE. Angle, calcul, carré, cercle, contradiction, faux, gageure, impossibilité, problème, réduction.

QUADRIGE. Auto, automobile, basterne, bazou, bige, char, corbillard, corso, engin, essède, panzer, tank, voiture.

QUADRILATÈRE. Carré, diamant, losange, parallélogramme, quadrangle, rectangle, rhomboïde, trapèze.

QUADRILLAGE. Carreaux, carroyage, damier, échiquier, grille, investissement, moletage, moustiquaire, trame.

QUADRILLE. Baste, carrousel, contredanse, cuadrilla, danse, équipe, figure, peloton, reprise, rigodon, set carré, troupe.

QUADRIQUE. Ellipsoïde, géométrie, paraboloïde, sphère, surface.

QUADRUMANE. Âne, axis, bélier, bison, bœuf, bouc, caribou, castor, cerf, chacal, chameau, chat, cheval, chien, daim, furet, girafe, hyène, indra, lama, lapin, lion, mulet, mulot, quadrumane, quadrupède, rat, renne, singe, tigre, vache, zèbre.

QUADRUPÈDE. Âne, axis, bélier, bison, bœuf, bouc, caribou, carnivore, castor, cerf, chacal, chameau, chat, cheval, chien, daim, furet, girafe, hyène, indri, lama, lapin, lion, loup, loutre, mulet, mulot, quadrumane, rat, renne, singe, tigre, vache, zèbre.

QUADRUPLER. Accroître, augmenter, développer, multiplier, valoriser.

QUAI. Appontement, bollard, cale, débarcadère, dock, embarcadère, gare, musoir, pier, plate-forme, surélévation, terre-plein, voie, wharf.

QUAKER (n. p.). Fox, Penn.

QUALIFICATEUR. Analyse, arbitraire, autodafé, discrétionnaire, enquête, étude, examen, flèche, inquisition, investigation, mensuration, observation, psychanalyse, recherche, scrutateur, tribunal, vexatoire.

QUALIFICATIF. Adjectif, appellation, dénomination, désignation, homograde, nom, nos, notre, vos, votre, titre.

QUALIFICATION. Adresse, appellation, appréciation, aptitude, art, attribution, bosse, capacité, certificat, compétence, digestibilité, disposition, don, endurance, esprit, facilité, faculté, fécondité, finesse, génie, goût, habilitation, habileté, infus, inné, natif, né, oreille, penchant, prédisposition, propension, qualité, réceptivité, sensualité, talent, tendance, test, titre.

QUALIFIÉ. Autorisé, capable, compétent, diplômé, finaliste, ouvrier, qualifiable, valable, vocation, vol.

QUALIFIER. Adjectif, appeler, autoriser, caractériser, choisir, classer, conférer, dénommer, déqualifier, désigner, déterminer, épithète, inqualifiable, nommer, onduler, sélectionner, tenir, titrer, traiter.

QUALITÉ. Acabit, actualité, acuité, agilité, aloi, âme, aptitude, attrait, authenticité, automaticité, beauté, bonté, daube, don, dose, douceur, éclat, égal, épair, espèce, esprit, eutocie, extra, facilité, fongibilité, gentillesse, goût, hauteur, ingéniosité, inné, innocuité, légalité, léger, lichette, médiocrité, mérite, mode, mutabilité, noblesse, nocivité, nom, paternité, perfection, permutabilité, persévérance, pertinence, plus, pouvoir, prévoyance, professionnalisme, promptitude, propreté, propriété, pureté, recevabilité, rendu, représentativité, respectabilité, rétractibilité, réversibilité, sagesse, sainteté, sélectivité, sévérité, siccité, simplicité, sincérité, solidité, sonorité, succulence, supériorité, sûreté, tant, tare, tendreté, timbre, titre, transmissibilité, trop-plein, unité, verve, vertu, visivilité.

QUAND. Adonc, adonque, alors, après, aussi, comme, comparaison, dis, donc, lors, lorsque, moment, pendant, pour, tandis.

QUANTA. Boson, égard, fermion, pour, quantique, quanton, quantum, particule, photon, physique.

QUANTIÈME. Ajournement, an, année, anticipé, antidate, chronologie, date, délai, échéance, en, époque, événement, hier, jour, millésime, moment, période, postdaté, rendez-vous, rubrique, saint glinglin, temps.

QUANTIFIER. Appliquer, attribuer, calculer, chiffrer, déterminer, évaluer, inchiffrable, mesurer.

QUANTIQUE. Boson, fermion, quanta, quanton, quantum, particule, photon, physique.

QUANTITÉ (3 lettres). Dru, lac, mer, peu, poil, tas, vol.

QUANTITÉ (4 lettres). Aire, amas, banc, brin, dose, flot, flux, fois, noix, once, plus, rumb, tant, trop, zéro.

QUANTITÉ (5 lettres). Airée, armée, assez, atome, botte, bribe, carat, chiée, débit, duite, excès, filet, force, foule, grain, joule, large, larme, masse, nuage, océan, poids, ponte, pouce, reste, rhumb, rompu, somme, stère, tapée, tétée, tonne, trace, unité, zeste.

QUANTITÉ (6 lettres). Armada, bordée, charge, déluge, flopée, foison, gorgée, goulée, goutte, légion, louche, mesure, nombre, pagaïe, pierre, pincée, pointe, quanta, quorum, rasade, ration, sesqui, tombée, tomber, tralée, volume.

QUANTITÉ (7 lettres). Arsenal, becquée, bouchée, bourrée, calorie, combien, coulomb, craquée, éclusée, étendue, fournée, jonchée, millier, moindre, moisson, montant, myriade, poignée, portion, quelque, reprise, soupçon, tonnage, trinôme, ventrée.

QUANTITÉ (8 lettres). Inconnue, kyrielle, lichette, noisette, overdose, pagaille, pelletée, rincette, tantième, tripotée, truellée.

QUANTITÉ (9 lettres). Abondance, assiettée, avalanche, cargaison, cuillerée, intensité, mordacité, multitude, palanquée.

QUANTITÉ (10 lettres). Contenance, contingent, différence, ribambelle, suffisance.

QUANTITÉ (11 lettres). Échantillon, débordement, gouttelette, pluviosité, prodigalité, pullulement, tire-larigot.

QUANTITÉ (12 lettres). Paperasserie, pluviométrie, productivité.

QUARANTAINE. Boycottage, confinement, index, interdit, isolement, ostracisme, proscription.

QUARANTE. Carême, point, quadragénaire, quadragésime, quarantaine, quarantième, voleurs.

QUART. Bord, demiard, garde, gobelet, nigauteau, pinte, quarteron, récipient, service, timbale, veille.

QUARTAUT. Baril, barrique, bitte, bollard, caisse, colonne, enfutailler, enfûter, escape, fût, futaille, grenadière, haste, lance, monture, pommeau, tambour, tonneau, tonnelet, tronc, vin.

QUART DE CENT. Quarteron.

QUART-DE-ROND. Anglet, astragale, bague, bande, boudin, bourseau, cavet, cadre, cimaise, filet, gorge, listeau, listel, marli, moulure, nervure, ove, pestum, profil, scotie, stéréobate, tore.

QUARTE. As, beaucoup, chapelet, cycle, étude, évolution, fibrillation, gamme, groupe, insert, instance, jeu, kyrielle, lacet, liste, noria, note, ontogenèse, passage, portée, quine, quinte, scène, séquence, série, suée, suite, tiercé, train, trilogie.

QUARTER. Abaisser, abréger, affaiblir, aléser, amoindrir, amortir, asservir, atomiser, atténuer, bâillonner, baisser, brésiller, broyer, changer, clochardiser, comprimer, contracter, diminuer, écrabouiller, effriter, égruger, élégir, émier, émietter, forcer, gracier, grainer, grener, gruger, incinérer, léviger, limer, limiter, mater, minimiser, minorer, modérer, moudre, museler, piler, pulvériser, ramener, râper, réduire, ristourner, ruiner, surbaisser, tasser, triturer, unifier, user.

QUARTERON. Bardot, bifurcation, branchement, bretelle, carrefour, chiasma, chiasme, croisement, échangeur, fourche, hybridation, hybride, intersection, métis, métissage, mulâtre, mulet, nœud.

QUARTIER (n. p.). Bercy, Beverly Hills, Beyoglu, Broadway, Bronx, Brooklyn, Chelsea, Forest Hills, Galata, Halles, Harlem, Kew, Lambeth, Latin, Manhattan, Marais, Montparnasse, Monte-Carlo, Soho, Westminster.

QUARTIER. Blason, camp, croissant, district, environ, faubourg, fraction, ghetto, lune, mellah, morceau, partie, pâté, périphérie, phase, pièce, portion, QG, région, secteur, stère, tambour, tranche, trompette, voisinage, zone.

QUARTZ. Agate, améthyste, aventurine, calcédoine, citrine, cristal, fumé, granite, grès, hyalin, gneiss, granit, grès, jaspe, morion, œil-de-chat, œil-de-tigre, QW, rubicelle, rubis, sable, silex, silice, spinelle.

QUASAR. Astre, astronomie, chariot, constellation, étoile, fortune, galaxie, météore, météorite, naine, nébuleuse, nova, pentacle, polaire, pulsar, sidéral, soleil, supernova, supergéante, vedette, véga.

QUASI. Comme, cuisse, pratiquement, près, presque, quasiment.

QUASSIA. Apéritif. Arbre, arbuste, bois de Surinam, quassier, quassine, simarubacée.

QUATERNAIRE. Ère, glyptodon, holocène, mammouth, mégacéros, mégathérium, riss, varve, würm.

QUATORZE. Belote, quatorzième, sonnet, XIV.

QUATRAIN. Couplet, épigramme, impromptu, pièce, poème, strophe.

QUATRE. IV, quadrupède, quater.

QUATRE-VINGT. Huitante, octante, octogénaire, quatre-vingtième.

QUATRE-VINGT-DIX. Nonante, nonantaine.

QUATUOR. Caravane, caste, chœur, clan, clique, cohorte, commando, décapole, duo, élite, ennéade, équipe, espèce, essaim, ethnie, fournée, grappe, groupe, horde, îlot, ion, macle, octuor, parti, peloton, pool, quintette, race, réunion, secte, section, série, sigle, strophe, trait, triade, tribu, trio, troïka, troupe, type.

QUÉBEC. Qc, Qué.

QUÉBEC, VILLE (n. p.). Acton Vale, Albanel, Alma, Amos, Amqui, Ancienne-Lorette, Anjou, Arthabaska, Arvida, Asbestos, Ascot, Aylmer, Bagotville, Baie-Comeau, Batiscan, Beaconsfield, Beauceville, Beauharnois, Beauport, Bécancour, Bellefeuille, Beloeil, Bernières, Berthierville, Blainville, Boisbriand, Bois-des-Filion, Boucherville, Brossard, Buckingham, Candiac, Cap-de-la-Madeleine, Cap-Rouge, Carignan, Cartierville, Causapscal, Chambly, Charlemagne, Charlesbourg, Charny, Châteauguay, Chelsea, Chibougamau, Chicoutimi, Clermont, Coaticook, Contrecoeur, Côte-Saint-Luc, Cowansville, Daveluyville, Delson, Deux-Montagnes, Dolbeau, Dollard-des-Ormeaux, Donnacona, Dorion, Dorval, Drummondville, East-Angus, Farnham, Fleurimont, Gaspé, Gatineau, Granby, Grand-Mère, Greenfield Park, Hampstead, Hemmingford, Hull, Huntingdon, Iberville, Île-Perrot, Joliette, Jonquière, Kahnawake, Kénogami, Kirkland, La Baie, L'Acadie, Lachenaie, Lachine, Lachute, Lac-Mégantic, Lac-Noir, Lac-Saint-Charles, Lafontaine, La Pêche, La Plaine, La Pocatière, La Prairie, La Sarre, LaSalle, L'Assomption, La Tuque, Lauzon, Laval, Laval-des-Rapides, Le Gardeur, LeMoyne, Lennoxville, Lévis, L'Islet, Longueuil, Loretteville, Lorraine, Louiseville, Macamic, Magog, Marieville, Mascouche, Masson-Angers, Matane, Mégantic, Mercier, Mirabel, Mistassini, Montebello, Mont-Joli, Mont-Laurier, Montmagny, Montréal, Montréal-Nord, Mont-Royal, Mont-Saint-Hilaire, Neuville, New-Carlisle, Nicolet, Noranda, Notre-Dame-de-l'Île-Perrot, Notre-Dame-des-Prairies, Otterburn Park, Outremont, Papineauville, Percé, Pierreville, Pincourt, Pintendre, Plessisville, Pointe-aux-Trembles, Pointe-Claire, Pointe-du-Lac, Port-Alfred, Port-Cartier, Portneuf, Prévost, Princeville, Québec, Rawdon, Repentigny, Richmond, Rigaud, Rimouski, Ripon, Rivière-du-Loup, Roberval, Rock-Forest, Roquemaure, Rosemère, Rouyn, Roxboro, Saint-Amable, Saint-Antoine, Saint-Athanase, Saint-Augustin-de-Desmaures, Saint-Basile-le-Grand, Saint-Bruno-de-Montarville, Saint-Césaire, Saint-Charles-Borromée, Saint-Chrysostôme, Saint-Constant, Saint-Émile, Saint-Étienne-de-Lauzon, Saint-Eustache, Saint-Félicien, Saint-François-du-Lac, Saint-Georges, Saint-Hubert, Saint-Hyacinthe, Saint-Jean-Deschaillons, Saint-Jean-sur-Richelieu, Saint-Jérôme, Saint-Joseph, Saint-Joseph-d'Alma, Saint-Joseph-de-Sorel, Saint-Jovite, Saint-Lambert, Saint-Lazare, Saint-Léonard, Saint-Lin, Saint-Louis-de-France, Saint-Luc, Saint-Nicéphore, Saint-Nicolas, Saint-Ours, Saint-Pierre-aux-Liens, Saint-Raphaël-de-l'Île-Bizard, Saint-Rédempteur, Saint-Rémi, Saint-Romuald, Saint-Timothée, Saint-Tite, Saint-Vincent-de-Paul, Sainte-Agathe-des-Monts, Sainte-Anne-de-Beaupré, Sainte-Anne-de-Bellevue, Sainte-Anne-de-la-Pérade, Sainte-Anne-de-la-Pocatière, Sainte-Anne-des-Monts, Sainte-Anne-des-Plaines, Sainte-Catherine, Sainte-Foy, Sainte-Julie, Sainte-Julienne, Sainte-Marie, Sainte-Marthe-du-Cap, Sainte-Marthe-sur-le-Lac, Sainte-Rose, Sainte-Sophie, Sainte-Thérèse, Salaberry-de-Valleyfield, Senneterre, Sept-Îles, Shawinigan, Sherbrooke, Sillery, Sorel, Stanstead, Sweetsburg, Témiscamingue, Terrebonne, Thetford-Mines, Tracy, Trois-Pistoles, Trois-Rivières, Val-Bélair, Val-des-Monts, Val-d'Or, Valleyfield, Vanier, Varennes, Vaudreuil, Verchères, Verdun, Victoriaville, Waterloo, Westmount, Windsor.

QUÉBÉCOIS. Acadien, franco-canadien, joual, péquiste, québéciser, québécisme, unifolié.

QUELCONQUE. Banal, bébelle, bidule, commun, courant, gadget, gemme, gus, individu, insignifiant, médiocre, monde, objet, ordinaire, personnage, plat, règne, tissu, trêve, untel, vague, vulgaire.

QUELQUE. Certain, divers, environ, on, quantité, quoi, si, tout, un.

QUELQUEFOIS. Anormalement, exceptionnellement, extraordinairement, fois, guère, inopinément, occasion, parfois, peu, rarement.

QUELQU'UN. Ami, certain, gens, grand, important, magnat, notable, on, personne, quidam, sieur, tel, un, untel.

QUÉMANDER. Demander, importuner, mendiant, mendier, quémandeur, quêter, solliciter.

QUENELLE. Balle, ballon, ballotte, bille, boule, boulet, boulette, bulle, cochonnet, croquette, globe, gnocchi, godiveau, grelot, grumeau, hâtereau, mail, mie, obier, pelote, perle, pointeur, pois, quille, sphère, tête.

QUENOTTE. Abcès, appétit, bouche, bridge, canine, carie, chaîne, couronne, croc, défense, dent, denteulure, dentition, édenté, émail, gomphose, incisive, mâchoire, molaire, morfil, odontologie, or, osanore, pince.

QUENOUILLE. Arbre, baguette, bâton, bobine, couture, fuseau, massette, plante, roseau-massue, rouet, typha.

QUERELLE. Affaire, algarade, altercation, bagarre, bataille, bisbille, brandon, chamaille, chamaillerie, conflit, contestation, débat, démêlé, différent, empoignade, engueulade, esclandre, grabuge, guéguerre, lutte, maille, mésentente, noise, rixe, scandale, scène.

QUERELLER. Agacer, bagarrer, braver, chicaner, colleter, crêper le chignon, dauber, disputer, empoigner, narguer, tempêter.

QUERELLEUR. Acariâtre, agresseur, agressif, batailleur, chicanier, grincheux, harengère, tracassier, violent.

QUÉRIR. Amener, appliquer, apporter, apprendre, approvisionner, causer, chercher, demander, donner, doter, employer, entraîner, fignoler, fournir, importer, innover, mettre, pallier, porter, prendre, produire, provoquer, quêter, rapporter, recourir, remédier, venir.

QUESTEUR (n. p.). Cicéron, Jugurtha, Sénèque, Sylla, Tacite.

QUESTEUR. Administrateur, comptable, conjoncturiste, économiste, intendant, magistrat, militaire.

QUESTION. Affaire, charade, colle, comment, controverse, demande, devinette, difficulté, dossier, énigme, épreuve, information, interrogation, item, matiè, nœud, où, point, problème, qui, quoi, quiz, réflexion, sujet, supplice, torture.

QUESTIONNAIRE. Bordereau, concours, épreuve, examen, formulaire, interpellation, interrogatoire, interview, quiz.

QUESTIONNEMENT. Cogitation, introspection, méditation, pensée, recueillement, réflexion, remâchement, rumination.

QUESTIONNER. Adjurer, débriefer, cuisiner, demander, enquérir, enquêter, interroger, poser, rechercher.

QUESTIONNEUR. Curieux, enquêteur, inquisiteur, interrogatif, investigateur, scrutateur, sondeur.

QUÉTAINE. Craignos, démodé, épais, grossier, kétaine, kitsch, laid, rétrograde, ringard, tocard.

QUÊTE. Angle, butin, chasse, collecte, don, furet, chasse, collecte, recherche, somme, téléthon.

QUÊTER. Chercher, demander, mendier, quémander, rechercher, requêter, solliciter, suivre.

QUÊTEUR. Aumônier, chemineau, clochard, collecteur, élémosinaire, gueux, hère, indigent, mendiant, mendigot, miséreux, nécessiteux, pauvre, percepteur, quémandeur, quêteux, robineux, truand, vagabond.

QUETSCHE. Agen, cerisette, damas, diaprée, drupe, eau-de-vie, ente, icaque, impériale, madeleine, marmotte, mignonne, mirabelle, moyeu, perdrigon, prune, pruneau, prunelle, prunus, reine-claude, sainte-catherine.

QUEUE. Anoure, anus, appendice, at, balai, billard, caudal, caudé, conclusion, couette, crin, culeron, extrémité, file, fin, fouet, léonure, leu, magot, pan, paon, pédoncule, pétiole, piano, position, sortie, tige, traîne, traînée, trousse-queuer, vêtement.

QUEUE D'ARONDE. Assemblage, aurique, brigantine, carpe, quadrilatère, tenon, trapèze, voltigeur.

QUEUE DE CHEVAL. Coiffure, culeron, émouchoir, equisetum, faisceau, prêle, queue-de-rat, queue-de-renard.

QUEUE-DE-COCHON. Cirre, cirrhe, drille, filament, foret, hélice, lesbienne, liseron, mèche, nervé, perceuse, spirale, taraud, tarière, tige, tordu, tribade, vice, vis, vrille.

QUEUE-DE-LION. Agripaume, cardiaire, cardiaque, cheneuse, créneuse, labiée, léonure, méliasse, plante.

QUEUE-DE-MORUE. Ante, barbichette, basque, blaireau, brosse, élancé, ente, faisceau, habit, hampe, pénicillé, pinceau, putois, queue-de-pie, repique, style, touffe.

QUEUE-DE-PIE. Cardigan, couverture, frac, gilet, habit, jaquette, pinceau, prothèse, pyjama, veste.

QUEUE-DE-RAT. Carreau, citron, demi-ronde, fraise, fruit, limaille, lime, mollusque, queue-de-cheval, râpe, râpure, riflard, rifloir, rugine, tiers-point, user, usure.

QUEUE-DE-RENARD. Amarante, blé rouge, blé de vache, carabe, ciseau, couturière, jardinière, mélampyre, outil, passe-velours, pin, plante, prêle, queue de cheval, scrofulariacée, sergent, sumac, vinaigrier, vulpin.

QUEUX. Chef, coq, cordon-bleu, cuisinier, cuistot, fricasseur, gargotier, gâte-sauce, maître, maître coq, maître d'hôtel, maître queux, marmiton, mitron, pizzaioli, poissonnier, rôtisseur, saucier, toque, traiteur.

QUICONQUE. Amas, bloc, chaque, comble, complet, ensemble, entier, fatras, global, imbu, intact, intégralité, masse, monceau, multitude, panacée, personne, pile, plénier, pléthore, qui, ramassis, relatif, sauf, somme, tas, total, tout, untel.

QUIDAM. Homme, individu, particulier, personne, quelqu'un, type, untel.

QUIESCENCE. Annonce, aveu, confession, confidence, déballage, déclaration, dévoilement, divulgation, ébruitement, fuite, indiscrétion, initiation, instruction, mea culpa, proclamation, publication, reconnaissance, révélation.

QUIET. Apaisé, béat, benoît, calme, coi, paisible, quiétisme, rassuré, reposé, serein, tranquille.

QUIÉTUDE. Ataraxie, béatitude, bien-être, calme, douceur, paix, quiet, repos, sérénité, stress, tranquillité.

QUIGNON. Chapon, crouton, défaite, étrillée, frottée, pain, pile, quichié, raclée, tartine, volée.

QUILLE. Abat, boule, brion, bulbe, cuisse, dalot, étrave, grosse, jambe, jeu, petite, réserve, sole, talon, tin.

QUILLIER. Charnière, foreuse, mèche, oviposteur, oviscapte, queue-de-cochon, sonde, tarière, vrille.

QUIMBOISEUR. Alchimiste, astrologue, chaman, guérisseur, jeteur, manitou, prêtre, sorcier.

QUINAUD. Ambigu, brouillamini, chaotique, compliqué, confus, contrit, déconfit, désolé, embarrassé, ennuyé, galimatias, gêné, honteux, incohérent, indistinctif, mêlé, nébuleux, nuageux, obscur, pathos, penaud, piteux, sot, trouble, vaseux.

QUINCAILLERIE. Accastillage, affûtiaux, atelier, boutique, fabrique, ferronnerie, fiche, métal, serrurerie.

QUININE. Astringent, bitter, cinchona, cinchonine, fébrifuge, quinina, rubiancée, tanin, vin.

QUINQUET. Achromatopsie, anchylop, atone, bigle, bourgeon, bouton, calot, cil, cornée, cristallin, cyclope, emmétrope, espion, exophtalmie, exorbité, glaucome, globe, greffe, iris, judas, lampe, larme, loucher, magique, mirette, ocelle, œil, ophtalmie, orbite, organe, pousse, prunelle, pupille, regard, rétine, stemmate, taie, talion, torve, uvée, uvéite, vision, voir, vue, yeux.

QUINQUINA. Astringent, bitter, cinchona, cinchonine, écorce, fébrifuge, quinine, rubiancée, tanin, vin.

QUINTE. À-coup, agitation, battement, cahot, choc, cinq, commotion, coup, degré, dièse, ébranlement, flush, heurt, intervalle, mouvement, nasard, pari, période, saccade, secousse, séisme, série, soubresaut, suite, temps, toux.

QUINTEFEUILLE. Ansérine, atrosanguinea, aurea, chénopode, fruticosa, herbe, nepalensis, potentille, rosacée, tormentille.

QUINTEUX. Bougon, difficile, entêté, frondeur, grognon, hargneux, indocile, insoumis, passif, ramingue, rebelle, récalcitrant, rêche, regimbant, résistant, rétif, revêche, révolté, rude, têtu, vicieux, volontaire.

QUINTESSENCE. Abrégé, analyse, citation, diurnal, esprit, essence, esprit, essence, essentiel, éther, extrait, iode, lactucarium, meilleur, moelle, passage, principal, rob, sérum, substance, substantifique, suc, sucre, thridace.

QUINTUPLÉ. Clone, identique, jumeau, pareil, semblable, sosie.

QUINTUPLÉ (n. p.). Dionne.

QUINZIÈME. Ides, omicron, pentadécagone, pentédécagone, paye, période.

QUIPO. Bandereau, bolduc, brin, chapelière, comptabilité, corde, cordeau, cordelette, cordelière, cordon, cordonnet, émouchette, ficelle, fil, filin, galon, lacet, laisse, lasso, pandanus, quipou, quipu, tirette, tire-veille.

QUIPROQUO. Bêtise, bévue, confusion, équivoque, erreur, gaffe, imbroglio, intrigue, malentendu, méprise.

QUISCALE. Corbigeau, étourneau, mainate, oiseau, passereau, pique-bœuf, sansonnet, sturnidé.

QUITTANCE. Acquis, apurement, attestation, décharge, facture, patente, quittancer, quitus, récépissé, reçu.

QUITTE. Acquitté, débarrassé, décharge, délivré, dispensé, évacué, exempt, exonéré, libéré, libre.

QUITTER. Abandonner, appareiller, coller, débarquer, décamper, décoller, décrocher, défroquer, déguerpir, déloger, déserter, émigrer, essaimer, évacuer, exiler, expatrier, filer, fuir, lâcher, laisser, obliquer, pantoufler, partir, planter, plaquer, rabattre, renoncer, requitter, retirer, rompre, semer, sortir.

QUITUS. Acquit, baptisé, bulletin, connaissance, décharge, écrit, état, eu, paiement, primé, quittance, récépissé, reconnaissance, reçu, règlement, tonsuré, warrant.

QUIZ. Bordereau, concours, épreuve, examen, formulaire, interpellation, interrogatoire, interview, questionnaire.

QUOI. Après, autrement, comment, laquelle, lequel, matière, motif, quel, quelle, raison, sinon, sujet.

QUOIQUE. Adonc, adoncques, ainsi, aussi, bien, car, cependant, comme, conjonction, donc, encore, et, lorsque, mais, malgré, ne, néanmoins, ni, or, ou, pourquoi, pourtant, puisque, quand, que, si, sinon, soit, suit, toutefois, union.

QUOLIBET. Brocard, boutade, épigramme, huée, injure, ironie, lazzi, mépris, moquerie, pique, plaisanterie, pointe, raillerie, rire, sarcasme, trait, vanne.

QUOTA. Appoint, apport, contingent, contribution, cotisation, écot, gabelou, imposition, impôt, matrice, modèle, obole, part, pourcentage, prestataire, quote-part, rat-de-cave, souscription, taxe, tribut.

QUOTE-PART. Abonnement, apport, contribution, cotisation, droit, écot, part, péage, prorata, quotité, tantième.

QUOTIDIEN ALLEMAND (n. p.). Bild Zeitung, Die Welt.

QUOTIDIEN AMÉRICAIN (n. p.). Los Angeles Time, New York Times, USA Today, Wall Street Journal, Washington Post.

QUOTIDIEN BELGE (n. p.). De Standaard, Le Soir, Libre Belgique.

QUOTIDIEN BRITANNIQUE (n. p.). Daily Express, Daily Mail, Daily Mirror, Daily Telegraph, Guardian, The Sun, The Time.

QUOTIDIEN CANADIEN (n. p.). Globe and Mail, Journal de Montréal, La Presse, La Tribune, Le Devoir, Le Nouvelliste, Le Soleil, The Gazette.

QUOTIDIEN CHINOIS (n. p.). Quotidien du Peuple, Renmin Ribao.

QUOTIDIEN ÉGYPTIEN (n. p.). Al-Ahram.

QUOTIDIEN ESPAGNOL (n. p.). ABC, El Mundo, El Pais.

QUOTIDIEN FRANÇAIS (n. p.). Dauphiné, Dépêche du Midi, Dernières nouvelles d'Alsace, France-Soir, Journal des Débats, La Croix, L'Action française, La Montagne, La Presse, La Provence, L'Aurore, L'Avenir, La Voix du Nord, Le Libéré, Le Figaro, Le Midi Libre, Le Monde, Le National, Le Parisien, Le Progrès, L'Équipe, Le Républicain Lorrain, Les Échos, L'Est Républicain, Le Temps, L'Express, L'Humanité, Libération, L'Indépendant, Nice-Matin, Ouest-France, Sud-Ouest.

QUOTIDIEN ITALIEN (n. p.). La Repubblica, La Stampa

QUOTIDIEN JAPONAIS (n. p.). Asahi Shimbun, Yomiuri Shimbun.

QUOTIDIEN MILANAIS (n. p.). Courrière della Sera.

QUOTIDIEN RUSSE (n. p.). Izvestia, Pravda.

QUOTIDIEN SUISSE (n. p.). La Tribune de Genève, Le temps, Neu Zürcher Zeitung.

QUOTIDIEN VATICAN (n. p.). L'Osservatore Romano.

QUOTIDIEN. Accoutumé, banal, canard, continuel, gazette, jour, journal, journalier, lectorat, page.

QUOTIENT. Capacité, densité, impédance, luminance, masse, pression, puissance, quantité, QI.

QUOTITÉ. Cens, impôt, lot, montant, portion, quantité, quota, quote-part, part, somme.

R

RAB. Boissons, complément, excédent, fretin, rabe, rabiot, reste, supplément, surplus, temps, vivres.

RABÂCHAGE. Défaut, litanie, prêchi-prêcha, radotage, redite, refrain, rengaine, répétition, ritournelle.

RABÂCHER. Ennuyer, meuler, parler, rabâcheur, radoter, redire, répéter, ressasser, seriner.

RABAIS. Adjudication, baisse, bonification, braderie, dégrèvement, diminution, discount, écoulement, escompte, liquidation, moindre, récompense, réduction, remise, ristourne, solde, spécial, vente.

RABAISSEMENT. Accusation, allégation, attaque, cafardage, calomnie, critique, délation, dénigrement, dénonciation, dépréciation, détraction, dévalorisation, diffamation, imputation, insinuation, médisance, plainte, réquisitoire, trahison.

RABAISSER. Abaisser, abattre, amoindrir, animaliser, avilir, baisser, critiquer, dégrader, dénigrer, déprécier, déprimer, dévaluer, diminuer, écraser, humilier, inférioriser, méjuger, mépriser, rabattre, rapetisser, ravaler, réduire, restreindre.

RABAN. Aboutissement, amarre, auricule, bord, bordure, borne, bout, cap, confins, cordage, cordon, dé, délimitation, extrémité, fin, lobe, lumignon, mèche, mégot, moucheron, naine, ongle, pointe, tenon, terme, tétine, tette, tresse.

RABAT. Chasse, col, pli, plissure, rabat-joie, rabattage, rabatteur, repli, revers, volet.

RABAT-JOIE. Bougon, chagriné, empêcheur, éteignoir, gêneur, maussade, pisse-vinaigre, triste, trouble-fête.

RABATTEMENT. Abaissement, abjection, anéantissement, avilissement, baisse, chute, décadence, déchéance, déclin, dégénération, dégradation, déraser, descente, dévaluation, diminution, écrasement, enselIement, fermeture, flexion, gelé, humiliation, hypothermie, opération, platitude, renoncement, rotation.

RABATTRE. Abaisser, amener, aplatir, appliquer, arrêter, baisser, battre, capoter, coucher, couper, déchanter, décompter, déduire, diminuer, ôter, plier, quitter, rabaisser, racoler, ramener, rejeter, relâcher, retenir, river, sertir, smasher.

RABBIN. Chef, consistoire, golem, guide, israélite, juif, midrash, ministre, prêtre, rabbi, yeshiva.

RABELAISIEN. Avantage, avidité, bénéfice, boni, dividende, fruit, gaillard, gain, gagnant, gagné, intérêt, lucre, mercantile, mercenaire, prime, profit, rapport, rapporte, rendement, rétribution, revenu, truculent, salaire, usure, vibor, vibord.

RABIBOCHER. Accorder, arranger, raccommoder, rafistoler, rapetasser, rapiécer, ravauder, réconcilier, recoudre, remailler, remettre, renouer, réparer, reprendre, repriser, retaper, rhabiller, ruiler, stopper.

RABBIN (n. p.). Kaplan, Nahmanides, Rachi, Raschi, Spinoza.

RABBIN. Bible, biblique, cachère, caraïte, circoncision, conservateur, essénien, exode, genèse, goï, goïm, goy, goyim, hébreu, israélite, judaïsme, judaïté, judéité, juif, kippa, lévite, lévitique, loi, marrane, miniane, mitzva, orthodoxe, pentateuque, pharisien, qaraïte, sémite, shema, sioniste, synagogue, torah, youpin.

RABIOT. Boissons, complément, excédent, fretin, outil, rab, rabe, reste, supplément, surplus, temps, vivres.

RÂBLÉ. Athlète, carré, carrure, costaud, court, dos, échine, énergique, fort, hercule, infatigable, lapin, lièvre, musclé, outil, petit, puissant, rein, résistant, robuste, sain, solide, trapu, valide, vigoureux, vivace.

RABOT. Bouvement, bouvet, colombe, doucine, engin, étau-limeur, feuilleret, gorget, guillaume, guimbarde, jablière, jabloir, jabloire, menuisier, mouchette, outil, pestum, riflard, ripe, sabot, tarabiscot, varlope.

RABOTER. Amincir, aplanir, araser, battre, broyer, corroyer, dégauchir, diminuer, doler, dresser, écraser, égaliser, épanneler, frotter, gratter, lever, mater, matir, nettoyer, niveler, polir, racler, régaler, repasser, revoir, supprimer, unir.

RABOTEUX. Âpre, aspérité, cahot, cahoteux, écorché, inégal, laborieux, noueux, rêche, rocailleux, rude, rugueux.

RABOUGRI. Chétif, contracté, court, difforme, étiolé, flétri, petit, rachitique, ratatiné, ténu.

RABOUGRIR. Ajourner, arrêter, arriérer, atermoyer, attarder, décaler, différer, diminuer, éloigner, étioler, ralentir, rapetisser, recroqueviller, ratatiner, reculer, remettre, replier, retarder, retenir, surseoir, tarder.

RABOUTER. Aboucher, assembler, coudre, épisser, joindre, rabouter, raccorder, rattacher, réunir.

RABROUER. Envoyer, gronder, promener, rebuter, rembarrer, repousser, reprendre, rudoyer, tancer.

RACAILLE. Bas, canaille, crapule, fripouille, gredin, lie, méprisable, meute, pègre, plèbe, populace, rebut, vermine.

RACCOMMODAGE. Rafistolage, rapiéçage, ravaudage, rhabillage, reprisage, reprise, stoppage.

RACCOMMODEMENT. Connexion, médiation, pardon, rabibochage, rapprochement, réconciliation.

RACCOMMODER. Arranger, carreler, coudre, rabibocher, rabiocher, radouber, rafistoler, rapetasser, rapiécer, ravauder, réconcilier, recoudre, remailler, réparer, reprendre, repriser, retaper, rhabiller, ruiler, savetier, stopper.

RACCOMPAGNER. Conduire, escorter, flanquer, guider, ramener, reconduire.

RACCORD. Bretelle, carénage, collure, durit, enchaînement, épissure, joint, liaison, plan, transition, tronçon.

RACCORDEMENT. Branchement, bretelle, connexion, embranchement, emplanture, joint.

RACCORDER. Accorder, assembler, brancher, colleuse, connecter, écimer, embrancher, enter, épissurer, joindre, lier, manchonner, rabouter, racheter, rattacher, rattraper, rechuter, relier, réunir, ruiler, unir.

RACCOURCI. Abrégé, abréviation, aide-mémoire, amoindri, aperçu, bref, compendium, concis, condensé, court, cursif, digest, diminué, écourté, ellipse, épitomé, etc., été té, petit, plan, précis, réduction, résumé, sténo, topo, trachée, traverse.

RACCOURCIR. Abréger, accourcir, accrété, contracter, couper, détour, diminuer, ébouter, écimer, écourter, élaguer, émonder, étêter, étriquer, guillotiner, limer, rapetisser, ratatiner, rentrer, résumer, rétracter, rogner, sabrer, utiliser.

RACCOURCISSEMENT. Abrègement, contraction, diminution, embuvage, etc., extraction, réduction, retirement, rétraction.

RACCROCHER. Abandonner, accoster, accrocher, arrêter, attraper, brancher, cramponner, draguer, indexation, racoler, raccrochage, raccrocheur, tattacher, rattraper, recouvrer, regagner, rejoindre, reprendre, ressaisir, retenir, retrouver.

RACÉ. Altesse, aristocrate, baron, chevalier, courageux, digne, distingué, duc, élevé, émerillon, faucon, fief, fier, fin, généreux, gentleman, hidalgo, hobereau, magnanime, majestueux, manant, né, noble, olympien, paysan, plébéien, populaire, praticien, relevé, respectable, roturier, sublime, titré, varlet.

RACE. Ancêtres, aryen, ascendant, bâtard, black, blanc, cheval, classement, copte, descendant, dynastie, espèce, estoc, ethnie, famille, filiation, gens, gent, genre, haras, issue, jaune, lignée, métis, nation, noir, origine, sang, selle, souche, subdivision, trotteur, type, xanthoderme.

RACE BLANCHE. Leucoderme.

RACE BOVIN. Banteng, charolais, durham, hereford, jersiais, kouprey, normand, salers, shorthorn.

RACE CHIEN. Aiguillat, barbet, basset, beagle, berger, bichon, bobtail, bouledogue, bouvier, boxer, braque, briard, briquet, bull-terrier, cabéru, caniche, chenil, chihuahua, chin, chiot, chow-chow, cocker, colley, dalmatien, danois, doberman, dogue, épagneul, fox, fox-hound, griffon, groenendael, havanais, houret, husky, king-charles, labrador, lévrier, levrette, malinois, mastiff, pékinois, pointer, ratier, retriever, roquet, roussette, saint-bernard, samoyède, schnauzer, scottish-terrier, setter, teckel, terre-neuve, terrier, tsin, turquet, zain.

RACE JAUNE. Xanthoderme.

RACE LAMA. Guanaco.

RACE NOIRE. Mélanoderme.

RACE PONEY. Shetland.

RACE PORC. Piétrain.

RACE POULE. Houdan, wyandotte.

RACER. Amble, automobile, canoë, canot, cheval, runabout, tapecul, tapette, tarpan, trotteur, yacht

RACHAT. Délivrance, dette, effacement, expiation, extinction, faute, merci, pardon, rançon, rédemption, réméré, reprise, salut.

RACHETER. Absorber, acheter, affranchir, compenser, délivrer, libérer, oublier, payer, raccorder, rattraper, rédemption, rédimer, réhabiliter, réparer, repêcher.

RACHIDIEN. Abée, amenée, canal, canalicule, chenal, encéphale, nerf, ostéopathie, rachi.

RACHIS. Axe, colonne, coppa, dorsale, dos, échine, épine, longe, spinal, vertébral, vertèbre.

RACHITIQUE. Chétif, débile, épine, héliothérapie, maigre, noué, ossification, rabougri, rachi.

RACINE. Adventive, alizari, arbre, attache, base, bulbe, caïeu, carotte, chicorée, colombo, émule, estoc, euphorbe, fasciculée, ginseng, griffe, ipéca, ipécacuanha, lien, navet, organe, pivot, pivotante, pneumatophore, queue-de-cheval, radicelle, rhizome, ricin, séné, traçante, tubercule.

RACINE COMESTIBLE. Carotte, chicorée, gentiane, ginseng, navet, radicelle, radis, raifort.

RACISME. Âgisme, apartheid, attitude, différenciation, discrimination, distinction, idéologie, ségrégation, séparation.

RACISTE. Chauvin, cocardier, comportement, nationaliste, patriotard, patriote, ségrégationniste, séparatiste, xénophobe.

RACKET. Appropriation, assassinat, brigandage, cambriolage, crime, déprédation, détournement, détroussement, enlèvement, entôlage, extorsion, flibusterie, grappillage, kleptomanie, larcin, malversation, pillage, piraterie, rafle, razzia, saccage, spoliation, subtilisation, vol.

RACLAGE. Abrasion, balayage, bouchonnage, bouchonnement, brossage, crissement, écouvillonnage, embrocation, époussetage, érosion, friction, frottage, frottement, frottis, grattage, grattement, massage, onction, ramonage, râpage, ripage, ripement, toux, traînement, trituration.

RACLÉE. Correction, déculottée, défaite, dégelée, dérouillée, fessée, pâtée, pile, rossée, tabassée, tournée, volée.

RACLEMENT. Analyse, clarification, commentaire, critique, définition, éclaircissement, élucidation, embellissement, explication, exposé, exposition, glose, hem, illustration, justification, note, raclage, raclement, renseignement.

RACLER. Aplanir, curer, cureter, écharner, éclaircir, écorcher, égaliser, enlever, érafler, frayer, frotter, gratouiller, grattouiller, gratter, limer, nettoyer, raboter, ramoner, râper, râteler, ratisser, riper, ruginer, sarcler, tousser.

RACLETTE. Curette, fauchet, fondue, fromage, gratte, peigne, râteau, râteleuse, râtelier, rouable.

RACLEUR. Bureaucrate, copiste, écrivain, gratteur, greffier, logographe, scribe.

RACLOIR. Curette, étrille, grattoir, outil, racle, raclette, strigile.

RACLURE. Bourre, bourrier, chiasse, ciure, chute, crasse, culot, débris, déchet, dépôt, détritus, excrément, fange, fiente, fumier, gadoue, immondices, impureté, ordure, ramas, rebibe, rebut, résidu, rognure, salissure, tas.

RACOLAGE. Corruption, débauche, dégradation, prostitué, prostitution, proxénétisme, tapin, trottoir, vice.

RACOLER. Aborder, accoster, attirer, embrigader, engager, enrôler, prostituer, recruter, solliciter, tapiner.

RACONTAR. Bavardage, cancan, commérage, conte, médisance, on-dit, ragot, récit, rumeur.

RACONTER. Baratiner, broder, citer, colporter, conter, débiter, décrire, dépeindre, détailler, dévider, dire, énoncer, éveiller, exposer, galéjer, inénarrable, leçon, narrer, peindre, placoter, rapporter, réciter, relater, retracer, servir.

RACONTEUR. Anecdotier, conférencier, conteur, diseur, interprète, narrateur.

RACORNÉ. Coriace, desséché, dur, durci, rabougri, ratatiné, sec.

RACORNIR. Aride, assécher, brûler, copra, défraîchir, dessécher, durcir, épuiser, étancher, étioler, évaporer, faner, flétrir, griller, hâler, luffa, moere, momie, ortie, pemmican, rapetisser, ratatiner, rôtir, salep, saur, sec, sécher, tarir.

RAD. Radian, Rd.

RADAR. Antenne, antiradar, awacs, capteur, dépisteur, détecteur, détection, fumée, hydrophone, lidar, radarastronomie, radariste, radioaltimètre, radôme, récepteur, repérage, son, sonar, voleur.

RADE. Attente, bar, bassin, café, carafe, forain, havre, lido, panne, plan, port, rac, souffrance, suspens.

RADEAU (n. p.). Kon Tiki, Méduse.

RADEAU. Bateau, brelle, embarcation, jangada, kelek, plate-forme, pneumatique, raft, rafting, ras, train.

RADER. Court, égal, étoffe, lisse, pelé, plan, plat, plate-forme, poli, radeau, ras, raser, rasibus, uni.

RADIAL. Anatomie, artère, avant-bras, cadrature, muscle, nerf, os, pneu, radiaire, radius, rayon.

RADIAN. Rad, rd.

RADIANT. Air, arc, astre, azur, baldaquin, calotte, céleste, ciel, climat, coupole, dais, décan, empurée, enfer, éther, exil, firmament, frise, géhenne, inespéré, là-haut, lit, mythologie, neige, paradis, pluie, séjour, voûte.

RADIATEUR. Bassinoire, calorifère, chauffe-pieds, chauffe-plats, chaufferette, convecteur, plinthe, poêle.

RADIATION. Atomisé, gamma, gray, infrarouge, rad, radiologie, rayon, rayonnement, REM, suppression, ultraviolet.

RADICAL. Absolu, acétyle, acyle, alcoyle, aminogène, ammonium, amyle, aryle, barbiturique, catégorique, complet, définitif, draconien, entier, foncier, fondamental, fragment, radsoc, rationnel, révolutionnaire, sec, signe, strict.

RADICELLE. Alizari, arbre, base, bulbe, caïeu, carotte, chicorée, colombo, émule, estoc, euphorbe, ginseng, griffe, ipéca, ipécacuanha, navet, pivotante, racine, ricin, séné, traçante, tubercule.

RADIÉ. Catalogué, classé, classifié, déchu, déclassé, décri, dégradé, déplacé, démon, déposé, dérangé, destitué, disposé, exclus, forclos, misérable, obsolescent, prescrit, rangé, rétrogradé, révoqué, réprouvé.

RADIER. Annihiler, annuler, barrer, biffer, déclasser, démarquer, effacer, éliminer, exclure, gommer, gratter, rayer.

RADIESTHÉSIE. Alchimie, ésotérisme, gnose, hermétisme, hydroscopie, illumination, kabbale, magie, mystère, occultisme, palomancie, potion, psychomancie, rhabdomancie, rituel, sorcellerie, spagirie, spiritisme.

RADIESTHÉSISTE. Baguettisant, enchanteur, fontainier, hydroscope, palomancien, rhabdomancien, sourcier.

RADIEUX. Brillant, éblouissant, éclatant, ensoleillé, épanoui, heureux, joyeux, lumineux, radiant, ravi, rayonnant, réjoui, resplendissant, splendide.

RADIN. Avare, avaricieux, chiche, intéressé, ladre, lésineur, mesquin, pingre, radinerie, rapiat, rat, regardant.

RADINER. Aborder, aboutir, accourir, aller, amener, apparaître, appel, approcher, arriver, avancer, découler, devancer, échoir, entrer, futur, naître, parvenir, rappliquer, rapprocher, rendre, revenir, secourir, succéder, suivre, vaincre, venir.

RADINERIE. Avarice, avidité, cupidité, économie, ladrerie, lésine, mesquinerie, mesure, minutie, parcimonie, péché, pingrerie, rapacité, thésaurisation.

RADIO (n. p.). BBC, CBF, CFCF, CHRS, CIEL, CITÉ, CJAD, CJMS, CKAC, CKMF, CKOI, CKVL, NRJ, RCM, RTL, TSF.

RADIO. Ondes, opérateur, poste, radiodiffusion, radiophonie, sans-filiste, téhéseffe, téhessèfe, transistor.

RADIOASTRONOME AMÉRICAIN (n. p.). Penzias, Wilson.

RADIOCOBALT. Cobalt, isotope, radioactif.

RADIOGRAPHIE. Angiographie, cholécystographie, cystographie, discographie, gammagraphie, hystérographie, myélographie, négatoscopie, pelvigraphie, radioscopie, téléradio, tomographie, urographie.

RADIOLOGIE. Atomisé, gamma, gray, infrarouge, phlébographie, rad, radiation, rayon, rayonnement, REM, suppression, ultraviolet.

RADIONAVIGATION. Decca, loran, navigation, radiogoniométrie, radioguidage, système, yachting.

RADIOSCOPIE. Rayon X, scopie.

RADIS. Altise, argent, atome, brin, cent, centime, crucifère, grain, gramme, kopeck, liard, noir, ombre, once, pièce, plante, raifort, rave, ravenelle, rond, sénevé, sou, tirelire.

RADIUM. Niton, ra.

RADIUS. Avant-bras, carpe, cubitus, genou, humérus, os, pronation, radial, supination.

RADON. Rn.

RADOTAGE. Gâtime, litanie, prêchi-prêcha, rabâchage, redite, refrain, rengaine, répétition, ressassement.

RADOTE. Ancien, âgé, baderne, barbe, birbe, chenu, chnoque, croulant, décrépit, fou, gaga, gâteux, géronte, imbécile, patriarche, pépé, ramolli, schnock, schnoque, sénile, vieillard, vieux, viocard.

RADOTER. Déraisonner, divaguer, extravaguer, gâteux, prêcher, rabâcher, raconter, redire, répéter, ressasser, seriner.

RADOUB. Carénage, dépannage, entretien, raccommodage, rafistolage, raison, réfection, réparation, restauration.

RADOUCIR. Adoucir, alléger, apaiser, calmer, concilier, doux, limer, modérer, polir, redoux.

RAFALE. Bourrasque, coup, coup de vent, décharge, mitraille, poudrerie, risée, tempête, tir, tornade, tourbillon, vent.

RAFFERMIR. Affermir, assurer, attiser, aviver, confirmer, conforter, consolider, durcir, fortifier, gaillardir, ranimer, ravigoter, raviver, réchauffer, réconforter, relever, remonter, renforcer, requinquer, resserrer, retaper, retremper, revigorer, revivifier, serre, tonifier.

RAFFINAGE. Achèvement, affinage, amélioration, arrangement, complètement, correction, enjolivement, fignolage, finition, garnissage, léchage, peaufinage, perfectionnement, polissage, purification, raffinement, reformage, reformeur, retouche, révision.

RAFFINÉ. Affecté, affiné, alambiqué, brut, délicat, distingué, élégant, épuré, étudié, fin, gracieux, habile, luxueux, parfait, policé, pur, recherché, sophistiqué, subtil, sucre.

RAFFINEMENT. Délicatesse, élégance, finesse, grâce, minutie, mysticité, recherche, subtilité.

RAFFINER. Affiner, asperger, assainir, balayer, baptiser, bluter, clarifier, curer, décanter, décrotter, déféquer, dépurer, désinfecter, déterger, épurer, éluer, fignoler, filtrer, laver, nettoyer, polisser, purger, purifier, rectifier, sasser, soigner.

RAFFINERIE. Alambic, centrale, gasoil, pétrole, raffineur, sucre, sucrerie, usine.

RAFFOLER. Adorer, aduler, aimer, chérir, emballer, enflammer, engouer, enticher, épris, goûter, préférer.

RAFFUT. Bacchanale, barouf, baroufle, bastringue, bordel, boucan, brouhaha, bruit, cacophonie, carillon, chahut, chant, charivari, concert, cri, désordre, éclat, esclandre, foin, fracas, potin, ramdam, reproches, sabbat, scandale, sérénade, tapage, tintouin, tohu-bohu, tintamarre, tumulte, vacarme.

RAFIOT. Bateau, cabotin, charlatan, déveine, funeste, grabat, hargne, histrion, ignoble, laid, mal, malheur, malin, mauvais, méchant, moche, nocif, nuisible, pétoire, piquette, pire, rage, rata, rogne, rosse, sévices, tocard, vaurien, vinasse.

RAFISTOLAGE. Cale sèche, calfatage, carénage, colmatage, consolidation, dépannage, entretien, gril, lancis, maintenance, marouflage, raccommodage, radouage, radoub, raison, réfection, réparation, restauration.

RAFISTOLER. Améliorer, arranger, bricoler, dépanner, erratum, expier, obturer, raccommoder, radouber, rafraîchir, rajuster, ramender, rapetasser, rapiécer, ravauder, refaire, remettre, rentrayer, réparer, replâtrer, restaurer, retaper.

RAFLE. Arrestation, arrêt, butin, capture, ciseau, clé, clef, conquête, descente, dispute, emprise, enlèvement, levée, moyen, opération, préhension, prise, proie, querelle, râpe, ratiboise, razzia, saisie, saisissement, scène, unité.

RAFLER. Accaparer, approprier, emparer, emporter, enlever, gagner, prendre, râper, ratiboiser, razzia, saisir, voler.

RAFRAÎCHIR. Aérer, désaltérer, éventer, frapper, rajeunir, ranimer, rappeler, raviver, refroidir, réparer.

RAFRAÎCHISSEMENT. Alcool, boisson, breuvage, café, cocktail, consommation, drink, eau, élixir, infusion, pot, thé.

RAFTING. Arve, déjection, drac, eau, flux, gardon, gave, lavande, mouvement, nive, raft, ravine, rivière, torrent.

RAGAILLARDIR. Ranimer, ravigoter, réchauffer, réconforter, régénérer, regonfler, remonter, retaper.

RAGEANT. Aigreur, amertume, bisque, bouder, cependant, chagrin, contrariété, crève-cœur, dam, déception, dépit, désappointement, enrageant, envers, envie, humeur, jalousie, malgré, nonobstant, rancœur, vexer, zut.

RAGE. Agitation, agressivité, alysse, animosité, colère, crise, dépit, fièvre, frénésie, fureur, furie, hargne, hydrophobie, ire, irritation, mal, manie, odontalgie, passion, rabique, tollé, violence, volonté.

RAGER. Bisquer, écumer, endêver, enrager, fumer, maronner, pester, râler, rogner, ronchonner, rouspéter.

RAGEUR. Acrimonieux, coléreux, colérique, furieux, hargneux, irascible, irritable, violent.

RAGONDIN. Anatidé, bièvre, castor, desman, fourrure, harle, loutre, rat musqué, rongeur, taupe.

RAGOT. Bavardage, cancan, commérage, conte, gros, médisance, on-dit, potin, racontar, sanglier.

RAGOÛT. Blanquette, bourguignon, capilotade, cari, carry, cary, cassoulet, civet, colombo, curry, fricassée, fricot, gibelotte, goulache, haricot, hochepot, mafé, mets, navarin, oille, pot-pourri, ragougnasse, rata, ratatouille, salmis, salpicon, sauce, tajine, tambouille, yassa.

RAGOÛTANT. Affriolant, agréable, aguichant, alléchant, appétissant, attrayant, engageant, séduisant, tentant.

RAGUER. Abîmer, abraser, abuser, affaiblir, amincir, amoindrir, araser, avachir, biaiser, consommer, corroder, dépenser, disposer, effacer, effriter, élimer, émeri, émousser, entamer, épointer, épuiser, érafler, éroder, fatiguer, finasser, gâter, laminer, limer, maganer, meuler, miner, mordre, râper, rayer, roder, ronger, ruser, saper, servir, user, vider.

RAI. Adent, cannelure, coche, costière, coulisse, coupure, cran, creux, crevasse, échancrure, encoche, entaille, entaquage, fente, glissière, gorge, jable, noix, râblure, raie, rainure, rayure, saignée, strie, striure, vergeture.

RAID (n. p.). Blitz, Ukatak.

RAID. Attaque, blitz, descente, effraction, entrée, envahissement, épreuve, immixtion, incursion, ingérence, intervention, intrusion, invasion, irruption, mission, rallye, razzia, rezzou, visite, vol, voyage.

RAIDE. Abrupt, affecté, ankylosé, âpre, ardu, austère, boisson, cassant, cassé, compassé, démuni, droit, dur, empesé, engourdi, escarpé, étonnant, fauché, ferme, fixe, fort, gourmé, grivois, guindé, hérissé, inébranlable, inflexible, ivre, licencieux, opiniâtre, rigide, rigoureux, roide, tendu.

RAIDEUR. Empois, érection, fermeté, force, intransigeance, pète-sec, rigidité, rigueur, rogue, roideur, tension.

RAIDILLON. Avenue, chemin, coulée, coursière, glissoire, laie, layon, lé, passage, piste, raccourci, sentier, voie.

RAIDIR. Amurer, ankyloser, bander, border, contracter, crisper, durcir, embraquer, empeser, engourdir, étarquer, fixer, guinder, hérisser, raidissement, raidisseur, résister, rider, roidir, souquer, tendre, tirer.

RAIE. Aigle de mer, bande, canal, guitare de mer, ligne, linteau, liseré, lisière, manta, mante, onde, onyx, pastenague, pli, pontuseau, rayé, rayon, rayure, sillon, spectre, strie, striure, tiret, torpille, trace, trait, tranchée, vergeture, zébrure.

RAIFORT. Condiment, cran de Bretagne, cranson, crucifère, moutarde des moines, plante, radis.

RAIL. Aiguillage, autorail, dérailler, éclisse, ferrée, guide, métro, monorail, patin, profilée, train, voie.

RAILLE. Acerbe, acéré, acide, acidulé, âcre, agressif, aigre, aigu, âpre, brûlant, caustique, collant, corrosif, cuisant, emporte-pièce, énergie, épicé, grinçant, incisif, mordant, piquant, ronger, satirique, sur, vif, virulent.

RAILLER. Bafouer, blaguer, brocarder, caricaturer, chiner, cribler, critiquer, dauber, draper, égratigner, ficher, fronder, gouailler, grinçant, grincer, huer, insinuer, ironiser, larder, moquer, persifler, plaisanter, ridiculiser, rieur, rire, saler, satiriser, vexer.

RAILLERIE. Brocard, caricature, critique, dérision, épigramme, esprit, flèche, galéjade, goguenardise, gouaillerie, humour, insinuation, ironie, lardon, lazzi, malice, moquerie, ouais, persiflage, plaisanterie, pointe, quolibet, risée, sarcasme, satire, trait.

RAILLEUR. Aigre, blagueur, brocard, caustique, charrieur, chineur, coquin, facétieux, goguenard, gouailleur, impertinent, incisif, ironique, ironiste, moqueur, mordant, narquois, persifleur, ricaneur, rieur, sarcastique, sardonique, satirique.

RAINER. Adenter, cocher, cranter, crevasser, creuser, échancrer, encocher, entailler, labourer, rainurer, rayer, strier.

RAINETTE. Amphibien, animal, anoure, batracien, cantatrice, diva, divette, grenouille, outil, ranidé.

RAINURE. Adent, cannelure, coche, costière, coulisse, coupure, cran, creux, crevasse, échancrure, encoche, entaille, entaquage, fente, feuillure, filet, glissière, gorge, jable, noix, râblure, raie, rayure, saignée, sillon, strie, striure, tarabiscot, vergeture.

RAINURER. Adenter, cocher, cranter, crevasser, creuser, échancrer, encocher, entailler, labourer, rainer, rayer, strier.

RAIRE. Braire, bramer, cerf, chevreuil, crier, daim, râler, raller, réer.

RAISIN. Busserole, cépage, chaptalisation, chasselas, cramique, cuve, dattier, grappe, grenache, malaga, merlot, mistelle, morillon, muscat, olivette, pineau, pinot, rafle, râpe, suc, traluire, treille, uval, vendange, véraison, verjus, vigne, vin.

RAISINÉ. Acétonémie, aorte, caillot, cœur, cruel, cruor, éosine, goule, hémoglobine, ichor, ixode, laqué, leucocytose, messe, mononucléose, noble, plasma, race, saignée, sang, sanguin, sérum, souche, veine, vie.

RAISON. Argument, car, cause, considération, dos, équilibre, équité, excuse, faculté, fol, fou, indu, jugement, justice, logique, logos, lot, manière, modération, motif, objection, philosophie, pondération, prétexte, preuve, principe, réalité, résipiscence, rime, sagesse, secret, sens, vain.

RAISONNABLE. Argument, compréhensif, délirant, équilibré, équitable, intelligent, judicieux, juste, légitime, logique, modéré, normal, pensant, pondéré, probable, preuve, probable, prudent, rationnel, réaliste, réfléchi, sage, sain, sensé, sérieux, suffisant.

RAISONNABLEMENT. Logiquement, modérément, probablement, prudemment, rationnellement, sagement, sensément.

RAISONNÉ. Calculé, discuté, logique, pensé, rationnel, réfléchi.

RAISONNEMENT. Abstraction, absurde, apagogie, aporie, argument, argumentation, argutie, avancé, avent, déduction, démonstration, dilemme, discernement, discursif, donc, entendement, induction, lectique, logique, paralogisme, pétition, principe, problème, raison, récurrence, sens, sophisme, suite, syllogisme.

RAISONNER. Alléguer, déduire, discuter, inférer, juger, penser, philosopher, prouver, randomiser, réfuter, répliquer, spéculer.

RAJEUNIR. Actualiser, dépoussiérer, jouvence, lifting, moderniser, rafraîchir, ranimer, raviver, rénover, revigorer.

RAJOUT. À-côté, additif, addition, ajout, casse-croûte, condom, en-cas, extra, ombrelle, parapluie, parasol, supplément.

RAJOUTER. Abouter, accoler, accroître, additionner, adjoindre, agrandir, ajouter, allier, allonger, annexer, assortir, augmenter, chaptaliser, compléter, croire, enchérir, étendre, greffer, inquart, joindre, majorer, profiter, suppléer, surfaire, tanniser.

RAJUSTER. Adapter, ajuster, arranger, corriger, modifier, péréquation, réajuster, rectifier, relever, remettre, réparer.

RÂLANT. Acariâtre, agaçant, chiant, contrariant, décevant, déplaisant, dérangeant, désespérant, embêtant, empoisonnant, ennuyeux, fâcheux, fastidieux, importun, insupportable, intolérable, rageant, vexant.

RÂLE. Agonie, bruit, crex, échassier, gibier, marouette, oiseau, râlement, rallus, respiration, sibilant, stertoreux.

RALENTIR. Arrêter, cassis, décélérer, diminuer, dos-d'âne, endormir, engourdir, entonnoir, étrangloir, frein, freiner, inhiber, inhibitif, modérer, parachute, ralentisseur, réduire, retarder, stagner, vivoter.

RALENTISSEMENT. Acrocyanose, apepsie, bradykinésie, décélération, déflation, dépression, désinflation, diapause, diminution, dyspepsie, inhibition, malthusianisme, marasme, récession, relâchement, retard, ritardando, retenue, sforzando, stase, torpeur, viscosité.

RÂLER. Bisquer, grogner, maronner, maugréer, pester, protester, rager, renauder, ronchonner, rouspéter.

RÂLEUR. Bougon, critiqueur, grincheux, grognon, grondeur, gueulard, mécontent, rechigneur, ronchonneux, rouspéteur.

RALINGUE. Agrès, amarre, amure, aussière, bastin, bitord, câble, câblot, caret, cordage, corde, cravate, draille, drisse, écoute, élingue, erse, estrope, étai, filin, gerseau, glèbe, glène, grelin, guinderesse, haussière, laguis, lien, lisin, lisse, liure, lusin, luzin, merlin, palan, pantoire, raban, ride, ridoir, saisine, sauvegarde, sciasse, tamis, tresse, trévire.

RALLIDÉ. Agami, échassier, foulque, gallinule, gruiforme, judelle, oiseau, poule d'eau, râle, weka.

RALLIEMENT. Affluence, assemblée, attroupement, cohue, concentration, crucifère, danse, émeute, festivité, fête, fourragère, manifestation, meeting, navet, plante, radis, rassemblement, rave, réunion, union.

RALLIER. Adhérer, adopter, approuver, assembler, brocarder, changer, convertir, épouser, gagner, grouper, métamorphoser, rameuter, rassembler, réformer, regagner, regrouper, rejoindre, réunir, venir.

RALLIFORME. Carinate, cigogne, échassier, grue, gruiforme, héron, outarde, poule d'eau, râle.

RALLONGE. Accessoire, addenda, additif, addition, ajout, appendice, appoint, augmentation, cahier, complément, excédent, extra, net, plus, prolongateur, prolongation, rab, remplacement, renfort, surcroît, supplément, surplus.

RALLONGER. Accroître, ajouter, allonger, augmenter, déployer, rallonge, rallongement, tirer.

RALLUMER. Attiser, exciter, guérir, ragaillardir, rajeunir, ramener, ranimer, raviver, réchauffer, recréer, refaire, relever, remonter, renaître, ressusciter, restaurer, réveiller, revivre, rouvrir, sels, tisonner.

RALLYE. Attaque, compétition, course, descente, effraction, entrée, envahissement, immixtion, incursion, ingérence, intervention, intrusion, invasion, irruption, raid, razzia, rezzou, visite, voyage.

RAMADAN. Abstinence, bogot, carême, carnaval, islamique, jeûne, maigre, musulman, pénitence.

RAMAGE. Babil, babillage, bruissement, chant, chuchotement, dessin, gazouillement, gazouillis, murmure, pépiement.

RAMAGER. Attaquer, babiller, beugler, brailler, bramer, cappella, chanter, chantonner, coqueriquer, détonner, égosiller, entonner, fredonner, grisoller, hurler, injurier, iodler, iouler, jodler, roucouler, solfier, susurrer, ténoriser, turlutter, vocaliser.

RAMAS. Bourre, bourrier, chiasse, ciure, chute, crasse, culot, débris, déchet, dépôt, détritus, excrément, fange, fiente, fumier, gadoue, immondices, impureté, ordure, raclure, rebut, résidu, rognure, salissure, tas.

RAMASSAGE. Action, aumône, bourse, collecte, collection, cueillette, glanage, glandage, levée, pick-up, quête, récolte, réunion, sélection, téléthon, transport, tri.

RAMASSÉ. Amassé, blotti, collecté, court, courtaud, cueilli, pelotonné, petit, pick-up, recroquevillé, replié, resserré, trapu.

RAMASSER. Accumuler, amasser, assembler, charger, collecter, collectionner, contracter, cueillir, embarquer, empiler, empocher, enlever, entasser, gagner, gerber, glaner, grapiller, rafler, râteler, ratisser, recevoir, récolter, recroqueviller, recueillir, réduire, relever, replier, sarmenter, subir, tapir, tomber.

RAMASSEUR. Chargeur, collecteur, éboueur, égoutier, évacuateur, glaneur, vidangeur, videur.

RAMASSIS. Amas, assemblage, bande, canaille, collection, ensemble, fatras, quincaillerie, ramas, réunion, tas, tourbe.

RAMBARDE. Balcon, balustrade, batayole, garde-corps, garde-fou, lisse, parapet, rampe.

RAMDAM. Bordel, boucan, brouhaha, chahut, hourvari, potin, tam-tam, tapage, tintamarre, tohu-bohu, vacarme.

RAME. Aviron, branche, feuille, godille, liesse, ligne, métro, pagaie, pale, papier, pelle, perhe, ramette, train, tuteur.

RAMEAU. Arçon, branche, brindille, buis, chancre, chimère, cor, dard, écot, écoté, gourmand, greffon, lambourde, mère, osier, pampre, pleyon, provin, ramification, rameux, ramille, ramure, représentation, rinceau, sarment, stolon.

RAMENER. Amener, apaiser, bercer, centrer, convertir, encapuchonner, mener, prendre, rabaisser, rabattre, raccompagner, ranimer, rapatrier, rapercher, rapporter, réanimer, rabaisser, reconduire, rédemption, redresser, réduire, référer, rendre, renvoyer, ressusciter, rétablir, retirer, retourner, revenir, tirer.

RAMEQUIN. Baba, bûche, cake, clafoutis, couque, dartois, éclair, frangipane, galette, gâteau, gaufre, génois, génoise, gougère, kouglof, kugelholf, macaron, millas, millefeuille, moka, nougat, opéra, pâtisserie, pudding, roulé, sablé, saint-honoré, savarin, tourte, vacherin.

RAMER. Avironner, canoter, déramer, godiller, limer, manœuvrer, nager, pagayer, souquer, soutenir.

RAMEUR. Avironneur, canotier, chiourme, espalier, galérien, godilleur, nageur, skiff, thète.

RAMEUTER. Ameuter, assembler, attrouper, conglomérer, masser, meute, mobiliser, rallier, ramasser, rassembler, regrouper, réunir.

RAMIER. Colombin, oiseau, palombe, pigeon, ramereau, ramerot, rouvrir.

RAMIFICATION. Andouiller, branche, cor, diverticule, division, embranchement, étendre, houppier, prolongement, rameau, subdivision.

RAMIFIER. Allotir, classer, cliver, cloisonner, couper, débiter, déchirer, découper, déliter, démembrer, disjoindre, disperser, dissocier, diviser, éclater, fendre, fractionner, fragmenter, graduer, granuleux, lotir, morceler, pair, partager, saucissonner, scier, scinder, séparer, sérancer, tomer.

RAMILLE. Arçon, branche, brin, brindille, chimère, cor, dard, écot, faux, greffon, lambourde, lien, mère, osier, pampre, playon, pleyon, plion, provin, rameau, ramification, ramure, rotang, rotin, sarment.

RAMOLLIR. Amollir, avachir, carie, diffluent, gâteux, ostéomalacie, malaxer, mol, mou, rebrûler, relâcher, sénile.

RAMOLLISSEMENT. Abaissement, affadissement, affaiblissement, altération, amaigrissement, amollissement, apathie, décadence, émollient, fenaison, fléchissement, lénifiance, lénitif, relâchement.

RAMOLLO. Accablé, amolli, assommé, avachi, brisé, claqué, crevé, déformé, défraîchi, échiné, fatigué, flagala, flasque, gâteux, indolent, mou, patraque, recru, ramolli, rendu, sans, usagé, usé, vautré, vétuste, veule.

RAMONER. Abraser, approprier, astiquer, balayer, briquer, caréner, curer, cureter, décaper, décrasser, décrotter, dégourdir, dégrossir, déniaiser, déterger, écumer, écurer, émonder, énouer, épousseter, faire, fourbir, frotter, laver, lessiver, monder, nettoyer, ôter, polir, purger, racler, ratisser, récurer, relaver, rincer, séparer.

RAMPANT. Abject, animal, avilissant, bas, boa, complaisant, côté, couleuvre, étalé, honteux, horizontal, humble, humilité, incliné, indigne, infamant, laquais, obséquieux, pentu, plat, serf, serpent, servile, sessile, soumis, souple, traînant, vagile, ver, vil.

RAMPE. Aménagement, balustrade, escalier, garde-corps, garde-fou, gril, lumière, montée, ouvrage, passerelle, pente, pilastre, reptile, serpent.

RAMPEMENT. Bassesse, cabriole, courbette, crapahute, déplacement, reptation, servilité.

RAMPER. Abaisser, agenouiller, aplatir, avancer, glisser, humilier, reptation, reptile, traîner.

RAMURE. Bois, branchage, branche, cerf, chevreuil, corne, daim, élan, frondaison, hameau, merrain, ramée, renne.

RANALE. Badiane, badianier, magnolia, magnoliacée, plante, tulipier.

RANATRE. Acanthe, actée, bardane, bigote, cimex, cimicaire, clou, gendarme, hétéroptère, insecte, naucore, nèpe, notonecte, parasite, pentatome, punaise, punaise d'eau, pyroscope, réduve, rhynchotes, thumb-tack, vélie.

RANCART. Anamnèse, avis, communication, confidence, document, fait, fiche, guide, indication, indice, info, information, message, mossad, nouvelle, rancard, rencard, renseignement, rincard, tuyau.

RANCE. Âcre, aigre, altération, corrompu, dissou, éventé, gâté, impur, impure, mangé, moisi, odeur, piqué, pourri, stipendieux, putréfié, ranci, rancissement, rancissure, taré.

RANCH. Domaine, estancia, exploitation, fazenda, ferme, fermette, hacienda, manège, mas, métairie, rancho.

RANCIR. Acerbe, acescent, acide, acidulé, âcre, acrimonieux, aigre, aigre-doux, aigrelet, aigret, aigri, amer, âpre, astringent, dulcification, empyreume, fort, grinçant, irritant, mordant, piquant, raide, rance, sûr.

RANCISSEMENT. Âcreté, amèrement, fortement, gâter, moisissure, pourriture, rance, rancissure.

RANCŒUR. Aigreur, amertume, animosité, colère, dégoût, dépit, haine, rancune, ressentiment, vindicte.

RANÇON. Butin, capture, confiscation, conquête, conséquence, contrepartie, dépouille, désagrément, effet, inconvénient, kidnapping, matériel, otage, panoplie, prise, prix, proie, somme, trophée.

RANÇONNER. Argent, arracher, délivrance, dépouiller, détourner, enlever, escroquer, exiger, extorquer, filouter, kidnapper, otage, payer, rançonneur, ravir, ravisseur, saigner, soutirer, taxer, voler.

RANCUNE. Aigreur, amertume, animosité, dent, haine, rancœur, rancunier, ressentiment, vengeance.

RANDONNÉE. Balade, chevauchée, circuit, course, excursion, marche, périple, promenade, tour, trek, trekking.

RANG. Avant, caste, catégorie, clan, classe, condition, cordon, cran, degré, échelon, égal, énième, ex æquo, file, finaliste, formation, grade, haie, indiction, ligne, numéral, ordre, palée, place, premier, rangée, série, suite, territoire, tête, titre, tour.

RANGÉ. Convenable, garé, mis, nickel, posé, réglé, remisé, sage, sérieux, stationné, vertueux.

RANGÉE. Andain, assise, balustrade, bordure, clavier, colonnade, égout, enfilade, espalier, file, glane, haie, ligne, ordre, ordrée, orne, palée, quine, rampe, rang, saulée, suite, tire, travée, virée.

RANGEMENT. Agencement, alignement, arrangement, baguier, case, classement, coqueron, disposition, garde-robe, organisation, placard, placement, position, rack, stationnement, superposition, tri.

RANGER. Adopter, aligner, assagir, assujettir, caser, classer, classifier, combiner, disposer, écarter, engager, gagner, garer, longer, mettre, miter, ordonner, placer, poser, réduire, régler, revenir, scout, séparer, sérier, serrer, soldat, soumettre, trier.

RANGOON (n. p.). Birmanie.

RANIDÉ. Acaude, alyte, anoure, batracien, crapaud, grenouille, pélobate, pipa, raine, rainette.

RANIMER. Attiser, aviver, exalter, exciter, guérir, ragaillardir, rajeunir, rallumer, ramener, ravigoter, raviver, réanimer, réchauffer, recréer, refaire, relever, remonter, renaître, ressusciter, restaurer, réveiller, revenir, revivre, rouvrir, sels, tisonner.

RANTANPLAN. Ban, battement, batterie, caisse, diane, galet, fla, onomatopée, percussion, ra, rantanplan, réveil, rigaudon, rigodon, tambour, roulement, tambourinage, tambourinement, tournus.

RAOUT. Amusement, anniversaire, assemblée, bacchanale, bal, bamboula, brandon, célébration, cérémonie, commémoration, dentelle, féerie, féralies, festin, festivité, fest-noz, fête, foire, gala, galipote, jubilé, kermesse, noce, nouba, orgie, parentalies, rave, réjouissance, rodéo, saturnales, soirée, solennité, têt, tournoi.

RAP. Break, funky, musique, pop, rapeur, rappeur, smurf.

RAPACE. Accipitre, ægypiidé, aquilidé, aquiliné, bubonidé, cupide, falconidé, falconiné, strigidé, vautour, vulturidé.

RAPACE DIURNE. Aigle, autour, balbuzard, bondrée, busaigle, busard, buse, circaète, condor, crécerelle, écoufle, émerillon, émouchet, épervier, falconidé, faucon, gerfaut, griffon, gypaète, harpie, hobereau, laneret, lanier, milan, orfraie, pandion, percnoptère, sarcoramphe, secrétaire, serpentaire, spizaète, tiercelet, uraète, urubu, vautour.

RAPACE NOCTURNE. Bubo, chat-huant, chevêche, chouette, duc, effraie, harfang, hibou, hulotte, scops, strix.

RAPACITÉ. Âpreté, avarice, avidité, convoitise, cupidité, voracité.

RAPATRIER. Amener, apaiser, centrer, exfiltrer, mener, prendre, raccompagner, ramener, ranimer, rapatriable, rapatriement, rapporter, réanimer, rendre, renvoyer, ressusciter, rétablir, retirer, retourner, revenir, tirer.

RÂPE. Avare, chapelure, fichu, lime, poudre, rafle, râper, raté, réduit, usagé, usé, ustensile.

RÂPER. Accoupler, égruger, élimer, gratter, limer, peler, pulvériser, racler, rafler, réduire, riper, user.

RAPETASSER. Arranger, coudre, rabibocher, rabiocher, raccommoder, rafistoler, rapiécer, ravauder, réconcilier, recoudre, remailler, réparer, reprendre, repriser, retaper, rhabiller, ruiler, savetier, stopper.

RAPETISSÉ. Amenuisé, déchu, décru, diminué, étréci, foulé, rabougri, raccourci, ratatiné, réduit, rétréci.

RAPETISSER. Abaisser, amenuiser, amincir, décroître, diminuer, écourter, étrécir, flétrir, raccourcir, rapetissement, ratatiner, réduire, restreindre, rétrécir.

RÂPEUX. Abrupt, accidenté, aigre, aigu, amer, âpre, ardent, austère, avare, avide, brutal, cruel, cuisant, cupide, désagréable, dur, élimé, féroce, froid, hérissé, inégal, pénible, rauque, rêche, rigoureux, rocailleux, rude, rugueux, sévère, vif.

RAPHAËL (n. p.). Tobie.

RAPHAËL. Ange, archange, harmonieux, peintre, pompeux, raphaélesque, raphaélique.

RAPHIA. Arec, arequier, borasse, borassus, cocotier, cycas, dattier, doum, élacis, éléis, éaeis, jonc, kentia, latanier, nipa, palmier, palmiste, phénix, phœnix, rabane, rondier, rônier, rotang, rotin, sang-dragon, tallipot.

RAPHIDÉ. Columbidé, columbiforme, cristal, dodo, dronte, faisceau, oiseau.

RAPIAT. Avare, avide, chiche, cupide, gain, grippe-sou, mesquin, parcimonieux, pingre, radin, rat.

RAPIDE (n. p.). Lachine.

RAPIDE. Abrupt, accéléré, actif, agile, alerte, allegro, atalante, bief, bref, brusque, cascade, cursif, diligent, empressé, enfer, expéditif, fulgurant, furtif, hâtif, impétueux, impromptu, incliné, léger, lent, leste, long, preste, prestissimo, presto, prompt, raide, sec, train, traînard, véloce, vertigineux, vif, vite, vivace.

RAPIDEMENT. Hâtivement, bientôt, précipitation, prestement, promptement, rapido, sitôt, tôt, vite, vivement.

RAPIDITÉ. Activité, agilité, boutade, célérité, diligence, hâte, prestesse, promptitude, vélocité, vitesse, vivacité, volubile.

RAPIÉCÉ. Rabiboché, raccommodé, rafistolé, rapetassé, rapiéçage, rapiècement, ravaudé, réparé, reprisé, retapé.

RAPIÈRE. Alfange, arme, badelaire, bague, bancal, bandal, batte, botte, brand, braquemart, brette, briquet, cape, carrelet, cimeterre, claymore, colichemarde, coutelas, coutille, croisette, dague, épée, espadon, estoc, estocade, estramaçon, fer, fil, flamberge, fleuret, glaive, haute-claire, joyeuse, lame, latte, robe, sabre, yatagan.

RAPIN. Aide, apprenant, apprenti, arpète, arpette, bleu, commis, débutant, élève, employé, galibot, galifard, garçon, gindre, grouillot, initié, marmiton, mitron, néophyte, novice, patronnet, peintre, pilotin, roupiot, stagiaire, travailleur, varlet.

RAPINE. Brigandage, butin, capture, concussion, déprédation, enlèvement, larcin, maraude, pillage, vol.

RAPLAPLA. Abattu, accablé, amaigri, anéanti, anémie, asthénie, avachi, brisé, charge, crevé, déprimé, échiné, élimé, ennui, épuisé, éreinté, exténué, faible, fardeau, fatigué, flagada, flapi, fourbu, harassé, laneret, las, lassé, lassitude, nase, naze, peine, poids, ramollo, recru, rendu, surmené, tiré, tué, usé, vanné, vaseux.

RAPLATIR. Abrutir, accabler, anéantir, aplatir, bousiller, briser, broyer, comprimer, écacher, écorcher, écrabouiller, écraser, éteindre, fraiser, fraser, gruger, lessiver, mater, moudre, mouliner, piler, réduire, subir, surcharger, vaincre.

RAPLOMBER. Améliorer, aplanir, cabrer, cambrer, corriger, défausser, défeutrer, dégauchir, détordre, dévoiler, dresser, lever, quiller, rééduquer, rectifier, redresser, réformer, relever, réparer.

RAPPARIER. Alimenter, apporter, apprivoiser, armer, assortir, avitailler, commander, donner, doter, douer, ensiler, équiper, établir, fournir, garnir, gratifier, munir, nourrir, pourvoir, procurer, provisionner, rapatrier, ravitailler, réapprovisionner, réassortir, subvenir.

RAPPEL. Acclamation, anamnèse, appel, batterie, bis, commémoration, évocation, hypermnésie, lettre, mémento, mémoire, mention, mobilisation, pense-bête, position, récapitulation, relance, remembrance, réprimande, retour, semonce, sonnerie, souvenance, souvenir.

RAPPELER. Acclamer, appeler, avertir, chapitrer, citer, commémorer, convoquer, destituer, évoquer, exhumer, mobiliser, raconter, ramener, rappareiller, réassortir, récapituler, recommander, redire, remémorer, remettre, réprimander, reprocher, résonner, retracer, souvenir.

RAPPLIQUER. Aborder, aboutir, accourir, aller, amener, apparaître, appel, approcher, arriver, avancer, découler, devancer, échoir, entrer, futur, naître, parvenir, radiner, rapprocher, rendre, revenir, secourir, succéder, suivre, vaincre, venir.

RAPPORT. Accord, affinité, analogie, aspect, avec, braquet, bulletin, calibre, causalité, clairance, coït, compte-rendu, connexion, connexité, cote, densité, dossier, droit, égalité, équin, expertise, fréquence, fruit, impôt, indice, intervalle, juger, latitude, lien, méridien, modal, natalité, parenté, pi, pour, produit, QI, ratio, relation, rendement, ressemblance, réunion, revenu, ssélectivité, ocial, terme, verbatim.

RAPPORTÉ. Accessoire, additionnel, adventrice, ajouté, angle, annexe, auxiliaire, complémentaire, complexité, excédent, intercalaire, pendant, recyclage, supplémentaire, supplétif, surplus, surtitre.

RAPPORTER. Abroger, attribuer, cafarder, capitaliser, certifier, citer, colporter, concerner, consigner, conter, découler, dénoncer, détacher, donner, fructifier, inscrire, moucharder, procurer, produire, profiter, prouver, raccuser, ramener, rattacher, redire, référer, remettre, rendre, répandre, répéter, ressortir, restituer, résulter, retourner, révéler, témoigner, tracer.

RAPPORTEUR. Angle, cafard, dénonciateur, demi-cercle, diffamateur, espion, gradué, informateur, instrument, mouchard, personne, subrogateur.

RAPPROCHÉ. Adjacent, allié, ami, aplani, attaché, chapelet, cohérent, confondu, couleur, égal, fasciculé, femme, fondu, groupe, homogène, intime, joint, latéral, lié, lisse, mari, net, nivelé, noué, plan, plat, poli, ras, relié, réuni, rivé, voisin, uni.

RAPPROCHEMENT. Accouplement, alliance, association, comparaison, flirt, frai, mariage, oxymore, oxymoron, parallèle, ralliement, rapport, réconciliation, recoupement, rétablissement, réunion, serrage, voisinage, zoom.

RAPPROCHER. Amalgamer, associer, attiser, flirter, hâter, joindre, mélanger, pincer, rallier, resserrer, réunir, serrer.

RAPSODE. Aède, alto, artiste, barde, basse, castrat, chanteur, chantre, chœur, choriste, coloratura, contralto, crooner, idole, lutrin, ménestrel, mezzo-soprano, rhapsode, rocker, soprano, ténor, troupier, tyrolien.

RAPT. Attraction, attrait, charme, coquetterie, détournement, donjuanesque, enivrement, enlèvement, flatterie, flirt, galanterie, kidnapping, magie, otage, prestige, raptus, ravissement, séduction, tentation, vol.

RÂPURE. Écorchure, demi-ronde, fraise, limaille, lime, queue-de-rat, râpe, riflard, rifloir, rugine, usure.

RAQUER. Acheter, acquitter, appointer, casquer, corrompre, cotiser, déballer, débourser, décaisser, défrayer, dépenser, ouvrir, payer, quote-part, récompenser, régler, rembourser, rémunérer, rétribuer, salarier, sortir, soudoyer, sous-payer, stipendier, surpayer.

RAQUETTE. Botanique, horlogerie, instrument, lame, opuntia, palette, paume, pièce, ping-pong, semelle, squash, tamis, tennis, tige, timbale.

RARE. Abondant, accidentel, ami, anormal, bizarrerie, cher, clair, clairsemé, coercible, commun, courant, étrange, exceptionnel, extraordinaire, fréquent, inaccoutumé, inhabituel, inouï, insolite, inusité, inusuel, or, ordinaire, pelé, peu, rarescent, rareté, rarissime, recherché, surprenant, unique.

RARÉFACTION. Accablement, appauvrissement, asthénie, courbature, épuisement, éreintement, exhaure, exténuation, fatigue, harassement, lassitude, ostéoporose, tarissement, usure.

RARÉFIER. Affamer, agioter, alouvir, assoiffer, clairsemer, crever, diminuer, efflanquer, gruger, limiter, mourir, priver, raréfaction, raréfiable, rarescent, réduire, restreindre, spéculer.

RAREMENT. Anormalement, exceptionnellement, extraordinairement, guère, inopinément, peu, quelquefois, trente-six.

RARETÉ. Curiosité, défaut, disette, insuffisance, manque, pénurie, unique, uniquement.

RAS. Court, dégagé, égal, étoffe, lisse, pelé, mesure, plan, plat, plate-forme, poli, radeau, rader, raser, rasibus, uni.

RASANT. Assommant, barbant, bassinant, embêtant, empoisonnant, ennuyeux, enquiquinant, fatigant.

RASCASSE. Amphibien, anoure, crapaud de mer, piquant, poisson, rase, scorpène, scorpion, sébaste, uranoscope.

RASÉ. Abattu, abruti, accablé, affligé, agonisant, alourdi, aplati, assommé, atterré, blessé, broyé, camus, chargé, comblé, couvert, crevé, criblé, écrasé, engueulé, épaté, éploré, épuisé, éreinté, essoufflé, étouffé, fatigué, haletant, lassé, oppressé, opprimé, rué, surchargé, tondu, tué, vanné.

RASER. Abattre, after-shave, barber, barbifier, brûler, canuler, couper, démanteler, démolir, détruire, effleurer, embêter, ennuyer, fatiguer, friser, frôler, importuner, lasser, niveler, passer, peler, rasade, rasage, rasant, tondre, tonsurer.

RASETTE. Araire, binet, brabant, butteur, buttoir, cep, charrue, coutre, cultivateur, déchausseuse, dombasle, enrayure, fer, fossoir, hersoir, houe, labour, pelle, rets, ritte, sep, sillon, soc, trisoc.

RASEUR. Achalant, emmerdeur, enquiquineur, fâcheux, fatigant, gêneur, importun, indésirable, intrus.

RASOIR. Agaçant, assommant, barbant, canulant, chiant, désagréable, embarrassant, embêtant, emmerdant, empoisonnant, endormant, ennuyeux, étonnant, fâcheux, fade, fatigant, importun, insipide, insupportable, lassant, long, maussade, monotone, mortel, rasant, sciant, suant, vexant.

RASSASIÉ. Apaisé, assouvi, bourré, comblé, content, contenté, gavé, plein, repu, saoul, satiété, saturé, soul.

RASSASIER. Abreuver, apaiser, assouvir, blaser, bourrer, caler, calmer, combler, contenter, désaltérer, donner, gaver, gorger, nourrir, remplir, repaître, saouler, satiété, satisfaire, saturer, soûler, sursaturer.

RASSEMBLEMENT. Affluence, appel, assemblée, attroupement, base, cohue, concentration, émeute, groupement, manifestation, meeting, multitude, ralliement, rave, réunion, rodéo, rookerie, sonnerie, union.

RASSEMBLER. Accumuler, agglomérer, ameuter, assembler, attrouper, canaliser, collecter, concentrer, converger, drainer, enrôler, fédérer, grouper, instruire, joindre, masser, mobiliser, rallier, ramasser, rameuter, rapailler, recueillir, recruter, regrouper, rejoindre, réunir, unir.

RASSEMBLEUR. Centralisateur, chef, coryphée, gourou, groupeur, guide, guru, leader, magistère, mahatma, maître, meneur, pandit, pasteur, phare, sage, pape, unificateur.

RASSÉRÉNER. Adoucir, alarmer, apaiser, apprivoiser, assurer, calmer, endormir, pacifier, rasseoir, rassurer, reprendre, sécuriser, tranquilliser, troubler.

RASSIS. Accalmie, agité, ataraxie, béat, bonasse, bouillant, calme, coi, cool, déchaîné, détendu, dur, emporté, énervé, excité, flegme, froid, impatient, ire, irrité, modéré, oasis, paisible, paix, patient, placide, placidité, pondéré, posé, quiet, rassissement, réfléchi, relax, sage, serein, sérénité, silence, tranquille, tranquillité, turbulent, violent, zen.

RASSURER. Apaiser, calmer, consoler, déculpabiliser, rasséréner, rassurant, sécuriser, tranquilliser.

RASTAFARI. Antillais, jamaïcain, jamaïquain, mouvement, mystique, partisan, politique, rasta, reggae.

RASTAQUOUÈRE. Allochtone, allophone, aubain, autre, dreadlocks, el, étranger, externe, huilander, inconnu, intrigant, louche, métèque, rasta, suspect, xénophobe.

RASTEL. Adjonction, agapes, agrégat, amalgame, anastomose, annexion, anthrax, assemblée, baba, bal, brelan, carillon, claque, collection, collège, colonie, comité, concile, conciliabule, duo, éclisse, ennéade, enquête, épissure, escadre, faisceau, flottille, groupe, hardes, jamboree, jonction, ligature, litée, meeting, mélange, meute, paire, pléiade, plénum, portée, présentation, quatuor, quintette, ramassis, rame, raout, recueil, réunion, salade, sauterie, séance, société, soirée, synthèse, tas, trio, troupeau, union, zooglée.

RAT. Avare, campagnol, cave, chandelle, chiche, danseuse, filou, hibou, macroscélide, mammifère, mulot, musqué, ondatra, opéra, palmiste, potorou, queue, radin, rate, raton, rongeur, souris, spalax, surmulot, vermine, xérus.

RATAFIA. Boisson, eau-de-vie, liqueur, macération, marc, moût, raisin, rossolis.

RATAGE. Bide, échec, erreur, faillite, fiasco, flop, gâchis, insuccès, loupage, loupé, massacre, raté.

RATATINÉ. Brisé, contracté, déformé, démoli, desséché, endommagé, flétri, noué, pelotonné, plissé, rabougri, racorni, ramassé, rapetissé, replié, ridé, tassé, tué.

RATATINER. Avilir, blâmer, chiffonner, condamner, défleurir, déflorer, dépuceler, dessécher, dévirginiser, enlaidir, étioler, faner, flétrir, gâter, marcescent, marcescible, plier, ployer, rider, salir, stigmatiser, ternir, traumatiser.

RATATOUILLE. Blanquette, bourguignon, cassoulet, civet, colombo, fricassée, fricot, gibelotte, goulache, hochepot, mafé, mets, navarin, oille, pot-pourri, ragoût, rata, salmis, salpicon, tajine, tambouille, yassa.

RATE. Éclairer, femelle, fressure, lymphoïde, organe, rat, splénique, splénectomie, splénomégalie.

RATÉ. Bancal, boiteux, bruit, cuit, défaut, défectueux, déficient, faible, faute, fautif, foireux, imparfait, inadéquat, incorrect, inexact, infirme, insuffisant, loser, mal, manqué, mauvais, perdant, râpé, taré, vicieux, vulnérable.

RÂTEAU. Agriculture, fauchet, instrument, outil, peigne, raclette, râtelé, râteleuse, râtelier, rouable.

RÂTELER. Accumuler, amasser, assembler, charger, collecter, collectionner, concentrer, contracter, cumuler, détenir, empiler, enlever, entasser, gagner, glaner, gerber, rafler, ratisser, récolter, recueillir, relever, réunir, tapir, vomir.

RÂTELIER. Assemblage, auge, cage, claie, claire-voie, dent, dentier, doublier, gaine, hémitropie, mâchicoulis, mangeoire, musette, pyramide, râteau, support, trapillon, trémie, tringle.

RATER. Avorter, échouer, esquinter, foirer, gâcher, glisser, louper, manquer, omettre, oublier, perdre.

RATIBOISER. Approprier, couper, détruire, lessiver, perdre, plumer, prendre, rafler, ratisser, ruiner, tuer.

RATIER. Capricieux, chien, ennemi, fox-terrier, murin, piège, rat, ratière.

RATIFICATION. Acte, agrégation, approbation, autorisation, confirmation, consécration, entérinement, formalité, homologation, plébiscite, procédure, reconnaissance, référendum, sanction, validation.

RATIFIER. Agréer, approuver, autoriser, avaliser, avouer, confirmer, consacrer, entériner, formuler, homologuer, plébisciter, reconnaître, référendum, sanctionner, valider, voter.

RATINER. Anneler, aplatir, bichonner, boucler, canneler, crêper, draper, effleurer, étoffer, friser, frisotter, frôler, lisser, moutonner, onduler, permanente, raser, ratinage, ratine, risquer.

RATING.

RATIOCINER. Argumenter, discuter, épiloguer, ergoter, philosopher, pinailler, raisonner.

RATION. Bout, division, division, dose, fraction, fragment, lot, mesure, morceau, part, portion, quantité, sort.

RATIONALISATION. Codification, homogénéisation, justification, normalisation, réglementation, standardisation, systématisation, tempéré, unification, uniformisation.

RATIONALISER. Apprécier, arrêter, calculer, codifier, décider, délimiter, détailler, déterminer, estimer, évaluer, expliciter, fixer, identifier, localiser, mesurer, normaliser, organiser, quantifier, présenter, préciser, régir, réglementer, situer, spécifier, stipuler, systématiser.

RATIONALITÉ. Argument, car, cause, considération, équilibre, équité, excuse, faculté, indu, jugement, justice, logique, logos, manière, modération, motif, objection, philosophie, pondération, prétexte, preuve, principe, réalité, résipiscence, sagesse, stoïcien.

RATIONNEL. Cartésien, cohérent, judicieux, logique, méthodique, raisonnable, raisonné, sensé.

RATIONNEMENT. Circonspection, compression, contingentement, contrôle, critique, diminution, doute, économie, équivoque, hum, limitation, ration, réduction, régulation, réserve, restriction, réticence.

RATIONNER. Borner, confiner, contingenter, délimiter, limiter, pool, répartir, restreindre.

RATISSAGE. Amassage, blanchissage, curetage, décrassage, écrémage, écumage, entassage, épluchage, grattage, lavage, lessivage, nettoyage, purge, raclage, rasage, rassemblage, savonnage, tararage.

RATISSER. Amasser, écrémer, écumer, entasser, fouiller, gratter, lessiver, nettoyer, plumer, racler, râteler, ratiboiser, riper, ruiner.

RATITE. Aptéryx, autruche, casoar, dinornis, émeu, émou, kiwi, nandou, oiseau.

RAT MUSQUÉ. Cave, chandelle, chiche, mammifère, musqué, ondatra, palmiste, potorou, queue, radin, rat, raton, rongeur, vermine.

RATON. Arabe, charcuterie, chat sauvage, laveur, racoon, tartelette.

RATTACHEMENT. Adhésion, admission, affiliation, appartenance, agrégation, annexion, branchement, entrée, incorporation, inscription, intégration, jonction, raccord.

RATTACHER. Brancher, enchaîner, indexer, joindre, lier, rapporter, rejoindre, relier, ressaisir, unir.

RAT-TAUPE. Glabre, spalax.

RATTRAPER. Atténuer, attraper, combler, corriger, courser, indexation, raccrocher, rapercher, recouvrer, regagner, rejoindre, remonter, reprendre, ressaisir, retenir, retrouver, saisir.

RATURE. Biffe, biffure, correction, enlève, rayure, rectification, trait.

RATURER. Annuler, barrer, biffer, corriger, effacer, gommer, gratter, rayer.

RAUCITÉ. Acharnement, âcreté, acrimonie, aigreur, amertume, animosité, âpreté, ardeur, aspérité, avarice, brutalité, dureté, mesquinerie, répugnance, rigueur, rudesse, sévérité, verdeur, violence, virulence.

RAUQUE. Âpre, enroué, éraillé, fauve, guttural, râpeux, rocailleux, rogomme, rude, sauvage.

RAUQUER. Chaton, crier, enrouer, fauve, feuler, gronder, kouffa, miaule, tiglon, tigre, tigron.

RAVAGE. Bouleversement, casse, dégât, dégradation, déprédation, destruction, dévastation, dommage, pillage, ruine, saccage.

RAVAGER. Abîmer, anéantir, annihiler, bouleverser, consumer, désoler, détruire, dévaster, endommager, gâter, infester, piller, pulvériser, raviner, ruiner, saccager, sévir, tourmenter, troubler.

RAVAGEUR. Destructeur, dévastateur, iconoclaste, meurtrier, nihiliste, nuisible, pillard, subversif, vandale.

RAVALEMENT. Calibre, cambrure, carrure, ceinture, charpente, coupe, crayon, dimension, élagage, émondement, envergure, format, gouttière, grandeur, gravure, grosseur, guêpe, hauteur, importance, longueur, mesure, nanisme, port, serpe, stature, svelte, taille, taillis, tournure.

RAVALER. Abaisser, abolir, avilir, contenir, déprécier, descendre, envaler, étouffer, gratter, nettoyer, rabaisser, rabattre, refréner, rentrer, réprimer, retenir, sabler, salir, taire, tomber.

RAVALEUR. Maçon, ouvrier, peintre, plâtrier, tailleur.

RAVAUDAGE. Raccommodage, rafistolage, rapiéçage, rhabillage, reprisage, reprise, stoppage.

RAVAUDER. Arranger, courailler, galvauder, raccommoder, rajuster, rapetasser, rectifier, réparer, repriser, rôder.

RAVE. Affluence, assemblée, attroupement, clandestin, chou-rave, cohue, concentration, crucifère, danse, émeute, festivité, fête, fourragère, manifestation, meeting, navet, plante, radis, ralliement, rassemblement, réunion, techno, union.

RAVENELLE. Assaisonnement, crucifère, moutarde, plante, radis, sanve, sénevé, sinapis, tartare, ypérite.

RAVI. Charmé, comblé, content, crédule, enchanté, épanoui, fier, heureux, naïf, otage, radieux, rayonnant, satisfait, simple, sot.

RAVIER. Légumier, oblong, plat, plateau, récipient, saladier, vaisselle.

RAVIGOTER. Ranimer, rapicoler, ravigotant, réanimer, remonter, renforcer, revigorer, tonifier, vivifier.

RAVIN. Barranco, cavité, précipice, dépression, ravine, vallée.

RAVINÉ. Buriné, cavité, creusé, lit, marqué, plissé, ravin.

RAVINER. Affouiller, amaigrir, bêcher, caver, champlever, chever, creuser, déchirer, échancrer, émacier, évider, excaver, fileter, forer, fouiller, fouiner, fouir, labourer, miner, percer, raner, saper, tailler, tarauder, térébrer, trou, vider, vriller.

RAVIOLI. Carré, dossard, hachis, mets, nouille, panosse, pâte.

RAVIR. Arracher, charmer, emmener, emparer, emporter, enchanter, enlever, ôter, plaire, prendre, séduire, transporter, tuer.

RAVISER. Aérer, altérer, améliorer, amender, arrière, changer, commuer, convertir, décaler, dégénérer, déliter, désaffecter, dévier, émigrer, évoluer, falsifier, fluctuer, innover, inverser, lignifier, métamorphoser, modifier, momifier, muer, muter, ossifier, permuter, pétrifier, pirouetter, remanier, remplacer, remuer, revenir, saccharifier, tourner, varier, virer, zapper.

RAVISSANT. Adorable, agréable, aimable, attirant, beau, captivant, charmant, délectable, délicat, délicieux, enchanteur, enivrant, fascinant, gracieux, joli, kleptomane, magnifique, passionnant, séduisant.

RAVISSANTE. Accorte, belle, joliette, mignonne, superbe.

RAVISSEMENT. Admiration, béatitude, bonheur, céleste, délectation, émerveillement, enchantement, extase, joie, rapt, septième ciel.

RAVISSEUR. Apache, assassin, bandit, brigand, coquin, criminel, ennemi, escroc, extorqueur, filou, foire, fripon, kidnappeur, larron, mafia, malfaiteur, malfrat, mécréant, meurtrier, pirate, scélérat, truand, tueur, usurier, violeur, voleur.

RAVITAILLEMENT. Approvisionnement, escale, logistique, mazoutage, provision, subsistance, victuailles, vivres.

RAVITAILLER. Alimenter, apporter, approvisionner, armer, assortir, avitailler, donner, doter, douer, ensiler, équiper, établir, fournir, garnir, gratifier, munir, nourrir, pourvoir, procurer, provisionner, réassortir, subvenir.

RAVITAILLEUR. Apporteur, approvisionneur, avion, cargo, donateur, fournisseur, navire, pourvoyeur.

RAVIVER. Aviver, découper, rafraîchir, ragaillardir, rallumer, ranimer, réanimer, revivre, vivifier.

RAVOIR. Aciérer, avoir, dorer, enduire, enrober, ensabler, étamer, mettre, paver, percevoir, rattraper, reconquérir, recouvrer, récupérer, redorer, regagner, renaître, retrouver, revêtir, tapisser, toucher, vernir.

RAYÉ. Bariolé, bigarré, chamarré, composite, diapré, disparate, diversifié, émaillé, enlevé, grivelé, hétéroclite, hétérogène, hybride, jaspé, madré, marbré, mélangé, mêlé, moucheté, multicolore, pommelé, règle, ronceux, tacheté, tavelé, tigré, tricolore, varié, veiné, vergeté, zébré.

RAYER. Abîmer, annuler, barioler, barrer, bigarrer, biffer, chamarrer, couper, diversifier, effacer, égratigner, éliminer, entamer, érafler, érailler, exclure, hachurer, ligner, miel, radier, rai, raie, raturer, régler, rejeter, strier, tracer, tigrer, zébrer.

RAY-GRASS. Alyssum, agrostis, armeria, céraiste, crételle, cynoglosse, fétuque, gazon, graminée, herbe, ivraie, pâturin, pelouse, saxifrage, sedum, statice.

RAYON. Cercle, comptoir, degré, diamètre, distance, écran, espace, étagère, foyer, jet, ligne, lueur, lumière, miel, moyeu, pièce, pinceau, radial, radiation, rai, rigole, ruche, segment, sillon, sinus, stand, tablar, tablard, tablette, trait, UV.

RAYONNANT. Admirable, ardent, brillant, éblouissant, éclatant, étincelant, flamboyant, florissant, fracassant, grandiose, insigne, lumineux, perçant, pétulant, radieux, resplendissant, retentissant, rutilant, somptueux, sonore, spectaculaire, splendide, tonitruant, tonnant.

RAYONNEMENT. Émanation, émissif, émission, fluorescence, infrarouge, lumière, nitescence, radiance, radiation, reflet, roentgen, röntgen.

RAYONNER. Briller, darder, déplacer, diffuser, émettre, garnir, irradier, jeter, lancer, luire, manifester, propager, rire, tracer.

RAYURE. Bande, disruptive, éraflure, griffure, hachure, raie, rainure, sillon, strie, tache, trace, trait, zébrure.

RAZ-DE-MARÉE. Calamité, cataclysme, catastrophe, déferlement, désastre, inondation, phénomène, tempête, tsunami, vague.

RAZZIA. Attaque, détruire, emporter, entourer, incursion, invasion, pillage, rafle, rezzou, vol.

RAZZIER. Accaparer, approprier, attaquer, entourer, envahir, piller, rafler, saccager, voler.

RÉA. Brama, brailla, cordage, cria, davier, élévateur, gorge, poulie, rai, roue, rouet.

RÉABONNER. Abonner, adhérer, coutumier, désabonner, journal, prime, renouveler, souscrire.

RÉACTEUR. Atomique, bouilleur, graphite, nucléaire, propulseur, stratoréacteur, turbine, turboréacteur.

RÉACTIF. Allegro, ardemment, beaucoup, brusquement, brutalement, chauffer, durement, embraser, fortement, fulgurant, intensément, phtalène, précipitamment, pressant, prestement, profondément, promptement, rapidement, riposter, sèchement, substance, vite, vivement.

RÉACTION. Abréaction, allergie, autodéfense, avion, catalyser, comportement, conséquence, divergence, effet, émotion, force, fusée, jet, latent, métaboliste, mouvement, phénomène, propulsion, pyrogénation, réac, réflexe, rejet, réponse, répulsif, rétroaction, tendance, test, transformation, turbo, urtification, vague.

RÉACTIONNAIRE. Agitateur, baguette, émeutier, entraîneur, factieux, fasciste, fomenteur, illégal, insurgé, meneur, mutin, perturbateur, provocateur, réac, révolté, révolutionnaire, sectaire, séditieux, subversif, troubleur, trublion, ultra.

RÉACTIVER. Activer, rafraîchir, ragaillardir, rallumer, ranimer, raviver, régénérer, relancer, réveiller, revitaliser, revivifier.

RÉADAPTER. Accepter, accommoder, accorder, adapter, ajuster, apprêter, approprier, arranger, assaisonner, céder, complaire, conformer, contenter, cuisiner, fricoter, gratiner, habituer, mettre, mitonner, préparer, réaliser, réhabituer, résigner, satisfaire.

RÉAGIR. Bouder, braver, comporter, hérisser, irriter, lutter, opposer, répercuter, répondre, résister, sceller, secouer, sensibiliser.

RÉALISABLE. Accessible, exécutable, faisable, faisabilité, possible, praticable, probable, virtuel.

RÉALISATEUR. Cinéaste, concepteur, créateur, exécuteur, metteur, producteur, scripte, vidéaste.

RÉALISATEUR ALLEMAND (n. p.). Dupont, Fleischmann, Käutner, Léni, Wiene.

RÉALISATEUR AMÉRICAIN (n. p.). Avery, Blakton, Brakhage, Brando, Brooks, Bronnins, Cooper, Coppola, Disney, Eastwood, Edwards, Fleming, Frankenheimer, Goldwyn, Hart, Iwerks, Jones, Kramer, Langdon, Litvak, Lucas, Milestone, Nelson, Niblo, Nichols, Pollack, Schoedsack, Siegel, Stevens.

RÉALISATEUR ANGLAIS (n. p.). Chaplin, Hitchcock.

RÉALISATEUR ARGENTIN (n. p.). Ferreyra.

RÉALISATEUR BRÉSILIEN (n. p.). Barreto, Guerra.

RÉALISATEUR BRITANNIQUE (n. p.). Fisher, Goulding, Grierson, Jennings, Russell.

RÉALISATEUR CANADIEN (n. p.). Arcand, Brault, Carles, Groulx.

RÉALISATEUR CHILIEN (n. p.). Jodorowsky, Littin.

RÉALISATEUR CROATE (n. p.). Mimica.

RÉALISATEUR FRANÇAIS (n. p.). Alexeieff, Audiard, Cayrol, Clair, Daquin, Durand, Étaix, Feuillade, Giovanni, Gouide, Grémillon, Grimault, Gruel, Linder, Melville, Ophuls, Sautet, Zecca.

RÉALISATEUR HONGROIS (n. p.). Szabo.

RÉALISATEUR ITALIEN (n. p.). Blasetti, Bolognini, Camerini, Emmer, Germi, Martoglio, Monicelli, Zurlini.

RÉALISATEUR JAPONAIS (n. p.). Mikio.

RÉALISATEUR MEXICAIN (n. p.). Fernandez.

RÉALISATEUR POLONAIS (n. p.). Munki.

RÉALISATEUR SOVIÉTIQUE (n. p.). Alexandrov, Ermler, Kalatozov, Medvedkine, Tchoukhraï, Trauberg, Youtkevitch.

RÉALISATEUR SUÉDOIS (n. p.). Mattsson, Sucksdorff.

RÉALISATEUR SUISSE (n. p.). Goretta.

RÉALISATEUR TCHÈQUE (n. p.). Nemec.

RÉALISATION. Accomplissement, confection, création, effet, exécution, mise en scène, natation, œuvre, production, résultat, vente.

RÉALISÉ. Agréable, apaisé, arrangé, arrogant, assouvi, béat, bien, calme, comblé, content, don, fat, heureux, insatisfait, mécontent, prétentieux, rassasié, rassuré, repu, satisfait, soulagé, vainqueur.

RÉALISER. Accomplir, achever, assoler, augmenter, compléter, comprendre, concrétiser, convertir, créer, crypter, duplexer, effectuer, embosser, exécuter, faire, gratter, hybrider, incarner, liquider, matérialiser, opérer, parvenir, personnifier, procéder, remplir, repousser, réussir, saisir, sintériser, tailler, tilter, vendre, viabiliser.

RÉALISME. Âpreté, atrocité, barbarie, bestialité, brusquerie, brutalité, cruauté, crudité, dureté, férocité, grossièreté, précision, ratonade, ratonnade, réalité, rudesse, sadisme, sauvagerie, sévices, hussarde, verdeur, violence, vulgarité.

RÉALISTE. Apparence, cru, partisan, pragmatique, pratique, truculent, utilitaire, vérité, vrai.

RÉALITÉ. Authenticité, certitude, entité, exactitude, fondement, imaginaire, matière, non-être, raison, réel, véracité, vérité.

RÉAMÉNAGER. Aménager, changer, corriger, embellir, exporter, former, innover, mêler, métamorphoser, muer, mûrir, nover, panifier, réduire, refaire, renégocier, rénover, retaper, reverser, saponifier, tanner, transfigurer, transformer, virer.

RÉANIMATION. Commencement, curare, éruption, éveil, réanimable, réanimer, réveil, revival.

RÉANIMER. Amener, apaiser, centrer, exfiltrer, mener, prendre, raccompagner, ramener, ranimer, rapatriable, rapatriement, rapatrier, rapporter, rendre, renvoyer, ressusciter, rétablir, retirer, retourner, tirer.

RÉAPPARAÎTRE. Alterner, animer, guérir, réactiver, réanimer, rechuter, récidiver, recommencer, relever, remettre, renaître, renouveler, repousser, reprendre, ressurgir, ressusciter, resurgir, rétablir, réveiller, revenir, revivre.

RÉAPPARITION. Abréaction, atavisme, émergence, émersion, rechute, récidive, recrudescence, regain, répétition, résurgence, résurrection, retour, réversion, retour, réviviscence, vicissitude.

RÉAPPROVISIONNEMENT. Achat, annone, apport, approvisionnement, avitaillement, distribution, fourniture, impôt, munitions, provision, rappariement, rassortiment, ravitaillement, récolte, réserve, stock, subsistance, vivre.

RÉARRANGEMENT. Accommodement, accord, adaptation, agencement, aménagement, arrangement, charpente, coiffure, compromis, conciliation, conduite, configuration, deal, disposition, distribution, économie, entente, formule, installation, ordonnancement, organisation, projet, répartition, texture.

RÉARRANGER. Accommoder, accorder, isomérase, isomère, réarmer, rebâtir, reconstituer, reconstruire, recréer, réédifier, refaire, réformer, régénérer, remailler, réorganiser, reprendre, restaurer.

RÉASSORT. Appel, combattant, demande, démarche, diligence, instance, invitation, pétition, placet, prière, quête, réassortir, requête, réquisition, rogations, saisine, service, soldat, supplication, supplique, vœu.

RÉASSORTIR. Alimenter, apporter, apprivoiser, armer, assortir, avitailler, commander, donner, doter, douer, ensiler, équiper, établir, fournir, garnir, gratifier, munir, nourrir, pourvoir, procurer, provisionner, rappareir, rapatrier, ravitailler, réapprovisionner, réassort, subvenir.

REBAPTISER. Appeler, caser, dénommer, désigner, dire, réélire, renommer, surnommer.

RÉBARBATIF. Acariâtre, aride, brusque, désagréable, dur, ennuyeux, hargneux, ingrat, inhospitalier, rebutant, revêche, rude.

REBÂTIR. Bâtir, fortifier, réarmer, reconstituer, reconstruire, recréer, réédifier, refaire, réformer, régénérer, relever, remailler, remodeler, réorganiser, réparer, restaurer, rétablir.

REBATTU. Banal, bas, bateau, choquant, commun, connu, cru, éculé, grossier, insignifiant, las, obscène, ordinaire, ordurier, plat, poissard, poncif, répété, ressassé, ritournelle, sale, trivial, usé, vieillerie.

REBELLE (n. p.). Behan, Bosschère, Habré, Morins, Riel, Satan, Wilson.

REBELLE. Anarchiste, désobéissant, difficile, dissident, dur, émeutier, fermé, frondeur, gréviste, hérétique, hostile, indiscipliné, indocile, insoumis, insurgé, mutin, opposé, rébellion, récalcitrant, résistant, rétif, révolté, révolutionnaire.

REBELLER. Bouleverser, braver, dresser, insurger, mutiner, protester, rebiffer, regimber, résister, révolter, soulever.

RÉBELLION. Émeute, grève, guerre, insoumission, insubordination, jacquerie, rescousse, résistance, révolte, sédition, soulèvement.

REBIFFER. Cabrer, insurger, protester, rebeller, recommencer, refuser, regimber, résister, révolter, ruer.

REBIQUER. Affaiter, apprendre, apprivoiser, arborer, cabrer, chauvir, dompter, dresser, élever, érectile, ériger, établir, exercer, fixer, former, formuler, hérisser, hisser, lamer, layer, lever, mater, meuler, meute, nerver, oiseler, rédiger, repousser, riper, styler, tente, verbaliser.

REBOISEMENT. Amandaie, arboretum, aunaie, arbre, bananeraie, boisement, boulaie, cédrière, érablière, exploitation, orangeraie, ormaie, ormoie, oseraie, pépinière, peuplement, pinède, plantation, repiquage, rizière, saulaie, verger.

REBOISER. Arborer, boiser, camper, cultiver, dresser, élever, enfoncer, enraciner, ensemencer, hisser, peupler, piquer, placer, planter, plaquer, replanter, réensemencer, remblaver, ressemer, semer, transplanter.

REBOND. Amorti, assaut, bond, boom, cabriole, cahot, contrecoup, culture, demi-volée, enjambée, entrechat, furet, gambade, hausse, lift, rebondissement, renvoi, répercussion, retour, ricochet, saltation, saut.

REBONDI. Charnu, dodu, généreux, gras, grassouillet, plein, potelé, replet, rond, rondelet, rondouillard.

REBONDIR. Rejaillir, recommencer, rejaillir, repartir, répercuter, reprendre, ressort, rétablir, revenir, ricocher, sauter.

REBONDISSEMENT. Aléa, avatar, bond, catastrophe, conséquence, crise, dénouement, développement, épisode, événement, imprévu, incident, nœud, péripétie, rebond, rejaillissement, reprise, rocambolesque, trouble.

REBORD. Bande, bord, bordure, collet, ganache, garde, jatte, margelle, orée, orle, ourlet, saillie.

REBOUCHER. Badigeonner, boucher, bouchonner, calfater, choquer, cogner, emboutir, éponger, essuyer, étendre, fermer, frapper, frotter, heurter, marquer, oblitérer, oindre, percuter, refermer, tamponner, tapoter, télescoper, timbrer.

REBOURS. Aberration, absurdité, contre-poil, contresens, envers, erreur, non-sens, paradoxe, rebrousse-poil, travers.

REBOUTEUX. Charlatan, féticheur, guérisseur, magnétiseur, ramancheur, ramancheux, rebouteur, sorcier, thérapeute.

REBROUSSER. Apparaître, contre-poil, élancer, élever, émerger, jaillir, manifester, montrer, naître, paraître, rallier, reculer, refluer, regagner, réintégrer, ressurgir, resurgir, revenir, sortir, surgir, survenir, venir.

REBUFFADE. Abandonner, engueulade, gifle, mépris, rabrouement, refus, résistance, vexation.

RÉBUS. Charade, compréhension, continent, cryptanalyse, déchiffrage, déchiffrement, découverte, décryptage, décryptement, décodage, décryptement, devinette, énigme, époque, lire, interprétation, mystère, paléongraphie, traduction.

REBUT. Balayures, canaille, débris, déchet, dépotoir, détritus, écume, effiloche, encombrant, étoupe, excrément, fretin, grenaille, lie, lin, maculature, ordure, racaille, rancart, refus, rejet, résidu, reste, rogaton, rognure, soie, strasse, vrac.

REBUTANT. Abject, bouleversant, choquant, cochon, coulant, criant, dégoûtant, crasseux, dégueulasse, écœurant, fade, honteux, ignoble, immonde, indigne, infect, ingrat, innommable, odieux, malpropre, mouillé, nauséabond, puant, repoussant, répugnant, révoltant, ruisselant, saignant, sale, sordide, trempé.

REBUTER. Choquer, contrarier, débarrasser, décourager, dédaigner, dégoûter, démoraliser, déplaire, déprimer, désespérer, écoeurer, effrayer, ennuyer, harasser, inspirer, lasser, rabrouer, rebut, rejeter, repousser, répugner, solder, susciter.

RÉCALCITRANT. Désobéissant, difficile, docile, entêté, factueux, fermé, indocile, insoumis, mutin, obéissant, opiniâtre, rebelle, réfractaire, regimbeur, rétif, révolté, séditieux, souple, têtu.

RÉCALCITRER. Attaquer, braquer, buter, cabrer, contre-braquer, désobéir, diriger, dresser, fixer, insurger, menacer, monter, opposer, orienter, piquer, pointer, rebeller, rebiffer, regimber, résister, révolter, ruer, tourner, vexer.

RECALER. Admettre, ajourner, blackbouler, buser, caler, coller, moffler, mofler, péter, recevoir, refuser.

RÉCAPITULER. Analyser, bordereau, exposer, rappel, rappeler, redire, répéter, reprendre, reprise, résumer.

RECELER. Arracher, avoir, cacher, carotter, clarifier, contenir, déduire, dérober, détenir, détourner, élier, enlever, escamoter, escroquer, esquiver, estamper, extorquer, filouter, garder, obtenir, ôter, prendre, renfermer, retrancher, soutirer, soustraire, tirer, transvaser, vider.

RECELEUR. Aiglefin, bandit, brigand, cambrioleur, canaille, chenapan, cleptomane, criminel, détrousseur, entôleur, escroc, filou, fourgue, fraudeur, fripon, larron, malandrin, malfaiteur, pillard, tire-laine, truand, voleur.

RÉCEMMENT. Dernièrement, de, depuis, dès, durée, émoulu, fraîchement, lors, naguère, nouvellement.

RECENSEMENT. Catalogue, cens, chiffrage, comptage, dénombrement, impôt, montant, quotité, redevance.

RECENSER. Attendre, calculer, compter, boulier, chiffrer, déduire, dénombrer, dépouiller, énumérer, escompter, espérer, estimer, évaluer, fier, figurer, inventorier, miser, nombrer, reposer, spéculer, supposer, tabler.

RECENSION. Abrégé, analyse, anatomie, attribut, critique, décomposition, dialyse, disséquer, épithète, essai, étude, examen, exposé, lecture, lisage, objet, observation, prise, proposition, psychologie, sommaire, sujet.

RÉCENT. Actualité, actuel, chaud, contemporain, dernier, frais, hier, holocène, inédit, jeune, moderne, naguère, néophyte, neuf, nouveau, novice, original, présent, proche, récence, saignant.

RECENTRER. Aiguiller, axer, canaliser, centraliser, centrer, concentrer, diriger, orienter, piloter, pivoter, tourner, traverser.

RÉCÉPISSÉ. Accueilli, acquit, baptisé, bulletin, connaissement, décharge, écrit, état, eu, primé, quittance, quitus, reconnaissance, reçu, tonsuré, warrant.

RÉCEPTACLE. Churinga, cloaque, collecteur, contenant, lessiveuse, magasin, pédoncule, récipient, rendez-vous.

RÉCEPTEUR. Accord, allocutaire, appareil, bigophone, destinataire, dispositif, infradyne, interlocuteur, molécule, poste, radiorécepteur, télé, téléphone, tuner.

RÉCEPTIF. Apte, capable, chatouilleux, coléreux, délicat, émotif, emporté, érectile, irascible, irritable, érogène, ombrageux, pointilleux, prompt, rachetable, sensible, sensitif, soupçonneux, sujet, susceptible, vibratile, vulnérable.

RÉCEPTION. Acceptation, accolade, accueil, acte, approbation, cérémonie, cocktail, communion, diffa, cinq-à-sept, diffa, fête, gala, lancement, manière, partie, raout, reçu, réunion, service, soirée, style, thé, vérification, vernissage, volée.

RÉCEPTIONNER. Abriter, accepter, accueillir, admettre, adopter, agréer, avoir, caler, capter, coller, cuir, écoper, émarger, encaisser, essuyer, gagner, héberger, hériter, initier, loger, obtenir, palper, prendre, recaler, recevoir, récolter, recueillir, sentir, souffrir, subir, toucher, triompher, voir.

RÉCESSIF. Caché, couvé, insidieux, larvé, latent, rampant, secret, somnolent, sous-jacent, voilé.

RÉCESSION. Accès, aggravation, attaque, atteinte, aura, bouffée, changement, colère, colique, conflit, crise, danger, dépression, éclampsie, embarras, insuffisance, krach, manifestation, manque, passion, pénurie, période, phase, pouffée, ralentissement, rupture, syncope, tension, tétanie.

RECETTE. Abord, base, bénéfice, bureau, description, fruit, gain, méthode, non-valeur, procédé, produit, profit.

RECEVABLE. Acceptable, admissible, bon, capable, compétent, efficace, entériné, fondé, juste, justifié, légal, légitime, opposable, plausible, qualifié, réglementaire, sérieux, solide, valable, valide, vrai.

RECEVOIR. Abriter, accepter, accueillir, admettre, adopter, agréer, avoir, caler, capter, coller, cuir, écoper, émarger, encaisser, essuyer, gagner, héberger, hériter, initier, loger, obtenir, palper, percevoir, prendre, ramasser, recaler, réceptionner, récolter, recueillir, remplir, repêcher, sentir, souffrir, subir, toucher, triompher, voir.

RECHANGE. Assistance, changement, chassé-croisé, commutation, coup de main, échange, insuccès, intérim, relève, remplacement, rotation, roulement, secours, subrogation, substitution, succession, suppléance.

RÉCHAPPER. Adoucir, apaiser, calmer, cicatriser, échapper, guérir, opérer, panser, récupérer, remède, rescaper, rétablir, retaper, sauf, sauver, soigner, sortir, soulager, survivre, traiter.

RECHARGE. Abri, ajournement, batterie, cartouche, délai, dépôt, garage, grâce, hangar, nivet, remise, retard, sursis, trêve.

RECHARGER. Ajouter, amorcer, approvisionner, armer, arrimer, assumer, bâter, brêler, charger, combler, déléguer, désigner, disposer, élancer, embarquer, embâter, empierrer, empiler, emplir, engager, facturer, fréter, garnir, imposer, lester, placer, remplir, transborder.

RÉCHAUD. Athanor, bec, bouilleur, brasero, brûle-parfum, brûleur, cassolette, chaudière, chauffe-plat, débitant, distillateur, fourneau, hypocauste, lampe, liquoriste, pharillon, torréfacteur

RÉCHAUFFEMENT. Amélioration, constipation, convection, échauffement, écume, énervement, entraînement, fermentation, inflammation, irritation, liquation, préchauffage, surexcitation.

RÉCHAUFFER. Attiédir, chauffer, connu, décongeler, dégeler, guérir, mésolithique, niño, raffermir, ranimer, ravigoter, rebrûler, réchauffage, réconforter, recuire, revenu, revigoter, serre, tiédir, vieux.

RECHAUSSER. Butter, chausser, consolider, ferrer, rechaussement, regarnir, remettre, réparer.

RÊCHE. Aigre, antiglisse, âpre, calleux, désagréable, difficile, râpeux, rétif, revêche, rogue, rude, rugueux.

RECHERCHÉ. Adonisé, affecté, aimé, apprêté, battue, choisi, couru, désiré, envié, étudié, examen, fla-fla, japonisme, luxueux, maniéré, négligé, précieux, primé, prisé, raffiné, rare, rareté, revue, soigné, tiré, travaillé.

RECHERCHE. Accès, activité, apprêt, débauche, distinction, dual, enquête, ergonomie, étude, exploration, fouille, friand, investigation, luxure, onanisme, pathos, perfectionnisme, prospection, quête, raffinement, repérage, revue, scripophilie, sondage, spéculation, tâtonnement, travail.

RECHERCHER. Ambitionner, apprécier, assurer, briguer, cavaler, chercher, chiner, courir, courtiser, draguer, enquérir, établir, étudier, examiner, explorer, flirter, mendier, pourchasser, priser, prospecter, quêter, reprendre, retrouver, sonder, tenter, viser.

RECHIGNER. Bouder, chialer, murmurer, protester, renâcler, renifler, répugner, ruer, témoigner.

RECHUTE. Allitération, assonance, bi, bis, chaîne, écho, écholalie, encore, fois, fréquence, ibidem, id, idem, itération, litanie, périssologie, pléonasme, psittacisme, récidive, redite, redondance, refrain, rengaine, répétition, reprise, resucée, retour, révision, ritournelle, scie, série, suite, sur, tautologie, tirade, train-train, trémolo.

RECHUTER. Incliner, incomber, pencher, pendre, rabattre, récidiver, recommencer, redescendre, rejaillir, replonger, reprendre, retomber, tomber.

RÉCIDIVER. Réapparaître, rechuter, recommencer, refaire, réitérer, répéter, reprendre, retomber.

RÉCIF. Atoll, brisant, corallien, écueil, frangeant, madrépore, obstacle, récifal, rocher, récifal, rudiste.

RÉCIPIENT (3 lettres). Bac, bol, fût, pot, sac, têt.

RÉCIPIENT (4 lettres). Auge, bain, bock, broc, cuve, plat, roui, seau, test, tian, tine, urne, vase.

RÉCIPIENT (5 lettres). Auget, baste, bâtée, bidon, bocal, boîte, bombe, brock, canne, chope, dewar, écope, fiole, godet, hanap, jatte, jauge, lampe, litre, marli, moine, moque, moule, outre, panse, pinte, poche, tasse, vache, verre.

RÉCIPIENT (6 lettres). Ballon, baquet, bassin, becher, berthe, canard, canari, cornue, cruche, cuveau, gabion, gallon, gourde, matras, moufle, ravier, saloir, sébile, seille, tagine, tajiné, touque, tourie, urinal, vivier.

RÉCIPIENT (7 lettres). Baraque, bassine, braséro, burette, capsule, creuset, cruchon, cuiseur, cuvette, encrier, gamelle, germoir, gobelet, haricot, lampion, marmite, mortier, navette, piscine, salière, sébille, seillon, sucrier, terrine, théière, thermos, tinette, tonneau, toupine.

RÉCIPIENT (8 lettres). Arrosoir, assiette, bénitier, beurrier, boisseau, cendrier, chaudron, conserve, crachoir, estagnon, fontaine, fromager, jerrican, jerrycan, mazagran, pissette, potiquet, poubelle, puisette, ramequin, saladier, saucière, saunière, soupière.

RÉCIPIENT (9 lettres). Autoclave, bain-marie, barquette, bouteille, braisière, cafetière, calebasse, chaudière, container, contenant, conteneur, enveloppe, étouffoir, faisselle, jerricane, lessiveur, pincelier, réservoir, tisanière, ustensile.

RÉCIPIENT (10 lettres). Bouilloire, bouillotte, carrousel, cassolette, condenseur, cubitainer, dame-jeanne, fourre-tout, lessiveuse, macérateur, paludarium, porte-savon, réceptacle, saturateur, sorbetière, turbotière, vinaigrier, yaourtière.

RÉCIPIENT (11 lettres). Antiadhésif, autocuiseur, confiturier, gargoulette.

RÉCIPIENT (12 lettres). Chocolatière, cristallisoir, poissonnière, vaporisateur.

RÉCIPROCITÉ. Alternance, balancement, corrélation, échange, entraide, entre, interaction, ré.

RÉCIPROQUE. Accord, aide, alliance, alterné, bilatéral, corrélatif, démixtion, échange, entraide, entre, marché, mutuel, osmose, pacte, pareil, protocole, respectif, retour, solidaire, traité, transaction.

RÉCIPROQUEMENT. Bilatéralement, échange, inversement, mutuellement, pareillement, vice versa.

RÉCIPROQUER. Annoncer, antérieur, anticiper, ci, dépasser, devancer, diriger, distancer, émaner, marcher, passer, placer, précéder, préluder, prénatal, prendre, préparer, prévenir, primitif, prodrome, prologue, succéder.

RÉCIT. Ana, anecdote, apologue, bavardage, canevas, chantefable, chronique, comptine, conte, document, écrit, épopée, étiologique, exposé, fable, fabliau, fabulation, fait, hagiographie, histoire, historiette, jataka, légende, mémoire, mythe, narration, nouvelle, parabole, racontar, rapport, relation, rétrospective, roman, roman-fleuve, saga, scénario, script, tableau, version.

RÉCITAL. Assemblée, assise, aubade, audience, audition, cinéma, concert, exécution, lancement, matinée, pièce, projection, réception, représentation, réunion, saynète, séance, scène, sérénade, session, spectacle, théâtre.

RÉCITATIF. Air, arioso, cantate, déclamation, fragment, mélopée, narratif, opéra, oratorio, récit.

RÉCITER. Ânonner, conjuguer, débiter, déclamer, dire, lire, mémoriser, monologuer, narrateur, narrer, prier, prononcer, psalmodier, raconter, récitant, récitatif, récitation, rosaire, rapporter, texte.

RÉCLAMANT. Accablant, accusateur, calomniateur, délateur, demandeur, dénonciateur, espion, mouchard, nécessitant, plaignant, révélateur, revendicateur, sycophante.

RÉCLAMATION. Appel, contestation, demande, dû, grève, grief, instance, plainte, requête, tollé.

RÉCLAME. Affichage, annonce, autour, battage, bruit, cri, propagande, pub, publicité, signe.

RÉCLAMER. Appeler, contester, crier, demander, dû, exiger, implorer, insister, invoquer, nécessiter, plaindre, prévaloir, protester, récrier, redemander, répéter, requérir, revendiquer, rouscailler, rouspéter, vouloir.

RECLASSER. Accepter, accorder, acquiescer, admettre, agréer, approuver, autoriser, commander, concéder, consentir, endurer, hasarder, laisser, octroyer, oser, passer, permettre, risquer, souffrir, supporter, tolérer.

RECLUS. Cloîtré, confiné, détenu, emprisonné, enfermé, ermite, isolé, renfermé, retiré, solitaire.

RÉCLUSION. Captivité, claustration, détention, emprisonnement, enfermement, peine, séquestration.

RÉCLUSIONNAIRE. Bagnard, captif, cep, codétenu, condamné, déporté, détenu, écroué, enfermé, esclave, eu, forçat, galérien, incarcéré, interné, otage, prisonnier, relégué, septembrisades, séquestré, taulard, tôlard, transporté.

RECOIN. Angle, caché, coin, encoignure, réduit, renfoncement, réduit, repli.

RÉCOLER. Analyser, apurer, assurer, confirmer, confronter, considérer, constater, contrôler, critiquer, démontrer, enquêter, éplucher, éprouver, essayer, étudier, évaluer, examiner, expérimenter, expertiser, filtrer, inspecter, juger, justifier, observer, pointer, prouver, repasser, réviser, revoir, surveiller, tester, vérifier.

RECOLLER. Adapter, adhérer, agglutiner, appliquer, appuyer, attacher, boucher, caler, clarifier, coincer, coller, consigner, convenir, donner, encoller, fixer, gommer, imposer, joindre, maroufler, mastiquer, mettre, placer, punir, recaler, scotcher, serrer, suivre, tenir, transmettre.

RÉCOLLET (n. p.). Viel.

RÉCOLTE. Annone, arrachage, butin, cueillette, cuvée, dîme, fenaison, glandage, glandée, moisson, olivaison, palus, produit, recueil, rendement, rentrée, saison, saunage, semence, vendange, verdage, vinée.

RÉCOLTER. Butiner, chaumer, cueillir, glaner, moissonner, ramasser, recueillir, résiner, vendanger.

RÉCOLTEUR. Agriculteur, arboriculteur, cultivateur, gemmeur, ouvrier, pin, ramasseur, résinier.

RECOMMANDABLE. Accointances, bienséant, considéré, convenable, correct, décent, digne, estimable, estimé, fréquentable, honnête, honorable, moral, rangé, respectable, sérieux.

RECOMMANDATION. Apostille, appui, auspices, avertissement, avis, conseil, envoi, exhortation, faveur, lettre, ordre, piston, prescription, protection, référence.

RECOMMANDÉ. Conseillé, indiqué, judicieux, opportun, prôné.

RECOMMANDER. Conseiller, demander, distinguer, exhorter, faciliter, insister, pistonner, prêcher, préconiser, prôner, protéger, rappeler, signaler, soutenir.

RECOMMENCEMENT. Fois, ré, réapparition, récidive, recommencement, refaire, réitération, répétition, retour.

RECOMMENCER. Biner, bisser, commencer, copier, dito, doubler, ibidem, idem, imiter, itérer, réapparaître, récidiver, redevenir, redire, redoubler, rééditer, refaire, réitérer, remettre, renouveler, rentamer, répéter, reprendre, reproduire, revenir.

RÉCOMPENSE. Bénéfice, cadeau, césar, citation, compensation, coupe, diplôme, don, excitation, faveur, félix, gratification, laurier, loyer, médaille, oscar, ours, ovation, palme, podium, pourboire, prime, prix, rémunération, salaire, travail, tribut.

RÉCOMPENSE MÉDIATIQUE (n. p.). César, Félix, Génie, Grammy, Juneau, Jutra, Mémoris, Méritas, MétroStar, Olivier, Oscar, Ours, Victoire.

RÉCOMPENSER. Accorder, compenser, couronner, décerner, décorer, gratifier, honorer, mériter, payer, primer.

RECOMPOSER. Réaménager, reconstituer, réécrire, refaire, réinventer, réorganiser, restructurer.

RÉCONCILIATION. Médiation, pardon, rabibochage, raccommodement, rapprochement.

RÉCONCILIER. Absolution, accord, accorder, aimer, apaiser, approbation, convention, grâce, harmonie, médiation, pardon, rabibocher, raccommoder, rapprocher, regonfler, remettre, rémission, rétablir, réunir, transiger, union.

RECONDUCTIBLE. Confirmé, possible, prolongé, prorogé, reconduit, renouvelable.

RECONDUCTION. Changement, confirmation, prorogation, regain, renaissance, renouvellement.

RECONDUIRE. Accompagner, bail, bouler, chasser, conduire, continuer, éconduire, escorter, expulser, raccompagner, ramener, reconductible, reconduction, réintégrer, renouveler, repousser, soutenir.

RÉCONFORT. Accent, accointances, accotoir, accoudoir, adossement, aide, allège, appui, assistance, auxiliaire, base, bras, butée, caution, champion, commandite, concours, consolation, culée, défenseur, égide, embase, épenthèse, éperon, étai, main, mécénat, muret, palée, parapet, pile, pilier, piston, protecteur, protection, pylône, recommandation, relation, secours, sole, soulèvement, soutien, sponsoring, subvention, support, tuteur.

RÉCONFORTANT. Apaisant, consolateur, cordial, encourageant, fortifiant, revigorant, stimulant.

RÉCONFORTER. Aider, affermir, conforter, consoler, encourager, fortifier, ravigoter, réanimer, réchauffer, réconfort, regaillardir, regonfler, remonter, renforcer, restaurer, rétablir, retaper, secourir, soutenir.

RECONNAISSANCE. Acquit, acte, agrément, approbation, aveu, confession, découverte, drone, examen, gnosie, gratitude, gré, merci, mission, obligation, obligé, paiement, perception, prosopagnosie, ratification, recherche, recognition, reçu, remerciement, résipiscence, sentiment, tag.

RECONNAÎTRE. Admettre, adouber, arraisonner, avérer, avouer, comprendre, confesser, connaître, convenir, déclarer, découvrir, désabuser, déterminer, discerner, disculper, distinguer, ensaisiner, explorer, homologuer, identifier, juger, légitimer, lire, localiser, proclamer, professer, punir, ratifier, remettre, retrouver, saluer, sentir, sonder, voir.

RECONNU. Accepté, admis, agréé, approuvé, avéré, avoué, certifié, connu, constat, convention, examen, fondé, indiscuté, légitimé, licencié, nié, notoire, officiel, patenté, public, récognitif, représentatif, trouvé, vrai.

RECONQUÉRIR. Aciérer, avoir, dorer, enduire, enrober, ensabler, étamer, mettre, paver, percevoir, rattraper, ravoir, recouvrer, récupérer, redorer, regagner, renaître, retrouver, revêtir, tapisser, toucher, vernir.

RECONSIDÉRER. Continuer, ôter, rabrouer, rattraper, réétudier, réexaminer, rembarrer, remettre, remontrer, renaître, renouer, rentrer, réoccuper, repenser, repousse, reprendre, ressaisir, retirer, retaper, retrouver, revenir, revoir, tancer.

RECONSTITUANT. Fortifiant, réconfortant, remontant, revigorant, roboratif, stimulant, tonifiant, tonique, vivifiant.

RECONSTITUER. Amortir, aurifier, constituer, former, fortifier, réarmer, rebâtir, rechaper, reconstruire, recréer, réédifier, refaire, réformer, régénérer, remailler, remodeler, remonter, réorganiser, restaurer, rétablir.

RECONSTITUTION. Autoplastie, bruitage, néoblaste, recomposition, régénération, réparation, repeuplement, sauvetage.

RECONSTRUCTION. Anastylose, perestroïka, redressement, réédification, régénération, relèvement, rénovation, restructuration, rétablissement, uchronie.

RECONSTRUIRE. Rebâtir, reconstituer, recréer, redresser, réédifier, refaire, réfection, refondé, relever, rénover, restaurer, restituer, rétablir.

RECOPIER. Calquer, contrefaire, copier, décalquer, dessiner, doubler, emprunter, exprimer, imiter, peindre, produire, refléter, répéter, reporter, reprendre, représenter, reproduire, retranscrire, ronéoter, ronéotyper, singer, tirer, transcrire.

RECORD. Exploit, maximum, performance, prouesse, recordman, recordwoman, résultat, supérieur.

RECOUDRE. Arranger, coudre, rabibocher, rabiocher, raccommoder, rafistoler, rapetasser, rapiécer, ravauder, réconcilier, remailler, réparer, reprendre, repriser, retaper, rhabiller, ruiler, savetier, stopper, suturer.

RECOUPE. Boisson, coexistant, coïncidence, concomitant, griot, rebêchage, remoulage, simultané, synchrone.

RECOUPEMENT. Comparaison, diminution, liaison, parallèle, parangon, rapport, retrait, vérification.

RECOUPER. Coïncider, concorder, confirmer, couper, refondre, retailler, retoucher, retrancher, vérifier.

RECOURBÉ. Aquilin, arqué, bourbonien, busqué, corbin, courbe, crochu, houe, nez, râble, serpe.

RECOURBER. Arc-bouter, arquer, arrondir, bomber, busquer, cambrer, cintrer, concave, couder, courber, creuser, creux, fléchir, incurver, infléchir, plier, ployer, redresser, rentrant, voûter.

RECOURIR. Adresser, appeler, courir, disputer, employer, essayer, prendre, refaire, référer, tergiverser, utiliser, servir, venir.

RECOURS. Appel, demande, démarche, essai, pourvoi, procédure, remède, ressource, servir, user, voie.

RECOUSU. Achevé, accompli, complet, clos, cousu, entier, épuré, fatal, fini, parachevé, parfait, révolu, suturé, terminé, total.

RECOUVERT. Aciéré, argenté, bimétal, blindé, capsulé, cotonneux, déguisé, enduit, enterré, étamé, fermé, galvanisé, habillé, laqué, pané, parqueté, parsemé, plaqué, saburral, téflonisé, trempé, verni, vêtu, voilé.

RECOUVREMENT. Agencement, couche, crédit, drapement, facture, perception, rachat, rentrée.

RECOUVRER. Aciérer, avoir, conquérir, dorer, encaisser, enduire, enrober, ensabler, étamer, mettre, paver, percevoir, rattraper, ravoir, reconquérir, récupérer, redorer, regagner, réhabiliter, renaître, rentrer, reprendre, restaurer, rétablir, retrouver, revêtir, tapisser, toucher, vernir.

RECOUVRIR. Aluminer, cacher, charger, chromer, coiffer, correspondre, couvrir, dorer, empailler, enchevaucher, enduire, engober, engraver, enneiger, enrober, entoiler, étamer, galvaniser, goudronner, guérir, joncher, laquer, macadamiser, masquer, moquette, napper, nickeler, noyer, parsemer, paver, plaquer, plastifier, pourvoir, refaire, revêtir, submerger, superposer, tapisser, terreauter, tuiler, vernir, vernisser, voiler, zinguer.

RÉCRÉATION. Agrément, amusement, campo, détente, distraction, diversion, divertissement, école, fête, hobby, jeu, jouissance, loisir, partie, passe-temps, pause, plaisir, préau, récré, réjouissance, relaxant, repos.

RÉCRÉER. Amuser, créer, délasser, divertir, ébaubir, égayer, jouer, recommencer, reconstruire, refaire, réinventer, restitue.

RÉCRIER. Élever, exclamer, indigner, insurger, manifester, protester, regimber.

RÉCRIMINATION. Blâme, cri, criaillerie, critique, doléance, grief, grognerie, haro, huée, jérémiade, mécontentement, plainte, protestation, râlement, réclamation, récriminatoire, répétition, reproche, tollé, vitupération.

RÉCRIMINER. Accuser, déblatérer, clabauder, criailler, crier, critiquer, huer, injurier, lamenter, plaindre, protester, râler, réagir, réclamer, reconvenir, redire, rejeter, répondre, reprocher, rétorquer, riposter, vitupérer.

RECROQUEVILLÉ. Bancal, bancroche, cagneux, circonflexe, contourné, contracté, convulsif, courbé, déjeté, difforme, entortillé, gauche, hart, ratatiné, retors, ronce, sinueux, tordu, tors, tortillé, tortis, tortu, tortueux, vrillé.

RECROQUEVILLER. Blottir, contracter, fœtus, lover, pelotonner, rabougrir, racornir, ramasser, ratatiner, replier, resserrer.

RECRU. Accablé, avachi, brisé, courbatu, épuisé, éreinté, fatigué, fourbu, harassé, las, rejet, rendu.

RECRUDESCENCE. Accroissement, aggravation, augmentation, développement, exacerbation, hausse, intensification, intensité, progrès, progression, réapparition, redoublement, regain, reprise.

RECRUE. Adepte, adhérent, bleu, bleusaille, conscrit, membre, militaire, nouveau, partisan, soldat.

RECRUTEMENT. Conscription, engagement, enrôlement, incorporation, landwehr, racolage.

RECRUTER. Amener, appeler, attirer, embaucher, embrigader, employer, engager, enrégimenter, enrôler, incorporer, lever, mobiliser, prosélytisme, provenir, rabatteur, racoler, recrutement, recruteur, sélectionner.

RECRUTEUR. Boss, embaucheur, employeur, enrôleur, négrier, patron, patronat, rabatteur, racoleur.

RECTA. Clairement, consciencieusement, distinctement, exactement, fidèlement, justement, méticuleusement, nettement, ponctuellement, précisément, proprement, religieusement, scrupuleusement.

RECTANGLE. Angle, barge, billette, chape, droit, fiche, figure, hamac, lange, parallélépipède, quadrilatère, torchon.

RECTEUR (n. p.). Boubakeur, Buridan, Fichet, Hus, Pigeon, Queffélec, Tavenas, Topelius, Vermeylen.

RECTEUR. Amplissime, curé, directeur, intrant, prêtre, rectoral, rectorat, supérieur, vice-recteur.

RECTIFICATION. Béquet, c'est-à-dire, correction, enfin, glacis, modification, rehaut, retouche.

RECTIFIER. Aléser, améliorer, châtier, contrepasser, corriger, diamanter, distiller, épurer, étamper, exact, mesurer, modifier, parachever, rajuster, rectifiable, redresser, réformer, refroidir, reprendre, rétablir, retoucher, revoir, tuer.

RECTILIGNE. Angle, direct, directionnel, droit, droite, figure, ligne, mouvement, rectilinéaire.

RECTITUDE. Droit, droiture, faux, fermeté, honnêteté, justesse, justice, logique, raison, rigueur.

RECTO. Endroit, envers, feuille, page, papier, retiration, rôle, verso.

RECTUM. Anal, anneau, anus, anuscopie, boyau, côlon, cul, culier, derrière, émonctoire, fion, fondement, hémorroïde, intestin, marge, orifice, périnée, périprocte, pouvent, prostate, siège, suppositoire, trou, troufignard, troufignon.

REÇU. Accueilli, acquit, admis, agrée, baptisé, bienvenu, bulletin, décharge, écrit, état, eu, facturette, primé, quittance, quitus, récépissé, recette, recevable, reconnaissance, recueilli, tonsuré, warrant.

RECUEIL. Album, ana, analectes, anthologie, atlas, bestiaire, bêtisier, bible, bouquin, brochure, bullaire, calligramme, cartulaire, catalogue, chansonnier, chartrier, chrestomathie, chronique, code, code pénal, coutumier, dictionnaire, digest, divan, écrit, edda, florilège, formulaire, hadith, isopet, livre, mélange, miscellanées, ouvrage, protocole, psautier, publication, rituel, romancero, sapientiaux, sermonnaire, silves, solfège, sottisier, spicilège, varia, ysopet.

RECUEILLEMENT. Chrestomathie, ferveur, pitié, prière, questionnaire, réflexion, retrouvailles.

RECUEILLIR. Abstraire, accueillir, amasser, avoir, capter, collecter, choisir, gagner, glaner, herboriser, hériter, inviter, lever, méditer, obtenir, pêcher, penser, percevoir, prendre, prier, obtenir, ramasser, rassembler, recevoir, récolter, recouvrer, récupérer, réfléchir, retirer, réunir, subir, tirer.

RECUL. Arrière, chauffage, décalage, décrochage, déglaciation, diminution, distance, distanciation, drift, éloignement, espace, perspective, récession, reculée, reflux, régression, remonter, renoncer, renverse, repli, repliement, reporter, répression, retarder, retour, retrait, retraite, rétro, rétrograder.

RECULÉ. Creux, culé, désert, distant, écarté, éloigné, enfoncement, haut, isolé, lointain, temps.

RECULEMENT. Bacul, bât, bateuil, bourre, bricole, bride, bridon, caveçon, collier, dossière, frontal, guide, harnachement, harnais, licol, licou, mors, muserolle, œillère, sangle, sellette, surdos, têtière, timon, trait, valoir, ventrière.

RECULER. Ajourner, arrière, avancer, battre, caler, caner, céder, culer, décaler, décrocher, déplacer, déserter, différer, distancer, éloigner, esquiver, éviter, enfuir, fuir, lâcher, perdre, plier, recul, refouler, régresser, reléguer, replier, rétif, retirer, tirer.

RÉCUPÉRER. Cannibaliser, percevoir, ravoir, recouvrer, recueillir, recycler, regagner, rejoindre, reprendre, retrouver, revenir.

RÉCURER. Assainir, astiquer, balayer, blanchir, brosser, cirer, curer, frotter, laver, nettoyer.

RÉCURRENT. Fréquentatif, itératif, poussée, rabâchage, radotage, redite, répétitif, scie, série.

RÉCUSER. Contester, défiler, dénier, écarter, éliminer, nier, refouler, refuser, rejeter, repousser, reprocher.

RECYCLABLE. Blanchiment, pet, récupérable, recycler, renouvelable, réinsertion, réutilisable.

RECYCLAGE. Additionnel, adventrice, ajouté, angle, annexe, auxiliaire, complémentaire, complexité, excédent, formation, intercalaire, pendant, rapporté, réemploi, supplémentaire, supplétif, surplus, surtitre.

RÉDACTEUR. Actuaire, auteur, chroniqueur, échotier, écriveur, journaliste, lexicographe, nègre, pigiste, rédaction, scénariste, secrétaire.

RÉDACTION. Article, blanc, commentaire, composition, écrire, libellé, narration, rédacteur, résumé, scénario, selon, texte.

REDAN. Barbille, bastion, découpure, dent, dentelure, échancrure, entaille, hachure, incisure, redent, ressaut, V.

REDDITION. Abandon, abandonner, abdication, abdiquer, accommoder, baisser, capitulation, capituler, céder, chamade, déchocher, démissionner, démordre, déposer, entêter, incliner, lâcher, paix, quitter, rendre, renoncer, soumettre.

REDÉCOUVRIR. Continuer, découvrir, ôter, rabrouer, rattraper, reconnaître, reconsidérer, réétudier, réexaminer, rembarrer, remettre, remontrer, renaître, renouer, rentrer, réoccuper, repenser, repousse, reprendre, ressaisir, ressourcer, retirer, retaper, retrouver, revoir, tancer.

REDÉFINIR. Ajuster, caractériser, clarifier, définir, délimiter, dessiner, détailler, déterminer, développer, distinguer, établir, expliciter, fixer, particulariser, préciser, recadrer, souligner, spécifier, stipuler.

RÉDEMPTION. Acquittement, affranchissement, décolonisation, délivrance, désaliénation, élargissement, émancipation, évacuation, libération, manumission, merci, rachat, racheter, ramener, salut.

REDENT. Barbille, bastion, découpure, dent, dentelure, échancrure, entaille, hachure, incisure, redan, ressaut, V.

REDESCENDRE. Désavouer, leitmotiv, rappliquer, rebrousser, reculer, refluer, regagner, réintégrer, rejoindre, renaître, rentrer, repasser, reprendre, ressusciter, retourner, revenir, revivre, revoir.

REDESSINER. Camper, décrire, dépeindre, désigner, dessiner, évoquer, exposer, exprimer, figurer, idéaliser, imaginer, imiter, jouer, mimer, peindre, personnifier, rappeler, représenter, reproduire, retracer, styliser, symboliser, tracer.

REDEVABLE. Assujetti, contribuable, débiteur, imposé, obligé, passible, prestataire, reconnaissant, reste, tenir, tributaire.

REDEVANCE. Acquit, alleu, annate, auteur, casuel, cens, champart, charge, contribution, débit, dette, dîme, droit, fermage, fief, fouage, gabelle, inposition, impôt, lods, obligation, pourcentage, rente, royaltie, royauté, serfs, somme, taxe, tréfoncier, tribut.

REDEVENIR. Maîtriser, rajeunir, recommencer, refleurir, rembrunir, rengraisser, reprendre, ressaisir, reverdir.

REDÉVORER. Améliorer, assister, ciao, corriger, examen, examiner, étudier, examiner, limer, parfaire, polir, potasser, raboter, rectifier, regarder, relire, remanier, repasser, retrouver, revenir, réviser, revoir, tchao.

REDIFFUSION. Différé, guéri, remis, reprise, rétabli, retardé, retransmission, suspendu, urgent.

RÉDIGER. Composer, concevoir, construire, copier, dresser, écrire, élaborer, établir, exprimer, formuler, griffonner, grossoyer, instrumenter, libeller, pisser, pondre, rédacteur, rédaction, recopier, récrire, réécrire, répéter, secrétaire.

REDIMENSIONNER. Arranger, changer, charcuter, convertir, corriger, innover, métamorphoser, modifier, refondre, relooker, remanier, remodeler, reprendre, restructurer, revoir, transformer.

RÉDIMER. Arranger, colmater, décoder, guérir, racheter, pacifier, raffermir, ramener, ranimer, rebondir, reconstituer, refaire, régénérer, réinstaller, réintégrer, relever, renouveler, réparer, replacer, restaurer, restituer, rétablir, retaper, sauver.

REDINGOTE. Carrick, habit, lévite, manteau, soutane, soutanelle, veste.

REDIRE. Bégayer, blâmer, censurer, critiquer, épiloguer, rabâcher, radoter, rappeler, rapporter, récapituler, récriminer, redite, réitérer, repasser, répéter, répliquer, ressasser, ressertir, rimer, seriner.

REDITE. Allitération, assonance, bi, bis, chaîne, écho, écholalie, encore, fois, fréquence, ibidem, id, idem, itération, litanie, périssologie, pléonasme, psittacisme, radotage, rechute, redondance, refrain, rengaine, répétition, reprise, resucée, retour, révision, ritournelle, scie, série, suite, sur, tautologie, tirade, train-train, trémolo.

REDONDANCE. Abus, duplication, pléonasme, redite, répétition, superfétatoire, superfluidité, tautologie, verbiage.

REDONDANT. Abondant, ampoulé, bavard, brumeux, cafouilleux, confus, délayé, détaillé, diffus, emphatique, enflé, ennuyeux, épars, fastidieux, fréquentatif, inutile, itératif, long, obscur, phraseur, prolixe, surabondant, superflu, tautologique, verbeux.

REDONNER. Rafraîchir, ranimer, ravigoter, raviver, réactiver, réanimer, réchauffer, réconforter, regonfler, rembourser, remettre, remonter, rendre, requinguer, restituer, rétablir, retaper, retremper, rétrocéder, réveiller, revigorer, revivifier.

REDORER. Aciérer, dorer, échouer, enduire, engraver, enliser, enrober, ensabler, étamer, paver, percevoir, rattraper, ravoir, reconquérir, recouvrir, récupérer, regagner, renaître, retrouver, revêtir, tapisser, toucher, vernir.

REDOUBLEMENT. Accélération, accroissement, accumulation, agrandissement, aggravation, amplification, augmentation, exacerbation, exaltation, intensification, recrudescence, réduplicatif, répétition.

REDOUBLER. Accélérer, accroître, accumuler, agrandir, aggraver, allonger, amplifier, arrondir, augmenter, bénéficier, cravacher, croître, cuber, développer, diluer, doubler, échoir, élargir, étendre, extensionner, grandir, grossir, hypertrophier, monter, proliférer, prolonger, recommencer, relever, stimuler.

REDOUTABLE. Dangereux, féroce, épeurant, grave, inquiétant, menaçant, rude, sérieux, terrible.

REDOUTE. Abri, appréhension, bal, crainte, fête, fortification, ouvrage, retraite.

REDOUTER. Apeurer, appréhender, craindre, effrayer, fêter, fortifier, retraiter, trembler.

REDRESSEMENT. Affleurement, agitation, bulle, écaillage, émeute, excitation, exhaussement, horripilation, insurrection, intifada, levage, levée, putsch, répulsion, révolte, révolution, saut, sédition, soulèvement, surrection.

REDRESSER. Améliorer, aplomber, cabrer, cambrer, corriger, défausser, défeutrer, dégauchir, dévoiler, dresser, lever, quiller, rééduquer, rectifier, redressement, réformer, relever, réparer, reprendre.

REDRESSEUR. Chevalier, criminaliste, défenseur, diode, don quichotte, ignitron, justicier, légiste, limier, lunette, mutateur, phanatron, releveur, réparateur, thyristor.

RÉDUCTIBLE. Coercible, compressible, comprimable, condensable, diminution, élastique, possible.

RÉDUCTION. Abréviation, analyse, bonus, chirurgie, compression, correction, décélération, déflation, déplétion, diminution, escompte, logo, militaire, net, rabais, raccourci, réfaction, remise, restreint, rétrécir, ristourne, sigle, simplification, transformation, village.

RÉDUIRE. Abaisser, abréger, affaiblir, aléser, amener, amoindrir, amortir, annihiler, asservir, atomiser, atténuer, bâillonner, baisser, brésiller, broyer, changer, clochardiser, comprimer, contracter, diminuer, économiser, écourter, écrabouiller, débiter, désorganiser, ébrécher, effriter, égruger, élégir, émier, émietter, forcer, fragmenter, gracier, grainer, grener, gruger, hacher, incinérer, léviger, limer, limiter, mater, minimaliser, minimiser, minorer, modérer, moudre, museler, piler, pulvériser, quarter, rabaisser, ramener, ramasser, ranger, râper, rapetisser, rationner, reproduire, restreindre, ristourner, river, ruiner, surbaisser, systématiser, tasser, tréfiler, triturer, unifier, user, vaincre, vassaliser.

RÉDUIT. Annihilé, cagibi, élémentaire, fortification, friable, gamelan, galetas, grené, irréductible, moulu, pièce, râpé, recoin, serbab, squelettique, soupente, usagé, volière.

RÉDUVE. Acanthe, actée, bardane, bigote, cimex, cimicaire, clou, ectoparasite, gendarme, insecte, naucore, nèpe, notonecte, parasite, pentatome, punaise, pyrocorise, pyrocose, pyrrhocoris, ranatre, réduve, rhynchotes, rostre, vélie.

RÉÉCRITURE. Composer, construire, dresser, écrire, élaborer, exprimer, formuler, grossoyer, libeller, novélisation, pondre, récrire, rédiger, réécrire, répéter.

RÉÉDITER. Accomplir, dito, ibidem, idem, réapparaître, récidiver, recommencer, redevenir, réessayer, refaire, réitérer, remettre, renouveler, rentamer, répéter, reprendre, retâter, retenter, revenir.

RÉÉDUQUER. Améliorer, amender, bénéficier, cabrer, cambrer, corriger, défausser, défeutrer, dégauchir, dévoiler, dresser, lever, quiller, réadapter, rectifier, redresser, réformer, relever, réparer.

RÉEL. Actuel, admis, assuré, authentique, certain, concret, congru, démontré, déréel, effectif, établi, évident, exact, existant, fait, fondé, manifeste, matériel, net, perceptible, positif, précis, solide, sûr, tangible, vain, vécu, véridique, véritable, vrai.

RÉELLEMENT. Concrètement, effectivement, empiriquement, expérimentalement, matériellement, objectivement, positivement, pratiquement, réalistement, tangiblement, véritablement, vraiment.

RÉEMBAUCHER. Affecter, appeler, attacher, avancer, aventurer, commencer, compromettre, conseiller, contracter, demander, donner, embaucher, emboîter, embourber, embrigader, embringuer, emmancher, empêtrer, employer, enclencher, encourager, engager, enrôler, entamer, impliquer, inciter, louer, mêler, orienter, racoler, recruter, rembaucher, rengager, traiter.

RÉÉMETTEUR. Balise, bouée, clignotant, délinéateur, émetteur, feu, position, jalon, marque, poteau, réflecteur, relais, vigie.

RÉENSEMENCER. Arborer, boiser, camper, cultiver, dresser, élever, enfoncer, enraciner, ensemencer, ficher, fourvoyer, gourer, hisser, piquer, placer, planter, plaquer, replanter, quitter, remblaver, ressemer, semer, transplanter, tromper.

RÉER. Banque, bramer, caisse, cerf, chevreuil, cochon, crier, daim, économie, épargne, gain, lésine, magot, pactole, parcimonie, pécule, raire, raller, régime, reprendre, réserves, tirelire.

RÉESSAYER. Dito, ibidem, idem, réapparaître, récidiver, recommencer, redevenir, rééditer, refaire, réitérer, remettre, renouveler, rentamer, répéter, reprendre, ressayer, retâter, retenter, revenir.

REFAIRE. Duper, rebâtir, recommencer, reconstituer, recouvrir, recréer, rééditer, refondre, réformer, réitérer, rempiéter, réparer, répéter, reprendre, reproduire, restaurer, rétablir.

RÉFECTION. Amélioration, anaplastie, digitoplastie, raccommodage, refonte, rénovation, réparation, reprise, restauration, rétablissement.

RÉFECTOIRE. Cafétéria, cambuse, cantine, cène, lave-mains, mess, popote, restaurant, salle.

RÉFÉRENCE. Attestation, atypie, autorité, caractéristique, certificat, coordonnée, dénotation, étalon, indication, modèle, note, ouvrage, recommandation, renvoi, témoin.

RÉFÉRENDUM. Consultation, élection, plébiscite, procédure, référendaire, scrutin, séparation, vote.

RÉFÉRER. Accentuer, accoter, accouder, accoudoir, adosser, aider, appliquer, apporter, appuyer, asseoir, avaliser, baiser, baser, bras, buter, coller, compter, confirmer, corroborer, diriger, encourager, épauler, étayer, fonder, fortifier, insister, maintenir, patronner, peser, pistonner, placer, poser, presser, protéger, ramener, rapporter, recommander, renforcer, servir, sonner, souligner, soutenir, supporter, taper, tenir.

REFERMÉ. Anfractueux, arabesqué, courbé, détour, détourné, flexueux, méandreux, méandrique, odeur, ondoyant, ondulant, ondulatoire, ondulé, replié, serpentin, sinueux, sinusoïdal, spirale, tordu, tortueux.

REFILER. Céder, donner, doter, écouler, léguer, livrer, passer, porter, rendre, repasser, vendre.

RÉFLÉCHI. Avisé, calme, circonspect, conscient, convenable, délibéré, inconséquent, intelligent, mesuré, mûr, pondéré, posé, prudent, rassis, responsable, sage, sérieux, songé, suffisant.

RÉFLÉCHIR. Analyser, calculer, cogiter, combiner, examiner, gamberger, luire, méditer, miroiter, observer, penser, peser, philosopher, phosphorer, poser, raisonner, refléter, réfracter, renvoyer, repenser, répercuter, répéter, rêver, réverbérer, ruminer, scintiller, sécher, songer, spéculer, tourmenter.

RÉFLECTEUR. Abat-jour, catadioptre, cataphote, miroir, réfracteur, réverbère, télescope.

REFLET. Brillant, caractéristique, chatoiement, chatoyant, écho, éclat, flamboyant, image, irisation, lumière, miroitement, moirage, moiré, moirure, nuance, ombre, opale, opalescence, orient, réflexion, réfraction, rougeoiement, satiné, trait, verre.

RÉFLÉTER. Apparaître, briller, citer, dicter, dire, étinceler, exposer, exprimer, mirer, narrer, projeter, publier, réfléchir, reproduire, transparaître.

RÉFLEXE. Automatisme, conditionnel, inconscient, instinctif, machinal, préméditation, réaction, réponse, stimulus.

RÉFLEXION. Analyse, aparté, attention, cervelle, circonspection, commentaire, concentration, concept, conception, contemplation, considération, critique, débat, délibération, délibéré, discernement, écho, étude, gamberge, mûrement, observation, pensée, réaction, reflet.

REFLUER. Baisser, bannir, chasser, comprimer, contenir, éloigner, pousser, reculer, refouler, regorger, renfermer, rentrer, renvoyer, repousser, retenir, retirer, retourner, revenir, vaincre.

REFLUX. Baisse, flot, duit, écoulement, flot, foule, jusant, marée, mer, mouvement, recul, repli, retour, retrait.

REFONTE. Adaptation, altération, amélioration, aménagement, avatar, changement, correction, digestion, forme, métamorphose, mue, ozonisation, réalisation, réfection, remaniement, transformation, vaporisation, vergeoise.

RÉFORMATEUR. Corrigeur, innovateur, promoteur, protestant, redresseur, réformiste, régénérateur, rénovateur.

RÉFORMATEUR ALLEMAND (n. p.). Luther, Melanchthon. Münzer, Müntzer, Schwarzerd.

RÉFORMATEUR ALSACIEN (n. p.). Bucer, Butzer.

RÉFORMATEUR AMÉRICAIN (n. p.). Eddy.

RÉFORMATEUR ANGLAIS (n. p.). Owen, Wyclif, Wycliffe.

RÉFORMATEUR ANGLO-SAXON (n. p.). Alcuin.

RÉFORMATEUR BRITANNIQUE (n. p.). Fawcett, Webb, Wesley.

RÉFORMATEUR ÉCOSSAIS (n. p.). Knox.

RÉFORMATEUR FRANÇAIS (n. p.). Calvin, Cauvin, Farel.

RÉFORMATEUR IRANIEN (n. p.). Zoroastre.

RÉFORMATEUR ITALIEN (n. p.). Socin, Socini, Sozzini.

RÉFORMATEUR MUSULMAN (n. p.). Abduh, Tumart.

RÉFORMATEUR PERSAN (n. p.). Bab.

RÉFORMATEUR PORTUGAIS (n. p.). Joseph.

RÉFORMATEUR SUÉDOIS (n. p.). Petersson, Petri

RÉFORMATEUR SUISSE (n. p.). Husschin, Oecolampade, Viret, Zwingli.

RÉFORMATEUR TCHÈQUE (n. p.). Hus.

RÉFORMATEUR TIBÉTAIN (n. p.). Kapa.

RÉFORMÉ. Armée, artilleur, cadet, casernier, centurie, civil, déserteur, estafette, fantassin, filleul, galon, gendarme, général, gi, goumier, grade, guerrier, horse-guard, hussard, invalide, légionnaire, marsouin, martial, milicien, militaire, missilier, officier, ordonnance, ost, parachutiste, permissionnaire, perte, pontonnier, rata, recrue, réduction, régulier, rengager, réserviste, riz-pain-sel, servant, service, shogoun, shogun, soldat, soldatesque, stratégique, supplétif, territoriale, trainglot, traîneur, tringlot, troupier.

RÉFORME. Amélioration, amendement, annulation, changement, classement, correction, croisade, élimination, innovation, militaire, ministre, observance, progrès, protestant, réformable, réformateur, réformette, réformiste, religieux, retour.

RÉFORMER. Améliorer, amender, changer, corriger, former, modifier, prononcer, rayer, rectifier, reconstituer, redresser, refaire, régénérer, regrouper, rétablir, soumettre, supprimer.

RÉFORMETTE. Abandon, amélioration, avatar, cabriole, chambardement, changement, détour, éclaircie, évolution, inflexion, mesurette, métamorphose, métastase, modification, modulation, mue, mutation, nuance, oscillation, péripétie, phase, réforme, reniement, renversement, retournement, revirement, saute, subit, transmutation, variation, virage.

REFOULEMENT. Abréaction, blocage, censure, défense, frustration, inhibition, manœuvre, moi.

REFOULER. Bannir, censurer, chasser, comprimer, concentrer, contenir, éloigner, empêcher, étouffer, expulser, mater, pousser, reculer, refluer, refoulement, réfréner, renfermer, rentrer, renvoyer, repousser, réprimer, retenir, vaincre.

RÉFRACTAIRE. Casette, cazette, conscrit, désobéissant, frondeur, imperméable, inaccessible, indocile, insensible, insermenté, insoumis, rebelle, récalcitrant, rétif, révolté, séditieux, test, têt, têtu.

RÉFRACTER. Calculer, cogiter, combiner, gamberger, luire, méditer, miroiter, observer, penser, peser, poser, raisonner, réfléchir, refléter, réverbérer, renvoyer, repenser, répercuter, répéter, rêver, ruminer, scintiller, songer, spéculer.

RÉFRACTION. Brillant, chatoiement, chatoyant, écho, éclat, flamboyant, image, irisation, moire, miroitement, moirage, moiré, moirure, ombre, opale, opalescence, orient, reflet, réflexion, satiné, verre.

RÉFRACTOMÈTRE. Acuité, amétrope, appareil, œil, optomètre, vision.

REFRAIN. Chanson, chant, flonflon, goualante, rengaine, répétition, ritournelle, turelure, turlurette, turlute.

RÉFRÉNER. Arrêter, brider, contenir, empêcher, endiguer, enrayer, étouffer, freiner, maîtriser, modérer, refouler, refrènement, rentrer, réprimer, retenir.

RÉFRIGÉRANT. Engourdissant, entravant, étouffant, glaçant, glacial, inhibant, intimidant, paralysant, pétrifiant.

RÉFRIGÉRATEUR. Congélateur, conservateur, frigidaire, frigo, frigorifique, glacière, refroidisseur, surgélateur.

RÉFRIGÉRATION. Congélation, gel, glaciation, günz, mindel, période, refroidissement, riss, surgélation, würm.

RÉFRIGÉRER. Congeler, frigorifier, geler, glacer, rafraîchir, refroidir, réprimer, surgeler.

REFROIDIR. Air, algidité, assassiner, attiédir, calmer, congeler, décourager, frapper, frigorifier, froid, geler, glacer, mécontenter, rafraîchir, réchauffer, réfrigérer, refroidisseur, surgeler, tiédir, tuer.

REFROIDISSEMENT. Affaiblissement, algidité, attiédissement, catarrhe, grippe, inflammation, influenza, morfondure, rhume

REFUGE. Abri, aile, asile, auvent, cabane, case, caverne, désaccord, ermitage, fuite, gîte, grotte, halte, havre, hutte, macache, niche, oasis, port, recours, réduit, redoute, repaire, ressource, ressui, retraite, sanctuaire, secours, sein, tente, toit.

RÉFUGIER. Abriter, blottir, cacher, émigrer, exiler, expatrier, mucher, musser, nicher, planquer, tapir, terrer.

REFUS. Abstention, acceptation, angélisme, anorexie, asocial, contumace, défaut, déni, désaveu, mésologie, mutinerie, négation, nier, niet, non, rébellion, rebuffade, rebut, récusation, rejet, renvoi, résistance, révolte, turlututu, veto, zut.

REFUSER. Ajourner, arrêter, coller, contester, couler, débouter, décliner, dédaigner, défendre, défier, dénier, dérober, désavouer, disqualifier, écarter, éconduire, encroûter, étendre, évincer, exclure, nier, priver, rebeller, rebiffer, rebuter, recaler, récuser, regimber, rejeter, remercier, renâcler, renier, renvoyer, repousser, résister, retaper, retoquer.

RÉFUTABILITÉ. Adultération, alliage, appauvrissement, bricolage, contrefaçon, déformation, déguisement, falsification, fardage, faux, fraude, frelatage, imitation, maquillage, pastiche, postiche, tromperie, trucage.

RÉFUTABLE. Attaquable, bénin, bon, chétif, controversable, débile, discutable, énervé, épuisé, étiolé, faible, fatigué, fluet, grêle, léger, menu, mou, niable, pâle, petit, précaire, usé, veule, vil, vulnérable.

RÉFUTATION. Ambivalence, antinomie, aporie, contradiction, contraire, démenti, dénégation, déni, désaveu, discordance, incohérence, incompatibilité, infirmation, négation, offense, opposition, prolepse, reniement.

RÉFUTER. Argumenter, attaquer, combattre, confondre, contredire, critiquer, démentir, démontrer, désavouer, détruire, infirmer, nier, objecter, opposer, prouver, raisonner, remanier, renvoyer, répliquer, répondre, repousser, riposter.

REG. Aride, bled, caravane, désert, dune, erg, ermes, hamada, inexploré, inhabité, manne, mirage, néant, oasis, pampa, sable, sahel, sauvage, sertao, simoun, steppe, thébaïde, toundra.

REGAGNER. Gratter, rallier, rattraper, recouvrer, recrudescence, récupérer, reprendre, retourner, retrouver, revenir.

REGAIN. Contrechoc, convalescence, écho, flash-back, palingénésie, parousie, rebuse, recrudescence, renaissance, renouveau, renouvellement, rentrée, renvoi, ressac, résurrection, retour, réveil, rime.

RÉGAL. Bienvenue, délectation, délice, festin, friandise, gastronomie, gourmandise, joie, jouissance, manger, mets, os, plaisir, réjouissance, volupté.

RÉGALE. Droit, eau, jeu, laie, limonaire, lys, orgue, pédale, point, positif, récit, soupape, tuyau.

RÉGALER. Amuser, aplanir, déguster, délecter, offrir, malmener, manger, niveler, savourer, traiter.

REGARD. Agacerie, atone, attention, ci-contre, clin d'œil, considération, contrôle, couvercle, égard, fulgurant, inaperçu, interstice, louche, lumière, meurtrière, œil, œillade, ouverture, perception, torve, vis-à-vis, vision, vitreux, vue, yeux.

REGARDANT. Consciencieux, délicat, détaillé, exigeant, filtrage, méticuleux, mesquin, minutieux, puriste, raffiné, scrupuleux, soigneux, sourcilleux, subtil, taponneux, tatillon, vétillard, vétilleux, zigonneux.

REGARDER. Admirer, considérer, contempler, défier, dévisager, envisager, épier, examiner, fixer, guigner, lésiner, lever, lorgner, loucher, mater, mirer, narguer, observer, piger, poser, remarquer, repaître, revoir, toiser, viser, visionner, voir, zieuter, zyeuter.

REGARNIR. Alimenter, apporter, approvisionner, armer, assortir, avitailler, donner, doter, douer, ensiler, équiper, établir, fournir, garnir, gratifier, munir, nourrir, pourvoir, procurer, provisionner, ravitailler, réassortir, remeubler, repeupler, subvenir.

RÉGATE. Chaussure, corrida, cross, course, derby, drag, épreuve, galopade, incursion, marathon, omnium, poursuite, prix, racer, relais, rodéo, ruée, sprint, stade, tauromachie, tour, trajet, trial.

RÉGENCE. Administration, aristocratie, conduite, despotisme, dey, direction, état, gérontocratie, gestion, gouvernement, junte, maniement, nation, note, pouvoir, régime, règne, royauté, Saint-Siège, sénat, tétrarchie, tyrannie.

RÉGÉNÉRATION. An, anagenèse, incarnation, métempsycose, palingenèse, palingénésie, progrès, reconstitution, rédemption, renaissance, renouveau, résurrection, rétablissement, retour, réveil.

RÉGÉNÉRER. Activer, breader, corriger, purifier, ranimer, réactiver, reconstituer, réformer, rénover, rétablir, retaper.

RÉGENT. Chef, diamant, instituteur, pédagogue, professeur, protecteur, régendat, roué, tuteur.

RÉGENT ANGLETERRE (n. p.). Bedford, Seymour.

RÉGENT BABYLONE (n. p.). Balthazar.

RÉGENT CHINE (n. p.). Cici, Puyi, Tseu-hi.

RÉGENT ÉCOSSE (n. p.). Douglas, Stilicon, Stuart.

RÉGENT ESPAGNE (n. p.). Cisneros, Espartero.

RÉGENT FINLANDE (n. p.). Mannerheim.

RÉGENT FRANCE (n. p.). Bedford, Delessert, Lancastre, Suger, Torcy.

RÉGENT GRÈCE (n. p.). Damaskinos, Dhamaskinos.

RÉGENT HONGRIE (n. p.). Hynyadi.

RÉGENT MACÉDOINE (n. p.). Perdiccas, Philippe.

RÉGENT NORMANDIE (n. p.). Falstaff.

RÉGENT NORVÈGE (n. p.). Olav.

RÉGENT PERSE (n. p.). Khan.

RÉGENT PORTUGAL (n. p.). Michel.

RÉGENT ROMAIN (n. p.). Stilicon.

RÉGENT SUÈDE (n. p.). Charles, Sture.

RÉGENTE ASSYRIE (n. p.). Shammou-Ramat.

RÉGENTE BYZANCE (n. p.). Irène.

RÉGENTE ÉCOSSE (n. p.). Marie Stuart.

RÉGENTE ESPAGNE (n. p.). Breda.

RÉGENTE MACÉDOINE (n. p.). Olympias.

RÉGENTER. Commander, conduire, diriger, dominer, gérer, gouverner, manier, mener, régir, régner.

REGGAE. Antillais, jamaïcain, jamaïquain, mouvement, mystique, partisan, politique, rasta, rastafari, rythme.

RÉGICIDE (n. p.). Carnot, Merlin, Ravaillac.

RÉGICIDE. Assassinat, crime, déicide, égorgement, élimination, empoisonnement, étranglement, étripage, fratricide, hécatombe, homicide, infanticide, matricide, meurtre, parricide, suicide, tuerie.

RÉGIE (n. p.). CNP, RATP.

RÉGIE. Autonome, entreprise, gestion, monarchie, spectacle, studio, tabac.

REGIMBEMENT. Attrapade, blâme, cabrement, cigare, injure, protestation, rébellion, récrimination, reproche, résistance, résistement, révolte, ruade, tabac, tablature, vitupération.

REGIMBER. Blâmer, cabrer, entêter, indocile, injurier, protester, rebiffer, récrier, refuser, résister, ruer.

RÉGIME. Absolutisme, administration, apartheid, assemblage, autarcie, bananier, conduite, constitution, curatelle, cure, démocratie, despotisme, dictature, diète, direction, dyarchie, état, étatisme, fascisme, fédéralisme, gouvernement, jeûne, monarchie, oligarchie, orléanisme, protectorat, ralenti, règle, république, royauté, terrorisme, tsarisme.

RÉGIMENT (n. p.). Cent-suisses, Dragons, Légion étrangère, Vingt-deuxième.

RÉGIMENT. Armée, bataillon, compagnie, corps, dépôt, escadron, groupe, ligne, meistre, multitude, troupe.

RÉGION. Adret, aire, antipode, bocage, canton, carré, circonscription, collectivité, contrée, corps, crau, désert, district, endroit, entrailles, érèbe, espace, étendue, faune, flore, grasset, lieu, marais, midi, oasis, pampa, patelin, pays, périglaciaire, périnée, poudrière, province, soulane, subalpin, subaride, subdésertique, terre, territoire, terroir, trou, zone.

RÉGION, AFGHANISTAN (n. p.). Bactriane, Nangarhar, Nurestan, Nuristan, Séistan, Sistan, Turkestan.

RÉGION, AFRIQUE (n. p.). Sahel.

RÉGION, AFRIQUE AUSTRALE (n. p.). Lesotho, Namibie, Nubie, Rhodésie, Zambie, Zimbabwe.

RÉGION, AFRIQUE DU NORD (n. p.). Tell.

RÉGION, AFRIQUE ÉQUATORIALE (n. p.). Congo.

RÉGION, AFRIQUE ORIENTALE (n. p.). Érythrée, Éthiopie, Kenya, Maroc, Somalie, Soudan, Tanzanie, Yémen.

RÉGION, ALGÉRIE (n. p.). Constantinois, Macta, Mascara, Tell.

RÉGION, ALLEMAGNE (n. p.). Bade, Bavière, Brandebourg, Hesse, Lusace, Mecklembourg, Rheingau, Rhénanie, Ries, Ruhr, Sarre, Saxe, Saxe-Anhalt, Thuringe.

RÉGION, ALPES (n. p.). Briançonnais, Champsaur, Dauphiné, Lombardie, Maurienne, Oisans, Queyras, Rhétie, Tarentaise.

RÉGION, ANGLETERRE (n. p.). Bradford, Douvres, Galles, Kent, Lasncashire, Leeds, Midlands, Nottingham, Portsmouth, Sheffield, Southampton, Sussex, Weald.

RÉGION, ASIE CENTRALE (n. p.). Birmanie, Cambodge, Chine, Kazakastan, Kirghizstan, Laos, Mongolie, Népal, Pamir, Tadjikistan, Tibet, Transoxiane, Turkménistan.

RÉGION, ASIE MÉRIDIONALE (n. p.). Chine, Inde, Japon, Sri Lanka, Viêt-nam.

RÉGION, ASIE MINEURE (n. p.). Cilicie, Ionie, Isaurie, Mysie, Syrie.

RÉGION, ASIE OCCIDENTALE (n. p.). Arménie, Bengale, Birmanie, Caucase, Caucasie, Irak, Iran, Kurdistan, Liban, Pakistan.

RÉGION, BRÉSIL (n. p.). Amazonie, Nordeste.

RÉGION, BRETAGNE (n. p.). Armor, Arvor, Léon, Trégor, Trégorrois.

RÉGION, CHAMPAGNE (n. p.). Der.

RÉGION, CHILI (n. p.). Atacama, Patagonie, Pehuén.

RÉGION, CHINE (n. p.). Anhui, Djoungarie, Dzougarie, Guangdong, Guangxi, Hubei, Ningxia, Setchouan, Sichuan, Tibet, Yumnan, Zhejiang.

RÉGION, CORSE (n. p.). Balagne, Cinto, Nebbio, Niolo, Sardaigne.

RÉGION, CROATIE (n. p.). Dalmatie, Istrie, Krajina, Slavonie.

RÉGION, ÉCOSSE (n. p.). Grampian, Highlands, Lowlands.

RÉGION, ESPAGNE (n. p.). Andalousie, Aragon, Baléares, Cantabrie, Castille, Catalogne, Estrémadue, Galice, Guipuzcoa, Léon, Manche, Navarre, Rioja, Valence.

RÉGION, ÉTHIOPIE (n. p.). Choa, Érythrée, Tigré.

RÉGION, FLORIDE (n. p.). Everglades.

RÉGION, FLANDRE (n. p.). Pévèle, Puelle, Waas, Waes.

RÉGION, FRANCE (n. p.). Alsace, Aquitaine, Artois, Auvergne, Basse-Normandie, Bourgogne, Bretagne, Centre, Champagne-Ardennes, Corse, Der, Franche-Comté, Haute-Normandie, Île-de-France, Languedoc-Roussillon, Limousin, Loire, Lorraine, Midi-Pyrénées, Nord, Picardie, Poitou-Charentes, Provence-Côte d'Azur, Rhône-Alpes.

RÉGION, GRÈCE (n. p.). Béotie, Élide, Épire, Étolie, Hellade, Laconie, Magne, Maïna, Messénie, Thessalie.

RÉGION, IRAN (n. p.). Fars, Khorasan, Khurasan, Khuzestan, Khuzistan, Lorestan, Luristan, Médie, Séistan, Sistan.

RÉGION, IRLANDE (n. p.). Connemara, Ulster.

RÉGION, INDONÉSIE (n. p.). Aceh, Atjeh.

RÉGION, ITALIE (n. p.). Abruzzes, Apulie, Basilicate, Calabre, Campanie, Chianti, Émilie-Romagne, Étrurie, Florence, Latium, Ligurie, Lombardie, Lucanie, Marches, Maremme, Messapie, Milanais, Molise, Montferrat, Ombrie, Picenum, Piémont, Plaine du Pô, Pouille, Pouilles, Romagne, Sabine, Samnium, Sardaigne, Savoie, Sicile, Tirol, Toscane, Trentin, Tyrol, Valteline, Vénétie.

RÉGION, LOIRE (n. p.). Auvergne, Beaujolais, Forez, Puisaye, Sarthe, Sologne, Touraine, Velay, Vendée.

RÉGION, LUXEMBOURG (n. p.). Gaume, Oesling, Ôsling.

RÉGION, NIGERIA (n. p.). Biafra.

RÉGION, NORMANDIE (n. p.). Basse Seine, Bessin, Bocage normand, Bray, Caux, Lieuvin, Ouche.

RÉGION, NOUVELLE-FRANCE (n. p.). Acadie.

RÉGION, PAKISTAN (n. p.). Sind, Thar, Waziristan.

RÉGION, PALESTINE (n. p.). Samarie.

RÉGION, POLOGNE (n. p.). Poméranie.

RÉGION, PORTUGAL (n. p.). Alentejo, Algarve, Estrémadure, Minho.

RÉGION, QUÉBEC (n. p.). Abitibi, Abitibi-Témiscamingue, Bas Saint-Laurent, Beauce, Ventre-du-Québec, Charlevoix, Chaudière-Appalaches, Côte-de-Beaupré, Côte-Nord, Estrie, Gaspésie, Gaspésie-Îles-de-la-Madeleine, Gatineau, Lanaudière, Laurentides, Laval, Mauricie, Montérégie, Montréal, Nord-du-Québec, Saguenay-Lac-Saint-Jean.

RÉGION, ROUMANIE (n. p.). Baragan, Dobroudja, Munténie, Olténie, Transylvanie, Valachie.

RÉGION, SUISSE (n. p.). Grisons, Gruyères, Mittelland, Moyen-Pays, Plateau.

RÉGION, UKRAINE (n. p.). Podolie.

RÉGION, VIETNAM (n. p.). Annam.

RÉGION, YOUGOSLAVIE (n. p.). Istrie.

RÉGION, ZIMBABWE (n. p.). Matabele.

RÉGIR. Administrer, commander, déterminer, diriger, gérer, gouverner, régler.

RÉGISSEUR (n. p.). Loyal.

REGISTRE. Agenda, album, archives, brouillard, cadastre, cahier, calepin, caractère, censier, chalumeau, chiffrier, domaine, échéancier, étendue, journal, livre, livret, main, matrice, matricule, minutier, nécrologue, obituaire, olim, ordonnancier,

organe, orgue, plumitif, répertoire, rôle, sommier, terreur, terrier, tessiture, ton, tonalité, voix.

RÉGLAGE. Ajustement, cadrage, équilibrage, focus, présélection, régularisation, synchronisation, syntonisation, zérotage.

RÈGLE. Alidade, anormal, canon, cérémonial, charte, chartre, clause, code, commandement, convention, coutume, déontologie, écoulement, édit, endogamie, enseignement, équerre, estoppel, éthique, exogamie, formalité, formule, latte, leçon, ligne, lignomètre, loi, instrument, maxime, ménorragie, mesurer, méthode, mire, morale, norme, octet, odontomètre, ordre, période, pied-de-roi, pige, précepte, prescription, principe, procédé, prosodie, protocole, règlement, réglette, régime, rite, rituel, spanioménorrhée, standard, statut, syntaxe, talon, taux, té, toise, traçoir, typomètre, vernier.

RÉGLÉ. Accordé, avisé, conforme, conseiller, entendu, fixé, juste, modéré, mûri, philosophe, prudent, sage, savant, sensé, soumis.

RÈGLEMENT. Accord, acte, arbitrage, arbitraire, arrangement, arrêté, ban, canon, charte, code, conforme, consigne, décret, décision, discipline, écrit, édit, loi, mesure, ordonnance, paiement, principe, priorité, procédure, règle, solde, statut, talon.

RÉGLEMENTAIRE. Canoniquement, conformément, constitutionnellement, correctement, dûment, juridiquement, légalement, légitimement, licitement, normal, officiellement, régulier, régulièrement, valable, validement.

RÉGLEMENTATION. Conforme, liquidation, normalisation, norme, rationalisation, règle, règlement, soumettre, systématisation.

RÉGLEMENTER. Apprécier, arrêter, calculer, codifier, décider, délimiter, détailler, déterminer, estimer, évaluer, expliciter, fixer, identifier, localiser, mesurer, normaliser, organiser, quantifier, présenter, préciser, rationaliser, régir, situer, spécifier, stipuler, systématiser.

RÉGLER. Accorder, ajuster, aménager, arranger, arrêter, assujettir, caler, combiner, conclure, configurer, conformer, convenir, décider, disposer, doser, établir, fixer, justifier, liquider, mener, mesurer, modeler, pater, planifier, ranger, rayer, régir, régulariser, ritualiser, rythmer, solder, statuer, tracer, vider.

RÈGLES. Aménorrhée, dysménorrhée, écoulement, emménagogue, époques, flux, jours, ménopause, menstruation, menstrues, mois.

RÉGLISSE. Adoucissant, adragante, astragale, bonbon, citronnade, facadée, friandise, infusion, jus, papilionacée.

RÉGLO. Authentique, bien, cadencé, conforme, continu, convention, correct, égal, époux, équilibré, exact, géométrique, habituel, harmonieux, homogène, juste, légal, loyal, moine, normal, ordre, parfait, permanent, ponctuel, rangé, régulier, religieux, rituel, sain, séculier, soldat, uniforme, usuel, vérité.

RÉGNANT. Dominant, prédominant, prépondérant, souverain.

RÈGNE. Animal, ascendant, autorité, contrôle, dictature, division, domination, durée, empire, emprise, épistasie, époque, gouvernement, griffe, hégémonie, impérialisme, influence, joug, maîtrise, minéral, oppression, pouvoir, prépondérance, sujétion, suprématie, tyrannie, union, végétal.

RÉGNER. Dominer, dynastie, empire, époque, établir, gouverner, manifester, reine, roi, trôner, vogue.

REGONFLER. Arrondir, augmenter, ballonner, bomber, boucler, bouffer, bouffir, boursoufler, cloquer, dilater, empâter, enfler, engraisser, épaissir, exagérer, gonfler, grossir, rengorger, surcharger.

REGORGER. Abonder, déborder, épancher, foisonner, fourmiller, refluer, regorgement, vomir.

REGRATTER. Abraser, curer, cureter, écailler, effacer, égratigner, émeriser, enlever, entamer, fouiller, frotter, gratter, lésiner, liarder, nettoyer, piquer, plectre, racler, râper, raser, ratisser, riper, veloutine.

RÉGRESSER. Accepter, écraser, encaisser, endurer, éprouver, essuyer, examen, expérimenter, muer, obéir, punir, recevoir, réprimander, résigner, ressentir, sentir, souffrir, soumettre, soutenir, subir, supporter, tolérer.

RÉGRESSIF. Acharné, haineux, malveillant, punitif, rancunier, revanchard, vengeur, vindicatif, violent.

RÉGRESSION. Atrophie, baisse, chute, déclin, diminution, faiblesse, involution, perte, recul, repli, retour, retrait, revue, transgression.

REGRET. Apologie, attrition, chagrin, componction, condoléances, contrition, dam, déception, déplaisir, désespoir, excuse, expiation, hé, hélas, honte, mea culpa, navrant, nostalgie, peine, pénitence, remords, réparation, repentir, repentance, résipiscence.

REGRETTABLE. Bête, con, déplorable, désagréable, dommage, fâcheux, malencontreux, malheureux, navrant, pitoyable.

REGRETTER. Déplorer, excuser, geindre, plaindre, raccommoder, repentir, reprocher, ressentir.

REGROUPEMENT. Confédération, fédération, ralliement, rassemblement, réunion, secteur, syndicalisation, syndication.

REGROS. Brun, chêne, cuir, cuivre, écorce, écorce de chêne, hâle, jusée, noir, peau, tan, tannage, tanné, tanin.

REGROUPER. Bloquer, fédérer, fondre, rallier, ramasser, rassembler, réattrouper, réformer, réunir.

RÉGULARISATION. Alésage, assiduité, autorégulation, compression, contingentement, contrôle, critique, diminution, doute, économie, équivoque, limitation, ponctualité, rationnement, réduction, réserve, restriction, réticence.

RÉGULARISER. Accorder, ajuster, aménager, arranger, arrêter, caler, combiner, configurer, conformer, décider, disposer, doser, établir, fixer, justifier, liquider, mener, mesurer, pater, planifier, ranger, rayer, régir, régler, solder, statuer, tracer.

RÉGULARITÉ. Assiduité, constance, discipline, équilibré, exactitude, fluidité, ponctualité.

RÉGULATEUR. Appareil, contrôle, épi, fixer, horloge, limite, mécanisme, règle, rivière, thyratron, tune, vitesse.

RÉGULATION. Compression, constance, contingentement, contrôle, critique, diminution, doute, dysthymie, économie, équivoque, limitation, rationnement, réduction, réserve, restriction, réticence, rythme.

RÉGULE. Alliage, antifriction, antimoine, coussinet, étain, garnissage, métal, plomb, régulage.

RÉGULER. Accorder, ajuster, aménager, arranger, arrêter, caler, combiner, configurer, décider, disposer, doser, établir, fixer, justifier, liquider, mener, mesurer, pater, planifier, ranger, rayer, régir, régler, régulariser, solder, statuer, tracer.

RÉGULIER. Authentique, bien, cadencé, clergé, conforme, constant, continu, convention, correct, égal, époux, équilibré, exact, fixe, géométrique, habituel, harmonieux, homogène, juste, légal, loyal, moine, normal, ordre, parfait, permanent, ponctuel, rangé, réglo, religieux, rituel, sain, séculier, soldat, systémique, uniforme, usuel, vérité.

RÉGULIÈREMENT. Assidûment, constamment, continuellement, continûment, également, exactement, infiniment, localement, monotonement, permanence, platement, ponctuellement, recta, semblablement, uniformément.

RÉGURGITATION. Aigreur, dégobillage, dégueulée, dégueulis, dégurgitation, émétique, hématémèse, humeur, mérycisme, pituite, rejet, renvoyage, retour, vomi, vomissement, vomissure.

RÉGURGITER. Blackbouler, chasser, cracher, débouter, éjaculer, éjecter, éliminer, éloigner, éructer, expectorer, honnir, jeter, néantiser, nier, rebuter, recracher, reculer, refuser, rejeter, relancer, renvoyer, repousser, réprouver, répudier, vomir.

RÉHABILITATION. Anaplastie, changement, ostéoplastie, réfection, réforme, réinsertion, renaissance, rénovation, réparation, restauration, rétablissement, stomatoplastie, transformation, uranoplastie.

RÉHABILITER. Blanchir, couvrir, décharger, dédouaner, disculper, laver, racheter, recouvrer, rénover, restaurer, rétablir.

RÉHABITUER. Accepter, accommoder, accorder, adapter, ajuster, apprêter, approprier, arranger, assaisonner, céder, complaire, conformer, contenter, cuisiner, fricoter, gratiner, habituer, mettre, mitonner, préparer, réadapter, réaliser, résigner, satisfaire.

REHAUSSER. Accentuer, assaisonner, augmenter, aviver, chamarrer, élever, embellir, hausser, illustrer, laver, louer, monter, orner, ranimer, rehaut, relever, remonter, souligner, surélever, valoir, vanter.

REHAUT. Correction, glacis, hachure, modification, rectification, remorsure, retouche, révision.

RÉIFICATION. Acte, action, apte, artisanal, bâcler, cas, chose, ellipse, épisode, événement, éventualité, exécuté, exemple, exploit, fait, geste, impromptu, initier, modalité, performance, point, prématuré, prouesse, réussi, transformation, troussé, vérité.

RÉIFIER. Avilir, chosifier, dépersonnaliser, déshumaniser, instrumentaliser, marchandiser, transformer.

RÉIMPLANTER. Aménager, aplomber, arranger, asseoir, camper, construire, dresser, emménager, essaimer, établir, implanter, installer, instituer, introniser, mettre, placer, poser, transplanter, tuber.

RÉIMPRESSION. Composition, digest, écurie, édition, exemplaire, hebdomadaire, impression, librairie, magazine, mensuel, paragon, parution, pilon, publication, réédition, reprint, revue, tirage, typographie.

REIN. Arc, calice, dos, éreinter, filtre, lombalgie, lombago, lombes, lumbago, néphrectomie, néphron, pierre, pyramide, râble, rénal, réniforme, rénine, rognon, sable, tubule, ulmaire, urée, urémie, urine, viscères, voûte.

RÉINCARNATION. Âme, métensomatose, métempsycose, mort, palingénésie, renaissance, transmigration.

REINE. Abeille, bicyclette, candace, carte, dame, échec, guêpe, ménagère, miss, reproductrice, roi, rose, sauveté, souveraine, vélo.

REINE, AMAZONE (n. p.). Hyppolite, Penthésilée.

REINE, ANGLETERRE (n. p.). Aliénor, Anne, Catherine, Élisabeth, Isabelle de France, Jeanne Gray, Jeanne Seymour, Margaret, Marguerite, Marie, Mathilde, Victoria.

REINE, ARABIE (n. p.). Balkis, Saba.

REINE, ASSYRIE (n. p.). Sémiramis.

REINE, AUSTRASIE (n. p.). Brunehaut.

REINE, BABYLONIE (n. p.). Sémiramis.

REINE, BELGIQUE (n. p.). Astrid, Élisabeth, Fabiola.

REINE, CASTILLE (n. p.). Bérengère, Isabelle, Jeanne, Urraca, Urraque.

REINE, CORÉE (n. p.). Min.

REINE, DANEMARK (n. p.). Marguerite.

REINE, FRANCE (n. p.). Blanche de Castille, Catherine de Médicis.

REINE, ÉCOSSE (n. p.). Marie.

REINE, ÉGYPTE (n. p.). Cléopâtre, Hatchepsout, Hatshepsout, Néfertari, Nefertiti, Nitakrit, Nitokris, Saba.

REINE, ESPAGNE (n. p.). Isabelle.

REINE, ÉTHIOPIE (n. p.). Cassiépée, Cassiopée.

REINE, FRANC (n. p.). Balthilde, Clotilde, Radegonde.

REINE, FRANCE (n. p.). Adèle de Champagne, Alix de Champagne, Anne d'Autriche, Anne de Bretagne, Catherine de Médicis, Éléonore de Habsbourg, Ermentrude, Isabeau de Bavière, Jeanne, Marie-Antoinette, Marie d'Anjou, Marie de Médicis, Marie Leczinska, Marie-Thérèse d'Autriche.

REINE, GERMANIE (n. p.). Mathilde.

REINE, GRANDE-BRETAGNE (n. p.). Elisabeth, Victoria.

REINE, HOLLANDE (n. p.). Hortense de Beauharnais.

REINE, ICÉNIENS (n. p.). Boadicée, Boudicca.

REINE, IRLANDE (n. p.). Victoria.

REINE, JÉRUSALEM (n. p.). Isabelle d'Anjou, Sibylle.

REINE, JORDANIE (n. p.). Halaby, Noor.

REINE, JUDÉE (n. p.). Athalie.

REINE, MADAGASCAR (n. p.). Rasoherina.

REINE, MASSAGÈTES (n. p.). Thomyris, Tomyris.

REINE, NAPLES (n. p.). Bonaparte, Jeanne.

REINE, NAVARRE (n. p.). Jeanne, Marguerite.

REINE, PAYS-BAS (n. p.). Béatrice, Beatrix, Juliana, Wilhelmine.

REINE, PERSE (n. p.). Esther, Parysatis.

REINE, PHRYGIE (n. p.). Niobé.

REINE, PORTUGAL (n. p.). Éléonore de Habsbourg, Marie.

REINE, ROUMANIE (n. p.). Élisabeth.

REINE, RUSSIE (n. p.). Catherine, Clary.

REINE, SUÈDE (n. p.). Christine, Désirée.

REINE, SYRIE (n. p.). Stratonice.

REINE, THÈBES (n. p.). Niobé.

REINE-DES-PRÉS. Aruncus, filipendula, filipendule, plante, rosacée, spirée, thé, théier, ulmaire.

REINE-MARGUERITE. Calistephus, chrysanthème, cordage, cuir, gerbera, leucanthème, marguerite, pâquerette.

RÉINSÉRER. Abouter, ajuster, assembler, copier, emboîter, encastrer, enchâsser, enficher, engager, entrer, envelopper, glisser, imbriquer, imiter, infiltrer, insérer, insinuer, introduire, mouler, pénétrer, réencadrer, réencastrer, réintroduire, remboîter, resocialiser, suivre.

RÉINSERTION. Blanchiment, convivial, récupérable, recyclable, renouvelable, réutilisable, utilisable.

RÉINTÉGRER. Associer, entrer, incorporer, réinsérer, réintroduire, rentrer, rétablir, revenir.

RÉINTRODUIRE. Accéder, conduire, recevoir, recyclage, recycler, réinsérer, réintroduction.

RÉITÉRATION. Fois, ré, recommencement, redoublement, refaire, renouvellement, répétition.

RÉITÉRER. Bisser, corner, double, doubler, écho, itératif, leitmotiv, pléonasme, rabâcher, radoter, rechanter, redire, redoubler, rééditer, renaître, repenser, répéter, ressasser, retaper, scier, seriner, tautologie, trisser.

REÎTRE. Brutal, cavalier, grossier, mercenaire, soudard.

REJAILLIR. Atteindre, bondir, éclabousser, gicler, jaillir, mouvement, prolonger, rejaillissement, retomber.

REJAILLISSANT. Aérosol, atomiseur, bombe, brumisateur, gicleur, inhalation, nébuliseur, prolongement, pulvérisateur, retombant, spray, vaporisateur.

REJAILLISSEMENT. Bond, conséquence, contrecoup, dénivellement, écho, éclaboussure, incidence, onde de choc, prolongement, réflexion, renvoi, répercussion, retentissement, retombée, rétroactif, réverbération, suite.

REJET. Abandon, contre-rejet, cyclosporine, débouté, éjection, élimination, enjambement, enterrement, évacuation, exclusion, excrétion, expulsion, guttation, mal-aimé, mue, négation, nu, paria, pousse, réaction, recrû, refus, régurgitation, rejeton, répression, retour, spirée, sudation, suée, vomissement.

REJETÉ. Damné, démon, détestable, exécrable, fichu, maudit, putain, réprouvé, sacré, sale, satané.

REJETER. Blackbouler, chasser, cracher, débouter, décliner, désavouer, écarter, éjaculer, éjecter, éliminer, éloigner, éructer, évacuer, exclure, expectorer, expulser, honnir, jeter, maudit, néantiser, nier, rebuter, recracher, reculer, récuser, refuser, régurgiter, relancer, renvoyer, repousser, réprouver, répudier, retoquer, vomir.

REJETON. Accru, bille, bion, bourgeon, bouton, bouture, cépée, cosson, courson, descendant, drageon, enfant, fils, gourmand, greffe, jet, marcotte, œilleton, pousse, provin, scion, stolon, surgeon, talle.

REJOINDRE. Aboutir, gagner, joindre, rallier, rattraper, recoller, regagner, retrouver, réunir, revenir.

RÉJOUI. Amusé, content, enchanté, épanoui, gai, guilleret, heureux, hilare, jovial, joyeux, radieux, riant, rieur.

RÉJOUIR. Amuser, bicher, chanter, charmer, délecter, dérider, ébaubir, égayer, éprouver, féliciter, jubiler, ravir.

RÉJOUISSANCE. Agapes, banquet, carnaval, célébration, festivité, fête, gai, gaudir, jubilation, liesse, noce, nouba, ris.

RÉJOUISSANT. Agréable, alacrité, alerte, allègre, amusant, animé, badin, bon, boute-en-train, charmant, comique, content, dispos, divertissant, drôle, égrillard, éméché, enjoué, encourageant, épanoui, épicurien, espiègle, éveillé, folâtre, folichon, gai, gaillard, gré, gris, guilleret, hilare, jeu, joie, jouissant, jovial, joyeux, libre, luron, mutin, plaisant, pompette, ri, riant, rieur, rire, souriant, vaudeville, vif.

RELÂCHE. Abandon, arrêt, cessation, commode, détente, escale, hivernage, intermittence, interruption, mitigé, négligé, négligence, pause, purge, ramolli, relâchement, répit, repos, suspension, trêve.

RELÂCHÉ. Ballant, calme, cool, débandé, décontracté, délassé, desserré, détendu, dissolu, distrait, flasque, heureux, lâche, largué, libre, négligé, paresseux, relax, relaxe, reposé, serein, tranquille.

RELÂCHEMENT. Abattement, aphésie, diminution, distraction, écart, indifférence, laisser-aller, licence, ptôse, ralentissement, relâche, relaxation, résolution.

RELÂCHER. Adoucir, amollir, arrêter, décompresser, décomprimer, décontracter, défaire, délacer, délasser, desserrer, détendre, distendre, élargir, émollient, érailler, lâcher, laisser, libérer, mitiger, mollir, ramollir, relaxer, reposer, respirer.

RELAIS. Attitrer, basculeur, cheval, chien, course, épreuve, étape, halte, hôtel, intermédiaire, mansion, personne, poste, réémetteur, thalamus.

RELANCE. Dégel, délignage, gong, raccommodage, rapiéçage, rattrapage, ravaudage, rechute, reconquête, rempièterment, renouveau, réouverture, répété, reprise, rescousse, retour, round, sollicitation, volée.

RELANCER. Appeler, attirer, briguer, demander, élan, entraîner, exciter, régurgiter, implorer, importuner, insister, lancer, mendier, postuler, quémander, quêter, prier, racoler, remettre, solliciter, surenchérir, tenter, tirailler, vomir.

RELAPS. Adamisme, albigeois, apostat, arien, camisard, chrétien, dissident, hérésie, hérétique, impie, infidèle, laps, renégat, révolté, roussi, sacrilège, séparé.

RELATER. Citer, consigner, conter, dire, exposer, narrer, raconter, rapporter, retracer.

RELATIF. Approximatif, carentiel, degré, dont, événementiel, incomplet, manchette, poids, proportionnel, que, quel, qui, quoi.

RELATION. Accointance, avec, ami, avec, connaissance, connexion, contact, corrélation, entre, équipollence, exclusion, flirt, fusionnel, idylle, inceste, inclusion, inégalité, liaison, lien, narration, obliquité, parenté, rapport, récit, synonymie, témoignage.

RELATIVITÉ (n. p.). Birkhoff, Eddington, Einstein, Langevin, Lemaître, Levi-Civita, Lichnerowicz, Lorentz, Michelson, Poincarré, Weyl.

RELATIVITÉ. Caractère, connaissance, courbure, espace-temps, gravitation, lumière, mathématique, mouvement, quantum, relatif, relativisme, relativiste, spatiotemporel, théorie, vitesse.

RELAX. Adoucissant, agile, aisé, apaisant, balsamique, calmant, décontracté, dégagé, délassant, dispos, émollient, lénifiant, lénitif, leste, rassurant, relaxant, relaxe, reposant, sédatif, souple, tranquillisant.

RELAXANT. Anxiolytique, calmant, délassant, émollient, jacuzzi, massage, reposant.

RELAXATION. Décontraction, délassement, détente, relâchement, sophrologie, training, yoga.

RELAXER. Amnistier, décontracter, délasser, détendre, élargir, innocenter, libérer, relâcher, relaxation, reposer.

RELAYER. Altérer, alterner, continuer, dérouler, échanger, enchaîner, hériter, interrompre, laisser, précéder, relever, remplacer, substituer, succéder, suivre, supplanter, suppléer, retransmettre, venir.

RELAYEUR. Adhérent, compétiteur, concurrent, coureur, intervenant, membre, participant.

RELÉGATION. Bannissement, déportation, descente, éloignement, exil, isolement, rétrogradation, solitude.

RELÉGUÉ. Assigné, bagnard, banni, confiné, délinquant, déporté, écarté, éloigné, exilé, interdit, interné.

RELÉGUER. Bannir, condamner, confiner, déporter, écarter, éloigner, enfermer, exiler, interner, placardiser.

RELENT. Bavure, cicatrice, empreinte, erre, foulée, impression, indice, itinéraire, linéament, marque, note, odeur, ornière, pas, passée, piste, plan, reste, signe, sillage, sillon, stigmate, tache, trace, veine, vermoulure, voie.

RELÈVE. Intérim, mutation, remplacement, repiquage, repiquement, roulement, subrogation, substitution, valse.

RELEVÉ. Abrupt, agrémenté, bordereau, compte, copie, corsé, danse, élite, épicé, fade, généreux, majoré, mouvement, noble, noté, remplacé, représentation, retroussé, révoqué, salé.

RELÈVEMENT. Amendement, anastylose, compte, dévers, rajustement, reconstruction, redressement, réédification, rétablissement.

RELEVER. Accroître, apprêter, assaisonner, cabrer, chronométrer, corriger, corser, délier, dépendre, dispenser, ennoblir, épicer, exalter, lever, libérer, lire, majorer, monter, noter, ramasser, rapporter, réajuster, rebâtir, rebrousser, redresser, rehausser, remarquer, repérer, reprendre, rétablir, retrousser, révoquer, sortir, soulever, souligner, trousser.

RELIÉ. Adjacent, allié, ami, aplani, attaché, attèle, chapelet, cohérent, confondu, couleur, égal, fasciculé, femme, fondu, groupe, homogène, intime, joint, latéral, lié, lisse, mari, net, nivelé, noué, plan, plat, poli, ras, réuni, rivé, voisin, uni.

RELIEF (n. p.). Algarde, Elephanta, Éleusis, Gavrinis, Pain de Sucre.

RELIEF. Accident, bosse, bosselure, braille, camée, carso, cluse, colline, crête, creux, cuesta, dos-d'âne, éclat, embossage, empâtement, enflure, enlevure, estampe, inégalité, inselberg, lier, lustre, modelé, mont, œil, orographie, reste, ruiniforme, saillie, sculpture, topographie, volcan.

RELIER. Accoupler, assembler, attacher, atteler, brider, brocher, cartonner, chaîner, concentrer, coudre, couvrir, enceindre, encercler, enjuguer, entrelacer, épisser, grouper, joindre, lier, mailler, marbrer, raccorder, reste, réticuler, réunir, unir.

RELIEUR (n. p.). Thouvenin.

RELIEUR. Assembleur, brocheur, compilateur, interpréteur, monteur, reliure, roulette, synthétiseur.

RELIGIEUSE (n. p.). Augustine, Odile, Stein, Teresa.

RELIGIEUSE. Achoura, béguine, carmélite, clarisse, cloîtrée, couventine, croûte, dévote, dominicaine, escot, grise, guimpe, mante, mère, moniale, nonne, nonnette, odile, pâtisserie, pauline, pieuse, sœur, tanka, tourière, trappistine, ursuline, visitandine.

RELIGIEUX. Animisme, bénédictin, bouddhiste, bonze, caodaïsme, capucin, carme, chartreux, cloître, congréganiste, convers, croyant, curé, définiteur, derviche, dévot, dominicain, ermite, eudiste, feuillant, foi, frère, jésuite, juif, juste, lai, laïc, laïque, manichéisme, missionnaire, moine, moinillon, mystique, oblat, pape, père, piétisme, pieux, pratiquant, prémontré, prêtre, profès, quaker, rabbin, récollet, recteur, régulier, sacré, saint, scolastique, séculier, servite, sulpicien, thug, trappiste, trinitaire, védisme.

RELIGIEUX FRANÇAIS (n. p.). Lacordaire.

RELIGION (n. p.). Adventiste du Septième Jour, Armée du Salut, Caodaïsme, Catholicisme, Islamisme, Mazdéisme, Science chrétienne, Témoin de Jéhovah.

RELIGION. Anglicanisme, bab'aisme, bible, bouddhisme, brahmanisme, canon, catholicisme, confession, confucianisme, croyance, culte, dévotion, doctrine, dogme, férié, ferveur, foi, hindouisme, impie, islam, islamisme, jaïnisme, judaïsme, laïque, liturgie, loi, manichéisme, mazdéisme, mormon, mystique, protestantisme, quaker, rite, shinto, shintoïsme, sikh, sikhisme, taoïsme, théologie, vaudou, védisme, zoroastrisme.

RELIGION CATHOLIQUE. Abbé, amen, archevêque, archidiocèse, auréole, bedeau, bible, bulle, canon, canoniser, cardinal, clergé, couvent, curé, diocèse, encyclique, évangéliste, évêque, hérésie, indulgence, INRI, latin, maronite, moine, nonne, pape, pasteur, pontife, relique, révérend, romain, vicaire.

RELIGION ISLAMIQUE (n. p.). La Mecque.

RELIGION ISLAMIQUE. Ayatollah, calife, charia, chiite, coran, djihad, émir, hadj, hégire, imam, mollah, muezzin, ramadan, soufi, sourate, sunna, sunnite, uléma, vizir.

RELIGION JAPONAISE. Nichiren, shinto.

RELIGION, ORIENTALE. Bouddhisme, brahmanisme, druze, éparchie, hindouisme, jaïnisme, manichéisme, mazdéisme, shintoïsme, tantrisme taoïsme, védisme.

RELIGION PROTESTANTE. Adventiste, anglican, baptiste, calviniste, luthérien, mennonite, méthodiste, pentecôtiste, presbytérien, quaker.

RELIQUAIRE. Boîte, châsse, coffret, étui, fierté, monstrance, relique, staurothèque, to.

RELIQUAT. Dysembryome, marisque, ouraque, redevoir, report, restant, reste, séquelle, solde.

RELIQUE. Cendre, complément, ossements, martyr, résidu, restant, reste, saint, solde, stupa.

RELIRE. Collationner, corriger, déchiffrer, lire, parcourir, repasser, réviser, revoir.

RELIURE. Ais, alude, alute, biblorharpe, bradel, caisse, endossure, garde, garde-livre, maroquin, mors.

RELU. Allitération, assonance, bi, bis, chaîne, écho, écholalie, encore, fois, fréquence, ibidem, id, idem, itération, pléonasme, psittacisme, rechute, redite, redondance, refrain, rengaine, répétition, reprise, resucée, retour, révision, revu, scie, série, suite, sur, tautologie, tirade, trémolo.

RELUIRE. Astiquer, blinquant, blinquer, brasiller, briller, chatoyer, éblouir, éclairer, éclater, étinceler, flamboyer, illuminer, luire, luisant, miroiter, rayonner, reluisant, rutiler.

RELUQUER. Convoiter, guigner, lorgner, loucher, mater, regarder, zieuter.

REMÂCHER. Mâcher, remastiquer, repasser, repenser, répéter, ressasser, ruminer, seriner.

REMAILLER. Accorder, arranger, rabibocher, raccommoder, rafistoler, rapetasser, rapiécer, ravauder, réconcilier, recoudre, remettre, renouer, réparer, reprendre, repriser, retaper, rhabiller, ruiler, stopper.

RÉMANENCE. Aimantation, constance, continuité, durabilité, durée, éternel, fixe, infantilisme, longévité, néoténie, obstination, opiniâtreté, persistance, réverbération, ténacité, stroboscopie, vitalité.

RÉMANENT. Continu, durable, entêté, fixe, gravé, immuable, imprimé, opiniâtre, permanent, persistant, persiste.

REMANIEMENT. Après-coup, changement, colluvion, correction, histogenèse, modification, refonte, remaquiller, remodelage, replâtrage.

REMANIER. Arranger, changer, charcuter, corriger, modifier, refondre, relooker, remodeler, reprendre, restructurer, retoucher, réviser, revoir, transformer, tripatouiller.

REMARQUABLE. As, brillant, champion, croquis, distinct, distingué, éclatant, émérite, éminent, épatant, ère, étonnant, extra, extraire, extraordinaire, fameux, fleuron, formidable, frappant, génial, gratiné, important, insigne, magnifique, marquant, méchant, mémorable, notable, note, notule, particulier, rare, rude, saillant, scolie, sensas, sensass, sensationnel, signalé, superbe, supérieur, unique.

REMARQUABLEMENT. Absolument, affreusement, assai, assez, bien, bigrement, comble, diablement, drôlement, énormément, excessivement, extra, extrêmement, formidablement, fort, fortement, foutrement, furieusement, grand, hyper, infiniment, invraisemblable, joliment, moult, parfaitement, particulièrement, prodigieusement, réussi, rudement, super, sur, tantinet, terriblement, très, vachement, vraiment.

REMARQUE. Apostille, correctif, dire, nota bene, notation, note, notice, observation, parenthèse, pensée, scolie, vanne.

REMARQUER. Apercevoir, cabotiner, constater, déceler, discerner, distinguer, marquer, noter, observer, relever, signaler, voir.

REMBALLER. Attacher, blister, emballer, emboîter, entourer, envelopper, ravir, remballage, rencaisser.

REMBLAI. Agrégat, ballast, ballastière, cale, compartiment, gravier, gravillon, lestage, litière, réservoir, soute.

REMBLAVER. Cultiver, diaprer, disperser, emblaver, engazonner, épandre, étoiler, jeter, parsemer, propager, réensemencer, répandre, ressemer, revêtir, semer, sursemer.

REMBLAYER. Abreuver, accabler, aduler, bénir, bourrer, charger, colmater, combler, couvrir, donner, emplir, entourer, exaucer, gâter, gorger, obturer, rattraper, remplir, saturer, surcharger, sursaturer.

REMBOURRAGE. Bourrage, bourre, bourrure, capitonnage, épaulette, fourrage, matelassage, matelassure, rembourrure.

REMBOURRER. Bourrer, capitonner, embourrer, épauler, capitonner, garnir, matelasser, remplir, tapisser.

REMBOURRURE. Bourrage, bourre, bourrure, capitonnage, épaulette, fourrage, matelassage, matelassure, rembourrure.

REMBOURSEMENT. Acquittement, bonification, compensation, contrepartie, contrepoids, correction, dédommagement, dommage, indemnité, paiement, pondération, prestation, rds, récompense, réparation, revanche.

REMBOURSER. Acquitter, amortir, couvrir, déconsigner, défrayer, dépenser, payer, rendre, restituer, verser.

REMÈDE. Antidote, antirabique, baume, béchique, calmant, carminatif, cautère, drogue, électuaire, médecine, médicament, mesure, moyen, népenthès, nervin, onguent, orviétan, panacée, perlimpinpin, potion, sérum, similimum, tisane, vermifuge.

REMÉDIER. Arranger, atténuer, calmer, corriger, guérir, obvier, pallier, parer, préserver, réparer, sauver, soigner, soulager, suppléer.

REMÉMORATION. Alarme, alerte, apparition, commencement, début, éveil, fait, naissance, satori.

REMÉMORER. Acclamer, appeler, avertir, citer, commémorer, destituer, éveiller, évoquer, mobiliser, raconter, rappeler, redire, remémoration, repasser, retracer, réveiller, revivre, revoir, souvenir, susciter.

REMERCIEMENT. Affirmation, aménité, amitié, attestation, aveu, condoléances, déclaration, déroulement, gage, grâce, gratitude, hommage, indice, merci, narration, preuve, rapport, récit, reconnaissance, relation, signe, témoignage, test.

REMERCIER. Bénir, chasser, congé, congédier, démettre, destituer, gratifier, louer, merci, refuser, renvoyer.

REMETTRE. Abouler, absoudre, atermoyer, céder, confier, contraindre, débloquer, décerner, délier, délivrer, dépanner, déséchouer, différer, distribuer, exagérer, expier, guérir, laisser, livrer, mettre, payer, rabibocher, raccommoder, raffermir, rafraîchir, ramener, rappeler, rapporter, rasseoir, ravigoter, ravir, recentrer, reconnaître, recorder, reculer, redistribuer, redonner, redresser, refaire, relâcher, relancer, relever, remboîter, remémorer, remémoriser, renchérir, rendosser, rendre, renflouer, rengainer, rentrer, renvoyer, réparer, replacer, reporter, reposer, reprendre, représenter, reprise, ressemeler, restaurer, restituer, rétablir, retaper, retarder, rétrocéder, revenir, réviser, rhabiller, verser.

RÉMIGE. Aile, aileron, empennage, halbrené, oiseau, penne, plume, rectrice.

RÉMINISCENCE. Cadeau, chose, commémoration, emprunt, évocation, expression, idée, mémoire, pensée, rappel, rappeler, résurgence, ressentiment, retour, souvenance, souvenir.

REMIS. Différé, guéri, rediffusion, rendu, reprise, rétabli, retransmission, suspendu, urgent.

REMISE. Abattement, abri, ajournement, attribution, cabanon, collation, décernement, délai, délivrance, dépôt, diminution, distribution, don, endroit, escompte, garage, grâce, hangar, livraison, local, nivet, recharge, réduction, renvoi, resserre, retard, révisionnisme, sursis, trêve.

REMISER. Arrêter, cacher, caser, différer, garer, placer, poser, ranger, resserrer, serrer, transférer.

RÉMISSION. Absolution, amnistie, atténuation, expiation, grâce, guérison, indulgence, pardon.

REMODELAGE. Après-coup, changement, colluvion, correction, histogenèse, modification, refonte, remaniement, remaquiller, rénovation, replâtrage.

REMONTANT. Analeptique, caféine, cola, cordial, dopant, énergisant, entraînant, éperonnant, epo, excitant, fortifiant, incitation, kolam, motivation, ranimant, réconfortant, reconstituant, revigorant, stimulant, stimulus, tonique.

REMONTÉE. Barre, bore, déferlement, eau, flux, mascaret, montaison, surélévation, upwelling, vague.

REMONTE-PENTE. Monocâble, télécabine, téléférique, téléphérique, téléscaphe, téléski, télésiège.

REMONTER. Affermir, consoler, encourager, établir, louvoyer, monter, naviguer, parcourir, pourvoir, rattraper, ravigoter, reconstituer, reculer, reprendre, retaper, retourner, retremper, retrousser.

REMONTRANCE. Adjuration, avertissement, blâme, observation, mercuriale, objurgation, représentation, réprimande, reproche, semonce, sermon.

REMORDS. Affres, angoisse, anxiété, cauchemar, chagrin, conscience, contrition, déboires, douleur, embarras, émotion, ennui, gêne, malaise, peine, regret, repentir, souci, supplice, tourment, tracas, trouble, ulcéré.

REMORQUE. Baladeuse, câble, caravane, fourgon, motorisé, roulotte, sellette, traction, véhicule, voiture, wagon, wagonnet, winnebago.

REMORQUER. Câble, charrier, dépanner, dépanneuse, emmener, entraîner, haler, remorquage, remorqueur, tirer, touage, touer, toueur, tracter, tracteur, traîner, trimbaler.

REMORQUEUR. Bateau, dépanneuse, enfilade, file, navire, pousseur, requin, toueur, tracteur.

REMOUDRE. Affiler, affûter, aiguiser, défriper, émorfiler, émoudre, fer, gendarme, lisser, mémoriser, planche, recoupe, relire, remoulage, remouler, renfiler, repasser, retourner, retraverser, revenir.

REMOULAGE. Coexistant, coïncidence, coïncident, concomitant, griot, recoupe, simultané, synchrone.

REMOUS. Agitation, battement, cadence, cahot, contre-courant, frisson, gobage, houle, jacuzzi, mouvement, remole, spa, tourbillonner, vague.

REMPAILLER. Bourrer, canner, couvrir, empailler, envelopper, garnir, naturaliser, pailler.

REMPAILLEUR. Botaniste, bourreur, canneur, cannier, couvreur, empailleur, enveloppeur, erpétologiste, garnisseur, minéralogiste, naturaliste, nature, réaliste, taxidermiste, zoologiste, zoologue.

REMPART. Bastion, bouclier, cour, défense, enceinte, escarpement, falaise, fortification, mur, muraille, précipice.

REMPILER. Accumuler, amasser, amonceler, arrérager, augmenter, avare, butin, butiner, capitaliser, charger, collectionner, congestionner, emmagasiner, empiler, engranger, entasser, néritique, pelanose, ramasser, récolter, réunir, stocker, thésauriser.

REMPLAÇANT. Aide, doublure, intérimaire, lieutenant, régent, second, suntitut, successeur, suppléant, temporaire.

REMPLACÉ. Adjoint, aide, double, doublure, intérim, lieutenant, relevé, vicaire, vice.

REMPLACEMENT. Alternative, antécédence, commutation, doublage, enrésinement, épigénie, ersatz, fongibilité, intérim, mulet, mutation, rechange, recharge, régent, relève, repiquage, repiquement, roulement, subrogation, substitution, succédané, surimposition, transposition, troncation, valse.

REMPLACER. Changer, déloger, doubler, hériter, incruster, rechaper, regréer, relayer, relever, renouveler, renformir, retuber, substituer, succéder, suppléer.

REMPLAGE. Canalisation, encercler, enchevêtrement, ensemble, entrelacement, filet, filigrane, intranet, labyrinthe, lacis, nanoréseau, organisation, réseau, réticulum, serveur, soufflet, station, télex, tisser, toile, trame.

REMPLI. Accompli, bondé, bourré, comble, complet, dense, enflammé, enflé, extasié, farci, garni, gavé, gonflé, gorgé, gros, imbu, imprégné, infatué, mine, occupé, ourlet, pénétré, pétri, plein, ras, rasade, rassasié, repu, rond, saturé, tenu, terminé.

REMPLIR. Accomplir, bouffir, bourrer, caser, charger, combler, compléter, embaumer, embraser, emplir, encombrer, enfler, enfumer, ensoleiller, envahir, étrangler, farcir, fourrer, garnir, gonfler, gorger, hérisser, jointoyer, liaisonner, meubler, occuper, ouiller, parfumer, pénétrer, plomber, recevoir, remblayer, rengréner, replier, saturer, truffer, verser.

REMPLISSAGE. Bachotage, ballastage, blocaille, bourrage, bourre, bourrer, capitonnage, compactage, damage, délayage, densification, développement, embourrure, fourrage, garnissage, garniture, intoxication, matelassage, matraquage, ouatage, perfusion, propagande, rembourrage, remplage, ruiler, verbiage.

REMPLOI. Achat, action, ajustage, bourse, commission, constitution, fixation, installation, investissement, mise, orientation, placement, réemploi, réemployer, remplacement, remployer, rente.

REMPORTER. Casser la baraque, emporter, enlever, gagner, obtenir, rapporter, reprendre, triompher, vaincre.

REMPOTER. Arracher, dépiquer, dépoter, empoter, greffer, rencaisser, repiquer, transférer, transplanter, transporter.

REMUANT. Actif, affairé, agissant, allant, ardent, battant, bilan, caleur, diligent, dynamique, efficace, efficient, énergique, entreprenant, increvable, laborieux, militant, monnaie, passif, pétulant, titre, transitif, travailleur, turbulent, vif, violent, zélé.

REMUE-MÉNAGE. Affairement, agitation, alarme, alerte, branle-bas, chambardement, effervescence, tohu-bohu.

REMUER. Agir, agiter, balancer, ballotter, battre, bercer, biner, bouger, bouléguer, brandiller, brandir, branler, brasser, broncher, clignoter, démener, déplacer, déranger, effondrer, émouvoir, fouiller, frétiller, gigoter, grouiller, malaxer, mouvoir, piétiner, piocher, ringarder, secouer, tisonner, tortiller, touiller, tricoter.

REMUGLE. Aurifère, enveloppe, obituaire, odeur, ozoné, inclusif, moisi, renfermé, salifère, secret.

RÉMUNÉRATEUR. Alléchant, attachant, attirant, attrayant, avantageux, bon, brillant, captivant, curieux, éminent, émouvant, fructueux, important, intéressant, juteux, lucratif, oiseux, palpitant, payant, pimenté, poignant, prenant, remarquable, rentable, séduisant, touchant, utile.

RÉMUNÉRATION. Agio, appointements, avantage, cachet, casuel, courtage, émoluments, fret, gages, gain, honoraires, indemnité, job, paie, paye, pige, prix, rétribution, revenu, salaire, traitement, travail, turbin.

RÉMUNÉRER. Acheter, acquitter, appointer, casquer, corrompre, cotiser, déballer, débourser, décaisser, défrayer, dépenser, ouvrir, payer, quote-part, raquer, récompenser, régler, rembourser, rétribuer, salarier, sortir, soudoyer, sous-payer, stipendier, surpayer.

RENÂCLER. Apprécier, arôme, blairer, comprendre, connaître, dégager, embaumer, éprouver, éventer, exhaler, flairer, fleurer, haleter, humer, juger, odeur, odorer, percevoir, prévoir, pifer, puer, remarquer, renifler, respirer, ressentir, sentir, trouver.

RENAISSANCE. An, carolingien, essor, éveil, gothique, incarnation, maïolique, majolique, métempsycose, palingénésie, portulan, progrès, régénération, renouveau, renouvellement, résurrection, retour, réveil.

RENAÎTRE. Croître, développer, naître, paraître, rallumer, ramener, reparaître, ressusciter, resurgir, rétablir, retrouver, réveiller, revenir, revivre.

RÉNAL. Anurie, carnisation, créatinine, hépatique, hyperazotémie, lacuneux, lombes, néphrétique, néphrose, palissadique, pancréatique, parenchyme, pneumonie, rein, urémique.

RENARD. Amarante, argenté, canidé, fennec, fourrure, fox, glapir, goupil, isatis, malin, mammifère, manœuvrier, mélampyre, otocyon, renardeau, renarder, renardière, roué, roux, rusé, terrier, trou, vulpin.

RENAUDER. Assombrir, bouder, bougonner, geindre, grincher, grognasser, grogner, grommeler, gronder, marmonner, marmotter, maronner, maugréer, murmurer, pester, râler, rembrunir, renfermer, renfrogner, rognonner, ronchonner, rouscailler, rouspéter.

RENCAISSER. Attacher, blister, emballer, emboîter, entourer, envelopper, ravir, remballage, remballer.

RENCHÉRIR. Ajouter, amplifier, augmenter, cher, dépasser, élever, enchère, enchérir, exagérer, exalter, hausser, majorer, monter, pousser, relancer, renchérissement, renchérisseur.

RENCHÉRISSEMENT. Accroissement, aggravation, augmentation, amplification, augmentation, exacerbation, exagération, exaltation, hausse, intensification, majoration, même, recrudescence, redoublement, réduplicatif.

RENCONTRE. Affronter, au-devant, au-devant de, audience, blason, carrefour, choc, coïncidence, collision, combat, compétition, conjonction, confluent, conversation, derby, duel, entrevue, hasard, heurt, hiatus, interférence, jonction, passe, réunion, sommet, sort, visite.

RENCONTRER. Aborder, accoster, affronter, admettre, apercevoir, atteindre, chambrer, conférer, contacter, croiser, disputer, hanter, heurter, interviewer, joindre, réunir, tamponner, tomber, trouver, visiter, voir.

RENDEMENT. Abondance, efficacité, efficience, fécondité, intensif, productivité, rapport, récolte, rentabilité, stakhanovisme.

RENDEZ-VOUS. Assignation, audience, entrevue, lapin, lieu, rancard, rancart, réceptacle, rencard, rencart, rencontre.

RENDRE (3 lettres). Âme, tac, tic.

RENDRE (4 lettres). Suer, voir.

RENDRE (5 lettres). Aérer, aider, aller, amuïr, céder, cuire, fixer, gorge, hâter, jeter, juter, mater, matir, mûrir, obéir, orner, payer, polir, râler, rendu, salir, vider, vomir.

RENDRE (6 lettres). Abêtir, adorer, aigrir, aléser, amatir, animer, avilir, aviver, blaser, bleuir, bomber, bruire, cesser, donner, durcir, égayer, élever, emplir, épurer, étirer, frayer, griser, lasser, lisser, poncer, porter, saluer, servir, sonner, ternir, verser.

RENDRE (7 lettres). Abonnir, abréger, abrutir, adoucir, affadir, affiner, ajuster, aliéner, alléger, allumer, amender, amollir, amortir, anémier, annuler, anoblir, aplanir, assagir, assurer, aveulir, déparer, dépurer, effiler, élargir, émécher, émettre, émousser, emparer, enivrer, enrouer, étioler, éventer, exciter, fausser, fourbir, grandir, grossir, hébéter, honorer, lustrer, indurer, mitiger, moiteur, niveler, noircir, onduler, ramener, ranimer, ravilir, raviver, résumer, visiter.

RENDRE (8 lettres). Aciduler, admettre, affermir, aggraver, alanguir, alourdir, ameublir, annoncer, assainir, atténuer, attiédir, blanchir, bonifier, calfater, corriger, décliner, diminuer, ébruiter, écourter, égaliser, élaborer, embellir, émousser, enlaidir, ennoblir, épaissir, épanouir, érailler, étriquer, féconder, formuler, humecter, humilier, mouiller, pimenter, produire, purifier, rabonnir, racornir, radoucir, ralentir, raréfier, rassurer, réaliser, redonner, relâcher, rélargir, renvoyer, retentir, rétrécir, revaloir, reverdir, saccader, suppurer.

RENDRE (9 lettres). Accélérer, améliorer, amenuiser, appointer, assimiler, assombrir, assouplir, attendrir, attrister, augmenter, autoriser, banaliser, camoufler, canaliser, capituler, civiliser, clarifier, condenser, confirmer, constater, défigurer, défricher, dégourdir, dégrossir, démaigrir, démuseler, dessécher, divulguer, éclaircir, émanciper, endolorir, enflammer, engourdir, engrosser, entériner, exacerber, habiliter, humaniser, ignifuger, illustrer, immuniser, légaliser, liquéfier, moraliser, moutonner, obscurcir, prononcer, rapatrier, rapporter, rectifier, redresser, régénérer, remercier, renforcer, restituer, revancher, soumettre, tétaniser, vitrifier.

RENDRE (10 lettres). Actualiser, affranchir, agrémenter, alambiquer, alanguiser, animaliser, appesantir, consolider, esthétiser, nécessiter, normaliser, rapetisser, rasséréner, réintégrer, rembourser, renouveler, sanctifier, simplifier, stériliser, vulgariser.

RENDRE (11 lettres). Alcaliniser, apprivoiser, approfondir, automatiser, boursoufler, concrétiser, domestiquer, généraliser, immobiliser, insonoriser, intensifier, neutraliser, optimaliser, régulariser, représenter, ringardiser, séculariser, titulariser, uniformiser.

RENDRE (12 lettres). Authentifier, immortaliser, enorgueillir, homogénéiser, officialiser, rationaliser, rentabiliser, sensibiliser.

RENDRE (13 lettres). Déshumidifier, insolubiliser, tranquilliser, universaliser.

RENDU. Accablé, allé, arrivé, assagi, assommé, avachi, brisé, fatigué, fourbu, harassé, incandescent, pimenté, qualité, remis, retour.

RENÉGAT. Apostat, déloyal, déserteur, félon, hérétique, infidèle, laps, parjure, perfide, schismatique, traître.

RÉNETTE. Chaussure, cheval, couronne, couteau, fer, fourbure, galoche, glome, grenouille, instrument, maréchal-ferrant, onglon, ongulé, outil, patin, pince, roue, sabot, seime, socque, sole, toupie.

RENFERMÉ. Aurifère, enveloppe, obituaire, odeur, ozoné, inclusif, remugle, salifère, secret.

RENFERMER. Cacher, cantonner, comporter, comprendre, concentrer, confiner, contenir, embrasser, emprisonner, enfermer, entourer, impliquer, inclure, insérer, receler, reclure, replier, séquestrer, serrer, taire.

RENFLÉ. Arrondi, bombé, bulbe, convexe, courbé, enflé, épais, galbé, gibbeux, gonflé, pansu, rond, urcéole, ventru.

RENFLEMENT. Ballon, bombement, bosse, bourrelet, bulbe, convexité, galbe, ganglion, glome, jabot, melon, nodosité, nodule, pomme, proéminence, rondeur, soufflage, tubercule, tubérosité, urcéole, ventre.

RENFLOUER. Afflouer, conserver, débiner, échapper, éluder, enfuir, évader, éviter, filer, fournir, fuir, garantir, garder, garer, guérir, libérer, racheter, réchapper, remédier, rétablir, sauver.

RENFONCEMENT. Alcôve, crèche, dormitorium, galanterie, lit, niche, piaule, recoin, réduit, ruelle, taule.

RENFORCEMENT. Accentuation, accroissement, affermissement, aggravation, ah, alcôve, certainement, consolidation, da, donc, durcissement, événement, intensification, là, mais, même, nervure, n'est-ce pas, niche, recrudescence, resserrement, rinforzando, risée.

RENFORCER. Accentuer, affermir, armer, augmenter, blinder, boiser, conforter, consolider, corser, cuirasser, donner, doubler, entoiler, épauler, étayer, fortifier, garnir, grossir, intensifier, jumeler, là, nourrir, ponctuer, raffermir, rendre, resserrer, serrer.

RENFORT. Accroissement, aide, appui, assistance, doublure, effectif, étai, griffe, œillet, rescousse, réserve, secours, soutien, trépointe, volée.

RENFROGNÉ. Boudeur, bougon, bourru, grincheux, grogneux, maussade, morose, sombre.

RENFROGNER. Assombrir, bouder, bougonner, geindre, grincher, grognasser, grogner, grommeler, gronder, marmonner, marmotter, maronner, maugréer, murmurer, pester, râler, rembrunir, renauder, renfermer, rognonner, ronchonner, rouscailler, rouspéter.

RENGAGER. Affecter, appeler, attacher, avancer, aventurer, commencer, compromettre, conseiller, contracter, demander, donner, embaucher, emboîter, embourber, embrigader, embringuer, emmancher, empêtrer, employer, enclencher, encourager, engager, enrôler, entamer, impliquer, inciter, louer, mêler, orienter, racoler, recruter, réembaucher, traiter.

RENGAINE. Antienne, banalité, bringue, chaîne, chanson, chansonnette, couplet, parole, rabâchage, redite, refrain, répétition, reprise, ritournelle, tirade, scie, série, suite, turlute, turluter.

RENGORGER. Arrondir, augmenter, ballonner, bomber, boucler, bouffer, bouffir, boursoufler, cloquer, dilater, empâter, enfler, engraisser, épaissir, exagérer, gonfler, grossir, regonfler, surcharger.

RENIEMENT. Abandon, abjuration, apostasie, désaveu, désertion, répudiation, rétractation.

RENIER. Abandonner, abjurer, changer, déclarer, désavouer, déserter, lapsi, refuser, renégat, renoncer, répudier, rétracter, trahir.

RENIFLEMENT. Appel, aspiration, attrait, besoin, désir, élan, enlisement, espérance, espoir, fumigation, inhalation, inspiration, penchant, prise, reniflement, respiration, rêve, souhait, snif, sniff, succion, tendance, vœu, vote.

RENIFLER. Aspirer, boire, flairer, humer, priser, rechigner, renâcler, répugner, sentir, snif, snifer.

RENIFLEUR. Chercheur, drogué, flaireur, indiscret, priseur, renifleux, senteur, sniffeux.

RÉNITENT. Consistant, coriace, dur, endurant, ferme, fort, increvable, infatigable, inusable, invulnérable, irréductible, patient, rebelle, résistant, résistif, robuste, rustique, solide, tenace, têtu, vivace.

RENNE. Andouiller, caribou, cervidé, chevreuil, cladonie, lichen, mammifère, orignal, ruminant.

RENOM. Aura, célébrité, connu, cote, crédit, estime, gloire, nom, opinion, réputation, réputé.

RENOMMÉE. Brillance, bruit, cancan, célèbre, célébrité, connu, considération, crédit, estime, famé, faveur, gloire, illustre, nom, notoriété, opinion, popularité, preuve, renom, réputation, réputé, vogue, voix.

RENOMMER. Appeler, caser, dénommer, désigner, dire, élire, nommer, rebaptiser, réélire, surnommer.

RENONCEMENT. Abandon, abnégation, absence, abstention, apostasie, cession, démission, fatalisme, forfait, renonciation, résignation, sacrifice.

RENONCER. Abandonner, abdiquer, abjurer, abstenir, accepter, aliéner, apostasier, caler, capituler, céder, cesser, confirmer, congédier, débâillonner, défaire, délaisser, démissionner, départir, dépouiller, désister, écraser, enterrer, laisser, pardonner, quitter, reculer, renier, résigner, résilier, résoudre, retirer, revenir, sacrifier.

RENONCIATION. Abandon, abdication, absence, cessation, découragement, démission, désistement, enterrement, fatalisme, finir, modération, quittance, renoncement, renonciateur, répudiation, résignation, revendiquer.

RENONCULACÉE. Aconit, actée, adonis, ancolie, anémone, cimicaire, clématite, dauphinelle, delphinium, dicotylédone, ellébore, ficaire, hépatique, hellébore, napel, nigelle, pivoine, pied-d'alouette, populage.

RENONCULE. Bouton d'argent, bouton d'or, ficaire, flammette, grenouillette, jaunet, patte de chat.

RENOUÉE. Bistorte, liseron, oseille, patience, persicaire, plante, polygonacée, rhubarbe, sarrasin, vrillée.

RENOUER. Continuer, ôter, rabrouer, rattraper, reconsidérer, rembarrer, redire, réitérer, remettre, remontrer, renaître, rentamer, rentrer, réoccuper, repenser, repousse, reprendre, ressaisir, retirer, retaper, retremper, retrouver, tancer, vrillée.

RENOUVEAU. Éveil, néothomisme, printemps, regain, renaissance, reprise, retour, réveil, revivre.

RENOUVELABLE. Possible, prorogé, reconductible, reconduit, réutilisable.

RENOUVELÉ. Affecté, artificiel, contraint, débité, embarrassé, emprunté, gauche, imité, pris, reconductible, tiré.

RENOUVELER. Aérer, changer, conclure, moderniser, nover, proroger, rafraîchir, rajeunir, ranimer, raviver, recommencer, redoubler, refaire, régénérer, réitérer, remplacer, rénover, répéter, reproduire, ressusciter, revivre, rhabiller, rouvrir, transposer, ventiler.

RENOUVELLEMENT. Changement, depuis, feuillaison, fraîchement, jeunement, modernisation, néoménie, néophyte, nouvellement, réanimation, récemment, récent, reconduction, regain, renaissance, retour, renouveau, rénovation, rotation.

RÉNOVATEUR. Bricoleur, corrigeur, innovateur, redresseur, réformateur, réformiste, régénérateur.

RÉNOVATION. Anaplastie, changement, lifting, lissage, modernisation, ostéoplastie, rechapage, réfection, réforme, réhabilitation, renaissance, réparation, restauration, rétablissement, stomatoplastie, transformation, uranoplastie.

RENSEIGNEMENT (n. p.). Abwehr, C.I.A., Intelligence Service, Mossad.

RENSEIGNEMENT. Anamnèse, avis, communication, confidence, connaissance, document, fait, fiche, guide, indication, indice, info, information, message, nouvelle, organisme, rancard, rancart, rencard, rincard, tuyau.

RENSEIGNER. Avertir, aviser, brancher, briefer, brieffer, compléter, dire, documenter, donner, éclairer, édifier, enquérir, fixer, fournir, indiquer, informer, initialer, initier, instruire, rancarder, rencarder, rincarder, signaler, sonder, tuyauter.

RENTABILISER. Accroître, affaiblir, amortir, annuler, assourdir, calmer, diminuer, émousser, étouffer, fructifier, modérer, payer, réduire, rembourser, rémunérer, réussir, tayloriser, techniciser.

RENTABILITÉ. Profit, profitabilité, rendement, rémunération, retrouver, réussite, succès.

RENTABLE. Bénéficiaire, fructueux, intéressant, juteux, lucratif, payant, productif, profitable, rémunérateur.

RENTAMER. Continuer, ôter, rabrouer, rattraper, reconsidérer, rembarrer, redire, réitérer, remettre, remontrer, renaître, renouer, rentrer, réoccuper, repenser, repousse, reprendre, ressaisir, retirer, retaper, retremper, retrouver, tancer.

RENTE. Annuité, arrente, avantage, bénéfice, chose, emprunt, loyer, mense, pension, personne, redevance, ressource, revenu, semestre, tontine, viager.

RENTRÉE. Carte, cave, classe, creuse, encaissement, intérieure, littéraire, patte, perception, recette, recouvrement, rembuchement, renforcée, retour, somme.

RENTRER. Cacher, contremarque, couvre-feu, dissimuler, emboîter, enfoncer, entrer, introduire, mettre, pénétrer, percuter, raccourcir, rappeler, recouvrer, récupérer, refouler, réintégrer, remettre, reprendre, retirer, retourner, rétracter, revenir.

RENVERSANT. Ahurissant, effarant, étonnant, étourdissant, inouï, sidérant, stupéfiant, surprenant, troublant.

RENVERSÉ. Agité, bouleversé, déconcerté, décontenancé, dérangé, désorienté, égaré, embarrassé, embrouillé, ému, ensorcelé, excité, hagard, inquiet, retourné, revenu, révulsé, ruminé, stupéfait, troublé, ivre.

RENVERSE. Abat, changement, chaviré, chute, culbute, intersection, inversé, marche arrière, paupière, verlan.

RENVERSEMENT. Anastrophe, bouleversement, ectropion, entropion, éversion, interversion, inversion, ruine.

RENVERSER. Abattre, basculer, bouleverser, capoter, changer, chasser, chavirer, crouler, culbuter, détruire, éculer, éliminer, empêcher, épater, étonner, faucher, incliner, intervertir, inverser, invertir, jeter, mettre, pencher, plonger, provoquer, retourner, saccager, subvertir, terrasser, transposer, vaincre, verser, vider.

RENVOI. Ajournement, apostille, astérisque, balle, cassation, congé, congédiement, débauchage, destitution, éructation, exclusion, expulsion, ite, libéralisation, licenciement, marque, note, référence, régurgitation, remise, report, révocation, rot, sursis.

RENVOYER. Ajourner, chasser, congédier, conseiller, couper, désavouer, envoyer, exclure, flanquer, inviter, jeter, lancer, libérer, licencier, lourder, mettre, ordonner, rapatrier, réexpédier, réfléchir, refléter, refuser, rejeter, relancer, remercier, remettre, rendre, répercuter, repousser, répudier, résonner, retentir, retourner, retraiter, réverbérer, sabrer, sacquer, saquer, traduire.

RÉORGANISATION. Abandon, amélioration, avatar, cabriole, chambardement, changement, débâcle, détour, éclaircie, évolution, inflexion, magnétostriction, métagramme, métamorphose, métastase, modification, modulation, mue, mutation, nuance, oscillation, péripétie, phase, réforme, reniement, retournement, renversement, revirement, saute, subit, tel, transmutation, variation, virage.

RÉORGANISER. Isomérase, isomère, modifier, réarmer, réarranger, rebâtir, reconstituer, reconstruire, recréer, redéployer, réédifier, refaire, réformer, régénérer, remailler, réorchestrer, reprendre, restaurer, restructurer.

REPAIRE. Abri, antre, asile, bauge, cachette, caverne, clap, clapette, fort, gîte, habitation, litée, logement, nid, par, réduit, refuge, renardière, retraite, tanière, terrier, trou.

REPAÎTRE. Amuser, apaiser, assouvir, bourrer, calmer, carnassier, combler, contenter, délecter, dévorer, donner, gaver, gorger, nourrir, paître, rassasier, satisfaire, saturer, soûler, sursaturer.

RÉPANDRE. Agrainer, arroser, colporter, couvrir, débiter, déferler, dégager, déverser, diffuser, disperser, disséminer, distiller, distribuer, divulguer, ébruiter, échapper, éclairer, écouler, émaner, embaumer, émerger, emplir, envahir, épandre, éparpiller, épartir, essaimer, étaler, étendre, exhaler, extravaser, fleurer, fluer, imprégner, jeter, paver, pleurer, populariser, propager, publier, rentrer, ressemer, ruisseler, saler, semer, sentir, sortir, surgir, trompeter, verser, universaliser.

RÉPANDU. Abondant, accrédité, admis, ça et là, commun, connu, courant, diffus, dominant, écoulé, épars, étendu, infus, notoire, parsemé, populaire, pratiqué, profus, public, semé, su, versé.

RÉPARATEUR. Amateur, bidouilleur, bisouneux, bricoleur, bricolier, habile, mécanicien, motociste, patenteux, rafistoleur, reposant, rhabilleur, trafiquant.

RÉPARATION. Amélioration, bricolage, dédommagement, dépannage, prestation, raccommodage, radoub, rafistolage, raison, réfection, replâtrage, reprise, restauration, rétablissement, satisfaction, stoppage, travail, videlle.

RÉPARER. Améliorer, arranger, bricoler, calfater, dépanner, erratum, expier, maçonner, obturer, patenter, rabibocher, raccommoder, racheter, radouber, rafistoler, rafraîchir, rajuster, ramender, rapiécer, recoller, refaire, remettre, rentraire, rentrayer, replâtrer, restaurer, rétablir, retaper, venger.

REPARLER. Alerter, annoncer, apprendre, augurer, avertir, aviser, citer, commencer, communiquer, déceler, déclarer, dénoncer, dénoter, dire, exhaler, exposer, indiquer, informer, instruire, lire, marquer, notifier, parler, prêcher, prédire, préluder, présager, proclamer, publier, recauser, révéler, signaler, sonner, tinter.

REPARTIE. Argument, boutade, drôlerie, gag, mot, pique, réplique, réponse, riposte, saillie, spirituel, trait.

REPARTIR. Abandonner, aller, barrer, battre, casser, cavaler, classer, débouler, décamper, défiler, dégager, déguerpir, déloger, départ, détaler, disparaître, distribuer, éclipser, émigrer, évader, exiler, filer, fuir, ôter, partir, quitter, retourner, rogner, se faire la malle, sortir, tirer, venir.

RÉPARTIR. Adjuger, allotir, allouer, assoler, ballaster, céder, classer, destiner, disperser, disposer, distribuer, diviser, échelonner, étaler, gratifier, lotir, nantir, partager, partir, passer, reprendre, rétorquer, router, saupoudrer, sectoriser, servir, trier, ventiler, zoner.

RÉPARTITION. Agencement, arrangement, assiette, assolement, attribution, cession, choix, classement, collation, contingentement, distribution, dividende, division, horaire, impôt, ordre, partage, péréquation, régalage, quote-part, réseau, taxe, technique, tri, zonage.

REPAS. Agape, banquet, bombance, brunch, buffet, casse-croûte, casse-graine, cène, collation, déjeuner, dîner, dînette, en-cas, festin, frichti, frugal, gala, goûter, gueuleton, lippée, lunch, mâchon, méchoui, médianoche, menu, mess, nourriture, orgie, pique-nique, popote, postprandial, prandial, ragougnasse, réfection, régal, ressat, reste, réveillon, ripaille, service, soupe, souper, table, tétée, thé, toréée, ventrée.

REPASSAGE. Acérer, activer, affiler, affûter, agacer, aiguillonner, aiguiser, appointer, blanchir, broyer, chever, dégrossir, écacher, émorfiler, émoudre, exciter, fusil, meule, meuler, meulette, queue, rectifier, repasser, tranchant, usiner.

REPASSER. Affiler, affûter, aiguiser, calandrer, défriper, émorfiler, émoudre, empeser, évoquer, fer, gendarme, glacer, initier, lisser, mémoriser, passer, planche, plisser, redire, refiler, relire, remoudre, renfiler, retourner, retraverser, revenir.

REPÊCHER. Aider, choisir, dépanner, épreuve, jeune, pêcher, recevoir, recrue, requalifier, retirer, sauver, soutenir, tendre.

REPENSER. Continuer, ôter, rabrouer, rattraper, reconsidérer, rembarrer, redire, réitérer, remettre, remonter, renaître, renouer, rentamer, rentrer, réoccuper, repousse, reprendre, ressaisir, retirer, retaper, retremper, retrouver, tancer.

REPENTANT. Confus, contrit, fâché, impénitent, marri, péché, pénitent, repenti, résipiscence.

REPENTIR. Attrition, chagrin, changement, componction, contribution, contrition, correction, honte, mea culpa, pénitence, regret, regretter, remords, repentance, repentant, repenti, reprocher, résipiscencer, trace, tristesse, vouloir.

REPÉRAGE. Chasse, décèlement, découverte, dénichement, dépistage, détection, détermination, diagnostic, écholocation, identification, localisation, positivité, pronostic, récognition, reconnaissance, révélation, spatialisation.

RÉPERCUSSION. Choc, conséquence, contrecoup, écho, incidence, onde de choc, prolongement, réflexion, renvoi, retentissement, retombée, réverbération, suite.

RÉPERCUTER. Agir, choquer, déteindre, influencer, influer, jouer, peser, prolonger, réagir, réfléchir, refléter, renvoyer, répercussion, reporter, résonner, retentir, réverbérer, renvoyer, transférer.

REPÈRE. Amer, aperçu, balise, borne, cairn, cardinal, clap, claquette, coche, corne, curseur, décan, défini, degré, échelon, empreinte, GMT, GPS, grillé, index, indice, jalon, marque, mire, par, point, référence, référentiel, signe, signet, taquet, témoin, vu.

REPÉRER. Analyser, apercevoir, apprécier, aviser, constater, consulter, croiser, découvrir, démêler, discerner, distinguer, dominer, entrevoir, envisager, épier, éprouver, étaler, étudier, fixer, fréquenter, goût, jauger, juger, localiser, loger, marquer, mirer, naître, noter, observer, percevoir, planer, regard, regarder, savoir, supporter, trouver, voir, vu, vue.

RÉPERTOIRE. Barème, bottin, carnet, catalogue, ensemble, index, inventaire, liste, nomenclature, recueuil, relevé, table, tableau, thesaurus.

RÉPERTORIER. Archiver, arranger, calibrer, cataloguer, catégoriser, classer, classifier, considérer, dénombrer, distribuer, étiqueter, grouper, inscrire, inventorier, lister, numéroter, ordonner, ranger, répartir, séparer, sérier, trier.

RÉPÉTÉ. Alias, alternative, ambigu, ba, battement, bis, cap, choix, complexe, copie, couple, crémone, deux, dilemme, dualité, duplicata, enroue, faux, fla, géminé, itératif, jumeau, ombre, méiose, option, pli, préférence, rebattu, récurrent, récursif, redonnant, redoublé, rein, remplace, siamois, sosie, sournois, té, tréma.

RÉPÉTER. Bisser, corner, double, doubler, écho, fréquentatif, itératif, leitmotiv, matraquer, multiplier, obstiner, pléonasme, rabâcher, radoter, rapporter, rebattu, rechanter, réclamer, recommencer, récursif, redire, rééditer, refaire, réitérer, renaître, renouveler, repenser, reproduire, ressasser, retaper, scier, seriner, tautologie, trisser.

RÉPÉTITEUR. Caïman, leçon, maître, pion, professeur, surveillant, voyant.

RÉPÉTITIF. Fréquentatif, itératif, monotone, rabâchage, radotage, récurrent, redite, répétivité, scie.

RÉPÉTITION. Allitération, assonance, bi, bis, chaîne, écho, écholalie, encore, fois, fréquence, ibidem, id, idem, itération, litanie, martèlement, palicalie, palicinésie, période, périssologie, pléonasme, psittacisme, rebelote, rechute, redite, redondance, redoublement, réduplication, refrain, réitération, rengaine, reprise, resucée, retour, révision, ritournelle, routine, scie, séance, série, suite, sur, tautologie, tirade, train-train, trémolo.

REPEUPLER. Aleviner, coloniser, emplir, empoissonner, ensemencer, habiter, meubler, occuper, peupler, remplir.

REPIQUAGE. Adjonction, cession, délocalisation, déplacement, greffe, opération, projection, rempotage, rencaissage, reversement, téléchargement, traduction, transfert, transmission, transplantation, virement.

REPIQUER. Adonner, arracher, copier, dépiquer, dépoter, effectuer, greffer, pratiquer, transférer, transplanter, transporter, trouer, virer.

RÉPIT. Accalmie, amnistie, armistice, arrêt, camp, cesse, délai, détente, dilatoire, fin, interruption, latence, paix, pause, quiétude, relâche, rémission, repos, respirer, sieste, sursis, suspension, tranquillité, trêve.

REPLACER. Placer, rasseoir, recaser, recharger, remboîter, remettre, replacement, rétablir, situer.

REPLAT. Adoucissement, balcon, banquette, bar, belvédère, devanture, digue, épaulement, esplanade, galerie, plateforme, promenade, terrasse, tertre, toit, trottoir, vire.

REPLÂTRER. Améliorer, arranger, bricoler, dépanner, erratum, expier, obturer, rabibocher, raccommoder, radouber, rafistoler, rafraîchir, rajuster, ramender, rapiécer, refaire, remettre, rentrayer, réparer, restaurer, retaper, venger.

REPLET. Charnu, dodu, embonpoint, empâté, gras, grassouillet, plantureux, plein, potelé, rebondi, rond, rondelet, rondouillard.

RÉPLÉTION. Abondance, charnu, corpulence, dodu, empâté, excès, gras, grassouillet, plantureux, plein, plénitude, pléthore, satiété.

REPLI. Arête, autisme, barbillon, caché, couture, cutané, déroute, double, épicanthus, épiploon, fanon, faux, frein, hélix, intime, lèvre, manteau, mésentère, mésocolon, nœud, ondulation, ourlet, pli, prépuce, rabat, rebord, recoin, recul, rempli, retraite, revers, ride, sinuosité, valvule, velum.

REPLIABLE. Canapé-lit, changeable, conversible, convertissable, convertible, escamotable, métamorphosable, modifiable, pliant, rabattable, transformable, transmuable, transmutable.

REPLIÉ. Autiste, chiffonné, contracté, déformé, desséché, flétri, fripé, noué, parcheminé, pelotonné, plissé, rabattu, rabougri, racorni, ramassé, rapetissé, ratatiné, recroquevillé, retroussé, ridé, sinueux, tassé.

REPLIEMENT. Autisme, décrochage, dépression, introversion, recul, reflux, régression, repli, reploiement, retrait.

REPLIER. Abaisser, blottir, border, carguer, courber, décapoter, friser, froncer, gercer, intérioriser, isoler, ourler, plier, plisser, ployer, rabattre, racornir, raisonner, ramasser, recroqueviller, relever, renfermer, reployer, retrousser, rider, trousser.

RÉPLIQUE. Argumentation, artifice, clone, conférence, copie, démonstration, discussion, dissertation, duplicata, exemplaire, parangon, polémique, preuve, raisonnement, réfutation, représailles, rétorsion, secousse, sosie, thèse, tirade.

RÉPLIQUER. Argumenter, attaquer, combattre, confondre, contredire, critiquer, démentir, démontrer, détruire, infirmer, nier, objecter, opposer, préempter, prouver, raisonner, réfuter, renvoyer, répartir, répondre, riposter.

REPLOIEMENT. Autisme, décrochage, dépression, introversion, invagination, recul, reflux, régression, repli, repliement, replier, reployer, retrait.

REPLOYER. Abaisser, blottir, border, courber, décrocher, friser, froncer, gercer, plier, plisser, ployer, rabattre, recourber, reculer, réfléchir, relever, replier, retraiter, retrousser, rider, trousser.

RÉPONDANT. Argumentant, caution, écho, endosseur, garant, garantie, otage, parrain, porte-parole, responsable.

RÉPONDRE. Affirmer, attaquer, attendu, cautionner, clouer, conforme, décevoir, dire, écrire, énoncer, envoyer, façon, garantir, muet, obéir, objecter, raisonner, réagir, récriminer, récrire, réfuter, remplir, rendre, répartir, répliquer, rétorquer, riposter, river, satisfaire, tac.

REPONS. Air, bel byline, canto, cantatrice, cantilène, cappella, chant, chœur, choral, credo, dies irae, fado, flamenco, gospel, graduel, haka, hymne, introït, lied, marseillaise, mélopée, monodie, motet, musique, nénies, Noël, ode, oiseau, orphéon, péan, pluriel, poème, priapée, prose, psaume, ramage, rhapsodie, rive, sanctus, ska, solea, thrène, voceri, vocero.

RÉPONSE. Adresse, argument, oracle, boutade, dis, écho, éclaircissement, écrit, explication, justification, non, oc, oracle, ouais, oui, pardon, parole, peut-être, quiz, raison, réaction, réflexe, repartie, réplique, rescrit, riposte, saillie, sensibilité, si, solution, verdict.

REPORT. Ajournement, assignation, atermoiement, attentisme, bénéfice, bourse, décalque, délai, gain, opportunisme, plaque, procrastination, réforme, refus, reliquat, remise, renvoi, retard, retardement, sursis, temporisation, transfert, transport.

REPORTAGE. Article, enquête, journal, photoreportage, film, radioreportage, reporter, téléreportage, télévisé.

REPORTÉ. Réélu.

REPORTER (n. p.). Leroux, Londres, Millet, Peyrard, Rouletabille, Tintin.

REPORTER. Ajourner, appliquer, arriérer, décalquer, différer, éloigner, imprimer, journaliste, paparazzi, photojournaliste, placer, porter, proroger, rapporter, reculer, réélire, référer, rejeter, reléguer, remettre, remonter, renvoyer, report, retarder, retourner, revenir, reverser, transporter.

REPOS. Accalmie, arrêt, campo, cessation, cesse, césure, congé, convalescence, couché, délassement, détente, distraction, entracte, étape, halte, inaction, kief, lit, loisir, oasis, paix, pause, pause-café, port, quiétude, répit, sieste, sûr, trêve, vacance.

REPOSANT. Adoucissant, apaisant, balsamique, calmant, délassant, émollient, lénifiant, lénitif, rassurant, relax, relaxant, relaxe, sédatif, tranquillisant, stressant.

REPOSÉ. Aérium, délassé, détendu, dispos, frais, paresseux, stressé.

REPOSER. Arrêter, baser, cesser, consister, délasser, détendre, dormir, giser, relaxer, souffler.

REPOSOIR. Autel, custode, eucharistie, foyer, laraire, messe, offrandes, orgueil, montre, ostensoir, pied, pierre, reliquaire, sacrifices, tabernacle, table.

REPOUSSAGE. Ajouré, armature, bosse, buste, ciselage, dard, décoration, ébauche, façonnage, figurine, figurisme, gisant, glyptique, gravure, grisaille, image, maquette, modelage, monument, moulure, plastique, relief, sculpture, statuaire, statue, statuette, stèle, taille, tête, torse, totem.

REPOUSSANT. Abominable, affreux, dégoûtant, écœurant, effroyable, épouvantail, exécrable, fétide, hideux, infect, laid, nauséabond, rébarbatif, rebutant, récusant, repoussoir, répugnant, répulsif, sale, sordide.

REPOUSSER. Bannir, blackbouler, bouler, chasser, croître, dédaigner, déloger, différer, écarter, éconduire, éloigner, évaser, excuser, ouvrir, rabrouer, reculer, récuser, refouler, refuser, rejeter, rencogner, résister, ruser.

RÉPRÉHENSIBLE. Blâmable, commettre, condamnable, coupable, critiquable, délictueux.

REPRENDRE. Continuer, ôter, rabrouer, rattraper, reconsidérer, rembarrer, redire, réitérer, remettre, remontrer, renaître, renouer, rentamer, rentrer, réoccuper, repenser, repousse, ressaisir, retirer, retaper, retremper, retrouver, tancer.

REPRÉSAILLES. Animosité, châtiment, colère, compensation, punition, réclamation, réparation, rétorsion, revanche, riposte, talion, vendetta, vengeance, vindicte, violence.

REPRÉSENTANT. Agent, ambassadeur, ban, commis, commissionnaire, correspondant, délégué, envoyé, épigone, internonce, légat, nonce, parlementaire, placier, porte-parole, staroste, type, vendeur, vidame, voyageur.

REPRÉSENTATION. Allégorie, ambassade, anamorphose, buste, description, dessin, écriture, effigie, emblème, fantasme, figuratif, figure, idée, idéographie, image, imitation, légation, logo, peinture, personnification, phantasme, pièce, plan, portrait, proportionnelle, reproduction, rêve, scène, sigle, signe, spectacle, spectre, statue, symbole, théâtre, totem, trace, vue.

REPRÉSENTER. Camper, décrire, dépeindre, désigner, dessiner, évoquer, exposer, exprimer, figurer, idéaliser, imaginer, imiter, jouer, mimer, peindre, personnifier, rappeler, reproduire, simuler, styliser, symboliser, tenir l'affiche, tracer.

RÉPRESSIF. Absolu, arbitraire, correctif, crime, ferme, punitif, recours, recul, rejet, tyrannique.

RÉPRESSION. Amende, châtiment, condamnation, correction, décharge, dérogation, exemption, expiation, knout, impunité, leçon, peine, pénalité, pensum, punition, retenue, sanction, supplice, talion, vindicte.

RÉPRIMANDE. Blâme, douche, gronderie, leçon, menace, mercuriale, morale, observation, savon, semonce, tance.

RÉPRIMANDER. Admonester, avertir, azorer, blâmer, chicaner, condamner, disputer, engueuler, étriller, gourmander, gronder, houspiller, laver, mater, menacer, moraliser, morigéner, moucher, prêcher, reprendre, savonner, semoncer, sermonner, tancer.

RÉPRIMER. Brider, briser, châtier, combattre, commander, contenir, contraindre, écraser, enrayer, étouffer, interdire, irrépressible, maîtriser, mater, punir, ravaler, refouler, refréner, rentrer, retenir, sanctionner, sévir.

REPRIS. Affairé, bu, débordé, épris, eu, exalté, isolé, louable, occupé, pris, ressaisi.

REPRISE. Canon, dégel, délignage, gong, raccommodage, rapiéçage, rattrapage, ravaudage, rebondissement, rechute, reconquête, relance, rempiètement, renouveau, réouverture, répété, rescousse, retour, round, volée.

REPRISER. Aiguille, galvauder, raccommoder, rapiécer, ravauder, rempiéter, reprisage, stopper.

RÉPROBATION. Anathème, animadversion, blâme, condamnation, critique, damnation, désapprobation, malédiction, opprobre.

REPROCHE. Accusation, admonestation, avertissement, blâme, censure, compliment, correction, critique, diatribe, éloge, grief, louange, plainte, remarque, remords, savon, semonce, sérénade, sévérité.

REPROCHER. Accuser, admonester, blâmer, chapitrer, chicaner, critiquer, grief, gronder, morigéner, prêcher, régenter, regretter, relancer, repentir, réprimander, semoncer, sermonner, tancer, taxer, vouloir.

REPRODUCTEUR. Copieur, dédoubleur, doubleur, duplicateur, photocopieur, polycopieur.

REPRODUCTIBLE. Bourgeon, conception, copiable, étalon, fécondité, fertilité, imitable, prolificité.

REPRODUCTION. Apomixie, copie, crèche, étalon, fac-similé, fécondation, génération, hétérogamie, imitation, isogamie, litho, lithographie, mimétisme, multiplication, oviparité, pollen, réduction, reflet, ronéo, scissiparité, sosie, spore, sporulation.

REPRODUIRE. Calquer, contrefaire, copier, décalquer, dessiner, doubler, emprunter, engendrer, exprimer, imiter, peindre, produire, refléter, répéter, reprendre, représenter, restituer, ronéoter, ronéotyper, restituer, singer, taper, tirer.

RÉPROUVÉ. Abîmé, adiré, avertissement, avis, condamné, cuit, damné, désert, détourné, disparu, écarté, égaré, éloigné, introuvable, isolé, fichu, foutu, gâché, incurable, lointain, maudit, ôté, paria, paumé, perdu, reculé, retiré, ruiné.

RÉPROUVER. Anathématiser, blâmer, censurer, condamner, critiquer, rejeter, repousser, vitupérer.

REPTATION. Bassesse, cabriole, courbette, crapahute, déplacement, rampement, servilité.

REPTILE. Alligator, amphisbène, anaconda, atlantosaure, boa, caïman, caméléon, céraste, chélonien, cobra, constrictor, couleuvre, croco, crocodile, crotale, dinosaure, diplodocus, élaps, eunecte, gavial, gecko, hattéria, ichtyosaure, iguane, iguanodon, lézard, moloch, naja, ophidien, ornithischien, orvet, ptéranodon, ptérodactyle, python, salamandre, saurien, scinque, seps, serpent, sphénodon, stégosaure, terrarium, tortue, triceratops, tyrannosaure, varan, vipère, zonure.

REPU. Assouvi, bourré, dégoûté, gavé, ivre, rassasié, saoul, satisfait, saturé, soûl, sursaturé.

RÉPUBLICAIN (n. p.). Bush, Eisenhower, Ford, Gambetta, Graziani, Hoover, Lincoln, Nixon, Reagan, Roosevelt.

RÉPUBLICAIN. Bousingot, calendrier, égalitaire, moineau, oiseau, passereau, tisserin, voltairien

REPUBLIER. Bisser, corner, double, doubler, écho, itératif, leitmotiv, pléonasme, rabâcher, radoter, rechanter, redire, redoubler, rééditer, réitérer, renaître, repenser, répéter, ressasser, retaper, scier, seriner, tautologie, trisser.

RÉPUBLIQUE. Calendrier, démocratie, état, marienne, nation, oiseau, président, sénat, tisserin.

RÉPUBLIQUE, AFRIQUE AUSTRALE (n. p.). Swaziland, Zambie, Zimbabwe.

RÉPUBLIQUE, AFRIQUE CENTRALE (n. p.). Burundi, Rwanda, Tchad.

RÉPUBLIQUE, AFRIQUE DU NORD (n. p.). Algérie, Éthiopie, Tunisie.

RÉPUBLIQUE, AFRIQUE OCCIDENTALE (n. p.). Bénin, Gambie, Ghana, Guinée, Liberia, Mali, Niger, Nigéria, Sénégal, Togo.

RÉPUBLIQUE, AFRIQUE ORIENTALE (n. p.). Kenya, Malawi, Mozambique, Ouganda, Somalie, Soudan, Tanzanie.

RÉPUBLIQUE, AMÉRIQUE CENTRALE (n. p.). Costa-Rica, Guatemala, Nicaragua.

RÉPUBLIQUE, AMÉRIQUE DU NORD (n. p.). États-Unis.

RÉPUBLIQUE, AMÉRIQUE DU SUD (n. p.). Argentine, Bolivie, Brésil, Chili, Colombie, Équateur, Guatemala, Guyana, Honduras, Nicaragua, Paraguay, Pérou, Surinam, Uruguay, Venezuela.

RÉPUBLIQUE ARABE UNIE (n. p.). RAU.

RÉPUBLIQUE, ASIE (n. p.). Chine, Géorgie, Inde, Indonésie, Kirghizstan, Liban, Sri Lanka, Turquie.

RÉPUBLIQUE DOMINICAINE, CAPITALE (n. p.). Saint-Domingue.

RÉPUBLIQUE DOMINICAINE, LANGUE. Espagnol.

RÉPUBLIQUE DOMINICAINE, MONNAIE. Peso.

RÉPUBLIQUE DOMINICAINE, VILLE (n. p.). Azua, Enriquillo, Jarabacoa, Jimani, Mao, Nagua, Puerto Plata, Saint-Domingue, Samana, Sanchez, San Cristobal.

RÉPUBLIQUE, EUROPE (n. p.). Allemagne, Croatie, Estonie, Finlande, France, Grèce, Hongrie, Irlande, Islande, Italie, Lituanie, Marianne, Moldavie, Pologne, Portugal, Roumanie.

RÉPUBLIQUE, FRANÇAISE (n. p.). G.P.R.F., Gueuse, Marianne, R.F.

RÉPUBLIQUE, ISLAMIQUE (n. p.). Afghanistan, Comores, Iran, Irak, Iraq, Mauritanie, Pakistan, Tchécoslovaquie.

RÉPUBLIQUE RUSSIE (n. p.). Adygués, Altaï, Bachkortostan, Bouriatie, Carélie, Daguestan, Georgie, Iakoutie, Ingouchie, Kabardino-Balkarie, Kalmoukie, Karatchaïs-Tcherkesses, Kazakhstan, Khakassie, Kirghizistan, Komis, Maris, Mordovie, Ossétie du Nord, Oudmourtie, Sakha, Tatarie, Tatarstan, Tchétchénie, Tchouvachie, Tiva, Touva.

RÉPUBLIQUE SLOVAQUE, CAPITALE (n. p.). Bratislava.

RÉPUBLIQUE SLOVAQUE, LANGUE. Hongrois, rom, ruthène, slovaque, tchèque, ukrainien.

RÉPUBLIQUE SLOVAQUE, MONNAIE. Couronne.

RÉPUBLIQUE SLOVAQUE, VILLE (n. p.). Bratislava, Kosice, Nitra, Tioumen.

RÉPUBLIQUE TCHÈQUE, CAPITALE (n. p.). Prague.

RÉPUBLIQUE TCHÈQUE, LANGUE. Slovaque, tchèque.

RÉPUBLIQUE TCHÈQUE, MONNAIE. Couronne, euro.

RÉPUBLIQUE TCHÈQUE, VILLE (n. p.). Austerlitz, Bor, Brunn, Cheb, Mezimosti, Most, Ostrava, Pisek, Plzen, Prague, Praha, Prostejov, Sadova, Usti, Zlin.

RÉPUDIER. Abandonner, chasser, divorcer, rejeter, renier, renoncer, renvoyer, repousser.

RÉPUGNANCE. À contrecœur, antipathie, aversion, dégoût, haine, horreur, nausée, paresse, répulsion, zire.

RÉPUGNANT. Abject, affreux, dégoûtant, écœurant, exécrable, fétide, hideux, horrible, ignoble, immonde, infâme, infect, laid, malpropre, nauséeux, odieux, rebutant, repoussant, répulsif, salaud, saligaud, salop, sordide, visqueux.

RÉPUGNER. Déplaire, haïr, hésiter, rebuter, rechigner, refuser, dégoûter, rejeter, renâcler, renifler.

RÉPULSION. Attraction, attrait, aversion, dédain, dégoût, écœurement, haine, haut-le-cœur, horreur, nausée, opposition, répugnance.

RÉPUTATION. Aura, calomnie, célébrité, considération, cote, crédit, estime, gloire, honneur, honorabilité, marque, mémoire, nom, notoriété, opinion, popularité, prestige, renom, renommée, tache, vertu, vogue.

RÉPUTÉ. Accrédité, as, célèbre, censé, connu, considéré, coté, éminent, estimé, fameux, honorable, illustre, important, insigne, malfamé, marquant, prestigieux, regardé, renommé, signalé, vanté, vogue.

REQUÉRIR. Contraindre, délivrer, exiger, interpeller, invitation, mander, réclamer, sommer.

REQUÊTE. Appel, combattant, demande, démarche, diligence, instance, invitation, pétition, placet, prière, quête, réquisition, rogations, saisine, service, soldat, supplication, supplique, voeu.

REQUIEM. Absoute, acte, agnus dei, anamnèse, angélus, appel, ave, bénédicité, canon, credo, cri, demande, gloria, introït, laudes, libera, litanie, oraison, orate, orémus, pater, prière, requête, rosaire, salat, salut, salve.

REQUIN. Aiguillat, ange de mer, baleine, blanc, brochet, chien, dormeur, émissole, griset, laimargue, lamie, léopard, lézard, lutin, marteau, pèlerin, perlon, pilote, remorqueur, renard de mer, roussette, scie, sélacien, squale, squatine, tapis, taupe, tigre, touille.

REQUINQUER. Animer, attiser, fortifier, ragaillardir, ranimer, ravigoter, raviver, réanimer, réconforter, reconstituer, régénérer, remettre, remonter, reprendre, restaurer, retaper, revigorer, revivifier, soutenir, stimuler, tonifier.

REQUIS. Acceptable, adéquat, allé, appartient, approprié, bien, bon, coiffant, compétence, conforme, congru, convenable, convenir, correct, décent, dire, honorable, idoine, juste, judicieux, légal, nécessaire, net, opportun, pertinent, plaire, présentable, séant, seoir, sied, souhaitable, suffisant, va, vrai.

RÉQUISITION. Acte, angarie, appel, conclusion, demande, démarche, hypothèse, instance, invitation, pétition, placet, prière, procédure, quête, requête, réquisitoire, rogations, service, supplication, supplique.

RÉQUISITOIRE. Accusation, attaque, blâme, calomnie, charge, chasse, crime, critique, culpabilisation, dénigrement, diatribe, diffamation, grief, imputation, incrimination, inculpation, médisance, philippique, plainte, poursuite, reproche.

RESCAPÉ. Indemne, miraculé, réchappé, sain, sauf, sauvé, survivant, vivant.

RESCINDANT. Abolition, amputation, annulatif, annulation, cassure, incompatible, rescisoire.

RESCINDER. Abolir, abroger, amortir, anéantir, annuler, barrer, biffer, casser, cesser, clore, décommander, dédire, dénoncer, dissoudre, éluder, enlever, éteindre, infirmer, invalider, néant, neutraliser, ôter, rapporter, raser, raturer, rayer, réformer, reprendre, résilier, résoudre, révoquer, rompre, supprimer.

RESCISION. Abolition, abrogation, annulation, caducité, cassation, casse, casser, dénonciation, diriger, dispense, dissolution, divorce, éteindre, infirmation, invalidation, irritant, lésion, nullité, oblitération, rature, réforme, résiliation, résolution, résoudre, retrait, révocation, rupture.

RESCOUSSE. Aide, appui, assesseur, assistance, auditoire, charité, foule, gardien, gratitude, hospice, nourrice, office, orthèse, protection, public, renfort, secourir, secours, service, servir, subside, subvention, secourir, secours.

RESCRIT. Amnistie, attentat, bienfait, bill, bref, dahir, déclinatoire, décret, droit, écrit, écrou, effort, forfaiture, formalité, fraude, injustice, irradié, loi, offre, ordonnance, protêt, qualité, ratification, réescompte, rite, sceau, seing, sujet, testament, texte, titre, trahison, union.

RÉSEAU (n. p.). Adsl, Al-Qaida, Internet, Intessat, Intranet, NRJ, Web.

RÉSEAU. Canalisation, encercler, enchevêtrement, ensemble, entrelacement, filet, filigrane, intranet, labyrinthe, lacis, nanoréseau, organisation, quadripôle, remplage, réseautage, réticulum, serveur, station, télex, tisser, toile, trame, voirie.

RÉSECTION. Ablation, abscission, amputation, castration, exérèse, laminectomie, ostéotomie, vasectomie.

RÉSÉDA. Dialypétale, dicotylédone, fleur, gaude, herbe-aux-juifs, mignonnette, résédacée, teinturiers.

RÉSERVATION. Boîte, bourriche, casier, classeur, consigne, fichier, nasse, nasette, panier, rayons, tiroir.

RÉSERVE. Abajoue, cartouche, cave, circonspection, économie, exception, distant, impertinence, impudence, indiscrétion, insolence, modeste, nuée, piste, privé, prudence, pudeur, pudique, resserre, retenu, retenue, sauf, simple, stock, trésor.

RÉSERVÉ. Attribué, attitré, cachottier, circonspect, destiné, dévolu, discret, disert, gardé, humble, immodeste, imparti, méfiant, modeste, présomptueux, privé, restreint, retenu, réticent, sage, silencieux, timide.

RÉSERVE AMÉRINDIENNE (n. p.). Akwesasne, Caughnawaga, Kahnawake, Maliotenam, Manouane, Mashtewiash, Odanak, Pilogan, Pointe-Bleue, Pointe-Parent, Restigouche, Romaine, Saint-Augustin, Saint-Régis, Wendake, Wounded Knee.

RÉSERVER. Accorder, assurer, conserver, destiner, économiser, épargner, garder, laisser, louer, ménager, monopoliser, prédestiner, prendre, préparer, réservation, retenir, rétention.

RÉSERVOIR (n. p.). Assouan, Baie James, Caniapiscau, Chémery, Émosson, Girotte, Gouin, Manicouagan, Marne, Oô, Settons.

RÉSERVOIR. Aquarium, bac, bâche, bain-marie, ballast, barrage, bassin, cellier, citerne, cuve, dôme, dock, étang, lac, nourrice, puits, reverdoir, retenue, silo, tank, timbre, trémie, vase, vasière, vésicule, vessie, vivier.

RÉSIDENCE (n. p.). Alhambra, Élysée, Hampton Court, Kremlin, Longwood, Meech, Saint-Pierre.

RÉSIDENCE. Aire, ambulant, bungalow, consulat, cottage, cour, cure, demeure, domicile, habitation, horsain, horsin, maison, mas, mitage, néolocal, nonciature, palais, patrilocal, presbytère, seigneurie, séjour, séniorie, siège, virilocal

RÉSIDENT. Agent, bey, bureaucrate, curateur, employé, étudiant, fonctionnaire, gouverneur, habitant, légat, magistrat, moniteur, muezzin, personne, préfet, proviseur, scribe, sous-ministre, tabellion, wali, zoreille.

RÉSIDER. Consister, demeurer, gésir, habiter, loger, occuper, rester, séjourner, siéger, tenir.

RÉSIDU. Babeurre, bagasse, boue, brai, cendre, charrée, copeau, débris, déchet, dépôt, détritus, drêche, escarbille, fond, friton, grattons, lie, limaille, marc, mélasse, miette, ordure, rebut, reste, rillons, saburre, scorie, sédiment, son, tartre, vase, vinasse.

RÉSIGNATION. Abandon, adjudication, allégeance, devis, fatalisme, inférieur, islam, obédience, obéissance, offre, ordre, passivité, patience, philosophe, renoncement, servitude, soumission, victime.

RÉSIGNER. Abandonner, abdiquer, accepter, avaler, céder, consoler, contenter, démettre, démissionner, endurer, immoler, plaindre, plier, quitter, renoncer, sacrifier, soumettre, soumis, subir, supporter.

RÉSILIABLE. Admissible, annihilable, annulable, attaquable, congéable, précaire, prescriptible, provisoire, rescisible, révocable.

RÉSILIATION. Abrogation, annulation, congé, fin, renon, renonciation, ristourne.

RÉSILIER. Annuler, bail, invalider, renoncer, rescinder, résiliable, révoquer, rompre.

RÉSILLE. Armature, bas, entrelacement, filet, labyrinthe, lacis, net, réseau, réticule, tissu.

RÉSINE. Aloès, ambre, arcanson, ase, assa, bakélite, baume, benjoin, brai, calfat, cire, colophane, copal, encens, galipot, gemme, glu, gomme, goudron, haschich, haschisch, laque, ligot, mastic, myrrhe, oliban, oribus, phénoplaste, pin, poix, sandaraque, sang-de-dragon, sang-dragon, sapin, succin, térébenthine, thuya.

RÉSINEUX. Abiès, abiétacée, abiétinée, araucaria, arbre, arolle, cèdre, cembro, cèdre, chermès, cône, conifère, épicéa, épinette, mélèze, pesse, pignet, pignon, pin, pinacée, sapin, sapinette, spruce, stuga.

RÉSINIER. Agriculteur, arboriculteur, cultivateur, gemmeur, ouvrier, pin, récolteur, résine.

RÉSIPISCENCE. Attrition, componction, contrition, désespoir, pénitence, regret, remords.

RÉSISTANCE. Défense, difficulté, dureté, endurance, fermeté, force, gril, immunité, inertie, lutte, mou, mutinerie, obstacle, obstruction, ohm, opposition, rébellion, rénitence, rhéostat, sédition, siemens, solidité, ténacité, volt.

RÉSISTANT. Consistant, coriace, costaud, dur, durable, endurant, fedayin, fer, ferme, fort, increvable, infatigable, inusable, ligneux, maquisard, rénitent, robuste, rude, rustique, solide, stable, tenace.

RÉSISTER. Affermir, braver, cabrer, chicaner, combattre, débattre, défendre, désobéir, durer, fixer, lutter, maintenir, maugréer, opposer, raidir, réagir, réfractaire, refuser, regimber, repousser, supporter, survivre, tenir.

RÉSISTIVITÉ. Admittance, condensateur, impédance, inductance, ohms, réactance, résistance, siemens.

RÉSOLU. Brave, constant, décidé, dénoué, déterminé, ferme, gonflé, hardi, martial, prêt, suspens.

RÉSOLUBLE. Contrôlable, décidable, démontrable, déterminable, possible, soluble, testable, vérifiable.

RÉSOLUTIF. Antiphlogistique, cataplasme, compresse, diachylon, diachylum, emplâtre, hémostatique, magdaléon, médicament, pansement, résolutoire, révulsif, sinapisme, sparadrap, topique, vésicatoire.

RÉSOLUTION. Complot, conseil, décision, dessein, division, énergie, fermeté, indécision, lâcheté, levée, motion, moyen, parti, projet, propos, rage, réduction, retour, séparation, transformation, vœu, volonté.

RÉSONANCE. Amplitude, bruit, caisse, écho, effet, égophonie, étrangeté, IRM, retentissement, son, sonorité, syntonie.

RÉSONNE. Aisé, béat, bienheureux, claironnant, comblé, content, enchanté, fat, fiérot, gai, gavé, heureux, joisse, jouasse, joyeux, jubilant, orgueilleux, présomptueux, radieux, rassasié, ravi, réjoui, repu, satisfait, triomphant.

RÉSONNER. Bruire, claironner, entendre, marteler, retentir, sonner, sonore, tinter, tintinnabuler.

RÉSORBER. Abolir, absorber, avaler, boire, calculer, comprimer, dénouer, disparaître, dissoudre, éponger, happer, manger, résorption, solutionner, trancher.

RÉSOUDRE. Décider, dénouer, deviner, élucider, exécuter, finir, juger, liquider, régler, trancher.

RESPECT. Auguste, considération, crainte, culte, décence, déférence, dignité, égard, estime, hommage, honneur, légalisme, ordre, piété, politesse, prier, pudeur, révérence, rigorisme, ritualisme, sacro-saint, tolérance, vénération.

RESPECTABLE. Auguste, digne, dignitaire, estimable, honorable, important, imposant, majesté, patriarche, sacré, vénérable.

RESPECTER. Comporter, conduire, considérer, craindre, déférer, enfreindre, épargner, estimer, établir, garder, honorer, imposer, ménager, obéir, observer, redresser, révérer, saluer, tenir, traiter, vénérer.

RESPECTIF. Bizarre, caractéristique, chacun, chaque, distinct, distinctif, individu, individuel, intime, local, original, particulier, personnel, privé, propre, rare, séparé, spécial, spécifique, subjectif, typique, unique.

RESPECTUEUX. Auguste, conformiste, courtois, déférent, humble, loyal, poli, régulier, révérencieux.

RESPIRATION. Air, anhélation, apnée, asphyxie, aspiration, bouffée, expiration, haleine, halètement, inhalation, inspiration, oxygène, pause, poussive, râle, râlement, repos, respir, sifflement, souffle, soupir, stertor.

RESPIRER. Ahaner, anhéler, aspirer, bâiller, ébrouer, époumoner, étouffer, exhaler, expirer, haleter, inhaler, inspirer, intuber, marquer, poumon, pousser, poussif, râler, sels, siler, souffler, soupirer, vivre.

RESPLENDIR. Brasiller, briller, chatoyer, éblouir, éclater, fleurir, luire, rayonner, signaler.

RESPLENDISSANT. Admirable, ardent, brillant, éblouissant, éclatant, étincelant, flamboyant, florissant, fracassant, grandiose, insigne, lumineux, perçant, pétulant, radieux, rayonnant, retentissant, rutilant, somptueux, sonore, spectaculaire, splendide, tonitruant, tonnant.

RESPLENDISSEMENT. Beauté, éclat, luxe, magnificence, pompe, prestige, renom, succès, triomphe.

RESPONSABILITÉ. Astreinte, bien, boulet, commandement, contrainte, culpabilité, dette, devoir, dilemme, dîme, endogamie, endossé, exigence, exogamie, garantie, impôt, loi, nécessité, obligation, participation.

RESPONSABLE. Auteur, chef, comptable, condamnable, conscient, contremaître, cornac, coupable, dirigeant, endosse, engagé, fautif, fourrier, garant, instigateur, mature, officiel, pendable, punissable, réfléchi, régisseur.

RESQUILLER. Carotter, écornifler, épier, érafler, frauder, grappiller, griveler, guetter, observer, rafler, surveiller.

RESQUILLEUR. Aiglefin, bandit, brigand, cambrioleur, canaille, chenapan, cleptomane, détrousseur, écornifleur, entôleur, escroc, filou, fraudeur, fripon, larron, malandrin, malfaiteur, pillard, receleur, stellionataire, tire-laine, tricheur, truand, voleur.

RESSAISIR. Raccrocher, rattraper, recouvrer, reprendre, ressaisissement, retrouver, sang-froid.

RESSASSER. Insister, meule, rabâcher, redire, réflexion, remâcher, répéter, ruminer, seriner.

RESSAUT. Crossette, décrochement, larmier, redan, redent, replat, ressauter, retraite, rupture, saillie.

RESSEMBLANCE. Affinité, air, air de famille, analogie, autre, concordance, conformité, connexion, désaccord, différence, disparité, genre, image, même, mimétisme, parenté, portrait, rapport, semblable, similitude, sorte, sosie, suite.

RESSEMBLANT. Analogue, approchant, comparable, craché, équivalent, proche, semblable, similaire, voisin.

RESSEMBLER. Apparenter, avoisiner, correspondre, imiter, penser, rappeler, rapprocher, tenir.

RESSENTI. Abhorré, abominé, affreux, craint, détesté, épouvantable, eu, exécrable, haï, haïssable, horripilé, inéprouvé, senti, souffert.

RESSENTIMENT. Amertume, animosité, dépit, haine, ire, ombrage, rancœur, rancune, vengeance.

RESSENTIR. Affecter, avoir, connaître, dévorer, donner, endurer, éprouver, feeling, flipper, goûter, inspirer, percevoir, regretter, scandaliser, sentir, souffrir, subir, suffoquer, trépider.

RESSERRÉ. Aigu, aminci, canal, encaissé, étranglé, étréci, étroit, fin, menu, mince, réserve, serré, silo.

RESSERREMENT. Astringence, constriction, contraction, étranglement, étreinte, raideur, rapprochement, rétraction, rétrécissement, rigidité, roideur, sphincter, striction, trisme.

RESSERRER. Ajuster, amincir, comprimer, condenser, contracter, diminuer, emprisonner, encaisser, étouffer, étrangler, presser, raffermir, rajuster, reboulonner, refermer, remiser, rétrécir, réunir, revisser, serrer, tasser, visser.

RESSORT. Activité, amortisseur, ardeur, attribution, audace, boudin, bravoure, clip, cœur, courage, cran, crime, déclic, demi-bande, domaine, énergie, force, mandement, moteur, pompe, remontoir, spiral, store, suspension, tonus, va-et-vient.

RESSORTIR. Apparoir, dépendre, dessiner, détacher, éprouver, évident, manifeste, trancher.

RESSORTISSANT. Allégeance, apatride, assujetti, cité, collectivité, communauté, état, gens, gent, justiciable, nationalité, naturalisation, panthéon, patrie, pays, peuple, pile, population, race, subsistant.

RESSOURCE. Abondance, adresse, aisance, alibi, appui, aptitude, défense, denier, excuse, expédient, expérience, ingéniosité, mine, moyen, opulence, panne, pécule, prospérité, refuge, reste, richesse.

RESSURGIR. Apparaître, élancer, élever, émerger, jaillir, manifester, montrer, naître, paraître, rallier, rebrousser, reculer, refluer, regagner, réintégrer, resurgir, revenir, sortir, surgir, survenir, venir.

RESSUSCITER. Animer, guérir, manifester, ramener, réanimer, ramener, réapparaître, relever, remettre, renaître, renouveler, reprendre, résurrection, rétablir, réveiller, revenir, revivre.

RESTANT. Chicot, débris, fond, miette, poste, rab, rabiot, rebut, résidu, reste, solde, trace.

RESTAURANT. Auberge, bistrot, boui-boui, brasserie, brassette, buffet, buvette, cabaret, cafétéria, cantine, carte, gargote, grill, mess, pizzeria, popote, réfectoire, relais, restoroute, rôtisserie, routier, serveur, snack, snack-bar, taverne, trattoria.

RESTAURATEUR. Aubergiste, cabaretier, cafetier, cuisinier, gargotier, guéranger, hôtelier, limonadier, mastroquet, patron, popotier, rôtisseur, taulier, tavernier, tenancier, tôlier, traiteur.

RESTAURATION. Anaplastie, autogreffe, fast-food, opération, ostéoplastie, ravalement, réfection, réhabilitation, rénovation, réparation, repas, rétablissement, sauvegarde, stomatoplastie, style, uranoplastie, vigueur.

RESTAURER. Manger, nourrir, rassasier, reconstruire, refaire, rénover, réparer, rétablir, retaper.

RESTE. Arrérages, casanier, chicot, déblai, débris, décharge, déchet, décombres, demeure, épave, etc., et cætera, et cetera, fossile, fragment, if, issue, miette, relent, reliquat, relief, résidu, rogaton, rognure, tintouin, toutim, toutime, vert, vestige.

RESTER. Attarder, attendre, bride, croupir, demeurer, domicilié, durer, éterniser, fatiguer, habiter, hanter, immortaliser, loger, maintenir, mariner, moisir, pourrir, relief, résider, rogaton, séjourner, stationner, subsister, tenir, traînasser, végéter.

RESTES. Bribes, compléments, décombres, fragments, relents, reliefs, résidus, ruines, traces.

RESTITUER. Décompresser, rapporter, redonner, régurgiter, remettre, rendre, rétablir, retourner, traduire, vomir.

RESTITUTION. Amélioration, convalescence, dotal, magnétophone, guérison, pacification, reconstitution, recouvrement, régénération, remise, restauration, rétablissement, salut.

RESTREINDRE. Abréger, abstenir, adoucir, amoindrir, assujettir, borner, changer, comprimer, contingenter, contraindre, corriger, diminuer, excepter, exigu, limiter, modifier, réduire, renfermer, rétrécir.

RESTREINT. Borné, bref, diminué, étroit, large, limité, petit, réservé, rétréci, stricto sensu.

RESTRICTIF. Absolument, diminutif, encore, limitatif, mais, pourtant, prohibitif, répressif, strict.

RESTRICTION. Clause, compression, condition, convention, critique, diminution, doute, économie, équivoque, limitation, malthusianisme, pourtant, rationnement, réduction, réserve, réticence.

RESTRUCTURATION. Dégraissage, mise à pied, perestroïka, réaménagement, réorganisation.

RÉSULTANT. Bis, consécutif, engendré, file, induit, issu, né, quant, séquentiel, successif, ultérieur, volée.

RÉSULTAT. Aboutissement, adduit, apparoir, appert, battement, bilan, but, conclusion, décision, différence, effet, fin, fruit, gelure, issue, œuvre, portée, produit, quotient, reste, réussite, score, somme, stérile, succès, suite, tentative, vain, vie.

RÉSULTER. Aboutir, découler, dépendre, dériver, ensuivre, entraîner, induire, induit, issu, naître, procéder, provenir, ressortir, sortir, suivre, tenir, trouver, venir.

RÉSUMÉ. Abrégé, analyse, aperçu, bref, catéchisme, concis, condensé, court, cursif, digest, diminution, épiphénomène, épitomé, exposé, extrait, mémento, notice, petit, précis, relevé, sommaire, synopsis, synthèse, testament.

RÉSUMER. Abréger, analyser, condenser, consister, écrire, exposer, ramasser, récapituler, réduire.

RÉSURGENCE. Ecmnésie, mer, réapparition, regain, renaissance, retour, réveil, revival, vauclusien.

RESURGIR. Apparaître, élancer, élever, émerger, jaillir, manifester, montrer, naître, paraître, rallier, rebrousser, reculer, refluer, regagner, réintégrer, ressurgir, revenir, sortir, surgir, survenir, venir.

RÉSURRECTION. Essor, éveil, gothique, incarnation, maïolique, majolique, métempsycose, palingénésie, pâques, portulan, progrès, régénération, renaissance, renouveau, renouvellement, retour, réveil.

RETABLE. Chemise, divan, dossier, farde, observation, parafeur, parapher, parapheur, sac, sellette, violoné.

RÉTABLIR. Arranger, colmater, décoder, guérir, pacifier, raffermir, ramener, ranimer, rebondir, reconstituer, refaire, régénérer, réinstaller, réintégrer, relever, renouveler, réparer, replacer, restaurer, restituer, retaper, sauver.

RÉTABLISSEMENT. Amélioration, analepsie, convalescence, guérison, médecine, pacification, raffermissement, recouvrement, relèvement, régénération, remise, rénovation, restauration, restitution, retour, salut.

RETAILLER. Biseauter, ciseler, cliver, couper, découper, diminuer, échancrer, écharper, écimer, élaguer, émonder, équarrir, étêter, fuseler, hacher, partir, raccourcir, rafraîchir, recouper, sculpter, smiller, tailler, tondre, topiaire, tuer.

RÉTAMER. Abandonner, arracher, défruiter, dégarnir, démunir, dénuder, dénuer, dépiauter, déplumer, déposséder, dépouiller, détrousser, ébarber, ébourrer, ébrancher, écorcher, égermer, élaguer, équeuter, étronçonner, frustrer, lessiver, nettoyer, ôter, piller, plumer, priver, renoncer, rober, spolier, tondre, voler.

RETAPE. Battage, bluff, bruit, charlatanisme, frappage, frappe, martelage, publicité, racolage, réclame, vent.

RETAPER. Améliorer, arranger, corriger, décorer, défroisser, embellir, enjoliver, enrichir, garnir, guérir, parer, rafistoler, recouvrer, redonner, refaire, remettre, réparer, rétablir, taper, tirer.

RETARD. Ajournement, arrérage, arrêt, arriéré, atermoiement, attarder, bourre, décalage, délai, démodé, dysphasie, gap, hypotrophie, hystérésis, lenteur, moratoire, péril, périmé, piétinement, prolongation, remise, tard, traîne.

RETARDEMENT. Attente, délai, lenteur, longueur, recul, renvoi, retard, sursis, suspension.

RETARDER. Ajourner, amuser, arrêter, arriérer, atermoyer, attarder, attendre, décaler, demeurer, dépasser, différer, éloigner, ignorer, rabougrir, ralentir, reculer, remettre, remiser, retenir, surseoir, tarder, temporiser, traîner.

RETEINDRE. Azurer, biser, brillanter, bruir, chiner, ciseler, colorer, friser, gaufrer, glacer, gommer, lustrer, moirer, ocrer, peinturer, racinette, recolorer, regommer, repeinturer, rocouer, satiner, teindre.

RETENIR. Agrafer, agréer, arrêter, assurer, bride, captiver, contenir, détenir, digue, éclater, fanon, filet, fixer, frein, fuser, garder, glu, intéresser, louer, muger, ôter, prime, ravaler, refouler, refréner, réserver, résonner, retarder, saisir, tenir, venet.

RETENTIR. Empêcher, enchaîner, frapper, fuser, mugir, rebondir, remplir, résonner, tinter.

RETENTISSANT. Ample, assourdissant, bruyant, éclatant, éminent, fort, fracassant, fusant, gros, puissant, résonnant, sonore, stentor, tonitruant, tonnant, vibrant.

RETENTISSEMENT. Bruit, contrecoup, écho, éclat, effet, impact, répercussion, résonance, son, succès.

RETENU. Calme, chaste, collé, consigné, contenu, correct, décent, déduit, délicat, digne, discret, distant, empêché, froid, gardé, grave, honnête, loué, mémorisé, mesuré, modéré, modeste, poli, prude, puni, réfréné, réservé, réservoir, retardé, sobre.

RETENUE. Contrainte, débridé, décence, dignité, discrétion, effréné, immodestie, impudeur, mesure, modération, modestie, pondération, privation, pudeur, punition, réserve, sagesse, sobriété, tempérance, vergogne.

RETERCER. Aérer, arer, bêcher, biner, écroûter, émotter, enrayer, houer, labourer, sillonner, strier.

RÉTIAIRE. Belluaire, bestiaire, boxeur, cavalier, cirque, combattant, ergastule, gladiateur, hoplomaque, laniste, lutteur, mercenaire, mirmillon, parmulaire, pugiliste, samnite, sécuteur, thrace.

RÉTICENCE. Arrière-pensée, atermoiement, attention, circonspection, compression, contingentement, contrôle, critique, diminution, diplomatie, doute, économie, équivoque, hum, limitation, rationnement, réduction, régulation, réserve, restriction.

RÉTICENT. Affecté, attribué, cachottier, circonspect, dévolu, discret, humble, immodeste, imparti, méfiant, modeste, présomptueux, réservé, restreint, retenu, silencieux, timide.

RÉTICULE. Bagage, baise-en-ville, banane, besace, bissac, bourse, cabas, carnier, cartable, coussin, duvet, ensiler, enveloppe, gibecière, giberne, groupe, havresac, musette, nécessaire, outre, paillasse, pillage, poche, pochette, récipient, taie, sac, sachet, sacoche, scrotum, semoir, sporange, utricule, vésicule, vessie, vitellin.

RETIENT. Amarre, ancrage, ancre, étanche, grappin, miséricorde, traversière.

RÉTIF. Difficile, entêté, frondeur, hargneux, indocile, insoumis, passif, quinteux, ramingue, rebelle, récalcitrant, rêche, regimbant, résistant, rétif, revêche, révolté, rude, têtu, vicieux, volontaire.

RÉTINE. Amétropie, anomalie, astigmatisme, hypermétropie, membrane, myopie, œil, réfraction.

RETIRÉ. Coin, cloîtré, écart, écarté, éloigné, isolé, moine, ôté, perdu, reculé, retraité, solitaire, tanière.

RETIRER. Arracher, curer, décamper, défourner, dégager, démettre, dépouiller, désister, désoler, dessaisir, dessertir, desservir, disgracier, dominer, écarter, écrémer, enlever, esquiver, étriper, isoler, lever, ôter, partir, pêcher, prendre, recueillir, repêcher, retraiter, seul, suspendre, tapir, tirer, vider.

RETOMBÉE. Conséquence, effet, implication, incidence, jambage, radioactive, relaps, répercussion.

RETOMBER. Atteindre, chuter, disparaître, faiblir, gain, incliner, incomber, jaillir, pencher, pendre, rabattre, réatteindre, recevoir, rechuter, récidiver, redescendre, refaiblir, rejaillir, replonger, tomber.

RETORDRE. Bistourner, boudiner, cintrer, contourner, cordeler, corder, courber, croiser, déformer, distordre, entortiller, essorer, étrangler, fausser, gauchir, mailler, organiser, rouler, tire-bouchonner, serrer, tordre, tortiller, tourner, triturer, voiler, vriller.

RÉTORQUER. Affirmer, clouer, dire, façon, garantir, muet, objecter, raisonner, récriminer, réfuter, répartir, répliquer, répondre, rétorsion, riposter, tac, tac au tac.

RETORS. Artificieux, astucieux, briscard, cauteleux, chafouin, croche, déloyal, ficelle, fin, finaud, fourbe, futé, habile, louche, madré, malin, matois, roublard, roué, rusé, sioux, suspect, tordu, tortueux, véreux.

RÉTORSION. Animosité, châtiment, colère, compensation, mesure, punition, réclamation, réparation, représailles, réplique, revanche, riposte, talion, vendetta, vengeance, vindicte, violence.

RETOUCHE. Correction, glacis, modification, rectification, rehaut, remaniement, remorsure.

RETOUCHER. Ajuster, corriger, fignoler, limer, recouper, rectifier, remanier, repiquer, reprendre, revoir.

RETOUR. Anabiose, anniversaire, annonce, contrechoc, convalescence, écho, flash-back, palingénésie, parousie, périodicité, rebuse, regain, renaissance, renouveau, renouvellement, rentrée, renvoi, ressac, résurrection, réveil, rime.

RETOURNÉ. Agité, bouleversé, déconcerté, dérangé, désorienté, égaré, embarrassé, embrouillé, ému, ensorcelé, excité, hagard, inquiet, renversé, revenu, révulsé, ruminé, troublé, ivre.

RETOURNEMENT. Abandon, amélioration, avatar, cabriole, chambardement, changement, débâcle, détour, éclaircie, évolution, inflexion, magnétostriction, métagramme, métamorphose, métastase, modification, modulation, mue, mutation, nuance, oscillation, péripétie, phase, réforme, reniement, renversement, revirement, saute, subit, tel, transmutation, variation, virage.

RETOURNER. Bêcher, biner, capoter, éloigner, émouvoir, faner, labourer, nuire, partir, refluer, rendre, rentrer, renverser, renvoyer, repartir, replier, revenir, revoler, revoter, rouler, ruminer, tourner, troubler.

RETRACER. Conter, débiter, décrire, détailler, développer, évoquer, expliquer, exposer, narrer, peindre, raconter, rappeler, rapporter, redessiner.

RÉTRACTATION. Abjuration, apostasie, dédit, désaveu, négation, palinodie, reniement, réparation.

RÉTRACTER. Dédire, désavouer, nier, ravaler, rentrer, reprendre, resserrer, retirer, revenir.

RÉTRACTILE. Abaissable, escamotable, rabattable, relevable, rentrant, repliable, rétractable, télescopique.

RÉTRACTION. Astringence, constriction, contraction, diminution, étranglement, étreinte, raccourcissement, raideur, rapprochement, resserrement, rétrécissement, rigidité, roideur, sphincter, striction, trisme.

RETRAIT. Abolition, alinéa, décrochage, éloignement, évacuation, recul, reculade, reflux, repli, résection.

RETRAITE. Abri, ashram, bauge, débâcle, décrochage, défense, départ, ermitage, gîte, habitation, marche, oasis, pension, préretraite, recul, reculer, reflux, refuge, rentier, repaire, repli, retiré, revenu, seul, solitude, tanière, thébaïde, vieillesse.

RETRAITÉ. Coin, écart, écarté, éloigné, isolé, pensionné, perdu, reculé, rentier, retiré, solitaire, tanière.

RETRAITER. Aliéner, licencier, partir, réformer, remiser, renvoyer, replier, retirer, retourner.

RETRANCHEMENT. Abréviation, abri, amputation, apocope, coupure, déduction, diminution, front, ligne, mutilation, obstacle, parapet, plongée, réforme, résection, revêtement, syncope, talus, terre-plein, tombereau, tranchée.

RETRANCHER. Abaisser, amputer, barrer, biffer, couper, déduire, défalquer, dissimuler, distraire, écrémer, éliminer, émonder, enlever, entamer, épurer, étêter, expurger, mutiler, ôter, prélever, rabattre, retirer, rogner, soustraire, supprimer, tailler, tronquer.

RETRANSCRIPTION. Copie, double, duplicata, duplicatum, enregistrement, fac-similé, ichtus, minute, notation, original, polycopie, recopiage, relevé, report, reproduction, stencil, transcription, translitération, translittération.

RÉTRÉCI. Abrégé, borné, col, contracté, diminué, étranglé, étroit, exigu, isthme, laminé, resserré, urcéolé.

RÉTRÉCIR. Abréger, amenuiser, contracter, étrangler, laminer, rapetisser, réduire, reprendre, resserrer, rétracter.

RÉTRÉCISSEMENT. Col, diminution, étranglement, frégatage, myosis, sténose, striction.

RÉTRIBUER. Avancer, défrayer, dépenser, financer, honorer, payer, prépayer, régler, rémunérer, soudoyer, subvenir, surpayer, verser.

RÉTRIBUTION. Appointements, cachet, commission, émolument, gages, gain, gratification, honoraire, paie, paiement, paye, récompense, rémunération, revenu, salaire, solde, somme, traitement.

RÉTROACTIF. Accompli, ancien, antan, aoriste, autrefois, avant, conjugaison, décoloré, défraîchi, défunt, dernier, devenu, écoulé, ex, hier, jadis, mort, omis, passé, précédent, prétérit, révolu, tradition, veille.

RÉTROCÉDER. Acte, céder, donner, redonner, refiler, rendre, repasser, restituer, transfert.

RÉTROGRADE. Arriéré, birbe, obscurantiste, opposé, passé, passéiste, réactionnaire, recul.

RÉTROGRADER. Aléser, alléger, arrière, baisser, déchoir, déclasser, descendre, diluer, diminuer, pâlir, reculer, régresser, remonter, revenir.

RÉTROSPECTIVE. Abréviation, aphérèse, apocope, contraction, diminution, retour, troncation.

RETROUSSER. Découvrir, écarter, ramener, rebiquer, recoquiller, relever, remonter, replier, soulever, trousser.

RETROUVER. Calmer, ravoir, reconquérir, recouvrer, récupérer, regagner, reprendre, trouver.

RÉTROVISEUR. Focal, glace, miroir, réflecteur, rétro, spéculaire.

RETS. Aiche, appât, appeau, attrape, bricole, cage, esche, filet, gluau, lacs, leurre, nasse, panneau, piège, ratière, souricière, syllabe, tapette, taupière, trappe, traquenard, traquet.

RÉUNI. Adjacent, allié, ami, aplani, attaché, chapelet, cohérent, confondu, couleur, égal, fasciculé, femme, fondu, groupe, homogène, intime, joint, latéral, lié, lisse, mari, net, nivelé, noué, plan, plat, poli, ras, relié, rivé, voisin, uni.

RÉUNION. Adjonction, agapes, agrégat, amalgame, anastomose, annexion, anthrax, assemblée, baba, bal, banc, boum, brelan, carillon, cercle, claque, collection, collège, colonie, comité, concile, conciliabule, congrès, duo, éclisse, ennéade, enquête, épissure, escadre, faisceau, flottille, groupe, harde, jamboree, jam-session, jonction, ligature, litée, mariage, mascarade, meeting, mélange, meute, nocturne, paire, pléiade, plénier, plénum, portée, présentation, quatuor, quintette, rallye, ramassis, rame, raout, rastel, recueil, salade, sauterie, séance, société, soirée, synthèse, tas, trio, troupeau, union, veillée, zooglée.

RÉUNION, VILLE (n. p.). Cilaos, La Possession, Salazie, Saint-Denis.

RÉUNIR. Accoler, agréger, amasser, assembler, associer, assortir, attacher, bloquer, brider, centraliser, coaliser, colliger, concentrer, conglomérer, coudre, encercler, englober, enquêter, entasser, entourer, épisser, fusionner, globaliser, grouper, joindre, lacer, lier, mêler, ponter, rabouter, raccorder, rallier, rapprocher, rassembler, rattacher, recueillir, regrouper, rejoindre, relier, rencontrer, unir.

RÉUSSI. Abouti, arrivé, assimilable, bénéfique, chouette, conçu, échafaudé, élaboré, exécuté, fabriqué, fadé, fumant, imaginé, lauréat, parfait, pensé, perfectionné, recherché, sophistiqué, succès, triomphal, venu.

RÉUSSIR. Aboutir, accomplir, arriver, associer, atteindre, avancer, avoir, bonheur, briller, but, couronner, déboucher, faire, marcher, mener, obtenir, parvenir, percer, plaire, prospérer, réaliser, timbale, tourner, trouver.

RÉUSSITE. Action, bonheur, carriériste, chance, combine, défaite, échec, filon, fruit, gagne, gain, insuccès, jeu, œuvre, palme, patience, percée, pu, résultat, revers, succès, thème, triomphe, veine, victoire.

REVALORISER. Accroître, augmenter, baisser, déité, diminuer, élever, enchérir, enfler, hausser, hisser, lever, majorer, maximiser, monter, rehausser, relever, remonter, renchérir, surélever, surenchérir, surhausser.

REVANCHE (n. p.). Némésis.

REVANCHE. Châtiment, compensation, consolation, contraire, contrepartie, dédommagement, inversement, match, partie, prêté, punition, rampeau, réparation, représailles, rétorsion, retour, revanchard, riposte, toutefois.

RÊVASSER. Bourdonner, clampiner, corner, fainéanter, flâner, fredonner, gronder, murmurer, musarder, muser, paresser, penser, résonner, retentir, rêver, ronfler, ronronner, siffler, songer, susurrer, tinter, traînasser, traîner, travailler, vrombir.

RÊVASSERIE. Adage, âme, axiome, but, cauchemar, chimère, concept, compréhension, concept, divagation, dogme, entendement, esprit, idée, intelligence, ionisme, méditation, noèse, pensée, raison, réflexion, rêverie, rhétorique, sentiment, songerie.

RÊVE. Ambition, cauchemar, chimère, chiromancie, désir, espérance, évasion, fantasme, hypnoïde, idéal, idée, illusion, imagination, irréel, lit, mirage, onirisme, phantasme, rêvasserie, rêverie, séjour, sommeil, songe, utopie, vision.

RÊVÉ. Absolu, accompli, archétype, art, aspiration, but, idéal, idylle, idyllique, parfait, platonique, type.

REVÊCHE. Acariâtre, âcre, aigre, bourru, désagréable, grincheux, hargneux, hérisson, indocile, maussade, porc-épic, rébarbatif, rebutant, rêche, rechigné, renfrogné, rogue, rude, rugueux, virago.

RÉVEIL. Commencement, coq, éruption, éveil, pendule, réanimation, retour, revival, sonnerie.

RÉVEILLE-MATIN. Cadran, carillon, cartel, chronomètre, clepsydre, comtoise, coq, coucou, gnomon, horloge, minuterie, morbier, pendule, régulateur, vrillette.

RÉVEILLER. Apparaître, éveiller, éventer, rajeunir, ranimer, raviver, ressusciter, revivifier, revivre, tirer.

RÉVEILLON. Agape, bamboche, banquet, bombance, brunch, buffet, casse-croûte, cène, collation, curée, déjeuner, dîner, dînette, en-cas, festin, frichti, frugal, gala, gastronomie, gourmandise, goûter, gueuleton, lippée, lunch, médianoche, menu, orgie, pique-nique, popote, réfection, régal, repas, reste, ripaille, soupe, souper, tétée, thé.

RÉVÉLATEUR. Caractéristique, dévoilement, distinct, distinctif, divulgation, éloquent, emblématique, essentiel, indice, marque, médisance, particularité, particulier, personnel, propre, propriété, qualité, représentatif, signe, significatif, spécificité, spécifique, symptomatique, trait, type, typique.

RÉVÉLATION. Aveu, coming out, communication, divination, divulgation, dévoilement, éveil, illumination, indiscrétion, initiation, mystère, proclamation, religion, témoignage, vision.

RÉVÉLER. Apprendre, arborer, avérer, cacher, communiquer, déballer, déceler, découvrir, déployer, désigner, dire, étaler, éventer, exhiber, lu, moucharder, parler, proclamer, redire, su, témoigner, trahir, vendre, vu.

REVENANT. Âme, apparition, double, ectoplasme, esprit, fantôme, lémure, mort, ombre, spectre, vision, zombie.

REVENDEUR. Bouquiniste, brocanteur, chiffonnier, coupeur, dealer, détaillant, fripier, puscher, scalper.

REVENDICATIF. Activiste, agitateur, anarchiste, contestataire, cordelier, desperado, émeutier, extrémiste, factieux, futuriste, gauchiste, insurgé, insurrectionnel, militant, nihiliste, novateur, putschiste, rebelle, révolté, révolutionnaire, séditieux, subversif, terroriste, trublion.

REVENDICATION. Contestation, demande, desiderata, doléance, exigence, prétention, réclamation.

REVENDIQUER. Adresser, assumer, attribuer, briguer, contester, demander, réclamer, renoncer.

REVENDRE. Adjuger, aliéner, bazarder, brader, brocanter, cameloter, casser, céder, changer, coller, copermuter, débiter, défaire, démarcher, dénoncer, détailler, discuter, échanger, écouler, épuiser, étaler, exporter, fourguer, marchander, mévendre, monnayer, négocier, placer, réaliser, refiler, rétrocéder, sacrifier, servir, solder, trafiquer, trahir, troquer, vendre.

REVENIR. Afférent, colorer, dédire, désavouer, échoir, incomber, leitmotiv, livrer, rappliquer, rebrousser, reculer, redescendre, refluer, regagner, réintégrer, rejoindre, renaître, rentrer, repasser, reprendre, ressusciter, retourner, revivre, revoir.

REVENU. Annuité, arrérages, avantage, casuel, denier, dotation, fabrique, fief, fruit, gain, guéri, impôt, intérêt, loyer, mense, nominataire, pension, prébende, produit, profit, rapport, réapparu, rente, rentré, ressuscité, synodie, viager.

RÊVER. Béer, brûler, convoiter, désirer, divaguer, imaginer, penser, rêvasser, songer, souhaiter.

RÉVERBÉRATION. Ambiophonie, brillance, chatoiement, coruscation, écho, éclat, lanterne, miroitement, moirure, persistance, rayonnement, reflet, réflexion, réfraction, renvoi, réverbérer, scintillement.

RÉVERBÈRE. Ambiophonie, lampadaire, lanterne, lumière, reflet.

RÉVERBÉRER. Calculer, cogiter, combiner, gamberger, luire, méditer, miroiter, observer, penser, peser, poser, raisonner, réfléchir, refléter, réfracter, renvoyer, repenser, répercuter, répéter, rêver, ruminer, scintiller, songer, spéculer.

REVERCHON. Bigarreau, cerise.

RÉVÉRENCE. Adoration, affection, considération, courbette, courtoisie, culte, déférence, égard, estime, honneur, irrévérence, piété, politesse, prosternation, respect, révérencieux, révérend, révérentiel, salamalec, saluer, salut, vénération.

RÉVÉREND PÈRE. R.P.

RÉVÉRER. Adorer, craindre, déférer, estimer, glorifier, honorer, respecter, sanctifier, vénérer.

RÊVERIE. Adage, âme, axiome, but, cauchemar, chimère, cœur, compréhension, concept, divagation, dogme, entendement, esprit, idée, illusion, intelligence, ionisme, méditation, mirage, noèse, pensée, raison, réflexion, rêvasserie, rêve, rhétorique, sentiment, songerie, utopie.

REVERS. Accident, défaite, dos, échec, ennui, envers, infortune, médaille, mornifle, parement, rabat, verso.

REVERSEMENT. Cession, délocalisation, déplacement, identification, interpénétration, osmose, projection, téléchargement, traduction, transfert, transmission, transplantation, transport, vente, virement.

REVERSER. Aménager, changer, corriger, embellir, exporter, former, innover, mêler, métamorphoser, muer, mûrir, nover, panifier, réaménager, réduire, refaire, renégocier, rénover, retaper, saponifier, tanner, transfigurer, transformer, virer.

RÉVERSIBLE. Arrière, dissociation, hélice, interverti, inverse, irréversible, rame, réversion.

REVÊTEMENT. Béton, carapace, carrelage, chemisier, cocon, couche, cuvelage, dalle, devanture, dorure, enduit, garniture, guipage, lambris, lino, linoléum, macadam, pavage, pavé, peau, perré, pilosité, stuc, tuile, tuileau.

REVÊTIR. Coiffer, couvrir, cuirasser, cuveler, décorer, déguiser, endimancher, endosser, enduire, étamer, garnir, guêtrer, guiper, habiller, housser, marqueter, mettre, orner, parementer, parer, paver, plaquer, recouvrir, tapisser, tuber, vêtir.

REVÊTU. Armé, blindé, coiffé, couvert, cuirassé, décoré, défendu, déguisé, endimanché, flanqué, protégé, squamifère.

RÊVEUR (n. p.). Langdon, Pierrot.

RÊVEUR. Absent, absorbé, abstrait, dormeur, idéaliste, idéologue, imaginatif, irréaliste, jongleur, méditatif, nocturne, nuage, occupé, penseur, pensif, perplexe, poète, rêvasseur, romanesque, romantique, songeur, soucieux, utopiste.

REVIENT. Achat, change, cher, condition, cote, cours, coût, devis, estimation, fret, inconvénient, lauréat, loyer, marché, médaille, montant, port, prix, rançon, récompense, tarif, taux, taxe, tenu, trophée, valeur.

REVIGORER. Animer, attiser, fortifier, ragaillardir, ranimer, ravigoter, raviver, réanimer, réconforter, reconstituer, régénérer, remettre, remonter, reprendre, requinquer, restaurer, retaper, revivifier, soutenir, stimuler, tonifier.

REVIREMENT. Changement, crise, imprévue, nuance, palinodie, phase, pirouette, retour, virage.

RÉVISER. Corriger, étudier, examiner, réécrire, réparer, repasser, réviseur, revoir, superviser.

RÉVISEUR. Censeur, correcteur, corrigeur, examinateur, faute, lecteur, superviseur, vérificateur.

RÉVISION. Amélioration, correctif, correction, erratum, rappel, recours, relecture, remémorisation, revue, vérification.

REVIT. Âme, métensomatose, métempsycose, mort, palingénésie, réincarnation, renaissance, transmigration.

REVIVIFIER. Activer, agir, aiguillonner, animer, créer, encourager, exister, insuffler, vivifier, vivre.

REVIVRE. Évoquer, primal, ranimer, raviver, réapparaître, réincarner, renaître, renouveler, ressusciter.

RÉVOCABLE. Admissible, annihilable, annulable, attaquable, précaire, prescriptible, provisoire, rescindable, résiliable.

RÉVOCATION. Déchéance, dédit, destitution, disgrâce, éviction, retrait, sanction, suspension.

REVOIR. Adieu, améliorer, assister, ciao, corriger, examen, examiner, étudier, examiner, limer, parfaire, polir, potasser, raboter, réévaluer, rectifier, regarder, relire, remanier, repasser, retrouver, revenir, réviser, tchao.

RÉVOLTANT. Abject, bouleversant, choquant, cochon, coulant, criant, dégoûtant, crasseux, dégueulasse, écœurant, fade, honteux, ignoble, immonde, indigne, infect, innommable, odieux, malpropre, mouillé, nauséabond, puant, rebutant, repoussant, répugnant, ruisselant, saignant, sale, scandaleux, sordide, trempé.

RÉVOLTE (n. p.). Bagaude, Bounty, Boxers, Cipayes, Dada, Fronde, Gueux, Indulgences, Intifada, Jacquerie, Nika, Nikê, Ogaden, Paysans, Praguerie, Taiping, Vendée.

RÉVOLTE. Dada, dissidence, émeute, faction, guerre, indigné, insoumission, insurrection, jacquerie, mutin, mutinerie, outré, rébellion, refus, révoltant, révolutionnaire, sédition, soulèvement.

RÉVOLTER. Cabrer, choquer, colère, crier, dégoûter, désobéir, écœurer, fâcher, indigner, insurger, irriter, lever, mutiner, outrer, rebeller, refuser, regimber, ruer, soulever.

RÉVOLU. Accompli, achevé, complet, défunt, déroulé, dépassé, disparu, écoulé, envolé, évanoui, fini, passé, périmé, sonné, terminé.

RÉVOLUTION (n. p.). Octobre, Œillets.

RÉVOLUTION. Agitation, an, année, bagarre, bouleversement, carmagnole, cataclysme, circuit, convulsion, courbe, cycle, ébullition, écliptique, effervescence, ellipse, mouvement, orbite, périple, pi, rotation, tourmente.

RÉVOLUTIONNAIRE. Activiste, agitateur, anarchiste, contestataire, cordelier, desperado, émeutier, extrémiste, factieux, futuriste, gauchiste, insurgé, insurrectionnel, militant, nihiliste, novateur, putschiste, rebelle, révolté, séditieux, subversif, terroriste, trublion.

RÉVOLUTIONNAIRE ALLEMAND (n. p.). Bauer, Luxemburg, Marx, Weitling, Zetkin.

RÉVOLUTIONNAIRE ANGLAIS (n. p.). Tyler.

RÉVOLUTIONNAIRE ARABE (n. p.). Ben Laden, Bin Laden.

RÉVOLUTIONNAIRE BULGARE (n. p.). Karavelov, Rakovski.

RÉVOLUTIONNAIRE CUBAIN (n. p.). Castro, Che, Guevara.

RÉVOLUTIONNAIRE DOMINICAIN (n. p.). Bosch.

RÉVOLUTIONNAIRE FRANÇAIS (n. p.). Allemane, Babeuf, Barbès, Barnave, Barras, Blanc, Blanqui, Buonarroti, Chaumette, Corday, Cordeliers, Couthon, Desmoulins,

Duport, Eudes, Feuillants, Flourens, Gouges, Hanriot, Hébert, Jourdan, Jourde, Kouachi, Legendre, Michel, Pottier, Santerre, Varlin.

RÉVOLUTIONNAIRE GUATÉMALTÈQUE (n. p.). Menchu.

RÉVOLUTIONNAIRE HONGROIS (n. p.). Andrassy, Frankel, Kossuth, Kun.

RÉVOLUTIONNAIRE IRLANDAIS (n. p.). Collins, Gonne.

RÉVOLUTIONNAIRE ITALIEN (n. p.). Garibaldi, Malatesta, Negri, Orsini.

RÉVOLUTIONNAIRE MEXICAIN (n. p.). Cardenas, Villa, Zapata.

RÉVOLUTIONNAIRE MONGOL (n. p.). Tchoïbalsan, Tsedenbal.

RÉVOLUTIONNAIRE NAPOLITAIN (n. p.). Aniello, Masaniello.

RÉVOLUTIONNAIRE PIÉMOMTAIS (n. p.). Chalier.

RÉVOLUTIONNAIRE POLONAIS (n. p.). Dabrowski, Dombrowski.

RÉVOLUTIONNAIRE RUSSE (n. p.). Bakounine, Boukharine, Dobrolioubov, Jelibov, Kerenski, Kropotkine, Lénine, Netchaïev, Trotski.

RÉVOLUTIONNAIRE SOVIÉTIQUE (n. p.). Dzerjinski, Ordjonikidze, Vassilevski.

RÉVOLUTIONNAIRE SYRIEN (n. p.). Asad, Assad.

RÉVOLUTIONNAIRE URUGUAYEN (n. p.). Artigas.

RÉVOLUTIONNER. Affoler, agiter, ahurir, altérer, atteindre, brouiller, confondre, déconcerter, déranger, dérégler, désaxer, désorganiser, désorienter, détraquer, éblouir, effarer, émouvoir, interdire, obscurcir, perturber, retourner, terrasser, troubler.

REVOLVER. Arme, automatique, barillet, calibre, colt, derringer, flingue, fusil, luger, pistolet, rif, rifle, soufflant.

RÉVOQUER. Annuler, abroger, casser, congédier, débarquer, débouter, déchoir, dégommer, dégrader, démettre, démissionner, déposer, destituer, exclure, invalider, limoger, rapporter, relever, sauter, suspendre.

REVU. Allitération, assonance, bi, bis, chaîne, écho, écholalie, encore, fois, fréquence, ibidem, id., idem, itération, pléonasme, psittacisme, rechute, redite, redondance, refrain, relu, rengaine, répétition, reprise, resucée, retour, révision, scie, série, suite, sur, tautologie, tirade, trémolo.

REVUE. Défilé, énumération, inspection, magazine, parade, périodique, revuiste, rubrique.

RÉVULSION. Agacement, agacerie, badinerie, bile, brûlure, colère, congestion, démangeaison, énervement, envie, éréthisme, hargne, impatience, inflammation, ire, irritation, lassitude, prurit, rage, rhume, ténesme, toux, ventouse.

REZ-DE-CHAUSSÉE. Attique, classe, cran, degré, échelle, échelon, entresol, escalier, étage, gradin, grenier, impériale, mezzanine, niveau, palier, parterre, planché, premier, rang, stade, trias, villafranchien.

RHABDOMANCIE. Baguettisant, fontainier, hydroscope, palomancien, radiesthésiste, rhabdomancien, sourcier.

RHABILLER. Accoutrer, affubler, ajuster, attifer, carrosser, coller, costumer, couvrir, culotter, draper, endimancher, équiper, franger, fringuer, ganter, habiller, nipper, parer, recouvrir, refaire, réparer, revêtir, saper, vêtir, voiturer.

RHAMNACÉE. Bourdaine, cascara, cicourlier, datte, guindaulier, jujubier, lotus, nerprun, paliure, zizyphe.

RHAPSODIE. Aède, chant, mélange, poète, ramas, rapsode, rhapsode.

RHÉNAN (n. p.). Allemagne, Ardenne, Echart, Eckhart, Lahn, Moselle, Rhénamie, Rhin.

RHÉNAN. Allemand, badois, bavarois, berlinois, boche, chleuh, fridolin, frisé, fritz, germain, germanique, germanophile, germanophobe, kaiser, nazi, ottonien, prussien, sarrois, saxon, teuton, tudesque.

RHÉNIUM. Manganèse, Re.

RHÉOSTAT. Acuité, force, intensité, luminance, recrudescence, résistance, rhéobase, violence, voix.

RHÉSUS. Antigène, facteur, immunogène, macaque, Rh, singe, système.

RHÉTEUR (n. p.). Athénée, Dion Chrysostome, Eugène, Halicarnasse, Marx, Quintilien, Sénèque.

RHÉTEUR. Avocat, baratineur, causeur, cicérone, conférencier, débatteur, diseur, emphatique, foudre, harangueur, logographe, orateur, prêcheur, prédicateur, professeur, rhétoricien, sophiste, tribun.

RHÉTIQUE. Breton, brittonique, celte, celtique, cornique, dialecte, gaélique, gaulois, goïdélique, ladin, lépontique, mannois, rétique, rhéto-roman, romanche.

RHÉTORIQUE. Abrégé, argument, axiome, conclusion, crase, démonstration, dilemme, éloquence, enthymème, épichérème, exemple, exposé, grammaire, induction, logique, matière, objection, prémisse, preuve, prologue, proposition, raison, raisonnement, réserve, sommaire, sophisme, sorite, syllogisme, synopsis, thèse, trope.

RHINANTHE. Condylome, crête-de-coq, esparcet, esparcette, légumineuse, passe-velours, sainfoin.

RHINGRAVE. Allemand, bermuda, bloomer, cuissard, culotte, prince, rhénan, short, titre.

RHINITE. Albican, angine, aphte, caduque, catharre, chyle, chyme, coryza, endomètre, gastrite, gencive, glaire, ictère, inflammation, membrane, mucus, muguet, muqueuse, œstrus, ozène, pemphigus, rhume, rhume de cerveau, toux, ulite.

RHINOCÉROS. Baréter, barrissement, barrir, mésaxonien, miocène, ongulé, pachyderme, périssodactyle.

RHIZOME. Arrow-root, balisier, colocase, griffe, iris, prêle, racine, tige.

RHIZOPHORE. Latéral, Mangle, manglier, mangrove, palétuvier, pneumatophore, rhiphoracée.

RHIZOPODE. Amibe, amiboïde, entamibien, protozoaire, pseudopode, rhizomastigide, schizopyrénide, vampyrelle.

RHODIUM. Rh.

RHODODENDRON. Arbrisseau, arbuste, azalée, épiphyte, éricacée, fleur, mellifère, rosage.

RHOMBE. Aire, carré, centre, cercle, cône, côté, courbe, diamètre, géométrie, losange, orthogonal, papillon, perpendiculaire, pi, rayon, rectangle, rhombique, rhomboïdal, sinus, théorème, tore, toupie, triangle.

RHOMBOÈDRE. Baccarat, base, cristal, cristallin, cristallite, cristallogenèse, druse, épitaxine, face, géode, isoédrique, lame, macle, nicol, noces, noyau, œil, pendeloque, phénocristal, quartz, raphide, stras, strass, trémie, trichite, uniaxe, verre, verroterie.

RHÔNE, VILLE (n. p.). Anse, Beaujeu, Brignais, Chiroubles, Écully, Francheville, Givors, Grigny, Juliénas, Lyon, Meyzieux, Mornant, Thizy, Vaugneray.

RHUBARBE. Échange, évacuant, infusion, laxatif, magnésie, persicaire, polygonacée, renoué.

RHUM. Alcool, baba, daiquiri, eau-de-vie, gloria, ratafia, rhumerie, savarin, tafia.

RHUMATISME (n. p.). Bouillaud, Dax, Hench, Spa.

RHUMATISME. Affection, arthrite, arthrose, articulaire, bétol, bouillaud, coxarthrie, coxarthrose, douleur, goutte, ingectueux, lumbago, rhumatisant, rhumatismal, rhumatoïde, salicylate, sciatique, spondylarthrite.

RHUME. Catarrhe, congestion, coryza, foin, grippe, mauve, ozène, pharyngite, rhinite, sternutation, toux.

RHYNCHOTE. Aphidien, chermès, cigale, cochenilles, hémiptère, naucore, nèpe, puceron.

RHYOLITE. Granite, lave, pegmatite, perlite, rhyolithe, roche.

RIA. Aber, auge, bassin, canyon, col, combe, couloir, entonnoir, fjord, gorge, prairie, ravin, ruz, val, vallée, vallon.

RIANT. Agréable, aimable, attrayant, bath, beau, bel, bon, charmant, chic, chouette, cosy, délectable, délicat, délicieux, doux, exquis, friand, gentil, harmonieux, heureux, joli, pénible, plaisant, ragoûtant, rieur, savoureux, séduisant, suave, succulent, sympathique, voluptueux.

RIBAMBELLE. Abondance, accumulation, affluence, armée, avalanche, bande, beaucoup, cascade, chapelet, déluge, flopée, foule, fournée, infinité, kyrielle, légion, myriade, nuée, quantité, régiment, sarabande, série, smala, smalah, suite, tapée.

RIBAUD. Abus, bamboche, débauche, excès, galipote, libertinage, luxure, noce, orgie, ripaille, stupre, vice.

RIBÉSIACÉE. Cassis, cassissier, groseillier, plante, rébésié, ribes, saxifragacée.

RIBLER. Brunir, cirer, dégrossir, doucir, égriser, finir, frotter, gréser, limer, lisser, polir, poncer, ragréer, retoucher, unir.

RIBONUCLÉIQUE. ARN.

RIBOSOME. Carex, cypéracée, ergastoplasme, flaiche, laîche, monocotylédone, organite, tournedous.

RIBOUIS. Chaussure, galoche, godasse, menton, pompe, poulie, sabot, sandale, savate, soulier.

RICANÉ. Bidonné, éclaté, fou, fusé, gloussé, marré, pâmé, pouffé, ri, ricanant, ricanement, ricaneur.

RICANER. Bidonner, bouffer, éclater, glousser, marrer, mépriser, pâmer, pouffer, railler, rire.

RICHE (n. p.). Crassus, Crésus, Job, London, Owen, Pérou, Surcouf, Valdès, Valdo.

RICHE. Abondant, aisé, argenté, argenteux, cossu, crésus, étoffé, fécond, fertile, fortuné, friqué, galetteux, grenu, huppé, ladre, milliardaire, millionnaire, multimillionnaire, nabab, nanti, nourri, opulent, or, pactole, parvenu, pauvre, possédant, pourvu, rentier, richissime, rupin, samit.

RICHESSE. Abondance, aisance, ampleur, argent, avoir, bien, butin, capital, cossu, écu, finance, fonds, fortune, gêne, luxe, misère, moyens, opulence, or, pactole, pauvreté, prospérité, ressources, somptuosité, trésor.

RICIN. Cathartique, dépuratif, diurétique, drastique, évacuant, graine, huile, hydragogue, laxatif, plante, purgatif.

RICOCHET. Amorti, assaut, bond, boom, cabriole, contrecoup, culture, demi-volée, enjambée, entrechat, furet, gambade, hausse, indirectement, lift, rebond, rebondissement, retour, saltation, saut.

RICTUS. Amuser, badiner, contraction, éclat, égayer, gai, glousser, grimace, hilarité, joie, marrer, moquer, pâmer, poiler, pouffer, quolibet, railler, ri, ricaner, rigoler, rioter, rire, ris, risée, risette, risorius, sourire, zygomatique.

RIDÉ. Âgé, amorti, ancien, antique, archaïque, arriéré, autrefois, baderne, caduc, cassé, croulant, décati, décrépit, déjà, démodé, dépassé, désuet, hier, labre, nouveau, parcheminé, reculé, rouillé, suranné, usé, vermoulu, vétéran, vétuste, vieil, vieux, vioc, vioque

RIDE. Creux, crispation, derme, dorsale, épiderme, fané, grime, ligne, onde, ondulation, ornière, patte-d'oie, peau, pli, plissement, rabougri, raie, ratatiné, ridule, sillon, strié, striure, veine, veinule, veinure, vieillissement.

RIDEAU. Arbre, assez, baldaquin, banne, brise-bise, brise-vent, château, cil, conopée, courtine, draperie, écran, fond, galon, masque, moustiquaire, panne, store, tenture, théâtre, toile, vélum, vitrage, voilage, voile.

RIDELLE. Barrêt, barrage, barricade, barrière, ber, borne, châssis, claie, clôture, digue, douve, enceinte, fermeture, garde-fou, grille, haie, haussière, herse, ligne, limite, lisse, obstacle, palissade, rampe, séparation, seuil, stop, treillis.

RIDER. Buriner, flétrir, friper, froncer, grimacer, marquer, plisser, raidir, ratatiner, raviner, strier.

RIDICULE. Absurde, affecté, bouffon, burlesque, cloche, cocasse, comique, cucul, déraisonnable, dérisoire, fiérot, futile, grotesque, guignol, insensé, insignifiant, loufoque, maniéré, minime, risible, sac, saugrenu, sot, tarte, vieillot.

RIDICULEMENT. Absurdement, bêtement, comiquement, dérisoirement, drôlement, naïvement, plaisamment, stupidement.

RIDICULISER. Affubler, bafouer, berner, brocarder, gausser, ironiser, moquer, persifler, railler.

RIDULE. Creux, crispation, derme, embranchement, épiderme, fourche, grime, ligne, onde, ondulation, ornière, patte-d'oie, peau, pli, plissement, rabougri, raie, ratatiné, ride, sillon, strié, striure, veine, veinule, veinure.

RIEL. Amérindien, indien, métis, patriote, résistant, révolutionnaire.

RIEN. Absence, âne, aucun, bu, cancre, clopinettes, dal, dénué, des clous, épuisé, ex nihilo, fainéant, frelampier, goutte, intérêt, iota, mais, mie, néant, nèfles, niaiserie, nib, non, nu, nul, pas, peu, point, r.a.s., sans, sec, seulement, tari, tripette, valeur, vide, zéro.

RIEUR. Agréable, amusant, badin, boute-en-train, content, enjoué, épanoui, gai, heureux, moqueur, riant, rigolard.

RIEUSE. Aronde, hirondelle, hirundinidé, mouette, oiseau, palmipède, personne.

RIF. Accrochage, affrontement, assaut, baroud, bataille, boxe, choc, combat, duel, échauffourée, engagement, guerre, hostilité, joute, lutte, match, mêlée, opération, pugilat, querelle, rififi, riffe, riffle, ring, rixe, salve.

RIFLETTE. Altercation, bagarre, baroud, baroufle, baston, bataille, battre, bigorne, catagne, combat, discussion, dispute, duel, échauffourée, grabuge, guerre, lutte, mêlée, pugilat, querelle, rif, riffe, rififi, rifle, rixe.

RIFIFI. Altercation, bagarre, baroud, baroufle, baston, bataille, battre, bigorne, catagne, combat, discussion, dispute, duel, échauffourée, grabuge, guerre, lutte, mêlée, pugilat, querelle, rif, riffe, rifle, riflette, rixe.

RIFLARD. Carreau, ciseau, citron, couteau, demi-ronde, fraise, fruit, laine, limaille, lime, maçon, mollusque, parapluie, pépin, queue-de-cheval, queue-de-rat, rabot, râpe, râpure, rifloir, rugine, tiers-point, user, usure.

RIFLOIR. Carreau, ciseau, citron, couteau, demi-ronde, fraise, fruit, limaille, lime, maçon, mollusque, queue-de-cheval, queue-de-rat, rabot, râpe, râpure, riflard, rugine, tiers-point, user, usure.

RIGIDE. Austère, bandé, dur, flexible, grave, inflexible, mou, puritain, raide, règle, roide, sévère, souple.

RIGIDITÉ. Austérité, autoportant, consistance, dureté, orthodoxe, raideur, rigueur, sévérité, solidité.

RIGOLADE. Blague, enjouement, esclaffement, foutaise, gaieté, hilarité, plaisanterie, raillerie, ricanement, rictus, rire, ris, risée, risette, sourire.

RIGOLARD. Amusé, badin, content, enjoué, épanoui, farceur, gai, heureux, hilare, moqueur, rieur, rigoleur.

RIGOLE. Auge, canal, caniveau, cassis, chéneau, coupure, fossé, goulette, goulotte, gouttière, lapié, noue, pierrée, rainure, ruisseau, ruissellement, saignée, ségala, seghia, seguia, sillon, seguia, tranchée.

RIGOLER. Amuser, badiner, égayer, glousser, marrer, moquer, plaisanter, pouffer, rire, tordre.

RIGOLO. Amusant, comique, curieux, drôle, étrange, fumiste, imbécile, marrant, plaisant, tordant.

RIGORISME. Affection, amitié, amour, attachement, austérité, avarice, dévotion, enticher, fidélité, goût, inclinaison, intérêt, liaison, lié, moi, nœud, passade, piété, sensualité, sentiment, sympathie, ténacité, tendresse, vénération, véracité.

RIGORISTE (n. p.). Gomar, Novatien.

RIGORISTE. Austère, dur, intraitable, intransigeant, janséniste, puritain, rigide, rigoureux, sévère, strict.

RIGOUREUX. Âpre, austère, cruel, draconien, dur, énergique, étroit, étroitement, exact, excessif, fatal, féroce, formel, froid, implacable, inclément, inflexible, mathématique, pénible, raide, rigoriste, rude, serré, sévère, strict.

RIGUEUR. Âpreté, austérité, boiteux, cruauté, doctrine, draconien, dure, dureté, exigence, fermeté, inclémence, jansénisme, lisière, manière, netteté, précision, pur, pureté, rectitude, rigidité, rigorisme, sévérité, sûreté, vigueur.

RIKIKI. Ajusté, étriqué, étroit, exigu, juste, limité, maigre, mesquin, minuscule, petit, restreint, riquiqui, serré.

RILLETTES. Aspic, boucan, boucherie, bouilli, broche, carne, carpaccio, casher, chair, daube, farce, fumet, graisse, gril, grillade, haché, lapin, lunch, macreuse, oie, pain, pâté, paupiette, pemmican, pita, porc, récipient, rôt, rôti, semelle, tartare, terrine, viande, volaille.

RILSAN. Abacas, agave, alpaga, bure, chanvre, corde, coton, cotonnade, crêpe, dacron, drap, étoffe, fibre, filature, filet, géotextile, jute, laine, lin, nylon, orlon, pite, ramie, raphia, sisal, teiller, tex, tissu, textile, toile.

RIMAILLER. Alexandrin, asclépiade, choliambe, décasyllabe, écho, épigramme, iambe, léonin, mètre, octosyllabe, ode, pied, poésie, rimer, rimes, rythme, sénaire, stance, strophe, sur, tercet, trimètre, vers, verset.

RIMAILLEUR. Correspondant, métromane, métromanie, poète, rimailler, rimeur, vers, versificateur.

RIME. Assonance, consonance, corbillon, dominante, écho, léonin, monorime, poème, prose, vers.

RIMER. Accomplir, achever, arranger, arrêter, capiter, cesser, clore, clôturer, conclure, consommer, correspondre, couronner, dénouer, épuiser, fermer, finir, lever, liquider, mener, mourir, onguler, polir, signifier, terminer, versifier.

RIMEUR. Aède, auteur, barde, chanteur, chantre, cigale, écrivain, griot, poète, rimailleur, versificateur.

RIMMEL. Affectation, artifice, blanc, blush, brillant, couleur, démaquillant, fard, faux, fond, grimage, khôl, kohol, maquillage, nu, peinture.

RINCEAU. Arabesque, broderie, entrelacs, figure, fioriture, moresque, ornement, sinuosité, spirale, volute.

RINCÉE. Banqueroute, débâcle, débandade, déconfiture, déculottée, défaite, dégelée, déroute, désastre, dessous, échec, écrasement, faillite, fessée, fiasco, fuite, insuccès, pâtée, raclée, ratage, retraite, réussite, revers, rouste, tannée, vaincu, veste.

RINCER. Arroser, asperger, baigner, couper, détremper, diluer, essaimer, essanger, humecter, imbiber, immerger, infuser, inonder, macérer, mariner, mouiller, plonger, retremper, saucer, tremper, verser.

RINÇURE. Aqua, aquacole, aqueux, baille, boisson, bouée, cascade, eau, endoréisme, étang, exoréisme, filet, fleuve, flots, glace, hydrolat, lac, lavure, limpidité, lotion, lustrale, mare, mêlé-cass, mêlécasse, mêlé-cassis, mer, minérale, morte, muire, nappe, neige, onde, ondée, perhydrol, pluie, régale, rivière, ru, ruisseau, ruisson, saumure, seltz, soda, suage, torrent.

RING. Arène, boxe, boxeur, catch, coin, corner, estrade, lutteur, piste, planches, podium, scène.

RINGARD. Acteur, ancien, démodé, dépassé, désuet, fossile, pique-feu, poker, tire-braise, tisonnier, vieux.

RINGUETTE. Bâton, crosse, flanelle, glace, hockey, palet, patin, rondelle, sport, stick, zambonl.

RIO. Carioca, Rio de Janeiro.

RIPAILLE. Agape, bamboche, banquet, bombance, brunch, buffet, casse-croûte, cène, collation, curée, déjeuner, dîner, dînette, en-cas, festin, frichti, frugal, gala, gastronomie, gourmandise, goûter, gueuleton, lippée, lunch, médianoche, menu, orgie, pique-nique, popote, réfection, régal, repas, reste, réveillon, soupe, souper, tétée, thé.

RIPE. Aléseuse, broyeur, concasseur, émoudre, gerbier, meule, meulon, moyette, outil, pailler, ribler, sabler.

RIPER. Déplacer, déraper, désarrimer, évader, frotter, glisser, gratter, partir, polir, soulever.

RIPOLIN. Aquarelle, art, bistre, cadre, camaïeu, couleur, dessin, encre, fresque, gouache, gribouillage, gribouillis, grisaille, image, lavis, marine, pastel, paysage, peinture, pictural, portrait, tableau, vue.

RIPOSTE. Attaque, défense, objection, parade, punition, repartie, réplique, réponse, représailles, seconde.

RIPOSTER. Contre-attaquer, défendre, dupliquer, objecter, réfuter, répartir, répliquer, répondre, rétorquer.

RIPOU. Corrompu, délateur, écoulé, félon, judas, marron, perfide, prévaricateur, stipendié, trahi, traître, vendu.

RIQUIQUI. Ajusté, étriqué, étroit, exigu, juste, limité, maigre, mesquin, minuscule, petit, restreint, rikiki, serré.

RIRE. Amuser, badiner, éclat, éclater, égayer, fendre la pêche, gai, gloussement, glousser, ha, hi, hilarité, jaune, joie, marrer, moquer, pâmer, poiler, pouffer, quolibet, railler, ri, ricaner, rictus, rigoler, rioter, ris, risée, risette, risorius, sourire, zygomatique.

RIS. Agneau, boucherie, fagoue, jeu, mets, plaisir, rictus, rire, risée, risette, sourire, thymus, veau, voile.

RISÉE. Air, alizé, amure, aquilon, autan, bise, blizzard, bora, bourrasque, brise, cers, chinook, cyclone, éolien, étésien, fœhn, grain, haleine, harmattan, joran, khamsin, mistral, nordé, nordet, norois, noroît, orage, orgue, pampero, pet, rafale, rhumb, rumb, simoun, sirocco, souffle, suroît, tornade, tourbillon, tramontane, vent, voile, zéphir, zéphyr.

RISETTE. Enjouement, esclaffement, gaieté, hilarité, raillerie, ricanement, rictus, rigolade, rire, ris, risée, sourire.

RISIBLE. Amusant, burlesque, cocasse, comique, drôle, farce, impayable, ridicule.

RISQUE. Abri, aléa, conséquence, danger, épreuve, essai, éventualité, expédition, filet, hasard, incertitude, inconvénient, léger, libre, marron, menace, péril, perte, possibilité, responsabilité, susceptible, témérité, tentative, voltige.

RISQUÉ. Aléatoire, audacieux, aventureux, chanceux, cru, dangereux, exposé, failli, frisé, glissant, hasardé, hasardeux, imprudent, licencieux, osé, salé, scabreux, sinistre, supprimé, téméraire, témérité, tentative, tenté.

RISQUER. Affronter, avancer, aventurer, braver, chercher, compromettre, défier, efforcer, encourir, engager, exposer, frôler, hasarder, jouer, goûter, hasarder, jouer, miser, oser, supprimer, tâter, tenter, va-tout.

RISSOLER. Braiser, brasiller, bronzer, brûler, chauffer, cuire, cuisiner, dorer, frire, griller, hâler, havir, mijoter, poêler, praliner, réduire, rôtir, roussir, roustiller, roustir, saisir, sauter, torréfier.

RISTOURNE. Commission, diminution, escompte, guelte, part, prime, rabais, réduction, remise, résiliation.

RITAL. Calabrais, étrusque, italien, romain, sbire, toscan, transalpin.

RITE (n. p.). Éleusis, Fou-hi, Fuxi, Védânta.

RITE. Ablution, acte, asiarque, cérémonial, cérémonie, chafiisme, coutume, culte, habitude, liturgie, lustration, magie, orgie, ordination, orgie, pratique, protocole, règle, rituel, sacrement, shafi'isme, tantrisme, usage.

RITOURNELLE. Air, ballade, barcarolle, berceuse, canzone, chanson, chant, clip, complainte, comptine, couplet, estampie, fado, hit, jota, lied, mélodie, parolier, poème, pot-pourri, refrain, rengaine, romance, ronde, tube, villanelle.

RITUEL. Adage, aphorisme, apophtegme, commandement, conseil, coutume, dogme, forme, formule, leçon, loi, maxime, mise, morale, norme, ordre, pratique, précepte, principe, recueil, règle, règlement, rite, sentence, soutra, sutra, traditionnel.

RIVAGE. Abordage, anse, appontement, baie, batture, berge, bord, cale, canal, contrée, côte, crique, dune, estran, falaise, flustre, flux, grève, lagune, laisse, limite, littoral, marée, palot, pays, plage, quai, rive.

RIVAL (n. p.). Abailard, Abélard, Alcamène, Benserade, Desporte, Guarneri, Guarnerius, Moreau, Sarasin, Sulla, Sylla.

RIVAL. Adversaire, amant, antagoniste, candidat, combattant, compétiteur, concurrent, égal, émule, ennemi, prétendant.

RIVALISER. Batailler, combattre, concourir, concurrencer, défier, disputer, égaler, émuler, jouter, lutter.

RIVALITÉ. Antagonisme, collision, combat, compétition, concurrence, conflit, envi, heurt, jalousie, lutte, tournoi.

RIVE. Abordage, anse, appontement, baie, batture, berge, bord, cale, canal, contrée, côte, crique, dune, estran, falaise, flustre, flux, grève, lagune, laisse, limite, littoral, marée, palot, pays, plage, quai, rivage.

RIVELAINE. Aiguille, corne, dent, dru, ger, mineur, outil, pic, picot, pioche.

RIVER. Aplatir, assujettir, attacher, clouer, enchaîner, fixer, immobiliser, lier, mater, rabattre, recourber, rivet, riveter.

RIVERAIN. Bordier, borduier, fermier, frontalier, limitrophe, mer, métayer, mitoyen, voisin.

RIVET. Attache, boulon, écrou, filet, pas, vérin, vissé, piton, puni, tire-bouchon, tire-fond, tournevis, vis, vrille.

RIVETER. Chaudronnier, dériveter, ferrer, fixer, mater, pointer, river, rivure, turc.

RIVIÈRE. Affluent, bijou, canal, creek, eau, fleuve, gué, lit, oued, pérenne, ruisseau, vanne.

RIVIÈRE, AFGHANISTAN (n. p.). Kouram.

RIVIÈRE, AFRIQUE (n. p.). Alima, Aruwini, Atbara, Bomu, Congo, Dra, Draa, Kagera, Kasaï, Kassaï, Logone, Mbomu, Oubangui, Ouellé, Sangha, Uélé, Vaal, Zaïre.

RIVIÈRE, CENTRALE (n. p.). Oubangui, Sangha.

RIVIÈRE, AFRIQUE ÉQUATORIALE (n. p.). Logone, Oubangui, Sangha.

RIVIÈRE, AFRIQUE DU SUD (n. p.). Vaal.

RIVIÈRE, AFRIQUE OCCIDENTALE (n. p.). Bénoué, Couango, Falémé.

RIVIÈRE, AFRIQUE ORIENTALE (n. p.). Kagera, Mareb.

RIVIÈRE, ALBANIE (n. p.). Drin, Drini.

RIVIÈRE, ALGÉRIE (n. p.). Chlef, Chélif, Cheliff, Dra, Isly, Isser, Massa, Sebou, Sig.

RIVIÈRE, ALLEMAGNE (n. p.). Aller, Altmuhl, Eder, Elster blanche, Elster noire, Havel, Haye, Helme, Hunte, Inn, Isar, Jetze, Lahn, Lauter, Lech, Leine, Main, Mein, Moselle, Mulde, Neckar, Ohre, Oste, Paar, Peene, Regnitz, Rhin, Rott, Ruhr, Saale, Salzach, Sarre, Spree, Sûre, Unstrut, Vils, Wertach.

RIVIÈRE, ALPES AUTRICHIENNES (n. p.). Enns.

RIVIÈRE, ALPES DU NORD (n. p.). Aro, Isère.

RIVIÈRE, ALPES FRANÇAISES (n. p.). Arc, Arve, Romanche, Roya.

RIVIÈRE, ALPES ITALIENNES (n. p.). Drave.

RIVIÈRE, ALPES MARITIMES (n. p.). Tinée, Vézubie.

RIVIÈRE, ALSACE (n. p.). Bruche, Doller, Ill, Moder, Thur.

RIVIÈRE, AMAZONIE (n. p.). Jurua.

RIVIÈRE, AMÉRIQUE DU NORD (n. p.). Niagara, Richelieu.

RIVIÈRE, AMÉRIQUE DU SUD (n. p.). Bermejo, Guaporé, Iguaçu, Javari, Jurua, Madeira, Mamoré, Negro, Paraguay, Pilcomayo, Salado, Uruguay, Yavari.

RIVIÈRE, ANGLETERRE (n. p.). Ain, Aire, Auon, Cain, Dee, Exe, Ouse, Ribble, Severn, Swale, Tamas, Tenfi, Test, Till, Trent, Tyne, Usk, Yare.

RIVIÈRE, ANJOU (n. p.). Authion, Erdre.

RIVIÈRE, AQUITAINE (n. p.). Baïse, Douze, Dropt, Gers, Hers, Midou, Save.

RIVIÈRE, ARGENTINE (n. p.). Matanza, Negro, Parané, Salado.

RIVIÈRE, ARMÉNIE (n. p.). Aras.

RIVIÈRE, ASIE (n. p.). Amur, Araks, Araxe, Argoun, Gide, Ili, Indus, Jayhun, Ossouri, Oxus, Sutlej, Zab.

RIVIÈRE, AUBE (n. p.). Morge.

RIVIÈRE, AUSTRALIE (n. p.). Ashburton, Barwon, Culgoa, Daly, Darling, Dawson, Murray, Murrumbidgee, Roper, Yarra.

RIVIÈRE, AUTRICHE (n. p.). Bregenz Drave, Enns, Gail, Inn, Isar, Lech, Leitha, Mur, Ouens, Save, Salzach.

RIVIÈRE, AUVERGNE (n. p.). Cère, Dore, Sioule.

RIVIÈRE, AVEYRON (n. p.). Selve, Viaur.

RIVIÈRE, BASSIN AQUITAIN (n. p.). Gers.

RIVIÈRE, BAVIÈRE (n. p.). Lauter, Nab

RIVIÈRE, BELGIQUE (n. p.). Beek, Bosch, Démer, Dendre, Dommel, Dyle, Gileppe, Heule, Lesse, Lys, Mandel, Masse, Mark, Nèthe, Ourthe, Roer, Rupel, Sambre, Semois, Semoy, Senne, Sûre, Velpe, Vesdre.

RIVIÈRE, BIÉLORUSSIE (n. p.). Berezina, Boug, Bug, Pripet, Pripiat.

RIVIÈRE, BENGLADESH (n. p.). Padma.

RIVIÈRE, BIRMANIE (n. p.). Chindwin.

RIVIÈRE, BOLIVIE (n. p.). Beni, Mamoré, San-Martin.

RIVIÈRE, BOURGOGNE (n. p.). Bourbince, Cure, Dheune, Ouche, Serein.

RIVIÈRE, BRÉSIL (n. p.). Acara, Acu, Almas, Apore, Araca, Araguaia, Balsas, Canoas, Capim, Claro, Coari, Curva, Doce, Grande, Iacu, Ica, Iguacu, Ijui, Ilha, Itui, Iva, Japura, Jari, Jaue, Javari, Jurua, Negro, Pardo, Parima, Paru, Pore, Poti, Purus, Rio Grande, Sono, Tapajos, Tiete, Xingu, Yapura, Yavari.

RIVIÈRE, BRETAGNE (n. p.). Ille, Oust.

RIVIÈRE, BULGARIE (n. p.). Iskar, Isker, Marica, Maritza.

RIVIÈRE, CAMBODGE (n. p.). Sap, Tonie.

RIVIÈRE, CANADA (n. p.). Albany, Assiniboine, Athabasca, Athabaska, Bow, Châteauguay, Chaudière, Churchill, Dubawnt, Esclaves, Gatineau, Hay, Klondike, La Paix, Liard, Lièvre, Mackenzie, Manicouagan, Nechako, Nelson, Niagara, Oldman, Ottawa, Outaouais, Paix, Peace River, Pelly, Péribonka, Porcupine, Red Deer, Red River, Richelieu, Saguenay, Saint-François, Saint-Maurice, Saskatchewan, Souris, Saint-Jean, White, Winnipeg, Yamaska, Yukon.

RIVIÈRE, CÉVENNES (n. p.). Cèze.

RIVIÈRE, CHAMPAGNE (n. p.). Vesle.

RIVIÈRE, CHILI (n. p.). Bio-Bio, Itata, Loa, Maipo, Maule, Valdivia.

RIVIÈRE, CHINE (n. p.). Argoun, Baihe, Bei, Dong, Fenhe, Fen-Ho, Fouen-Ho, Hanjliang, Han-K, Han-Kiang, Han-Shui, Houai, Huai, Huang, Hun, Hwang, Ili, Kiang, Kinlin, Lo-Ho, Miru, Si, Si-Ho, Soungari, Tao-Kiang, Tarim, Tatou, Tatsi, Tsien-Tang, Wei, Xi, Ya-Long-Kiang, Ya Loung-Kiang, Yalonggjiang.

RIVIÈRE, COLOMBIE (n. p.). Ariari, Cauca, Feza, Funza, Guachiria, Japura, Magdalena, Négro, Méta, Sinu, Yapura.

RIVIÈRE, CONGO (n. p.). Alima, Lualaba, Ouellé, Uélé.

RIVIÈRE, CORSE (n. p.). Tavignano.

RIVIÈRE, CÔTE-D'OR (n. p.). Serain.

RIVIÈRE, CRIMÉE (n. p.). Tchernala.

RIVIÈRE, CROATIE (n. p.). Save.

RIVIÈRE, DANEMARK (n. p.). Stor, Waddy, Wadi.

RIVIÈRE, ÉCOSSE (n. p.). Halladale, Tay, Teith.

RIVIÈRE, ÉQUATEUR (n. p.). Esmeraldas, Napo.

RIVIÈRE, ESPAGNE (n. p.). Alagon, Arba, Cea, Cega, Ebro, Esla, Jenil, Genil, Jabalon, Jucar, Manzanares, Narcea, Navia, Seda, Sègre, Segura, Sil, Sorraie, Tage, Tajo, Talund, Ter, Tietar, Yeltes, Zancara.

RIVIÈRE, ÉTATS-UNIS Alabama (n. p.). Coosa, Perdido, Sipsey, Tensaw.

RIVIÈRE, ÉTATS-UNIS Alaska (n. p.). Canning, Copper, Happy, Koyukuk, Meade, Noatak, Susitna, Utokok.

RIVIÈRE, ÉTATS-UNIS Arizona (n. p.). Fossil, Verde, Zuni.

RIVIÈRE, ÉTATS-UNIS Arkansas (n. p.). Bayou, Buffalo, Cache, Missouri, Red, Saline, White.

RIVIÈRE, ÉTATS-UNIS Californie (n. p.). Benito, Eel, Feather, Fresno, Kem, Kern, Kings, Mad, Merced, Mojave, Pit, Salinas, Salmon, Scott, Shasta, Trinity, Ynez, Yuba.

RIVIÈRE, ÉTATS-UNIS Caroline (n. p.). Black, Bush, Catawba, Dan, Saluda, Sandy, Tiger.

RIVIÈRE, ÉTATS-UNIS Colorado (n. p.). Alamosa, Conejos, Cucharas, Gunnison, White, Yampa.

RIVIÈRE, ÉTATS-UNIS Connecticut (n. p.). Byram, Farmington, Housatonic, Mad, Mianus, Middle, Naugatuck, Nepaug, Niantic, Norwalk, Quinnipiac, Shepaug, Stiill, Thames.

RIVIÈRE, ÉTATS-UNIS Dakota (n. p.). Deep, Elm, Goose, Knife, Moreau, Owl, Park, Rush, Souris, White.

RIVIÈRE, ÉTATS-UNIS Delaware (n. p.). Indian, Leipsic, Smyrna.

RIVIÈRE, ÉTATS-UNIS Floride (n. p.). Apalachicola, Chipola, Kissimee, Mantee, Myakka, Peace, Suwannee.

RIVIÈRE, ÉTATS-UNIS Georgie (n. p.). Altamaha, Chattahoochee, Etowah, Flint, Ocmulgee, Oconee, Ogeechee.

RIVIÈRE, ÉTATS-UNIS Idaho (n. p.). Boise, Bruneau, Castle, Clearwater, Lemhi, Lost, Middle, Moose, Pack, Palouse, Raft, Teton.

RIVIÈRE, ÉTATS-UNIS Illinois (n. p.). Apple, Fox, Green, Illinois, Iroquois, Mackinaw, Mckee, Plum Wabash.

RIVIÈRE, ÉTATS-UNIS Indiana (n. p.). Blue, Eel, Iroquois, Lost, Obig, Pigeon, Wabash, White, Whitewater.

RIVIÈRE, ÉTATS-UNIS Iowa (n. p.). Boyer, Cedar, Floyd, Fork, Iowa, Sioux, Turkey.

RIVIÈRE, ÉTATS-UNIS Kansas (n. p.). Cimarron, Hill, Marais des Cygnes, Nemaha, Neosho, Pawnee, Saline, Solomom.

RIVIÈRE, ÉTATS-UNIS Kentucky (n. p.). Barren, Clark, Licking, Little, Salt.

RIVIÈRE, ÉTATS-UNIS Louisiane (n. p.). Atchafalaya, Grand, Ouachita, Red, Temsas.

RIVIÈRE, ÉTATS-UNIS Maine (n. p.). Allagash, Aroostook, Dead, Kennebec, Machias, Moose, Penobscot, Pleasant.

RIVIÈRE, ÉTATS-UNIS Maryland (n. p.). Agawan, Chester, Ipswick, Monocacy, Nashua, North, Patapsco, Patuxent, Potomac, Taunton, Ware.

RIVIÈRE, ÉTATS-UNIS, Massachusetts (n. p.). Charles, Housatonic, Taunton, Westfield.

RIVIÈRE, ÉTATS-UNIS Michigan (n. p.). Betsy, Cass, Cheboygan, Deer, Detroit, Flint, Huron, Kalamazoo, Manistee, Muskegon, Pigeon, Pine, Sable, Saginaw, Sturgeon, White, Whitefish.

RIVIÈRE, ÉTATS-UNIS Minnesota (n. p.). Battle, Bear, Cloquet, Kettle, Lost, Middle, Minnesota, Pelican, Roseau, Tamarac, Thief.

RIVIÈRE, ÉTATS-UNIS Mississippi (n. p.). Amite, Bogue, Leaf, Noxubee, Pascagoula, Pearl, Skuna, Tallahatchie, Tombigbee, Yazoo.

RIVIÈRE, ÉTATS-UNIS Missouri (n. p.). Big, Chariton, Current, Meramec, Osage, Platte.

RIVIÈRE, ÉTATS-UNIS Montana (n. p.). Arrow, Bighorn, Judith, Madison, Poplar, Powder, Smith, Teton, Tongue.

RIVIÈRE, ÉTATS-UNIS Nebraska (n. p.). Colamus, Dismal, Elkhorm, Loup, Nemaha, Platte, Snake.

RIVIÈRE, ÉTATS-UNIS Nevada (n. p.). Bruneau, Kings, Marys, Quinn.

RIVIÈRE, ÉTATS-UNIS New Hampshire (n. p.). Ammonoosuc, Baker, Mohawk, Saco.

RIVIÈRE, ÉTATS-UNIS New Jersey (n. p.). Batsto, Kill, Maurice, Oswego, Passaic, Rahway, Ramapo, Raritan, Toms, Tuckahoe, Wading.

RIVIÈRE, ÉTATS-UNIS New York (n. p.). Beaver, Cheming, Chenango, Cohocton, Deer, Delaware, Grass, Hudson, Mohawk, Niagara, Oneida, Oswegatchie, Oswego, Salmon, Saranac, Schroon, Seneca, Susquehanna, Tioga.

RIVIÈRE, ÉTATS-UNIS Nouveau Mexique (n. p.). Canadien, Conchas, Conejos, Mancos, Pecos.

RIVIÈRE, ÉTATS-UNIS Ohio (n. p.). Chagrin, Hocking, Huron, Mohican, Ohio, Scioto, Tiffin, Wabash.

RIVIÈRE, ÉTATS-UNIS Oklahoma (n. p.). Blu, Canadian, Cimarron, Red, Washita.

RIVIÈRE, ÉTATS-UNIS Oregon (n. p.). Chetco, Clackamas, Columbia, Day, Deschutes, Lost, Owyhee, Malheur, McKenzie, Rogue, Santiam, Sixes, Umpqua, White, Willamette.

RIVIÈRE, ÉTATS-UNIS Pennsylvanie (n. p.). Lehigh, Schuyikill.

RIVIÈRE, ÉTATS-UNIS Rhode Island (n. p.). Sakonnet, Seekonk.

RIVIÈRE, ÉTATS-UNIS Tennessee (n. p.). Buffalo, Clinch, Duck, Emory, Gap, Kelso, Loosahatchie, Sequatchie.

RIVIÈRE, ÉTATS-UNIS Texas (n. p.). Brazos, Canadian, Devils, Llano, Nauidad, Nueces, Saba, Sabine, Trinity, White.

RIVIÈRE, ÉTATS-UNIS Utah (n. p.). Green, Jordan, Rafael, Raft, Sevier, Uinta, Weber.

RIVIÈRE, ÉTATS-UNIS Vermont (n. p.). Barton, Clyde, Coaticook, Mad, Mill, Moose, Olittle, Onion, Trout, Waits, White, Winooski.

RIVIÈRE, ÉTATS-UNIS Virginie (n. p.). Anna, Appomattox, Cacapan, Chickahominy, Coal, Dan, James, Nansemond, Otter, Pocatalico, Rapidan, Shenandoah, Slate, Stauton, Williams, Willis.

RIVIÈRE, ÉTATS-UNIS Washington (n. p.). Cascade, Cispus, Kettle, Nooksack, Sanpoil, Skagit, Snake, Soleduck, Twisp, Yakima.

RIVIÈRE, ÉTATS-UNIS Wisconsin (n. p.). Apple, Chippewa, Flambeau, Jumbo, Kickapoo, Menominee, Namekagon, Oconto, Wolf, Yellow.

RIVIÈRE, ÉTATS-UNIS Wyoming (n. p.). Bighorn, Cheyenne, Greybull, Gros Ventre, Hoback, Laramie, Platte, Powder, Shoshone, Tongue.

RIVIÈRE, ÉTHIOPIE (n. p.). Atbarah, Baro, Dawa, Omo.

RIVIÈRE, EUROPE CENTRALE (n. p.). Eger, Inn, Morava, Mur, Mures, Neisse de Lusace, Ohre, Prout, Prut, Sûre, Tisza.

RIVIÈRE, EUROPE OCCIDENTALE (n. p.). Moselle.

RIVIÈRE, EUROPE ORIENTALE (n. p.). Bug, Narew.

RIVIÈRE, FRANCE (n. p.). Aa, Agout, Ailette, Ain, Aire, Aisne, Alagnon, Arc, Ardèche, Ariège, Armançon, Arroux, Arve, Aube, Aumance, Auron, Authion, Aveyron, Avre, Baïse, Beuvron, Bièvre, Boutonne, Célé, Cère, Cher, Chiers, Clain, Creuse, Cure, Deûle, Dheune, Dhuis, Dive, Dordogne, Doubs, Douze, Drac, Drôme, Dronne, Durance, Epte, Erdre, Essonne, Eure, Gard, Gartempe, Gers, Giron, Hers, Huisne, Ignon, Ill, Ille, Indre, Isère, Isle, Iton, Layon, Lette, Lignon, Loing, Loir, Loiret, Lot, Loue, Lys, Maine, Marne, Mayenne, Meurthe, Midou, Midouze, Morge, Morin, Moselle, Neste, Nièvre, Ognon, Oise, Orge, Ornain, Ouche, Ourcq, Oust, Pau, Paul, Pique, Rille, Risle, Salat, Sambre, Saône, Sarre, Sarthe, Sauldre, Save, Scarpe, Seille, Sélune, Sémène, Semois, Semoy, Sensée, Serein, Sèvre Nantaise, Sèvre Niortaise, Sioule, Sorgue de Vaucluse, Tarn, Taro, Têt, Therain, Thouet, Tille, Touvre, Vanne, Vendée, Verdon, Vesle, Vetle, Vézère, Vicdessos, Vienne, Yonne, Yvette.

RIVIÈRE, GASCOGNE (n. p.). Baïse.

RIVIÈRE, GHANA (n. p.). Volta.

RIVIÈRE, GRANDE-BRETAGNE (n. p.). Tay.

RIVIÈRE, GRÈCE (n. p.). Aliakmon, Arakhthos, Arta, Eurotas, Evinos, Iri, Ladon, Lema, Lerne, Vistritsa.

RIVIÈRE, GUADELOUPE (n. p.). Sens.

RIVIÈRE, GUATEMALA (n. p.). Chiroy, Lyaston, Sarstrin.

RIVIÈRE, GUINÉE (n. p.). Konkoure.

RIVIÈRE, GUYANE FRANÇAISE (n. p.). Inini.

RIVIÈRE, HAUTE-SAVOIE (n. p.). Giffre.

RIVIÈRE, HONDURAS (n. p.). Aguan, Patuca, Ulua.

RIVIÈRE, HONGRIE (n. p.). Bodrog, Gyoma, Ipoly, Kapos, Koros, Maros, Mures, Muresh, Somes, Szamos, Tisza.

RIVIÈRE, INDE (n. p.). Banas, Chenab, Damodar, Dudna, Hagari, Hydaspe, Indravati, Jamna, Jumna, Koel, Luni, Parban, Penner, Sankh, Satledj, Siller, Sutlej, Taptir, Yamuna.

RIVIÈRE, INDOCHINE (n. p.). Mekong, Salouen.

RIVIÈRE, IRAK (n. p.). Diyala, Zab.

RIVIÈRE, IRLANDE (n. p.). Barrow, Boyne, Clare, Deel, Dunkellin, Emme, Foyle, Lee, Liffey, Shannon, Suir.

RIVIÈRE, ITALIE (n. p.). Adda, Adige, Agri, Allia, Aniene, Anio, Arno, Bormida, Doire, Drave, Este, Liri, Macra, Maira, Mincio, Nera, Oglio, Po, Reno, Salso, Secchia, Serio, Sesia, Tanaro, Taro, Tessin, Trébie.

RIVIÈRE, JAPON (n. p.). Gokâse, Kiso, Mogamigawa, Oirase, Takkiri, Teskio, Umyu.

RIVIÈRE, JURA (n. p.). Bienne, Valserine.

RIVIÈRE, KAZAKHSTAN (n. p.). Ili.

RIVIÈRE, KENYA (n. p.). Athi, Tana.

RIVIÈRE, LACONIE (n. p.). Eurotas.

RIVIÈRE, LIMOUSIN (n. p.). Creuse.

RIVIÈRE, LORRAINE (n. p.). Chiers, Fensch, Meurthe, Orne, Seille, Vologne.

RIVIÈRE, LUXEMBOURG (n. p.). Alzette, Chiers, Sûre.

RIVIÈRE, MADAGASCAR (n. p.). Ankaratra, Betsiboka.

RIVIÈRE, MAINE (n. p.). Mayenne.

RIVIÈRE, MALAISIE (n. p.). Terengganu, Trengganu.

RIVIÈRE, MAROC (n. p.). Isly, Moulouya, Sebou.

RIVIÈRE, MASSIF CENTRAL (n. p.). Alagnon, Allier, Correze, Dourbie, Jonte, Lot, Thore, Truyère, Viaur.

RIVIÈRE, MÉSOPOTAMIE (n. p.). Zab.

RIVIÈRE, MEXIQUE (n. p.). Aguanaval, Ameca, Atayac, Culiacan, Grijalva, Mayo, Mixteco, Panuco, Rio Grande, San Pedro, Sonora, Tabasco, Verde.

RIVIÈRE, NICARAGUA (n. p.). Coco, Segovia.

RIVIÈRE, NIGÉRIA (n. p.). Aghoro, Ajayi, Benin, Bénoué, Ebedji, Ibadan, Kaduna, Ogunpa, Osibanjo, Oyi.

RIVIÈRE, NORMANDIE (n. p.). Andelle, Avre, Bresle, Eure, Iton, Orne, Rille, Risle.

RIVIÈRE, NOUVELLE-ÉCOSSE (n. p.). Avon.

RIVIÈRE, NOUVELLE-ZÉLANDE (n. p.). Whakatane.

RIVIÈRE, PAKISTAN (n. p.). Chenab, Satleds, Sind, Sutlej.

RIVIÈRE, PANAMA (n. p.). Chagres, Tuira.

RIVIÈRE, PARAGUAY (n. p.). Apa, Pilcomaya.

RIVIÈRE, PENDJAB (n. p.). Beas, Chenab, Jhelum, Ravi, Satej, Sutlej.

RIVIÈRE, PERCHE (n. p.). Avre, Huisne.

RIVIÈRE, PÉROGORD (n. p.). Dronne.

RIVIÈRE, PÉROU (n. p.). Apurimac, Huallaga, Javari, Mayo, Mazan, Maranon, Namay, Ocana, Purus, Rimac, Santa, Tigre, Ucayali, Uritu, Urubamba, Yavari.

RIVIÈRE, PHILIPPINES (n. p.). Abra, Agno, Cagayan, Cotabato, Mindanao, Pampanga, Pasig.

RIVIÈRE, PICARDIE (n. p.). Avre.

RIVIÈRE, PIÉMONT (n. p.). Doire, Dora.

RIVIÈRE, POITOU (n. p.). Clain, Thouet.

RIVIÈRE, POLOGNE (n. p.). Boug, Brda, Bug, Bzoura, Dosse, Dunajec, Eider, Mondego, Narew, Neisse, Nida, Notec, Odra, Pisa, Prosna, Rawa, Sado, Stupia, Warta, Wetna.

RIVIÈRE, PORTUGAL (n. p.). Tage.

RIVIÈRE, PRUSSE (n. p.). Lippe.

RIVIÈRE, PYRÉNÉES (n. p.). Neste, Nive, Oloron, Pau, Salat, Vicdessos.

RIVIÈRE, QUÉBEC (n. p.). Abitibi, Ascot, AAux-Rats, Batiscan, Beaudet, Beaudette, Bersimis, Betsiamites, Chamouchouane, Chaudière, Chicoutimi, Coaticook, Coulonge, de La Lièvre, Des-Prairies, Dumoine, Eastman, Eaton, Escoumains, Etchemin, Gatineau, Grande-Baleine, Iroquois, Jacques-Cartier, Kaniapiskau, Madawaska, Manicouagan, Manouane, Marguerite, Maskinongé, Matane, Mattawin, Mingan, Miramichi, Mistassini, Mitis, Moisie, Natashquan, Outaouais, Outardes, Péribonka, Richelieu, Romaine, Rouge, Rupert, Saguenay, Saint-François, Saint-Maurice, Trinité, Waswanipi, Yamaska.

RIVIÈRE, QUERCY (n. p.). Célé.

RIVIÈRE, ROUMANIE (n. p.). Aiud, Blaj, Ineu, Maros, Mures, Muresh, Olt, Risle, Siret, Somes, Szamos.

RIVIÈRE, RUSSIE (n. p.). Aldan, Belaïa, Berezina, Boureia, Dema, Desna, Don, Donets, Dvina, Ichim, Ilet, Ipou, Irtych, Kama, Kliazma, Lgov, Manytch, Meja, Moskova, Narev, Narew, Nitsa, Ob, Obva, Oka, Om, Onon, Ounja, Pripet, Pripiat, Rouika, Seim, Sestra, Siret, Soj, Terek, Tobol, Ufa, Usa, Viatka, Viliouï, Vitim, Vop.

RIVIÈRE, SAXE (n. p.). Elster.

RIVIÈRE, SCANDINAVIE (n. p.). Ore, Ume.

RIVIÈRE, SÉNÉGAL (n. p.). Bouénguidi, Casamance, Faleme, Gambie, Saloum.

RIVIÈRE, SIBÉRIE (n. p.). Aldan, Angara, Irtych, Lena, Tom, Toungouska, Vitim.

RIVIÈRE, SERBIE (n. p.). Morava, Save, Tisza.

RIVIÈRE, SIBÉRIE (n. p.). Aldan, Angara, Boureïa, Chilka, Ichim, Irtych, Om, Tobol, Tom.

RIVIÈRE, SLOVAQUIE (n. p.). Alagon, Aliaga, Almonte, Ariza, Cea, Cega, Cinca, Nitra, Vah, Vau.

RIVIÈRE, SOLOGNE (n. p.). Beuvron.

RIVIÈRE, SOUDAN (n. p.). Aswa, Atbara, Bahr al-Ghazal, Busseri, Sobat.

RIVIÈRE, SUÈDE (n. p.). Hjalmaren, Skellefte.

RIVIÈRE, SUISSE (n. p.). Aar, Aare, Banova, Dixence, Dixence, Doubs, Inn, Landquart, Limmat, Linth, Lütschine, Orbe, Reuss, Rhin, Saane, Sarine, Sihl, Tessin, Thièle, Thoune, Thun, Thur, Toss.

RIVIÈRE, TCHÉCOSLOVAQUIE (n. p.). Eger, Hornad, Jizera, Morava, Neisse, Ohre, Slana, Vah, Vltava, Vitana.

RIVIÈRE, TRANSYLVANIE (n. p.). Szamo.

RIVIÈRE, TURQUIE (n. p.). Araxe, Vardar.

RIVIÈRE, UKRAINE (n. p.). Acheron, Alma, Boug, Bug, Cebollati, Cocytus, Donets, Pripet, Pripiat, Styx.

RIVIÈRE, VENEZUELA (n. p.). Aro, Caroni, Caura, Ipiri, Negro, Ortuco, Suata, Tigre, Tocuyo.

RIVIÈRE, VIETNAM (n. p.). Song-Bo, Song-Ca, Song-Chu, Tien-Yen.

RIVIÈRE, WUETEMBERG (n. p.). Enz.

RIVIÈRE, YOUGOSLAVIE (n. p.). Cerna, Drave, Morava, Nis, Nish, Nissa, Piva, Save, Treska.

RIVIÈRE, ZAÏRE (n. p.). Kasai, Kassai, Ouellé, Uelé.

RIXE. Bagarre, bataille, combat, échauffourée, mêlée, pugilat, querelle, rif, riffe, rififi, riffle, riflette.

RIZ. Arac, arak, basmati, blé, céréale, nem, paddy, paella, pilaf, pilau, rack, raki, risotto, saké, saki, sushi.

ROBE. Alezan, arzel, aube, aubère, bai, bringé, cafetan, caftan, chambre, cheval, chiton, cigare, costume, djellaba, douillette, épitoge, escoc, fourreau, froc, gandoura, gogot, haïk, jupe, lamée, mini, peau, peignoir, pelage, pelure, péplum, pie, poil, prétexte, rabat, rochet, sari, simarre, soutane, surcot, surplis, toge, toilette, traîne, troussis, tunique, vêtement, zain, zèbre.

ROBINET. Bain, brise-jet, boisseau, cannelle, chantepleure, col-de-cygne, eau, mélangeur, mitigeur, prise, robinetterie.

ROBINIER. Acacia, arbre, arbrisseau, boule, fagacée, fleur, jardinier, légumineuse, mimosa, papilionacée, parasol.

ROBORATIF. Analeptique, confortant, confortatif, cordial, corroborant, corroboratif, énergique, excitant, fortifiant, nutritif, réconfortant, reconstituant, remontant, revigorant, tonifiant, tonique, vivifiant.

ROBOT (n. p.). Opportunity, Spirit.

ROBOT. Androïde, automate, cerveau, cueilleur, engin, humanoïde, machine, ordinateur, robotique, zombie.

ROBUSTA. Café, caféier.

ROBUSTE. Athlète, baraqué, bâti, brutal, charpenté, colosse, costaud, dur, endurant, énergique, fer, fort, gaillard, hercule, infatigable, malabar, massif, musclé, puissant, râblé, résistant, sain, solide, vaillant, valide, vigoureux, vivace.

ROC. Actinite, agate, albâtre, andésite, aplite, ardoise, arénite, argile, basalte, bauxite, calcaire, cipolin, craie, diapir, diorite, écueil, éluvion, émeri, endogène, éruptif, exogène, falun, gaize, gneiss, granit, granite, granulite, gravier, grès, gypse, houille, jaspe, kaolin, lignite, limon, lœss, lumachelle, marne, meulière, minerai, nunatak, obsidienne, péridotite, pierre, ponce, rétinite, rhyolite, rocher, ruiniforme, sable, salin, schiste, serpentine, silex, stéatite, stérile, syénite, tarsienne, téphrite, tripoli, tuf.

ROCADE. Autoroute, autostrade, boulevard, bretelle, inforoute, ligne, péage, pénétrante, ring, route, voie.

ROCAILLE. Abatis, aérodrome, aire, champ, clos, court, culture, emplacement, esplanade, fond, friche, gazon, golf, grève, herbe, lice, lieu, lopin, marais, marécage, margritin, pelouse, pinède, piste, prairie, propriété, ravière, relief, roseraie, savane, ségala, semis, sol, talus, terrain, terre, terroir, turf, vertugadin.

ROCAILLEUX. Caillouteux, chaotique, dentelaire, dur, graveleux, heurté, laborieux, noueux, pierreux, raboteux, râpeux, rauque, rocheux, rude, rugueux, sain, staphylier.

ROCAMBOLE. Ail, astuce, attrape, badinage, bagatelle, bêtise, blague, bouffonnerie, boutade, canular, dérision, espièglerie, facétie, farce, fin, frime, gag, galéjade, invraisemblable, jeu, lazzi, moquerie, mystification, pitrerie, plaisanterie, quolibet, raillerie, rire, satire, sel, tour, turlupinade.

ROCAMBOLESQUE. Abracadabrant, bizarre, curieux, drôle, ébouriffant, étonnant, étrange, exceptionnel, exorbitant, extravagant, fabuleux, fantastique, formidable, impensable, incroyable, paradoxal.

ROCELLE. Apothèce, apothécie, dermatose, filamenteux, lécanore, lèpre, lichen, mousse, orseille, parmélie, renne, rocella, steppe, thalle, thallophyte, usnée, végétal.

ROCHE. Agate, albâtre, andésite, aplite, ardoise, arénite, argile, basalte, bauxite, calcaire, cipolin, craie, diapir, diorite, ectinite, écueil, éluvion, émeri, endogène, éruptif, exogène, falun, gaize, gneiss, granit, granite, granulite, gravier, grenu, grès, gypse, houille, jaspe, kaolin, lignite, limon, lœss, lumachelle, marne, meulière, minerai, nunatak, obsidienne, péridotite, pierre, ponce, rétinite, rhyolite, roc, rocher, ruiniforme, sable, salin, schiste, serpentine, silex, stéatite, stérile, syénite, tarsienne, téphrite, tripoli, tuf, zéolite, zéolithe.

ROCHER (n. p.). Abyla, Calvados, Chillon, Cordouan, Èze, Gibraltar, Météores, Niobé, Omar, Percé, Scylla, Sisyphe, Tarpéienne, Umar.

ROCHER. Banc, bloc, boulder, brisant, caillasse, caillou, écueil, éminence, éperon, estoc, étoc, falaise, galet, gâteau, massif, mollusque, montagne, murex, nunatak, pic, pierre, pourpre, récif, roc, roche, rupestre.

ROCHET. Alezan, arzel, aube, aubère, bai, bringé, cafetan, caftan, chiton, costume, djellaba, épitoge, escoc, fourreau, froc, gandoura, gogot, haïk, jupe, lamée, mini, peau, peignoir, péplum, poil, rabat, robe, sari, simarre, soutane, surplis, toge, toilette, traîne, troussis, tunique, vêtement, zain.

ROCHEUX. Basse, caillouteux, chaotique, dentelaire, dur, fjeld, graveleux, madicole, nunatak, pédiment, pétré, pétreux, pierreux, raboteux, râpeux, rauque, rocailleux, rude, sain, staphylier.

ROCK. Artistique, beat, chantant, danse, fado, funk, hard, jazz, musique, oiseau, raag, raga, rai, rocker, ska.

ROCOCO. Âgé, ancien, antique, archaïque, arrière-garde, caduc, cucul, daté, démodé, dépassé, désuet, élimé, mode, obsolète, obsolescent, passé, périmé, ringard, rossignol, suranné, tacot, usé, vénérable, vétuste, vieux, vieillot.

ROCOU. Azurant, carmin, céruléine, céruse, colorant, coloris, couleur, décoction, éosine, gaude, indigo, mauvaine, mauvéine, ocre, orseille, pigment, rubéfaction, smalt, teintant, teinture, thiamine, tinctorial.

RODAGE. Adoucissage, aiguisage, avivage, brunissage, buffle, cirage, corrasion, doucissage, égrisage, fignolage, fourbissage, frottage, léchage, limage, peaufinage, polissage, ponçage, sassage, usure.

RÔDAILLER. Adapter, autour, déambuler, épier, errer, flâner, frotter, intention, marcher, polir, promener, rodage, roder, tournailler, tourner, tournoyer, traînailler, traîner, user, vadrouiller, vagabonder, vaguer.

RÔDER. Adapter, autour, déambuler, épier, errer, flâner, frotter, intention, marcher, polir, promener, rodage, rôdailler, rodeur, tournailler, tourner, tournoyer, traîner, user, vadrouiller, vagabonder, vaguer.

RÔDEUR. Apache, bandit, chemineau, errant, flâneur, malfaiteur, maraudeur, robineux, tire-laine, vagabond.

RODOMONT. Bravache, brave, capitan, casseur, coq, crâneur, fanfaron, faraud, fendant, fier-à-bras, flambard, gascon, hâbleur, matamore, orgueilleux, pan, prétentieux, rodomontade, séducteur, tartarin, tranche-montagne, truculent, vantard.

RODOMONTADE. Bluff, bravache, bravade, crânerie, fanfaronnade, forfanterie, hâblerie, jactance, menace, pitrerie, rodomont, sacripant, vantardise.

ROENTGEN. R.

ROGATOIRE. Adjuration, appel, commande, demande, exigence, instance, mayday, plainte, prière, question, quête, réclamation, reconvention, requête, revendication, signal, sirène, sollicitation, somme, SOS, supplique, trompe.

ROGATON. Bribe, débris, placet, rebut, reliefs, reste, restes, rognure.

ROGNE. Agitation, agressivité, aigreur, aigri, atrabile, aversion, avertin, bile, colère, courroux, dépit, émoi, emportement, ému, foudres, fureur, furie, hargne, indignation, ire, irritabilité, irritation, maudire, rage, ruade, tollé.

ROGNÉ. Broyage, corroyage, défilage, délissage, effilage, effilochage, effrangement, étirage, folage, forgeage, extension, extrusion, faufilure, filature, laminage, parfilage, tendage, tirage, transfilage, tréfilage.

ROGNER. Arrondir, couper, diminuer, ébarber, échancrer, écourter, éjointer, émarger, empêcher, enlever, éroder, gruger, laminer, lésiner, limiter, massicoter, murmurer, ôter, pester, prélever, rager, retrancher, rognonner, rognure, user.

ROGNON. Abats, bougon, chaille, concrétion, cuisseau, rein, rognonnade, silex, veau.

ROGNONNER. Bouder, bougonner, geindre, grincher, grognasser, grogner, grommeler, gronder, marmonner, marmotter, maronner, maugréer, murmurer, pester, râler, renauder, renfrogner, ronchonner, rouscailler, rouspéter.

ROGNURE. Brin, chute, cisaille, copeau, débris, déchet, gratture, parure, reste, rogner.

ROGOMME. Âpre, éraillé, enroué, graillé, guttural, râpeux, rauque, rocailleux, rude, sauvage, vélaire, voilé.

ROGUE. Acariâtre, appât, bourru, hargneux, hautain, insolent, œuf, raide, renfrogné, revêche, rude.

ROHART. Dentine, éburné, hippopotame, ivoire, morse, odobénidé.

ROI. Antiroi, cadeau, chef, despote, échec, empereur, justice, leude, lion, mage, magnat, maharaja, maharadjah, monarque, pair, pharaon, prince, radja, raja, rajah, reine, roitelet, royal, royaume, seigneur, shah, sire, souverain, sultan, triboulet, tsar, tyran, ubu.

ROI, ABOMEY (n. p.). Glé-Glé.

ROI, AFGHANISTAN (n. p.). Shah, Zaber Chah.

ROI, ALBANIE (n. p.). Zog, Zogu.

ROI, ANGLETERRE (n. p.). Alfred, Athelstan, Canute, Charles, Edgar, Edmond, Édouard, Edred, Edwy, Egbert, Etheirer, Ethelbald, Ethelbert, Ethelred, Ethelwulf, Étienne, George, Guillaume, Hardicanute, Henri, Jacques, Jean, Knud, Richard.

ROI, ANGLO-SAXONS (n. p.). Alfred le Grand, Eadred, Edgar, Edmond, Edred, Harold.

ROI, AQUITAINE (n. p.). Caribert, Charibert, Pépin.

ROI, ARABIE SAOUDITE (n. p.). Fahd, Faysal, Séoud.

ROI, ARAGON (n. p.). Alphonse, Ferdinand, Frédéric, Jacques, Jean, Pierre, Ramire.

ROI, ARGOS (n. p.). Agamemnon.

ROI, ARMÉNIE (n. p.). Tigrane, Tiridate.

ROI, ASSYRIE (n. p.). Asarhaddon, Assourbanipal, Assurbanipal, Ninus, Salmanasar, Sargon, Sennachérib, Sharroukîn.

ROI, ASTURIES (n. p.). Alphonse, Pélage.

ROI, ATHÈNES (n. p.). Égée, Thésée.

ROI, ATTIQUE (n. p.). Cécrops.

ROI, AUSTRALIE (n. p.). Dagobert.

ROI, AUSTRASIE (n. p.). Childebert, Childéric, Clotaire, Dagobert, Sigebert, Théodebald, Théodebert, Thibaud.

ROI, BABEL (n. p.). Hammourabi.

ROI, BABYLONE (n. p.). Balthazar, Bel-Shar, Hammourabi, Nabonide, Nabounaïd, Nabuchodonosor, Napopolassar.

ROI, BAVIÈRE (n. p.). Louis, Maximilien, Otton.

ROI, BELFORT (n. p.). Lion.

ROI, BELGIQUE (n. p.). Albert, Baudouin, Léopold.

ROI, BENGALE (n. p.). Pala.

ROI, BIRMANIE (n. p.). Alaungpaya, Mindon.

ROI, BITHYNIE (n. p.). Nicomède, Prousias, Prusias.

ROI, BOHÈME (n. p.). Charles, Ferdinand, Frédéric, Jean, Louis, Otakar, Ottakar, Rodolphe, Sigismond, Venceslas.

ROI, BOSPHORE CIMMÉRIEN (n. p.). Pharnace.

ROI, BOURGOGNE (n. p.). Boson, Charles Constantin, Childebert, Clovis, Dagobert, Gontran, Rodolphe, Thierry.

ROI, BRETAGNE (n. p.). Judicaël, Nominoë.

ROI, BULGARIE (n. p.). Boris, Jean.

ROI, BURGONDES (n. p.). Gombaud, Gondebaud, Gondobald, Sigismond.

ROI, CAMBODGE (n. p.). Ang Voddey, Norodom, Yaçovarman.

ROI, CARIE (n. p.). Hidrieus, Idrieus, Mausole.

ROI, CASTILLE (n. p.). Alphonse, Ferdinand, Henri, Philippe, Pierre le Cruel.

ROI, CHALDÉE (n. p.). Goungounou.

ROI, CHYPRE (n. p.). Amaury.

ROI, CLUSIUM (n. p.). Porsenna.

ROI, CORINTHE (n. p.). Sisyphe.

ROI, CRÈTE (n. p.). Minos.

ROI, CROATIE (n. p.). Pierre.

ROI, DAHOMEY (n. p.). Béhanzin, Glélé.

ROI, DANEMARK (n. p.). Canut, Christian, Christophe, Dan, Éric, Erik, Frédéric, Harald, Knud, Magnus, Olaf, Olav, Olof, Sven, Svend, Valdemar.

ROI DES DIEUX (n. p.). Amon.

ROI, ÉBURONS (n. p.). Ambiorix.

ROI, ÉCOSSE (n. p.). Babquo, Baliol, Ballieul, Banco, Bruce, Brus, Charles, David, Donald, Duncan, Edgar, Fergus, Guillaume, Jacques, Kenneth, Macbeth, Malcolm, Robert.

ROI, ÉGINE (n. p.). Eaque.

ROI, ÉGYPTE (n. p.). Ahmès, Ahmôsis, Amasis, Amenemhat, Aménophis, Amménémès, Apriès, Busiris, Chéops, Chephren, Danaos, Farouk, Fouad, Lagides, Ménès, Mykérinos, Nechao, Nectanebo, Nectanibis, Neforit, Néphéritès, Osymandias, Ousirtesen, Psammetik, Ptolémée, Ramsès, Sethi, Séti, Thoutmès, Thoutmosis, Toutankhamon.

ROI, ÉPIRE (n. p.). Néoptolème, Pyrrhos, Pyrrhus.

ROI, ESPAGNE (n. p.). Alphonse, Bonaparte, Charles, Ferdinand, Juan Carlos, Philippe.

ROI, ÉTHIOPIE (n. p.). Lalibela.

ROI, FRANCE (n. p.). Carloman, Charles, Eude, Eudes, François, Henri, Hugues-Capet, Jean, Lothaire, Louis, Louis-Philippe, Philippe, Raoul, Robert, Rodolphe.

ROI, FRANCS (n. p.). Charlemagne, Childebert, Childéric, Clodomir, Clotaire, Clovis, Dagobert, Louis, Pépin.

ROI, FRANCS SALIENS (n. p.). Childéric, Mérovée, Merowig.

ROI, GAULOIS (n. p.). Esus, Taranis, Teutatès.

ROI, GERMANIE (n. p.). Arnoul, Arnulf, Charles, Conrad, Frédéric, George, Henri, Louis, Otton, Philippe, Rodolphe.

ROI, GRANDE-BRETAGNE (n. p.). George, Guillaume.

ROI, GRÈCE (n. p.). Alexandre, Constantin, Georges, Otton, Paul.

ROI, GRENADE (n. p.). Boabdil.

ROI, HAÏTI (n. p.). Christophe.

ROI, HANOVRE (n. p.). George.

ROI, HÉBREUX (n. p.). David, Saul.

ROI, HEDJAZ (n. p.). Séoud.

ROI, HÉRULES (n. p.). Odoacre.

ROI, HONGRIE (n. p.). Aba, André, Béla, Bethlen, Carobert, Charles, Corvin, Émery, Étienne, Géza, Ladislas, Louis, Mathias, Rodolphe, Sigismond, Venceslas, Zapoly, Zapolya.

ROI, HUNS (n. p.). Attila.

ROI, INDE (n. p.). Açoka, Asoka, Harsa, Pôros.

ROI, IRAK (n. p.). Faïcal, Faysal.

ROI, IRAN (n. p.). Chah.

ROI, IRLANDE (n. p.). Charles, Christian, George, Guillaume, Jacques.

ROI, ISRAËL (n. p.). Achab, Achaz, Amri, Asa, Baasa, Baeza, Baisha, David, Ela, Hoshea, Jason, Jéhu, Jéroboam, Joachaz, Joas, Joram, Hoshea, Manahem, Ochosias, Omri, Osée, Salomon, Saül.

ROI, ITALIE (n. p.). Bérenger, Bernard, Charles, Hugues, Humbert, Lothaire, Louis, Otton, Pépin, Rodolphe, Victor-Emmanuel.

ROI, ITHAQUE (n. p.). Laërte.

ROI, JÉRUSALEM (n. p.). Amaury, Baudouin, Conrad, Lusignan, René.

ROI, JORDANIE (n. p.). Husayn, Hussein, Talal.

ROI, JUDA (n. p.). Abia, Achaz, Amon, Asa, Azarias, David, Eliacim, Ézéchias, Jéchonias, Joachaz, Joachim, Joachin, Joakim, Joas, Joram, Josaphat, Josias, Manassé, Ochosias, Roboam, Sédécias.

ROI, JUDÉE (n. p.). Aristobule.

ROI, JUIFS (n. p.). Antigonos, Hérode.

ROI, LAPITHES (n. p.). Ixion, Pirithoos.

ROI, LAVINIUM (n. p.). Ascagne, Énée, Iule.

ROI, LÉON (n. p.). Alphonse, Ferdinand, Henri, Pierre le Cruel.

ROI, LIBYE (n. p.). Idris.

ROI, LOMBARDS (n. p.). Alboïn, Didier, Pertharite, Rothari, Rptharis.

ROI, LOTHARINGIE (n. p.). Louis.

ROI, LYDIE (n. p.). Candaule, Crésus, Gygès, Tantale.

ROI, MACÉDOINE (n. p.). Alexandre le Grand, Antigonos, Archélaos, Démétrios, Perdiccas, Persée, Philippe, Ptolémée.

ROI, MADAGASCAR (n. p.). Radama.

ROI MAGE (n. p.). Balthazar, Gaspard, Melchior.

ROI, MAROC (n. p.). Hasan, Hassan.

ROI, MAURITANIE (n. p.). Bocchus, Juba.

ROI, MÈDES (n. p.). Astyage, Cyaxare, Cyrus, Ouvakhshatra.

ROI, MÉROVINGIEN (n. p.). Childéric, Clovis, Thierry.

ROI, MONTÉNÉGRO (n. p.). Nicolas, Nikita.

ROI, MYCÈNES (n. p.). Atrée, Égisthe.

ROI, MYSIE (n. p.). Télèphe.

ROI, NAPLES (n. p.). Ladislas, Philippe, René.

ROI, NAVARRE (n. p.). Alphonse, Charles, Henri, Jean, Louis, Pierre, Robert le Sage, Sanche, Thibaut.

ROI, NEUSTRIE (n. p.). Childebert, Chilpéric, Clotaire, Clovis, Dagobert.

ROI, NORTHUMBRIE (n. p.). Edwin.

ROI, NORVÈGE (n. p.). Christian, Frédéric, Haakon, Harald, Magnus, Olaf, Olav, Oscar.

ROI, NUMIDIE (n. p.). Adherbal, Juba, Jugurtha, Masinissa, Massinissa, Micipsa, Syphax.

ROI, ORLÉANS (n. p.). Childebert, Clodomir.

ROI, OSTROGOTHS (n. p.). Athalaric, Baduila, Théodahat, Théodat, Théodoric le Grand, Totila, Vitigès.

ROI, PARIS (n. p.). Caribert, Charibert.

ROI, PARTHE (n. p.). Orodès, Phaatès, Tiridate, Vologèse.

ROI, PAYS-BAS (n. p.). Guillaume.

ROI, PERGAME (n. p.). Attale, Attalos, Eumène, Eumenês.

ROI, PERSE (n. p.). Aman, Ardachêr, Ardachir, Ardeschir, Artaxerxès, Assuérus, Cambyse, Cyrus, Darios, Darius, Ismail, Nadir, Pahlavi, Sapor, Xerxès.

ROI, PHÉACIENS (n. p.). Alcinoos.

ROI, PHRYGIE (n. p.). Midas, Tantale.

ROI, POLOGNE (n. p.). Alexandre, Auguste, Bathori, Boleslas, Casimir, Charles, Étienne, Jean, Ladislas, Louis, Midas, Mieszko, Sigismond, Sobrieski, Stanislas, Venceslas.

ROI, PORTUGAL (n. p.). Alphonse le Conquérant, Carlos, Charles, Denis, Édouard, Emmanuel, Ferdinand, Jean, Joseph, Louis, Manuel, Philippe, Pierre le Justicier, Sébastien.

ROI, PROVENCE (n. p.). Boson, Louis.

ROI, PRUSSE (n. p.). Frédéric, Guillaume.

ROI, PYLOS (n. p.). Nestor.

ROI, ROMAIN (n. p.). Louis, Rodolphe.

ROI, ROME (n. p.). Ancus Martius, Ferdinand, Guillaume, Numa Pompilius, Romulus, Servius Tullius, Tarquin, TullusHostilius.

ROI, ROUMANIE (n. p.). Carol, Charles, Michel.

ROI, SARDAIGNE (n. p.). Charles-Albert, Charles-Emmanuel, Charles-Félix, Enzio, Enzo, Heinz, Victor-Emmanuel.

ROI, SASSANIDE (n. p.). Châhpuhr.

ROI, SÉLEUCIDE (n. p.). Épiphane, Kallinikos, Nikatôr, Philopatôr, Séleucos

ROI, SERBIE (n. p.). Alexandre, Étienne, Pierre.

ROI, SIAM (n. p.). Mongkut, Rama.

ROI, SICILE (n. p.). Alphonse, Charles, Conrad, Ferdinand, François, Frédéric, Guillaume, Jacques, Louis, Manfred, Manfred, Pierre, René le Bon, Roger.

ROI, SLOVÈNE (n. p.). Pierre.

ROI, SOISSONS (n. p.). Clotaire.

ROI, SPARTE (n. p.). Agésilas, Agis, Alcamène, Archidamos, Cléomène, Leonidas, Léotychidas, Pausanias.

ROI, SUÈDE (n. p.). Adolphe-Frédéric, Canut, Charles, Christian, Christophe, Eric, Erik, Frédéric, Gustave, Harald, Knut, Magnus, Olaf, Oscar, Sigismond.

ROI, SYRACUSE (n. p.). Hiéron.

ROI, SYRIE (n. p.). Alexandre, Antiochos, Démétrios.

ROI, TAHITI (n. p.). Pomaré.

ROI, THAÏLANDE (n. p.). Bhumibol, Rama.

ROI, THÈBES (n. p.). Amphion, Cadmos, Créon, Étéocle, Eétion, Laïos.

ROI, THRACE (n. p.). Diomède.

ROI, TRANSOXIANE (n. p.). Tamerlan.

ROI, TYR (n. p.). Hiram.

ROI, VALACHIE (n. p.). Dracula.

ROI, WESSEX (n. p.). Egbert le Grand.

ROI, WISIGOTHS (n. p.). Alaric, Amalaric, Ataulf, Ataulphe, Athanagild, Euric, Léovigilde, Recarède, Reccared, Rodéric, Rodrigue, Théodoric.

ROI, YOUGOSLAVIE (n. p.). Alexandre, Pierre.

ROI, WESSEX (n. p.). Egbert.

ROIDE. Abrupt, affecté, ankylosé, âpre, ardu, austère, cassant, démuni, droit, dur, empesé, engourdi, escarpé, ferme, fixe, fort, guindé, hérissé, inébranlable, inflexible, ivre, raide, rigide, rigoureux, tendu.

ROILLER. Arroser, bruiner, couler, crachiner, dégringoler, dracher, flotter, inonder, mouiller, pisser, pleuvasser, pleuviner, pleuvoir, pleuvoter, pluviner, pluvioter, repleuvoir, tomber, tremper.

RÔLE. Acteur, catalogue, clé, clef, comparse, corde, état, figuration, fonction, frime, grime, hocco, jeu, liste, muet, panne, personnage, rang, star, tabac, tableau, théâtre, tour, travesti, utilité, valet, vamp.

ROLLIER. Carinate, eurystome, oiseau, passereau.

ROM. Bohémien, gipsy, gitan, nomade, robineux, romani, romanichel, tsigane, tzigane, vagabond, zingard, zongaro.

ROMAIN, CHIFFRE. I, II, III, IV, V, VI, VII, VIII, IX, X, XI, XII, XIII, XIV, XV, XVI, XVII, XVIII, XIX, XX, XXI, XXII, XXIII, XXIV, XXV, (autres combinaisons avec :) C, D, L, M.

ROMAINE. Laitue, mythologie, rivière, witloof.

ROMAIN, EMPEREUR (n. p.). Alexandre, Antonin, Apostolat, Auguste, Aurélien, Balbin, Balbinus, Caligula, Caracalla, Carin, Carus, Claude, Commode, Constance, Constant, Constantin, Decius, Didius, Dioclétien, Domitien, Émilien, Eugène, Florien, Galba, Galère, Gallien, Gallus, Geta, Gordien, Gratian, Hadrien, Héliogabale, Jovien, Julianus, Licinius, Marc-Aurèle, Macrin, Magnence, Maxence, Maxime, Maximien, Maximin, Néron, Nerva, Numérien, Octave, Othon, Pertinax, Philippe l'Arabe, Probus, Pupien, Septime, Sévère, Tacite, Théodose, Tibère, Titus, Trajan, Valens, Valentinien, Valérien, Vérus, Vespasien, Vittelius.

ROMAN. Action, anecdote, aventure, cape, conte, dalmate, détective, feuilleton, histoire, intrigue, ladin, livre, manuscrit, noir, nouvelle, occitan, polar, policier, prologue, rêve, romancer, romanesque, scénario, thriller.

ROMANCE. Bergerade, chanson, chant, fabulation, invention, lied, mélodie, poésie, sentimental.

ROMANCIER. Auteur, balzacien, écrivain, nouvelliste, populisme, populiste, pseudonyme.

ROMANCIER ALLEMAND (n. p.). Brentano, Fallada, Hauptmann, Hesse, Jünger, Mann, Sudermann, Süskind, Tieck, Zweig.

ROMANCIER AMÉRICAIN (n. p.). Anderson, Asimov, Bromfield, Brunner, Cadwell, Capote, Carnegie, Clancy, Clarke, Clavell, Cook, Coonts, Cooper, Crane, Crichton, Cussler, Daley, DeMille, Dick, Dreiser, Faulkner, Fitzgerald, Follett, Forsyth, Gray,

Greene, Hailey, Hawthorne, Hemingway, Higgins, Hitchcock, King, Lawrence, Lewis, Ludlum, Mailer, Melville, Michener, Miller, Poe, Puzo, Segal, Sinclair, Singer, Steinbeck, Twain, Wells, West, Wilde.

ROMANCIER ANGLAIS (n. p.). Barrie, Bennett, Clavell, Collins, Conrad, Defoe, Dickens, Doyle, Fielding, Foe, Follett, Greene, Hardy, Kingsley, Kipling, Lawrence, Lewis, Lytton, Maugham, Reid, Richardson, Shaw, Sidney, Stevenson, Thackeray, Wells, Zangwill.

ROMANCIER AUSTRALIEN (n. p.). West.

ROMANCIER AUTRICHIEN (n. p.). Broch, Stifter.

ROMANCIER BRITANNIQUE (n. p.). Lytton.

ROMANCIER BELGE (n. p.). Baillon, Brialmont, Buysse, Claus, Conscience, Daisne, Demolder, Eekhoub, Hellens, Lemonnier, Plisnier, Rodenbach, Simenon, Thiry, Walschap.

ROMANCIER BRÉSILIEN (n. p.). Amado, Andrade.

ROMANCIER CANADIEN (n. p.). Cohen, Hailey, Poulin.

ROMANCIER CHINOIS (n. p.). Lousiun.

ROMANCIER COLOMBIEN (n. p.). Garcia Marquez.

ROMANCIER DANOIS (n. p.). Aakjaer, Anderson, Jensen, Pontoppidan.

ROMANCIER ÉCOSSAIS (n. p.). Scott, Smollett.

ROMANCIER ÉGYPTIEN (n. p.). Manfouz, Manfuz.

ROMANCIER ESPAGNOL (n. p.). Alarcon, Baroja, Cela, Cervantès, Espinel.

ROMANCIER FINLANDAIS (n. p.). Aho, Rintala.

ROMANCIER FRANÇAIS (n. p.). Alain-Fournier, Argon, Attali, Aymé, Balzac, Bataille, Bazin, Beaumarchais, Benoit, Berger, Bernanos, Bodard, Camus, Chateaubriand, Clavel, Cocteau, Daninos, Daudet, Droz, Dumas, Exbrayat, Fabre, Féval, Flaubert, Frossard, Gaboriau, Gallo, Gide, Giono, Giraudoux, Green, Hémon, Hugo, Jacquard, Kessel, Kock, Laclos, Leblanc, Leroux, Lévy, Loti, Maupassant, Mauriac, Maurois, Mérimée, Montaigne, Monteilhet, Nourissier, Ohnet, Péguy, Prévost, Proust, Rabelais, Radiguet, Renard, Rolland, Romains, Rousseau, Sade, Sartre, Stendhal, Sue, Sulitzer, Troyat, Vercors, Verne, Voltaire, Zola.

ROMANCIER GREC (n. p.). Heliodore, Jamblique, Longus.

ROMANCIER HONGROIS (n. p.). Füst, Jokai.

ROMANCIER ITALIEN (n. p.). Buzzati, Eco, Fenoglio, Fogazzaro, Levi, Pirandello, Pratolini, Verga.

ROMANCIER JAPONAIS (n. p.). Abe Kobo, Saikaku.

ROMANCIER NÉERLANDAIS (n. p.). Aafies, Van Schendel.

ROMANCIER NORVÉGIEN (n. p.). Bjornson, Bojer, Hamsun.

ROMANCIER POLONAIS (n. p.). Reymont.

ROMANCIER PORTUGAIS (n. p.). Queiros.

ROMANCIER PRUSSIEN (n. p.). Arnim.

ROMANCIER QUÉBÉCOIS (n. p.). Angers, Archambault, Arnau, Assiniwi, Audet, Baillargeon, Baillie, Barcelo, Beauchamp, Beauchemin, Beaudet, Beaudry, Bergeron, Berthiaume, Bessette, Bigras, Blais, Boisvert, Bonenfant, Boulerice, Brassard, Brossard, Brouillette, Bussières, Caron, Charron, Cossette, Daignault, Dansereau, Dion, Dor, Ducharme, Folch-Ribas, Fournier, Garneau, Garon, Godbout, Gravel, Graveline, Grignon, Hébert, Hus, Jasmin, Laberge, Laferrière, Lalonde, Laplante, Lemelin, Major, Malenfant, Miron, Monette, Montmorency, Morissette, Ohl, Plante, Poissant, Poliquin, Poulin, Poupart, Proulx, Roy, Saïa, Soucy, Soulières, Stanké, Thériault, Tremblay, Turgeon, Vadeboncoeur, Zumthor.

ROMANCIER RUSSE (n. p.). Boulgakov, Dostoïevski, Gogol, Soljénitsyne, Tchekhov, Tolstoï, Tourguéniev.

ROMANCIER SUÉDOIS (n. p.). Almquist, Lagerkvist, Strindberg.

ROMANCIER SUISSE (n. p.). Durrenmatt, Rod, Toepffer.

ROMANCIÈRE ALLEMANDE (n. p.). Frank.

ROMANCIÈRE AMÉRICAINE (n. p.). Beecher-Stowe, Buch, Chase-Riboud, French, Higgins-Clark, Jong, Lessing, Maclaine, McCullers, McCullough, Mitchell, Morrison, Nin, Oates, Reich, Rendell, Roth, Steel, Susann, TartTaylor-Bradford, Walters, Wharton.

ROMANCIÈRE ANGLAISE (n. p.). Austen, Brontë, Cartland, Christie, Cornwell, Highsmith, James, Westmacott, Woolf.

ROMANCIÈRE BELGE (n. p.). Nothomb.

ROMANCIÈRE BRITANNIQUE (n. p.). Austen, Compton-Burnett, Iris, Murdoch.

ROMANCIÈRE CANADIENNE (n. p.). Allard, Aubry, Baillargeon, Bersianik, Blais, Boisjoli, Boisvert, Brossard, Bussières, Cadieux, Champagne, Claudais, Conan, Cousture, Cyr, Ferretti, Ferron, Gauvin, Grisé, Laberge, Loranger, Maillet, Marchessault, Miville-Deschênes, Montgomery, Ouellette-Michalska, Ouvrard, Proulx, Roy, Ruel, Sarfati, Villemaire.

ROMANCIÈRE CHILIENNE (n. p.). Allende.

ROMANCIÈRE ÉGYPTIENNE (n. p.). Soueif.

ROMANCIÈRE FRANÇAISE (n. p.). Arnothy, Avril, Boissard, Bourin, Cardinal, Chapsal, Charles-Roux, Colette, Collange, Deforges, Dorin, Frain, Groult, Lacamp, Laclos, Le Varlet, Mallet-Joris, Monsigny, Pisier, Rivoyre, Sagan, Sand, Sarraute.

ROMANCIÈRE ITALIENNE (n. p.). Deledda, Fenoglio, Morante.

ROMANCIÈRE NORVÉGIENNE (n. p.). Undset.

ROMANCIÈRE QUÉBÉCOISE (n. p.). Allard, Aubry, Baillargeon, Bersianik, Blais, Boisjoli, Boisvert, Brossard, Bussières, Cadieux, Champagne, Claudais, Cousture, Cyr, Ferretti, Ferron, Gauvin, Grisé, Laberge, Loranger, Maillet, Marchessault, Miville-Deschênes, Ouellette-Michalska, Ouvrard, Proulx, Roy, Ruel, Sarfati, Villemaire.

ROMANCIÈRE SUD-AFRICAINE (n. p.). Gordimer.

ROMAND. Français, francophone, helvète, helvétique, helvétisme, picoulet, suisse, velche, welche.

ROMANESQUE. Affectif, apparent, charnel, chatouilleux, clair, compatissant, cruel, délicat, distinct, douillet, dur, émotif, fin, fleur bleu, fragile, impitoyable, impressionnable, inhumain, notable, rêveur, romantique, sensible, sensoriel, sentimental, tendresse, touché, vif, vulnérable.

ROMANI. Bohémien, gitan, manouche, nomade, rom, romanichel, saltimbanque, tsigane, tzigane.

ROMANICHEL. Bohémien, gitan, manouche, nomade, rom, romani, romano, saltimbanque, tsigane, tzigane, vagabond.

ROMANISTE (n. p.). Bailly, Barrow, Budé, Carcopino, Dacier, Darmesteter, Delcourt, Grimm, Hamadhani, Hariri, Humboldt, Ivanov, Karadzic, Ménage, Quicherat, Renan, Rome, Tolkien.

ROMANISTE. Juriste, linguiste, philologue.

ROMANTISME. Affection, compassion, délicatesse, émotivité, esthésie, éveil, finesse, impressionnabilité, influençabilité, nervosité, sensibilité, sensiblerie, sentiment, sentimental, vibralité, vulnérabilité.

ROMPRE. Annuler, arracher, briser, casser, céder, claquer, couper, crac, crever, déceler, décrocher, défaire, désaxer, desceller, écorner, édenter, enfoncer, éreinter, fêler, fendre, forcer, fracasser, fracturer, licencier, péter, volis.

ROMPU. Brisé, cassé, cessé, claqué, crevé, épuisé, éreinté, exténué, harassé, las, moulu, vanné, vidé.

RONCE. Barbelé, broussaille, épine, framboise, framboisier, mûre, mûrier, mûron, ronceraie, roncier.

RONCEUX. Bariolé, bigarré, broussaille, chamarré, composite, diapré, disparate, diversifié, émaillé, grivelé, hétéroclite, hétérogène, hybride, jaspé, madré, marbré, mélangé, mêlé, moucheté, multicolore, pommelé, rayé, tacheté, tavelé, tigré, tricolore, varié, veiné, vergeté, zébré.

RONCHON. Bougon, bougonneux, grincheux, grognon, râleur, ronchonneur, ronchonneux, rouspéteur.

RONCHONNER. Bougonner, crier, grogner, grognonner, grommeler, gronder, manifester, marmonner, maronner, maugréer, murmurer, plaindre, protester, râler, renauder, rochon, rognonner, rouspéter.

RONCHONNEUX. Bougon, bougonneux, grincheux, grognon, râleur, ronchon, ronchonneur, rouspéteur.

ROND. Balle, ballon, bâton, bombe, boule, cerceau, cercle, cerne, circonférence, circulaire, concentrique, cylindrique, éclisse, étoile, ivre, jeton, lune, miche, orbe, orbiculaire, orbite, plein, potelé, pneu, saoul, sphérique.

ROND-DE-CUIR. Buraliste, bureaucrate, commis, fonctionnaire, gratte-papier, paperassier, scribe, scribouillard.

RONDE. Atriau, autour, ballon, chanson, grassette, grosse, musique, noire, note, patrouille, soule, visite.

RONDEAU. Acrostiche, ballade, bucolique, cantate, cantique, églogue, élégie, épilogue, épique, épître, épode, épopée, geste, huitain, iambe, idylle, kaïkaï, kaïku, lai, lied, mélodie, neuvain, node, ode, poème, poésie, qasida, quatrain, rime, sizain, sixain, sonnet, stance, strophe, tenson, vers, virelai.

RONDELET. Appréciable, boulot, charnu, conséquent, coquet, dodu, enrobé, gentil, gras, grassouillet, gros, important, joli, potelé, rebondi, replet, rondouillard, substantiel.

RONDELLE. Beigne, bletse, bletz, bonde, confetti, disque, palet, procédé, puck, rouet, rustine, tranche, ventouse.

RONDEMENT. Abruptement, articulé, brusquement, brutalement, caractérisé, carrément, catégoriquement, clairement, crûment, directement, droit, durement, fermement, franchement, hardiment, hautement, inflexiblement, librement, net, nettement, raide, raidement, résolument, solidement, vertement.

RONDEUR. Arcure, bosse, busqué, cambrure, cassure, cintrer, convexité, coude, courbure, embonpoint, ensellure, galbe, gibbosité, humiliation, lordose, méplat, pliure, renflure, ressaut, rotondité, tonture, voûte.

RONDIER. Albumen, borassus, corozo, ivoire, ivoire végétal, palmier, phytéléphas, rônier.

RONDIN. Bille, bois, bûche, bûchette, chouquet, flandre, pitoune, plot, stère, tronc, tronche, tronchet.

RONDOUILLARD. Boulot, dodu, embonpoint, gras, grassouillet, gros, plantureux, potelé, rondelet.

ROND-POINT, Agora, avenue, bifurcation, carrefour, circulaire, embranchement, étoile, intersection, place.

RONFLANT. Ampoulé, déclamatoire, emphatique, grandiloquent, pompeux, prétentieux, sonore.

RONFLEMENT. Borborygme, boucan, bourdonnement, brouhaha, broum, bruissement, bruyant, cancan, chahut, clapotis, clappement, cornage, coup, crépitation, crépitement, cri, déclic, détonation, drelin, ébrouement, écho, éclat, esclandre, fracas, friture, galop, gargouillement, gazouillement, grabuge, grincement, huée, hurlement, murmure, pet, pétard, potin, râle, ronron, ronronnement, rot, rumeur, son, stertor, stridulation, tac, tapage, tic, tintamarre, toc, tocsin, tonnerre, tumulte, vacarme, vrombissement.

RONFLER. Bourdonner, bruire, dormir, respirer, ronfleur, ronronner, vrombir.

RONGE. Voir rongeur.

RONGER. Altérer, attaquer, brûler, carier, consumer, corroder, couper, détruire, dévorer, échancrer, éroder, grignoter, gruger, manger, miner, mordiller, mordre, mouliner, onychophagie, piquer, saper, user.

RONGEUR. Agouti, anomalure, cabiai, campagnol, capybara, castor, caviomorphe, chien de prairie, chinchilla, cobaye, écureuil, gaufre, gerbille, gerboise, goundi, hamster, hutia, lapin, lemming, léporidé, lérot, lièvre, lithophage, loir, lophiomys, marmotte, milan, mulot, muridé, octodon, ondatra, pacarana, pacas, porc-épic, ragondin, rat, raton, rat-taupe, sciuridé, souris, spalax, suisse, surmulot, tamia, viscache, wombat, xérus.

RÔNIER. Albumen, borasse, borassus, corozo, ivoire, ivoire végétal, palmier, phytéléphas, rondier.

RÔNIN. Archer, argoulet, armée, bleu, bushido, capitaine, cipaye, colonel, conscrit, combattant, cosaque, cuirassier, dragon, éclaireur, estradiot, fusilier, général, GI, guerrier, homme, lancier, mercenaire, militaire, officier, papal, planton, poilu, pompier, ranger, recrue, réserviste, samouraï, sapeur, sentinelle, sergent, soldat, tirailleur, triaire, troufion, uhlan, vélite, vétéran, zouave.

RONRON. Chat, continu, endormant, ennuyeux, grisaille, fade, fastidieux, languissant, lassant, monocorde, monotone, morne, régulier, répétitif, ronronner, routine, semblable, terne, traînant, uniforme.

ROOF. Château, dunette, kiosque, navire, passerelle, rouf, superstructure, surbau.

ROQUET. Aboyeur, beuglard, braillard, chien, criard, gueulard, hurleur, râleur, rouspéteur, vociférateur.

ROQUETIN. Bobine, bobinot, broche, cannelle, canette, cops, cylindre, diabolo, espolin, face, fil, fusée, fuseau, fusette, marionnette, moue, moulinet, navette, nilles, noyau, quenouille, rochet, rouleau, solénoïde, visage.

ROQUETTE. Arme, balle, bombe, boulet, canon, cartouche, flèche, fleur, fusée, grenade, missile, mitraille, mitraillette, obus, ogive, pierre, prison, projectile, pruneau, rouquette, sisymbre, tir, torpille, trait.

RORQUAL. Baleine, balénoptère, cachalot, cétacé, épaulard, mammifère, mégaptère, mysticète, odontocète.

ROSACE. Badge, cocarde, dessin, écusson, épinglette, insigne, plaque, quintefeuille, signe, tatou, tatouage, vignette.

ROSACÉE. Abricotier, acné, acore, aigremoine, alchémille, alisier, allouchier, amandier, aubépine, benoîte, bibassier, cerisier, cognassier, cormier, cratægus, églantier, ellébore, fraisier, icaquier, kerrie, lobe, merisier, néflier, pêcher, pimprenelle, poirier, pommier, potentille, prunellier, prunier, ronce, rose, rosier, sanguisorbe, sorbier, spirée, tormentille, trémière, vitrail.

ROSAGE. Arbrisseau, arbuste, azalée, épiphyte, éricacée, fleur, mellifère, plante, rhododendron.

ROSAIRE. Alignement, ave, cascade, chaîne, chapelet, clane, colonne, combinaison, consécution, dizaine, égrainer, égrener, glane, grain, kyrielle, mala, neuvaine, pater, prières, psautier, série, succession, suite.

ROSE. Aurore, béril, béryl, carné, diamant, fleur, groseille, incarnat, lilas, morganite, nævi, pêche, pompon, rhodinol, rosacée, rosat, rosâtre, roseraie, rosette, rosier, rosir, sable, saumon, saumoné, thé, trémière.

ROSÉ. Cerneaux, champagne, doré, faiblement, lilas, nizeré, pelure d'oignon, pinard, tavel, vin.

ROSEAU. Acore, arundo, bambou, calame, canier, canisse, cannaie, canne, chalumeau, férule, glui, gynérium, jonc, massette, mirliton, papyrus, phragmite, pipeau, plante, rotang, typha.

ROSE-CROIX. Apprenti, atelier, compagnon, confrérie, convent, franc-maçon, frangin, loge, maçon, maître.

ROSE DE NOËL. Ellébore, fleur, hellébore, mellifère, plante, purge, renonculacée, rosacée, vératre.

ROSÉE. Aiguail, gelée, givration, goutte, gouttelette, irrosation, perle, pleur, rosifère, serein, vapeur.

ROSÉOLE. Acné, couperose, crueur, ébullition, énanthème, exéma, éruption, exanthème, herpès, impétigo, lichen, lunule, miliaire, poussée, purpura, rash, rougeur, sortie, tache, urticaire, vaccinelle, vaccinide.

ROSE TRÉMIÈRE. Alcée, althaea, fleur, guimauve, malvale, passerose, passe-rose, primerose.

ROSETTE. Boutargue, boutonnière, cervelas, chipolata, chorizo, coiffe, crépinette, gendarme, hot-dog, insigne, macaron, mortadelle, nœud, palme, ruban, salami, saucisse, saucisson, wienerli.

ROSIER. Églantier, évelyn, floribunda, grandiflora, grimpant, intrigue, othello, peace, polyantha, sericea, solitude, voodoo.

ROSIER, ARBUSTE (n. p.). Agnes, Bonica, Cuthbert, Hansa, Henry Kelsey, Jens Munk, John Cabot, John Franklin, Martin Frobisher, William Baffin.

ROSIER FLORIBUNDA (n. p.). Arnaud Delbard, Centennial, Challenger, Deb's Delight, Europeana, Girl Guide, Lili Marlene, Little Devil, Mountbatten, Rose Marie, Velveteen, V.O.N. Canada, Warrior.

ROSIER GRANDIFLORA (n. p.). Golden Giant, Jacques Cartier, Jeannine, John A. Macdonald, Queen Elizabeth.

ROSIER GRIMPANT (n. p.). Altissimo, Campanile, Fluorescent, Golden Showers, Imperial Blaze, New Dawn, Sir Wilfrid Laurier, Snow Drift, White Dawn.

ROSIER HYBRIDE DE THÉ (n. p.). Apogee, Atoll, Audrey Meiklejohn, Black Ruby, Blue Nile, Camera, Can Can, Candid, Champagne, Chicago Peace, Colourama, Crêpe de Chine, Dolce Vita, Double Delight, Epidor, Fragrant Cloud, Grand Mogul, Great Century, Great Nord, Halleluiah, Isobel Champion, John Bradshaw, John Snowball, Lancome, Madame Delbard, Northern Lights, Northern Gold, Papa Meilland, Parthenon, Peace, Pink Peace, Princess Margaret, Saphir, Summer Sunset, Tiffany, Tourmaline, Tropicana, Versailles, Vienna Charm, Woman.

ROSIR. Barbouiller, barioler, bistrer, bleuter, colorer, colorier, dorer, empourprer, encrer, enluminer, farder, iriser, nuancer, ocrer, orner, panacher, peindre, pigmenter, rehausser, relever, rougir, safraner, teindre, teinter.

ROSSARD. Calomniateur, calomnieux, colporteur, contempteur, débineur, dénigrant, dénigreur, dépréciateur, détracteur, diffamant, diffamateur, diffamatoire, infamant, malveillant, médisant, potineur, potinier, rosse, vipère.

ROSSE. Bât, carcan, carne, caustique, chameau, cheval, dur, exigeant, fainéant, haridelle, ironique, méchant, médisant, mégère, mordant, rossard, rosserie, rossinante, sévère, teigne, vache, venimeux, vulgaire.

ROSSÉE. Châtiment, correction, dégelée, dérouillée, fessée, pâtée, peignée, pile, piquette, raclée, volée.

ROSSER. Battre, cogner, démolir, étriller, frapper, passer à tabac, piler, rouer, tabasser, vaincre.

ROSSERIE. Crasse, cruauté, dureté, hargne, jalousie, malice, méchanceté, noirceur, vacherie, vanne.

ROSSIGNOL. Invendable, passe-partout, philomèle, pouillot, rossignolet, rouge-queue, turdidé.

ROSSOLIS. Attrape-mouche, binata, capensis, carnivore, drosera, intermedia, longifolia, rotundifolia, spathulata.

ROSTRE. Aiguillon, arête, bâton, bec, bœuf, chas, colonne, crochet, dard, dent, éperon, épine, excite, fémelot, fibule, incitation, inerme, motivation, œil, piquant, pique, prolongement, puceron, punaise, spicule, stimulant, stimule, stylet.

ROT. Bruit, contraction, convulsion, croucrouille, diaphragme, éructation, expulsion, fer-chaud, gaz, glotte, hoquet, maladie, moniliose, pyrosis, rapport, régurgitation, renvoi, rotor, rototo, sanglot, secousse.

RÔT. Boucherie, bœuf, cuit, havi, pièce de bœuf, plat, rissolé, roast-beef, rosbif, rôti, salmis.

ROTANG. Arec, aréquier, borasse, borassus, cocotier, cycas, dattier, doum, élacis, éléis, élaeis, jonc, kentia, latanier, nipa, palmier, palmiste, phénix, phœnix, raphia, rondier, rônier, rotin, sang-dragon, tallipot.

ROTATIF. Angle, circulaire, carrefour, coude, courbe, courbure, cyclone, fraise, giratoire, gyrophare, méandre, moteur, pivotant, presse, retour, rond-point, rotation, rotatoire, rotor, tour, tournant, virage.

ROTATION. Changement, charnière, cylindre, effet, enveloppé, giration, gond, manivelle, toupie, tour.

ROTE. Annulation, instrument, luth, mariage, matrimonial, tribunal.

ROTER. Baver, éructer, hurler, lancer, proférer, rejeter, renvoi, renvoyer, soulager, vomir.

RÔTI. Boucherie, bœuf, cuit, entame, havi, pièce de bœuf, plat, rissolé, roast-beef, rosbif, rôt, salmis.

RÔTIE. Canapé, frottée, grillée, havi, pain, rissolé, rissolette, saisi, toast, toasté, torréfié.

ROTIFÈRE. Aquatique, invertébré, métazoaire, microscopique, vermidien

ROTIN. Bois, branche, bras, brindille, cannage, chiffonne, corne, courçon, courson, crossette, écotée, éperon, ergot, frondaison, greffe, gluau, marcotte, membre, membrure, pipeau, plantard, planton, rameau, ramée, ramure, rejeton, rotang, scion, sou, tronc, vinée.

RÔTIR. Braiser, brasiller, bronzer, brûler, chauffer, carboniser, cuire, cuisiner, dessécher, dorer, frire, griller, hâler, havir, mijoter, réduire, rissoler, rôtissoire, roussir, roustiller, roustir, saisir, sauter, toast, torréfier.

ROTONDE. Abri, aile, bannière, belvédère, berne, bungalow, chalet, cor, cottage, drapeau, étendard, gloriette, guérite, guidon, hangar, kiosque, maison, muette, oreille, pavillon, tente, tonnelle, tourelle, villa.

ROTONDITÉ. Adiposité, bouffissure, corpulence, embonpoint, graisse, grosseur, lipome, obésité, polysarcie, rondeur.

ROTOR. Ailette, birotor, fenestron, hélice, hélicoptère, ouverture, stator, tournant, turbine, voilure.

ROTULE. Ajointé, ajouté, annexé, articulation, attaché, délit, enlier, genou, fourbu, joint, jointure, ménisciste, noix, os, rotulien, séant.

ROTURE. Clause, condition, contrat, disposition, esclavage, état, exigence, fange, ghetto, loi, marasme, modalité, moyennant, négritude, noble, pourvu que, qualité, rang, sceau, si, situation, sort, sorte, ultimatum, vie.

ROTURIER. Altesse, aristocrate, baron, chevalier, courageux, digne, duc, élevé, émerillon, faucon, fief, fier, généreux, gentleman, hidalgo, hobereau, magnanime, majestueux, manant, né, noble, olympien, paysan, plébéien, populaire, praticien, racé, relevé, respectable, sublime, titré, varlet.

ROUANNE. Charpentier, équerre, erminette, herminette, ossu, rénette, rabot, tarière, vrille.

ROUBLARD. Adroit, astucieux, combinard, débrouillard, déluré, farceur, finasseur, finassier, finaud, futé, habile, malin, mariol, mariole, mariolle, roublardise, roué, rusé.

ROUBLARDISE. Astuce, fourberie, matoiserie, rouerie, ruse, stratagème.

ROUBLE. Rbl.

ROUCOULER. Attaquer, beugler, brailler, bramer, cappella, chanter, chantonner, coqueriquer, détonner, égosiller, entonner, fredonner, grisoller, hurler, injurier, iodler, iouler, jodler, ramager, solfier, susurrer, ténoriser, turlutter, vocaliser.

ROUDOUDOU. Bonbon, bronze, brun, caramel, caramélisé, colorant, doré, friandise, mordoré, toffee.

ROUE. Aube, baladeur, bief, boulon, buse, came, davier, dent, engrenage, esse, essieu, jante, mailleuse, molette, moulinet, moyeu, noix, ornière, pale, paon, pneu, poulie, rai, rayon, réa, rotacé, rouage, rouleau, sabot, turbine, volant.

ROUELLE. Barde, biscotte, bord, canapé, côté, coupe, darne, division, écu, émincé, escalope, fil, fraction, lamelle, lèche, morceau, part, partie, paupiette, portion, quartier, rond, rondelle, rôtie, tartine, tête, toast, tranche.

ROUER. Battre, cogner, dauber, étriller, frapper, moudre, passer à tabac, rosser, ruser, tabasser.

ROUERIE. Astuce, cautèle, combine, fourberie, intrigue, malice, matoiserie, roublardise, ruse, stratagème.

ROUET. Barillet, bec-de-cane, bénarde, cadenas, chogramme, clé, clef, crochet, écusson, encoche, fermoir, gâche, huis, loquet, mousquet, pédale, pêne, platine, pompe, réa, roue, serrure, targette, touret, verrou.

ROUF. Château, dunette, kiosque, navire, passerelle, roof, superstructure, surbau.

ROUFLAQUETTE. Accroche-cœur, boucle, bouclette, crêpelage, crêpelure, crespelage, crolle, éfrison, friser, frisette, frison, frisonnement, frisottis, frisou, frisure, guiche, mèche, ratinage, retroussis, rosette.

ROUGE. Amarante, andrinople, baie, bordeaux, brique, cahor, capucine, carmin, carotte, cerise, cinabre, corail, cramoisi, cuivré, écarlate, éosine, érubescent, garance, grenat, groseille, incarnat, ire, lie-de-vin, magenta, pourpre, puce, rocou, rougeâtre, rougeaud, rubéfaction, rubescent, rubicond, rutilant, vermeil, vermillon, vin, violacé, vultueux.

ROUGEÂTRE. Alios, amère, brique, érubescent, latérite, melon, pétéchie, rosâtre, rubicond, urubu.

ROUGE-GORGE. Oiseau, passereau, rossignol des murailles, rouge-queue, rubiette, turdidé.

ROUGEOLE. Efflorescence, énanthème, exanthème, éruption, maladie, morbilleux, rougeur, rubéole, scarlatine.

ROUGEOYER. Briller, chatoyer, dorer, éblouir, flamber, flamboyer, luire, lustrer, reluire, rutiler, vernir.

ROUGET. Boudenfle, coloré, congestionné, couperosé, cramoisi, écarlate, empourpré, enflammé, enflé, enluminé, injecté, rouge, rougeaud, rougissant, rubescent, rubicond, sanguin, tuméfié, turgide, vineux, vultueux.

ROUGEUR. Érubescence, érythème, érythrose, exanthème, livedo, pourpre, rubéfaction, tache, teinte.

ROUGH. Avant-projet, canevas, crayonné, ébauche, esquisse, étude, golf, graphiste, maquette, modèle, plan, plan-relief, projet, réduit, schéma, terrain, trame.

ROUGIR. Écidie, empourprer, limonite, mûrir, piquer, piquer un fard, regretter, rosir, rougissant, rubéfier.

ROUILLE. Aïoli, ankylose, brun, champignon, écidie, érugineux, parasite, rouquin, urédinée.

ROULADE. Arioso, entraînement, exercice, gargouillade, sonorisation, vocalisation, vocalise, voisement.

ROULANT. Absurde, amusant, bidonnant, bizarre, bouffe, bouffon, burlesque, cocasse, comique, drôle, falot, farceur, gag, gaguesque, gai, guignol, hilarant, hilare, impayable, inénarrable, lazzi, loufoque, marrant, opéra, plaisant, poilant, rigolo, risible, tapis, tordant, tragi-comique.

ROULÉ. Bâti, convoluté, équilibré, fichu, foutu, harmonieux, moulé, oiselet, proportionné, régulier, supé, tourné.

ROULEAU. Bande, bâton, bigoudi, boa, bobine, boucharde, cigare, colombin, croskill, cylindre, davier, déchargeoir, ensouple, essuie-tout, manchon, pinceau, papier, pâte, pontuseau, quenelle, roller, rondeau, saut, torque, vague.

ROULEMENT. Alternance, ban, battement, batterie, bruit, circulation, diane, galet, fla, mouvement, ra, rantanplan, rataplan, rotation, succession, tambour, tambourinage, tambourinement, tonnerre, tournus, turnover.

ROULER. Avancer, balancer, bouler, bourlinguer, charrier, cheminer, déplacer, duper, emporter, enrouler, entraîner, entuber, errer, escroquer, fraiser, fraser, gléner, lover, marcher, pédaler, rôder, torsader, tourner, tromper, vaquer.

ROULETTE. Balancine, casino, fraise, galet, jeu, molette, patin, ponte, rolleur, roue, skateboard.

ROULETTER. Border, brocher, broder, coudre, découdre, faufiler, fil, fraiser, linger, machine, monter, nerf, noisetier, ourler, paumoyer, piquer, raccommoder, rapiécer, suturer, tailler, unir.

ROULIER. Albatros, bateau, brick, catamaran, chébec, chébek, cotre, finn, génois, goélette, ketch, lougre, navire, off, roulage, schooner, senau, sloop, tartane, transporteur, trimaran, voilier, voiturier.

ROULIS. Antiroulis, balancement, bercement, dandinage, déhanchement, dodelinement, fluctuation, gouverne, hésitation, houle, larsen, libration, mouvement, oscillation, quille, tangage, variation, vibration.

ROULOTTE. Camping, caravane, maison, motor-home, motorisé, ourlet, remorque, tente, voiture.

ROULOTTER. Border, confectionner, coudre, couture, encadrer, longer, louvoyer, onduler, ourler.

ROUMAIN. Aroumain, langue, latin, leu, macédo-roumain, moldave, transylvain, transylvanien, valaque.

ROUMANIE, CAPITALE (n. p.). Bucarest.

ROUMANIE, LANGUE. Allemand, hongrois, rom, roumain.

ROUMANIE, MONNAIE. Leu, lei.

ROUMANIE, VILLE (n. p.). Aiud, Alba, Anina, Arad, Bacau, Braila, Brasov, Bucarest, Buzau, Carei, Cluj, Craiova, Dej, Deva, Galati, Husi, Iasi, Iassy, Jassi, Orades, Pitesti, Resita, Sibiu, Timisoara, Turda.

ROUPIE. Blé, épautre, épeautre, goutte, humeur, impureté, monnaie, morve, perfusion, touselle.

ROUPILLER. Anesthésique, assoupir, écraser, dormir, narcolepsie, narcose, narcotique, opium, pavot, pioncer, reposer, ronfler, sieste, somme, sommeiller, somnifère, somnoler, soporifique, stupéfiant, traîner.

ROUPILLON. Anesthésie, assoupissement, coma, dodo, dormir, hypnose, inaction, léthargie, méridienne, mort, narcolepsie, narcose, repos, sieste, somme, sommeil, somnambulisme, somnolence, stupéfiant, torpeur.

ROUQUIN. Baillet, carotte, cassonade, fauve, pinard, rouille, roux, tabac, urubu, vin.

ROUQUINER. Poil-de-carotte, roux.

ROUSCAILLER. Fulminer, grogner, maugréer, pester, plaindre, protester, rager, râler, réclamer, renauder, résister, ronchonner, rouspéter.

ROUSPÉTER. Chialer, criailler, fulminer, grogner, manifester, maugréer, maronner, opposer, pester, plaindre, protester, rager, râler, réclamer, renauder, répondre, résister, rétorquer, ronchonner, rouscailler, rouspétance.

ROUSPÉTEUR. Chialeur, grincheux, grogne, grognon, râleur, rétorqueur, ronchon, rouscailleur.

ROUSSÂTRE. Aigrette, bai, bécasseau, cognac, couleur, fauve, plumet, roux, ventre-de-biche.

ROUSSEAU (n. p.). Émile, Julie.

ROUSSEAU. Beryx, canthère, coryphène, dorade rose, griset, pageau, pagel, pageot, pagre, poisson, sar.

ROUSSELET. Bergamote, besi, blanquette, bonasse, catillac, cidre, coing, comice, crassane, doyenne, duchesse, énéma, glane, guyot, hâtiveau, liard, louise-bonne, marquise, muscadelle, naïf, passe-crassane, poire, poirier, touille.

ROUSSEROLLE. Acrocephalus, effarvatte, fauvette, oiseau, passereau, rousserolle des réseaux.

ROUSSETTE. Chauve-souris, grenouille, gris, griset, lamie, merveille, poisson, requin, sélacien, squale, touille.

ROUSSEUR. Couleur, éphélide, grain, lentigine, lentigo, lentille, son, tache.

ROUSSIN. Aliboron, âne, ânière, ânon, bardot, baudet, bourricot, bourrique, bourriquet, cheval, flic, grison, limier, mulassier, palefroi, police, policier, rousse, sot, tréteau.

ROUSSIR. Ambitionner, arder, bronzer, brûler, calciner, carboniser, cautériser, chauffer, combustion, consommer, consumer, convoiter, cramer, crématoire, cuire, détruire, distiller, ébouillanter, échauder, embraser, enflammer, flamber, fondre, fumer, fusion, griller, hâler, havir, incendier, incinérer, phlogistiquer, rôtir, roux, torréfier.

ROUTE (n. p.). Appienne, Aurélienne, Nord-Ouest, Normandie, Panaméricaine, Transcanadienne.

ROUTE. Amer, artère, autobahn, autoroute, bord, borne, bretelle, carrefour, chaussée, chemin, corniche, ellipse, itinéraire, lacet, laie, loxodromie, marche, menée, orbite, passage, piste, rocade, rr, rte, trimard, via, virage, voie, voyage.

ROUTER. Aboutir, accompagner, administrer, agir, aiguiller, aller, amener, conduire, diriger, draver, dribbler, emmener, entraîner, gérer, gouverner, guider, manœuvrer, mener, orienter, piloter, présider, régenter, surveiller, téléguider.

ROUTIER. Aérocâble, benne, camionneur, convoyeur, déménageur, scout, transporteur, voiturier.

ROUTINE. Bureaucratie, classique, coutume, croûton, encroûté, habitude, monotonie, numéro, ornière, pli, préjugé, quotidien, répétition, ronron, routinier, sous-programme, tic, train-train, us.

ROUTINIER. Abonné, accoutumé, apprivoisé, banal, commun, courant, coutumier, encroûté, fréquent, habitué, ordinaire.

ROUVRE. Arbre, chêne, fagacée, gland, rouvraie.

ROUVRIR. Ciller, débarrer, débloquer, décoincer, décomplexer, décongestionner, décrisper, défendre, dégager, dégeler, dégêner, dégripper, délivrer, déprendre, dérider, désinhiber, desserrer, extraire, libérer, retirer.

ROUX. Alezan, auburn, bai, baillet, carotte, cassonade, couleur, fauve, plâtre, poil-de-carotte, rouge, orangé, rouquin, roussâtre, rousseau, rousselet, rousseline, roussir, sauce, tabac, urubu, vénitien.

ROYAL. Digne, monarchie, noble, princier, réal, régalien, reine, riche, roi, souverain, vénitien.

ROYALISTE (n. p.). Barbe, Blancs, Cavaliers, Changarnier, Cottereau, Falloux, Incroyables, Jéhu, La Varende, Maillard, Puisaye, Thiers, Vendée.

ROYALISTE. Chouan, chouannerie, légitimiste, monarchiste, muscadin, nominataire, roi, ultra, vendéen.

ROYAUME. Ciel, heptarchie, monarchie, nation, paradis, pré, principauté, royaumer, royauté.

ROYAUME, AFRIQUE AUSTRALE (n. p.). Lesotho.

ROYAUME, AFRIQUE DU NORD (n. p.). Maroc.

ROYAUME, ASIE (n. p.). Népal, Thaïlande.

ROYAUME, BÉNIN (n. p.). Dahomey.

ROYAUME, CONGO (n. p.). Loango.

ROYAUME, ESPAGNOL (n. p.). Aragon.

ROYAUME, ÉTHIOPIE (n. p.). Aksoum, Axoum.

ROYAUME, EUROPE (n. p.). Belgique, Danemark, Espagne, Essex, Luxembourg, Monaco, Neustrie, Norvège, Pays-Bas, Suède.

ROYAUME, HINDOUSTAN (n. p.). Boutan, Bhoutan.

ROYAUME, INDOCHINE (n. p.). Laos.

ROYAUME, MÉROVINGIEN (n. p.). Austrasie.

ROYAUME, ORIENT (n. p.). Ourartou.

ROYAUME, PROCHE-ORIENT (n. p.). Jordanie.

ROYAUME, PYRÉNÉES-ORIENTALES (n. p.). Andorre.

ROYAUME-UNI, CAPITALE (n. p.). Londres.

ROYAUME-UNI, LANGUE. Anglais, gallois.

ROYAUME-UNI, MONNAIE. Livre sterling.

ROYAUME-UNI, VILLE (n. p.). Ascot, Bath, Bedford, Birmingham, Bolton, Bootle, Boston, Bradford, Bristol, Bury, Cambridge, Canterbury, Carlisle, Chatham, Chelsea, Chester, Chesterfield, Corby, Deal, Derby, Devonport, Douglas, Douvres, Dover, Dudley, Durham, Ely, Eton, Gloucester, Greenwich, Halifax, Hove, Lancaster, Liverpool, London, Londres, Manchester, Norwich, Nottingham, Oxford, Peterborough, Plymouth, Poole, Preston, Richmond, Saint Helens, Salford, Salisbury, Sheffield, Stafford, Taunton, Wakefield, Wells, Westminster, Wimbledon, Winchester, Windsor, Worcester, Yarmouth, York.

ROYAUTÉ. Couronne, dignité, légitimité, lis, lys, monarchie, royaliste, sceptre, souveraineté, supériorité, trône.

RU. Caniveau, cassis, cours d'eau, crique, fossé, métal, myriophylle, rigole, rivelet, rivière, rivulaire, ruisseau, ruisseler, ruisselet, ruisson, ruthénium, ruz.

RUADE. Agitation, agressivité, aigreur, atrabile, aversion, avertin, colère, courroux, dépit, emportement, foudres, fureur, furie, hargne, indignation, ire, irritabilité, irritation, maudire, rage, regimbement, rogne, tollé.

RUBAN (n. p.). Mobiüs.

RUBAN. Bande, bavolet, bolduc, comète, décamètre, élastique, fanfreluche, faveur, galon, ganse, guirlande, jarretelle, lacs, liséré, lisière, mèche, padou, padoue, penon, pennon, rail, réglet, rosette, scie, serpentin, signet, soie, sparganier, tagliatelle.

RUBÉFACTION. Changement, érubescence, rouge, rougeoiement, rougeolement, rougeur, rougissement.

RUBÉOLE. Efflorescence, énanthème, exanthème, éruption, maladie, rougeole, rougeur, scarlatine.

RUBESCENT. Boudenfle, coloré, congestionné, couperosé, cramoisi, écarlate, empourpré, enflammé, enflé, enluminé, injecté, rouge, rougeâtre, rougeaud, rouge, rouget, rougissant, rubéfiant, rubicond, sanguin, tuméfié, turgide, vineux, vultueux.

RUBIACÉE. Caféier, chiococca, gaillet, garance, gardénia, ipéca, ipécacuana, quinquina, vaillantie.

RUBICELLE. Acide, aluminate, bauxite, chrysobéryl, épine, laque, leucite, mica, minerai, sel, spinelle.

RUBICOND. Audace, congestionné, cramoisi, écarlate, oser, rouge, rougeaud, vermeil, visage.

RUBIDIUM. Rb.

RUBIETTE. Couleur, oiseau, passereau, rossignol des murailles, rouge-gorge, rouge-queue, turdidé.

RUBIS. Alumine, balais, bijou, escarboucle, laser, noces, ongle, payer, pierre, rubicelle, spinelle.

RUBRIQUE. Article, chronique, désignation, écho, genre, manchette, nécrologie, revue, titre, tribune.

RUCHE. Abeille, alvéole, cellule, cloche, colonie, frivolité, miel, nida, rayon, reine, ruchée.

RUCHER. Bled, couture, endroit, essaimer, garnir, plisser.

RUDBECKIA. Dracopis, hirta, lepachys, ratibida, trloba.

RUDE. Abrupt, âcre, agreste, amer, âpre, ardu, austère, barbare, brut, cru, difficile, dur, enroué, épais, fort, fruste, grossier, impoli, inégal, raboteux, râpeux, rauque, rêche, regimber, revêche, rugueux, sec, suret.

RUDEMENT. Bigrement, brutalement, diablement, drôlement, durement, extrêmement, fameusement, sèchement, très.

RUDESSE. Âpreté, aspérité, bourrade, brutalité, crudité, dureté, grossièreté, rabrouement, raucité, vertement.

RUDIMENT. Abc, base, commencement, ébauche, élément, LINÉAMENT, notion, principe.

RUDIMENTAIRE. Adobe, baraque, brut, début, élémentaire, embryon, embryonnaire, fruste, gourbi, grossier, imparfait, moignon, partiel, piste, premier, primitif, simple, sommaire.

RUDOYER. Abîmer, arranger, bafouer, bourrasser, bourrer, bousculer, brimer, brusquer, brutaliser, critiquer, éreinter, étriller, frapper, malmener, maltraiter, rabrouer, rudoiement, secouer, tarabuster, tyranniser.

RUE. Allée, artère, avenue, boulevard, chaussée, chemin, cours, cul-de-sac, galerie, gone, impasse, mail, passage, pavé, paver, plante, poulbot, route, ruelle, souk, tournant, traboule, venelle, ville, voie.

RUÉE. Attaque, course, curée, course, descente, désordre, mouvement, or, paille, panique, rush, sprint.

RUELLE. Alcôve, avenue, boulevard, chat, chaussée, cour, cul-de-sac, galerie, impasse, mail, passage, pavé, rue, traboule, venelle.

RUER. Attaquer, bondir, courir, élancer, foncer, fondre, indigner, insurger, jeter, lancer, piquer, précipiter, protester, rebeller, rebiffer, récrier, regimber, résister, ruade.

RUFIAN. Aventurier, audacieux, cynique, débauché, entremetteur, proxénète, ruffian, souteneur, stilicon.

RUGBY. Ballon, botteur, drop, drop-goal, en-avant, en-but, essai, football, jeu, maul, mêlée, ovale, ovalie, ove, sport.

RUGINE. Carreau, chirurgie, citron, demi-ronde, fraise, fruit, instrument, limaille, lime, mollusque, os, queue-de-rat, racler, râpe, râpure, riflard, rifloir, ruginer, tiers-point, user, usure, xystre.

RUGIR. Beugler, brailler, braire, bramer, chanter, chialer, chigner, crier, gémir, gueuler, horler, hurler, lamenter, larmoyer, miauler, plaindre, pleurer, pleurnicher, sangloter, tonitruer, vagir, vociférer, zerver.

RUGOSITÉ. Aspérité, feuler, rauquer, rudesse, rugueux, saillie, villosité.

RUGUEUX. Accidenté, âpre, bosselé, brut, dur, inégal, noueux, raboteux, raiche, râpeux, rauque, rêche, rude.

RUINE. Abîme, banqueroute, calé, cassé, catastrophe, cendre, chute, cuit, décadence, décombres, délabrement, désastre, échec, fatal, fichu, fin, fossoyeur, foutu, mort, naufrage, ors, perdition, précipice, renversement, vestige.

RUINÉ. Cassé, coulé, cuit, débâcle, faillite, fatal, fauché, fichu, foutu, miné, mort, perdu, perte, rasé.

RUINER. Abattre, altérer, anéantir, appauvrir, consumer, délabrer, démolir, dépenser, dépouiller, désoler, dévaster, épuiser, infirmer, laminer, laver, miner, nettoyer, obérer, perdre, péricliter, piller, raser, ratiboiser, ravager, saborder, tuer.

RUINEUX. Cher, coûteux, dispendieux, exorbitant, gouffre, inabordable, onéreux, prohibitif, salé.

RUISSEAU. Accotement, caniveau, cassis, crique, eau, fossé, gazouillement, liquide, méprisable, myriophylle, origine, rigole, rivelet, rivière, rivulaire, ru, ruisseler, ruisselet, ruisson, ruz, situation, vil.

RUISSELER. Aboutir, affluer, ale, arroser, baigner, caler, couler, courir, découler, dégouliner, déverser, écouler, épancher, filer, filtrer, fleuve, fluer, immerger, introduire, jaillir, répandre, rivière, sombrer, verser.

RUISSELET. Canal, caniveau, cassis, égout, fossé, rigole, rivelet, ru, ruisseau, ruz.

RUISSELLEMENT. Diffusion, éclatement, écoulement, éjaculation, émanation, émission, énurésie, éructation, éruption, irradiation, jet, lâchée, luminescence, multiplex, pet, rot, surémission, vesse.

RUMEN. Abomasum, bedaine, bile, bonnet, buste, caillette, chyme, cœur, estomac, feuillet, gaster, gastrectomie, gésier, io, jabot, meulette, mulette, panse, poche, queue, sac, sein, tripe, ulcère, urogastre, ventre, ventricule.

RUMEUR. Avis, bourdonnement, brouhaha, bruit, canard, confusion, dire, éclat, effervescence, esclandre, grondement, médisance, murmure, nouvelle, on, on-dit, opinion, ouï-dire, potin, ragot, scandale, tapage, transpire, tumulte, voix.

RUMEX. Acide, aigrette, argent, légumineuse, oseille, oxalique, patience, plante, purée, surelle, vinette.

RUMINANT. Alpaga, antilope, aurochs, bézoard, bœuf, bovidé, camélidé, caprin, capriné, cavicorne, cerf, cervidé, chamois, chèvre, chevreuil, corne, daim, daine, dine, élan, girafe, girafidé, guanaco, hère, isard, lama, mégacéros, mouton, mufle, okapi, orignal, ourébi, ovidé, renne, rumen, tragulidé, ure, urus, vache, yack, yak.

RUMINATION. Absorption, anabolisme, assimilation, biosynthèse, caillette, cellule, chimisme, coction, digestion, eupepsie, feuillet, ingestion, mérycisme, métabolisme, nutrition, phagocytose, transformation.

RUMINER. Dévorer, mâcher, machiner, méditer, penser, réfléchir, régurgiter, remâcher, repasser, repenser, ressasser, retourner, ronger, ruminant, tourner.

RUNE. Abécédaire, alphabet, caractère, dé, écriture, lettre, pierre, runiforme, runique, syllabaire.

RUPESTRE. Banc, bloc, boulder, brisant, caillasse, caillou, écueil, éminence, éperon, estoc, étoc, falaise, galet, massif, montagne, murex, nunatak, pariétal, peinture, pic, pierre, pourpre, récif, roc, roche, rocher.

RUPIN. Abondant, aisé, argenté, argenteux, aristo, cossu, étoffé, fertile, fortuné, galetteux, grenu, huppé, ladre, milliardaire, millionnaire, multimillionnaire, nanti, nourri, opulent, or, pactole, parvenu, pauvre, possédant, pourvu, rentier, riche, richissime, samit.

RUPTURE. Abattée, à-coup, arrêt, ban, bris, brisement, brisure, brouille, cassage, casser, cassure, crac, crise, débâcle, décalage, déchirure, destruction, divorce, écart, fracas, fracture, heurt, impact, impaction, infraction, suspension.

RURAL. Agreste, agricole, bucolique, campagnard, champêtre, colon, ferme, gîte, grange, habitant, longère, manse, mazot, métairie, mir, pastoral, paysan, ruralité, rustique, terre, terrien, vert, villa.

RUSE. Adresse, art, artifice, astuce, attrape-nigaud, calcul, carotte, cautèle, détour, diplomatie, duperie, embûche, faux-semblant, feinte, ficelle, finesse, fourberie, fraude, machination, malice, manège, piège, piperie, retors, rouerie, stratagème, tour, trame.

RUSÉ. Adroit, artificieux, astucieux, cauteleux, chafouin, combinard, diplomate, dol, filou, fin, finaud, fourbe, futé, habile, hypocrite, intelligent, inventif, lascar, machiavélique, madré, malicieux, malin, matois, narquois, normand, perfide, piège, renard, retors, roublard, roué, sioux, subtil.

RUSER. Abuser, capter, escroquer, feindre, feinter, filouter, finasser, frauder, simuler, tricher, tromper.

RUSH. Abordage, affluence, afflux, agression, assaut, attaque, attentat, charge, combat, concours, course, déferlement, désensibilisation, effort, épreuve, offensive, ruade, ruée, sprint, tournage, tournoi.

RUSSE. Cheval, popov, ruskov, russkof, russien, slave, slavophile, soviet, soviétique, tsariste.

RUSSIE (n. p.). CCP, CEI, SSSR, URSS.

RUSSIE, CAPITALE (n. p.). Moscou.

RUSSIE, LANGUE. Bachkir, russe, tatar, tchétchène.

RUSSIE, MONNAIE. Rouble.

RUSSIE, VILLE (n. p.). Abakan, Aldan, Angarsk, Arademgodorok, Armavir, Atchinsk, Balakovo, Barnaoul, Belgorod, Belovo, Berezniki, Bielgorod, Bielovo, Birobidjan, Bisk, Blagovechtchensk, Gorki, Groznyi, Inta, Ivanovo, Kansk, Kem, Koursk, Kovrov, Lensk, Luga, Moscou, Okha, Omsk, Orel, Orsk, Oufa, Oulan-Oude, Oussourisk, Penza, Perm, Stalingrad, Tomsk, Toula, Toura, Tver, Ufa, Vladivostok, Vorochilovsk, Vyborg, Zima.

RUSSULE. Agaricacée, champignon, charbonnier, dégueulatoire, émétine, fétide, lépiote, vert-de-gris.

RUSTAUD. Balourd, béotien, fruste, grossier, huron, insortable, lourd, lourdaud, rustique, rustre.

RUSTICITÉ. Aisance, balourdise, béotisme, bonhomie, brutalité, candeur, crédulité, droiture, franchise, grossièreté, humilité, ingénuité, innocence, lourdeur, modestie, naïveté, naturel, nudité, rondeur, simplicité.

RUSTINE. Bletse, bletz, bonde, caoutchouc, confetti, disque, pneu, procédé, rondelle, rouet, tranche.

RUSTIQUE. Agreste, âpre, bucolique, campagnard, champêtre, nature, pastoral, paysan, rural, simple.

RUSTRE. Brute, discourtois, fruste, goujat, grossier, impoli, malappris, malotru, manant, paltoquet, rustaud.

RUT. Accouplement, amour, bouquinage, chaleur, chasse, désir, folie, frai, muse, œstrus, pariade, période.

RUTABAGA. Chou, chou-navet, chou-rave, chou de Siam, choutiam, cruciféracée, légume, navet, rabiole, turneps.

RUTACÉE. Agrume, angusture, arbre, aurantiacée, cédratier, citronnier, citropsis, citrus, clémentier, dictame, fraxinelle, jaborandi, kumquat, limettier, mandarinier, oranger, pamplemoussier, pilocarpre, rue.

RUTHÉNIUM. Ru.

RUTHERFORDIUM. Rf.

RUTILANCE. Brasillement, brillance, chatoiement, coruscation, éblouissement, éclat, étincellement, fascination, flamboiement, irisation, mirage, miroitement, nacré, papillotage, reflet, rutilement, scintillement, séduction.

RUTILANT. Ardent, brasillant, brillant, chatoyant, éblouissant, éclatant, étincelant, flamboyant, rouge, splendide.

RUTILER. Briller, chatoyer, étinceler, flamboyer, éblouir, étinceler, luire, oxyde, reluire, resplendir, rouge, rutile.

RUTOSIDE. Esculine, glucide, glucoside, hétéroside, holoside, ose, oside, ouabaïne, rutine, salicine, saponine.

RUZ. Aber, auge, bassin, canyon, col, combe, couloir, cluse, gorge, prairie, ravin, ria, talweg, val, vallée, vallon.

RWANDA, CAPITALE (n. p.). Kigali.

RWANDA, LANGUE. Anglais, français, kinyarwanda, swahili, tutsie.

RWANDA, MONNAIE. Franc.

RWANDA, VILLE (n. p.). Gabiro, Goma, Kigali, Mibirizi, Nemba, Nyagatare, Rutongo.

RYTHMÉ. Assonancé, balancé, cadencé, équilibré, harmonieux, mesuré, nombreux, rythmique, scandé.

RYTHME. Accent, accord, allure, animation, arythmie, assonance, cadence, césure, clausule, cycle, danse, eurythmie, harmonie, mesure, mètre, mouvement, nombre, retour, scansion, son, succession, tempo, temps, vitesse, vivacité.

RYTHMER. Accentuer, accorder, cadencer, harmoniser, marquer, marteler, mesurer, régler, scander, souligner.

RYTHMIQUE. Alternatif, chorégraphie, danse, gymnique, métrique, prosodie, rythmé, scansion, versification.

RYTHMIQUEMENT. Cycliquement, euphoniquement, harmonieusement, harmoniquement, itérativement, mélodieusement, mélodiquement, musicalement, périodiquement, symphoniquement.

S

SABAYON. Aromate, crème, œuf, sucre, vin.

SABBAT. Agitation, assemblée, bacchanale, boucan, bruit, chahut, charivari, culte, danse, désordre, fracas, frénétique, raffut, ramdam, repos, samedi, sarabande, tapage, tintamarre, tumulte, vacarme.

SABELLE. Annélide, apode, arénicole, ascaride, ascaris, asticot, bilharzie, cestode, chenilles, ciron, cirre, distome, douve, filaire, flat, helminthe, iule, larve, lombric, magnan, némathelminthe, nématode, némerte, néréide, néréis, nu, oxyure, palot, planaire, polychète, sangsue, serpule, solitaire, spirorbe, strongle, strongyle, tænia, taret, ténébrion, ténia, térébelle, trématode, trichine, ver, vermicide, vermicule, vermidien, vermifuge.

SABELLIQUE. Apennin, sabin.

SABINE. Arceuthos, cade, callitroïdée, cèdre, chamaecyparis, commun, cupressacée, cupressoïdée, cyprès, deppe, genièvre, genévrier, ginkgo, juniperus, occidental, pinchot, polocarpe, sapinette, tétraclinis, thuya.

SABIR. Balbutier, baragouin, bredouillement, bredouiller, cafouillage, charabia, créole, galimatias, jargon, langage, linguistique, mélange, mixte, pidgin, volapuk.

SABLE. Alluvion, arénacé, arène, arénicole, banc, béton, calcul, castine, dépôt, dune, erg, falun, galet, gravier, grève, jar, lest, limon, lise, lumachelle, maërl, merl, mouvant, nebka, noir, paillette, pierre, roche, rose, ruine, sablon, silicium, silt, tangue.

SABLER. Avaler, boire, couvrir, décaper, dépolir, fêter, ingurgiter, lamper, nettoyer, ragréer, sablage.

SABLIÈRE. Arêtier, armature, armure, bâti, ber, cadre, carcasse, charpente, composition, étai, if, lierne, liure, noue, noulet, os, ossature, pan, pilier, poteau, poutre, racinal, sapin, solive, soliveau, squelette, tanguière, tin, toiture.

SABLONNEUX. Arénophile, boueux, bourbeux, bourbier, caillebotis, crotte, fangeux, gadouilleux, limoneux, marécageux, vasard, vaseux.

SABORD. Batterie, canon, hublot, mantelet, ouverture, passage.

SABORDER. Assassiner, couler, démolir, détruire, hara-kiri, immoler, suicider, supprimer, ruiner, tuer.

SABOT (n. p.). Denver.

SABOT. Chaussure, cheval, couronne, esclot, fer, fourbure, galoche, glome, kératine, kroumir, maréchal, muraille, ongle, onglon, ongulé, patin, pince, rainette, rénette, roue, seime, socque, sole, solipède, toupie.

SABOTER. Bâcler, bousiller, cochonner, détériorer, détruire, gâcher, garnir, mépriser, torpiller.

SABOULER. Admonester, avertir, chapitrer, engueuler, gourmander, gronder, houspiller, menacer, moraliser, morigéner, prévenir, remontrance, réprimander, reprocher, savonner, semoncer, sermonner, tancer, vespériser.

SABRE. Arme, bancal, batte, bélière, briquet, cimeterre, coupe-chou, coupe-coupe, coutelas, épée, escrime, espadon, glaive, kandjar, latte, machette, mauresque, mensur, pommeau, poisson, rasoir, sabreur, tsuba, yatagan.

SABRER. Bâcler, biffer, casser, couper, effacer, enlever, ouvrir, rayer, sacquer, supprimer.

SAC. Bagage, baise-en-ville, banane, besace, bissac, bourse, cabas, banane, carnassière, carnier, cartable, coussin, duvet, ensiler, enveloppe, gibecière, giberne, groupe, havresac, musette, nécessaire, outre, paillasse, pillage, poche, pochette, récipient, réticule, taie, sachet, sacoche, sarcophage, scrotum, semoir, sisal, sporange, utricule, vésicule, vessie, vitellin.

SACCADE. À-coup, agitation, contraction, convulsion, crispation, épicentre, frémissement, frisson, grelottement, secousse, séisme, sismique, soubresaut, spasme, tremblement, trémolo, trémulation, trépidation, tressaut, trille, vibration, vibrato.

SACCADÉ. Abrupt, à-coup, brusque, convulsif, discontinu, entrecoupé, haché, intermittent, marche, trépidé, vibré.

SACCAGER. Abattre, abîmer, bouleverser, casser, chambarder, charcuter, dégrader, démolir, désoler, détruire, dévaster, gâcher, massacrer, piller, ravager, razzier, renverser, ruiner, saboter, saccage, terrasser, vandaliser.

SACCHARASE. Amidon, amylase, arthritisme, ase, carboxylase, diastase, émulsine, entérokinase, enzyme, érepsine, invertase, invertine, laccase, lactase, lipase, maltase, myrosine, oxydase, papaïne, pepsine, protéase, ptyaline, sucrase, thrombine, trypsine, zymase.

SACCHARIDE. Amidon, cellulose, céréalose, disaccharide, galactose, glucide, glucidique, glucose, glycogène, holoside, insuline, inuline, lichénine, linoléine, mannose, ose, oside, pentose, polyoside, rutine, saccharose, sucre.

SACCHAROSE. Amidon, cellulose, disaccharide, glucide, glucidique, glucose, glycogène, holoside, insuline, inverti, mannose, ose, oside, polyoside, rutine, saccharide, sucrase, sucrate, sucre.

SACERDOCE. Abbé, archevêque, aumônier, bonze, célébrant, chaman, chanoine, chef, clerc, confesseur, consacré, curaillon, curé, cureton, diacre, directeur, druide, ecclésiastique, épulon, évêque, fécial, fétial, lama, mage, ministre, missionnaire,

monseigneur, officiant, ordonné, pape, pasteur, père, pope, prêtre, recteur, sacrificateur, salien, séculier, vicaire.

SACERDOTAL. Amict, aube, chasuble, dignité, étole, fonction, lin, liturgie, ordre, ors, prêtre.

SACHEM. Administrateur, amman, as, caïd, calife, chancelier, chef, cheik, curion, despote, dey, dirigeant, duc, duce, émir, gérant, gouvernant, hérésiarque, iman, indien, maire, maître, meneur, ovate, pacha, pape, parrain, patron, père, prote, rapin, shah, shérif, roi, tête, tribu, vieillard, vizir.

SACHET. Amulette, cornet, dose, infusette, paquet, poche, pochette, ponce, relais, sac, thé, tisane.

SACOCHE. Bourse, fonte, gibecière, musette, sabretache, sac, sac à main.

SACQUER. Attaquer, balayer, bannir, bouter, braconner, déboulonner, débucher, débusquer, chasser, déloger, dissiper, écarter, éliminer, éloigner, exclure, exiler, exorciser, expulser, oust, ouste, piéger, pousser, rejeter, renvoyer, repousser, sortir, trouver, vider, voler.

SACRALISATION. Adoration, déification, divinisation, exaltation, glorification, magnification, panthéisme, sanctification.

SACRÉ. Consacré, devin, fétiche, fichtre, fieffé, intangible, interprétation, inviolable, libellé, maudit, patricien, pratiquant, psaume, religieux, respectable, saint, satané, sentiment, texte, trinitaire, vénérable.

SACREMENT. Baptême, communion, confession, confirmation, eucharistie, extrêmement, extrême-onction, Fête-Dieu, mariage, ordre, pénitence, prêtrise, réconciliation, rite, très, viatique.

SACRER. Bénir, blasphémer, consacrer, couronner, élire, introniser, jurer, oindre, ordonner.

SACRIFICATEUR. Abbé, archevêque, aumônier, bonze, célébrant, chaman, chanoine, clerc, confesseur, consacré, curaillon, curé, cureton, diacre, directeur, druide, ecclésiastique, épulon, évêque, lama, mage, missionnaire, monseigneur, officiant, ordonné, pape, pasteur, père, pope, prêtre, séculier, vicaire.

SACRIFICE. Abnégation, agneau, aruspice, autel, cène, eucharistie, hécatombe, holocauste, hostie, immolation, ite, libation, lustration, lustre, messe, oblation, offrande, propitiation, renoncement, rite, taurobole, tribut, victime.

SACRIFIER. Brader, défaire, dévouer, donner, écouler, immoler, laisser, offrir, renoncer, vendre.

SACRILÈGE. Abandon, adultère, apostasie, dédit, déloyauté, dérogation, désaveu, déviation, écart, entorse, erreur, fantaisie, félonie, forfaiture, fugue, hétérodoxie, hérésie, inconstance, inexactitude, infidélité, ingratitude, inobservation, liaison, manquement, parjure, passade, perfidie, reniement, rupture, scélératesse, trahison, traîtrise, transgression, tromperie, violation.

SACRIPANT. Bandit, chenapan, coquin, fripon, garnement, gredin, pendard, sbire, vaurien.

SACRISTAIN. Bedeau, concierge, église, gardien, lave-mains, sacristie, sacristine.

SACRUM. Bassin, coccyx, colonne, iliaque, lombo-sacré, os, sacré, sacro-iliaque, stéatopyge, vertèbre.

SADIQUE. Atroce, barbare, bestial, brutal, cruel, inhumain, luxurieux, sado, sanguinaire, sauvage, tortionnaire, vicieux.

SADISME. Cruauté, délectation, manie, ondinisme, perversion, sadomasochisme, urolagnie.

SAFRAN. Colchique, crocus, curcuma, garus, iridacée, jaune, orangé, parmesan, plante, poudre, spigol, teinture.

SAGA. Chantefable, chronique, conte, cycle, épopée, fabliau, histoire, historiette, légende, monogatari, mythe, nouvelle, odyssée, œuvre, récit, roman, tradition.

SAGACE. Avisé, clairvoyant, devin, fin, intelligent, lucide, pénétrant, perspicace, prudent, sagesse, subtil.

SAGACITÉ. Clairvoyance, discernement, finesse, intelligence, obtus, pénétration, perspicacité, subtilité.

SAGAIE. Arc, archer, arme, aster, bois, brocard, carquois, carreau, dard, empennage, empenne, épigramme, flèche, gentil, javelot, lance, lazzi, penne, pointe, sagette, sagittal, sagitté, tombolo, trait, vireton.

SAGE (n. p.). Alphonse, Bouddha, Charles, Chosroês, Ferdinand, Gildas, Kapila, Kapir, Khosrô, Léon, Périandre, Ponocrates, Robert, Tao-tö-king, Théodore, Théodoros, Valmiki.

SAGE. Avisé, coi, conseiller, modéré, mûri, obéissant, philosophe, posé, prudent, réglé, savant, sensé, sérieux, sûr.

SAGE-FEMME. Accoucheur, gynécologue, maïeuticien, matrone, médecin, obstétricien, parturologue.

SAGESSE. Calme, circonspection, connaissance, dent, discernement, docilité, maturité, mesure, modération, philosophie, prudence, raison, réflexion, retenue, sagacité, sain, sapience, sérénité, vérité, vertu.

SAGETTE. Alisma, alismatacée, alisme, flèche–d'eau, fléchière, flûteau, plantain d'eau, sagaie, sagittaire.

SAGITTAIRE. Alismacée, arc, arcanson, archer, archerie, aster, austral, cupidon, décocheur, dieu, flèche, flèche d'eau, fléchière, putto, rebec, sagette, serpentaire, signe, soldat, tireur, zodiaque.

SAGOU. Cycadée, cycas, fécule, gymnosperme, palmier, rotang, sagoutier, zamia, zamier.

SAGOUIN. Bavure, cochon, crasseux, crotté, dégoûtant, goret, grossier, immonde, impur, infâme, maculé, malpropre, obscène, répugnant, salaud, sale, sali, singe, sordide, souillé, souillon, rousselé, taché, tamarin.

SAGUM. Abrégé, bref, concis, courir, court, crépu, direct, drope, écourté, épaté, étêté, étroit, insuffisant, limité, long, manteau, mince, petit, près, raccourci, ragot, raidillon, ras, rétréci, rond, saie, succinct, tassé, tennis, terrain, trapu.

SAHARA. Aréique, désert, fennec, gour, hamada, méhariste, sahraoui, simoun, tassili, uromastix.

SAHARA, VILLE (n. p.). Bechard, El Aiun.

SAHARIEN. Accablant, algérien, arabe, bédouin, berbère, beur, bougnoul, bougnoule, brûlant, caniculaire, chaud, écrasant, étouffant, fez, gourbi, maghrébin, maure, musulman, oasien, suffocant, torride, touareg.

SAHARIENNE. Anorak, blazer, blouson, boléro, caban, cabi, canadienne, cardigan, carmagnole, défaite, dolman, doudoune, échec, hoqueton, jaquette, kabig, kabic, moumoute, paletot, pourpoint, redingote, spencer, tricot, tunique, vareuse, veste, veston, vêtement.

SAÏ. Capucin, cébidé, saïmiri, sajou, sapajou, simien, singe.

SAIE. Amict, caban, cagoule, cape, capot, capote, chape, douillette, gueuse, imperméable, mante, manteau, mantelet, maxi, paletot, pardessus, pèlerine, pelisse, plan, poncho, raglan, redingote, tabard, toge, voile.

SAÏGA. Addax, algazelle, antilope, bubale, damalisque, gazelle, gnou, mammifère, ruminant.

SAIGNANT. À vif, bleu, coup, cruenté, dégoulinant, dégouttant, ensanglanté, menstrué, sanglant, sanguinolent.

SAIGNÉE. Argent, canal, égorgée, gemmeur, perte, phlébotomie, prélèvement, prise, résinier, rigole, tuée.

SAIGNEMENT. Anovulatoire, écoulement, épanchement, épistaxis, exode, fuite, hémorragie, hémostase, menstruation, métrorragie, otorragie, otorrhée, perte, pétéchie, phléborragie, saignée.

SAIGNER. Égorger, épuiser, ensanglanter, ôter, ressaigner, sang, tirer, tuer, vaisseau, vider.

SAILLANT. Aigu, angle, anguleux, ante, avancé, côte, dent, lobe, nez, proéminent, protubérant, vif.

SAILLIE. Angle, arête, aspérité, avance, balèvre, bec, bosse, bourrelet, came, cheville, corne, côte, dent, denté, éminence, éperon, ergot, exophtalmie, hernie, mollet, nodule, orillon, plinthe, pomme d'Adam, proéminence, prognathisme, rebord, relief, solin, sourcil, talon, tenon, tête-de-clou, thénar, trait, tubercule.

SAILLIR. Accoupler, avancer, couvrir, déborder, dépasser, étalonner, jaillir, percer, poindre.

SAIN. Aéré, biologique, clair, comestible, droit, équilibré, frais, hygiénique, indemne, naturel, normal, profitable, propre, pur, raisonnable, régulier, robuste, sage, salubre, salutaire, santé, sauf, sensé, solide, tonique, valide, vigoureux.

SAINBOIS. Arbrisseau, arbuste, bois-gentil, daphné, garou, lauréole, malherbe, passerine, thyméléacée.

SAINDOUX. Axonge, frire, graisse, lard, porc, sain, suif, shortening.

SAINFOIN. Condylome, crête-coq, esparcet, esparcette, légumineuse, passe-velours, rhinanthe.

SAINT. Apôtre, béat, béatifié, béni, bienheureux, canonisé, dulie, élu, esprit, évangéliste, glorieux, glorifié, icône, image, juste, martyr, nimbe, parfait, patron, prénom, pur, sacré, san, sanctifier, st, vénéré.

SAINT (2 lettres) (n. p.). Lô.

SAINT (3 lettres) (n. p.). Gui, Guy, Luc, Pie, Zée.

SAINT (4 lettres) (n. p.). Bède, Clet, Éloi, Jean, Jude, Knud, Léon, Loup, Marc, Maur, Néri, Ouen, Paul, Rémi, Roch, Yves.

SAINT (5 lettres) (n. p.). André, Bruno, Cloud, Denis, Denys, Edwin, Félix, Hygin, Louis, Serge, Simon, Sixte.

SAINT (6 lettres) (n. p.). Agapet, Aignan, Alexis, Anicet, Basile, Benoît, Damase, Éphrem, Fabien, Gaétan, Gildas, Hubert, Hugues, Ignace, Irénée, Jérôme, Joseph, Julien, Libère, Lucius, Marcel, Martin, Pacôme, Pascal, Pierre, Robert, Siméon, Sirice, Thomas, Urbain, Victor.

SAINT (7 lettres) (n. p.). Agathon, Anaclet, Anselme, Anthère, Antoine, Antonin, Barnabé, Bénezet, Bernard, Casimir, Césaire, Charles, Clément, Cyprien, Cyrille, Édouard, Étienne, Fulbert, Georges, Hilaire, Honorat, Isidore, Jacques, Janvier, Laurent, Martial, Mathias, Méthode, Nicolas, Norbert, Patrick, Pontien, Romuald, Sidoine, Silvère, Vincent.

SAINT (8 lettres) (n. p.). Ambroise, Anastase, Athanase, Augustin, Boniface, Célestin, Colomban, Épiphane, Ennodius, Évariste, François, Frumence, Fulgence, Grégoire, Hilarion, Hormidas, Innocent, Judicaël, Ladislas, Lalibela, Malachie, Matthieu, Nicodème, Philippe, Simplice, Vitalien, Zéphyrin.

SAINT (9 lettres) (n. p.). Bernardin, Dieudonné, Dominique, Guillaume, Marcellin, Sébastien, Stanislas, Sylvestre, Théophile.

SAINT (10 lettres) (n. p.). Barthélemy.

SAINT (12 lettres) (n. p.). Jean-Baptiste, Scholastique.

SAINT AUGUSTIN (n. p.). Alypius.

SAINTE (n. p.). Adélaïde, Agathe, Angèle, Anne, Bernadette, Blandine, Brigitte, Catherine, Cécile, Claire, Clotilde, Colette, Cunégonde, Élisabeth, Eulalie, Geneviève, Gertrude, Gudule, Hélène, Hildegarde, Louise, Luce, Madeleine, Marguerite, Marie, Marthe, Mathilde, Odile, Pulchérie, Radegonde, Thérèse, Ursule, Walpurgis, Zita.

SAINTE-LUCIE, CAPITALE (n. p.). Castries.

SAINTE-LUCIE, LANGUE. Anglais, créole.

SAINTE-LUCIE, MONNAIE. Dollar.

SAINTE-LUCIE, VILLE (n. p.). Castries, Choiseul, Dennery, Grande Anse, Micoud, Praslin, Soufrière.

SAINTETÉ. Ablégat, béatitude, bref, chef, concile, conclave, encyclique, gibelin, guelfe, induit, légat, nonce, odeur, œcuménique, pape, passerine, père, pontife, Saint-Siège, serviteur, tiare, ultramondain, vicaire.

SAISI. Apeuré, confisqué, ému, engourdi, étonné, étourdi, happé, perçu, rôti, stupéfié, surpris, transi, tremblant.

SAISIE. Clavetage, confiscation, dactylographié, enregistrement, frappe, intuition, mainlevée, pigée, saisine.

SAISINE. Cordage, corde, douaire, droit, estrope, gerseau, héritage, ralingue, requête, saisie.

SAISIR. Accrocher, agripper, apercevoir, apeurer, appréhender, apprendre, arrêter, attraper, capturer, colleter, confisquer, emparer, empoigner, happer, mordre, moucheronner, percevoir, piger, pincer, prendre, rafler, rattraper, ravir, ressaisir, tenir.

SAISISSANT. Captivant, émouvant, fabuleux, frappant, hallucinant, impressionnant, incroyable, inouï, magique, mirifique, pénétrant, percutant, poignant, prenant, sidérant, soufflant, stupéfiant, surprenant, vif.

SAISISSEMENT. Admiration, ahurissement, émotion, épatement, extase, frayeur, frisson.

SAISON. Accouplement, automne, époque, équinoxe, été, hiver, hivernage, olivaison, printemps, solstice.

SAJOU. Alouate, atèle, capucin, cébidé, hurleur, lagothrix, lagotriche, platyrrhinien, sai, saïmiri, sapajou, singe.

SAKIEH. Chargeuse, chouleur, excavateur, excavatrice, loader, noria, pelleteuse, pépine, rétrochargeuse.

SALACE. Cochon, coquin, croustillant, cru, égrillard, épicé, gaillard, grivois, grivoiserie, indécent, léger, leste, libre, licence, licencieux, lubrique, obscène, ordurier, osé, paillard, polisson, salé, sensuel, vert, vicieux, vulgaire.

SALADE. Barbe-de-capucin, batavia, césar, chicorée, confusion, cresson, désordre, enchevêtrement, endive, frisée, fruits, laitue, mâche, macédoine, mensonge, mesclun, mets, niçoise, pissenlit, plat, romaine, roquette, russe, saladier, scarole, trévise.

SALAIRE. Appointements, avantage, cachet, émoluments, fixe, gages, gain, honoraires, indirect, journée, mensualité, mercenaire, minimum, mois, paie, paye, rémunération, retenu, rétribution, revenu, solde, traitement, trésor, vacation.

SALAISON. Charcuterie, conservation, cru, dessalé, étié, exagéré, fort, mer, note, obscène, océan, pec, pré, relevé, resalé, salé, saleur, salaisonnerie, saumâtre, saur, sauret, sel, sévère, soc.

SALAMALECS. Adoration, affection, amour, appréciation, courbette, courtoisie, culte, déférence, égard, estime, honneur, idolâtrie, politesse, prosternation, respect, révérence, salut, tralala, vénération.

SALAMANDRE. Amblystome, amphibien, batracien, crêpière, fumée, lézard, poêle, reptile, urodèle, vivipare.

SALARIÉ. Appointé, employé, engagé, journalier, manœuvre, mercenaire, payé, rémunéré, rétribué, travailleur.

SALAUD. Baveux, crasseux, dégueulasse, déloyal, enfoiré, fumier, goujat, ignoble, immonde, infâme, malpropre, méchant, méprisable, répugnant, saligaud, salop, salopard, salopiau, salopiot, vilain, voyou.

SALE. Boueux, cochon, cracra, crade, cradongue, crado, craspec, crasseux, crapoteux, crotté, dégoûtant, grivois, honteux, immonde, infâme, malpropre, négligé, ordurier, noir, pisseux, poisseux, porc, répugnant, sordide, souillon, taché, terreux, vilain.

SALÉ. Cru, dessalé, étier, exagéré, fort, mer, note, obscène, océan, pec, pré, relevé, resalé, salaison, saumâtre, saur, sauret, sel, sévère, sor.

SALEMENT. Beaucoup, drôlement, foutrement, grandement, immensément, moult, terriblement, très.

SALEP. Dessécher, excipient, farine, fécule, orchidée, racahout, racornir, semoule, tubercule.

SALER. Accommoder, agrémenter, ailler, ajouter, apprêter, aromatiser, assaisonner, condimenter, émailler, épicer, maltraiter, moutarder, persiller, pimenter, poivrer, rehausser, relever, resaler, sucrer, vinaigrer.

SALERON. Contenant, fossette, nombril, poivrière, récipient, salière, saloir, saunière, ustensile.

SALETÉ. Bave, boue, chiasse, cochonnerie, crasse, crotte, déchet, détritus, encrassement, étron, excréments, gâchis, gadoue, impureté, malpropreté, merde, ordure, rebut, résidu, rognure, salissure, saloperie, souillure, tache, tare, vase.

SALI. Crotté, déshonoré, encrassé, entaché, impur, maculé, merdeux, noir, noirci, pollué, souillé, taché, terni.

SALICACÉE. Arbre, grisard, osier, marsault, peuplier, pleureur, saulaie, saule, tremble, ypréau.

SALICINE. Dextrose, esculine, fructose, fucose, galactose, glucose, glycémie, glycérol, hypoglycémie, lactose, évulose, maïs, ouabaïne, saccharine, saccharose, sapoline, sorbitol, sucre, sucrose.

SALICORNE. Ansérine, arroche, arroche-puante, baselle, bette, betterave, blète, blette, chénopode, chénopodiacée, engane, épinard, infusion, kali, plante, poirée, quinoa, salicor, soude, ulluco, ulluque, vulvaire.

SALICOSIDE. Analgésique, anesthésiant, antalgique, antidouleur, aspirine, morphine, opium, narcéine, tylénol.

SALICYLATE. Arthrite, arthrose, bétol, cholagogue, coxarthrie, douleur, ester, goutte, lumbago, rhumatisme, rhumatoïde, salol, sciatique, sel, spinal, spondylarthrite, wintergreen.

SALICYLIQUE. Acescent, acide, acidulé, âcre, acrimonieux, aigre, alanine, amer, arsénique, asparagine, borique, bromique, caprylique, caustique, chlorique, citrique, désagréable, eau-forte, glycérique, glycocolle, histidine, hyposulfureux, lactique, lessant, leucine, malique, oléum, oxacide, palmitique, phtalique, picrique, piquant, serine, silicique, stéarique, sulfurique, sur, suret, surette, thiosulfurique, tryptophane, tyrosine, urique, valine, vanadique, vinaigré, vitriol.

SALIEN. Abbé, archevêque, aumônier, bonze, célébrant, chaman, chanoine, chef, clerc, confesseur, consacré, curaillon, curé, cureton, diacre, directeur, druide, ecclésiastique, épulon, évêque, fécial, fétial, lama, mage, ministre, missionnaire, monseigneur, officiant, ordonné, pape, pasteur, père, pope, prêtre, recteur, sacerdoce, sacrificateur, séculier, vicaire.

SALIÈRE. Contenant, fossette, nombril, poivrière, récipient, saleron, saloir, saunière, ustensile.

SALIGAUD. Baveux, dégueulasse, fumier, goujat, ignoble, immonde, infâme, malpropre, méchant, méprisable, répugnant, salaud, salopard, vilain, voyou.

SALINE. Barne, établissement, évaporite, gypse, halite, rouable, salicole, saliculture, salinier, sel, tartre.

SALINITÉ. Allégé, composition, concentration, contenu, contexte, degré, libellé, objet, sel, teneur.

SALIR. Abîmer, barbouiller, calomnier, cochonner, couvrir, crotter, déshonorer, diffamer, éclabousser, encrasser, entacher, flétrir, gâcher, gâter, graisser, maculer, moucheter, noircir, poisser, polluer, profaner, saloper, souiller, tacher, ternir.

SALISSURE. Boue, chiasse, cochonnerie, crasse, crotte, déchet, merde, ordure, résidu, saleté, souillure, tache.

SALIVAIRE. Glande, gonade, grenouillette, parotide, sécrétion, sous-maxillaire, sublinguale.

SALIVATION. Bave, broue, crachat, expectoration, expulsion, glaviot, graillon, hémoptyse, mollard, morve, ptyalisme, salive, sécrétion, sialorrhée, sputation, venin.

SALIVE. Amylase, asialie, bave, crachat, écume, flegme, humeur, insalivation, mousse, postillon, ptyaline, ptyalisme, récrément, saburre, salivaire, salivant, salivation, saliver, sialagogue, sialisme, sialorrhée.

SALLE. Amphithéâtre, antichambre, apadana, auditorium, aula, bauge, cabinet, cella, cénacle, chambre, cinéma, classe, dortoir, échaudoir, enceinte, entrée, étude, exèdre, foyer, galerie, hall, iwan, loge, mégaron, mess, morgue, naos, odéon,

parloir, pièce, planétarium, prétoire, réfectoire, salon, séjour, studio, théâtre, triclinium, trinquet, vivoir.

SALMIGONDIS. Confus, disparate, jardinière, légume, macédoine, mélange, mixture, salade.

SALMIS. Blanquette, bourguignon, cassoulet, civet, colombo, fricassée, fricot, gibelotte, goulache, hochepot, mafé, mets, navarin, oille, pot-pourri, ragoût, rata, ratatouille, salpicon, tajine, tambouille, yassa.

SALMONIDÉ. Bondelle, corégone, éperlan, féra, lavaret, omble, saumon, salmoniforme, téléostéen, truite.

SALMONIFORME. Bondelle, corégones, éperlan, féra, lavaret, omble, saumon, salmonidé, téléostéen, truite.

SALON (n. p.). Brun, Jouve, Lespinasse, Lorme, Maine, Sable, Scudéry, Tencin, Turckheim.

SALON. Article, boudoir, exposition, foire, foyer, living, mondain, pièce, séjour, studio, tea-room, vivoir.

SALOON. Alcool, bar, bistrot, brasserie, buvette, cabaret, café, comptoir, dancing, débit, débit de boisson, discothèque, estaminet, far west, loubine, loup, loup de mer, lubin, meuble, poisson, pression, rade, taverne, tripot, troquet, zinc.

SALOP. Baveux, crasseux, dégueulasse, déloyal, enfoiré, fumier, goujat, ignoble, immonde, infâme, malpropre, méchant, méprisable, répugnant, salaud, saligaud, salopard, salopiau, salopiot, vilain, voyou.

SALOPE. Call-girl, catin, chipie, cocotte, courtisane, fille, garce, grue, hétaïre, micheton, morue, odalisque, péripatéticienne, pétasse, poule, poupée, prostituée, putain, pute, racoleuse, radeuse, ribaude, roulure, traînée.

SALOPER. Barbouiller, beurrer, cribler, marqueter, maculer, moucheter, piquer, salir, souiller, tacher, taveler.

SALOPERIE. Barbouillage, beurrage, camelote, cochonnerie, immondice, impureté, saleté, salissure, souillure.

SALOPETTE. Blouse, caban, combinaison, cotte, peignoir, poitrinière, robe, sarrau, suroît, tunique, vareuse, veste.

SALPÊTRE. Azotate, caliche, eau-forte, grégeois, natron, natrum, nitrate, nitre, nitrière, salite, salpêtrage.

SALSE. Argile, boue, bourbe, currure, dépôt, fange, frange, gâchis, gadoue, gadouille, illuter, immondice, lie, limon, lut, margouillis, merde, mousse, papette, poto-poto, rebut, tourbe, vase, volcan.

SALSEPAREILLE. Bardane, cathartique, dépuratif, glouteron, laxatif, lampourde, livèche, purgatif, smilax.

SALSIFIS. Astéracée, barbe de bouc, composacée, doigt, herbe, légume, légumineuse, scorsonère, tragopogon.

SALTATION. Amorti, assaut, bond, boom, cabriole, contrecoup, culture, demi-volée, enjambée, entrechat, furet, gambade, hausse, indirectement, lift, rebond, rebondissement, retour, ricochet, salto, saut.

SALTIMBANQUE. Acrobate, adresse, antipodiste, artiste, baladin, banquiste, bateleur, bouffon, charlatan, clown, équilibriste, farceur, foire, forain, funambule, jongleur, ménestrel, nomade, opérateur, trobadour, trouvère.

SALTO. Axel, ballon, bond, cabriole, cahot, cascade, croupade, culbute, entrechat, danse, gambade, pirouette, rebond, ricochet, salchom, saut, soubresaut, sursaut, voltige.

SALUBRE. Aéré, bienfaisant, bon, clair, hygiénique, indemne, insalubre, naturel, net, profitable, propre, pur, sage, salutaire, sain, salubrité, salutaire, santé, sauf, sensé, tonique, valide, vigoureux.

SALUER. Acclamer, accueillir, adorer, applaudir, approuver, ave, échanger, hello, honorer, ovationner, présenter, proclamer, prosterner, respecter, salut, salutation, vénérer, visiter.

SALUT. Adieu, allo, au revoir, ave, courbette, hommage, messie, rédemption, révérence, salamalec, salvation, salve, tir.

SALUTAIRE. Aéré, avantageux, bénéfique, bienfaisant, bon, efficace, naturel, profitable, sain, santé, utile.

SALUTATION. Accueil, adieu, annonciation, ave, bonjour, bonsoir, geste, hello, révérence, salut, santé.

SALVADOR, CAPITALE (n. p.). San Salvador.

SALVADOR, LANGUE. Espagnol.

SALVADOR, MONNAIE. Colón.

SALVADOR, VILLE (n. p.). Ahuachapán, Chalatenango, Mejicanos, San Salvador, Sonsonate, Soyapango, Usulután, Zacatecoluca.

SALVE. Applaudissement, bordée, coup, décharge, fusillade, pluie, rafale, tir, volée.

SALVIA. Orvale, sauge, sclarée, serve, toute-bonne.

SAMARITAIN. Ambulancier, brancardier, cheval, infirmier, sauveteur, secouriste, urgentiste.

SAMARIUM. Sm.

SAMBUQUE. Boyau, cinnor, cithare, décacorde, éolienne, harpe, heptacorde, kora, lyre, pont, trigone.

SAMOA, CAPITALE (n. p.). Apia.

SAMOURAÏ. Archer, argoulet, armée, bleu, bushido, capitaine, cipaye, colonel, conscrit, combattant, cosaque, cuirassier, dragon, éclaireur, estradiot, fusilier, général, GI, guerrier, homme, lancier, mercenaire, militaire, officier, papal, planton, poilu, pompier, ranger, recrue, réserviste, rônin, sapeur, sentinelle, sergent, soldat, tirailleur, triaire, troufion, uhlan, vélite, vétéran, zouave.

SANATORIUM. Cure, hôpital, préventorium, sana, sanatorial, solarium.

SANCTIFIÉ. Béat, béatifié, bénit, bienheureux, canonisé, célébré, élu, fêté, inscrit, introduit, saint.

SANCTIFIER. Béatifier, bénir, canoniser, consacrer, déifier, diviniser, fêter, glorifier, sacrer.

SANCTION. Amende, anathème, arrêt, blâme, blocus, carton, censure, châtiment, condamnation, dépens, distancement, écoper, impunité, mesure, peine, pénalisation, pénalité, penalty, pensum, piquet, punition, réprimande, retenue, suspension.

SANCTIONNER. Acquiescer, adopter, applaudir, approuver, confirmer, entériner, ratifier, réprimer.

SANCTUAIRE (n. p.). Ajanta, Cap-de-la-Madeleine, Cos, Delphes, Elephanta, Einsiedeln, Épidaure, Horyu-Ji, Ise, Kondo, Lalouvesc, Meched, Mithraeum, Nara, Nikko, Notre-Dame, Olympie, Saïs, Sion, Toshogu.

SANCTUAIRE. Asile, église, izumo, laraire, musée, nymphée, oracle, refuge, temenos, temple, vimana.

SANDALE. Babouche, chaussure, claquette, déchaussé, gougoune, nu-pieds, samara, spartiate, tong.

SANDARAQUE. Ambre, arcanson, ase, assa, bakélite, baume, benjoin, brai, calfat, cire, colphane, copal, encens, galipot, gemme, glu, gomme, goudron, haschisch, laque, mastic, mastique, myrrhe, oliban, oribus, phénoplaste, pin, poix, résine, sapin, térébenthine, thuya.

SANDWICH. Bun, casse-croûte, casse-dalle, coincer, guedille, hamburger, homme, pain, panini, sous-marin.

SANG. Acétonémie, aorte, caillot, cœur, cruel, cruor, éosine, goule, héma, hémoglobine, ichor, ixode, laqué, leucocytose, messe, mononucléose, noble, plasma, race, raisiné, saignée, sanguin, sanie, sérum, souche, veine, vie.

SANG-FROID. Aplomb, assurance, audace, calme, courage, cran, délibéré, endurance, exaltation, fermeté, flegme, froideur, impassibilité, maîtrise, patience, présence, ressaisir, stoïcisme, tête, tranquillité.

SANGLANT. Blessant, cruel, dur, ensanglanté, gore, meurtrier, sanguinolent, taché, violent.

SANGLE. Avaloir, bande, baudrier, courroie, culière, dessangler, lit, plateforme, sanglon, trapèze, ventrière.

SANGLER. Attiser, battre, blesser, boxer, chapeau, cingler, cogner, corriger, couper, cravacher, estourbir, fesser, flageller, fouailler, fouetter, frapper, fustiger, gainer, mouler, naviguer, rouer, secouer, serrer, sévère, tabasser, taper, vexer.

SANGLIER. Babiroussa, bauge, boutoir, broche, cochon, défense, dentée, écoute, groin, huée, hure, laie, litée, marcassin, mire, pécari, phacochère, porc, porcin, quartanier, quartannier, ragot, soie, solitaire, suidé, vénerie.

SANGLOT. Contraction, gémir, hoquet, larme, plainte, pleur, sanglotement, soupir, spasme.

SANGLOTER. Beugler, brailler, braire, bramer, chanter, chialer, chigner, crier, gémir, gueuler, horler, hurler, lamenter, larmoyer, miauler, plaindre, pleurer, pleurnicher, rugir, tonitruer, vagir, vociférer, zerver.

SANG-MÊLÉ. Amérasien, bâtard, corneau, corniaud, créole, eurafricain, eurasiatique, eurasien, hybride, mâtiné, mélange, mêlé, métis, mulard, mulâtre, mule, mulet, octavon, quarteron, tierceron, zambo.

SANGSUE. Annélide, aqueduc, attaque, coelomate, exploiteur, hirudinée, lèvre, némerte, offensive, personne, pieuvre, piscicole, pou, raseur, sabelle, serpule, suce, suceur, tentaculifère, vampire, ventouse, ver.

SANGUIN. Cétose, congestionné, cramoisi, écarlate, groupe, humoral, règles, rubicond, sérique.

SANGUINAIRE (n. p.). Al-Saffah.

SANGUINAIRE. Anthropophage, atroce, barbare, boucher, bourreau, cannibale, cruel, exterminateur, féroce, herbe, meurtrier, monstre, ogre, papavéracée, sadique, sanglant, sauvage, tigre, vampire, violent.

SANGUINE. Ardoise, craie, crayon, dessin, ébauche, fusain, gomme, marqueur, mine, pastel, stylo, trait.

SANGUINOLENT. Bleu, coup, cruenté, dégoulinant, dégouttant, ensanglanté, menstrué, saignant, sanglant.

SANGUISORBE. Anis, fleur, herbe, pimprenelle, plante, rosacée.

SANHÉDRIN. Assemblée, conseil, judaïsme, pharisien, prétoire, sadbucéen, sénat, tribunal.

SANIE. Abcès, cancer, chancre, exutoire, fétide, gangrène, ichor, ladre, malandre, ozène, panaris, phagédénisme, phyme, purulent, pus, pustule, sang, sanguignolent, sanieux, séreux, tumeur, ulcère.

SANIEUX. Caséeux, chassieux, coulant, exutoire, ichor, purulent, pus, pyodermite, sale, sanie.

SANITAIRE. Aérium, bidet, cabinet, cadagou, commodités, édicule, hygiène, latrines, lavabo, phyto, phytosanitaire, propre, robinet, sanisette, serviette, toilette, urinoir, vécés, vespasienne, water-closet, W-C.

SANS. Absolu, acatène, anodin, aphone, aptère, atone, avachi, avenu, bête, chimérique, dépourvu, direct, droit, édenté, entier, éternel, étêté, fade, faible, fin, futile, gratuit, illimité, immédiat, incessamment, inculte, inerte, inodore, insipide, insu, lège, léger, libre, maigre, mauvais, miséreux, mou, naïf, nomade, nu, nul, pâle, piètre, privation, privé, prostré, pur, sauf, sec, seul, sot, terne, tous, unanime, uni, uniment, vrac.

SANS-CŒUR. Aboulique, ai, cancre, dur, faignant, fainéant, feignant, flâneux, impitoyable, indolent, inerte, insensible, lâche, lambin, larve, mou, négligent, nonchalant, oisif, paresseux.

SANSCRIT. Brahmanique, çivaïsme, devanâgari, hindouisme, langue, métempsycose, nagari, religion, sanskrit, védisme.

SANS-CULOTTE. Enragé, esprit, républicain, révolutionnaire.

SANS-GÊNE. Aisé, audace, audacieux, cavalier, culot, dérangement, désinvolte, effronté, effronterie, habitude, immixtion, impoli, impolitesse, impudence, ingérence, intrusion, pignouf, poltron, toupet.

SANSONNET. Étourneau, oiseau, maquereau, passereau, rien, roupie, sturnidé.

SANS QUOI. Alias, anciennement, antan, autre, autrement, contrairement, désaccord, différemment, dissemblablement, diversement, immémorial, inégalement, jadis, mal, naguère, opposition, ou, rebours, sinon.

SANTALACÉE. Arbre, arbuste, bois, chypre, ébénisterie, essence, papilionacée, parfum, santal.

SANTÉ. Aplomb, équilibre, état, forme, médecine, mieux-être, sain, salubre, soin, souffreteux, tchin, toast.

SANTIAG. Botte, bottillon, bottine, bouquet, carotte, chaussure, claque, cuissarde, demi-botte, escrime, faisceau, gerbe, gerbée, heuse, lieur, ligot, manoque, meule, mukluk, soulier, tabac, talon, tas, tige, trochet, trousse.

SANVE. Assaisonnement, douce, forte, moutarde, plante, ravenelle, sénevé, sinapis, tartare, ypérite.

SAÔNE-ET-LOIRE, VILLE (n. p.). Autun, Blanzy, Buxy, Charolles, Chauffailles, Cluny, Givry, Lans, Le Creusot, Louhans, Macon, Marcigny, Mercury, Montchanin, Taizé.

SAOUL. Aviné, beurré, bourré, défoncé, éméché, émoustillé, enivré, gris, grisé, ivre, noir, soûl.

SAOULER. Alcooliser, arsouiller, aviner, beurrer, biturer, bitturer, boire, bourrer, camphrer, cocarder, cuiter, défoncer, émécher, enivrer, étourdir, exalter, exciter, griser, noircir, poivrer, soûler.

SAPAJOU. Capucin, cébidé, laid, magot, mammifère, primate, saï, saïmiri, sajou, singe, singe-écureuil.

SAPE. Abri, boyau, canal, cavité, creux, excavation, fossé, fouille, rigole, sillon, tranchée, trou.

SAPER. Abattre, affouiller, anéantir, attaquer, couler, creuser, démolir, détériorer, détruire, ébranler, entamer, fringuer, habiller, miner, nipper, ravager, ruiner, saboter, sapement, subversif, subvertir, user, vêtir.

SAPEUR. Arbalétrier, archer, argoulet, armée, bersaglier, bidasse, bleu, capitaine, cipaye, colonel, conscrit, combattant, cosaque, cuirassier, dragon, drille, éclaireur, estradiot, fédéré, fusilier, général, GI, guerrier, homme, lancier, légionnaire, mercenaire, militaire, officier, papal, piétaille, pionnier, pioupiou, planton, poilu, pompier, ranger, recrue, régulier, réserviste, samouraï, sentinelle, sergent, soldat, tirailleur, tommy, transfuge, triaire, troufion, uhlan, vélite, vétéran, zouave.

SAPHIR. Alumine, azuré, bleu, calcédoine, corindon, gravier, œil-de-chat, oiseau, pierre, pointe, safre.

SAPHISME. Anastrophe, interversion, inversion, lesbianisme, permutation, tribadisme, transposition.

SAPIDE. Flaveur, goût, insipide, montant, parfum, sapidité, saveur, succulence, succulent.

SAPIDITÉ. Acide, acidité, acidulé, aigre, amer, amertume, bouquet, charme, douceur, doux, fade, fumet, goût, goûteux, ignorance, insipide, parfum, piment, piquant, plaisir, plat, poivré, rance, salé, saveur, sel, sensation, succulence, sucré.

SAPIENCE. Calme, circonspection, connaissance, dent, discernement, docilité, maturité, mesure, modération, philosophie, prudence, raison, réflexion, retenue, sagacité, sagesse, sérénité, vérité, vertu.

SAPIN. Aiguille, arbre, cèdre, cône, conifère, épicéa, fiacre, isba, pin, poix, pomme, pruche, sapinette, sapinière.

SAPINDACÉE. Letchi, liane, litchi, longane, longanier, lychéé, plante, ramboutan, savonnier.

SAPINE. Ais, arbalétrier, attache, bandage, baquet, bau, boulin, chevêtre, étai, étambot, grue, hec, jas, lambourde, licou, longeron, madrier, paille, pieu, planche, poutre, poutrelle, soffite, solive, tangon.

SAPINETTE. Abies, abiétacée, abiétinée, araucaria, arbre, arolle, cèdre, cembro, cèdre, chermès, cône, conifère, épicéa, épinette, mélèze, pesse, pignet, pignon, pin, pinacée, résineux, sapin, spruce, stuga.

SAPONAIRE. Caryophyllacée, coquelourde, espargoute, gerseau, grenadin, gypsophile, lychnis, morgeline, mouron-blanc, nielle, œillet, scléranthe, silène, espargoute, spergule, stellaire, tagètes, turquette, vaccaire.

SAPONASE. Diastase, enzyme, lipase.

SAPONIFIER. Aménager, changer, corriger, embellir, exporter, former, innover, mêler, métamorphoser, muer, mûrir, nover, panifier, réaménager, réduire, refaire, renégocier, rénover, retaper, reverser, tanner, transfigurer, transformer, virer.

SAPOTACÉE. Arganier, balata, bétel, bubble-gum, cainitier, chewing-gum, chiclé, chique, coca, dichopsis, gomme, gutta-percha, karité, madhuca, makoré, masticatoire, moabi, sapotillier, sidéroxylon.

SAPOTIER. Arganier, balata, bétel, bubble-gum, cainitier, chewing-gum, chiclé, chique, coca, dichopsis, gomme, gutta-percha, karité, madhuca, makoré, masticatoire, moabi, sapotacée, sapotillier, sidéroxylon.

SAPROPÈLE. Alluvion, apport, boue, bourbe, couche, dépôt, diatomite, falun, fange, féculence, formation, glèbe, lie, limon, néritique, précipité, résidu, roche, sapropel, sédiment, silt, tartre, tourbe, varve, vase.

SAPROPHYTE. Amanite, bolet, champignon, fleur, néottie, nid-d'oiseau, orchidée, plante.

SAQUER. Balayer, bannir, braconner, bouter, chasser, congédier, déboulonner, débusquer, déloger, dissiper, écarter, éliminer, éloigner, exclure, exiler, exorciser, expulser, oust, ouste, piéger, piper, rejeter, remercier, renvoyer, repousser, sacquer, vider, voler.

SARABANDE. Confetti, cotillon, danse, désordre, farandole, jupon, papillote, pièce, rondelle, serpentin, vacarme.

SARBACANE. Boyau, buse, calamus, canal, canalisation, chalumeau, conduit, durit, gaine, gargouille, indication, indice, information, orgue, paille, pipe, plume, porte-vent, renseignement, riser, truc, tube, tuyau.

SARCASME. Dérision, flèche, ironie, moquerie, quolibet, raillerie, rhétorique, rire, risée, sardonique.

SARCASTIQUE. Acariâtre, acerbe, acéré, âcre, acrimonieux, agressif, aigre, aigre-aimant, amer, âpre, belliqueux, blessant, cassant, caustique, désagréable, désenvenimer, dur, ironique, méchant, mordant, venimeux, virulent.

SARCLER. Arracher, biner, cultiver, débarrasser, échardonner, enlever, extirper, gratter, nettoyer, serfouir.

SARCOME. Cancer, cancérigène, cancérogenèse, cancérologue, cancérophobie, carcinogenèse, carcinoïde, carcinome, épithélioma, épithéliome, fongus, leucémie, malin, métastase, néoplasme, sida, squirrhe, taxol, tumeur.

SARCOPHAGE. Bière, catafalque, cénotaphe, cercueil, monument, sépulcre, tombe, tombeau.

SARCOPTE. Acare, acaricide, acarien, acariose, acarus, aoûtat, araignée, argas, ciron, demodex, gale, galle, ixode, lepte, matelas, mite, phytopte, rouget, sarcoïde, tique, trombidion, varroa, vendangeon.

SARDINE. Allache, alose, boîte, galon, mess, pilchard, piquet, poisson, rissole, rogue, sagax.

SARDOINE. Albâtre, calcaire, calcédoine, calcin, calcique, castine, chaux, cipolin, comblanchien, craie, dolomie, entroque, falun, groie, liais, marbre, marne, merl, molasse, oolite, oolithe, spath, spicule, stalactite, stalagmite, test, tufeau, tuffeau.

SARDONIQUE. Blagueur, brocard, caustique, charrieur, chineur, facétieux, goguenard, gouailleur, impertinent, ironique, ironiste, littérateur, moqueur, mordant, narquois, persifleur, railleur, ricaneur, rieur, sarcastique, satirique.

SARIGUE. Coloco, coucou, dasyure, kangourou, koala, koola, marsupial, numbat, opossum, os, péramèle, pétrogale, phalanger, phascolome, philander, thylacine, wallabie, wallaby, wombat, yapock, yapok.

SARISSE. Angon, ante, dard, doryphore, émet, épieu, framée, guisarme, hallebarde, harpon, hast, haste, javeline, javelot, jette, lance, pique, uhlan.

SARMENT. Accolage, arçon, branche, cep, crossette, fagot, liane, moissine, poivrier, rameau, sautelle, tige, vigne.

SARONG. Braguet, chlamyde, étoffe, java, jupe, pagne, paréo, prétexte, rein, sampot, sari, shentit, tissu, toge.

SARRASIN. Blé, blé noir, blini, crêpe, fagopyrum, galette, herse, musulman, sarracénique.

SARRAU. Blouse, caban, combinaison, cotte, peignoir, poitrinière, robe, salopette, suroît, tunique, vareuse, veste.

SARRETTE. Astéracée, chardon, composacée, composée, plante, sarrète, serrette, serratule, serrette.

SARTHE, VILLE (n. p.). Allonnes, Arnage, Ballon, Champagne, La Flèche, Le Mans, Mamers, Pontvallain, Solesmes, Tuffe, Vibraye.

SAS. Bassin, blutoir, chambre, claie, crible, écluse, filtre, passoire, sasser, tamis, van, vannelle, vantelle.

SASSAFRAS. Acétal, acétaldéhyde, alcool, aldéhyde, éthanal, essence, héliotropine, pipéronal.

SASSER. Bluter, compartimenter, cribler, discuter, étudier, filtrer, ressasser, secouer, tamiser, trier.

SATAN (n. p.). Bélial, Éblis, Lucifer, Méphistophélès.

SATAN. Démon, diable, diabolique, éblis, éden, enfer, infernal, sacre, satanique, satanisme, suppôt.

SATANÉ. Abominable, affreux, amer, atroce, catastrophique, damné, désastreux, détestable, effroyable, épouvantable, exécrable, farceur, horreur, horrible, maudit, mauvais, monstrueux, odieux, pénible, sacré.

SATANIQUE. Damné, démon, démoniaque, diable, diabolique, infernal, méphistophélique, satan.

SATELLITE (n. p.). Alouette, Amalthée, Anik, Ariel, Callisto, Charon, Deimos, Dioné, Enceladus, Europe, Explorer, Ganymède, Hypérion, Intelsat, Io Japet, Lune, Mimas, Miranda, Néréide, Obéron, Phobos, Phoebe, Rhéa, Spoutnik, Téthys, Thémis, Titan, Titania, Triton, Umbriel.

SATELLITE. Acolyte, aide, allié, assistant, astre, engin, géostationnaire, lune, partisan, tueur.

SATIÉTÉ. Blasement, dégoût, nausée, quantité, rassasié, réplétion, satisfaction, saturation.

SATIN. Alépine, alun, basin, batiste, batik, bord, bure, casimir, cati, châle, cotonnade, drap, escot, étamine, étoffe, faena, feutre, gaze, grain, granité, lé, laine, linge, madras, mérinos, mohair, moire, mousseline, muleta, ottoman, pan, peluche, piqué, ras, ratine, reps, sari, sarong, satinette, sergé, singalette, soie, suédine, surah, taffetas, tarlatane, tartan, tenture, textile, tiretaine, tissu, trentain, tulle, tussor, un, uni, velours, veloutine, zénana.

SATINÉ. Ara, blanc, brillant, brio, ciré, éblouissant, éclatant, étincelant, étoile, fard, faste, flamboyant, gloire, incandescent, intelligent, luisant, lustré, or, radieux, réfléchissant, relief, reluisant, réussi, rutilant, soyeux, splendeur, splendide, toc, ver, vermeil, vif.

SATIRE. Catilinaire, diatribe, discours, écrit, dessin, épode, esprit, factum, libelle, moquerie, pamphlet, raï.

SATIRIQUE. Caustique, chansonnier, épigramme, humoriste, malin, mordant, parodique, pasquin, piquant, railleur.

SATIRISER. Amuser, bafouer, berner, blaguer, brocarder, caricaturer, charrier, chiner, chiquenauder, cribler, critiquer, esclaffer, gouailler, insinuer, ironiser, moquer, persifler, plaisanter, railler, ridiculiser, rire.

SATISFACTION. Admiration, aisance, autoérotisme, bonheur, but, chouette, complaisance, complaisant, contentement, fierté, gratifiant, gratification, hédonisme, idéal, infatuation, joie, plaisir, raison, réparation, satiation, satiété, satisfaction, vanité, vivat.

SATISFAIRE. Acquitter, apaiser, assez, assouvir, botter, calmer, coiffer, combler, contenter, désaltérer, ébaucher, exaucer, goûter, passer, payer, plaire, prévenir, rassasier, régaler, réjouir, repaître, remplir, servir, suffire.

SATISFAISANT. Acceptable, bien, bon, convenable, correct, honnête, honorable, suffisant.

SATISFAIT. Agréable, apaisé, arrangé, arrogant, assouvi, béat, bien, calme, comblé, content, don, fat, heureux, insatisfait, mécontent, prétentieux, rassasié, rassuré, réalisé, repu, soulagé, vainqueur, vaniteux.

SATRAPE (n. p.). Carie, Eumène, Eumenês, Hystaspès, Mausole, Perse, Ptolémée, Séleucos, Tissapherne.

SATRAPE. Despote, despotique, faste, fastueux, gouverneur, naba, plaisir, puissant, satrapie.

SATURATION. Accumulation, amas, barda, bouchon, carburateur, congestion, décongestionnement, dimension, embarras, embouteillage, encombre, encombrement, engorgement, lassitude, pléthore, satiété, volume.

SATURÉ. Abondant, écœuré, engorgé, gavé, imprégné, plein, rassasié, rempli, repu, sursaturé.

SATURER. Bloquer, dégoûter, écœurer, emplir, encombrer, fatiguer, gaver, gorger, lasser, soûler.

SATURNE. Aabam, anneau, plomb.

SATURNIEN. Acariâtre, acrimonieux, aigri, boudeur, bourru, cafardeux, chagrin, chagriné, désabusé, désagréable, ennuyeux, grincheux, gringe, gris, grognon, hargneux, insipide, insupportable, massacrant, maussade, mélancolique, morne, morose, nostalgique, pessimiste, pisse-vinaigre, rabat-joie, renfrogné, revêche, rit, sombre, ténébreux, terne, triste.

SATYRE (n. p.). Marsyas, Silène, Sylvain.

SATYRE. Cochon, drame, faune, iambe, obsédé, pervers, phallus, silène, singe, sylvain, vicieux, voyeur.

SAUCE. Aillade, ailloli, aïoli, ballottine, béarnaise, béchamel, coulis, dodine, fricassée, gribiche, ketchup, mayonnaise, meurette, mirepoix, mouiller, poivrade, poulette, ravigote, rémoulade, roux, saupiquet, suprême, tabasco, tartare, trempette, vinaigrette.

SAUCÉE. Abat, abord, abattée, arc-en-ciel, avalanche, averse, avrillée, baille, cataracte, déluge, douche, drache, eau, flotte, giboulée, grain, mouille, nielle, nuée, ondée, orage, pluie, pissée, rincée, trombe.

SAUCER. Asperger, baigner, doucher, inonder, macérer, mariner, participer, plonger, tremper.

SAUCISSE. Atriau, ttignole, boutargue, boyau, cervelas, chipo, chipolata, chorizo, coiffe, crépinette, francfort, gendarme, hot-dog, knack, longeole, merguez, mortadelle, morteau, rosette, salami, saucisson, toulouse, wienerli.

SAUCISSON. Baloné, bologne, boutefas, cervelas, chorizo, gendarme, jésus, mortadelle, rosette, salami.

SAUF. Abstraction, aman, avec, dehors, échappé, excepté, exception, exclusion, fors, hormis, hors, indemne, intact, ôté, préservé, réchappé, rescapé, réserve, sain, sauvé, si, sinon, tous, tout.

SAUF-CONDUIT. Aman, autorisation, laissez-passer, passeport, permis, visa.

SAUGE. Germandrée, labiée, officinale, orvale, osier, plante, salvia, sclarée, serve, tonique, toute-bonne.

SAUGRENU. Absurde, bizarre, burlesque, déroutant, étrange, inattendu, inconvenant, inepte, insensé, insolite, piquant, ridicule, singulier.

SAULE (n. p.). Babylone, Caroline, Mackenzie, Pacifique.

SAULE. Alba, amandier, arroyo, aubier, bebb, blanc, bonpland, caprea, daphné, discolore, drapé, feutré, fragile, hastata, hooker, lisse, marsault, noir, oseraie, osier, pêcher, pleureur, pourpre, salix, saulaie, scouler.

SAUMÂTRE. Âcre, amer, déplaisant, désagréable, fort, grau, insupportable, mauvais, pénible, salé, salin.

SAUMON (n. p.). Atlantique, Pacifique.

SAUMON. Bécard, blanc, bosse, coho, colin, darne, éperlan, féra, fontaine, fumé, hure, kéta, merlu, omble, ombre, ouananiche, poisson, salmonidé, saumoneau, smolt, sockeye, tacon, taquon, tocan, truite.

SAUMONEAU. Bécard, fontaine, omble, ombre, ouananiche, salmonidé, saumon, smolt, sockeye, tacon, truite.

SAUMONETTE. Aiguillat, émissole, hâ, poisson, requin, roussette, squale, tacheté.

SAUMURE. Aspic, boudin, cataplasme, conception, corroi, cosmétique, crème, émulsion, encre, escabèche, gestation, hachis, jus, marinade, mégie, mousse, muire, organisation, pain, pâte, potion, pralin, préparatifs, préparation, projet, purée, recette, rillettes, salé, sauce, sauris, soluté, rosat, tarama, timbale, vin.

SAUNA. Bain, balnéation, cuvette, douche, étuve, fangothérapie, finlandais, hammam, hermès, immersion, lavage, maillot, mégis, nu, nymphée, piscine, râbler, salle, sel, siège, solarium, strigile, suée, sueur, thermes, trempette, tub.

SAUNIER. Aventurier, bandolier, bootlegger, clandestin, contrebandier, exploitant, marchand de sel, paludier, trafiquant.

SAUPOUDRER. Enfariner, fariner, émailler, givrer, mêler, persiller, saler, talquer, verrer.

SAUR. Basané, boucané, bronzé, bruni, conservé, desséché, enfumé, fumé, fumée, sauré, séché, tanné.

SAURET. Cru, dessalé, étié, exagéré, fort, mer, note, obscène, océan, pec, pré, relevé, resalé, salaison, salé, saumâtre, saur, sel, sévère, sor.

SAURIEN. Alligator, amblyrhynque, amphisbène, anolis, caïman, caméléon, crocodile, dragon, gavial, gecko, héloderme, iguane, lacertien, lézard, moloch, orvet, reptile, scincidé, varan, zonure.

SAUT. Assemblé, assemblée, axel, ballon, bond, bondissement, cabriole, cahot, cascade, croupade, culbute, entrechat, danse, flop, gambade, houp, jeté, lutz, mutation, pirouette, ricochet, rouleau, salchom, salto, soubresaut, sursaut, voltige.

SAUT-DE-LIT. Découvert, dégarni, dénudé, déshabillé, dévêtu, douillette, jaquette, kimono, négligé, nuisette, peignoir, pyjama, robe, sortie de bain.

SAUT-DE-LOUP. Abysse, ahah, boyau, brook, bunker, canal, caveau, cavité, charnier, contrevallation, creux, douve, émissaire, excavation, feuillée, fossé, gap, graben, haha, oubliette, purot, retard, rift, rigole, ruisson, sautoir, séparation, silo, tinette, tombe, tranchée, trou, watergang.

SAUTÉ. Annulé, bondi, changement, cuit, effacé, modification, omis, variation, virement, volé.

SAUTE. Bombe, captivant, émouvant, envoûtant, frappant, hallucinant, impressionnant, influant, inouï, irrésistible, pénétrant, percutant, persuasif, poignant, saisissant, séduisant, sidérant, soufflant, stupéfiant, surprenant.

SAUTELLE. Accolage, arçon, branche, fagot, liane, moissine, poivrier, rameau, sarment, tige, vigne.

SAUTER. Bondir, cahoter, cuire, danser, éclater, élancer, élever, exploser, exulter, fondre, hop, omettre, passer, plonger, rebondir, recuire, repasser, ressauter, sautiller, sursauter, tressaillir, tressauter, voler.

SAUTERELLE. Acridien, angle, archet, cricri, criquet, émacié, équerre, étiage, grillon, insecte, maigre, scène.

SAUTERIE. Bal, bastringue, boîte, boîte de nuit, bruit, cabaret, chahut, dance, dancing, danse, désordre, fête, guinche, guinguette, musette, pince-fesses, soirée, surboum, surpatte, tapage, tohu-bohu, vacarme, zinzin.

SAUTEUR (n. p.). Beamon, Bombra, Cleveland, Fosbury, Lewis, Owens, Pégoud.

SAUTEUR. Acrobate, athlète, bateleur, changeant, cheval, pantin, perchiste, taupin, versatile.

SAUTEUSE. Caquelon, casserole, dipodidé, égoïne, poêle, poêlon, sautoir, scie, tronçonneuse.

SAUTILLANT. Capricant, décousu, désordonné, fantasque, haché.

SAUTILLER. Bondir, cahoter, cuire, danser, éclater, élancer, élever, exploser, exulter, fondre, hop, omettre, passer, plonger, rebondir, recuire, repasser, ressauter, sauter, sursauter, tressaillir, tressauter, voler.

SAUTOIR. Bague, barbe, bijou, boa, carcan, cercle, chaîne, collier, courroie, fraise, misère, racage, rivière, torque.

SAUVAGE. Agreste, asocial, barbare, bestial, bison, brut, chat, craintif, cruel, désert, dingo, farouche, fauve, féral, féroce, feu, gaur, gayal, inapprivoisé, inculte, indien, inhabité, insociable, lande, misanthrope, mûron, primitif, rude, seul, solitaire.

SAUVAGEMENT. Âprement, barbarement, bestialement, brutalement, cruellement, durement, farouchement, férocement, impitoyablement, inhumainement, méchamment, rudement, sadiquement, sauvage.

SAUVÉ. Animé, debout, fort, guéri, organisé, rescapé, ressuscité, saint, sauf, viable, vif, vivant.

SAUVEGARDE. Auspices, bouclier, chaîne, conservation, corde, défense, égide, gage, garantie, maintien, palladium, préservation, protection, rempart, sécurité, soutien, tutelle.

SAUVEGARDER. Abriter, aider, barder, bénir, breveter, convoyer, cuirasser, défendre, endurcir, épiner, escorter, fortifier, garantir, garder, isoler, patronner, pistonner, préserver, protéger, recommander, sauver, soutenir.

SAUVER. Aider, aller, cavaler, conserver, débiner, dépanner, échapper, éluder, enfuir, évader, éviter, filer, fuir, garantir, garder, garer, guérir, libérer, racheter, réchapper, remédier, renflouer, sauf, tirer.

SAUVETAGE. Abri, aide, appui, assistance, aumône, bouche-à-bouche, bouée, canot, chaloupe, dinghy, facilité, grâce, morse, moyen, orsec, renfort, rescousse, ressource, secours, SOS, subside, utilité.

SAUVETEUR. Ambulancier, brancardier, cheval, infirmier, samaritain, secouriste, urgentiste.

SAUVEUR. Bienfaiteur, libérateur, messie, providence, rédempteur, secouriste.

SAVANE. Arborée, brûlis, campos, jungle, marécage, place, plaine, veld.

SAVANT. Alem, alma, averti, avisé, calé, cerveau, chercheur, clerc, compétent, connaissant, cultivé, docte, éclairé, éfendi, effendi, érudit, expert, ferré, fort, informé, instruit, lettré, mage, maître, philosophe, sage, savoir, scientifique, spécialiste, versé.

SAVANT ALLEMAND (n. p.). Agricola, Bauer, Hosemann, Kicher, Leibniz, Osiander, Roentgen, Schickard, Shickhardt.

SAVANT AMÉRICAIN (n. p.). Cottrell.

SAVANT ANGLAIS (n. p.). Alcuin, Bacon, Cheselden, Dee, Everest, Hooke, Jurin, Newton, Thomson, Wollaston.

SAVANT, ANTIQUITÉ (n. p.). Archimède, Ptolémée.

SAVANT ARABE (n. p.). Alhaven, Al Bukhari, Biruni, Hazin, Ibn Al-Kifti, Kharezmi.

SAVANT BELGE (n. p.). Jobard, Mercator, Quetelet, Tournesol, Vésale.

SAVANT BÉNÉDICTIN (n. p.). Calmet, Cellier.

SAVANT BRITANNIQUE (n. p.). Barlow.

SAVANT DANOIS (n. p.). Bartholin.

SAVANT ÉGYPTIEN (n. p.). Imhotep.

SAVANT FLAMAND (n. p.). Stevin.

SAVANT FRANÇAIS (n. p.). Albert, Alembert, Ampère, Arago, Bailly, Becquerel, Bernoulli, Bouguer, Bourgeois, Carnot, Cassini, Condorcet, Conté, Cros, Curie, Descartes, Didot, Du Fay, Duhamel, Ferrié, Fillastre, Laplace, Laveran, Lavoisier,

Laussedat, Ménard, Mersenne, Palatine, Palissy, Papin, Pascal, Pasteur, Prony, Raspail, Tissandier.

SAVANT GREC (n. p.). Archimède, Bessarion, Chrysoloras, Ctésibios, Éastosthène, Hypathie, Oikonomos, Ptolémée, Thalès, Théon.

SAVANT HOLLANDAIS (n. p.). Érasme, Snellius.

SAVANT ITALIEN (n. p.). Algarotti, Cardan, Facciolapi, Galilée, Latini, Maï, Marconi, Maurolico, Ricci, Vinci, Volta.

SAVANT JUIF (n. p.). Gersonides.

SAVANT MOLDAVE (n. p.). Cantemir.

SAVANT NÉERLANDAIS (n. p.). Huygens, Huyghens.

SAVANT OTTOMAN (n. p.). Éfendi, Effendi.

SAVANT PERSAN (n. p.). Khayyan.

SAVANT PORTUGAIS (n. p.). Santarem.

SAVANT RUSSE (n. p.). Lomonossov, Tchernychevski, Tsiolkovski.

SAVANT SUÉDOIS (n. p.). Swedenborg.

SAVANT SUISSE (n. p.). Agassiz, Bernoulli, Euler, Flournoy, Forel, Fuler, Métreaux, Piccard, Vogt.

SAVANT TCHÈQUE (n. p.). Blahoslav.

SAVARIN. Baba, bûche, cake, clafoutis, couque, dartois, éclair, frangipane, galette, gâteau, gaufre, génois, génoise, gougère, kouglof, kugelholf, macaron, millas, millefeuille, moka, nougat, opéra, pâtisserie, pudding, ramequin, roulé, sablé, saint-honoré, tourte, vacherin.

SAVATE. Bagarre, boxe, catch, clé, collision, combat, curée, duel, grève, guerre, jiu-jitsu, joute, judo, karaté, lice, lutte, magouillage, magouille, mêlée, pancrace, prise, pugilat, pugnacité, querelle, rixe, sumo.

SAVETIER. Alène, astic, bottier, bouif, boulf, buis, carreleur, chausseur, chaussure, cordonnier, cordonnerie, gnaf, pignouf, poinçon, point, raccommodeur, rivetier, saint-crépin, soulier, tire-pied, tranchet.

SAVEUR. Acide, acidité, acidulé, âcre, aigre, amer, amertume, bouquet, charme, doux, empyreume, fade, fumet, goût, goûteux, ignorance, insipide, parfum, piment, piquant, plat, poivré, rance, salé, sapidité, sel, sensation, succulence, sucré.

SAVOIE, VILLE (n. p.). Aiguebelle, Aix-les-Bains, Albens, Albertville, Aussois, Avrieux, Bessans, Bozel, Chambéry, Courchevel, Lanslevillard, Modane, Moutiers, Naves, Ugine, Val-D'isère, Valloire, Valmorel, Yenne.

SAVOIR. Acquérir, acquis, art, avertissement, bagage, capacité, compétence, connaissance, connaître, culture, curiosité, doctrine, éducation, érudition, instruction, lettre, lumière, mander, omniscient, pédant, sagesse, science, su, truc, voir.

SAVOIR-FAIRE. Adresse, art, astuce, chic, compétence, dextérité, doigté, entregent, expérience, habileté, inexpert, know-how, métier, pratique, savant, truc.

SAVOIR-VIVRE. Bienséance, civilité, doigté, compétence, correction, décorum, diplomatie, doigté, éducation, étiquette, expérience, habileté, honnêteté, politesse, protocole, rite, rituel, tact, us, usage.

SAVON. Algarade, débarbouillette, lessive, remontrance, savonnette, semonce, shampooing.

SAVONNER. Blaireau, blanchir, engueuler, essanger, gourmander, laver, nettoyer, réprimander, tancer.

SAVONNIER. Arbre, dicotylédone, litchi, longane, ouvrier, sapindacée, saponine, savonnerie.

SAVOURER. Adipocire, agréable, apprécier, boire, dégoûter, déguster, délecter, glouter, goûter, jouir, manger, régaler, sentir, succulent, suçoter, tâter.

SAVOUREUX. Agréable, assaisonné, corsé, délectable, délicieux, épicé, exquis, fade, piquant, plaisant, succulent.

SAXATILE. Basse, caillouteux, chaotique, dentelaire, dur, fjeld, graveleux, nunatak, pédiment, pétré, pierreux, raboteux, râpeux, rauque, rocailleux, rocher, rocheux, rude, sain, saxicole, spath, staphylier.

SAXHORN. Alto, baryton, bugle, clairon, cornet, cuivre, herbacée, ive, ivette, labiacée, labiée, trompette, tuba.

SAXIFRAGACÉE. Cassis, groseillier, hortensia, hydrangée, plante, saxifrage, seringa, seringat.

SAXOPHONE. Alto, baryton, cuivre, saxo, saxophoniste, soprano, ténor.

SAXOPHONISTE (n. p.). Baker, Bechet, Coleman, Coltrane, Getz, Hawkins, Konitz, Lunceford, Parker, Rollins, Shepp, Smith, Young.

SAYNÈTE. Assemblée, assise, audience, audition, avant-midi, brunch, cinéma, comédie, concert, exécution, lancement, matinée, pièce, projection, réception, récital, représentation, réunion, scène, séance, session, sketch, spectacle, théâtre.

SBIRE. Action, affidé, agent, âme, ami, archer, argousin, assureur, bailli, barbouze, bras, casernier, cause, cautère, cogne, collaborateur, commerçant, commis, courtier, cycliste, détective, émissaire, employé, espion, estafette, facteur, ferment, flic, fonctionnaire, gardien, gérant, îlotier, imprésario, inspecteur, instrument, intendant, intermédiaire, mandataire, mouchard, moyen, nervi, objet, officier, opérateur, police, policier, poulet, principe, représentant, salarié, schupo, séide, sicaire, spadassin, taupe, vigie.

SCABIEUSE. Dipsacacée, dipsacée, gale, latrodecte, oiseau, passereau, peau, plante, sati, veuve.

SCABINAL. Alcade, bourgmestre, capitoul, conseiller, échevin, échevinal, magistrat, maïeur, maire.

SCABREUX. Caleçonnade, compliqué, corsé, dangereux, délicat, difficile, embarrassant, grossier, inconvenant, indécent, libre, licencieux, obscène, osé, périlleux, risqué.

SCAFERLATI. Alcaloïde, bupropion, chique, cigare, cigarette, excitant, fumer, gris, havane, manoque, nicotine, passage, perlot, peton, pétun, priseur, râpé, rôle, seita, solanacée, tabac, tabagie, virginie.

SCALE. Requin.

SCALP. Afro, alopécie, chevelure, cheveux, coiffure, crêpé, crinière, cuir, fourrure, frisure, guiche, laine, natte, perruque, postiche, robe, tif, tignasse, toison, trophée.

SCALPEL. Bistouri, boutonnière, césarienne, coupure, couteau, cystotomie, entaille, excision, fente, incision, kératotomie, lancette, scarificateur, scarification.

SCALPER. Affecter, arracher, contrebandier, cueillir, dealer, déconnecter, découper, découpler, défaire, dégrafer, dégraisser, délacer, déléguer, délier, dénouer, déprendre, desceller, désintéresser, désinvolte, désunir, détacher, dételer, dévisser, égrainer, égrapper, égrener, éloigner, enlever, isoler, larguer, libérer, nettoyer, pusher, ressortir, revendeur, séparer, trafiquant, unir.

SCANDALE. Actif, algarade, barouf, bruit, chambard, choc, déplorable, désordre, éclat, éhonté, émotion, épouvantable, esclandre, étonnement, fracassant, honte, indignation, léger, légèreté, passif, pétard, révoltant, tapage, vilain.

SCANDALEUX. Choquant, déplorable, éhonté, épouvantable, honteux, impudent, inconvenant, indécent, indigne, odieux, offensant, outrant, révoltant, tapageur.

SCANDALISER. Blesser, choquer, effaroucher, estomaquer, étonner, formaliser, froisser, heurter, indigner, offenser, offusquer, outrer, révolter, suffoquer.

SCANDER. Accentuer, appuyer, articuler, chuchoter, condamner, détacher, dicter, dire, écrire, émettre, énoncer, exprimer, formuler, juger, jurer, marteler, nasaliser, nommer, parler, proférer, prononcer, réciter, rendre.

SCANDINAVE. Aquavit, danois, eider, élan, elfe, nordique, norvégien, renne, rune, suédois.

SCANDIUM. Sc.

SCANNER. Balayage, chiffrer, codifier, convertir, densitome, digitaliser, numériser, scanneur.

SCAPHANDRÉ. Abscons, abstrus, clos, coqueron, énigmatique, ésotérique, étanche, fermé, garniture, hermétique, impénétrable, imperméable, incompréhensible, inintelligible, lut, mystérieux, obscur, opaque, sibyllin, waterproof.

SCAPHOPODE. Dentale, gastéropode, gastropode, mollusque.

SCAPULAIRE. Abraxas, aétite, amulette, anneau, bague, bétyle, bondieuserie, ceinture, charme, clavicule, effigie, épaule, fétiche, grigri, gris-gris, idole, mascotte, médaille, omoplate, or, pentacle, phylactère, porte-bonheur, porte-chance, psellion, sachet, talisman, tefillin.

SCARABÉE. Anisoplie, anomala, anomale, bousier, cétoine, coléoptère, dynaste, hanneton, scarabéidé.

SCARABÉIDÉ. Anomala, barbot, bousier, cétoine, coléoptère, coprophage, géotrupe, insecte.

SCARIFICATION. Bistouri, boutonnière, césarienne, coupure, cystotomie, débridement, entaille, épisiotomie, excision, fente, gastronomie, hystérotomie, incision, kératotomie, neurotomie, phlébotomie, scalpel, seppuku.

SCARLATINE. Efflorescence, énanthème, éruption, exanthème, rougeole, rougeur, rubéole.

SCAROLE. Astéracée, chicorée, composacée, cornette, escarole, salade.

SCATOLOGIE. Besoins, bouse, bran, bren, caca, chiasse, chiure, colombin, coprolithe, coprophage, crotte, crottin, déchet, diarrhée, étron, excrément, fèces, fiente, guano, merde, ordure, scatophile, selle, stercoraire, stercoral, troches, urine.

SCEAU. Blason, bris, bulle, cachet, caractère, cire, coin, empreinte, estampille, justice, label, marque, patte, plomb, poinçon, queue, scel, scellé, seille, seing, sigillé, signature, signe, tamier, timbre, visa.

SCÉLÉRAT. Bandit, coquin, criminel, filou, fripon, gredin, infâme, larron, nervi, sac, sbire.

SCELLÉ. Blason, bris, bulle, cachet, caractère, cire, coin, empreinte, estampille, justice, label, marque, patte, plomb, poinçon, queue, sceau, scel, seille, seing, sigillé, signature, signe, tamier, timbre, visa.

SCELLEMENT. Amarrage, ancrage, ancre, arrimage, attache, blocage, boulonnement, clavetage, crampon, encollage, enracinement, établissement, fixation, grappin, implantation, maroufflage, nidation, serrurerie.

SCELLER. Barrer, cacheter, clore, coller, confirmer, consacrer, entériner, fermer, fixer, plomber, ratifier, sanctionner.

SCÉNARIO. Canevas, déroulement, histoire, intrigue, manuscrit, plan, récit, script, synopsis, texte, trame.

SCÈNE. Acte, algarade, avanie, coulisse, décor, diablerie, dispute, esclandre, exit, fond, fondu, intimiste, live, mimodrame, parade, plan, planche, plateau, rampe, rideau, séance, séquence, sketch, spectacle, tableau, théâtre.

SCÉNOGRAPHE (n. p.). Craig.

SCÉNOGRAPHE. Antiquaire, architecte, carpettier, décorateur, designer, dessinateur, ensemblier, esthéticien, garnisseur, haute-lissier, licier, modéliste, peintre, tapissier, technicien, tisserand.

SCEPTICISME. Aporétique, athéisme, défiance, doute, dubitatif, euroscepticisme, incertitude, incrédulité, indifférence, méfiance, nihilisme, non croyant, pyrrhonisme, refus, sceptique, soupçon.

SCEPTIQUE (n. p.). Alembert. Azorin, Bayle, Carnéade, Frédéric, Pyrrhon, Sextus, Zététique.

SCEPTIQUE. Athée, blasé, défiant, douteur, dubitatif, incrédule, incroyant, nihiliste, pyrrhonien, pyrrhoniste, zététique.

SCEPTRE. Apadana, autorité, couronne, dictature, dynastie, emblème, empire, monarchie, oppression, puissance, régner, royauté, siège, souveraineté, succession, supériorité, suprématie, trône.

SCHÉMA. Abrégé, actantiel, canevas, croquis, descriptif, dessin, diagramme, ébauche, esquisse, forme, formule, graphique, image, mobile, modèle, pattern, plan, processus, représentation, schème, structure, tracé.

SCHÉMATIQUE. Bref, concis, condensé, grossier, ramassé, résumé, rudimentaire, simplifié, simpliste, sommaire, succinct.

SCHÉMATISER. Abréger, condenser, démotique, faciliter, normaliser, réduire, résumer, simplifier, standardiser, styliser.

SCHISME. Adieu, apostat, borne, césure, cloison, coupe, coupure, démembrement, départ, désunion, diaphragme, dichotomie, diérèse, dis, disjonction, dissidence, division, divorce, fente, haie, isolation, mort, mur, perte, plancher, raie, ressuage, rupture, sas, scission, séparation, tamisage, tmèse, tri.

SCHIZOPHRÉNIE. Ambigu, ambivalence, aporie, athymhormie, athymie, catatonie, contradictoire, démence, discordance, double, dualité, fou, hébéphrène, janus, palilalie, paranoïde, précose, psychose, schizoïde.

SCHNOCK. Ancien, âgé, baderne, barbe, birbe, chenu, chnoque, croulant, décrépit, fou, gaga, gâteux, géronte, imbécile, patriarche, pépé, ramolli, schnoque, sénile, vieillard, vieux, viocard.

SCHUTZSTAFFEL. SS.

SCIAGE. Avivé, bois, cisaillement, clivage, coupage, couper, coupure, crevasse, débitage, délignage, dosse, fendre, plot, refendre, scierie, scieur, séparer, zigouiller.

SCIANT. Agaçant, assommant, barbant, canulant, chiant, désagréable, embarrassant, embêtant, emmerdant, empoisonnant, endormant, ennuyeux, étonnant, fâcheux, fade, fatigant, importun, insipide, insupportable, lassant, long, maussade, monotone, mortel, rasant, rasoir, suant, vexant.

SCIATIQUE. Casaquin, hanche, iliaque, ilion, ischion, lumbago, nerf, névralgie, rhumatisme, salicylate.

SCIE. Air, chaîne, crocodile, dent, dosseret, égoïne, godendard, godendart, lame, mouche, musique, ostéotome, outil, passe-partout, raie, refrain, rengaine, ruban, sauteuse, sciotte, serrate, trait, tronçonneuse, vivre.

SCIEMMENT. Connaissance, délibérément, escient, exprès, insu, raison, savoir, volontaire.

SCIENCE (3 lettres). Abc, art, bio.

SCIENCE (4 lettres). Idée, pure.

SCIENCE (5 lettres). Champ, droit, étude, exact, force, lycée, magie, musée, puits, règle, somme.

SCIENCE (6 lettres). Abrégé, blason, cabale, calcul, chimie, infuse, mancie, morale, savoir.

SCIENCE (7 lettres). Algèbre, branche, clergie, culture, éthique, logique, théorie.

SCIENCE (8 lettres). Abstrait, alchimie, biologie, bionique, capacité, doctrine, écologie, géodésie, géologie, gymnique, médecine, métrique, mystique, opuscule, physique, principe, rudiment.

SCIENCE (9 lettres). Aérologie, agrologie, agronomie, appliquée, avionique, axiologie, botanique, détonique, docimasie, érudition, éthologie, étiologie, eugénique, eugénisme, génétique, géométrie, grammaire, idéologie, logopédie, œnologie, ontologie, orthoépie, osmologie, pédagogie, pédologie, pharmacie, recherche, rhéologie, robotique, sexologie, sexonomie, sinologie, taxinomie, taxonomie, technique, tératologie, théologie, topologie, urbanisme.

SCIENCE (10 lettres). Aéraulique, aérométrie, astronomie, audiologie, balistique, cosmogonie, cosmologie, didactique, diététique, diplomatie, discipline, écologisme, ethnologie, étymologie, généalogie, gemmologie, géographie, géoscience, hippologie, hydrologie, hypnotisme, iconologie, limnologie, lithologie, métrologie, muséologie, mythologie, neurologie, onirologie, pathologie, philologie, phonologie, scénologie, sémiologie, sismologie, sociologie, tribologie, zootechnie.

SCIENCE (11 lettres). Actinologie, archéologie, arithmétique, biophysique, chronologie, démographie, démonologie, dentisterie, déontologie, embryologie, exobiologie, gynécologie, hématologie, hydrométrie, hygrométrie, hygroscopie, hypsométrie, laboratoire, lexicologie, minéralogie, musicologie, nomographie, océanologie, omniscience, pétrochimie, physiologie, psychologie, séismologie, séméiologie, spéléologie, symbolique, technologie, tératologie, topographie, toxicologie.

SCIENCE (12 lettres). Aéronautique, arithmétique, climatologie, cosmétologie, criminologie, cybernétique, encyclopédie, ethnographie, géopolitique, hagiographie, hydrographie, mathématique, métaphysique, micrographie, muséographie, numismatique, ornithologie, paléographie, planétologie, réflexologie, scientifique, vulcanologie.

SCIENCE (13 lettres). Aérodynamique, astronautique, bibliographie, électrochimie, épistémologie, lexicographie, macro-économie, microbiologie, océanographie, ophtalmologie, paléontologie, pneumatologie, polytechnique.

SCIENCE (14 lettres). Caractérologie, évolutionnisme, géomorphologie, science-fiction, sigillographie.

SCIÈNE. Amaigri, amenuisé, aminci, cachectique, carcan, carcasse, décharné, desséché, efflanqué, émaciation, émacié, étiage, étique, étisie, grêle, gringalet, hâve, maigre, maigrelet, maigrichon, maigriot, marasme, mince, poisson, sauterelle, sec, squelettique.

SCIENTIFIQUE. Doctrinaire, chercheur, idéologue, penseur, philosophe, spéculateur, stratège, tacticien, théoricien.

SCIÈNE. Amaigri, amenuisé, aminci, cachectique, carcan, carcasse, décharné, desséché, échalas, échalote, efflanqué, émaciation, émacié, étiage, étique, étisie, grêle, gringalet, hâve, maigre, maigrelet, maigrichon, maigriot, marasme, mince, momie, sauterelle, sec, squelette.

SCIER. Araser, couper, débiter, épater, fendre, lasser, moyer, refendre, séparer, zigouiller.

SCINCIDÉ. Alligator, amblyrhynque, amphisbène, anolis, caïman, caméléon, crocodile, dragon, gavial, gecko, héloderme, iguane, lacertien, lézard, moloch, orvet, reptile, saurien, varan, zonure.

SCINDER. Cliver, couper, décomposer, diviser, fractionner, fragmenter, morceler, sectionner, séparer.

SCINTIGRAPHIE. Angiographie, cholécystographie, cystographie, discographie, gammagraphie, hystérographie, myélographie, négatoscopie, pelvigraphie, radiographie, scintillographie, tomographie, urographie.

SCINTILLANT. Brillant, clignotant, éclaircissement, éclat, étincelant, miroitement, pétillement, vacillant.

SCINTILLE. Conflit, discorde, enflammé, escarbille, étincelle, flambeau, flammèche, querelle, torche, tortillon.

SCINTILLEMENT. Chatoiement, clignotement, éclat, miroitement, papillotement, pétillement.

SCINTILLER. Brasiller, briller, chatoyer, cligner, clignoter, éclaircir, étinceler, flamboyer, luire, lumière, miroiter, papillonner, papilloter, pétiller, poudroyer, rutiler, scintillement, vaciller.

SCIPION (n. p.). Aemilianus, Africain, Asiatique, Asina, Barbatus, Calvus, Corculum, Lucius, Nasica, Publius, Serapio.

SCIRPE. Alaise, alèse, alliance, anneau, bague, baguette, balai, bâton, bijou, butome, canne, chevalière, époux, jonc, juncacée, juncus, mariage, marié, oie, plante, promis, roseau, solitaire, souchet, union.

SCISSILE. Cloisonné, coupé, débité, décomposé, découpé, dédoublé, délité, démembré, diminué, divisé, endetté, fissile, gradué, granuleux, indivis, losangé, métamérisé, multifide, partagé, parti, sporadique, tripartite.

SCISSION. Adieu, borne, césure, cloison, coupe, coupure, démembrement, départ, désunion, diaphragme, dichotomie, diérèse, dis, disjonction, division, divorce, fente, haie, isolation, mort, mur, perte, plancher, raie, ressuage, rupture, sas, schisme, séparation, vannage, tamisage, tmèse, tri.

SCISSIONNISTE. Autonomiste, dissident, indépendantiste, nationaliste, régionaliste, sécessionniste, séparatiste.

SCISSIPARITÉ. Âge, ascendance, biogénèse, création, descendance, descendant, division, engendrement, formation, génération, lignée, postérité, production, progéniture, protozoaire, race, rejeton, sexe.

SCISSURE. Cannelure, creux, dérayure, enrayure, enrue, enture, gouttière, javelle, minage, orne, ornière, paillot, perchée, pli, raie, rayon, règue, ride, rigole, sayon, sillon, strie, striure, trace, trait, vergeture, vibice.

SCITAMINACÉE. Balisier, bananier, cardamome, curcuma.

SCITAMINALE. Acotylédone, aracée, butome, dicotylédone, lemnacée, marante, massette, misère, monocotylédone, musacée, naïade, naias, palmier, plante, potamot, roseau, tacca, tépale, typha, zostère.

SCIURE. Blousse, bourrette, bran, bride, cendre, chute, copeau, débris, déchet, déperdition, détritus, épluchure, excrément, freinte, immondice, limaille, ordure, pelure, perte, raclure, rebut, reliquat, résidu, riblon, rognure, scorie, son, urée.

SCIURIDÉ. Écureuil, mammifère, marmotte, polatouche, rongeur, siffleux, souslik, suisse, tamia, xérus.

SCLÉREUX. Fibreux, filamenteux, ligamenteux, ligneux, sclérogène, sclérose, svelteux, tendineux.

SCLÉROPROTÉINE. Collagène, élastine, fibre, kératine, osséine, protéine.

SCLÉROSÉ. Altéré, durci, encroûté, figé, immobile, inactif, inerte, sclérosant, tabès, vieux.

SCLÉROTIQUE. Choroïde, membrane, oculaire, œil, périoste, péritoine, scléral, sclérote, tubercule.

SCOLAIRE. École, collège, enseignement, institut, lycée, parascolaire, périscolaire, thème.

SCOLARITÉ. Alphabétisation, andragogie, apprentissage, cursus, didactique, dogmatique, école, éducation, enseignement, étude, études, instruction, logique, pédagogie, scolasticat, stage, universel.

SCOLOPACIDÉ. Barge, bécasse, bécasseau, bécassine, courlis, maubèche, phalarope, tourne-pierre.

SCOLOPENDRE. Anténatte, fougère, gastéropode, géophile, gloméris, iule, limace, lithobie, mille-pattes, myriapode.

SCOLYTE. Coléoptère, hylastine, insecte.

SCOMBRIDÉ. Bonite, germon, maquereau, pélamide, pélamyde, poisson, téléostéen, thon, thonine.

SCONSE. Carnivore, fourrure, mammifère, mofette, moufette, mouffette, sconce, skunk.

SCOOP. Avis, enquête, escient, exclusivité, indication, info, information, insu, message, nouvelle, précision, primeur, recherche, renseignement, sensation.

SCOOTER. Bicyclette, chopper, meule, motard, moto, motocycle, motocyclette, motomarine, motoneige, vélo, vespa.

SCORBUT. Avitaminose, abéribéri, carence, gerçure, hypovitaminose, pellagre, rachitisme, vitamine.

SCORE. Aboutissement, apparoir, appert, battement, bilan, but, conclusion, décision, effet, fin, fruit, gelure, issue, marque, œuvre, portée, produit, quotient, reste, résultat, somme, stérile, suite, tentative, vain, vie.

SCORIE. Crasse, crassier, déchet, écume, engrais, laitier, lave, mâchefer, porc, résidu, suin, suint.

SCORPÈNE. Crapeau, crapaud de mer, diable de mer, poisson, rascasse, scorpénidé, trachinidé, uranoscope.

SCORPION. Arachnide, arthropode, constellation, languedocien, nèpe, personne, piqûre, scorpène, signe, zodiaque.

SCORSONÈRE. Astéracée, barbe de bouc, composacée, doigt, herbe, légume, légumineuse, salsifis, tragopogon.

SCOTCH. Adhésif, agglutinant, auto-adhésif, autocollant, collage, collant, diachylon, emplâtre, époxy, flocage, jonction, liaison, orge, papier, patch, ruban, sparadrap, téflon, thermocollant, union, ventouse, whisky.

SCOUMOUNE. Déveine, guigne, guignon, infortune, malchance, malheur, mésaventure, misère, pauvreté, poisse.

SCOUT (n. p.). Baden-Powell.

SCOUT. B.A., cheftaine, éclaireur, guide, jeannette, louveteau, ranger, routier.

SCOUTISME. Civique, civisme, conscient, dévouement, idéaliste, numéro, patriote, patriotique.

SCRIBE. Actuaire, bureaucrate, copiste, écrivain, gratteur, greffier, lettré, logographe, scriban.

SCRIBOUILLARD. Buraliste, bureaucrate, commis, fonctionnaire, gratte-papier, paperassier, rond-de-cuir, scribe.

SCRIBOUILLEUR. Académicien, auteur, bureaucrate, cénacle, conteur, écrivain, épistolier, ironiste, journaliste, lettre, nègre, plumitif, poète, pseudonyme, rédacteur, romancier, scribe.

SCRIPT. Canevas, crayon, crayonné, croquis, déroulement, dessin, ébauche, écrit, entoilage, épure, esquisse, essai, modèle, ossature, peinture, plan, scénario, schéma, squelette, structure, tableau, toile, trame.

SCRIPTE. Copiste, écrivain, rédacteur, scribe, scribouilleur, secrétaire.

SCROFULARIACÉES. Angélonia, bartschia, calcéolaire, digitale, euphraise, herbe-aux-écrouelles, herbe-aux-poux, lampourde, limoselle, linaire, maurandie, mélampyre, molène, muflier, paulownia, pédiculaire, plante, rhinanthe, velvote, véronique.

SCROFULE. Abcès, bouton, bubon, écrouelles, ganglion, humeur, scrofulaire, scrofuleux, strume, tumeur.

SCROTUM. Bourse, couille, enveloppe, haussier, havresac, péricarpe, réticule, sac, testicule.

SCRUPULE. Délicatesse, doute, exactitude, exigence, hésitation, indécision, poids, soin, souci.

SCRUPULEUX. Affranchi, attentif, consciencieux, correct, délicat, diligent, exact, exigeant, fidèle, honnête, juste, maniaque, méticuleux, minutieux, pointilleux, ponctuel, précis, soigneux, soucieux, strict, vigilant.

SCRUTATEUR. Examinateur, inquisiteur, inspecteur, regarder, spectateur, vérificateur, vote.

SCRUTER. Analyser, chercher, disséquer, éplucher, étudier, examiner, explorer, fouiller, inspecter, lorgner, observer, pénétrer, regarder, scrutateur, sonder, visiter.

SCRUTIN. Adoption, ballottage, bulletin, choix, consultation, contre-épreuve, électif, élection, opinion, panachage, plébiscite, préférence, public, référendum, scrutateur, secret, suffrage, urne, votation, vote.

SCULPTER. Anaglyphe, assembler, buriner, bustier, ciseler, couler, façonner, figurer, former, fouiller, gosser, gouger, graver, modeler, mouler, riper, sculpture, tailler, tétonner.

SCULPTEUR. Animalier, artiste, bronzier, bustier, ciseau, ciseleur, fondeur, gouge, imager, imagier, imagiste, mannequin, modeleur, musée, ognette, praticien, riflard, ripe, statuaire, stucateur, tailleur.

SCULPTEUR ALLEMAND (n. p.). Asam, Barlach, Beuys, Drake, Günther, Hildebrand, Kiss, Parler, Permoser, Rauch, Riemenschneider, Schwitters, Stwosz.

SCULPTEUR AMÉRICAIN (n. p.). Archipenko, Arman, Bourgeois, Calder, Christo, Gabo, Grooms, Johns, Judd, Naum, Nevelson, Remington, Smith, Stella, Valentine.

SCULPTEUR ANGLAIS (n. p.). Caro, Epstein, Flaxman, Hepworth, Moore.

SCULPTEUR ARGENTIN (n. p.). Penalba.

SCULPTEUR ATHÉNIEN (n. p.). Léocharès.

SCULPTEUR AUTRICHIEN (n. p.). Hausmann, Pacher.

SCULPTEUR BELGE (n. p.). Bury, Godecharie, Meunier, Minne, Permeke, Wouwerman.

SCULPTEUR BRÉSILIEN (n. p.). Aleijadinho.

SCULPTEUR BRITANNIQUE (n. p.). Caro, Epstein, Flaxman, Moore.

SCULPTEUR CANADIEN (n. p.). Baillairgé, Baillargé, Bonet, Bourgault, Côté, Laliberté, Levasseur, Vaillancourt.

SCULPTEUR CROATE (n. p.). Laurana.

SCULPTEUR DANOIS (n. p.). Thorvaldsen.

SCULPTEUR ESPAGNOL (n. p.). Berruguete, Cano, Chillida, Fernandez, Gargallo, Gaudi, Gonzalez, Hernadez, Juni, Miro, Picasso.

SCULPTEUR FLAMAND (n. p.). Duquesnoy, Faydherbe, Giambologna, Nollekens, Quellien, Quellin, Quellinus, Siloé, Verbruggen.

SCULPTEUR FLORENTIN (n. p.). Brunelleschi, Buontalenti, Ghiberti, Juste.

SCULPTEUR FRANÇAIS (n. p.). Adam, Anguier, Arp, Bachelier, Bartholdi, Barye, Beauneveu, Bellmer, Boffrand, Boltanski, Bontemps, Bosio, Bouchardon, Bourdelle, Buren, Caffieri, Carpeaux, Carrier-Belleuse, Cartellier, César, Chaudet, Cheval, Chunard, Clodion, Colombe, Coustou, Coysevox, Dalou, Daumier, David, Degas, Desjardins, Despiau, Etex, Falconet, Falquière, Frémiet, Gérôme, Gilioli, Girardon, Gislebertus, Goujon, Guillain, Houdon, Ipousteguy, Landowski, Lardera, Laurens, Legros, Lemoyne, Lipchitz, Maillol, Messagier, Pajou, Pevsner, Pigalle, Pilon, Pradier, Préault, Puget, Raysse, Richier, Rodin, Roty, Rude, Saint-Phalle, Sambin, Sarrasin, Schöffer, Slodtz, Slotz, Sluter, Stahly, Tubi, Tuby, Varin, Warin, Waroquier, Zadkine.

SCULPTEUR GENEVOIS (n. p.). Pradier.

SCULPTEUR GREC (n. p.). Alcamène, Anténor, Callimaque, Damophon, Dédale, Lysippe, Myron, Phidias, Polyclète, Praxitèle, Scopas.

SCULPTEUR HOLLANDAIS (n. p.). Sluter.

SCULPTEUR ITALIEN (n. p.). Algarde, Amadei, Amadeo, Bandinelli, Beccafumi, Bernin, Bernini, Boccioni, Buontalenti, Canova, Cellini, Donatello, Donato, Ferrari, Filarete, Fontana, Ghiberti, Laurana, Leoni, Lepautre, Marini, Martini, Michel-Ange, Michelozzo, Michelozzo, Orcagna, Pisano, Pollaiolo, Primatice, Rastrelli, Rossellino, Rosso, Sansovino, Solari, Solario, Verrocchio.

SCULPTEUR JAPONAIS (n. p.). Jocho, Nagare, Unkei.

SCULPTEUR LITUANIEN (n. p.). Lipchitz.

SCULPTEUR NÉERLANDAIS (n. p.). Sluter.

SCULPTEUR PAYS-BAS (n. p.). Duquesnoy.

SCULPTEUR POLONAIS (n. p.). Stwosz.

SCULPTEUR QUÉBÉCOIS (n. p.). Arbour, Baillairgé, Baillargé, Bonet, Bourgault, Côté, Laliberté, Vaillancourt.

SCULPTEUR ROMAIN (n. p.). Gillebert, Gislebert, Gislebertus.

SCULPTEUR ROUMAIN (n. p.). Brancusi.

SCULPTEUR RUSSE (n. p.). Archipenko, Tatline.

SCULPTEUR SOVIÉTIQUE (n. p.). Rodtchenko, Tatline.

SCULPTEUR SUISSE (n. p.). Bill, Erni, Giacometti, Pradier, Tinguely, Vela.

SCULPTEUR TCHÈQUE (n. p.). Braun.

SCULPTURE. Ajouré, armature, art, bosse, buste, ciselage, coré, dard, décoration, ébauche, figurine, figurisme, gisant, glyptique, gravure, grisaille, hermès, image, koré, maquette, modelage, monument, moulure, plastique, relief, statuaire, statue, statuette, stèle, taille, tête, torse, totem.

SCYPHOZOAIRE. Acalèphe, aurélie, cuboméduse, cyanea, cyanée, méduse, rhizostomée.

SÉANCE. Assemblée, assise, audience, audition, cinéma, concert, exécution, lancement, matinée, pièce, projection, réception, récital, représentation, réunion, saynète, scène, session, soirée, spectacle, théâtre.

SÉANT. Assis, bien, convenable, décent, derrière, genou, idoine, postérieur, seoir.

SEAU. Bacholle, baquet, camion, charbonnière, chaudière, jale, palanche, récipient, seille, seillon, vache.

SÉBACÉ. Abcès, chalazion, grosseur, induration, kyste, loupe, poche, sébum, tanne, tumeur, ulcère.

SÉBASTE. Piquant, rascasse, poisson, scorpène, uranoscope.

SÉBUM. Acholie, anurèse, bile, biligenèse, civette, copahu, crachat, diurèse, eau, excrétion, glaire, humeur, lactation, lacté, larme, morve, mucosité, mucus, présure, salive, sébacé, sécrétion, sialorrhée, suc, sueur, urine, venin.

SEC. Akène, anhydre, aride, autan, brûlé, brusque, clic, déshydraté, desséché, dry, dur, égoutté, épongé, essoré, essuyé, föhn, fruit, gercé, maigre, parcheminé, privation, rude, scarieux, sel, siccité, stérile, tac, tari, vert, vidé.

SÉCANTE. Angle, cavité, cercle, concavité, cosécante, cosinus, courbure, intersection, pli, sinus.

SÉCATEUR. Arme, bâton, celte, cisaille, ciseau, coupe-coupe, croissant, ébranchoir, échenilloir, élagueur, émondoir, épieu, fauchard, faucille, guisarme, hallebarde, hast, outil, pertuisane, pieu, serpe, serpette, vouge.

SÉCESSION. Carpetbagger, dissidence, nordiste, rupture, sécessionniste, séparation, sudiste.

SÉCHAGE. Assainissement, assèchement, déshumidification, déshydratation, dessèchement, dessification, drainage, écopage, égouttage, étanchement, évaporation, mâchefer, siccatif, tarissement, wateringue.

SÈCHE. Cibiche, cigarette, cigoune, clop, clope, clou, gimblette, mégot, pipe, prune, rien, sépiole, tige.

SÉCHER. Assécher, dépérir, déshydrater, dessécher, essorer, essuyer, languir, louper, privation, priver, saurer.

SÉCHERESSE. Aridité, désertification, dessèchement, dureté, froideur, indifférence, insensibilité, siccité, stérilité.

SÉCHOIR. Aspe, asple, caret, dévidoir, écheveau, hâloir, ressui, roquetin, sèche-cheveux, touret.

SECOND. Aide, allié, annexe, aoriste, autre, bis, cadet, deusio, deuxième, guide, lieutenant, occase, occasion, secundo, sous-chef.

SECONDAIRE. Accessoire, adventice, annexe, bayou, concomitant, crétacé, cycle, dinosaure, ère, horsain, incident, inférieur, insignifiant, latéral, lycée, mineur, polyvalente, prise, subalterne, trias.

SECONDE. Aide, cadette, cagne, C.G.S., éclair, instant, joule, khâgne, minute, temps, trotteuse.

SECONDEMENT. Après, deuxièmement, deuzio, postérieurement, second, secundo.

SECONDER. Aider, assister, collaborer, contribuer, coopérer, favoriser, secourir, servir.

SECOUER. Agiter, ballotter, bousculer, branler, brimbaler, bringuebaler, brinquebaler, cahoter, dodeliner, ébranler, ébrouer, hocher, incliner, locher, mouvoir, pousser, réagir, remuer, rouler, saluer, vanner, vibrer.

SECOURABLE. Affable, brave, complaisant, consolable, favorable, obligeant, prévenant, tutélaire.

SECOURIR. Aider, assister, associer, consoler, coopérer, défendre, délivrer, obliger, sauver, servir.

SECOURISTE. Ambulancier, brancardier, cheval, infirmier, samaritain, sauveteur, urgentiste.

SECOURS. Abri, aide, allocation, appui, assistance, aumône, charité, cri, don, facilité, faveur, grâce, morse, moyen, orsec, poste, recours, refuge, renfort, rescousse, ressource, sauvetage, soin, SOS, souitien, subside, subvention, utilité.

SECOUSSE. À-coup, agitation, battement, branle, cahot, choc, commotion, coup, ébranlement, émotion, frisson, heurt, mouvement, période, quinte, roulis, saccade, séisme, soubresaut, tangage, temps.

SECRET. Abscons, anonyme, arcane, arrière-fond, caché, cachotterie, charade, clandestin, clé, clef, confidentiel, dérobé, dessous, discret, dissimulé, énigme, enseveli, état,

furtif, initié, in petto, intime, latent, mèche, obscur, polichinelle, privé, professionnel, recette, sceau, ténébreux, tréfonds, truc.

SECRÉTAIRE (n. p.). Andropov, Asad, Assad, Balladur, Balue, Brejnev, Cecil, Colbert, Delmas, Dreyfus, Fabius, Fox, Fray, Herzog, Honecker, Hue, Hussein, Jan, Jospin, Kadhafi, Lang, Lie, Mangin, Marshall, Moro, Rocard, Romain, Soares, Staline, Vidal.

SECRÉTAIRE. Armoire, bureau, copiste, dactylo, dactylographe, écritoire, greffier, meuble, notaire, rédacteur, sautier, scriban, scribanne, scribe, scribouillard, scripte, script-girl, serpent, serpentaire, sténo.

SECRÈTEMENT. Anonymement, cachette, catimini, clandestinement, confidentiellement, discrètement, furtivement, impetto, incognito, insu, sourdement, sous-main, subrepticement, tapinois.

SÉCRÉTER. Dégoutter, distiller, élaborer, exsuder, filer, gicler, nectarifère, produire, saliver, suer.

SÉCRÉTION. Acholie, anurèse, bile, biligenèse, chasie, civette, copahu, crachat, diurèse, eau, enduit, excrétion, glaire, humeur, lactation, lacté, larme, morve, mucosité, mucus, présure, salivation, salive, sébum, sérum, sialorrhée, suc, sueur, urine, venin.

SECTAIRE. Adepte, doctrinaire, embrigadé, endoctriné, étroit, fanatique, intolérant, membre, partisan, séide.

SECTE (n. p.). Alaouites, Alawites, animistes, Arminiens, Basilidiens, Boxers, Boxeurs, Cathares, Confucianistes, Cyniques, Encratites, Méthodistes, Mormons, Nichiren, Nusayrî, Ordre du Temple Solaire, OTS, Quakers, Sikhs.

SECTE. Association, clan, coryphée, école, groupe, morave, parsi, parti, puritain, quaker, sabéen, zen.

SECTEUR. Aire, alimentaire, cercle, coin, division, domaine, fief, lieu, partie, privé, quaker, rayon, zone.

SECTION (n. p.). Gestapo.

SECTION. Appui, bief, bobine, bureau, cellule, coupure, division, escouade, fraction, groupe, laisse, névrotomie, ostéotomie, paragraphe, part, partie, portion, tarte, ténotomie, tronc, vasectomie, vasotomie, zone.

SECTIONNER. Anglaiser, couper, débrider, diviser, faucher, scinder, segmenter, séparer, trancher.

SÉCULAIRE. Ancêtre, aïeul, aîné, ancestral, antédiluvien, anthropopithèque, antique, archaïque, ascendant, désuet, doyen, généalogie, immémorial, mère, parent, passé, patronyme, père, précurseur, prédécesseur, race, reculé, révolu, totem, trisaïeul, vieux.

SÉCULIER. Abbé, civil, laïc, laïque, monde, prêtre, profane, sécularisé, temporel, terrestre.

SÉCURISER. Abriter, aider, aile, apaiser, assurer, calmer, conserver, dé, défendre, épargner, éviter, garantir, garder, garer, égide, éviter, fiabiliser, garantir, garder, mécène, obombrer, préserver, protéger, providence, rassurer, sauver, secourir, toit, tranquilliser.

SÉCURITÉ. Confiance, CRS, défense, mesure, protection, QHS, QSR, sécu, sûreté, tranquillité.

SEDAN. Auto, automobile, drap, tissu, voiture.

SÉDATIF. Amidopyrine, amitriptyline, amoxapine, antidépresseur, anxiolytique, barbiturique, bupropoin, calmant, clomipramine, doxépine, énergisant, fluoxétine, imipramine, maprotiline, neuroleptique, nortriptyline, phénelzine, phénobarbital, psychotonique, psychotrope, thymoanaleptique, tranquillisant, tranylcypromine, trazodone.

SÉDENTAIRE. Bannir, bourru, casanier, fixe, introverti, ours, pantouflard, pépère, renfermé, secret, solitaire.

SÉDIMENT. Alluvion, apport, boue, colluvion, couche, dépôt, diatomite, falun, féculence, flysch, formation, lie, limon, néritique, précipité, résidu, roche, sable, sédimentaire, sédimentologue, silt, tartre, varve, vase.

SÉDIMENTAIRE. Argile, calcaire, diaclase, dolomie, falun, gaize, grès, gypse, roche, sable.

SÉDITIEUX. Activiste, agitateur, anarchiste, contestataire, cordelier, desperado, émeutier, extrémiste, factieux, frondeur, futuriste, gauchiste, insurgé, insurrectionnel, militant, nihiliste, novateur, perturbateur, putschiste, rebelle, révolté, révolutionnaire, subversif, terroriste, trublion.

SÉDITION. Agitation, boutefeu, complot, désordre, émeute, grève, insurrection, jacquerie, mutinerie, révolte.

SÉDUCTEUR (n. p.). Boyer, Don Juan, Gable, Valentino.

SÉDUCTEUR. Bourreau, charmeur, coq, corrupteur, débaucheur, don juan, donjuanesque, dragueur, enchanteur, enjôleur, ensorceleur, galant, gigolo, larron, lovelace, magicien, séduisant, suborneur, succube, tentateur, tombeur.

SÉDUCTION. Agrément, attirance, attraction, attrait, blandice, charme, conquête, coquetterie, donjuanisme, donjuanesque, enivrement, envoûtement, fascination, flatterie, flirt, galanterie, magie, moyen, pouvoir, prestige, rapt, tentation.

SÉDUIRE. Abuser, aguicher, allécher, appâter, attirer, charmer, conquérir, convaincre, corrompre, débaucher, décevoir, déshonorer, détourner, éblouir, enjôler, ensorceler, entortiller, envoûter, fasciner, minauder, plaire, suborner, tenter, vamper.

SÉDUISANT. Agréable, aimable, alléchant, attirant, attrayant, beau, brillant, captivant, charmant, désirable, enchanteur, enivrant, flatteur, florissant, intéressant, joli, passionnant, prenant, ravissant, tentant.

SÉDUM. Anacampseros, byrnesia, gormania, graptopetalum, orpin, perruque, rhodiola, sedastrium, verniculaire.

SEGMENT. Anneau, apothème, article, bipartite, corde, créneau, diagonale, diamètre, division, fraction, fragment, gène, ilion, médiane, métamère, morceau, phalange, polygone, portion, scolex, somite, stylopode, telson, vecteur.

SEGMENTER. Couper, découper, diviser, fractionner, morceler, partager, scinder, sectionner.

SÉGRÉGATION. Âgisme, apartheid, différenciation, discrimination, distinction, racisme, séparation.

SÉGRÉGATIONNISTE. Chauvin, cocardier, nationaliste, patriotard, patriote, raciste, séparatiste, xénophobe.

SEGUIA. Auge, canal, caniveau, cassis, coupure, fossé, gouttière, lapié, rigole, ruisseau, saignée, ségala, seghia, sillon.

SEICHE. Bélemnite, calamar, calmar, chipiron, encre, mollusque, onde, oscillation, raisin, sépia, sépiole, supion.

SÉIDE. Apache, arnaqueur, aveugle, bandit, brigand, convict, coquin, criminel, escarpe, escroc, fanatique, filou, forban, gangster, hors-la-loi, larron, malandrin, malfaiteur, nervi, pillard, pirate, scélérat, sicaire, truand, vaurien, voleur.

SEIGLE. Arête, céréale, champart, ergot, ergoté, glui, grain, méteil, orge, rye, ségala, triticale, whisky.

SEIGNEUR (n. p.). Argyll, Bayard, Belphégor, Boisrobert, Brantôme, Chabot, Coligny, Conrad, Cossé, Darnley, Desmarets, Du Cange, Egmont, Glaoui, Gournay, Grailly, Hozier, La Palice, La Renaudée, Le Tellier, Louvois, Molé, Monaldeschi, Monluc, Montbrun, Montgomery, Mornay, Pibrac, Pot, Racan, Soubise, Tarzan, Vaugelas, Vieilleville, Villeroi, Visconté, Xaintrailles.

SEIGNEUR. Banneret, barine, baron, cavalier, châtelain, chef, daïmio, daimyo, dieu, dîme, écuyer, ellice, félon, fief, gentilhomme, hobereau, justicier, lige, maître, marquis, monarque, monsieur, nabab, noble, oint, pacha, page, paladin, prince, satrape, serf, sieur, sir, sire, sultan, suzerain, vicomte.

SEIGNEUR DES ANNEAUX (n. p.). Aragorn, Arwen, Bilbon, Boromir, Celeborn, Dunadan, Elrond, Frodon, Galadriel, Gandalf, Gimli, Gollum, Grande Anse, Legolas, Meriadoc, Merry, Peregrïn, Pippin, Sacquet, Sam, Samsagace, Sauron, Saroumane, Sméagol, Tolkien.

SEIGNEURIE. Baronnie, châtellenie, comté, domaine, duché, marquisat, starostie, vicomté.

SEILLE. Bac, baquet, chaudière, jale, palanche, récipient, seau, seillet, seillon.

SEIME. Bouterolle, brisure, cassure, coupure, crevasse, creux, enture, espace, faille, fêlure, fente, filon, fissure, fuite, gerce, gerçure, grigne, hiatus, jour, maladie, ouverture, péristome, raie, ride, sabot, strie, trace, trou, voie, vue.

SEIN. Appas, aréole, buste, centre, cœur, entrailles, flanc, giron, gorge, ilien, intérieur, lolo, mamelle, milieu, néné, nibar, nibard, nichon, pare-chocs, pis, poitrine, robert, rotoplot, téterelle, tétin, téton, ventre.

SEINE. Arriéré, attardé, brande, buisson, filet, haie, luge, pan, queue, rets, senne, traîne, traîneau, tralala.

SEINE-ET-MARNE, VILLE (n. p.). Avon, Barbizon, Coulommiers, Ferrières, Fontainebleau, Larchant, Meaux, Melun, Montereau, Nemours, Perthes, Provins, Torcy, Villeparisis.

SEINE-MARITIME, VILLE (n. p.). Barentin, Bellencombre, Blangy, Bolbec, Buchy, Dieppe, Eu, Jumièges, Le Havre, Malaunay, Maromme, Oissel, Rouen, Valmont, Yerville.

SEINE-SAINT-DENIS, VILLE (n. p.). Aubervilliers, Bobigny, Bondy, Drancy, Dugny, Le Raincy, Montreuil, Sevran, Stain, Vaujours.

SEING. Acte, authenticité, contreseing, privé, reçu, signature, sous-seing, volonté.

SÉISMAL. Alinéa, arête, axe, barre, biais, contour, cordon, crête, diamètre, droite, galbe, géométrie, hachure, ligne, limite, nervure, onde, palangre, pourtour, profil, raie, rayure, scion, segment, sismal, sismale, site, strie, suture, trace, trait, transversale.

SÉISME (n. p.). Richter.

SÉISME. Asismique, cataclysme, foyer, isosiste, secousse, séismal, sismal, sismique, tremblement.

SEIZE. Balthazar, numérique, numéro, once, seizaine, seizième, seizièmement, tatami.

SÉJOUR. Arrêt, ciel, compagnie, demeure, domicile, éden, endroit, enfer, habitation, hivernage, lieu, limbes, maison, nuitée, paradis, parafasse, pause, prison, quarantaine, résidence, schéol, shéol, stage, vacances, villégiature.

SÉJOURNER. Chambrer, cuver, demeurer, descendre, durer, habiter, loger, résider, rester, stagner.

SEL. Acétate, alun, arséniate, borate, bromate, butyrate, carbonate, chlorate, chlorure, citrate, cyanure, Eno, esprit, ferrate, ferrite, fin, fluorure, halite, halogène, iodate, iodure, javelle, muriate, NaCl, nitrate, nitrite, oléate, perborate, persel, phosphate, picrate, piment, piquant, plaisant, salin, saveur, saunage, silicate, spirituel, sulfate, sulfure, uranate, urate, vitriol.

SÉLACIEN. Ange, chondrichtyen, poisson-scie, raie, requin, roussette, scie, squale, torpille.

SÉLECT. Bien, chic, choisi, distingué, élégant, smart.

SÉLECTION. Assortiment, best of, casting, choisi, choix, collection, écrémé, élection, élite, espèce, éventail, florilège, génération, gratin, panmixie, recueil, réunion, révision, sélectif, testage, tri, triage.

SÉLECTIONNER. Adopter, aimer, calibrer, choisir, classer, cribler, distinguer, écrémer, élire, jeter, nominer, trier.

SÉLÉNIUM. Se.

SELLE. Anneau, arçon, baron, basane, bât, bidet, bride, bridon, cacolet, chaise, diarrhée, épreintes, étrivière, excrément, fécale, fonte, harnachement, harnais, méléna, pommeau, race, sangle, sautoir, sellier, siège, tenue.

SELLER. Attacher, atteler, brider, contenir, débrider, endiguer, ficeler, freiner, hybrider, nettoyer, serrer.

SELLETTE. Balancelle, banc, banquette, blocus, centre, chaire, chaise, escabeau, escabelle, escarpolette, es, est, être, fauteuil, gaine, lieu, pape, rotin, séant, sein, selle, siège, sis, stalle, strapontin, tabouret, tara, tare, trépied, trône.

SELON. Après, conformément, dépendre, dûment, fonction, jouxte, littéral, notamment, penser, préposition, suivant.

SEMAILLES. Emblavage, ensemencement, épandage, fécondation, fruit, germe, grain, graine, guéret, insémination, pépin, reproduction, semence, semis, sperme.

SEMAINE. Bihebdomadaire, dimanche, férié, hebdo, hebdomadaire, hebdomadier, huitaine, jeudi, lundi, mardi, mercredi, officiante, quinzaine, relâche, samedi, semainier, vendredi, week-end.

SEMAINIER. Agenda, almanach, annuaire, armoire, bahut, bottin, bracelet, calendrier, chiffonnier, chronologie, comput, cours, crédence, déroulement, échéancier, éphéméride, fastes, gourmette, ides, jour, julien, ménologe, mois, nivôse, ordo, programme, républicain, semaine, table, tableau.

SÉMANTIQUE. Acception, clef, combinaison, contenu, définition, esprit, expression, extension, lexie, lexis, métaphore, portée, sémantème, sémème, sens, signification, syntaxique, terme, théorie, trait.

SÉMAPHORE. Alarme, alerte, annonce, appel, avertissement, bip, carré, chamade, code, couvre-feu, danger, feux, fusée, geste, gong, hue, indice, mire, sifflet, signal, signe, sirène, SOS, stop, top.

SEMBLABLE. Analogue, apparenté, approximatif, assimilé, assorti, autre, commun, comparable, conforme, égal, équivalent, homologue, identique, jumeau, kif-kif, même, menechme, pair, parallèle, pareil, prochain, proche, ressemblant, similitude, sorte, sosie, tel, uniforme, voisin.

SEMBLANT. Apparaître, apparence, aspect, attribut, épanorthose, faux-semblant, feindre, feinte, impression, innocent, manière, même, mine, ombre, paraître, simili, simulacre, simuler, tromperie.

SEMBLER. Air, apparaître, apparence, durer, impression, impressionner, multiplier, paraître.

SÉMÉIOLOGIE. Maladie, médecine, science, sémiologie, sémiologue, sémiotique, symptomatologie.

SEMELLE. Appui, base, carne, crampon, fart, lame, patin, samara, sole, soulier, talon, tôle.

SÉMÈME. Acception, clef, combinaison, contenu, définition, esprit, expression, extension, lexie, lexis, métaphore, portée, sémantème, sémantique, sens, signification, syntaxique, terme, théorie, trait.

SEMENCE. Clou, collet, embryon, ensemencement, fécondation, fruit, germe, grain, graine, insémination, loge, pépin, plumule, pointe, reproduction, semailles, séminal, semis, sperme, spore, tigelle.

SEMER. Cultiver, diaprer, disperser, disséminer, diviser, emblaver, engazonner, épandre, étoiler, germer, jeter, pailleter, parsemer, planter, propager, quitter, répandre, ressemer, revêtir, semeur, semis, semoir, sursemer.

SEMESTRE. Appointements, bimestriel, brumaire, floréal, frimaire, fructidor, germinal, lunaison, mensualité, mensuel, messidor, mois, nivôse, pluviôse, prairial, salaire, thermidor, traitement, trimestre, vendémiaire, ventôse.

SEMI-CONDUCTEUR. Chique, information, microprocesseur, multiprocesseur, processeur, puce.

SEMI-CONSONNE. Diphtongue, semi-voyelle, yod.

SÉMILLANT. Agile, brillant, bruit, effervescent, éveillé, étincelant, flamboyant, fringant, gai, gazeux, guilleret, moussant, pétillant, pétulant, scintillant, spitant, vif, vivace.

SÉMINAIRE. Alumnat, colloque, communauté, conférence, congrès, ecclésiastique, école, eudiste, institut, pépinière, réunion, séminariste, symposium, table.

SÉMINAL. Clou, collet, embryon, ensemencement, fécondation, fruit, germe, grain, graine, insémination, loge, pépin, plumule, pointe, reproduction, semailles, semence, semis, sperme, spore, tigelle.

SÉMIOLOGIE. Maladie, médecine, science, séméiologie, sémiologue, sémiotique, symptomatologie.

SÉMIOLOGUE (n. p.). Eco.

SÉMIOLOGUE. Alphabet, formule, rite, sémioticien, signal, signe, système.

SÉMIOTIQUE. Maladie, médecine, science, séméiologie, sémiologie, sémiologue, symptomatologie.

SEMIS. Barjelade, éclaircissage, emblavage, ensemencement, épandage, fécondation, fruit, germe, grain, graine, insémination, motif, panachure, pépin, plant, poquet, reproduction, semailles, semence, sperme.

SÉMITE. Amorrite, arabe, araméen, éthiopien, hébreux, israélite, juif, phénicien, sémitique.

SEMOIR. Bagage, baise-en-ville, banane, besace, bissac, bourse, cabas, carnier, cartable, coussin, duvet, ensiler, enveloppe, gibecière, giberne, groupe, havresac, musette, nécessaire, outre, paillasse, pillage, poche, pochette, récipient, réticule, taie, sac, sachet, sacoche, scrotum, sporange, utricule, vésicule, vessie, vitellin.

SEMONCE. Admonestation, avertissement, blâme, censure, coup, critique, engueulade, improbation, mercuriale, navire, objurgations, ordre, plainte, remarque, réprimande, reproche, savon, semoncer, stopper.

SEMOULE. Blé, bluter, bouillie, cassave, couscous, enfariné, farine, farineux, fécule, foutou, gari, grésillon, griot, gruau, kacha, kache, lin, maïs, maïzena, millias, milliasse, minot, minoterie, mouture, pain, pâte, poudre, roux, salep, sasser, sinapisé, ténébrion.

SEMPERVIRENT. Arabesque, caducifolié, feuillage, feuillée, feuilles, frondaison, rinceau, verdure.

SEMPITERNEL. Constant, continuel, dieu, durable, éphémère, éternel, illimité, immémorial, impérissable, indéfectible, indestructible, infini, infinité, intemporel, même, passager, perpétuel, repos, salut, toujours.

SÉNAT. Amphictyonie, arène, aréopage, assemblée, bal, club, comice, comité, concile, conclave, congrès, consistoire, convention, cortes, diète, djama, douma, ecclésial, fête, landtag, législature, meeting, mercuriale, mir, panégyrie, parlement, plaid, plénière, quorum, regroupement, réunion, sabbat, séance, synagogue, synode.

SÉNATEUR AMÉRICAIN (n. p.). Obama, Kennedy, McCarthy, Taft, Truman.

SÉNATEUR CANADIEN (n. p.). Beaudion, Chaput-Roland, Cools, Lapointe, Nolin, Poitras.

SÉNATEUR CHILIEN (n. p.). Pinochet.

SÉNATEUR FRANÇAIS (n. p.). Barthélemy, Dourmergue, Grégoire, Herrriot, Mauroy, Sarraut.

SÉNATEUR ITALIEN (n. p.). Volta.

SÉNATEUR. Assemblée, conscrit, chambre, conseil, curie, député, légat, pair, parlementaire, questeur, sénatorial, veto.

SÉNÉ. Adultérin, baguenaudier, bâtard, boulanger, champi, corniot, illégitime, laxatif, métis, mortier, pain, roi.

SÉNÉCHAL. Adjudant, aga, agha, agréé, amiral, avoué, bey, camérier, capitaine, caporal, centurion, colonel, coroner, échanson, écuyer, élu, enseigne, général, greffier, héraut, huissier, icoglan, licteur, lieutenant, mage, maire, major, maréchal, nabab, notaire, officier, palatin, rang, sénéchaussée, serdeau, sergent, shérif, tribunal.

SÉNEÇON. Baccharis, cinéraire, composée, herbe-de-Saint-Jacques, jacobée, patte de chat, plante, urne.

SÉNÉGAL, CAPITALE (n. p.). Dakar.

SÉNÉGAL, LANGUE. Dioula, français, ouolof, peul, sérère.

SÉNÉGAL, MONNAIE. Franc.

SÉNÉGAL, VILLE (n. p.). Bignona, Dakar, Dara, Gorée, Goudiry, Louga, Podor, Rufisque, Saint-Louis, Taiba, Tilogne, Yof.

SÉNESCENCE. Décadence, déchéance, déclin, décomposition, décrépitude, dégénérescence, délabrement, déliquescence, gâtisme, gérontisme, longévité, ruine, sénilisme, sénilité, vieillesse, vieillissement.

SÉNESTRE. Adextré, bande, barre, contourné, coquille, dextre, écu, flanc, gauche, sénestrochère.

SÉNEVÉ. Assaisonnement, douce, forte, moutarde noire, plante, ravenelle, sanve, sinapis, tartare, ypérite.

SÉNILE. Ancien, âgé, baderne, barbe, birbe, chenu, croulant, décrépit, dégradé, gaga, gâteux, gâtisme, géronte, patriarche, pépé, ramolli, schnock, sénilité, vieillard, vieillissement, vieux, viocard.

SÉNILITÉ. Abattement, affaiblissement, amblyopie, anémie, atténuation, baisse, décadence, déclin, décrépitude, dégénérescence, démence, dépérissement, diminution, effritement, étiolement, exténuation, faiblesse, fatigue, héméralopie, langueur, marasme, neurasthénie, psychasthénie, usure.

SENIOR. Sr.

SENNE. Arriéré, attardé, brande, buisson, haie, luge, pan, queue, seine, traîne, traîneau, tralala.

SENORITA. Bague, cape, cigare, cigarillo, havane, londrès, manilles, mégot, ninas, panatela, rouleau, tripe.

SENS. Âme, amphibologie, avis, axe, conscience, contresens, côté, direction, équivoque, externe, face, faculté, goût, goûter, intelligence, interprétation, interne, juste, large, lato sensu, littéral, objet, obvié, odorat, opinion, organe, orientation, ouïe, palais, repos, sensé, sentiment, signification, stricto sensu, tact, tête, toucher, trope, stricto sensu, voie, vue.

SENSATION. Agacement, agnosie, aigreur, aura, brrr, brûlure, chaleur, démangeaison, émoi, émotion, euphorie, excitation, fatigue, froid, gêne, hallucination, impression, malaise, nausée, odeur, oppression, perception, pesanteur, picotement, phosphène, plaisir, sensibilité, sentiment, son, surprise, tact, tiraillement, vertige.

SENSATIONNEL. Étourdissant, extra, fabuleux, génial, inouï, renversant, sensass, stupéfiant, vache.

SENSÉ. Droit, éclairé, intelligent, judicieux, juste, posé, raisonnable, rationnel, réceptif, sage, sain, stupide.

SENSIBILISER. Agacer, allumer, amener, amorcer, bouleverser, braver, causer, chercher, convier, déclencher, défier, émouvoir, engendrer, entraîner, évaporer, éveiller, exciter, halluciner, indiquer, ioniser, irriter, naître, plaire, provoquer, soulever, stresser, susciter, tenter, tétaniser.

SENSIBILITÉ. Affection, âme, ASA, compassion, délicatesse, DIN, émoi, émotion, émotivité, esthésie, éveil, excitabilité, finesse, humanité, hyperacousie, nociception, ISO, piété, romantisme, sensiblerie, sentiment, tendresse.

SENSIBLE. Affectif, apparent, appréciable, charnel, chatouilleux, clair, compatissant, cruel, délicat, distinct, douillet, dur, émotif, fin, fragile, impitoyable, impressionnable, inhumain, notable, romantique, sensoriel, sentimental, touché, vif, vulnérable.

SENSIBLERIE. Affection, compassion, délicatesse, émotivité, esthésie, éveil, finesse, impressionnabilité, influençabilité, nervosité, romantisme, sensibilité, sentiment, vibralité, vulnérabilité.

SENSITIF. Apte, capable, chatouilleux, coléreux, délicat, émotif, emporté, érectile, irascible, irritable, érogène, ombrageux, pointilleux, prompt, rachetable, réceptif, sensible, soupçonneux, susceptible, sujet, vibratile, vulnérable.

SENSITIVE. Fleur, mineuse, mimosa, mimosacée, plante.

SENSORIEL. Affectif, apparent, charnel, chatouilleux, clair, compatissant, cruel, délicat, distinct, douillet, dur, émotif, fin, fragile, impitoyable, impressionnable, inhumain, notable, romanesque, romantique, sensible, sentimental, tendresse, touché, vif, vulnérable.

SENSUALITÉ. Animalité, chair, débauche, lascivité, luxure, passion, plaisir, sens, sexe, volupté.

SENSUEL. Animal, charnel, chaud, épicurien, érotique, lascif, luxurieux, pulpeux, sybarite, voluptueux.

SENTE. Accès, allée, artère, avenue, cavée, chemin, chenal, course, descente, détour, direction, distance, draille, fer, funiculaire, grimpette, guide, itinéraire, jeu, laie, layon, lé, muletier, ornière, parcours, passage, périple, piste, rail, rampe, rang, ravin, route, rr, rue, sentier, talweg, trajet, traverse, trimard, trotte, via, vie, voie.

SENTENCE. Adage, aphorisme, apophtegme, arbitrage, arrêt, arrêté, axiome, condamnation, décision, décret, devise, dicton, dire, dit, épigraphe, gnomique, interdit, jugement, maxime, mot, ordonnance, parole, pensée, proverbe, slogan, verdict.

SENTENCIEUX. Docte, doctoral, doctrinaire, emphatique, ex cathedra, gnomique, grave, magistral, moral, pédant, pédantesque, pompeux, pontifiant, professoral, sentencieusement, solennel.

SENTEUR. Arôme, balsamique, bouquet, cacosmie, effluve, émanation, empyreume, exhalaison, fétidité, fragrance, fumet, iodé, odeur, parfum, trace, vent.

SENTIER. Accès, allée, artère, avenue, cavée, chemin, chenal, course, descente, détour, direction, distance, draille, fer, funiculaire, grimpette, guide, itinéraire, jeu, laie, layon, lé, muletier, ornière, parcours, passage, périple, piste, rail, rampe, rang, ravin, route, rr, rue, sente, talweg, trajet, traverse, trimard, trotte, via, vie, voie.

SENTIMENT. Admiration, âme, amertume, amitié, amour, amour-propre, arrière-goût, attachement, avis, blâme, bonté, cœur, colère, compassion, conscience, crainte, délire, déplaisir, détresse, émoi, émulation, envie, exécration, fiel, fierté, foi, froid, goût, haine, haut-le-cœur, honnêteté, honte, indignation, intérêt, mal-être, mine, muet, œil, orgueil, peur, piété, pitié, plénitude, rire, sacré, self, sens, sensation, tact, tendresse, vide, voix.

SENTIMENTAL. Affectif, apparent, charnel, chatouilleux, clair, compatissant, cruel, délicat, distinct, douillet, dur, émotif, fin, fleur bleu, fragile, impitoyable, impressionnable, inhumain, notable, romanesque, romantique, sensible, sensoriel, tendresse, touché, vif, vulnérable.

SENTINE. Bourbier, cale, charnier, cloaque, décharge, égout, fagne, humide, malpropre, sale, voirie.

SENTINELLE. Épieur, factionnaire, garde, gardien, guérite, guet, guetteur, soldat, vedette, veilleur, vigie.

SENTIR. Apprécier, arôme, blairer, comprendre, connaître, dégager, embaumer, éprouver, éventer, exhaler, flairer, fleurer, haleter, humer, juger, odeur, odorer, penser, percevoir, prévoir, pifer, puer, remarquer, renifler, respirer, ressentir, sagace, sens, subodorer, trouver.

SEOIR. Accommoder, aller, arranger, avantager, coiffant, coller, convenir, falloir, ganter, plaire, seyand, sied.

SÉPALE. Calice, casque, dialysépale, fleur, gamosépale, limbe, monosépale, sépaloïde, tépale.

SÉPARATEUR. Arbitre, câble, chaîneur, délimiteur, guipage, isolant, laine, perlite, thermos.

SÉPARATION. Adieu, borne, césure, cloison, coupe, coupure, démembrement, départ, désunion, diaphragme, dichotomie, diérèse, dis, disjonction, division, divorce, fente, haie, isolation, mort, mur, perte, plancher, raie, ressuage, rupture, sas, schisme, scission, tamisage, tmèse, tri, vannage.

SÉPARÉ. Absolu, barré, cloîtré, décomposé, dégagé, distinct, isolé, particulier, pur, seul, unique, veuf.

SÉPARER. Abstraire, analyser, arracher, casser, cerner, cliver, cloisonner, couper, décomposer, dédoubler, démêler, désosser, désunir, détacher, disjoindre, disloquer, dissocier, diviser, écarter, écrémer, égoutter, éloigner, enlever, épurer, espacer, exfolier, exiler, fendre, isoler, morceler, partager, rompre, scier, scinder, sérancer, trancher, trier, zester.

SÉPIA. Auburn, bai, basané, beige, bis, bistre, boucané, bronzé, brûlé, brun, brunâtre, café, cannelle, caramel, châtaigne, châtain, chêne, chocolat, corinthe, drabe, halé, kaki, feuille morte, marron, moka, mordoré, morée, noiraud, noisette, ocre, puce, tanné, terreux, tête-de-Maure, tête-de-nègre.

SÉPIOLE. Calamar, calmar, écume de mer, magnésite, mollusque, nageoire, papillon, raisin, seiche, sépia.

SEPPUKU. Autolyse, démolir, détruire, hara-kiri, immoler, saborder, suicide, supprimer, ruiner, tuer.

SEPS. Agamidé, amblyrhynque, amphisbène, basilic, caméléon, dracéna, dragon, gecko, gekko, hatteria, héloderme, iguane, komodo, lézard, moloch, orvet, reptile, salamandre, saurien, tarente, tupinambis, zonure.

SEPT. Arc-en-ciel, chandelier, martyrs, merveilles, notes, péchés, sacrements, sages, septidi, vaches, VII.

SEPTANTE. Septantaine, septantième, septuagénaire, soixante-dix, soixante-dixième.

SEPTEMBRE. Automne, fructidor, mois, neuvième, septembrisades, vendémiaire.

SEPTENTRION. Anordir, arctique, austral, boréal, glacial, hyperboréen, nord, nordique, polaire.

SEPTIÈME. Art, êta, ciel, cinéma, juillet, germinal, intervalle, nones, sabbatique, sept, septidi, septimo.

SEPTIMO. Septièmement.

SEPTIQUE. Abîmer, contagionner, contaminer, corrompre, empester, empoisonner, empuantir, envenimer, gangrener, gâter, infecter, infestueux, intoxiquer, irriter, méphisacer, provoquer, puer, ravager, remplir.

SÉPULCRAL. Caverneux, dommage, funèbre, funeste, glauque, incendie, lugubre, macabre, mortel, naufrage, perte, sinistre.

SÉPULCRE. Caveau, cénoraire, cénotaphe, cercueil, cinéraire, cippe, columbarium, corbillard, fosse, koubba, mastaba, mausolée, monument, pierre, sarcophage, sépulture, spéos, stèle, tombeau, tumulaire.

SÉPULTURE. Catacombe, catafalque, caveau, charnier, cimetière, ciste, crypte, fosse, mausolée, momie, monument, nécropole, pyramide, sarcophage, sépulcre, syringe, tombe, tombeau, tumulus, voirie.

SÉQUELLE. Conséquence, contrecoup, effet, lésion, répercussion, retombée, suite, trouble.

SÉQUENCE. As, beaucoup, chapelet, cycle, étude, évolution, fibrillation, gamme, groupe, insert, instance, jeu, kyrielle, lacet, liste, noria, note, ontogenèse, passage, portée, quarte, quine, quinte, scène, série, suée, suite, tiercé, train, trilogie.

SÉQUESTRE. Annexion, appropriation, blocus, confiscation, dépositaire, dépôt, désapprovisionnement, embargo, exécution, expropriation, fragment, gel, immobilisation, mainmise, prise, privation, saisie, suppression.

SÉQUESTRER. Boucler, cacher, ceindre, claquemurer, claustrer, cloîtrer, coffrer, confiner, emmurer, emprisonner, encercler, enclore, enfermer, enserrer, fermer, fourrer, inclus, interner, murer, noyer, priver, ranger, retenir, serrer, traquer, verrouiller.

SEQUIN. Centesini, ducat, grano, lire, monnaie, paoli, pièce, scudo, soldo, testone, zecchino.

SÉQUOIA. Conifère, endl, sempervirent, taxodiacée, taxodium, washingtonia, wellingtonia.

SÉRAC. Abattis, abcès, adipeux, amas, banquise, bloc, boule, bourre, branchage, cal, chaton, colline, crassier, dune, éminence, empilement, empyème, entassement, fatras, fétras, feu, foule, filasse, jar, jard, liasse, lithiase, lot, masse, meule, mitraille, monceau, mousse, névé, noyau, nuage, ossuaire, pannicule, paquet, pierraille, pierre, pile, plexus, ruée, salage, sécas, sore, tas, terri, terril, tout, trésor.

SÉRAIL. Entourage, eunuque, harem, intrigue, milieu, organisation, palais, sultan.

SÉRANCER. Allotir, classer, cliver, cloisonner, couper, débiter, déchirer, découper, déliter, disjoindre, disperser, dissocier, diviser, fendre, fractionner, graduer, granuleux, lotir, morceler, pair, partager, ramifier, scier, scinder, séparer, tailler, tomer.

SERAPEUM. Arc, arcade, arceau, arche, berceau, cave, caveau, ciel, cintre, coupole, crypte, dais, dôme, firmament, galerie, hypogée, intrados, nécropole, palais, rein, sépulture, souterrain, tombe, voussure, voûte.

SÉRAPHIN. Ange, avare, avaricieux, chérubin, chiche, cupide, dépensier, dissipateur, économe, gaspilleur, gredin, grigou, grimelin, grippe-sou, harpagon, ladre, lésineur, liard, liardeur, pingre, pouacre, prodigue, radin, rapiat, rat, serré, vautour, vil, vilain.

SÉRAPHIQUE. Angélique, astral, céleste, éthéré, intangible, vaporeux.

SERBIE, CAPITALE (n. p.). Belgrade.

SERBIE, LANGUE. Serbe.

SERBIE, MONNAIE. Dinar.

SERBIE, VILLE (n. p.). Beej, Belgrade, Bor, Cacak, Nis, Pec, Pirot, Ruma, Sabac.

SEREIN. B'at, beau, calme, clair, cool, `panoui, fra"cheur, paisible, placide, pur, quiet, tranquille, zen.

SÉRÉNADE. Bacchanale, barouf, baroufle, bastringue, bordel, boucan, brouhaha, bruit, cacophonie, carillon, chahut, chant, charivari, concert, cri, désordre, éclat, esclandre, foin, fracas, potin, raffut, ramdam, reproches, sabbat, scandale, tapage, tintouin, tohu-bohu, tintamarre, tumulte, vacarme.

SÉRÉNITÉ. Calme, épanouissement, paix, placidité, pondération, quiétude, sécurité, tranquillité.

SÉREUSE. Arrière-faux, cœur, délivre, enveloppe, fibreux, gargousse, gousse, hygroma, péricarde.

SÉREUX. Écoulement, éosinophile, éruption, exsudat, flux, globule, granulocyte, infiltrat, leucocyte, liquide, lymphocyte, manne, mastzelle, mononucléaire, myélocyte, polynucléaire, pus, sang, sérosité, transsudat.

SERF. Affranchi, anagnoste, asserti, assujetti, capsaire, captif, domestique, esclave, eunuque, fer, galérien, hiérodule, hilote, ilote, nègre, odalisque, pantin, prisonnier, rime, séide, servile, sujétion, tributaire, valet.

SERFOUETTE. Arrachoir, binette, bineuse, chasse-neige, daba, déchaussoir, égratignure, fossoir, gale, gratelle, gratte, guitare, houe, hoyau, pioche, profit, raclette, ratissoire, sape, sarclette, sarcloir.

SERFOUIR. Biner, débroussailler, décuscuter, défricher, désherber, échardonner, effardocher, enlever, essarter, extirper, nettoyer, sarcler.

SERGE. Adénoïde, adipeux, albène, albumen, bâillon, basin, cément, chouchou, claie, coton, coutil, crêpé, crépon, dentelle, derme, drap, escot, étamine, étoffe, feutre, feutrine, fil-à-fil, filet, finette, greffon, indienne, jersey, lacerie, lard, liber, liège, lin, linge, longotte, madapolam, moire, nansouk, natte, nodal, osseux, peau, pilou, plaid, popeline, pulpe, rabane, ratine, réseau, rilsan, ruban, sarong, sergette, soie, soierie, suédine, suite, tarse, tergal, tissu, tissure, toile, tresse, tricot, tulle, tussor, tweed, velours, zénana.

SERGENT (n. p.). Bobillot, Bories, Goubin, Pommier, Raoul.

SERGENT. Agent, archer, argoulet, armée, bleu, capitaine, cipaye, colonel, conscrit, combattant, cosaque, cuirassier, dragon, éclaireur, estradiot, fusilier, général, GI, guerrier, homme, lancier, major, mercenaire, militaire, officier, papal, planton, poilu, police, pompier, ranger, recrue, réserviste, samouraï, sapeur, sentinelle, serre-joint, soldat, tirailleur, triaire, troufion, uhlan, vélite, vétéran, zouave.

SÉRIAL. Actualité, bande, bobineau, cartoon, cinéma, clip, documentaire, feuil, film, gore, hard, instantané, métrage, nanar, navet, nô, pellicule, plan, polar, projection, remake, short, soft, vidéo, western, zoomer.

SÉRICICULTURE. Aspe, bombasin, bombyx, bourrette, chantoung, cocon, effiloche, étoffe, faille, fibre, foulard, grège, grès, magnan, marceline, nylon, organsin, ottoman, ouate, prêle, rayonne, shantung, schappe, serge, sétacé, soie, soierie, tussah, tussau, tussor.

SÉRICINE. Alios, argile, arkose, cérame, grès, jaquelin, jaqueline, jarre, molasse, mollasse, quartzite, tourie.

SÉRIE. As, batterie, beaucoup, chapelet, cycle, éocène, étude, évolution, fibrillation, gamme, groupe, instance, jeu, kyrielle, lacet, liste, neuvaine, noria, note, ontogenèse, portée, quarte, quine, quinte, ra, séquence, suée, suite, tiercé, train, trilogie, volée.

SÉRIEL. Amorphe, apathique, atonal, dodécaphonique, éteint, faible, harmonie, inerte, morne, mou, neutre.

SÉRIER. Archiver, arranger, calibrer, cataloguer, classer, étiqueter, garer, hiérarchiser, numéroter, ordonner, ranger, répartir, séparer, sériation, serrer, trier.

SÉRIEUSEMENT. Apparemment, assurément, blague à part, certainement, consciencieusement, effectivement, franchement, gravement, probablement, réellement, solennellement, véritablement, vraiment, vraisemblablement.

SÉRIEUX. Appliqué, assis, austère, calme, chope, consciencieux, conséquent, convenable, digne, fondé, froid, grave, important, pape, pipeau, pondéré, posé, raisonnable, rangé, rassis, réel, réfléchi, sage, sévère, soigneux, solide, sûr, valable, vrai.

SERIN. Bête, canari, étourdi, fringillidé, naïf, niais, nigaud, oiseau, passereau, seriner, sot, tapette.

SERINER. Assiéger, assommer, contrarier, cramponner, déranger, embêter, empoisonner, ennuyer, enquiquiner, excéder, gêner, importuner, instruire, obséder, persécuter, peser, rabâcher, raser, redire, répéter, suer, tanner.

SERINGUE. Aiguille, arme, canon, cathéter, clystère, injecteur, pétoire, piquerie, piston, pompe.

SERMENT (n. p.). Hippocrate, Grütli, Rütli.

SERMENT. Affidavit, caution, décisoire, jurer, leude, lever, juratoire, parjure, promesse, vœu.

SERMON. Avent, discours, ennuyeux, exhortation, harangue, homélie, leçon, moralisateur, oraison, point, prêche, prédication, prône, remontrance, réprimande, reproche, sermonneur, station, texte.

SERMONNER. Admonester, avertir, blâmer, chicaner, condamner, corriger, critiquer, fustiger, gronder, haranguer, infliger, moraliser, morigéner, réprimander, tancer.

SÉROSITÉ. Écoulement, éosinophile, éruption, exsudat, flux, globule, granulocyte, infiltrat, leucocyte, liquide, lymphocyte, manne, mastzelle, mononucléaire, myélocyte, polynucléaire, pus, sang, séreux, transsudat.

SERPE. Ébranchoir, élagueur, fauchard, fauchette, faucille, faux, gouet, outil, serpette, vouge.

SERPENT. Amphiptère, anaconda, aspic, basilic, boa, bucéphale, bungare, caducée, céraste, cobra, constrictor, corail, coronelle, couleuvre, crotale, devin, doliophis, élapidé, élaps, eunecte, guivre, haje, hétérodon, hydre, hydrophis, mamba, mocassin, naja, ophidien, orvet, pélamide, python, reptile, serpenteau, sonnette, trigonocéphale, typhlops, uræus, vipère, vouivre.

SERPENT DE VER. Acrochorde, apode, insectivore, lézard, mamba, orvet, reptile, saurésie, saurien, scincidé, seps, tarentule, venimeux.

SERPENTAIRE. Aracée, armoire, arum, bureau, coffre, copiste, dactylo, dactylographe, écritoire, étui, meuble, notaire, plumier, rapace, rédacteur, sagittaire, scribanne, scribe, scribouillard, secrétaire, serpent.

SERPENTER. Biaiser, chanceler, finasser, louvoyer, sinuer, slalomer, tergiverser, tituber, vaciller, zigzaguer.

SERPENTIN. Flexueux, ondoyant, ondulant, onduleux, sinueux, tortueux.

SERPENTINE. Armoise, artillerie, canon, composée, condiment, estragon, métamorphique, minéral, munition, olivine, ollaire, péridot, pyroxène, roc, roche, silicate, topaze.

SERPILLIÈRE. Carré, carreau, case, coin, corbeille, dossard, échiquier, équipollé, foulard, lange, massif, morceau, mouchoir, panosse, parterre, pièce, quadrilatère, quadrillé, ravioli, rectangle, set, torchon, wassingue.

SERPOLET. Barigoule, farigoule, frigoule, infusion, labiée, mignotise, plante, pote, pouilleux, thym.

SERPULE. Annélide, apode, arénicole, ascaride, ascaris, asticot, bilharzie, cestode, chenilles, ciron, cirre, distome, douve, filaire, flat, helminthe, iule, larve, lombric, magnan, némathelminthe, nématode, némerte, néréide, néréis, nu, oxyure, palot, planaire, sabelle, sangsue, solitaire, spirorbe, strongle, strongyle, tænia, taret, ténébrion, ténia, térébelle, trématode, trichine, ver, vermicide, vermicule, vermidien, vermifuge.

SERRAGE. Accouplement, alliance, association, comparaison, flirt, frai, mariage, oxymore, oxymoron, parallèle, ralliement, rapport, rapprochement, réconciliation, recoupement, réunion, voisinage, zoom.

SERRAN. Bar, carnivore, loup, mérou, perche de mer, perciforme, périforme, poisson, serranidé.

SERRATULE. Astéracée, chardon, composacée, composée, plante, sarrète, sarrette, serrette.

SERRE. Abri, adiante, aiguillon, angoisse, artificiel, crête, crochet, cycas, dent, doigt, éperon, ergot, ergotine, griffe, histamine, jardin, lysergique, ongle, orangerie, palmarium, patte, pression, serriculture, vanda.

SERRÉ. Ajusté, avare, ébéniste, dense, dru, entassé, étriqué, étroit, gêné, noué, rapproché, rat, tassé.

SERRER. Boudiner, cacher, comprimer, corseter, écraser, embrasser, enfermer, enlacer, enserrer, entasser, esquisser, étrangler, étreindre, ferler, lacer, lier, ménager, mordre, pincer, placer, plier, presser, ranger, sangler, souquer, tasser, tenir, visser.

SERRURE. Barillet, bec-de-cane, bénarde, bouterolle, bouton, cadenas, chogramme, clé, clef, crochet, écusson, encoche, fermoir, gâche, gâchette, huis, loquet, loqueteau, palastre, palâtre, panneton, pêne, platine, pompe, rouet, targette, verrou, verterelle.

SERRURERIE. Atelier, boutique, crampon, fabrique, fer, ferronnerie, fiche, métal, quincaillerie.

SERRURIER FRANÇAIS (n. p.). Gamain.

SERRURIER. Accordoir, bénarde, bouterolle, bouton, clé, clef, combinateur, crochet, dièse, do, enclume, fa, forrure, forure, métallier, molette, mystère, outil, panneton, passe-partout, rossignol, serrurerie, solution, sûreté, tricoises, trousseau, ut.

SERT. Domestique, employé, ostéogène, servi, service, use, usité, utile.

SERTIR. Assembler, assujettir, bijou, boîte, chatonner, emboîter, encadrer, encastrer, enchâsser, enchatonner, fixer, insérer, intercaler, joaillerie, monter, serte, serti, sertissage, sertisseur, sertisseuse.

SERTISSAGE. Calcin, conserve, dépôt, enchâssement, incrustation, inlay, marqueterie, montage, nielle, ornement, pétrification, serte, serti, tartre.

SERTISSURE. Aboutage, ajustage, articulation, assemblage, axe, chaton, emboîtement, emboîture, embrayage, encastrement, enchâssement, essieu, imbrication, incrustation, insertion, jonction, marqueterie, mosaïque, moyeu.

SÉRUM. Agglutinine, humoral, inoculation, penthotal, plasma, sang, sérac, séreux, sérine, vaccin, veni.

SÉRUM-ALBUMINE. Sérine.

SERVAGE. Absence, anorexie, anoxie, besoin, captivité, dam, défaut, emprisonnement, entrave, faim, famine, inanition, insomnie, jeûne, manque, perte, privation, rareté, retenue, retrait, sans, sevrage, stupidité, surdité, vide.

SERVANT. Bedeau, boniche, bonne, boy, cuisinier, domestique, employé, esclave, laquais, larbin, leude, maître, majordome, page, porteur, portier, serveur, serviteur, soubrette, valet, valetaille, zani, zanni.

SERVANTE. Ancillaire, boniche, bonne, cendrillo, domestique, employée, maid, ménagère, nurse, serveuse, sigisbée, soubrette.

SERVEUR. Bairmaid, barman, demandeur, garçon, maritorne, présentateur, réseau, restaurant, site, subordonné.

SERVI. Abîmé, neuf, inusité, inutile, usagé, usé.

SERVIABLE. Aimable, attentionné, bienveillant, bon, brave, charitable, civil, complaisant, déférent, empressé, galant, obligeant, officieux, poli, serviabilité, utile.

SERVICE. Annone, bons offices, célébration, culte, desserte, dinette, extra, fonction, garde, host, identité, judiciaire, leude, ménagère, messe, mossad, obit, ost, quart, régiment, S.A.M.U., self, STO, surveillance, trésor, usager, utilité.

SERVIETTE. Débarbouillette, drap, essuie-tout, guenilles, linge, lingette, sac, torchon, valise.

SERVILE. Abject, avilissant, bas, calque, chien, complaisant, copie, esclave, fayot, honteux, humilité, indigne, infamant, lai, laquais, larbin, obséquieux, plat, rampant, serf, soumis, souple, valet, vil.

SERVILEMENT. Avilissement, bassement, complaisamment, grossièrement, honteusement, indignement, lâchement, obséquieusement, platement, souplement, vilement.

SERVILITÉ. Banalité, bassesse, cliché, courbette, évidence, fadaise, fadeur, généralité, ilotisme, inconstance, insignifiance, insipidité, médiocrité, monotonie, obéissance, obséquiosité, pâleur, pauvreté, platitude, sottise, vassalité, vilenie.

SERVIR. Aider, appuyer, assister, consacrer, débiter, donner, favoriser, fournir, honorer, motiver, obéir, payer, piloter, punir, raconter, raisonner, recourir, remplacer, renter, seconder, suivre, tenir, tirer, user, utiliser, vendre.

SERVITE. Argot, augustin, carme, chemineau, clochard, gueux, hère, indigent, mendiant, mendigot, misérable, miséreux, nécessiteux, pauvre, picaro, quêteur, quêteux, religieux, robineux, sébile, truand, vagabond.

SERVITEUR (n. p.). Akhenaton, Aménophis, Éliézer, Nesselrod.

SERVITEUR. Bedeau, boniche, bonne, boy, cuisinier, domestique, employé, esclave, lai, laquais, larbin, leude, maître, majordome, page, porteur, portier, servant, serveur, soubrette, vassal, valet, valetaille, zani, zanni.

SERVITUDE. Alignement, alleu, chaîne, charge, contrainte, dépendance, entrave, esclavage, joug, liberté, obligation, reculement, serf, servage, servilité, soumission, subordination, sujétion, vassalité.

SÉSAME (n. p.). Ali Baba.

SÉSAME. Aromate, code, dicotylédone, épice, gamopétale, graine, infaillible, moyen, parole, plante, zinzolin.

SESSION. Assise, audience, congrès, débat, délibération, examen, jury, séance, symposium.

SET. Jeu, manche, napperon, plateau, tennis, volley ball.

SÉTON. Bande, bandeau, bandelette, infule, langue, languette, momie, moulure, queue, ruban, sérum.

SEUIL. Accès, alpha, aube, bord, commencement, dalle, début, élévation, entrée, limite, pas, porte.

SEUL. A cappella, aparté, as, délaissé, dernier, ermite, esseulé, exclusif, isolé, masse, mono, premier, prime, reclus, retiré, sauvage, séparé, seulement, seulet, skif, skiff, solitaire, solo, un, unique, unipare.

SEULEMENT. Angéliquement, chastement, décemment, discrètement, exclusivement, intégralement, juste, moralement, pudiquement, purement, saintement, totalement, uniquement, vertueusement, virginalement.

SEULET. A cappella, aparté, as, délaissé, dernier, ermite, esseulé, exclusif, isolé, masse, mono, premier, prime, reclus, retiré, sauvage, séparé, seulement, seul, skif, skiff, solitaire, solo, un, unique, unipare.

SÈVE. Activité, dynamisme, énergie, fermeté, force, pleur, puissance, sang, suc, vert, xylème.

SÉVÈRE. Acerbe, austère, autoritaire, castrateur, difficile, doux, draconien, dur, énergique, exigeant, grave, humain, impitoyable, implacable, indulgent, inexorable, insensible, mordant, raide, rigide, rigoureux, rude, savon, strict, vachard, vache.

SÉVÈREMENT. Âcrement, âprement, austèrement, brutalement, cruellement, désagréablement, désobligeamment, difficilement, durement, méchamment, péniblement, rigoureusement, rudement, sèchement, vertement, vilement.

SÉVÉRITÉ. Acerbité, aridité, austérité, autorité, draconien, dure, dureté, étroit, insensibilité, intransigeance, raideur, rigidité, rigorisme, rigueur, rudesse, sérieux, vacherie.

SÉVICES. Âpreté, atrocité, barbarie, bestialité, brusquerie, brutalité, coup, cruauté, crudité, dureté, férocité, grossièreté, précision, ratonade, ratonnade, réalisme, rudesse, sadisme, sauvagerie, verdeur, violence, vulgarité.

SÉVIR. Battre, châtier, consigner, corriger, endémique, punir, régner, réprimer, sanctionner.

SEVRER. Appauvrir, démunir, déposséder, enlever, frustrer, ôter, priver, ravir, retirer, séparer, sevrage, supprimer.

SÉVRUGA. Acipenséridé, bélouga, béluga, blanc, caviar, commun, esturgeon, oscière, sterlet.

SEX-APPEAL. Aimant, attirance, attraction, attrait, avantage, charisme, charme, chien, convenance, désidérabilité, envoûtement, fascination, magie, magnétisme, piquant, séduction, valeur.

SEXE (n. p.). Éon, Épicène, Priape.

SEXE. Amant, amphigame, androgène, androgyne, cul, entrecuisse, escargot, fellation, frigidité, genre, hermaphrodite, homosexuel, ithyphallique, libido, lingam, phallus, rut, salace, saphisme, sensualité, sexologie, unisexe, vénérien, virilité.

SEXISTE. Androphobe, antiféministe, machiste, macho, misandre, misanthrope, misogyne, phallo, phallocrate.

SEXTE. Agonie, aussitôt, circonstance, complies, demi-heure, heure, horaire, indue, instant, laudes, mâtines, minute, moment, montre, none, occasion, plombe, prière, seconde, six, tierce, top, vêpres.

SEXTUPLE. Aussi, autant, centuple, également, encore, idem, itou, octuple, pareillement, quadruple, tant.

SEXUALITÉ. Charnalité, chair, concupiscence, débauche, délectation, délice, désir, enivrement, épectase, érotisme, ivresse, jouissance, orgasme, plaisir, pornographie, strape, sensualité, sexe, sybaritisme, volupté.

SEXUEL. Acte, charnel, coït, érotique, génital, intime, M.T.S., physique, salace, vénérien.

SÉZIGUE. Elle, éon, il, se, lui, mézigue, sézig, soi, tézigue.

SHAKO. Afro, bavolet, béret, bibi, bombe, bonnet, boucle, boudin, brosse, calot, cape, capeline, casque, chapka, chapska, chevelure, cloche, coiffure, cornette, diadème, épi, fez, figaro, hennin, keffieh, képi, kipa, melon, mitre, plumet, pouf, pschent, schako, shapska, tarbouch, tarbouche, tiare, toque, tresse, truffe, turban.

SHAKESPEARE (n. p.). Ariel, Coriolan, Hamlet, Iago, Lear, Macbeth, Ophélie, Othello.

SHERPA. Alpenstock, alpiniste, clephte, conseiller, député, filibeg, gavache, gavot, gavotte, génovéfain, girondin, guide, highlander, himalaya, isard, kéfir, képhir, kilt, klephte, mazot, montagnard, porteur, remue, varappeur.

SHILLING. Achey, couronne, guinée, livre, monnaie, ora, pence, penny, pound, rial, sixpence, tuppence.

SHINTOÏSTE. Chinois, japonais, kami, religion, shinto, shintoïsme, sumo, torii.

SHOOTER. Aller, botter, complaire, contenter, convenir, frapper, lancer, plaire, satisfaire, sourire, tirer.

SHORT. Barboteuse, bermuda, bloomer, bobette, boucherie, boxer, bragues, braies, caleçon, charivari, collant, cuissard, cuissettes, culotte, cycliste, défaite, dessois, échec, froc, grègues, pantalon, rhingrave, robe, salopette, slip, trousses, veste.

SHRAPNELL. Balles, obus, shrapnel.

SHUNTER. Armer, blinder, cuirasser, embâtonner, enchemiser, équiper, fournir, garnir, gratifier, gréer, instrumenter, lotir, monter, munir, nantir, outiller, pourvoir, précautionner, prémunir, prendre, soutenir, tuteurer.

SI. Conditionnel, hypothèse, note, oc, oil, oui, prometteur, sauf, sinon, supposition, tant, tel, tellement.

SIAL. Argilacé, argile, banc, barbotine, bauge, bentonite, bille, bol, boue, brique, calamité, chamotte, erbue, gault, glaise, groie, kaolin, marne, ocre, parafango, pisé, salbande, sep, sil terre, tuile.

SIALORRHÉE. Acholie, anurèse, bile, biligenèse, chandelle, civette, copahu, crachat, diurèse, eau, excrétion, glaire, humeur, lactation, lacté, larme, morve, mucosité, mucus, présure, ptyalisme, salive, sébum, sécrétion, sérum, suc, sueur, urine, venin.

SIAMOIS (n. p.). Siam, Thaïs.

SIAMOIS. Besson, chat, double, deux, félin, frère, gémeaux, identique, jumeau, menechme, oriental, pareil, parabiose, triplé, quadruplé, semblable, sœur, sosie, thaï, thaïlandais, triplé, univitellin, vahiné.

SIBÉRIE, VILLE (n. p.). Abakan, Irkoutsk.

SIBÉRIEN. Algide, blizzard, cimmérien, frigide, froid, gelé, glacial, hivernal, polaire, réfrigérant.

SIBILANT. Aigu, avertissement, chuintant, perçant, sifflant, signalement, strident, striduleux, suraigu.

SIBYLLE (n. p.). Alcine, Armide, Circé.

SIBYLLE. Devin, devineresse, femme, magicienne, prophétesse, pythie, sibylin.

SIBYLLIN. Abscons, abstrus, caché, énigmatique, ésotérique, hermétique, impénétrable, indéchiffrable, mystérieux, obscur.

SIC. Admis, affirmé, ainsi, apocryphe, attribué, censé, conjectural, cru, douteux, emprunt, espéré, estimé, factice, faux, imaginaire, incertain, point, présage, présumé, prétendu, pseudo, putatif, si, soi-disant, supposé.

SICAIRE. Apache, arnaqueur, bandit, brigand, convict, coquin, criminel, escarpe, escroc, filou, forban, gangster, hors-la-loi, larron, malandrin, malfaiteur, meurtrier, nervi, pillard, pirate, scélérat, séide, tueur, truand, vaurien, voleur.

SICCATIF. Accélérateur, cyclotron, isotron, pédale, poignée, proliférateur, sprinter, synchrotron.

SICILE, VILLE (n. p.). Cefalù, Enna, Himère, Messine, Palerme.

SIDA. Affection, AZT, cancérigène, carcinogène, HIV, LAV, maladie, MTS, sarcome, VIH, virus.

SIDATIQUE. Lymphocyte, séropositif, sida, sidéen, syndrome immuno déficitaire acquis.

SIDÉRAL. Astral, céleste, ciel, comète, étoile, galactique, galaxie, intergalactique, lunaire, lune, planète, soleil.

SIDÉRÉ. Abasourdi, confondu, déprimé, ébahi, éberlué, effaré, estomaqué, foudroyé, stupéfait, surpris.

SIDÉRER. Abasourdir, ahurir, anéantir, confondre, ébahir, éberluer, effarer, effondrer, époustoufler, estomaquer, étonner, foudroyer, halluciner, interloquer, méduser, renverser, souffler, stupéfier, surprendre.

SIDÉRITE. Acier, carbonate, fer, hémosidérose, météorite, nickel, pneumoconiose, sidérose.

SIDÉRURGIE. Aciérie, centrale, fonderie, forge, haut fourneau, métal, métallurgie, procédé, usine.

SIÈCLE. Âge, ans, cent, centenaire, cycle, durée, époque, ère, étape, jours, moment, temps.

SIED. Acceptable, adéquat, allé, appartient, approprié, bien, bon, coiffant, conforme, congru, convenable, convenir, correct, décent, duire, honorable, idoine, juste, judicieux, nécessaire, net, opportun, pertinent, plaire, présentable, requis, séant, seoir, souhaitable, va, vrai.

SIÈGE. Balancelle, balançoire, banc, banquette, blocus, canapé, centre, chaire, chaise, escabeau, escabelle, escarpolette, es, est, être, fauteuil, lieu, pape, pliant, pouf, rotin, séant, sein, selle, sellette, sis, stalle, strapontin, tabouret, tara, tare, trépied, trône.

SIÉGER. Assemblée, assiéger, demeurer, député, diriger, être, gésir, gîter, occuper, monter, présider, résider, selle, sénat, situer, tenir, trépied, tribunal, trôner, trouver.

SIEN. Ami, assimilation, assimiler, compatriote, plagiaire, parent, siennes.

SIERRA LEONE, CAPITALE (n. p.). Freetown.

SIERRA LEONE, LANGUE. Anglais, krio, mende, temne.

SIERRE LEONE, MONNAIE. Leone.

SIERRA LEONE, VILLE (n. p.). Bo, Bonthe, Daru, Freetown, Magburaka, Shenge, Yonibana, York, Zimi.

SIESTE. Assoupissement, dodo, méridienne, repos, roupillon, somme, sommeil.

SIEUR. Sr.

SIEVERT. Sv.

SIFFLANT. Aigu, avertissement, chuintant, perçant, sibilant, signalement, strident, striduleux, suraigu.

SIFFLEMENT. Acouphène, bruit, chuintement, cornage, larsen, psitt, pst, râle, sibilation, son, sss.

SIFFLER. Appeler, avaler, boire, bruit, chanter, chien, chuinter, conspuer, contester, corner, héler, honnir, huer, respirer, seriner, siffloter, siler.

SIFFLET. Appeau, biseau, breloque, flûte, gosier, huchet, pipeau, rosignol, serinette, signal, sirène.

SIFFLOTER. Appeler, bruit, chanter, chien, chuinter, conspuer, contester, corner, héler, honnir, huer, respirer, seriner, siffler.

SIGISBÉE. Amant, attentionné, cajoleur, cavalier, céladon, chevaleresque, chic, complimenteur, coquet, courtisan, courtois, délicat, distingué, élégant, empressé, enjôleur, entreprenant, flirteur, galant, galantin, gentleman, gracieux, poli, séducteur, soupirant.

SIGLE. Abrégé, abréviation, acronyme, déléatur, emblème, griffe, initiale, lettre, logo, monogramme, trigramme, virgule.

SIGNAL. Alarme, alerte, annonce, appel, avertissement, bip, bip-bip, carré, chamade, code, couvre-feu, danger, feux, fusée, geste, gong, hue, humhum, indice, mire, sémaphore, sifflet, signe, sirène, SOS, stop, top.

SIGNALÉ. As, brillant, distinct, distingué, éclatant, émérite, éminent, épatant, ère, étonnant, extra, extraordinaire, fameux, formidable, frappant, génial, gratiné, important, marquant, mémorable, notable, note, notule, particulier, rare, remarquable, rude, saillant, scolie, sensass, sensationnel, supérieur, unique.

SIGNALEMENT. Angiographie, caricature, carte, description, devis, holographie, halologie, hématologie, image, monographie, ophiographie, ophiologie, peinture, plan, portrait, topographie, tracé, trait.

SIGNALER. Accuser, alerter, annoncer, appeler, avertir, citer, déceler, décrire, dénoncer, désigner, distinguer, illustrer, indexer, indiquer, informer, marquer, mentionner, montrer, pilori, remarquer, révéler, siffler, signifier.

SIGNALISATION. Balisage, borne, bouée, désignation, feu, panneau, signal, stop, timonerie.

SIGNATURE. Aval, contreseing, émargement, faux, émargement, endos, endos, endossement, estampille, griffe, marque, monogramme, nom, parafe, paraphe, post-scriptum, PS, renom, sceau, scel, seing, souscription, tag, visa.

SIGNE. Accent, annonce, appel, astérisque, attribut, augure, auspice, bécarre, bémol, caractère, caractéristique, cédille, clé, clef, clignotant, couleur, deleatur, dièse, esperluette, étendard, galon, geste, griffe, idéogramme, indice, kana, kanji, label, légende, lettre, miracle, neume, nique, note, pause, pi, pianissimo, plus, point, point-virgule, présage, preuve, promesse, repère, silence, tag, tilde, trait, tréma, zéro.

SIGNE AZTÈQUE. Aigle, âne, caïman, chevreuil, chien, crocodile, eau, fleur, jaguar, lapin, lézard, maison, mort, ocelot, pluie, roseau, serpent, silex, singe, tremblement de terre, vautour, vent.

SIGNE CHINOIS. Bœuf, buffle, chat, cheval, chèvre, chien, cochon, coq, dragon, poule, rat, serpent, singe, tigre.

SIGNE ÉGYPTIEN (n. p.). Amon-Rê, Anubis, Bastet, Geb, Horus, Isis, Mout, Nil, Osiris, Sekhmett, Seshat, Seth, Toth.

SIGNE ISLAMISTE. Cèdre, chameau, cimeterre, dague, est, etcheveria, étoile, fennec, lune, nord, olivier, ouest, sable, serpent, soleil, sud.

SIGNE OCCIDENDAL (n. p.). Balance, Bélier, Cancer, Capricorne, Gémeaux, Lion, Poissons, Sagittaire, Scorpion, Taureau, Verseau, Vierge.

SIGNE TIBÉTAIN. Bracelet, buffle, cerf-volant, cobra, cristalline, gardien, gong, lune, moine, soleil, stèle, tortue.

SIGNER. Apposer, avaliser, capituler, émarger, endosser, marquer, parapher, souscrire, viser.

SIGNIFICATIF. Caractéristique, distinct, distinctif, éloquent, emblématique, essentiel, indice, marque, particularité, particulier, personnel, propre, propriété, qualité, représentatif, révélateur, signe, spécificité, spécifique, symptomatique, trait, type, typique.

SIGNIFICATION. Acceptation, catégorème, clef, comparatif, contenu, définition, esprit, expression, extension, jugement, lexème, métaphore, morphème, mot, notification, polysémie, portée, sémantique, sens, terme, valeur.

SIGNIFIER. Commander, déclarer, dénoter, désigner, dire, donner, intimer, ordonner, présenter, rimer, vouloir.

SIKH. Adepte, gurdwara, indien, membre, religion, secte, sikhara, sikhisme.

SIL. Argilacé, argile, banc, barbotine, bauge, bentonite, bille, bol, boue, brique, calamité, chamotte, erbue, gault, glaise, groie, kaolin, marne, ocre, parafango, pisé, salbande, sep, sial, terre, tuile.

SILENCE. Aposiopège, arrêt, bâillon, black-out, blanc, calme, celé, chut, coi, demi-pause, demi-soupir, motus, mutisme, mystère, omerta, omis, paix, pause, réticence, secret, signe, soupir, tacet, taire, temps, tu.

SILENCIEUX. Amortisseur, aphone, appareil, calme, coi, court, discret, endormi, feutré, insonore, morne, muet, placide, posé, réservé, réticent, silencieusement, taciturne, taire, tranquille.

SILÈNE. Caryophyllacée, coquelourde, espargoutte, gerceau, grenadin, gypsophile, herbe des bois, lychnis, morgeline, mouron-blanc, nielle, œillet, saponaire, satyre, scléranthe, spargoutte, spergule, stellaire, tagètes, turquette, vaccaire.

SILER. Aborder, agir, annoncer, babiller, bafouiller, baragouiner, bavarder, bêler, bléser, causer, chuchoter, chuinter, claironner, crier, dauber, débiter, dénigrer, dire, discourir, disserter, divaguer, évoquer, exposer, exprimer, extravaguer, gueuler, haranguer, hurler, jacter, jargonner, jaser, joual, marmotter, monologuer, nasiller, négociation, parler, patois, péronier, picard, placoter, prononcer, rouchi, sic, siffler, subtituer, susurrer, tarir, tonner, trahir, vociférer, zézayer, zozoter.

SILEX. Arme, azilien, caillou, chien, éolithe, fusil, microlithe, nucléus, outil, pierre, roche, silicieux, solutréen.

SILHOUETTE. Allure, aspect, contour, croquis, dessin, forme, galbe, ligne, ombre, port, profil, tracé.

SILICATE. Actinote, ægyrine, alamosite, albite, amiante, amphibole, andradite, béryl, calamite, caldasite, cérite, cordiériste, disthène, écume, émeraude, épidote, feldspathoïde, garniérite, grenat, jade, koalinite, lapis, larsénite, leucite, magnétite, mica, pectolite, péridot, phénacite, pyroxène, serpentine, sphène, sidérolite, sphène, spodumène, stéatite, talc, thorite, trémolite, yttrialite, zéolite, zéolithe, zircon.

SILICE. Agate, boulbène, calcédoine, crisbalite, cristobalite, opale, oxyde, quartz, silicule, verre.

SILICIUM. Agate, alpax, émail, falun, gaize, jaspe, mica, opale, quartz, Si, silex, sima, verre.

SILLAGE. Eau, exemple, houache, houaiche, passage, perturbation, sillon, strioscopie, trace, vestige.

SILLET. Aine, antibois, archet, badine, baguette, bâton, broche, caducée, canne, carre, chicote, crayon, fla, frette, gong, houssine, listeau, listel, liston, liteau, mailloche, membron, pain, plectre, ra, spatule, triboulet, verge, vergette.

SILLON. Cannelure, creux, dérayure, enrayure, enrue, entrure, gouttière, javelle, minage, orne, ornière, paillot, perchée, pli, raie, rayon, règue, ride, rigole, sayon, scissure, serge, strie, striure, sulciforme, trace, trait, vergeture, vibice.

SILLONNER. Arpenter, battre, canaliser, courir, couvrir, dévaler, examiner, explorer, feuilleter, franchir, inspecter, lire, monter, parcourir, peser, regarder, relire, scruter, suivre, tour, traverser, visiter, voir.

SILO. Aquarium, bac, bâche, bain-marie, ballast, barrage, bassin, cellier, citerne, cuve, ensiler, étang, fosse, lac, nourrice, réservoir, reverdoir, retenue, silotage, timbre, trémie, vase, vasière, vessie, vivier.

SILT. Alluvion, arénacé, arène, banc, béton, calcul, castine, dépôt, dune, erg, falun, galet, gravier, grève, jar, lest, limon, lise, maërl, merl, mouvant, noir, paillette, pierre, roche, rose, ruine, sablon, sédiment, silicium, tague.

SILURIEN. Carbonifère, céphalaspis, dévonien, ichtyostéga, période, polypier, primaire, ptérygote.

SIMA. Aire, aréole, arrondissement, bande, bled, classe, delta, domaine, endroit, érogène, érotogène, espace, halo, lieu, no man's land, manteau, orbite, patelin, pays, quartier, région, secteur, sial, sphère, surface, territoire, zone.

SIMAGRÉE. Chichi, compostement, façon, grimace, manière, minauderie, minaudier, mine, singerie.

SIMARUBACÉE. Aillante, arbre, balanite, bombyx, cymthia, papillon, quissia, simaruba, vernis du Japon.

SIMILAIRE. Analogue, approchant, assimilable, comparable, connexe, égal, équivalent, homogène, même, pareil, parallélisme, rechange, ressemblant, semblable, similarité, synonyme, voisin.

SIMILI. Absurde, affecté, altéré, âge, apocryphe, archifaux, artificiel, bidon, cabotin, captieux, chimérique, contrefait, copié, diffamant, diffamatoire, double, douteux, erroné, factice, fallacieux, falsifié, fardé, faucard, faute, fautif, faux, feint, félon, fictif, fourbe, hypocrite, illicite, inexact, irréel, mensonge, mensonger, parjure, plagié, postiche, pseudo, simulé, tartufe, toc, trompeur, truqué, usurpé, vain.

SIMILICUIR. Cuirette, pégamoïd, pégamoïde, simili, skaï.

SIMILITUDE. Accord, affinité, analogie, communauté, comparaison, concordance, conformité, connexe, élémentaire, harmonie, homophonie, même, pareil, parenté, parrallélisme, ressemblance, semblable, tel.

SIMILOR. Alliage, archal, chrysocale, corde, laiton, métal, or, tombac, vergeure, zinc.

SIMONIE. Agio, agiotage, billonnage, circulation, commerce, débit, encan, fricotage, gain, magouillage, malversation, manigance, maquignonnage, négoce, sacré, spirituel, trafic, traite, transport, tripotage.

SIMPLE. Aisé, article, droit, dérangé, élémentaire, facile, familier, fol, fou, franc, frugal, honnête, humble, ingénu, limpide, linéaire, modeste, naïf, naturel, niais, obscur, ordinaire, pauvre, pur, seul, simplet, sophistiqué, sot, spartiate, un, une.

SIMPLEMENT. Aisément, bêtement, bonhomme, bonnement, bourgeoisement, facilement, franquette, naturellement, nûment, nuement, sommairement, seulement, uniment, uniquement.

SIMPLET. Aisé, article, candide, crédule, droit, dérangé, élémentaire, facile, familier, fol, fou, franc, honnête, humble, ingénu, limpide, modeste, naïf, naturel, niais, niaiseux, obscur, ordinaire, pauvre, pur, seul, simplet, sophistiqué, sot, spartiate, un, une.

SIMPLICITÉ. Aisance, bonhomie, candeur, crédulité, droiture, élégance, franchise, frugalité, humilité, ingénuité, innocence, modestie, naïveté, naturel, nudité, rondeur, rusticité, sans-façon, sévérité, sobriété.

SIMPLIFIER. Démotique, faciliter, normaliser, réduire, schématiser, standardiser, styliser.

SIMULACRE. Air, apparence, apparition, aspect, évocation, fantôme, feinte, frime, idole, illusion, image, imitation, fantôme, feinte, mensonge, messe, parodie, semblant, simulé.

SIMULATEUR. Artificiel, bigot, cagot, comédien, déloyal, dissimulé, faux, félon, fourbe, franc, grimacier, hypocrite, imposteur, judas, loyal, mielleux, papelard, pharisien, rusé, sournois, tartufe, tartuffe.

SIMULATION. Bluff, chiqué, cinéma, cirque, comédie, dissimulation, drag, émulation, faux, faux-semblant, feinte, frime, image, imitation, méthode, pathomimie, ruse, tromperie.

SIMULÉ. Absurde, affecté, altéré, âge, apocryphe, archifaux, artificiel, bidon, cabotin, captieux, chimérique, contrefait, copié, diffamant, diffamatoire, double, douteux, erroné, factice, fallacieux, falsifié, fardé, faucard, faute, fautif, faux, feint, félon, fictif, fourbe, hypocrite, illicite, inexact, irréel, mensonge, mensonger, parjure, plagié, postiche, pseudo, simili, tartufe, toc, trompeur, truqué, usurpé, vain.

SIMULER. Affecter, faire, feindre, feinter, imiter, jouer, peindre, prétendre, semblant, tromper.

SIMULTANÉ. Bande-vidéo, barré, coexistant, coïncidence, concomitant, échec, synchrone.

SIMULTANÉITÉ. Avec, coexistence, coïncidence, combiné, concomitance, couplage, synchronisme, unisson, unité.

SINANTHROPE. Fossile, hominien, homo erectus, pithécanthrope, préhominien, préhomonidé.

SINAPISME. Antiphlogistique, cataplasme, compresse, diachylon, diachylum, emplâtre, hémostatique, magdaléon, médication, pansement, résolutif, résolutoire, révulsif, sénevé, sparadrap, topique, vésicatoire.

SINCÈRE. Authentique, carré, clair, cordial, direct, droit, entier, exact, faux, fidèle, franc, honnête, hypocrite, loyal, menteur, net, ouvert, réel, sérieux, simple, spontané, vérace, véridique, véritable, vrai.

SINCÈREMENT. Authentiquement, franc, franchement, franco, honnêtement, loyalement, ouvertement, uniment.

SINCÉRITÉ. Authenticité, contrition, cordialité, droiture, épancher, exactitude, fidélité, foi, franchise, hypocrisie, ingénuité, insincérité, justesse, loyauté, naturel, netteté, perfidie, spontanéité, véracité, vérité.

SINCIPUT. Acmé, aiguille, alpinisme, apex, arête, ballon, calotte, cime, crâne, crête, dent, dôme, extrémité, faîte, front, haut, hauteur, houppier, maximum, montagne, niveau, paroxysme, pic, pinacle, pointe, sommet, tête, top, vertex, zénith.

SINÉCURE. Emploi, filon, fonction, fromage, pantoufle, planque, situation.

SINE QUA NON. Besoin, capital, central, clé, clef, élémentaire, essentiel, fond, fondamental, important, indispensable, inhérent, intrinsèque, nécessaire, nœud, prépondérant, principal, principe, vital, vrai.

SINGAPOUR, CAPITALE (n. p.). Singapour.

SINGAPOUR, LANGUE. Anglais, chinois, malais, tamoul.

SINGAPOUR, MONNAIE. Dollar.

SINGAPOUR, VILLE (n. p.). Bukum, Changi, Sembawang, Singapour, Tekon, Tuas, Ubin.

SINGE. Aï, alouate, aotus, apelle, araignée, atèle, babouin, bonobo, brachyure, bradype, cacajao, callicèbe, capucin, cébidé, chimpanzé, colobe, corned-beef, douc, drill, entelle, éroïde, fagotin, gelada, gibbon, gorille, guenon, guéréza, hamadryas, hocheur, hoolock, hurleur, indri, lagotriche, lagotrix, laineux, lion, macaque, magot, mandrill, mangabey, marmouset, moustac, nasique, orang-outan, oréopithèque, ouakaris, ouistiti, papion, patas, primate, rhésus, sagouin, saï, saïmiri, sajou, saki, sapajou, siamang, simien, simiesque, talapoin, tamarin, titis, vert, vervet.

SINGER. Affecter, calquer, caricaturer, contrefaire, copier, feindre, grimacer, imiter, jouer, même, mimer, moquer, parodier, pasticher, simuler.

SINGERIE. Bouffonnerie, clownerie, comique, geste, grimace, imitation, malice, pitrerie, simagrée, tour.

SINGULARISER. Différencier, distinguer, particulariser, remarquer, signaler.

SINGULARITÉ. Aberrance, affectation, anomalie, bizarrerie, curiosité, étrangeté, excentricité, exception, extravagance, insolite, nouveauté, originalité, paradoxe, particularité, rareté, trouvaille.

SINGULIER. Anormal, bizarre, caractéristique, combat, curieux, différent, drôle, épatant, étrange, extraordinaire, inouï, isolé, numéro, ostrogot, paradoxal, particulier, phénoménal, rare, remarquable, saugrenu, seul, un, unique.

SINGULIÈREMENT. Admirablement, anormalement, baroquement, beaucoup, bizarrement, curieusement, drôlement, étonnamment, étrangement, excentriquement, extravagamment, formidablement, originalement.

SINISER. Argumenter, bogoter, chicaner, chinoiser, discutailler, épiloguer, ergoter, gloser, ratiociner, tatillonner.

SINISTRE. Dommage, funeste, glauque, incendie, macabre, mortel, naufrage, perte, sépulcral, sombre.

SINISTREMENT. Affreusement, atrocement, beaucoup, effroyablement, extrêmement, terriblement, tristement.

SINOLOGUE (n. p.). Eich, Granet, Maspéro, Pelliot, Rémusat.

SINOLOGUE. Chinois, pékinologue, savant, sinisant.

SINON. Autrement, défaut, excepté, exception, faute, ou, peut-être, sans, sans quoi, sauf, si, voire.

SINUEUX. Angle, courbe, détour, détourné, flexueux, méandre, onde, ondoyant, ondulant, ondulé, replié, serpentin, serpigineux, sinuer, spirale, tordu, tortillé, tortueux, zigzag.

SINUOSITÉ. Anfractuosité, coude, courbe, détour, méandre, onde, pli, repli, serpenter, sinuer, zigzag.

SINUS. Angle, cavité, cercle, concavité, cosécante, cosinus, courbure, pli, sin, sinuosité, sinusal, sinusoïde.

SINUSOÏDE. Chicane, crochet, détour, entrechat, lacet, louvoiement, sinuosité, slalom, tournant, zigzag.

SIOUX. Adroit, astucieux, avisé, débrouillard, fallacieux, filou, fin, fort, fortiche, fouine, fourbe, génial, gimmick, grec, habile, imaginatif, ingénieux, insidieux, intelligent, malin, matois, retors, roué, rusé, trompeur.

SIPHOMYCÈTE. Blastodadiale, chytridiale, chytridiomycète, hypochytriade, hypochytriomycète, monoblépharidale, mucor, mycélium, olpidiale, oomycète, péronosporacée, phycomycète, zygomycète.

SIPHON. Arrosoir, autoclave, barbacane, bassinet, boudinière, boyau, canal, chantepleure, chausse, cornet, culot, cuvette, entonnoir, gargouille, ouverture, perloir, robinet, tourbillon, trémie, tube, verveux.

SIPHONNÉ. Aliéné, amoureux, barjo, braque, cerveau, cinglé, cinoque, cintré, dément, désaxé, détraqué, dingue, enragé, fada, fêlé, fol, forcené, fou, frappé, frénétique, furieux, givré, idiot, imbécile, insane, insensé, interné, ire, maboul, marotte, marteau, mental, nase, naze, niais, sain, sinoque, sonné, sot, taré, toqué, tordu, transvasé, triboulet, vidé.

SIPHONOPHORE. Cladonème, cnidaire, craspédote, hydraire, hydre, hydrocoralliaire, hydroïde, hydroméduse, hydrozoaire, méduse, millépore, obélie, physalie, planula, solitaire.

SIRDAR (n. p.). Kitchener.

SIRDAR. Esquire, lady, lord, milady, milord, sir, titre.

SIRE (n. p.). Clisson, Créqui, Gié, Guillaume, Joinville, Leicester, Montfort, Vaucouleurs.

SIRE. Altesse, appellation, baron, chah, comte, désignation, duc, éminence, émir, frontispice, iman, lord, maestro, maître, marquis, médaille, messire, nom, prince, révérend, revue, roi, sainteté, seigneur, sir, sultan, titulaire, titre, triste.

SIRÈNE (n. p.). Cagniard de La Tour, Lorelei.

SIRÈNE. Alarme, ambulance, corne, démon, femme, gong, marin, police, pompier, sifflet.

SIRÉNIEN. Cétacé, dugong, halicore, herbivore, lamantin, lamentin, mammifère, mégaptère, sirène.

SIRLI. Alaudidé, alouette, calandre, cochevis, insectivore, lulu, mauviette, oiseau, passereau.

SIROCCO. Air, alizé, amure, aquilon, autan, bise, blizzard, bora, bourrasque, brise, cers, chergui, chinook, cyclone, éolien, étésien, fœhn, grain, haleine, harmattan, joran, khamsin, mistral, noroît, orage, orgue, pampero, pet, rafale, simoun, souffle, suroît, tempête, tornade, tourbillon, tramontane, vent, voile, zéphir, zéphyr.

SIROP. Adoucissant, béthique, café, capillaire, cocktail, dépuratif, diacode, érable, eupeptique, eupnéique, excipient, expectorant, fortifiant, grenadine, julep, limon, looch, mélasse, orgeat, pectoral, tonique.

SIROTER. Absorber, avaler, boire, buvoter, déguster, gobelotter, goûter, humer, ingurgiter, lamper, laper, licher, lipper, picoler, pinter, prendre, régalade, sabler, savourer, toast, trait, trinquer, vider.

SIRUPEUX. Dégoulinant, doucereux, gluant, mélasse, miel, mièvre, poisseux, sirop, sucré, vigoureux, visqueux.

SIS. Aplomb, appuyé, assis, assuré, établi, ferme, giron, installé, séant, sédentaire, seoir, siège, situé, solide, stable.

SISAL. Agate, agavacée, agave, amaryllidacée, corde, dragonnier, fibre, ixtle, mexicain, phormion, phormium, sac, sansevière, tapis, textile, tissu, ubéreux, yucca.

SISMOLOGIE. Climatologie, géodésie, géologie, géophysique, hydrologie, magnétisme, météo, météorologie, mouvement, océanologie, prévision, séisme, sismal, sismique, statistique, structure, température.

SISMOTHÉRAPIE. Commotion, électrochoc, électronarcose, électricité, schizophrénie, secousse, traumatisme.

SISYMBRE. Aumusse, barde, cantor, chansonnier, chanteur, chantre, rouquette, scalde, sisymbre, vélar.

SITAR. Balalaïka, banjo, cithare, citole, gratte, guimbarde, guimbri, guitare, guiterne, guzla, luth, lyre, mandoline, mandore, plectre, samisen, sarode, shamisen, sistre, sitariste, touchette, turtulette, ukulélé.

SITE. Canton, coin, emplacement, endroit, lieu, localité, panorama, paysage, perspective, pittoresque, place, point, portail, position, reg, sitogoniomètre, sitologue, situation, spectacle, technopôle, vue, Web.

SITE ARCHÉOLOGIQUE (n. p.). Ajanta, Aléria, Amaravati, Angkor, Ani, Anuradhapura, Badami, Bassae, Begram, Behistoun, Bhaja, Bharhut, Bogazkale, Bogazköy, Cahokia, Chanchan, Copan, Cuello, Cumes, Delphes, Dendérah, Ebla, Égolzwil, Égomi, Ellora, Enkomi, Ensérune, Entremont, Éridou, Filitosa, Girsou, Graufesenque, Khursabad, Kostenski, Longmen, Mahabalipuram, Malia, Mavalipuram, Meggipo, Megiddo, Mehrgarh, Mirador, Mogollon, Moustier, Mureybat, Nazca, Obeid, Oc-èo, Pattadakal, Phaistos, Qumran, Sanchi, Sakkarah, Sainte-Blaise, Sarrarah, Sigiriya, Sukhothai, Taxila, Teotihuacan, Tiahuanaco, Tikal, Tirynthe, Tula, Uxmal, Venta, Vix, Vogelherd, Volubilis, Wikipédia, Xianyang, Yazilikaya, Yungang, Zäkros, Zhoukoudian.

SITÔT. Aussitôt, dès, illico, immédiatement, impromptu, improviste, incontinent, injonctif, injonction, instantanément, presto, sans délais, séance tenante, soudain, subitement, sur-le-champ, traînerie.

SITTIDÉ. Oiseau, passereau, picidé, sittelle.

SITUATION. Abcès, aboi, aisance, bénévolat, cas, circonstance, dans, déroute, détresse, dilemme, disposition, donne, embarras, emplacement, endroit, enfer, état, exposition, filon, gag, galère, gêne, guêpier, impasse, jamais vu, juxtaposition, lieu, litispendance, oasis, pataquès, pétrin, planque, position, rang, ruisseau, sécurité, sel, sinécure, sous, stage, statut, sujet, sur, tendon.

SITUÉ. Assis, campé, condition, écarté, état, latéral, lieu, limitrophe, localisé, mis, placé, posé, posté, sis, unilatéral.

SITUER. Aviser, dénicher, être, figurer, juger, lieu, localiser, penser, placer, replacer, seoir, trouver.

SIX. Guitare, hexaèdre, hexagone, juin, sénaire, sextine, six-huit, sixain, sizain, sixième, sixte, VI.

SIZERIN. Blanchâtre, fringillidé, linotte, oiseau, passereau, passériforme, pisseux, pissou, à tête rouge.

SIXIÈME. Sexte, sextidi, sextuor, sexies, sexto, six, vau, ventôse.

SKETCH. Comédie, comique, dialogue, numéro, œuvre, pantomime, pièce, saynète, scène.

SKI. Carre, christiania, fart, fondeur, hors-piste, monoski, semelle, slalom, spatule, stawug, stem, stemm, talon, télémark.

SKIER. Aller, chasser, couler, déraper, descendre, entrelarder, entrer, errer, foncer, fondeur, glisser, godiller, insérer, insinuer, ouvreur, patiner, ramper, riper, rouler, skiable, skieur, slalomer, tomber, tout-schuss.

SKIEUR (n. p.). Allais, Bonnet, Duncan, Guay, Killy, Lacroix, Marinac, Manfred, Martin, Palender, Prangerm Raich, Roy, Sailer, Vogl, Zurbriggen.

SKIEUR DE FOND (n. p.). Harvey.

SKIEUSE (n. p.). Cavagnoud, Forsythe, Greene, Schneider, Scott, Simard, Turgeon.

SLANG. Argot, argotier, argotique, argotiste, calo, charabia, fric, idiome, jar, jargon, javanais, jobelin, joual, langue, marollien, moco, parler, patois, pidgin, sabir, verlan, vocabulaire.

SLAVE. Boyard, bulgare, croate, kvas, kwas, russe, serbe, slovaque, tchèque, ukrainien, yougoslave.

SLIP. Bobette, brassière, calcif, caleçon, calecif, camisole, culotte, dessous, gaine, gilet, lingerie, sous-vêtement, string.

SLOGAN. Armes, armoiries, billet, cause, devise, emblème, figure, maxime, monnaie, pesée, signe, symbole.

SLOOP. Albatros, bateau, brick, catamaran, chébec, chebek, cotre, finn, génois, goélette, ketch, lougre, navire, roulier, schooner, senau, tartane, trimaran, voilier.

SLOUGHI. Afghan, barzoï, chien, cynodrome, levrette, lévrier, lévrier russe, levron.

SLOVAQUIE, CAPITALE (n. p.). Bratislava.

SLOVAQUIE, LANGUE. Slovaque.

SLOVAQUIE, MONNAIE. Couronne, euro.

SLOVAQUIE, VILLE (n. p.). Bratislava, Cadca, Kuty, Medzilaborce, Nitra, Poprad, Pressburg, Ruzomberok, Sobrance, Trencin, Trnava, Zilina, Zvolen.

SLOVÉNIE, CAPITALE (n. p.). Ljubjana.

SLOVÉNIE, LANGUE. Hongrois, italien, slovène.

SLOVÉNIE, MONNAIE. Euro, tolar.

SLOVÉNIE, VILLE (n. p.). Celje, Dravograd, Izola, Lasco, Ljubjana, Maribor, Ormoz, Piran, Tolmin, Zalec.

SMALAH. Aulique, bande, caste, clan, confrérie, congrégation, érié, ethnie, famille, fratrie, gang, genre, groupe, groupuscule, horde, peuplade, peuple, phratrie, race, serviteurs, smala, tentes, totem, tribal, tribu.

SMALT. Azur, blason, bleu, bleu ciel, céleste, cérul, céruléen, cérulescent, ciel, cobalt, empurée, éther, firmament, lapis, lapis-lazuli, mer, minéral, mosaïque, outremer, safre, silicate, samaltine, smaltite, verre, voûte.

SMARAGDIN. Aigue-marine, béryl, émeraude, gemme, morillon, noces, pierre, silicate, tourmaline, vert.

SMART. Agréable, beau, bichonné, chic, coquet, dandy, délicat, distingué, élancé, élégant, endimanché, fashionable, fringant, gracieux, harmonieux, joli, maja, majo, parfait, pimpant, sélect, snob, soigné.

SMASH. Ace, as, avantage, balle, basket, coup, court, drive, droit, égalité, espadrille, filet, let, lift, lob, manche, match, net, out, partie, ping-pong, quarante, quinze, raquette, revers, set, tamis, tendinite, tennis, tie-break, trente.

SMECTIQUE. Amorphe, argile, cristal, cristallin, laine, mésomorphe, nématique, paracristallin.

SMILLE. Asseau, assette, boucharde, brochoir, butoir, ferratier, heurtoir, hie, jet, laie, maillet, mailloche, manche, marmot, marteau, martinet, masse, massue, merlin, oreille, osselet, outil, panne, picot, rivoir, rustique, tille, têtu.

SMILLER. Biseauter, ciseler, cliver, couper, découper, diminuer, échancrer, écharper, écimer, élaguer, émonder, équarrir, étêter, fuseler, hacher, partir, raccourcir, rafraîchir, recouper, retailler, sculpter, tailler, tondre, topiaire, tuer.

SMOG. Brouillard, brouillasse, bruine, brumaille, brumasse, brume, crachin, embrun, fog, frimas, givre, halo, livre, main courante, mélasse, mouscaille, nuage, nuée, pollution, purée, purée de pois, vapeur.

SMOLT. Bécard, fontaine, omble, ombre, ouananiche, salmonidé, saumon, saumoneau, sockeye, tacon, truite.

SNOB. Affecté, apprêté, dédain, distant, emprunté, faiseur, in, minet, snobinard, vaniteux, vogue.

SOBRE. AA, abstème, abstinent, austère, avare, classique, concis, continent, court, dépouillé, discret, économe, frugal, lacordaire, linéaire, mesuré, modéré, modeste, nu, pondéré, réglé, réservé, restreint, retenu, sage, simple, sommaire, strict, tempérant.

SOBRIÉTÉ. Abstinence, austérité, avent, discrétion, frugalité, modération, retenue, simplicité, sobre, tempérance.

SOBRIQUET. Appellation, carpetbagger, m'as-tu-vu, nom, pseudonyme, qualificatif, surnom, yankee.

SOC. Araire, binet, brabant, butteur, buttoir, cep, charrue, coutre, cultivateur, déchausseuse, dombasle, enrayure, fer, fossoir, hersoir, houe, labour, pelle, rasette, rets, ritte, sep, sillon, trisoc.

SOCIABILITÉ. Accueil, affabilité, amabilité, aménité, attention, bienveillance, bonté, charme, civilité, commerce, complaisance, courtoisie, délicatesse, douceur, gentillesse, grâce, honnêteté, hospitalité, liant, miel, politesse, urbanité.

SOCIABLE. Accommodant, accueillant, affable, agréable, aimable, apprivoisé, asocial, attentionné, charmant, civil, civilisé, facile, gentil, humaniser, indulgent, insociable, liant, poli, singe, sociabilisé, social, sympathique, traitable.

SOCIAL. Clanisme, condition, empathie, firme, humain, isolat, paria, pègre, position, titre.

SOCIALISME. Autogestion, babouvisme, bolchevisisme, chartisme, collectiviste, communisme, contra, dirigisme, égalitarisme, gauche, gauchisme, léninisme, marxisme, mutualisme, paupérisme, radicalisme.

SOCIALISTE (n. p.). Adler, Allende, Blum, Engels, Gouin, Lang, Lénine, Marchand, Meir, Mitterand, Mussolini, Owen, Plekhanov, Rocard, Soares, Spaak, Van de Velde.

SOCIALISTE. Bolchevique, bolcho, collectiviste, communiste, léniniste, marxiste, progressiste, révolutionnaire, rouge, social-démocrate.

SOCIÉTAIRE. Associé, collègue, compagnon, confrère, hétaire, membre, mutuelle, sociétariat.

SOCIÉTÉ. Académie, amiral, civilisation, club, collectivité, communauté, communion, compagnie, culture, droit, église, ethnie, hétairie, illuminé, jeu, Ku Klux Klan, label, monde, ordre, pool, rang, SA, salon, sigle, SARL, SEITA, SICAV, SPRL, tôle.

SOCIÉTÉ ANONYME. S.A.

SOCIÉTÉ PROTECTRICE DES ANIMAUX (n. p.). SPA.

SOCIOLOGIE. Anthropologie, anthropométrie, criminologie, psychiatrie, psychologie, victimologie.

SOCIOLOGUE ALLEMAND (n. p.). Elias, Habermas, Horkheimer, Simmel, Sombart, Tönnies, Weber.

SOCIOLOGUE AMÉRICAIN (n. p.). Addams, Baldwin, Bell, Blau, DuBois, Etzioni, Kinsey, Lasswell, Lazarsfeld, Lewis, Lipset, Merton, Parsons, Sorokin, Veblen.

SOCIOLOGUE ANGLAIS (n. p.). Ruskin.

SOCIOLOGUE BRITANNIQUE (n. p.). Maine, Ruskin.

SOCIOLOGUE CANADIEN (n. p.). Dumont, Goffman, McLuhan.

SOCIOLOGUE FRANÇAIS (n. p.). Aaron, Balandier, Baudrillard, Boudon, Bourdieu, Bouthoul, Crozier, Durkheim, Ellul, Fourastié, Friedmann, Gurvitch, Halbwachs, Le Bon, Lefebvre, Leplay, Mauss, Morin, Naville, Rodinson, Siegfried, Simiand, Sorel, Tarde, Touraine, Villermé.

SOCIOLOGUE ITALIEN (n. p.). Pareto.

SOCLE (n. p.). Anabar, Meseta.

SOCLE. Acrotère, appui, balustrade, base, buste, cartel, continu, couverture, cul-de-lampe, fond, fondation, fondement, gaine, massif, môle, mouluré, pied, piédestal, plinthe, scabellon, soubassement, statif, support, tee, terrasse.

SOCQUE. Babouche, ballerine, bas, botte, bottine, brodequin, chaussure, cothurne, chouclaque, derby, embauchoir, escarpin, espadrille, galoche, godasse, godillot, gougoune, grole, grolle, latte, mocassin, mule, pantoufle, pataugas, patin, pompe, sabot, sandale, savate, soulier, tennis, tige, tong.

SODIUM. Na, sel.

SODOMIE. Accouplement, coït, copulation, dourine, enculage, fornication, liaison, rapports, rut, saillie, sexe.

SŒUR. Âme, béguine, belle-sœur, converse, déesse, demi-sœur, elle, fille, frangine, frère, laie, lait, menette, mère, moniale, muse, nièce, nonne, religieuse, siamoise, sœurette, sororal, sororat, sr, tante, utérine.

SŒUR ANTIGONE (n. p.). Ismène.

SŒUR APOLLON (n. p.). Artémis, Diane.

SŒUR AUGUSTE (n. p.). Marcellus, Octavie.

SŒUR BRITANNICUS (n. p.). Octavie.

SŒUR BRUNEHAUT (n. p.). Galswinthe.

SŒUR CADMOS (n. p.). Europe.

SŒUR CASTOR (n. p.). Hélène.

SŒUR HÉLIOS (n. p.). Séléné.

SŒUR HORACE (n. p.). Camille.

SŒUR NAPOLÉON (n. p.). Caroline, Élisa, Maria-Anna, Pauline.

SŒUR ORESTE (n. p.). Électre.

SŒUR OSIRIS (n. p.). Isis.

SŒUR PHÈDRE (n. p.). Arianne.

SŒUR PROCNÉ (n. p.). Philomène.

SŒUR POLLUX (n. p.). Électre.

SŒUR PYGMALION (n. p.). Didon, Élissa.

SŒUR ORESTE (n. p.). Hélène.

SŒUR RACHEL (n. p.). Léa, Lia.

SŒUR ZEUS (n. p.). Déméter.

SŒURETTE. Femme, frangine, maîtresse, sœur.

SOFA. Canapé, causeuse, divan, estrade, lit, méridienne, ottomane, siège.

SOFFITE. Agrès, ais, arbalétrier, barrot, bau, boulin, bow-string, chevêtre, étai, étambot, hec, jas, lambourde, longeron, madrier, ope, paille, pieu, planche, poutre, poutrelle, sapine, solive, support, tangon.

SOFTWARE. Cd-rom, gestionnaire, hardware, logiciel, ludiciel, programme, règle, tableur.

SOI. Accaparer, ego, individualiste, foncier, inné, in petto, lui, maîtrise, modestie, perso, posséder, sézig, sézigue.

SOI-DISANT. Apparent, censé, faux, présumé, prétendu, prétendument, supposé, tel, untel.

SOIE. Aspe, bombasin, bombyx, bourrette, chantoung, cocon, effiloche, étoffe, faille, fibre, foulard, grège, grès, magnan, marceline, nylon, organsin, ottoman, ouate,

prêle, rayonne, shantung, schappe, serge, sériciculture, sétacé, soierie, tussah, tussau, tussor.

SOIF. Adipsie, altération, ambition, assoiffé, avidité, besoin, boire, convoitise, cupidité, curiosité, désaltérer, désir, dipsomane, dipsomanie, envie, or, passion, rafraîchissant, soiffard.

SOIGNÉ. Chic, clean, coquet, cure, élégant, étudié, léché, fort, mis, pansé, poli, recherché, tenu.

SOIGNER. Bichonner, câliner, chouchouter, choyer, cultiver, dorloter, élever, entretenir, étudier, fignoler, gâter, guérir, lécher, manucurer, occuper, panser, peigner, perler, polir, soucier, tenir, toiletter, traiter.

SOIGNEUR. Ambulancier, brancardier, cornac, infirmier, samaritain, sauveteur, secouriste, urgentiste.

SOIGNEUSEMENT. Consciencieusement, curieusement, méticuleusement, minutieusement, précieusement, scrupuleusement, soigneux.

SOIGNEUX. Appliqué, attentif, consciencieux, diligent, méthodique, méticuleux, minutieux, négligent, ordonné, préoccupé, propre, scrupuleux, sérieux, soucieux, travailleur, vigilant, zélé.

SOI-MÊME. Amour-propre, audolâtrie, avarice, captativité, égocentrisme, égoïsme, égolâtrie, égotisme, indifférence, individualisme, insensibilité, intérêt, introversion, je, moi, narcissisme, nombrilisme, personnel.

SOIN. Application, attention, cure, diligent, exactitude, minutie, scrupule, thérapeutique, traitement, vigilance.

SOIR. Agape, brune, crépuscule, dîner, nuit, matin, rosée, sérénade, soirée, souper, vespéral.

SOIRÉE. Amusement, anniversaire, assemblée, bacchanale, bal, bamboula, boum, brandon, célébration, cérémonie, commémoration, dentelle, féerie, féralies, festin, festivité, fest-noz, fête, foire, gala, galipote, jubilé, kermesse, noce, nouba, orgie, parentalies, raout, rave, réjouissance, rodéo, saturnales, soir, solennité, têt, tournoi.

SOIXANTE-DIX. Septante, septentaine, septentième, septuagénaire, septuagésime, soixante-dixième.

SOJA. Beurre, chevrier, dolic, dolique, ers, fayot, fève, flageolet, germe, haricot, légumineuse, lingot, mange-tout, michelet, mungo, niébé, phaseolus, pois, princesse, ragoût, rata, soissons, soya, tofu.

SOL. Agrégat, arable, aratoire, arbre, aréique, carrelage, dallage, do, fa, éluvion, glèbe, gravelle, gravier, herse, houe, la, latérite, mi, noue, ocre, paléosol, parquet, patrie, pergélisol, pied, pieu, plancher, puits, ré, si, tapis, terre, terrestre.

SOLAIRE. Actinite, cadran, crème, cycle, évection, galarneau, gnomon, marée, mois, rayon, solarium.

SOLANACÉE. Alkékenge, aubergine, belladone, datura, gamopétale, jusquiame, mandragore, morelle, nicotiane, patate, pétunia, physalis, piment, plante, poivron, pomme de terre, solanée, stramoine, tabac, tomate.

SOLANÉE. Alkékenge, aubergine, belladone, datura, jusquiame, mandragore, morelle, nicotiane, patate, pétunia, physalis, piment, plante, poivron, pomme de terre, solanacée, stramoine, tabac, tomate.

SOLARIUM. Bain, balnéation, cuvette, douche, étuve, fangothérapie, finlandais, hammam, hermès, immersion, lavage, maillot, mégis, nu, nymphée, piscine, râbler, salle, sauna, sel, siège, strigile, suée, sueur, tépidarium, thermes, trempette, tub.

SOLDAT. Arbalétrier, archer, argoulet, armée, bersaglier, bidasse, bleu, capitaine, cipaye, colonel, conscrit, combattant, cosaque, cuirassier, dragon, drille, éclaireur, estradiot, fédéré, fusilier, général, GI, guerrier, homme, lancier, légionnaire, mamelouk, mameluk, mercenaire, militaire, officier, papal, piétaille, pionnier, pioupiou, planton, poilu, pompier, ranger, recrue, régulier, reître, réserviste, samouraï, sapeur, sentinelle, sergent, tirailleur, tommy, transfuge, triaire, troufion, uhlan, vélite, vétéran, zouave.

SOLDAT ALLEMAND. SS.

SOLDAT AMÉRICAIN. GI, ranger, sammie, sammy.

SOLDAT ANGLAIS (n. p.). Essex.

SOLDAT COLONIAL. Goumier, marsouin, méhariste, spahi, tabor.

SOLDAT ÉTRANGER. Bachi-bouzouk, cipaye, harki, heiduque, janissaire, mamelouk, mameluk, palikare, pandour, papalin, tommy.

SOLDAT GREC. Evzone, fustanelle, hoplite.

SOLDAT PONTIFICAL. Paladin, suisse, zouave.

SOLDAT ROMAIN. Centurion, décurion, hastaire, prétorien, vélite.

SOLDAT RUSSE. Cosaque.

SOLDE. Aubaine, dette, émolument, paie, paye, prêt, reliquat, reste, résultat, salaire, stipendier.

SOLDER. Acquitter, apurer, balancer, bonifier, brader, braderie, démarquer, différencier, écouler, escompter, liquider, payer, pilonner, purer, régler, résulter, solderie, soldeur, stipendier, vendre.

SOLE. Assolement, céteau, dessoler, goujonnette, meunière, plaque, poisson, semelle, téléostéen.

SOLÉCISME. Barbarisme, estropié, faute, impropriété, incorrection, inexistant, vocabulaire.

SOLEIL (n. p.). Amon, Galarneau, Hélios, Phaéton, Phébus, Râ, Rê, Shamash, Surya.

SOLEIL. Astre, éclipse, cagnard, étoile, hélianthe, helianthus, midi, occident, ouest, solstice, tithonia, tournesol, zénith.

SOLEN. Acéphale, anodonte, bénitier, bivalve, cardite, clam, clavagelle, coque, couteau, cuspidaria, huître, isocarde, lamellibranche, lime, lithodome, lithophage, mollusque, moule, mulette, mye, nucule, pélécypode, tridacne, valve.

SOLENNEL. Acte, auguste, authentique, birbe, carillonné, cérémonie, doctoral, éclatant, emphatique, fastueux, fête, grave, gravité, guindé, harangue, imposant, officiel, magnifique, pédant, pompeux, public.

SOLENNELLEMENT. Apparemment, assurément, certainement, effectivement, franchement, gravement, probablement, réellement, sérieusement, véritablement, vraisemblablement.

SOLENNISER. Amuser, chanter, célébrer, cérémoniser, chômer, commémorer, concélébrer, dire, entonner, fêter, fiancer, honorer, inaugurer, louer, magnifier, marquer, nocer, officier, pavoiser, prêcher, sanctifier, vanter.

SOLENNITÉ. Ampleur, apparat, célébrité, éclat, emphase, exaltation, faste, fête, parade, pompe.

SOLÉNOÏDE. Bobine, broche, cannelle, canette, cops, fuseau, fusette, navette, nilles, rochet, roquetin, rouleau, section.

SOLIDAIRE. Adossé, associé, clavetage, dépendant, engagé, fixe, joint, libre, lié, responsable, uni.

SOLIDARISER. Accoupler, aimer, amitié, chérir, engouer, entendre, enticher, fraterniser, lier, plaire, sympathiser.

SOLIDARITÉ. Accord, aide, camaraderie, entraide, fraternité, gilde, guilde, lien, mutualité.

SOLIDE. Assis, campé, certain, consistant, corps, dense, dépôt, dur, épais, établi, ferme, fiable, fixe, fort, incassable, géométrie, inusable, masse, massif, matière, objet, octaèdre, ossu, positif, réel, résistant, robuste, roc, stable, sûr, tenace.

SOLIDEMENT. Assis, carrément, densément, durement, fermement, fortement, hardiment.

SOLIDIFICATION. Coagulation, concrétion, congélation, durcissement, épaississement, tentation.

SOLIDIFIER. Affermir, armer, cailler, coaguler, concrétiser, condenser, congeler, cristalliser, densifier, durcir, épaissir, figer, fortifier, fossiliser, glacer, prendre, raffermir, raidir, réduire, renforcer.

SOLIDITÉ. Aplomb, assiette, consistance, corps, densité, durée, dureté, empattement, fermeté, fibroïne, force, frêle, netteté, résistance, rigidité, robustesse, stabilité, sûreté, ténacité.

SOLILOQUE. Aparté, discours, monodie, monologue, phraseur, radotage, radoteur, seul, tirade, tunnel.

SOLILOQUER. Aborder, agir, annoncer, babiller, bafouiller, baragouiner, bavarder, bêler, bléser, causer, chuchoter, claironner, crier, dauber, débiter, dénigrer, dire, discourir, disserter, divaguer, évoquer, exposer, exprimer, extravaguer, gueuler, haranguer, hurler, jacter, jargonner, jaser, joual, marmotter, monologuer, nasiller, négociation, parler, patois, péronier, picard, placoter, prononcer, rouchi, sic, susurrer, tarir, tonner, trahir, vociférer.

SOLIN. Arêtier, armature, armure, bâti, ber, cadre, carcasse, charpente, chevêtre, composition, étai, if, lierne, liure, noulet, os, ossature, pan, pilier, poteau, poutre, racinal, ruinure, sablière, sapin, solive, soliveau, squelette, tin, toiture.

SOLIPÈDE. Âne, bardot, cheval, équidé, étalon, glome, grasset, onagre, mulet, sabot, zèbre.

SOLISTE. Aria, artiste, cavatine, chanteur, concertino, étoile, individu, instrumentiste, ménétrier, musicien, oratorio, premier, sans, seul, soliste, solo, sonate, un, violoneux, violoniste, virtuose.

SOLITAIRE. Bijou, diamant, écarté, éloigné, ermite, esseulé, isolé, misanthrope, porc, sanglier, seul, ver.

SOLITUDE. Coin, délaissement, déréliction, désert, éloignement, érémitique, isolement, retraite, thébaïde, vide.

SOLIVE. Arêtier, armature, armure, bâti, ber, cadre, carcasse, charpente, chevêtre, composition, étai, if, lierne, liure, noulet, os, ossature, pan, pilier, poteau, poutre, racinal, ruinure, sablière, sapin, solin, soliveau, squelette, tin, toiture.

SOLIVEAU. Arêtier, armature, armure, bâti, ber, cadre, carcasse, charpente, composition, étai, if, lierne, liure, noue, noulet, os, ossature, pan, pilier, poteau, poutre, racinal, sablière, sapin, solive, squelette, tanguière, tin, toiture.

SOLLICITATION. Appel, demande, démarche, incitation, instance, invitation, prière, requête.

SOLLICITÉ. Adjuré, agité, appelé, désiré, interpellé, interrogé, invoqué, prié, questionné, réclamé, tourmenté, troublé.

SOLLICITER. Animer, appeler, attirer, briguer, cabaler, demander, entraîner, exciter, implorer, importuner, inciter, insister, inciter, mendier, occuper, postuler, prier, provoquer, quémander, quêter, prier, racoler, relancer, tenter, tirailler.

SOLLICITUDE. Affection, attention, bienveillance, égard, intérêt, prévenance, soin, souci.

SOLO. Aria, célibataire, individu, one-man-show, passage, sans, seul, soli, soliste, un, violon.

SOLSTICE. Âge, agnelage, an, canicule, cervaison, cycle, date, défloraison, épiage, époque, ère, essaimage, étape, fenaison, frai, frondaison, fructification, gemmation, période, pondaison, moment, semailles, terme, tonte.

SOLUBLE. Contrôlable, décidable, démontrable, déterminable, possible, résoluble, testable, vérifiable.

SOLUTION. Aérosol, amidon, aqueuse, aqueux, bain, clé, clef, conclusion, dissolution, éventration, fin, formol, formule, halte, hiatus, issue, javel, lacune, lessive, moyen, oléolat, pause, pis-aller, recette, remède, rémission, répit, réponse, résolution, résultat, rupture, saumure, sirop, sol, soluté, terminaison.

SOLUTIONNER. Arbitrer, arrêter, choisir, conclure, contraster, convenir, couper, décapiter, décréter, définir, délibérer, déterminer, détonner, disposer, diviser, émincer, finir, hacher, juger, ordonner, prononcer, régler, répondre, résoudre, rogner, sectionner, séparer, simplifier, statuer, trancher, vider.

SOLVABILITÉ. Appointements, arrhes, assurance, aval, aveu, bravi, bravo, caution, créance, crédit, dénantir, dépôt, endossement, foi, gage, garantie, hypothèse, incessibilité, mortage, nantissement, otage, servante, serviteur, sicaire, warrant.

SOLVANT. Acétone, alcool, anesthésique, antiseptique, bleu, dégraissant, diluant, dissolvant, éluant, esprit de bois, éther, isoprène, liquide, méthyle, méthylène, polaire, radical, solute, thiazine, thionine.

SOMA. Anatomie, cellule, corps, ensemble, germen, mutation, somation, somatique, variation.

SOMALIE, CAPITALE (n. p.). Mogadiscio.

SOMALIE, LANGUE. Somali.

SOMALIE, MONNAIE. Shilling.

SOMALIE, VILLE (n. p.). Baki, Brava, Burco, Daborow, Eyl, Maydh, Mogadiscio, Obbia, Xuddur, Zeila.

SOMBRE. Attristé, brumeux, chagrin, coulé, couvert, foncé, funèbre, funeste, inquiétant, maussade, mélancolique, morne, morose, noir, noirâtre, nuageux, nuit, obscur, ombreux, opaque, orageux, sinistre, taciturne, ténébreux, triste, voilé.

SOMBRER. Abîmer, anéantir, chavirer, couler, enliser, malheur, perdre, périr, renverser, tomber.

SOMMAIRE. Abrégé, analyse, bref, court, esquisse, frugal, note, précis, primitif, raccourci, résumé, simplifié.

SOMMAIREMENT. Abondamment, bref, brièvement, compendieusement, court, densément, elliptiquement, grosso modo, intensément, laconiquement, minutieusement, rapidement, résumé, schématiquement, succinctement.

SOMMATION. Appel, avenir, citation, halte, huissier, interpellation, intimation, ordre, sommer.

SOMME. Alloc, allocation, argent, arrhes, à-valoir, budget, cave, chiffre, compendium, débet, dédit, dépôt, dette, dormir, dû, enchère, enfin, enjeu, ensemble, fonds, intérêt, jeton, magot, mensualité, mise, monnaie, montant, obole, pécule, pension, pot-de-vin, prêt, prime, provision, quantité, rançon, redevance, résultat, revenu, roupillon, scalaire, sieste, sommier, sou, soulte, surestarie, surloyer, total, tout.

SOMME, VILLE (n. p.). Abbéville, Amiens, Ault, Chaulnes, Conty, Doullens, Gamaches, Hallencourt, Ham, Oisemont, Poix, Quend, Roye.

SOMMEIL. Anesthésie, assoupissement, coma, dodo, dormir, hypnose, inaction, léthargie, lourd, méridienne, mort, narcolepsie, narcose, pionce, repos, roupillon, sieste, somme, somnambulisme, somnolence, sopor, stupéfiant, torpeur.

SOMMEILLER. Bouteille, dormir, endormir, pioncer, reposer, roupiller, sieste, somnoler.

SOMMELIER. Caviste, connaisseur, échanson, maître, œnologue, serveur, sommellerie, taste-vin, vin.

SOMMER. Assigner, avertir, citer, commander, contraindre, couronner, décréter, demander, enjoindre, exiger, forcer, imposer, interpeller, intimer, inviter, orner, requérir, signifier, sommation, surmonter.

SOMMET. Acmé, aiguille, alpinisme, apex, apical, apogée, arête, ballon, calotte, cime, crâne, crête, dent, dôme, extrémité, faîte, front, haut, hauteur, houppier, maximum, montagne, niveau, paroxysme, pic, pinacle, pointe, sinciput, tête, top, vertex, zénith.

SOMMET, AFRIQUE CENTRALE (n. p.). Karre, Kayagangiri, Kilimandjaro, Mongos, Tinga.

SOMMET, AFRIQUE DU SUD (n. p.). Aux, Drakensberg, Injasuti, Kathkin, Kop, Sneeuwberg, Stormberg, Table, Witwatersrand.

SOMMET, AFRIQUE DU NORD (n. p.). Atlas.

SOMMET, ALASKA (n. p.). Bear, Bona, Elias, Michalson, Michelson, Redoubt, Sanford, Spurr.

SOMMET, ALBANIE (n. p.). Koritnjk, Pindus, Shala.

SOMMET, ALGÉRIE (n. p.). Ahaggar, Aissa, Atlas, Aures, Chelia, Dahra, Djurjura, Kabylia, Mouydir, Onk, Tahat, Zab.

SOMMET, ALLEMAGNE (n. p.). Alpes, Brocken, Erzgebirge, Feldgerg, Fichtelberg, Forêt Noire, Harz, Ore, Rhoen, Zugspitze.

SOMMET, ALPES (n. p.). Brévent, Cercin, Dru, Eiger, Finsteraarhorn, Jungfrau, Lure, Matterhorn, Meije, Mont-Blanc, Santis, Thabor, Tödi, Viso, Weisshorn, Zugspitze.

SOMMET, ALSACE (n. p.). Vosges.

SOMMET, ANDES (n. p.). Cerro Paranal, Illampu, Illimani

SOMMET, ANDORRE (n. p.). Cataperdis, Estanyo, Pyrénées, Sajama.

SOMMET, ANGLETERRE (n. p.). Black, Cambrian, Cumbrian, Pennine, Snowdon.

SOMMET, ANGOLA (n. p.). Chela, Loviti, Moco.

SOMMET, ANTARTIQUE (n. p.). Markham.

SOMMET, APPALACHES (n. p.). Sandy Stream Mountain.

SOMMET, ARABIE SAOUDITE (n. p.). Razih, Tuwayq.

SOMMET, ARGENTINE (n. p.). Aconcagua, Andes, Chato, Conico, Copahue, Domuyo, Famatina, Insahuasi, Laudo, Longavi, Murallon, Olivares, Payun, Peteroa, Pissis, Potro, Rincon, Toro, Tronador.

SOMMET, ARMÉNIE (n. p.). Aladagh, Ararat, Karabekh, Taurus.

SOMMET, AUSTRALIE (n. p.). Augustus, Bartie, Béal, Bongong, Brockman, Bruce, Cradle, Cuthbert, Doreen, Garnet, Gawler, Gregory, Herbert, Isa, Jusgrave, Kosciusko, Magnet, Morgan, Mulligan, Murchison, Olga, Ord, Ossa, Round, Surprise, Vermon, Wooddroffe, Zeil.

SOMMET, AUTRICHE (n. p.). Alpes, Dolomites, Eisenerz, Kitzbuhel, Rhatikon, Stubai, Tyrol, Tyroliennes.

SOMMET, AZERBAÏDJAN (n. p.). Caucase.

SOMMET, BANGLADESH (n. p.). Chittagong, Keokradong.

SOMMET, BARBADE (n. p.). Chalky, Hiliaby.

SOMMET, BELGIQUE (n. p.). Ardennes, Condroz.

SOMMET, BÉNIN (n. p.). Atakora.

SOMMET, BIRMANIE (n. p.). Arakan, Chin, Dawna, Kachin, Karenni, Lushai, Manipur, Naga, Nattaung, Patkai, Pegu, Peguyoma, Popa, Saramati, Tenasserim, Victoria.

SOMMET, BOLIVIE (n. p.). Ancohuma, Andes, Cordillère, Cusco, Cuzco, Huascane, Illampu, Illimani, Jara, Ollague, Mururata, Potosi, Sajama, Sansimon, Santiago, Sorata, Sunsas, Tocorpuri, Zapaleri.

SOMMET, BORNÉO (n. p.). Iran, Kapuas, Kinabalu, Kinibalu, Muller, Nijaan, Raja, Saran, Schwaner, Tebang.

SOMMET, BOSNIE-HERZÉGOVINE (n. p.). Alpes, Dinaric.

SOMMET, BRÉSIL (n. p.). Acarai, Amambai, Bandeira, Carajas, Geral, Gradaus, Gurupi, Itatiaia, Mar, Neblina, Oragaos, Organ, Pacaraima, Parima, Piaui, Roncador, Roraima, Tombador, Urucum.

SOMMET, BRUNEI (n. p.). Teraja, Tutong, Ulu.

SOMMET, BULGARIE (n. p.). Balkans, Botev, Kom, Musala, Musallah, Pirin, Rila, Sapka, Sredna, Vikhren.

SOMMET, BURKINA-FASO (n. p.). Nakourou, Tema, Tenakourou, Tenekourou.

SOMMET, BURUNDI (n. p.). Nyamisana, Nyarwana.

SOMMET, CAMBODGE (n. p.). Cardamom, Dangrek, Éléphant, Pan.

SOMMET, CAMEROUN (n. p.). Bambuto, Batandji, Cameroun, Kapsiki, Mandara, Mbabo.

SOMMET, CANADA (n. p.). Assiniboine, Caribou, Cascade, Columbia, Hazelton, Jacques-Cartier, Laurentides, Logan, Mackenzie, Nelson, Purcell, Richardson, Rocheuses, Shickshock, Tremblant.

SOMMET, CAP-VERT (n. p.). Cano, Fogo.

SOMMET, CHILI (n. p.). Apiwan, Arenal, Burney, Chado, Chaltel, Cochrane, Conico, Copiapo, Fitzroy, Hudson, Isluga, Jervis, Maca, Maipo, Maipu, Mont la Silla, Paine, Palpana, Poquis, Potro, Pular, Rincon, Toro, Torre, Tronador, Tupungato, Valentin, Velluda, Yanteles, Yogan.

SOMMET, COLOMBIE (n. p.). Abibe, Andes, Ayapel, Baudo, Chamusa, Chita, Cocuy, Cordillère, Cristobal, Huila, Lina, Oriengal, Pasto, Perija, Purace, Sotara, Tolima, Tunahi.

SOMMET, CORÉE (n. p.). Chiri, Diamond, Halla, Kwanmo, Kyebang, Nangnim, Paektu, Sobaek, Taebaek, Wang.

SOMMET, CORSE (n. p.). Cinto, Oro.

SOMMET, COSTA RICA (n. p.). Barba, Blanco, Central, Gongora, Guanacaste, Irazu, Poas, Talamanca, Turrialba.

SOMMET, CRÈTE (n. p.). Dikte, Ida, Juktas, Lasithi, Madaras, Phino, Psiloriti, Théodore, Thriphte.

SOMMET, CROATIE (n. p.). Alpes, Julian, Styrian.

SOMMET, CUBA (n. p.). Camaguey, Copper, Cristal, Maestra, Organos, Trinidad, Turquino.

SOMMET, DANEMARK (n. p.). Bavnehoj, Ejer, Himmebjaerget, Skovhoj, Yding.

SOMMET, DJIBOUTI (n. p.). Gouda.

SOMMET, ÉCOSSE (n. p.). Attow, Cheviot, Grampian, Highlands, Ochil, Sidlaw, Trossachs.

SOMMET, ÉGYPTE (n. p.). Gharib, Katerina, Katherina, Sinai, Uekia.

SOMMET, ÉQUATEUR (n. p.). Andes, Antisana, Cayambe, Chimborazo, Condor, Cotocachi, Cotopaxi, Picchincha, Sangay.

SOMMET, ESPAGNE (n. p.). Albarracin, Alcaraz, Almanzoe, Aneto, Asturies, Banuelo, Cantabrian, Catalan, Cerredo, Cuenca, Demanda, Estats, Europa, Gata, Gredos, Guadarrama, Iberian, Magina, Moncayo, Morena, Mulhacen, Nethou, Nevada, Penalara, Perdido, Pyrénées, Rouch, Teide, Teleno, Toledo, Torrecilla.

SOMMET, ÉTATS-UNIS (n. p.). Aix, Alaska, Antero, Appalaches, Bedford, Brooks, Bross, Cascade, Catskill, Chugach, Davidson, DeLong, Elbert, Endicott, Essex, Evans, Foraker, Grizzly, Harvard, Helena, Hood, Jack, Katahdin, Kenai, Kilauea, Lincoln, Logan, Massive, McKinley, Mesabi, Mitchell, Muir, Olympic, Olympus, Ouachita, Ozark, Pocono, Rainier, Rocky, Russel, Shasta, Spokane, Washington, Whitney, Wilson, Wrangell, Yale.

SOMMET, ÉTHIOPIE (n. p.). Amba, Batu, Choke, Guge, Guna, Rasdashan, Talo.

SOMMET, FINLANDE (n. p.). Haldetsokka, Haltia, Laltiva, Saari, Selka.

SOMMET, FRANCE (n. p.). Alpes, Ardennes, Blanc, Jura, Noir, Or, Pelat, Pyrénées, Saint-Michel, Vosges.

SOMMET, GABON (n. p.). Balaquri, Birougou, Chaillu, Cristal, Iboundji, Mikongo.

SOMMET, GÉORGIE, EUROPE (n. p.). Caucase.

SOMMET, GHANA (n. p.). Afadjato, Akwapim.

SOMMET, GIBRALTAR (n. p.). Misery, Tariq.

SOMMET, GRÈCE (n. p.). Athos, Grammos, Helicon, Hymette, Ida, Idhi, Lthome, Œta, Olympe, Ossa, Pamassus, Parnasse, Peleon, Pélion, Pentélique, Pinde, Rhodope, Smolikas, Targetos.

SOMMET, GUATEMALA (n. p.). Acatenango, Agua, Atitlan, Cuchumatanes, Fuego, Madre, Mico, Pacaya, Tacana, Tajamulco, Tajumuko, Toliman.

SOMMET, HAÏTI (n. p.). Cahos, Lahotte, Laselle, Macaya, Noires, Troudeau.

SOMMET, HAUTES-PYRÉNÉES (n. p.). Balïtous, Midi.

SOMMET, HAWAÏ (n. p.). Kilauéa.

SOMMET, HIMALAYA (n. p.). Annapurna, Cho Oyy, Dhaulagiri, Everest, Gosainthan, Hidden Peak, Kangchenjunga, Lhotse, Makalu, Manaslu, Nanda Devi, Nanga Parbat.

SOMMET, HONDURAS (n. p.). Agalta, Celaque, Cordillère, Esperanza, Pija.

SOMMET, HONG-KONG (n. p.). Castle, Victoria.

SOMMET, HONGRIE (n. p.). Alpes, Bakony, Borzsony, Bukk, Carpates, Cserhat, Gerecse, Kekes, Korishegy, Matra, Mecsek, Tatra, Vetes, Zempleni.

SOMMET, INDE (n. p.). Abu, Aravalli, Broad Peak, Distaghil, Gasherbrum, Himalaya, Kangchenjunga, Karakoram, Masherbrum, Nanda Devi, Rakaposhi.

SOMMET, IRAK (n. p.). Halgurd, Kurdistan, Qaarade, Qalate, Zagros.

SOMMET, IRAN (n. p.). Demavend, Elburz, Zagros.

SOMMET, IRLANDE (n. p.). Benna, Beola, Carrantuohill, Comeragh, Croagh, Errigal, Galty, Moume, Muckish, Patrick, Wicklow.

SOMMET, ISLANDE (n. p.). Askja, Hekla, Hvannadalshnukur, Joku, Katia, Laki, Orafajokul, Suntsey.

SOMMET, ISRAËL (n. p.). Atzmon, Carmel, Harif, Hatira, Meiron, Meron, Nafh, Ramon, Sagi, Tabor.

SOMMET, ITALIE (n. p.). Alpes, Amaro, Apennins, Blanc, Cassin, Cimone, Como, Dolomites, Etna, Maritimes, Ortles, Rosa, Somma, Stromboli, Vésuve, Viso, Vulcano.

SOMMET, JAMAÏQUE (n. p.). Blue.

SOMMET, JAPON (n. p.). Akan, Asahi, Asama, Aso, Asosan, Enasan, Fuji, Fujisan, Fujiyama, Haku, Hakusan, Hiuchi, Hondo, Kiusiu, Kujusan, Tokachi, Uso, Yari, Yariga, Yesso, Zao.

SOMMET, JAVA (n. p.). Amat, Gede, Lawoe, Murjo, Prahu, Raoeng, Semeroe, Semuru, Slamet, Soembing.

SOMMET, JORDANIE (n. p.). Jabal, Jebel, Nébo, Ramm.

SOMMET, JURA (n. p.). Dôle.

SOMMET, KENYA (n. p.). Aberdare, Elgon, Kenya, Kinyaa, Kirinyaga, Kulai, Logonot, Matian, Nyira, Nyiru.

SOMMET, LAOS (n. p.). Atwat, Bia, Copi, Khat, Khoung, Lai, Loi, San, Tiubia.

SOMMET, LESOTHO (n. p.). Central, Drakensberg, Injasuti, Machache, Maloti, Maluti.

SOMMET, LIBAN (n. p.). Liban.

SOMMET, LIBÉRIA (n. p.). Bong, Niete, Nimba, Putu, Uni, Wutivi.

SOMMET, LIBYE (n. p.). Bettle Peak, Green, Tibesti.

SOMMET, LIECHTENSTEIN (n. p.). Alpes, Naafkopf, Rhatikon, Vordergrauspitz.

SOMMET, LITHUANIE (n. p.). Juozapine, Samogitian.

SOMMET, LUNE (n. p.). Alembert, Altaï, Apennins, Caucase, Carpathes, Doerfel, Jura, Leibniz, Pyrénées, Taurus.

SOMMET, LUXEMBOURG (n. p.). Ardennes, Burgplatz, Huldange, Wemperhardt.

SOMMET, MADAGASCAR (n. p.). Ankaratra, Boby, Maromokotro, Tsaratanana, Tsiafajavona.

SOMMET, MALAISIE (n. p.). Binaija, Blumut, Brassey, Bulu, Crocker, Hose, Iban, Iran, Kapuas, Kinabalu, Leuser, Main, Mulu, Murjo, Niapa, Ophir, Raja, Rindjani, Slamet.

SOMMET, MALAWI (n. p.). Livingstone, Mianje, Mulanje.

SOMMET, MALI (n. p.). Iforas, Manding, Mina.

SOMMET, MAROC (n. p.). Abyla, Anti-Atlas, Atlas, Bani, Djebel, Haut-Atlas, Moyen-Atlas, Rif, Sarro, Toubkal, Tidiguin.

SOMMET, MEXIQUE (n. p.). Chiapas, Citlaltepetl, Colima, Ixtacihuati, Orizaba, Paricutin, Popocatepetl, Tacana, Tocula.

SOMMET, MONGOLIE (n. p.). Altaï, Cast, Edrengijn, Ich, Kentei, Khangaï, Khentei, Lablonovyï, Orog, Ovoo, Saïan, Sevrej.

SOMMET, MONTÉNÉGRO (n. p.). Dinariques, Durmitor.

SOMMET, MOZAMBIQUE (n. p.). Binga, Lebombo.

SOMMET, NAMIBIE (n. p.). Brandberg, Khomas, Koakoveld.

SOMMET, NÉPAL (n. p.). Annapurna, Cho-Oyu, Churia, Dhaulagiri, Everest, Gosainthan, Himalaya, Himalchuli, Kanchenjunga, Lhotse, Mahabharat, Makalu, Manaslu, Siwalik.

SOMMET, NICARAGUA (n. p.). Leon, Madera, Managua, Mogoton, Momotombo, Negro, Saslaya, Telica, Viejo.

SOMMET, NIGER (n. p.). Aïr, Bagzane, Greboun.

SOMMET, NORVÈGE (n. p.). Blodfjel, Dovrefjell, Galdhoepig, Galdhopiggen, Glitretind, Harteigen, Jotunheim, Kjolen, Langfjell, Myrdalfjell, Numedal, Ramnanosi, Snohetta, Sogne, Telemark, Ustetind, Vbmesnosi.

SOMMET, NOUVELLE-ZÉLANDE (n. p.). Allen, Aorangi, Aspiring, Cameron, Chope, Coronet, Cook, Eden, Egmont, Ernslaw, Flat, Huiarau, Lyall, Messenger, Mitre, Murchison, Ngauruhoe, Ohope, Otari, Owen, Pihanga, Raukumara, Remarkables, Richmond, Ruahine, Ruapehu, Stokes, Tasman, Tauhera, Tauranga, Tongariro, Tutamee, Tyndall, Young.

SOMMET, OMAN (n. p.). Hafit, Harim, Nakhl, Qara, Tayin, Verte.

SOMMET, OUGANDA (n. p.). Elgon, Oboa, Margherita, Mufumbiro, Ruwenzori, Virunga.

SOMMET, PAKISTAN (n. p.). Broad Peak, Gasherbrum, Himalaya, K2, Karakoram, Kirthar, Makran, Pab, Pub, Salt, Sulaiman.

SOMMET, PALESTINE (n. p.). Nebo.

SOMMET, PANAMA (n. p.). Baru, Chico, Chiriqui, Columan, Cordillère, Darien, Gandi, Maje, Santiago, Tabasara, Veragua.

SOMMET, PÉROU (n. p.). Andes, Cordillère, Coropuna, Huamina, Huascaran.

MONTAGNE, PHILIPPINES (n. p.). Albay, Apo, Askja, Banahao, Canlaon, Hibok, Iba, Mayo, Mayon, Pagsan, Pulog, Taal.

SOMMET, POLOGNE (n. p.). Beschchady, Beskid, Carpates, Pieniny, Rysy, Sudeten, Tatra.

SOMMET, PORTO RICO (n. p.). Cayey, Cordillère, Guilarte, Luquilla, Punta, Toro, Torrecilla, Yunque.

SOMMET, PORTUGAL (n. p.). Acor, Bornes, Caldeirao, Caramulo, Gerez, Lapa, Larouco, Marao, Monchique, Mousa, Peneda.

SOMMET, PYRÉNÉES (n. p.). Balaïtous, Marboté, Midi, Moncalm, Perdu, Posets, Puigmal.

SOMMET, QUÉBEC (n. p.). Adstock, Albert, Appalaches, Assem, Brome, Chics-Chocs, Cônes, Garceau, Gosford, Iberville, Jacques-Cartier, Jacques-Rousseau, Laurentides, Logan, Orford, Otish, Richardson, Royal, Sainte-Anne, Saint-Sauveur, Shefford, Table, Torngat, Tremblant.

SOMMET, RÉPUBLIQUE DOMINICAINE (n. p.). Baoruco, Centrale, Duarte, Gallo, Neiba, Orientale, Septentrionale, Tina.

SOMMET, ROUMANIE (n. p.). Apuseni, Balkans, Banat, Bihor, Caliman, Carpates, Codrul, Fagaras, Moldavian, Moldoveanu, Negoi, Pietrosu, Rodnei, Transylvanie.

SOMMET, RUSSIE (n. p.). Altaï, Anadyr, Belukha, Caucase, Crimée, Dzhughur, Elbrus, Khibiny, Koryak, Lenin, Narodnaïa, Oural, Pamirs, Pobedy, Sayan, Stanovi, Stanovoi, Zhiguli.

SOMMET, RWANDA (n. p.). Karisimbi, Mitumba, Muhavura, Virunga.

SOMMET, SALVADOR (n. p.). Izalco, Santa Ana.

SOMMET, SAMOA (n. p.). Alava, Fito, Matafao, Silisili, Vaea.

SOMMET, SÉNÉGAL (n. p.). Gounou.

SOMMET, SICILE (n. p.). Ætna, Apennins, Atlas, Erei, Erici, Etna, Hybla, Iblei, Ibrei, Moro, Nebrodi, Peloritani, Sori, Stromboli, Vulcano.

SOMMET, SIERRA LEONE (n. p.). Bintimani, Loma.

SOMMET, SIKKIM (n. p.). Darjeeling, Dongkya, Donkhya, Himalaya, Kanchenjunga, Singalili.

SOMMET, SINGAPOUR (n. p.). Mandai, Panjang.

SOMMET, SLOVAQUIE (n. p.). Carpates, Sudètes.

SOMMET, SOMALIE (n. p.). Guban, Surud Ad, Migiurtinia.

SOMMET,, SOUDAN (n. p.). Darfour, Dongotona, Imatong, Kinyeti, Nuba.

SOMMET, SRI LANKA (n. p.). Adams, Pedro, Pidurutalagala.

SOMMET, SUÈDE (n. p.). Ammar, Helags, Kebne, Kebnekaise, Kjolen, Ovniks, Sarjek, Sarv.

SOMMET, SUÈDE (n. p.). Ammar, Helags, Kebne, Kebnekaise, Kjolen, Ovniks, Sarjek, Sarv.

SOMMET, SUISSE (n. p.). Adula, Alpes, Balmhom, Bermina, Beverin, Blanc, Burgenstock, Cenis, Diablerets, Dôle, Dufourspitze, Eiger, Finsteraarhorn, Genis, Grimsel, Jungfrau, Jura, Karpf, Linard, Matterhorn, Pilate, Pizela, Rheinwaldhorn, Righi, Rigi, Rotondo, Rosa, Sentis, Todi, Weisshom, Wetterhorn.

SOMMET, SURINAM (n. p.). Emma, Guyannes, Julianatop, Kayser, Orange, Wilhelmina.

SOMMET, SWAZILAND (n. p.). Drakensberg, Emlembe, Highveld.

SOMMET, SYRIE (n. p.). Alawite, Ansariyyah, Carmel, Hermon, Liban, Nusairiyya.

SOMMET, TADJIKISTAN (n. p.). Zaravchan.

SOMMET, TAIWAN (n. p.). Morrison, Taitung, Tatun, Tzukao.

SOMMET, TANZANIE (n. p.). Kibo, Kilimandjaro, Meru, Ngorongoro, Uhuru, Usambara.

SOMMET, TCHAD (n. p.). Tibesti, Touside.

SOMMET, TCHÉCOSLOVAQUIE (n. p.). Carpates, Gerlach, Gerlachovka, Grant, Krkonose, Ore, Sudeten, Sumava, Tatra.

SOMMET, THAÏLANDE (n. p.). Bilauktaung, Dwana, Inthanon, Khieo, Maelamun, Phanom.

SOMMET, THESSALIE (n. p.). Olympe, Œta, Ossa, Pinde.

SOMMET, TIBET (n. p.). Bandala, Everest, Himalaya, Kailas, Kamet, Karakoram, Kunlun, Sajum.

SOMMET, TOGO (n. p.). Atakora, Baumann, Koronga, Togo.

SOMMET, TUNISIE (n. p.). Atlas, Chambi, Mrhila, Tebessa, Zaghouan.

SOMMET, TURQUIE (n. p.). Ak, Ala, Aladagh, Alai, Ararat, Bingol, Bolgar, Dagh, Erciyas, Hasan, Hinis, Honaz, Kara, Karacali, Murat, Murit, Pontic, Suphan, Taurus.

SOMMET, UKRAINE (n. p.). Carpates, Crimée.

SOMMET, URUGUAY (n. p.). Animas, Cuchilla, Mirado.

SOMMET, VANUATU (n. p.). Lopeti, Tabwemasana.

SOMMET, VENEZUELA (n. p.). Andes, Bolivar, Concha, Cordillère, Cuneva, Duida, Gurupira, Icutu, Imutaca, Masalti, Merida, Pacaraima, Pao, Parima, Pava, Roraima, Sierra, Turimiquire, Yair, Yumari.

SOMMET, VIETNAM (n. p.). Annamese, Badinh, Badink, Cordillère, Fansipan, Knontran, Nindhoa, Ninhhoa, Ngoklinh, Ngoklink, Tchepone, Tclepore.

SOMMET, VOSGES (n. p.). Donon, Hohneck, Marktein, Servance.

SOMMET, YÉMEN (n. p.). Djehaff, Shuayb, Thamir.

SOMMET, YOUGOSLAVIE (n. p.). Alpes, Balkans, Dinaric, Karawanken, Karst, Rhodope.

SOMMET, ZAÏRE (n. p.). Crystal, Margherita, Mitumba, Nyaragongo, Ruwenzori, Virunga.

SOMMET, ZAMBIE (n. p.). Mafinga, Muchinga.

SOMMET, ZIMBABWE (n. p.). Chimanimani, Inyanga, Inyangani, Manica, Matopo, Vumba.

SOMMIER. Abaque, acanthuridé, architrave, caisse, épistyle, hache-viande, hachoir, hansart, linteau, massicot, lit, plateau, poisson, poitrail, rognoir, tailloir, talloir, toby, tranchoir, trilame, ustensile, zancle.

SOMMITÉ. Étoile, figure, grand, mandarin, notable, personnage, sommet, star, tête, vedette.

SOMNAMBULE. Androïde, automate, cyborg, dromomane, fantoche, guignol, gyrovague, machine, marionnette, pantin, robot,

SOMNIFÈRE. Anesthésique, calmant, diacode, endormant, hypnotique, narcotique, œillette, opium, rasant, soporifique.

SOMNOLENCE. Apathie, assouplissement, demi-sommeil, engourdissement, inertie, léthargie, mollesse, torpeur.

SOMNOLENT. Apathique, assoupi, endormi, engourdi, hypnagogique, inerte, reposé, torpeur.

SOMNOLER. Anesthésique, assoupir, cuver, dormir, écraser, narcolepsie, narcose, narcotique, opium, pavot, pioncer, reposer, ronfler, roupiller, sieste, somme, sommeiller, somnifère, soporifique, stupéfiant, traîner, tsé-tsé, vierge.

SOMPTUEUX. Beau, éblouissant, éclatant, fastueux, hôtel, luxueux, magnificence, magnifique, mausolée, opulent, pompeux, princier, riche, royal, royalement, somptueusement, splendide, superbe.

SOMPTUOSITÉ. Apparat, brillé, luxe, magnifique, opulence, pompeux, princier, splendide.

SON. Accent, accord, acoustique, aigu, areu, argentin, borborygme, bis, blé, bran, bren, bruissement, bruit, chant, consonance, couac, décibel, écho, émission, gémissement, glume, grave, grêlé, inflexion, intonation, modulation, mur, musique, note, onde, phonème, râlement, résonance, ronflant, sonnaille, sonnerie, sonorité, tache, ten, tenuto, tessiture, test, timbre, ton, tonalité, tonie.

SONAL. Argument, dire, idée, jingle, leitmotiv, matière, motif, sujet, thème, traduction, visuel.

SONAR. Antiradar, asdic, capteur, dépisteur, détecteur, détection, fumée, hydrophone, intercepteur, palpeur, radar, radarastronomie, radioaltimètre, radôme, récepteur, senseur, son, sous-marin, stéthoscope, voleur.

SONATE (n. p.). Beethoven, Brahms, Haydn, Mozart, Paganini, Schubert, Schumann.

SONATE. Andante, composition, concerto, final, partita, pièce, pont, soliste, sonatine, symphonie.

SONDAGE (n. p.). Crop, Gallup, Ifop, Insee, Ipsos, Léger.

SONDAGE. Aérosondage, contrôle, élection, enquête, examen, forage, pouls, résultat, sondeur.

SONDE (n. p.). Apollo, Cassini, Galileo, Huygens, Lunik, Magellan, Mariner, Near, Pathfinder, Pioneer, Ulysses, Stardust, Surveyor, Venera, Viking, Voyager.

SONDE. ADN, analyse, ballon, bougie, cathéter, cathétérisme, cétacé, détecteur, drain, engin, étude, explore, forage, île, inspection, lance, orbiteur, plongée, profondeur, puits, sondage, tarière, trépan, tube.

SONDER. Analyser, apprécier, approfondir, ausculter, chercher, consulter, creuser, descendre, étudier, examiner, explorer, forer, fouiller, mesurer, palper, percer, plonger, pressentir, questionner, reconnaître, scruter, tâter, tuber, visiter.

SONGE. Cauchemar, chimère, gîte, illusion, onirique, onirisme, oniromancie, rêve, rêverie, vision.

SONGER. Aviser, cogiter, considérer, évoquer, jongler, mesurer, penser, peser, projeter, réfléchir, rêvasser, rêver.

SONGEUR. Absent, absorbé, aviseur, contemplatif, distrait, imaginatif, jongleur, léger, méditatif, occupé, penseur, pensif, préoccupé, rêveur, soucieux, triste, visionnaire.

SONNAILLE. Alarme, anaconda, appel, avertisseur, bélière, campane, carillon, chamade, clarine, cloche, clochette, crotale, cymbale, drelin, glas, grelot, klaxon, serpent, sonnerie, sonnette, timbre, tympanon, vibrateur, vibreur.

SONNANT. Clair, distinct, exact, exactement, juste, liquide, pétant, pile, précis, sonore, tapant.

SONNE. Assomme, carillon, claironne, cloche, réveil, révolu, sonnant, tapant, téléphone, tinte.

SONNÉ. Accablé, assommé, bafoué, battu, boxé, ennuyé, étourdi, groggy, knock-out, K.-O., rossé, roué, tué.

SONNER. Annoncer, appeler, assommer, bourdonner, carillonner, claironner, cogner, copter, corner, déchirer, étourdir, grailler, grelotter, proclamer, réprimander, résonner, retentir, ronfler, taper, tinter, vanter, vibrer.

SONNERIE. Alarme, angélus, appel, ban, bouton, breloque, carillon, chamade, cloche, diane, glas, hallali, quête, poussoir, rappel, rassemblement, réveil, son, sonnette, téléphone, tintement, tocsin.

SONNETTE. Alarme, anaconda, appel, avertisseur, bélière, campane, carillon, chamade, clarine, cloche, clochette, crotale, cymbale, drelin, glas, grelot, klaxon, serpent, sonnaille, sonnerie, timbre, tympanon, vibrateur, vibreur.

SONORE. Bruyant, éclatant, fort, musical, phonétique, retentissant, ronflant, sonnant, top, toux.

SONORISATION. Ambiophonie, arioso, diaphonie, mono, sono, stéréo, stéréophonie, vocalisation, vocalise, voisement.

SONORITÉ. Acoustique, ampleur, cadence, euphonie, harmonie, fidélité, musicalité, nombre, résonance, rythme, stridence.

SOPHISME. Aberration, abus, ânerie, bavure, bévue, blague, bourde, certitude, coquille, correction, écart, égarement, errements, erreur, faute, fourvoiement, gaffe, illusion, loup, maldonne, mécompte, méprise, orthodoxie, oubli, perle, réalité, subtilité, vérité, vice.

SOPHISTE (n. p.). Euthydème, Gorgias, Prodicos, Protagoras, Zoïle.

SOPHISTIQUÉ. Affecté, ampoulé, captieux, erroné, faux, frelaté, paralogique, précieux, raffiné, spécieux.

SOPHISTIQUER. Améliorer, amender, bonifier, chiader, compléter, corriger, cultiver, élaborer, évoluer, fignoler, idéaliser, parachever, parfaire, peaufiner, perfectionner, progresser, retoucher, soigner, travailler.

SOPHROLOGIE. Angoisse, ardu, coincé, défaillance, difficile, dysphonie, embarras, ennui, faiblesse, gêne, honte, incommoder, inconfort, indisposition, laborieux, mal, mal-être, malaise, mésaise, nausée, oppression, pesanteur, spasmophilie, tétanie, vertige.

SOPORIFIQUE. Assommant, barbant, chiant, ennuyeux, morphine, mortel, narcotique, rasoir, sommeil, somnifère.

SOPRANO (n. p.). Alarie, Allison, Amos, Arpin, Arsenault, Baillargeon, Banini-Giroux, Barrette, Bastien, Beauchamp, Beaumier, Bédard, Bélanger, Bellavance, Bellégo, Bernard, Berthiaume, Bilodeau, Blier, Boky, Boucher, Burla, Cadbury, Camirand, Caron, Carrier, Chalfoun, Charbonneau, Cimon, Claude, Côté, Cousineau, Couture, Crépeau, Dansereau, Daviault, D'Éon, De Repentigny, Desmarais, Desrosiers, Dion, Drolet, Duchemin, Dugal, Duguay, Dulude, Dumontier, Dussault, Duval, Edwards, Fabien, Figiel, Findlay, Forget, Fortin, Frenette, Gagné, Gagnier, Gates, Gauthier, Gendron, Gingras, Grenier, Guay, Guérard, Guérin, Hurley, Husaruk, Jolin-Laurencelle, Karam, Katazian, Kinslow, Kutz, Laberge, La Callas, Lachance, Lafontaine, Lalonde, Lambert, Lamoureux, Lapointe, Laterreur, Leboeuf, Lebrun, Legault, Lemay, Lemieux, Le Myre, Lespérance, Lessard, Longpré, Lord, Marchand, Marcotte, Marquette, Martel, Martin, Masella, McGuire, Mercier, Murray, Nadeau, Ohlmann, Pagé, Parent, Paulin, Pelletier, Phaneuf, Picard, Pilon, Plante, Postill, Poulin-Parizeau, Poulyo, Robert, Saint-Denis, Savoie, Séguin, Selkirk, Simard, Sperano, Tiernan, Tremblay, Trudeau, Vachon, Vaillancourt, Vallée-Jalbert, Van Der Hoeven, Verret.

SOPRANO. Cantatrice, chanteuse, cigale, diva, divette, mezzo, opéra, prima donna, rainette, voix.

SORBET. Crème, dessert, entremets, fruit, glace, glacier, granité, kamac, rafraîchissement, sorbetière.

SORBIER. Alisier, alizier, arbre, cirme, cormier, rosacée, sorbe, sorbitol.

SORCELLERIE. Alchimie, cabale, charme, conjuration, diablerie, divination, enchantement, ensorcellement, grimoire, hermétisme, horoscope, incantation, jettatura, magie, maléfice, occultisme, philtre, rite, sort, sortilège.

SORCIER (n. p.). Apulci, Garçon, Grandier, Harry Potter, Jeanne d'Arc, Mandrou, Rais, Voisin.

SORCIER. Adroit, alchimiste, astrologue, augure, cartomancien, charlatan, devin, enchanteur, ensorceleur, envoûteur, féticheur, grimoire, griot, guérisseur, habile, jettatore, loup-garou, mage, magicien, magie, malin, nécromancien, sabbat, thaumaturge.

SORCIÈRE (n. p.). Alcine, Angélique, Armide, Carabosse, Circé, Monvoisin, Voison.

SORCIÈRE. Charmeuse, diseuse, fée, harpie, magicienne, mégère, péri, sirène.

SORDIDE. Abject, bas, cochon, crasseux, glauque, ignoble, impur, ladre, malpropre, misérable, répugnant, sale.

SORGHO. Andropogon, céréale, doura, graminée, houlque, kaoliang, mil, millet, panis, sorgo, sorgum.

SORICIDÉ. Carrelet, insectivore, musaraigne, musette, pachyure, sorex, souris, suncus, toupaye, tupaja.

SORITE. Abrégé, argument, argutie, axiome, conclusion, démonstration, dilemme, enthymème, épichérème, exemple, exposé, induction, logique, matière, objection, prémisse, preuve, prologue, proposition, raison, raisonnement, réserve, rhétorique, sommaire, sophisme, syllogisme, synopsis, thèse.

SORNETTE. Bagatelle, baliverne, bêtise, chanson, chimère, fadaise, faribole, foutaise, frivolité, sottise.

SORT. Aléa, avatar, chance, charme, destin, destinée, effet, enchantement, ensorcellement, état, fatal, fatum, hasard, infortune, lot, loterie, magie, malédiction, maléfice, partage, sortir, tirage, urne.

SORTABLE. Acceptable, bien élevé, convenable, correct, décent, montrable, potable, présentable.

SORTE. Acabit, caractère, caste, catégorie, clan, classe, classification, condition, division, espèce, état, façon, famille, forme, genre, groupe, manière, nature, ordre, race, rang, sortir, sous-classe, trempe, type, variété.

SORTI. Débarqué, dépris, éclos, édité, émise, émoulu, éviscération, indemne, issu, jailli, lancé, miraculé, naufragé, né, rescapé, survivant, vivace, vivant.

SORTIE. Algarade, attaque, balade, bringue, césarienne, colère, congé, débouché, débucher, dégagement, départ, éclat, éclore, émergence, émoulue, équipée, éruption, évasion, éviscération, exit, exode, hernie, issue, orée, originaire, née, porte, promenade, sortir, tour.

SORTILÈGE. Bénéfice, charme, envoûtement, évocation, magie, maléfice, miracle, quimbois, sort.

SORTIR. Absenter, amen, débarquer, débusquer, décamper, éclore, émané, émerger, émis, émoulu, éveiller, exsuder, forlancer, gagner, issu, jaillir, lever, naître, né, partir, paru, pousser, rescaper, saillir, sortie, sourd, sourdre, suinter, transplanter, vider, zou.

SOS. Alarme, alerte, annonce, appel, avertissement, bip, carré, chamade, code, couvre-feu, danger, feux, fusée, geste, gong, hue, indice, mire, sémaphore, sifflet, signal, signe, sirène, stop, top.

SOSIE. Clone, copie, double, identique, jumeau, menechme, pendant, réplique, semblable.

SOT (n. p.). Lustucru, Pagliaccio, Paillasse.

SOT. Absurde, andouille, âne, béjaune, benêt, bêta, bête, borné, buse, con, crétin, dadais, dinde, étourdi, fada, fat, grue, idiot, ignorance, imbécile, inepte, infatué, naïf, nase, navet, neuneu, niais, niaiseux, nigaud, nono, nunuche, oie, poire, ridicule, simple, stupide, valeur.

SOTCH. Auge, bac, baille, baquet, bassin, bassine, bassinet, bassinette, bidet, cuvette, dépression, doline, évier, lavabo, lunette, nô, plomb, sapine, seillon, tub, urinoir, vasque, vavette, verrière, vidoir.

SOTTE. Autruche, bécasse, bécassine, bêtasse, buse, dinde, femme, folle, grue, niaiseuse, oie.

SOTTEMENT. Absurdement, bêtement, débilement, follement, idiotement, imbécilement, naïvement, stupidement.

SOTTIE. Acteur, calamité, catastrophe, chorédrame, cinéma, comédie, farce, film, fléau, drame, malheur, mélo, mélodrame, nô, œuvre, opéra, oratorio, pièce, plat, sotie, tragédie.

SOTTISE. Absurdité, ânerie, baliverne, balourdise, bêtise, bévue, billevesée, boulette, brioche, connerie, crétinerie, fadaise, faute, ganacherie, ignorance, ineptie, injure, insanité, maladresse, niaiserie, nigauderie, sornette, stupidité.

SOTTISIER. Bêtisier, déconophone, dictionnaire, perles, platitudes, recueil, sottises.

SOU. Argent, atome, brin, bronze, cent, centime, cuivre. grain, gramme, kopeck, liard, machine à sous, noir, ombre, once, pièce, pognon, radis, rond, rotin, sans-le-sou, sol, thune, tirelire, tune.

SOUBASSEMENT. Assise, base, cave, étambrai, fond, fondation, fondement, podium, socle, sous-sol, stéréobate, tambour.

SOUBRESAUT. Agitation, cahot, convulsion, frisson, mouvement, saccade, saut, secousse, spasme, sursaut.

SOUBRETTE. Camériste, comédie, confidente, demoiselle, femme de chambre, lisette, servante, suivante.

SOUCHE. Agnat, arbre, aristocrate, bête, branche, cep, chicot, clonage, clone, descendance, estoc, famille, gens, lignée, mot, né, noble, origine, race, racine, rejet, source, talon, ticket, tige, titré, tribu, tronc.

SOUCHET. Canard, chevalière, cypéracée, cypérus, jonc, laiche, milouin, oiseau, plante, scirpe.

SOUCHETTE. Agaric, barbe de vache, basidiomycède, bosselé, cantharellale, champignon, chanterelle, clavaire, corail, cordinaire, girolle, hérisson, hydne, inocybe, pied-de-mouton, polypore, urédinale.

SOU-CHONG. Souchon, thé, thé noir.

SOUCI. Agitation, alarme, angoisse, anxiété, appréhension, aria, bile, calendula, chagrin, crainte, crin, cure, désagrément, emmerde, emmerdement, émoi, ennui, incertitude, inquiétude, peine, pensée, perplexité, préoccupation, soin, tintouin, tracas.

SOUCIER. Embarrasser, inquiéter, intéresser, occuper, préoccuper, rembrunir, songer, tourmenter.

SOUCIEUX. Absorbé, agité, alarmé, altruiste, angoissé, anxieux, attentif, contrarié, craintif, indifférent, inquiet, insouciant, obsédé, pensif, préoccupé, puriste, sombre, soucieusement, tourmenté, tracassé.

SOUCOUPE. Assiette, déjeûner, ovni, patène, sébile, sous-tasse, tasse, volante.

SOUDAGE. Adhérence, alliage, autogène, brasage, corrpyage, écollage, ignitron, soudure, suture, synostose.

SOUDAIN. Agression, apoplexie, aussitôt, brusque, brutal, coup, crac, éclat, explosion, fortuit, foudroyant, fulgurant, immédiat, immédiatement, imprévu, inattendu, inopiné, instantané, irruption, prompt, rapide, subit.

SOUDAINEMENT. Abruptement, agressivement, brusquement, brutalement, carrément, crûment, directement, droit, durement, fermement, franc, inopinément, net, nettement, raide, rudement, subitement, violemment.

SOUDAINETÉ. Brusquerie, brutalité, colère, crac, dureté, hostilité, impatience, précocité, raideur, rapidité, rudesse, rudoiement, sécheresse.

SOUDAN, CAPITALE (n. p.). Khartoum.

SOUDAN, LANGUE. Arabe.

SOUDAN, MONNAIE. Dinar.

SOUDAN, VILLE (n. p.). Bor, Dongola, Fachoda, Haiya, Juba, Kassala, Khartoum, Malakal, Nasir, Omdourman, Singa, Tambura, Tokar, Wau, Yei.

SOUDARD. Brutal, drille, goujat, grossier, mercenaire, plumet, reître, sabreur, soldat, spadassin.

SOUDÉ. Accroché, aciéré, adné, adhéré, affermi, aggluriné, attaché, collé, démissionné, détaché, encollé, enraciné, fixé, fusionné, gamopétale, gommé, joint, lié, rejeté, retenu, réuni, scotché, serré, tenu.

SOUDER. Aciérer, adhérer, assembler, braser, coller, corroyer, emboîter, greffer, joindre, lier, ressouder, réunir, river, unir.

SOUDOYER. Acheter, arroser, corrompre, graisser, payer, stipendier, suborner.

SOUDURE. Adhérence, assemblage, brasage, brasure, ignitron, soudage, suture, synostose.

SOUE. Abri, bauge, bercail, bergerie, bouverie, cochon, écurie, étable, porc, porcherie, tect.

SOUFFERT. Abhorré, abominé, affreux, craint, détesté, épouvantable, eu, exécrable, haï, haïssable, horripilé, ressenti, pâti, senti.

SOUFFLANT. Bombe, captivant, émouvant, envoûtant, frappant, hallucinant, impressionnant, influant, inouï, irrésistible, pénétrant, percutant, persuasif, poignant, saisissant, séduisant, sidérant, stupéfiant, surprenant.

SOUFFLE. Ahan, air, âme, bombé, bouclé, bouffée, bouffi, boursouflé, bruit, chergui, courant, effluve, essouffler, éteint, étésien, exhalation, fêlé, haleine, halètement, inspiration, insuffler, râle, respiration, sirocco, soupir, vent, vie.

SOUFFLER. Ahaner, ahurir, alchimie, aspirer, chasser, déplacer, détruire, dire, ébrouer, essouffler, éteindre, étonner, exhaler, expirer, expulser, glisser, haleter, inspirer, mémoire, pulser, reposer, respirer, venter.

SOUFFLERIE. Aération, air, climatisation, climatiseur, conditionnement, échangeur, évacuation, forge, orgue, répartition, réprimande, souffle, soufflet, tunnel, venteau, ventilateur, ventilation.

SOUFFLET. Accordéon, affront, baffe, beigne, beignet, calotte, claque, couloir, coup, emplâtre, gifle, giroflée, mandale, mornifle, mouchette, outrage, pain, pièce, talmouse, taloche, tape, tarte, torgnole.

SOUFFLETER. Battre, calotter, claquer, confirmer, gifler, injurier, moucher, talocher, taper.

SOUFFLEUR. Acteur, alchimiste, cachalot, cétacé, col bleu, continuateur, dauphin, mégaptère, ouvrier, théâtre.

SOUFFRANCE. Arrêté, blessure, chagrin, crise, cruel, dam, déchirement, douleur, élancement, enfer, ennui, expiation, fièvre, jour, mal, maladie, malaise, martyre, misère, peine, pitié, rage, regret, rude, suspendu, tracas.

SOUFFRANT. Dolent, égrotant, endolori, faible, fatigué, foutu, incommodé, indisposé, malade, maladif.

SOUFFRE-DOULEUR. Bouc émissaire, déshérité, exclu, mal-aimé, martyr, tête de turc, victime.

SOUFFRETEUX. Avorton, cassant, chétif, débile, déficient, étiolé, faible, fluet, fort, fragile, frêle, freluquet, gringalet, maigre, maladif, malingre, mauviette, microbe, misérable, pauvre, rabougri, rachitique, vermisseau.

SOUFFRIR. Admettre, douleur, endurer, éprouver, essuyer, gémir, languir, mal, pâtir, peiner, subir, supplice, supporter.

SOUFRE. S.

SOUHAIT. À gogo, ambition, appétit, aspiration, attente, compliment, demande, desiderata, désir, envie, espérance, espoir, gogo, gré, imprécation, optatif, réciproque, rêve, vœu, volonté.

SOUHAITER. Aspirer, attendre, briguer, convoiter, demander, desiderata, désirer, donner, espérer, rêver, seoir, vouloir.

SOUILLER. Baver, cochonner, corrompre, couvrir, ensanglanter, entacher, laver, salir, tacher, tarer, teinter, ternir.

SOUILLON. Cochon, crasseux, dégoûtant, grossier, malpropre.

SOUILLURE. Bave, bavure, cochonnerie, crasse, crotte, éjaculation, immaculé, immondice, impureté, intact, maculature, net, ordure, pâté, péché, pollution, pur, saleté, sali, salissure, tache, vomi.

SOUK. Attirail, barda, bastringue, bazar, boutique, bric-à-brac, capharnaüm, désordre, fourbi, magasin, marché.

SOUL. Gospel, jazz, musique, noir, rhythm and blues, soul music.

SOÛL. Assouvi, beurré, biberon, boire, bourré, content, gris, ivre, paf, rassasié, repu, rond, saoul, soûlon, soûlot.

SOULAGEMENT. Adoucissement, apaisement, consolation, délivrance, Dieu merci, ouf, réconfort, soupir.

SOULAGER. Adoucir, aider, alléger, apaiser, calmer, consoler, débarrasser, décharger, délester, délivrer, diminuer, guérir, ôter, panser, réconforter, remède, remédier, satisfaire, secourir, soigner, uriner.

SOULANE. Adret, dret, endroit, ubac, versant.

SOÛLARD. AA, alcoolique, alcoolo, buveur, débauché, ivrogne, picoleur, pochard, poivrot, soiffard, soûlon.

SOÛLÉ. Amant, bituré, éméché, enivré, enthousiasmé, étourdi, euphorisé, exalté, gavé, gris, grisé, ivre, passionné, saoul, saoulé, saturé, soûl.

SOÛLER. Abrutir, assommer, beurrer, enivrer, étourdir, fatiguer, gaver, poivrer, rassasier, repaître.

SOÛLERIE. Arsouillement, avinement, bacchanale, bacchante, bachique, bambochade, beuverie, biture, bitture, cuite, débauche, fête, ivresse, libation, noce, orgie.

SOULÈVEMENT (n. p.). Intifada, Jacquerie, Praguerie.

SOULÈVEMENT. Affleurement, agitation, bulle, écaillage, émeute, excitation, exhaussement, insurrection, intifada, levage, levée, putsch, redressement, répulsion, révolte, révolution, saut, sédition, surrection.

SOULEVER. Agiter, ameuter, attrouper, bouger, déchaîner, déclencher, dérober, élever, enlever, exciter, hausser, hisser, lever, louver, monter, porter, raisonner, redresser, relever, révolter, susciter, voler.

SOULIER. Astic, chausson, chaussure, clou, escarpin, godasse, godillot, lacet, richelieu, savate, semelle, talon, tatane.

SOULIGNE. Balise, borne, coche, curseur, distinction, égard, empreinte, estampille, filigrane, flèche, gage, gnon, jalon, label, marque, modèle, obel, obèle, pli, pliure, point, preuve, repère, salut, sceau, score, signe, stigmate, strie, style, suçon, tache, témoignage, titre, trace, trait, vestige.

SOULIGNER. Accentuer, écrire, insister, marquer, noter, rehausser, relever, scander, soulignement.

SOÛLOGRAPHIE. Absinthisme, alcoologie, alcoolisme, delirium tremens, éthylisme, intempérance, ivresse, ivrognerie, œnologisme.

SOUMETTRE. Asservir, assujettir, astreindre, brimer, céder, conquérir, contrôle, déposer, enchaîner, faisander, filtrer, fixer, grever, harceler, hiérarchiser, laminoir, livrer, maîtriser, méditer, obéir, offrir, opérer, plier, proposer, réduire, réglementer, subir, taxer, tester, torturer, varier, visser.

SOUMIS. Assujetti, astreint, brimé, conquis, déférent, dépendre, discipliné, docile, esclave, grevé, humble, imposable, imposé, malléable, maniable, obéissant, rampant, réglé, résigné, ségrégé, servile, souple, sujet, testé, usiné.

SOUMISSION. Adjudication, allégeance, aman, capitulation, devis, docilité, esclavage, humilité, inférieur, obédience, obéissance, offre, ordre, reddition, réduction, résignation, servilité, servitude, souplesse, sujétion.

SOUPAPE. Clapet, dérivatif, électrovalve, exutoire, laie, papillon, reniflard, valve, venteau.

SOUPÇON. Apparence, conjecture, crainte, défiance, doute, gourance, gramme, idée, jalousie, larme, méfiance, monition, nuage, ombre, once, opinion, peu, pointe, préjugé, pressentiment, relent, scepticisme, suspicion.

SOUPÇONNER. Craindre, douter, entrevoir, flairer, méfier, pressentir, présumer, redouter, subodorer, suspecter.

SOUPÇONNEUX. Craintif, défiant, inquiet, jaloux, méfiant, ombrageux, susceptible, suspicieux.

SOUPE. Bouillabaisse, bouillon, chabrol, chabrot, chaudrée, chorba, consommé, cotriade, crème, garbure, gombo, gourgane, gratinée, irascible, lavasse, minestrone, mouise, neige, panade, pistou, populaire, potage, repas, soupière, tourin.

SOUPER. Agape, banquet, bombance, buffet, casse-croûte, cène, collation, déjeuner, dîner, dînette, en-cas, festin, frichti, frugal, gala, gastronomie, gourmandise, goûter, gueuleton, lippée, lunch, médianoche, menu, orgie, pique-nique, popote, réfection, régal, repas, reste, réveillon, ripaille, soupe, tétée, thé.

SOUPESER. Apprécier, calculer, compter, considérer, estimer, évaluer, juger, lever, nombrer, peser, soulever, soutenir.

SOUPIR. Bourdonnement, bruissement, chuchotement, chucotis, complainte, exhalaison, expiration, gazouillis, geignement, gémissement, grognement, insatisfaction, mourir, murmure, plainte, respiration, sanglot, signe, silence, souffle, susurre.

SOUPIRAIL. Abat-jour, ajour, baie, cantonnière, châssis, croisée, espagnolette, fenêtre, hublot, jalousie, lucarne, lunette, oculus, œil-de-bœuf, oreille, oriel, tabatière, vanterne, vasistas, volet.

SOUPIRANT. Amant, amoureux, aspirant, candidat, cour, courtisan, fiancé, postulant, poursuivant, prétendant, promis.

SOUPIRER. Absorber, aimer, ambitionner, asphyxier, aspirer, attirer, briguer, convoiter, désirer, fumer, happer, humer, idéaliser, inhaler, inspirer, noyer, pomper, prétendre, priser, renâcler, renifler, respirer, souhaiter, sucer, téter, viser, vouloir.

SOUPLE. Adaptable, agile, aisé, décontracté, dégagé, délié, docile, ductile, élastique, facile, félin, flexible, flou, gracieux, lâche, laine, léger, leste, liant, malléable, maniable, mou, pliable, pliant, riant, soumis.

SOUPLESSE. Agilité, aisance, complaisance, diplomatie, docilité, élasticité, facilité, flexibilité, kiné, kinésithérapie, légèreté, liant, malléabilité, maniabilité, plasticité, rouillé, rubato, sveltesse.

SOUQUENILLES. Bleu, blouse, caban, casaque, cotte, guenilles, haillon, par-dessus, sarrau, surtout, tablier.

SOUQUER. Amurer, ankyloser, avironner, bander, border, contracter, crisper, durcir, embraquer, empeser, engourdir, étarquer, fixer, guinder, hérisser, raidir, résister, rider, roidir, souque-à-la-corde, tendre, tirer.

SOURCE. Cause, commencement, coupe, débit, début, départ, eau, école, ferment, filon, fontaine, foyer, germe, geyser, griffon, jaillissement, laser, mère, naissance, occasion, origine, pépinière, pérenne, point, poule, puits, racine, résurgence, veine, vent.

SOURCIER. Baguettisant, enchantement, fontainier, hydroscope, palomancien, radiesthésiste, rhabdomancien.

SOURCIL. Arcade, cil, froncement, front, glabelle, khôl, kohol, saillie, sourcilier, taroupe, tique.

SOURCILLEUX. Appliqué, attentif, chicaneur, consciencieux, exigeant, maniaque, méticuleux, minutieux, pinailleur, pointilleux, rigoureux, scrupuleux, soigneux, susceptible, tatillon, vétillard, vétilleux.

SOURD. Amorti, assourdi, caché, caverneux, creux, doux, enroué, étouffé, grondement, han, jaillis, mat, menée, mou, ouïe, pouf, roche, secret, sépulcral, silence, sortir, sourdingue, surdité, voilé.

SOURDEMENT. Anonymement, catimini, clandestinement, confidentiellement, dérobée, discrètement, doucement, étouffé, furtivement, incognito, maronner, secrètement, sourdine, subrepticement, tapinois.

SOURDRE. Apparaître, bouillonner, couler, échapper, éclore, filtrer, jaillir, naître, répandre, sortir, suinter.

SOURIANT. Béat, enjoué, favorable, gai, guilleret, jovial, joyeux, mutin, réjoui, riant, rieur.

SOURICIÈRE. Aléa, casse-cou, casse-gueule, danger, détresse, difficulté, dragon, écueil, embûche, épouvantail, guêpier, hasard, impasse, imprudence, insécurité, menace, monstre, perdition, péril, piège, poudrière, récif, risque, spectre, tarasque, traquenard, traverse, urgence.

SOURIRE. Béat, convenir, dérider, enchanter, expression, favoriser, plaire, plaisir, rictus, rire, risette.

SOURIS (n. p.). Mickey, Mighty, Minnie.

SOURIS. Chauve-souris, chicoter, clic, couleur, femme, gent, gigot, gris, hibou, mammifère, mouton, muridé, musaraigne, nana, ordinateur, oreille, piège, rat, rongeur, souriceau, souricier, souricière, tapette.

SOURNOIS. Affecté, chafouin, dissimulé, doucereux, faux, fouine, fourbe, insidieux, malin, perfide, rusé, traître.

SOUS. Avare, cale, dessous, hypogé, immergé, inférieur, soutien, sub, subaquatique, temps.

SOUS-ARBRISSEAU. Airelle, bleuet, bruyère, framboisier, hélianthème, lavande, myrtillet, plante, ratanhia.

SOUSCRIPTEUR. Affectateur, altruiste, apporteur, bienfaiteur, bon, charitable, compatissant, désintéressé, donateur, fournisseur, généreux, humain, humanitaire, mécène, miséricordieux, protecteur, testateur.

SOUSCRIRE. Abonner, accéder, acheter, adhérer, approuver, consentir, contribuer, cotiser, engager, fournir, oc, oïl, or, oui, participer, payer, signer, souscripteur, souscription, verser.

SOUS-ENTENDU. Allégorie, allusif, allusion, comparaison, comprendre, dire, ellipse, évocation, implicite, inexprimé, insinuation, pique, prétexte, réserve, restriction, tacite.

SOUS-ESTIMER. Déprécier, dépriser, inférioriser, méconnaître, mésestimer, minimiser, minorer, rabaisser, sous-évaluer.

SOUS-FIFRE. Bas, employé, inférieur, lampiste, sans-grade, secondaire, souffre-douleur, subalterne.

SOUS PEU. Autre, avant-coureur, bientôt, immédiat, imminence, incessamment, près, prochainement, proche, rapproché.

SOUS-PRODUIT. Ablation, arrachage, arrachement, avultion, déracinement, enfleurage, enlevé, énucléation, étoupe, évulsion, exérèse, extirpation, extraction, fonte, lixiviation, métallurgie, naissance, origine, tiré.

SOUS-PROGRAMME. Algorithme, didacticiel, donnée, encodage, instruction, programme, routine.

SOUSTRACTION. Âge, déduction, détournement, diminution, enlever, esquiver, moins, ôter, retranchement, vol.

SOUSTRAIRE. Affranchir, cacher, capter, chiper, décompter, déduire, dérober, détourner, dissimuler, échapper, éluder, enlever, esquiver, évader, éviter, fuir, libérer, ôter, rabattre, receler, subtiliser, voler.

SOUS-VERRE. Encadrement, longe, nappe, napperon, pêle-mêle, plaque, serviette, set, tableau.

SOUS-VÊTEMENT. Body, bonnetier, boxer, brassière, bustier, caleçon, camisole, caraco, combiné, corset, culotte, dessous, gaine, gilet, justaucorps, linge de corp, lingerie, pantalon, parure, slip, string.

SOUTANE. Alezan, arzel, aube, aubère, bai, bringé, cafetan, caftan, chiton, costume, djellaba, épitoge, escoc, fourreau, froc, gandoura, gogot, haik, jupe, lamée, mini, peau, peignoir, péplum, poil, rabat, robe, rochet, sari, simarre, surplis, toge, toilette, traîne, troussis, tunique, vêtement, zain.

SOUTANELLE. Carrick, habit, lévite, manteau, redingote, soutane.

SOUTE. Agrégat, ballast, ballastière, cale, compartiment, gravier, gravillon, lestage, litière, remblai, réservoir, sous-marin.

SOUTENABLE. Acceptable, défendable, endurable, justifiable, plausible, supportable, tenable, vivable.

SOUTENANCE. Affirmation, argument, doctorant, idée, opinion, système, théorie, thésard, thèse.

SOUTÈNEMENT. Appui, assiette, assise, base, boisage, cadrage, cadre, constitution, contrefort, création, dame, épaulement, fondation, enfoncement, établissement, fondement, formation, soutien.

SOUTENEUR. Barbeau, défendeur, estafier, jules, mac, maquereau, marlou, mec, mécène, pim, proxénète.

SOUTENIR. Adosser, affirmer, aider, approuver, appuyer, assurer, consolider, contredire, écrire, élever, épauler, étançonner, étayer, maintenir, parier, parrainer, porter, prétendre, ramer, rentoiler, résister, secourir, subir, supporter, tenir, tenuto, voler.

SOUTENU. Accepté, aidé, appuyé, assidu, consécutif, constant, continu, couleur, défendu, épaulé, obstiné, opiniâtre, persistant, plausible, prétendre, protégé, ptôse, relâché, style, thèse, tuteuré.

SOUTERRAIN. Antre, bulbe, câble, caché, catacombe, cave, caveau, caverne, crypte, drain, égout, excavation, galerie, grotte, in pace, mine, nappe, obscur, prison, secret, sombre, taupe, té, tige, tunnel, voûte.

SOUTIEN. Accore, adossement, aide, allégeance, appui, armature, base, ber, carcasse, ceinture, charpente, colonne, défense, entretoise, étai, mât, mécénat, mécène, os, patronage, pied, pieu, pilier, pivot, réconfort, sous, support, tin, tréteau, tuteur.

SOUTIEN-GORGE. Balconnet, bonnet, brassière, bustier, dessous, lingerie, pigeonnant, pigeonnier.

SOUTIER. Batelier, calier, coquerie, gabier, hamac, ingrat, lamaneur, lascar, loup, marin, marinier, marsouin, mataf, matelot, mathurin, moussaillon, mousse, navire, pilotin, subalterne, timonier, vaisseau, vigie.

SOUTIRER. Arracher, avoir, carotter, clarifier, déduire, dérober, détourner, élier, enlever, escamoter, escroquer, esquiver, estamper, extorquer, filouter, obtenir, ôter, prendre, receler, retrancher, taxer, tirer, transvaser, vider.

SOUTRA. Adage, aphorisme, apophtegme, commandement, conseil, coutume, dogme, forme, formule, leçon, loi, maxime, mise, morale, norme, ordre, pratique, précepte, principe, recueil, règle, règlement, rite, rituel, sentence, sutra.

SOUVENIR. Cadeau, commémoration, évocation, idée, mémoire, pensée, rappeler, réminiscence, ressentiment, souvenance.

SOUVENT. Beaucoup, courant, fréquemment, fréquent, fréquenter, habituel, maintes, toussoter.

SOUVERAIN. Absolu, autorité, bey, chah, chef, dalaï-lama, despote, duc, dynaste, empereur, indépendant, ior, khan, maître, monarque, monnaie, négus, pape, pharaon, potentat, pouvoir, prince, régent, reine, roi, shah, sultan, suprême, suzerain, tétrarque, tsar, tyran.

SOUVERAIN, AFRIQUE (n. p.). Geiseric, Genséric.

SOUVERAIN ANGLO-SAXON (n. p.). Édouard.

SOUVERAIN, ARABIE (n. p.). Abbad, Abbadide, Himyarite.

SOUVERAIN, ASIE MINEURE (n. p.). Eumène, Eumenês, Nicomède.

SOUVERAIN, ASSYRIE (n. p.). Sardanapale.

SOUVERAIN AZTÈQUE (n. p.). Axayacati, Cuauhtémoc.

SOUVERAIN, BAVIÈRE (n. p.). Maximilien.

SOUVERAIN, BENGALE (n. p.). Pala.

SOUVERAIN BRITANNIQUE (n. p.). Galles.

SOUVERAIN, CHINE (n. p.). Hia, Wei, Yia.

SOUVERAIN, DANEMARK (n. p.). Christian.

SOUVERAIN, ÉGYPTE (n. p.). Djoser, Séthi, Séti.

SOUVERAIN, ÉTHIOPIE (n. p.). Négus.

SOUVERAIN, INCA (n. p.). Atahualpa.

SOUVERAIN, INDE (n. p.). Açora, Ashoka, Candragupta, Maurya.

SOUVERAIN ISRAËL (n. p.). Jéroboam, Omri.

SOUVERAIN, MACÉDOINE (n. p.). Ptolémée.

SOUVERAIN, MAROC (n. p.). Hasan, Hassan.

SOUVERAIN MONGOL (n. p.). Hulagu, Ogoday.

SOUVERAIN NORVÈGE (n. p.). Harald.

SOUVERAIN, POLOGNE (n. p.). Mieszko, Miegxyslaw.

SOUVERAIN SCANDINAVE (n. p.). Knud, Knut.

SOUVERAIN, SOUDAN (n. p.). Ahmadou.

SOUVERAIN, TIBET. Dalaï-lama.

SOUVERAIN, TURQUIE (n. p.). Babur.

SOUVERAINETÉ. Apadana, autorité, couronne, dictature, dynastie, empire, hégémonie, monarchie, oppression, pouvoir, puissance, régalien, régner, royauté, sceptre, siège, succession, suprématie, trône, tyrannie.

SOYA. Beurre, chevrier, dolic, dolique, ers, fayot, fève, flageolet, germe, haricot, légumineuse, lingot, mange-tout, michelet, mungo, niébé, phaseolus, pois, princesse, ragoût, rata, soissons, soja, tofu.

SOYEUX. Agneline, agréable, angora, brillant, bysse, byssus, cocon, coton, doux, duveteux, fin, foin, industriel, lisse, moelleux, négociant, satiné, soie, velouté, velouteux.

SPACIEUX. Aéré, ample, considérable, énorme, étendu, étroit, fourgonnette, gigantesque, grand, gros, haut, immense, important, imposant, large, logeable, long, monumental, petit, resserré, vaste.

SPADASSIN. Assassin, bravo, bretteur, chasseur, duelliste, égorgeur, estafier, étrangleur, garde, meurtrier, sbire, tueur.

SPARADRAP. Adhésif, antiphlogistique, baîllon, cataplasme, compresse, diachylon, diachylum, emplâtre, magdaléon, mouche, pansement, résolutif, résolutoire, révulsif, sinapisme, toile, topique, vésicatoire.

SPARIDÉ. Daurade, daurade rose, dorade, pagel, pagelle, pagre, poisson, rousseau, sar.

SPART. Alfa, alfatier, coir, cordage, corde, couffin, crin, doum, espadrille, genêt, genêt d'Espagne, graminée, grecque, magistrat, natte, herbe, papilionacée, panier, papier, sparte, spartéine, sparterie, stipa, tapis.

SPARTIATE. Ascétique, austère, hilote, ilote, lacédémonien, rigide, rigoureux, sandale, sévère, sobre.

SPASME. Agitation, contraction, convulsion, crispation, épicentre, frémissement, frisson, grelottement, saccade, secousses, séisme, sismique, soubresaut, tremblement, trémolo, trémulation, trépidation, tressaut, trille, vibration, vibrato.

SPASMODIQUE. Convulsif, haché, heurté, intermitent, involontaire, nerveux, pulsatile, saccadé, spastique.

SPASMOPHILIE. Contracture, crampe, crise, fourmillement, malaise, pathologie, spasme, syndrome, tétanie.

SPATH. Albâtre, calcaire, calcin, calcique, calcite, castine, chaux, cipolin, comblanchien, craie, dolomie, entroque, falun, fluor, groie, liais, marbre, marne, merl, minéral, molasse, nicol, oolite, oolithe, sardoine, spicule, stalactite, stalagmite, test, tufeau, tuffeau.

SPATIAL. Astronaute, capsule, cis, cosmonaute, espace, interplanétaire, intersidéral, interstellaire, navette.

SPATULE. Acromion, ajai, ciconiiforme, échassier, gâche, oiseau, pelle, ski, truelle.

SPEAKER. Aboyeur, afficheur, annonceur, aviseur, commanditaire, crieur, hérault, journaliste, speakerine, sponsor.

SPÉCIAL. Atypique, bizarre, exceptionnel, exclusif, extraordinaire, original, particulier, singulier, spécifique, unique.

SPÉCIALEMENT. Bizarrement, éminemment, exceptionnellement, exclusivement, notamment, originalement, particulièrement, principalement, remarquablement, singulièrement, spécifiquement, surtout.

SPÉCIALISER. Cantonner, caractériser, cerner, cibler, confiner, décrire, définir, délimiter, désigner, déterminer, différencier, établir, fixer, individualiser, marquer, moralité, particulariser, qualifier, spécifier.

SPÉCIALISTE (2 lettres). As.

SPÉCIALISTE (3 lettres). Orl, pro, psy.

SPÉCIALISTE (4 lettres). Chat.

SPÉCIALISTE (5 lettres). Panel.

SPÉCIALISTE (6 lettres). Doreur, expert, gréeur, pointu, savant, stayer, trader.

SPÉCIALISTE (7 lettres). Auriste, exégète, fumiste, jaugeur, juriste, légiste, médecin, monteur.

SPÉCIALISTE (8 lettres). Actuaire, agronome, analyste, cambiste, ergonome, géologue, géomètre, marbrier, stratège.

SPÉCIALISTE (9 lettres). Aciériste, aliéniste, argotiste, arpenteur, astronome, botaniste, cabaliste, culotier, éthologue, géographe, lapidaire, latiniste, œnologue, pédologue, sexologue, sinologue, slalomeur, tacticien, visagiste.

SPÉCIALISTE (10 lettres). Anatomiste, andrologue, biologiste, germaniste, navigateur, neurologue, technicien.

SPÉCIALISTE (11 lettres). Acousticien, acupuncteur, archéologue, biochismiste, cardiologue, connaisseur, diététicien, ergonomiste, futurologue, gynécologue, politologue, scénographe, spéléologue.

SPÉCIALISTE (12 lettres). Bibliographe, criminologue, éclairagiste, énergéticien, océanographe, ornithologue.

SPÉCIALISTE (13 lettres). Anthropologue, cybernéticien, entomologiste, professionnel, psychanalyste.

SPÉCIALISTE (14 lettres). Astrophysicien, conjoncturiste, dermatologiste, prévisionniste.

SPÉCIALISTE (15 lettres). Anthropologiste, bactériologiste, contorsionniste, épidémiologiste.

SPÉCIALITÉ. As, branche, discipline, domaine, ès, expertise, fief, manie, partie, piperade, plum-puddind, quiche.

SPÉCIEUX. Apparent, captieux, fallacieux, faux, sophistiqué, spéciosité, trompeur.

SPÉCIFICATION. Caractérisation, caractéristique, définition, indication, mention, multigrade, précision.

SPÉCIFIER. Désigner, déterminer, exprimer, fixer, normaliser, préciser, propre, stipuler.

SPÉCIFIQUE. Ad valorem, caractéristique, nom, particulier, pattern, propre, spécial, typique.

SPÉCIMEN. Échantillon, exemplaire, exemplaire, exemple, gracieuseté, holotype, individu, livre, modèle, phénomène, prototype, représentant, type.

SPECTACLE. Aspect, attraction, ballet, corrida, curiosité, danse, démonstration, exhibition, fantasmagorie, féerie, happening, joruri, matinée, music-hall, naumachie, numéro, pièce, prestation, représentation, revue, saynette, scène, show, strip-tease, variété, vue.

SPECTACULAIRE. Dramatique, éclatant, féerique, frappant, géant, grand, grandiose, impressionnant, scénique, théâtral.

SPECTATEUR. Auditeur, auditoire, hourd, observateur, parterre, public, stand, téléspectateur, témoin.

SPECTRE. Apparence, apparition, arc-en-ciel, cauchemar, chimère, couleurs, crainte, double, ectoplasme, ensemble, épouvantail, esprit, fantôme, illusion, irisé, larve, lémure, menace, obsession, ombre, prisme, revenant, simulacre, vampire, vision.

SPÉCULAIRE. Campanulacée, cloche, cobéa, cobée, gantelée, ganteline, lobélie, miroir, plante, raiponce.

SPÉCULATEUR. Affairiste, agioteur, arriviste, baissier, boursier, calculateur, combinard, financier, gageur, haussier, intrigant, machinateur, manipulateur, manœuvrier, maquillon, margoulin, opportuniste.

SPÉCULATIF. Abscons, abstrait, abstrus, art, axiomatique, chimère, conceptuel, concret, confus, fictif, figuratif, fumeux, imaginaire, infiguratif, informel, irréel, isolation, paradoxe, profond, pur, subtil, théorique, utopie, vague, virtuel.

SPÉCULATION. Agiotage, boursicotage, calcul, coalition, ontologie, réflexion, supputation, théorie.

SPÉCULER. Agio, agioter, boursicoter, combiner, entreprendre, intelligence, méditer, penser, raisonner, rechercher, science.

SPEECH. Allocution, amphigouri, ampoulé, antienne, apologie, baratin, blasphème, boniment, déclaration, discours, dissertation, dit, éloge, énigme, entortillage, exorde, exposé, galimatias, hâblerie, harangue, homélie, laïus, mensonge, mercuriale, oraison, panagyrique, parole, pataquès, péroraison, pérorer, phrase, plaidoyer, prêche, prose, satire, sermon, sornette, soûlant, tirade, topo.

SPÉLÉOLOGIE. Caverne, exploration, gouffre, grotte, photophore, science, sous-sol, spéologue, technologie.

SPÉLÉOLOGUE (n. p.). Casteret, Martel.

SPENCER. Anorak, blazer, blouson, boléro, caban, cabi, canadienne, cardigan, carmagnole, défaite, dolman, doudoune, échec, hoqueton, jaquette, kabig, kabic, moumoute, paletot, pourpoint, redongote, saharienne, tricot, tunique, vareuse, veste, veston, vêtement.

SPERGULE. Caryophyllacée, coquelourde, espargoutte, gerceau, grenadin, gypsophile, lychnis, morgeline, mouron-blanc, nielle, œillet, saponaire, scléranthe, silène, spargoutte, stellaire, tagètes, turquette, vaccaire, vésicule.

SPERMACETI. Ambre blanc, blanc de baleine, cachalot, cétacé, cosmétique, jojoba, semence.

SPERMAPHYTE. Azolla, gamétophyte, haploïde, isoète, plante, ptéridophyte, sporogone, sporophyte.

SPERMATOZOÏDE. Anthérozoïde, gamète, gamétogenèse, oosphère, ovocyte, ovogénie, ovotide, ovule, spermatie.

SPERME. Asperme, épididyme, flagellum, foutre, graine, laitance, laité, liquide, semence.

SPERMOPHILE. Animal, anomalure, arboricole, bauge, burunduk, chikaree, commun, douglas, écureuil, fouquet, grêle, gris, hudson, mammifère, noir, pétauriste, petit-gris, polatouche, rat-palmiste, rongeur, sciuridé, souslik, suisse, sunda, tamia, volant, xérus.

SPET. Barracuda, bécune, brochet, brochet de mer, carnassier, poisson, sphyrène, sphyrénidé.

SPHAIGNE. Acore, bayou, boue, canneberge, cob, cistude, douve, drosera, étang, étier, fagne, gâtine, grisou, hypne, kob, marais, mare, marécage, maremme, marigot, méthane, moere, noue, palud, palus, polder, salin, savane, tourbière, varaigne, vernier.

SPHÈRE. Anneau, apex, balle, ballon, bathysphère, bille, biosphère, boule, cercle, domaine, dôme, étendue, géosphère, globe, globule, grain, limite, mappemonde, matière, nadir, nife, orbe, orbite, perle, pôle, rayon, rond, terre, tête, zénith.

SPHÉROÏDE. Os, ptérygoïde, rond, sphénoïdal, sphère, turcique.

SPHINCTER. Anal, anatomie, anus, boa, constricteur, constrictor, muscle, orifice, reptile, serpent.

SPHINX (n. p.). Chéphren, Echina, Gisah, Gizeh, Knéphren, Maspéro.

SPHINX. Basilic, chimère, cyclope, démentiel, dragon, fée, géant, génie, gorgone, harpie, hippogriffe, hydre, lamie, licorne, mauvais, monstre, monstrueux, nain, papillon, phénix, phénomène, phocomèle, pygmée, scélérat, sculture, sirène, tarasque, tératologie.

SPICILÈGE. Album, ana, analectes, anthologie, atlas, bestiaire, bêtisier, bible, bouquin, brochure, cartulaire, catalogue, chrestomathie, chronique, code, dictionnaire, digest, divan, écrit, edda, florilège, formulaire, hadith, isopet, livre, protocole, psautier, publication, recueil, rituel, sermonnaire, silves, solfège, sottisier, varia, ysopet.

SPINELLE. Acide, aluminate, bauxite, chrysobéryl, épine, laque, leucite, mica, minerai, quarte, rubicelle, rubis, sel.

SPIRAL. Activité, amortisseur, ardeur, audace, boudin, bravoure, clip, cœur, courage, cran, crime, déclic, demi-bande, énergie, force, mandement, moteur, pompe, remontoir, ressort, suspension, tire-bouchon, tonus.

SPIRALE. Arc, bobine, boucle, bouclette, boudin, cercle, circiné, cirrhe, courbe, enroulé, fil, filet, fileter, frison, hélice, hélix, liseron, lover, roulé, spire, tarauder, tors, tour, volubile, volute, vortex, vrille.

SPIRÉE. Aruncus, filipendula, filipendule, plante, reine-des-prés, rosacée, thé, théier, ulmaire.

SPIRILLE. Bactérie, biologie, filament, infectieux, maladie, microbe, micro-ornanisme, spirillose.

SPIRITISME. Astrologie, esprit, magie, medium, numérologie, télékinésie, transe, typtologie.

SPIRITUAL. Air, chant, chœur, choral, gospel, lamentation, musique, negro-spirituel, péan, spirituel, thrène.

SPIRITUEL. Abstrait, allégorique, âme, ange, délicat, déluré, esprit, figuré, fin, humoriste, immatériel, impalpable, intellectuel, joyeux, malin, mental, moral, mordant, plaisant, psychique, salé, sel, souple.

SPIRITUEUX. Alcool, allylique, amylique, arac, arack, arak, boisson, cognac, élixir, flegme, fort, gin, liqueur, menthe, kirsch, recoupe, rhum, rye, scotch, tempérance, vespétro, vodka, whisky.

SPIROCHÈTE. Bactérie, borrelia, borréliose, leptospira, microbe, pian, treponema, treponème.

SPIRULINE. Algue, algue bleue aliment, bactérie, cyanobactérie, cyanophyte, cyanophycée.

SPITANT. Alacrité, allégresse, enjouement, entrain, follement, gaieté, gaillardise, joie, jovialité, vif, vivacité.

SPLEEN. Abattement, cafard, chagrin, ennui, hypocondrie, mélancolie, nostalgie, tristesse.

SPLENDEUR. Apparat, brillant, éclat, faste, gloire, lustre, luxe, magnificence, pompe, prestige, rayonnement, somptuosité.

SPLENDIDE. Admirable, beau, beauté, bel, belle, brillant, clair, éblouissant, éclatant, étincelant, fastueux, féerique, luxueux, magnifique, merveilleux, mirifique, ravissant, rayonnant, riche, somptueux, sublime, superbe.

SPOLIER. Capter, délester, déposséder, dépouiller, dol, éviction, frauder, léser, ôter, usurper, voler.

SPONGIAIRE. Amphisbetia, ascon, axinelle, clione, diploblastique, embranchement, éponge, euplectelle, ficuline, halichondrine, hyalonème, leucon, phéronème, spirastrelle, spongille, subérite, sycon.

SPONGIEUX. Amadou, cotonneux, éponge, flasque, parenchyme, poreux, porophore, tissu-éponge.

SPONSORISER. Avancer, bailler, commanditer, financer, fiscaliser, obérer, parrainer, payer, produire.

SPONTANÉ. Automatique, cordial, direct, franc, fraîcheur, impulsif, inconscient, inné, involontaire, impulsif, infus, inné, irréfléchi, laborieux, libre, naïf, naturel, primesautier, propre, rapide, sincère, volontaire.

SPONTANÉMENT. Automatiquement, impulsivement, inconsciemment, instinctivement, librement, mécaniquement, motu proprio, naturellement, obligatoirement, obvie.

SPORADIQUE. Clairsemé, constellé, discontinu, dispersé, dissocié, divisé, épars, intermittent, épisodique, irrégulier, isolé, local, occasionnel, restreint, sporadicité, sporadiquement.

SPORANGE. Fronde, indusie, macrosporange, sac, sore, spore, thallophyte, urne, zoosporange.

SPORE. Acrospore, apothécie, ascospore, asque, champignon, conidie, élément, hyménium, mousse, mycélium, phéospore, pollen, prothalle, semence, spermatie, thèque, unicellulaire, urédospore, zoospore, zygospore.

SPOROTRICHE. Acide, aspergille, auréole, blettissure, champignon, chanci, chancissure, croupissure, empuse, ergot, fleur, levure, moisissement, moisissure, monilie, mucor, mycose, pégot, pénicillium, rancissure, sporotriche, trichophyton, vert, zygomycète.

SPOROPHYTE. Azolla, gamétophyte, haploïde, isoète, ptéridophyte, spermaphyte, sporogone.

SPOROZOAIRE. Coccidie, grégarine, paludisme, parasite, plasmodium, protozoaire, schizogonie.

SPORT (3 lettres). Bob, fun, jeu, set, ski, tir, VTC.

SPORT (4 lettres). Boxe, foot, golf, judo, luge, mono, nage, polo, raft, sumo, surf, turf, vélo.

SPORT (5 lettres). Canoe, canot, catch, coupe, cross, kayak, lutte, pêche, rugby, sambo, skeet, trial, voile.

SPORT (6 lettres). Aviron, basket, crosse, glisse, hockey, karaté, pelote, roller, soccer, squash, tennis, volley.

SPORT (7 lettres). Camping, cricket, culture, curling, escrime, exploit, karting, monoski, rafting, sportif.

SPORT (8 lettres). Baseball, cyclisme, exercice, football, funboard, handball, natation, patinage, raquette, yachting.

SPORT (9 lettres). Alpinisme, amusement, badminton, bobsleigh, canoéisme, critérium, parapente, taekwondo.

SPORT (10 lettres). Athlétisme, basketball, bicyclette, équitation, gymnastique, skateboard, trampoline, volleyball.

SPORT (11 lettres). Championnat, compétition, sélectionné.

SPORT (12 lettres). Entraînement, motonautisme, parachutisme.

SPORT (13 lettres). Confédération, haltérophilie, international.

SPORTIF. Actif, antisportif, aréna, athlète, boxeur, buteur, haltérophile, has been, joueur, junior, kayakiste, lugeur, lutteur, minime, nageur, poussin, pro, professionnel, sélectionné, senior, skieur, tireur, vétéran.

SPOT. Flash, lampe, lumière, moviola, passerelle, phare, poursuite, projecteur, réflecteur, rampe, tache.

SPRAT. Anchois de Norvège, clupéidé, clupéiforme, haranguet, hareng, harenguet, menuise, poisson.

SPRINT. Accélération, accroissement, activation, augmentation, booster, célérité, champignon, décélération, escalade, hâte, polypnée, précipitation, rapidité, rush, rythme, variation, vitesse, vroom, vroum.

SPUMEUX. Baveux, bouillonnant, écumant, écumeux, mêlé, mousseux, rempli, spumescent.

SQUALE. Aiguillat, ange de mer, baleine, blanc, dormeur, émissole, galuchat, griset, lamie, léopard, lézard, lutin, maillet, marteau, orque, pèlerin, remorqueur, renard de mer, requin, rochier, roussette, scie, squale, tapis, taupe, tigre, touille.

SQUAME. Coccolite, coquille, écaille, fente, lèpre, pelure, plaque, scalure, squama, squamifère, squamule.

SQUARE. Carré, clos, closerie, cour, courtil, courtille, éden, enclos, jardin, lopin, mail, maraîcher, oasis, ouche, paradis, parc, planche, plate-bande, potager, serre, terre, théâtre, verger, zoo.

SQUATINE. Ange, ange de mer, chondrichthyen, poisson, raie, requin, squatina.

SQUATTER. Chemineau, clochard, clodo, gredin, gueux, illégal, itinérant, mendiant, mendigot, meurt-de-faim, misérable, miséreux, nécessiteux, pauvre, quêteux, robineux, sans-abri, sans-logis, squat, vagabond.

SQUELETTE (n. p.). Lucie, Lucy, Neandertal, Oscar.

SQUELETTE. Canevas, carcasse, charpente, hyoïde, métatarse, mort, os, ossuaire, ossature, polypier, tarse.

SQUIRRE. Cancer, carcinome, cylindrome, épithéliome, épithéliomia, mélanome, sarcome, squirrhe, tumeur.

SRI LANKA, CAPITALE (n. p.). Colombo.

SRI LANKA, LANGUE. Cinghalais, tamoul.

SRI LANKA, MONNAIE. Roupie.

SRI LANKA, VILLE (n. p.). Badulla, Chilaw, Colombo, Galle, Jaffna, Mannar, Matale, Matara, Tangalle.

SRI LANKAIS (n. p.). Ceylanais.

STABILISATEUR. Contrepoids, équilibrant, équilibrateur, équilibreur, modérateur, pondérateur, régulateur.

STABILISER. Aplomber, caler, consolider, équilibrer, fixer, maintenir, raffermir, renforcer, solidifier.

STABILITÉ. Affermissement, aplomb, assiette, assise, autoportant, biostasie, certitude, consistance, constance, continuité, durabilité, empennage, équilibre, fermeté, fixité, permanence, prégnance, solidité.

STABLE. Affermi, assis, campé, consistant, consolidé, constant, continu, droit, durable, équilibré, établi, ferme, fidèle, fixe, habituel, image, immobile, larve, leste, neurula, permanent, solide, tenace, variable.

STADE (n. p.). Arm Park, Flushing Meadow, Forest Hill, Jarry, Maracana, Munich, Olympique, Parc des Princes, Reims, Roland-Garros, Twickenham, Wembley, Wimbledon, Yves-du-Manoir.

STADE. Anal, blastula, bodhi, degré, échelon, étape, état, forum, gastrula, germe, gradin, imago, larve, morula, mûrir, neurula, niveau, olympique, oral, palier, pénéplaine, période, phase, piste, progrès, pupe, société, stadier, terrain, transition.

STAFF. Communauté, consortium, entente, équipe, groupe, groupement, pool, service, syndicat.

STAGE. Alumnat, arrêt, étude, juvénat, moment, passage, période, séjour, stagiaire, station.

STAGNANT. Croupi, dormant, fétide, immobile, inactif, inerte, lent, marécageux, mort, naucore, ralenti.

STAGNATION. Engourdissement, inertie, langueur, marasme, paralysie, ralentissement, stase.

STAGNER. Arrêter, croupir, enliser, languir, marcher, piétiner, plafonner, ralentir, séjourner, végéter.

STALACTITE. Albâtre, calcaire, calcédoine, calcin, calcique, castine, chaux, cipolin, comblanchien, craie, dolomie, entroque, falun, groie, liais, marbre, marne, merl, molasse, oolite, oolithe, sardoine, spath, spicule, stalagmite, test, tufeau, tuffeau.

STALAG. Base, bivouac, camp, campement, cantonnement, chalet, ennemi, oflag, ost, parti, prétoire, quartier.

STALLE. Banquette, box, compartiment, église, gradin, loge, loggia, miséricorde, place, siège.

STANCE. Canzone, chant, couplet, épode, huitain, poème, poésie, sixain, sizain, strophe, tercet, vers.

STANDARD. Central, commun, courant, étalon, modèle, normalisé, norme, ordinaire, usuel.

STANDARDISER. Aligner, homogénéiser, inter, niveler, normaliser, uniformiser, standardisation.

STANDING. Aise, bien-être, commodité, confort, douillet, mieux-être, position, rang, soulagement.

STAPHISAIGRE. Consoude, dauphinelle, delphinium, herbe-aux-poux, patte-d'alouette, pédiculaire, pied-d'alouette.

STAPHYLIN. Carnassier, coléoptère, insecte, luette, muscle, proghathe, staphylinus, uvulaire, vorace.

STAPHYLOCOQUE. Abcès, anthrax, cocci, coccus, furoncle, microbe, ostéomyélite, septicémie, sycosis.

STAR. Acteur, étoile, idole, rockstar, sommité, starisation, starlette, star-système, superstar, vedette.

STARETS. Astrologue, augure, bible, devin, enchanteur, ermite, gourou, guru, hadith, mage, malheur, médium, moine, nabi, oracle, patriarche, prédicateur, prophète, pythonisse, stariets, sybille, vaticinateur, voyant.

STARIE. Ayde, ais, aises, alaise, alèse, appui, arbre, couche, dessin, dosse, dur, écoin, estarie, frise, image, latte, madrier, merrain, palanque, planche, plinthe, recours, reproduction, ressource, scène, secours, selle, soutien, support, tableau, tablette, théâtre, tremplin, tuile, vaigre, voilure, volige.

STAROSTE. Aga, agha, amman, as, ban, caïd, calife, capitaine, caudillo, chah, chancelier, chauffeur, chef, cheikh, coryphée, curion, dalaï-lama, despote, dey, doge, duc, duce, émir, empereur, hérésiarque, hetman, imam, leader, lieutenant, maestro, maire, maître, meneur, ovate, pacha, pape, parrain, patron, père, porte-drapeau, prote, rabin, rais, rapin, ras, régent, roi, sachem, satan, shah, shérif, tête, vizir.

STARTER. Adieu, appareillage, choisir, commencement, commencer, début, décollage, démarrage, départ, do, évacuation, envol, envolée, exode, fuite, go, origine, partance, partir, premier, quitter, ré, retraite, séparer, signal.

STASE. Afflux, apoplexie, arrêt, attaque, bouchon, congestion, érythème, fourbure, gel, hyperémie, ralentissement, stagnation.

STATHOUDER (n. p.). Dordrecht, Frédéric-Henri, Guillaume, Hollande, Nassau, Oldenbarnevelt, Pays-Bas.

STATION. Arrêt, attente, attitude, autel, aviso, centrale, cérémonie, domaine, gare, halte, installation, lave-auto, office, orbitale, panne, pause, place, pompiste, poste, posture, radio, spa, stage, thermes, train.

STATION BALNÉAIRE ALLEMAGNE (n. p.). Cuxhaven, Friedrichshafen.

STATION BALNÉAIRE ANGLETERRE (n. p.). Brighton, Eastbourne, Torbay.

STATION BALNÉAIRE BRETAGNE (n. p.). Bénodet.

STATION BALNÉAIRE BULGARIE (n. p.). Varna.

STATION BALNÉAIRE CHILI (n. p.). Iquique.

STATION BALNÉAIRE CORSE (n. p.). Porticcio.

STATION BALNÉAIRE ESPAGNE (n. p.). Benidorm, Fontarabie, Laredo, Torremolinos.

STATION BALNÉAIRE ÉTATS-UNIS (n. p.). Atlantic City, Miami, Nantucket, Palm Beach.

STATION BALNÉAIRE FRANCE (n. p.). Aix, Bandol, Baule-Escoublac, Beaulieu-sur-Mer, Bel-Meil, Bénodet, Biarritz, Cabourg, Cagnes-sur-Mer, Cancale, Cannet, Cap-Coz, Cerbère, Côte d'Argent, Côte d'Azur, Croisic, Crotoy, Deauville, Dieppe, Dinard, Étretat, Èze, Golfe-Juan, Hossegor, Jobourg, Juan-les-Pins, Palavas-les-Flots, Roscoff, Saint-Tropez, Touquet-Paris-Plage, Tréboul, Trinité-sur-Mer, Trouville-sur-Mer, Villefranche-sur-Mer.

STATION BALNÉAIRE GRANDE-BRETAGNE (n. p.). Bournemouth, Brighton, Douvres, Hoves, Margate, Sandgate, Southport, Torbay.

STATION BALNÉAIRE GUADELOUPE (n. p.). Gosier.

STATION BALNÉAIRE HONGRIE (n. p.). Balaton.

STATION BALNÉAIRE ISRAËL (n. p.). Eilat, Élath.

STATION BALNÉAIRE ITALIE (n. p.). Amalfi, Ancône, Fano, Imperia, Lido, Milazzo, Ostia, Ostie, Pesaro, Rimini, Taormins, Viareggio.

STATION BALNÉAIRE JAMAÏQUE (n. p.). Montego Bay.

STATION BALNÉAIRE JAPON (n. p.). Fuji.

STATION BALNÉAIRE MEXIQUE (n. p.). Cancun.

STATION BALNÉAIRE PAYS-BAS (n. p.). Scheveningen.

STATION BALNÉAIRE POLOGNE (n. p.). Sopot.

STATION BALNÉAIRE PORTUGAL (n. p.). Sintra.

STATION BALNÉAIRE PYRÉNÉES ORIENTALES (n. p.). Argelès-sur-Mer, Banyuls-sur-Mer, Cerbère.

STATION BALNÉAIRE ROUMANIE (n. p.). Mamaia, Mamgalia.

STATION BALNÉAIRE TUNISIE (n. p.). Hamman-Lif.

STATION BALNÉAIRE UKRAINE (n. p.). Ialta, Yalta.

STATION MÉTÉOROLOGIQUE (n. p.). Alert, Tromso.

STATION ORBITALE (n. p.). Mir, Skylab.

STATION, SPORTS D'HIVER (n. p.). Aadelboden, Aiguilles, Allos, Andermatt, Annot, Arcs, Arosa, Avorias, Avoriaz, Chamonix, Champery, Courchevel, Davos, Gourette, Grisons, Gstard, Igls, Ischgl, Lake Placid, La Molina, Les Houches, Mongie, Morez, Nagano, Orres, Saint-Moritz, Sestriere, Sestrières, Squaw Valley, Val-d'Isère.

STATION THERMALE (n. p.). Aachen, Aix-les-Bains, Arosa, Biarritz, Dax, Ems, Luchon, Neris, Spa, Uriage, Vichy, Vittel.

STATIONNEMENT. Autoport, bivouac, box, garage, horodaté, parc, parcage, parcomètre, parking, place.

STATIONNER. Arrêter, camper, garer, immobiliser, parquer, placer, ranger, stationaire, stationnement.

STATIQUE. Aérostatique, affaissé, amorphe, atone, dynamique, équilibre, éteint, figé, fixe, immobile, inaccentué, inerte, inertie, inexpressif, languissant, morne, mou, mutateur, ondulateur, paresseux, stable, stationnaire.

STATISTICIEN (n. p.). Bottin, Gallup, Grawnt, Haavelmo, Halbwachs, Hollerith, Lazarsfeld, Quételet, Tinbergen.

STATISTICIEN. Actuaire, actuariel, assurance, logisticien, mathématicien, probabilité, professeur, statistique.

STATISTIQUE. Catalogue, cens, chiffrage, comptage, compter, décompte, dénombrement, détail, économétrie, énumération, état, évaluation, inventaire, liste, litanie, numération, recensement, revue, rôle.

STATUAIRE (n. p.). Bartholdi, Brown, Delaistre, Delaplanche, Despiau, Dumont, Duret, Mercié, Étrusques, Giambologna, Martini, Polyclète, Thorvaldsen.

STATUAIRE. Animalier, artiste, bronzier, bustier, ciseau, ciselet, ciseleur, cubisme, fondeur, frontalité, gouge, imager, imagier, imagiste, lanoir, mannequin, modeleur, musée, ognette, riflard, ripe, sculpteur, tailleur.

STATUE (n. p.). Aurige, Baiser, Diadumène, Discobole, Doryphore, Garibaldi, Gattamelata, Godwin, Habaduc, L'Amour, Lot, Loth, Pietà, Rhodes, Trajane, Transi, Vénus de Milo, Zuccone.

STATUE. Acéphale, aptère, atlante, bronze, buste, cariatide, caryatide, colosse, coré, corniche, couros, dais, figure, figurine, galbe, gisant, idole, image, korê, kouros, marbre, niche, orant, oscar, pleurant, sculpture, sel, soutien, statuaire, statuette, télamon, terme.

STATUER. Arbitrer, arrêter, choisir, conclure, contraster, convenir, couper, décapiter, décider, décréter, définir, délibérer, déterminer, détonner, disposer, diviser, émincer, finir, hacher, juger, ordonner, prononcer, régler, répondre, résoudre, rogner, sectionner, séparer, simplifier, solutionner, trancher, vider.

STATUETTE. Bibelot, bilboquet, biscuit, bouddha, chine, figurine, godenot, magot, marionnette, marmot, marmouset, oscar, pagode, plâtre, porcelaine, posture, poupée, poussah, santon, statue, tanagra.

STATURE. Carrure, charpente, colosse, dimension, gabarit, géant, grandeur, hauteur, importance, leptosome, mesure, personnalité, port, pycnique, taille.

STATUT. Amateur, amateurisme, arrêté, canon, capacité, charte, code, concordat, consigne, constitution, décret, discipline, disposition, édit, état, institution, loi, mandement, ordonnance, position, règle, situation, terme.

STEAK. Bifteck, biftèque, bœuf, cannibale, côtelette, entrecôte, filet, frites, grillade, hamburger, pavé, rôti, tartare, t-bone, tranche, venaison, viande.

STEAMER. Arche, bac, bachot, barcasse, barge, barque, bateau, bélandre, boom, brick, caïque, cange, canot, caron, chaloupe, esquif, nacelle, navire, nocher, périssoire, ponton, rafiot, vapeur, vedette.

STÉARINE. Adipeux, axonge, beurre, cambouis, cellulite, graille, graillon, graisse, gras, huile, lanoline, lard, lipide, lubrifiant, maniguette, margarine, myéline, oing, oindre, oint, oléine, panne, sain, saindoux, suif, suint, spic, vaseline.

STEEPLE-CHASE. Brook, bull-finch, cheval, course, douve, haie, obstacle, rivière, ruisseau.

STÉGANOPODE. Carinate, cormoran, fou, frégate, palmipède, pélécaniforme, pélican.

STÈLE. Cippe, colonne, corniche, funéraire, monument, ornement, pierre, tombe.

STELLAIRE. Astral, caryphyllacée, éthéré, étoilé, ganglion, interstellaire, mouron, plante, sidéral.

STELLIONATAIRE. Aiglefin, bandit, brigand, cambrioleur, canaille, chenapan, cleptomane, détrousseur, enteleur, escroc, filou, fraudeur, fripon, larron, malandrin, malfaiteur, pillard, receleur, resquilleur, tire-laine, tricheur, truand, voleur.

STEM. Changement, chasse-neige, christiana, coude, courbe, détour, godille, lacet, méandre, mouvement, parallèle, ski, skier, slalom, stavug, stawug, stemm, stemon, survirer, télémark, tournant, virage.

STEMMATE. Achromatopsie, anchylop, atone, bigle, bourgeon, bouton, calot, cil, cornée, cristallin, cyclope, emmétrope, espion, exophtalmie, exorbité, glaucome, globe, greffe, iris, judas, larme, loucher, magique, mirettes, ocelle, œil, ommatidie, ophtalmie, orbite, organe, pousse, prunelle, pupille, quinquet, regard, rétine, taie, talion, torve, uvée, uvéite, vision, voir, vue, yeux.

STENCIL. Estampe, étampe, forme, frappe, génération, matrice, matriciel, médaille, moule, pochoir, ronéo, transposée.

STÉNOGRAPHE. Dictaphone, dictée, écriture, imposer, inspirer, intimer, obliger, ordonner, prescrire, secrétaire, sigle, sténo, sténotype, sténotypie, sténotypiste, susciter, transcription.

STÉNOSE. Angioplastie, artériosclérose, athérome. durcissement, glaucome, nitruration, sclérose, xérodermie.

STEPPE. Autruche, brousse, lande, pampa, plaine, prairie, steppique, syrrhapte, toundra, veld, veldt, xérophile.

STÉRADIAN. Sr.

STERCORAIRE. Coprophage, labbe, lariforme, mouette, oiseau, plamipède, scatophage, scatophile, skua.

STERCULIACÉE. Cacaotier, cacaoyer, cola, kola, kolatier, plante.

STÈRE. Abacule, bloc, bois, boîte, corde, cube, dé, élève, hexaèdre, litre, mosaïque, multiple, parallépipède, peintre, polyèdre, rodin, st.

STÉRÉOTYPÉ. Banal, Commun, courant, éculé, figé, fréquent, habituel, médiocre, normal, ordinaire, passe-partout, plat, plate, usé.

STÉRÉOTYPIE. Caractère, flans, persévération, répétition, reproduction, schizophrénie, tendance.

STÉRILE. Aride, axène, axénique, bréhaigne, désert, désertique, désolé, desséché, épuisé, improductif, inculte, inféconde, infertile, ingrat, intérêt, inutile, maigre, mule, nul, oiseux, pauvre, sec, upérisé, vain.

STÉRILISATEUR. Autoclave, caldarium, étuve, four, fournaise, hammam, pasteurisateur, sauna, touraille.

STÉRILISATION. Antisepsie, appertisation, aseptisation, autoclave, castration, contraceptif, désinfection, émasculation, étuve, ozonisation, pasteurisation, stérilet, tyndallisation, U.H.T., upérisation, U.H.T., vapeur, vasectomie, vasotomie.

STÉRILISER. Appauvrir, aseptiser, assainir, assécher, castrer, châtrer, désinfecter, dessécher, émasculer, épuiser, étuver, homogénéiser, javelliser, mutiler, ozoner, pasteuriser, purifier, tarir, upériser.

STÉRILITÉ. Aridité, improductivité, inefficacité, infécondité, infertilité, inutilité, ligature, vanité.

STERLET. Acipenséridé, bélouga, béluga, blanc, caviar, commun, esturgeon, oscière, sévruga.

STERNE. Aronde, goéland, harle, hirondelle, hirondelle de mer, hirundinidé, laridé, mouette, oiseau, palmipède.

STERNUM.Bréchet, carinate, clavicule, épigraste, manubrium, os, poitrine, sternal, thorax, xiphoïde.

STÉROÏDE. Adrénaline, anabolisant, auxine, cortisone, dopage, endocrine, folliculine, hormone, insuline, lutéine, ocytocine, oestradiol, œstrogène, parathormone, parathyrine, phytohormone, progestérone, sécrétine, somatotrope, stérol, stimuline, testostérone, thyroxine.

STÉROL. Alcool, cholestérol, coprostérol, cyclopentane, ergostérol, sitostérol, stéroïde, vitamine.

STÉTHOSCOPE. Auscultation, capteur, exploration, frottement, galop, percussion, râle, recherche, souffle.

STHENE. Dynamique, force, fort, M.T.S., newton, pièze, sn, sténique.

STIBINE. Antimoine, Sb.

STIBIUM. Antimoine, Sb.

STICK. BÂTON. baguette, barre, batte, bâton, bâtonnet, bois, bourdon, brigadier, bêche, canne, craie, crosse, digon, épieu, férule, frette, fusain, gaule, gorge, gourdin, hampe, houlette, jalon, jauge, jonc, lambourde, lance, latte, lituus, masse, massue, matraque, palis, pédum, pieu, refouloir, règle, rodoir, sceptre, scion, témoin, théâtre, thyrse, tige, touche, trique, verge.

STIGMA. Algue, amibe, coccolithophore, diatomée, euglène, péridinien, prégarine, protiste, protozoaire.

STIGMATE. Cicatrice, empreinte, fleur, marque, orifice, plaie, pollinisation, style, trace.

STIGMATISER. Blâmer, condamner, critiquer, dénoncer, flétrir, fustiger, pardonner, réprouver.

STIGMATISME. Astigmate, astigmatisme, courbe, emmetropie, ophtalmométrie, optique.

STILICON. Audacieux, entremetteur, ruffian, rufian, souteneur.

STIMULANT. Aiguillon, analeptique, apéritif, caféine, camphre, cola, cordial, dopant, énergisant, entraînant, éperonnant, epo, excitant, fortifiant, incitation, kolam, motivation, ranimant, réconfortant, reconstituant, remontant, stimulus, tonique.

STIMULATEUR. Cardiaque, encourageant, incitateur, incitatif, inspirateur, instaurateur, instigateur, mobilisateur, motivant, pacemaker, prometteur, stimugène, stimulant.

STIMULATION. Accession, année, avancement, chronaxie, classe, concours, cuvée, désafférentation, élévation, émulation, excitation, fouet, nomination, promo, promotion, réclame, réconfort, synectique, triomphe.

STIMULE. Affriolant, aguichant, alléchant, aphrodisiaque, appétissant, bandant, caféine, émoustillant, enivrant, enthousiasmant, érotique, exaltant, galvanisant, grisant, nicotine, passionnant, provocant, sexy, stimulant, troublant.

STIMULER. Accélérer, activer, aiguillonner, aiguiser, animer, doper, émouvoir, encourager, enivrer, éperonner, érotiser, exalter, exciter, fortifier, intermotiver, motiver, piquer, pousser, ranimer, relever, remonter, remuer, toucher.

STIMULUS. Agitation, aigreur, appel, ardeur, chaleur, colère, cunnilingus, enthousiasme, éréthisme, érogène, évocateur, excitation, fébrilité, fumée, hypermnésie, ivresse, nervosité, orgasme, rage, stimuli, survoltage.

STIPE. Acaule, algue, aloès, arbre, axe, barre, boulon, bras, brin, canisse, caulescent, cep, cépée, champignon, clou, cocotier, éperon, épingle, fane, fourgère, gourmand, jonc, levier, liane, paille, palmier, perche, pétiole, plesse, poinçon, queue, rhizome, sarment, sautereau, sonde, stipite, stolon, talle, tige, tigelle, tire-clou, tringle, tronc, turion, tuyau, unicaule, verge, vis.

STIPENDIÉ. Aigre, corrompu, dissolu, estradiot, éventé, gangrené, immoral, impur, lansquenet, mangé, piqué, pourri, putréfié, rance, reître, sain, soudoyé, stipendieux, stradiot, taré, vénal, vendu.

STIPULATION. Affirmation, clause, communication, condition, contrat, déclaration, donnée, élocution, énoncé, énonciation, exposition, expression, extériorisation, formulation, mention, prononciation, proposition, récitation, verbalisation.

STIPULER. Contractuel, dire, énoncer, indiquer, mentionner, préciser, soutenir, spécifier, statuer.

STOCHASTIQUE. Aléatoire, casuel, chance, conditionnel, douteux, hasardeux, pari, probable, problématique, randomiser.

STOCK. Achat, aiguade, alimentation, annone, apport, approvisionnement, avitaillement, distribution, fourniture, impôt, munitions, provision, rappariement, ravitaillement, récolte, réserve, subsistance, vivre.

STOCKAGE. Allotissement, emmagasinage, engrangement, entreposage, magasinage, manutention, remisage.

STOCKER. Confire, congeler, conserver, détenir, ensiler, entretenir, enveloppe, garantir, garder, maintenir, mémoriser, ménager, préserver, protéger, réserver, retenir, saler, saurer, sauvegarder, soigner, surveiller, veiller.

STOCKFISH. Aiglefin, aigrefin, baudroie, cabillau, cabillaud, capelan, colin, colineau, églefin, gade, gadidé, haddock, lieu, lingue, loche, lote, lotte, merlan, merlu, merluche, morue, tacaud, téléostéen.

STOCKHOLM (n. p.). Suède.

STOÏCIEN (n. p.). Caton, Cition, Épictète, Montaigne, Perse, Sénèque, Zénon.

STOÏCIEN. Ardent, assuré, audacieux, battant, brave, confiant, constant, couard, courageux, craintif, énergique, fier, gonflé, hardi, héroïque, intrépide, lâche, lion, peureux, poltron, pusillanime, téméraire, timoré, vaillant, valeureux.

STOÏCISME. Austérité, caractère, courage, doctrine, dureté, fermeté, impassibilité, portique.

STOÏQUE. Abrupt, âpre, ascète, ascétique, austère, chaste, décent, dépouillé, dur, ennuyeux, frugal, grave, moine, prude, pur, puritain, raide, rance, reclus, rigide, rigoriste, rigoureux, rude, sage, sérieux, sévère, simple, sobre, spartiate.

STOKES. C.G.S., chimiluminescence, fluorescence, loure, luminescence, photoluminescence, rhodamine, st.

STOL. A.d.a,c., aérodyne, avion.

STOLON. Acné, agassin, axillaire, bourgeon, bouton, bulbille, caïeu, cayeu, chaton, chou palmiste, coulant, drageon, embryon, gemme, gemmule, germe, greffe, greffon, maille, œil, pousse, rejeton, scion, stolonifère, tendron, tige, turion.

STOMACAL. Achylie, caillette, chlorhydrique, embarras, gastrique, intestinal, pepsine, suc, ulcère.

STOMACHIQUE. Alcoolat, aloès, bénédictine, carmes, chartreuse, citronnelle, labiée, mélisse, mélitte.

STOMATE. Appareil, cuticule, microscopique, organe, ostiole, ouverture, transpiration.

STOMATOLOGIE. Bouche, chirurgie, chirurgie-dentaire, dent, dentisterie, étude, odontologie, ondonto-stomatologie, orthodontie, parodontologie, pédodontie, stomatite, stomatologiste, stomatologue.

STOMOCORDÉ. Balanoglosse, graptolite, hémicordé, invertébré, pogonophore, vermiforme.

STOPPER. Arrêter, bloquer, freiner, immobiliser, mouiller, ordre, réparer, semoncer, signaler, stop.

STORAX. Aliboufier, arbrisseau, arbuste, baume, benjoin, liquidambar, officinal, styrax, tonkinois.

STORE. Aileron, battant, contrevent, déflecteur, horizontal, jalousie, mantelet, pan, panneau, partie, persienne, rideau, spoiler, storiste, tourniquet, trié, vénitien, vent, vertical, volet.

STOUT. Ale, amidon, bibine, bière, blonde, bock, boisson, bouteille, brasserie, canette, cercueil, cervoise, chope, demi, épinette, faro, feu, gueuse, houblon, lambic, malt, mort, orge, pale, pale-ale, pils, porter, tango, tchapalo, tombe, zython, zythum.

STRABISME. Bigle, bigleux, glauque, louche, loucheur, loucherie, oblique, patibulaire, torve, travers, trouble.

STRADIOT. Argoulet, carabin, carabinier, cavalier, chevalier, éclaireur, estradiot, mercenaire, soldat, stradiote.

STRAMOINE. Alcaloïde, datura, herbe à taupe, fleur, jusquiame du Pérou, pomme épineuse, stramonium.

STRANGULATION. Asphyxie, choke, étouffement, étranglement, étrangler, garroter, paralysie, paraphimosis, pertuis, phimosis, resserrement, rétrécissement, suffocation, thug.

STRAPONTIN. Balancelle, banc, banquette, blocus, centre, chaire, chaise, escabeau, escabelle, escarpolette, es, est, être, fauteuil, fonction, lieu, pape, rotin, séant, sein, selle, siège, sis, stalle, tabouret, tara, tare, trépied, trône.

STRASS. Brillant, brille, camelote, clinquant, éclat, fard, faux, gemme, imitation, oripeau, pacotille, sillico,-borate, simili, stras, toc, vernis, verre, verroterie.

STRATAGÈME. Artifice, astuce, calcul, jeu, manège, piège, ruse, subterfuge, subtilité, tactique, tour.

STRATE. Assiette, assise, banc, base, couche, échantillon, étage, étagement, feuillage, fondement, hérisson, infrastructure, jambage, lit, margelle, moie, moye, niveau, pied, plan, solage, subdivision, tambour.

STRATÈGE (n. p.). Aristide, Catinat, Eurymédon, Hannibal, Miltiade, Nicias, Périclès, Thémistocle, Thycydide, Xanthippos.

STRATÈGE. Doctrinaire, idéologue, manœuvre, penseur, philosophe, scientifique, spéculateur, tacticien, théoricien,

STRATÉGIE. Clé, clef, conduite, diplomatie, manœuvre, obstruction, plan, ruse, stratège, subtilité, tactique, tour, wargame.

STRATIFICATION. Accrétion, accumulation, aégagropile, aggloméré, agglutinat, agrégat, amas, bézoard, bloc, calcul, concrétion, coprolithe, masse, nodule, oolithe, oolite, otolithe, pierre, pisolite, pisolithe, sédiment, stalactite, tophus.

STRATIFIÉ. Accumulé, aggloméré, agglutiné, cinérite, couche, formica, lamifié, strate, supperposé.

STRATO-CUMULUS. Altocumulus, alto-stratus, assombrissement, brouillard, brume, cirro-cumulus, cirro-stratus, cirrus, cumulonimbus, cumulus, ennui, mouton, nébulosité, nimbo-stratus, nimbus, nuage, nue, nuée, obnubiler, panne, stratus, vapeurs, voile, vortex.

STRATOSPHÈRE. Atmosphère, couche, mésopause, mésosphère, stratopause, thermosphère, troposphère.

STRATUS. Altocumulus, altostratus, brouillard, brume, cirrocumulus, cirrostratus, cirrus, cumulus, ennui, nébulosité, neige, nimbostratus, nimbus, nuage, nue, nuée, obnubiler, panne, vapeurs, voile.

STREPTOCOQUE. Bactérie, chair, cocci, coccus, érisipèle, impétigo, microbe, pyodermite, streptococcie.

STRESS (n. p.). Selye.

STRESS. Attention, brouille, cœur, contraction, coping, crise, désaccord, désunion, discorde, dispute, dissidence, division, effort, extension, fièvre, froid, orage, pression, raideur, tension, ténesme, traction.

STRESSÉ. Angoissé, anxieux, contracté, crispé, dissident, divisé, oppressé, reposé, tendu.

STRICT. Ascète, astreignant, autoritaire, correct, difficile, dur, épuré, étroit, exact, exigeant, intransigeant, large, littéral, minutieux, mitigé, nu, pénible, probe, réduit, rigide, rigoureux, sévère, sobre, vrai.

STRICTEMENT. Absolument, complètement, entièrement, étroitesse, exactement, parfaitement, rigoureusement, sévèrement, totalement.

STRICTION. Constriction, contraction, contracture, contraire, convulsion, crampe, crispation, effet, épreinte, étranglement, fibrillation, impatiences, ligature, myalgie, pincement, pression, spasme, tension, trisme, trismus.

STRIDENT. Acéré, acuité, aigre, aigu, angle, âpre, coupant, criard, cuire, effilé, épine, fifre, fin, glapissant, grave, grêle, haut, incisif, musique, pénétrant, perçant, perce, pique, pointu, scie, subtil, tranchant, vif, violent.

STRIDULATION. Aigu, blèsement, blésité, bruit, chuintement, cigale, clichement, dystomie, gémissement, sifflement, sifflet, sifflotement, sigmatisme, silage, silement, stridence, susseyement, zézaiement, zozotement.

STRIE. Cannelure, encoche, entaille, fibrille, flèche, ornière, pli, raie, rainure, rature, rayon, ride, ridule, sillon.

STRIER. Craqueler, fendre, flécher, hachurer, labourer, parcourir, plisser, raturer, rayer, rider, sillonner, tracer, veiner.

STRIGIDÉ. Chouette, duc, effraie, grand-duc, harfang, hibou, hulotte, nyctale, oiseau, petit-duc, rapace, strix.

STRING. Body, bonnetier, boxer, brassière, bustier, cache-sexe, caleçon, camisole, caraco, combiné, corset, culotte, dessous, gaine, gilet, justaucorps, linge de corp, lingerie, pantalon, parure, slip, sous-vêtement.

STRIOSCOPIE. Eau, exemple, houache, miroir, optique, passage, perturbation, sillage, trace, vestige.

STRIPTEASE. Burlesque, cabaret, déshabillage, déballage, déculottage, effeuillage, spectacle.

STRIP-TEASEUSE. Danseuse, Effeuilleuse.

STRIURE. Bande, canal, guitare de mer, ligne, lisière, manta, onde, onyx, pastenague, pli, pontuseau, raie, raienure, rayé, rayon, rayure, sillon, spectre, strie, tiret, torpille, trace, trait, vergeture, zébrure.

STROBILE. Artichaut, cestode, chaîne, cône, épi, fruit, inflorescence, méduse, pin, polype.

STROMBE. Agate, améthyste, broche, camée, entaille, gastéropode, gastropode, mollusque.

STRONTIUM. Sr.

STROPHANTUS. Apocynacée, arbre, chèvrefeuille, cobéa, cobée, glycine, gnète, gnetum, liane, lierre, luffa, ouabaïne, rafflesia, rafflésie, strophante, strophantine, tige, tonicardiaque, vanillier.

STROPHE. Alexandrain, antistrophe, canzone, chant, clausule, couplet, dizain, épode, huitain, hymne, laisse, neuvain, ode, onzain, poème, quatrain, septain, sixain, sizain, stance, tercet, vers, verset.

STRUCTURE. Agencement, arborescence, architecture, armature, arrangement, artefact, cadre, canevas, composition, constitution, échafaudage, épair, forme, motif, nodosité, organisation, ordre, os, ossature, psychisme, schème, squelette, système, taal, tala.

STRUME. Abcès, adénopathie, écrouelles, goitre, humour, inflammation, pustule, scrofule.

STRYCHNOS. Alcaloïde, arbre, curare, loganiacée, strychnée, strychnine, upas, vomique.

STUC. Albâtre, brocatelle, calcaire, carrare, chaux, cipolin, dalle, dolomie, granite, griotte, gypse, jaspe, liais, lumachelle, marbre, onyx, ophite, paros, portor, sarrancolin, table, tarso, terrazo, tuile, zinc.

STUCATEUR (n. p.). Asam, Primatice, Udine.

STUDIEUX. Accrocheur, appliqué, attentif, chercheur, fouilleur, laborieux, sérieux, travailleur, zélé.

STUDIO. Appartement, atelier, chambre, décor, flat, garçonnière, loft, pied-à-terre, plateau, régie, studette, vidéo.

STUKA. Aviateur, bombardier, brachyne, candu, carabe, carabidé, forteresse, skidoo, stratoforteresse, superforteresse.

STÛPA. Abasourdissement, arc, bouddhisme, cippe, dôme, doubleau, monument, oratoire, stoûpa, torana, stoupa, vedika.

STUPÉFACTION. Abasourdissement, ahurissement, consternation, consternement, ébahissement, ébaubure, effarement, engourdissement, épatement, étonnement, immobilité, saisissement, stupeur, surprise.

STUPÉFAIT. Abasourdi, ahuri, ahurissant, baba, coi, consterné, déconcerté, ébahi, ébaubi, éberlué, effaré, épaté, estomaqué, étonné, flan, hagard, immobile, inouï, interdit, interloqué, médusé, pantois, renversé, sidéré, stupide, surpris.

STUPÉFIANT. Ahurissant, coi, crack, dormir, drogue, effarant, étonnant, étourdissant, haschich, héroïne, inouï, marihuana, marijuana, morphine, narcose, narcotique, opium, piqué, renversant, seringue, sidérant, surdose, surprenant, troublant.

STUPÉFIER. Abasourdir, ahurir, atterrer, confondre, consterner, droguer, ébahir, éberluer, ébouriffer, effarer, épater, époustoufler, estomaquer, étonner, méduser, pétrifier, sidérer, suffoquer, surprendre.

STUPEUR. Abasourdissement, abrutissement, ahurissement, ébahissement, effarement, hébétude, saisissement, stupéfaction.

STUPIDE. Abêti, abruti, absurde, andouille, âne, animal, ballot, balourd, bébête, bête, borné, bouché à l'émeri, brute, bûche, buse, butor, con, crétin, débile, dinde, engourdi, ganache, hébété, idiot, imbécile, lourdaud, nase, naze, noix, patate, sot, tarte.

STUPIDEMENT. Absurdement, bestialement, bêtement, brutalement, idiotement, naïvement, niaisement, sottement.

STUPIDITÉ. Absurdité, ânerie, baliverne, balourdise, bêtise, bévue, connerie, crédulité, crétinerie, crétinisme, fadaise, faute, énormité, gaffe, hébétude, idiotie, imbécillité, impair, ineptie, inintelligence, lourdeur, maladresse, niaiserie, sottise.

STUPRE. Concupiscence, corruption, débauche, dépravation, immodestie, impudicité, impureté, indécence, lascivité, libertinage, licence, lubricité, luxure, olibrius, salacité, vice.

STURNIDÉ. Corbigeau, étourneau, mainate, oiseau, passereau, pique-bœuf, quiscale, sansonnet.

STYLE. Allure, ampoulé, art, attitude, bebop, belcanto, bop, cool, design, écriture, élocution, expression, façon, facture, fleuri, genre, laï, langage, langue, litote, look, manière, pistil, plume, pop, ragtime, raî, rap, rococo, scat, soul, soutenu, ton, tour.

STYLET. Arme, burin, crayon-feutre, feutre, gouge, marqueur, poinçon, traceret, traceur, traçoir, trusquin.

STYLISER. Décrire, dépeindre, désigner, dessiner, évoquer, exposer, exprimer, figurer, idéaliser, imaginer, imiter, incarner, jouer, mimer, peindre, personnifier, rappeler, représenter, reproduire, symboliser, tracer.

STYLISTE (n. p.). Armani, Balenciaga, Beretta, Bouchet, Cardin, Cardinal, Chanel, Dior, Doucet, Garneau, Gauthier, Grès, Klein, Lacroix, Lanvin, Laroche, Mortensen, Patou, Poiret, St-Laurent, Worth.

STYLO. Bic, bille, crayon, feutre, feutrine, grigne, manchon, mat, mélusine, plume, porte-mine, pousse-mine, réservoir, rotring, stylofeutre, stylographe, stylomine, surligneur.

STYLOBATE. Acrotère, admiration, base, piédestal, piédouche, prestige, socle, support, tore, trône.

STYRACACÉE. Aliboufier, arbre, arbrisseau, baume, benjoin, liquidambar, résine, storax, styrax.

STYRAX. Aliboufier, baume, benjoin, liquidambar, styracacée, tonkinois.

STYRÈNE. Acétylène, alcane, alcène, allène, allylène, amylène, benzène, butane, cyclane, diène, diesel, éthylène, heptane, hydrocarbure, hylène, mazout, naphtaline, octane, oléfine, ozonide, pentane, propane, térébenthine, terpène, toluène.

SU. Acquis, appris, conçu, connu, escient, eu, insu, mémorisé, obtenu, savoir, science.

SUAIRE. Drap, ensevelir, feu, linceul, linge, mort, poêle, sindon, voile.

SUAVE. Agréable, délectable, délicat, douce, doux, exquis, fragrance, melliflu, pénible, rude.

SUBALTERNE. Bas, employé, inférieur, lampiste, pietàille, sans-grade, souffre-douleur, sous-fifre, subordonné.

SUBCONSCIENT. Automatique, comateux, défoulement, évanoui, fou, ignorant, imprudent, inconscient, insensible, insouciant, instinctif, insu, involontaire, irraisonné, irréfléchi, irresponsable, léger, machinal, réminiscence, spontané.

SUBDIVISER. Désunir, définir, diviser, échelonner, fractionner, lotir, morceler, partager, ramifier, répartir, sectionner, séparer, tabler.

SUBDIVISION. Arrondissement, canton, chambre, comitat, curie, daïra, diverticule, étage, genre, lobule, module, partie, race, rameau, ramification, scène, secteur, sous-ordre, strate, tableau, titre, tranche, tribu, voie.

SUBÉREUX. Bouchon, chêne, flotte, flotteur, liège, plaque, rhytidome, ruche, suber, subérine.

SUBIR. Accepter, déguster, écraser, encaisser, endurer, éprouver, essuyer, examen, expérimenter, muer, obéir, pâtir, punir, recevoir, régresser, réprimander, résigner, ressentir, sentir, souffrir, soumettre, soutenir, supporter, tolérer, trinquer.

SUBIT. Brusque, hâtif, ictus, imprévu, inattendu, inopiné, ondée, passif, risée, soubresaut, soudain, subito.

SUBJECTIF. Bizarre, caractéristique, chacun, chaque, distinct, distinctif, individu, individuel, intime, local, original, particulier, personnel, privé, propre, rare, respectif, séparé, spécial, spécifique, typique, unique.

SUBJONCTIF. Doute, incertitude, optatif, potentiel, puissance, souhait, verbe, virtuel, volonté.

SUBJUGUER. Amadouer, apprivoiser, asservir, attirer, capter, captiver, charmer, conquérir, dompter, enchanter, envoûter, fasciner, gagner, magnétiser, opprimer, persuader, posséder, réduire, séduire, soumettre.

SUBLIMATION. Ablation, abstraction, annihilation, conceptualisation, dématérialisation, désincarnation, essentialisation, idéalisation, inconscience, vaporisation.

SUBLIME. Beau, céleste, colossal, dantesque, divin, élevé, grand, haut, inouï, noble, pompeux.

SUBLIMER. Distiller, évaporer, gazéifier, goutte, idéaliser, magnifier, mouiller, pulvériser, rebouilleur, transcender, vaporiser, volatiliser.

SUBLIMINAL. Automatique, défoulement, évanoui, fou, ignorant, inconscient, infraliminaire, insensible, insouciant, instinctif, involontaire, irraisonné, irréfléchi, irresponsable, léger, machinal, réminiscence, spontané, subconscient.

SUBLIMITÉ. Beauté, élévation, enthousiasme, grandeur, hauteur, magnificence, noblesse, pompe.

SUBMERGER. Arroser, couvrir, déborder, dépasser, disparaître, enfoncer, engloutir, engouffrer, ensevelir, envahir, inonder, mouiller, noyer, occuper, plonger, recouvrir, transgresser, tremper.

SUBMERSION. Débordement, éruption, exsudation, flux, fuite, inondation, naufrage, noyade, ravinement, transpiration.

SUBODORER. Deviner, douter, entrevoir, flairer, pressentir, sentir, soupçonner.

SUBORDINATION. Asservissement, assujettissement, autonomie, complétif, condition, dépendance, esclavage, hiérarchie, infériorité, joug, modal, obéissance, ordre, servitude, sujétion, tutelle, vassalité.

SUBORDONNÉ. Accessoire, attaché, conjonction, corvée, dépendant, domestique, esclave, humble, inférieur, obéissant, proposition, protase, relatif, serveur, sans-grade, soumis, subalterne, vassal.

SUBORNER. Acheter, capter, corrompre, fausser, gagner, graisser, séduire, soudoyer, témoin.

SUBORNEUR. Asphyxiant, corrupteur, dangereux, délétère, dépravant, immoral, irrespirable, malfaisant, malsain, mauvais, nocif, nuisible, pernicieux, pervers, pervertisseur, séducteur, toxique.

SUBREPTICE. Caché, clandestin, déloyal, discret, furtif, illicite, secret, sournois, souterrain.

SUBROGÉ. Adjoint, assesseur, intérimaire, remplaçant, subrogateur, substitut, suppléant, tuteur.

SUBSÉQUENT. Acolyte, aide, après, autre, avant, ci, confident, courtisan, disciple, ensuite, et, filé, futur, pisté, postérieur, prochain, prochaine, puis, selon, successif, succession, suite, suivant, ultérieur, us.

SUBSIDE. Aide, allocation, appui, assesseur, assistance, auditoire, charité, foule, gardien, gratitude, hospice, impôt, nourrice, office, orthèse, protection, public, renfort, rescousse, secourir, secours, service, servir, subvention, secourir, secours.

SUBSIDIAIRE. Accessoire, annexe, auxiliaire, complémentaire, contingent, incident, marginal, mineur, secondaire.

SUBSISTANCE. Aliment, cachou, denrée, entretien, gagne-pain, intendance, lait, lipide, matière, moelle, nourricier, nourriture, pain, pitance, prédation, quintessence, sang, sève, suc, vie, vitellus, vivre.

SUBSISTE. Continu, durable, fixe, gravé, immuable, imprimé, opiniâtre, permanent, persistant, persiste, rémanent.

SUBSISTER. Continuer, couver, demeurer, durer, épargner, être, exister, persister, pourvoir, rester, surnager, vivoter.

SUBSTANCE. Abrasif, adénine, amadou, amidon, amphétamine, antigel, aromate, astringent, atrabile, baume, cal, camphre, catabolite, cérumen, chassie, ciment, cire, créatine, cristal, curare, cutine, diurétique, émail, épice, essence, fongicide, galactogène, gangue, gel, gluten, gomme, graisse, héparine, hormone, humeur, humus, ionone, iris, ivoire, khat, kinase, légumine, levain, lidocaïne, marihuana, marijuana, matte, miel, musc, mucilage, nacre, nourriture, osséine, pigment, pitance, poison, qat, remède, résine, sédatif, sel, suc, tanin, tannin, urée, vitré.

SUBSTANTIEL. Appréciable, conséquent, consistant, gros, important, nourrissant, riche, sérieux.

SUBSTANTIF. Annexe, apparence, appellation, attribut, connu, dénomination, désignation, famille, illusion, label, lignage, lignée, marque, mot, nom, patronyme, pseudonyme, prénom, prête-nom, qualificatif, réputation, sobriquet, supin, surnom, terme, titre, vocable.

SUBSTITUER. Biaiser, bléser, blesser, chuinter, commuer, enlever, ravir, relayer, remplacer, supplanter.

SUBSTITUT. Adéquat, approchant, équivalence, équivalent, expression, même, pareil, remplaçant, similitude, synonyme

SUBSTITUTION. Commutation, changement, échange, fabulation, lapsus, novation, remplacement, transfert.

SUBSTRAT. Abscisse, glisseur, gradient, muscle, résultante, support, tendeur, tenseur, torseur, vecteur, vectoriel.

SUBTERFUGE. Artifice, dérobade, détour, échappatoire, finasserie, fuite, moyen, pantalonnade, pirouette, ruse, truc.

SUBTIL. Adroit, argutie, avisé, byzantin, délicat, délié, éther, éthéré, fin, fluide, habile, ingénieux, intelligent, léger, minutieux, pénétrant, perspicace, pointilleux, quintessence, raffiné, sagace, sophistiqué, spirituel.

SUBTILISER. Dérober, détrousser, escamoter, quintessencier, soustraire, subtilisation, volatiser, voler.

SUBTILITÉ. Argutie, délicatesse, finesse, intelligence, minutie, raffinement, stratagème, tour.

SUBVENIR. Alimenter, apporter, approvisionner, armer, assortir, avitailler, donner, doter, douer, ensiler, équiper, établir, fournir, garnir, gratifier, munir, nourrir, pourvoir, procurer, provisionner, ravitailler, réassortir.

SUBVENTION. Aide, bonificatoion, contribution, don, impôt, octroi, mécénat, prêt, secours, subside.

SUBVERSIF. Activiste, agitateur, anarchiste, contestataire, cordelier, desperado, émeutier, extrémiste, factieux, frondeur, futuriste, gauchiste, insurgé, insurrectionnel, militant, nihiliste, novateur, pernicieux, perturbateur, putschiste, rebelle, révolté, révolutionnaire, séditieux, sulfureux, terroriste, trublion.

SUBVERSION. Bouleversement, contestation, indiscipline, mutinerie, renversement, révolution, sédition.

SUBVERTIR. Abattre, affoler, agiter, atteindre, bouleverser, brouiller, casser, chambarder, chambouler, changer, chavirer, choquer, commotionner, contester, déranger, dérégler, émouvoir, ravager, renverser, révolutionner, révulser, saccager, toucher, tournebouler, troubler, vandaliser.

SUC. Aloès, chicotin, chyle, chyme, coulis, eau, exsudat, gastrique, gelée, gemme, hévéa, hile, intestinal, jus, kino, larme, latex, liquide, manne, marc, moût, opium, pavot, rasette, rob, sapa, sève, substance, verjus.

SUCCÉDANÉ. Aspartame, compensation, ersatz, méthadone, remplacement, saccharine, substitut.

SUCCÉDANT. Alternat, embrasé, postindustriel, post-traumatique, relais, successif, ultérieur.

SUCCÉDER. Alterner, bousculer, continuer, défiler, dérouler, égrainer, égréner, enchaîner, hériter, jalonner, précéder, relayer, relever, remplacer, substituer, suivre, supplanter, suppléer, venir.

SUCCÈS. Avantage, bénéfice, best-seller, bonheur, déboire, diva, exploit, gain, gloire, hit, laurier, performance, profit, prospérité, prouesse, réussite, record, tabac, toast, triomphe, trophée, tube, victoire, vogue.

SUCCESSEUR. Continuateur, dauphin, épigone, héritier, précédent, remplaçant, suivant, suite.

SUCCESSIF. Acolyte, aide, après, autre, avant, ci, confident, courtisan, disciple, et, filé, futur, phase, pisté, postérieur, prochain, prochaine, selon, subséquent, succession, suite, suivant, tour, ultérieur, us.

SUCCESSION. Acquisition, biens, carrousel, cliquetis, dévolution, échelle, ensuite, escalier, évolution, gamme, hérédité, héritage, hiatus, hoirie, kaléidoscope, legs, mortelle, nystagmus, patrimoine, rafale, rotation, roulement, tintement, train, série, suite, tantôt.

SUCCESSIVEMENT. Alternativement, consécutivement, périodiquement, rythmiquement, tour à tour.

SUCCIN. Agatite, ambre jaune, bakélite, carbolite, formite, intelligent, jaune, subtil, parfum, résine, rusé.

SUCCINCT. Abrégé, accourci, anecdote, bref, compentieux, concis, condensé, contracté, contentieux, court, dense, diffus, expéditif, laconique, maigre, modeste, notice, prolixe, ramassé, rapide, schématique, serré, sommaire, verbeux.

SUCCINCTEMENT. Bref, brièvement, court, densément, elliptiquement, laconiquement, rapidement, résumé, schématiquement, sommairement.

SUCCOMBER. Abandonner, abattement, accabler, affaisser, céder, choir, décéder, expirer, faillir, fléchir, malheur, mourir, perdre, périr, plier, résister, tomber.

SUCCUBE. Démon, diable, djinn, don, elfe, éfrit, esprit, farfadet, fée, follet, génie, gnome, harpie, imagination, incube, intelligence, lutin, lyre, nain, nixe, ondin, penchant, monstre, muse, nature, ondin, sirène, sylphe, talent, troll.

SUCCULENT. Agréable, délectable, délicieux, excellent, exquis, savoureux.

SUCCURSALE. Agence, annexe, branche, commerce, dépendance, division, filiale, tremplin.

SUCE. Sangsue, lèvre, pieuvre, pou, tentaculifère, vampire, ventouse.

SUCEPIN. Monotrope, pirolacée, pirole, plante.

SUCER. Absorber, aspirer, attirer, avaler, baiser, boire, buvoter, déguster, exprimer, extraire, fellation, humer, lécher, lipper, obtenir, pomper, ruinerm saliver, savourer, suçon, suçoter, taon, téter, tirer.

SUCETTE. Bonbon, confiserie, coquart, ecchymose, fellation, lolette, mamelle, pis, sein, tétin, tétine, tette.

SUCRASE. Enzyme, fructose, glucose, invertase, invertine, ptyaline, saccharase, saccharose.

SUCRATE. Adoucir, affadir, aspartame, cyclamate, édulcorant, mitiger, polyol, saccharine, sorbitol, sucrette.

SUCRE. Agave, api, canard, candi, caramel, cassonade, chocolat, douceur, doux, érythrose, fructose, galactose, glace, gelée, hexose, lactose, maltose, mélasse, melon, miel, moscouade, nectar, punch, saccharifère, saccharol, sirop, tréhalose, vergeoise.

SUCRER. Adoucir, caraméliser, édulcorer, embellir, emmieller, lochage, mieller, octroyer, supprimer, toucher.

SUCRERIE. Bonbon, chatterie, confiserie, douceur, friandise, nanan, praline, raffinerie, sirop, usine.

SUCRIN. Brodée, cantaloup, cape, cavaillon, cucurbitacée, melon, melon d'eau, miel, papaye, pastèque.

SUCRINE. Batavia, courge, laitue.

SUD. Antarctique, austral, cardinal, méridional, midi, pôle, sud-est, sudiste, sud-ouest, suet, terrefort.

SUDATION. Anhidrose, anidrose, antisudoral, antisudorifique, diaphorèse, étuve, évaporation, excrétion, exhalation, exsudation, moiteur, perspiration, rejet, sauna, suée, suerie, sueur, transpiration, vapeur.

SUD-EST. Horizon, point, SE, suet.

SUDORIFIQUE. Anhidrose, anidrose, antisudoral, antisudorifique, diaphorèse, étuve, évaporation, excrétion, exhalation, exsudation, moiteur, perspiration, rejet, sauna, sudation, suée, suerie, sueur, transpiration, vapeur.

SUD-OUEST. Horizon, libeccio, point, SO.

SUÈDE, CAPITALE (n. p.). Stockholm.

SUÈDE, LANGUE. Suédois.

SUÈDE, MONNAIE. Couronne, ore, sek.

SUÈDE, VILLE (n. p.). Boden, Boras, Calmar, Eskilstuna, Falun, Gavie, Goteborg, Gotland, Jorn, Kalmar, Lulea, Lund, Motala, Orebro, Stockholm, Sundsvall, Trelleborg, Umea, Upsal.

SUÉE. Anhidrose, anidrose, antisudoral, antisudorifique, diaphorèse, étuve, évaporation, perspiration, peur, rejet, sauna, sudation, sueur, transpiration.

SUER. Couler, excréter, exsuder, moitir, nage, peiner, perler, ruisseler, sueur, suinter, transpirer.

SUEUR. Chaleur, eau, écume, excrétion, fatigue, fièvre, pore, sudoral, suée, transpiration.

SUFFIRE. Assez, autarcie, basta, borner, combler, compléter, contenter, saturer, subvenir.

SUFFISAMMENT. Abondamment, abondant, assez, bien, capable, content, gloire, mûr, satiété, très.

SUFFISANCE. Autarcie, fatuité, hâblerie, infatuation, modestie, orgueil, prétention, vanité.

SUFFISANT. Assez, basta, baste, bien, congru, convenable, correct, fier, honorable, ric rac, satisfaisant, vaniteux.

SUFFIXE. Able, affixe, algie, andrie, augmentatif, crate, gramme, graphe, hydrique, ien, ise, ite, logie, mètre, péjoratif, phagie, phone, préfixe, sphère, suffixal, suffixation, suffixer, tera, tomie.

SUFFOCANT. Accablant, acroléine, agaçant, asphyxiant, brome, chaud, crispant, énervant, étonnant, étouffant, horripilant, indignant, lourd, torride, ypérite.

SUFFOCATION. Ahanement, anhélance, anhélation, apnée, asthme, dyspnée, essouflement, étouffement, halètement, han, oppression, orthopnée, pantellement, polypnée, pousse, ronflement, sibilation, stertor, stridor, tachypnée.

SUFFOQUER. Abasourdir, asphyxier, éberluer, effarer, époustoufler, essoufler, estomaquer, étouffer, interloquer, méduser, oppresser, opprimer, ronfler, sidérer, stupéfier.

SUFFRAGE. Approbation, censitaire, choix, élection, majorité, scrutin, universel, urne, voix, vote.

SUFFRAGETTE (n. p.). Pankhurst.

SUFFRAGETTE. Citoyenne, électrice, électorat, membre, suffrageant, supporter, votante.

SUGGÉRER. Dicter, indiquer, insinuer, inspirer, persuader, prescrire, proposer, recommander.

SUGGESTIF. Agitation, aigreur, appel, ardeur, chaleur, colère, cunnilingus, enthousiasme, éréthisme, érogène, évocateur, excitation, fébrilité, fumée, hypermnésie, ivresse, nervosité, orgasme, parlant, rage, significatif, stimuli, stimulus, sugsurvoltage.

SUGGESTION. Admonestation, admonition, alerte, avertissement, avis, blâme, conseil, gare, inspiration, instigation, klaxon, leçon, lettre, marque, menace, observation, pithiatisme, postface, préambule, préavis, prologue, recommandation, remontrance, réprimande, reproche, semonce, sifflet, signe, tocsin, trompe, voix.

SUICIDE. Autolyse, démolir, détruire, hara-kiri, immoler, saborder, seppuku, suicider, supprimer, ruiner, tuer.

SUICIDER. Assassiner, détruire, hara-kiri, immoler, mourir, saborder, seppuku, supprimer, tuer.

SUIDÉ. Cochon, défense, goret, groin, laie, pécari, phacochère, porc, ragot, sanglier, truie.

SUIE. Agglomérat, allaise, amas, argenture, arsenal, boue, calcin, cellulite, cinérite, consignation, dépôt, fange, gage, gain, incrustation, insémination, lie, limon, mise, néritique, pile, ponton, précipité, sédiment, tartre, tas, travertin, tuf, vase, versement.

SUIF. Adipeux, axonge, beurre, cambouis, cellulite, graille, graillon, graisse, gras, huile, issue, lanoline, lard, lipide, lubrifiant, maniguette, margarine, myéline, oing, oindre, oint, oléine, panne, sain, saindoux, stéarine, suint, spic, vaseline.

SUINT. Adipeux, axonge, beurre, cambouis, graille, graillon, gras, graisse, huile, lanoline, lard, lipide, lubrifiant, oing, oindre, oint, oléine, maniguette, margarine, myéline, oing, oléine, panne, sain, saindoux, stéarine, suif, spic, vaseline.

SUINTE. Changeant, coulant, courant, disert, effluve, éloquent, fluent, fluide, mouvant, sue, verveux.

SUINTEMENT. Bave, canal, écoulement, dalot, débit, débord, débouché, décharge, drain, égout, égouttement, épanchement, éruption, évier, exsude, flux, gourme, hématidrose, infiltration, jet, jetage, laps, larmoiement, leucorrhée, onde, otorrhée, phléborragie, saignement, stillation, torrent, transpiration, vente.

SUINTER. Circuler, couler, dégouliner, dégager, dégoutter, échapper, écouler, égoutter, exsuder, filtrer, fluer, fuir, perler, pleurer, ressuer, ruisseler, sortir, suer, transparaître, transpirer, transsuder.

SUISSE. Alémanique, appenzell, concierge, écureuil, européen, helvète, helvétique, portier, romand, soldat, tamia.

SUISSE, CAPITALE (n. p.). Berne.

SUISSE, LANGUE. Allemand, français, italien, romanche.

SUISSE, MONNAIE. Franc.

SUISSE, VILLE (n. p.). Aarau, Aigle, Altdorf, Appenzell, Arbon, Arosa, Baden, Bâle, Basel, Bellinzona, Bern, Berne, Biel, Bienne, Brienz, Brigue, Brunnen, Carouge, Champex, Coire, Coppet, Cressier, Davos, Delemont, Einsiedeln, Emmen, Ems, Fribourg, Genève, Granges, Gruyères, Kloten, Koniz, Lausanne, Locarno, Lucens, Lucerne, Lugano, Martigny, Montreux, Morat, Morges, Moutier, Munster, Neuchatel, Nyon, Oerlikon, Olten, Orbe, Ouchy, Pully, Renens, Saint-Gall, Saint-Moritz, Schaffhouse, Schaffhausen, Sierre, Sion, Soleure, Spiez, Stans, Uster, Vevey, Wil, Winterthur, Zermatt, Zoug, Zug, Zurich.

SUITE. Air, appartement, après, avent, ballet, bride, chant, continuation, cortège, danse, épopée, escalier, escorte, etc., file, filon, fur, haie, kyrielle, liste, mélodie, mots, neuvaine, note, numéros, pagination, pétarade, premier, processus, prolongement, queue, rang, rangée, séquelle, séquence, série, succession, tirade, trâlée, variété.

SUIVANT. Acolyte, aide, après, autre, avant, ci, confident, courtisan, disciple, escorte, et, filé, futur, pisté, postérieur, prochain, prochaine, selon, subséquent, successif, succession, suite, ultérieur, us.

SUIVI. Assidu, cohérant, constant, continu, contrôle, durable, éternel, incessant, infini, médical.

SUIVRE. Accompagner, aller, coller, côtoyer, descendre, écouter, emprunter, enquêter, épier, escorter, ester, filer, imiter, longer, monter, obéir, parcourir, pister, rembucher, remonter, serrer, talonner, visiter.

SUJET. Agent, astreint, au fait, blague, cause, cobaye, cogito, dépendant, désagrément, ego, enclin, être, étude, fable, je, leude, lieu, maladif, matière, me, moi, mortel, motif, objet, obligé, on, rageur, ridicule, scène, suspect, texte, thème, titre.

SUJÉTION. Attache, carcan, chaîne, condition, dépendance, esclavage, joug, obédience, soumission, subordination, vassalité.

SULFATE. Alun, alunite, amide, anhydrite, argyrose, barytine, bisulfate, célestine, copiapite, couperose, epsomite, galène, glasérite, gypse, johannite, kiesérite, kornélite, lanarkite, lithopone, persulfate, ransomite, réalgar, roemérite, selkénite, syngénite, vitriol.

SULFURE. Albandite, alquifoux, acanthite, argentite, bisulfure, blende, chalcopyrite, chalcosine, chalcosite, cinabre, covelline, covellite, galène, ichtyol, marcasite, mispickel, orpiment, plomb, pyrite, réalgar, stibine, vermillon, ypérite, zinc.

SULFURER. Agencer, allier, amalgamer, arranger, assembler, calculer, combiner, composer, fusionner, hydrater, hydrogéner, joindre, marier, mélanger, mêler, mettre, mixer, ourdir, oxyder, réunir, synthétiser, tramer, unir, varier.

SULFURIQUE. Acescent, acide, acidulé, âcre, acrimonieux, aigre, alanine, amer, arsénique, asparagine, borique, bromique, caprylique, caustique, chlorique, citrique, désagréable, eau-forte, glycérique, glycocolle, histidine, hyposulfureux, lactique, lessant, leucine, malique, oléum, oxacide, palmitique, phtalique, picrique, piquant, salicylique, serine, silicique, stéarique, sur, suret, surette, thiosulfurique, tryptophane, tyrosine, urique, valine, vanadique, vinaigré, vitriol.

SULIDÉ. Fou de Bassan.

SULTAN. Aga, agha, bey, hautesse, lit, musulman, pacha, seigneur, sérail, souverain, sultanat, roi, titre.

SULTAN ALAOUITE (n. p.). Hafiz, Saladin.

SULTAN ARABIE (n. p.). Oman.

SULTAN ÉGYPTIEN (n. p.). Fouad, Saladin.

SULTAN MAROCAIN (n. p.). Haliz, Idris.

SULTAN OTTOMAN (n. p.). Abdülaziz, Abdulhamid, Abdülmecid, Ahmad, Ahmed, Bajazet, Bayazid, Ibrahim, Mehmet, Mourad, Murat, Mustafa, Orhan, Osman, Salim, Selim, Selimou, Soliman, Süleyman.

SULTAN SELDJOUKIDE (n. p.). Arslän, Barkyaruq, Malik.

SULTAN TURC (n. p.). Mourat, Murat, Soliman.

SULTANAT (n. p.). Katr, Oman, Qatar.

SUMAC. Amarante, anacardiacée, arbre, corroyère, fustet, laque, queue-de-renard, térébenthine, vernis, vinaigrier.

SUMMUM. Apogée, comble, degré, éminence, excès, faîte, fort, limite, maximum, perfection, sommet, top, zénith.

SUMO. Bagarre, boxe, catch, clé, collision, combat, curée, duel, grève, guerre, jiu-jitsu, joute, judo, karaté, lice, lutte, magouillage, magouille, mêlée, pancrace, prise, pugilat, pugnacité, querelle, rixe, savate.

SUNNISME. Ayatollah, chafiisme, chiisme, islam, ismaïlien, madhisme, mahométisme, musulman, turc, zakat.

SUOMI. Finlande, finlandais, finnois, markka, ouralo-altaïque.

SUPER. Anormal, bizarre, brusque, curieux, déconcertant, drôle, épatant, étonnant, étrange, extra, formidable, imprévu, magique, merveilleux, mirifique, nouveau, rapide, rare, sciant, surprenant, stupéfiant.

SUPERBE. Allure, arrogance, beau, condescendance, dédain, éminent, fierté, hauteur, morgue.

SUPERCHERIE. Canaillerie, carambouillage, charlatanisme, crapulerie, duperie, enjôlement, escroquerie, fraude, grivèlerie, imposture, maquignonnage, mystification, tricherie, tromperie, usurpation.

SUPÈRE. Abat-jour, bulbe, bulbiculture, fleur, infère, liliacée, ovaire, plante, tulipe, superovarié.

SUPERFÉTATOIRE. Abus, pléonasme, redite, redondance, répétition, superfluidité, tautologie.

SUPERFICIE. Aire, apparence, aréage, dimension, espace, étendue, façade, hectare, surface.

SUPERFICIEL. Aphte, bénin, cosmétique, creux, écorchure, éraillure, évaporé, frivole, futile, incomplet, inconsistant, insouciant, léger, oiseux, sial, sommaire, succinct, survol, teinture, toc, vain, vide.

SUPERFLU. Attirail, exagéré, excessif, futile, inutile, oiseux, prolixe, redondant, surabondant, trop, verbeux.

SUPÉRIEUR. Abbé, accompli, aîné, as, chef, directeur, dominant, doyen, élevé, émérite, éminent, excellent, extra, général, génial, haut, haut de gamme, higoumène, maître, meilleur, mère, patron, père, positif, prééminent, premier, prieur, remarquable, unique.

SUPÉRIORITÉ. Au-delà, au-dessus, avantage, dominance, élévation, hégémonie, magistral, maîtrise, perfection, pouvoir, prédominance, prééminence, primauté, qualité, royauté, suprématie, talent, transcendance.

SUPERLATIF. Absolu, degré, excessif, extraordinaire, fort, parfait, pire, satané, très.

SUPERNOVA. Astre, astronomie, chariot, constellation, destin, destinée, divan, étoile, fortune, galaxie, idole, météore, météorite, naine, nébuleuse, nova, pentacle, polaire, pulsar, quasar, rat, sidéral, soleil, star, supergéante, vedette, véga.

SUPERPOSER. Accumuler, amasser, amonceler, coïncider, étager, imbriquer, interférer, liter, mettre.

SUPERPOSITION. Ajout, charriage, chevauchement, coïncidence, croisement, empiétement, épaulette, inbrication, interférence, intersection, liter, nœud, recoupement, recouvrement, rencontre, superstructure.

SUPERSTITIEUX. Crédule, croyant, fétichiste, illuminé, intersigne, naïf, superstition

SUPERSTITION (n. p.). Abraxas.

SUPERSTITION. Amulette, crédulité, croyance, fétichisme, hasard, illuminisme, magie, naïveté, peur, soin, vampire.

SUPERSTRUCTURE. Accastillage, base, château, dunette, gaillard, kiosque, passerelle, roof, rouf.

SUPERVISER. Analyser, arraisonner, censurer, confirmer, confronter, contrôler, dénombrer, dominer, dompter, encadrer, examiner, filtrer, observer, pouvoir, réviser, tester, vaincre, vérifier, volonté.

SUPERVISION. Analyse, censure, confirmation, contrôle, domination, encadrement, examen, test.

SUPINATION. Avant-bras, carpe, cubitus, genou, humérus, main, os, pronation, radial, radius.

SUPPLANTER. Déposséder, détrôner, écarter, éclipser, éliminer, évincer, remplacer, substituer.

SUPPLÉANT. Adjoint, assesseur, intérimaire, juge, remplaçant, substitut, vicariant, vice, vicomte.

SUPPLÉER. Combler, compenser, compléter, rabioter, remédier, remplacer, renforcer, réparer.

SUPPLÉMENT. Accessoire, à-côté, addenda, additif, addition, ajout, appendice, appoint, cahier, complément, excédent, extra, net, plus, rab, rabe, rabiot, rallonge, remplacement, renfort, surcroît, surfilage, surplus.

SUPPLÉMENTAIRE. Accessoire, additionnel, adjoint, ajouté, annexe, complémentaire, subsidiaire.

SUPPLÉTIF. Artilleur, cadet, casernier, civil, déserteur, estafette, fantassin, galon, gendarme, général, G.I., goumier, grade, guerrier, hussard, légionnaire, martial, milicien, militaire, officier, ost, rata, recrue, serval, service, soldat, soldatesque, stratégique, traîneur, troupier.

SUPPLICATION. Adjuration, appel, demande, ferveur, imploration, oraison, prière, requête.

SUPPLICE (n. p.). Tantale.

SUPPLICE. Affliction, autodaté, brodequin, bûcher, carcan, corde, croix, crucifiement, dam, douleur, écartèlement, enfer, estrapade, flammes, garrotte, géhenne, knout, lapidation, pal, peine, potence, question, roue, souffrance, torture, tourment.

SUPPLICIER. Bâtonner, brûler, crucifier, écarteler, écarteler, écorcher, électrocuter, empaler, étrangler, exécuter, flageler, fouetter, lapider, martyriser, pendre, rouer, souffrir, tenailler, torturer, tourmenter, tuer.

SUPPLIER. Adjurer, appeler, conjurer, convier, demander, exiger, grâce, implorer, insister, invoquer, presser, prier, réclamer, recommander, requérir, solliciter, tomber.

SUPPLIQUE. Demande, impétrer, pétition, prière, requête, supplication.

SUPPORT (n. p.). Atalante.

SUPPORT. Affût, aide, appuie-bras, berceau, bipied, bougeoir, bras, cariatide, chenet, chevalet, cintre, colonne, disque, épontille, essieu, faucre, gaine, guéridon, herse, if, isolateur, lampadaire, mât, media, patère, patin, perche, piédestal, pilier, pivot, pylône, selle, servante, socle, soutien, stencil, tasseau, tee, télamon, tin, trépied, tréteau, vau.

SUPPORTABLE. Admissible, buvable, passable, possible, soutenable, tenable, tolérable, vivable.

SUPPORTER. Accepter, admettre, appuyer, assumer, avaler, blairer, croire, digérer, encaisser, endurer, épauler, éprouver, liter, porter, prêter, réagir, recevoir, résister, serrer, se taper, souffrir, soutenir, subir, tenir, tifosi, tolérer.

SUPPORTEUR. Acolyte, affidé, auxiliaire, comparse, compère, complice, connivence, mèche, suspect, tifosi.

SUPPOSÉ. Admis, affirmé, apocryphe, attribué, censé, conjectural, cru, douteux, emprunt, espéré, estimé, factice, faux, imaginaire, incertain, point, présage, présumé, prétendu, pseudo, putatif, si, soi-disant.

SUPPOSER. Admettre, anticiper, attribuer, augurer, conjecturer, croire, dénoter, espérer, exiger, extrapoler, gager, imaginer, inférer, inventer, juger, penser, poser, présumer, présupposer, représenter, si, supputer.

SUPPOSITION. Conjonction, croyance, donnée, fraude, hypothèse, opinion, présomption, si, soit, usurpation.

SUPPOSITOIRE. Bourdaine, cathartique, dépuratif, évacuant, lavement, laxatif, libératoire, lustral, mauve, psyllium, purgatif, purge, purificateur, purificatoire, rhubarbe, séné, senne, sorbitol, tamar, vidant.

SUPPÔT. Agent, complice, démon, malfaisant, méchant, néfaste, nuisible, partisan, séide.

SUPPRESSION. Abandon, abolition, anesthésie, anurie, annulation, aphérèse, coupure, démontage, diète, éclaicie, élision, ellipse, éradication, étêtement, inactivation, pincement, privation, rabattage, radiation, régime.

SUPPRIMABLE. Biffable, coupable, éliminable, enlevable, éradicable, étouffable, rasable.

SUPPRIMÉ. Aboli, amorti, détruit, enlevé, étouffé, levé, limé, ôté, rasé, rayé, retranché, sucré, tu, tué.

SUPPRIMER. Abolir, abroger, annuler, banaliser, biffer, couper, délester, déplafonner, déraciner, éborgner, ébourgeonner, écrêter, élaguer, élider, éliminer, enlever, épiler, éradiquer, liquider, occire, ôter, ragréer, raser, rayer, rogner, scier, sucrer, tuer, virer.

SUPPURATION. Abcès, aboutissement, boue, bourbillon, chassie, collection, drain, écoulement, empyème, gourme, humeur, ichor, purulent, pus, pyorrhée, pyurie, sang, sanie, sécrétion, séton, vomique.

SUPPURER. Alambic, cohober, condenser, distiller, élaborer, épancher, exsuder, hydrolat, répandre, sécréter.

SUPPUTATION. Appréciation, calcul, conjecture, estimation, évaluation, hypothèse, spéculation, supposition.

SUPPUTER. Apprécier, calculer, estimer, évaluer, jauger, prévoir, réfléchir, spéculer, supposer.

SUPRA. Amont, as, au-dessus, avantage, ciel, cime, couronnement, crête, croûte, dessus, empeigne, épi, haut, hors, hyper, premier, supériorité, sur, surpasser, supérieurement, sus, timbre, toit, ultra, vaincre.

SUPRÉMATIE. Dominance, domination, excellence, hégémonie, maîtrise, majesté, omnipotence, pouvoir, prééminence, primauté, sceptre, souverain, supériorité, uniate.

SUPRÊME. Cour, dernier, dieu, divin, final, grand, juge, parfait, puissant, ultime, souverain.

SUR. Acide, aigre, aigrelet, amer, couru, dessus, fermenté, haut, suret, suri, sus, tourné, vrai.

SÛR. Assurance, assuré, avéré, bon, certain, certes, clair, confiant, consistant, convaincu, dans, douteux, éprouvé, évident, exact, ferme, fiable, fidèle, incertain, persuadé, réel, sinécure, solide, supériorité, véritable, vrai.

SURABONDANCE. Abus, avalanche, débauche, débordement, déluge, excès, exubérance, flopée, flot, foule, infinité, kyrielle, luxuriance, myriade, nuée, orgie, pléthore, pluie, prodigalité, profusion, regorger, ribambelle, surcharge, trop-plein.

SURABONDANT. Abondant, abusif, débordant, excessif, exubérant, pléthorique, redondant, superflu, surchargé, trop.

SURABONDER. Abonder, foisonner, fourmiller, grouiller, multiplier, proliférer, pulluler, reproduire.

SURANNÉ. Ancien, antique, archaïque, arriéré, attardé, caduc, daté, démodé, dépassé, désuet, fini, fossile, inactuel, médiéval, obsolète, passé, périmé, retardé, rétrograde, rococo, usé, vieilli, vieillot.

SURATE. Antienne, couplet, gloria, graduel, paragraphe, poésie, refrain, satanique, sourate, vers, verset.

SURBAISSER. Abaisser, abattre, affaisser, baissement, bas, baisser, bémoliser, caler, céder, chuter, courber, déchoir, décliner, décroître, déflation, descendre, faiblir, fléchir, incliner, pencher, plier, rabaisser, rabattre, rebaisser.

SURCHARGE. Adiposité, embonpoint, excédent, excès, poids, surcroît, surpoids, surplus.

SURCHARGÉ. Affecté, alambiqué, baroque, chargé, compliqué, contourné, débordé, démodé, embrouillé, maniéré, mignard, précieux, recherché, ridicule, rococo, tarabiscoté.

SURCHARGER. Abrutir, accabler, aggraver, alourdir, bourrer, charger, corriger, écraser, encombrer, excéder, farcir, grever, imposer, net, raturer, tarabiscoter, travailler.

SURCHAUFFER. Déchaîner, électriser, enflammer, exalter, galvaniser, surexciter, survolter.

SURCLASSER. Enchérir, déborder, dépasser, devancer, distancer, dominer, doubler, enchérir, exagérer, excéder, franchir, lâcher, larguer, outrepasser, passer, saillir, semer, supplanter, transcender, trémater.

SURCROÎT. En plus, excédent, pensum, renfort, supplément, surcharge, superflu, surplus.

SURDIMUTITÉ. Malentendant, mutité, secret, sourd, sourdaud, sourdingue, sourd-muet.

SURDITÉ. Acalculie, affection, agnosie, alexie, amusie, aphasie, apraxie, astéréognosie, asymbolie, cécité, hypoacousie, otospongiose, somatoagnosie, sourd-muet, surdi-mutité, tympanoplastie.

SURDOSE. Crack, dormir, drogue, effarant, étonnant, haschich, héroïne, inouï, morphine, narcose, narcotique, opium, overdose, piqué, renversant, seringue, sidérant, stupéfiant, surprenant, troublant.

SURDOUÉ. Aigle, as, bollé, crack, doué, étonnant, génie, magie, merveille, miracle, perfection, phénix, phénomène, prestige, prodige, talentueux, virtuose.

SUREAU. Corymbe, hermaphrodite, hièble, sambéquier, sambu, sambucus, surard, yèble.

SURÉLÉVATION. Adjudication, augmentation, exhaussement, quai, mascaret, surcharge, surhaussement.

SÛREMENT. Absolument, assurément, certainement, certes, évidemment, fatalement, forcément, obligatoirement.

SURENCHÈRE. Achat, adjudication, attribution, caution, criée, encan, enchère, licitation, moins-disant, promesse, rabais, relance, soumission.

SURESTIMATION. Appréciation, cotation, devis, dire, estimation, évaluation, mégalomanie, valeur.

SURESTIMER. Agrandir, alourdir, arrondir, augmenter, décupler, gonfler, grossir, majorer, surfaire, surévaluer.

SURET. Acescent, acide, acidulé, âcre, acrimonieux, aigre, alanine, amer, arsénique, asparagine, borique, bromique, caprylique, caustique, chlorique, citrique, désagréable, eau-forte, glycérique, glycocolle, histidine, hyposulfureux, lactique, lessant, leucine, malique, oléum, oxacide, palmitique, phtalique, picrique, piquant, salicylique, serine, silicique, stéarique, sulfurique, sur, surette, thiosulfurique, tryptophane, tyrosine, urique, valine, vanadique, vinaigré, vitriol.

SÛRETÉ. Abri, asile, assurance, caution, certitude, coffre-fort, enfermé, enfermer, épingle, fermeté, fibule, gage, garant, garantie, maîtrise, môle, pompe, précaution, précision, protection, sauvetage, sécurité, siège, verrou.

SURÉVALUER. Agrandir, alourdir, arrondir, augmenter, décupler, gonfler, grossir, majorer, surfaire, surestimer.

SUREXCITATION. Ardeur, déchaînement, délire, énervement, exaltation, fièvre, fougue, frénésie, zèle.

SUREXCITÉ. Agité, ardent, exalté, excité, fanatique, fougueux, furieux, passionné, sublime.

SUREXCITER. Admirer, délirer, emballer, énerver, enfiévrer, engouer, exalter, rêver, songer.

SURFACE (n. p.). Auger, Brinell, Castaing, Dupin, Germain, Möbius.

SURFACE. Acre, aire, aplat, are, bande, base, champ, cercle, cône, disque, échiquier, étendue, extérieur, façade, face, frise, géoïde, glacis, glène, intrados, lieu, nappe, orbe, parement, périmètre, photosphère, pi, piste, plan, pourtour, quadrique, sol, superficie, talus, tamis, tranche, voilure, zone.

SURFACER. Abraser, adoucir, aléser, aplanir, avaler, briser, broyer, croquer, duper, éroder, flouer, gruger, limer, manger, meuler, polir, poncer, posséder, réduire, rogner, ronger, rouler, ruiner.

SURFAIRE. Amplifier, exagérer, gonfler, surestimer, surévaluer.

SURFIL. Bâti, couture, faufilure, piquage, piqûre, rentraiture, surjet, suture, tranchefile, transfilage.

SURFIN. Beurre, excellent, extra, extrafin, impérial, raffiné, super, supérieur, superlatif, surchoix.

SURGELER. Congeler, décongeler, figer, frapper, frigorifier, geler, glacer, incongelable, prendre, regeler.

SURGIR. Apparaître, déboucher, élancer, élever, émerger, jaillir, manifester, montrer, naître, paraître, ressurgir, sortir, surrection, survenir, venir.

SURHAUSSER. Accentuer, accroître, accuser, appoggiature, appuyer, atone, augmenter, déclamer, exagérer, inaccentué, insister, intensifier, luminisme, marquer, marteler, montrer, ponctuer, rehausser, renforcer, ressortir, souligner, surélever.

SURICATE. Abeille, carnivore, guêpe, hyménoptère, ichneumon, insecte, mangouste, omnivore, surikate, viverridé.

SURIN. Amassette, arbre, arme, bistouri, canif, chouriner, couteau, eustache, grattoir, jambette, laguiole, lame, machette, mollusque, navaja, onglet, opinel, poignard, pommier, soie, solen, surineur.

SURINAM, CAPITALE (n. p.). Paramaribo.

SURINAM, LANGUE. Néerlandais.

SURINAM, MONNAIE. Florin.

SURINAM, VILLE (n. p.). Ajoewa, Albina, Ananavero, Groningen, Paramaribo, Tottness, Zanderij.

SURINTENDANT (n. p.). Antin, Bellièvre, Briconnet, Colbert, Effiat, Émery, Foucquet, Fouquet, Jeannin, Louvois, Primatice.

SURINTENDANT. Administrateur, directeur, gérant, gestionnaire, gouverneur, intendant, organisateur, régisseur.

SURIR. Aigrir, coaguler, cailler, condenser, congeler, durcir, épaissir, figer, gâter, prendre, présurer, tourner.

SURJET. Bâti, couture, faufilure, piquage, piqûre, rentraiture, surfil, suture, tranchefile, transfilage.

SUR-LE-CHAMP. Aussitôt, illico, immédiatement, impromptu, improviste, incontinent, injonctif, injonction, instantanément, presto, sans délais, séance tenante, sitôt, soudain, subitement, traînerie.

SURLIGNEUR. Bic, bille, crayon, feutre, feutrine, grigne, manchon, mat, mélusine, plume, porte-mine, pousse-mine, réservoir, rotring, stylo, stylofeutre, stylographe, stylomine.

SURMENER. Accabler, claquer, crever, épuiser, éreinter, esquinter, excéder, exténuer, fatiguer, forcer, harasser, peiner, suer, surmenage, trimer, user, vider.

SURMONTER. Dompter, franchir, maîtriser, mater, résoudre, sommer, surpasser, triompher, vaincre.

SURMULOT. Gerbille, mammifère, muridé, souris, rat, rongeur.

SURMULTIPLIER. Accélérer, accroître, accumuler, agrandir, aggraver, allonger, amplifier, arrondir, augmenter, bénéficier, croître, développer, diluer, doubler, échoir, élargir, étendre, extensionner, grandir, grossir, hypertrophier, monter, proliférer, prolonger, recommencer, redoubler, relever, stimuler.

SURNAGER. Flotter, maintenir, soutenir, subsister, survivre.

SURNATUREL. Céleste, dieu, divin, inexplicable, kami, magique, miraculeux, surhumain.

SURNOM. Appel, chtonien, dénommé, dit, épiphane, huguenot, plume, pseudonyme, sammy, sobriquet.

SURNOM FRANCE (n. p.). Hexagone, Marianne.

SURNOMBRE. Abscisse, âge, algèbre, armada, arrondir, beaucoup, chiffre, compte, constante, densité, effectif, entier, épacte, fréquence, harmonie, infinité, légion, maint, millier, multiplicité, nombre, numéro, quantité, quaternion, quorum, rondeur, score, tant, tirage, vie.

SURNOMMÉ. Alias, appelé, baptisé, casé, dénommé, désigné, dit, ladite, ledit, renommé.

SURNOMMER. Affubler, appeler, baptiser, caser, dénombrer, dénommer, désigner, dire, qualifier, renommer.

SURNUMÉRAIRE. Additif, afat, aide, aide-soignant, annexe, assistant, avocat, avoir, auxiliaire, complice, contractuel, être, extra, intérimaire, mi-temps, remplaçant, scripte, secondaire, stagiaire, subsidiaire, supplétif.

SURPASSER. Abattre, anéantir, battre, chasser, conquérir, déborder, dégoter, dépasser, devancer, distancer, dominer, dompter, éclipser, emporter, émule, enfoncer, laisser, mieux, outrepasser, passer, prédominer, primer, surclasser, surmonter, trimer.

SURPLIS. Alezan, arzel, aube, aubère, bai, bringé, cafetan, caftan, chiton, costume, djellaba, épitoge, escoc, excès, fourreau, froc, gandoura, gogot, haik, jupe, lamée, mini, peau, peignoir, péplum, poil, rabat, robe, rochet, sari, simarre, soutane, toge, toilette, traîne, troussis, tunique, vêtement, zain.

SURPLOMBER. Avancer, couronner, couvrir, culminer, déborder, dépasser, devancer, dominer, planer, régner, saillir.

SURPLUS. Cataclysme, crue, débord, débordement, déferlement, déluge, dépassement, dérivement, diffusion, écoulement, embarras, excédent, excès, expansion, explosion, flot, flux, gain, inondation, ire, irruption, magasin, matériel, pléonasme, pléthore, sortie, trop-plein.

SURPOPULATION. Abondant, avantageux, conception, copieux, été, excédent, fécond, fécondité, fertile, fertilité, florissant, fructueux, gras, lapinisme, productif, prolifère, prolifique, riche, surnatalité, surpeuplement.

SURPRENANT. Accidentel, admirable, anormal, bizarre, brusque, curieux, déconcertant, drôle, épatant, étonnant, étrange, formidable, frappant, imprévu, improbable, magique, merveilleux, mirifique, nouveau, rapide, rare, saisissant, sciant, stupéfiant.

SURPRENDRE. Abuser, ahurir, capter, coincer, confondre, consterner, déceler, déconcerter, duper, ébahir, ébouriffer, épater, époustoufler, étonner, feinter, intercepter, intriguer, méduser, piger, pincer, prendre, renverser, saisir, scier, stupéfier, tromper, voir.

SURPRIS. Abasourdi, affolé, ahuri, attrapé, autrement, bouche bée, ciel, consterné, déconcerté, ébahi, ébaubi, éberlué, ébouriffé, effrayé, époustouflé, espion, étonné, feinté, frappé, interloqué, médusé, renversé, saisi, stupéfait, stupéfié.

SURPRISE. Accident, boum, cadeau, commotion, confusion, consternation, don, ébahissement, eh, embarras, épatement, étonnement, ha, hé, hein, inattendu, oh, ouïe, ouille, partie, party, piège, saisissement, stupéfaction, stupeur, surboum.

SURPRODUCTION. Accord, annone, apparition, création, cru, émission, fantasme, film, fruit, grainage, miellée, œuvre, ouvrage, production, produit, réalisation, récolte, rendement, sidérurgie, suppuration, travail, valeur.

SURPROTÉGER. Accentuer, accoter, accouder, adosser, aider, appliquer, apporter, appuyer, asseoir, avaliser, baiser, baser, buter, coller, compter, confirmer, corroborer, diriger, encourager, épauler, étayer, fonder, fortifier, insister, maintenir, materner, patronner, peser, pistonner, placer, poser, presser, protéger, recommander, référer, renforcer, servir, sonner, souligner, soutenir, supporter, taper, tenir.

SURRÉALISME. Absurde, dada, déraisonnable, extravagant, illogique, incohérent, insensé, irrationnel.

SURRÉALISTE ALLEMAND (n. p.). Richter.

SURRÉALISTE AMÉRICAIN (n. p.). Melville, Ray, Rothko, Tanguy.

SURRÉALISTE ANGLAIS (n. p.). Beckford.

SURRÉALISTE ANTILLAIS (n. p.). Césaire.

SURRÉALISTE BELGE (n. p.). Delvaux, Magritte.

SURRÉALISTE CHILIEN (n. p.). Matta.

SURRÉALISTE ESPAGNOL (n. p.). Alberti, Dali, Miró.

SURRÉALISTE FRANÇAIS (n. p.). Apollinaire, Aragon, Arp, Artaud, Béalu, Bellmer, Bertrand, Brauner, Breton, Char, Crevel, Cros, Dali, Desnos, Duchamp, Éluard, Hantaï, Kolar, Lacenaire, Malet, Masson, Péret, Queneau, Rigaut, Riverdy, Soupault, Vaillant, Vigo, Vitrac.

SURRÉALISTE ISLANDAIS (n. p.). Laxness.

SURRÉALISTE ITALIEN (n. p.). Savinio.

SURRÉALISTE MEXICAIN (n. p.). Paz.

SURRÉALISTE ROUMAIN (n. p.). Hérold, Illyés.

SURRÉALISTE SUÉDOIS (n. p.). Lundkvist.

SURRÉALISTE SUISSE (n. p.). Giacometti.

SURRÉNAL. Endocrine, endocrinien, exocrine, glande, gonale, hypophyse, ovaire, testicule, thyroïde.

SURSATURER. Abreuver, accabler, aduler, bénir, bourrer, charger, colmater, combler, couvrir, donner, emplir, entourer, exaucer, gâter, gorger, obturer, rattraper, remblayer, remplir, saturer, surcharger.

SURSAUT. Agitation, convulsion, ébranlement, effort, frémissement, frisson, frissonnement, grelottement, oscillation, saccade, saut, secousse, soubresaut, tentative, titubation, tortillage, tremblement, trépidation, tressaillement, vacillement, vibration.

SURSAUTER. Bondir, exploser, exulter, sauter, tressaillir, tressauter.

SURSEOIR. Attendre, différer, interrompre, reculer, reporter, retarder, temporiser.

SURSIS. Arrêt, attente, décision, délai, dispense, pause, remise, répit, report, surséance, suspens, trêve.

SURTAXE. Accise, charge, contribution, dégrèvement, dîme, droit, excise, franc-fief, imposition, impôt, maltôte, redevance, surtaxer, tarif, taxation, taxe, tribut.

SURTOUT. Bleu, caban, casaque, cotte, d'autant plus, éminemment, notamment, ornement, par-dessus, par-dessus tout, particulièrement, principalement, sarrau, souquenilles, tablier, vaisselle, vêtement.

SURVEILLANCE. Aguets, attention, awacs, conduite, contrôle, DST, épiement, espionnage, faction, filature, filtrage, garde, guet, inspection, mirador, observation, patrouille, protection, soin, tutelle, vigie, vigilance.

SURVEILLANT. Argousin, argus, censeur, cerbère, chaperon, chasseur, conducteur, cuistre, forçat, garde, garde-chiourme, gardien, geôlier, guetteur, maître, maton, moniteur, pion, piqueur, portier, préfet, préposé, sentinelle, tueur, veilleur, vigile.

SURVEILLER. Aposter, chaperonner, contrôler, défendre, épier, espionner, examiner, filer, garder, guetter, inspecter, marquer, mater, moucharder, noter, observer, regarder, scruter, suivre, veiller, visser.

SURVENANCE. Accession, afflux, anode, apparition, approche, approchement, arrivage, arrivée, avènement, avent, bienvenue, commencement, débarquement, début, entrée, gare, incursion, naissance, subit, survenue, venue.

SURVENIR. Accéder, advenir, affluer, apparaître, arriver, intervenir, pile, présenter, produire, surgir, venir.

SURVÊTEMENT. Alezan, arzel, aube, aubère, bai, bringé, cafetan, caftan, chiton, costume, djellaba, épitoge, escoc, fourreau, froc, gandoura, gogot, haik, jupe, lamée, manteau, mini, peau, peignoir, péplum, poil, rabat, robe, rochet, sari, simarre, soutane, surplis, toge, toilette, traîne, troussis, tunique, vêtement, zain.

SURVIVANT. Indemne, miraculé, naufragé, rescapé, vivace, vivant.

SURVIVRE. Advenir, demeurer, durer, enterrer, maintenir, persister, rester, subsister, surgir, tenir.

SURVOLER. Analyser, apprécier, approfondir, arraisonner, ausculter, comparer, contrôler, critiquer, débattre, discuter, éplucher, étudier, examiner, explorer, feuilleter, inspecter, langueyer, lire, observer, parcourir, peser, regarder, réviser, revoir, scruter, sonder, tâter, vérifier, visiter, voir, volier.

SURVOLTER. Déchaîner, électriser, enflammer, exalter, galvaniser, surchauffer, surexciter.

SUS. Accessoire, addenda, additif, addition, ajout, appendice, cahier, en plus, extra, haro, net, outre, plus, rab, rallonge, remplacement, surcroît, surnuméraire, surplus.

SUSCEPTIBILITÉ. Émotivité, excitabilité, explosibilité, hypersensibilité, irascibilité, irritabilité, ombrage, surexcitabilité.

SUSCEPTIBLE. Apte, capable, chatouilleux, coléreux, délicat, émotif, emporté, enclin, érectile, irascible, irritable, érogène, ombrageux, pointilleux, prompt, rachetable, réceptif, sensible, sensitif, soupçonneux, sujet, vibratile, vulnérable.

SUSCITER. Amener, apporter, attirer, bondir, causer, chercher, créer, déchaîner, déclencher, déterminer, élever, entourer, entretenir, éveiller, exciter, fomenter, fournir, inspirer, occasionner, porter, produire, provoquer, rebuter, soulever.

SUSCRIPTION. Adresse, agilité, apostrophe, art, coordonnées, dégourdi, dextérité, doigté, domicile, entrée, finesse, habileté, harangue, indication, ingéniosité, instruction, maestria, maîtrise, réponse, site, tir, tour, tri, truc, URL, vagabond.

SUSDIT. Aussi, autant, dito, également, encore, ibidem, idem, infra, itou, même, pareil, pareillement, supra.

SUSIANE (n. p.). Élam, Khuzestan, Perse, Suse.

SUSPECT. Apocryphe, caution, coco, douteux, équivoque, fricoteur, guilledou, incertain, interlope, louche, malfamé, mauvais, micmac, patibulaire, soupçonné, suspecter, suspicion, timide, troublé, vague, véreux.

SUSPECTER. Conjecturer, entrevoir, flairer, incriminer, pressentir, présumer, soupçonner, subodorer, supposer.

SUSPENDRE. Accrocher, ajourner, appendre, arrêter, attacher, avorter, cesser, chômer, démettre, différer, enrayer, étendre, fixer, geler, inhiber, interrompre, pendre, proroger, retenir, retirer, soutenir, surseoir.

SUSPENDU. Arrêté, cadre, censuré, fermé, gelé, hamac, harpe, interdit, nuage, révoqué, saisi, stoppé.

SUSPENS. Attente, délai, flottant, hésitant, incertain, incertitude, indécis, indécision, irrésolu, pause, perplexe, provisoire, quarantaine, souffrance, sursis, suspensif, temporaire.

SUSPENSE. Affût, attente, calme, délai, désir, espérance, espoir, expectance, expectation, expectative, faction, film, instance, lapin, latence, orme, pause, pendant, poireau, poireautage, présomption, remise, roman, station, sursis.

SUSPENSION. Abandon, aérosol, ajournement, anhydrobiose, apnée, arrêt, catalepsie, cessation, crise, délai, embargo, gel, grève, lustre, moratoire, pause, plafonnier, probation, relâche, répit, repos, trêve.

SUSPENTE. Amarre, aussière, barre, bitord, bitte, cabillot, câble, chaumard, cordage, corde, élingue, embossure, étrive, filin, garcette, haussière, jarretière, larguer, liure, organeau, sabaille, sabaye, taquet.

SUSPICION. Critique, défiance, doute, dubitatif, énigme, euh, hem, hésitation, heu, hum, hypothèse, incertitude, incrédule, indécision, irrésolution, litige, méfiance, peut-être, scepticisme, si, soupçon, vraisemblablement.

SUSTENTATION. Absorption, alimentation, allaitement, approvisionnement, convertisseur, élevage, fourniture, gavage, malbouffe, nourrissage, nourrissement, nourriture, paisson, perfusion, ravitaillement, régime, repas, suralimentation.

SUSTENTER. Alimenter, allaiter, amplifier, couver, élever, enfler, enrichir, entretenir, étoffer, feu, fortifier, gaver, gorger, grossir, instruire, manger, nourrir, rassasier, ravitailler, régaler, restaurer, soutenir.

SUSURREMENT. Bruissement, chuchotement, chuchotis, cri, marmonnage, marmonnement, murmure, soufflement.

SUSURRER. Bourdonner, chuchoter, clampiner, corner, fainéanter, flâner, fredonner, gronder, murmurer, musarder, muser, paresser, résonner, retentir, rêvasser, ronfler, ronronner, siffler, sonner, tinter, traînasser, traîner, travailler, vrombir.

SUTRA. Adage, aphorisme, apophtegme, commandement, conseil, coutume, dogme, forme, formule, leçon, loi, maxime, mise, morale, norme, ordre, pratique, précepte, principe, recueil, règle, règlement, rite, rituel, sentence, soutra.

SUTURE. Catgut, coupure, couture, jonction, plaie, raccord, réunion, scissure, soudure, surjet.

SUTURER. Articuler, coudre, joindre, raccorder, recoudre, réunir, sati, souder, transiter.

SUZERAIN. Ban, bénéfice, gonfalon, gonfanon, maître, patron, prince, seigneur, vassal.

SVELTE. Allongé, dégagé, délicat, délié, effilé, élancé, élégant, étroit, filiforme, fin, fluet, fragile, fuselé, gracile, grêle, léger, longiligne, maigre, massif, menu, mince, souple, sylphide, ténu.

SWAZILAND, CAPITALE (n. p.). Mbabane.

SWAZILAND, LANGUE. Anglais, swazi.

SWAZILAND, MONNAIE. Lilangeni.

SWAZILAND, VILLE (n. p.). Bombu, Hluti, Lobamba, Luyengo, Manzini, Mbabane, Nhlangano.

SWING. Boxe, coq, crochet, direct, jab, léger, lourd, mouche, moyen, out, plume, ring, round, savate, uppercut.

SYBARITE. Délicat, épicurien, profiteur, raffiné, sensuel, sybaritique, viveur, voluptueux.

SYCOMORE. Acer, arbre, érable, érable blanc, faux platane, figuier, figuier d'Égypte, platane.

SYCOPHANTE. Accusateur, calomniateur, délateur, dénonciateur, espion, mouchard, sournois.

SYCOSIS. Altération, amibiase, contagion, contamination, corruption, ecthyma, érésipèle, érysipèle, fétidité, furoncle, gangrène, impétigo, infection, invasion, lèpre, malodorant, nosocomial, nitrose, ostéomyélite, panaris, peste, pestilence, pneumonie, putréfaction, septicémie, streptococcie, syphilis, tétanos, typhus, variole.

SYLLABE. Abécédaire, alexandrin, alphabet, alphabétique, antépénultième, brève, diérèse, lettre, mantra, pied, vers.

SYLLOGISME. Argument, enthymème, logique, or, prémisse, raisonnement, sorite, terme.

SYLPHE. Capacité, démon, diable, djinn, don, elfe, éfrit, esprit, farfadet, fée, follet, génie, gnome, harpie, imagination, incube, lutin, lyre, nain, nixe, ondin, penchant, monstre, muse, nature, ondin, sirène, succube, troll.

SYLPHIDE. Démon, djinn, éfrit, elfe, femme, fille, génie, gnome, gobelin, gracieuse, katchina, kobold, nixe, ondine, sylphe.

SYLVE. Bocage, bois, boisé, bosquet, cédrière, chênaie, clairière, érablière, flopée, forêt, foule, fraise, futaie, kyrielle, maquis, multitude, nuée, parc, perceuse, pignade, pinède, sapinière, selve, sous-bois, taïga, taillis, verger.

SYLVICULTEUR. Agrumiculteur, arboriculteur, arboriste, cryptoméria, cultivateur, forestier, forêt, fruiticulteur, horticulteur, pépinière, pépiniériste, planteur, sylvicole, sylviculture.

SYLVIIDÉ. Becfigue, fauvette, gobe-mouches, gobe-moucheron, fauvette, moucherolle, passereau, tyran.

SYMBIOSE. Alliance, apprêt, assemblage, collage, concubinage, fusion, intégration, raccord, unification, union.

SYMBOLE. Algorithme, allégorie, apparence, attribut, balance, chiffre, comparaison, credo, cv, devise, emblème, épaulette, étendard, figure, icône, image, insigne, linga, lingam, lis, logo, lys, marque, métaphore, notation, olivier, palme, représentation, sceptre, signe, soleil.

SYMBOLE CHIMIQUE. Actinium (Ac), aluminium (Al), américium (Am), antimoine (Sb), argent (Ag), argon (Ar), arsenic (As), astate (At), azote (N), baryum (Ba), berkélium (Bk), béryllium (Be), bismuth (Bi), bore (B), brome (Br), cadmium (Cd), cæsium (Cs), calcium (Ca), californium (Cf), carbone (C), cérium (Ce), chlore (Cl), chrome (Cr), cobalt (Co), cuivre (Cu), curium (Cm), dysprosium (Dy), einsteinium (E), erbium (Er), étain (Sn), europium (Eu), fer (Fe), fermium (Fm), fluor (F), francium (Fr), gadolinium (Gd), gallium (Ga), germanium (Ge), hafnium (Hf), hélium (He), holmium (Ho), hydrogène (H), indium (In), iode (I), iridium (Ir), krypton (Kr), lanthane (La), Lawrentium (Lr), lithium (Li), lutécium (Lu), magnésium (Mg), manganèse (Mn), mendélévium (Mv), mercure (Hg), molybdène (Mo), néodyme (Nd), néon (Ne), neptunium (Np), nickel (Ni), niobium (Nb), nobélium (No), or (Au), osmium (Os), oxygène (O), palladium (Pd), phosphore (P), platine (Pt), plomb (Pb), plutonium (Pu), polonium (Po), potassium (K), praséodyme (Pr), prométhéum (Pm), protactinium (Pa), radium (Ra), radon (Rn), rhénium (Re), rhodium (Rh), rubidium (Rb), ruthénium (Ru), samarium (Sm), scandium (Sc), sélénium (Se), silicium (Si), sodium (Na), soufre (S), strontium (Sr), tantale (Ta), technétium (Tc), tellure (Te), terbium (Tb), thallium (Ti), thorium (Th), thulium (Tm), titane (Ti), tungstène (W), uranium (U), vanadium (V), xénon (Xe), ytterbium (Yb), yttrium (Y), zinc (Zn), zirconium (Zr).

SYMBOLIQUE. Allégorique, anagogique, emblématique, figuratif, métaphorique, parabolique, représentatif.

SYMBOLISER. Décrire, dépeindre, désigner, dessiner, évoquer, exposer, exprimer, figurer, idéaliser, imaginer, imiter, incarner, jouer, mimer, peindre, personnifier, rappeler, représenter, reproduire, styliser, tracer.

SYMBOLISTE AMÉRICAIN (n. p.). Crane, Whistler.

SYMBOLISTE ANGLAIS (n. p.). Arden, Phillips, Symons.

SYMBOLISTE AUTRICHIEN (n. p.). Kubin.

SYMBOLISTE BELGE (n. p.). Elskamp, Khnoff, Maeterlinck, Rodenbach, Rops, Van Lerberghs, Verhaeren.

SYMBOLISTE BRÉSILIEN (n. p.). Bandeira.

SYMBOLISTE BULGARE (n. p.). Bagrjana.

SYMBOLISTE DANOIS (n. p.). Branner, Chiesa, Jorgensen.

SYMBOLISTE FRANÇAIS (n. p.). Bernard, Carrière, Fénéon, Ghil, Gide, Gourmont, Laforgue, Moréas, Redon, Régnier, Samain, Sérusier, Tournier, Valéry.

SYMBOLISTE ITALIEN (n. p.). Adami.

SYMBOLISTE QUÉBECOIS (n. p.). Nelligan.

SYMBOLISTE RUSSE (n. p.). Andreïev, Blok, Fet, Foeth, Kousmine, Mandelstam, Sologoub.

SYMBOLISTE SOVIÉTIQUE (n. p.). Ehrenbourg.

SYMBOLISTE SUÉDOIS (n. p.). Ekelind, Hallström.

SYMBOLISTE SUISSE (n. p.). Böcklin.

SYMÉTRIE. Asymétrie, axial, équilibre, harmonie, mériédrie, régularité, sagittal, trimère.

SYMÉTRIQUE. Barre, correspondant, semblable, isoclinal, parallèle, semblable, similaire, strie.

SYMPATHIE. Affection, affinité, amitié, attirance, bienveillance, communion, cordialité, entente, estime, intérêt, penchant, xénophilie.

SYMPATHIQUE. Accueillant, agréable, aimable, amical, avenant, bonhomme, chaleureux, charmant, chic, chouette, cordial, engageant, intéressant, nerveux, plaisant, sympa, xénophilie.

SYMPATHISER. Accorder, compatir, comprendre, entendre, fraterniser.

SYMPHONIE. Chœur, concert, concerto, entente, final, harmonie, musique, sonate, union.

SYMPTOMATIQUE. Caractéristique, distinct, distinctif, éloquent, emblématique, essentiel, indice, marque, particularité, particulier, personnel, propre, propriété, qualité, représentatif, révélateur, signe, significatif, spécificité, spécifique, trait, type, typique.

SYMPTÔME. Acinésie, akinésie, aura, bubon, ictus, indice, marque, œdème, présage, prodrome, signe, syndrome.

SYNAGOGUE. Basilique, capitole, cathédrale, chapelle, église, fanum, juif, loge, monoptère, mosquée, naos, oratoire, pagode, panthéon, rabbin, spéos, taled, taleth, temple, teocalli, tholos, ziggourat.

SYNAPSE. Axone, contact, dendrite, glial, glie, inhibition, microglie, neurone, névroglie, synaptique.

SYNARCHIE. Énarchie, oligarchie, ploutocratie, technocratie.

SYNARTHROSE. Anatomie, articulation, suture, synchondrose.

SYNCHRONE. Alignement, coexistant, coïncident, concomitant, simultané, synchronique.

SYNCHRONISER. Accorder, adapter, associer, assortir, cadrer, coïncider, coller, compatir, concorder, convenir, converger, correspondre, harmoniser, marier, matcher, recouper, rejoindre, répondre, rimer.

SYNCLINAL. Anticlinal, cluse, combe, convexe, coupure, défilé, gorge, mont, pli, plissement, ruz, vallée.

SYNCOPE. Anéantissement, coma, défaillance, disparition, évanouissement, faiblesse, pâmoison, perte.

SYNDIC. Administration, aumônerie, baile, bureau, cogérance, curie, dème, douane, enregistrement, fisc, gérance, gestion, mairie, mandataire, ministère, nome, poste, régie, régime, trust.

SYNDICALISTE (n. p.). Allemane, Bernasconi, Bevin, Blondel, Durruti, Frachon, Gompers, Jouhaux, Krasucki, Laberge, Larose, Maire, Monatte, Notat, Pelloutier, Séguy, Tessier, Varlin.

SYNDICAT (n. p.). CFDT, CGC, CISL, CNJA, CSN, FTQ, SIVOM, Solidarnosc.

SYNDICAT. Association, compagnonnage, confédération, coopération, corporation, fédération, groupement, mutuelle, pool, regroupement, société, syndical, syndiqué, travail, trust, union.

SYNDROME (n. p.). Jackson, SRAS.

SYNDROME. Angine, athétose, catatonie, causalgie, chorée, collapsus, éclampsie, épicondylite, lombalgie, respiratoire, signe, symptôme, tétanie, toxémie, toxicose, traumatisme, vestibulaire.

SYNGNATHE. Aiguille de mer, cheval marin, hippocampe, poisson, serpent de mer, trompette de mer.

SYNODE. Assemblée, canon, concile, conclave, consistoire, indiction, réunion, symposium.

SYNONYME. Adéquat, approchant, équivalence, équivalent, expression, même, pareil, remplaçant, similitude, substitut.

SYNOPSIS. Abrégé, argument, axiome, conclusion, démonstration, dilemme, enthymème, épichérème, exemple, exposé, induction, logique, matière, objection, prémisse, preuve, prologue, proposition, raison, raisonnement, réserve, rhétorique, sommaire, sophisme, sorite, syllogisme, thèse.

SYNTAXE. Actif, adjectif, adverbe, alpiste, analyse, article, bambou, barbarisme, cas, féminin, figure, genre, grammaire, langage, langue, locution, masculin, mélique, mode, nom, norme, passif, phonétique, pluriel, pronom, règle, rime, singulier, structure, temps, tmèse, verbe.

SYNTHÈSE. Abrégé, analyse, aperçu, assimilation, association, codon, combinaison, composition, compromis, déduction, exposé, fusion, métabolisme, oxo, réciproque, résumé, réunion, somme, totalisant.

SYNTHÉTASE. Amylase, ase, autolyse, biocatalyseur, cellulase, coenzyme, desmolase, diastase, émulsine, entérokinase, enzyme, érepsine, estérase, insulinase, invertase, invertine, isomérase, kinase, lactase, ligase, lipase, luciférase, lysozyme, maltase, myrosine, nucléase, papaïne, pénicillinase, pepsine, pepsonine, protéase, présure, ptyaline, rénine, saccharase, styaline, synase, thrombine, trypsine, tyrosinase, urokinase, zymase.

SYNTHÉTIQUE. Analytique, approfondi, compte rendu, circonstancié, détaillé, minutieux, précis, tautologie.

SYNTHÉTISER. Composer, constituer, coquiller, créer, diriger, dresser, éduquer, élever, enclore, énoncer, entraîner, épier, épouser, établir, étirer, exercer, fabriquer, façonner, faire, fonder, forger, former, habituer, instituer, instruire, machiner, mixer, modeler, mouler, nouer, organiser, penser, pétrir, préparer, produire, rouler, styler, tricoter.

SYNTHÉTISME. Aquarelle, art, cadre, camaïeu, couleur, fresque, gouache, gribouillage, gribouillis, grisaille, image, lavis, luminisme, marine, pastel, paysage, peinture, pictural, portrait, ripolin, tableau, vue.

SYNTONISEUR. Audiophone, haut-parleur, laser, mégaphone, récepteur, répéteur, tuner.

SYPHILIS. Blessure, B.W., cancer, chancre, chancrelle, chtouille, gomme, hérédo, induré, infection, lésion, luo-test, luétine, maladie, MST, MTS, roséole, tabès, tréponème, tumeur, ulcération, ulcère, vérole.

SYRIE, CAPITALE (n. p.). Damas.

SYRIE, LANGUE. Arabe.

SYRIE, MONNAIE. Livre.

SYRIE, VILLE (n. p.). Alep, Banyas, Damas, Duma, Emèse, Hama, Homs, Izra, Masyar, Palmyre, Raqqa, Safita, Tadmor, Zebdani.

SYRIEN (n. p.). Adonis, Assad, Constantin, Frumence, Husayn, Hussein, Julie, Tatien.

SYRIEN. Aleppin, asiatique, byzantin, damassé, jacobite, krak, maronite, sémite, soudan.

SYSTÉMATIQUE. Logique, méthodique, ordonné, organisé, rationnel, rigide, taxon, taxum.

SYSTÈME. ABS, absolutisme, atonalité, autocratie, bertillonnage, cégésimal, censitaire, combinaison, conscription, crétacé, déisme, doctrine, élitisme, ensemble, esclavagisme, fiscalité, goulag, homéopathie, idéologie, laxisme, libre-échange, loran, macadam, martingale, métrique, moyen, néogène, panthéisme, partenaria, pinde, plafonnier, rappel, rift, solaire, théorie, troc, utopie, vocalisme, yoga.

SYSTOLE. Artère, auriculaire, cœur, contraction, diastole, oreillette, périsystole, systolique, ventriculaire.

SYZYGIE. Conjonction, lune, marée, opposition, soleil.

T

TABAC (n. p.). Caporal, Du Maurier, Export, Nicot, Players, Virginie.

TABAC. Bétel, blond, broquelin, brun, bupropion, cape, caporal, chique, cigare, cigarette, débit, fumé, gris, havane, manoque, nicotine, passage, perlot, peton, pétun, priseur, râpé, rôle, scaferlati, seita, solanacée, tabagie, toque, torquette, virginie.

TABACOMANIE. Abus, nicotinisme, tabagisme, toxicomanie.

TABAGIE. Cabaret, débit, dépanneur, épicerie, établissement, fumée, fumoir, pharmacie, tabac, variété.

TABAGISME. Intoxication, nicotine, nicotisme, tabacomanie, tabagique, toxicomanie.

TABARD. Amict, caban, cagoule, cape, capot, capote, chape, douillette, gueuse, imperméable, mante, manteau, mantelet, maxi, paletot, pardessus, pèlerine, pelisse, plan, poncho, raglan, redingote, saie, tabar, toge, voile.

TABASSÉE. Bastonnade, battre, coup, dégelée, essor, fessée, flopée, pile, raclée, rincée, rossée, roulée, saucée, tannée, tripotée, vol, volée.

TABASSER. Battre, boxer, cogner, fesser, frapper, gifler, punir, raclée, rouer, taper, volée.

TABATIÈRE. Ajour, blague, boîte, châssis, dépression, fenêtre, fossette, lucarne, soupirail, vasistas, vitre.

TABELLE. Barème, bordereau, cadre, catalogue, changeur, index, inventaire, liste, matricule, mémoire, menu, monnaie, nomenclature, registre, relevé, répertoire, rôle, série, suite, tableau, taux, thyratron.

TABELLION. Aboyeur, adjudicateur, annonceur, annonciateur, chantre, chaouch, crieur, encanteur, fonctionnaire, héraut, huissier, juriste, massier, messager, notaire, officier, vendeur.

TABERNACLE. Cella, coffre, conopée, église, juron, naos, néos, parvis, pavillon, sanctuaire, tente.

TABÈS. Affection, ataxie, défection, désordre, dysarthrie, incoordination, incurie, négligence, paralysie.

TABLARD. Balconnet, étagère, planchette, rayon, tablar, tablette.

TABLE. Abaque, autel, aveu, barème, billard, bureau, carte, comptoir, console, couvert, desserte, établi, étal, faste, guéridon, hachoir, index, jan, joue, maie, nie, ocelle, parapegme, pot-de-vin, pupitre, répertoire, soulte, tapis.

TABLEAU. Affiche, aquarelle, babillard, bilan, cadre, calendrier, canevas, cote, craie, croquis, croûte, damier, dessin, diorama, écran, embu, état, figure, flou, gouache, liste, nocturne, œuvre, paysage, peintre, peinture, plan, rôle, tarif, toile, valve, vue.

TABLER. Attendre, calculer, baser, bouli er, chiffrer, compter, déduire, dénombrer, dépouiller, escompter, espérer, estimer, évaluer, fier, figurer, fonder, inventorier, miser, nombrer, recenser, reposer, spéculer, supposer.

TABLETIER. Bois, ébéniste, marqueteur, menuisier, ouvrier, pestum, rabot, sergent, varlope, vis.

TABLETTE. Abaque, abattant, ardoise, canon, chocolat, dalle, diptyque, étagère, jan, méta, moulée, planche, planchette, plaque, plaquette, pierre, rayon, selle, style, tailloir, tasseau, témoin, tessère, tirette, volet.

TABLETTERIE. Ambre, avodiré, ébénisterie, madré, marqueterie, menuiserie, palissandre, santalacée.

TABLEUR. Chiffrier, indépendance, musique, partition, reprise, progiciel, séparation.

TABLIER. Avant, bavette, blouse, cloison, ollure, pont, salopette, sarrau, serpillière, surtout, vêtement.

TABLOÏD. Abonné, actualité, baveux, biographie, brûlot, bulletin, canard, chroniques, comprimé, dazibao, écrit, entrefilet, feuille, gazette, hebdo, hebdomadaire, illustré, izvestia, jaune, journal, kiosque, organe, papier, périodique, publication, quotidien, registre, tirage, torchon.

TABOU. Impur, interdit, intouchable, inviolable, malséant, sacré, sacro-saint, tabouiser, vénérable.

TABOURET. Banc, escabeau, escabelle, pouf, sellette, siège, support.

TABULÉ. Ambre, ammonite, anas, ancien, artefact, atlanthrope, calamite, empreinte, fossile, fossilier, géologie, nummulite, oiseau, madrépore, pemphix, pithécanthrope, platax, poisson, préhistoire, reptile, vieillard, zoolite.

TACET. Arrêt, bâillon, calme, celé, chut, coi, motus, mutisme, mystère, omis, paix, pause, réticence, secret, silence, soupir, taire, temps, tu.

TÂCHE. Bébé, besogne, bien, charge, chemin, composition, corvée, dette, devoir, droit, dû, élève, exercice, falloir, fonction, mission, obligation, office, ost, ouvrage, pensum, prévarication, rédaction, redevoir, rôle, tenir, tirer, travail, vertu.

TACHE. Accroc, albugo, bavure, bleu, cerne, crasse, dartre, éclaboussure, énanthème, envie, éphélide, grain de beauté, lentigo, leucoma, leucome, lunule, macule, maille, maillure, meurtrissure, moucheture, naevi, nævus, noircissure, ocellé, ordure, ouvrage, pâté, pétéchie, pige, rougeur, rousseur, sale, saleté, salissure, sanglant, son, souillure, spot, taie, vibice.

TACHER. Barbouiller, beurrer, cribler, ensanglanter, entacher, flétrir, graisser, jasper, maculer, marquer, moucheter, piquer, rougeur, salir, saloper, souiller, tacheter, taveler, ternir.

TÂCHER. Attacher, besogner, efforcer, essayer, évertuer, ingénier, marchander, peiner, suer, tenter, travailler.

TÂCHERON. Apiéceur, canut, carrier, claviste, dalleur, débardeur, ébéniste, éboueur, égoutier, étameur, foreur, homme, lamaneur, lamineur, leveur, limousin, lissier, maçon, mineur, monteur, nattier, orpailleur, ouvrier, paludier, péon, praticien, repasseur, scieur, sellier, souffleur, tanneur, terrassier, tisserand, tourneur, tubiste.

TACHETÉ. Bigarré, dartreux, madré, marqué, marqueté, moucheté, ocellé, tisonné, truité, veiné, zébré.

TACHETER. Barioler, bigarrer, daim, griveler, jasper, maculer, marquer, marqueter, moucheter, oceller, ocelot, persiller, pommeler, piquer, piqueter, rayer, salir, souiller, tacher, taveler, tiqueter, truiter.

TACHINA. Mouche, muscidé, tachine.

TACHISME. Abstrait, geste, informel, lyrique, pointillisme, signe.

TACHISTE ALLEMAND (n. p.). Wols.

TACHISTE AMÉRICAIN (n. p.). De Kooning, Francis, Still.

TACHISTE ANGLAIS (n. p.). Davie.

TACHISTE CANADIEN (n. p.). Riopelle.

TACHISTE ESPAGNOL (n. p.). Tàpies.

TACHISTE POLONAIS (n. p.). Penderechi.

TACHISTE FRANÇAIS (n. p.). Bryen, Fauthier, Zao Wou-ki.

TACHYCARDIE. Angine, arythmie, bradycardie, cardiomégalie, cardiomyopathie, cardiopathie, cardiothyréose, cardite, coronarite, coronaropathie, dextrocardie, embolie, extrasystole, hypertension, hypotension, infarctus, palpitation, thrombose.

TACHYMÈTRE. Agilité, allure, anémomètre, célérité, cinémomètre, compte-tours, diligence, erre, force, hâte, mach, nœud, précipitation, presse, prestesse, promptitude, rapidité, régime, temps, train, vélocité, vite, vitesse, vivacité.

TACITE. Dit, duratif, écrit, émis, essoré, exprimé, figure, implicite, inexprimé, peinture, souhait, suc.

TACITEMENT. Allusivement, euphémiquement, implicitement, muettement.

TACITURNE. Amer, assombri, cachottier, hibou, morne, morose, muet, renfermé, silencieux, sombre, taiseux, triste.

TACO. Blini, brassard, crêpe, crêpier, crépon, galette, matefaim, nem, ruban, tortilla.

TACON. Bécard, bosse, colin, féra, fontaine, hure, omble, ouananiche, pièce, rustine, salmonidé, saumon, saumoneau, smolt, sockeye, truite.

TACOT. Auto, automobile, bagnole, bazou, chignole, clou, épave, guimbarde, minoune, ruine, voiture.

TACT. Acquis, adresse, ammabilité, attention, attouchement, bienséance, contact, convenance, décence, délicatesse, diplomatie, doigté, finesse, habile, habileté, mesure, nuance, perception, savoir-vivre, sensation, sentiment, tactile, tentacule, toucher.

TACTICIEN. Doctrinaire, idéologue, penseur, philosophe, scientifique, spéculateur, stratège, théoricien.

TACTILE. Aboutir, adjacent, approcher, atteindre, attraper, blesser, caresser, chatouiller, contigu, coudoyer, dû, échouer, effleurer, émerger, émouvoir, frapper, froisser, frôler, gagner, heurter, impressionner, jouxter, manier, manipuler, palpable, palper, percevoir, près, recevoir, relâcher, tangible, tâter, tâtonner, toucher, tripoter.

TACTIQUE. Calcul, conduite, démarche, dessein, entrisme, façon, manière, manœuvre, menée, noyautage, stratégie.

TACTISME. Attraction, chimiotactisme, mouvement, phototactisme, répulsion, taxie, tropisme.

TADJIKISTAN, CAPITALE (n. p.). Douchanbe.

TADJIKISTAN, LANGUE. Tadjik.

TADJIKISTAN, MONNAIE. Rouble.

TADJIKISTAN, VILLE (n. p.). Alezandropol, Dangara, Douchanbe, Isfara, Khorog, Koulab, Nourek, Parkhar, Tarm, Toursounzade, Vantch, Vose.

TADORNE. Anatidé, canard, milouin, oiseau, palmipède.

TÆDIUM VITÆ. Abandon, abattement, accablement, affliction, aigreur, amertume, atrabile, austérité, cafard, chagrin, dégoût, dépression, deuil, mélancolie, morosité, nostalgie, peine, spleen, renfrognement, tristesse, vague.

TAENIA. Cénure, cœnure, échinocoque, solitaire, ténia, ver.

TAFFETAS. Nankin, paillette, pongé, pou-de-soie, poult-de-soie, surah, tissu, toile, trentain, zénana.

TAFIA. Alcool, créole, eau-de-vie, niaule, rhum.

TAG. Barbouillage, bombage, bombeur, graff, graffiti, graphisme, inscription, signature, signe.

TAGÈTE. Astéracée, composée, herbacée, œillet d'Inde, plante, rose d'Inde, tagette.

TAGUER. Barbouillage, bomber, dessein, écrit, graffiter, graffiti, inscription, scribouillage, tag, texte.

TAGUEUR. Barbouilleur, bombeur, graffeur, graffiteur, gribouilleur.

TAÏ CHI. Chinois, gymnastique, taï chi chuan, taoïsme.

TAIE. Albugo, cornée, enveloppe, fourre, leucome, maille, néphélion, oreiller, peau, tache.

TAÏGA. Bocage, bois, boisé, bosquet, cédrière, chênaie, clairière, érablière, flopée, forêt, foule, fraise, futaie, kyrielle, maquis, multitude, nuée, parc, perceuse, pignade, pinède, sapinière, selve, sous-bois, sylve, taillis, verger.

TAÏKONAUTE (n. p.). Yang Liwei.

TAÏKONAUTE. Astronaute, cosmonaute, navette, spationaute,

TAILLADE. Balafre, blessure, cicatrice, coupure, écorchure, entaille, éraflure, estafilade, griffade, morsure, plaie.

TAILLADER. Balafrer, couper, déchirer, dévisager, écorcher, entailler, érafler, labourer, lacérer, mordre.

TAILLAGE. Coupage, entaille, épluchage, grattage, rasage, taille, tondaison, tonte.

TAILLANDIER. Artisan, cisaille, coutellerie, hache, marteau, outil, ouvrier, sécateur, taillanderie

TAILLANT. Acerbe, acéré, affilé, affirmation, affûté, aigu, aiguisé, carre, cassant, coupant, découpoir, dos, émorfilé, émoulu, émoussé, fil, hache, incisif, mousse, net, pointu, repassé, sec, tranchant.

TAILLE. Calibre, cambrure, carrure, ceinture, charpente, coupe, crayon, dimension, élagage, émondement, envergure, format, grandeur, gravure, grosseur, guêpe, hauteur, importance, lilliputien, longueur, mesure, nanisme, port, ravalement, serpe, stature, svelte, taillis, tournure.

TAILLER. Biseauter, ciseler, cliver, couper, découper, diminuer, échancrer, écharper, écimer, élaguer, émonder, équarrir, étêter, évider, fuseler, hacher, partir, raccourcir, rafraîchir, recouper, retailler, sculpter, smiller, tondre, topiaire, tuer.

TAILLEUR. Apiéceur, artisan, barreau, biveau, costume, coupeur, couturier, culottier, essayeur, faiseur, giletier, habilleur, jupier, laie, lapicide, lapidaire, marquoir, pompier, ripe, sculpteur, smille, spencer, talc.

TAILLIS. Bois, breuil, brout, buisson, cépée, fourré, gaulis, maquis, recrû, rejet, souche, taille.

TAILLOIR. Abaque, architrave, épistyle, hachoir, linteau, plateau, poitrail, sommier, tranchoir.

TAILLOLE. Ardillon, bande, banlieue, bauquière, ceinture, ceinturon, ceste, châtelaine, cilice, cordelière, cordon, corset, dan, écharpe, entoure, éphod, estrope, gaine, giron, obi, ruban, sangle, soutien.

TAIRE. Arrêter, avaler, boucler, cacher, celer, chut, déguiser, dissimuler, dit, enfouir, étouffer, garder, mentir, mimer, motus, non-dit, omettre, omis, retenir, sauter, secret, silence, souffler, tenir, tu, voiler.

TAISEUX. Amer, assombri, atrabilaire, cachottier, morne, muet, silencieux, sombre, taciturne.

TAIWAN, CAPITALE (n. p.). Taipei.

TAIWAN, LANGUE. Chinois, mandarin, taïwanais.

TAIWAN, MONNAIE. Dollar.

TAIWAN, VILLE (n. p.). Chiayi, Dawu, Fengshan, Ilan, Makung, Miaoli, Nantou, Taipei, Xinzhu, Yuanli, Zhanghua.

TAIWANAIS. Formosan.

TALC. Magnésium, poudre, saupoudrer, silicate, stéatite, tailleur, talquer, talqueux.

TALED. Bandana, cachemire, châle, écharpe, fichu, pointe, talet, taleth, talith, talleth, tallith, tallit, tartan.

TALENT. Adresse, aisance, aptitude, art, bosse, brio, capable, capacité, chic, compétence, disposition, distinction, don, esprit, étoffe, faculté, force, génie, habile, habileté, intelligence, mérite, qualité, violon d'Ingres, virtuose.

TALER. Blesser, bosser, cabosser, contusionner, fouler, importuner, léser, mâcher, meurtrir, pincer, plaquer, presser.

TALETH. Châle, taleth, talleth, tallit, tallith.

TALIBÉ. Adepte, adhérent, allié, ami, apôtre, disciple, élève, épigone, militant, partisan, satori, zététique.

TALION. Animosité, châtiment, colère, compensation, punition, réclamation, réparation, représailles, rétorsion, revanche, riposte, vendetta, vengeance, vindicte.

TALIPOT. Palmier, palimier de Ceylan, tallipot.

TALISMAN (n. p.). Abraxas, Nessos, Nessus.

TALISMAN. Amulette, brevet, charme, fétiche, grigri, mascotte, or, pentacle, phylactère, porte-bonheur, porte-chance, totem.

TALITH. Bandana, cachemire, châle, écharpe, fichu, pointe, taled, talet, taleth, talleth, tallith, tallit, tartan.

TALITRE. Crustacé, daphnie, puce, puce de mer, puce de sable.

TALLE. Accru, bouture, cépée, drageon, marcotte, plante, ramification, recrû, rejeton, turion.

TALMUDIQUE. Afrite, ase, aspiole, cabalistique, effrit, efrit, esprit, génie, gnome, lutin, nain, troll.

TALOCHE. Baffe, beigne, beignet, calotte, ciment, claque, coup, gifle, planchette, soufflet, talmouse, tape.

TALON. Achille, doucine, éculé, glome, mule, paquet, rai, reste, rouge, souche, surlonge, taconeos, talaire.

TALONNÉ. Accompagné, chaperon, concomitant, convoyé, doublé, escorté, flanqué, guide, suivi, surveillant.

TALONNEMENT. Coup, éperonnage, harcèlement, oppression, persécution, vexation.

TALONNER. Éperonner, exciter, harceler, pourchasser, poursuivre, presser, suivre, tourmenter, traquer.

TALONNETTE. Extra-fort, plaque, renfort, ruban.

TALONNIÈRE. Abri, addition, aile, aileron, alaire, aliforme, aptère, aviateur, aviation, branche, delta, dispositif, élytre, empennage, envergure, étrier, flanc, nervure, pale, penne, plume, rémige, spoiler, tache, voile, voilure, volant, voler, volet.

TALPIDÉ. Condylure, taupe.

TALUS. Ados, berge, butte, contrescarpe, côté, escarpe, falaise, parapet, remblai, risberme.

TAMANDUA. Fourmilier, édenté, pangolin, pholidote, tamanoir, xénarthre.

TAMANOIR. Aculéate, démangeaison, édenté, formication, formique, fourmi, fourmilière, insecte, isoptère, lucifuge, magnan, mammifère, miellat, pangolin, picotement, termite, travailleuse, ver, xénarthre, xylophage.

TAMARIN. Arbuste, callitriche, laxatif, marmouset, midas, ouistiti, sagouin, singe, tamarinier, tamaris, tamarix.

TAMARINIER. Arbre, césalpiniacée, fruit, gainier, gléditschia, hapalidé, sagouin, singe, tamarin.

TAMARIS. Arbuste, callitriche, hapalidé, marmouset, midas, tamarin, tamarinier, tamarix.

TAMBOUILLE. Blanquette, bourguignon, cassoulet, civet, colombo, fricassée, fricot, gibelotte, goulache, hochepot, mafé, mets, navarin, oille, pot-pourri, ragoût, rata, ratatouille, salmis, salpicon, tajine, yassa.

TAMBOUR. Baguette, ban, batterie, bongo, breloque, broderie, caisse, caisse claire, chamade, clique, conga, darbouka, derbouka, diane, djembé, fanfare, fla, pigeon, ra, rataplan, ta, tambourin, tam-tam, timbale, timbre, tom, trompette.

TAMBOURIN. Baguette, ban, batterie, bongo, breloque, broderie, caisse, chamade, clique, conga, darbouka, derbouka, fanfare, fla, pigeon, ra, rataplan, ta, tambour, tam-tam, timbale, timbre, tom, trompette.

TAMBOURINER. Annoncer, battre, claironner, clamer, colporter, diffuser, frapper, jouer, pianoter, proclamer, propager, publier, répandre, tambourinage, tambourinement, tambourineur, tapoter.

TAMBOURINEUR. Annonceur, batteur, claironneur, colporteur, diffuseur, drummer, fouet, fouette, joueur, lamineur, malaxeur, mélangeur, moussoir, pianiste, percussionniste, rabatteur, tambourinaire.

TAMIA. Chipmunk, écureuil, mammifère, mineur, rayé, rongeur, sciuridé, suisse.

TAMIS. Blutoir, chinois, corde, crible, filtre, passoire, sas, sasser, tamiseur, trémie, van, vanne.

TAMISAGE. Accroissement, adoucissement, allégement, amélioration, amoindrissement, apaisement, assouplissement, atténuation, baume, bémol, blutage, congé, consolation, dictame, euphémisme, lénification, mitigation, sassement.

TAMISER. Adoucir, atténuer, bluter, cribler, diminuer, épurer, estomper, filtrer, heurter, pâlir, passer, plansichter, purifier, sasser, séparer, tamiserie, tamiseur, trier, vanner, vérifier, voiler.

TAMISEUR. Bâtée, blutoir, claie, cribleur, filtre, grille, grille, sas, secoueur, tamis, tarare, trémie, trommel.

TAMOURÉ. Danse, polynésie.

TAMPICO. Agave, amaryllidacée, brosserie, crin, fibre, ixtle, literie, matelas, nylon, tequila.

TAMPON. Balle, boule, bourre, dalle, gaze, gong, lance, masse, ouate, tape, tapette, tapon, vadrouille.

TAMPONNAGE. Abordage, accident, application, carambolage, choc, collision, heurt, impact, tamponnement, télescopage.

TAMPONNEMENT. Barrage, bouchage, bouclage, cloisonnement, fermeture, obstruction, verrouillage.

TAMPONNER. Badigeonner, boucher, bouchonner, calfater, choquer, cogner, emboutir, éponger, essuyer, étendre, fermer, frapper, frotter, heurter, marquer, oblitérer, oindre, percuter, tapoter, télescoper, timbrer.

TAM-TAM. Bacchanale, bambochade, bamboula, beuverie, bruit, danse, débauche, fête, gong, nègre, noce, nouba, propagande, publicité, ramdam, tambour, tapage.

TAN. Brun, chêne, cuir, cuivre, écorce, hâle, jusée, noir, peau, regros, tannage, tanné, tanin.

TANAGRA. Figurine, jaquemart, ludion, marmot, marmouset, netsuke, pantin, poupée, santon, statue, statuette.

TANAISIE. Astéracée, balsamite, barbotine, composacée, fleur, grande baume, plante, sent-bon, vermifuge.

TANCER. Admonester, attraper, blâmer, chapitrer, chicaner, condamner, disputer, engueuler, enguirlander, gourmander, gronder, houspiller, incendier, morigéner, rabrouer, réprimander, semoncer, sermonner.

TANDEM. Association, bicyclette, cabriolet, couple, deux, duo, duumvirat, monotrace, paire, pariade.

TANDIS QUE. Alors, alors que, au lieu de, cependant, comme, contraste, lorsque, pendant, quand.

TANGAGE. Balancement, bercement, dandinage, déhanchement, dodelinement, fluctuation, gouverne, hésitation, houle, larsen, libration, mouvement, oscillation, roulis, tanguer, variation, vibration.

TANGARA. Aronde, emberizidae, hirondelle, hirundinidé, oiseau, passereau, tanagridé, tricolore.

TANGENT. Adjacent, attenant, auprès, autour, contact, contigu, contre, court, instance, jouxté, limitrophe, lès, lez, loin, mitoyen, près, presque, proche, ras, rasibus, récent, tangente, touchant, voici, voisin.

TANGENTE. Approchant, approximatif, cotangente, instable, pente, rayon, tendance, tg, voisin.

TANGERINE. Agrume, mandarine, nectarine.

TANGIBLE. Actuel, admis, assuré, authentique, certain, charnel, clair, concret, effectif, établi, évident, exact, fondé, juste, manifeste, matériel, palpable, perceptible, positif, réel, sensible, toucher, visible, vrai.

TANGO. Bière, bordeaux, brique, couleur, danse, empourpré, grenat, opéra, orangé, pièce, pourpre.

TANGON. Apiquer, balancine, balestron, beaupré, bôme, corne, drome, espar, gui, levier, gui, mât, spinnaker, vergue.

TANGUE. Amendement, arène, calcul, castine, gravier, radula, sable, sablon, tanguière.

TANGUER. Balancer, bourlinguer, osciller, rouler, tituber, vaciller, zigzaguer.

TANGUIÈRE. Sablière, tanguaie.

TANIÈRE. Abri, aire, antre, asile, bauge, breuil, cachette, caverne, gîte, habitation, logis, misérable, nid, refuge, renardière, repaire, retiré, retraite, solitude, terrier, trou.

TANIN. Alun, astringent, butée, cachou, campêche, châtaignier, chêne, cinchonine, citron, cuir, encre, orpin, peau, quinquina, redoul, renouée, restringent, styptique, tan, tormentille, vélani, vin.

TANK. Automobile, blindé, char, citerne, panzer, réservoir, tanker, voiture.

TANKER. Bateau, butanier, cargo, citerne, méthanier, minéralier, navire, pétrolier, supertanker.

TANNAGE. Brun, chêne, cuir, cuivre, écorce, hâle, jusée, noir, peau, regros, tan, tanné, tanin.

TANNANT. Acariâtre, agaçant, chiant, contrariant, déplaisant, dérangeant, désespérant, embêtant, empoisonnant, ennuyeux, fâcheux, fastidieux, fatigant, importun, insupportable, intolérable, lassant, râlant, vexant.

TANNÉ. Basané, bistré, boucané, bronzé, brun, café, escafignon, foncé, grillé, halé, kroumir, maghrébin, noir.

TANNE. Abcès, chalazion, grosseur, induration, kyste, loupe, tumeur, ulcère.

TANNÉE. Biffure, châtiment, correction, dégelée, erratum, erreur, faute, fessée, fouet, guide, pâtée, peignée, raclée, rature, refonte, réparation, repentir, retouche, révision, rossée, surcharge, trempe, volée.

TANNER. Agacer, basaner, battre, boucaner, bronzer, brunir, chromer, cuir, écharner, écœurer, ennuyer, épuiser, fatiguer, gonfler, hâler, harceler, importuner, insister, lasser, mégir, mégisser, tourmenter.

TANNERIE. Basane, chèvre, galuchat, maroquinage, maroquinerie, peau, peausserie.

TANNISER. Abouter, accoler, accroître, additionner, adjoindre, agrandir, ajouter, allier, allonger, annexer, assortir, augmenter, chaptaliser, compléter, croire, enchérir, étendre, greffer, inquart, joindre, majorer, profiter, rajouter, suppléer, surfaire, viner.

TANNEUR. Empailleur, mégissier, naturaliste, taxidermiste.

TANT. Aussi, autant, beaucoup, mesure, probable, quote-part, si, tantet, tantième, tellement.

TANTALE. Ciciniidé, cigogne, échassier, élément, gambette, glaréole, ibis, métal, mycteria, ta.

TANTE. Avunculaire, oncle, homo, homosexuel, sœur, tantine, tata, tatie, tia.

TANTINE. Diminutif, doucet, hypocoristique, mot, nom, surnom, tante, tata, tatie.

TANTÔT. Alternance, après, bientôt, futur, incessamment, parfois, prochainement, promptement, rapidement, tôt.

TANTOUSE. Homosexuel, tante, tata.

TANTRISME. Bodhisattva, bonze, bouddhisme, charma, croyance, doctrine, hindouisme, jataka, lamaïsme, mandala, mantra, nirvana, rite, satori, soutra, stoupa, stupa, sutra, tantra, tantrique, zen.

TANZANIE, CAPITALE (n. p.). Dodoma.

TANZANIE, LANGUE. Anglais, swahili.

TANZANIE, MONNAIE. Shilling.

TANZANIE, VILLE (n. p.). Arusha, Dodoma, Iringa, Liwale, Manda, Masasi, Moshi, Same, Seronera, Tabora, Wete, Zanzibar.

TAO. Chinois, dao, philosophie, religion, taoïsme, taoïste, yang, yin.

TAOÏSTE. Chinois, dao, philosophie, prêtre, religion, tao, taoïsme, yang, yin.

TAON. Abeille, diptère, guêpe, insecte, mouche, moustique, myiase, puce, simulie.

TAPAGE. Bacchanal, barouf, boucan, brouhaha, bruit, chahut, chambard, charivari, désordre, éclat, esclandre, fracas, margaille, pétard, potin, publicité, querelle, raffut, ramdam, rumeur, sabbat, scandale, sérénade, tintamarre, tintouin, train, vacarme.

TAPAGEUR. Braillard, bruiteur, bruyant, clinquant, criard, gueulard, outrancier, pétardier, provocant, voyant.

TAPAGEUSEMENT. Beaucoup, bruyamment, lourdement, sonorement, tumultueusement, valdinguer.

TAPANT. Ahurissant, émouvant, étonnant, exact, frappant, impressionnant, juste, lumineux, marquant, pétant, précis, saisissant, sonnant.

TAPE. Baffe, beigne, beignet, bourrade, calotte, caresse, claque, coup, gifle, soufflet, talmouse, taloche, tape.

TAPE-À-OEIL. Augure, bariolé, clinquant, coloré, criant, criard, éclatant, évident, illuminé, inspiré, voyant.

TAPECUL. Artimon, balançoire, bascule, brimade, cotre, ketch, mât, tilbury, trot, voile, voiture.

TAPÉE. Chiée, écrite, flopée, masse, multitude, poire, quantité, ribambelle, tripotée.

TAPENADE. Condiment.

TAPER. Battre, écrire, emprunter, frapper, moquer, nerfs, plaire, quémander, supporter, tiper, tipper, toper, tosser.

TAPETTE. Batte, bavard, bille, folle, homosexuel, jeu, palette, piège, souris, tampon, tante, tape.

TAPI. Abscons, amphigourique, assombri, brumeux, caché, chargé, confus, couvert, embrouillé, embrumé, embusqué, énigmatique, enténébré, épais, ésotérique, foncé, fumeux, hermétique, inconnu, indistinct, inexploré, ignoré, méconnu, nébuleux, noir, nuageux, obscur, obscurci, ombreux, opaque, secret, sibyllin, sombre, ténébreux, terne, touffu, vague, vaseux, voilé.

TAPIN. Charnel, corruption, débauche, dégradation, prostitué, prostitution, proxénétisme, racolage, tambour, tapineuse, trafic, traite, trottoir, vice.

TAPINER. Accoster, embrigader, engager, enrôler, prostituer, racoler, recruter.

TAPINOIS. Anonymement, cachette, catimini, clandestinement, confidentiellement, dérobée, discrètement, distraitement, furtivement, incognito, maronner, secrètement, sourdement, sourdine, sournoisement, subrepticement.

TAPIOCA. Céréale, fécule, flocon, manioc, potage, triticale.

TAPIR. Abriter, blottir, cacher, dissimuler, nicher, planquer, ramasser, recroqueviller, terrer.

TAPIS. Attagène, carpette, chemin, coco, convoyeur, couche, couvre-plancher, descente, jeu, kilim, lino, lirette, mise, moquette, mousse, natte, paillasson, passage, roulant, surface, tatami, tenture, vert.

TAPISSER. Appliquer, cacher, coiffer, coller, décorer, enduire, garnir, recouvrir, revêtir, tendre.

TAPISSERIE. Alentours, art, baldaquin, canevas, draperie, gobelin, point, tapis, tenture, tors.

TAPISSIER (n. p.). Bataille, Gobelins, La Planche, Luxembourg.

TAPISSIER. Carpettier, décorateur, garnisseur, haute-lissier, licier, lissier, tapis, tisserand.

TAPON. Amas, balle, boule, dalle, gong, lance, linge, ouate, tampon, tapette, tas, vadrouille.

TAPONNER. Ânonner, balancer, barguiner, branler, broncher, céder, chiner, danser, discuter, douter, hésiter, osciller, perplexe, procrastiner, reculer, renoncer, réticence, tâter, tâtonner, tergiverser, vaciller, vasouiller.

TAPOTEMENT. Battement, frappement, massage, tambourinage, tâtement.

TAPOTER. Battre, fesser, flatter, frapper, jouer, pianoter, piocher, tambouriner, taper, tâter.

TAPUSCRIT. Abécédaire, abrégé, album, aide-mémoire, almanach, annales, annuaire, anthologie, apologie, atlas, autobiographie, barème, bible, bibliographie, bibliophilie, biographie, bouquin, bréviaire, catalogue, chiffrier, chronique, code, conte, coran, dictionnaire, diptyque, écrit, encyclopédie, essai, étude, feuille, florilège, genèse, glossaire, grammaire, grimoire, guide, heure, journal, kilo, lancement, lb, lexique, libraire, liminaire, livre, livret, manuel, manuscrit, mémento, mémoire, méthode, missel, nombre, nouveauté, nouvelle, œuvre, once, opuscule, ouvrage, pamphlet, page, pamphlet, pièce, poésie, posthume, précis, registre, répertoire, résumé, roman, souvenir, syllabaire, talmud, thèse, tobie, tome, traité, travail, trilogie, vocabulaire, volume.

TAQUE. Contrecœur, contre-fer, égaliser, marbre, martin, papier, plaque, taquer, typographie.

TAQUET. Amarre, butée, butoir, cale, cheville, loquet, moulinet, repère, tampon, témoin, torgnole, verron.

TAQUIN. Asticoteur, blagueur, enjoué, espiègle, facétieux, lutin, malicieux, moqueur, narquois, railleur.

TAQUINER. Achaler, agacer, amuser, asticoter, blaguer, braver, canuler, chambrer, chicaner, chiner, embêter, ennuyer, enrager, exciter, harceler, lutiner, mystifier, persifler, picosser, picoter, plaisanter, provoquer, tanner, tarabuster, tourmenter.

TAQUINERIE. Agacerie, avance, coquetterie, grimace, malice, manières, mignardise, minauderie, misères, parole, raillerie, simagrée, singerie.

TAR. Luth.

TARA. Lit, siège.

TARABISCOT. Cavité, excès, rabot, rainure, rococo.

TARABISCOTÉ. Affecté, alambiqué, baroque, chargé, compliqué, contourné, démodé, embrouillé, maniéré, mignard, orné, précieux, recherché, ridicule, rococo, surchargé, tarabiscot.

TARABUSTER. Angoisser, assiéger, asticoter, chiffonner, contrarier, ennuyer, fatiguer, harceler, houspiller, importuner, inquiéter, malmener, obséder, persécuter, poursuivre, préoccuper, sabouler, talonner, tourmenter, tracasser, turlupiner.

TARAMA. Caviar, hors-d'œuvre, préparation, saumure.

TARARE. Battage, blutoir, claie, crible, grain, grille, sas, tamis, tamiseur, van, vanneur, vanneuse.

TARASQUE. Aléa, casse-cou, casse-gueule, danger, détresse, difficulté, dragon, écueil, embûche, épouvantail, guêpier, hasard, impasse, imprudence, insécurité, menace, monstre, perdition, péril, piège, poudrière, récif, risque, spectre, traverse, urgence, volcan.

TARAUDAGE. Drillage, filetage, forage, fraisage, fraisement, perçage, vrillement.

TARAUDER. Fileter, hanter, obséder, percer, poursuivre, tenailler, torturer, tourmenter, vriller.

TARAUDEUR. Fileteur, machine-outil, perceur, perforant, perforateur, taraudeuse, térébrant, tourmentant.

TARAVELLE. Haque, pal, planteuse, plantoir, repiquer, repiqueuse, semer, tracelet, traceret, traçoir.

TARBOUCH. Afro, bavolet, béret, bibi, bombe, bonnet, boucle, boudin, brosse, calot, cape, capeline, casque, chéchia, chevelure, cloche, coiffure, cornette, épi, fez, figaro, képi, melon, mitre, ottoman, pouf, pschent, tarbouche, tiare, toque, truffe, turban.

TARD. Avant, délai, lent, lève-tard, parachronisme, retard, tardif, ultérieur, ultérieurement.

TARDER. Atermoyer, attarder, décaler, différer, éloigner, lambiner, lanterner, pétouiller, ralentir, reculer, remettre, retarder, traîner.

TARDIF. Avancé, brunch, indu, hâtif, lent, long, tard, tardillon, tardivement, tardivité.

TARDIGRADE. Acarien, bradype, édenté, lémurien, lent, mammifère, mégathérium, métazoaire, paresseux, synovite, unau.

TARDILLON. Benjamin, cadet, dernier, dernier-né, descendant, frangin, frère, petit dernier, puîné.

TARÉ. Anormal, corrompu, débile, défaut, défectuosité, dégénéré, idiot, imbécile, malfaçon, pesé, vice, vicieux, vil.

TARENTE. Gecko, lézard, reptile, saurien.

TARENTELLE. Air, danse.

TARENTULE. Anthropode, araignée, aspic, bave, céraste, cobra, crotale, fielleux, haineux, lycose, malfaisant, malveillant, méchant, médisant, mygale, naja, orvet, scorpion, serpent, venimeux, vipère.

TARER. Abâtir, altérer, annuler, avarier, calculer, corrompre, dégrader, dénaturer, détériorer, détraquer, empester, empoisonner, esquinter, gangrener, gâter, meurtrir, perdre, peser, polluer, pourrir, souiller, vicier.

TARET. Coléoptère, galerie, gastropode, lamellibranche, mollusque, némerte, sabelle, teredo, ver.

TARGE. Ancile, arme, blindage, boucle, bouclier, broquel, carapace, champ, cuirasse, défense, écu, égide, guige, ombon, orle, parme, pavois, pelte, protection, rempart, rondache, rondelle, sauvegarde, scutum, tortue.

TARGETTE. Bénarde, housset, loquet, loqueteau, serrure, taquet, verrou.

TARGUER. Enorgueillir, fanfaron, flatter, glorifier, honorer, piquer, prétendre, prévaloir, vanter.

TARI. Asséché, consumé, disparu, épuisé, éteint, sec, séché, vidé.

TARIÈRE. Charnière, foreuse, mèche, ovipositeur, oviscapte, queue-de-cochon, quillier, sonde, vrille.

TARIF. Affeurage, barème, bordereau, cadre, catalogue, courant, coût, dégressif, demi-tarif, différentiel, échelle, étalon, graduation, livre, montant, prix, recueil, répertoire, table, tableau, tarifaire, taux.

TARIN. Chardonneret, fringillidé, nez, oiseau, passereau, pif.

TARIR. Assainir, assèchement, assécher, consumer, drainer, égoutter, épuiser, éteindre, essorer, étancher, intarissable, sec, sécher, tarissable, tarissement, tirer, vider.

TARISSEMENT. Disparition, épuisement, raréfaction, séchage, sécheresse, stérilité.

TARLATANE. Alépine, alun, basin, batiste, batik, bord, bure, casimir, cati, châle, cotonnade, drap, escot, étamine, étoffe, faena, feutre, gaze, grain, granité, lé, laine, linge, madras, mérinos, mohair, moire, mousseline, muleta, ottoman, pan, peluche, piqué, ras, ratine, reps, sari, sarong, satin, satinette, sergé, singalette, soie, suédine, surah, taffetas, tartan, tenture, textile, tiretaine, tissu, trentain, tulle, tussor, un, uni, velours, veloutine, zénana.

TARMACADAMISATION. Asphaltage, bitumage, goudronnage, macadamisage, pavage.

TARN, VILLE (n. p.). Alban, Angles, Aussillon, Brassac, Cadalen, Carmaux, Cordes, Dourgne, Gaillac, Labruguière, Lacaulne, Lautrec, Salvagnac, Vabre.

TARN-ET-GARONNE, VILLE (n. p.). Auvillar, Bruniquel, Caylus, Moissac, Montauban, Montech, Valence, Villebrumier.

TARO. Aracée, aroïdacée, aroïdée, colocase, fécule, foutou, plante, tubercule.

TAROT. Arcade, arcane, bateleur, carte, cartomancie, cavalier, chariot, chelem, chien, dame, divination, excuse, fou, jeu, lame, lune, mort, oudler, petit, schelem, talon, taroté, taroteur, tempérance, valet.

TARPAN. Alezan, allure, amble, anglo-arabe, anglo-normand, ars, arzel, aubère, bai, baillet, balzan, barbe, bas-jointé, bégu, bouleté, bourrin, brassicourt, bronco, cagneux, canasson, canon, carcan, carne, cavale, cavalier, cavecé, châtaigne, cheval, cob, courbatu, coursier, court-jointé, crinière, croupe, dada, demi-sang, embarre, encastré, encolure, ensellé, équin, étalon, galop, garrot, genet, goussaut, haridelle, hippocampe, hongre, hunter, isabelle, jarret, limonier, mésair, mézair, mors, mule, mustang, outsider, palefroi, panard, percheron, piaffeur, pinçard, poitrail, polo, poney, pur-sang, racer, ramingue, relais, rosse, rouan, roussin, rubican, ruer, sabot, sommier, stepper, steppeur, tocard, toquard, trot, trotteur, turf, yearling, zain.

TARPON. Clupéiforme, poisson, megalops.

TARSE. Ergot, lame, insecte, jambe, métatarse, os, ossuaire, patte, peton, pied, serge, squelette.

TARSIEN. Arboricole, grimpeur, insectivore, mammifère, nyctalope, primate, sauteur, tarsier.

TARTAN. Alépine, alun, basin, batik, batiste, bord, bure, casimir, cati, cotonnade, drap, empan, escot, étamine, étoffe, feutre, gaze, grain, granité, lé, laine, linge, mérinos, mohair, moire, ottoman, pan, plaid, ras, ratine, rep, revêtement, satin, satinette, sergé, soie, suédine, surah, taffetas, tarlatane, tenture, textile, tissu, trentain, tulle, tussor, un, uni, velours, vêtement, zénana.

TARTANE. Albatros, bateau, brick, catamaran, chébec, chebek, cotre, finn, génois, goélette, ketch, lougre, navire, roulier, schooner, senau, sloop, trimaran, voilier.

TARTARE. Bifteck, biftèque, bœuf, cannibale, côtelette, cru, entrecôte, frites, grillade, mayonnaise, mongol, nomade, pavé, rôti, sauce, steak, t-bone, tranche, venaison, viande.

TARTARIN. Bravache, brave, capitan, casseur, coq, crâneur, fanfaron, faraud, fendant, fier-à-bras, flambard, gascon, hâbleur, matamore, orgueilleux, pan, prétentieux, rodomont, séducteur, tranche-montagne, truculent, vantard.

TARTE. Cipaille, clafoutis, entarteur, flamiche, flan, gâteau, gifle, pissaladière, pizza, quiche, tartelette, tatin, tourtière.

TARTELETTE. Amandine, baba, beigne, biscuit, brioche, chou, coulis, croissant, dariole, éclair, flan, friand, gâteau, gaufre, gougère, macaron, meringue, nanan, pâté, pâtisserie, pet, plaisir, religieuse, rissole, strudel, talmouse, tarte, tourte, viennoiserie.

TARTEMPION. Bidule, famille, machin, quelconque, truc, type, untel.

TARTINE. Beurrée, biscotte, confiture, discours, écrit, étale, laïus, rôtie, tirade, toast, tranche.

TARTINER. Beurrer, composer, entasser, étaler, étendre, graisser, huiler, pérorer, rédiger.

TARTIR. Amuser, barber, canuler, chier, déféquer, distraire, divertir, égayer, embêter, emmerder, emmieller, emmouscailler, ennuyer, enquiquiner, importuner, lasser, récréer, réjouir, tanner, vexer.

TARTRE. Alluvion, apport, boue, couche, croûte, dent, dépôt, détartrer, entartrer, falun, féculence, formation, lie, limon, néritique, précipité, résidu, roche, sédiment, tartrage, tartreux, tartrique, varve.

TARTUFE. Béat, bigot, cafard, cagot, dévot, dissimulateur, faux, fourbe, hypocrite, imposteur, sournois, tartuffe.

TARTUFERIE. Bigoterie, complaisance, dissimulation, duplicité, hypocrisie, prostration, tromperie.

TAS. Abondance, accumulation, agrégat, amas, amoncellement, attirail, beaucoup, bloc, camelle, concentration, corde, dépôt, enclume, ensemble, fatras, javelle, masse, meule, monceau, meulon, mulon, multitude, nombre, paille, pâté, pile, quantité, stère.

TASSÉ. Affaissé, compacté, comprimé, entassé, pilonné, pressé, recroquevillé, serré, tapi.

TASSE. Bol, canard, chope, coupe, cyathe, gobelet, godet, moque, patère, quart, soucoupe, taste-vin, tête-vin.

TASSEAU. Baguette, bande, barre, hachure, ligne, liséré, liteau, nappe, raie, rature, rayure, support, torchon, tringle.

TASSEMENT. Abattement, abrutissement, adoucissement, affaissement, alanguissement, colpocèle, dépression, écroulement, effondrement, épirogenèse, faix, fantis, fondis, fontes, fontis, posture, subsidence.

TASSER. Compacter, comprimer, damer, entasser, pilonner, prendre, presser, serrer, tapir.

TATA. Fifi, homosexuel, tante, tantouse.

TATAMI. Carpette, chemin, convoyeur, couche, descente, jeu, martial, mise, moquette, natte, paillasson, roulant, surface, tapis, tenture.

TATANE. Chausson, chaussure, clou, escarpin, godasse, godillot, lacet, richelieu, savate, semelle, soulier, talon.

TÂTER. Balancer, essayer, évaluer, explorer, hésiter, manier, palper, retâter, savourer, sonder, toucher.

TATIE. Oncle, homo, homosexuel, sœur, tante, tantine, tata, tia.

TATILLON. Consciencieux, formaliste, maniaque, méticuleux, minutieux, pointilleux, scrupuleux, vétilleux.

TÂTONNANT. Ambigu, amorphe, confus, craintif, douteux, embarrassé, flottant, hésitant, incertain, indécis, irrésolu, obscur, perplexe, timide, vague.

TÂTONNEMENT. Aveuglette, balbutiement, désarroi, doute, essai, hésitation, recherche.

TÂTONNER. Aboutir, adjacent, approcher, atteindre, attraper, aveuglette, blesser, caresser, chatouiller, contigu, coudoyer, dû, échouer, effleurer, émerger, émouvoir, essayer, frapper, froisser, frôler, gagner, hésiter, heurter, impressionner, jouxter, manier, manipuler, palper, percevoir, près, recevoir, relâcher, tactile, tâter, toucher, tripoter.

TÂTONS. À l'aveuglette, aveuglément, distraitement, étourdiment, imprudemment, inconsciemment, indiscrètement.

TATOU. Dasypus, édenté, euphractus, mammifère, priodonte, tatouage, tolypeute, xénarthre.

TATOUAGE. Badge, cocarde, dessin, écusson, épinglette, insigne, plaque, rosace, signe, tatou, vignette.

TATOUER. Calquer, chiner, colorier, croquer, dessiner, figurer, griffonner, imprimer, lever, maquiller, ombrer, orner, planifier, profiler, projeter, relever, saillir, silhouetter, tatoueur, tracer.

TAUD. Abri, bâche, banne, capot, couverture, enveloppe, housse, prélart, taude, tente, toile.

TAUDIS. Bauge, bidonville, cambuse, chenil, galetas, gourbi, maison, masure, réduit, trou.

TAULARD. Bagnard, captif, cep, codétenu, condamné, déporté, détenu, écroué, enfermé, esclave, eu, forçat, galérien, incarcéré, interné, otage, prisonnier, relégué, septembrisades, séquestré, tôlard, transporté.

TAULE. Bagne, cabane, cachot, cage, carcéral, cellule, chambre, détenu, écrou, ergastule, forçat, forteresse, geôle, ham, maison, oubliette, pénitencier, piaule, prison, société, trou, tôle, violon.

TAUPE. Affidé, agent, aphrodite, argus, borné, cafard, condylure, curieux, délateur, emprunté, engin, épieur, espion, feutre, fouisseur, grillon, insecticore, lamie, mammifère, mesquin, miroir, mouchard, myope, requin, sous-marin, traître.

TAUPE-GRILLON. Courtilière, grillon-taupe, insecte, laboureuse.

TAUPIN. Agriote, coléoptère, colosse, costaud, fort, gaillard, hercule, insecte, mineur, sapeur, soldat, ver.

TAUPINIÈRE. Accumulation, amas, amoncellement, butte, éboulis, échafaudage, élévation, fichoir, masse, monceau, monticule, noyau, nuage, paquet, pile, quantité, ramas, ramassis, tas, taupinée, tertre.

TAURE. Beugler, bœuf, bouse, dugong, folle, génisse, grasse, maigre, meugler, montbéliarde, mugir, pis, sirène, tarine, taureau, taurin, vache, vachette, veau.

TAUREAU (n. p.). Apis, Europe, Jupiter, Minotaure.

TAUREAU. Api, beugle, bœuf, bovin, corral, corrida, force, fort, gros, mâle, manade, mugir, muleta, novillo, puissance, robustesse, signe, taurillon, taurin, toréador, toréra, torero, toril, vache, vigueur, zodiaque.

TAURILLON. Api, beugle, bœuf, corrida, force, puissance, robustesse, taureau, taurin, toréador, toril, vache.

TAURIN. Corrida, épais, novillada.

TAUROBOLE. Abnégation, aruspice, autel, cène, hécatombe, holocauste, immolation, ite, libation, lustration, messe, oblation, offrande, propitiation, renoncement, rite, sacrement, sacrifice, victime.

TAUROMACHIE. Art, cape, cirque, corrida, course, cross, derby, galopade, marathon, régate, toréer, véronique.

TAUTOLOGIE. Battologie, cheville, évidence, lapalissade, pléonasme, redondance, répétition, truisme.

TAUTOLOGIQUE. Analytique, logique, répétitif.

TAUX. Azotémie, conversion, cours, évaluation, intérêt, loyer, montant, pour cent, pourcentage, tarif, usure.

TAUZIN. Arbre, chêne.

TAVEL. Côtes-du-rhône, Gard, rosé, vin.

TAVELER. Barbouiller, barioler, bigarrer, chamarrer, colorer, diaprer, jasper, chamarrer, disparate, diversifier, jasper, marbrer, mélanger, mêler, panacher, peinturer, rayer, tacher, tigrer, varier, veiner, zébrer.

TAVERNE. Auberge, bar, brasserie, brassette, buvette, cabaret, café, estaminet, gargote, restaurant, tavernier.

TAVERNIER. Aubergiste, cabaretier, cafetier, hôte, hôtelier, logeur, patron, popotier, restaurateur, taulier, tenancier, tôlier.

TAXABLE. Assujetti, débiteur, dépendant, imposable, obligé, redevable, soumis, sujet, tributaire, vassal.

TAXACÉE. Conifère, gymnosperme, if, plante, podocarpus, taxaudier, taxodier, taxodium, taxus.

TAXATION. Charge, contribution, cote, droit, excise, fiscalité, imposition, impôt, redevance, surtaxe, taxe, tonlieu, tribut.

TAXE (n. p.). TPS, TVA, TVQ.

TAXE. Accise, ad valorem, capitation, charge, contribution, décime, dégrèvement, dîme, droit, écotaxe, excise, franc-fief, imposition, impôt, maltôte, patente, redevance, surtaxe, tarif, taux, taxation, tribut.

TAXER. Accuser, appeler, extorquer, imposer, obérer, piquer, qualifier, soutirer, surcharger, surtaxer, voler.

TAXI. Auto, automobile, autorail, bagnole, baladeuse, berline, bolide, break, buggy, cab, cabriolet, calèche, car, char, charrette, coach, coche, coupé, duc, fardier, fiacre, fourgonnette, guimbarde, jardinière, jeep, landau, limousine, mulet, omnibus, pousse-pousse, poussette, rickshaw, tacot, tapecul, téléga, télègue, teuf-teuf, torpédo, tram, turbo, utilitaire, van, véhicule, victoria, voiture.

TAXIDERMIE. Art, empaillage, empaillage, empaillement, naturalisation, rempaillage, taxidermiste.

TAXIDERMISTE. Animal, empaillage, empailleur, naturaliste, rempailleur, taxidermie.

TAXI-GIRL. Aguicheuse, entraîneuse, entremetteuse, locomotive.

TAXIMÈTRE. Compteur, péritéléphonie, tachymètre, volucompteur.

TAXINOMIE. Catégorisation, classification, hiérarchie, nomenclature, terminologie, typologie.

TAXIODIUM. Conifère, cyprès, taxaudier, taxodier.

TCHAD, CAPITALE (n. p.). N'Djamena.

TCHAD, LANGUE. Arabe, baguimi, boulala, français, sara.

TCHAD, MONNAIE. Franc.

TCHAD, VILLE (n. p.). Ati, Biltine, Doba, Fada, Lai, Mangalme, Mao, Massaouet, Melfi, N'Djamena, Pala, Sarh, Zouar.

TCHADOR. Bandana, carré, chiite, écharpe, étoffe, fanchon, fichu, foulard, madras, mouchoir, pointe, tcharchaf, tussah, tussor, voile.

TCHAO. Adieu, allô, au revoir, bonjour, bonsoir, bye, ciao, courbette, hommage, révérence, salamalec, salut.

TCHAPALO. Bière, boisson, gueuse, mil, millet.

TCHARCHAF. Bandana, carré, chiite, écharpe, étoffe, fanchon, fichu, foulard, madras, mouchoir, pointe, tchador, tussah, tussor, voile.

TCHATCHE. Abondance, bagou, débit, éloquence, facilité, loquacité, verbalisme, volubile, volubilité.

TCHATCHER. Baratiner, bateler, bavarder, bonimenter, charmer, clavardage, embobiner, entortiller, entreprendre, parler, séduire.

TCHÉCOSLOVAQUIE, VILLE (n. p.). Brno, Most, Opara, Prague, Usti.

TCHIN-TCHIN. Absorber, auge, avaler, boire, buvoter, déguster, écluser, écoper, gobeletter, goûter, humer, ingurgiter, lamper, lapement, laper, lécher, libations, licher, lipper, pinter, pomper, prendre, régalade, sabler, sabrer, savourer, siroter, téter, toast, trait, trinquer, vider.

TÉ. Biveau, dessinateur, équerre, fer, ferrure, forme, lettre, outil, potencé, règle, renfort, tellure.

TECHNÉTIUM. Tc.

TECHNICIEN. Cadreur, cameraman, chef-opérateur, décorateur, ensemblier, opérateur, professionnel, spécialiste, technicien.

TECHNIQUE. Angioplastie, art, dual, eau-forte, échographie, émulation, fausset, haute-fidélité, imagerie, insémination, irrigation, manière, méthode, métier, moyen, photographie, primal, sidérurgie, stéréophonie.

TECHNOCRATE. Commissaire, élève, énarque, fonctionnaire, homme d'état, ministre.

TECHNOCRATIE. Éna, énarchie, oligarchie, ploutocratie, synarchie.

TECHNOLOGIE (3 lettres). Abc, art, bio, iut, wap.

TECHNOLOGIE (4 lettres). Idée, pure.

TECHNOLOGIE (5 lettres). Champ, droit, étude, exact, force, lycée, magie, musée, puits, règle, somme.

TECHNOLOGIE (6 lettres). Abrégé, blason, cabale, calcul, chimie, infuse, mancie, morale, savoir.

TECHNOLOGIE (7 lettres). Algèbre, branche, clergie, culture, éthique, logique, théorie.

TECHNOLOGIE (8 lettres). Abstrait, alchimie, biologie, bionique, capacité, doctrine, écologie, géodésie, géologie, gymnique, high-tech, médecine, métrique, mystique, opuscule, physique, principe, rudiment.

TECHNOLOGIE (9 lettres). Aérologie, agrologie, agronomie, appliquée, avionique, axiologie, botanique, détonique, docimasie, ergologie, érudition, éthologie, étiologie, eugénisme, génétique, géométrie, grammaire, idéologie, logopédie, œnologie, ontologie, orthoépie, osmologie, pédagogie, pédologie, pharmacie, recherche, rhéologie, robotique, sexologie, sexonomie, sinologie, taxinomie, taxonomie, technique, tératologie, théologie, topologie, urbanisme.

TECHNOLOGIE (10 lettres). Aéraulique, aérométrie, astronomie, audiologie, balistique, cosmogonie, cosmologie, didactique, diététique, diplomatie, discipline, écologisme, ethnologie, étymologie, généalogie, gemmologie, géographie, géoscience, hippologie, hydrologie, hypnotisme, iconologie, limnologie, lithologie, métrologie, muséologie, mythologie, neurologie, onirologie, pathologie, philologie, phonologie, scénologie, sémiologie, sismologie, sociologie, tribologie, zootechnie.

TECHNOLOGIE (11 lettres). Actinologie, archéologie, arithmétique, biophysique, chronologie, démographie, démonologie, dentisterie, déontologie, embryologie, exobiologie, gynécologie, hématologie, hydrométrie, hygrométrie, hygroscopie, hypsométrie, laboratoire, lexicologie, minéralogie, musicologie, nomographie, océanologie, omniscience, pétrochimie, physiologie, psychologie, séismologie, séméiologie, spéléologie, symbolique, topographie, toxicologie.

TECHNOLOGIE (12 lettres). Aéronautique, arithmétique, climatologie, cosmétologie, criminologie, cybernétique, encyclopédie, ethnographie, géopolitique, hagiographie, hydrographie, mathématique, micrographie, muséographie, numismatique, ornithologie, paléographie, planétologie, réflexologie, scientifique, vulcanologie.

TECHNOLOGIE (13 lettres). Aérodynamique, astronautique, bibliographie, électrochimie, épistémologie, lexicographie, macro-économie, microbiologie, océanographie, ophtalmologie, paléontologie, pneumatologie, polytechnique.

TECHNOLOGIE (14 lettres). Caractérologie, évolutionnisme, géomorphologie, science-fiction, sigillographie.

TECK. Arbre, bois, gattilier, imputrescible, tek, verbénacée.

TECKEL. Basset, chien, chien-saucisse, race.

TECTONIQUE. Géologie, jurassique, lias, plissement, primaire, riss, secondaire, tertiaire, trias, tuf.

TECTRICE. Aile, alule, balai, bec, boa, calame, camail, caccinostyle, couteau, couverture, duvet, huppe, lit, pattu, penne, penon, plume, plumule, poil, pointe, ptéryle, rectrice, rémige, vibrisse.

TEE. Atteloire, axe, cabillot, cheville, chevillette, chevron, clavette, clou, cou-de-pied, épite, esse, fausset, fiche, goujon, goupille, gournable, malléole, mollet, ouvrière, pléonasme, socle, tourillon, trenail.

TEEN-AGER. Ado, adolescent, adonis, bachelier, béjaune, blanc-bec, cadet, chérubin, éphèbe, fan, galipin, garçon, hymen, jeune, jouvenceau, jouvencelle, novice, nymphette, page, pédopsychiatrie, puceau, scout, tendron.

TÉFILLIN. Abraxas, aétite, amulette, anneau, bague, bétyle, bondieuserie, charme, effigie, fétiche, grigri, gris-gris, idole, mascotte, médaille, or, pentacle, phylactère, porte-bonheur, porte-chance, psellion, sachet, scapulaire, talisman.

TÉGÉNAIRE. Anthropode, araignée, lycose, mygale.

TÉGUMENT. Arille, carapace, cuticule, exuvie, mue, peau, pilosité, sensille, tegmen, test.

TÉHÉRAN (n. p.). Iran.

TEIGNE. Aglossa, calvitie, favus, galerie, gerce, mégère, mite, papillon, rogne, tache, ténéidé, tille.

TEIGNEUX. Acerbe, agressif, ardent, bagarreur, batailleur, belliqueux, colérique, combatif, criard, élaps, emporté, féroce, fou, hargneux, méchant, menaçant, provocant, querelleur, récessivité, revancheur, tenace, violent.

TEILLER. Abacas, agave, battre, broyer, bure, chanvre, corde, coton, dacron, étoffe, fibre, filature, géotextile, jute, laine, liber, lin, nylon, orlon, raphia, rilsan, séparer, sisal, textile, tiller, tissu, toile.

TEINDRE. Azurer, brésiller, brillanter, bruire, chiner, ciseler, colorer, friser, gaufrer, glacer, gommer, imbiber, lustrer, moirer, ocrer, raciner, racinette, reteindre, rocouer, roser, rosir, satiner, teinter.

TEINT. Artificiel, basané, bilieux, bistre, blafard, blême, bronzé, carnation, coloration, coloré, colorié, cuivré, fard, fardé, grillé, hâle, mat, mâtiné, mine, noiraud, pâle, paré, peint, rose, teinté, terne, tinctorial, vernissé.

TEINTANT. Azurant, colorant, coloris, couleur, éosine, gaude, indigo, ocre, orseille, mauvéine, rocou, smalt, thiamine, tinctorial.

TEINTE. Aplat, apparence, aspect, carnation, coloris, couleur, demi-teinte, dose, émail, fondu, fraîcheur, grisaille, grisé, lividité, matité, nuance, ombre, opalescence, pâleur, pixel, rosâtre, rosé, rougeur, saumon, ton, tonalité.

TEINTER. Azurer, barbouiller, barioler, bistrer, bleuter, colorer, colorier, dorer, empourprer, encrer, enluminer, farder, injecter, iriser, nuancer, ocrer, orner, panacher, peindre, pigmenter, rehausser, relever, rosir, safraner, teindre.

TEINTURE. Alun, arnica, colorant, coloration, couleur, élixir, garançage, henné, réséda, tinctorial, vernis.

TEK. Arbre, bois, gattilier, imputrescible, teck, verbénacée.

TEL. Ainsi, analogue, égal, identique, inouï, nu, pareil, proverbe, semblable, sic, similaire, téléphone.

TÉLAMON. Affût, atlante, bipied, bougeoir, bras, cariatide, chevalet, cintre, colonne, épontille, essieu, faste, faucre, gaine, lampadaire, mât, patère, patin, piédestal, pilier, pivot, pylône, socle, soutien, statue, stencil, support, tin, trépied, tréteau, vau.

TÉLÉBENNE. Benne, télécabine, téléphérique, télésiège.

TÉLÉCOMMANDE. Bouton, combinateur, commande, clé, commande, commutateur, conjoncteur, contact, contacteur, coupleur, disjoncteur, interrupteur, manostat, poussoir, rotacteur, sélecteur, sectionneur, zapper, zapette, zappette.

TÉLÉCOMMUNICATION. Annuaire, duplex, minitel, répertoire, téléphone, télévente, vidéotex.

TÉLÉCOPIE. Bélinogramme, fac-similé, fax, télécopieur, téléfax, télégraphie, télex, transmission.

TÉLÉCOPIEUR. Bélinographe, bélinogramme, fax, phototélécopie, téléfax, téléimprimeur, téléscripteur.

TÉLÉGA. Auto, automobile, autorail, bagnole, baladeuse, berline, bolide, break, buggy, cab, cabriolet, calèche, car, char, charrette, coach, coche, coupé, duc, fardier,

fiacre, fourgonnette, guimbarde, jardinière, jeep, landau, limousine, mulet, omnibus, poussette, tacot, tapecul, taxi, télègue, teuf-teuf, torpédo, tram, turbo, utilitaire, van, véhicule, victoria, voiture.

TÉLÉGRAMME. Bleu, câble, câblogramme, dépêche, message, pli, pneu, stop, télégraphie, télex.

TÉLÉGRAPHIE. Avis, billet, câble, correspondance, courrier, dépêche, information, lettre, message, missive, morse, nouvelle, pneu, poste, radio, télégramme, télex, TSF.

TÉLÉOSAURE. Alligator, caïman, croco, crocodile, dinosaure, gavial, lamenter, morelet, saurien, sténéosaure, vagir, vagissement.

TÉLÉOSTÉEN. Anguille, broche, carpe, chat, maquereau, morue, muge, sardine, thon, truite.

TÉLÉPATHIE. Communication, extralucidité, intuition, métapsychique, paranormal, parapsychique, parapsychologie, pensée, prémonition, prescience, pressentiment, télépathe, transmission.

TÉLÉPHÉRIQUE. Monocâble, remonte-pente, télécabine, téléférique, téléscaphe, téléski, télésiège, tire-fesses.

TÉLÉPHONE. Allô, appareil, appel, arabe, bottin, cadran, cellulaire, code, inter, interphone, interurbain, natel, numéro, portable, poste, régional, réseau, sonnerie, taxiphone, tel, vidéophone, watt.

TÉLÉPHONER. Aliéner, appeler, câbler, céder, communiquer, concéder, confier, déléguer, dire, donner, envoyer, fournir, inoculer, laisser, léguer, négocier, passer, télédiffuser, téléviser, télexer, transférer, transmettre, véhiculer.

TÉLÉPHONIE. Câble, Liaison, multiplex, multiplexage, multiplexeur, multivoie, natel, sans-fil, TSF.

TÉLÉPHONISTE. Amphitryon, aubergiste, convive, diffa, hôte, logeur, invité, réceptionnaire, réceptionniste, receveur, standardiste.

TÉLÉROMAN. Action, anecdote, conte, épisode, feuilleton, histoire, intrigue, livre, manuscrit, nouvelle, prologue, rêve, romanesque, serial, scénario, thriller.

TÉLESCOPAGE. Abordage, accident, application, carambolage, choc, collision, heurt, impact, tamponnage, tamponnement.

TÉLESCOPE (n. p.). Eso, Grégory, Hale, Hubble, Newton, Nicollier, Palomar, Schmidt, Zelentchouk.

TÉLESCOPE. Binoculaire, lentille, lunette, miroir, oculaire, réflecteur, radiotélescope, tube.

TÉLESCOPER. Caramboler, défoncer, emboutir, empiéter, heurter, interpénétrer, percuter.

TÉLÉSKI. Monocâble, remonte-pente, télécabine, téléférique, téléphérique, téléscaphe, télésiège, tire-fesses.

TÉLÉSIÈGE. Monocâble, remonte-pente, télécabine, téléférique, téléphérique, téléscaphe, téléski.

TÉLÉSPECTATEUR. Auditeur, auditoire, public, spectateur, téléacheteur, témoin, zappeur.

TÉLÉVISER. Aliéner, câbler, céder, concéder, confier, déléguer, dire, donner, envoyer, fournir, inoculer, laisser, léguer, négocier, passer, télédiffuser, téléphoner, télexer, transférer, transmettre, véhiculer.

TÉLÉVISION (n. p.). ABC, ARTE, BBC, CBC, CBS, CNN, CSA, CTV, NBC, NHK, PBS, RC, RDS, SPN, SRC, TQS, TSN, TVA, TVQ, VIE.

TÉLÉVISION. Caméra, écran, émission, magnétoscope, poste, télé, téléfilm, téléspectateur, téléviseur, tv.

TELL. Amas, amoncellement, butte, colline, élévation, éminence, hauteur, monticule, motte, mound, terrasse, tertre, tumulus.

TELLEMENT. Abondamment, amplement, armée, beaucoup, bien, bougrement, cohorte, énormément, fort, foule, groupe, horde, joliment, légion, maint, marée, masse, meute, moult, multitude, nombre, nuée, plein, plusieurs, profusion, prou, quantité, sec, si, tant, tas, tout, toutefois, très, trop.

TELLURE. Te.

TÉLOUGOU. Canara, dravidien, kannara, langue, malayalam, tamoul, télugu.

TELSON. Agrès, alliance, anal, anneau, annelé, ansé, arceau, bague, beigne, bélière, boucle, bride, cercle, cerne, chaînon, chevalière, collier, combinaison, coulant, créole, cricoïde, cucurbitain, cucurbitin, écusson, embrayage, erse, erseau, esse, étalingure, étrier, frette, jonc, maille, maillon, manchon, manilles, mésothorax, métamère, morne, œillet, organeau, piton, porte-clefs, porte-clés, proglottis, prothorax, rapprochement, segment, ténia, tire-fond, virole.

TÉMÉRAIRE. Audacieux, aventuré, aventureux, brave, courageux, dangereux, décidé, écervelé, entreprenant, étourdi, fautif, gonflé, hardi, hasardé, hasardeux, imprévoyant, imprudent, inconsidéré, insensé, intrépide, kamikaze, risqué.

TÉMÉRITÉ. Audace, culot, hardiesse, imprudence, intrépidité, outrecuidance, présomption, toupet.

TÉMOIGNAGE. Affirmation, aménité, amitié, attestation, aveu, cérémonie, condoléances, déclaration, déroulement, gage, hommage, indice, narration, preuve, rapport, récit, relation, remerciement, satisfecit, signe, test.

TÉMOIGNER. Aduler, appuyer, attester, avérer, certifier, communiquer, compassion, déclarer, dénoncer, déposer, dire, établir, jurer, lever, marquer, mépriser, montrer, plaindre, prouver, rechigner, renâcler, siffler, trahir.

TÉMOIN. Accusateur, assistant, auditeur, bâton, caution, citation, débris, déposant, fossile, garant, jurer, observateur, parrain, preuve, recors, repère, reste, second, souvenir, spectateur, vagulation, visu, voir.

TEMPE. Accroche-cœur, larmier, mutule, redan, redent, ressaut, ressauter, rouflaquette, saillie, soffite.

TEMPÉRAMENT. Caractère, complexion, comptant, constitution, diathèse, disposition, équilibre, froid, humeur, inné, mesure, milieu, nature, organisation, pâte, prédisposition, tête, trempe, vente, versement.

TEMPÉRANCE. Abstinence, chasteté, continence, discrétion, économie, frugalité, modération, retenue, sage, sobriété.

TEMPÉRANT. Abstème, abstinent, austère, chaste, classique, continent, court, dépouillé, discret, économe, frugal, mesuré, modéré, modeste, nu, pondéré, réglé, restreint, retenu, simple, sobre, sommaire.

TEMPÉRATURE. Canicule, chaleur, climat, fièvre, froid, isotherme, point de rosée, redoux, temps, zéro.

TEMPÉRÉ. Abordable, adouci, assagi, attiédi, calme, climat, demi-ton, discret, doux, frugal, mesuré, mitigé, modéré, modeste, modique, pondéré, raisonnable, retenu, sage, sobre, tempérant, tiédi.

TEMPÉRER. Adoucir, affaiblir, amortir, apaiser, arrêter, assagir, assouplir, atténuer, attiédir, borner, calmer, corriger, diminuer, dulcifier, fulminer, gueuler, mesurer, modérer, normaliser, raisonner, régler, simplifier, sobriété, tonitruer.

TEMPÊTE. Averse, blizzard, bourrasque, colère, cyclone, eau, grain, intempérie, mistral, mousson, orage, ouragan, perturbation, poudrerie, rafale, simoun, sirocco, tornade, tourbillon, tourmente, trompe, typhon, vent.

TEMPÊTER. Crier, éclater, emporter, enrager, exploser, fulminer, gronder, gueuler, invectiver, manifester, pester, rager, tonitruer, tonner, tourmenter.

TEMPÉTUEUX. Agité, houleux, impétueux, mouvementé, orageux, torrentueux, tumultueux, turbulent, violent.

TEMPLE. Aptère, basilique, capitole, cathédrale, cella, chapelle, dôme, édifice, église, fanum, loge, monoptère, mosquée, naos, nymphée, oratoire, pagode, panthéon, saint, spéos, synagogue, teocalli, tholos, ziggourat.

TEMPLE AZTÈQUE (n. p.). Quetzalcoatl, Teocali, Teocalli.

TEMPLE ÉGYPTE (n. p.). Abou-Simbel, Amon, Carnac, Horus, Louqsor, Louxor.

TEMPLE FRANCE (n. p.). Ste-Marie.

TEMPLE GRÈCE (n. p.). Athéna, Bassæ.

TEMPLE INDE (n. p.). Amritsar, Shiva, Minaksi.

TEMPLE ISLAMIQUE (n. p.). Zaouïa, Zawiya.

TEMPLE ITALIE (n. p.). Malatesta.

TEMPLE JAPON (n. p.). Daitoku-ji, Enryakuji, Zenko-Ji.

TEMPLE NÎMES (n. p.). Maison carrée.

TEMPLE ROME (n. p.). Panthéon.

TEMPLIERS (n. p.). Chevaliers du temple, ordre du Christ, Hugues de Pains, Hugues de Payns, Molay.

TEMPO. Adagio, allegro, allure, andante, largo, larghetto, largo, lento, marche, monnaie, presto, rythme.

TEMPORAIRE. Bref, constant, court, discontinu, durable, éphémère, fragile, fugace, fugitif, éphémère, horde, incertain, intérimaire, légat, momentané, occasionnel, passager, permanent, précaire, provisoire.

TEMPORAIREMENT. Attendant, épinglage, momentanément, passagèrement, provisoirement, transitoirement.

TEMPOREL. Bien, cartulaire, charnel, civil, laïc, matériel, mortel, séculier, sensuel, terrestre.

TEMPORISATION. Ajournement, assignation, atermoiement, attentisme, délai, opportunisme, procrastination, réforme, refus, remise, renvoi, report, retard, retardement, sursis.

TEMPORISER. Ajourner, arrêter, arriérer, atermoyer, attendre, biaiser, décaler, différer, éloigner, gagner, hésiter, prolonger, promener, ralentir, reculer, remettre, renvoyer, reporter, retarder, surseoir.

TEMPS. Âge, aoriste, an, année, automne, avenir, avent, carême, carnaval, chronométrie, dans, date, délai, demain, durée, été, fort, frai, gel, GMT, heure, hier, hiver, horaire, intermède, jour, latence, loisir, matinée, minute, mois, mue, nuit, oisif, où, passé, période, prévention, printemps, probation, rabiot, récréation, rut, saison, séance, seconde, session, soirée, somme, stage, tai, tautochrone, temporalité, tenue, UTC.

TENABLE. Acceptable, buvable, endurable, passable, possible, potable, sain, supportable, tolérable, vivable.

TENACE. Accrocheur, acharné, adhérent, buté, coriace, difficile, durable, enraciné, entêté, ferme, glu, gluant, hargneux, importun, intrépide, obstiné, opiniâtre, persévérant, persistant, poix, rancœur, résistant, teigne, teigneux, têtu, vivace.

TENACEMENT. Âprement, farouchement, fermement, mordicus, obstinément, opiniâtrement, résolument.

TÉNACITÉ. Acharnement, assiduité, cramponnement, entêtement, fermeté, mordicus, obstination, opiniâtreté, persévérance, pertinacité, vivacité, volition, volonté.

TENAILLÉ. Cramponné, étreint, fortifié, griffé, pince, préoccupé, torturé, tourmenté, tracassé.

TENAILLE. Baquettes, barrette, bigoudi, casse-noix, clamp, clé, clip, crampon, croche, davier, épiloir, épingle, étau, fortification, frisoir, fronce, happe, moraille, outil, pince, pincette, pli, trétoire, tricoises.

TENAILLER. Hanter, harceler, obséder, poursuivre, préoccuper, ronger, tarauder, torturer, tourmenter, tracasser.

TENANCIER. Aubergiste, bistrot, buraliste, cabaretier, cafetier, fermier, fief, gérant, hôte, hôtelier, logeur, maquerelle, patron, popotier, restaurateur, taulier, tavernier, tôlier, yeoman.

TENANT. Adepte, apôtre, avocat, champion, défenseur, gardien, partisan, protecteur, soutien.

TENDANCE. Acescence, affinité, appétence, argotisme, assuétude, attirance, bellicisme, convergence, curiosité, direction, disposition, effort, égoïsme, élan, exubérance, favoritisme, idéalisme, impulsion, inclinaison, penchant, photophobie, pica, prédisposition, propension, pulsion, tendre.

TENDANCIEUX. Arbitraire, équitable, injuste, objectif, orienté, partial, partisan, prévenu, subjectif.

TENDELLE. Affecté, apprêté, colback, collet, cou, guindé, lacet, maniéré, nœud, palatine, piège, prude.

TENDER. Ferry-boat, navire, wagon.

TENDERIE. Absidiole, affût, battue, chasse, cimicaire, cor, croule, drag, épervier, fauconnerie, fouée, gibier, louveterie, muette, oust, panneautage, piégeage, pipée, piper, poursuite, safari, to, traque, trolle, vénerie, volerie.

TENDEUR. Araignée, câble, coureur, courroie, pieuvre, raidisseur, ridoir, sandow, tordoir.

TENDINEUX. Coriace, dur, entêté, fibreux, filamenteux, intrépide, ligamenteux, obstiné, persévérant, résistant, semelle, sévère, tenace, têtu.

TENDINITE. Inflammation, pubalgie, ténosite, ténosynovite, tennis.

TENDON (n. p.). Achille.

TENDON. Digastrique, féru, fouet, ligament, muscle, nerf, pubalgie, tendinite, ténotomie, tirant.

TENDRE. Aboutir, agneau, amolli, bander, but, caressant, converger, délicat, déployer, doux, enjoué, faible, flexible, fondant, fragile, mendier, moelleux, mou, offrir, oiseler, penchant, porter, pousser, prédisposition, présenter, propension, raidir, retendre, sensible, tendance, viande.

TENDREMENT. Affectueusement, cher, chèrement, chéri, pieusement, sèchement, sollicitude.

TENDRESSE. Adoration, affection, amitié, amour, attachement, bonté, caresse, cœur, complaisance, dévotion, dévouement, dilection, douceur, effusion, égards, flamme, gentillesse, humanité, inclination, mamours, passion, prédilection, sensibilité, sentiment, sympathie, zèle.

TENDRON. Acné, agassin, axillaire, bourgeon, bouton, bulbille, caïeu, cayeu, chaton, chou palmiste, drageon, embryon, fille, gemme, gemmule, germe, greffe, greffon, jeunesse, maille, œil, pousse, rejeton, scion, stolon, turion.

TENDU. Bandé, contracté, crispé, critique, desséché, détendu, dur, étiré, explosif, gênant, grave, hérissé, inflexible, lâche, largué, main, nerveux, plein, raide, raidi, rigide, roide, ruade, sec, stressé, tiré.

TÉNÈBRES. Démon, enfer, érèbe, ignorance, noir, noirceur, nuit, obscurité, ombre, voile.

TÉNÉBREUX. Abscons, complexe, compliqué, difficile, embrouillé, énigmatique, funèbre, hermétique, impénétrable, incompréhensible, inexplicable, inextricable, lugubre, mystérieux, noir, obscur, opaque, sinistre, sombre, triste.

TÉNÉBRION. Coléoptère, farine, insecte, larve, magnan, némerte, sabelle, semoule, serpule, ver.

TÉNESME. Brouille, cœur, contraction, crise, désaccord, désunion, discorde, dispute, dissidence, division, effort, épreintes, extension, froid, pression, raideur, résistance, tendre, stress, tension.

TENEUR. Allégé, composition, concentration, contenu, contexte, degré, dureté, écriture, libellé, objet, salinité, salure, texte, titrage, titre.

TÉNIA. Bothriocéphale, cénure, cestode, cœnure, conure, cucurbitin, échinocoque, hydatide, intestin, kamala, parasite, proglottis, saginata, scolex, solitaire, solium, taenia, ténicide, ténifuge, ver, ver solitaire.

TENIR. Adhérer, ai, as, avoir, badiner, celer, chambrer, conserver, considérer, croire, détenir, diriger, dresser, écarter, écouter, embrasser, entretenir, envisager, esseuler, estimer, étreindre, eu, garder, joindre, lever, maintenir, médire, nouer, occuper, parer, porter, poser, radoter, représenter, réputer, résister, serrer, siéger, soutenir, taire, tenu.

TENNIS. Ace, as, avantage, balle, basket, coup, court, drive, droit, égalité, espadrille, filet, let, lift, lob, manche, match, net, out, partie, ping-pong, quarante, quinze, raquette, revers, set, smash, tamis, tendinite, tie-break, trente.

TENON. Agrafe, crampon, crochet, griffe, happe, harpon, languette, mentonnet, mortaise, téton.

TÉNOR. Célébrité, chanteur, figure, gloire, personnalité, sommité, star, ténorino, vedette, voix.

TÉNOR BRITANNIQUE (n. p.). Pears.

TÉNOR CANADIEN (n. p.). Heppher.

TÉNOR ESPAGNOL (n. p.). Carreras, Domingo.

TÉNOR FRANÇAIS (n. p.). Fay, Nourrit, Thill, Trial.

TÉNOR ITALIEN (n. p.). Caruso, Del Monaco, Rubini, Pavarotti, Schipa.

TÉNOR QUÉBÉCOIS (n. p.). Corbeil, Desbiens, Gauvin, Glogowski, Hargreaves, Joanness, Legault, Léonard, Lortie, McAuley, Perreault, Saint-Gelais, Tremblay, Turcotte, Verreau, Webber.

TENSEUR. Abscisse, glisseur, gradient, muscle, résultante, substrat, support, tendeur, torseur, vecteur, vectoriel.

TENSION. Attention, brouille, cœur, contraction, crise, désaccord, désunion, discorde, dispute, dissidence, division, effort, extension, fièvre, froid, orage, pression, raideur, résistance, stress, tendre, ténesme, traction, volt.

TENTACULE. Accotoir, accoudoir, affluent, aisselle, allonge, appui, baguette, bayou, bras, brassard, brassée, cède, cirre, cirrhe, coude, crête, élinde, épicondyle, fanon, marigot, membre, patte, pompe, pseudopode, trochin.

TENTANT. Affriolant, aguichant, aimable, alléchant, appât, attachant, attirable, attirant, attracteur, attractif, attrait, attrayant, captivant, charmant, engageant, fascinateur, magnétique, piquant, ravissant, séduisant, sexy.

TENTATEUR. Aguicheur, allumeur, batifoleur, casanova, cavaleur, charmeur, conquérant, coureur, cruiseur, démon, don juan, dragueur, enjôleur, ensorceleur, envoûteur, flambeur, flirteur, gino, macho, maquereau, séducteur, tombeur.

TENTATION. Appel, attrait, démangeaison, désir, envie, incitation, séduction, sollicitation.

TENTATIVE. Attentat, avance, coup, démarche, ébauche, effort, entreprise, esquisse, essai, impasse, oser, recherche.

TENTE. Abri, banne, cagna, campement, canadienne, chapiteau, dais, douar, essai, gourbi, guitoune, hutte, iourte, képi, ose, pavillon, risque, taud, taude, tipi, tissu, toile, velarium, vélum, yourte, wigwam.

TENTER. Affrioler, aguicher, allécher, amorcer, attacher, attirer, captiver, charmer, ébaucher, entreprendre, éprouver, essayer, exciter, inciter, oser, plaire, remuer, replâtrer, risquer, séduire, solliciter, tâcher.

TENTURE. Alépine, alun, baldaquin, basin, batiste, batik, bord, bure, casimir, cati, châle, cotonnade, drap, draperie, escot, étamine, étoffe, feutre, gaze, grain, granité, lé, laine, linge, madras, mérinos, mohair, moire, muleta, ottoman, pan, peluche, piqué, ras, ratine, reps, rideau, sari, sarong, satin, satinette, sergé, soie, suédine, surah, taffetas, tarlatane, tapisserie, tartan, textile, tiretaine, tissu, trentain, tulle, tussor, un, uni, velours, veloutine, zénana.

TÉNU. Assujetti, astreint, contraint, entretenu, esseulé, eu, fin, mince, obligé, paré, petite, tenir.

TENUE. Débraillé, délicat, digraphie, esseulé, kimono, menu, nu, petit, posture, siégé, tailleur, tempérance, treillis.

TENURE. Circonscription, domaine, fief, mouvance, partie, propriété, rayon, secteur, seigneur, spécialité, territoire, vassal.

TEOCALLI. Basilique, capitole, cathédrale, chapelle, église, fanum, loge, mosquée, oratoire, pagode, panthéon, pyramide, spéos, synagogue, temple, tholos, ziggourat.

TÉORBE. Buzuki, cistre, guitare, luth, lyre, mandoline, mandore, oud, sehtar, setar, tar, théorbe.

TEQUILA. Abécédaire, agave, alcool, aloès, eau-de-vie, ixtle, mescal, pite, pitta, plante, pulque, sisal, tampico.

TÉRASPIC. Alysse, alysson, arbette, corbeille-d'argent, corbeille-d'or, crucifère, ibéride, ibéris, tabouret, thlaspi.

TÉRATOGÉNIE. Acrocéphalie, angiome, bec-de-lièvre, craniosténose, défaut, délétion, développement, dysmélie, dysplasie, exotrophie, hypostasia, imperfection, malformation, nævus, phocomélie, spina-bifida.

TÉRATOLOGIE. Avorton, basilic, chimère, cyclope, démentiel, dragon, fée, géant, génie, gorgone, harpie, hippogriffe, hydre, lamie, licorne, mauvais, monstre, monstrueux, nain, phénix, phénomène, phocomèle, pygmée, scélérat, sirène, sphinx, tarasque.

TERBIUM. Tb.

TERCER. Labour, terser, tiercer, trois.

TERCET. Chant, clausule, couplet, dizain, épode, groupe, hymne, laisse, neuvain, ode, onzain, poème, quatrain, rime, septain, sixtain, stance, strophe, terza rima, trois, vers, verset.

TÉRÉBELLE. Sabelle, ver.

TÉRÉBENTHINE. Arcanson, cire, diluant, galipot, mélèze, oléorésine, résine, sapin, terpine, white.

TÉRÉBINTHACÉE. Acajou, anarcardiacée, anacardier, arbre, boswellia, laquier, lentisque, manguier, pistachier, quebracho, spondias, sumac, térébinthe, vernis du Japon.

TÉRÉBRANT. Aigu, pénétrant, lancinant, perçant, perforant, piquant, pointu, taraudant, vif, violent.

TÉRÉBRATULE. Animal, brachiopode, fossile, invertébré, lingule, rhynchonelle, spirifer.

TERFÈS. Ascomycète, blair, bouche, champignon, coiffure, discomycète, friandise, gâteau, légume, museau, naseau, nez, pâté, pif, terfesse, terfèze, truffe, tubéral.

TERGAL. Dacron, fibre, fil, lurex, nylon, polyester, serge, synthétique, téréphtalate, tissu, xylène.

TERGIVERSATION. Atermoiement, faux-fuyant, flottement, hésitation.

TERGIVERSER. Atermoyer, biaiser, changer, ergoter, feinter, hésiter, indécis, procrastiner, remettre.

TERME. Adieu, arpège, attribut, borne, bout, but, congé, crédit, date, délai, échéance, fin, final, limite, lieu, limite. loyer, mesure, mot, moyen, mythologie, obvie, point, pôle, prime, sieur, signe, stop, sujet, temps, texte, thèse.

TERMINAISON. Anthère, apothéose, bout, cadence, cas, désinence, extrémité, fin, final, résultat, suffixe, us.

TERMINAL. Arrêt, attique, basic, bout, capital, console, débarcadère, dénouement, dernier, extrême, filière, fin, final, gare, guichet, minitel, néogène, pointe, quai, scion, suprême, tuyère, ultime, visiophone, vsat.

TERMINAL PÉTROLIER (n. p.). Aberdeen, Antifer, Arzew, Grangemouth, Novorossisk, Orcades, Shetland, Sullom Voe.

TERMINÉ. Acéré, acuminé, aigu, ansé, capité, clos, complet, marre, rempli, révolu, subulé, suspens.

TERMINER. Accomplir, achever, arranger, arrêter, capiter, cesser, clore, clôturer, conclure, consommer, couronner, dénouer, épuiser, fermer, finir, lever, liquider, mener, mourir, onguler, polir, rimer.

TERMINOLOGIE. Jargon, lexique, monème, nomenclature, quiddité, savoir, vocabulaire.

TERMINUS. Affinage, agonie, antépénultième, apois, après, bout, cadet, dernier, dessert, extrême, extrémité, fin, final, gare, limite, morasse, nouvelle, passé, queue, reste, retour, soir, station, suprême, terme, testament, tierce, ultime, volonté.

TERMITE. Aculéate, démangeaison, formication, formique, fourmi, fourmilière, insecte, isoptère, lucifuge, magnan, miellat, pangolin, picotement, reine, soldat, tamanoir, travailleuse, ver, xylophage.

TERMITIÈRE. Construction, fourmilière, frémillère, nichée, nid, ruche.

TERNE. Amorti, blafard, blême, brillant, couleur, décoloré, délavé, déteint, éclatant, effacé, embu, éteint, fade, falot, fané, flétri, gris, grisâtre, incolore, inexpressif, livide, mat, morne, pâle, poli, sombre, usé.

TERNI. Blafard, blême, délavé, éteint, fade, falot, gris, incolore, inexpressif, insignifiant, maussade, monotone, morne, passé.

TERNIR. Altérer, amatir, assombrir, brouiller, décolorer, défraîchir, délustrer, dépolir, déshonorer, dessécher, éclipser, effacer, emboire, éteindre, étioler, faner, flétrir, gâter, matir, polir, rider, salir, tacher.

TERPÈNE. Alcène, huile, hydrocarbure, limonène, octane, oléfine, pinène, résine, styrène.

TERPINE. Borax, calamine, chlorhydrate, épidote, glucide, hydrate, hydrocarbonate, hydroxyde, oestriol, sapotine.

TERRAGE. Agrier, champart, droit, pénétration, prélèvement, redevance.

TERRAIN. Abatis, aérodrome, aire, brande, campus, cédraie, cédrière, champ, clos, court, culture, emplacement, enclave, enclos, éponte, esplanade, fond, friche, golf, grève, lais, lice, lieu, lopin, lot, marais, marécage, oliveraie, olivaie, parc, pelouse, pinède, piste, prairie, propriété, ravière, relief, rocaille, roseraie, savane, ségala, semis, sol, stade, talus, terre, terroir, turf, verger.

TERRAMARE. Bled, bourg, bourgade, douar, hameau, kraal, localité, palafitte, patelin, synœcisme, village, ville.

TERRARIUM. Animalerie, clapier, fauverie, herpétarium, insectarium, paludarium, singerie, vivarium.

TERRASSÉ. Battu, conquis, culbuté, défait, défaitiste, écrasé, enfoncé, eu, fuyard, invincible, lâche, loser, perdant, raté, rendu, subjugué, terrassé, vaincu.

TERRASSE. Balcon, bar, belvédère, devanture, digue, esplanade, galerie, guetali, jetée, loggia, méniane, plateforme, promenade, rambarde, replat, socle, statue, tertre, toit, toiture, trottoir, véranda, vire.

TERRASSEMENT. Dragline, épaulement, nivellement, parados, parapet, remblai, sape, talus, terrassier.

TERRASSER. Abattre, accabler, battre, bouleverser, démolir, dompter, jeter, renverser, vaincre.

TERRASSIER. Col bleu, ouvrier, pelleteur, piocheur, pionnier, puisatier, remblayeur, taluteur, travailleur.

TERRE. Ados, alleu, aratoire, argile, bien, biner, boue, bouette, champ, continent, contrée, domaine, duché, emblavure, erbue, esplanade, fief, gadoue, glaise, gâtine, glèbe, globe, guéret, herbue, herbus, héritage, humus, ici-bas, île, jachère, labour, latérite, monde, nife, noue, ocre, pays, planète, poussière, propriété, région, seigneurie, sial, sima, sol, tenure, terrain, terreau, territoire, terroir, turf.

TERRE À TERRE. Banal, borné, commun, matérialiste, matériel, ordinaire, prosaïque, quelconque, vulgaire.

TERREAU. Champignonnière, chanci, chaux, compost, craie, engrais, falun, favorable, fertilisant, fumier, fumure, horticulture, humus, limon, milieu, plant, plante, purin, semis, tangue, terreautage, terreauter, wagage.

TERREAUTER. Amender, améliorer, apporter, chauler, cultiver, engraisser, entourer, fertiliser, recouvrir.

TERRE-PLEIN. Abréviation, abri, apocope, berme, coupure, déduction, front, jetée, môle, parapet, plate-forme, quai, réforme, retranchement, revêtement, risban, risberme, talus, terrain, terrasse, tranchée.

TERRER. Argenter, barder, beurrer, cacher, cocher, coiffer, combler, complanter, consteller, couvercle, couvrir, dissimuler, empierrer, enchausser, enduire, enfaîter, engluer, enrubanner, enterrer, envelopper, garantir, habiller, housser, immuniser, inonder, iodurer, métalliser, moisir, napper, ombrager, paner, parsemer, peindre, placarder, plâtrer, prémunir, préserver, recouvrir, revêtir, rocher, salpêtrer, semer, vêtir, voiler.

TERRESTRE. Arsenal, charnel, concret, corporel, engin, équipement, globe, outil, manifeste, matériel, palpable, physique, réel, sensuel, surplus, tangible, temporel, terraqué, terre-à-terre, train, visible.

TERREUR. Affolement, affres, alarme, angoisse, appréhension, consternation, crainte, effroi, épouvantail, épouvante, frayeur, hantise, horreur, mite, panique, peur, redoutable, révolution, stupéfaction, stupeur, terrible, terrorisme, trac, violence.

TERREUX. Blafard, engobage, grisâtre, livide, malpropre, mêlé, pâle, paysan, sale, sali, souillé.

TERRIBLE. Abominable, affreux, dantesque, diablement, dramatique, drame, dur, effrayant, effroyable, enfant, énorme, épouvantable, excessif, funeste, jojo, redoutable, tragique, très, turbulent, violent.

TERRIBLEMENT. Absolument, affreusement, assai, assez, bien, bigrement, comble, diablement, drôlement, énormément, excessivement, extra, extrêmement, formidablement, fort, fortement, foutrement, furieusement, grand, hyper, infiniment, invraisemblable, joliment, moult, parfaitement, particulièrement, prodigieusement, remarquablement, rudement, super, sur, tantinet, très, vachement, vraiment.

TERRIEN. Agriculteur, campagnard, colon, cultivateur, féodal, fermier, foncier, habitant, humain, paysan, rural.

TERRIER. Abri, airedale, antre, asile, cachette, chien, dogue, gîte, fox, gîte, rabouillère, refuge, repaire, tanière.

TERRIFIANT. Affolant, dantesque, effrayant, effroyable, épouvantable, horrifiant, paniquant, terrible, terrorisant.

TERRIFIER. Affoler, alarmer, apeurer, effarer, effrayer, épouvanter, foudroyer, horrifier, paniquer, terroriser.

TERRIL. Abattis, abcès, adipeux, amas, banquise, bloc, boule, bourre, branchage, cal, chaton, colline, crassier, dune, éminence, empilement, empyème, entassement, fatras, fétras, feu, foule, filasse, jar, jard, liasse, lithiase, lot, masse, meule, mitraille, monceau, mousse, névé, noyau, nuage, ossuaire, pannicule, paquet, pierraille, pierre, pile, plexus, ruée, salage, sécas, sérac, sore, tas, terri, tout, trésor.

TERRINE. Apprêt, aspic, bassine, boucan, boucherie, bouilli, broche, carne, carpaccio, casher, chair, daube, farce, fumet, gril, grillade, haché, lunch, macreuse, pain, pâté, paupiette, pemmican, pita, récipient, rillettes, rôt, rôti, semelle, tartare, viande.

TERRITOIRE (n. p.). Nord-Ouest, Nunavut, Yukon.

TERRITOIRE. Arrondissement, canton, circonscription, commune, contrée, diocèse, domaine, enclave, espace, étendue, finage, homeland, intérieur, no man's land, paroisse, possession, province, région, sol, terroir, zone.

TERROIR. Ancien, campagne, cru, folklore, pays, province, racine, rang, région, rural, sol, terrain, terre.

TERRORISANT. Affolant, effrayant, effroyable, épouvantable, horrifiant, paniquant, terrible, terrifiant.

TERRORISER. Affoler, alarmer, apeurer, atterrer, consterner, effarer, effaroucher, effrayer, épeurer, épouvanter, horrifier, intimider, paniquer, terrifier.

TERRORISME. Activisme, antiterrorisme, associationnisme, athéisme, cynique, doctrine, empirisme, évolutionnisme, extrémisme, lockisme, matérialisme, opportunisme, philosophie, pragmatisme, prosaïsme, sensualisme.

TERRORISTE (n. p.). Al-Qaira, Baader, Ben Laden, Bin Laden, Brigades Rouges, Gari, Grapi, IRA, Mau Mau, MOI, Septembre noir.

TERSER. Labour, tercer, tiercer, trois.

TERTIAIRE. Éocène, géologie, miocène, oligocène, nummulitique, néogène, paléogène, pliocène.

TERTIO. Troisième, troisièmement.

TERTRE. Amas, amoncellement, butte, élévation, éminence, hauteur, monticule, motte, mound, tell, terrasse, tumulus.

TESSELLE. Abacule, bloc, boîte, boulier, cube, dé, élément, élève, hexaèdre, litre, mosaïque, multiple, parallélépipède, pavement, peintre, polyèdre, stère, zellige.

TESSÈRE. Billet, bon, carte, coupon, devise, fafiot, faux-monnayeur, jeton, lettre, open, ordre, plaquette, poulet, tablette, ticket, traite.

TESSITURE. Aire, ambitus, ampleur, amplitude, borne, district, envergure, étendue, extension, friche, grandeur, île, immensité, importance, nappe, plaine, portée, registre, superficie, surface, traite, vaste, vue.

TESSON. Brique, débris, fragment, morceau, ostracon, têt, test.

TEST. Analyse, coquille, cuti, cuti-réaction, enquête, enveloppe, épreuve, essai, examen, expérience, TAT.

TESTAGE. Arbitre, arraisonnement, audit, contrôle, decendance, émoi, filtre, ire, méthode, orthogénie, sélection, self-control, souverain, suivi, taste-vin, tâte-vin, test, vérification.

TESTAMENT. Ab intestat, ab irato, acte, ancien, avantage, bible, biens, codicille, datif, disposant, don, écrire, exécuteur, genèse, héritage, hoir, intestat, legs, nuncupatif, olographe, sacre, testateur, tester, volonté.

TESTER. Analyser, apurer, assurer, confirmer, confronter, considérer, constater, contrôler, critiquer, démontrer, enquêter, éplucher, éprouver, essayer, étudier, évaluer, examiner, expérimenter, expertiser, filtrer, inspecter, juger, justifier, observer, pointer, prouver, récoler, repasser, réviser, revoir, surveiller, vérifier.

TESTEUR. Contrôleur, essayeur, inspecteur, vérificateur, visiteur.

TESTICULE. Albuginée, amoretas, couille, daintier, gosse, orchite, scrotum, séminome, testostérone.

TÊT (n. p.). Carlitte, Vietnam.

TÊT. Bergerie, capsule, coupelle, cupule, éprouvette, fête, porcherie, poulailler, réchaud, récipient, tesson.

TÉTANIE. Contracture, crampe, crise, fatigue, fourmillement, malaise, pathologie, spasme, spasmophilie, syndrome.

TÉTANISER. Abasourdir, ahurir, altérer, assommer, attérer, baba, consterner, déconcerter, dérouter, ébahir, éberluer, égarer, épater, estomaquer, estourdir, étonner, étourdir, fatiguer, hébéter, interloquer, méduser, pétrifier, sidérer, stupéfier.

TÉTANOS. Altération, amibiase, contagion, contamination, corruption, ecthyma, érésipèle, érysipèle, fétidité, furoncle, gangrène, impétigo, infection, invasion, lèpre, malodorant, nosocomial, ornithose, ostéomyélite, panaris, peste, pestilence, pneumonie, putréfaction, septicémie, streptococcie, sycosis, syphilis, typhus, variole.

TÊTARD. Amphibien, arbre, batracien, bébé, crapaud, enfant, flo, gosse, grenouille, lardon, larve, mioche, môme, moutard, nourrisson, nouveau-né, petit, poupon, progéniture, rejeton, spiracle, touffe, urodèle.

TÊTE. Acéphale, avant, caboche, cap, carafon, cerveau, chef, chevet, ciboulot, cime, citron, cou, crâne, début, épi, esprit, ètoc, file, fiole, fraise, froc, guillotine, hauteur, hure, mental, mine, nénette, occiput, premier, rencontre, roi, sinciput, sommet, supérieur, tempe, test, tronche, turc.

TÊTE-À-QUEUE. Acrobatie, cabriole, danse, demi-tour, dérobade, échappatoire, galipette, moulinet, palinodie, pirouette, pivotement, plaisanterie, retournement, revirement, toupie, tour, tourbillon, virevolte, volte-face.

TÊTE-À-TÊTE. Alcôve, aparté, canapé, causeuse, conférence, deux, entretien, entrevue, face-à-face, huis clos, interview, rencontre, rendez-vous, réunion, seul à seul, vis-à-vis.

TÊTE-DE-LOUP. Aspirateur, balai, balayette, brosse, coco, écouvette, écouvillon, épi, époussette, épuration, escoube, faubert, goret, guipon, houssoir, lave-pont, levier, oust, plumard, plumeau, queue, ramon, rubis, sorcière, torchon, vadrouille.

TÉTER. Allaiter, attirer, boire, mamelon, nourrir, presser, sucer, suçoter, tétée, tétin, tette.

TÉTIÈRE. Amure, artimon, cacatois, cape, cargue, clinfoc, conopée, étrangloir, foc, fun, fuste, gui, hunier, litham, misaine, nuée, panne, perroquet, ris, spi, spinnaker, taled, taleth, tapecul, tchador, tchadri, tréou, velet, vélum, voile, voilette.

TÉTINE. Biberon, embouchure, lolette, mamelle, pis, sein, sucette, téterelle, tétin, tette, tire-lait.

TÉTRAÈDRE. Autopolaire, berlingot, polyèdre, pyramide, quatre, tédraèdrique, triangulaire.

TÉTRARQUE. Absolu, autorité, chah, chef, despote, duc, empereur, gouverneur, indépendant, ior, khan, maître, monarque, monnaie, négus, pape, pharaon, potentat, pouvoir, prince, régent, reine, roi, shah, souverain, sultan, suprême, suzerain, tsar, tyran.

TÉTRAS. Coq, coq de bruyère, coq des bouleaux, gallinacé, gélinotte, gibier, grouse, oiseau, perdrix, tétras-lyre.

TÉTRODON. Construction, fugu, hérisson, hérisson de mer, modulaire, poisson, poisson-ballon, poisson-globe.

TÊTU. Absolu, accrocheur, acharné, âne, buté, cabochard, docile, entêté, entier, hutin, insoumis, intraitable, marteau, mulet, na, obéissant, obstiné, opiniâtre, persévérant, récalcitrant, rétif, soumis, tenace, volontaire.

TEUF-TEUF. Auto, automobile, autorail, bagnole, baladeuse, berline, bolide, break, buggy, cab, cabriolet, calèche, car, char, coach, coche, coupé, duc, épave, fardier, fiacre, fourgonnette, guimbarde, jardinière, jeep, landau, limousine, mulet, omnibus, poussette, tacot, tapecul, taxi, téléga, télègue, torpédo, tram, turbo, utilitaire, van, véhicule, victoria, voiture.

TEUTON. Allemand, badois, bavarois, berlinois, boche, chleuh, fridolin, frisé, fritz, germain, germanique, germanophile, germanophobe, kaiser, nazi, ottonien, prussien, rhénan, sarrois, saxon, SS, tudesque.

TEXTE. Alinéa, contenu, copie, discours, document, écrit, énoncé, extrait, formule, griffonnage, ibidem, introduction, leçon, légende, libellé, livre, livret, long, morceau, motion, note, œuvre, original, parole, partie, passage, préface, rédaction, référence, sacré, soutra, sutra, tantra, tapuscrit, teneur, torchon.

TEXTILE. Abacas, agave, alpaga, bure, chanvre, corde, coton, cotonnade, crêpe, dacron, drap, étoffe, fibre, filature, filet, géotextile, jute, laine, lin, nylon, orlon, pite, ramie, raphia, rilsan, sisal, teiller, tex, tissu, toile.

TEXTUEL. Authentique, conforme, exact, identique, littéral, mot à mot, mot pour mot, sic, tel, texto.

TEXTURE. Agencement, constitution, grain, moussage, structure, substance, tessiture, tissé, tissu.

TÉZIGUE. Chez-toi, soi, te, tézig, toi, tien, tu.

THAÏLANDAIS. Annamite, baht, langue, lao, laotien, siamois, thaï, tiers-point.

THAÏLANDE. Siam, thaï.

THAÏLANDE, CAPITALE (n. p.). Bangkok.

THAÏLANDE, LANGUE. Anglais, chinois, thaï.

THAÏLANDE, MONNAIE. Baht.

THAÏLANDE, VILLE (n. p.). Ayuthia, Bangkok, Kanchanaburi, Lampang, Nan, Phichit, Phrae, Saraburi, Surin, Tak, Trang, Trat, Yala, Yasothon.

THALAMUS. Anatomie, cerveau, diencéphale, épiphyse, épithalamus, hypothalamus, prosencéphale, ventricule.

THALASSOTHÉRAPIE. Balnéation, balnéothérapie, cure, élixir, émoluments, ergothérapie, héliothérapie, médication, mer, phytothérapie, régime, soin, thérapie, traitement.

THALIDOMIDE. Fœtus, lèpre, malformation, médicament, phocomélie, tératogène, tranquilisant.

THALLE. Algue, apothèce, apothécie, cetraria, cladonic, dermatose, filamenteux, lécanore, lichen, mousse, nostoc, orseille, parmélie, renne, rocella, rocelle, steppe, thallophyte, usnée, végétal, verrucaire.

THALLIUM. TI.

THALLOPHYTE. Algue, bactérie, champignon, charale, charophyte, cormophyte, lichen.

THANATOS. Action, désir, énergie, ensemble, éros, libido, mort, pulsion, vie.

THAUMATURGE. Enchanteur, ensorceleur, envoûteur, magicien, sorcier, starets, stariets.

THAUMATURGIQUE. Miracle, religieux, sacré, sorcier, spirituel, surnaturel.

THÉ. Collation, infusion, mat, maté, monarde, noir, sou-chong, théier, théière, théisme, vert.

THÉÂTRAL. Affecté, artificiel, crucial, difficile, dramatique, émouvant, épisode, forcé, grave, joruri, kabuki, kammerspiel, pénible, pièce, poignant, scénique, scénologie, spectaculaire, théâtralement, tragique.

THÉÂTRALISME. Alourdissement, amplification, attirance, développement, dramatisation, emphase, exagération, histrionisme, outrance, redondance, soi, spectaculaire, symbolisation.

THÉÂTRE (n. p.). Bobino, Broadway, Comédie-Française, Odéon.

THÉÂTRE. Acte, aparté, atellanes, boulevard, brigadier, cantonade, caveau, comédie, couturière, création, dramatique, drame, exit, générale, guignol, ïambe, inattendu, opéra, pièce, planches, plateau, première, rôle, saynette, scène, scénographie, spectacle, subit, tirade, tréteaux.

THÉBAÏDE. Ascète, désert, exil, isolé, méditation, retraite, séparation, solitude.

THÉBAÏNE. Alcaloïde, amok, codéine, diacode, drogue, élixir, euphorie, excitant, fumerie, intoxication, laudanum, méconine, morphine, narcéine, narcotique, opiacé, opium, papavérine, pavot, pipe, stupéfiant.

THÉINE. Alcaloïde, caféine, cacao, cola, kola, moka, psychostimulant, psychotonique, xanthine.

THÉIÈRE. Collation, infusion, mat, maté, monarde, noir, sou-chong, thé, théier, théisme, tisane.

THÉISME. Athée, bigot, cagot, croyant, déiste, dévot, fervent, fidèle, mystique, père, pieux, pratiquant, religieux.

THÈME. Argument, dire, idée, jingle, leitmotiv, matière, motif, sonal, sujet, traduction, visuel.

THÉOBROMINE. Bourrache, cola, dépuratif, diurétique, excrétion, furosémide, genêt, kpla, lin, maté, mélitte, piloselle, plante, prèle, remède, salidiurétique, terpine, thé, théophylline, thym, tisane, urine.

THÉOCRATIE. Adepte, dieu, doctrine, islam, mormon, politique, protestant, régime, religion.

THÉODOLITE. Angle, azimut, instrument, lorgnette, lunette, oculaire, tachéomètre, visée.

THÉOLOGIE. Apologétique, divinité, doctrine, gnose, origine, religion, scolâtre, thomisme, vertu.

THÉOLOGIEN. Casuiste, consulteur, docteur, gnostique, ouléma, scolastique, soufi, uléma.

THÉOLOGIEN ALLEMAND (n. p.). Baur, Bonhoeffer, Bultmann, Eck, Gotescalc d'Orbais, Gottschalk, Harnack, Luther, Osiander, Rahner, Riemann, Schleiermacher, Strauss.

THÉOLOGIEN ALSACIEN (n. p.). Bucer, Butzer.

THÉOLOGIEN ALLEMAND (n. p.). Bea, Holtzmann.

THÉOLOGIEN AMÉRICAIN (n. p.). Channing, Tillich.

THÉOLOGIEN ANGLAIS (n. p.). Bacon, Barrows, Clarke, Donne, Langton, Latimer, Newman, Priestley, Pusey, Warburton, Wesley, Wyclif, Wycliffe.

THÉOLOGIEN ANGLICAN (n. p.). Cranner.

THÉOLOGIEN ANGLO-SAXON (n. p.). Alcuin.

THÉOLOGIEN ARABE (n. p.). Djahiz.

THÉOLOGIEN ARMÉNIEN (n. p.). Makhithar, Méchithar, Mékhithar.

THÉOLOGIEN BELGE (n. p.). Froidmont.

THÉOLOGIEN BRABANT (n. p.). Van Ruusbroec, Van Ruysbroek.

THÉOLOGIEN BRÉSILIEN (n. p.). Barros, Frei, Siger de Brabant.

THÉOLOGIEN BRITANNIQUE (n. p.). Barrow, Baxter, Booth, Fox, Keble, Knox, Napier, Newman, Pusey, Wesley, Wyclif.

THÉOLOGIEN BYZANTIN (n. p.). Photios, Photius.

THÉOLOGIEN CALVINISTE (n. p.). Bart, Casaubon.

THÉOLOGIEN CATALAN (n. p.). Lulle, Sabunde.

THÉOLOGIEN DANOIS (n. p.). Kierkegaard.

THÉOLOGIEN ÉCOSSAIS (n. p.). Knox, Scot.

THÉOLOGIEN ESPAGNOL (n. p.). Averroès, Ildefonse, Lulle, Maldonado, Molina, Navarrete, Servet, Suarez, Tostado.

THÉOLOGIEN FLAMAND (n. p.). Ruysbroek.

THÉOLOGIEN FRANÇAIS (n. p.). Abailard, Abbadie, Abélard, Ailly, Allix, Arnaud, Barot, Basnage, Bellet, Beze, Bochard, Boegner, Bourgoing, Calvin, Casaubon, Castellion, Chamier, Chateillon, Chenu, Congar, Courcon, Cullman, Du Vergier, Émery, Farel, Fénelon, Ferrier, Fichet, Fontaine, Foucauld, Gerson, Guillaume de St-Amour, Jurieu, Lagrange, Lefèvre, Lubac, Pascal, Picon, Quesnel, Richer, Sabatier, Sainte-Marthe, Schweitzer, Sorbon.

THÉOLOGIEN FRANCISCAIN (n. p.). Scot.

THÉOLOGIEN GAULOIS (n. p.). Prosper.

THÉOLOGIEN GREC (n. p.). Origène, Palamas.

THÉOLOGIEN HOLLANDAIS (n. p.). Arminius, Dansémius, Fabricius, Jansénius.

THÉOLOGIEN ITALIEN (n. p.). Bellarmin, Bonaventure, Cajetan, Gratien, Thomas.

THÉOLOGIEN JUIF (n. p.). Maimonide.

THÉOLOGIEN MUSULMAN (n. p.). Abu.

THÉOLOGIEN NÉERLANDAIS (n. p.). Gomar.

THÉOLOGIEN PROTESTANT (n. p.). Gomar, Gomarus, Vinet.

THÉOLOGIEN ROMAIN (n. p.). Novatien.

THÉOLOGIEN SUISSE (n. p.). Barth, Bullinger, Lavater, Vinet, Viret, Zwingli.

THÉOLOGIEN TCHÈQUE (n. p.). Comenius, Hus.

THÉOLOGIQUE. Coexistence, consubstantialité, corporalité, substance, substantialité, unicité.

THÉOPHYLLINE. Alcaloïde, bourrache, dépuratif, diurrétique, excrétion, furosémide, genêt, lin, maté, mélitte, piloselle, plante, prèle, remède, salidiurétique, terpine, thé, théobromine, thym, tisane, urine.

THÉORÈME (n. p.). Alembert, Bernoulli, Carnot, Fermat, Fourrier, Haavelmo, Poincarré, Pythagore, Rolle, Sturm, Thalès.

THÉORÈME. Affirmation, allégation, assertion, attestation, caution, certain, da, déclaration, démonstration, dogme, énoncé, exact, expression, formel, franc, garantie, lapalissade, manifestation, motal, oc, oïl, oui, preuve, propos, proposition, serment, si, thèse, vrai.

THÉORICIEN (n. p.). Appia, Austin, Banchieri, Blanqui, Boukharine, Lavrov, Lissitzky, Mattheson, Riemann, Rosenberg.

THÉORICIEN. Doctrinaire, idéologue, pédagogue, penseur, philosophe, scientifique, spéculateur, tacticien.

THÉORIE. Axiologie, axiome, base, convention, doctrine, dogme, donnée, élément, épigenèse, formule, idée, loi, maxime, mobilisme, opinion, panspermie, pensée, philosophie, réflexion, règle, spéculation, système, utopie.

THÉORIQUE. Abstrait, conceptuel, doctrinal, hypothétique, idéal, imaginaire, rationnel, scientifique, spéculatif, systématique, vaseux.

THÉORIQUEMENT. Abstraitement, accoutumée, classiquement, communément, couramment, idéalement, généralement, habituellement, normalement, ordinairement, rituellement, traditionnellement, usité, usuellement.

THÉORISER. Chanter, commenter, danser, définir, évaluer, incarner, interpréter, prendre, traduire.

THÉOSOPHIE. Apparence, érotomanie, erreur, ésotérisme, fantasme, gnose, goétie, hermétisme, idée, illusion, leurre, magie, mirage, occultisme, phantasme, prestidigitation, rêve, songe, talisman, théurgie, utopie.

THÉRAPEUTE. Charlatan, féticheur, guérisseur, homéopathe, kinésiste, kinésithérapeute, magnétiseur, médecin, naturopathe, rabouteux, ramancheux, rebouteux, sorcier.

THÉRAPEUTIQUE. Aléa, aromathérapie, barbital, chiropraxie, copahu, curatif, cure, diète, drogage, ergothérapie, héliothérapie, intervention, médical, médication, médicinal, morphine, moxa, régime, soin, thérapie, traitement.

THÉRAPIE. Biofeedback, cure, kiné, kinésithérapie, médication, psychothérapie, soins, traitement.

THÉRIAQUE. Acétylcystéine, amyle, antidote, atropine, contrepoison, déféroxamine, dérivatif, dimercaprol, diversion, exutoire, leucovorine, naloxone, physostigmine, phytonadione, pralidoxime, protamine, remède, succimer.

THÉRIDION. Anthropode, araignée, buisson, hallier, lycose, mygale, theridium.

THERMES. Bain, balnéation, cuvette, douche, étuve, fangothérapie, finlandais, hammam, hermès, immersion, lavage, maillot, mégis, nu, nymphée, piscine, râbler, salle, sauna, sel, siège, solarium, strigile, suée, sueur, tépidarium, trempette, tub.

THERMIE. Th.

THERMOMÈTRE (n. p.). Celsius, Fahrenheit, Réaumur.

THERMOMÈTRE. Baromètre, bolomètre, degré, instrument, mercure, pyromètre, thermographe, thermoscope.

THÉSARD. Affirmation, argument, doctorant, idée, opinion, soutenance, système, théorie, thèse.

THÉSAURISATION. Accaparement, accroissement, accumulation, addition, adiposité, aérogastrie, agglomération, amas, amoncellement, avarice, balonnement, congestion, économie, entassement, épanchement, épargne, flatuosité, gaz, gisement, gonflement, hydarthrose, hydropéricarde, hydropisie, investissement, lourdeur, moraine, œdème, pigmentation, quantité, rétention, tas, ventosité.

THÉSAURISER. Accaparer, accroître, accumuler, additionner, agglomérer, amasser, avare, avarice, capitaliser, congestionner, économiser, empiler, entasser, épargner, ménager, placer, planquer, stocker, trésor.

THÈSE. Affirmation, argument, idée, opinion, plaidoyer, soutenance, système, théorie, thésard.

THIAMINE. Aneurine, B.

THIBAUDE. Auge, cage, crèche, dentier, doublier, gaine, hémitropie, mâchicoulis, mangeoire, molleton, musette, nappe, napperon, pyramide, râteau, râtelier, sous-nappe, sous-tapis, tissu, trapillon, trémie.

THIOL. Alcool, composé, fétide, mercaptan, thiolalcool, volatil.

THLASPI. Alysse, alysson, arbette, corbeille-d'argent, corbeille-d'or, crucifère, ibéride, ibéris, tabouret, téraspic.

THOLOS. Funéraire, hypogée, mastaba, mausolée, sépulture, temple, tombe, tombeau, tumulus.

THOMISE. Anthropode, araignée, araignée-crabe, lycose, mygale.

THON. Albacore, bonite, dasyatis, germon, madrague, oreille, pélamide, pélamyde, poisson, thonine.

THOR (n. p.). Jord, Odin, Tor.

THOR. Pluie, tonnerre.

THORAX. Buste, cœur, corps, corselet, écu, estomac, pectoral, pectoraux, poitrine, sein, torse, tronc.

THORIUM. Th.

THRACE. Belluaire, bestiaire, boxeur, cavalier, cirque, combattant, ergastule, gladiateur, hoplomaque, laniste, lutteur, mercenaire, mirmillon, parmulaire, pugiliste, rétiaire, samnite, sécuteur.

THRÈNE. Air, cantatrice, cantilène, cappella, chant, chœur, choral, credo, fado, gospel, hymne, introït, lamentation, lied, mélopée, monodie, motet, musique, nénies, Noël, ode, oiseau, orphéon, péan, pluriel, poème, priapée, prose, psaume, ramage, rhapsodie, rive, sanctus, solea, voceri, vocero.

THRESKIONITHIDÆ. Ibis, spatule.

THRILLER. Action, anecdote, conte, dalmate, détective, feuilleton, film, histoire, intrigue, ladin, livre, manuscrit, nouvelle, polar, policier, prologue, rêve, roman, romancer, romanesque, scénario.

THROMBOSE. Caillot, coaguler, coagulium, embolie, flocon, grumeau, phlébite, throbolyse, thrombus.

THUG. Asphyxie, choke, confrérie, étouffement, étranglement, étrangler, garroter, meurtre, paralysie, paraphimosis, pertuis, phimosis, resserrement, rétrécissement, rituel, strangulation, suffocation.

THULIUM. Tm.

THURIFÉRAIRE. Adulateurclerc, courtisan, encenseur, flagorneur, flatteur, laudateur, lécheur, vil.

THUYA. Arbre, arbuste, cèdre, cédrière, conifère, cupressacée, cyprès, résineux, résinier, sandaraque.

THYADE. Bacante, bacchanale, bacchante, bassaride, charmeuses, éleide, éviade, fête, mégère, ménade, mimalonide, moustache, prêtresse, thyiade.

THYM. Barigoule, farigoule, frigoule, labiée, mignotise, plante, pote, pouilleux, serpolet, thymol.

THYMIE. Abord, affectivité, alément, caractère, cœur, comportement, constitution, esprit, humeur, idiosyncrasie, individualité, mentalité, nature, naturel, personnalité, psychologie, sensibilité, tempérament, trempe.

THYMUS. Fagoue, fleur, glande, gonade, lymphoïde, ovoïde, protéine, ris, thymique, veau.

THYROÏDE. Adam, basedow, calcitonine, endocrine, glande, goitre, larynx, pomme, thypoxine.

THYSANOURE. Aptère, aptérygote, insecte, lépisme, poisson d'argent.

TIARE. Afro, bavolet, béret, bibi, bombe, bonnet, boucle, boudin, brosse, calot, cape, capeline, casque, chéchia, chèche, chevelure, cloche, coiffure, cornette, diadème, enturbanné, épi, fez, figaro, képi, melon, mitre, ottoman, pape, pouf, pschent, tarbouche, toque, truffe, turban.

TIBIA. Anatomie, astragale, cheville, cuisse, genou, jambe, malléole, mollet, os, péroné, tibial.

TIC. Caprice, convulsion, dada, fantaisie, fièvre, frénésie, fureur, goût, grimace, habitude, hobby, manie, manière, marotte, nerf, pli, rictus, stéréotype, tiqueur.

TICHODROME. Échelle, échelette, grimpereau, grimpeur, oiseau, passereau, passériforme, ridelle.

TICKET. Billet, bon, carte, coupon, devise, fafiot, faux-monnayeur, lettre, open, ordre, place, poulet, tessère, titre, traite.

TIÈDE. Apathique, attiédi, calme, doux, indifférent, mitigé, modéré, moite, mou, neutre, nonchalant, tempéré, tépide.

TIÈDEMENT. Apathie, athymie, bof, dégoût, impartialité, indifférence, insouciance, légèreté, médiocrement, modérément, mollement, passablement.

TIÉDEUR. Chaleur, douceur, flegme, fraîcheur, indifférence, mou, nonchalance, refroidi, tiédasse.

TIÉDIR. Atténuer, attiédir, diminuer, faiblir, hésiter, modérer, mollir, refroidir, tempérer.

TIERCE. Bréviaire, carte, écu, épreuve, équipolé, équipollé, fièvre, flanc, intervalle, lettre, parie, série, tiercelet.

TIERCELET. Épervier, faucon, laneret, mâle, oiseau, sacret, tierce.

TIERCER. Labour, retercer, tercer, terser, trois.

TIERS. Accréditeur, arbitre, chef, comprador, délégation, domiciliataire, étranger, inconnu, intermédiaire, intrus, médiateur, négociateur, surarbitre, témoin, tertiaire, tiers-monde, troisième, trois.

TIERS-POINT. Anse, arbalète, arc, arcade, arceau, arche, arçon, arme, arqué, berceau, cercle, côte, courbe, degré, doubleau, écoinçon, grade, halo, intrados, iris, lancéolé, lancette, lime, minot, ogive, portique, sinus, spire, stupa, torana, verse, voûte.

TIF. Barbe, bourre, brosse, chevelure, cheveu, cil, crin, duvet, ébouriffé, foin, fourrure, hérissé, hirsute, horripilé, jarre, laine, mantelure, mohair, moustache, mue, naturiste, nu, ongle, peigne, pelage, pileux, pinceau, plume, poil, robe, selle, soie, sourcil, tacheté, toison, vibrisse.

TIFOSI. Fan, supporter.

TIGE. Acaule, arbre, axe, barre, boulon, bras, brin, canisse, caulescent, cep, cépée, chaume, clou, éperon, épingle, fane, gourmand, jonc, levier, liane, quenouille, paille, perche, pétiole, plesse, poinçon, pontuseau, queue, rhizome, sarment, sautereau, sonde, stipe, stolon, talle, tigelle, tire-clou, tolet, tringle, tronc, turion, tuyau, unicaule, verge, vis.

TIGNASSE. Afro, alopécie, chevelure, cheveux, coiffure, crêpé, crinière, cuir, fourrure, frisure, guiche, laine, natte, perruque, postiche, robe, scalp, tif, toison.

TIGRÉ Bariolé, bigarré, changeant, complexe, différent, disparate, distinct, divers, diversifié, hétéroclite, hérérogène, marbré, mélangé, mêlé, modifié, moucheté, multiforme, multiple, nombreux, nuancé, pluriel, tacheté, transformé, varié.

TIGRE. Agressif, chat, chaton, cruel, fauve, feuler, kouffa, miaule, pays, rauquer, tiglon, tigron.

TILBURY. Automobile, boghei, boguet, buggy, cab, cabriolet, car, tandem, tapecul, tonneau, voiture, wiski.

TILDE. Accent, aigu, atone, circonflexe, emphase, grave, inaccentué, inflexion, intensité, intonation, lettre, marque, mièvre, modulation, prononciation, rythme, signe, ton, tonalité, tonique, voyelle.

TILIACÉE. Arbre, corchorus, dicotylédone, jute, tilleul.

TILLAC. Arc, arche, bac, butée, culée, dunette, entrepont, gaillard, gué, jetée, livet, passerelle, péage, pont, pont-levis, pile, pont, ponton, roof, rouf, superstructure, tablier, teugue, trigone, viaduc, voûte.

TILLEUL. Arbre, bois, boisson, céladon, infusion, jade, liber, pistache, teille, tiliacée, tisane, vert.

TILT. Âprement, ardemment, brutalement, dur, fort, fortement, furieusement, rudement, violemment, vivement.

TIMBALE. Gobelet, instrument, moule, pâtisserie, prix, récompense, réussite, tabla, tambour, tasse, timbalier, verre.

TIMBALIER. Batteur, drummer, fouet, fouette, lamineur, malaxeur, mélangeur, moussoir, musicien, percussionniste, rabatteur, tambourineur, timbale.

TIMBRÉ. Aliéné, anormal, cinglé, dément, désaxé, déséquilibré, détraqué, forcené, fou, furieux, inflation, instable, interné, loufoque, mondide, morbide, névropathe, névrosé, piqué, psychopathe, toqué.

TIMBRE. Album, cachet, cloche, clochette, dateur, empreinte, enveloppe, estampille, étampe, gong, marque, nasal, papier, philatélie, plaque, registre, sceau, son, sonnette, tampon, ton, vignette, voix.

TIMBRER. Affranchir, cacheter, clore, coller, estampiller, fermer, marquer, poinçonner, sceller, tamponner.

TIMIDE. Audacieux, complexé, craintif, farouche, gauche, gêné, hésitant, honteux, humble, humilité, incertain, indécis, inhibé, maladroit, peureux, pudibond, réservé, timoré, transi, vague, vaporeux.

TIMIDITÉ. Embarras, faiblesse, frivolité, indécision, infériorité, mollesse, pudeur, pusillanimité, réserve, retenue.

TIMON. Armon, attelage, attelloir, avant-train, flèche, gouvernail, palonnier, volée.

TIMONERIE. Aiguillot, aileron, aviron, barre, barreur, commande, conduite, dérive, direction, élevon, empennage, étambot, fémelot, gouvernail, gouverne, manche, mèche, palonnier, règle, safran, timon, volet.

TIMONIER. Aviateur, barreur, capitaine, chasseur, chauffeur, cicérone, commandant, conducteur, copilote, cornac, guide, lamaneur, ligne, locman, marin, mentor, nautonier, nocher, pilote, requin, responsable, skipper, ulmiste.

TIMORÉ. Apeuré, craintif, délicat, frileux, gêné, intimidé, lâche, peureux, poltron, pusillanime, timide.

TIN. Baquet, béquille, billot, chantier, chiotte, étai, goguenots, récipient, tonnelet.

TINCAL. Acide borique, antiseptique, borate, borax, borosilicate, lagoni, oxygène, sassoline, sel, suret.

TINCTORIAL. Alizarine, azurant, carmin, céruléine, céruse, colorant, coloris, couleur, décoction, encre, gaude, indigo, mauvaine, mauvéine, ocre, orseille, pigment, rhodaminé, rocou, rubéfaction, sépia, smalt, teintant, teinture, thiamine.

TINETTE. Baquet, barrel, baril, barillet, barrique, barrot, boucaut, caque, charge, charnier, cufat, cuffat, demie, feuillette, foudre, fût, futaille, hareng, lité, muid, quartaut, pacquer, pipe, poinçon, tine, tonne, tonneau, tonnelet.

TINTAMARRE. Bacchanale, barouf, baroufle, bastringue, bordel, boucan, brouhaha, bruit, cacophonie, carillon, chahut, charivari, cri, désordre, éclat, esclandre, foin, fracas, potin, raffut, ramdam, sabbat, scandale, sérénade, tapage, tintouin, tohu-bohu, tumulte, vacarme.

TINTEMENT. Argentin, bruit, carillon, cloche, clochette, ding, drelin, glas, résonance, son, tintinnabulement, tocsin.

TINTER. Bruit, bruiter, carillonner, clocheter, corner, résonner, retentir, sonner, tintamarre, tonner.

TINTOUIN. Brouhaha, chahut, embarras, et cetera, fracas, raffut, reste, souci, tapage, tintamarre, vacarme.

TIPI. Cabane, case, chaumière, habitation, hutte, tente, wigwam.

TIPULE. Araignée, mouche, moustique.

TIQUE. Acarien, arbovirus, borréliose, ixode, piroplasmose, parasite, pou de chien.

TIQUER. Choquer, indisposer, murmurer, protester, réagir, récriminer, renâcler, répliquer, tic.

TIQUETÉ. Accentué, accusé, caractérisé, chenu, coloré, compromis, étiqueté, indiqué, marqué, moucheté, piqueté, prononcé, raviné, tacheté, tavelé, tiqueture.

TIR. Arc, balle, ball-trap, bande, bombe, boulet, canonnade, choke, cible, cinétir, clay, coup, couplet, décharge, enfilade, feu, fourchette, fusiller, jet, lancement, lucarne, obus, rafale, salve, shoot, site, stand, tendu, visé, volée.

TIRADE. Couplet, discours, explication, laisse, monologue, paraphrase, phrase, réplique, suite.

TIRAGE. Accroc, anicroche, aria, bec, cahot, cartomancien, chardon, danger, désignation, difficulté, épine, édition, émission, étirage, gravure, hasard, hic, impression, imprimerie, journal, livre, loterie, magazine, publication, train, tiré.

TIRAILLEMENT. Conflit, contraction, crampe, déchirement, dispute, dissension, opposition.

TIRAILLER. Ballotter, bousculer, disputer, écarteler, secouer, solliciter, souffrir, tirer, tourmenter.

TIRAILLEUR. Chéchia, cheftaine, corvette, éclaireur, goum, guide, louveteau, nouba, pisteur, scout, soldat, turco.

TIRANT. Ancre, câble, charpente, cordon, courant, eau, fermoir, flottaison, ganse, tendon, viande.

TIRÉ. Amaigri, amené, attiré, charrié, conduit, déplacé, emmené, emporté, entraîné, fatigué, halé, marché, mené, rampé, remorqué, sauf, taillis, tendu, toué, tracté, traînassé, traîné, trimbalé.

TIRE-BOUCHON. Attache, boulon, écrou, filet, vérin, vissé, piton, puni, rivet, tire-fond, tournevis, vis, vrille.

TIRE-FOND. Attache, boulon, écrou, vérin, vissé, piton, puni, rivet, tire-bouchon, tournevis, vis, vrille.

TIRE-LAINE. Aiglefin, bandit, brigand, cambrioleur, canaille, chenapan, cleptomane, criminel, détrousseur, entôleur, escroc, filou, fraudeur, fripon, larron, malandrin, malfaiteur, pillard, receleur, truand, voleur.

TIRELIRE. Banque, bas de laine, cagnotte, caisse, cochon, crapaud, crousille, grenouille, tontine, tronc, voleur.

TIRER. Agoniser, allonger, amener, arguer, argumenter, attirer, augurer, canarder, canonner, créer, déduire, dégainer, dépêtrer, déterrer, distendre, écosser, éfaufiler, émaner, enlever, éveiller, exhumer, flinguer, haler, hisser, imprimer, inférer, jouer, jouir, hisser, mitrailler, naître, ôter, partir, piger, profiter, reculer, remorquer, retirer, rétracter, réveiller, saigner, sauver, sonner, souligner, souquer, tirailler, tracer, tracter, traîner, traire, utiliser, venger, viser.

TIRET. Bande, canal, changement, interlocuteur, ligne, lisière, moins, onde, onyx, parenthèse, pli, ponctuation, pontuseau, raie, rayé, rayon, rayure, sillon, spectre, strie, striure, trace, trait, trait d'union, zébrure.

TIRETTE. Corde, cordon, cordonnet, crénelage, dragonne, embrasse, enguichure, fermeture, fibule, fil, funicule, galon, ganse, insigne, lacet, lido, lien, natte, nerf, pédoncule, queue, rang, rangée, ruban, tablette, tirant, tors, tresse.

TIREUR. Archer, astrologue, cartomancien, diseur, épinglette, fusil, haleur, tracteur, voyant.

TIROIR. Boîte, bonbonnière, boîtier, cagnotte, caisse, caque, carton, case, casier, cassette, classeur, coffre, compartiment, crâne, custode, écrin, emballage, épisode, étui, justice, lanterne, pilulier, pochette, poubelle, serinette, tabatière, tirelire, tronc, urne, voûte.

TISANE. Anis, apozème, bouillon, bourdaine, camomille, décoction, gruau, hydrolé, infusette, infusion, liquide, macération, mauve, menthe, remède, solution, thé, tilleul, tisanerie, tisanière, valériane, verveine.

TISON. Bluette, bois, braise, brandon, cendre, charbon, escarbille, étincelle, feu, flammèche, grésillon, poussière.

TISONNÉ. Barbe, bourre, brosse, chevelure, cheveu, cil, crin, duvet, ébouriffé, foin, fourrure, hérissé, hirsute, horripilé, jarre, laine, mantelure, mohair, moustache, mue, naturiste, nu, ongle, peigne, pelage, pileux, pinceau, plume, poil, robe, selle, soie, sourcil, tacheté, tif, toison, vibrisse.

TISONNER. Allumer, attiser, exciter, fourgonner, guérir, ragaillardir, rajeunir, rallumer, ramener, ranimer, raviver, réchauffer, recréer, refaire, relever, remonter, remuer, renaître, ressusciter, restaurer, réveiller, revivre, rouvrir, sels.

TISONNIER. Fourgon, pique-feu, ringard, rouable, tige, tire-braise.

TISSAGE. Catalogne, chaîne, étoffe, filé, lice, lirette, lisse, nouage, ourdir, ros, serpillière, tisserand, tissu.

TISSÉ. Agencement, constitution, grain, lamé, moussage, souflet, structure, substance, tessiture, texture, tissu.

TISSER. Aménager, arranger, brocher, broder, cantrer, chiner, combiner, comploter, conspirer, damasser, enchevêtrer, entrelacer, entre-tisser, fabriquer, natter, ourdir, passementerie, rapprocher, retisser, tramer, tresser, veloutier.

TISSERAND. Licier, métier, peigne, séran, tisseur, tissu, trame.

TISSERIN. Africain, herbe, passériforme, républicain.

TISSEUSE (n. p.). Parques.

TISSEUSE. Araignée, étaminière.

TISSU. Adénoïde, adipeux, albène, albumen, alpaga, bâillon, basin, bayadère, cachemire, cément, chouchou, claie, côtelé, coton, coutil, crêpé, crépon, denim, dentelle, derme, drap, draperie, escot, étamine, étoffe, faille, feutre, feutrine, fil-à-fil, filet, finette, gaze, greffon, indienne, jersey, lacerie, lamé, lard, liber, liège, lin, linge, longotte, madapolam, matelassé, moire, molleton, nansouk, natte, nodal, orlon, osseux, peau, pilou, plaid, popeline, prince-de-galles, pulpe, rabane, ratine, réseau, rilsan, ruban, samit, sarong, serge, soie, soierie, stroma, suédine, suite, tarse, tergal, thibaude, tissure, toile, tresse, tricot, tulle, tussah, tussau, tussor, tweed, velours, velum, vigogne, voile, zénana.

TISSU DE COTON. Calicot, finette, madapolam, nansouk, organi, percale, pilou, seer, sucrer, suédine, wax.

TISSURE. Croisement, croix, enlacement, entrecroisement, entrelacs, liaison, nœud, réseau, treillis.

TITAN (n. p.). Borée, Cronos, Épiméthée, Gaïa, Goliath, Japet, Hécate, Hercule, Huygens, Hypérion, Ophion, Ouranos, Prométhée, Rhéa, Saturne, Theia.

TITAN. Cérambycidé, colosse, cyclope, demi-dieu, géant, insecte, malabar, monstre, puissant, titanique.

TITANE. Ti.

TITANESQUE. Babylonien, colossal, considérable, cyclopéen, démesuré, éléphantesque, énorme, étonnant, excessif, extraordinaire, fantastique, formidable, géant, gigantesque, grand, grandiose, immense, monstrueux, prodigieux, surhumain.

TITANIC (n. p.). Terre-Neuve, White Star.

TITANIDE. Gaïa, Mnémosyne, Ouranos, Rhéas, Téthy, Thémis.

TITANIQUE. Anhydride, colossal, considérable, cyclopien, dantesque, démesuré, éléphantesque, énorme, géant, gigantesque, grand, gros, herculéen, immense, inouï, monstre, monumental, notable, sublime, titanesque.

TITI. Apprenti, arpète, cadet, chenapan, crapaud, drôle, enfant, enfantin, espiègle, fils, flot, galopin, gamin, garnement, gavroche, gone, gosse, kid, lipette, marmiton, merdeux, minot, mioche, miston, morpion, morveux, moucheron.

TITILLER. Affadir, affaiblir, agacer, alanguir, amollir, assommer, aveulir, chatouiller, crisper, échauder, échauffer, énerver, exacerber, exaspérer, excéder, exciter, fatiguer, horripiler, irriter, préoccuper, stresser, surexciter, ulcérer.

TITRAGE. Aréométrie, arrêter, centrer, datation, décider, définir, détermination, doser, estimation, estimer, évaluation, fixer, identifier, incidence, limiter, peser, rationaliser, régir, tarification, titrer, volonté.

TITRE. Abbé, action, aga, agha, altesse, appellation, AR, ayatollah, baron, bégum, billet, brevet, certificat, chah, charge, charte, chartre, comte, czar, dignité, diplôme, distinction, dom, don, dona, droit, duc, duce, éfendi, effendi, em, éminence, émir, ès, essai, frère, frontispice, führer, grade, iman, infant, intitulé, khan, khédive, lord, madame, mademoiselle, maestro, maharadjah, maharaja, mahatma, majesté, maître, manchette, mandarin, mandat, marquis, médaille, messire, mollah, mulla, mullah, monsieur, mullah, négus, nom, pairie, père, portefeuille, prince, rabbi, reis, révérend, revue, shah, sainteté, sieur, sir, sirdar, sire, sultan, titulaire, trésor, tsar, tzar.

TITRE ANGLAIS. Esquire, lady, lord, milady, milord, sir, sirdar.

TITRE DE NOBLESSE. Altesse, baron, comte, duc, marquis, prince, sire.

TITRER. Citer, choisir, désigner, déterminer, donner, élire, indiquer, intituler, montrer, nommer, qualifier, pointer, signaler, trahir, vendre, voici.

TITUBANT. Balançant, basculant, branlant, chancelant, faible, flageolant, glissant, hésitant, incertain, oscillant, tanguant, trébuchant, tricotant, vacillant, zigzaguant.

TITUBER. Chancelant, chanceler, osciller, tanguer, titubant, trébucher, vaciller, zigzaguer.

TITULAIRE. Abonné, aîné, ancien, ater, attitré, capétien, certifié, créancier, dan, enseignant, gouverneur, gradué, intérimaire, licencié, officier, palme, prébendier, propriétaire, rentier, retraité, titre, usager.

TJALE. Couche, gel, merzlota, pergélisol, permafrost, permagel, sol.

TNT. Amorce, bombe, cheddite, cordite, détonation, dynamite explosif, glycérine, hexogène, ladite, mèche, mélinite, mine, nitroglycérine, obus, panclastite, pentrite, poudre, roburite, tolite, trinitrotoluène.

TOAST. Allocution, apodose, assertion, avance, axiome, discours, énoncé, équipolation, formule, incise, lemme, loi, marché, motion, offre, ouverture, phrase, prémisse, projet, proposition, rôtie, tautologie, théorème, thèse, ultimatum.

TOBOGGAN. Bobsleigh, briska, glissière, luge, piste, sleigh, traîne, traîneau, troïka, viaduc.

TOBY. Abaque, acanthuridé, architrave, épistyle, hache-viande, hachoir, hansart, idole, linteau, massicot, plateau, poisson, poitrail, rognoir, sommier, tailloir, talloir, tranchoir, trilame, ustensile, zancle, zanclus.

TOC. Camelote, clinquant, contrefaçon, factice, faux, imitation, kitch, pacotille, saleté, stras, strass, verroterie.

TOCADE. Caprice, engouement, entichement, envie, fantaisie, foucade, lubie, manie, passade, toquade.

TOCANTE. Apparat, cadran, chronographe, chronomètre, coucou, démonstratif, devanture, effet, étalage, étale, exhibition, exposition, horloger, léontine, montre, oignon, ostentation, parade, patraque, remontoir, salle, savonnette, vitrine.

TOCARD. Cabotin, charlatan, déveine, funeste, grabat, hargne, histrion, ignoble, laid, mal, malheur, malin, mauvais, méchant, moche, nocif, nuisible, pétoire, piquette, pire, rafiot, rage, rata, ridicule, rogne, rosse, sévices, toquard, vaurien, vinasse.

TOCSIN. Alarme, alerte, antivol, appel, avertissement, avertisseur, branle-bas, cadran, clignotant, crainte, cri, dispositif, effroi, émoi, éveil, frayeur, frousse, inquiet, signal, sirène, sonnerie, tintement, triangle, urgence, venette.

TOGE. Amict, caban, cagoule, cape, capot, capote, chape, douillette, gueuse, habit, imperméable, mante, manteau, mantelet, maxi, paletot, pardessus, pèlerine, pelisse, plan, poncho, prétexte, raglan, redingote, robe, saie, tabar, tabard, trabée, vêtement, voile.

TOGO, CAPITALE (n. p.). Lomé.

TOGO, LANGUE. Éwe, français, kabiyé, kotokoli, moba.

TOGO, MONNAIE. Franc.

TOGO, VILLE (n. p.). Amoussokope, Anie, Badou, Bafilo, Bassar, Kara, Lomé, Tchamba, Vogan.

TOHU-BOHU. Affairement, agitation, animation, barouf, brouhaha, bruit, bruyant, chahut, chambardement, chaos, charivari, confusion, cohue, désordre, enchevêtrement, fatras, fouillis, magma, méli-mélo, pêle-mêle, ramdam, tintamarre, tumulte, vacarme.

TOI. Chez-toi, soi, te, tézig, tézigue, tien, tu.

TOILE. Alaise, alèse, alpaga, arantèle, bâche, bande, banne, batiste, calicot, canevas, chintz, coton, cretonne, décor, écran, étoffe, étui, filet, fond, indienne, jute, lin, linceul, linge, linon, moleskine, oxford, peinture, percaline, perse, piège, rideau, rosconne, tableau, taffetas, tenture, tissu, trampoline, treillis, vélarium, voile, Web, zéphyr.

TOILETTE. Ablution, atour, bain, cabinet, costume, habit, linge, panser, parure, tenue, tinette, vêtement, WC.

TOILETTER. Attifer, bichonner, endimancher, habiller, mignoter, panser, parer, pomponner.

TOISER. Considérer, dédaigner, défi, dévisager, examiner, mesurer, observer, regarder, règle, toise.

TOISON. Cheveux, chevelure, fourrure, lainage, laine, lama, mouton, or, pelage, poil, riflard, suint, suitine.

TOIT. Abri, asile, auvent, avant-toit, brisis, capote, chaume, colombier, comble, couverture, crête, dais, demeure, dôme, domicile, égoût, éponte, faîteau, gîte, glui, habitation, lucarne, maison, parapluie, plomb, saillie, toiture, tortue, tuile, velum, velux, verrière, versant.

TOITURE. Appentis, comble, couverture, faîte, foyer, habitation, mansarde, pergola, terrasse, toit, vélum.

TÔLARD. Bagnard, captif, cep, codétenu, condamné, déporté, détenu, écroué, enfermé, esclave, eu, forçat, galérien, incarcéré, interné, otage, prisonnier, relégué, septembrisades, séquestré, taulard, transporté.

TÔLE. Bagne, bordé, cabane, cachot, cage, carcéral, cellule, chambre, creusot, écrou, ergastule, étain, fer-blanc, forçat, forteresse, geôle, ham, mitre, oubliette, palastre, pénitencier, piaule, prison, tôlerie, trou, taule, violon, volet.

TOLÉRABLE. Acceptable, admissible, bienveillant, excusable, pardonnable, supportable, tenable.

TOLÉRANCE. Accoutumance, bienveillance, complaisance, compréhension, condescendance, convivialité, humanité, indulgence, laxisme, libéralisme, lupanar, mansuétude, ouverture, patience, permissivité.

TOLÉRANT. Accommodant, commode, complaisant, compréhensif, coulant, débonnaire, facile, humain, indulgent, intolérant, large, libéral, libéraliste, ouvert, permissif, philosophe.

TOLÉRÉ. Accepté, accrédité, admis, agrée, approuvé, autorisé, ayant-droit, concédé, compétent, consensus, excusé, fondé, influent, justifié, licite, livide, mandaté, officiel, permis, possible, qualifié.

TOLÉRER. Accepter, accorder, acquiescer, admettre, agréer, approuver, autoriser, avaler, concéder, consentir, endurer, excuser, gâter, justifier, pardonner, passer, permettre, souffrir, subir, supporter.

TOLET. Aviron, bâton, carte, cédule, cheville, dame, erse, erseau, fiche, fichet, fichier, marque, tige.

TOLITE. T.N.T., Trinitrotoluène.

TOLLÉ. Blâme, bronca, bruit, chahut, charivari, clameur, cri, haro, huée, protestation, sifflet.

TOLUÈNE. Benzol, benzylique, colorant, crésol, détachant, saccharine, solvant, tolite, toluol, TNT.

TOMAHAWK. Arme, casse-tête, férule, gourdin, hache, hachette, mailloche, massue, matraque, problème, trique.

TOMAISON. Archivage, arrangement, catalogage, classement, classification, criblage, distribution, hiérarchie, ondexage, méjanage, méthode, numérotation, ordre, place, rang, rangement, systématique, taxinomie, tri, typologie.

TOMATE. Fruit, jus, ketchup, marmalade, moussaka, olivette, pomme d'amour, roma, sauce, solonacées.

TOMBANT. Avalé, ballan, ballant, correspondant, de, double, durant, en, fanon, lâche, lors, lorsque, pendant, pendeloque, pendentif, pour, puisque, quand, réplique, retombant, semblable, symétrie, symétrique.

TOMBE. Funéraire, hypogée, liste, mastaba, mausolée, sépulcre, sépulture, tholos, tombeau, tumulus.

TOMBEAU. Caveau, cénoraire, cénotaphe, cercueil, cinéraire, cippe, columbarium, corbillard, fosse, koubba, mastaba, mausolée, monument, pierre, sarcophage, sépulcre, sépulture, spéos, stèle, tumulaire.

TOMBÉE. Aube, brunante, brune, chute, crépusculaire, crépuscule, déclin, dégringolade, lucernaire, noir, nuit, ombre, pénombre, pluviosité, soir, soirée.

TOMBER. Abattre, acopper, affaisser, allonger, basculer, brésiller, choir, chuter, couler, crouler, culbuter, débouler, déchoir, décliner, ébouler, écrouler, étaler, glisser, grêler, neiger, pâmer, pendre, périr, pleuvoir, rouler, soir, sombrer, souscrire, succomber, valdinguer.

TOMBEREAU. Banne, benne, béquille, brouette, caisse, dumper, tombeau, wagon.

TOMBEUR. Aguicheur, allumeur, batifoleur, casanova, cavaleur, charmeur, conquérant, coureur, cruiseur, don juan, dragueur, enjôleur, ensorceleur, envoûteur, flambeur, flirteur, gino, lutteur, macho, maquereau, séducteur, tentateur.

TOMBOLA. Arlequin, bingo, hasard, fête, loterie, loto, tirage.

TOMBOLO. Barre, cordon, flèche, lido, littoral,

TOME. Ampleur, bouquin, calibre, capacité, cône, contenance, cubage, densité, dimension, espace, géométrie, grandeur, grosseur, livre, masse, menu, mesure, ouvrage, roman, solide, stère, tomer, volume.

TOMETTE. Adobe, aggloméré, brique, briquette, carreau, chantignole, charbon, combustible, dalle, pavé.

TOMODENSITOMÈTRE. Scanner, scanographe, tomodensimètre.

TOMOGRAPHIE. Angiographie, cholécystographie, cystographie, discographie, gammagraphie, hystérographie, myélographie, négatoscopie, pelvigraphie, radiographie, acanner, scintigraphie, urographie.

TOM-POUCE. Courtaud, lilliputien, nain, parapluie, petit.

TON. Accent, accord, air, bruit, clé, clef, corde, couleur, diapason, do, doctoral, écho, façon, forme, gamme, genre, grave, hauteur, intonation, la, manière, mode, note, nuance, parole, sol, son, style, tien, timbre, tonique, verbe, voix.

TONALITÉ. Ambiance, bitonal, coloration, coloris, couleur, facture, inflexion, intonation, nuance, polytonal, registre, signal, son, sonorité, style, teinte, timbre, ton, tonal, touche, transposition.

TONDAISON. Coupage, entaillage, épluchage, grattage, rasage, taillage, taille, tonte.

TONTE. Coupage, entaille, épluchage, grattage, rasage, taillage, tondaison.

TONDRE. Brouter, couper, dénuder, déposséder, dépouiller, ébarber, égaliser, élaguer, exploiter, raser, ratiboiser, retondre, tailler, tondeuse, tonsurer, voler.

TONDU. Abattu, abruti, accablé, affligé, agonisant, alourdi, assommé, attéré, chargé, comblé, couvert, crevé, criblé, écrasé, engueulé, éploré, épuisé, éreinté, étouffé, fatigué, lassé, oppressé, opprimé, ras, surchargé, tué, vanné.

TONKA. Arbre, coumarine, coumarou, dipteryx, fève, fruit, parfumerie, papillionnacées, tonca.

TONICITÉ. Actif, activité, affairé, agissant, ardent, assuré, audacieux, battant, confiant, constant, décidé, dynamisme, énergique, animé, courageux, diligent, efficace, force, industrieux, pep, sthénique, tonie, vitalité.

TONIFIANT. Analeptique, défatigant, dopant, énergisant, excitant, fortifiant, reconstituant, remontant, revigorant, stimulant, tonique.

TONIFIER. Affermir, ancrer, asseoir, assurer, cimenter, confirmer, conforter, consolider, durcir, fermeté, fortifier, enraciner, fortifier, invétérer, protéger, raffermir, renforcer, revigoter, solidifier, stabiliser, tremper, vivifier.

TONIQUE. Caféine, coricide, ginseng, glycérophosphate, remontant, sain, stimulant, tonifiant.

TONITRUANT. Assourdissant, bruyant, éclatant, étourdissant, retentissant, sonore, tapageur, tonnant.

TONITRUER. Beugler, brailler, crier, gueuler, hurler, rugir, tintamarrer, tonner, vociférer.

TONLIEU. Charge, contribution, cote, droit, excise, fiscalité, imposition, impôt, redevance, surtaxe, taxation, taxe, tribut.

TONITRUER. Crier, ébruiter, éclater, foudroyer, fulminer, invectiver.

TONNANT. Admirable, ardent, brillant, éblouissant, éclatant, étincelant, flamboyant, fracassant, insigne, lumineux, perçant, pétulant, radieux, rayonnant, resplendissant, retentissant, rutilant, sonore, spectaculaire, tonitruant.

TONNE. Abondance, afflux, amas, ampleur, débordement, foule, masse, mine, paquet, poids, tec, tep, tonneau.

TONNEAU. Bachotte, baril, barrique, benne, bonde, bossette, botte, boucaud, caque, charge, cuve, douve, feuillette, foissière, foudre, fût, futaille, gonne, jable, louve, mèche, muid, pipe, quart, râpe, récipient, seau, tin, tine, tonne, tune, vase.

TONNELET. Barrel, baril, barillet, barrique, barrot, boucaut, caque, charge, charnier, cufat, cuffat, demie, feuillette, foudre, fût, futaille, hareng, lité, muid, quartaut, pacquer, pipe, poinçon, tine, tinette, tonne, tonneau.

TONNELIER. Bipenne, blason, cognée, doloire, hache, hutinet, merlin, outil, pelle, plane.

TONNELLE. Abri, berceau, charmille, filet, gloriette, kiosque, pergola, treille, treillis, vigne.

TONNER. Crier, détoner, éclater, emporter, foudroyer, fulminer, gronder, parler, rouler, tomber.

TONNERRE. Bruit, coup, éclair, éclat, foudre, fulguration, juron, orage, tempête, terrible, voix.

TONNERRE (n. p.). Jupiter, Taranis, Thor, Tor.

TONSURE. Alopécie, atrichie, calvitie, chauve, décalvation, favus, ophiase, ophiasis, pelade, porrigo, teigne.

TONTE. Agneline, bure, bourre, cardigan, carméline, cheviotte, chèvre, corde, coton, couaille, étaim, lainage, laine, lama, lanice, loden, mère, mite, mohair, mouton, noces, ouate, poil, ruban, satin, sorie, tissu, toison, tuque, tweed, vigogne.

TONTINE. Anneau, boucle, chaînon, épargne, filet, folle, gansette, haubert, jaseran, jeu, lamelle, maillage, maille, manchon, miton, monnaie, mousse, mutualité, obole, paille, paillon, plaque, point, tamis.

TONTON. Homosexuel, mononcle, oncle, parent.

TONUS. Énergie, entrain, flasque, myatonie, pallidum, pep, punch, ressort, tension, tonicité, vigueur.

TOP. Départ, haut, impulsion, perfection, signal, sommet.

TOPAZE. Ambré, bond, blondasse, blondinet, bouton-d'or, chrysolite, citrine, doré, galant, flavescent, jaune, lin, miellé, olivine, or, péridot, platine, pierre, quartz, serpentine, silicate, topazolite.

TOPER. Accéder, accepter, acquiescer, agréer, approuver, avaliser, cautionner, conclure, consentir, heurter, taper.

TOPINAMBOUR. Artichaut, citrouille, hélianthe, inuline, poire, soleil, tertifle, vivace.

TOPIQUE. Adapté, caractéristique, convenable, épithème, particulier, propre, spécifique, typique, vésicatoire.

TOPO. Conférence, croquis, discours, exposé, intervention, laïus, plan, speech.

TOPOGRAPHE (n. p.). Baeschlin.

TOPOGRAPHIE. Angiographie, aspect, caricature, carte, configuration, description, devis, holographie, halologie, hématologie, image, monographie, ophiographie, ophiologie, peinture, plan, relief, signalement, tracé, trait.

TOPONYME. About, appellation, bleuetière, étude, lieu, lieu-dit, nom, substantif, toponymie, zec.

TOQUADE. Accès, bizarrerie, caprice, chimère, engouement, fantaisie, habitude, manie, marotte, tic, tocade, travers.

TOQUANTE. Apparat, cadran, coucou, démonstratif, devanture, effet, étalage, étale, exhibition, exposition, horloger, léontine, montre, oignon, ostentation, parade, patraque, remontoir, salle, savonnette, tocante, vitrine.

TOQUÉ. Aliéné, bizarre, chef, dément, fou, maniaque, mordu, névrosé, passionné, timbré.

TOQUER. Amouracher, animer, captiver, électriser, emballer, embraser, émouvoir, enfiévrer, enflammer, engouer, enthousiasmer, enticher, entraîner, éveiller, exalter, exciter, fasciner, galvaniser, métalliser, passionner, remuer, surexciter, zinguer.

TORAH. Bible, biblique, cachère, caraïte, circoncision, conservateur, essénien, exode, genèse, goï, goïm, goy, goyim, hébreu, israélite, judaïsme, judaïté, judéité, juif, kippa, lévite, lévitique, loi, marrane, miniane, mitzva, orthodoxe, pentateuque, pharisien, qaraïte, rabbin, sémite, shema, sioniste, synagogue, youpin.

TORANA. Anse, arbalète, arc, arcade, arceau, arche, arçon, arme, arqué, berceau, cercle, côte, courbe, degré, doubleau, écoinçon, grade, halo, intrados, iris, lancéolé, lancette, minot, ogive, portique, sinus, spire, stupa, tiers-point, verse, voûte.

TORCHE. Bouchon, brandon, flambeau, flamme, glane, lampe, luminaire, poignée, selle, tison, tresse.

TORCHER. Abîmer, altérer, avarier, bâcler, botcher, cochonner, corrompre, endommager, expédier, gâcher, gâter, polluer, rabêter, saboter, sabrer, saloper, souiller, tacher, tarer, ternir, torchonner, vicier.

TORCHÈRE. Amphore, bouteille, canalisation, candélabre, canope, cérame, chandelier, flambeau, lampe, nautile, pot, potiche, pucheux, récipient, torche, urne, vase, vote.

TORCHIS. Bauge, boue, bousillage, fange, fumière, gîte, lieu, mortier, nid, pisé, retraite, sanglier, souille, taudis.

TORCHON. Coup, drap, écrit, essuie-mains, essuie-verre, guenilles, journal, lavette, linge, loofa, patte, serpillière.

TORCHONNER. Abîmer, altérer, avarier, bâcler, botcher, cochonner, corrompre, endommager, expédier, gâcher, gâter, polluer, rabêter, saboter, sabrer, saloper, souiller, tacher, tarer, ternir, torcher, vicier.

TORDANT. Amusant, bidonnant, bouffon, cocasse, comique, crevant, désopilant, drôle, farce, hilarant, impayable, plaisant, ridicule, risible.

TORD-BOYAUX. Casse-pattes, eau-de-vie, gniole, gnôle, niaule, niole.

TORDEUSE. Arpenteuse, bombyx, chenillest, chrysalide, cochylis, conchylis, cocon, coque, oryte, eudémis, géomètre, hérissonne, larve, limaçonne, magnan, mue, nymphe, papillon, patin, processionnaire, ver, vulcain.

TORD-NEZ. Caveçon, moraille, mouchettes, serre-nez, tord-babines, tord-gueule, tourniquet, twisteur.

TORDRE. Bistourner, boudiner, cintrer, contourner, cordeler, corder, courber, croiser, déformer, distordre, entortiller, essorer, étrangler, fausser, gauchir, gondoler, mailler, organsiner, ployer, rouler, tire-bouchonner, serrer, tortiller, tourner, triturer, voiler, vriller.

TORDU. Bancal, bancroche, cagneux, circonflexe, contourné, contracté, convulsif, courbé, déjeté, difforme, entortillé, gauche, hart, recroquevillé, retors, ronce, sinueux, tors, tortillé, tortis, tortu, tortueux, vrillé.

TORE. Anglet, astragale, bague, bande, boudin, bourseau, cavet, cadre, cimaise, filet, globique, gorge, listeau, listel, marli, moulure, nervure, ove, pestum, profil, quart-de-rond, scotie, stéréobate, torique, toron.

TORÉADOR. Banderillero, matador, muleta, novillero, novillo, picador, ra, taureau, torero.

TOREUTIQUE. Burinage, ciselage, cisellement, ciselure, échoppage, gravure, parfaire, sculpture, tri.

TORGNOLE. Baffe, beigne, beignet, calotte, claque, coup, emplâtre, gifle, giroflée, gnon, mandale, mornifle, pain, soufflet, taloche, tape.

TOTII. Chinois, japonais, kami, portique, religion, shinto, shintoïsme, shintoïste, sumo, vestibule.

TORIL. Antichambre, attendre, enceinte, entrée, hall, narthex, passage, poireauter, porche, réception.

TORNADE. Baguio, bourrasque, cyclone, œil, orage, ouragan, tempête, trombe, typhon, vent.

TORON. Chignon, cordelière, feston, fourragère, soutache, torche, torquette, torsade, tortis, tresse.

TORPEUR. Abattement, assoupissement, atonie, dépression, engourdissement, langueur, léthargie, sommeil, somnolence.

TORPIDE. Anéanti, atonique, effondré, léthargique, prostré.

TORPILLE. Antichar, arme, bazooka, bombe, contre-torpilleur, engin, gymnote, gyroscope, lance-fusées, lance-roquettes, lance-torpilles, poisson, sélacien, sous-marin, torpilleur, tube.

TORPILLER. Anéantir, arrêter, briser, couler, enterrer, escamoter, étouffer, neutraliser, ruiner, saboter.

TORQUE. Bague, barbe, bijou, boa, carcan, cercle, chaîne, collier, courroie, fraise, misère, racage, rivière, sautoir.

TORRÉFIER. Ambitionner, arder, bronzer, brûler, calciner, carboniser, cautériser, chauffer, combustion, consommer, consumer, convoiter, cramer, crématoire, cuire, détruire, distiller, ébouillanter, échauder, embraser, enflammer, flamber, fondre, fumer, fusion, griller, hâler, havir, incendier, incinérer, maté, phlogistiquer, rôtir, roussir.

TORRENT (n. p.). Alès, Anduze, Ariège, Bachelard, Buech, Cédron, Chassezac, Chenab, Dixence, Drac, Gave, Goncelin, Guil, Nathan, Neste, Nive, Oloron, Osseau, Pique, Salat, Tinée, Ubaye.

TORRENT. Arve, déjection, drac, eau, flux, gardon, gave, lavande, mouvement, nive, raft, rafting, ravine, rivière.

TORRENTIEL. Abondant, déchaîné, démonté, diluvial, diluvien, torrentueux, violent.

TORRENTUEUX. Agité, houleux, impétueux, mouvementé, orageux, tempétueux, tumultueux, turbulent, violent.

TORRIDE. Brûlant, chaud, canicule, cuisant, débridé, desséchant, étouffant, froid, rouge, tropical.

TORS. Arqué, cagneux, courbé, détors, difforme, passementerie, retors, tordu, torsadé, tortillé.

TORSADE. Chignon, cordelière, feston, fourragère, soutache, torche, toron, torquette, tortis, tresse.

TORSADER. Avancer, balancer, bouler, bourlinguer, charrier, cheminer, déplacer, duper, emporter, en danseuse, enrouler, entraîner, entuber, errer, escroquer, fraiser, fraser, guiper, lover, marcher, pédaler, rôder, rouler, tourner, tromper, vaquer.

TORSE. Buste, coffre, colonne, corps, poitrail, poitrine, statue, taille, thorax, tordu, tors, tronc.

TORSION. Boudinage, contorsion, contraction, déformation, distorsion, volvulus, vrillage.

TORT. Absent, affront, atteinte, avanie, blessure, brèche, casse, coup, dam, défaut, démérite, détriment, dommage, erreur, faiblesse, faute, grief, injure, injustice, léser, lésion, mal, mauvais escient, nuire, outrage, préjudice.

TORTILLA. Blini, brassard, crêpe, crêpier, crépon, galette, matefaim, nem, omelette, ruban, taco.

TORTILLARD. Bancal, bancroche, cagneux, difforme, inégal, noueux, orme, tordu, tors, train, vara, varus.

TORTILLE. Accès, allée, avenue, charmille, chemin, contre-allée, cours, course, démarche, déplacement, drève, labyrinthe, laie, layon, ligne, mail, nacette, oullière, passage, ruelle, tortillère, trajet, visite, voie, voyage.

TORTILLER. Allure, balancer, corder, cordonner, détortiller, détourner, embarrasser, enlacer, essorer, friser, hésiter, manger, onduler, remuer, subtiliser, tergiverser, tordre, tourner, trémousser, vriller.

TORTILLON. Bourrelet, brandon, calfeutrage, casse-vitesse, chalaze, circonvolution, coussinet, épaulette, escargot, estompe, fardeau, graisse, linge, malheutre, papier, pli, tortil, vertugadin.

TORTIONNAIRE. Assassin, barbare, boucher, bourreau, capeluche, cruel, dépravé, exécuteur, fusilleur, guillotine, guillotineur, meurtrier, monstre, psychopathe, sadique, sado, sanguinaire, supplice, tordu, tourmenteur, tueur, valet.

TORTRICIDÉ. Ampélophage, cochylis, conchylis, eudémis, papillon, tordeuse, vigne.

TORTUE. Alligator, batagur, boîte, bouclier, boueuse, caouanne, caret, casque, céraste, chélodiné, chélonien, cistude, caouane, couane, diamanté, émyde, estrapade, frange, kinixys, luth, musquée, pyxide, reptile, toit, trionyx, vorace.

TORTUEUX. Courbe, déloyal, détour, droit, flexueux, machiavélique, méandre, retors, serpentueux, sinueux.

TORTURÉ. Agité, angoissé, anxieux, bourrelé, famélique, fiévreux, inquiet, possédé, taraudé, tourmenté.

TORTURE. Affliction, affres, angoisse, atrocité, blessure, brodequin, calvaire, douleur, gêne, martyre, question, sévices, souffrance, supplice, tenaillement, tortionnaire, tourment, tourmente, victime.

TORTURER. Angoisser, défigurer, déformer, dévorer, gêner, harceler, infliger, martyriser, obséder, persécuter, préoccuper, questionner, ravager, ronger, serrer, souffrir, supplicier, tarauder, tenailler, tourmenter.

TORVE. Ambigu, bigle, bigleux, cuiller, douteux, farouche, glauque, louche, loucheur, menaçant, oblique, patibulaire, poche, pochon, strabisme, suspect, travers, trouble, ustensile.

TORY. Anglais, conservateur, gardien, modéré, progressif, réactionnaire, tories, torysme.

TOSSER. Asséner, assommer, battre, boxer, cingler, cogner, ébahir, étonner, férir, fesser, fouailler, foudroyer, frapper, geler, gifler, heurter, horrifier, infliger, marteler, méduser, pétrifier, plaquer, poignarder, proscrire, ressac, rouer, sidérer, sonner, taper, tapoter, terrifier, terroriser, tondre, trépigner, stupéfier.

TÔT. AM, aube, avant, dare-dare, lève-tôt, matinal, précoce, prématuré, promptement, rapide, temps, vite.

TOTAL. Absolu, bouquet, comble, complet, direct, diamétral, entier, exhaustif, franc, général, global, intact, intégral, masse, montant, parfait, plein, plénier, radical, recette, résultat, somme, titre, tout.

TOTALEMENT. Absolument, complètement, entièrement, exclusivement, foncièrement, intégralement, nul, parfaitement, purement, rigoureusement, tout-à-fait, trognon, uniquement.

TOTALISER. Additionner, compter, cumuler, rassembler, réunir, sommer.

TOTALITAIRE. Absolu, despotique, dictatorial, dictature, fasciste, régime, totalitarisme, tyrannique.

TOTALITARISME. Absolutisme, autocratie, autoritarisme, despotisme, dictature, empire, intolérance, joug, oppression, persécution, pouvoir, tyrannie, usurpation.

TOTALITÉ. Bloc, chelem, complètement, compréhension, ensemble, entier, entièrement, entièreté, extensionnel, généralité, globalité, intégralité, intégrité, masse, plénitude, pot, schelem, somme, total, tout, universalité.

TOTEM. Ancêtre, animal, aulique, bande, clan, emblème, érié, ethnie, famille, figure, gad, genre, horde, peinture, peuplade, protecteur, représentation, sculpture, signe, symbole, symbolique, tribal.

TOTO. Anoploure, lente, mallophage, morpion, pédiculose, phtiriase, phtirius, pou.

TOTON. Clé, dé, jouet, mégère, moine, pirouette, rhombe, sabot, taille, toupie, trochophore, turbine.

TOUAREG. Arabe, berbère, jannat, kabyle, maghrébin, maure, more, targui, zénaga, zénète.

TOUBIB. Docteur, esculape, médecin, praticien, thérapeute.

TOUCHANT. Attendrissant, atténuant, désarmant, émouvant, frappant, sentimental, tendre, vibrant.

TOUCHÉ. Affecté, atteint, chagrin, compatissant, ému, entamé, frappé, impressionné, note, nuance, palpé, peiné, vibre.

TOUCHE. Atteinte, attouchement, bâton, frappe, morsure, note, nuance, peu, soupçon, tantinet, teinte.

TOUCHER. Aboutir, adjacent, approcher, atteindre, attraper, blesser, caresser, chatouiller, contigu, coudoyer, dû, échouer, effleurer, émerger, émouvoir, empocher, encaisser, frapper, froisser, frôler, gagner, heurter, impressionner, jouxter, manier, manipuler, palper, peloter, pénétrer, percevoir, près, recevoir, relâcher, sucrer, tactile, tâter, tâtonner, tripoter.

TOUER. Amener, attirer, charrier, conduire, déplacer, emmener, emporter, entraîner, errer, flâner, guérir, haler, lambiner, marcher, mener, pétouiller, ramper, remorquer, tarder, tirer, traduire, traînasser, traîner, trimbaler, vautrer.

TOUFFE. Aigrette, amas, barbiche, bouquet, buisson, cépée, chasse-mouches, chignon, chou, crêpe, crête, crinière, démêlure, épi, fanon, favoris, femme, flocon, grappe, houppe, huppe, impériale, mèche, pinceau, pompon, roncier, royale, sertule, talle, têtard, toupet.

TOUFFU. Abondant, cespiteux, chargé, compliqué, dense, dru, épais, feuillu, fourni, fourré, garni, hérissé, hirsute, huppé, impénétrable, luxuriant, massif, pressé, serré.

TOUILLE. Chien-dauphin, lamie, poisson, requin, requin-taupe, roussette, squale, taupe, taupe de mer.

TOUILLER. Agiter, amener, attirer, brasser, broyer, charrier, conduire, déplacer, emmener, emporter, entraîner, errer, flâner, guérir, haler, lambiner, marcher, mêler, mener, pétouiller, ramper, remorquer, remuer, tarder, tirer, touer, traduire, traînasser, traîner, trimbaler, vautrer.

TOUJOURS. Assidu, assidûment, constamment, constant, continuellement, éternel, généralement, invariablement, pérennité, perpétuité, uniforme.

TOULADI. Grise, omble, poisson, salmoné, truite.

TOUNDRA. Bassin, campagne, champ, delta, étendue, huerta, llanos, pampa, plaine, prairie, pré, steppe.

TOUPET. Calvitie, confiance, culot, hardiesse, moumoute, osé, perruque, touffe, toupillon.

TOUPIE. Chipe, clé, jouet, mégère, moine, rhombe, pirouette, sabot, taille, toton, trochophore, turbine.

TOUPILLER. Anordir, berner, bistourner, braquer, cinéma, contourner, déformer, détourner, dévier, dévirer, éviter, faner, fermenter, finir, girer, nordir, orienter, persifler, pirouetter, pivoter, railler, rôder, rouler, ruminer, sur, suri, tordre, tourner, tournicoter, tournoyer, virer, virevolter, visser, volter.

TOUPILLON. Calvitie, confiance, culot, hardiesse, moumoute, osé, perruque, touffe, toupet.

TOUR (n. p.). Babel, CN, Eiffel, Giro, Nesle, Nuraghe, Pise.

TOUR. Beffroi, belvédère, boucle, campanile, ceinture, clocher, donjon, échec, façon, farce, guet, guète, guette, jonglerie, lombago, lumbago, mirador, minaret, passe, phare, pièce, pirouette, plaisanterie, promenade, spire, taille, tourelle, touret, tr, truc, virée, volte.

TOURAILLE. Autoclave, bain, caldarium, étuve, four, fournaise, hammam, pasteurisateur, sauna, stérilisateur.

TOUR À TOUR. Alternativement, consécutivement, périodiquement, rythmiquement, successivement.

TOURBE. Bousin, carex, drosera, gazon, herbe, hypne, minière, motte, mousse, sphaigne, terre.

TOURBIÈRE. Acore, bayou, boue, canneberge, cob, cistude, douve, drosera, étang, étier, fagne, gâtine, grisou, hypne, kob, marais, mare, marécage, maremme, marigot, méthane, moere, noue, palud, palus, polder, salin, savane, sphaigne, varaigne, vernier, vie.

TOURBILLON. Aiguillon, agitation, bourrasque, cyclone, gouffre, grain, jacuzzi, maelström, malstrom, masse, rafale, remous, saut périlleux, tohu-bohu, tornade, trombe, trotteuse, turbulence, valse, vent, vortex.

TOURBILLONNER. Agiter, pirouetter, pivoter, tourbillonnant, tourner, tournoyer, venter, virevolter.

TOUR CYCLISTE D'ESPAGNE (n. p.). La Vuelta.

TOUR CYCLISTE DE FRANCE (n. p.). Aimar, Aquetil, Armstrong, Bahamontes, Bartali, Bobet, Bottecchia, Buysse, Coppi, Cornet, Defraye, Delgado, Dewaele, Faber, Fignon, Frantz, Garin, Garrigou, Gaul, Gimondi, Hinault, Induran, Janssen, Koblet, Kubler, Labédie, Lambot, Lapise, Leducq, Lemond, Maes, Magné, Meckx, Nencini, Ocana, Pelissier, Petitbreton, Pingeon, Pottier, Riis, Robic, Roche, Scieur, Speicher, Thévenet, Trousselier, Thys, Ulrich, Vanimpe, Walkowiak, Zoetemelk.

TOUR CYCLISTE D'ITALIE (n. p.). Giro.

TOURD. Coquette, crahotte, grive, labre, jocasse, litorne, oiseau, perroquet, poisson, vieille, vras.

TOURELLE. Abri, belvédère, chambre, coupole, guète, guette, hile, lanterne, pilori, tir, tour.

TOURET. Caouanne, caret, dérouleur, dévideur, dévidoir, enrouleur, eretmochelys, machine-outil, moulinet, plateau, rouet, tortue, tour, tourniquet, treuil.

TOURILLON. Axe, cabestan, caliorne, cheville, chèvre, giron, manivelle, nilles, palan, pivot, pouliot, tambour, tirefort, tolet, tourner, tourillonner, treuil, vindas, volée, winch.

TOURISTE. Estivant, étranger, excursionniste, explorateur, promeneur, vacancier, visiteur, voyageur.

TOURMALINE. Aluminium, bore, émeraude du Brésil, gravier, pierre, roche, rubellite, silicate.

TOURMENT. Affres, angoisse, anxiété, cauchemar, chagrin, déboire, douleur, embarras, émoi, émotion, ennui, fardeau, fatigue, gêne, mal, malaise, peine, remords, souci, supplice, torture, tracas, trouble.

TOURMENTÉ. Agité, angoissé, anxieux, famélique, fiévreux, inquiet, possédé, taraudé, torturé, troublé.

TOURMENTER. Agacer, agiter, assaillir, bourreler, brutaliser, damner, déchirer, envier, gêner, harceler, infester, inquiéter, lanciner, maltraiter, moquer, mouvementer, obséder, occuper, oppresser, préoccuper, ronger, tanner, tarauder, tempêter, tenailler, torturer, tracasser, vexer.

TOURMENTEUR. Assassin, barbare, boucher, bourreau, capeluche, cruel, dépravé, exécuteur, fusilleur, guillotine, guillotineur, meurtrier, monstre, persécuteur, psychopathe, sadique, sado, sanguinaire, supplice, tordu, tortionnaire, tueur, valet.

TOURMENTIN. Clinfoc, foc, génois, perroquet, pétrel, trinquette, voile.

TOURNAGE. Ajustage, alésage, calibrage, filmage, fraisage, production, prêt, prise, réalisation, rushes, usinage.

TOURNAILLER. Errer, rôder, tergiverser, tourner, tournicoter, tourniquer.

TOURNANT. Abattée, angle, champ, chemin, circulaire, coin, coude, courbe, courbure, détour, giratoire, grève, méandre, noyau, pivot, pivotant, retour, revanche, rotatif, rotatoire, rotor, tour, virage.

TOURNÉ. Acide, aigre, aigri, altéré, caillé, détérioré, exposé, fermenté, gâté, rédigé, suite, sur, taré.

TOURNEBOULER. Affoler, agiter, alarmer, affrioler, angoisser, bouleverser, chambarder, chambouler, chavirer, dépêcher, déraisonner, effrayer, épouvanter, hâter, inquiéter, paniquer, perdre, perturber, retourner, terrifier, tourmenter, troubler.

TOURNEBRIDE. Auberge, hôtel, hôtellerie, pavillon.

TOURNÉE. Bordée, circuit, coup, promenade, raclée, torgnole, tour, virée, visite, volée, voyage.

TOURNER. Anordir, berner, bistourner, braquer, cinéma, contourner, déformer, détourner, dévier, dévirer, éviter, faner, fermenter, finir, girer, nordir, orienter, persifler, pirouetter, pivoter, railler, rôder, rouler, ruminer, sur, suri, tordre, toupiller, tour, tournicoter, tournoyer, virer, virevolter, visser, volter.

TOURNESOL. Acide, Borraginacée, colorant, girasol, hélianthe, héliotrope, herbacée, maurelle, plante, soleil.

TOURNEUR. Baladin, boy, cavalier, charmeur, coryphée, danseur, débrouillard, derviche, équilibriste, étoile, farandoleur, funambule, gambilleur, gigoteux, gigueux, gincheur, matassin, mime, partenaire, patineur, pétauriste, plokiste, testicule, twisteur, valseur.

TOURNEVIS. Attache, boulon, écrou, vérin, vissé, outil, rivet, tire-bouchon, tire-fond, vis, vrille.

TOURNICOTER. Activer, affairer, affoler, agiter, ballotter, baratter, barboter, battre, bercer, bouger, bouleverser, brandiller, brandir, branler, brasser, brouiller, cahoter, démener, discuter, ébranler, ébrouer, émouvoir, encenser, exciter, frémir, frétiller, gesticuler, gigoter, inquiéter, mêler, mouvoir, piétiner, remuer, secouer, soulever, spéculer, touiller, tourmenter, traiter, transporter, trembler, troubler, vibrionner.

TOURNIOLE. Abcès, enflure, gonflement, inflammation, mal blanc, panaris, paronyme, vire.

TOURNIQUET. Aspérité, banc, bourriquet, caouanne, caret, dérouleur, dévideur, dévidoir, enrouleur, gyrin, hélice, jouet, lame, moulinet, pivot, présentoir, tortue, touret, treuil, volet.

TOURNIS. Agneau, cénure, désarroi, déséquilibre, éblouissement, égarement, étourdissement, évanouissement, folie, frisson, griserie, ivresse, maladie, mouton, oreille, saisissement, trouble, vertige.

TOURNOI. Carrousel, challenge, championnat, combat, compétition, concours, joute, lice, omnium.

TOURNOYANT. Agité, batifolant, clignotant, flottant, folâtrant, instable, miroitant, mobile, mouvant, papillonnant, scintillant, tourbillon, tourbillonnant, tournis, vertige, vertigo, virevoltant.

TOURNOYER. Biaiser, errer, pirouetter, pivoter, tourbillonner, tourner, virevolter.

TOURNURE. Air, allure, angle, aspect, bouffant, cachet, canadianisme, chic, côté, couleur, déchet, expression, face, forme, grammaticale, manière, mine, mûrir, pessimisme, riche, style, tour.

TOURON. Amuse-gueule, baba, biscuit, bonbon, canapé, chatterie, confiserie, douceur, friandise, gâteau, gâterie, gourmandise, macaron, nanan, nougat, œuf, papillote, pâtisserie, praline, sucette, sucrerie, tarte, tire, truffe.

TOURTE. Balourd, croûte, cruche, flamiche, gâteau, gourde, niais, pain, pâté, pâtisserie, sot, tarte, tourtière.

TOURTEAU. Crabe, dormeur, gâteau, masse, maton, meuble, pain, pièce, poupart, résidu, soja.

TOURTEREAU. Adorateur, amant, ami, amoureux, béguin, berger, bien-aimé, calinaire, calinière, céladon, chéri, copain, concubin, coquin, couple, favori, flirt, galant, gigolo, greluchon, idole, jules, mec, soupirant, tourterelle.

TOURTIÈRE. Cipaille, clafoutis, entarter, flamiche, flan, gâteau, gifle, pissaladière, pizza, quiche, tarte, tartelette.

TOUSELLE. Amidonnier, argent, barbe, blé, carie, céréale, écidie, épautre, épeautre, farine, foin, froment, gerbe, grain, gruau, ivraie, maïs, minot, moucheté, orge, pain, pâte, raccard, roupie, sarrasin, son, triticale, triticum, urépospore.

TOUSSER. Cracher, éclaircir, époumoner, éternuer, graillonner, racler, respirer, spasme, toussoter.

TOUSSERIE. Enrouement, expectoration, rhume, toussotement, toux.

TOUSSOTEMENT. Antitussif, enrouement, expectoration, grippe, hem, quinte, rhume, sirop, tousserie, toux.

TOUSSOTER. Bâcler, cracher, époumoner, éternuer, expectorer, expulser, spasme, tousser.

TOUT. Amas, bloc, chaque, comble, complet, ensemble, entier, fatras, global, imbu, intact, intégralité, masse, monceau, multitude, panacée, pile, plénier, pléthore, quiconque, ramassis, sauf, somme, tas, total.

TOUT À COUP. Aussitôt, dès, illico, immédiatement, impromptu, improviste, incontinent, injonctif, injonction, instantanément, presto, sans délais, séance tenante, sitôt, soudain, subitement, sur-le-champ, traînerie.

TOUT À FAIT. Absolument, bien, carrément, complètement, entièrement, exactement, pleinement, très, totalement.

TOUTATIS. Dieu celte, guerre, Teutatès, teutatis.

TOUTE-BONNE. Germandrée, labiée, officinale, orvale, osier, plante, poire, salvia, sauge, sclarée, serve, tonique.

TOUTEFOIS. Cependant, enfin, mais, néanmoins, nonobstant, pourtant, seulement, tant.

TOUT-PETIT. Bébé, enfançon, enfant, nourrisson, nouveau-né, petit, petiot, poupard, poupon, rejeton.

TOUT-PUISSANT. Créateur, dieu, omnipotent, souverain, suprématie.

TOUTOU. Cabot, cador, chien, clébard, clebs, klebs, peluche, pilou, pitou, pluche, poilu, teddy-bear, velu.

TOUX. Antitussif, enrouement, expectoration, grippe, quinte, rhume, sirop, tousserie, toussotement.

TOXÉMIE. Accident, empoisonnement, envenimation, envenimement, infection, intoxication, toxhémie.

TOXICOLOGIE. Détection, éclampsie, poison, remède, science, technologie, toxémie, toxicologue.

TOXICOMANE. Accro, camé, cocaïnomane, drogué, éthéromane, héroïnomane, morphinomane, opiomane, pharmacodépendant.

TOXICOMANIE. Accoutumance, addiction, assuétude, cocaïnomanie, éthéromanie, héroïnomanie, morphinomanie, opiomanie.

TOXINE. Anatoxine, déchet, endotoxine, exotoxine, poison, toxémie, typhotoxine, vaccin.

TOXIQUE. Arsenic, asphyxiant, bryone, ciguë, curare, dangereux, datura, délétère, dioxine, empoisonnant, ésérine, éthuse, gaz, irrespirable, maligne, malsain, mortel, néfaste, nocif, nuisible, opium, poison, ricin, toxine, venin, virus.

TRABÉE. Amict, caban, cagoule, cape, capot, capote, chape, douillette, gueuse, habit, imperméable, mante, manteau, mantelet, maxi, paletot, pardessus, pèlerine, pelisse, plan, poncho, prétexte, raglan, redingote, robe, saie, tabar, tabard, toge, vêtement, voile.

TRABOULE. Allée, artère, avenue, boulevard, chaussée, chemin, cours, cul-de-sac, galerie, gone, impasse, mail, passage, pavé, paver, poulbot, rue, ruelle, tournant, tunnel, venelle, ville, voie.

TRAC. Angoisse, appréhension, crainte, fébrilité, frousse, nervosité, panique, pétoche, peur, stress, terreur, trouille.

TRACAS. Accro, agacerie, alarme, anicroche, anxiété, aria, avatar, bile, brimade, cauchemar, chagrin, chicane, contrariété, crainte, difficulté, embêtement, ennui, inquiétude, obsession, os, pétrin, souci, souffrance, tourment, tourmente, tuile, vexation.

TRACASSER. Affecter, agacer, agiter, aguicher, angoisser, assaillir, biler, brutaliser, chipoter, damner, déchirer, dépiter, ennuyer, excéder, exciter, gêner, inquiéter, irriter, obséder, préoccuper, tarabuster, torturer, tourmenter, travailler, turlupiner.

TRACASSERIE. Bisbille, chicane, chinoiserie, complication, ennui, mesquinerie, querelle, souci, tracas, turlupinade.

TRACASSIER. Acariâtre, agresseur, agressif, batailleur, chicanier, grincheux, harengère, querelleur, violent.

TRACASSIN. Accrochage, bisbrouille, bouderie, bougon, brouille, colère, désaccord, fâcherie, humeur, mécontentement, souci.

TRACE. Bavure, cicatrice, empreinte, erre, foulée, impression, indice, itinéraire, linéament, marque, note, ornière, pas, passée, piste, plan, rayure, relent, reste, signe, sillage, sillon, stigmate, tache, veine, vermoulure, vestige, voie.

TRACER. Circonscrire, crayonner, décrire, délinéer, dérayer, dessiner, disposer, ébaucher, écrire, esquisser, esquiver, établir, former, formuler, frayer, graver, layer, marquer, ouvrir, règle, représenter, retracer, taguer, té, tirer, traceret.

TRACERET. Burin, crayon-feutre, feutre, gouge, marqueur, poinçon, style, stylet, traceur, traçoir, trusquin.

TRACEUR. Affichiste, calligraphe, caricaturiste, compas, crayonneur, dessinateur, équerre, fusainiste, fusiniste, graveur, illustrateur, imagier, jardiniste, modéliste, ouvrier, règle, styliste, té, traçoir.

TRACHÉE. Abée, aqueduc, arroyo, artère, bée, berme, bief, bouche, canal, chemin, chenal, cholédoque, conduit, conduite, cours, dalot, drain, eau, écluse, égout, étier, évent, évier, fistule, fossé, grau, lé, lit, moulin, naville, ouverture, passage, passe, rachidien, rigole, sillon, tube, tuyau, uretère, urètre, vagin, veine, voie.

TRACHOME. Cécité, conjonctivite, infection, œil.

TRACHYTE. Lave, obsidienne.

TRAÇOIR. Burin, compas, gouge, marqueur, outil, poinçon, style, stylet, traceret, traceur, trusquin.

TRACT. Affiche, affichette, brochure, brûlot, dépliant, feuille, libelle, pamphlet, papier, propagande, vignette.

TRACTATION. Affaires, machination, magouille, manigance, marchandage, marchandisage, négociation.

TRACTÉ. Amené, attiré, charrié, conduit, déplacé, emmené, emporté, entraîné, halé, marché, mené, rampé, remorqué, tiré, toué, traînassé, traîné, trimbalé.

TRACTEUR. Dépanneuse, enfilade, engin, file, locomotive, pousseur, remorqueur, toueur.

TRACTION. Agrandissement, allonge, augmentation, cieconscrire, déplié, déployé, détente, développé, développement, distension, empiètement, entorse, éployé, essor, étalé, étendue, extension, pandémie, phagédénisme, plan, propagation, stretching.

TRADITION. Ancestral, adage, ancêtre, ancien, errements, habitude, histoire, mœurs, rite, rituel, us, usage.

TRADITIONALISME. Conformisme, conservatisme, droite, droitisme, intégrisme, modération, passéisme, suivisme.

TRADITIONNEL. Classique, conformiste, conventionnel, folklorique, habituel, orthodoxe, rituel, sage.

TRADUCTEUR (n. p.). Amyot, Bréal, Caro, Coecke, Dacier, Delille, Ficin, Grosjean, Méthode, Tyndale.

TRADUCTEUR. Acteur, artiste, comédien, exégète, interprète, paraphraseur, porte-parole, scoliaste.

TRADUCTION (n. p.). T.A.O., Vulgate.

TRADUCTION. Adaptation, contresens, déchiffrement, explication, interprétation, paraphrase, somatisation, sous-titre, targum, texte, thème, transcodage, translation, transposition, version.

TRADUIRE. Appeler, assigner, changer, citer, comprendre, convoquer, déchiffrer, déférer, éclaircir, expliquer, exprimer, gloser, indiquer, interpréter, justice, porter, rendre, restituer, somatiser, traîner, transposer.

TRAFIC. Agio, agiotage, billonnage, circulation, commerce, débit, drogue, encan, fricotage, gain, magouillage, malversation, manigance, maquignonnage, négoce, port, simonie, traite, transport, tripotage.

TRAFICOTER. Arranger, fomenter, machiner, manigancer, ourdir, trafiquer, tramer, tresser.

TRAFIQUANT (n. p.). Yale.

TRAFIQUANT. Ambitieux, arriviste, attentiste, calculateur, combinard, contrebandier, dealer, fricoteur, interlope, intrigant, manigranceur, maquignon, margoulin, mercanti, narcotrafiquant, opportuniste, profiteur, spéculateur, trabendiste.

TRAFIQUER. Acheter, agioter, altérer, boursicoter, brader, bricoler, brocanter, colporter, combiner, débiter, échanger, falsifier, fourger, frelater, fricoter, magouiller, manigancer, maquignonner, négocier, spéculer, tripatouiller, tripoter.

TRAGÉDIE. Acteur, comédie, dramaturgie, drame, film, malheur, mélodrame, muses, théâtre.

TRAGÉDIE DE CORNEILLE (n. p.). Agésilas, Andelys, Ariane, Attila, Cid, Cinna, Circé, Clitandre, Horace, Le Cid, Médée, Nicomède, Polyeucte, Pulchérie, Rodogune, Suréna, Timocrate.

TRAGÉDIE EURIPIDE (n. p.). Alceste, Andromaque, Électre, Hécube, Hélène, Hippolyte, Iphigénie, Médée, Oreste.

TRAGÉDIE RACINE (n. p.). Andromaque, Athalie, Bajazet, Bérénice, Britannicus, Esther, Iphigénie, Mithridate, Phèdre.

TRAGÉDIE SHAKESPEARE (n. p.). Coriolan, Cymbeline, Hamlet, Lear, Macbeth, Othello, Périclès, Roi Lear, Roméo et Juliette.

TRAGÉDIE VOLTAIRE (n. p.). Brutus, Candide, Henrisde, Irène, Mérope, Œdipe, Oreste, Tancrède, Zadig, Zaïre.

TRAGÉDIEN. Acteur, artiste, auteur, bouffon, cabot, cabotin, clown, comédien, comique, doublure, étoile, figurant, histrion, ingénu, interprète, mime, pensionnaire, protagoniste, ringard, rôle, star, utilité, vedette.

TRAGIQUE. Abominable, critique, déchirant, dramatique, effroyable, émouvant, lacrymatoire, lacrymogène, passionnant, pathétique, poignant, sérieux, sinistre, sombre, terrible, théâtral, tragi-comique.

TRAHI. Abandonné, cocu, découvert, dénoncé, désabusé, déserté, dévoilé, divulgué, eu, trompé.

TRAHIR. Abandonner, décevoir, découvrir, défection, dénaturer, dénoncer, déserter, desservir, dévoiler, divulguer, duper, ébruiter, éventer, jaser, indiquer, lâcher, livrer, manquer, raguser, renier, révéler, tromper, vendre.

TRAHISON. Abandon, adultère, cocuage, défection, délation, dénonciation, désertion, duperie, félonie, forfaiture, inconstance, infidélité, manquement, perfidie, prévarication, ragusade, traîtrise, tromperie.

TRAILLE. Bac, bachot, barque, bateau, chalut, cordage, filin, flûte, navette, passeur, transbordeur, traversier.

TRAIN. Allure, arroi, bagage, convoi, cours, équipage, erre, express, gyrotrain, locomotive, luxe, marche, mouvement, omnibus, progression, radeau, rail, rame, rapide, R.E.R., ruade, suite, TGV, tortillard, transport, vie, vitesse, voie.

TRAÎNANT. Continu, endormant, ennuyeux, grisaille, fade, fastidieux, languissant, lassant, monocorde, monotone, morne, régulier, répétitif, ronron, semblable, terne, uniforme.

TRAÎNARD. Flâneur, lambin, languissant, lanterne, lent, monotone, mou, musardeur, tardif.

TRAÎNASSER. Acagnarder, clampiner, errer, flâner, glander, lambiner, paresser, promener, traîner.

TRAÎNE. Arriéré, attardé, brande, buisson, haie, luge, pan, queue, seine, senne, traîneau, tralala.

TRAÎNEAU. Bob, bobsleigh, briska, carriole, glisse, luge, seine, senne, sleigh, toboggan, traîne, traîne-sauvage, troïka.

TRAÎNE-BUCHE. Aiche, amorce, insecte, larve, pêche, phrygane, porte-faix, trichoptère, ver d'eau.

TRAÎNÉE. Acheminement, amélioration, avancée, avancement, développement, élévation, envol, essor, évolution, pas, perfectionnement, processus, progrès, progression, promotion, propagation, sélection, succès.

TRAÎNER. Amener, attarder, attirer, charrier, conduire, déplacer, emmener, emporter, entraîner, errer, flâner, guérir, haler, lambiner, languir, marcher, mener, muser, pétouiller, ramper, remorquer, rôder, tarder, tirer, touer, traduire, traînasser, trimbaler, vautrer.

TRAIN-TRAIN. Allitération, assonance, bi, bis, chaîne, écho, écholalie, encore, fois, fréquence, ibidem, id, idem, itération, litanie, périssologie, pléonasme, psittacisme, rechute, redite, redondance, refrain, rengaine, répétition, reprise, resucée, retour, révision, ritournelle, routine, scie, série, suite, sur, tautologie, tirade, trémolo.

TRAIRE. Arracher, extraire, déboiser, débroussailler, déclouer, délainer, démarier, déplanter, déraciner, détacher, déterrer, écobuer, édenter, effeuiller, emporter,

enlever, épiler, essarter, essoucher, extirper, extorquer, extraire, ôter, plumer, priver, raciner, rompre, sarcler, soutirer, soustraire, tirer.

TRAIT. Adresse, angon, attelle, barre, biffure, boire, corde, courroie, cul sec, flèche, framée, glyphe, hampe, hast, illumination, javeline, jet, lanière, liaison, ligne, mine, parafe, paraphe, projectile, rature, rayure, saillie, soulignement, tiret, tracer, union, visage.

TRAITABLE. Accommodant, arrangeant, débonnaire, facile, maniable, pacifique, sociable, souple.

TRAITÉ (n. p.). Kama-sutra, Nystad, OTAN.

TRAITÉ. Accord, argument, bestiaire, concordat, convention, cours, discours, dissertation, entente, essai, étude, lapidaire, livre, loi, manuel, marché, mémoire, mérisme, négoci, notions, ordre, ouvrage, pacte, réciprocité, règle, thèse, union.

TRAITEMENT. Acupuncture, apprêt, avanie, balnéation, comportement, cure, élixir, émoluments, ergothérapie, gain, héliothérapie, médication, palliatif, phytothérapie, régime, revenu, salaire, sévices, soin, solde, thalassothérapie, thérapie.

TRAITER. Agir, appeler, brasser, brusquer, cajoler, conduire, discuter, dorloter, favoriser, gâter, jouer, malmener, maltraiter, manier, ménager, mener, mignarder, mignoter, nanifier, naniser, négocier, purger, rabrouer, révérer, rudoyer, saler, saurer, snober, soigner, vexer, visser.

TRAITEUR. Aubergiste, cabaretier, cafetier, cuisinier, gargotier, guéranger, hôtelier, limonadier, mastroquet, patron, popotier, professionnel, restaurateur, rôtisseur, taulier, tavernier, tenancier, tôlier.

TRAÎTRE (n. p.). Arnold, Ferdonnet, Judas, Othello.

TRAÎTRE. Délateur, déloyal, déserteur, donneur, espion, félon, infidèle, parjure, renégat, sournois, transfuge.

TRAÎTREUSEMENT. Captieusement, déloyalement, démagogiquement, fallacieusement, hypocritement, insidieusement, machiavéliquement, perfidement, sournoisement, trompeusement.

TRAÎTRISE. Chausse-trappe, défection, déloyauté, félonie, fourberie, perfidie, piège, trahison, tromperie.

TRAJECTOIRE. Courbe, évolution, gerbe, itinéraire, montée, orbite, parabole, rayon, tracé.

TRAJET. Aller, aller-retour, carrière, chemin, cheminement, cinglage, circuit, course, direction, distance, espace, fléchage, itinéraire, marche, méridien, parcours, raccourci, rallongis, route, tour, tracé, trait, voyage.

TRÂLÉE. Abondance, armada, armée, bande, essaim, multitude, pléiade, troupe, troupeau.

TRAME. Agissement, chaîne, corde, duite, intrigue, menée, raag, raga, souterrain, suite, tisserand, tissu, usure.

TRAMER. Aménager, arranger, brasser, combiner, comploter, conjurer, conspirer, fabriquer, fomenter, fricoter, machiner, manigancer, monter, nouer, ourdir, préparer, retisser, tisser, traficoter, tresser.

TRAMP. Argo, bac, bateau, brick, brûlot, butanier, câblier, caravelle, cargo, corsaire, croiseur, drague, dromon, galère, galion, galiote, liner, navire, nef, paquebot, patrouilleur, rafiot, ravitailleur, sacoléva, sacolève, sloop, tanker, torpilleur, traversier, trière, vaisseau, vedette, yacht.

TRAMWAY. Impériale, rail, train, tram, trolley, trolley-bus, vicinal, vicinalité, voiture, wattman.

TRANCHANT. Acerbe, acéré, affilé, affirmatif, affirmation, affûté, aigu, aiguisé, carre, cassant, coupant, crénelé, dogmatique, dos, émorfilé, émoulu, émoussé, fil, hache, impérieux, incisif, mordant, mousse, net, pointu, repassé, sec, taillant.

TRANCHE. Aiguillette, barde, biscotte, bord, canapé, chateaubriand, chateaubriant, côté, coupe, darne, division, écu, émincé, escalope, fil, fraction, lamelle, lèche, morceau, part, partie, paupiette, portion, quartier, rond, rondelle, rôtie, rouelle, tartine, tête, toast, tournedos.

TRANCHÉ. Adverse, affronté, antagoniste, carré, contrasté, cru, délaché, différent, marqué, opposé, varié.

TRANCHÉE. Abri, canal, cavité, creux, excavation, fossé, fouille, rigole, sape, sillon, trou.

TRANCHEFILE. Avancement, bande, bordure, chamarrer, chevron, croquet, degré, ficelle, galon, galuche, ganse, grade, laisse, lézarde, officier, pansement, passement, ruban, ruflette, sardine, soutache, tresse.

TRANCHE-MONTAGNE. Bravache, brave, capitan, casseur, coq, crâneur, fanfaron, faraud, fendant, fier-à-bras, flambard, gascon, hâbleur, matamore, orgueilleux, pan, prétentieux, rodomont, séducteur, tartarin, truculent, vantard.

TRANCHER. Arbitrer, arrêter, choisir, conclure, contraster, convenir, couper, décapiter, décréter, définir, délibérer, déterminer, détrôner, disposer, diviser, émincer, finir, hacher, juger, ordonner, prononcer, régler, résoudre, rogner, sectionner, séparer, solutionner, statuer, vider.

TRANCHOIR. Abaque, acanthuridé, architrave, couteau, épistyle, hache-viande, hachoir, hansart, idole, linteau, massicot, plateau, poisson, poitrail, rognoir, sommier, tailloir, talloir, toby, trilame, ustensile, zancle.

TRANQUILLE. Apaisé, assuré, béat, calme, certain, coi, confiant, détendu, dormant, doux, endormi, flegmatique, gentil, immobile, impassible, lent, mort, paisible, peinard, pépère, quiet, rasséréné, rassuré, sage, serein, silencieux, sûr, uni.

TRANQUILLEMENT. Benoîtement, calmement, doucement, flegmatiquement, froidement, gentiment, impassiblement, imperturbablement, mollement, paisiblement, patiemment, placidement, posément, sereinement.

TRANQUILLISANT. Amidopyrine, amitriptyline, amoxapine, antidépresseur, anxiolytique, barbiturique, bupropoin, calmant, clomipramine, doxépine, énergisant, fluoxétine, imipramine, maprotiline, médicament, neuroleptique, nortriptyline, phénelzine, phénobarbital, psychotonique, psychotrope, rassurant, sédatif, thymoanaleptique, tranylcypromine, trazodone.

TRANQUILLISER. Adoucir, alarmer, apaiser, apprivoiser, assurer, calmer, désangoissr, désapeurer, endormir, pacifier, rasséréner, rasseoir, rassurer, reprendre, rasseoir, rassurer, sécuriser, tranquilisant, troubler.

TRANQUILLITÉ. Accalmie, adoucissement, alarme, apaisement, assurance, ataraxie, bonace, calme, certitude, confiance, ordre, paix, patience, quiétude, rassurance, reprise, sécurisation, sécurité, sérénité, silence, solitude, sûreté.

TRANSACTION. Accord, affaire, cession, commerce, compromis, crise, marché, négoce.

TRANSAT. Banc, chaise, course, fauteuil, filanzane, litière, palanquin, paquebot, siège, trorote, vinaigrette.

TRANSATLANTIQUE. Argonaute, aviso, bac, baladeur, barge, bateau, bau, ber, brick, brigantin, brise-glace, brûlot, butanier, câblier, caravelle, cargo, céréalier, corsaire, croiseur, cuirassé, drague, dromon, éclaireur, épave, étrave, galéace, galéasse, galère, galion, galiote, gatte, lège, liner, lof, méthanier, navire, nef, négrier, paquebot, patrouilleur, pétrolier, pinardier, polacre, ponton, quille, prame, rafiot, ravitailleur, remorqueur, roof, roulier, sacoléva, sacolève, senau, sloop, steamer, tanker, tin, torpilleur, tramp, transbordeur, traversier, trière, trirème, trois-mâts, vaisseau, vedette, vraquier, yacht.

TRANSBORDEMENT. Acconage, aconage, affrètement, agence, chargement, charte-partie, charter, contrat, copie, manutention, nolisage, nolisement, trannsbordeur, transport.

TRANSBORDER. Amorcer, armer, arrimer, assumer, bâter, brêler, charger, combler, déléguer, désigner, disposer, élancer, embarquer, embâter, empiler, emplir, engager, facturer, fréter, imposer, lester, recharger, remplir.

TRANSBORDEUR. Bac, bachot, barque, bateau, chalut, navette, navire, passeur, traille, traversier.

TRANSCENDANT. Éminent, exceptionnel, incomparable, remarquable, sublime, supérieur.

TRANSCENDER. Alterner, changer, dépasser, distiller, éclipser, évaporer, gazéifier, goutte, idéaliser, magnifier, mouiller, pulvériser, rebouilleur, sacrer, sublimer, transposer, vaporiser, volatiliser.

TRANSCODAGE. Adaptation, code, contresens, déchiffrement, explication, interprétation, paraphrase, somatisation, sous-titre, targum, texte, thème, traduction, transcodeur, translation, transposition, version.

TRANSCRIPTION. Copie, double, duplicata, duplicatum, enregistrement, fac-similé, ichtus, minute, notation, original, polycopie, recopiage, relevé, report, reproduction, stencil, translitération, translittération.

TRANSCRIRE. Calquer, écrire, enregistrer, expédier, inscrire, noter, novelliser, romaniser.

TRANSE. Crise, délire, émotion, exaltation, excitation, extase, peur, ravissement, souci, surexcitation.

TRANSEPT. Anse, arc, arcade, arceau, arche, archivolte, bras, carré, chœur, courbe, courbure, croisée, croisillon, croix, face, imposte, nef, piédroit, triforium, vaisseau, voûte.

TRANSFÉRABLE. Aliénable, cessible, négociable, possible.

TRANSFÉRÉ. Aliéné, cédé, communiqué, donné, héréditaire, légué, transmis.

TRANSFÉRER. Céder, commuter, déplacer, étatiser, fonctionner, muter, transplanter, transporter, virer.

TRANSFERT. Cession, délocalisation, déplacement, identification, interpénétration, osmose, projection, reversement, téléchargement, traduction, transmission, transplantation, transport, vente, virement.

TRANSFIGURER. Aménager, changer, corriger, embellir, exporter, former, innover, mêler, métamorphoser, muer, mûrir, nover, panifier, réaménager, réduire, refaire, renégocier, rénover, retaper, reverser, saponifier, tanner, transformer, virer.

TRANSFORMATEUR. Abaisseur, bessemer, convertisseur, éolienne, mutateur, ondulateur, muscle.

TRANSFORMATION. Adaptation, altération, amélioration, aménagement, avatar, brut, calcul, changement, correction, digestion, ébullition, écru, évaporation, forme, homothétie, ionisation, métamorphose, mue, ozonisation, puberté, réalisation, refonte, vaporisation.

TRANSFORMÉ. Bariolé, bigarré, changeant, calcifié, complexe, différent, disparate, distinct, divers, diversifié, hétéroclite, hérérogène, marbré, méconnnaissable, mélangé, mêlé, modifié, moucheté, multiforme, multiple, nombreux, nuancé, pluriel, tacheté, tigré, varié.

TRANSFORMER. Aménager, changer, corriger, défigurer, évoluer, exporter, féconder, former, innover, mêler, muer, mûrir, nover, panifier, réaménager, réduire, refaire, renégocier, rénover, retaper, reverser, révolutionner, saponifier, tanner, transfigurer, virer.

TRANSFUGE. Apostat, déloyal, déserteur, dissident, faux, félon, fourbe, insoumis, perfide, renégat, traître, trompeur.

TRANSFUSER. Arroser, basculer, capoter, chavirer, cotiser, coucher, couler, déverser, distiller, entonner, épancher, épandre, infuser, instiller, larmoyer, mettre, payer, pleurer, répandre, reverser, servir, soudoyer, soutirer, transvaser, transverser, transvider, verser, vider.

TRANSFUSION. Aiguille, autotransfusion, éperonner, injection, lavement, neurolyse, pincer, sang.

TRANSGRESSER. Contrevenir, déroger, désobéir, enfreindre, outrepasser, pécher, rompre, sortir, tourner, violer.

TRANSGRESSEUR. Contrevenant, coupable, criminel, délinquant, fautif, infracteur, pécheur, responsable,.

TRANSGRESSION. Avancée, baisse, chute, contravention, déclin, désobéissance, diminution, faiblesse, infraction, involution, péché, recul, régression, repli, retrait, revue, vice, viol, violation.

TRANSHUMANCE. Déplacement, errance, estivage, migration, montaison, passée, remue, voyage.

TRANSI. Cloué, engourdi, figé, frissonnant, gelé, glacé, grelottant, morfondu, paralysé, pénétré, pétrifié, tétanisé.

TRANSIGER. Accéder, accepter, accommoder, accorder, acheter, arbitrer, arranger, céder, commercer, composer, concéder, conclure, convenir, entendre, faiblir, négocier, pactiser, prêter, traiter, vendre.

TRANSIR. Engourdir, geler, glacer, morfondre, pénétrer, saisir, transi.

TRANSISTOR. Épitaxie, germanium, mos, NPN, PNP, récepteur, semi-conducteur, transitorisation.

TRANSIT. Caution, consignation, déplacement, dépôt, douane, gage, garantie, passage, provision.

TRANSITAIRE. Commissionnaire, consignataire, intermédiaire, mandataire, négociant.

TRANSITIF. Actif, affairé, agissant, allant, ardent, battant, bilan, caleur, diligent, dynamique, efficace, efficient, énergique, entreprenant, increvable, industrieux, laborieux, militant, monnaie, passif, pétulant, remuant, titre, travailleur, verbe, vif, violent, zélé.

TRANSITION. Chalcolithique, changement, charnier, degré, donc, écotone, évolution, fondu, glissement, intermédiaire, liaison, mais, or, parc, passage, pont, raccord, stade, transitionnel, variante.

TRANSITOIRE. Bref, court, éphémère, fugace, fugitif, intérimaire, momentané, passager, précaire, provisoire, stage, suspenseur, temporaire.

TRANSLATION. Adaptation, analyse, déchiffrement, décodage, décryptage, décryptement, explication, interprétation, lecture, paraphrase, sous-titre, thème, traduction, transposition, version.

TRANSLUCIDE. Clair, cristallin, dépoli, diaphane, hyalin, limpide, lihophanie, lucide, mica, opaque, pellucide, pelure, perméable, porcelaine, scarieux, transparent, vaseline, vernis, vitrail.

TRANSMETTRE. Aliéner, câbler, céder, coller, concéder, confier, déléguer, dire, donner, envoyer, fournir, inoculer, laisser, léguer, négocier, passer, télédiffuser, téléphoner, téléviser, télexer, transférer, véhiculer.

TRANSMIGRATION. Âme, métensomatose, métempsycose, mort, palingénésie, réincarnation, renaissance.

TRANSMIS. Aliéné, cédé, communiqué, donné, émis, héréditaire, légué, transféré.

TRANSMISSIBLE. Communicable, communicatif, contagieux, épidémique, contagiosité, héréditaire, infectueux.

TRANSMISSION. Aliénation, bouche-à-oreille, cession, contagion, contamination, dévolution, diffusion, donation, émission, endos, endossement, épidémie, étendre, expansion, extension, hérédité, héritage, progrès, télépathie, vente.

TRANSMUER. Changer, convertir, modifier, muer, transformer, transmuter.

TRANSMUTATION. Changement, conversation, œuvre, métaphore, mutation, transformation.

TRANSMUTER. Acétifier, altérer, amener, assimiler, canaliser, carrer, catéchiser, changer, commuer, convertir, endoctriner, évangéliser, gagner, lapidifier, métamorphoser, monnayer, muer, muter, rallier, seoir, transformer, tréfiler.

TRANSPARAÎTRE. Apparaître, dévoiler, éclaircir, éclore, manifester, mirer, montrer, nettoyer, paraître, poindre, pointer, refléter, révéler, suinter, trahir, voir.

TRANSPARENCE. Clarté, cristallin, diaphane, diascopie, eau, épair, épidiascope, évidence, filigrane, glassnost, hyaloïde, légèreté, limpidité, mat, mie-œuf, mirer, perméabilité, suée, vitrophanie.

TRANSPARENT. Clair, cristallin, diaphane, eau, limpide, net, pellucide, pur, translucide.

TRANSPERCÉ. Endormi, engourdi, gelé, gourd, hébété, paralysé, pénétré, percé, raide, transi, traversé.

TRANSPERCER. Atteindre, creuser, crever, cribler, déchirer, embrocher, empaler, encorner, enferrer, enfiler, enfoncer, fendre, larder, pénétrer, percer, perforer, transverbérer, traverser, trouer.

TRANSPIRATION. Anhidrose, anidrose, antisudoral, antisudorifique, diaphorèse, étuve, évaporation, excrétion, exhalation, exsudation, moiteur, perspiration, sauna, sudation, suée, suerie, sueur, vapeur.

TRANSPIRÉ. Apparu, bruit, coulé, dégagé, dégoutté, diaphorès, filtré, respire, rumeur, suée.

TRANSPIRER. Apparaître, cacher, couler, dégouliner, dégoutter, dire, filtrer, percer, rumeur, suer, suinter, transparaître.

TRANSPLANT. Allogreffe, bouture, écussonnage, ente, enture, greffage, greffe, greffon, porte-greffe, scion.

TRANSPLANTATION. Cession, délocalisation, déplacement, greffe, projection, rempotage, rencaissage, repiquage, reversement, téléchargement, traduction, transfert, transmission, transport, virement.

TRANSPLANTER. Arracher, dépiquer, dépoter, greffer, repiquer, transférer, transporter, virer.

TRANSPORT. Autobus, auto-stop, aviation, avion, bateau, brouettage, camionnage, car, cargo, cession, charroi, circulation, délégation, déplacement, expédition, extase, factage, fret, héliportage, importation, ire, ligne, locomotive, manutention, messagerie, métro, passage, portage, roulage, route, seau, train, tram, tramway, transfert, véhicule, via, voie, voiture.

TRANSPORTATION. Bannissement, déportation, déracinement, émigration, exil, proscription, relégation.

TRANSPORTÉ. Ardent, aéroporté, brûlant, chaud, dévot, emballé, héliporté, ivre, mû, ravi.

TRANSPORTER. Acharner, acheminer, aller, amener, brouetter, camionner, charrier, charroyer, coltiner, débarder, déplacer, emporter, exulter, mener, porter, promener, ravir, rempoter, transbahuter, transférer, transplanter, trimarder, trimballer, véhiculer.

TRANSPORTEUR. Aérocâble, benne, camionneur, convoyeur, déménageur, routier, voiturier.

TRANSPOSER. Adapter, alterner, changer, chiffrer, convertir, déplacer, extrapoler, intervertir, inverser, modifier, permuter, renverser, traduire, transcrire, transposable, transposition.

TRANSPOSITION. Adaptation, anagramme, calque, déplacement, inversion, métathèse, permutation, renversement, traduction.

TRANSSUDER. Couler, dégouliner, dégoutter, échapper, écouler, exsuder, filer, filtrer, fuir, gouttelettes, goutter, parfait, passer, perfection, perler, pleurer, ruisseler, suer, suinter, transpirer.

TRANSVASEMENT. Décuvaison, dépotage, décuvage, dépotement, soutirage, transvasage, transvidage.

TRANSVASER. Décanter, dépoter, déverser, entonnoir, frelater, siphonner, soutirer, transférer, transvider, verser.

TRANSVERSAL. Bau, bande, cluse, épart, oblique, polygone, section, trame, travers, zonal.

TRANSVISER. Arroser, basculer, capoter, chavirer, cotiser, coucher, couler, déverser, distiller, entonner, épancher, épandre, infuser, instiller, larmoyer, mettre, payer, pleurer, répandre, reverser, servir, soudoyer, soutirer, transfuser, transvaser, transverser, verser, vider.

TRAPÈZE. Anatomie, appareil, aurique, brigantine, carpe, muscle, omoplate, quadrilatère, queue d'aronde, voltigeur.

TRAPÉZISTE. Acrobate, cirque, gymnaste.

TRAPPE. Ancrew, cave, chambranle, cloître, embûche, fermeture, oubliette, piège, souricière, traquenard.

TRAPPER. Attraper, chasser, colleter, enlacer, oiseler, piéger, piper, prendre, tendre.

TRAPPEUR. Braconnier, chasseur, colleteur, fauconnier, piégeur, piqueur, pisteur, portier, pourboire, veneur.

TRAPPISTE. Cistercien, congrégation, moine, religieux.

TRAPU. Ardu, bouleux, carré, costaud, court, courtaud, difficile, dru, épineux, ferme, fort, goussaut, grand, gros, herculéen, large, lourd, massif, mastoc, musclé, nabot, nain, ours, râblé, ramassé, résistant, solide.

TRAQUENARD. Appât, attrape-nigaud, chasse-trappe, embûche, embuscade, guêpier, guet-apens, leurre, piège, poursuite, ruse, souricière, stratagème, trébichet, tromperie, trot.

TRAQUER. Chasser, courir, encercler, enfermer, pourchasser, poursuivre, serrer, talonner.

TRAQUET. Battant, claquet, grive, merle, motteux, oiseau, piège, rossignol, rouge-gorge, turbidé.

TRAUMA. Blessure, choc, commotion, coup, ébranlement, humiliation, mortification, secousse, traumatisme.

TRAUMATISER. Bouleverser, choquer, commotionner, frapper, perturber, secouer, troubler.

TRAUMATISME. Blessure, Blessure, choc, commotion, coup, ébranlement, humiliation, mortification, secousse, trauma.

TRAVAIL. Acte, action, besogne, boulot, corvée, ébénisterie, emploi, ergologie, ergomanie, ergonomie, étude, fonte, galère, gagne-pain, job, journée, labeur, laborieux, labour, lad, maçonnerie, main-d'œuvre, mal, œuvre, ouvrage, peine, pensum, pige, poncif, rédaction, sueur, tri, trime, turbin, turf.

TRAVAILLÉ. Ciselé, débosselé, étudié, fignolé, fini, fouillé, léché, œuvré, orfévré, ouvragé, ouvré, peaufiné, poli, recherché, soigné, sophistiqué.

TRAVAILLER. Agir, besogner, bosseler, bosser, boulonner, bricoler, bûcher, chiner, ciseler, cultiver, écosser, écrouir, élaborer, fabriquer, façonner, galérer, manœuvrer, marner, occuper, œuvrer, ouvrager, piocher, produire, rendre, soigner, suer, tracer, trimer, turbiner.

TRAVAILLEUR. Acharné, actif, aide, appliqué, apprenti, artisan, bosseur, bûcheur, commis, compagnon, coolie, employé, ergomaniaque, journalier, manœuvre, marin, ouvrier, prolétaire, salarié, studieux.

TRAVAUX (n. p.). Hercule.

TRAVAUX. Bagne, bilboquet, biribi, chapeau de paille, durs, ferraille, forcés, fouilles.

TRAVÉE. Alignement, association, chaîne, chapelet, colonne, combinaison, consécution, cordon, enchaînement, enfilade, énumération, file, gamme, guirlande, ligne, liste, rang, rangée, séquence, série, succession, suite, tissu.

TRAVELO. Déguisement, domino, gai, mascarade, masque, panoplie, pierrot, travesti uranien.

TRAVERS. Biais, côté, défaut, faible, faux, flanc, lacune, malfaçon, par, péché, percé, vice, trans.

TRAVERSE. Bâcle, barrage, barre, bau, chemin, croisillon, jet, lambel, obstacle, passage, rail, traversine.

TRAVERSÉE. Course, endosmose, franchissement, lambel, passage, percée, trajet, transatlantique, voyage.

TRAVERSER. Barboter, barrer, brocher, cisailler, couper, croiser, darder, empaler, enfiler, franchir, larder, ouvrir, parcourir, passer, pénétrer, percer, perforer, piquer, sillonner, trabouler, transpercer, vivre.

TRAVERSIER. Bac, bachot, barque, bateau, ferry, flûte, navette, passeur, traille, transbordeur.

TRAVERSIÈRE. Aller-retour, bec, diaule, fifre, fistule, flageolet, fluette, flûte, flûtiau, galoupet, larigot, mie, mirliton, monaule, nay, ney, octavin, pain, pan, piccolo, pipeau, rue, syrinx, turlututu.

TRAVERSIN. Aisselier, boudin, chevet, coussin, fonçailles, oreiller, polochon.

TRAVESTI. Déguisement, domino, gai, mascarade, masque, panoplie, pierrot, travelo, uranien.

TRAVESTI (n. p.). Éon.

TRAVESTIR. Arranger, changer, contrefaire, costumer, défigurer, déformer, déguiser, falsifier, masquer, recouvrir, transformer, voiler.

TRAVESTISME. Admission, adoption, approbation, choix, décision, désignation, élection, éonisme, personnification, ralliement, ratification, sélection, transvestisme.

TRAVESTISSEMENT. Accoutrement, affublement, artifice, attifage, camouflage, chienlit, comédie, costume, déguisement, dissimulation, duplicité, fard, feinte, fraude, hypocrisie, mascarade, nuement, nûment, panoplie.

TRÉBUCHANT. Branlant, chancelant, croulant, défaillant, faible, flageolant, flottant, fragile, glissant, hésitant, incertain, instable, liquide, menavé, monnaie, oscillant, pécloter, précaire, titubant, vacillant.

TRÉBUCHEMENT. Abaissement, abjection, anéantissement, avilissement, baisse, chute, décadence, déchéance, déclin, dégénération, dégradation, déraser, descente, dévaluation, diminution, écrasement, ensellement, fermeture, flexion, gelé, humiliation, hypothermie, platitude, renoncement.

TRÉBUCHER. Achopper, broncher, buter, céder, chanceler, chavirer, chopper, encoubler, enfarger, faiblir, faillir, osciller, peser, tituber, tomber, trébuchant, vaciller.

TRÉBUCHET. Balance, colombier, gloriette, monnaie, nichoir, oiseau, piège, pigeonnier, poussinière, volière.

TRÉCHEUR. Accotement, berge, berme, bord, bordure, borne, cadre, caniveau, contour, côte, encadrement, frange, grève, hiloire, lé, lice, limite, lisière, littoral, marge, orée, orle, ourlat, ourlet, paroi, quai, rain, rive, trescheur, trottoir.

TRÉFILER. Acétifier, altérer, amener, assimiler, canaliser, carrer, catéchiser, changer, commuer, convertir, endoctriner, étirer, évangéliser, gagner, lapidifier, métamorphoser, monnayer, muer, muter, rallier, seoir, transformer, transmuter.

TRÈFLE. Argent, baste, carte, chance, farouch, lotier, luzerne, menyanthe, papillonacée, rosace, rosette, trilobé, vigneture.

TRÉFONDS. Abscons, anonyme, arcane, arrière-fond, caché, cachotterie, charade, chipé, clandestin, cardinal, clé, clef, confidentiel, dérobé, discret, dissimulé, énigme, état, furtif, in petto, intérieurement, intime, latent, mèche, obscur, professionnel, recette, sceau, secret, secrètement, ténébreux, truc.

TREILLAGE. Berceau, caillebotis, claie, clayette, clayon, clôture, espalier, grillage, jardin, palissade, taille.

TREILLE. Berceau, cep, citronnade, filet, jus, maille, moïse, muscadine, raison, tonnelle, vigne.

TREILLIS. Barrière, caillebotis, claie, clôture, enchevêtrement, entrecroisement, grillage, guillochure, jardin, tagal.

TRÉMATER. Enchérir, déborder, dépasser, devancer, distancer, dominer, doubler, enchérir, exagérer, excéder, franchir, lâcher, larguer, outrepasser, passer, saillir, semer, supplanter, surclasser, transcender.

TRÉMATODE. Bilharzie, douve, foie, miracidium, parasite, platode, plathelminthe, rédie, ver.

TREMBLANT. Agité, alarmé, apeuré, chevrotant, effrayé, ému, frémissant, palpitant, transi, tremblotant, vacillant.

TREMBLEMENT. Agitation, convulsion, épicentre, frémissement, frisson, grelottement, saccade, secousses, séisme, sismique, soubresaut, spasme, trémolo, trémulation, trépidation, tressaut, trille, cacillement, vibration, vibrato.

TREMBLER. Agiter, chanceler, chevroter, craindre, danser, ébranler, effrayer, flageoler, frémir, frissonner, grelotter, palpiter, redouter, remuer, tituber, trembloter, trémuler, trépider, vaciller, vibrer.

TREMBLOTANT. Chancelant, chevrotant, clignotant, défaillant, faible, fragile, incertain, instable, titubant, tremblant, vacillant.

TREMBLOTER. Agiter, chanceler, chevroter, craindre, danser, ébranler, effrayer, flageoler, frémir, frissonner, grelotter, palpiter, redouter, remuer, trembler, trémuler, trépider, vaciller, vibrer.

TRÉMIE. Auge, cage, doublier, gaine, hémitropie, mâchicoulis, mangeoire, musette, pyramide, râtelier, trapillon.

TRÉMIÈRE. Alcée, althaea, guimauve, malvacée, passerose, primerose, rose.

TRÉMOUSSEMENT. Agitation, frémissement, frisson, frissonnement, grelottement, secousse, soubresaut, tortillement.

TRÉMOUSSER. Agiter, balancer, bouger, déhancher, frétiller, gigoter, grouiller, pivoter, remuer, tortiller.

TREMPÉ. Acier, arrosé, aspergé, baigné, correction, dégelé, détrempé, dilué, humecté, imbibé, immergé, infusé, inondé, lime, macéré, marinade, mouillé, plongé, raclée, recuit, revenu, sauce, tempérament, volée.

TREMPER. Arroser, asperger, baigner, couper, détremper, diluer, essaimer, essanger, humecter, imbiber, immerger, infuser, inonder, macérer, mariner, mouiller, plonger, retremper, rincer, saucer, verser.

TREMPLIN. Batoude, élan, gymnastique, plan, planche, plongeoir, starie, succursale, trampoline.

TRÉMULATION. Agitation, contraction, convulsion, crispation, épicentre, fibrillation, frémissement, frisson, grelottement, saccade, secousses, séisme, sismique, soubresaut, spasme, tremblement, trémolo, trépidation, tressaut, trille, vibration, vibrato.

TRÉMULER. Agiter, chanceler, chevroter, craindre, danser, ébranler, effrayer, flageoler, frémir, frissonner, grelotter, palpiter, redouter, remuer, tituber, trembler, trembloter, trépider, vaciller, vibrer.

TRENAIL. Atteloire, axe, cabillot, cheville, chevillette, chevron, clavette, clou, cou-de-pied, épite, esse, fausset, fiche, goujon, goupille, gournable, malléole, mollet, ouvrière, pléonasme, tee, tourillon.

TRÉPAN. Chignole, couronne, drille, foret, fraise, fraisoir, mèche, molette, perce, queue-de-cochon, taraud, tarière, tricône.

TRÉPAS. Décès, décédé, défunt, disparu, éteint, fin, mort, tombe, trépassé, voyage.

TRÉPASSER. Agoniser, assassiner, caner, clore, crever, décéder, disparaître, éteindre, expirer, finir, mourir, noyer, payer, périr, succomber, tomber.

TRÉPIDANT. Agité, animé, mouvementé, saccadé, tumultueux, turbulent.

TRÉPIDATION. Agitation, convulsion, ébranlement, effort, frémissement, frisson, frissonnement, grelottement, oscillation, saccade, saut, secousse, soubresaut, sursaut, tentative, titubation, tortillage, tremblement, trémulation, tressaillement, vacillement, vibration.

TRÉPIDER. Agiter, chanceler, chevroter, craindre, danser, ébranler, effrayer, flageoler, frémir, frissonner, grelotter, palpiter, redouter, remuer, tituber, trembler, trembloter, trémuler, vaciller, vibrer.

TRÉPIED. Bipied, chevalet, chevrette, guéridon, lutin, selle, siège, support, tabouret.

TRÉPIGNER. Agiter, frapper, hésiter, piaffer, piétiner, ruer, secouer, trembler, trépignement, vibrer.

TRÈS. Absolument, affreusement, assai, assez, bien, bigrement, comble, diablement, drôlement, excessivement, extra, extrêmement, fort, fortement, foutrement, furieusement, grand, hyper, infiniment, invraisemblable, joliment, moult, parfaitement, particulièrement, prodigieusement, remarquablement, rudement, salement, super, sur, tantinet, terriblement, vachement, vraiment.

TRESCHEUR. Accotement, berge, berme, bord, bordure, borne, cadre, caniveau, contour, côte, encadrement, frange, grève, hiloire, lé, lice, limite, lisière, littoral, marge, orée, orle, ourlat, ourlet, paroi, quai, rain, rive, trécheur, trottoir.

TRÉSOR (n. p.). Ali Baba, Bernay, Boscoreale, Conques, Golconde, Monte-Cristo, Moûtiers.

TRÉSOR. Argent, bourse, eldorado, épargne, fisc, fonds, fortune, magot, pactole, parangon, pirate.

TRÉSORERIE. Affaires, argent, avoir, banque, budget, bureau, business, finance, paierie, ressources, trésor.

TRÉSORIER (n. p.). Cecil, Chevalier, Éloi.

TRÉSORIER. Argentier, avare, boursier, caissier, chevalier, comptable, payeur, trésorerie.

TRESSAGE. Cannage, cordage, empaillage, nattage, rempaillage.

TRESSAILLEMENT. Frémissement, frisson, secousse, soubresaut, sursaut, tressautement.

TRESSAILLIR. Bondir, frémir, frissonner, soubresauter, sursauter, tiquer, trembler, tressauter.

TRESSAUTER. Bondir, broncher, énerver, étonner, frémir, frissonner, sauter, secouer, soubresauter, sursauter, tiquer, trembler, tressaillir, vibrer.

TRESSE. Baderne, bourdalou, cadenette, cordelière, cordon, couette, galon, garcette, macaron, natte, scoubidou, soutache.

TRESSER. Arranger, assembler, cordonner, enrubanner, entrelacer, natter, osier, ourdir, tisser, tramer.

TRÉTEAU. Affût, bateleur, baudet, bipied, bougeoir, bras, cariatide, chevalet, cintre, colonne, épontille, essieu, faste, faucre, gaine, histrion, lampadaire, mât, patère, patin, piédestal, pilier, pivot, pylône, socle, soutien, stencil, support, télamon, théâtre, tin, trépied, vau.

TREUIL. Bigue, bourriquet, cabestan, cabre, caliorne, chèvre, cric, écoperche, giron, guindal, guinde, guindeau, haleur, louve, manivelle, nilles, palan, pouliot, pressoir, tambour, tirefort, tourillon, vindas, winch.

TRÊVE. Armistice, cessez-le-feu, compromis, interruption, kief, moratoire, pacte, paix, répit, repos, suspension, traité.

TRÉVIRE. Agrès, amarre, amure, aussière, bastin, bitord, bosse, câble, câblot, caret, cordage, corde, cravate, draille, drisse, écoute, élingue, erse, estrope, étai, filin, gerseau, glèbe, glène, grelin, guinderesse, haussière, laguis, lien, lisin, lisse, liure, lusin, luzin, merlin, palan, pantoire, raban, ralingue, ride, ridoir, saisine, sauvegarde, sciasse, tamis, tresse.

TRÉVIRER. Affaler, avachir, écouler, écraser, écrouler, effoirer, effondrer, étaler, évacher, tomber, vautrer.

TRÉVISE. Chicon, chicorée, cornette, cossette, endive, escarole, frisée, mignonnette, salade, scarole, witloof.

TRI. Ambulant, archivage, catalogage, choix, classement, criblage, discrimination, élimination, enlevé, index, indexation, ordre, postal, présélection, répartition, sélection, tamiser, triage, volet.

TRIADE (n. p.). Brahma, Çiva, Junon, Jupiter, Minerve, Shiva, Siva, Vishnu.

TRIADE. Antistrophe, capitoline, épode, groupe, ode, organisation, strophe, trinité, trois.

TRIAGE. Assortiment, choix, classement, crème, gratin, option, préférence, scheidage, sélection, tri.

TRIAL. Compétition, course, cyclomoteur, enduro, moto, motocross, sport, ténor.

TRIALCOOL. Alcool, composé, glycérine, glycérol, triol.

TRIALLE. Donace, donax, gastropode, mollusque, olive, pignon.

TRIANGLE. Acutangle, aurique, base, cache-sexe, chape, cône, endenté, équilatéral, fanchon, fichu, galbe, giron, isocèle, musique, obtusangle, polygone, scalène, soufflet, triangulaire, trilatère, trimère, trois.

TRIANGULAIRE. Abside, agora, arc, caveçon, delta, demi-cercle, demi-lune, fer, foc, fortification, gâble, gorge, harpe, hémicycle, if, ravelin, semi-circulaire, semi-lune, tiers-point, trinquette, venet, voûte.

TRIAS. Ère, étage, géologie, gradin, jurassique, keuper, marne, mésozoïque, période, secondaire, tectonique.

TRIBADE (n. p.). Sappho.

TRIBADE. Cirre, cirrhe, drille, femme, filament, foret, gouine, hélice, homosexuelle, lesbienne, liseron, mèche, nervé, perceuse, queue-de-cochon, saphisme, spirale, taraud, tarière, tordu, vice, vis, vrille.

TRIBAL. Aulique, bande, caste, clan, confrérie, congrégation, érié, ethnie, famille, fratrie, gang, genre, groupe, groupuscule, horde, peuplade, peuple, phratrie, race, serviteurs, smala, smalah, totem, tribu.

TRIBART. Arthroplastie, entrave, fluctuation, inconstance, instabilité, mobilité, variabilité, versatilité.

TRIBORD. Amure, bâbord, bateau, batterie, côté, dextre, droit, droite, facette, navire, tribordais.

TRIBU. Aulique, bande, caste, clan, confrérie, congrégation, curie, érié, ethnie, famille, fratrie, gang, genre, groupe, groupuscule, horde, peuplade, peuple, phratrie, race, secte, smala, smalah, totem, tribal.

TRIBU, AFRIQUE (n. p.). Baga, Bakongo, Bakota, Bakouba, Bambara, Bamiléké, Bamum, Bantous, Baoulé, Batéké, Bédouin, Berbères, Bobo, Boschiman, Cafres, Chleuhs, Dan, Dogons, Douala, Éwé, Falashas, Fang, Fons, Hamites, Haoussa, Hilaliens, Hottentots, Hovas, Hutu, Ibo, Issa, Kabyles, Kikuyu, Kru, Malinké, Mandingues, Massaï, Maures, Mossi, Nilotiques, Oromos, Peuls, Pygmées, Sarakholés, Sénoufo, Sérères, Touareg, Toubou, Toucouleur, Tutsi, Wolof, Yorouba, Zénètes, Zoulous.

TRIBU, AMÉRIQUE (n. p.). Abénakis, Agniers, Algonquins, Andastes, Apaches, Araucans, Arawaks, Assiniboins, Atticamègues, Attikameks, Aztèques, Chactas, Cherokees, Cheyennes, Chichimèques, Chimu, Chipaouais, Chiquitos, Corrois, Cris, Guarani, Haïda, Hopi, Hurons, Incas, Inuit, Iroquois, Jivaro, Kwakiutl, Malécites, Mayas, Micmacs, Mixtèques, Mohawks, Mohicans, Montagnais, Mosquito, Naskapis, Navaho, Olmèques, Pueblos, Quichés, Shawnee, Sioux, Susquehannas, Toltèques, Totonaques, Tupi, Yanomanis, Zapotèques.

TRIBU, ISRAËL (n. p.). Aser, Gad.

TRIBU, OCÉANIE (n. p.). Canaques, Maoris, Mélanésiens, Négritos, Papous.

TRIBU, PALESTINE (n. p.). Nephtali.

TRIBULATION. Adversité, désagrément, embarras, embêtement, ennui, épreuve, préoccupation, souci, tracas.

TRIBULATIONS. Accident, accroc, anicroche, avatar, aventure, incident, malheur, mésaventure, peine, vicissitude.

TRIBUN (n. p.). Canuleius, Cicéron, Clodius, Gracchus, Licinius, Marius, Milon, Rienzo.

TRIBUN. Conférencier, débatteur, éloquent, entraîneur, magistrat, orateur, parleur, rhéteur, tribunal, veto.

TRIBUNAL (n. p.). Hélié, Inquisition.

TRIBUNAL. Accusé, agréé, appel, aréopage, assises, aulique, avoué, barre, bâtonnier, chambre, comité, conseil, correctionnel, cour, curie, daterie, droit, estrade, falot, héliaste, instance, juge, jugement, juridiction, jurisprudence, justice, officialité, maréchaussée, palais, parquet, plaidoyer, prétoire, procédure, rote, sanhédrin, sénéchaussée, siège.

TRIBUNE. Ambon, balcon, chaire, console, estrade, galerie, jubé, planche, podium, scène, tréteau.

TRIBUT. Châtiment, contribution, dommage, impôt, perte, punition, récompense, salaire, sanction.

TRIBUTAIRE. Affluent, assujetti, débiteur, dépendant, imposable, obligé, redevable, rivière, soumis, sujet, vassal.

TRICEPS. Achille, brachial, muscle.

TRICHER. Berner, biseauter, copier, déjouer, duper, feindre, filouter, frauder, imiter, jeu, jouer, piper, pougner, tromper.

TRICHERIE. Arnaque, combine, duperie, filouperie, malversation, pont, poussette, tromperie.

TRICHEUR. Bonneteur, dupeur, déserteur, espion, filou, fraudeur, fripon, joueur, maquignon, mauvais, menteur, pipeur, trompeur, voleur.

TRICHINE. Ascaride, ascaris, dragonneau, filaire, nématode, parasite, sabelle, strongle, tylenchus, ver.

TRICHOLOME. Agaric, champignon, comestible, griset, marasme, mousseron, nez-de-chat.

TRICHOME. Cheveu, feutrage, garde, garniture, mélusine, parasite, protection, rembourrage, trichoma.

TRICHOPHYTON. Acide, aspergille, auréole, blettissure, chanci, chancissure, croupissure, empuse, ergot, fleur, levure, moisissement, monilie, mucor, pégot, pénicillium, rancissure, sporotriche, vert, zygomycètes.

TRIÇOISES. Barrette, bigoudi, casse-noix, clamp, clé, clip, davier, épiloir, épingle, frisoir, fronce, outil, pince, pincette, pli, tenailles, trétoire.

TRICORNE. Béret, bicorne, bob, bibi, bicuspide, bitos, bolivar, capeline, capuchon, chapeau, charlotte, cinglé, claque, coiffure, feutre, galure, galurin, gibus, képi, manilles, mitre, modiste, pétase, suroît.

TRICOT. Aiguille, chandail, gilet, interlock, jersey, lainage, macramé, maillot, mousse, pull, pull-over, veste.

TRICOTAGE. Vanisage.

TRICOTER. Agir, agiter, balancer, ballotter, battre, bercer, bouger, brandiller, brandir, branler, brasser, broncher, clignoter, démener, déplacer, déranger, effondrer, émouvoir, fouiller, frétiller, gigoter, grouiller, malaxer, mouvoir, patiner, piétiner, piocher, remuer, secouer, tisonner, touiller.

TRICTRAC. Arlequin, bachgammon, beset, case, dame, damier, dé, échiquier, jacquet, matador, trou-madame.

TRICYCLE. Bécane, biclou, bicycle, bicyclette, clou, cycle, cyclorameur, tandem, triporteur, véhicule, vélo, vélocipède, vélocross, vélomoteur, vélopousse.

TRIDACNE. Bénitier, conque, coquillage, crapaud, mollusque, vase, vasque.

TRIDENT. Bêche, bichelamar, bichlamar, fourche, harpon, holothurie, houlette, langue, louchet, palot, pelle, tallandier.

TRIÈDRE. Arête, épode, géométrie, liaison, mages, mousquetaires, oculi, point, rois, saut, sommet, ter, tercet, ternaire, tertio, tiare, tierce, tiers, tri, triade, trigone, trin, trine, trio, triple, trois, valeur.

TRIER. Arranger, assembler, assortir, calibrer, choisir, classer, cribler, démêler, distinguer, élire, émonder, favoriser, grabeler, isoler, nettoyer, partager, préférer, réviser, router, sélectionner, séparer.

TRIÈRE. Bateau, galère, navire, triérarque, trirème, vaisseau.

TRIESTER. Benzoate, carbonate, corps, esprit, ester, éther, inventer, lactone, oléate, oléine, oxalate, sel, stéarate, trister, stéarate.

TRIFOUILLER. Atermoyer, autopsier, bouquiner, chasser, chercher, circonvenir, courtiser, demander, étudier, farfouiller, fouiller, fourrager, fureter, hésiter, picorer, quémander, quérir, questionner, quêter, rechercher, rivaliser, sonder, scruter, tâter, tâtonner, tenter, troller, viser.

TRIGLE. Grondin, lyre, perlon, poisson, rouget, téléostéen, tombe, trigla, triglidé.

TRIGLYCÉRIDE. Beurre, clofibrate, ester, glycéride, glycérine, glycérol, linoléine, lipide.

TRIGLYPHE. Banche, cadre, carte, claie, clin, écran, enseigne, filet, frise, glyphe, lé, métope, mutule, pancarte, panneau, panonceau, pièce, piège, stop, table, tableau, tringle, tympan, vantail, vitre, volet.

TRIGONELLE. Dicotylédone, facacée, fenugrec, mélilot, papilionacée, plante, trifoliolée.

TRIGONOMÉTRIE. Absolu, algébrique, algol, angle, arc, atto, calcul, circulaire, cosinus, étude, géométrie, géométrique, lemme, log, logique, logisticien, mathématique, sinus, tangente, triangle.

TRILLE. Chant, fleur, mélisme, note, ornement, plante, roulade, spasme, tremblement, trémulation, vocalise.

TRILOGIE. Beaucoup, chapelet, cycle, étude, évolution, fibrillation, gamme, groupe, insert, instance, kyrielle, lacet, liste, noria, note, ontogenèse, passage, portée, quine, quinte, scène, séquence, série, suite, tiercé, train, trois.

TRILOGIE D'ESCHYLE (n. p.). Agamemnon, Choéphores, Euménides, Orestie.

TRIMARAN. Albatros, bateau, brick, catamaran, chébec, chébek, cotre, finn, génois, goélette, ketch, lougre, roulier, schooner, senau, sloop, tartane, voilier.

TRIMARD. Accès, allée, artère, avenue, cavée, chemin, chenal, course, descente, détour, direction, distance, draille, fer, funiculaire, grimpette, guide, itinéraire, jeu, laie, layon, lé, muletier, ornière, parcours, passage, périple, piste, rail, rampe, rang, ravin, route, rr, rue, sente, sentier, talweg, trajet, traverse, trotte, via, vie, voie.

TRIMARDER. Cheminer, errer, transporter, trimardeur, trimballer, vagabonder.

TRIMARDEUR. Bohème, bohémien, changeant, chemineau, clochard, cloche, clodo, dépravé, errant, flâneur, galapiat, itinérant, malandrin, mendiant, nomade, robineux, rôdeur, romanichel, trôleur, truand, tzigane, vagabond, voyageur.

TRIMBALLER. Balader, porter, promener, traîner, transporter, trinbaler.

TRIMER. Besogner, bosser, chiner, galérer, marcher, peiner, surmener, travailler, turbiner.

TRIMESTRE. Appointements, bimestriel, brumaire, floréal, frimaire, fructidor, germinal, lunaison, mensualité, mensuel, messidor, mois, nivôse, pluviôse, prairial, salaire, semestre, session, thermidor, traitement, vendémiaire, ventôse.

TRIMÈTRE. Choliambe, iambique, tripodie, trois, vers.

TRIMURTI (n. p.). Brahma, Çiva, Shiva, Vishnou, Vishnu.

TRIMURTI. Brahmanique, conservateur, créateur, destructeur, hindou.

TRINGLE. Aileron, barre, broche, fanton, lisse, liteau, porte-serviettes, râtelier, tige, trace, verge.

TRINITAIRE. Bénédictin, bouddhiste, bonze, carme, cloître, congréganiste, croyant, curé, derviche, dévot, ermite, eudiste, foi, frère, jésuite, juif, juste, lai, moine, mystique, oblat, pape, père, pieux, pratiquant, prêtre, rabbin, récollet, religieux, sacré, saint, séculier, sulpicien, trappiste.

TRINITÉ (n. p.). Dieu, Fils, IHS, INRI, JC, Jésus-Christ, Messie, NS, NSJC, Trimourti, Verbe.

TRINITÉ. Arcane, cachotterie, dieu, doctrine, dogme, énigme, fête, fils, hypostase, inconnu, magie, mystère, noir, noirceur, obscurité, ombrage, ombre, prudence, secret, trin, trinôme, trois, vérité, voile.

TRINITROTOLUÈNE. Explosif, solide, subkilotonnique, T.N.T., tolite, toluène.

TRINQUER. Absorber, auge, avaler, boire, buvoter, déguster, écluser, écoper, gobelotter, goûter, humer, ingurgiter, lamper, lapement, laper, lécher, libations, licher, lipper, picoler, pinter, pomper, prendre, régalade, sabler, sabrer, savourer, siroter, tchin-tchin, téter, toast, trait, vider.

TRINQUET. Amphithéâtre, auditorium, cénacle, cinéma, classe, échaudoir, enceinte, entrée, exèdre, foyer, galerie, hall, loge, mess, naos, odéon, pièce, planétarium, prétoire, réfectoire, salle, salon, théâtre, vivoir.

TRIODE. Amplificateur, anode, cathode, diode, électrode, grille, kénotron, lampe, tube.

TRIOMPHAL. Acclamé, admirable, ardent, brillant, éblouissant, éclatant, enthousiaste, étincelant, flamboyant, florissant, fracassant, grandiose, insigne, lumineux, perçant, pétulant, radieux, rayonnant, resplendissant, retentissant, rutilant, somptueux, sonore, spectaculaire, splendide, tonitruant, tonnant.

TRIOMPHANT. Gagnant, glorieux, heureux, jubilant, lauréat, radieux, vainqueur, victorieux.

TRIOMPHE. Acclamation, apothéose, arc, avantage, briller, capitole, consécration, coupe, couronne, éclat, enthousiasme, gloire, honneur, hosanna, ovation, palme, pavois, record, réussite, succès, trophée, victoire, vivats.

TRIOMPHER. Briller, dominer, emporter, gagner, glorifier, imposer, ovationner, pavoiser, réussir, vaincre.

TRIPATOUILLER. Altérer, falcifier, manipuler, modifier, patouiller, remanier, trafiquer, tripoter, truquer.

TRIPE. Abats, andouille, boyau, cœur, entrailles, intestin, mets, pneu, saucisse, triperie, tripier, viscère.

TRIPETTE. Absence, âne, aucun, bu, cancre, clopinettes, dal, dénué, épuisé, ex nihilo, fainéant, frelampier, goutte, intérêt, iota, mais, mie, néant, niaiserie, nib, non, nu, nul, pas, peu, point, rien, sans, sec, seulement, tari, valeur, vide, zéro.

TRIPLE. Brelan, épode, III, liaison, mages, mousquetaires, oculi, point, rois, saut, ter, tercet, ternaire, tertio, tiare, tierce, tiers, tri, triade, trièdre, trigone, trin, trine, trio, tripler, triplés, troïka, trois, valeur.

TRIPLER. Augmenter, clôner, doubler, entasser, multiplier, octupler, peupler, propager, quadrupler, répéter, sextupler.

TRIPLEX. Appartement, atelier, bauge, calla, duplex, flat, garçonnière, gynécée, habitation, harem, HLM, hypne, loft, logement, logis, meublé, niche, penthouse, pièce, salle, salon, studio, suite, taudis, verre, vestibule, zénana.

TRIPOTAGE. Agissements, combine, grenouillage, magouille, manipulation, micmac, trafic.

TRIPOTER. Caresser, chipoter, façonner, fouiller, fricoter, grenouiller, jouer, mâcher, magouiller, malaxer, manier, manipuler, manœuvrer, modeler, palper, patouiller, pelotter, pétrir, salir, tâter, toucher, trafiquer, triturer.

TRIPOTEUR. Caresseur, chipoteur, façonneur, fricoteur, frôleur, peloteur, spéculateur, trafiquant.

TRIQUE. Archet, baguette, barre, bâton, batte, bois, bourdon, brigadier, bêche, canne, craie, casse-tête, crosse, digon, épieu, férule, gaule, gorge, gourdin, hampe, houlette, jalon, jauge, jonc, lance, latte, lituus, masse, massue, matraque, palis, pédum, pieu, refouloir, règle, rodoir, sceptre, scion, théâtre, thyrse, tige, verge.

TRINQUEBALLE. Calèche, camion, chariot, fardier, prolonge, taxi, telega, triqueballe, voiture.

TRIQUE-MADAME. Anacampseros, astringent, byrnesia, crassulacée, gormania, graptopetalum, orpin, orpin blanc, perruque, plante, rhodiola, sedastrium, sédum, tripe-madame, verniculaire.

TRIQUET. Battoir, échafaudage, échelle double.

TRIRÈME. Bateau, galère, navire, trière, vaisseau.

TRISOMIQUE. Aberration, anomalie, mongolien, momgolisme, mongoloïde, nanisme, trisomie.

TRISSER. Aboyer, acclamer, ameuter, appeler, avertir, bêler, beugler, brailler, bramer, clabauder, chuinter, clamer, coasser, criailler, crier, crouler, dire, écrier, égosiller, gémir, glapir, grailler, grogner, gueuler, hennir, hululer, hurler, jaboter, meugler, mugir, pépier, piailler, piauler, raire, réer, ululer, vagir, vociférer.

TRISTAN (n. p.). Iselt, Iseut, Isolde.

TRISTE. Abattu, accablé, affecté, affligé, aigri, altéré, amer, angoissé, assombri, atrabilaire, attristé, chagrin, découragé, deuil, désolé, douloureux, ennui, maussade, mélancolique, morfondre, morose, noir, pensif, pitoyable, plaintif, saturnien, sinistre, tristounet.

TRISTEMENT. Déplorablement, dérisoirement, désastreusement, lamentablement, minablement, misérablement, piteusement.

TRISTESSE. Abandon, abattement, accablement, affliction, amer, amertume, atrabile, austérité, cafard, chagrin, dégoût, dépression, deuil, mélancolie, morosité, nepenthès, nostalgie, peine, renfrognement, vague.

TRITICALE. Andain, avoine, bale, balle, blé, céréale, croisement, farine, fonio, froment, graminée, gruau, hublon, hybride, ivraie, luzerne, maïs, manioc, mil, millet, muesli, musli, orge, piétin, riz, sarrasin, seigle, semoule, silo, sorgho, soja, tapioca, tofu.

TRITIUM. Atomique, deutérium, hydrogène, isobare, isotope, noyau, radioactif, radiocobalt, thoron, triton.

TRITON. Amphibien, batracien, divinité, étang, gastéropode, intervalle, mollusque, nucléique, urodèle.

TRITURER. Altérer, briser, broyer, concasser, déformer, dénaturer, écrabouiller, écraser, efforcer, mâcher, mâchonner, malaxer, manier, manipuler, mastiquer, pétrir, piler, pulvériser, réduire, tordre, travailler.

TRIUMVIR (n. p.). Couthon, Crassus, Lépide, Robespierre, Saint-Just.

TRIUMVIR. Associé, édile, influence, magistrat, pouvoir, triumviral, triumvirat, trois.

TRIUMVIRAT. Association, groupe, triade, triumvir, triumviral, troïka, trois.

TRIVIAL. Banal, bas, bateau, béotien, brut, choquant, commerce, commun, connu, courant, cru, déplacé, échange, éculé, grossier, insignifiant, obscène, ordinaire, ordurier, pasquin, plat, poissard, populacier, rebattu, ressassé, sale, vulgaire.

TRIVIALITÉ. Banalité, évidence, gaudissant, obscénité, pasquinade, platitude, truisme, vulgarité.

TROC. Affaires, banal, change, commerce, échange, ers, lentilles, marché, permutation, swap, système, trafic, troquer.

TROCHANTER. Casaquin, coxo-fémoral, cuisse, fémoral, fémur, gigot, hanche, iliaque, jambe, jambon, os.

TROCHÉE. Accru, bouture, brin, brout, cépée, chorïambe, drageon, germe, jet, mailleton, marcotte, pied, pousse, provin, rameau, recrû, rejet, rejeton, surgeon, syllabe, taillis, talle, tendron, touffe, tronc, turion.

TROCHILE. Allen, anna, calliope, colibri, costa, lucifère, magnifique, oiseau-mouche, rivoli, sasin, trochilidé.

TROÈNE. Arbuste, forsythia, frêne, jasmin, lilas, oléacée, olivier, orne, panicule, papillon, sphingidé.

TROGLODYTE. Caverne, grotte, insectivore, oiseau, paridé, passereau, troglobie, troglodytique.

TROGNE. Binette, bobine, bouille, couperose, face, faciès, figure, frimousse, hure, masque, minette, minois, ovale, portrait, rougeaud, tête, traits, trombine, visage.

TROGNON. Absolument, charmant, cœur, complètement, entièrement, exclusivement, foncièrement, intégralement, mignon, nul, parfaitement, petit, purement, rigoureusement, totalement, tout-à-fait, uniquement.

TROIE (n. p.). Achille, Ajax, Énée, Épéos, Hector, Hélène, Ilion, Ménélas, Mentor, Myrmidon, Nestor, Pergame, Stentor, Ulysse.

TROIE. Cheval.

TROIS. Brelan, épode, III, mages, mousquetaires, oculi, règle, rois, ter, tercer, tercet, ternaire, terne, tertio, tiare, tierce, tiers, tri, triade, trièdre, trière, trigone, trin, trine, trio, triol, triolet, triple, troïka.

TROLL. Démon, diable, djinn, don, elfe, éfrit, esprit, farfadet, fée, follet, génie, gnome, harpie, imagination, incube, intelligence, lutin, lyre, nain, nixe, ondin, penchant, monstre, muse, nature, ondin, sirène, succube, sylphe, talent.

TROLLER. Atermoyer, autopsier, bouquiner, chasser, chercher, circonvenir, courtiser, demander, étudier, farfouiller, fouiller, fourrager, fureter, hésiter, picorer, quémander, quérir, questionner, quêter, rechercher, rivaliser, sonder, scruter, tâter, tâtonner, tenter, trifouiller, viser.

TROLLEY. Benne, binard, boggie, briska, caddie, callisto, camion, charrette, chariot, charron, diable, dispositif, éfourceau, élévateur, fardier, jumbo, lorry, prolonge, ridelle, transpalette, téléférique, transpalette, vide-tourie, wagon.

TROLLEYBUS. Autobus, autocar, bibliobus, bus, car, gyrobus, impérial, métrobus, minibus, navette, patache, plateforme, rotonde.

TROMBE. Bourrasque, cataracte, cyclone, déluge, maelström, ouragan, pluie, rafale, tornade, torrent.

TROMBIDION. Acarien, aoûtat, démangeaison, lepte, rouget, rougeur, trombidiose, vendangeon.

TROMBINE. Bille, binette, bobine, bois, bouille, couperose, face, faciès, figure, frimousse, gueule, masque, minette, minois, ovale, pièce, portrait, tête, traits, tronche, visage.

TROMBLON. Arme, arquebusade, arquebuse, cylindre, escopette, espingole, fusil, hacquebute, haquebute, harquebute, lance-grenade, mèche.

TROMBONE. Agrafe, aiguillette, attache, boucle, cliquet, épingle, fermail, fermoir, ferret, zip.

TROMPE. Appendice, canal, cocu, cor, corne, cornet, éléphant, eu, fourmilier, gruge, narine, nez, oreille, proboscide, proboscidien, proboscis, salpingite, sexe, stylet, suçoir, support, traître, trompette, trompillon, tubaire.

TROMPÉ. Avoir, cocu, désabusé, éprouvé, eu, obtenu, possédé, perçu, pu, reçu, ressenti, senti, trahi, vu.

TROMPER. Abuser, amuser, berner, blouser, cocufier, décevoir, désappointer, dol, duper, égarer, emberlificoter, enjôler, errer, feinter, flouer, frauder, frustrer, gourer, gruger, illusionner, induire, infaillible, léser, leurrer, lober, mentir, méprendre, mystifier, niquer, pigeonner, piper, posséder, refaire, rouler, trahir, tricher, truc.

TROMPERIE. Abus, arnaque, artifice, attrape, bluff, chiqué, collusion, déception, dol, duperie, escroquerie, farce, fausseté, feinte, fourberie, fraude, imposture, infortune, leurre, manège, mensonge, mystification, niche, perfidie, ruse, tricherie.

TROMPETER. Aigle, avertir, claironner, corner, crier, cygne, glatir, klaxonner, divulguer, glatir, sonner.

TROMPETTE. Buccin, bugle, champignon, clairon, cornet, instrument, oiseau, sonnerie, tambour, trompettiste.

TROMPETTE-DE-LA-MORT. Basidiomycète, champignon, craterelle, trompette-des-morts.

TROMPETTISTE (n. p.). André, Armstrong, Baker, Davis, Eldridge, Gillespie, Vian, Williams.

TROMPEUR. Abuseur, artificieux, bobardier, bomimenteur, captieux, décevant, déloyal, dupeur, exploiteur, fallacieux, faux, feinteur, filou, fraudeur, illusoire, mensonger, menteur, perfide, pipeur, tricheur.

TRONC. Abdomen, anatomie, arbre, ars, aubier, billot, branche, buste, chicot, chott, colonne, corps, écot, fût, grume, hampe, lignée, merrain, perche, pied, plaçon, rondin, souche, stipe, thorax, tige, tirelire, torse, zona.

TRONCHE. Air, attitude, bille, binette, bobine, bois, bouille, couperose, expression, face, faciès, figure, frimousse, gueule, masque, mine, minette, minois, ovale, physionomie, pièce, portrait, tête, traits, trombine, visage.

TRONCHET. Bâton, bille, billot, bitte, casseau, décapité, grume, hache, montoir, plilot, plot, rochet, rondin, tin, tronc.

TRONÇON. Bille, billot, bloc, boulette, fraction, morceau, part, partie, portion, segment, tranche.

TRONÇONNER. Cisailler, couper, débiter, diviser, émietter, fendre, saucissonner, scier, scieuse, tailler.

TRONÇONNEUSE. Ébouteuse, égoïne, godendart, machine-outil, sauteuse, scie, scie à chaîne.

TRÔNE. Apadana, autorité, cabinet, chaise, couronne, dais, dynastie, empire, fauteuil, maison, monarchie, puissance, règne, royauté, sceptre, siège, souveraineté, succession, toilette, WC.

TRÔNER. Assiéger, camper, carrer, demeurer, diriger, être, gésir, gîter, goberger, occuper, monter, pontifier, prélasser, présider, régner, résider, selle, siéger, situer, tenir, trépied, triompher, trouver.

TRONQUER. Altérer, amoindrir, amputer, couper, dénaturer, écourter, estropier, mutiler, rogner.

TROP. Beaucoup, cru, démesuré, déplacé, excès, excessif, excessivement, importun, inexorable, obèse, plus, surcharge, superflu, surfaire, surjouer, surnombre, surplus, toqué, très, trop-perçu, trop-plein.

TROPE. Allégorie, allusion, euphémisme, figuré, ironie, métaphore, métonymie, rhétorique, sarcasme.

TROPHÉE. Butin, césar, corne, coupe, hure, laurier, médaille, oscar, panoplie, prix, scalp, tête.

TROPHIQUE. Biologie, dystrophie, nerf, nutrition, placenta, tissu, trophoblaste, trophoblastique.

TROPICAL. Aborigène, caniculaire, chaud, équatorial, étrange, exotique, inhabituel, torride.

TROPIQUE (n. p.). Cancer, Capricorne.

TROPIQUE. Alizé, allotropique, cancer, capricorne, parallèle, subtropique, tropical, zone.

TROPISME. Accélération, accrétion, accroissement, accrue, accumulation, activation, agrandissement, augmentation, croissance, dérivée, extension, hâte, hausse, multiplication, nouer, progression, surcroît, sursaut, urgence.

TROP-PLEIN. Cataclysme, crue, débord, débordement, déferlement, déluge, dépassement, dérivement, diffusion, écoulement, embarras, excédent, excès, expansion, explosion, flot, flux, inondation, ire, irruption, pléonasme, sortie, surplus.

TROQUER. Adjuger, aliéner, bazarder, brocanter, cameloter, casser, céder, changer, coller, copermuter, débiter, défaire, démarcher, dénoncer, détailler, discuter, échanger, écouler, épuiser, étaler, exporter, fourguer, marchander, mévendre,

monnayer, négocier, placer, réaliser, refiler, rétrocéder, revendre, sacrifier, servir, solder, trafiquer, trahir, troc, vendre.

TROQUET. Bar, bistrot, café, cafetier, débitant, mastroquet, tenancier.

TROT. Allure, amble, arroi, aspect, attitude, aubin, biture, bitture, chic, classe, comportement, contenance, dégaine, démarche, désinvolture, erre, façon, galop, gésir, gueule, largue, look, maintien, marche, mésair, mézair, mine, mise, pas, port, prestance, tempo, tenue, ton, tournure, train, trépidante, vitesse.

TROTTE. Aller, chemin, cheminement, circuit, course, direction, distance, espace, idée, itinéraire, marche, parcours, retour, route, tirée, tracé, traite, trajectoire, trajet, traversée, trimard, voyage.

TROTTER. Abandonner, aboutir, accélérer, acheminer, agir, aller, approcher, arriver, avancer, billet, butiner, cheminer, chevaucher, circuler, comporter, conduire, convenir, converger, côtoyer, courir, dépasser, dépérir, déplacer, descendre, diriger, disparaître, enchérir, entrer, errer, étendre, faire, filer, foncer, fonctionner, fréquenter, harmoniser, ite, marcher, mener, monter, mourir, naviguer, obséder, partir, passer, pédaler, pèleriner, péricliter, plaire, prendre, préoccuper, promener, quérir, reculer, rejoindre, rendre, rouler, seoir, sortir, suivre, tarder, traîner, trajet, venir, voler, voyager.

TROTTEUR. Alezan, allure, amble, anglo-arabe, anglo-normand, ars, arzel, aubère, aubin, bai, baillet, balzan, barbe, bas-jointé, bégu, bouleté, bourrin, brassicourt, cagneux, canasson, canon, carcan, carne, cavale, cavalier, cavecé, châtaigne, chaussure, cheval, cob, courbatu, coursier, court-jointé, crinière, croupe, dada, demi-sang, embarre, encastré, encolure, ensellé, équin, étalon, galop, garrot, genet, goussaut, haridelle, hippocampe, hongre, hunter, isabelle, jarret, limonier, mésair, mézair, mors, mule, mustang, outsider, palefroi, panard, percheron, piaffeur, pinçard, poitrail, polo, poney, pur-sang, racer, ramingue, relais, rosse, rouan, roussin, rubican, ruer, sabot, sommier, stepper, steppeur, tarpan, tocard, toquard, trot, turf, yearling, zain.

TROTTEUSE. Aiguille, balancier, barillet, cartel, coucou, horloge, montre, pendillon, pendule, pendulette, régulateur, réveil, sourcier.

TROTTIN. Coupeur, cousette, couseur, couturier, faiseur, jupier, modéliste, muscle, tailleur, théâtre.

TROTTINER. Aller, arpenter, arquer, avancer, balader, cheminer, clopiner, courir, déambuler, enjamber, errer, flâner, fouler, longer, marcher, mener, musarder, passer, pavaner, piéter, rôder, suivre, trainasser, trotter, vagabonder.

TROTTINETTE. Boguet, cyclomoteur, derny, jouet, meule, mobylette, moto, motocyclette, patinette, planchette, pétrolette, solex, vélomoteur, vespa.

TROTTOIR. Daleau, dalle, fossé, pavé, piéton, plate-forme, prostitution, quai, tapin, terrasse.

TROU. Abîme, antre, aven, bled, boire, brèche, capot, caverne, cavité, chas, clapier, coupure, cratère, créneau, creux, crevasse, daleau, dalot, enlaçure, entonnoir, évent, excavation, fente, fissure, forure, fosse, green, larron, lumière, narine, nid-de-poule, normand, œil, œillet, ope, orifice, ouverture, passage, patelin, pénétrer, perforation, piqûre, pore, puits, sténopé, terrier, trouée, vide.

TROUBADOUR (n. p.). Blaye, Bonington, Born, Fragonard, Lubat, Manciet, Marcabru, Minnesänger, Rudel, Ventadour.

TROUBADOUR. Baladin, barde, félibre, jongleur, ménestrel, ménétrier, oc, occitan, oïl, poète, trouvère.

TROUBLANT. Affolant, ahurissant, déconcertant, éblouissant, enchanteur, ensorcelant, ensorceleur, envoûtant, étonnant, étourdissant, extraordinaire, frappant, impressionnant, pétrifiant, saisissant, surprenant.

TROUBLE. Agitation, agraphie, amaurose, amétropie, anaclitique, anarchie, astasie, autisme, brouillé, brumeux, confusion, déchirement, délire, dérangement, désarroie, désordre, diplopie, dyslexie, effaré, égaré, émeute, émoi, émotion, ému, équivoque, état de manque, fangeux, fauteur, flou, gnosie, hallucination, hébéphrénie, hospitalisme, inquiétude, intoxication, ivre, logorrhée, opaque, orage, perturbation, post-traumatique, révolution, sombre, syndrome de sevrage, terne, tourmente, caseux, vertige, vésanie.

TROUBLÉ. Agité, bouleversé, brouillé, déconcerté, dérangé, déréglé, désorienté, égaré, embarrassé, embrouillé, ému, ensorcelé, excité, hagard, inquiet, ivre, mouvementé, orageux, perturbé, turbide.

TROUBLE-FÊTE. Bougon, cafardeux, éteignoir, gêneur, importun, pisse-vinaigre, rabat-joie, triste, troublion.

TROUBLER. Affoler, agiter, ahurir, altérer, atteindre, brouiller, confondre, déconcerter, déranger, dérégler, désaxer, désorganiser, désorienter, détraquer, éblouir, effarer, émouvoir, interdire, obscurcir, perturber, retourner, révolutionner, subversif, terrasser.

TROUÉ. Accessible, accueillant, béant, déclaré, délabré, éclos, entrouvert, épanoui, entamé, évasé, fendu, fente, franc, inauguré, large, libre, mité, orifice, ouvert, percé, stomatoscop, tolérant.

TROUÉE. Brèche, clairière, échappée, faille, mité, ouverture, passage, percée, quille, trou.

TROUER. Crever, défoncer, emporte-pièce, forer, miter, ouvrir, percer, perforer, picoter, tarauder.

TROUFIGNON. Anal, anneau, anus, anuscopie, boyau, cul, culier, derrière, émonctoire, fion, fondement, hémorroïde, intestin, marge, orifice, périnée, périprocte, pouvent, prostate, rectum, siège, trou, troufignard.

TROUFION. Appelé, bidasse, cadet, carabin, conscrit, garde, recrue, soldat, tourlourou, vétéran, zouave.

TROUILLARD. Alarmiste, anxieux, audacieux, brave, capon, couard, courageux, craintif, dégonflé, flagorneur, froussard, fuyard, héros, lâche, mazette, péteux, peureux, poltron, vaillant, valeureux.

TROUILLE. Anxiété, crainte, effroi, émoi, frayeur, frousse, fuite, peur, phobie, poltron, poltronnerie, souleur, suée, terreur, trac, transe, trouillard, veinette.

TROUPE. Armée, association, bande, bataillon, casque bleu, centurie, cohorte, corps, escadrille, escorte, foule, garde, goum, harde, harpail, harpaille, horde, marmaille, mascarade, masse, mer, meute, quadrille, régiment, relève, soldatesque, soldats, tabor.

TROUPEAU. Attroupement, cheptel, grégaire, foule, harde, harpail, harpaille, horde, manade, meute, ranz.

TROUPIALE. Babillard, carouge, emberizidaes, loriot, oiseau, orgelet, oriole, passereau, strurnelle, tisserin.

TROUPIER. Armée, artilleur, cadet, casernier, civil, déserteur, estafette, fantassin, galon, gendarme, général, G.I., goumier, grade, guerrier, hussard, légionnaire, martial, milicien, militaire, officier, ost, rata, recrue, serval, service, soldat, soldatesque, stratégique, supplétif, traîneur.

TROUSSE. Botte, chausses, cuvelage, étui, faisceau, gerbe, pharmacie, plumier, poche, pochette, sac, sacoche.

TROUSSEAU. Affaires, clé, clef, dot, effets, habits, layette, linge, lingerie, nécessaire, parures, porte-clefs, trousse, vêtement.

TROUSSE-PET. Ambitieux, ampoulé, arrogant, chiqué, crâneur, cuistre, faraud, fat, fier, imbu, magistère, morveux, orgueilleux, pécore, pédant, péteux, poseux, précieux, présomptueux, prétentieux, rase-pet, snob, snobinard, sot, vain, vaniteux.

TROUSSEQUIN. Arçon, arcure, armature, fonte, outil, pommeau, rameau, sarment, selle, trusquin.

TROUSSER. Botteler, brider, expédier, ficeler, lier, posséder, relever, replier, retrousser, torcher.

TROUSSEUR. Bambochard, bambocheur, coureur, débauché, dissipé, fêtard, noceur, plaisirs, ripailleur, viveur.

TROUVAILLE. Astuce, création, découverte, idée, innovation, invention, nouveauté, réalisation, rencontre.

TROUVER. Admirer, citer, considérer, découvrir, dégoter, dégotter, dénicher, dépister, déplorer, désigner, deviner, éprouver, être, figurer, indiquer, inventer, loger, mordre, pêcher, récriminer, regretter, relever, rencontrer, repérer, résoudre, retomber, sentir, siéger, surprendre, voir, voisiner.

TROUVÈRE (n. p.). Adam, Adenet, Béroul, Bodel, Renart, Verdi.

TROUVÈRE. Barde, félibre, jongleur, ménestrel, ménétrier, minnesinger, oc, oïl, poète, troubadour.

TROYEN (n. p.). Anchise, Didon, Énée, Hector, Laocoon, Nisus, Pharamond.

TROYENNE (n. p.). Cassandre.

TRUAND. Bandit, crapule, gangster, malfaiteur, malfrat, mendiant, pègre, vagabond, voleur.

TRUANDER. Abuser, arnaquer, cacher, celer, escamoter, escroquer, entuber, escroquer, estamper, mendier, pirater, plumer, refaire, tricher, vagabonder, voler.

TRUBLE. Balance, caudrette, crevettier, épuisette, filet, poche, trouble, troubleau.

TRUBLION. Activiste, agitateur, anarchiste, contestataire, cordelier, desperado, émeutier, extrémiste, factieux, frondeur, futuriste, gauchiste, insurgé, insurrectionnel, militant, nihiliste, novateur, perturbateur, putschiste, rebelle, révolté, révolutionnaire, séditieux, subversif, terroriste.

TRUC. Adresse, art, artifice, astuce, bidule, chose, combinaison, combine, fourbi, gadget, gimmeck, machin, magie, moyen, nanar, passe-passe, patente, ruse, secret, stratagème, tour, trucage, trucmuche, zinzin, zizi.

TRUCAGE. Artifice, artificier, astuce, bidonnage, contrefaçon, falsification, embrasement, étoupille, fusée, lance, leurre, maquillage, pétard, piège, pyrotechnie, ralenti, ruse, truc.

TRUCHEMENT. Canal, entremise, intermédiaire, interprète, médiation, moyen, traduction, voie.

TRUCIDER. Abattre, achever, assassiner, assommer, décimer, descendre, égorger, éliminer, étouffer, étrangler, étriper, immoler, lapider, massacrer, nettoyer, occire, saigner, servir, tuer, zigouiller.

TRUCMUCHE. Art, artifice, astuce, bidule, chose, combinaison, combine, individu, machin, magie, moyen, objet, passe-passe, personne, quelqu'un, quiconque, ruse, secret, stratagème, tour, truc, untel.

TRUCULENT. Animal, âpre, barbare, bas, bestial, bourru, brusque, brutal, brute, cannibale, coloré, cru, cruel, direct, dur, farouche, féroce, franc, groin, grossier, inhumain, mufle, pittoresque, rabelaisien, rude, sadique, sanguinaire, sauvage, savoureux, vigoureux, violent, vulgaire.

TRUDGEON. Brasse, crawl, dos, libre, nage, natation, papillon, papillonneur, planche, transpirer.

TRUELLE. Cuiller, cuillère, écrémoir, écumoire, louche, mesurette, mouvette, poche, pucheux, ustensile.

TRUFFE. Ascomycète, blair, bouche, champignon, chêne, coiffure, discomycète, friandise, gâteau, idiot, imbécile, légume, museau, naseau, nez, pâté, pif, terfès, terfesse, terfèze, truffier, truffière, tubéracé, tubérale, tubercule.

TRUFFER. Bourrer, carder, emplir, farcir, fourrer, garnir, remplir.

TRUIE. Cobaye, cochon, cochonnet, croustillant, débauché, dégoûtant, déloyal, égrillard, goret, groin, malfaisant, nourrain, obscène, ord, orictérope, ort, pécari, porc, pourceau, sale, tirelire, verrat.

TRUISME. Banalité, évidence, lapalissade, mérite, tautologie, vérité.

TRUITE. Acoupa, arc-en-ciel, meunière, moucheté, omble, poisson, salmonidé, saumon, talon, téléotéen, touladi.

TRUMEAU. Acier, capelet, gîte, jambe, jarret, malandre, mollet, ossobuco, panneau, pilier, poplité.

TRUQUAGE. Artifice, artificier, astuce, bidonnage, contrefaçon, effets, embrasement, étoupille, falsification, fraude, fusée, lance, leurre, maquillage, pétard, piège, pyrotechnie, ralenti, ruse, truc, trucage.

TRUQUÉ. Absurde, affecté, altéré, âge, apocryphe, archifaux, artificiel, bidon, cabotin, captieux, chimérique, contrefait, copié, diffamant, diffamatoire, double, douteux, erroné, factice, fallacieux, falsifié, fardé, faucard, faute, fautif, faux, feint, félon, fictif, fourbe, hypocrite, illicite, inexact, irréel, mensonge, mensonger, parjure, plagié, postiche, pseudo, simili, simulé, tartufe, toc, trompeur, usurpé, vain.

TRUQUER. Abuser, altérer, berner, bidonner, biseauter, décevoir, dol, duper, égarer, enjôler, errer, falsifier, flouer, frauder, gourer, gruger, induire, léser, leurrer, maquiller, mentir, méprendre, modifier, piper, posséder, refaire, rouler, trafiquer, trahir, tricher, truc.

TRUSQUIN. Burin, compas, gouge, marqueur, poinçon, style, stylet, traceret, traceur, traçoir.

TRUST. Cartel, combinat, conglomérat, consortium, entente, groupe, multinationale, société.

TRUSTER. Accaparer, acheter, adjuger, approprier, associer, bouffer, concentrer, dévorer, emparer, monopoliser, occuper, prendre, rafler, retenir, spéculer.

TRYPANOSOME. Dourine, glossine, hématophage, insecte, microbe, mouche, muscidé, tsé-tsé.

TSAR (n. p.). Alexis, Boris, Chouiski, Fédor, Ferdinand, Fiodor, Fiororovtcit, Godounov, Ivajlo, Ivan, Khmelnitski, Michel, Mikhaïlovitch, Nicolas, Pierre le Grand.

TSAR. Czar, lion, monarque, pair, pharaon, prince, royal, russe, sire, souverain, tzar, ukase.

TSÉ-TSÉ. Dourine, glossine, hématophage, insecte, microbe, mouche, muscidé, trypanosome.

TSF. Avis, bigrille, billet, câble, correspondance, courrier, dépêche, galène, information, lettre, message, missive, morse, nouvelle, pneu, poste, radio, sans-fil, télégramme, télégraphie, téléphonie, télex.

TSIGANE. Bohémien, gitan, manouche, nomade, rom, romani, romanichel, sanskrit, taraf, tzigane, zingaro.

TU. As, es, familiarité, taire, te, toi, tué, tutoiement, tutoyer, tutoyeur, vous.

TUANT. Assommant, crevant, énervant, épuisant, éreintant, fatigant, lourd, pénible, usant.

TUB. Bain, balnéation, cuvette, douche, étuve, fangothérapie, hammam, hermes, immersion, lavage, maillot, mégis, nymphée, nu, piscine, râbler, salle, sauna, sel, siège, solarium, strigile, suée, sueur, thermes, trempette.

TUBAGE. Caisson, casing, croup, diagnostique, introduction, tube.

TUBE. Ampoule, canal, canon, chanson, conduit, conduite, cops, cylindre, diode, éprouvette, estomac, fusette, gibus, guidon, iconoscope, intestin, kaléidoscope, macaroni, néon, œsophage, périscope, pipette, queusot, rectum, riser, schnorchel, siphon, taste-vin, tête-vin, tétrode, tige, trachée, triode, tuba, tuyau, venturi.

TUBERCULE. Apophyse, crête, crosne, épine, fraise, gomme, igname, infiltrat, ipomée, léprome, lésion, nodosité, nodule, patate, pomme de terre, racine, ratte, salep, sclérote, taro, topinambour, tubérosité, tumescence, ullucu.

TUBERCULEUX. Bacillaire, mité, nase, phtisique, poitrinaire, pomonique, tubard, tubéreux, tutu.

TUBERCULOSE. Bacillose, coxalgie, granulie, lupus, mal de Pott, phtisie, pott, poumon, sanatorium, silicose.

TUBÉROSITÉ. Apophyse, apostume, bosse, côte, élévation, éminence, excroissance, gibbosité, mamelon, maniement, mésencéphale, monticule, piton, prominence, protubérance, saillie.

TUBICOLE. Animal, annélide, limicole, lombric, oligochète, terricole, tubifex, ver, ver de terre.

TUBULEUX. Bitte, cylindrique, iule, rond, rouleau, silo, tube, tubulaire, tubulé, turriculé.

TUBULURE. Abée, accès, angle, archère, barbacane, baie, béer, brèche, cavité, commencer, cratère, créneau, daleau, dalot, écoutille, écubier, embrasure, entrée, esse, évasure, fenêtre, fente, fermeture, gueulard, hublot, inauguration, laparotomie, lucarne, méat, meurtrière, narine, nocturne, œil, ope, orifice, ouïe, ouverture, panneau, péristome, piètement, pore, prélude, soupirail, trou, trouée, tuyère.

TUBIFEX. Animal, annélide, hirudinée, limicole, lombric, oligochète, terricole, tubicole, vase, ver de terre.

TUE-DIABLE. Appât, leurre, olive, pêche, picholine, poisson.

TUE-MOUCHES. Amanite, champignon, émouchoir, fausse oronge, oronge, piège, tapette, tapette à mouches.

TUER. Abattre, achever, ad patres, assassiner, assommer, buter, butter, décimer, descendre, égorger, éliminer, étouffer, étrangler, étriper, exécuter, exterminer, immoler, lapider, massacrer, nettoyer, occire, ratatiner, saigner, servir, trucider, zigouiller.

TUERIE. Boucherie, carnage, égorgement, étripage, hécatombe, holocauste, massacre, pastoureau.

TUEUR. Assassin, bandit, boucher, bourreau, braqueur, bravo, brigand, contrat, criminel, égorgeur, escarpe, espada, étrangleur, éventreur, massacreur, meurtrier, nervi, sabreur, sbire, séide, sicaire, spadassin.

TUF. Aggloméra, allaise, amas, argenture, arsenal, boue, calcin, cellulite, cinérite, consignation, dépôt, fange, gage, gain, incrustation, insémination, lie, limon, mise, néritique, pile, ponton, précipité, sédiment, suie, tartre, tas, travertin, vase, versement.

TUFFEAU. Albâtre, calcaire, calcin, castine, chaux, cipolin, comblanchien, craie, dolomie, entroque, falun, groie, liais, marbre, marne, merl, molasse, oolite, oolithe, roche, sardoine, spicule, stalactite, stalagmite, test, tufeau.

TUILE. Accident, adobe, arêtière, argile, biscuit, brique, briquette, carreau, chantignole, dalle, égout, embêtement, enfaîteau, ennui, faîtière, imbriqué, mésaventure, noue, pavé, planelle, plaquette, toit, toiture.

TULIPE. Abat-jour, bulbe, bulbiculture, fleur, hollandais, liliacée, plante, supère, tulipier.

TULLE. Dentelle, empan, escot, étoffe, filiforme, fluet, gaze, gras, gringalet, illusion, maille, moustiquaire, ruché, serge, tarlatane, tartan, tenture, tissu, transparent, tuilerie, tullier, tulliste, tutu, voile, voilette.

TUMÉFACTION. Ampoule, boursouflure, bubon, enflure, gonflement, hernie, intumescence, œdème, tumescence, turgescence.

TUMÉFIER. Amplifier, ampouler, augmenter, ballonner, bouffir, boursoufler, dilater, distendre, enfler, gonfler, grossir.

TUMESCENT. Bouffi, boursouflé, congestionné, distendu, enflé, gonflé, gros, turgescent, turgide.

TUMEUR (3 lettres). Cor, fic.

TUMEUR (5 lettres). Abcès, bubon, dépôt, jarde, kyste, loupe, myome, naevis, poche, suros, tanne.

TUMEUR (6 lettres). Cancer, épulie, éponge, épulie, épulis, fongus, gliome, goitre, jardon, javart, lipome, myxome, nævus, œdème, polype, ranula, ranule, stroma, ulcère, verrue.

TUMEUR (7 lettres). Adénite, adénome, adipome, angiome, anthrax, capelet, chalaze, chancre, enflure, éparvin, épervin, épulide, fibrome, léprome, myélome, névrome, osselet, ostéome, parulie, saillie, sarcome, sessile, squirre.

TUMEUR (8 lettres). Apostème, athérome, chéloïde, embryome, éminence, énostose, exostose, furoncle, hématome, hépatome, mélanome, mycétome, odontome, rénitent, séminome, splénome, squirrhe, stéatome, tératome, vessigon, xanthome.

TUMEUR (9 lettres). Anévrisme, carcinome, chondrome, condylome, déciduome, fongosité, granulome, léiomyome, molluscum, néoplasme, néoplasie, neurinome, papillome, pinéalome, sarcocèle, sarcome, tubercule.

TUMEUR (10 lettres). Carcinoïde, crête-de-coq, cylindrome, égagropile, fibromyome, gonflement, granulomie, hématocèle, induration, méningiome, squirrheux, staphylome, tubérosité, tumescence, varicocèle.

TUMEUR (11 lettres). Adénogramme, enchondrome, épithélioma, épithéliome, surrénalome, tuméfaction.

TUMEUR (12 lettres). Excroissance, glioblastome, intumescence, myélosarcome, ostéosarcome.

TUMEUR (13 lettres). Grenouillette, lymphosarcome, mélanosarcome, prolifération.

TUMULAIRE. Caveau, cénoraire, cénotaphe, cercueil, cinéraire, cippe, columbarium, columelle, corbillard, fosse, koubba, mastaba, mausolée, monument, pierre, sarcophage, sépulcre, spéos, stèle, tombeau.

TUMULTE. Agitation, bagarre, brouhaha, bruit, chahut, cohue, foire, hourvari, orage, ouragan, tapage, train.

TUMULTUEUSEMENT. Beaucoup, bruyamment, chorus, lourdement, sonorement, tapageusement, valdinguer.

TUMULTUEUX. Agité, animé, fiévreux, houleux, impétueux, mouvement, orageux, tempêtueux, tourmenté, trépidant.

TUMULUS. Abattis, abcès, accumulation, adipeux, amalgame, amas, amoncellement, banc, banquise, bloc, boule, bourre, branchage, cairn, cal, chaton, concentration, congère, dune, éboulis, empyème, ensablement, entassement, fatras, fétras, feu, flocon, foule, filasse, galgal, glomérule, jar, jard, kourgane, liasse, lithiase, lot, masse, meule, mitraille, monceau, mound, mousse, névé, noyau, nuage, ossuaire, pannicule, paquet, pierraille, pierre, pile, plexus, ramassis, rocaille, ruée, salage, sécas, sérac, sore, tas, tertre, tout, trésor.

TUNER. Ampli, amplificateur, audiophone, exagérer, grossir, haut-parleur, laser, mégaphone, radio, récepteur, répéteur, syntoniseur.

TUNGSTÈNE. Métal, platine, stellite, W, wolfram.

TUNICIÉ. Appendiculaire, ascidie, doliolide, invertébré, larvacée, pérennicorde, procordé, salpe, salpide, urocordé.

TUNICIER. Animal, ascidie, figue de mer, invertébré, microcosme, népenthès, organe, urne.

TUNIQUE (n. p.). Creüse, Dunca, Nessos, Nessus.

TUNIQUE. Angusticlave, bliaud, bliaut, boubou, broigne, candoura, chiton, cornée, cotte, dalmatique, dolman, endartère, éphod, gandoura, kimono, laticlave, peau, pelure, peplos, pesque, péplum, redingote, robe, tissu, uvée, veste.

TUNISIE CAPITALE (n. p.). Tunis.

TUNISIE LANGUE. Arabe.

TUNISIE MONNAIE. Dinar.

TUNISIE, VILLE (n. p.). Béja, Bizerte, Carthage, Douz, Gabès, Gafsa, Jendouba, Kef, Maktar, Mareth, Mechiguig, Nabeul, Nefta, Ramada, Sousse, Sfax, Tabarka, Tunis, Zaghouan, Zarzis.

TUNISIEN. Arabe, boudka, brick, carthaginois, fellaga, fellagha, metcha, sfaxien, tagine, tunisois.

TUNNEL (n. p.). Binning, Brunel, Esaki, Louis-Hippolyte-Lafontaine, Manche, Mont-Blanc, Rohrer, Seikan.

TUNNEL. Canalisation, conduit, conduite, égout, galerie, gazoduc, passage, pipeline, sea-line, souterrain, tube, tuyau.

TUQUE. Attifet, béret, bonichon, bonnet, bonnette, calot, calotte, capuchon, chapka, chrémeau, éteignoir, hennin, képi, panse, pisse-droit, pisse-vinaigre, pompon, réticulum, rumen, serre-tête, tarbouch, toque.

TURBAN. Afro, bavolet, béret, bibi, bombe, bonnet, boucle, boudin, brosse, calot, cape, capeline, casque, chéchia, chèche, chevelure, cloche, coiffure, cornette, diadème, enturbanné, épi, fez, figaro, képi, melon, mitre, ottoman, pouf, pschent, tarbouche, tiare, toque, truffe.

TURBE. Accusation, enquête, étude, inquisition, panel, perquisition, recherche, reportage, scrutin, sondage.

TURBELLARIÉ. Cestode, douve, planaire, plathelminthe, platode, taenia, ténia, trématode, ver.

TURBIDE. Agité, boueux, déchaîné, démonté, houleux, torrentueux, troublé, violent.

TURBIDÉ. Grive, merle, rossignol, rouge-gorge, traquet.

TURNIN. Acte, action, besogne, boulot, corvée, ébénisterie, emploi, ergologie, ergomanie, ergonomie, galère, gagne-pain, job, journée, labeur, laborieux, labour, métier, ouvrage, peine, pensum, pige, poncif, sueur, travail, tri, trime.

TURBINE. Ailette, aube, auget, centrifugeuse, centrifuge, centripète, conique, essoreuse, extracteur, moteur, pelton, peltron, rotor, rotruenge, stator, toupie, trimer, turbopropulseur, turboréacteur, tuyère, usiné.

TURBINER. Activer, affairer, agir, besogner, bosseler, bosser, boulonner, bricoler, bûcher, chiner, ciseler, cultiver, écosser, élaborer, essorer, fabriquer, façonner, manœuvrer, occuper, œuvrer, ouvrager, piocher, piocher, produire, rendre, soigner, suer, tracer, travailler, trimer.

TURBULENCE. Activité, agitation, animation, apaisement, barattement, calme, clapotement, coi, confusion, délire, dissipation, effervescence, émeute, émoi, émotion, fermentation, fièvre, flux, grogne, grouillement, houle, inquiétude, ire, mouvement, nervosité, orage, pacification, pétulance, quiet, reflux, remous, tempête, tremblement, trouble, vivacité.

TURBULENT. Agité, bruyant, chahuteur, dissipé, espiègle, excité, nerveux, pétulant, remuant, vif.

TURC. Bain, café, émir, hanneton, lhan, musulman, ottoman, raïa, rivetage, souffre-douleur, tête.

TURCIQUE. Cavité, hypophyse, os, ptérygoïde, rond, selle, sphénoïdal, sphère, sphéroïde.

TURDIDÉ. Cingle, grive, merle, motteur, passereau, rossignol, rouge-gorge, rubiette, shama, tourde.

TURF. Agricole, alleu, aratoire, boue, champ, charrue, continent, contrée, domaine, duché, emblavure, erbue, esplanade, glaise, gâtine, globe, guéret, herbus, héritage, humus, gadoue, herbue, île, jachère, labour, labourage, latérite, monde, nife, noue, ocre, pays, planète, poussière, propriété, région, seigneurie, sial, sima, sol, tenure, terre, terrain, terreau, territoire.

TURFISTE. Compulsif, flambeur, gageur, impulsionnel, joueur, maniaque, miseur, monomane, obsessionnel, parieur.

TURGESCENCE. Abcès, ballonnement, bouffissure, congestion, crue, dilatation, emphase, emphysème, enflure, érection, fluxion, gonflement, intumescence, œdème, rigidité, tuméfaction, tumescence, tumeur.

TURGESCENT. Bouffi, boursouflé, congestionné, distendu, enflé, gonflé, gros, tumescent, turgide.

TURGIDE. Boudenfle, boursouflé, coloré, congestionné, couperosé, cramoisi, écarlate, empourpré, enflammé, enflé, enluminé, gonflé, injecté, rouge, rougeaud, rouget, rougissant, rubescent, rubicond, sanguin, tuméfié, vineux, vultueux.

TURION. Acné, agassin, axillaire, bourgeon, bouton, bulbille, caïeu, cayeu, chaton, chou palmiste, coulant, drageon, embryon, gemme, gemmule, germe, greffe, greffon, maille, œil, pousse, rejeton, scion, stolon, stolonifère, tendron, tige.

TURKMÉNISTAN, CAPITALE (n. p.). Achkhabad.

TURKMÉNISTAN, LANGUE. Russe, turkmène.

TURKMÉNISTAN, MONNAIE. Manat.

TURKMÉNISTAN, VILLE (n. p.). Achkhabad, Bacharden, Bekdach, Bezmein, Darvaza, Guchgy, Kerki, Krasnovodsk, Mary, Merv, Seyki, Tchardjev, Tcheleken, Tedjen.

TURKU (n. p.). Abo, Finlande.

TURLUPINER. Assaillir, bouffon, brutaliser, contrarier, déchirer, embêter, ennuyer, farce, molester, moquer, plaisanter, préoccuper, tourmenter, tracasser, travailler, turlupin, turlupinade, vaurien.

TURLUTER. Antienne, banalité, bringue, chaîne, chanson, chansonnette, chanter, chantonner, fredonner, rabâchage, redite, refrain, rengaine, répétition, reprise, ritournelle, tirade, scie, série, suite, turlute.

TURNEP. Chou-rave, Navet.

TURPITUDE. Abjection, abomination, bassesse, déshonneur, flétrissure, honte, horreur, ignominie, infamie, vilenie.

TURQUIE, CAPITALE (n. p.). Ankara.

TURQUIE, LANGUE. Kurde, turc.

TURQUIE, MONNAIE. Livre.

TURQUIE, VILLE (n. p.). Adana, Adapazari, Agri, Alep, Ani, Ankara, Antioche, Balikesir, Bamdirma, Bolu, Bursa, Diyarbakir, Edirne, Erzrum, Erzurum, Eskisehir, Kars, Istanbul, Izmir, Izmit, Konya, Mus, Nicée, Samsun, Sivas, Urfa, Van, Viransehir, Zile.

TURQUIE. Chibouk, divan, moquette, porte, tapis.

TUSSILAGE. Astéracée, cactacée, composacée, herbe aux teigneux, matricaire, pas-d'âne, patte d'âne, plante.

TUSSOR. Alépine, alun, basin, batik, batiste, bord, bure, casimir, cati, cotonnade, drap, empan, escot, étamine, étoffe, feutre, foulard, gaze, grain, granité, lé, laine, linge, mérinos, mohair, moire, ottoman, pan, ras, ratine, rep, satin, satinette, sergé, soie, suédine, surah, taffetas, tarlatane, tartan, tenture, textile, tissu, trentain, tulle, tussah, tussau, un, uni, velours, zénana.

TUTELLE. Aide, ange, appui, assistance, auspice, autorité, bénédiction, couverture, dative, défense, dépendance, dévolution, égide, garantie, lisière, patronage, protecteur, protection, sauvegarde, support, tuteur.

TUTEUR (n. p.). Bedford, Esther, Mardochée, Oxenstierna.

TUTEUR. Administrateur, armature, ascendant, carassonne, comptable, curateur, datif, défenseur, échalas, garantie, gardien, parent, parrain, patron, perche, protecteur, rame, responsable, soutien, subrogé.

TUTEURER. Armer, blinder, cuirasser, embâtonner, enchemiser, équiper, fournir, garnir, gratifier, gréer, instrumenter, lotir, monter, munir, nantir, outiller, pourvoir, précautionner, prémunir, prendre, shunter, soutenir.

TUTORAT. Échalas, emploi, perche, rame, tuteur.

TUTOYER. As, équitation, es, familiarité, frôler, taire, te, toi, tu, tué, tutoiement, tutoyeur, vous.

TUTU. Amazone, cotillon, cotte, crinoline, écossaise, enjuponner, fustanelle, jupe, jupette, jupe, jupon, kilt, maxi, mini, manou, pagne, paréo, robe, tahitien, vertugadin, vêtement.

TUYAU. Boyau, buse, calamus, canal, canalisation, canule, chalumeau, conduit, conduite, durit, gaine, gargouille, indication, indice, information, lance, orgue, paille, pipe, plume, porte-vent, renseignement, riser, sarbacane, truc, tube.

TUYAUTER. Avertir, aviser, brancher, cisailler, dire, documenter, éclairer, édifier, fixer, indiquer, informer, initier, instruire, placer, plisser, rancarder, rencarder, renseigner, repasser, sonder, tuber.

TUYAUTERIE. Canalisation, conduit, gosier, nourrice, plomberie, serpentin, tubulure, tuyau.

TUYÈRE. Aire, alandier, arche, âtre, bouche, calcarone, calisson, carquaise, conduit, cubilot, cuisinière, étuve, four, fournaise, fourneau, fournil, foyer, grille, incendie, insuccès, micro-ondes, oura, ouverture, pipe-still, réverbère, tuile, voûte.

TYLENCHUS. Aiguille, anguillule, nématode, parasite, ver.

TYMPAN. Carrelet, châssis, fronton, fronteau, fronton, gable, oreille, pignon, ramette, rouage, voûte.

TYMPANON. Balafon, clavecin, clavier, corde, cymbalum, czimbalum, dulcimer, mailloche, marimba, métallophone, percussion, psaltérion, simandre, vibraphone, xylophone.

TYPE. Archétype, canon, coco, échantillon, espèce, étalon, être, gabarit, garçon, gars, genre, gonze, gus, gusse, homme, imprimerie, individu, lascar, lettre, luron, matrice, mec, modèle, moule, norme, quelqu'un, sorte, variété, zèbre, zig, zigue.

TYPHACÉE. Boucharde, masse, massette, plante, quenouille, roseau, roseau-massue, typha.

TYPHON (n. p.). Nori.

TYPHON. Baguio, bourrasque, cyclone, orage, ouragan, rafale, tempête, tornade, tropical.

TYPHUS. Amaril, angiohématique, exanthématique, hépatique, leptospirose, murin, pou, puce.

TYPIQUE. Caractérisé, caractéristique, distinctif, dominant, idéal, modèle, pittoresque, propre.

TYPOGRAPHE (n. p.). Caxton, Tory.

TYPOGRAPHE. Composteur, imposeur, imprimeur, leveur, minerviste, ouvrier, prote, typo.

TYPOGRAPHIQUE. Arobas, astérisque, cadratin, cadret, caractère, casse, cicéro, édition, elzévir, esperluette, fonte, format, forme, frappe, imprimé, œil, miroir, pica, plomb, police, tiret, typo, veuve.

TYPOLOGIE. Archivage, arrangement, catalogage, classement, classification, criblage, distribution, hiérarchie, indexage, méjanage, méthode, ordre, place, rang, rangement, systématique, taxinomie, tri.

TYRAN (n. p.). Agathocle, Archias, Arkhias, Caligula, Cenci, Cinna, Cypsélos, Denys l'ancien, Denys le jeune, Gélon, Hipparque, Hippias, Nabis, Néron, Périandre, Phalaris, Pisistrate, Polycrate, Sforza, Théron, Ugolin.

TYRAN. Autocrate, césarien, chef, cruel, despote, dictateur, dominateur, draconien, injuste, maître, oiseau, oppresseur, passereau, persécuteur, polycrate, potentat, roi, roitelet, satrape, souverain, violent.

TYRANNIE. Absolutisme, autocratie, autoritarisme, autorité, despotisme, dictature, empire, influence, intolérance, joug, oppression, persécution, pouvoir, proscription, totalitarisme, usurpation.

TYRANNIQUE. Absolu, autocratique, despotique, dictatorial, dominateur, impérieux, oppressif, totalitaire.

TYRANNIQUEMENT. Absolument, arbitrairement, despotiquement, dictatorialement, discrétionnairement, unilatéralement.

TYRANNISER. Abuser, accabler, asservir, assujettir, comprimer, dominer, opprimer, persécuter, proscrire, usurper.

TYRANNOSAURE. Ankylosaure, avipelviens, brontosaure, carnassier, dinosaure, diplodocus, reptile, sauropode, stégosaure, tricératops.

TYROLIEN. Air, chant, danse, iodler, iouler, jodler, yodler, ladin, rapsode, rhétique, romanche.

TYROSINE. Adrénaline, amine, ARN, composé basique, oléum, phtalique, salicylique, sulfurique, suret.

TYTONIDÉ. Chouette, effraie.

TZIGANE. Bohémien, calé, égyptien, gipsy, gitan, kalé, manouche, musique, nomade, rom, romani, romanichel, sanskrit, sinti, tsigane, zingari, zingaro.

U

UBAC. Adret, côté, envers, montagne, ombre, ombrée, versant.

UBIQUISTE. Chineur, curieux, envahissant, farfouilleur, fouilleur, fouinard, fouineur, fureteur, indiscret, rusé.

UBIQUITÉ. Absence, alibi, assiduité, bilocation, dieu, disparition, efficacité, éloignement, essence, existence, infestation, omniprésence, omniprésent, partout, présence, régularité, supporter, ubiquisme.

UBUESQUE. Aberrant, abracadabrant, absurde, délirant, extravagant, farfelu, fou, insensé, saugrenu.

UHLAN. Angon, ante, cavalier, dard, doryphore, émet, épieu, framée, guisarme, hallebarde, harpon, hast, haste, javeline, javelot, jette, lance, lancier, mercenaire, pique, sarisse.

UKASE. Commandement, décision, décret, diktat, édit, ordre, oukase, ultimatum.

UKRAINE, CAPITALE (n. p.). Kiev.

UKRAINE, LANGUE. Allemand, bulgare, hongrois, polonais, roumain, russe, slovaque, turco-tatar, ukrainien.

UKRAINE, MONNAIE. Hrivna.

UKRAINE, VILLE (n. p.). Bar, Hotin, Ialta, Kherson, Kiev, Nikopol, Odessa, Ouman, Poltava, Rommy, Rovno, Smela, Soumy, Stry, Tchernobyl, Torez, Vasilkov, Vorochilovgrad, Yalta.

UKULÉLÉ (n. p.). Hawaii.

UKULÉLÉ. Banjo, guitare, musique.

ULCÉRATION. Abcès, aphte, cancer, cautère, chancre, exulcération, exutoire, ladre, syphilide, tumeur, ulcère.

ULCÈRE. Abcès, anthrax, calleux, cancer, chancre, charbon, exutoire, fourchet, gangrène, ladre, loupe, malandre, ozène, panaris, phagédénisme, physe, plaie, pustule, sanie, squirre, squirrhe, tumeur.

ULCÉRER. Blesser, brûler, choquer, contrarier, crever, énerver, envenimer, extirper, exulcérer, fermer, froisser, mûrir, offenser, offusquer, outrer, pourrir, vexer.

ULÉMA. Arrêtiste, avocat, bâtonnier, criminaliste, docteur, jurisconsulte, juriste, légiste, ouléma, rau.

ULIGINEUX. Aqueux, chaud, délavé, détrempé, eau, embrum, embrumé, embué, fluide, frais, halitueux, humecté, humide, hydraté, hygrophobe, imbibé, marécage, moite, mouillé, trempé, uliginaire.

ULMACÉE. Arbre, cormier, micocoulier, orme, orme de Sibérie, ormeau, ormille, urticale.

ULMAIRE. Filipendule, fleur, herbacée, kerria, reine-des-prés, rosacée, spirée, spirée du Japon.

ULNAIRE. Avant-bras, coude, cubital, cubitus, olécrane, os, ulna.

ULTÉRIEUR. Antérieur, après, après-coup, avenir, futur, postérieur, proroger, succéder, suivant.

ULTÉRIEUREMENT. Alors, à posteriori, après, ensuite, et, puis, subséquemment, suite, suivant.

ULTIMATUM. Acte, avertissement, bravade, challenge, chantage, commandement, condition, défi, diktat, exigence, gageure, injonction, intimation, mandat, menace, ordre, oukase, pari, provocation, revendication, sommation, ukase.

ULTIME. Définitif, der, dernier, eschatologie, extrême, final, terminal, suprême, ultimo.

ULTRA. Absolu, apogée, bout, dernier, désespéré, exagéré, excessif, extraordinaire, extrême, final, immodéré, infini, limite, outrance, pénurie, pouillerie, raffinement, sommet, summum, suprême, terminal, ultime.

ULTRASON. Balancement, bruit, gong, nutation, onde, oscillation, shimmy, son, tremblement, vibration, voisement.

ULTRAVIOLET. U.V.

ULULER. Aboyer, acclamer, ameuter, appeler, avertir, bêler, beugler, brailler, bramer, clabauder, chuinter, clamer, coasser, criailler, crier, crouler, dire, écrier, égosiller, gémir, glapir, grailler, grogner, gueuler, hennir, hululer, hurler, jaboter, meugler, mugir, pépier, piailler, piauler, raire, réer, trisser, vagir, vociférer.

ULVE. Algue, laitue de mer, ulva.

ULYSSE (n. p.). Argus, Calypso, Circé, Cyclope, Elpénor, Eumée, Ithaque, Laërte, Mentor, Pénélope, Télémaque, Troie.

UN. As, aucun, autre, bit, certain, maint, nul, indécomposable, quelque, quelqu'un, reste, seul, unipare, unité.

UNANIME. Absolu, chœur, collectif, commun, complet, entier, fatal, général, identique, opinion, tous, universel.

UNANIMITÉ. Acceptation, accord, alliance, amitié, amour, approbation, approuver, arpège, arrangement, assentiment, autorisation, chorum, collusion, communication, compérage, complicité, compromis, concert, concorde, congruence, connivence, consensus, consentement, contrat, convenance, convenir, convention, discorde,

do, entente, fraternité, généralisé, harmonie, intelligence, la, marché, musique, oui, pacte, paix, permission, protocole, refus, règlement, rime, soit, syllepse, sympathie, traité, transaction, union, unisson, unité.

UNAU. Aï, bradype, choloepus, lent, mammifère, mégathérium, paresseux, végétarien, xénarthre.

UNGUÉAL. Corne, coupe-ongles, éperon, ergot, griffe, ongle, onychophagie, sabot, serre, unguifère.

UNI. Adjacent, affilié, allié, ami, aplani, assemblé, associé, attaché, clair, cohérent, confondu, constant, couleur, égal, femme, fondu, frère, homogène, intime, joint, latéral, lié, lisse, mari, net, nivelé, noué, plan, plat, poli, ras, relié, réuni, rivé, voisin.

UNIATE. Agape, baptisé, brebis, catholique, chrétien, copte, croix, ébonite, fidèle, galiléen, goï, goy, homme, infidèle, lapsi, logos, mathurin, mozarabe, orthodoxe, ouailles, païen, paroissien, protestant, relaps, roumi, schismatique.

UNICELLULAIRE. Algue, amibe, bacillariophycée, bactérie, chlorophylle, coccidie, cyanophyte, diatomée, euglène, flagellé, hématozoaire, levure, protiste, protozoaire, rhizoïde, spiruline, spore, volvocale.

UNICITÉ. Assurance, austérité, consistance, coriacité, courage, détermination, dureté, énergie, fermeté, flasque, identité, immuabilité, impassibilité, mordicus, opiniâtreté, originalité, raideur, rigueur, stoïcisme, sûreté, ténacité, ton, unité.

UNIFICATION. Alignement, concentration, fusion, homogénéisation, identification, incorporation, intégration, jonction, normalisation, rassemblement, regroupement, réunion, standardisation, synthèse, uniformisation, union.

UNIFIER. Aligner, fusionner, homogénéiser, normaliser, rassembler, regrouper, réunir, standardiser, uniformiser.

UNIFORME. Accidenté, changeant, continu, costume, divers, droit, égal, habit, homogène, identique, irrégulier, invariable, même, monocorde, monotone, nuancé, pareil, plat, régulier, semblable, simple, tenue, uni, uniment, varié, vêtement.

UNIFORMÉMENT. Assidûment, constamment, continuellement, continûment, également, exactement, infiniment, monotonement, platement, ponctuellement, recta, régulièrement, semblablement.

UNIFORMISER. Ajuster, aligner, homogénéiser, normaliser, paramilitaire, standardiser, unifier, uniformisation.

UNIFORMITÉ. Consonance, égalité, identité, monotonie, régularité, ressemblance, unité, variété.

UNILATÉRAL. Assis, campé, condition, écarté, état, latéral, lieu, limitrophe, localisé, mis, placé, posé, posté, sis, situé.

UNILINÉAIRE. Agnation, alliance, ascendance, branche, consanguinité, naissance, généalogie, origine, race.

UNIMENT. Carrément, crûment, également, franc, franchement, net, raide, régulièrement, simplement, uniformément.

UNION. Affinité, alliance, ars, assemblage, bloc, cohérence, communion, connexion, éclisse, ensemble, entente, fusion, jonction, liaison, ligue, mariage, métissage, monogamie, rapprochement, réunion, syndicat, trinité, unité, unitif.

UNION EUROPÉENNE, PAYS (n. p.). Allemagne, Autriche, Belgique, Bulgarie, Chypre, Danemark, Espagne, Estonie, Finlande, France, Grèce, Hongrie, Irlande, Italie, Lettonie, Lituanie, Luxembourg, Malte, Pays-Bas, Pologne, Portugal, Roumanie, République Tchèque, Royaume-Uni, Slovaquie, Slovénie, Suède.

UNIQUE. As, exclusif, incomparable, identique, isolé, original, premier, rare, séparé, seul, singulier, supérieur, un.

UNIQUEMENT. Exclusivement, guère, isolément, purement, seulement, simplement, strictement.

UNIR. Accoler, accoupler, agencer, agglutiner, agréger, allier, annexer, apparier, assembler, associer, assortir, attacher, attribution, coaliser, communier, confondre, conjoindre, conjuguer, coupler, cumuler, et, établir, fondre, fusionner, grouper, harmoniser, joindre, jumeler, lier, liguer, maire, marier, mélanger, rassembler, relier, souder.

UNISEXUÉ. Androgyne, fleur, hermaphrodite, homme, intersexué, monoïque, noisetier, plante, transsexuel,

UNISSON. Accord, communion, consonance, harmonie, homophonie, monodie, rime, rimette, son, symphonie.

UNITÉ. Accord, ampère, antenne, are, as, bar, bel, bit, BTU, calorie, carat, centimètre, centurie, CH, cheval-vapeur, cicéro, clan, cm, codon, curie, décibel, décimètre, dyne, élément, erg, escadre, escadron, ev, farad, gal, gallon, gauss, gon, hectare, identité, item, joule, im, kilogramme, kilomètre, légion, litre, lumen, lux, manipule, marc, mégabit, métamètre, mètre, micron, millimètre, nanomètre, nite, nœud, oersted, ohm, once, parsec, phot, pièce, pied, pinte, pouce, quintal, rad, radian, régiment, rem, rhé, section, siemens, sievert, statère, stère, tesla, tex, thermie, ton, var, verge, volt, union, watt.

UNITED KINGDOM (n. p.). Grande-Bretagne, Irlande, Royaume-Uni, UK.

UNIVERS. Ciel, cosmos, création, espace, galaxie, macrocosme, métagalaxie, microcosme, monde, nature, tout.

UNIVERSALISER. Agrainer, arroser, couvrir, dégager, démocratiser, départir, déverser, diffuser, disperser, disséminer, ébruiter, éclairer, émaner, émerger, emplir, envahir, épandre, éparpiller, essaimer, étaler, étendre, exhaler, fleurer, fluer, généraliser, paver, pleurer, populariser, propager, répandre, ressemer, semer, sentir, sortir, surgir, verser, vulgariser.

UNIVERSALITÉ. Absoluité, complétude, exhaustivité, généralité, globalité, total, totalité, tous, tout, ubiquité.

UNIVERSEL. Adage, astral, céleste, commun, complet, cosmique, cosmopolite, encyclopédique, entier, étendu, général, mondial, œcuménique, omniscient, panacée, polyvalent, total, tout.

UNIVERSITAIRE. Approuvé, bachelier, breveté, certifié, diplômé, docteur, émoulu, garanti, licencié, maître, promu.

UNIVERSITÉ. Académie, alma mater, campus, collège, école, enseignement, étudiant, fac, faculté, institut, madrasa, mandarin, medersa, recteur, supérieur, universitaire, vice-recteur.

UNIVERSITÉ AMÉRICAINE (n. p.). Baltimore, Berkeley, Brown, Columbia, Fairfield, Harvard, léna, Marquette, Minnesota, Notre-Dame, Princeton, Rochester, Roosevelt, Tennessee, Villanova, Wisconsin, Yale.

UNIVERSITÉ ANGLAISE (n. p.). Cambridge, Oxford.

UNIVERSITÉ BRITANNIQUE (n. p.). Cambridge, Oxford.

UNIVERSITÉ CANADIENNE (n. p.). Dalhousie, Fredericton, Laval, Moncton, Montréal, Sherbrooke.

UNIVERSITÉ FRANÇAISE (n. p.). Compiègne, Sorbonne.

UNTEL. Bidule, bricole, chose, colifichet, gadget, jouet, machin, objet, patente, rien, tartempion, truc, trucmuche.

UPAS. Antiar, antiaris, arbre, flèche, ipo, latex, moracète, pohoh, poison, sève.

UPÉRISÉ. Aride, axène, bréhaigne, chauffé, désert, désertique, désolé, desséché, épuisé, improductif, inculte, infécond, infertile, ingrat, intérêt, inutile, maigre, nul, oiseux, pasteurisé, pauvre, sec, stérile, stérilisé, surchauffé, vain.

UR. Our.

URAÈTE. Aigle, oiseau, rapace.

URANIEN. Efféminé, émasculé, éon, femelle, féminin, homosexuel, mièvre, mou, pédéraste, pédophile, travesti.

URANIUM. U.

URBAIN. Citadin, cité, communal, courtois, insula, mégapole, municipal, poli, réseau, ville, zonage.

URBANISTE AMÉRICAIN (n. p.). Gropius, Pei.

URBANISTE BRÉSILIEN (n. p.). Costa, Niemeyer.

URBANISTE BRITANNIQUE (n. p.). Nash.

URBANISTE CANADIEN (n. p.). Ott.

URBANISTE FINLANDAIS (n. p.). Aalto.

URBANISTE FRANÇAIS (n. p.). Candilis, Laprade, Le Corbusier, Ledoux, Lods, Mailly.

URBANISTE ITALIEN (n. p.). Fontana.

URBANISTE JAPONAIS (n. p.). Tange Kenzo.

URBANISTE NÉERLANDAIS (n. p.). Bakema.

URBANISTE ROMAIN (n. p.). Fontana.

URBANISTE SUISSE (n. p.). Meyer.

URBANITÉ. Affabilité, amabilité, civilité, courtoisie, éducation, politesse, savoir-vivre.

URE. Aurochs, bison, bœuf, bovin, bovidé, buffle, forestier, gaur, noir, ruminant, sauvage, urus, vache.

URÉDINALE. Agaric, basidiomycète, champignon, chanterelle, clavaire, cordinaire, girolle, hydne, inocybe, rouille, pied-de-mouton, polypore, puccinia, puccinie, rouille, souchette, urédinée, urédospore.

URÉE. Aminoplaste, atoxique, azotémie, cathéter, engrais, substance, uréide, urémie, urine.

URETÈRE. Abée, aqueduc, arroyo, artère, bée, berme, bief, bouche, canal, chemin, chenal, cholédoque, conduit, conduite, cours, dalot, drain, eau, écluse, égout, étier, évent, évier, fistule, fossé, grau, lé, lit, moulin, naville, ouverture, passage, passe, rachidien, rigole, sillon, trachée, tube, tuyau, urètre, vagin, veine, voie.

URÈTRE. Abée, aqueduc, arroyo, artère, bée, berme, bief, bouche, canal, chemin, chenal, cholédoque, conduit, conduite, cours, dalot, drain, eau, écluse, égout, étier, évent, évier, fistule, fossé, grau, lé, lit, moulin, naville, ouverture, passage, passe, rachidien, rigole, sillon, trachée, tube, tuyau, uretère, vagin, veine, voie.

URFA (n. p.). Édesse, Turquie.

URGENT. Immédiat, imminent, impératif, impérieux, important, instant, nécessaire, pressant, pressé.

URGENTISTE. Ambulancier, brancardier, cheval, infirmier, samaritain, sauveteur, secouriste.

URGER. Accélérer, activer, appliquer, appuyer, broyer, comprimer, dépêcher, écraser, étreindre, exciter, fouler, hâter, imprimer, peser, pétrir, pincer, pousser, presser, pressurer, repasser, serrer, talonner, tasser, vendanger.

URINAIRE. Eau, érotisation, génie, nageuse, nixe, ondin, ondinisme, sexe, urine, urolagnie

URINAL. Aiguière, alcarazas, amphore, ampoule, ballon, bol, boue, bouteille, buire, calice, canette, canope, carafe, cassolette, cérame, ciboire, cloche, cornue, cratère, cruche, encensoir, fange, gargoulette, hanap, hydrie, jarre, jatte, limicole, limon, matras, navette, parfum, patène, pot, pot-pourri, potiche, récipient, seau, soliflore, tasse, thomas, urne, vase, verre.

URINE. Acétonurie, anurie, eau, lisier, pipi, pissat, pisse, prostate, purin, pyurie, rein, urée.

URINER. Besoin, compisser, dysurie, énurésie, évacuer, miction, pisser, pissoter, pissouiller.

URINOIR. Chiotte, édicule, gogues, latrines, pissoir, pissotière, vespasienne, waters, W.C.

URIQUE. Air, az, azote, chitine, créatine, créatinine, N, nitrate, nitre, nitreux, nitrogène, nitrure, nylon, soja, urée, urémie.

URNE. Amphore, bouteille, canope, cérame, nautile, pot, potiche, pucheux, récipient, torchère, vase, vote.

URODÈLES. Amblystome, amphiume, bolitoglosse, necture, pléthodonte, pleurodèle, protée, salamandre, triton.

UROPODE. Abdominal, appendice, crustacé, nageoire, patte-nageoire, queue.

URSIDÉ. Baribal, carnivore, grizzli, grizzly, kodiak, mammifère, ours, panda, plantigrade.

URTICACÉE. Artocarpe, elatostema, helxine, mûrier, ortie, pariétaire, pilea, plante, ramie.

URTICAIRE. Allergie, dermatographisme, échauboulure, éruption, fièvre, purpura, quincke.

URTICANT. Aurélie, charybdea, cnidaire, ébahi, interdit, lucernaire, méduse, ombrelle, rhizostome, tentacule.

URTICALE. Barbeyracée, cannabinacée, cécroplacée, moracée, ulmacée, urticacée.

URUBU. Charognard, condor, épervier, faucon, griffon, gypaète, percnoptère, prédateur, urubu, vautour.

URUGUAY, CAPITALE (n. p.). Montevideo.

URUGUAY, LANGUE. Espagnol.

URUGUAY, MONNAIE. Peso.

URUGUAY, VILLE (n. p.). Ansina, Artigas, Chuy, Dolores, Melo, Mina, Montevideo, Pando, Paysandú, Rivera, Salto, Tacuarembó, Velasquez.

URUS. Aurochs, bison, bœuf, bovin, bovidé, buffle, forestier, gaur, noir, ruminant, sauvage, ure.

US. Abus, activité, application, consommation, coutume, dégradation, destination, destruction, disposition, emploi, exercice, fabrication, fonction, fonctionnement, habitude, hétérométrie, jouissance, maniement, marche, mœurs, recours, tradition, usage, utilisation.

USAGÉ. Abîmé, amorti, avachi, classique, consommé, coutume, culotté, déchiré, déformé, défraîchi, délavé, épuisé, estropié, jetable, obsolète, râpé, suranné, thèse, us, usé, vieil, vieux.

USAGE. Abus, activité, application, consommation, coutume, dégradation, destination, destruction, disposition, dopage, emploi, exercice, fabrication, fonction, fonctionnement, habitude, hétérométrie, jouissance, maniement, marche, mésusage, mésuse, mœurs, recours, traditionnel, us, utilisation.

USAGER. Bénéficiaire, client, habitué, jouisseur, locuteur, minitéliste, passager, profiteur, usufruitier, utilisateur.

USANCE. Acclimatement, accoutumance, attitré, conduite, coutume, dada, exercé, geste, habitude, idiolecte, inexercé, jactance, loquacité, manie, manière, mœurs, norme, onychophagie, pli, rite, rituel, routine, tic, us, usage, vanité.

USANT. Abêtissant, abrutissant, accablant, bêtifiant, cassant, claquant, crevant, épuisant, éreintant, esquintant, exténuant, fatigant, foulant, harassant, liquéfiant, neuneu, surmenant, tuant.

USÉ. Abrasé, affaibli, avachi, banal, cassé, croulant, déchiré, décrépit, déformé, défraîchi, délabré, démodé, dépassé, désuet, détérioré, éculé, élimé, émoussé, éraillé, érodé, éteint, fané, fatigué, fini, gâté, las, limé, mûr, râpé, usagé, vétuste, vieux.

USER. Abîmer, abraser, abuser, affaiblir, amincir, amoindrir, araser, avachir, biaiser, consommer, corroder, dépenser, disposer, effacer, effriter, élimer, émeri, émousser, entamer, épointer, épuiser, érafler, éroder, fatiguer, finasser, gâter, laminer, limer, maganer, meuler, miner, mordre, raguer, râper, rayer, roder, ronger, ruser, saper, servir, vider.

USINAGE. Alésage, bradage, broderie, composition, conception, confection, couture, création, exécution, fabrication, façon, œuvre, ouvrage, paternité, piqure, prêt-à-porter, production, réalisation, synthèse, taille.

USINE. Aciérie, aluminerie, arsenal, atelier, centrale, conserverie, distillerie, entreprise, établissement, fabrique, filature, fonderie, forge, industrie, maïserie, manufacture, meunerie, minoterie, moulin, raffinerie, rhumerie, scierie, verrerie.

USINER. Aléser, charioter, fabriquer, façonner, faire, fraiser, manufacturer, meuler, préfabriquer, travailler, usuel.

USITÉ. Accoutumé, commun, consacré, constant, courant, employé, fréquent, habituel, inusité, usuel, utilisé.

USNÉE. Filament, flocon, lichen, mousse, rocelle.

USTENSILE. Balai, bassine, brûloir, casserole, chope, couteau, cuiller, cuillère, entonnoir, essoreuse, fouet, fourchette, gril, hachoir, if, instrument, lanterne, lèchefrite, masticateur, objet, outil, panier, pincette, plumeau, poêle, poêlon, presse-citron, presse-orange, presse-purée, râpe, rôtissoire, roulette, taste-vin, turlutte, videlle.

USUEL. Admis, banal, commun, courant, coutumier, fréquent, habituel, normal, ordinaire, reçu, répandu, usité.

USUFRUIT. Allocation, arrérages, avantage, bénéfice, dividende, gain, jouissance, mense, revenu, usage.

USURE. Abrasion, affaiblissement, caducité, conflit, corrosion, délit, effilochage, effritement, émoussement, érosion, excessif, exploitation, frai, gain, intérêt, ostéolyse, prêt, profil, taux, usage, vol.

USURIER. Agioteur, avare, fesse-mathieu, juif, lombard, prêteur, séraphin, shylock, vautour.

USURPATEUR (n. p.). Alexandre, Harold, Ivajlo, Maxime, Postumus.

USURPATEUR. Antipape, despote, dictateur, dominateur, envahisseur, imposteur, intrus, occupant, oppresseur, persécuteur, potentat, titre, tortionnaire, tyran.

USURPATION. Appropriation, assujettissement, confiscation, conquête, empiétement, invasion, mainmise, occupation.

USURPER. Abuser, accaparer, adjuger, anticiper, appliquer, approprier, arroger, attribuer, dérober, emparer, empiéter, emprunter, entreprendre, envahir, obtenir, occuper, octroyer, plagier, prendre, rafler, ravir, souffler, voler.

UT. C, clé, clef, contre-do, contre-ut, do, gamme, ionien, note.

UTÉRIN. Agnat, aïeul, aïeux, aîné, allié, analogue, ancêtre, apparenté, ascendant, bru, cadet, cognat, collatéral, consanguin, consort, cousin, cousine, dabe, époux, famille, frère, gendre, géniteurs, germain, grand-mère, grand-père, mari, mère, neveu, nièce, oncle, parent, père, proche, procréateur, sang, siens, sœur, tante, tata, vioc, vioque, voisin.

UTÉRUS. Béance, col, entrailles, fibrome, matrice, œstrus, organe, sein, utérin, vagin, ventre.

UTILE. Bien, bon, charge, commode, dé, efficace, expédient, fécond, fructueux, important, indispensable, intérêt, inutile, nécessaire, ordre, précieux, profitable, riche, rôle, salutaire, secours, théâtre, usuel.

UTILISABLE. Blanchiment, convivial, récupérable, recyclable, renouvelable, réinsertion, réutilisable.

UTILISATEUR. Bénéficiaire, client, habitué, internaute, jouisseur, minitéliste, profiteur, usager, usufruitier.

UTILISATION. Abus, consommation, défilement, dépense, détention, emploi, érotisation, maniement, possession, usage.

UTILISER. Déployer, employer, essayer, étrenner, exercer, exploiter, manipuler, profiter, recourir, servir, tirer, user.

UTILITAIRE. Camion, camionnette, commode, efficace, fonctionnel, pratique, réaliste, utile, véhicule, voiture.

UTILITÉ. Avantage, bienfait, bouche-trou, commodité, efficacité, figurant, fonction, intérêt, profit, service.

UTOPIE. Abstraction, abstrait, apparence, berlue, chimère, fantasme, faux, fiction, fumée, hallucination, idéal, idéalisme, illusion, image, imaginaire, imagination, irréalisme, irréalité, leurre, mensonge, mirage, naïveté, rêve, simulation, songe-creux.

UTOPIQUE. Chimérique, idéal, illusion, imagination, impossible, improbable, inaccessible, irréaliste, rêve.

UTOPISTE. Contemplateur, extatique, idéaliste, illuminé, irréaliste, méditatif, optimiste, poète, rêvasseur, rêveur, songeur, visionnaire.

UTRAQUISTE. Hérétique, hétérodoxe, hussite, taborite.

UTRICULAIRE. Sacculiforme, urcéolé, utriculaire, utriculeux, vésiculaire, vésiculeux.

UTRICULE. Cavité, diverticule, follicule, outre, pustule, sac, saccule, sinus, vacuole, ventricule, vésicule, vestibule.

UVA-URSI. Busserole, raisins d'ours.

UVÉE. Choroïde, ciliaire, iris, membrane, œil, péritoine, plexus, rétine, tunique, uvéite.

UVULE. Appendice, consonne, déglutition, lampas, luette, prononciation, staphylin, uvula, vibration.

UXORICIDE. Assassin, conjoint, meurtre, meurtrier.

V

VA. Aller, déplacer, duite, encouragement, est, seyant, voltampère.

VACANCE. Arrêt, carence, congé, coupure, dignité, disponibilité, fonction, interruption, occupation, pause, période, permission, pont, relâche, répit, repos, séjour, suspension, temps, vacuité, vide, villégiature.

VACANCIER. Aoûtien, bronzé, croisiériste, curiste, estivant, hivernant, touriste, villégiateur, visiteur, voyageur.

VACANT. Abandonné, allouable, disponible, inaffecté, inhabité, inoccupé, intérim, libre, ouvert, prêtable, vague, vide.

VACARME. Barouf, baroufle, bastringue, boucan, bouleversement, brouhaha, bruit, cacophonie, chahut, chambard, charivari, clameur, désordre, dissonance, émeute, fracas, hourvari, huée, raffut, ramdam, sarabande, tapage, tintamarre, tintouin, tumulte.

VACATION. Appointements, cachet, commission, cotise, droit, émoluments, gages, gain, guelte, honoraires, indemnité, jeton, loyer, mensualité, paie, paiement, pourboire, prêt, prime, profit, rémunération, rétribution, salaire, service, solde, traitement, versement, virement.

VACCIN. Autovaccin, B.C.G., entérovaccin, épidémie, guérir, injection, inoculation, lipovaccin, rage, santé, sérum.

VACCINATION. Antiamaril, clavelisation, immunisation, injection, inoculation, préservation, protection, sérothérapie.

VACCINE. Antibariolique, cow-boy, éruption, pis, pustule, sérum, vaccin, vache, variole.

VACCINELLE. Acné, ébullition, énanthème, éruption, exanthème, herpès, impétigo, lichen, miliaire, poussée, purpura, rash, roséole, sortie, urticaire, vaccinide, vaccinoïde.

VACCINER. Administrer, claveliser, immuniser, inoculer, mithridatiser, piquer, prémunir, préserver.

VACCINIER. Airelle, bleuet, canneberge, myrtille.

VACCINOSTYLE. Lame, lancette, phlébotome, scarification.

VACHARD. Acerbe, austère, autoritaire, difficile, doux, draconien, dur, exigeant, humain, impitoyable, implacable, indulgent, inexorable, insensible, méchant, mordant, raide, rigide, rigoureux, rude, sévère, strict, vache.

VACHE (n. p.). Hathor, Io, Prusiner.

VACHE. Amouillante, aubrac, austère, bazadaise, bedoune, beugler, bœuf, bouse, brutal, charolais, dagorne, dugong, folle, génisse, grasse, holstein, maigre, meugler, montbéliarde, mugir, pie, pis, sévère, sirène, tarine, taure, taureau, ure, vachette, veau.

VACHEMENT. Drôlement, extrêmement, hyper, méchamment, rudement, super, terriblement, très.

VACHER. Bouvier, carouge, cow-boy, gardien, molothre, oiseau, toucheur de bœufs, trayeu, vacheron, vaquero.

VACHERIE. Ânerie, coup, désagréable, désagrément, étable, fâcheux, méchanceté, méchant, rosserie, tuile.

VACHERIN. Fromage, gâteau, génoise, glace, gougère, gruyère, meringue glacée, mont d'or.

VACILLANT. Chancelant, clignotant, défaillant, faible, fragile, incertain, instable, titubant, tremblant, tremblotant.

VACILLATION. Balan, balancement, battement, bercement, branlement, doute, embarras, flottement, hésitation, incertitude, indécision, indétermination, irrésolution, oscillation, perplexité, résolution, tremblement.

VACILLEMENT. Clignotement, hésitation, indécision, irrésolution, mobilité, pétillement, scintillation, scintillement.

VACILLER. Balancer, branler, chanceler, chavirer, cligner, clignoter, faiblir, flageoler, fléchir, hésiter, luire, osciller, papillonner, papilloter, parpeléger, remuer, scintiller, tanguer, tituber, tourner, trembler, trembloter.

VACIVE. Agneau, agnel, agnelet, agnelle, antenais, astrakan, baron, bélier, boucherie, brebis, broutard, côtelette, doux, épigramme, gigot, monnaie, mouton, pacifique, pâque, pâques, pascal, ris, vassiveau.

VACUITÉ. Désert, futilité, inanité, inexistence, néant, non-sens, nullité, rien, vacances, vacuum, vide, zéro.

VACUOLE. Andésite, cavité, cellule, chondriome, cytoplasme, dendrite, ectoplasme, endoplasme, eucaryote, hyaloplasme, organelle, organite, pinocytose, plasmode, protoplasme, sarcoplasme, syncytium.

VADE-MECUM. Abrégé, agenda, aide-mémoire, bloc-notes, compendium, croquis, dessin, épitomé, guide, manuel, mémento, mémorandum, pense-bête, précis, répertoire, résumé, synopsis, vadecum.

VADROUILLE. Balai, déplacement, erre, flânerie, flâneur, hardes, musard, promenade, prostituée, tampon, voyage.

VADROUILLER. Errer, flâner, musarder, promener, rôder, traînasser, traîner.

VA-ET-VIENT. Allée, bobine, canette, crucifère, frivolité, gong, navette, orbiteur, spatial, yoyo.

VAGABOND. Bohème, bohémien, changeant, chemineau, clochard, cloche, clodo, dépravé, errant, flâneur, galapiat, gueux, itinérant, malandrin, mendiant, nomade, robineux, rôdeur, romanichel, trimardeur, trôleur, truand, tzigane, voyageur.

VAGABONDAGE. Baguenaude, course, déambulation, déplacement, égarement, errance, flânage, flânerie, galvaudage, glandage, instabilité, marche, nomadisme, pérégrination, promenade, randonnée, rêverie, rôdage, voyage.

VAGABONDER. Errer, flâner, galvauder, promener, rêver, rôder, traînasser, trimarder, vaguer.

VAGIN. Clitoris, féminité, femme, hymen, intimité, lèvres, mammifère, nymphe, pudenda, vulve, yoni.

VAGIR. Beugler, brailler, braire, bramer, chanter, chialer, chigner, crier, gémir, gueuler, horler, hurler, lamenter, larmoyer, miauler, plaindre, pleurer, pleurnicher, rugir, sangloter, tonitruer, vociférer, zerver.

VAGISSEMENT. Areu, braillement, cri, éclat, gémissement, gloussement, hurlement, lamentation, réclame, rugissement, vocifération.

VAGUE. Abstrait, agitation, arête, barre, confus, crête, creux, douteux, eau, écume, erre, évasif, flot, flou, général, houle, imprécis, incertain, indécis, indéfini, lame, masse, mouton, mouvement, nappe, nébuleux, nuageux, obscur, ola, onde, ondulation, raz, raz-de-marée, ressac, risette, rouleau, spleen, tendance, tristesse, vacant.

VAGUEMESTRE. Facteur, messager, officier, maître, planton, poste, postier, sous-officier, télégraphiste.

VAGUER. Déferler, divaguer, errer, flâner, flotter, friser, généraliser, onduler, traînasser, troubler, vagabonder.

VAIGRE. Bord, bordage, bordé, dame, fargues, lisière, portemanteau, préceinte, vaigrage, virure.

VAILLAMMENT. Audacieusement, bravement, courageusement, hardiment, héroïquement, valeureusement.

VAILLANCE. Audace, bravoure, chèrement, cœur, courage, cran, fierté, hardiesse, intrépidité, témérité.

VAILLANT (n. p.).Nemrod.

VAILLANT. Audacieux, brave, courageux, énergique, généreux, hardi, héros, intrépide, lâche, peureux, poltron, preux, résolu, robuste, sou, valeureux, vigoureux.

VAIN. Absurde, calembredaine, creux, effet, fat, faux, fier, frivole, fugace, illusoire, imaginaire, inanité, inconséquent, inconsistant, inefficace, inopérant, intérêt, inutile, nul, oiseux, orgueilleux, prétentieux, stérile, superflu, vanité, zéro.

VAINCRE. Abattre, accabler, anéantir, annihiler, balayer, battre, bousculer, chasser, conquérir, débander, décimer, défaire, disperser, dominer, dompter, écraser, enfoncer, exténuer, forcer, gagner, repousser, surmonter, terrasser, triompher.

VAINCU (n. p.). Alamans, Alémans, Arbogast, Arioviste, Brutus, Custine, Lally, Lee, Montcalm, Othon, Soubise.

VAINCU. Aman, battu, bouchée, conquis, culbuté, défait, défaitiste, échec, écrasé, enfoncé, eu, fuyard, gagnant, invaincu, invincible, joug, lâche, merci, outré, perdant, rendu, subjugué, terrassé, torché.

VAINEMENT. Faussement, frivolement, futilement, illusoirement, infructueusement, inutilement, stérilement, trompeusement.

VAINQUEUR (n. p.). Archimard, Bonaparte, Bülow, Davout, Eude, Eudes, Juin, Koenig, MacArthur, Nelson, Pétain,

VAINQUEUR. As, champion, conquérant, dessus, dominateur, dompteur, gagnant, héros, lauréat, prix, suffisant, triomphant, triomphateur, victorieux.

VAIR. Clocheton, contre-vair, écu, écureuil, fourrure, menu-vair, petit-gris, poil, tire, vairé.

VAIRON. Albinos, amétropie, borgne, bridé, cerne, châsses, éborgner, emmétropie, exorbité, larme, lu, lunette, mirettes, myopie, oculiste, œil, ommatidie, ophtalmologiste, regard, sourcil, taupe, vision, vue, yeux.

VAISSEAU (n. p.). Bon de Dieu, Bucentaure, Havers, Mayflower.

VAISSEAU. Arche, artère, bateau, bâtiment, birème, bol, conduit, corsaire, corvette, efférent, flotte, frégate, gréer, marin, mât, matelot, navette, navire, nef, noliser, paquebot, soucoupe, transept, trière, trimère, tube, vase, veine, voile.

VAISSEAU SANGUIN. Aorte, artère, capillaire, glomérule, lymphatique, tube, vasculaire, veine.

VAISSEAU SPATIAL (n. p.). Apollo, Canope, Shenzhou, Soïouz, Soyouz, Vostok.

VAISSELIER. Argentier, armoire, buffet, crédence, dressoir, écuellier, étagère, meuble.

VAISSELLE. Argenterie, assiette, dînette, dressoir, évier, grosserie, légumier, plat, plateau, plomb, plongeur, poterie, saladier, salière, saucière, service, soucoupe, soupière, sucrier, surtout, table, tasse.

VAL. Aber, auge, bassin, canyon, col, combe, couloir, cluse, gorge, prairie, ravin, ria, ruz, talweg, vallée, vallon.

VAL-DE-MARNE, VILLE (n. p.). Ablon, Arcueil, Cachan, Conflans, Créteil, Fresnes, Gentilly, Orly, Vincennes.

VAL-D'OISE, VILLE (n. p.). Argenteuil, Bezons, Domont, Goussainville, Montmagny, Montmorency, Montsoult, Persan, Pontoise, Sarcelles, Survilliers, Taverny, Viarmes, Vigny.

VALABLE. Acceptable, admissible, bon, capable, compétent, efficace, entériné, fondé, juste, justifié, légal, légitime, opposable, plausible, qualifié, recevable, réglementaire, sérieux, solide, valide, vrai.

VALDINGUER. Basculer, chavirer, choir, chuter, culbuter, dinguer, éconduire, écrouler, renverser, tomber, verser.

VALENCE. Atome, bivalence, capacité, électron, faraday, monovalence, négatif, nombre, orange, pentavalence, plurivalence, polyvalence, positif, quadrivalence, tétravalence, trivalence, univalence, valencia.

VALENTIN. Adorateur, alcôve, amant, amateur, amoureux, béguin, cavaleur, céladon, épris, fanatique, féru, fervent, fiancé, fou, galantin, idylle, mordu, narcisse, passionné, pincé, pris, soupirant, toqué, tourtereau.

VALÉRIANACÉE. Mâche, nard, nard celtique, nard des montagnes, valériane, valérianelle.

VALET (n. p.). Cléry, Damiens, La Hire, Marot, Passepartout, Roustan, Scapin, Sganarelle, Sosie.

VALET. Carte, crispin, domestique, estafier, flatterie, lad, laquais, larbin, pasquin, serviteur, sosie, varlet.

VALÉTUDINAIRE. Anémique, cacochyme, chétif, délicat, faible, fragile, frêle, maladif, malingre, pâle, rachitique.

VALEUR. Amplitude, asse, capacité, certificat, classe, cote, courage, densité, distinction, envergure, estime, étalon, étoffe, force, grandeur, important, mérite, mode, modique, note, nul, orgueil, prix, qualité, quelque, rareté, rehausser, richesse, sens, sensass, titre.

VALEUREUX. Audacieux, brave, courageux, hardi, héroïque, intrépide, nullard, preux, vaillant, vertueux.

VALIDATION. Accord, approbation, aval, avis, caution, homologation, périmé, ratification, sain, test, visa.

VALIDE. Admis, admissible, bien, bon, dispos, dru, fort, gaillard, portant, recevable, robuste, sain, valable.

VALIDER. Authentifier, certifier, confirmer, entériner, garantir, homologuer, instrumentaire, légaliser, ratifier.

VALIDITÉ. Bien-fondé, conformité, évidence, flagrance, juste, justesse, légalité, réalité, sérieux, solidité, valeur.

VALISE. Bagage, baise-en-ville, cantine, cerne, coffre, diplomatique, faire, fourgon, malle, mallette, mallouse, moraillon, sac, serviette, soute, valdingue, valoche.

VALLÉE. Aber, auge, bassin, canyon, col, combe, couloir, cluse, fjord, gorge, prairie, ravin, ria, ruz, talweg, val, vallon.

VALLÉE (n. p.). Abe, Anniviers, Aran, Aspe, Aure, Blanche, Chevreuse, Côa, Douro, Emmenthal, Entremont, Josaphat, Joux, Némée, Ossau, Panchir, Rois, Roses, Ruz.

VALLÉE, ALPES (n. p.). Adige, Drave, Enns, Inn, Isère, Pustertal, Rhin, Rhône.

VALLON. Aber, auge, bassin, canyon, col, combe, couloir, cluse, gorge, prairie, ravin, ria, ruz, talweg, val, vallée.

VALOCHE. Bagage, baise-en-ville, cantine, coffre, fourgon, malle, mallette, mallouse, sac, serviette, soute, valdingue, valise.

VALOIR. Atteindre, coûter, égaler, équipoller, équivaloir, exploiter, faire, fifrelin, mériter, rehausser, vanter.

VALORISATION. Amélioration, amendement, bonification, enrichissement, fertilisation.

VALORISER. Améliorer, amender, bonifier, enrichir, fertiliser, hausser, majorer, rehausser, relever, vanter

VALSE. Boston, changement, danse, fluctuation, instabilité, java, mouvement, quatre-temps, volée.

VALSER. Balancer, branler, chanceler, chavirer, hésiter, osciller, tituber, trébucher, trembler, trembloter, vaciller.

VALSEUR. Baladin, boy, cavalier, charmeur, coryphée, danseur, débrouillard, derviche, équilibriste, étoile, farandoleur, funambule, gambilleur, gigoteux, gigueux, gincheur, matassin, mime, partenaire, patineur, pétauriste, plokiste, testicule, tourneur, twisteur.

VALVE. Charnière, clapet, cœur, écaille, endocardite, fermer, nacre, obturateur, reniflard, soupape, valvule.

VALVULE. Clapet, conduite, écluse, obturateur, ouverture, mitrale, porte, reniflard, soupape, valve, vanelle.

VAMPIRE (n. p.). Dracula, Stoker.

VAMPIRE. Assassin, chauve-souris, empuse, fantôme, goule, ogre, pou, sadique, sangsue, strige, stryge, suceur.

VANADIUM. V.

VANDALE. Barbare, casseur, destructeur, dévastateur, hooligan, iconoclaste, profanateur, saboteur, saccageur.

VANDALISER. Abattre, affoler, agiter, atteindre, bouleverser, brouiller, casser, chambarder, chambouler, changer, chavirer, choquer, commotionner, contester, déranger, dérégler, émouvoir, ravager, renverser, révolutionner, révulser, saccager, subvertir, toucher, tournebouler, troubler.

VANDOISE. Chevesne, cyprinidé, dard, hotu, meunier, poisson.

VANESSE. Araschnia, belle-dame, morio, orchidée, paon, papillon, tortue, vanillier, vulcain.

VANILLES. Beige, bis, brun, champagne, coquille d'œuf, crème, drabe, écru, grège, ivoire, mastic, parfum, sable.

VANITÉ. Affectation, autosatisfaction, complaisance, crânerie, défaut, enflure, fat, fatuité, fier, fierté, gloire, gloriole, importance, inanité, infatuation, jactance, orgueil, ostentation, présomption, prétention, snobisme, suffisance, vain.

VANITEUX. Crâneur, fanfaron, fat, fier, flambard, glorieux, imbu, important, infatué, jars, orgueilleux, outrecuidant, paon, pédant, poseur, présomptueux, prétentieux, puant, ramenard, snob, suffisant, vain.

VANNE. Allusion, barrage, blague, bonde, by-pass, camionnette, détendeur, déversoir, empellement, fatigue, grain, gril, las, pale, panneau, pique, plaisanterie, raillerie, remarque, rosserie, sarcasme, secouer, tarare, valse.

VANNELLE. Clapet, conduite, écluse, obturateur, ouverture, porte, reniflard, soupape, valve, valvule.

VANNER. Claquer, crever, épuiser, éreinter, exténuer, fatiguer, harasser, nettoyer, remuer, sasser, tamiser, tuer.

VANNERIE. Accord, agio, amas, armement, arrachis, assemblage, attirail, avoir, barreau, bastringue, biosphère, bloc, cabinet, catégorie, chœur, clientèle, collectif, concert, couple, couronne, décor, écurie, ensemble, état, éthique, ethnie, fratrie, fressure, germen, gotha, iconographie, idéologie, inclassable, kit, ligature, litée, main, maintenance, massif, mosaïque, necton, nichée, nomenclature, notice, noulet, opinion, parure, périphérie, peuplement, pool, protocole, racaille, race, réseau, ripieno, rituel, saint-frusquin, site, smala, smalah, soma, toilette, total, tout, tractus, tutti, uni, unisson, unité, urémie, vélodrome, verroterie, vocabulaire, volaille, vulve.

VANTAIL. Abattant, battant, clapet, couvercle, obturateur, opercule, ouvrant, panneau, rabat, vasistas, volet.

VANTARD. Blagueur, bluffeur, esbroufeur, fanfaron, frimeur, galéjeur, gascon, hâbleur, matamore, rodomont, tartarin.

VANTARDISE. Blague, bluff, craque, esbroufe, fanfaronnade, forfanterie, gasconnade, gasconnisme, hâblerie, jactance, ostentation, parade, rodomontade, tartarinade.

VANTE. Adorateur, adulateur, applaudisseur, cajoleur, caresseur, courtisan, dithyrambique, élogieux, encenseur, endormeur, enjôleur, flagorneur, flatteur, laudatif, lèche-botte, lèche-cul, lécheur, los, louangeur, loue, menteur, thuriféraire.

VANTER. Acclamer, applaudir, approuver, bluffer, célébrer, chanter, encenser, enorgueillir, exagérer, exalter, flatter, glorifier, grossir, louanger, louer, magnifier, mousser, pavoiser, prévaloir, prôner, targuer.

VA-NU-PIEDS. Clochard, coquin, gueux, hère, mendiant, misérable, pauvre, sans-abris, squatter, vagabond.

VAPEUR. Air, brouillard, brome, bruine, bruir, brume, buée, émanation, éolipyle, étouffée, étuve, évent, exhalaison, fumée, gaz, givre, nuage, nuée, pâle, pyroscaphe, rosée, sauna, suée, vapes, volatil.

VAPOREUX. Aérien, brumeux, changeant, confus, ému, éthéré, flottant, flou, gazeux, imprécis, incertain, indécis, indistinct, ivre, léger, obscur, sfumato, translucide, vague, vaniteux, voilé, volatil.

VAPORISATEUR. Aérosol, atomiseur, bombe, brumisateur, fixateur, nébulisateur, pulvérisateur, sublimateur.

VAPORISATION. Évaporation, distillation, gazéification, nébulisation, pulvérisation, sublimation, volatilisation.

VAPORISER. Distiller, évaporer, gazéifier, goutte, mouiller, pulvériser, rebouilleur, sublimer, volatiliser.

VAQUER. Adonner, appliquer, cesser, consacrer, employer, livrer, occuper.

VAR, VILLE (n. p.). Agay, Besse, Brignoles, Callas, Collobrières, Cotignac, Cuers, Draguignan, Fayence, Garimaud, Lorgues, Mons, Saint-Tropez, Salernes, Tamaris, Toulon.

VARAN. Carnivore, crénelé, lacertien, lézard, reptile, saurien, squamate, varan de Komodo, varanidés.

VARANGUE. Abri, auvent, balcon, bungalow, gloriette, kiosque, maruise, véranda, verrière.

VARAPPE. Alpinisme, amendement, ascension, autobloqueur, dévisser, escalade, grimpée, montagne, montée, ramoner, randonnée, trek, trekking.

VARECH. Algue, engrais, fucus, goémon, iode, infusion, lichen blanc, sar, sart.

VAREUSE. Blouse, caban, combinaison, cotte, peignoir, poitrinière, robe, salopette, sarrau, suroît, tunique, veste.

VARIA. Ana, analecta, anthologie, choix, chrestomathie, collection, compilation, épitomé, extraits, recueil, sélection.

VARIABILITÉ. Changement, fluctuation, incertitude, inconstance, inégalité, instabilité, modifiant, mouvant, mouvement.

VARIABLE. Aléatoire, céphéide, changeant, différent, divers, flottant, incertain, inconsistant, inconstant, indécis, instable, irrésolu, labile, ondoyant, palme, phase, quart, relatif, rhéostat, us, verbe.

VARIANCE. Association, connexion, connexité, corrélation, correspondance, covariance, dépendance, filiation, interaction, interdépendance, liaison, lien, pont, rapport, rapprochement, réciprocité, relation, solidarité.

VARIANTE. Assaisonnement, choix, condiment, copie, différent, leçon, nuance, remake, réplique, variété, version.

VARIATION. Alternance, alternative, amplitude, bifurcation, changement, chant, déviation, différence, écart, eustatisme, évolution, fluctuation, fourchette, inégalité, innovation, modification, nuance, remous, type.

VARICE. Angiectasie, hamamélis, hémorroïde, phlébite, stripping, télangiectasie, varicocèle, vasodilatation.

VARIÉ. Bariolé, bigarré, changeant, complexe, diapré, différent, disparate, distinct, divers, diversifié, hétéroclite, hétérogène, marbré, mélangé, mêlé, modifié, multiforme, multiple, nombreux, nuancé, pluriel, tigré, transformé.

VARIER. Accorder, alterner, assoler, bigarrer, changer, commuer, différencier, différer, discorder, diverger, diversifier, échelonner, fluctuer, mélanger, modifier, moirer, nuancer, nuer, osciller, panacher, tourner, virer.

VARIÉTÉ. Agate, assortiment, beaucoup, bigarrure, classification, dialecte, différence, disparité, diversité, espèce, éventail, gouet, mélange, multiplicité, niébé, opale, race, riche, sorte, uni, uniformité.

VARIOLE. Alastrim, bouton, clavelée, éruption, fièvre, grêlé, infection, maladie, peau, picote, pustule, vérole.

VARLOPE. Bouvet, colombe, doucine, feuilleret, gorget, guillaume, guimbarde, menuisier, mouchette, moulure, pestum, rabot, riflard, sabot, varloper.

VARLOPER. Amincir, aplanir, décourber, dégauchir, doler, dresser, planer, raboter, redresser, replanir.

VARUS. Bancal, bancroche, cagneux, chaval, difforme, inégal, noueux, pied-bot, tordu, tors, tortu, vara.

VASCULAIRE. Filicale, fougère, ginkgo, lycopode, ptéridophyte, spermatophyte, vaisseau.

VASE (n. p.). Arsonval, Arsonval-Dewar, Canope, Dewar, Graal, Pandore, Soissons.

VASE. Aiguière, alcarazas, amphore, ampoule, ballon, bol, boue, bouteille, buire, calice, canette, canope, carafe, cassolette, cérame, ciboire, cloche, cornue, cratère, cruche, encensoir, fange, gargoulette, hanap, hydrie, jarre, jatte, limicole, limon, marmite, matras, navette, parfum, patène, pot, pot-pourri, potiche, récipient, seau, soliflore, tasse, thomas, urinal, urne, verre.

VASECTOMIE. Aseptisation, autoclave, castration, contraceptif, déférent, désinfection, émasculation, étuve, ozonisation, pasteurisation, résection, stérilisation, tyndallisation, upérisation, vasotomie.

VASELINE. Adipeux, axonge, beurre, cambouis, graille, graillon, gras, graisse, huile, lanoline, lard, lipide, lubrifiant, oing, oindre, oint, oléine, maniguette, margarine, myéline, oing, oléine, panne, sain, saindoux, stéarine, suif, suint, spic.

VASEUX. Abruti, boueux, bourbeux, fangeux, limoneux, marécageux, tourbeux, trouble, vasard, vasouillard.

VASIÈRE. Anarchie, baissière, bauge, bourbier, cloaque, égout, embarras, fondrière, marais, merdier, mouillère.

VASISTAS. Ajour, baie, cantonnière, châssis, croisée, espagnolette, fenêtre, hublot, jalousie, lucarne, lunette, meneau, oculus, œil-de-bœuf, oreille, oriel, rideau, soupirail, store, tabatière, tenture, vanterne, volet.

VASOUILLER. Balancer, confusion, empêtrer, flotter, hésiter, merdoyer, osciller, tergiverser.

VASQUE. Bac, bassin, bénitier, coupe, cuvette, fontaine, jardinière, jarre.

VASSAL. Antrustion, asservir, baisemain, ban, banneret, bannière, bey, dynastie, feudataire, fief, forfaiture, gonfalon, gonfanon, hospodar, leude, lige, mainmortable, ost, pair, radjah, raja, rajah, réduire, suzerain, vasseur.

VASSALISER. Asservir, assujettir, contrôler, diriger, dominer, gouverner, inféoder, régenter, soumettre, subjuguer.

VASSALITÉ. Allégeance, autonomie, captivité, contrainte, dépendance, emprise, pouvoir, puissance, subordination, sujétion.

VASTE. Abondant, ample, béant, considérable, copieux, développé, énorme, épanoui, étendu, fécond, fort, généreux, grand, gras, gros, immense, important, large, logeable, mer, nombreux, océan, panorama, panoramique, spacieux.

VATICINATEUR. Astrologue, augure, bible, devin, enchanteur, gourou, guru, hadith, mage, malheur, médium, nabi, oracle, patriarche, prédicateur, prophète, pythonisse, starets, stariets, sybille, voyant.

VATICINATION. Conjoncture, divination, intuition, oracle, prédiction, prémonition, prévision, prophétie, prospective.

VATICINER. Annoncer, augurer, conjecturer, deviner, dévoiler, incanter, prédire, présager, prophétiser, sibylliser.

VAUCLUSE, VILLE (n. p.). Avignon, Beaumes, Carpentras, Cavaillon, Châteauneuf-du-Pape, Nazan, Pertuis, Sault.

VAUDEVILLE. Arlequinade, bouffonnerie, boulevard, burlesque, comédie, limerick, mascarade, parodie.

VAUDOIS. Adamisme, albigeois, antinomiste, apostat, arien, barbet, camisard, cathare, dissident, hérésiarque, hérétique, hétérodoxe, impie, infidèle, laps, relaps, renégat, révolté, roussi, sacrilège, secte, séparé.

VAUDOU. Apparition, double, esprit, fantôme, larve, lémure, mort-vivant, nullité, périsprit, spectre, zombie

VAURIEN. Arsouille, aventurier, bandit, brigand, canaille, chenapan, coquin, crapule, débauché, délinquant, fripon, fripouille, galapiat, garnement, gouape, gredin, malfaisant, mauvais, mécréant, pendard, sacripant, voyou.

VAUTOUR. Charognard, condor, épervier, faucon, griffon, gypaète, moine, percnoptère, prédateur, urubu, usurier.

VAUTRER. Abandonner, abattre, abîmer, adonner, affaler, avachir, complaire, coucher, écrouler, effondrer, enfoncer, étaler, étendre, livrer, rouler.

VEAU. Amourette, bœuf, fagoue, gouet, grenadin, marengo, mou, noix, ossobuco, phoque, ris, rouelle, tendron, vau.

VECTEUR. Abscisse, glisseur, gradient, porteur, résultant, substrat, support, tenseur, torseur, vectoriel, véhicule.

VÉCU. Authentique, cheminement, événement, expérience, faits, réel, survécu, trajectoire, vrai.

VEDETTE. Acteur, artiste, bateau, canot, célébrité, chanteur, étoile, gloire, idole, navire, sex-succès, superstar, star, symbol, veilleur.

VÉGÉTAL. Algue, arbre, arbrisseau, arbuste, fleur, flore, fruit, légumineuse, plant, plante, protophyte.

VÉGÉTALIEN. Frugivore, fruitarien, gorille, herbivore, légumiste, macrobiotique, végétaliste, végétarien.

VÉGÉTARIEN. Apidé, frugivore, herbivore, indri, macrobiote, macrobiotique, ruminant, végétalien.

VÉGÉTATIF. Désoccupé, désoeuvré, fainéant, flâneur, inactif, inoccupé, musard, musardine, oisif, paresseux.

VÉGÉTATION. Arbre, brande, broussaille, champ, feuille, feuillu, fleur, flore, oasis, sous-bois, steppe, verdure.

VÉGÉTER. Croître, croupir, durer, étioler, exister, moisir, pourrir, pousser, stagner, subsister, vivoter, vivre.

VÉHÉMENCE. Animosité, ardeur, éloquence, emportement, énergumène, enthousiasme, exaltation, feu, fougue, impétuosité, passion, violence, virulence.

VÉHÉMENT. Ardent, emporté, enflammé, entraînant, fougueux, impérieux, impétueux, passionné, violent.

VÉHICULE. Aérotrain, astronef, auto, autobus, autocar, automobile, automotrice, autopompe, avion, bateau, bicyclette, blindé, bolide, bus, camion, car, caravane, char, charrette, citerne, dameuse, diligence, draisine, duc, éfourceau, fourgonnette, fusée, hélicoptère, jeep, kart, landau, limonière, moto, motocyclette, navette, planeur, scooter, tacot, tracteur, train, traîneau, veau, vélo, voiture, wagon.

VÉHICULER. Communiquer, diffuser, populariser, propager, répandre, transmettre, transporter, voiturer.

VEILLE. Ancien, anciennement, antan, attention, autrefois, avant, concentration, conjonction, désuet, éveil, ex, garde, hier, insomnie, jadis, longtemps, naguère, ost, quart, passé, soir, veillée, vieux, vigile.

VEILLÉE. Cantou, couarail, party, quart, réception, soir, soirée, surboum, tutélaire, veille, vigile.

VEILLER. Aider, appliquer, bichonner, cajoler, chaperonner, chouchouter, choyer, couver, défendre, dorloter, garder, monter, occuper, pourvoir, préserver, protéger, rester, secourir, soigner, songer, surveiller.

VEILLEUR. Épieur, factionnaire, garde, gardien, guet, guetteur, sentinelle, surveillant, vigie, vigile.

VEILLEUSE. Falot, fanal, feu, flambeau, flamme, phare, gosier, guillotine, lamparo, lampe, lampion, lanterne, lanternon, loupiote, lumière, lumignon, lupanar, lustre, phare, pharillon, ralenti, réverbère.

VEINARD. Aléatoire, aventurier, bossu, chançard, chanceux, favorisé, fortuit, hasardeux, heureux, incertain, infortuné, malchanceux, mardeux, opportun, osé, risqué, verni.

VEINE. Airure, azygos, basilique, canal, cave, chance, chyle, délit, fil, filet, filon, génie, gisement, hasard, inspiration, lacté, madré, porte, pot, ronce, sang, saphène, sillage, vaisseau, veinosité, veinule, veinure.

VEINER. Barioler, jasper, marbrer, orner, raciner, rayer, tigrer, vermiculer, zébrer.

VÉLAR. Cruciféracée, giroflier, herbe aux chantres, matthiole, plante, roquette, sisymbre, violier.

VÉLARIUM. Abri, écran, en-cas, marquise, ombrelle, parapluie, parasol, pébroc, pépin, pin, riflard.

VÊLER. Accoucher, agneler, cochonner, concevoir, créer, enfanter, engendrer, générer, pouliner, procréer, produire.

VÉLIN. Cosse, diplôme, écrou, garde, manuscrit, papier, parchemin, peau, queue, titre, veau, velot.

VELLÉITÉ. Aboulie, aise, aveulir, bienveillance, caprice, caractère, courage, cran, décision, décret, désir, dessein, détermination, énergie, exigence, fermeté, gré, intention, niaque, opiniâtreté, oracle, projet, résolution, ressort, souhait, testament, tester, vœu, volition, volonté, vouloir, vue.

VÉLO. Bécane, biclou, bicross, bicycle, bicyclette, clou, draisienne, tandem, tricycle, triporteur, triplette, vélocipède, vélocross, vélomoteur, vélopousse, VTT.

VÉLOCE. Agile, alerte, léger, preste, prompt, rapide, vif, vivacité.

VÉLOCIPÈDE. Bicycle, bicyclette, cipale, clou, cycle, meule, mobylette, monocycle, vélo, VTT.

VÉLOCITÉ. Activité, agilité, célérité, diligence, hâte, prestesse, promptitude, rapide, rapidité, vitesse, vivacité.

VÉLOMOTEUR. Boguet, cyclomoteur, derny, meule, mobylette, moto, motocyclette, pétrolette, solex, trottinette, vespa.

VELOURS. Cuir, corduroy, côtelé, facile, floche, mille-raies, panne, pataquès, peluche, tissu, velvet, velvétine.

VELOUTÉ. Bouillon, doux, fin, finesse, mielleux, moelleux, onctueux, quiétude, satiné, sauce, suavité, sucré, tranquillité.

VELU. Barbu, chevelu, faune, hirsute, moussu, moustachu, peluché, pileux, poilu, velouté, villeux.

VELVOTE. Calcéolaire, cymbalaire, digitale, euphraise, gantelée, ganteline, gantillier, herbe-aux-poux, limoselle, linaire, maurandie, mélampyre, muflier, paulownia, pavée, pédiculaire, plante, rhinanthe, scrofulariacée, unité, véronique.

VÉNAL. Corrompu, cupide, fonction, intéressé, mercantile, mercenaire, prix, rapace, sordide, vendu, véreux.

VENDANGE. Cagnotte, connaissance, cueillette, démaillonner, grappiller, hec, jeunesse, récolte, vigne, vigneron, vin.

VENDANGEOIR. Berthe, bidon, bille, binette, boille, bouille, brante, figure, hotte, pot, récipient, tête, vase, viage.

VENDANGEUR. Cueilleur, moissonneur, récolteur, vigneron.

VENDANGEUSE. Aster, colchique sauvage, fleur, machine, plante, récolteuse.

VENDÉE, VILLE (n. p.). Aizenay, Bouin, Challant, Noirmoutier, Palleau, Rocheservière, Talmont, Tiffauges, Vouvant.

VENDÉEN. Activiste, agitateur, anarchiste, contestataire, cordelier, desperado, émeutier, extrémiste, factieux, frondeur, futuriste, gauchiste, insurgé, insurrectionnel, militant, mutin, nihiliste, novateur, putschiste, rebelle, révolté, révolutionnaire, séditieux, subversif, terroriste, trublion.

VENDETTA. Affront, attaque, atteinte, attentat, avanie, blessure, camouflet, coup, désobéissance, faute, félonie, incartade, injure, insolence, insulte, offense, outrage, péché, pénitence, talion, vengeance, vindicte.

VENDEUR. Agent, bouquiniste, camelot, cédant, charlatan, colporteur, commerçant, commis, crieur, dépositaire, détaillant, diffuseur, éditeur, employé, étalagiste, exportateur, grossiste, marchand, négociant, représentant, saunier, voyageur.

VENDRE. Adjuger, aliéner, bazarder, brader, brocanter, cameloter, casser, céder, coller, débiter, défaire, démarcher, dénoncer, détailler, discuter, échanger, écouler, épuiser, étaler, exporter, fourguer, marchander, mévendre, monnayer, négocier, placer, réaliser, refiler, rétrocéder, revendre, sacrifier, servir, solder, trafiquer, trahir, troquer.

VENDU. Corrompu, délateur, écoulé, félon, judas, marron, perfide, prévaricateur, ripou, stipendié, trahi, traître.

VENELLE. Boyau, chemin, passage, rue, ruelle, traboule.

VÉNÉNEUX. Bolet, champignon, dangereux, délétère, empoisonné, mandragore, morelle, poison, toxique, vireux.

VÉNÉRABLE. Ancien, apprécié, auguste, avancé, béatification, canonique, digne, estimable, exemplaire, honorable, loge, patriarcal, président, respectable, sacralisation, sacré, saint.

VÉNÉRATION. Admiration, adoration, culte, dévotion, ferveur, fétichisme, hommage, respect, révérence, sacré.

VÉNÉRER. Adorer, admirer, aduler, aimer, apprécier, considérer, déifier, estimer, honorer, respecter, révérer.

VÉNÉRIDÉ. Acéphale, bivalve, bucarde, clam, clovisse, coque, coquillage, couteau, donax, huître, lamellibranche, mollusque, moule, palourde, peigne, pélécypode, pétoncle, pinnothère, praire, quahog, vénus.

VÉNERIE. Absidiole, affût, battue, chasse, cimicaire, cor, croule, drag, épervier, fauconnerie, fouée, gibier, louveterie, muette, oust, panneautage, piégeage, pipée, piper, poursuite, safari, tenderie, to, traque, trolle, volerie.

VÉNÉRIEN. Bactérie, chancre, chlamydia, MTS, ornithose, psittacose, sexe, syphilis, trachome, virus.

VENETTE. Alarme, angoisse, anxiété, baliser, chocotte, crainte, effroi, émoi, épouvante, frayeur, frousse, fuite, hou, impavide, panique, pétoche, peur, phobie, poltronnerie, pusillanime, souleur, suée, terreur, trac, transe, trembler, trouille, veinette.

VENEUR. Braconnier, chasseur, fauconnier, piégeur, piqueur, pisteur, portier, pourboire, trappeur.

VENEZUELA, CAPITALE (n. p.). Caracas.

VENEZUELA, LANGUE. Espagnol.

VENEZUELA, MONNAIE. Bolivar.

VENEZUELA, VILLE (n. p.). Anaco, Barinas, Barquisimeto, Cabimas, Cagua, Caracas, Coro, Guaira, Guasdualito, Maracay, Maturin, Merida, Saraima, Temblador, Trujillo, Upata, Valencia, Zaraza.

VENGEANCE (n. p.). Alecto, Électre, Érinnyes, Érinyes, Euménides, Mégère, Némésis, Tisiphonné.

VENGEANCE. Animosité, châtiment, compensation, haine, offense, rancune, réclamation, réparation, représailles, ressentiment, rétorsion, revanche, riposte, talion, vendetta, vindicte, voceri, vocero.

VENGER. Châtier, compenser, corriger, dédommager, frapper, laver, punir, redresser, réparer, sévir.

VENGERON. Arve, drac, eau, gardon, gave, lavande, poisson, ravine, rivière, rotengle, rouge, torrent.

VÉNIEL. Anodin, banal, bénin, dérisoire, excusable, infime, insignifiant, léger, menu, mince, négligeable, péché.

VENIMEUX. Abeille, aspic, bave, céraste, cobra, crotale, fielleux, guêpe, haineux, malfaisant, malveillant, méchant, médisant, naja, orvet, scorpion, serpent, tarentule, vénéneux, venin, vipère, vive.

VENIN. Aconitine, aglyphe, anavenin, arsenic, batracine, bouillon, curare, fiel, gobbe, narcotique, poison, venimeux.

VENIR. Aborder, aboutir, accourir, aller, amener, apparaître, appel, approcher, arriver, avancer, découler, devancer, échoir, entrer, futur, naître, parvenir, radiner, rappliquer, rapprocher, rendre, revenir, secourir, succéder, suivre, vaincre.

VENT (n. p.). Auster, Beaufort, Biermann, Borée.

VENT. Air, alizé, amure, aquilon, autan, bise, blizzard, bora, borée, bourrasque, brise, cers, chamsin, cherghi, chinook, courant-jet, cyclone, éolien, étésien, flatulence, fœhn, galerne, grain, haleine, harmattan, jet-stream, joran, khamsin, libeccio, mistral, nordé, nordet, norois, noroît, orage, orgue, pampero, pet, polaire, rafale, risée, rhumb, rumb, simoun, sirocco, souffle, suroît, tornade, tourbillon, tramontane, voile, zéphir, zéphyr.

VENTAIL. Abat-jour, armet, casque, casquette, garde-vue, heaume, képi, mézail, visière, vue.

VENTE. Action, bazar, braderie, brocante, cession, commerce, comptoir, contrebande, criée, débit, débouché, directe, échange, écoulement, encan, enchère, gros, libre-service, licitation, liquidation, marché, mévente, rabais, regrat, revente, solde.

VENTEUX. Ballonné, distendu, enflé, flatueux, flatulent, gonflé, météorisé, tendu, venté.

VENTILATEUR. Aérateur, climatiseur, conditionneur, emballeur, éventail, hotte, panca, revitalisant, soufflerie.

VENTILATION. Aérage, aération, air, climatisation, échangeur, évacuation, répartition, souffle, soufflerie, tunnel, ventilateur.

VENTILER. Aérer, dispatcher, distribuer, évaluer, partager, renouveler, répartir, trier, ventilation.

VENTOUSE. Ambulacraire, ambulacre, échinoderme, podion, promener, révulsion, sangsue, suce, trou.

VENTRE. Abdomen, alvin, basset, bedaine, bedon, bide, bidon, brioche, buffet, coffre, fanal, foire, hampe, hara-kiri, hypocondre, hypogastre, musc, panse, point, rampe, renflé, sac, seppuku, sternite, tempe, ventral.

VENTRICULE. Aorte, artère, cavité, cœur, encéphale, épendyme, métencéphale, oreillette, succenturié.

VENTRIÈRE. Bacul, bât, bateuil, bourre, bricole, bride, bridon, caveçon, collier, dossière, frontal, harnachement, harnais, licol, licou, mors, muserolle, œillère, reculement, sangle, sellette, surdos.

VENTRILOQUE. Acteur, artisan, artiste, bohème, chanteur, ciseleur, comédien, esthète, fantaisiste, forain, imitateur, interprète, logiste, mime, musicien, nabi, ornemaniste, poète, soliste, solo, stucateur.

VENTRIPOTENT. Bedonnant, bouffi, dodu, gras, grassouillet, gros, obèse, pansu, replet, rond, rondouillard, ventru.

VENTRU. Bedonnant, bombé, corpulent, gras, gros, obèse, pansu, rebondi, renflé, ventripotent.

VENU. Allé, arrivé, début, éclos, éclosion, issu, naissance, né, reçu, rendu, survenu.

VENUE. Accession, approche, arrivée, avènement, croissance, entrée, irruption, naissance, survenue.

VÉNUS (n. p.). Adonis, Anadyomène, Aphrodite, Dioné, Énée, Erice, Éros, Éryx, Lespugue, Milo, Priape.

VÉNUS. Astre, beauté, bellotte, déesse, houri, mollusque, nymphe, palourde, pétard, praire, sylphide, tanagra.

VÉNUSTÉ. Agrément, apollon, art, astre, attrait, beauté, bellâtre, charme, chic, élégance, féerique, finesse, fraîcheur, gel, glamour, grâce, grain, féerie, idéal, jolie, joliesse, ornement, plastique, reine, séduction, superbe, toilette.

VÊPRES. Agonie, aussitôt, circonstance, complies, demi-heure, heure, horaire, indue, instant, laudes, mâtines, minute, moment, montre, none, occasion, office, plombe, prière, seconde, sexte, six, tierce, top.

VER. Annélide, apode, arénicole, ascaride, ascaris, asticot, bilharzie, cestode, chenilles, ciron, cirre, distome, douve, filaire, flat, helminthe, iule, larve, lombric, luisant, magnan, némathelminthe, nématode, némerte, némertien, néréide, néréis, nu, oligochète, oxyure, palot, planaire, sabelle, sangsue, serpule, solitaire, spirorbe, strongle, strongyle, tænia, taret, ténébrion, ténia, térébelle, trématode, trichine, tripodie, vermicide, vermicule, vermidien, vermifuge.

VÉRACITÉ. Authenticité, fidélité, foi, franchise, rendu, sincérité, thèse, véridicité, vérité, vrai.

VÉRANDA. Abri, auvent, balcon, bungalow, gloriette, kiosque, marquise, varangue, verrière.

VÉRATRE. Colchique, dégueulatoire, ellébore, émétique, hellébore, purgatif, rose de Noël, vomitif.

VERBAL. Acroamatique, conditionnel, gérondif, idiolecte, impératif, indicatif, oral, parlé, verbe, vocal.

VERBALEMENT. Conditionnellement, discursivement, oralement, phonétiquement, vocalement.

VERBALISER. Babiller, bagouler, barjaquer, bavarder, bavasser, cancaner, caqueter, causer, clavarder, commérer, débiter, discourir, tchatcher, jaboter, jacasser, jacter, jaser, jaspiner, palabrer, papoter, parler, placoter, potiner, répandre, tchatcher.

VERBASCACÉE. Bouillon-blanc, cierge, dicotylédone, molène, plante, scrofulacée, tisane.

VERBE. Actif, attributif, auxiliaire, conditionnel, conjugaison, contracté, déclaratif, défectif, déponent, factitif, futur, imparfait, impératif, impersonnel, indicatif, infinitif, intensif, irrégulier, mode, moyen, oral, parfait, parole, participe, passé, passif, plus-que-parfait, présent, pronominal, réciproque, réfléchi, régulier, subjonctif, transitif, trinité.

VERBÉNACÉE. Agnus-castus, gattilier, lantana, lantanier, plante, poivre sauvage, teck, tek, verveine.

VERBEUX. Abondant, amplificateur, bavard, causant, délayé, diffus, discoureur, jacasseur, laïusseur, loquace, paraphrase, phraseur, prolixe, redondant, scolastique, succinct, superflu, verbiage, volubile.

VERBIAGE. Bavardage, bla-bla-bla, délayage, éloquence, faconde, logorrhée, longueur, redondance, remplissage.

VERBOSITÉ. Abondance, bagou, débit, diarrhée, éloquence, faconde, logorrhée, loquacité, prolixité, verbiage, verve, volubilité.

VERDÂTRE. Caca, chrysolithe, glauque, jade, melon, oasis, olivâtre, olive, pâle, persillé, vert.

VERDET. Acétate, acétocellulose, cuivre, mildiou, rhodia, rhodoïd, vert-de-gris, vinylite.

VERDEUR. Brutalité, crudité, force, jeunesse, réalisme, rudesse, vigueur, vitalité, vivacité.

VERDICT. Arrêt, arrêté, décision, délibération, jugement, juré, ordonnance, règlement, résolution, résultat, sentence.

VERDIR. Blanchir, blêmir, colorer, croître, épanouir, pâlir, peindre, pousser, reverdir, verdoyer.

VERDISSEMENT. Avatar, changement, conversion, évolution, forme, histogenèse, hystalyse, imago, incarnation, lycanthropie, métabol, métamorphose, modification, mutation, strige, stryge, transformation, transmutation, trope, virescence.

VERDOYANT. Bleu, céladon, cru, glauque, jade, jaune, leste, nil, olivâtre, osé, pers, pré, sinople, tapis, turquoise, verdir, verdoiement, verdoyer, vert, vert-de-gris.

VERDURE. Arbre, feuillage, feuille, frondaison, gazon, herbage, herbe, parterre, pâturage, prairie, pré.

VÉRÉTILLE. Actinie, alcyon, anémone, anthozoaire, cnidaire, cœlentéré, corail, cyanée, gorgonaire, gorgone, hexacoralliaire, hydraire, hydre, hydrozoaire, invertébré, madréporaire, madrépore, médusepolype, octocoralliaire, physalie, polype, scyphozoaire, tabulé, zanthus, zoanthaire.

VÉREUX. Corrompu, douteux, gâté, indélicat, louche, malhonnête, marron, pourri, probe, suspect.

VERGE. Anatomie, baguette, fléau, fouet, gland, jalon, longueur, pénis, prépuce, sexe, tringle, vérétille, vergette.

VERGER. Bananeraie, cerisaie, châtaigneraie, éden, fruitier, housche, jardin, ouche, plantation, pomme, verdier.

VERGETTE. Aine, archet, badine, baguette, bâton, caducée, canne, carre, chicote, crayon, fla, frette, gong, houssine, listeau, listel, liston, liteau, mailloche, membron, pain, plectre, ra, sillet, spatule, triboulet, verge.

VERGERETTE. Herbacée, composée, érigéron, infusion, plante, vergerolle.

VERGETER. Battre, fouetter, frapper, marqueter, moucheter, piquer, piqueter, serpenter, tacheter, taveler.

VERGEURE. Arrière-plan, coulisse, filigrane, fond, lointain, scène, horizon, premier plan, serpente.

VERGLAS. Brouillard, frimas, froid, froidure, gel, gelée, giboulée, givre, glace, hiver, napalm, regel, transi.

VERGNE. Aulne, aune, bétulacée, région, verne.

VERGOGNE. Affront, avanie, confusion, crainte, effrontément, embarras, gêne, honte, humiliation, ignominie, infamie, opprobre, pudeur, réserve, retenue, scandale, scrupule, turpitude, vilenie.

VERGUE. Agrès, antenne, balancine, capelage, corne, digon, espar, gui, livarde, mât, orientation, ris, voile.

VÉRIDICITÉ. Apodicticité, évidence, exactitude, fidélité, flagrance, historicité, justesse, réalité, véracité, vérité.

VÉRIDIQUE. Authentique, avéré, exact, fidèle, franc, plausible, réel, sincère, vérace, vérité, vrai.

VÉRIFICATEUR. Contrôleur, correcteur, examinateur, inquisiteur, inspecteur, regarder, réviseur, scrutateur, spectateur, vote.

VÉRIFICATION. Analyse, apurement, confirmation, considération, contrôle, critique, démonstration, enquête, épluchage, épreuve, essai, étude, évaluation, examen, expérience, expertise, filtrage, inspection, justification, observation, pointage, recensement, récolement, reconnaissance, recoupement, révision, revue, surveillance, test.

VÉRIFIER. Analyser, apurer, assurer, confirmer, confronter, considérer, constater, contrôler, critiquer, démontrer, enquêter, éplucher, éprouver, essayer, étudier, évaluer, examiner, expérimenter, expertiser, filtrer, inspecter, juger, justifier, observer, pointer, prouver, récoler, repasser, réviser, revoir, surveiller, tester.

VÉRIN. Cabestan, caliorne, chèvre, cric, giron, manivelle, nilles, palan, pouliot, tambour, tirefort, tourillon, treuil, vindas, winch.

VÉRITABLE. Authentique, beau, certain, efficace, exact, naturel, réel, sincère, vrai, vraiment.

VÉRITABLEMENT. Assurément, certainement, certes, effectivement, évidemment, formellement, réellement, sûrement, vraiment.

VÉRITÉ. Absolu, authenticité, axiome, certitude, dogme, doxologie, évidence, exactitude, foi, juste, justesse, lapalissade, oracle, orthodoxie, postulat, preuve, principe, réalité, science, sûreté, théorème, truisme, valeur, véracité, vrai.

VERJUS. Boisson, café, cidre, citronnade, citronnée, coco, coulis, exposé, gelée, jus, juteux, limon, liquide, marc, moût, orangeade, poire, punch, réglisse, sirop, suc, sucre, treille, vesou, vin, vinification.

VERLAN. Argot, argotier, argotique, argotiste, calo, charabia, fric, idiome, jar, jargon, javanais, jobelin, joual, langue, marollien, moco, parler, patois, pidgin, sabir, slang, vocabulaire.

VERMEIL. Arbre, argent, brillant, cinabre, corail, couleur, dorage, dorure, écarlate, enluminé, fleuri, incandescent, incarnat, lustré, or, paillette, pécule, pognon, rose, rouge, satiné, vermillon, vif.

VERMICELLE. Abaisse, barbotine, cannelloni, cheveu, cheveu d'ange, filament, friton, génoise, lasagne, macaroni, mou, nouille, pâte, ravioli, semoule, spaghetti, spaghettini, tagliatelle, tortellini.

VERMICIDE. Annélide, apode, arénicole, ascaride, ascaris, asticot, bilharzie, cestode, chenilles, ciron, cirre, distome, douve, filaire, flat, helminthe, iule, larve, lombric, magnan, némathelminthe, nématode, némerte, néréide, néréis, nu, oxyure, palot, planaire, polychète, sabelle, sangsue, serpule, solitaire, spirorbe, strongle, strongyle, tænia, taret, ténébrion, ténia, térébelle, trématode, trichine, ver, vermicule, vermidien, vermifuge.

VERMIDIEN. Aquatique, brachiopode, bryozoaire, invertébré, métazoaire, microscopique, rotifère.

VERMIFORME. Balanoglosse, graptolite, hémicordé, invertébré, pogonophore, stomocordé.

VERMIFUGE. Chénopode, pipérazine, remède, sabelle, santonine, semen-contra, tanaisie, ténifuge, ver, violet de gentiane.

VERMINE. Autour, blatte, cafard, canaille, coquerelle, mulot, parasite, pou, puce, punaise, racaille, rat, saleté, souris.

VERMOULU. Âgé, amorti, ancien, antique, archaïque, arriéré, autrefois, baderne, caduc, cassé, croulant, décati, décrépit, déjà, démodé, dépassé, désuet, hier, labre, nouveau, reculé, ridé, rouillé, suranné, usé, vétéran, vétuste, vieil, vieux, vioc, vioque.

VERMOUTH. Absinthe, américano, apéritif, apéro, bitter, liqueur, martini, mistelle, pinard, vermout, vin.

VERNAL. Équinoxe, éveil, jeunesse, printemps, regain, renaissance, renouveau, reprise, retour, réveil.

VERNALISATION. Jarovisation, précoce, printanisation, traitement, transformation.

VERNE. Aulnaie, aulne, aunaie, aune, arbre, bergne, bétulacée, bourdaine, cordata, glutonosa, incana, vergne, viridis.

VERNI. Brillant, chançard, chanceux, favorisé, fortuné, heureux, mardeux, veinard, vernissé.

VERNIR. Cirer, émailler, encaustiquer, enduire, frotter, glacer, laquer, lustrer, satiner, vernisser.

VERNIS. Ailante, apparence, brillant, cirage, ciré, colophane, copal, éclat, émail, enduit, film, fixé, glacé, gomme, laque, litharge, luisant, lustre, moque, mordant, nacre, oripeaux, résine, salpicat, sumac, superficiel, teinte.

VERNISSAGE. Baptême, bondérisation, cérémonie, commencement, consécration, crémaillère, début, dédicace, étrenne, exposition, inauguration, inaugurer, ouverture, première, réception, sacre.

VÉROLE. Blessure, boutonneux, cancer, chancre, chancrelle, grêlé, induré, lésion, maladie, MST, MTS, syphilis, tumeur, ulcération, ulcère, véroleux, variole.

VÉRONIQUE. Cresson de cheval, fleur, infusion, mouron d'eau, officinale, tauromachie, thé, thé d'Europe.

VERRAT. Cobaye, cochon, cochonnet, croustillant, débauché, dégoûtant, déloyal, égrillard, goret, groin, malfaisant, nourrain, obscène, ord, ort, oryctérope, pécari, porc, pourceau, sale, tirelire, truie.

VERRE. Azur, ballon, bocal, bock, calcin, canon, carreau, chope, coupe, cristal, demi, fic, fiole, flint, flûte, glace, glass, gobelet, godet, lentille, loupe, lunette, opaline, pot, pyrex, smalt, soyer, stras, strass, suin, tesson, tournée, trou normand, vitre, vitreux.

VERRERIE. Cristallerie, doucissage, fabrique, gobeleterie, soufflage, tectile, tremperie, usine.

VERRIER (n. p.). Dartigues, Daum, Gallé, Lalique, Nancy, Tiffany.

VERRIER. Artisan, artiste, casse, fêle, industriel, ouvrier, peintre, périgueux, souffleur, vitrail.

VERRIÈRE. Baie, carreau, dôme, embrasure, fenêtre, fenestration, fronteau, lanterne, lanterneau, lanternon, lucarne, limière, linteau, mosaïque, ouverture, puits, table, verre, vitrail, vitre, vue.

VERROTERIE. Bijou, camelote, chapelet, clinquant, pacotille, perle, rasade, simili, toc.

VERROU. Bénard, bobinette, boucle, chevillette, crémone, fermeture, gâche, loquet, pêne, serrure, taquet, targette.

VERROUILLAGE. Blocage, bouclage, encerclement, fermeture, investissement, possible, sûr.

VERROUILLER. Barrer, bloquer, boucler, encercler, enfermer, fermer, investir, obstruer, verrouilleur.

VERRUE. Acrochordon, chélidoine, fic, fy, nævus, papillome, peau, poireau, tumeur, verrucosité.

VERS. Alexandrin, asclépiade, choliambe, chute, clausule, décasyllabe, écho, envoi, épigramme, épithalame, fable, iambe, léonin, mètre, octosyllabe, ode, pied, poésie, rimailler, rimes, rythme, sénaire, stance, strophe, sur, tercet, trimètre, verset.

VERSANT. Adret, brisis, contre-pente, corniche, côte, coteau, déclin, déclivité, descente, égout, endroit, envers, escarpement, face, flanc, front, inclinaison, parapente, paroi, penchant, pente, raillère, rive, soulane, ubac.

VERSATILE. Caméléon, capricant, capricieux, changeant, divers, fantaisiste, fantasque, flottant, imprévisible, incertain, inconstant, inconstant, indécis, inégal, instable, irrégulier, lunatique, mobile, pantin, variable.

VERSÉ. Ajusté, aplombé, avachi, averti, bon, calé, couché, cultivé, débile, déficient, enfoncé, érudit, exercé, expérimenté, faible, ferme, grand, haut, instruit, malingre, nerveux, plein, puissant, redoutable, résistant, solide, vigoureux.

VERSEMENT. Abondement, cotisation, dépôt, paiement, redevance, royalties, somme.

VERSER. Arroser, basculer, capoter, chavirer, cotiser, coucher, couler, déverser, distiller, entonner, épancher, épandre, infuser, instiller, larmoyer, mettre, payer, pleurer, répandre, reverser, servir, soudoyer, soutirer, transfuser, transvaser, transverser, transvider, vider.

VERSET. Antienne, couplet, gloria, graduel, paragraphe, poésie, refrain, satanique, sourate, surate, vers.

VERSIFICATEUR. Aède, auteur, barde, chanteur, chantre, cigale, écrivain, félibre, griot, mètre, métricien, poésie, poète, rimeur, scalde, troubadour, trouvère, vers.

VERSIFICATION. Harmonie, métrique, muse, parnasse, pied, poésie, poétique, prosodie, scasion, vers.

VERSIFIER. Dire, expliquer, poésie, poétiser, rimailler, rimer, ronsardiser, transcrire.

VERSION. État, exposé, interprétation, mouture, narration, rapport, récit, relation, traduction, v. o.

VERSO. Derrière, dos, endos, endossement, envers, opisthographe, opposition, pile, recto, revers, rôle.

VERSOIR. Acier, angrois, arme, bagnard, cep, coutre, dard, digon, épée, étain, fer, ferret, forçat, gond, jas, lame, lance, métal, minerai, minette, poignard, rasette, repasser, ruade, sagitté, sanguine, soc, tôle, tranchant.

VERSUS. Antagonisme, combat, conflit, contraste, contre, dissension, dissentiment, duel, guerre, hérésie, litige, lutte, mais, minorité, non, opposition, refus, résistance, tiraillement, verso, veto, vs.

VERT. Bleu, céladon, cru, écolo, écologiste, émeraude, glauque, jade, jeune, leste, nil, pers, olive, olivâtre, osé, mûr, pistache, pré, rude, sinople, pistache, smaragdite, tapis, turquoise, verdoyant, vert-de-gris, vif.

VERTÉBRAL. Colonne, coppa, dorsale, dos, échine, épine, longe, rachis, spinal, vertèbre.

VERTÈBRE. Animal, atlas, axis, coccyx, colonne, lombaire, oiseau, poisson, reptile, sacrum, spondyle, spondylus.

VERTÉBRÉ. Agnathe, amniote, amphibien, axolotl, cyclostome, lamproie, mammifère, myxine, oiseau, poisson, quadrupède, reptile, sauropsidé, tétrapode, théropsidé, tridactyle.

VERTEMENT. Abruptement, brusquement, brutalement, carrément, catégoriquement, crûment, directement, droit, fermement, franc, franchement, hardiment, librement, net, nettement, nuement, nûment, raide, raidement, résolument, rondement.

VERTICAL. À pic, aplomb, ascensionnel, colonnaire, debout, droit, hampe, levé, napir, perpendiculaire, sagittal, zénith.

VERTICALEMENT. Allure, aplomb, astasie, carré, contraire, debout, dormir, dressé, droit, en danseuse, en pied, érigé, garde-à-vous, levé, métatarse, orthostatique, redresser, stèle, sur pied, sur des jambes, vertical.

VERTIGE. Auriculaire, désarroi, déséquilibre, éblouissement, égarement, étourdissement, évanouissement, folie, frisson, griserie, ivresse, oreille, saisissement, tournis, trouble, vapes.

VERTIGINEUX. Abominable, affolant, affreux, alarmant, atroce, cauchemardesque, démesuré, effroyable, épeurant, épouvantable, fort, frémissant, horrible, monstrueux, rapide, redoutable, terrible, terrifiant.

VERTISOL. Régur.

VERTU. Bien, charité, civisme, clémence, courage, décence, effet, efficacité, énergie, espérance, foi, force, infus, loi, mérite, miséricorde, parénèse, pénitence, prudence, pudeur, qualité, tempérance, valeur, votif.

VERTUEUSEMENT. Angéliquement, chastement, décemment, discrètement, exclusivement, intégralement, moralement, pudiquement, purement, saintement, totalement, uniquement, virginalement.

VERTUEUX. Auguste, chaste, digne, divin, juste, moral, probe, prude, prudent, rosière, saint, vicieux.

VERTUGADIN. Amphithéâtre, bouffant, bourrelet, calfeutrage, casse-vitesse, circonvolution, coussinet, épaulette, graisse, jupe, malheutre, pli, robe, terrain, tortil, tortillon.

VERVE. Bagou, brio, éloquence, fougue, gouaille, humour, inspiration, sagesse, souffle, veine.

VERVEINE. Citronnelle, herbe aux sorcières, infusion, labiacée, parfum, sauge, tisane, verbénacée.

VERVEUX. Aisance, alacrité, allant, brillant, brio, entrain, fougue, maestria, panache, verve, virtuosité, vivacité.

VÉSANIE. Aliénation, asile, bouleversement, crise, dada, débauche, délire, dérangement, dérèglement, détraquement, excès, folie, fou, grelot, humorisme, imagination, ire, lubie, lycanthropie, manie, marotte, tic.

VESCE. Apion, bonnette, ers, fève, gourgane, lenticule, lentigo, lentille, nævus, pois, pois chiche, volet.

VÉSICATOIRE. Antiphlogistique, cataplasme, compresse, diachylon, diachylum, emplâtre, exutoire, hémostatique, magdaléon, pansement, résolutif, résolutoire, révulsif, sinapisme, sparadrap, topique, vésicule.

VÉSICULE. Aérocyste, bouton, cholécystite, cystique, liposome, otocyste, phlyctène, pustule, saccule, utricule.

VESPA. Boguet, cyclomoteur, derny, mobylette, moto, motocyclette, pétrolette, scooter, solex, trottinette, vélomoteur.

VESPASIENNE. Caméliennes, édicule, latrines, pissoir, pissotière, toilettes, urinoir.

VESPÉRAL. Abâtardi, conscience, corrompu, crépusculaire, décadent, décrépit, dégénéré, déliquescent, dépravé, étiolé, géomètre, livre, obnubilation, pyrale, ramolli, sénescent, soir, sombre.

VESPERTILIONIDÉ. Chauve-souris, noctule, oreillard, pipistrelle, sérotine, vespertilion.

VESPIDÉ. Ammophile, frelon, guêpe, hyménoptère, insecte, poliste.

VESSE. Antenne, diffusion, éclatement, écoulement, éjaculation, émanation, émission, énurésie, éructation, éruption, flatulence, irradiation, gaz, jet, lâchée, luminescence, multiplex, pet, rot, ruissellement, surémission, vent.

VESSE-DE-LOUP. Champignon, gastromycète, lycoperdon.

VESSIE. Ballon, blague, cystectomie, cystique, cystite, ouraque, poche, urètre, urine, vésicule.

VESTALE. Abstinent, ascétique, chaste, continent, décent, fête, immaculé, infule, modeste, prêtresse, prude, puceau, pucelle, pudique, pur, rosière, sage, vertueux, vestalie, vierge, virginal.

VESTE. Anorak, blazer, blouson, boléro, caban, cabi, canadienne, cardigan, carmagnole, défaite, dolman, doudoune, échec, hoqueton, jaquette, kabig, moumoute, paletot, pourpoint, redingote, saharienne, spencer, tricot, tunique, vareuse, veston, vêtement, vison.

VESTIAIRE. Atours, complet, costume, dessous, dressing, ensemble, fringue, frusques, garde-robe, habillement, habit, livrée, parure, penderie, placard, rangement, tenue, toilette, trousseau, vêtement.

VESTIBULE. Antichambre, aqueduc, aula, entrée, galerie, hall, narthex, oreille, porche, portique, pronaos, propylée.

VESTIGE. Apparence, débris, décombres, empreinte, marque, relique, reste, ruine, souvenir, trace, traînée.

VESTON. Anorak, blazer, blouson, boléro, caban, cardigan, carmagnole, dolman, doudoune, flanelle, gilet, hoqueton, jaquette, pourpoint, pull, saharienne, sweater, tunique, vareuse, veste, vêtement.

VÊTEMENT. Accoutrement, affaire, anorak, apiéceur, barboteuse, bas, bleu, blouse, blouson, bore, bure, cachemire, cache-misère, canadienne, caraco, chape, chemise, ciré, col, complet, corsage, cotte, coule, coupe-vent, culotte, défroque, déshabillé, domino, effet, fingue, fripe, friperie, gant, gilet, guenilles, habit, haillon, hardes, imperméable, jupe, lainage, loque, mante, manteau, maxi, mitaine, moulant, négligé, nippe, oripeaux, paletot, pan, pantalon, paréo, peignoir, pèlerine, pelure, pyjama, raglan, robe, saie, salopette, sape, saved, simarre, slip, soutane, surcot, surplis, tablier, tenue, toge, treillis, tunique, tutu, vareuse, veste, veston.

VÉTÉRAN. Ancien, briscard, combattant, doyen, militaire, retraité, roquetin, senior, soldat, vieux, yeoman.

VÉTÉRINAIRE. Animal, cade, hippiatre, inséminateur, médecin, praticien, véto, zoothérapie.

VÉTÉRINAIRE (n. p.). Arloing, Bourgelat, Chauveau, De Haven, Dunlop, Guérin, Hippiatre, Maupas, Nocard, Ramon.

VÊTURE. Anniversaire, apparat, bardage, bénédiction, cérémonie, cortège, culte, défilé, derviche, étiquette, fête, formalité, gala, inauguration, isolation, ite, liturgie, messe, office, onction, ordre, parade, pompe, prescrit, règles, rite, sacre, système, taffetas, tonsure, vêtage.

VÉTILLE. Bagatelle, broutille, chipotage, dérisoire, détail, frivolité, futilité, infime, insignifiance, mesquinerie, misère, mineur, minime, minutie, négligeable, pointilleux, puérilité, rien, tatillonnage, vétillard, vétilleux.

VÉTILLER. Amuser, baguenauder, batifoler, délasser, dérider, distraire, divertir, drôle, ébaudir, égayer, endormir, folâtrer, goguette, hochet, jeu, jouer, lambiner, lanterner, marrer, musarder, muser, récréer, réjouir, rigoler, rire, sourire, traîner.

VÉTILLEUX. Chicaneur, exigeant, maniaque, méticuleux, minutieux, pinailleur, pointilleux, tatillon, vétillard.

VÊTIR. Accoutrer, affubler, ajuster, arranger, attifer, caparaçonner, costumer, couvrir, culotter, déguiser, endimancher, endosser, enfiler, équiper, fagoter, fringuer, habiller, mettre, mise, nipper, prendre, revêtir, saper.

VETO. Absolu, barrage, droit, formule, non, objection, obstacle, obstruction, opposition, rebuffade, refus, rejet.

VÊTU. Accoutré, affublé, amanché, attifé, costumé, déguisé, fagoté, ficelé, fringué, habillé, héraldique, mis, prêt.

VÊTURE. Anniversaire, apparat, bénédiction, cérémonie, cortège, culte, défilé, derviches, étiquette, exorcisme, expiation, fête, formalité, gala, inauguration, ite, lavement, liturgie, messe, office, onction, ordre, parade, pompe, prescrit, réception, règles, rite, sacre, solennité, taffetas, tonsure.

VÉTUSTE. Ancien, branlant, caduc, chancelant, croulant, dégradé, délabré, détérioré, périmé, usé, vieux.

VEUF. Aveuvé, célibataire, douaire, héritage, passereau, seul, succession, viduité, vieille, vieux.

VEULE. Capon, couard, craintif, dégonflé, faible, lâche, lavette, lope, lopette, mou, peureux, vigoureux.

VEULERIE. Apathie, ataraxie, atonie, engourdissement, faiblesse, impassibilité, imperturbabilité, indifférence, indolence, inertie, lâcheté, langueur, marasme, mollesse, nonchalance, paresse, passivité, résignation, torpeur.

VEUVAGE. Célibat, douaire, douairière, sati, séparé, solitude, veuf, veuve, viduité.

VEUVE (n. p.). Acarie, Chevreuse, Maintenon, Néoptolème, Noor.

VEUVE. Araignée, douaire, douairière, feu, guillotine, latrodecte, mari, masturbation, oiseau, passereau, sati, scabieuse.

VEXANT. Blessant, cinglant, contrariant, enrageant, froissant, humiliant, irritant, mortifiant, rageant, vexateur.

VEXATION. Abus, brimade, exaction, humiliation, insulte, mortification, oppression, persécution, rebuffade.

VEXÉ. Agacé, affligé, amer, attristé, chagriné, chiffonné, combattu, contrarié, contrecarré, déçu, déjoué, désolé, embêté, ennuyé, enragé, entravé, fâché, freiné, froissé, insatisfait, irrité, marri, peiné, sec, tracassé.

VEXER. Affliger, attrister, blesser, brimer, chagriner, choquer, contrarier, décevoir, déplaire, désobliger, désoler, ennuyer, froisser, heurter, humilier, indisposer, mépriser, offenser, offusquer, peiner, tourmenter.

VEXILLE. Baucent, banderole, bannière, cornette, couleurs, croissant, drapeau, emblème, enseigne, étendard, fanion, fanon, gonfalon, gonfanon, guidon, labarum, marque, pavillon, pétale, turc.

VIA. Intermédiaire, par, passant, voie.

VIABLE. Aboutir, apte, art, bon, capable, carrossable, disposé, don, doué, durable, équilibré, facilité, fait, habile, habilité, organisé, possible, prématuré, susceptible, talent, viabiliser, viabilité, vivant.

VIADUC. Arc, arche, bac, butée, culée, dunette, entrepont, gaillard, gué, jetée, passerelle, péage, pont, pont-levis, pile, ponton, saut-de-mouton, tablier, tillac, toboggan, trigone, voûte.

VIANDE. Aspic, boucan, boucherie, bouilli, broche, carnassier, carne, carpaccio, casher, chair, daube, farce, fumet, gras, gril, grillade, haché, halal, lunch, macreuse, pâté, paupiette, pemmican, pita, rassis, rillettes, rôt, rôti, semelle, tartare, terrine.

VIATIQUE. Aide, argent, atout, communion, eucharistie, hostie, moyen, provision, sacrement, secours, soutien.

VIBICE. Alios, derme, hémorragie, herpès, lunule, pétéchie, purpura, rougeâtre, saignement, tache.

VIBRANT. Bouleversant, consonne, éclatant, émouvant, pathétique, poignant, prenant, retentissant, sonore, tonitruant, touchant.

VIBRATION. Balancement, bruit, gong, nutation, onde, oscillation, shimmy, son, tremblement, ultrason, voisement.

VIBRATOIRE. Onde, oscillatoire, pervibrateur.

VIBRER. Buzzer, émouvoir, frémir, frissonner, palpiter, pincer, résonner, retentir, sonner, tinter, toucher, trembler, trépider, tressaillir, vibrateur, vibratile, vibrato, vibreur, vibromasseur, vrombir.

VIBRION. Bacille, bacillose, bactérie, botulique, choléra, coliforme, diphtérie, hansen, inopérant, koch, lèpre, microbe, microorganisme, tuberculose, typhique, vibrionner, virgule, yercin.

VIBRIONNER. Activer, agiter, inopérer, tourner, tournailler, tournicoter, vibrion.

VIBRISSE. Chat, hérissé, moustache, narine, pileux, plume, poil, poil de nez.

VICAIRE (n. p.). Cardijn, Césaire, Chabot, Laval, Sieyès, Visconti.

VICAIRE. Abbé, archevêque, archidiacre, aumônier, bonze, célébrant, chaman, chanoine, clerc, confesseur, consacré, curé, diacre, directeur, druide, ecclésiastique, épulon, évêque, lama, mage, missionnaire, monseigneur, officiant, ordonné, pape, pasteur, père, prêtre, sacrificateur, séculier, suppléant.

VICE. Adultère, blèsement, blésité, cochon, défaut, érotique, famille, horreur, hypocrisie, imperfection, lascif, lubrique, luxurieux, mal, malformation, passion, remplace, sadique, salace, sensuel, tare, titre, vertu, vicieux, voluptueux, zézaiement.

VICE-ROI AMÉRIQUE (n. p.). Colomb, Estrées.

VICE-ROI CATALOGNE (n. p.). Borgia.

VICE-ROI COLOMBIE (n. p.). Santander.

VICE-ROI FRANCE (n. p.). Darlan.

VICE-ROI ÉGYPTE (n. p.). Saïd pacha.

VICE-ROI ESPAGNE (n. p.). Aniello, Masaniello.

VICE-ROI ÉTHIOPIE (n. p.). Badoglio, Graziani.

VICE-ROI INDE (n. p.). Albuquerque, Almeida, Castro, Elgin, Gama, Halifax, Lansdowne, Mountbatten, Wavell.

VICE-ROI IRLANDE (n. p.). Cornwallis, French, Griffith.

VICE-ROI ITALIE (n. p.). Beauharnais.

VICE-ROI NAPLES (n. p.). Cordonne, Granvelle, Lannoy.

VICE-ROI SICILE (n. p.). Caraccioli, Vivonne.

VICE-ROI HARAR (n. p.). Makonnen.

VICE-VERSA. Antithétique, contraire, envers, inverse, opposé, réciproquement, tête-bêche, vergence.

VICHY. Collaborateur, cotonnade, eau, vichyssois, vichyste.

VICIÉ. Corrompu, dépravé, dévoyé, grivois, impudique, impur, insalubre, lascif, malsain, pollué, sale.

VICIER. Abâtir, altérer, annuler, avarier, corrompre, dégrader, dénaturer, détériorer, détraquer, empester, empoisonner, esquinter, gangrener, gâter, meurtrir, perdre, polluer, pourrir, souiller, tarer.

VICIEUX. Canaille, cercle, corrompu, débauché, dénaturé, dépravateur, dépravé, gâté, obscène, roué, taré.

VICINAL. Bourgeoisial, communal, échevinal, édilitaire, magistrature, municipal, public, urbain.

VICISSITUDE. Agitation, aléa, changement, événement, flux, hasard, heureux, imprévu, instabilité, malheureux, mode, reflux, retour, revirement, succession, tribulation, va-et-vient, variation.

VICOMTE. Banneret, barine, baron, cavalier, châtelain, châtellenie, chef, daïmio, daimyo, dieu, dîme, écuyer, ellice, félon, fief, gentilhomme, hobereau, laird, lige, maître, marquis, monarque, monsieur, nabab, noble, oint, pacha, page, paladin, prince, satrape, seigneur, sieur, sir, sire, sultan, suzerain.

VICTIME (n. p.). Acis, Calas, Iorga, La Barre, Lamballe, Néoptolème, Pyrrhos, Sirven.

VICTIME. Accidenté, apotropée, émissaire, fusible, hostie, jouet, larve, martyr, proie, souffre-douleur, tête de turc.

VICTOIRE. Avantage, conquête, gain, iena, issos, issus, lens, palme, réussite, succès, triomphe, ulm.

VICTOIRE NAPOLÉON (n. p.). Arcole, Austerlitz, Bautzen, Champaubert, Craonne, Dresde, Eckmühl, Eylau, Friedland, Hanau, Iéna, Lodi, Lützen, Marengo, Millesimo, Montmirail, Moskova, Nangis, Rivoli, Somosierra, Ulm, Wagram.

VICTORIA. Capitale, fleur, maïs d'eau, nénuphar, nymphéacée, plante, reine, téléga, voiture.

VICTORIEUX. Conquérant, gagnant, premier, triomphant, triomphateur, vainqueur, victorieusement.

VICTUAILLES. Aliment, ambroisie, avoine, becquetance, bectance, bouffe, boustifaille, céréale, chère, comestible, foin, manne, nourriture, nutrition, os, pain, pâtée, pâture, pitance, provision, repas, soupe, ventrée, vivres.

VIDAME. Abbadie, abbatiale, abbaye, abbé, béguinage, chartreuse, cloître, commanderie, communauté, couvent, église, fromage, laure, lavra, moinerie, monastère, moutier, prieuré, solesme, thélème.

VIDANGE. Ballastage, changement, dépotoir, éboueur, écoulement, fosse, nettoyage, poubelle, purge.

VIDANGER. Dégorger, déverser, enterrer, évacuer, jeter, nettoyer, purger, ramasser, vidange, vidangeur, vider.

VIDANGEUR. Dégorgeur, déverseur, éboueur, égoutier, évacuateur, gadouard, nettoyeur, ramasseur, videur.

VIDE. Abandonné, âme, auge, blanc, cavité, creux, débarrassé, dénudé, dépeuplé, désert, disponible, espace, fente, futile, inhabité, inoccupé, inutile, isolement, lège, léger, libre, manque, néant, nu, perte, stérile, trou, vacant, vacuité, vain, veuf.

VIDEO. Actualité, bande, court-métrage, clip, film, magnétoscope, métrage, pellicule, pince, projection, vidéoclip.

VIDÉOGRAPHIE. Cinégraphie, enregistrement, film, photographie, tournage.

VIDER. Assécher, débarrasser, déblayer, dégager, dégarnir, délester, déménager, dépeupler, désertifier, écoper, enlever, épuiser, évacuer, éviscérer, faire cul sec, nettoyer, ôter, pisser, pissoter, priver, siphonner, soulager, uriner, verser, vidanger.

VIDIMER. Abriter, admettre, affirmer, assurer, attester, authentifier, certifier, confirmer, constater, corroborer, couvrir, donner, garantir, légaliser, promettre, protéger, prouver, soutenir, témoigner, vrai.

VIDUITÉ. Abandon, aveuvé, célibataire, douaire, héritage, passereau, seul, succession, veuf, veuvage, vide, vieux.

VIE. Air, âge, âme, animé, biographie, curriculum, destin, destinée, éros, éternité, existence, germe, intimité, libido, monacale, mort, odyssée, palingénésie, rangée, sang, soleil, survie, vif, vit, vivre.

VIEILLARD (n. p.). Géronte, Nestor, Pantalon.

VIEILLARD. Ancêtre, ancien, âgé, baderne, barbe, barbon, birbe, bonhomme, bonze, chenu, croulant, géronte, grand-mère, grand-père, grime, labre, nonagénaire, octogénaire, patriarche, pépé, roquetin, schnock, sénile, vieux, vioc, viocard, vioque.

VIEILLERIE. Ancien, ancienneté, antiquité, archaïsme, désuétude, caducité, décrépitude, mythologie, usure.

VIEILLESSE. Âgé, ans, archaïsme, décadence, décrépitude, gérontisme, longévité, sénilité, vétusté.

VIEILLI. Anachronique, ancien, antique, arriéré, caduc, dater, défraîchi, démodé, dépassé, flétri, lésineur, nife, suranné, usé.

VIEILLIR. Abaisser, affaiblir, amoindrir, avilir, baisser, changer, crapuler, décatir, déchoir, déclasser, décliner, décroître, dégrader, déposséder, dégringoler, démériter, déroger, descendre, dévier, diminuer, rétrograder, rouler, tomber, user.

VIEILLISSEMENT. Décadence, désuétude, gérontisme, maturation, mûrissement, obsolescence, sénescence, sénilisme.

VIEILLOT. Âgé, anachronique, ancien, antique, archaïque, arriéré, caduc, démodé, désuet, suranné, vieux.

VIENNE, VILLE (n. p.). Charroux, Châtellerault, Chauvigny, Couhé, Civray, Loudun, Lusignan, Montmorillon, Pleumartin, Poitiers, Pressac, Vouille.

VIERGE (n. p.). Agathe, Agnès, Apoline, Atalante, Barbe, Cécile, Claire, Dorothée, Eugénie, Eulalie, Foi, Foy, Luce, Lucie, Marguerite, Marie, N.D., Notre-Dame.

VIERGE. Agapète, ave, blanc, brut, chaste, exempt, houri, huile, hymen, icône, innocent, intact, madone, neuf, nouveau, pietà, puceau, pucelle, pur, pureté, rosière, selva, signe, terre, vestale, vigne, zodiaque.

VIETNAM, CAPITALE (n. p.). Hanoï.

VIETNAM, LANGUE. Cham, chinois, khmer, miao-yao, sedang, thaï.

VIETNAM, MONNAIE. Dong.

VIETNAM, SITE ARCHÉOLOGIQUE (n. p.). Oc-èo.

VIETNAM, VILLE (n. p.). Dalat, Hanoï, Hue, Saïgon, Vinh.

VIEUX. Âgé, amorti, ancien, antique, archaïque, arriéré, autrefois, baderne, caduc, cassé, croulant, décati, décrépit, déjà, démodé, dépassé, désuet, hier, labre, nouveau, reculé, ridé, rouillé, suranné, usé, vermoulu, vétéran, vétuste, vieil, vioc, vioque.

VIF. Actif, agile, aigu, alerte, allègre, animé, âpre, ardent, brillant, chaud, cruenté, cuisant, déluré, dru, éclair, élégant, émerillonné, espiègle, éveillé, fringant, guilleret, impétueux, intense, léger, leste, mâtin, perçant, pétulant, preste, prompt, rapide, saillant, vivant.

VIF-ARGENT. Hg, mercure.

VIGIE. Balise, guetteur, matelot, nid-de-pie, observatoire, poste, repère, sentinelle, surveillance, vigile.

VIGILANCE. Application, attention, circonspection, étude, garde, guet, obtusion, protéger, soin, zèle.

VIGILANT. Actif, agile, alerte, animé, appliqué, attentif, circonspect, déluré, exact, garde, maigre, soin.

VIGNE (n. p.). Bacchus, Dionysos, Noé.

VIGNE. Ampélopsis, arçon, arcure, cep, cépage, clos, cochylis, cru, cuvée, érinose, floraison, hautain, hautin, lambruche, lambrusque, mélanose, mildiou, muscadine, nouaison, oïdium, pampre, phylloxéra, phytopte, plant, provin, raisin, retercer, rot, sarment, terroir, treille, uval, vendange, véraison, vignoble, vin, vinée.

VIGNERON. Clos, cru, encépagement, erbue, herbue, œnologue, parchet, vendange, vigne, vignoble, vin.

VIGNETTE. Collant, cul-de-lampe, dessin, estampille, étiquette, gravure, historié, illustration, image, talon, timbre.

VIGNEAU. Bigorneau, escargot, escargot de mer, gastéropode, guignette, littorine, tertre, tonnelle, vignot.

VIGNOBLE (n. p.). Arbois, Ay, Bandol, Beaujolais, Berry, Bourgogne, Brède, Champagne, château-Lafite, Château-Latour, Frascati, Graves, Hermitage, Mâconnais, Marmande, Meursault, Minervois, Montrachet, Musigny, Rhône, Tavel, Vougeot.

VIGNOBLE. Clos, cru, encépagement, erbue, herbue, œnologue, parchet, vendange, vigne, vigneron, vin.

VIGNOT. Bigorneau, colimaçon, coquillage, écouteur, escargot, hélix, limaçon, littorine, téléphone, vigneau.

VIGOGNE. Agneline, bure, bourre, cardigan, carmeline, cheviotte, chèvre, corde, coton, couaille, étaim, lainage, laine, lama, lanice, loden, mère, mite, mohair, mouton, noces, ouate, poil, ruban, satin, sorie, tissu, toison, tonte, tuque, tweed.

VIGOUREUSEMENT. Activement, dru, énergiquement, fort, fortement, net, raide, sérieusement, vivement.

VIGOUREUX. Costaud, dru, énergique, ferme, flagada, fort, gaillard, jeune, mièvre, nerveux, puissant, résistant, robuste, sain, sirupeux, solide, tonique, truculent, valide, vert, vif, vigousse, vivace.

VIGUEUR. Applicable, ardeur, atone, chaleur, dru, éloquence, énergie, fermeté, flagada, force, hardiesse, inaboli, légal, mièvre, nerf, netteté, pratiqué, puisance, robustesse, sève, ton, tonus, valable, véhémence, verdeur, vie, virilité, vivacité, zèle.

VIHARA. Abbaye, ashram, bonzerie, cartulaire, cellérier, chartreuse, cloître, communauté, couvent, ermitage, higoumène, lamaserie, laure, lavra, moine, monastère, monial, moustier, moutier, prieuré, séculier, tour.

VIL. Abject, affreux, avili, banal, bas, canaille, commun, corrompu, crasseux, dépravé, fumier, galeux, grossier, honteux, ignoble, immonde, indigne, infâme, lâche, laid, lécheur, lie, méprisable, mesquin, misérable, ordure, taré.

VILAIN. Affreux, avare, hideux, laid, manant, méchant, moche, odieux, ord, ort, roturier, toc, turbulent.

VILEBREQUIN. Arbre, cirre, cirrhe, drille, filament, foret, foreuse, hélice, liseron, maneton, mèche, nervé, outil, perceuse, queue-de-cochon, spirale, taraud, tarière, tordu, tribade, vis, vrille.

VILENIE. Bassesse, crasse, ignominie, infamie, injure, méchanceté, platitude, saleté, saloperie, vacherie.

VILIPENDER. Abaisser, attaquer, avilir, bafouer, berner, conspuer, critiquer, décrier, dénigrer, dénoncer, salir.

VILLA. Bungalow, cabanon, chalet, chartreuse, cottage, datcha, este, folie, maison, pavillon, tivoli.

VILLAGE. Arbre, bastide, bicoque, bled, bourg, bourgade, camping, clocher, douar, frairie, gentilé, hameau, kraal, ksar, ksour, localité, mechta, palafitte, patelin, pays, synœcisme, trou, villageois, ville.

VILLAGE, AMÉRINDIEN (n. p.). Chisasibi, Hochelaga.

VILLAGE, ATTIQUE (n. p.). Marathon.

VILLAGE, AUTRICHE (n. p.). Essling, Mauthausen.

VILLAGE, BAVIÈRE (n. p.). Eckmühl, Elchingen.

VILLAGE, BELGIQUE (n. p.). Breendonk.

VILLAGE, ÉCOSSE (n. p.). Culloden.

VILLAGE, ÉGYPTE (n. p.). Aboukir, Alamein, Carnak, Dendérah, Karnak, Tanis.

VILLAGE, ESPAGNEN (n. p.). Llivia.

VILLAGE, ÉTATS-UNIS (n. p.). Appomatox.

VILLAGE, FRANCE (n. p.). Auteuil.

VILLAGE, GRANDE-BRETAGNE (n. p.). Naseby.

VILLAGE, GRÈCE (n. p.). Tanagra.

VILLAGE, ITALIE (n. p.). Canossa, Marengo.

VILLAGE, MEXIQUEn. p.). Milta, Tula.

VILLAGE, RUSSIE (n. p.). Borodino, Katyn.

VILLAGE, SUISSE (n. p.). Coppet, Garmisch, Partenkirchen, Tène.

VILLAGE, VENEZUELA (n. p.). Carabobo.

VILLAGE, YOUGOSLAVIE (n. p.). Bor, Caporetto.

VILLAGEOIS. Agreste, bergerie, bucolique, campagnard, champêtre, églogue, habitant, idylle, mir, morguenne, morguienne, morqué, pastoral, paysan, poème, rural, rustique, vilain.

VILLANELLE. Bergerie, bucolique, chanson, danse, églogue, idylle, pastorale, poème, villanelle.

VILLE. Agglomération, bourg, bourgade, bourgmestre, centre, cité, citoyen, décapole, garnison, hameau, hanse, hôtel, lieu-dit, localité, maire, métropole, municipal, oppidum, orient, patrie, township, urbain, village.

VILLE, AFGHANISTAN (n. p.). Aqchah, Asadabad, Aybak, Baghlàn, Bamiyan, Charikar, Faizabad, Farah, Feyzàbàd, Gardez, Ghazni, Harat, Heràt, Jalàlàbàd, Kaboul, Kabul, Kandahar, Konduz, Lashkargah, Mahmud, Maidan, Maimana, Meymaneh, Mihtarlam, Pulialam, Qalat, Qandahar, Raqi, Sharan, Shibirghan, Shindand, Taluqan, Zaranj.

VILLE, ALBANIE (n. p.). Apollonia, Berat, Burrel, Boge, Borsh, Cerrik, Durazzo, Elbasan, Fier, Fjerze, Korce, Kruje, Kukes, Lac, Lezhe, Lin, Maliq, Muhur, Patos, Puke, Pulaj, Skadar, Tirana, Tirane, Tropoje, Valbone, Vlona, Vlone, Vlora, Vlore.

VILLE, ALGÉRIE (n. p.). Adrar, Akbou, Annaba, Arzeu, Arzew, Aumale, Batna, Béchar, Béjaia, Biskra, Blida, Boghar, Bone, Collo, Douera, Guelma, Médea, Mila, Oran, Reggan, Rouiba, Saida, Sétif, Sig, Tbessa, Tébessa, Ténes, Thénia, Tlemcen, Tiaret, Tipasa.

VILLE, ALLEMAGNE (n. p.). Aachen, Aarschot, Aix-la-Chapelle, Altona, Amberg, Baden-Baden, Berlin, Bonn, Brême, Coblence, Coburg, Dachau, Dresden, Düren, Düsseldorf, Ems, Erlangen, Essen, Frankfurt, Gera, Gladbeck, Gorlitz, Gotha, Hagen, Hambourg, Hamburg, Hamm, Hannover, Hanovre, Herne, Hof, Iena, Kehl, Kiel, Koln, Leer, Lubeck, Magdeburg, Mannheim, Marl, Meissen, Minden, Moers, Munchen, Munich, Nuremberg, Nurnberg, Ravensburg, Rostock, Stuttgart, Suhl, Ulm, Velbert, Walsum, Weiden, Weimar, Wismar, Worms, Zeitz, Zittau.

VILLE, ANGLETERRE (n. p.). Ascot, Bath, Bedford, Birmingham, Blackburn, Blackpool, Bolton, Bootle, Boston, Bournemouth, Bradford, Brighton, Bristol, Bury, Cambridge, Canterbury, Carlisle, Chatham, Chelsea, Cheltenham, Chester, Chesterfield, Colcherter, Corby, Coventry, Cowes, Crawley, Dallington, Deal, Derby, Devonport, Doncaster, Douglas, Douvres, Dover, Dudley, Dunder, Durham, Eastbourne, Ely, Epson, Eton, Exeter, Farborough, Folkstone, Gillingham, Gloucester, Gosport, Greenwich, Grimsby, Guilford, Halifax, Harlow, Harrogate, Hartlepool, Hastings, Hove, Huddersfield, Hull, Ipswich, Lancaster, Leamington, Leeds, Leicester, Lincoln, Liverpool, London, Londres, Luton, Maidstone, Manchester, Margate, Middlesbrough, Midlands, Newcastle, Newhaven, Newport, Northampton, Norwich, Nottingham, Oxford, Peterborough, Plymouth, Poole, Portsmouth, Preston, Ramsgate, Reading, Richmond, Rochdale, Rugby, Saint Helens, Salford, Salisbury, Sheffield, Shrewsbury, Slough, Solihull, Southampton, Stafford, Stevenage, Stockport, Sunderland, Swindon, Taunton, Tewkesbury, Thurrock, Tynemouth, Wakefield, Wallasey, Wallsall, Warrington, Wells, Westminster, Wimbledon, Winchester, Windsor, Worcester, Worthing, Yarmouth, York.

VILLE, ANGOLA (n. p.). Benguela, Chitembo, Damba, Ganda, Huambo, Kuito, Loanda, Luanda, Lucapa, Luena, Malanje, Mangando, Mbanza, Namibe, Ngiva, Ngunza, Nzeto, Quimbele, Soyo, Sumbe, Uige, Xangongo.

VILLE, ARABIE SAOUDITE (n. p.). Aar, Abha, Aden, Aynunah, Badr, Dammam, Djedda, Hail, La Mecque, Médine, Mina, Moka, Mubarraz, Rabigh, Riad, Sanaa, Tabuk, Ta'if, Yanbu, Zilfi.

VILLE, ARGENTINE (n. p.). Avellaneda, Azul, Bariloche, Buenos Aires, Catamarca, Cordoba, Esquel, Gastre, Huaco, Junin, La Paz, Mendoza, Oran, Parana, Rio Grande, Salta, San Cristobal, Tucuman, Ushuaia, Viedma, Zapala.

VILLE, ARMÉNIE (n. p.). Amasia, Ani, Artachat, Artik, Berd, Dilijan, Djermouk, Egvard, Gapan, Goris, Goumri, Kadjaran, Kamo, Martouni, Masis, Megri, Razdan, Sevan, Sisian, Tachir, Talin, Vaik, Vardenis, Vedi.

VILLE, AUSTRALIE (n. p.). Adelaïde, Albany, Albury, Augusta, Ayr, Bourke, Broome, Burnie, Cairns, Dalby, Darwin, Derby, Dubbo, Eucla, Fremantle, Hobart, Mackay, Melbourne, Newcastle, Perth, Sydney, Unley, Weipa, Whyalla, Woomera, Wyndham.

VILLE, AUTRICHE (n. p.). Baden, Badgastein, Braunau, Carlsbourg, Dornbim, Enns, Graz, Igls, Innsbruck, Ischgl, Klagenfurt, Koflach, Krems, Lienz, Linz, Loeben, Lustenau, Mayerling, Melk, Ried, Salzbourg, Schwaz, Spittal, Stainach, Steyr, Traun, Vienne, Wagram, Wels, Wien, Zistersdorf, Zwettl.

VILLE, AZERBAÏDJAN (n. p.). Agdam, Akhsou, Astara, Baki, Bakou, Bejlagan, Belokany, Cheki, Chemakha, Choucha, Djoulfa, Evlakh, Fizouli, Giandja, Jiloi, Kouba, Lenkoran, Martouni, Matchtaga, Naftalan, Noukha, Oudjary, Sabountchi, Siazan, Stepanakert, Zakataly, Zangelan.

VILLE, BAHAMAS (n. p.). Freeport, Kemp's Bay, Matthew, Nassau, New-Providence.

VILLE, BAHREIN (n. p.). Awali, Hammad, Manama, Sitrah.

VILLE, BANGLADESH (n. p.). Barisal, Bogra, Chalna, Comilla, Dhaka, Khulna, Jessore. Maijdi, Pabna, Rangpur, Saidpur, Sylhet, Tangail.

VILLE, BARBADE (n. p.). Bathheba, Bridgetown, Bruce, Hastings, Jackson, Marchfield, Portland, Speighstown.

VILLE, BELGIQUE (n. p.). Aalter, Aalst, Aarschot, Alost, Andenne, Ans, Anvers, Arlon, Asse, Ath, Audenarde, Balen, Bastogne, Beloeil, Binche, Boom, Bruges, Bruxelles, Charleroi, Chatelet, Ciney, Diest, Dinan, Dison, Dour, Eeklo, Essen, Eupen, Fleurus, Gand, Geel, Genk, Gent, Ghlin, Gilly, Hal, Halle, Hamme, Heist, Heule, Hornu, Huy, Ieper, Jumet, Komen, Léau, Lède, Lessines, Liège, Lier, Ligny, Louvain, Maaseik, Melle, Menen, Menin, Mol, Mons, Namur, Neufchâteau, Niel, Nieuport, Ninove, Olen, Ostende, Roeselare, Ronse, Roux, Spa, Stène, Temse, Thuin, Tielt, Uccle, Ukkel, Visé, Vorst, Wavre, Ypres, Waterloo, Wavre, Zele.

VILLE, BÉNIN (n. p.). Abomey, Allada, Bassila, Bohicon, Cotonou, Dassa, Djougou, Kandi, Ketou, Lokossa, Malanville, Natitingou, Ndali, Nikki, Ouidah, Pobe, Porto Novo, Sakete, Save.

VILLE, BHOUTAN (n. p.). Bjakar, Daga, Damphu, Gasa, Mongar, Paro, Samchi, Shemgang, Thimphu, Tongsa.

VILLE, BIÉLORUSSIE (n. p.). Bobrouisk, Borisov, Brest, Gomel, Gorki, Grodno, Homel, Lepel, Lida, Malhilyou, Minsk, Moghilev, Mozyr, Orcha, Pinsk, Retchitsa, Rogatchev, Slonim, Smorgon, Soligorsk, Vileika, Volkovysk.

VILLE, BIRMANIE (n. p.). Akyab, Bahmo, Chauk, Falam, Katha, Lshio, Magwe, Merqui, Minbu, Moulneim, Namsang, Namthu, Pegou, Pegu, Prome, Putao, Pyapon, Rangoon, Shwebo, Tavoy, Thaton, Toungoo, Ye.

VILLE, BOLIVIE (n. p.). Aiquile, Apolo, Cabezas, Camiri, Chiguana, Cobija, Iscayachi, La Paz, Llica, Magdalena, Manoa, Oruro, Padilla, Porvenir, Potosi, Robore, Sucre, Tarija, Tiahuanaco, Tupiza, Turco, Villazon, Uyuni, Yacuiba.

VILLE, BORNÉO (n. p.). Balikpapan, Ketapang, Kumai, Samarinda, Sampit.

VILLE, BOSNIE-HERZÉGOVINE (n. p.). Bihac, Bileca, Brcko, Breza, Cazin, Doboj, Foca, Gacko, Glamoc, Grude, Jajce, Livno, Lopare, Maglaj, Odzak, Olovo, Prozor, Rudo, Sarajevo, Sipovo, Srebrenica, Stolac, Tesanj, Teslic, Travnik, Tuzla, Vares, Visoko, Zenica, Zepce, Zivinice, Zvornik.

VILLE, BOTSWANA (n. p.). Francistown, Gaborone, Gweta, Kang, Lobatse, Mamuno, Maun, Mochudi, Nata, Orapa, Palapye, Sekoma, Sowa, Tsau, Werda.

VILLE, BRÉSIL (n. p.). Amapa, Anapolis, Aracaju, Bahia, Bauru, Belem, Blumenau, Brasilia, Brejo, Cameta, Campinas, Campos, Caruaru, Coari, Codo, Coxim, Cuiaba, Curitiba, Florianopolis, Fortaleza, Goiania, Guarulhos, Imperatriz, Ipatinga, Joinville, Lajes, Londrina, Macapa, Maceio, Manaus, Maringa, Maues, Moura, Natal, Niteroi, Olinda, Osasco, Para, Pelotas, Petropolis, Picos, Recife, Rio, Rio de Janeiro, Salvador, Santas Maria, Santarém, Santos, Sao Paulo, Sorocaba, Taubaté, Tefe, Teresina, Uberaba, Uberlândia, Vitoria, Volta Redonda.

VILLE, BULGARIE (n. p.). Burgas, Byala, Dimitrovo, Dobrick, Jambol, Lom, Lovec, Nikopol, Pernik, Pleven, Ruse, Sofia, Sliven, Shumen, Sumen, Tarnovo, Tolbuhin, Varna, Videim, Vraca.

VILLE, BURKINA FASO (n. p.). Boulsa, Dori, Gourcy, Hounde, Kaya, Kombissiri, Leo, Manga, Nouna, Orodara, Pissila, Po, Reo, Toma, Tougan, Yako, Zabre, Zorgo.

VILLE, BURUNDI (n. p.). Bujumbura, Cankuzo, Karuzi, Kisosi, Mabanda, Mabayi, Mutambara, Ngozi, Rumonge.

VILLE, CAMBODGE (n. p.). Angkor, Kralanh, Lomphat, Mong, Phnom Penh, Poipet, Pursat, Rovieng, Samrong, Sisophon, Skoun, Takeo.

VILLE, CAMEROUN (n. p.). Bafoussam, Bamenda, Douala, Édéa, Garoua, Maroua, Mbe, Wum, Yaoundé, Yen.

VILLE, CANADA (n. p.). Alma, Amos, Banff, Barrie, Calgary, Chibougamau, Chicoutimi, Dorval, Edmonton, Gander, Gaspé, Granby, Guelph, Halifax, Hamilton, Hearst, Hull, Jasper, Kenora, Laval, Lévis, London, Longueuil, Magog, Moncton, Montréal, Natashquan, Oshawa, Ottawa, Outremont, Québec, Regina, Rouyn, Sarnia, Saskatoon, Sorel, Sudbury, Sydney, Timmins, Toronto, Vancouver, Victoria, Welland, Windsor, Winnipeg.

VILLE, CEYLAN (n. p.). Anuradhapura, Polonnaruwa.

VILLE, CHARENTE (n. p.). Agris, Aigre, Angoulème, Brossac, Chabanais, Chalais, Claix, Cognac, Jarnac, Matha, Rouillac, Saint Claud, Sers, Villefagan.

VILLE, CHARENTE MARITIME (n. p.). Ars, Aulnay, Aytre, Breuillet, Brouage, Burie, Cozes, Fouras, La Rochelle, Périgny, Pons, Royan.

VILLE, CHER (n. p.). Avord, Baugy, Bourges, Culan, Lère, Levet, Lignière, Sancerre.

VILLE, CHILI (n. p.). Ancud, Angeles, Angol, Antofagasta, Arica, Calama, Chillan, Chuquicamata, Concepcion, Coquimbo, Iquique, Lebu, Linares, Lota, Osorno, Puerto Montt, Punta Arenas, Putre, Rancagua, San Bernardo, Santiago, Serena, Talca, Talcahuano, Temuco, Teniente, Valdivia, Valparaiso, Vina Del Mar.

VILLE, CHINE (n. p.) Altay, Amoy, Andong, Anshan, Anyang, Anxi, Baoding, Baoji, Baotou, Beijing, Beipiao, Bengbu, Benqi, Benxi, Benzi, Canton, Changchun, Changsha, Changzhou, Chengdu, Chongqing, Dairen, Dalian, Dalni, Dandong, Daqing, Datong, Dongguan, Dongying, Dukow, Dunhuang, Foshan, Fujin, Fushun, Fuxin, Fuzhow, Ganzhou, Guilin, Guiyang, Hefei, Hegang, Hengyang, Hohhot, Hotan, Huainan, Hunjiang, Huzhou, Jiamusi, Jian, Jiaxing, Jilin, Jinan, Jingdezhen, Jingmen, Jinhua, Jinzhou, Jixi, Kachgan, Kaifeng, Kalgan, Kashi, Kouldja, Kowloon, Kunming, Lanzhow, Leshan, Lhasa, Lhassa, Liaocheng, Liaoyang, Liaoyuan, Lichuan, Linchuan, Luan, Luoyang, Lüshun, Luzhow, Mianyang, Mudanjiang, Nanchang, Nanchong, Nankin, Nanning, Nantong, Ningbo, Ouroumtsi, Pékin, Pingxiang, Qinan, Qingdao, Qiqihar, Qupu, Quzhou, Renqiu, Rizhao, Shanghai, Shangrao, Shantou, Shaoxing, Shennyang, Shenzhen, Shijiazhuang, Sian, Suoche, Suzhou, Tai'an, Taiyan, Tangshan, Tianjin, Tientsin, Tonhua, Tsi-nan, Weifang, Wenhow, Wuhan, Wuhu, Wuxi, Wuzhow, Xiamen, Xian, Xiangtan, Xianyang, Xining, Xinji,

Xinxiang, Xinyu, Xuanhua, Xuzhow, Yaan, Yan'an, Yangquan, Yangzhou, Yantai, Yarkand, Yibin, Yichang, Yichun, Yinchuan, Yingchen, Yingkou, Yueyang, Zaozhuang, Zhanjiang, Zhengzhou, Zibo, Zigong.

VILLE, CHYPRE (n. p.). Akaki, Famagouste, Lapithos, Larnaka, Lefka, Limassol, Nicosie, Paphos, Polis, Rhodes, Salamine.

VILLE, CISJORDANIE (n. p.). Bethléem, Djénine, Hébron, Kalkiliya, Naplouse, Ramallah, Tulkarem.

VILLE, COLOMBIE (n. p.). Arica, Armenia, Barrancabermeja, Barranquilla, Bello, Bogota, Bucaramanga, Buenaventura, Buga, Cali, Cartagena, Carthagène, Ciénaga, Cucuta, Manizales, Eger, Guapi, Ibagué, Leticia, Medellin, Mitu, Mocoa, Mompos, Monteria, Neiva, Palmira, Pasto, Pereira, Popayan, San Agustin, Santa Marta, Sincelejo, Tumaco, Tunja, Turbo, Valledupar, Villavicencio.VILLE, COMORES (n. p.). Anjouan, Joanna, Moroni, Mutsamudu.

VILLE, CONGO BRAZZA (n. p.). Boko, Bomassa, Brazzaville, Buta, Ewo, Goma, Kinkala, Léopoldville, Masa, Ngo, Okoyo, Sembe, Zanaga.

VILLE, CONGO, RÉPUBLIQUE DÉMOCRATIQUE (n. p.). Bandudu, Beni, Boma, Bukawu, Kananga, Kindu, Kinshasa, Kutu, Likasi, Moba, Mushie, Niangara, Watsa.

VILLE, CORÉE DU NORD (n. p.). Anju, Chongiin, Haeju, Hamhung, Hungnam, Iwon, Kaesong, Kanggye, Kimchaek, Manpo, Munchon, Musan, Nampo, Panmunjon, Pyongyang, Sinuiju, Tanchon, Wonsan.

VILLE, CORÉE DU SUD (n. p.). Andong, Anyang, Chemulpo, Chinju, Chongiu, Chonan, Chonju, Fusan, Inchon, Kunsan, Kwangju, Kyongju, Masan, Mokpo, Pohang, Pusan, Séoul, Songnam, Suwon, Taegu, Taejon, Ulsan, Wando, Yangyang, Yosu.

VILLE, CORRÈZE (n. p.). Allassac, Argentat, Beynat, Bort-les-Orgues, Brive-la-Gaillarde, Donzenac, Égletons, Juillac, Laguenne, Lapleau, Larches, Lubersac, Meynac, Meyssac, Naves, Neuvic, Objat, Peadine, Sornac, Treignac, Tulle, Turenne, Uzerche, Ussel.

VILLE, CORSE (n. p.). Ajaccio, Aléria, Bastelica, Bastia, Bonifacio, Borgo, Calvi, Cervione, Corte, Figari, Ghisonaccia, Lama, La Porta, Luri, Moita, Murato, Muro, Nonza, Piana, Porto-Vecchio, Propriano, Rogliano, Sagone, Saint-Florent, Salice, Sartène, Sermaqno, Solenzara, Vescovato, Vico, Zicavo.

VILLE, COSTA RICA (n. p.). Cartago, Golfito, Heredia, Limón, Neily, Pital, Puntarenas, Quesada, San José, Santa Cruz, Tilaran.

VILLE, CÔTE-D'IVOIRE (n. p.). Abengourou, Abidjan, Ayame, Bako, Bouaké, Bouna, Dabou, Daloa, Dianra, Divo, Fresco, Gagnoa, Grabo, Korhogo, Man, Nassian, San Pedro, Tai, Vavoua, Yamoussoukro.

VILLE, CÔTE-D'OR (n. p.). Auxonne, Auxous, Beaune, Buxerolles, Châtillon-sur-Seine, Chenôve, Citeaux, Clos-Vougeot, Daloa, Dan, Dijon, Dioula, Fixin, Fontenais, Francheville, Genlis, Is-sur-Tille, Laignes, Longvic, Merdrignac, Meursault, Montbard, Montrachet, Nolay, Nuits, Pommard, Quetigny, Saulieu, Selongey, Seurre, Sombernon, Talant, Vix, Volnay, Vougeot.

VILLE CÔTES-D'ARMOR (n. p.). Bégard, Binic, Bourriac, Brehat, Broons, Callac, Caulnes, Collinée, Corlay, Dinan, Erquy, Étables-sur-Mer, Evran, Gouarec, Guingamp, Lamballe, Lamian, Langueux, Lannion, Loudeac, Matignon, Merdrignac, Mur-de-Bretagne, Paimpol, Perros-Guirec, Plancoët, Plérin, Plouagat, Plouaret, Ploubalay, Ploufragan, Plouguenast, Plouha, Pontrieux, Prat, Quintin, Rostrenen, Saint-Brieuc, Trégastel, Tréguier, Uzel.

VILLE, CREUSE (n. p.). Ahun, Aubusson, Bonna, Borgo, Bourganeuf, Boussac, Crocq, Crozant, Felletin, Gouzon, Guéret, Jouques, Pontarion.

VILLE, CROATIE (n. p.). Buje, Cabar, Crikvenica, Dubrovnik, Dvor, Fiume, Glina, Gospic, Lastovo, Ludbreg, Nin, Omis, Osijek, Pag, Pola, Pula, Rab, Rijeka, Salona, Salone, Sinj, Sisak, Solin, Valpovo, Zabok, Zadar, Zagreb, Zara.

VILLE, CUBA (n. p.). Banes, Bauta, Bayamo, Camaguey, Cardenas, Caya Coco, Cienfuegos, Guantanamo, Guines, Holguín, La Havane, Marianao, Matanzas, Moa, Moron, Santiago, Varadero.

VILLE, DANEMARK (n. p.). Aalborg, Aarhus, Abenra, Alborg, Arhus, Assens, Bramminge, Copenhague, Duppel, Ebeltoft, Ejby, Elseneur, Esbjerg, Fakse, Frederiksberg, Give, Grena, Hals, Hillerod, Hobro, Ikast, Maribo, Mildelfart, Odder, Odense, Randers, Ribe, Ringe, Roskilde, Saeby, Silkeborg, Skive, Sonderborg, Soro, Tonder, Varde, Vejle.

VILLE, DJIBOUTI (n. p.). Aba, Ambabo, Andoli, Arta, Balho, Bondara, Digri, Djibouti, Dorra, Godoria, Mousso, Obock, Randa, Sakhisso, Teoao, Yoboki.

VILLE, DORDOGNE (n. p.). Bars, Beaumont, Belves, Bergerac, Bourdeilles, Cadouin, Carlux, Domme, Eymet, Hautefort, Mareuil, Montignac, Mussidan, Neuvic, Ribérac, Salignac, Sarla, Trelissac, Vergt, Villamlard.

VILLE, DOUBS (n. p.). Amancey, Audeux, Audincourt, Baume-les-Dames, Besançon, Clerval, Dole, Étupes, Hérimoncourt, Isle-sur-le-Doubs, Jougne, Levier, Maîche, Mandeure, Métabief, Montbéliard, Morteau, Mouthe, Ornans, Pontarlier, Pont-de-Roide, Quincey, Rougemont, Roulans, Russy, Seloncourt, Sochaux, Valdahon, Valentigney, Vercel, Villers-le-Lac.

VILLE, DRÔME (n. p.). Bourg-de-Péage, Bourg-Lès-Valence, Buis-les-Baronnies, Chabeuil, Crest, Die, Dieulefit, Diois, Donzère, Grignan, Hauterives, Loriol-sur-Drôme, Marsanne, Montélimar, Nyons, Pierrelatte, Porte-Lès-Valence, Saint-Vallier, Tain-l'Hermitage, Valence, Valréas, Vassieux-en-Vercors, Velines.

VILLE, ÉCOSSE (n. p.). Aberdeen, Ayr, Dundee, East Kilbride, Edimbourg, Glasgow, Grangemouth, Greenock, Inverness, Nairn, Paisley, Perth, Saint Andrews, Stirling.

VILLE, ÉGYPTE (n. p.). Aboukir, Adfu, Alexandrie, Assiout, Assouan, Asyut, Baris, Bawiti, Benna, Biba, Bulaq, Damanhur, Edfou, Esneh, Girga, Idfu, Isna, Le Caire, Louqsor, Luxor, Mut, Qena, Saïs, Suez, Tanis, Tantah, Tima.

VILLE, ÉLAM (n. p.). Suse.

VILLE, ÉQUATEUR (n. p.). Ambato, Auca, Balao, Banos, Canar, Cayambe, Chone, Cuenca, Daule, Esmeraldas, Fanny, Guano, Loja, Macas, Machala, Manta, Milagro, Pasaje, Pinas, Puyo, Quevedo, Quito, Sacha, Salcedo, Tena, Tulcan, Yaguachi, Zumba.

VILLE, ÉRYTHRÉE (n. p.). Addigrat, Agordat, Asmara Assab, Keren, Massaoua, Tessenai.

VILLE, ESPAGNE (n. p.). Albacete, Alcantara, Alcoy, Almaden, Almeria, Andujar, Antequera, Aranjuez, Astorga, Avila, Badajoz, Badalona, Bailen, Baracaldo, Barcelone, Baza, Bilbao, Cadix, Carthagène, Cuenca, Elche, Gérone, Grenade, Irun, Jaca, Jaen, Len, Leon, Lérida, Linares, Lorca, Lugo, Madrid, Malaga, Mieres, Orense, Oviedo, Palencia, Palos, Pampelune, Reus, Séville, Soria, Teruel, Tolède, Tuy, Valence, Vich, Vigo.

VILLE, ESSONNE (n. p.). Arpajon, Cerny, Crosne, Dourvan, Évry, Grigny, Igny, Lardy, Limours, Linas, Maisse, Massy, Mennecy, Morangis, Orsay, Saclay, Ulis, Yerres.

VILLE, ESTONIE (n. p.). Athme, Ikla, Johvi, Narva, Osel, Parnou, Reval, Revel, Sarema, Tallinn, Tapa, Tartou, Torma, Turi, Valga, Voru.

VILLE, ÉTATS-UNIS (n. p.). Akron, Albany, Albuquerque, Allentown, Amarillo, Anaheim, Arlington, Atlanta, Austin, Baltimore, Beaumont, Bellingham, Berkeley, Bethlehem, Birmingham, Boston, Buffalo, Cambridge, Cheyenne, Chicago, Cincinnati, Cleveland, Concord, Dallas, Denver, Detroit, El Paso, Erie, Fresno, Hartford, Honolulu, Houston, Manchester, Memphis, Miami, Mobile, Montpelier, New York, Oakland, Omaha, Pasadena, Peoria, Phoenix, Pittsburgh, Portland, Providence, Reno, Sacramento, Salem, Seattle, Tampa, Toledo, Troy, Tucson, Tulsa, Washington, Wichita.

VILLE, ÉTHIOPIE (n. p.). Adoua, Addis-Abeba, Adwa, Assela, Axum, Dessie, Dolo, Goba, Maji, Waldia, Yabela.

VILLE, EURE (n. p.). Alisay, Bernay, Beaumesnil, Breteuil, Broglie, Écos, Évreux, Gisors, Louviers, Nonancourt, Quillebeuf, Routot, Rugles, Vernon.

VILLE, EURE-ET-LOIR (n. p.). Anet, Authon, Bonneval, Brou, Bu, Chartres, Dreux, Luce, Montlandon, Thiron, Toury.

VILLE, FIDJI (n. p.). Labasa, Lautoka, Mbua, Namuana, Suva, Tubou, Waiyevo.

VILLE, FINISTÈRE (n. p.). Arzano, Batz, Benodet, Brest, Briec, Carhaix, Chateaulin, Concarneau, Crozon, Doualas, Guilers, Landerneau, Locquirec, Loctudy, Molène, Morlaix, Scaer, Sein, Sizun, Taule.

VILLE, FINLANDE (n. p.). Abo, Bjorneborg, Borga, Esbo, Espoo, Hango, Helsinki, Imatra, Inari, Jamsa, Kemi, Lahti, Lisalmi, Nokia, Nurmes, Nystad, Otanmaki, Oulu, Pello, Pielisjardi, Porvoo, Puri, Savonlinna, Tampere, Tornio, Utsjki, Vansaa, Vantaa, Vartius.

VILLE, FRANCE (n. p.). Agen, Albertville, Albi, Allos, Apt, Arcachon, Arles, Arras, Ay, Barcelonnette, Barrême, Bayonne, Besançon, Bordeaux, Boulogne, Bourges, Brest, Briançon, Caen, Cannes, Carcassonne, Castellane, Chamonix, Châtel, Clermont, Cluse, Colmar, Courchevel, Coutances, Dax, Dieppe, Dijon, Dinan, Draguignan, Elne, Épinal, Évreux, Eu, Fréjus, Gap, Guillestre, Guingamp, Isola, Lacanau, Laragne, La Rochelle, Le Mans, Lille, Lorient, Lyon, Malijai, Marseille, Maubeuge, Menton, Mimizan, Modane, Montbéliard, Montpellier, Morlaix, Mulhouse, Nancy, Nantes, Nice, Nîmes, Oraison, Orange, Orléans, Paris, Pérone, Perpignan, Pézenas, Poitiers, Reims, Rennes, Rouen, Royan, Saint-Étienne, Saint-Malo, Saint-Nazaire, Saint-Tropez, Sedan, Sens, Sisteron, Strasbourg, Termignon, Tignes, Toulon, Toulouse, Tour, Trets, Val d'Isère, Valence, Valmorel, Verdun.

VILLE, GABON (n. p.). Ayem, Bakouma, Bitam, Gamba, Libreville, Moabi, Oyem, Port-Gentil, Franceville.

VILLE, GALILÉE (n. p.). Cana.

VILLE, GAMBIE (n. p.). Banjul, Fajara, Kaur, Maka, Saba, Sika, Sukuta.

VILLE, GARD (n. p.). Aigues-Mortes, Alès, Alzon, Anduze, Aramon, Barjac, Bouillargues, Fourques, Lussan, Nîmes, Quissac, Remoulins, Tavel, Trêves, Uzès, Vauvert.

VILLE, GAULE (n. p.). Avaricum, Bibracte, Lutèce, Rome, Tolbiac.

VILLE, GÉORGIE (n. p.). Batoum, Doucheti, Gagra, Gori, Malhardze, Ozourgeti, Poti, Roustavi, Senaki, Soukhoumi, Tbilisse, Tiflis, Tkibouli, Zougdidi.

VILLE, GERS (n. p.). Aignan, Auch, Bars, Castex, Cologne, Condom, Gimont, Jegun, Lombez, Maupas, Montesquiou, Montréal, Nogaro, Plaisance, Riscle.

VILLE, GHANA (n. p.). Aburi, Accra, Ada, Awasol, Axim, Bamboi, Bawku, Bole, Bui, Busua, Damongo, Ga, Ho, Keta, Kumasi, Lawra, Nandom, Oda, Sampa, Tamale, Tema, Wa, Wenchi, Yeji, Zan.

VILLE, GIRONDE (n. p.). Ambes, Arcachon, Arès, Barsac, Bassens, Belin, Blaye, Bordeaux, Branne, Bruges, Cadillac, Fronsac, Libourne, Lussac, Margaux, Mérignac, Pessac, Pomerol, Saint-Émilion, Saint-Estèphe, Sauternes, Talence, Targon, Villandraut.

VILLE, GIRONDIN (n. p.). Buzot, Clavière, Ducos.

VILLE, GRANDE-BRETAGNE (n. p.). Ascot, Basildon, Bath, Bedford, Birkenhead, Birmingham, Blackburn, Blackpool, Bolton, Bootle, Boston, Bournemouth, Bradford, Brighton, Bristol, Bury, Cambridge, Canterbury, Carlisle, Chatham, Chelsea, Cheltenham, Chester, Chesterfield, Colchester, Corby, Coventry, Cowes, Crawley, Dallington, Deal, Derby, Devonport, Doncaster, Douglas, Douvres, Dover, Dudley, Dunder, Durham, Eastbourne, Ealing, Ely, Epson, Eton, Exeter, Farborough, Folkstone, Gillingham, Gloucester, Gosport, Greenwich, Grimsby, Guilford, Halifax, Harlow, Harrogate, Hartlepool, Hastings, Hove, Huddersfield, Hull, Ipswich, Lancaster, Leamington, Leeds, Leicester, Lincoln, Liverpool, London, Londres, Luton, Maidstone, Manchester, Margate, Middlesbrough, Midlands, Newcastle, Newhaven, Newport, Northampton, Norwich, Nottingham, Oxford, Peterborough, Plymouth, Poole, Portsmouth, Preston, Ramsgate, Reading, Richmond, Rochdale, Rugby, Saint Helens, Salford, Salisbury, Sheffield, Shrewsbury, Slough, Solihull, Southampton, Stafford, Stevenage, Stirling, Stockport, Sunderland, Swindon, Taunton, Tewkesbury, Thurrock, Tynemouth, Wakefield, Wallasey, Wallsall, Warrington, Wells, Westminster, Wimbledon, Winchester, Windsor, Worcester, Worthing, Yarmouth, York.

VILLE, GRÈCE (n. p.). Alexandroupolis, Andros, Argos, Arta, Athènes, Byzance, Chio, Corfou, Corinthe, Cyrène, Drama, Eleusis, Hydra, Ianina, Lamia, Larissa, Lépante, Patras, Plati, Pylos, Salamine, Samos, Sitia, Sparte, Syra, Thèbes, Thiba, Tripolis, Vathi, Veria, Vólos, Xante, Xanthi.

VILLE, GRENADE (n. p.). Belmont, Concord, Hillsborough, Pradise, Saint George's, Tivoli, Union, Vendome, Victoria.

VILLE, GROENLAND (n. p.). Disko, Dundas, Godthab, Nanok, Nuuk, Ritenbenk, Sukkertoppen, Sydproven, Thule, Umanak, Upernavik.

VILLE, GUADELOUPE (n. p.). Baillif, Deshaies, Goyave, Gustavia, Lamentin, Gourbeyre, Marigot, Pointe-à-Pitre.

VILLE, GUATEMALA (n. p.). Chimaltenango, Chiquimula, Coatepeque, Coban, Cuilco, Guatemala, Ipala, Iztapa, Jutiapa, Likin, Ocos, Rabinal, Salama, Santiago, Solola, Taxisco, Tiquisate, Utatlan, Zacapa.

VILLE, GUINÉE (n. p.). Boke, Boffa, Conakry, Fria, Ganta, Maleya, Mali, Nzo, Pita, Siguiri, Timbo, Yomou.

VILLE, GUINÉE BISSAU (n. p.). Abu, Beli, Binar, Bissau, Caio, Catio, Co, Empada, Enxude, Gabu, Mampata, Mansaba, Tomboli, Xime, Xitoli.

VILLE, GUINÉE ÉQUATORIALE (n. p.). Andok, Asok, Basakato, Bata, Gobe, Kogo, Luba, Makamo, Manyanga, Mbini, Melong, Michobo, Moka, Malabo.

VILLE, GUYANA (n. p.). Annai, Aurora, Biloku, Georgestown, Isherton, Issano, Lethem, Linden, Mandia, Mara, Suddie, Takama, Toka, Wismar.

VILLE, GUYANE FRANÇAISE (n. p.). Camopi, Cayenne, Iracoubo, Kaw, Mana, Rochambeau, Roura, Saul, Sinnamary.

VILLE, HAÏTI (n. p.). Aquin, Bombardopolis, Corail, Déluge, Ennery, Gros Morne, Jacmel, Limbe, Liminade, Maissade, Milot, Port-au-Prince.

VILLE, HAUTE-GARONNE (n. p.). Aspet, Aurignac, Balma, Blagnac, Cadours, Fenouillet, Grenade, Luchon, Mouran, Muret, Nailloux, Rieux, Toulouse.

VILLE, HAUTE-LOIRE (n. p.). Allègre, Auzon, Brioude, Pradelles, Tence, Vorey, Yssingeaux.

VILLE, HAUTE-MARNE (n. p.). Andelot, Bologne, Bourmont, Chalindrey, Chaumont, Chevillon, Nogent, Vignory.

VILLE, HAUTE-SAÔNE (n. p.). Gray, Gy, Jussey, Lure, Marney, Ronchamp, Saulx, Vésoul.

VILLE, HAUTE-SAVOIE (n. p.). Alby, Ambilly, Annecy, Argonay, Assy, Carroz, Chamonix, Chatel, Cluses, Doussard, Évian-les-Bains, Gaillard, Montriond, Passy, Rumilly, Sallanches, Seynod, Sixt, Thones, Yvoire.

VILLE, HAUTE-VIENNE (n. p.). Ambazac, Bellac, Chalus, Chateauponsac, Couzeix, Limoges, Nieul, Solignac.

VILLE, HAUTES-ALPES (n. p.). Abries, Aiguilles, Chantemerle, Embrun, Gap, Rosans, Saint-Véran, Tallard, Veynes.

VILLE, HAUTES-PYRÉNÉES (n. p.). Arreau, Arrens, Aucun, Bazet, Campan, Maubourguet, Montastruc, Ossun, Séron, Soulan, Tarbes, Tournay.

VILLE, HAUT–RHIN (n. p.). Blotzheim, Cernay, Colmar, Issenheim, Landeser, Lutterback, Masevaux, Mulhouse, Munster, Orbey, Sewen, Soultzmatt, Thann, Turckheim, Vogelgrun.

VILLE, HAUTS-DE-SEINE (n. p.). Antony, Bagneux, Bellevue, Chatillon, Clamart, Clichy, Colombes, Meudon, Saint-Cloud, Sceaux, Sèvres, Vanves.

VILLE, HÉRAULT (n. p.). Agde, Aniade, Béziers, Castries, Claret, Frontignan, Ganges, Gignac, Lunas, Lunel, Montpellier, Mourèze, Olonzac, Roujan, Saint-Chinian, Servian.

VILLE, HOLLANDE (n. p.). Amsterdam, Dordrecht, Edam, La Haye, Nimèque, Rotterdam.

VILLE, HONDURAS (n. p.). Choluteca, Conception, Danli, Jocon, La Paz, Leimus, Mame, Mocoron, Olanchito, Omoa, Quimistan, Saba, Santa Fe, Suhi, Sula, Tegucigalpa, Trujillo, Yorito, Yoro, Yuscaran.

VILLE, HONG-KONG (n. p.). Aberdeen, Kowloon, Victoria.

VILLE, HONGRIE (n. p.). Abony, Baja, Bekes, Budapest, Debrecen, Eger, Erd, Györ, Miskolc, Mor, Ozd, Pecs, Pest, Sopron, Szeged, Vac.

VILLE, ILLE-ET-VILAINE (n. p.). Antrain, Bains, Betton, Bruz, Fougères, Janze, Monfort, Montauban, Mordelles, Redon, Rennes, Saint-Malo, Tintenac.

VILLE, INDE (n. p.). Agra, Ahmadabac, Ahmadnagar, Ahmedabad, Ajmer, Akola, Aligarh, Allahabad, Amravati, Amritsar, Asansol, Aurangabad, Bangalore, Barddhaman, Bareilly, Belgaum, Bellary, Bénarès, Bhadravati, Bhagalpur, Bhatpara, Bhavnagar, Bhilainagar, Bhopal, Bhubaneswar, Bijapur, Bikaner, Bilaspur, Calcutta, Delhi, Dhulia, Diu, Durg, Ellore, Eluru, Erode, Gaya, Goa, Guntur, Ilahabad, Indore, Mahé, Madras, Meerut, Nellore, New Delhi, Patna, Pune, Salem, Simla, Srinagar, Udaipur, Varanasi.

VILLE, INDONÉSIE (n. p.). Amboine, Balikpapan, Bandoeng, Bandung, Banjermassin, Bogor, Garout, Jakarta, Kediri, Madiun, Madras, Madura, Malang, Medan, Pati, Samarang, Solo, Tegal, Turen.

VILLE, INDRE (n. p.). Ajmer, Ambraut, Argenton, Batavia, Chabris, Chateauroux, Issoudun, Levroux, Révilly, Valency, Vatan.

VILLE, INDRE-ET-LOIRE (n. p.). Amboise, Blère, Bourgueil, Chenonceaux, Chinon, Ligueil, Loches, Montrésor, Richelieu, Rille, Tours, Ussé, Villandry, Vouvray.

VILLE, IRAK (n. p.). Amara, Ana, Arbil, Bagdad, Bassora, Erbil, Hilla, Kut, Mossoul.

VILLE, IRAN (n. p.). Ahvaz, Arak, Arbil, Ardabil, Basra, Erbil, Ispahan, Kum, Ourmia, Qom, Qum, Téhéran.

VILLE, IRLANDE (n. p.). Armagh, Athy, Bantry, Belfast, Birr, Bray, Carlow, Clifden, Cobh, Cork, Dublin, Galway, Mallow, Nenagh, Tipperary, Tullamore, Ulster, Wexford.

VILLE, ISÈRE (n. p.). Auris, Cognin, Corbas, Grenoble, Huez, Lans, Mens, Meylan, Moins, Morestel, Paladru, Seyssins, Tullins, Vézéronce, Vif, Vinay.

VILLE, ISLANDE (n. p.). Borgarnes, Budir, Dalvik, Flateyri, Grenivik, Hofn, Midsandur, Reykjavik, Roft, Selfoss, Vik.

VILLE, ISRAËL (n. p.). Acre, Beersheba, Bethléem, Eilat, Elat, Gaza, Haifa, Jaffa, Jéricho, Jérusalem, Lod, Massada, Nazareth, Silo, Tel-Aviv, Tibériade, Yafo.

VILLE, ITALIE (n. p.). Agrigente, Alexandrie, Anagni, Ancône, Andria, Aoste, Aquila, Aquilee, Arezzo, Ascoli, Assise, Asti, Avellino, Bardonneche, Bari, Barletta, Benevent, Bergame, Biella, Bobbio, Bologne, Brescia, Cagliari, Cefalu, Cesena, Côme, Cosenza, Cuneo, Elaia, Ele, Élée, Enna, Erice, Este, Faenza, Florence, Foligno, Forli, Gaeta, Gaete, Gela, Gênes, Gorizia, Imola, Ivrée, Lecce, Lodi, Massa, Milan, Monza, Naples, Otrante, Padoue, Paestum, Palerme, Parme, Pesaro, Pise, Ravenne, Rome, Salerne, Sienne, Sorrente, Suse, Teramo, Terni, Tivoli, Topi, Torre, Trieste, Turin, Udine, Urbino, Varese, Venise, Vérone.

VILLE, JAMAÏQUE (n. p.). Appleton, Cambridge, Ewarton, Falmouth, Frome, Kingston, Kirkvine, Linstead, Lucea, Maggotty, Mandeville, Montego Bay, Nain, Ostie, Porus, Yallahs.

VILLE, JAPON (n. p.). Ageo, Akashi, Akita, Amagasaki, Asahigawa, Asahikaga, Asahikawa, Beppu, Edo, Fugi, Gifu, Hagi, Hiroshima, Ina, Ise, Itami, Ito, Iwaki, Kobe, Kofu, Kure, Kyoto, Maebashi, Mito, Nagano, Nagasaki, Nagoya, Nara, Oita, Omiya, Omuta, Osaka, Ota, Otaru, Otsu, Saga, Sakai, Saku, Sapporo, Suita, Tokyo, Toyama, Tsu, Ube, Uji, Yao, Yedo.

VILLE, JAVA, ÎLE (n. p.). Bandung, Bogor, Cepu, Dieng, Djakarta, Malang, Raba, Rembang, Serang, Surabama, Tegal.

VILLE, JORDANIE (n. p.). Akaba, Amman, Djenin, Irbid, Ma'an, Pétra, Salt, Tafila, Zarqa, Zarqah.

VILLE, JURA (n. p.). Baume, Beaufort, Chaumergy, Conliège, Dole, Francheville, Morbier, Morez, Mouchard, Orgelet, Poligny, Tavaux, Vaudrey.

VILLE, KAZAKHSTAN (n. p.). Abay, Akmola, Alma-Ata, Almaty, Astana, Baikonour, Bichket, Oral, Orsk, Saran.

VILLE, KENYA (n. p.). Embu, Kilifi, Lamu, Mombasa, Mombassa, Nairobi, Nyeri, Taveta, Voi.

VILLE, KIRGHIZSTAN (n. p.). Bichkek, Naryn, Och, Rybatche, Talas.

VILLE, KOWEÏT (n. p.). Atraf, Buhran, Koweït, Sabiyah, Safwan.

VILLE, LANDES (n. p.). Aire, Amou, Brassempouy, Dax, Gabarret, Geaune, Labrit, Morcenx, Mugron, Pissos, Pouillon, Roquefort, Sabres, Seignosse, Sore, Tarnos.

VILLE, LAOS (n. p.). Attopeu, Ay, Ban, Boneng, Et, Nape, Saravan, Sing, Son, Soy, Thong, Vientiane, Xay.

VILLE, LATIUM (n. p.). Frostina, Rieti, Rome, Viterbe.

VILLE, LESOTHO (n. p.). Leribe, Mafeteng, Maseru, Roma.

VILLE, LETTONIE (n. p.). Balvi, Bauska, Dundaga, Iegava, Ielgava, Jelgava, Libau, Ludza, Mitau, Ogre, Pope, Riga, Talsi, Valka, Valmiera.

VILLE, LIBAN (n. p.). Aley, Baalbeck, Baalbek, Balbek, Beyrouth, Choueifat, Niha, Qaa, Rayak, Saida, Sour, Tyr.

VILLE, LIBÉRIA (n. p.). Bahn, Greenville, Kle, Monrovia, Plibo, Sasstown, Tobli, Tubmanburg, Webo, Yahun.

VILLE, LIBYE (n. p.). Benghazi, Brak, Djalo, El-Beida, Gialo, Homs, Hon, Marada, Nadj, Surt, Tripoli, Waha, Zella.

VILLE, LIECHTENSTEIN (n. p.). Bendem, Mals, Mauren, Muhleholz, Schaanwald, Steg, Turna, Vaduz, Wangerberg.

VILLE, LITUANIE (n. p.). Alytus, Birzai, Jonava, Neringa, Plunge, Salantai, Sirvintos, Ukmerge, Varena, Vilna, Vilnius, Wilno.

VILLE, LOIRE (n. p.). Balbigny, Belmont, Charlieu, Feurs, Firminy, Izieux, Lorette, Mably, Montbrison, Pelussin, Perreux, Riorges, Roanne, Sorbiers, Unieux, Veauche.

VILLE, LOIRE-ATLANTIQUE (n. p.). Blain, Bouaye, Chateaubriant, Clisson, Derval, Donges, Herbignac, Indre, Ligne, Nantes, Orvault, Pornic, Rouge, Vallet.

VILLE, LOIR-ET-CHER (n. p.). Blois, Chambord, Cheverny, Contrès, Droue, Morée, Onzain, Oucques, Salbris, Selommes, Souesmes, Vendôme, Vineuil.

VILLE, LOIRET (n. p.). Amilly, Artenay, Bellegarde, Cerdon, Checy, Courtenay, Ferrières, Gien, Ingre, Montargis, Orléans, Patay, Pithiviers, Puiseaux, Saran, Vimory.

VILLE, LOT (n. p.). Alvignac, Cahors, Cressensac, Figeac, Gourdon, Gramat, Lauzes, Limogne, Livernon, Luzech, Rocamadour, Souillac, Sousceyrac, Vayrac.

VILLE, LOT-ET-GARONNE (n. p.). Agen, Beauville, Bouglon, Castillonnes, Damazan, Duras, Fumel, Cançon, Lauzun, Montayral, Montflanquin, Seyches, Xaintrailles.

VILLE, LOZÈRE (n. p.). Aumont, Bagnols, Chanac, Florac, Mende, Vialas, Villefort.

VILLE, LUXEMBOURG (n. p.). Asselborn, Beaufort, Berdof, Berg, Bettembourg, Clémency, Colmar, Flaxweiler, Kayl, Manternach, Mersch, Perle, Petange, Rosport, Sanem, Steinsel, Wiltz.

VILLE, MACÉDOINE (n. p.). Amphypolis, Berovo, Bitola, Bitolj, Brod, Debar, Monastir, Ohrid, Skopje, Stip, Struga, Valandovo, Vinica.

VILLE, MADAGASCAR (n. p.). Andapa, Antananarivo, Antsirabe, Belo, Fianarantsoa, Hova, Madécasse, Mahabo, Manja, Sakalave, Tamatave.

VILLE, MAINE-ET-LOIRE (n. p.). Allonnes, Angers, Avrille, Bauge, Chemille, Durtal, Gennes, Montfaucon, Noyant, Pouance, Saumur, Sègre, Tierce, Vernantes.

VILLE, MALAISIE (n. p.). Bau, Ipoh, Jesselton, Keda, Kuala Lumpur, Labuan, Lutong, Miri, Muar, Raub, Sabah, Sibu, Victoria, Weston.

VILLE, MALAWI (n. p.). Balaka, Chipoka, Chiroma, Dowa, Lifupa, Lilongwé, Malembo, Manda, Phalombe, Salima, Thyolo, Zomba.

VILLE, MALDIVES (n. p.). Deddu, Hitaddu, Hitadu, Muli, Tinadu.

VILLE, MALI (n. p.). Ansongo, Bamako, Gao, Kati, Kayes, Mopti, Nampala, Nioto, Ségou, Sikasso, Tombouctou, Yorosso.

VILLE, MALTE (n. p.). Comino, Cospicua, La Valette, Marfa, Marsaforn, Mosta, Nadur, Paola, Rabat, Victoria.

VILLE, MANCHE (n. p.). Barfleur, Beaumont, Brecey, Canisy, Carentan, Carolles, Cherbourg, Coutances, Ducey, Gavray, Ger, Granville, Lessay, Marigny, Montebourg, Mortain, Percy, Saint-Lo, Sartilly, Sourdeval, Valognes.

VILLE, MARNE (n. p.). Ai, Anglure, Avize, Ay, Beine, Champaubert, Cramant, Esternay, Francheville, Lépine, Marson, Reims, Sillery, Valmy.

VILLE, MAROC (n. p.). Berkane, Casablanca, Fès, Mazagan, Mogador, Nador, Oujda, Rabat, Safi, Tanger, Taza.

VILLE, MARTINIQUE (n. p.). Ducos, Fort-de-France, Fort Royal, Gros Morne, Lamentin, La Trinité, Macouba, Sainte-Luce.

VILLE, MAURICE (n. p.). Amaury, Britannia, Chamouny, Goodlands, Highland, Mapou, Moka, Plaisance, Souillac, Surinam, Tamarin, Triolet, Vacoas.

VILLE, MAURITANIE (n. p.). Aleg, Atar, Boutilimit, Cansado, Choum, Nouakchott, Oujeft, Rosso.

VILLE, MAYENNE (n. p.). Ambrières, Argentre, Bais, Berne, Craon, Évron, Gorron, Lassay, Laval, Loiron, Pontmain, Renaze.

VILLE, MÉSOPOTAMIE (n. p.). Agadé, Akkad, Babylone, Édesse, Ninive, Nippour, Our, Ourouk, Ur.

VILLE, MEURTHE-ET-MOSELLE (n. p.). Baccarat, Batilly, Bayon, Briey, Écrouves, Foug, Francheville, Gerbevillier, Jarny, Laxou, Liverdun, Longwy, Ludrès, Nancy, Rehon, Sion, Vaudemont, Vitrey.

VILLE, MEUSE (n. p.). Avioth, Bouligny, Commercy, Épernay, Étain, Souilly, Spincourt, Stenay, Vaubecourt, Verdun, Void.

VILLE, MEXIQUE (n. p.). Acapulco, Aguascalientes, Ameca, Cancun, Chihuahua, Choix, Durango, Guadalajara, Len, Leon, Mérida, Mexico, Oaxaca, Puebla, Queretaro, Tampico, Tehuantepec, Tepic, Tiaxcala, Tijuana, Tollan, Toluca, Tula, Veracruz.

VILLE, MOLDAVIE (n. p.). Balti, Belts, Cahul, Calarasi, Causani, Chisinau, Darochia, Floresti, Iasi, Keinar, Leova, Soroca.

VILLE, MONGOLIE (n. p.). Altai, Darhan, Mouren, Moron, Olgi, Oulan-Bator, Ourga, Soumber.

VILLE, MONTÉNÉGRO (n. p.). Antivari, Bar, Cattaro, Dulcigno, Kotor, Poddorica, Titograd.

VILLE, MORBIHAN (n. p.). Allaire, Auray, Baud, Belz, Bono, Carnac, Caudan, Groix, Guer, Hennebont, Locmine, Lorient, Malestroit, Mauron, Muzillac, Pontivy, Questembert, Quiberon, Riantec, Rohan, Sarzeau, Vannes.

VILLE, MOSELLE (n. p.). Amneville, Bellange, Bitche, Borny, Carling, Delme, Dieuze, Fameck, Florange, Fontoy, Ganges, Gorze, Gravelotte, Gravelottes, Grosbliederstroff, Lorquin, Marspich, Metz, Moussey, Ottange, Pange, Richemont, Rombas, Talange, Terville, Verny, Vigy, Volmunster, Woippy, Yutz.

VILLE, MOZAMBIQUE (n. p.). Caia, Chibuto, Cobue, Guro, Manica, Maputo, Maua, Moma, Nacala, Palma, Panda, Pemba, Songo, Unango, Xai Xai.

VILLE, NAMIBIE (n. p.). Aminius, Andara, Asab, Auchas, Aus, Berseba, Keetmanshoop, Luderitz, Ngoma, Opuwo, Warmbad, Windhoek, Witvlei.

VILLE, NÉPAL (n. p.). Bajura, Butwal, Chainpur, Dharan, Duna, Ghasa, Ilam, Jiri, Jomoson, Jumla, Katmandou, Lukla, Malka, Marpha, Patan, Phidim, Sihja, Simara, Tansen, Those.

VILLE, NICARAGUA (n. p.). Asturias, Boaco, Granada, Jalapa, Leon, Managua, Manama, Masaya, Ocotal, Potosi, Rama, Rivas, Rosita, Sebaco, Siuna, Somoto, Telica, Tuma.

VILLE, NIGER (n. p.). Aney, Bangui, Bilma, Bosso, Dakoro, Diffa, Loga, Niamey, Say, Tahoua, Tera, Tunia, Zinder.

VILLE, NIGERIA (n. p.). Aba, Abeokuta, Abuja, Agueusie, Auna, Baga, Bama, Benin, Biu, Ede, Enugu, Ibadan, Ife, Ikere, Ila, Ilesha, Ilorin, Iwo, Kaduna, Kano, Kari, Lagos, Minna, Mubi, Onitsha, Os, Yola, Zaria.

VILLE, NORVÈGE (n. p.). Alesund, Alta, Bergen, Bodo, Gol, Halden, Hol, Larvik, Lom, Mo, Molde, Moss, Nesna, Oslo, Otta, Vardo, Voss.

VILLE, NOUVELLE-ZÉLANDE (n. p.). Alexandra, Dunedin, Foxton, Gore, Hamilton, Hastings, Hutt, Levin, Marton, Milton, Napier, Nelson, Ohai, Oxford, Ross, Taupo, Welligton.

VILLE, OISE (n. p.). Attichy, Auneuil, Beauvais, Betz, Bresles, Chambly, Chantilly, Clairoix, Clermont, Compiège, Creil, Éragny, Froissy, Mouy, Nivilliers, Noyon, Pierrefonds, Senlis.

VILLE, OMAN (n. p.). Amal, Dank, Ibra, Mascate, Natih, Ruwi, Sib, Sur.

VILLE, ORNE (n. p.). Alençon, Athis, Bellème, Carrouges, Flers, Francheville, Messéi, Mortagne, Noce, Passais, Sees, Seez, Tinchebray, Trun, Vimoutiers.

VILLE, OUGANDA (n. p.). Apoka, Arua, Bamunaniki, Bombo, Goli, Kampala, Kiboga, Masaka, Myanzi, Njeru, Wobulenzi, Yumbe.

VILLE, OUZBÉKISTAN (n. p.). Almalyk, Boukhara, Denaou, Gazli, Mouinak, Moubarek, Noukous, Outchkoudouk, Tachkent, Tchimbai, Termez.

VILLE, PAKISTAN (n. p.). Alipur, Astore, Bannu, Bhera, Dacca, Dadu, Hafizabad, Islamabad, Karachi, Kasur, Kohat, Kotri, Mach, Malamjabba, Ormara, Pasni, Sahiwal, Sui, Urak.

VILLE, PALESTINE (n. p.). Bethel, Bethléem, Endor, Gaza, Gomorrhe, Hébron, Jéricho, Jérusalem, Silo.

VILLE, PANAMA (n. p.). Anton, Balboa, Cristobal, Gualaca, Nata, Ocu, Panama, Pocri, Portobelo, Sabanitas, Santiago, Sona.

VILLE, PARAGUAY (n. p.). Assomption, Asunción, Formosa, Horqueta, Ita, Itacuburi, Pilar, Rosario, Yaguaron, Yuti.

VILLE, PAS-DE-CALAIS (n. p.). Aire, Annay, Arras, Aubigny, Beaumont, Berck, Calais, Carvin, Coulogne, Dourges, Drocourt, Henin, Lens, Liévin, Montreuil, Sallaumines, Samer, Vermelles, Vimy.

VILLE, PAYS-BAS (n. p.). Alkmaar, Almere, Amersfoort, Amsterdam, Apeldoorn, Arnhem, Assen, Bergen, Breda, Delf, Edam, Ede, Emmen, Gouda, Haarlem, La Haye, Leyde, Nimegue, Utrecht, Velsen, Venlo, Zeist.

VILLE, PÉROU (n. p.). Ancon, Arequipa, Ayacucho, Cuzco, Ica, Ilo, Iquitos, Jauja, Junin, Lima, Nisibis, Pisco, Piura, Sidon, Tacna.

VILLE, PERSE (n. p.). Bagdad, Ecbatane, Marathon, Nisibis, Persépolis.

VILLE, PHILIPPINES (n. p.). Allen, Angeles, Bago, Baguio, Batangas, Bulan, Cabanatuan, Cadiz, Iba, Jolo, Labo, Lingayen, Manilles, Mati, Morong, Naga, Pili, Rizal, Roxas, Subic, Tabaco, Tagum, Vigan, Virac.

VILLE, POLOGNE (n. p.). Auschwitz, Belxec, Bialystok, Brzeg, Bytom, Chelm, Cracovie, Elk, Gdansk, Gubin, Itawa, Jaslo, Lodz, Lublin, Nysa, Opole, Pila, Plock, Radom, Sopot, Torun, Varsovie, Wloclawek, Zary.

VILLE, PORTO RICO (n. p.). San Juan.

VILLE, PORTUGAL (n. p.). Almada, Aveiro, Avis, Aviz, Barreiro, Batalha, Béja, Braga, Crato, Evora, Faro, Fatima, Lisbonne, Nisa, Oporto, Ovar, Porto, Regua, Tomar.

VILLE, PUY-DE-DÔME (n. p.). Ambert, Aydat, Chamalières, Champeix, Clermont-Ferrand, Issoire, Meiseix, Mosac, Murol, Rion, Royat, Sauxillanges, Tauves, Thiers, Veyre.

VILLE, PYRÉNÉES-ATLANTIQUES (n. p.). Accous, Artix, Bayonne, Biarritz, Bidache, Juraçon, Lacq, Lescar, Morlaas, Mourenx, Nay, Pontacq.

VILLE, PYRÉNÉES-ORIENTALES (n. p.). Cabestany, Canet, Elne, Perpignan, Py, Saillagousse, Vinca.

VILLE, QATAR (n. p.). Doha, Dukhan, Fuwayrit.

VILLE, QUÉBEC (n. p.). Acton Vale, Albanel, Alma, Amos, Amqui, Ancienne-Lorette, Anjou, Arthabaska, Arvida, Asbestos, Ascot, Aylmer, Bagotville, Baie-Comeau, Batiscan, Beaconsfield, Beauceville, Beauharnois, Beauport, Bécancour, Bellefeuille, Beloeil, Bernières, Berthierville, Blainville, Boisbriand, Bois-des-Filion, Boucherville, Brossard, Buckingham, Candiac, Cap-de-la-Madeleine, Cap-Rouge, Carignan, Cartierville, Causapscal, Chambly, Charlemagne, Charlesbourg, Charny, Châteauguay, Chelsea, Chibougamau, Chicoutimi, Clermont, Coaticook, Contrecoeur, Côte-Saint-Luc, Cowansville, Daveluyville, Delson, Deux-Montagnes, Dolbeau, Dollard-des-Ormeaux, Donnacona, Dorion, Dorval, Drummondville, East-Angus, Farnham, Fleurimont, Gaspé, Gatineau, Granby, Grand-Mère, Greenfield Park, Hampstead, Hemmingford, Hull, Huntingdon, Île-Perrot, Joliette, Jonquière, Kahnawake, Kénogami, Kirkland, La Baie, L'Acadie, Lachenaie, Lachine, Lachute, Lac-Mégantic, Lac-Noir, Lac-Saint-Charles, Lafontaine, La Pêche, La Plaine, La Pocatière, La Prairie, La Sarre, LaSalle, L'Assomption, La Tuque, Lauzon, Laval, Laval-des-Rapides, Le Gardeur, LeMoyne, Lennoxville, Lévis, L'Islet, Longueuil, Loretteville, Lorraine, Louiseville, Macamic, Magog, Marieville, Mascouche, Masson-Angers, Matane, Mégantic, Mercier, Mirabel, Mistassini, Montebello, Mont-Joli, Mont-Laurier, Montmagny, Montréal, Montréal-Nord, Mont-Royal, Mont-Saint-Hilaire, Neuville, New-Carlisle, Nicolet, Noranda, Notre-Dame-de-l'Île-Perrot, Notre-Dame-des-Prairies, Otterburn Park, Outremont, Papineauville, Percé, Pierreville, Pincourt, Pintendre, Plessisville, Pointe-aux-Trembles, Pointe-Claire, Pointe-du-Lac, Port-Alfred, Port-Cartier, Portneuf, Prévost, Princeville, Québec, Rawdon, Repentigny, Richmond, Rigaud, Rimouski, Ripon, Rivière-du-Loup, Roberval, Rock-Forest, Roquemaure, Rosemère, Rouyn, Roxboro, Saint-Amable, Saint-Antoine, Saint-Athanase, Saint-Augustin-de-Desmaures, Saint-Basile-le-Grand, Saint-Bruno-de-Montarville, Saint-Césaire, Saint-Charles-Borromée, Saint-Chrysostôme, Saint-Constant, Saint-Émile, Saint-Étienne-de-Lauzon, Saint-Eustache, Saint-Félicien, Saint-François-du-Lac, Saint-Georges, Saint-Hubert, Saint-Hyacinthe, Saint-Jean-Deschaillons, Saint-Jean-sur-Richelieu, Saint-Jérôme, Saint-Joseph, Saint-Joseph-d'Alma, Saint-Joseph-de-Sorel, Saint-Jovite, Saint-Lambert, Saint-Lazare, Saint-Léonard, Saint-Lin, Saint-Louis-de-France, Saint-Luc, Saint-Nicéphore, Saint-Nicolas, Saint-Ours, Saint-Pierre-aux-Liens, Saint-Raphaël-de-l'Île-Bizard, Saint-Rédempteur, Saint-Rémi, Saint-Romuald, Saint-Timothée, Saint-Tite, Saint-Vincent-de-Paul, Sainte-Agathe-des-Monts, Sainte-Anne-de-Beaupré, Sainte-Anne-de-Bellevue, Sainte-Anne-de-la-Pérade, Sainte-Anne-de-la-Pocatière, Sainte-Anne-des-Monts, Sainte-Anne-des-Plaines, Sainte-Catherine, Sainte-Foy, Sainte-Julie, Sainte-Julienne, Sainte-Marie, Sainte-Marthe-du-Cap, Sainte-Marthe-sur-le-Lac, Sainte-Rose, Sainte-Sophie, Sainte-Thérèse, Salaberry-de-Valleyfield, Senneterre, Sept-Îles, Shawinigan, Sherbrooke, Sillery, Sorel, Stanstead, Sweetsburg, Témiscamingue, Terrebonne, Thetford-Mines, Tracy, Trois-Pistoles, Trois-Rivières, Val-Bélair, Val-des-Monts, Val-d'Or, Valleyfield, Vanier, Varennes, Vaudreuil, Verchères, Verdun, Victoriaville, Waterloo, Westmount, Windsor.

VILLE, RÉPUBLIQUE DOMINICAINE (n. p.). Azua, Enriquillo, Jarabacoa, Jimani, Mao, Nagua, Puerto Plata, Saint-Domingue, Samana, Sanchez, San Cristobal.

VILLE, RÉPUBLIQUE SLOVAQUE (n. p.). Bratislava, Nitra, Kosice, Tioumen.

VILLE, RÉPUBLIQUE TCHÈQUE (n. p.). Austerlitz, Bor, Brunn, Cheb, Mezimosti, Most, Ostrava, Pisek, Plzen, Prague, Praha, Prostejov, Sadova, Usti, Zlin.

VILLE, RÉUNION (n. p.). Cilaos, La Possession, Salazie, Saint-Denis.

VILLE, RHÔNE (n. p.). Anse, Beaujeu, Brignais, Chiroubles, Écully, Francheville, Givors, Grigny, Juliénas, Lyon, Meyzieux, Mornant, Thizy, Vaugneray.

VILLE, ROUMANIE (n. p.). Aiud, Alba, Anina, Arad, Bacau, Braila, Brasov, Bucarest, Buzau, Carei, Cluj, Craiova, Dej, Deva, Galati, Husi, Iasi, Iassy, Jassi, Orades, Pitesti, Resita, Sibiu, Timisoara, Turda.

VILLE, ROYAUME-UNI (n. p.). Ascot, Bath, Bedford, Birmingham, Bolton, Bootle, Boston, Bradford, Bristol, Bury, Cambridge, Canterbury, Carlisle, Chatham, Chelsea, Chester, Chesterfield, Corby, Deal, Derby, Devonport, Douglas, Douvres, Dover, Dudley, Durham, Ely, Eton, Gloucester, Greenwich, Halifax, Hove, Lancaster, Liverpool, London, Londres, Manchester, Norwich, Nottingham, Oxford, Peterborough, Plymouth, Poole, Preston, Richmond, Saint Helens, Salford, Salisbury, Sheffield, Stafford, Taunton, Wakefield, Wells, Westminster, Wimbledon, Winchester, Windsor, Worcester, Yarmouth, York.

VILLE, RUSSIE (n. p.). Abakan, Aldan, Angarsk, Arademgodorok, Armavir, Atchinsk, Balakovo, Barnaoul, Belgorod, Belovo, Berezniki, Bielgorod, Bielovo, Birobidjan, Bisk, Blagovechtchensk, Gorki, Groznyi, Inta, Ivanovo, Kansk, Kem, Koursk, Kovrov, Lensk, Luga, Moscou, Okha, Omsk, Orel, Orsk, Oufa, Oulan-Oude, Oussourisk, Penza, Perm, Stalingrad, Tomsk, Toula, Toura, Tver, Ufa, Vladivostok, Vorochilovsk, Vyborg, Zima.

VILLE, RWANDA (n. p.). Gabiro, Goma, Kigali, Mibirizi, Nemba, Nyagatare, Rutongo.

VILLE, SAHARA (n. p.). Bechard, El Aiun.

VILLE, SAINTE-LUCIE (n. p.). Castries, Choiseul, Dennery, Grande Anse, Micoud, Praslin, Soufrière.

VILLE, SALVADOR (n. p.). Ahuachapan, Chalatenango, Mejicanos, San Salvador, Sonsonate, Soyapango, Usulutan, Zacatecoluca.

VILLE, SAMOA (n. p.). Apia.

VILLE, SAÔNE-ET-LOIRE (n. p.). Autun, Blanzy, Buxy, Charolles, Chauffailles, Cluny, Givry, Lans, Le Creusot, Louhans, Macon, Marcigny, Mercury, Montchanin, Taize.

VILLE, SARTHE (n. p.). Allonnes, Arnage, Ballon, Champagne, La Flèche, Le Mans, Mamers, Pontvallain, Solesme, Tuffe, Vibraye.

VILLE, SAVOIE (n. p.). Aiguebelle, Aix-les-Bains, Albens, Albertville, Aussois, Avrieux, Bessans, Bozel, Chambéry, Courchevel, Lanslevillard, Modane, Moutiers, Naves, Ugine, Val-d'Isère, Valloire, Valmorel, Yenne.

VILLE, SEINE-ET-MARNE (n. p.). Avon, Barbizon, Coulommiers, Ferrières, Fontainebleau, Larchant, Meaux, Melun, Montereau, Nemours, Perthes, Provins, Torcy, Villeparisis.

VILLE, SEINE-MARITIME (n. p.). Barentin, Bellencombre, Blangy, Bolbec, Buchy, Dieppe, Eu, Jumièges, Le Havre, Malaunay, Maromme, Oissel, Rouen, Valmont, Yerville.

VILLE, SEINE-SAINT-DENIS (n. p.). Aubervilliers, Bobigny, Bondy, Drancy, Dugny, Le Raincy, Montreuil, Sevran, Stain, Vaujours.

VILLE, SÉNÉGAL (n. p.). Bignona, Dakar, Dara, Gorée, Goudiry, Louga, Podor, Rufisque, Saint-Louis, Taiba, Tilogne, Yof.

VILLE, SERBIE (n. p.). Becej, Belgrade, Bor, Cacak, Nis, Pec, Pirot, Ruma, Sabac.

VILLE, SIBÉRIE (n. p.). Abakan, Irkoutsk.

VILLE, SICILE (n. p.). Enna, Himère, Messine, Palerme.

VILLE, SIERRA LEONE (n. p.). Bo, Bonthe, Daru, Freetown, Magburaka, Shenge, Yonibana, York, Zimi.

VILLE, SINGAPOUR (n. p.). Bukum, Changi, Sembawang, Singapour, Tekon, Tuas, Ubin.

VILLE, SLOVAQUIE (n. p.). Bratislava, Cadca, Kuty, Medzilaborce, Nitra, Poprad, Pressburg, Ruzomberok, Sobrance, Trencin, Trnava, Zilina, Zvolen.

VILLE, SLOVÉNIE (n. p.). Celje, Dravograd, Izola, Lasco, Ljubljana, Maribor, Ormoz, Piran, Tolmin, Zalec.

VILLE, SOMALIE (n. p.). Baki, Brava, Burco, Daborow, Eyl, Maydh, Mogadiscio, Obbia, Xuddur, Zeila.

VILLE, SOMME (n. p.). Abbéville, Amiens, Ault, Chaulnes, Conty, Doullens, Gamaches, Hallencourt, Ham, Oisemont, Poix, Quend, Roye.

VILLE, SOUDAN (n. p.). Bor, Dongola, Fachoda, Haiya, Juba, Kassala, Khartoum, Malakal, Nasir, Omdourman, Singa, Tambura, Tokar, Wau, Yei.

VILLE, SRI LANKA (n. p.). Badulla, Chilaw, Colombo, Galle, Jaffna, Mannar, Matale, Matara, Tangalle.

VILLE, SUÈDE (n. p.). Boden, Boras, Calmar, Eskilstuna, Falun, Gavie, Göteborg, Gotland, Jorn, Kalmar, Lulea, Lund, Motala, Orebro, Stockholm, Sundsvall, Trelleborg, Umea, Upsal.

VILLE, SUISSE (n. p.). Aarau, Aigle, Altdorf, Appenzell, Arbon, Arosa, Baden, Bâle, Basel, Bellinzona, Bern, Berne, Biel, Bienne, Brienz, Brigue, Brunnen, Carouge, Champex, Coire, Coppet, Cressier, Davos, Delemont, Einsiedeln, Emmen, Ems, Fribourg, Genève, Granges, Gruyères, Kloten, Koniz, Lausanne, Locarno, Lucens, Lucerne, Lugano, Martigny, Montreux, Morat, Morges, Moutier, Munster, Neuchatel, Nyon, Oerlikon, Olten, Orbe, Ouchy, Pully, Renens, Saint-Gall, Saint-Moritz, Schaffhouse, Schaffhausen, Sierre, Sion, Soleure, Spiez, Stans, Uster, Vevey, Wil, Winterthur, Zermatt, Zoug, Zug, Zurich.

VILLE, SURINAM (n. p.). Ajoewa, Albina, Ananavero, Groningen, Paramaribo, Tottness, Zanderij.

VILLE, SWAZILAND (n. p.). Bombu, Hluti, Lobamba, Luyengo, Manzini, Mbabane, Nhlangano.

VILLE, SYRIE (n. p.). Alep, Banyas, Damas, Duma, Emèse, Hama, Homs, Izra, Masyar, Palmyre, Raqqa, Safita, Tadmor, Zebdani.

VILLE, TADJIKISTAN (n. p.). Alexandropol, Dangara, Douchanbe, Isfara, Khorog, Koulab, Nourek, Parkhar, Tarm, Toursounzade, Vantch, Vose.

VILLE, TAIWAN (n. p.). Chiayi, Dawu, Fengshan, Ilan, Makung, Miaoli, Nantou, Taipei, Xinzhu, Yuanli, Zhanghua.

VILLE, TANZANIE (n. p.). Arusha, Dodoma, Iringa, Liwale, Manda, Masasi, Moshi, Same, Seronera, Tabora, Wete, Zanzibar.

VILLE, TARN (n. p.). Alban, Angles, Aussillon, Brassac, Cadalen, Carmaux, Cordes, Dourgne, Gaillac, Labruguière, Lacaulne, Lautrec, Salvagnac, Vabre.

VILLE, TARN-ET-GARONNE (n. p.). Auvillar, Bruniquel, Caylus, Moissac, Montauban, Montech, Valence, Villebrumier.

VILLE, TCHAD (n. p.). Ati, Biltine, Doba, Fada, Lai, Mangalme, Mao, Massaouet, Melfi, N'Djamena, Pala, Sarh, Zouar.

VILLE, TCHÉCOSLOVAQUIE (n. p.). Brno, Most, Opara, Prague, Usti.

VILLE, THAÏLANDE (n. p.). Ayuthia, Bangkok, Kanchanaburi, Lampang, Nan, Phichit, Phrae, Saraburi, Surin, Tak, Trang, Trat, Yala, Yasothon.

VILLE, TOGO (n. p.). Amoussokope, Anie, Badou, Bafilo, Bassar, Kara, Lomé, Tchamba, Vogan.

VILLE, TUNISIE (n. p.). Béja, Bizerte, Carthage, Douz, Gabès, Gafsa, Jendouba, Kef, Maktar, Mareth, Mechiguig, Nabeul, Nefta, Ramada, Sousse, Sfax, Tabarka, Tunis, Zaghouan, Zarzis.

VILLE, TURKMÉNISTAN (n. p.). Achkhabad, Bacharden, Bekdach, Bezmein, Darvaza, Guchgy, Kerki, Krasnovodsk, Mary, Merv, Seyki, Tchardjev, Tcheleken, Tedjen.

VILLE, TURQUIE (n. p.). Adana, Adapazari, Agri, Alep, Ankara, Antioche, Balikesir, Bamdirma, Bolu, Bursa, Diyarbakir, Edirne, Erzurm, Erzurum, Eskisehir, Kars, Istanbul, Izmir, Izmit, Konya, Mus, Nicée, Samsun, Sivas, Urfa, Van, Viransehir, Zile.

VILLE, UKRAINE (n. p.). Bar, Hotin, Ialta, Kherson, Kiev, Nikopol, Odessa, Ouman, Poltava, Rommy, Rovno, Smela, Soumy, Stry, Tchernobyl, Torez, Vasilkov, Vorochilovgrad, Yalta.

VILLE, URUGUAY (n. p.). Ansina, Artigas, Chuy, Dolores, Melo, Mina, Montevideo, Pando, Paysandu, Rivera, Salto, Tacuarembo, Velasquez.

VILLE, VAL-DE-MARNE (n. p.). Ablon, Arcueil, Cachan, Conflans, Créteil, Fresnes, Gentilly, Orly, Vincennes.

VILLE, VAL-D'OISE (n. p.). Argenteuil, Bezons, Domont, Goussainville, Montmagny, Montmorency, Montsoult, Persan, Pontoise, Sarcelles, Survilliers, Taverny, Viarmes, Vigny.

VILLE, VAR (n. p.). Agay, Besse, Brignoles, Callas, Collobrières, Cotignac, Cuers, Draguignan, Fayence, Garimaud, Lorgues, Mons, Saint-Tropez, Salernes, Tamaris, Toulon.

VILLE, VAUCLUSE (n. p.). Avignon, Beaumes, Carpentras, Cavaillon, Châteauneuf-du-Pape, Nazan, Pertuis, Sault.

VILLE, VENDÉE (n. p.). Aizenay, Bouin, Challant, Noirmoutier, Palleau, Rocheservière, Talmont, Tiffauges, Vouvant.

VILLE, VENEZUELA (n. p.). Anaco, Barinas, Barquisimeto, Cabimas, Cagua, Caracas, Coro, Guaira, Guasdualito, Maracay, Maturin, Merida, Saraima, Temblador, Trujillo, Upata, Valencia, Zaraza.

VILLE, VIENNE (n. p.). Charroux, Châtellerault, Chauvigny, Couhe, Civray, Loudun, Lusignan, Montmorillon, Pleumartin, Poitiers, Pressac, Vouille.

VILLE, VIETNAM (n. p.). Dalat, Hanoï, Hue, Saïgon, Vinh.

VILLE, VOSGES (n. p.). Arches, Brouvelieures, Bruyères, Charmes, Coussey, Darney, Épinal, Golbey, Neufchâteau, Rambervillers, Saint-Dié, Vittel, Xertigny.

VILLE, YÉMEN (n. p.). Aden, Ataq, Damar, Ibb, Rada, Sanaa, Thamud, Zabid.

VILLE, YONNE (n. p.). Auxerre, Avallon, Chablis, Charny, Joigny, Noyers, Pontigny, Sens, Tonnerre, Toucy, Vermenton.

VILLE, YOUGOSLAVIE (n. p.). Bor, Belgrade, Chabatz, Maribor, Mostar, Nis, Nissa, Ohrid, Pancevo, Pec, Pristina, Pula, Uzice, Zajecar, Zrenjanin.

VILLE, YVELINES (n. p.). Beynes, Bougival, Buc, Chambourcy, Chatou, Croissy, Fosse, Houdan, Limay, Maule, Maurepas, Montessy, Orgeval, Osny, Poissy, Rambouillet, Rocquencourt, Saint-Quentin, Versailles, Villepreux, Viroflay.

VILLE, ZAÏRE (n. p.). Bandudu, Beni, Boma, Bukawu, Kananga, Kindu, Kinshasa, Kutu, Likasi, Moba, Mushie, Niangara, Watsa.

VILLE, ZAMBIE (n. p.). Chama, Isoka, Kabwe, Lusaka, Mansa, Mongu, Namwala, Petauke, Senanga.

VILLE, ZIMBABWE (n. p.). Bambezi, Chitungwiza, Hararé, Lupani, Mazowe, Rutenga, Salisbury, Tuli.

VILLÉGIATURE. Agreste, bled, brousse, cabale, cambrousse, campagne, champ, champagne, champêtre, clôture, croisade, forestier, guerre, nature, openfield, pays, plaine, pré, publicité, rural, rustique, sillon, terroir.

VILLEUX. Barbu, chevelu, lanugineux, moustachu, pelu, poilu, pubescent, soldat, tomenteux, velu.

VILLOSITÉ. Aspérité, cotylédon, feuler, poil, rauquer, rudesse, rugosité, rugueux, saillie, velu.

VIN (2 lettres). Ay.

VIN (3 lettres). A.O. C., cep, cru, fût, jus, kil, kir, lie, riz, sec.

VIN (4 lettres). Asti, ayse, cave, cuve, déci, dive, dôle, doux, ivre, jura, midi, moût, muid, piot, robe, rond, rosé, sève, toul, vert.

VIN (5 lettres). Ambré, anjou, blanc, canon, casse, chais, corps, corsé, coupé, cuvée, débit, dorin, gamay, goron, larme, léger, litre, mâcon, médoc, pinot, porto, rioja, rouge, samos, sorve, tavel, tokai, tokaj, tokay, vigne, xérès.

VIN (6 lettres). Alsace, amigne, arbois, arvine, barolo, beaune, bichof, bourru, cahors, cépage, chinon, corton, cruche, fruité, listel, litron, madère, malaga, muscat, nectar, perlan, pinard, pineau, quincy, raisin, rancio, râpeux, résiné, saumur, savoie, sherry, tocane, tursan, vineux.

VIN (7 lettres). Aligoté, banyuls, baptisé, carafon, caribou, cellier, chablis, chabrol, château, chianti, chopine, clairet, crémant, cruchon, falerne, fendant, gaillac, ginguet, hérault, madiran, marsala, moselle, orléans, perlant, piccolo, picpoul, picrate, pomerol, pommard, pouilly, retsina, romanée, rouquin, sangria, tonneau, velouté, vinasse, vouvray.

VIN (8 lettres). Alicante, auvernat, bergerac, bordeaux, bouqueté, brouilly, capiteux, girondin, gouleyant, grenache, hypocras, juliénas, jurançon, mercurey, moelleux, muscadet, piquette, provence, riesling, sancerre, vendange, verdelet, vermouth, vinaigre, vinosité.

VIN (9 lettres). Bardolino, bouchonné, bourgogne, bourgueil, bouteille, champagne, clairette, communard, corbières, liquoreux, malvoisie, meursault, minervois, minervoix, mousseux, muscadine, picardant, quinquina, salvagnin, sauternes.

VIN (10 lettres). Beaujolais, blanquette, chardonnay, frontignac, manzanilla, rivesaltes, roussillon, saint-amour.

VIN (11 lettres). Amontillado, blanquette, bourguignon, champenoise, chaptaliser, monbazillac.

VIN (12 lettres). Amontillado, champagniser, côtes-du-Rhône, saint-émillion, valpolicella.

VIN (13 lettres). Bourguignonne, court-bouillon, entre-deux-mer, œil-de-perdrix, saccharomyces.

VIN (14 lettres). Passe-tout-grain.

VINÂ. Cithare, harpe, heptacorde, luth, lyre, ménure, pentacorde, plectre, poésie, psaltérion, tétracorde.

VINAIGRE. Acétol, acide, drosophile, méchanceté, mère, oxycrat, oxymel, piquant, rosat, sur.

VINAIGRETTE. Aillade, ailloli, aïoli, béarnaise, béchamel, chaise, condiment, coulis, gribiche, ketchup, mayonnaise, meurette, mirepoix, mouiller, poivrade, poulette, ravigote, roux, sauce, saupiquet, tartare, transat.

VINAIGRIER. Amarante, carabe, couturière, jardinière, queue-de-renard, passe-velours, sergent, sumac.

VINBLASTINE. Alcaloïde, antimitotique, anticancéreux, leucémie, mitose, opposition, pervenche.

VINDAS. Cabestan, caliorne, chèvre, cric, giron, manivelle, nilles, palan, pouliot, tambour, tirefort, tourillon, treuil, winch.

VINDICATIF. Acharné, haineux, malveillant, punitif, rancunier, revanchard, vengeur, violent.

VINDICTE. Amende, châtiment, condamnation, correction, décharge, dérogation, exemption, expiation, impunité, knout, leçon, peine, pénalité, pensum, punition, répression, retenue, sanction, supplice, talion, vengeance.

VINEUX. Boudenfle, coloré, congestionné, couperosé, cramoisi, écarlate, empourpré, enflammé, enluminé, injecté, rouge, rougeaud, rouget, rougissant, rubescent, rubicond, sanguin, turgide, vin, vinée, vultueux.

VINGT. Danger, icosaèdre, imminent, shilling, vicennal, vingtain, vingtuple, vingtaine, vingt-deux, XX.

VINIFICATION. Chai, cuvage, cuvaison, encollage, fermentation, gallisation, mutage, soutirage, sucrage, tannisage.

VINTAGE. Champagne, champagne millésimé, cuvée, porto.

VINYLE. Acétate, beauté, celluloïd, chirurgie, corps, explosif, flexible, forme, influençable, malléable, maniable, matière, mou, nylon, physique, plastic, plastique, PVC, rhodoïd, souple, styrène, téflon.

VIOC. Ancien, âgé, baderne, barbe, birbe, chenu, chnoque, croulant, décrépit, fou, gaga, gâteux, géronte, imbécile, patriarche, pépé, radote, ramolli, schnock, schnoque, sénile, vieillard, vieux, viocard, vioque.

VIOL. Agression, attentat, contrainte, défloraison, défloration, forcement, profanation, stupre, vandalisme, violence.

VIOLACÉE. Agatea, allexis, anchietea, corynostylis, decorsella, fusipermoïdée, fusispermum, hybanthus, hymenanthera, ionidium, isodendrion, leonia, léonioïdée, livedo, pensée, rinorea, violette, violoïdée, zinzolin.

VIOLATION. Atteinte, crime, délit, entorse, impétuosité, infraction, manquement, profanation, transgression.

VIOLEMMENT. Âprement, ardemment, brutalement, dur, fort, fortement, furieusement, rudement, tilt, vivement.

VIOLENCE. Agressivité, animosité, âpreté, attentat, brusquerie, brutalité, colère, contrainte, dureté, émeute, emportement, férocité, force, fougue, fureur, furie, représailles, rudesse, tourment, véhémence, viol, virulence, volcanique.

VIOLENT. Agressif, aigu, amer, âpre, ardent, blessant, bouillant, brûlant, brusque, brutal, cassant, cru, cruel, déchaîné, dur, emporté, enfer, enragé, éperdu, fougueux, frappant, grivois, impétueux, implacable, impoli, incendiaire, irritable, ravage, ruine, virulent.

VIOLENTER. Battre, brigander, brusquer, brutaliser, forcer, molester, obliger, outrager, ravir, sévir, violer.

VIOLER. Braver, contrevenir, démesurer, déroger, enfreindre, fausser, forcer, obliger, opprimer, profaner, violenter.

VIOLET. Aubergine, framboise, indigo, janthine, lilas, mauve, mauvéine, parme, pourpre, prune, thionine, violine.

VIOLETTE. Figue de mer, herbacée, ionone, palissandre, parme, pervenche, rayonnement, tube, violacée.

VIOLIER. Cheiranthus, cocardeau, crucifère, eugénol, giroflée, matthiola, matthiole, ravenelle.

VIOLISTE (n. p.). Forqueray, Lully, Marais.

VIOLON (n. p.). Ingres, Stradivarius.

VIOLON. Alto, amati, basse, contrebasse, crincrin, esse, guarnérius, pochette, prison, rebec, stradivarius, trois-quarts, viole, violoncelle.

VIOLONCELLISTE (n. p.). Boccherini, Casals, Fournier, Harnoncourt, Rose, Rostropovitch, Stern, Tortelier.

VIOLON D'INGRES. Amusement, dada, délassement, dérivatif, détente, distraction, divertissement, ergoterie, hobby, loisir, manie, marotte, occupation, passe-temps, pause, récréation, répit, repos.

VIOLONEUX (n. p.). Carignan, Ti-Jean.

VIOLONEUX. Folkloriste, ménétrier, musicien, premier, soliste, sonneur, violoniste, virtuose.

VIOLONISTE (n. p.). Casals, Corelli, Edge, Enesco, Grappelli, Grumiaux, Habeneck, Heifetz, Kreisler, Kremer, Kreutzer, Lamoureux, Leclair, Locatelli, Lulli, Lully, Menuhin, Monteux, Munch, Oïstrakh, Paganini, Ranzenhofer, Rebel, Saint-Léon, Sarasate, Stamic, Stamitz, Stern, Tartini, Thibaud, Torelli, Viotti, Vivaldi, Ysaye.

VIOLONISTE. Ménétrier, musicien, premier, soliste, violoneux, virtuose.

VIORNE. Alisier, aubier, aubour, boule-de-neige, clématite, laurier-tin, mancienne, obier, pimbina, viburnum.

VIPÈRE. Ammodyte, anguille, aspic, calomnier, céraste, guivre, heurtante, langue, malfaisant, méchant, médire, médisant, ophidien, péliade, pyramide, reptile, serpent, venin, vipereau, vipéridé, vipérin, vive.

VIPÉRIDÉ. Ammodyte, aspic, céraste, crotale, mocassin, péliade, reptile, serpent, vipère, vipérine.

VIRAGE. Changement, coude, courbe, cuti, détour, dévers, godille, lacet, méandre, mouvement, slalom, stem, stemm, stemon, survorage, survirer, télémark, tournant, stemm, virer, virolet, volte-face, zigzag.

VIRAGO. Autoritaire, carne, carogne, charogne, criarde, dragon, femme, gendarme, grenadier, harpie, largue, maritorne, masculine, mégère, rompière, tricoteuse.

VIRAL. Adénovirus, antiviral, arbovirus, condylome, ebola, entérovirus, lentivirus, microbe, myxovirus, papillomavirus, phage, poison, provirus, rétrovirus, ultravirus, VIH, virion, virose, virus.

VIRÉE. Fête, flânerie, promenade, randonnée, sortie, tour, vadrouille, visite, voyage.

VIRELAI. Acrostiche, ballade, bucolique, cantate, cantique, églogue, élégie, épilogue, épique, épître, épode, épopée, geste, huitain, iambe, idylle, kaïkaï, kaïku, lai, lied, mélodie, neuvain, node, ode, poème, poésie, qasida, quatrain, rime, rondeau, sizain, sixain, sonnet, stance, strophe, tenson, vers.

VIRER. Amure, bordailler, changer, congédier, expulser, pirouetter, pivoter, renvoyer, tourner, tournoyer.

VIREVOLTER. Anordir, berner, bistourner, braquer, cinéma, contourner, déformer, détourner, dévier, dévirer, éviter, faner, fermenter, finir, girer, nordir, orienter, persifler, pirouetter, pivoter, railler, rôder, rouler, ruminer, sur, suri, tordre, toupiller, tourner, tournicoter, tournoyer, virer, visser, volter.

VIRGINAL. Abstinent, ascétique, chaste, continent, décent, épinette, immaculé, modeste, prude, puceau, pucelle, pudique, pur, rosière, sage, vertueux, vestale, vierge.

VIRGINITÉ. Abstinence, ascétisme, candeur, célibat, chasteté, continence, déflorer, innocence, pucelage, pureté, vertu.

VIRGULE. Comma, crochet, exclamation, guillemet, interrogation, parenthèse, point, ponctuation, tiret.

VIRIL. Brutal, courageux, énergétique, ferme, hardi, homme, mâle, masculin, phallus, sexe.

VIRILITÉ. Ardeur, atone, chaleur, courage, dru, émasculer, énergie, engendrer, fermeté, force, hardiesse, mâle, masculinité, mièvre, nerf, netteté, robustesse, sève, ton, verdeur, vigueur, virilisme.

VIRILOCAL. Alliance, appariement, couple, deux, domino, doublet, duo, duumvirat, dyade, élément, énergie, force, glisseur, laisse, ménage, paire, pariade, patrilocal, quadrille, tandem, tension, thermocouple, torsion, union, valeur, vecteur.

VIROLE. Bigoudi, bobine, calandre, calibre, canette, cannette, cigarette, compound, culasse, cylindre, délivreur, ensouple, ensoupleau, étireur, étui, meule, moule, pompe, rouleau, tambour, treuil, tube, vis.

VIRTUALITÉ. Chance, croyance, débouché, embauche, éventualité, faculté, force, hypothèse, indication, loisir, moyen, occasion, opportunité, permission, possibilité, pouvoir, probabilité, puissance, sursis.

VIRTUEL. Avatar, éventuel, image, imaginaire, possible, potentiel, pouvoir, presque, probable.

VIRTUELLEMENT. Actualisation, possiblement, potentiellement, pratiquement, presque, quasiment.

VIRTUOSE. Artiste, as, doué, expert, génie, maestro, maître, phénix, prodige, soliste, surdoué, talent.

VIRTUOSE ALLEMAND (n. p.). Bach. Gleseking, Hummel, Kempff, Weber.

VIRTUOSE AMÉRICAIN (n. p.). Astaire, Calloway, Getz, Hendrix, Horne, Horowitz, Milstein, Nabokov, Rubinstein, Stern, Tatum, Wilson.

VIRTUOSE AUTRICHIEN (n. p.). Thalberg.

VIRTUOSE BELGE (n. p.). Bourguignon.

VIRTUOSE ESPAGNOL (n. p.). Albéniz, Sarasate.

VIRTUOSE FRANÇAIS (n. p.). Banville, Beger, Casadesus, Cochereau, Cortot, Cziffra, Dudert, Forqueray, Grappelli, Laskine, Leclair, Pugno, Rameau, Rampal, Reinhardt.

VIRTUOSE HONGROIS (n. p.). Dohnányi, Liszt.

VIRTUOSE INDIEN (n. p.). Shankar.

VIRTUOSE ITALIEN (n. p.). Clementi, Locatelli.

VIRTUOSE NÉERLANDAIS (n. p.). Dussek.

VIRTUOSE RUSSE (n. p.). Barychnikon, Nijinski, Oïstrackh, Rubinstein, Taneïev, Vassiliev.

VIRTUOSITÉ. Acrobatie, adresse, agilité, art, as, brio, capacité, chic, dextérité, habileté, maestria, possibilité.

VIRULENCE. Âpreté, contagiosité, feu, fougue, fureur, impétuosité, passion, véhémence, violence, vivacité.

VIRULENT. Âpre, corrosif, dangereux, dur, fougueux, incendiaire, mauvais, pernicieux, rage, véhément, vif, violent.

VIRUS. Adénovirus, arbovirus, ARN, ebola, entérovirus, herpès, HIV, kuru, lentivirus, microbe, myxovirus, papillomavirus, phage, poison, provirus, rétrovirus, sida, ultravirus, VIH, viral, virion, virose.

VIS. Attache, boulon, écrou, filet, vérin, vissé, piton, puni, rivet, tire-bouchon, tire-fond, tournevis, vrille.

VISA. Approbation, attestation, autorisation, cachat, ita, licence, lu, mira, passeport, sceau, validation, vu.

VISAGE. Bille, binette, bobine, bouille, couperose, effigie, face, faciès, figure, frimousse, groin, masque, menton, minette, minois, museau, ovale, portrait, tête, tournure, traits, trogne, trombine, vis.

VIS-À-VIS. Avec, canapé, ci-contre, conférence, confident, endos, entretien, entrevue, envers, face, face-à-face, fauteuil, huis clos, interview, opposé, opposite, regard, rencontre, rendez-vous, réunion, seul à seul, tête-à-tête.

VISCÉRAL. Inconscient, inné, instinctif, intestinal, intime, naturel, profond, sectaire, splanchnique.

VISCÈRE. Abdomen, boyau, cœliaque, cœur, corps, entrailles, estomac, étriper, foie, fressure, hile, histoplasmose, inconscient, inné, intestin, matrice, organe, poumon, profond, rate, rein, tête, utérus, viscéral.

VISCOSE. Cal, cellophane, cellulose, droguet, pellicule, rayonne, rhodia, soie.

VISCOSITÉ. Adhésivité, agglutination, carre, compacité, crassitude, gluance, glutination, mucilage, mucosité, résistance.

VISÉE. Ajustement, ambition, but, cible, collimateur, dessein, mire, pointage, prétention, théodolite, vue.

VISER. Ajuster, aviser, bornoyer, braquer, briguer, désirer, épauler, lorgner, mirer, pointer, regarder, valider.

VISEUR. Aplanat, but, cible, diaphragme, fin, final, fish-eye, grand angle, juste, lentille, ligne, neutre, objectif, obturateur, œil, optique, point, positif, sténopé, subjectif, téléobjectif, vrai, zone, zoom.

VISIBLE. Apercevable, apparent, clair, décelable, discernable, distinct, net, ostensible, percevable, précis, voyant.

VISIÈRE. Abat-jour, cabasset, casquette, contredire, garde-vue, képi, mézail, morné, ventail, vue.

VISION. Amétropie, apparition, berlue, épiphanie, extase, fantasme, glaucome, hallucination, idée, illusion, image, intuition, mirage, obsession, perception, rêve, révélation, scotopie, spectre, utopie, vue.

VISIONNAIRE. Chimérique, contemplateur, devin, idéaliste, illuminé, poète, prophète, rêveur, romanesque, utopiste.

VISIONNER. Admirer, bigler, considérer, contempler, dévisager, envisager, épier, fixer, flirter, lésiner, lorgner, loucher, mirer, narguer, observer, piger, regarder, remarquer, repaître, toiser, viser, voir, zieuter, zyeuter.

VISIONNEUSE. Flash, lampe, lumière, moviola, passerelle, phare, poursuite, projecteur, réflecteur, rampe, spot.

VISITE. Audience, contact, démarche, entrevue, examen, excursion, expertise, fouille, inspection, perquisition, réception, rencontre, rendez-vous, ronde, salon, tour, tourisme, tournée, vérification, voir, voyage.

VISITER. Examiner, explorer, fouiller, fréquenter, hanter, inspecter, parcourir, rencontrer, traverser, voir, voyager.

VISNAGE. Amer, amni, anet, aneth, bâtard, criste-marine, fenouillet, fenouil, fenouillette, foeniculum, légume, meum, ombellifère, plante, vespétro.

VISQUEUX. Adhérent, collant, compact, épais, glissant, gluant, glutineux, gras, limoneux, morve, sirupeux.

VISSER. Assujettir, attacher, coincer, dévisser, fixer, immobiliser, joindre, revisser, river, sceller, serrer, tenir.

VISUALISATION. Affichage, afficheur, annonce, étalage, officialisation, pancarte, panneau, télétexte, visuel.

VISUEL. Affichage, annonce, étalage, officialisation, pancarte, panneau, télétexte, visualisation.

VIT. Cryptique, endogé, est, existe, limicole, mort, pénis, tubicole, verge, vie, vivre.

VITAL. Biotique, capital, crucial, essentiel, fondamental, important, indispensable, nécessaire, primordial, principal.

VITALITÉ. Allant, ardeur, dynamisme, efficacité, endurance, énergie, entrain, intensité, pep, pétulance, punch, revitalisation, revitaliser, sève, tonus, vie, vigueur, vivacité.

VITAMINE. Adermine, aneurine, ascorbique, avitaminose, axérophtol, biotine, calciférol, carotène, esculine, folique, lactoflavine, stérol, thiamine.

VITAMINE A. Axérophtol, rétinol.

VITAMINE B1. Thiamine.

VITAMINE B2. Lactoflavine, riboflavine.

VITAMINE B3. Nicotinamide.

VITAMINE B4. Pyridoxine.

VITAMINE B5. Pantothénique.

VITAMINE B6. Pyridoxine.

VITAMINE B7. Méso-inositol.

VITAMINE B12. Cyanocobalamine, hydroxocobalamine.

VITAMINE C. Ascorbique.

VITAMINE D. Calciférol, stérol.

VITAMINE D2. Ergocalciférol.

VITAMINE D3. Cholécalciférol.

VITAMINE E. Tocophérol.

VITAMINE H. Biotine.

VITAMINE K. Antihémorragique.

VITAMINE K1. Phylloquinone.

VITAMINE K2. Ménaquinone.

VITAMINE K3. Ménadione.

VITAMINE P. Épicatéchol.

VITAMINE PP. Nicotinamide.

VITE. Abrégé, agile, alerte, aussitôt, bientôt, dare-dare, dispos, hâtivement, intelligent, leste, lestement, précipitamment, prestement, prestissimo, presto, prompt, rapide, subitement, subito, tôt, trait, véloce.

VITELLUS. Œuf, lécithe, ovocyte, ovule, télolécithe, vitellin.

VITESSE. Agilité, allure, anémomètre, célérité, cinémomètre, diligence, erre, force, hâte, mach, nœud, précipitation, presse, prestesse, promptitude, rapidité, régime, tachymètre, tempo, temps, train, vélocité, vite, vivacité, vroum.

VITILIGO. Achromie, albinisme, albinos, dépigmentation, dyschromie, leucodermie, mélanine.

VITOULET. Boulette, cromesquis, croquette, foutou, fricadelle, godiveau, hachis, hâtelle, hâtelette, hâtereau.

VITRAGE. Baldaquin, banne, brise-bise, brise-vent, château, cil, conopée, courtine, draperie, écran, fond, galon, glace, masque, moustiquaire, panne, rideau, store, tenture, théâtre, toile, vélum, voile.

VITRAIL (n. p.). Bourges, Chartres, Léger, Le Man, Sens, Tours, Van Heemskerck.

VITRAIL. Baie, cathédrale, fenestration, gemmail, remplage, rosace, rosacée, rose, verrière, vitrage.

VITRE. Carreau, chambourin, custode, émail, glace, lunette, oriel, tabatière, verre, verrière, vigie, vitrerie, vitrine.

VITREUX. Blafard, blême, brillant, brumeux, cadavérique, cireux, décoloré, émail, éteint, hâve, homogène, hyalin, livide, noyé, œil, plombé, rétinite, terreux, verdâtre, vernis, vitré.

VITRIFIER. Amalgamer, assaillir, attaquer, célérité, chauffer, décloisonner, dégeler, dégivrer, déglacer, délayer, désagréger, dissoudre, fondre, fusible, infuser, infusible, liquéfier, maigrir, précipitation, unifier, unir.

VITRINE. Armoire, châssis, devanture, esbroufe, étal, étalage, éventaire, exhibition, faste, fla-fla, inventaire, lèche-vitrine, montre, ostentation, parade, présentoir, rayonnage, verrière, vitrage.

VITRIOL. Acide sulfurique, caustique, violent, cébidé, couperose, oléum, sel, sulfate, suret.

VITUPÉRATION. Attrapade, blâme, cigare, injure, protestation, récrimination, reproche, tabac, tablature.

VITUPÉRER. Attaquer, blâmer, condamner, crier, critiquer, déblatérer, dénoncer, fulminer, fustiger, gueuler, indigner, objurguer, parler, pester, proférer, protester, râler, réprouver, stigmatiser, tempêter, tonner.

VIVABLE. Buvable, endurable, possible, soutenable, supportable, tenable, tolérable.

VIVACE. Alerte, animé, dur, durable, endiablé, fort, persistant, rapide, sémillant, solide, spirituel, tenace, vif, vigoureux.

VIVACITÉ. Acéré, activité, agilité, alacrité, animation, ardeur, boute-entrain, brio, chaleur, colère, dynamisme, éclat, emportement, endiablé, énergie, entrain, exubérance, force, mordant, mouvement, pétulance, ténacité, verdeur, virulence, vitalité.

VIVANT. Animé, ardent, debout, fort, luron, organisé, réanimé, rescapé, ressuscité, sauvé, viable, vif.

VIVAT. Acclamation, applaudissement, approbation, bravo, clameur, hourra, ovation, rappel, triomphe.

VIVE. Anxiété, ardent, beaucoup, fort, intense, navire, œuvre, poisson, poursuite, prurit, répulsion, vif, vit.

VIVEMENT. Allegro, ardemment, au trot, beaucoup, brusquement, brutalement, chauffer, durement, embraser, fortement, fulgurant, intensément, précipitamment, pressant, prestement, profondément, promptement, rapidement, riposter, scherzando, sèchement, vite.

VIVERRIDÉ. Carnivore, civette, fossane, fouche, genette, linsang, mangouste, mangue, nandinie, suricate, zibeth.

VIVEUR. Bambochard, bambocheur, débauché, dissipé, fêtard, noceur, plaisirs, ripailleur, trousseur.

VIVIER. Alevinier, anguillère, aquarium, bassin, boutique, clayère, étang, homarderie, réservoir, sauvoir.

VIVIFIER. Activer, agir, aiguillonner, animer, créer, encourager, exister, insuffler, revivifier, vivre.

VIVIPARE. Aiguillat, incubant, ovipare, ovovipare, paludine, pastenague, reproduction, salamandre.

VIVISECTION. Analyse, anatomie, chirurgie, découpage, démembrement, développement, dissection, examen, expérimentation, zootomie.

VIVOIR. Appartement, biscuit, boudoir, bureau, cabinet, fumoir, living-room, pièce, retiro, rêvoir, salon, séjour.

VIVOTER. Cachetonner, croupir, fonctionner, pourrir, stagner, subsister, survivre, végéter, vivre.

VIVRE. Camper, conserver, continuer, cousiner, croupir, denrée, durer, être, exister, habiter, lignicole, mener, nourriture, passer, rabiot, respirer, rester, revivre, subsister, traverser, végéter, viabilité, victuailles, vivoter.

VIVRES. Aliments, bouffe, denrées, munition, nourriture, rabiot, repas, restes, victuailles.

VIZIR (n. p.). Ahmet, Köprülü, Talaat, Talât, Tufayl.

VOCABLE. Appellation, dénomination, désignation, lapsus, locution, monème, mot, nom, parole, terme.

VOCABULAIRE. Argot, concordance, dictionnaire, glossaire, glossolalie, index, jargon, joual, langage, langue, lexique, microglossaire, mot, nomenclature, prégnance, slang, terminologie.

VOCAL. Acroamatique, arioso, conditionnel, gérondif, idiolecte, impératif, indicatif, oral, parlé, registre, verbal.

VOCALISATION. Arioso, entraînement, exercice, gargouillade, roulade, sonorisation, vocalise, voisement.

VOCALISER. Beugler, brailler, bramer, cappella, chanter, chantonner, coqueriquer, détonner, égosiller, entonner, fredonner, grisoller, hurler, injurier, iodle, iodler, iouler, jodler, ramager, roucouler, solfier, swinguer, ténoriser, turlutter, yodler.

VOCATION. But, destination, fonction, mission, objectif, penchant, prédisposition, raison, rôle, tâche.

VOCERO. Air, cantatrice, cappella, chœur, chorale, introït, lied, mélopée, monodie, motet, musique, nénies, Noël, ode, oiseau, orphéon, péan, pluriel, poème, prose, psaume, ramage, rhapsodie, solea, voceri.

VOCIFÉRER. Clamer, crier, fulminer, gueuler, hurler, invectiver, parler, pester, tempêter, tonitruer, tonner.

VŒU. Affirmer, avis, désir, désirer, engagement, intention, jurer, promesse, résolution, serment, souhait, soupirer, volonté.

VOGUE. Célébrité, coqueluche, épidémie, faveur, fête, flotte, fureur, mode, réputé, snob, tendance, ton, vague, vent.

VOGUER. Avancer, boulinier, bourlinguer, caboter, cingler, croiser, filer, louvoyer, nager, naviguer, piloter, ramer, sillonner, voguer, voile.

VOICI. Adjacent, approchant, attenant, auprès, avoisinant, contigu, environnant, immédiat, imminent, instant, jouxte, juxtaposé, limitrophe, parent, près, prochain, proche, rapproché, récent, ressemblant, semblable, sur, voilà, voisin.

VOIE. Aiguille, allée, appel, artère, assentir, autoroute, avenue, balise, boulevard, canal, chemin, conduit, direction, diverticule, eau, ferrée, gouttière, impasse, indice, menée, opposition, ornière, passage, périphérique, quai, radiale, rail, rameau, rang, rocade, route, rue, ruelle, sentier, stère, trace, vaisseau, venelle, via.

VOILÉ. Abscons, amphigourique, assombri, brumeux, caché, chargé, confus, couvert, embrouillé, embrumé, embué, énigmatique, enroué, enténébré, épais, ésotérique, foncé, fumeux, hermétique, ignoré, indistinct, nébuleux, noir, nuageux, obscur, obscurci, ombreux, opaque, secret, sibyllin, sombre, ténébreux, terne, touffu, triste, vague, vaseux.

VOILE. Amure, artimon, cacatois, cape, cargue, clinfoc, conopée, étrangloir, flèche, foc, fun, fuste, gui, hunier, latine, litham, misaine, nuée, panne, perroquet, ris, spi, spinnaker, suaire, taled, taleth, tapecul, tchador, tchadri, tétière, tréou, velet, vélum, voilette.

VOILER. Abriter, affaiblir, assombrir, atténuer, aveugler, cacher, camoufler, couvrir, déformer, déguiser, dissimuler, éclipser, embrumer, embuer, envelopper, enrouer, estomper, farder, fausser, masquer, obscurcir, tacher, tamiser, ternir, travestir.

VOILIER. Albatros, ardent, bateau, bâtiment, boulinier, boutre, brick, catamaran, chébec, chébek, clipper, cotre, finn, génois, goélette, ketch, lougre, mou, norvégien, roulier, schooner, senau, sloop, tartane, trimaran, trois-mâts, vaurien, yawl.

VOILURE. Agrès, aurique, câble, étai, hauban, hune, latine, marconi, mât, palan, toile, voile.

VOIR. Analyser, apercevoir, apprécier, aviser, constater, consulter, croiser, découvrir, démêler, discerner, distinguer, dominer, entrevoir, envisager, épier, éprouver, essai, étaler, étudier, fixer, fréquenter, goût, jauger, juger, mirer, naître, noter, observer, percevoir, planer, regard, regarder, repérer, savoir, supporter, vu, vue.

VOISEMENT. Phonème, sonore, sonorisation, sonorité, vibration, vocalisation, voisé.

VOISIN. Adjacent, analogue, attenant, auprès, avoisinant, avoisiner, comparable, confiner, connexe, contigu, entour, lieu, maison, près, prochain, proche, proximité, rapproché, semi, vicinal, voisinage, voisiner.

VOISINAGE. Affinité, alentours, approche, auprès, autour, avoisinant, entour, entourage, environnant, environs, familier, limitrophe, parages, près, proche, promiscuité, proximité, quartier, voisin.

VOITURE. Américaine, auto, automobile, autorail, bagnole, baladeuse, berline, boguet, bolide, break, buggy, cab, cabriolet, calèche, car, char, coach, coche, coupé, duc, épave, fardier, fiacre, fourgonnette, guimbarde, jardinière, jeep, landau, limousine, mulet, omnibus, pie, pousse-pousse, poussette, sulky, tacot, tapecul, taxi, téléga, télègue, teuf-teuf, torpédo, tram, turbo, utilitaire, van, véhicule, victoria.

VOITURER. Communiquer, diffuser, populariser, propager, répandre, transmettre, transporter, véhiculer.

VOITURETTE. Baladeuse, chariot, cyclecar, draisine, express, landau, pétrolette, poussette, trottinette.

VOITURIER. Camionneur, charretier, cocher, ferroutier, haquetier, patachon, roulier, routier, transporteur.

VOIX. Alto, appel, baryton, basse, castrat, chant, colorature, contralto, cri, dessus, duetto, élu, enroué, éraillée, fausset, haute-contre, impulsion, mezzo-soprano, nuance, oral, organe, parole, roulade, sépulcral, sopraniste, soprani, soprano, stentor, suffrage, taille, ténor, ténorino, urne, vote.

VOL. Aile, appropriation, baptême de l'air, brigandage, cambriolage, concussion, décollage, déprédation, détournement, entôlage, envol, escroquerie, essor, extorsion, larcin, malversation, péculat, pillage, racket, raid, rapine, rase-mottes, spoliation, survol, tire, volée.

VOLAGE. Capricieux, changeant, coureur, frivole, inconstant, infidèle, instable, léger, papillon.

VOLAILLE. Basse-cour, canard, cane, canette, caneton, chapon, civet, coccidiose, coq, dinde, dindon, dindonneau, jars, mue, œuf, oie, oison, pâton, pintade, pintadeau, poulailler, poule, poulet, poussin, volatile.

VOLANT. Badminton, copie, falbala, fanfreluche, hollandais, jabot, marge, moineau, navigant, roue, sambuque, serpe.

VOLATIL. Changeant, éther, évaporable, fleur, fluctuant, inflammable, mouvant, volatilisable.

VOLATILE. Basse-cour, canard, cane, canette, caneton, chapon, civet, coq, dinde, dindon, dindonneau, jars, mue, œuf, oie, oiseau, oison, pâton, pintade, pintadeau, poulailler, poule, poulet, poussin, volaille.

VOLATILISER. Disparaître, éclipser, évaporer, sublimer, subtiliser, vaporiser, voler, volatilisation.

VOLCAN. Adventif, cendre, cheminée, cône, couche, coulée, cratère, dyke, éruption, fumerolle, geyser, irruption, laccolite, lapilli, lave, magma, montagne, neck, nuage, orle, péléen, pic, salse, scorie, sill, vulcanien, zéolithe.

VOLCAN (3 lettres) (n. p.). Apo, Aso, Bam, Edd, Iso, Kos, Usu, Waw.

VOLCAN (4 lettres) (n. p.). Afar, Agua, Akan, Alid, Aoba, Bola, Cima, Drum, Egon, Enep, Etna, Fogo, Fuji, Gaua, Gede, Kaba, Kell, Koko, Laki, Lolo, Maui, Mega, Meru, Nasu, Nemo, Oahu, Pago, Pico, Poas, Rift, Ruiz, Saba, Savo, Taal, Taos, Toba, Toon, Toya, Uzon, Viti, Voon, Walo, Yali, Yega.

VOLCAN (5 lettres) (n. p.). Abeki, Adams, Agung, Alaid, Altar, Amboy, Asahi, Askja, Ayelu, Azuma, Baker, Balbi, Balut, Bamus, Batur, Boisa, Brava, Cusin, Danau, Demon, Dempo, Dendi, Dieng, Ebeko, Fayal, Fuego, Gelai, Hargy, Hekla, Iraya, Irazu, Jemez, Katla, Kelut, Ketoi, Kikai, Kukak, Kuwae, Lokon, Manam, Mashu, Mauna, Mayon, Milne, Milos, Misti, Motir, Muria, Namus, Nevis, Opala, Oyama, Oyoye, Pagan, Pelee, Prevo, Raoul, Raung, Rausu, Sakar, Salak, Shala, Spurr, Suswa, Thule, Udina, Umboi, Unzen, White, Yasur.

VOLCAN (6 lettres) (n. p.). Alcedo, Ambrym, Ararat, Arenal, Asacha, Bagana, Bandai, Bazman, Cereme, Chirip, Colima, Darwin, Dukono, Egmont, Ekarma, Elbrus, Eldgja, Erebus, Fisher, Frosty, Furnas, Gorely, Griggs, Guagua, Guguan, Hakone, Hierro, Izalco, Ipelka, Kanaga, Karang, Kohala, Krafla, Lascar, Likaiu, Lipari, Loloru, Lombok, Lopevi, Mageik, Mahawu, Maiden, Makian, Malapi, Masaya, Merapi, Mikeno, Monaro, Nantai, Napier, Navajo, Oshima, Pacaya, Pavlof, Pisgah, Purace, Rabaul, Ragang, Rincon, Ritter, Rumble, Sajama, Sangay, Schank, Segula, Semeru, Shasta, Sumaco, Sunset, Susaki, Takuan, Talang, Tanaga, Taylor, Telica, Terror, Tiatia, Toomba, Towada, Ulawun, Uluwun, Undara, Ungara, Unimak, Vésuve, Visoke, Wonchi, Zimina.

VOLCAN (7 lettres) (n. p.). Adagdak, Adatara, Amoissa, Atitlan, Barrier, Belknap, Biliran, Bristol, Bulusan, Canlaon, Capital, Cayambe, Copahue, Ecuador, Fantale, Gahinga, Galeras, Gambier, Gamchen, Gareoli, Hanauma, Iliamna, Isabela, Jailolo, Jorullo, Kadovar, Kaguyak, Kavachi, Kerinci, Kilauea, Kinrara, Ksudach, Kuttara, Langila, Lolobau, Mariana, Menegai, Merbabu, Merriam, Methana, Michael, Moffett, Mojanda, Nisyros, Pulaweh, Raikoke, Rainier, Rasshua, Redoubt, Ruapehu, Rudakov, Sabinyo, Sabober, Sanford, Society, Sinarka, Smirnov, Srednii, Steller, Sumbing, Sundoro, Surtsey, Tambora, Tibesti, Tieroko, Tokachi, Toliman, Trident, Tsurumi, Turkana, Ubehebe, Ugashik, Unnamed, Vulcano, Zukwala.

VOLCAN (8 lettres) (n. p.). Alamagan, Andonara, Aneityum, Antisana, Baransky, Boqueron, Butajira, Cotopaxi, Dakataua, Demavend, Dominica, Gamalama, Golovnin, Graciosa, Harcourt, Hualalai, Iamelele, Illimani, Illimuda, Ilopango, Ilyinsky, Imbabura, Kambalny, Karthala, Karymsky, Khodutka, Koshelev, Krakatoa, Krakatau, Kuttyaro, Lewotobi, Lewotolo, Liamuiga, Longonot, Mahukona, Marsabit, McCartys, Newberry, Nyambeni, Pasochoa, Pinacate, Pinatubo, Pogromni, Rajabasa, Roundtop, Sabatini, Santa Ana, Sarychev, Shikotsu, Shin-dake, Shirinki, Soboliny, St. Helens, Strokkur, Tarawera, Telomoyo, Tenerife, The Quill, Thielsen, Tousside, Uinkaret, Urataman, Ushishur, Vsevidof, Westdahl, Wrangell, Yake-dake, Yantarni.

VOLCAN (9 lettres) (n. p.). Aconcagua, Aniakchak, Asamayama, Ascension, Augustine, Carrizozo, Chiginaga, Cleveland, Cosiguina, Ellendale, Gamkonora, Garabaldi, Grimsvatn, Guallatir, Iliboleng, Isanotski, Jefferson, Kahoolawe, Karisimbi, Kialagvik, Kirishima, Koryaksky, Kronotsky, Lamington, Lomonosov, Mariveles, Medvezhia, Mendeleev, Momotombo, Mutnovsky, Ngauruhoe, Niragongo, Paricutin, Paushetka, Pichincha, Puy-de-Dôme, Ruminahui, Sabancaya, San Felipe, Santorini, Sheveluch, Soufrière, Stromboli, Tolbachik, Tongariro, Tri Sestry, Villarrica, Vilyuchik.

VOLCAN (10 lettres) (n. p.). Acatenango, Astonupuri, Avachinsky, Baitoushan, Beerenberg, Berutarube, Bezymianny, Coatepeque, Chimborazo, Concepcion, Fernandina, Galunggung, Goodenough, Harimkotan, Herdubreid, Ketumbaine, Kikhpinych, Lereboleng, Montserrat, Ngorongoro, Ninahuilca, Nyiragongo, Papandayan, Parinacota, Reventador, Sakurajima, San Vicente, Santa Maria, Santo Antao, Shishaldin, Sollipulli, Soretimeat, Strawberry, Takawangha, Todoko-ranu, Tungurahua, Veniaminof, Vernadskii, Washington, Zavaritzki.

VOLCAN (11 lettres) (n. p.). Albuquerque, Chikurachki, Chirinkotan, Kilimanjaro, Kuntomintar, Mashkovtsev, Nyamuragira, Santiaguito, Sete Cidades, Wudalianchi, Yellowstone, Zhelotovsky, Zhupanovsky.

VOLCAN (12 lettres) (n. p.). Oraefajokull, Popocatepetl, Pukekaikoire, San Cristobal, San Francisco, Showa-Shinzan, Three Sisters, Traitor's Head.

VOLCAN (13 lettres) (n. p.). Semisopochnoi, Warrumbungles.

VOLCAN (14 lettres) (n. p.). Tengger Caldera.

VOLCAN (15 lettres) (n. p.). Tangkubanparahu, Tao-Rusyr Caldera.

VOLE. Chelem, coup, estampe, voletant.

VOLÉE. Bastonnade, battre, correction, coup, danse, dégelée, dérouillée, envol, envolée, essor, fessée, flopée, frottée, grattée, pâtée, pâtée, pile, raclée, rang, rincée, rossée, roulée, rouste, saucée, tabassée, tannée, tir, tournée, trempe, tripotée, vol.

VOLER. Aile, aviateur, avion, barboter, chiper, choper, chouraver, chourer, délester, dérober, détrousser, dévaliser, embarquer, entôler, essor, estamper, filouter, flotter, flouer, hélicoptère, gruger, monter, piller, planer, prendre, rafler, rapiner, rincer, rosser, sauter, soustraire, spolier, subtiliser, tanner, usurper, voleter, voltiger.

VOLERIE. Absidiole, affût, battue, chasse, cimicaire, cor, croule, drag, épervier, fauconnerie, fouée, gibier, louveterie, muette, oust, panneautage, piégeage, pipée, piper, poursuite, safari, tenderie, to, traque, trolle, vénerie.

VOLET. Aileron, ailette, battant, contrevent, déflecteur, dépliant, feuillet, jalousie, mantelet, pan, panneau, partie, persienne, rideau, ruban, spoiler, store, tamis, tourniquet, trié, vantail, vent, voile.

VOLETER. Flotter, frelucher, ondoyer, onduler, papillonner, tournoyer, voler, voltiger, zéphyrer, zéphyriser.

VOLETTE. Attelle, claie, clisse, écharde, éclisse, grille, lame, pièce, plaque, réunion, stras, strass, union.

VOLEUR (n. p.). Ali Baba, Cartouche, Hermès, Robin des Bois.

VOLEUR. Aiglefin, bandit, brigand, cambrioleur, canaille, chenapan, cleptomane, crapule, criminel, détrousseur, entôleur, escamoteur, escarpe, escroc, filou, fraudeur, fripon, gredin, larron, malandrin, malfaiteur, pillard, receleur, tire-laine, truand.

VOLIÈRE. Cage, cati, encager, enclos, épinette, harasse, juchoir, mésangette, mue, nichoir, vara, varus.

VOLIGE. Ayde, ais, aises, alaise, alèse, appui, arbre, couche, dessin, dosse, dur, écoin, estarie, frise, image, latte, madrier, merrain, palanque, planche, plinthe, recours, reproduction, ressource, scène, secours, selle, soutien, starie, support, tableau, tablette, théâtre, tremplin, tuile, vaigre, voilure.

VOLONTAIRE. Assentiment, bénévole, conscient, engagé, hardi, indocile, partisan, preneur, têtu, viril, voulu.

VOLONTAIREMENT. Consciemment, délibérément, exprès, gré, intentionnellement, librement, même, sciemment.

VOLONTARISME. Doctrine, entêtement, philosophie.

VOLONTÉ. Aboulie, aise, aveulir, bienveillance, caprice, caractère, complaisance, courage, cran, décision, décret, désir, dessein, détermination, énergie, exigence, fermement, gré, intention, niaque, opiniâtreté, oracle, projet, résolution, ressort, souhait, testament, tester, velléité, vœu, volition, vouloir, vue.

VOLONTIERS. Absolument, accord, agrément, assentiment, assurément, aveu, bien, bien sûr, bon, certainement, certes, da, entendu, évidemment, jà, mariage, merci, oc, oïl, oui, opiner, ouais, parfait, parfaitement, si, soit.

VOLT. Ampère, coulomb, électronvolt, farad, henry, lumière, millivolt, ohm, var, voltampère.

VOLTAIRE (n. p.). Arouet, Brutus, Calas, Candide, François Marie, Henrisde, Irène, Mérope, Œdipe, Sirven, Tancrède, Zadig, Zaïre.

VOLTAIRIEN. Anticlérical, athée, caustique, humaniste, jacobin, libéral, républicain, sceptique.

VOLTAMPÈRE. Va, var.

VOLTE-FACE. Changement, contremarche, conversion, demi-tour, évolution, palinodie, pirouette, retournement, revirement.

VOLTIGE. Acrobatie, bond, cabriole, culbute, cumulet, gambade, plongeon, saut, somersette, tension, vrille.

VOLTIGER. Flotter, frelucher, ondoyer, onduler, papillonner, tournoyer, voler, voleter, zéphyrer, zéphyriser.

VOLTIGEUR. Acrobate, anneliste, antipodiste, barriste, bateleur, bâtonniste, batoude, cascadeur, contorsionniste, culbuteur, équilibriste, fantassin, fildefériste, funambule, gymnaste, jongleur, matassin, pétauriste, pilote, psylle, salvateur, soldat, trapéziste.

VOLUBILE. Bavard, causant, causeur, débordant, jacasseur, jacteur, liseron, loquace, pommée, prolixe, tordu.

VOLUBILIS. Aviculaire, belle-de-jour, campanelle, clochette des blés, convolvulacée, convolvulus, fleur, ipomée, liseron, liset, plante, renouée, salsepareille, scammonée, soldanelle, traînasse, vrillée.

VOLUBILITÉ. Abondance, bagou, débit, éloquence, faconde, loquacité, prolixité, verbiage, verbosité, verve.

VOLUME. Ampleur, bouquin, calibre, capacité, cône, contenance, cubage, cylindré, densité, dimension, elzévir, espace, géométrie, grandeur, grosseur, livre, masse, menu, mesure, ouvrage, roman, solide, son, stère, stot, tome.

VOLUMINEUX. Abondant, charnu, encombrant, énorme, épais, fort, grand, gros, large, lourd, rond, trapu.

VOLUPTÉ. Débauche, délectation, délice, dévergondage, enivrement, épectase, érotisme, goût, ivresse, jouissance, lascivité, libertinage, licence, luxure, orgasme, plaisir, sensualité, sexe, strape, sybaritisme, voluptueux.

VOLUPTUEUX. Aguichant, épicurien, érotique, hédoniste, impudique, lascif, luxurieux, sensuel, sybarite.

VOLUTE. Aileron, arabesque, boucle, circonvolution, contour, courbe, enroulement, hélice, repli, sinuosité, spire.

VOMER. Anatomie, nasal, nez, os, vomérien.

VOMIQUE. Débouché, décharge, dégorgement, dégoulinade, déjection, écoulement, éjection, émission, émonction, éruption, évacuation, expulsion, méléna, péril, purge, retrait, sialorrhée, uriner, vidange.

VOMIR. Chasser, cracher, débotter, dégobiller, dégorger, dégueuler, détester, évacuer, exécrer, expectorer, expulser, gerber, honnir, ignivo, injurier, lancer, proférer, projeter, régurgiter, rejeter, rendre, restituer, tir.

VOMISSEMENT. Dégurgitation, émétique, hématémèse, lahars, mérycisme, pituite, régurgitation, renard, vomissure.

VOMISSURE. Dégobillage, dégueulée, dégueulis, dégurgitation, émétique, flegme, hématémèse, humeur, mérycisme, pituite, régurgitation, renard, vomi, vomissement.

VOMITIF. Apomorphine, dégueulatoire, émétine, émétique, ipéca, ipécacuana, nauséeux, russule, tartrate, tartre, vératre.

VORACE. Adéphagie, affamé, albatros, avide, cochon, dévorant, faim, gargantuesque, glouton, goinfre, goulu, gourmand, morfal, ogre, pantagruélique, rapace, rat, sphyrène, uranoscope, voracement, voracité.

VORACEMENT. Activement, ardemment, avidement, chaudement, énergiquement, force, fortement, fougueusement, furieusement, gloutonnement, passionnément, soupirer, vigueur, vivement.

VORTEX. Aiguillon, agitation, bourrasque, cyclone, gouffre, grain, jacuzzi, maelström, masse, rafale, remous, saut périlleux, tohu-bohu, tornade, tourbillon, trombe, trotteuse, turbulence, valse, vent.

VOSGES, VILLE (n. p.). Arches, Brouvelieures, Bruyères, Charmes, Coussey, Darney, Épinal, Golbey, Neufchâteau, Rambervillers, Saint-Dié, Vittel, Xertigny.

VOTANT. Consultant, décideur, électeur, électorat, membre, suffrageant, suffragette, supporter.

VOTATION. Adoption, bulletin, choix, consultation, décision, désignation, écrémage, électif, élection, opinion, plébiscite, préférence, proclamation, référendum, scrutin, suffrage, tour, urne, voix, vote.

VOTE. Acte, adoption, avis, bulletin, choix, consultation, élection, électoral, investiture, isoloir, levée, opinion, plébiscite, plural, quorum, référendum, scrutin, suffrage, urne, votation, voter, voix.

VOTER. Adopter, choisir, coopter, décider, départager, désigner, élire, exprimer, nommer, suffragette.

VOUÉ. Adonné, appelé, appliqué, consacré, dédié, donné, juré, prédestiné, promis, sacrifié, votif.

VOUER. Adonner, appeler, appliquer, attacher, condamner, consacrer, dédier, destiner, dévouer, diviniser, donner, exprimer, flétrir, honnir, idolâtrer, livrer, offrir, maudire, prédestiner, promettre, sacrifier, souhaiter.

VOUGE. Arme, bâton, celte, croissant, ébranchoir, échenilloir, élagueur, émondoir, épieu, fauchard, faucille, guisarme, hallebarde, hast, pertuisane, pieu, sécateur, serpe, serpette.

VOULOIR. Aimer, ambitionner, appâter, arrêter, aspirer, briguer, chercher, commander, convoiter, daigner, décider, défendre, désirer, déterminer, efforcer, entendre, envier, exiger, guigner, interdire, lorgner, ordonner, permettre, pouvoir, prétendre, signifier, soudre, souhaiter, volonté.

VOULU. Arrangé, commandé, délibéré, désiré, exigé, fixé, intentionnel, médité, prescrit, requis, souhaité, volontaire.

VOUS. Elle, elles, êtes, eux, il, ils, lui, tu, vôtre, vouvoiement, vouvoyer.

VOUSSOIR. Arc, claveau, clé, clef, contreclef, douelle, pierre, sommier, vousseau, voûte.

VOUSSURE. Arc, arcade, arceau, arche, archine, berceau, cerceau, chaînette, ciel, cintre, coupole, courbe, cul-de-four, dais, dôme, éventail, extrados, firmament, galerie, glais, glaise, hypogée, intrados, marâtre, nef, palais, planétarium, rein, voûte.

VOÛTE. Arc, arcade, arceau, arche, archine, berceau, cerceau, chaînette, ciel, cintre, conque, coupole, cul-de-four, dais, dôme, éventail, extrados, firmament, galerie, glais, glaise, hypogée, intrados, marâtre, nef, palais, planétarium, rein, voussure.

VOÛTÉ. Arc, arche, arqué, bossu, cintré, convexe, courbé, dôme, rein, rond.

VOUVOYER. Elle, elles, êtes, eux, il, ils, lui, politesse, tu, vôtre, vous, vouvoiement.

VOYAGE. Balade, circuit, croisière, déplacement, excursion, exil, expédition, exploration, incursion, itinéraire, méhara, méharée, navigation, odyssée, parcours, passage, pèlerinage, pérégrination, périple, promenade, raid, randonnée, routard, route, tourisme, tournée, traversée, virée, visite.

VOYAGER. Aller, balader, bourlinguer, circuler, déplacer, incognito, naviguer, pérégriner, visiter.

VOYAGEUR (n. p.). Champlain, Énée, La Hontan, Mackenzie, Marco Polo, Marquette, Œdipe, Ulysse.

VOYAGEUR. Coureur, étranger, excursionniste, explorateur, globe-trotter, navigateur, nomade, passager, pèlerin, pigeon, pinto, promeneur, ravenala, représentant, routard, touriste, vacancier, vagabond, vendeur, visiteur.

VOYANT. Astrologue, augure, bariolé, cartomancien, clairvoyant, clinquant, coloré, criant, criard, devin, devinateur, diseur, éclatant, évident, illuminé, inspiré, magicien, manifeste, prophète, sibylle, spirite, tape-à-l'œil, visionnaire.

VOYELLE. Apophonie, brève, diphtongue, épenthèse, infléchie, lettre, phonème, synérèse, tréma, triphtongue.

VOYEUR. Banqueteur, commensal, convive, écornifleur, invité, parasite, pique-assiette, soupeur.

VOYOU. Apache, arsouille, canaille, chenapan, crapule, débauché, délinquant, dévoyé, frappe, fripouille, galopin, garnement, gouape, gredin, hooligan, houligan, loubar, loubard, loulou, marlou, truand, vaurien, vermine.

VRAC. Anarchie, bazar, bordel, boucan, broussaille, capharnaüm, chahut, chaos, cohue, confusion, décousu, dégât, dérangement, déroute, désarroi, désordre, dissipation, épars, fatras, fouillis, gabegie, gâchis, incohérence, merdier, pagaille, pêle-mêle, perturbation, tout-venant.

VRAI. Ami, assuré, authenticité, authentique, avéré, certain, confirmé, conforme, connu, correct, crédible, démontré, droit, effectif, exact, faux, formel, franc, juste, loyal, nature, naturel, plausible, réel, sûr, valable, vécu, vérité.

VRAIMENT. Assurément, certainement, effectivement, plausible, possible, probable, réel, réellement, voire, vraisemblable.

VRAISEMBLABLE. Admissible, applicable, compétitif, compréhensible, concevable, crédible, croyable, douteux, envisageable, espérance, éventuel, exécutable, facile, facultatif, faisable, hasardeux, incertain, libre, loisible, plausible, possible, potentiel, pouvoir, praticable, probable, réalisable, virtuel, vraiment.

VRAISEMBLABLEMENT. Apparemment, assurément, certainement, effectivement, franchement, peut-être, probablement, réellement, sérieusement, véritablement.

VRAISEMBLANCE. Air, allure, apparence, aspect, bienséance, convenance, cosmétique, crédibilité, couleur, croûte, décor, écorce, enveloppe, extérieur, façade, figure, forme, frime, idée, lueur, mine, mirage, ombre, oripeaux, ostensible, perceptible, phase, plausibilité, probabilité, semblant, simulacre, soupçon, teinte, tournure, vernis, visible.

VRAQUIER. Bateau, cargo, laquier, minéralier, navire, transbordeur.

VRILLE. Attache, avant-clou, bonbonnière, cirre, cirrhe, drille, filament, foret, gibelet, hélice, lesbienne, liseron, mèche, nervé, percerette, perceuse, queue-de-cochon, spirale, taraud, tarière, tire-bouchon, tordu, tribade, vice, vis, voltige.

VRILLER. Affouiller, amaigrir, bêcher, caver, champlever, chever, creuser, déchirer, échancrer, émacier, évider, excaver, fileter, forer, fouiller, fouiner, fouir, labourer, miner, percer, rainer, rainurer, raviner, saper, tailler, tarauder, térébrer, trou, vider.

VRILLETTE. Anobie, anobium, artison, coléoptère, galerie, horloge de la mort, insecte, réveille-matin.

VROMBIR. Bourdonner, clampiner, corner, fainéanter, flâner, fredonner, gronder, mugir, murmurer, musarder, muser, paresser, résonner, retentir, rêvasser, ronfler, ronronner, siffler, sonner, susurrer, tinter, traînasser, traîner, travailler.

VROMBISSEMENT. Borborygme, boucan, bourdonnement, brouhaha, broum, bruissement, bruyant, cancan, chahut, clapotis, clappement, cornage, coup, crépitation, crépitement, cri, déclic, détonation, drelin, ébrouement, écho, éclat, esclandre, fracas, friture, galop, gargouillement, gazouillement, grabuge, grincement, huée, hurlement, murmure, pet, pétard, potin, râle, ronflement, ronron, ronronnement, rot, rumeur, son, stertor, stridulation, tac, tapage, tic, tintamarre, toc, tocsin, tonnerre, tumulte, vacarme.

VTT. Bicross, bicyclette, motocross, motocyclette, vélo.

VU. Attendu, car, comme, considérant, considération, douté, efficace, espère, inattendu, motif, ostensible, parce que, su, visible.

VUE. Aperçu, aspect, avis, belvédère, berlue, but, cécité, étendue, eu, idée, exposé, intention, invisible, lunette, miro, myope, myopie, observatoire, oculiste, œil, ouverture, panorama, paysage, plongée, point, regard, sens, site, tableau, vision, yeux.

VULCAIN. Chenilles, dieu, divinité, forgeron, morio, papillon, vanesse noire.

VULCANISATION. Buna, caoutchouc, crêpe, durit, ébonite, élasthanne, élastique, élastomère, ficus, gomme, hévéa, latex, néoprène, polymère, soufre, synderme, vulcaniser.

VULCANOLOGUE (n. p.). Mercalli, Tazieff.

VULGAIRE. Banal, bas, brut, commun, courant, cru, épais, faubourien, grossier, habituel, ordinaire, peuple, populace, populacier, populaire, prosaïque, rebattu, roturier, simple, terre à terre, trivial, usuel, vil, vulgo.

VULGAIREMENT. Bassement, communément, couramment, grossièrement, salement, trivialement, usuellement.

VULGARISER. Banaliser, colporter, démocratiser, diffuser, dire, massifier, populariser, propager, répandre.

VULGARITÉ. Bassesse, béotisme, brutalité, grossièreté, impolitesse, lourdeur, rudesse, trivialité.

VULNÉRABLE. Blindé, contestable, désarmé, faible, fragile, impuissant, névralgique, sensible, talon.

VULNÉRAIRE. Anthyllis, barbe de Jupiter, centranthe, papilionacée, trèfle, triolet, valériane.

VULTUEUX. Boudenfle, coloré, congestionné, couperosé, cramoisi, écarlate, empourpré, enflammé, enluminé, injecté, rouge, rougeaud, rouget, rougissant, rubescent, rubicond, sanguin, turgide, vineux, vultué.

VULTUOSITÉ. Ampoule, ballonnement, bombement, bosse, bouffie, bouffissure, boursoufflage, boursouflure, bulle, cloche, cloque, enflure, fluxion, hypertrophie, renflement, rondeur, soulèvement, tuméfaction, tumescence, vésicule.

VULVAIRE. Ansérine, arroche, arroche puante, chénopode, chénopodiacée, fétide, plante, vulve.

VULVE. Clitoris, féminité, femme, hymen, intimité, lèvres, mammifère, nymphe, pudenda, urètre, vagin, yoni.

W

WAGAGE. Amendement, apport, biologique, compost, crotte, crottin, cyanamide, engrais, fertilisant, fiente, fumier, fumure, gadoue, guano, humus, limon, lisier, nourrain, poudrette, purin, terreau, urée, urine.

WAGON. Benne, bogie, conduit, fourgon, impériale, lorry, plateau, rame, tombereau, train, véhicule, voiture, wagonnet.

WAGONNET. Banne, benne, berline, blondin, chariot, decauville, draisine, herche, lorry, mine, skip, tombereau.

WALI. Agent, bey, bureaucrate, curateur, employé, eurocrate, fonctionnaire, intendant, légat, magistrat, moniteur, muezzin, préfet, proviseur, scribe, sous-ministre, tabellion.

WALKYRIE. Beauté, cabira, déesse, déité, dive, divinité, fée, grâce, muse, nymphe, naïade, ondine, parque, sirène.

WALLABY. Kangourou, fourrure, loutre d'Hudson, marsupial, pétrogale, rat musqué, sarigue.

WALLON. Belge, couyon, dialecte, francophone, langue, namurois, oïl, roman, wallingant.

WALLONIE (n. p.). Belgique, Liège, Mockel, Namur, walligant.

WAPITI. Bois, cerf, cervus, élan.

WARRANT. Assurance, aval, Avance, caution, charge, dépôt, ducroire, gage, garant, garantie, prêt, sécurité.

WASHINGTON (n. p.). Potomac.

WASSINGUE. Chamoisine, chiffon, éponge, lavette, linge, pattemouille, serpillière, tampon, toile à laver, torchon.

WATER-CLOSET. Cabinet, cadagou, commodités, édicule, latrines, sanisette, sanitaires, toilette, vespasienne, W.-C.

WATER-POLO. Ballon, eau, handball, nageur.

WATT. Ampoule, W.

WATTHEURE. Wh.

WATTMAN. Conducteur, machiniste, mécanicien, traminot, tramway.

W.-C. Cabinet, cadagou, commodités, édicule, latrines, sanisette, sanitaires, toilette, vécés, vespasienne, water-closet.

WEB. Courriel, e-mail, internet, mail, mondial, net, page, portail, réseau, site, toile, undernet, www.

WEBER. Wb.

WEEK-END. Congé, dimanche, fin de semaine, samedi, vacances.

WESTERN. Cow-boy, film, indien.

WHARF. Accul, appontement, avant-port, bassin, darce, débarcadère, dock, embarcadère, jetée, ponton, quai.

WHIG. Libéral, parti.

WHISKY. Alcool, avoine, baby, bailey, bourbon, drink, eau-de-vie, orge, rye, scotch, seigle.

WHIST. Bridge, carte, chelem, jeu, rob, robre, schelem, tri, trick.

WIGWAM. Cabane, case, chaumière, hutte, tente, tipi, village.

WILLIAMS. Bon-chrétien, poire.

WISIGOTH (n. p.). Alaric, Espagne, Goth, Léovigild, Thrace.

WISIGOTH. Arianisme, germanique, sauvage.

WITLOOF. Astéracée, chicon, chicorée, chicorée de Bruxelles, endive, laitue, romaine, salade.

WITZ. Blague, boutade, calembour, facétie, farce, galéjade, humour, pitrerie, plaisanterie, zwanze.

WOMBAT. Didelphidé, marsupial, opossum, phalange, phascolome, rongeur, sarigue, vombat.

WOLFRAM. Tungstène.

WOLVÉRINE. Blaireau, carcajou, carnivore, glouton, goulu.

WON (n. p.). Corée.

WON. Monnaie.

WWW. Web.

WU (n. p.). Shanghai, Zhou.

WU. Chinois, dialecte.

WÜRM. Congélation, gel, glaciation, günz, mindel, période, réfrigération, refroidissement, riss, surgélation.

WYANDOTTE. Coq, poule.

X

X. Axe, dix, inconnu, poinçon, polytechnique, rayon, tabouret, untel.

XANTHIE. Mantelée, noctuelle, noctuidé, papillon, saule.

XANTHINE. Adénine, base, caféine, constituant, cytosine, guanine, guano, hydroxylamine, monobase, purique, pyrimidine, rosaniline, théine, théobromine, thymine, uracile, urine.

XANTHIUM. Grapelle, gratteron, lampourde, plante.

XANTHOME. Athérome, cholestérine, cholestérol, clofibrate, lipoprotéine, stéroïde, stérol, tumeur.

XÉNARTHRE. Aï, bradype, brèche-dent, dasypodidé, dent, édenté, fourmilier, glyptodon, mammifère, oryctérope, pangolin, paresseux, priodonte, tamandia, tamanoir, tatou, tortue, unau.

XÉNON. Xe.

XÉNOPHILE. Allochtone, allophone, apatride, aubain, autre, barbare, étranger, externe, gringo, heimatlos, huilander, immigrant, immigré, inconnu, laïc, laïque, gringo, horsain, métèque, rasta, rastaquouère, réfugié, tiers, touriste, vacancier, voyageur, xénophobe.

XÉNOPHILIE. Affectation, affinité, amitié, anglomanie, attirance, bienveillance, communion, cordialité, cosmopolisme, entente, estime, générosité, intérêt, maniérisme, ouverture, recherche, snobisme, sympathie.

XÉNOPHOBE. Arabophone, chauvin, chauviniste, colon, étranger, immigrant, nationaliste, raciste, séparatiste, voyageur.

XÉRÈS. Amontillado, jerez, manzanilla, sherry, vin.

XÉROPHILE. Autruche, brousse, lande, pampa, plaine, prairie, steppe, syrrhapte, toundra, veld.

XÉROSTOMIE. Aptyalisme, asialie.

XÉRUS. Écureuil, rat palmiste, rongeur.

XIMÉNIA. Arbre, citron de mer, prunier, prunus.

XIPHOÏDE. Addition, aile, antenne, appendice, barbe, bras, caudal, chélicère, cire, cirre, cirrhe, didactyle, diverticule, doigt, extrémité, griffe, luette, membre, nageoire, nez, oreille, palpe, patte, pédipalpe, prolongement, queue, sternum, stipule, tentacule, typhlite, uropode, uvule, vermiculaire.

XIPHOPHORE. Mexicain, poisson, porte-épée, porte-glaive, poisson, xipho.

XYLÈNE. Carburant, hydrocarbure, plastique, polyester, résine, xylidine, xylol.

XYLOCOPE. Abeille, apidé, bois, charpentière, hyménoptère, insecte, menuisière, perce-bois.

XYLOGRAPHIE. Bois, estampe, graveur, gravure, impression, xylographe, xylographique.

XYLOPHAGE. Bois, gastéropode, gastropode, insecte, isoptère, mollusque, tamanoir, termite.

XYLOPHONE. Balafon, clavier, cymbalum, mailloche, marimba, métallophone, percussion, simandre, vibraphone.

XYSTE. Galerie, gymnaste, jardin, piste, portique, promenade.

Y

Y. Axe, chromose, être, inconnue, pairle, yttrium.

YACHT. Bateau, bélouga, cruiser, finn, navire, ponton, racer, régate, sharpie, tapette, vaisseau, vaurien, yole.

YACHTING. Boulinage, cabotage, canal, circumpolaire, éclaireur, fluvial, haut-fond, hauturière, loran, marine, nautique, naval, navigation, périple, yachtinclub.

YACK. Bœuf, buffle, lama, ruminant, yak.

YAK. Bât, bœuf, bovidé, buffle, lama, ruminant, yack.

YANG. Chinois, dao, force, mâle, taiji, tao, taoïsme, yin.

YANKEE. Américain, amerlo, amerloque, carpetbagger, cow-boy, étasunien, gringo, nordiste, ricain, sammy.

YAOURT. Brouisse, caille, calorifère, caséine, coagule, margauder, margot, pituiter, puron, tirasse, tome, yogourt.

YASS. Bour, boure, carte, chibre, jass, jeu, nell.

YATAGAN. Arme, cimeterre, épée, sabre, sabre-poignard.

YAHVÉ (n. p.). Antéchrist, Bethléem, Christ, Jéhovah, Jérusalem, Jésus, JHS, Messie, Noël, Pâques, Sauveur.

YÉMEN, CAPITALE (n. p.). Sanaa.

YÉMEN, LANGUE. Arabe.

YÉMEN, MONNAIE. Riyal.

YÉMEN, VILLE (n. p.). Aden, Ataq, Damar, Ibb, Rada, Sanaa, Thamud, Zabid.

YERSIN. Bacille, bactérie, biologiste, médecin, peste.

YETI. Androïde, créature, cyborg, étant, être, humanoïde, personnage, robot, sasquatch.

YETTERBIUM. Yb.

YEUX. Albinos, amétropie, borgne, bridé, cerne, châsses, éborgner, emmétropie, exorbité, larme, lu, lunette, mirettes, myopie, ocelles, oculiste, œil, ommatidie, ophtalmologiste, regard, riboulants, sourcil, taupe, vairons, vision, vue.

YIN. Femelle, force, tao, taoïsme yang.

YODLER. Beugler, brailler, bramer, cappella, chanter, chantonner, coqueriquer, détonner, égosiller, entonner, fredonner, grisoller, hurler, injurier, iodle, iodler, iouler, jodler, ramager, roucouler, solfier, swinguer, ténoriser, turlutter, vocaliser.

YOGA (n. p.). Aurobindo, Nadeau.

YOGA. Asana, ascétisme, bhakti-yoga, discipline, hatha-yoga, hindou, méditation, relaxation, yogi, yoguisme.

YOGI. Asana, ascète, contemplatif, fakir, gymnosophiste, hindou, sage, santon.

YOGOURT. Glacophile, lait, yaourt, yoghourt.

YOM KIPPOUR. Fête, grand pardon, judaïsme, pardon, pénitence.

YONNE, VILLE (n. p.). Auxerre, Avallon, Chablis, Charny, Joigny, Noyers, Pontigny, Sens, Tonnerre, Toucy, Vermenton.

YOUGOSLOVIE, CAPITALE (n. p.). Belgrade.

YOUGOSLOVIE, LANGUE. Albanais, hongrois, rom, serbe.

YOUGOSLOVIE, MONNAIE. Dinar.

YOUGOSLAVIE, PAYS (n. p.). Bosnie-Herzégovine, Croatie, Macédoine, Monténégro, Serbie, Slovénie.

YOUGOSLAVIE, VILLE (n. p.). Bor, Belgrade, Chabatz, Maribor, Mostar, Nis, Nissa, Ohrid, Pancevo, Pec, Pristina, Pula, Uzice, Zajecar, Zrenjanin.

YOURTE. Abri, banne, campement, canadienne, chapiteau, essai, feutre, guitoune, hutte, iourte, képi, mongol, ose, pavillon, risque, taud, taude, tente, toile, velarium, wigwam.

YO-YO. Baisse, descendre, disque, divaguer, émigrette, hausse, jeu, jouet, ficelle, monter, yoyoter.

YTTERBIUM. Yb.

YTTRIUM. Y.

YUAN. Chine, monnaie.

YUCCA. Agave, arbuste, baïonnette espagnole, cordyline, dague espagnole, fleur, liliacée.

YVELINES, VILLE (n. p.). Beynes, Bougival, Buc, Chambourcy, Chatou, Croissy, Fosse, Houdan, Limay, Maule, Maurepas, Montessy, Orgeval, Osny, Poissy, Rambouillet, Rocquencourt, Saint-Quentin, Versailles, Villepreux, Viroflay.

YVETTE. Germandée, fleur, ive, labiacée, labiée, plante.

Z

ZABRE. Céréale, coléoptère, insecte.

ZAGAIE. Abeille, aiguille, sagaie, trait.

ZAGREB. Agram.

ZAIN. Cheval, chien, étalon, pelage, robe, uniforme.

ZAÏRE, CAPITALE (n. p.). Kinshasa.

ZAÏRE, LANGUE. Français, lingala, swahili.

ZAÏRE, MONNAIE. Franc.

ZAÏRE, VILLE (n. p.).

ZAMBIE, CAPITALE (n. p.). Lusaka.

ZAMBIE, LANGUE. Anglais.

ZAMBIE, MONNAIE. Kwacha.

ZAMBIE, VILLE (n. p.). Chama, Isoka, Kabwe, Lusaka, Mansa, Mongu, Namwala, Petauke, Senanga.

ZANCLE. Idole, poisson de mer, toby, tranchoir.

ZANI. Amuseur, arlequin, baladin, bas, bête, bizarre, bouffon, clown, comédie, comique, drôle, farceur, fol, fou, gai, gracioso, histrion, joyeux, loustic, opérette, paillasse, pantin, pasquin, pitre, ridicule, triboulet, vil, zanni.

ZAPPER. Changer, chercher, déplacer, passer, pitonner, sonder, surfer, survoler, télécommander, tourner, varier.

ZAPPETTE. Bouton, combinateur, commande, clé, commande, commutateur, conjoncteur, contact, contacteur, coupleur, disjoncteur, interrupteur, manostat, poussoir, rotacteur, sélecteur, sectionneur, télécommande, zapper, zapette.

ZARZUELA. Drame, friture, opérette.

ZAZOU. Élégant, essentialiste, excentrique, existentialiste, philosophe.

ZÈBRE. Âne, bougre, cheval, daw, dauw, dozeb, hémione, homme, individu, okapi, onagre, poulin, type.

ZÉBRER. Barbouiller, barioler, bigarrer, chamarrer, colorer, diaprer, jasper, chamarrer, disparate, diversifier, jasper, marbrer, mélanger, mêler, panacher, peinturer, rayer, tacher, taveler, tigrer, varier, veiner.

ZÉBRURE. Bande, barre, biffage, biffure, contre-taille, hachure, ligne, liséré, marque, raie, rayure, strie.

ZÉBU (n. p.). Asie.

ZÉBU. Aurochs, bœuf à bosse, bovidé, kouprey.

ZÉE. Dorée, jean-doré, poisson, saint-pierre, zée-forgeron.

ZÉLATEUR. Adepte, adhérent, allié, ami, apôtre, défenseur, disciple, militant, partisan, prosélyte, soutien, zélé.

ZÈLE. Abnégation, apostolat, application, ardeur, assiduité, attention, bénévolat, cœur, courage, dévotion, dévouement, diligence, émulation, empressement, enthousiasme, fanatisme, ferveur, foi, passion, prosélytisme, vigilance, vigueur, vivacité, volontariat.

ZÉLÉ. Actif, agissant, appliqué, ardent, ardeur, assidu, dévot, dévoué, diligent, élan, empressé, enthousiasme, fanatique, fervent, fièvre, zélateur.

ZELLIGE. Abacule, azulejo, carreau, céramique, faïence, marqueterie, tesselle, trompe l'œil.

ZEN. Bouddhiste, calme, cha-no-yu, décontracté, école, ikebana, méditation, religion, satori, serein.

ZÉNANA. Appartement, empan, étoffe, gynécée, harem, sérail, taffetas, tissu.

ZEND. Avestique, écrit, graphisme, iranien, langue, mazdéisme, perse.

ZÉNITH. Acmé, apex, apogée, apothéose, astrologie, cime, comble, culmination, haut, méridien, nadir, point.

ZÉNOBIE (n. p.). Aurélien, Odenath, Palmyre.

ZÉOLITE. Aluminosilicate, faujasite, mordénite, silicate, zéolithe.

ZÉPHYR. Air, brise, coton, cotonnade, doux, étoffe, léger, tissu, toile, vent, zéphir, zéphire.

ZEPPELIN. Aérodyne, aéronef, aéroplane, aérostat, autogire, avion, birotor, cz, dirigeable, giravion, hélicoptère, largeur.

ZÉRO. Absence, anéantir, asymptote, aucun, bagatelle, désert, effacer, éteindre, géoïde, inapte, incapable, inexistant, minuit, néant, nier, nombre, non, nul, nullité, ras, rayer, rien, sans, sans valeur, vacuité, vacuum, vague, vide.

ZÉROTAGE. Ajustement, équilibrage, mise au point, réglage, régularisation, synchronisation.

ZESTE. Atome, bouchée, brin, chouia, doigt, écorce, faible, filet, goutte, grain, larme, peau, petit, peu, zest.

ZÉTÉTIQUE. Disciple, doute, paranormal, sceptique.

ZEUGMA. Ellipse, jonction, parataxe, réunion, rhétorique, union, zeugme.

ZEUS (n. p.). Agénor, Alcmène, Amalthée, Amphion, Amphitryon, Aphrodite, Apollon, Arès, Artémis, Astrée, Athéna, Cadmos, Castor, Cronos, Danaé, Déméter, Dionysos, Éaque, Europe, Ganymède, Hadès, Hébé, Hélène, Héphaïstos, Héra, Héraclès, Hermès, Ilithye, Io, Léda, Minos, Némésis, Persée, Perséphone, Pollux, Poséidon, Rhadamanthe, Rhéa, Sarpédon, Tantale, Typhon, Zéthos.

ZÉZAIEMENT. Blèsement, blésité, chuintement, clichement, dystomie, stigmatisme, susseyement, zozotement.

ZÉZAYER. Bégayer, bléser, dire, parler, susseyer, zézaiement, zozoter.

ZIBELINE. Fouine, fourrure, kolinski, mammifère, marte, martre, mustélidé, sable, toque.

ZIEUTER. Admirer, aviser, bigler, considérer, contempler, dévisager, envisager, examiner, épier, fixer, flirter, lésiner, lorgner, loucher, mirer, narguer, observer, piger, regarder, remarquer, repaître, toiser, viser, visionner, voir, zyeuter.

ZIG. Anticonformiste, bizarre, excentrique, guignol, individu, malin, original, type, zigoto, zigue, zinzin.

ZIGOTO. Allumé, anticonformiste, asticot, bizarre, charlot, excentrique, guignol, original, rigolo, zèbre.

ZIGOUILLER. Abattre, assassiner, buter, descendre, éliminer, exécuter, liquider, refroidir, supprimer, tuer.

ZIGZAG. Chicane, crochet, détour, entrechat, lacet, louvoiement, sinuosité, sinusoïde, slalom, tournant.

ZIGZAGUER. Biaiser, chanceler, finasser, louvoyer, serpenter, sinuer, slalomer, tergiverser, tituber, vaciller.

ZIMBABWE, CAPITALE (n. p.). Harare.

ZIMBABWE, LANGUE. Anglais, ndebele, shona.

ZIMBABWE, MONNAIE. Dollar.

ZIMBABWE, VILLE (n. p.). Bambezi, Chitungwiza, Hararé, Lupani, Mazowe, Rutenga, Salisbury, Tuli.

ZINC. Avion, bar, bistrot, blindé, cabaret, galvanisation, métal, rade, Zn.

ZINGARO. Bohémien, gitan, kalé, manouche, rom, romanichel, tsigane, tzigane, zingari.

ZINGIBÉRACÉE. Aframomum, alpinia, amone, cardamome, costus, curcuma, elettria, gingembre, hedychium, kaemferia, maniguette, poivre de Guinée, pomme d'amour, roscoea, safran des Indes, zérumbet.

ZINZIN. Aliéné, bastringue, bizarre, cinglé, dément, désaxé, détraqué, folingue, fou, machin, perdu, toqué, truc.

ZINZOLIN. Amarante, colombin, cramoisi, lie-de-vin, pourpre, violet, violine.

ZIPHIIDÉS. Baleine-à-bec.

ZIRCONIUM. Zr.

ZIZANIE. Algarade, brouille, chicane, désunion, discorde, engueulade, escarmouche, graminée, ivraie, mésentente, mésintelligence, plante, polémique, riz, trouble, zizania.

ZIZI. Bite, bitte, bruant, entrecuisse, entrejambe, passereau, pénis, pipi, sexe, truc, verge, vulve.

ZOANTHAIRE. Actinie, alcyon, anémone, anthozoaire, cnidaire, cœlentéré, corail, cyanée, gorgonaire, gorgone, hexacoralliaire, hydraire, hydre, hydrozoaire, invertébré, madréporaire, madrépore, médusepolype, octocoralliaire, polype, psysalie, scyphozoaire, tabulé, vérétille, zanthus.

ZODIAC. Baleinière, barque, batelet, berthon, bombard, canadienne, canoë, canoéiste, canoiste, canot, canotier, chaloupe, dinghy, esquif, flette, kayak, plate, pirogue, podoscaphe, rabaska, racer, runabout, tapecul, yacht, yole.

ZODIAQUE. Balance, Bélier, Cancer, Capricorne, décan, Gémeaux, Lion, Poissons, Sagittaire, Scorpion, sextil, Taureau, trine, Verseau, Vierge.

ZOÏLE. Aristarque, baveux, censeur, contempteur, crabron, critique, épilogueur, éreinteur, juge, littérateur.

ZOMBIE. Apparition, double, esprit, fantôme, larve, lémure, mort-vivant, nullité, périsprit, spectre, vaudou, zombi.

ZONA. Affection, éruption, herpès, maladie, ophtalmique, phlegmasie, tronc, virus, zostérien.

ZONAGE. Citadin, cité, communal, insula, mégapole, municipal, partage, réseau, urbain, ville.

ZONAL. Bau, bande, cluse, épart, oblique, particulier, polygone, régional, section, trame, traversal.

ZONE. Aire, aréole, arrondissement, bande, bled, classe, delta, domaine, endroit, érogène, érotogène, espace, fief, halo, jonction, lieu, no man's land, orbite, patelin, pays, quartier, région, secteur, sertao, sial, sima, sphère, surface, territoire, ZEC, zodiaque.

ZONURE. Lézard, reptile, saurien, seps.

ZOO. Animalerie, clapier, fauverie, herpétarium, insectarium, ménagerie, oisellerie, paludarium, singerie, terrarium, varium.

ZOOLOGIE. Arachnologie, aranéologie, conchyliologie, entomologie, erpétologie, helminthologie, herpétologie, ichtyologie, lépidoptérologie, malacologie, mammalogie, ophiographie, ornithologie, paléozoologie, zoosémiotique.

ZOOLOGISTE (n. p.). Crevier, Cuvier, Delage, Dorst, Duvernoy, Frisch, Gervais, Grassé, Haeckel, Huxley, Lacaze-Duthiers, Lorenz, Mayr, Metchnikoff, Metchnikov, Perrier, Teissier, Tinbergen, Valenciennes, Van Beneden.

ZOOLOGISTE. Arachnologiste, aranéologiste, conchyliologiste, entomologiste, erpétologiste, helminthologiste, herpétologiste, ichtyologiste, lépidoptérologiste, malacologiste, mammalogiste, ophiographiste, ornithologiste, palépzoologiste.

ZOOPHILIE. Bestialité, déviation, perversion, sexualité, zoophile.

ZOOPHYTE. Cilié, cnidaire, corail, ectoprocte, éponge, métis, phytozoaire, spongiaire, zooplancton.

ZOOSPORE. Algue, cellule, champignon, cilié, germen, sporange, spore, zoosporange.

ZOOTECHNIE. Apiculture, aquaculture, aviculture, cynophilie, élevage, embouche, faisanderie, fauconnerie, héliciculture, herpéculture, lombriculture, pastoralisme, sanderie, sériciculture, vituliculture.

ZOROASTRISME. Dualisme, enseignement, magisme, manichéisme, mazdéisme, parsisme, religion.

ZOUAVE (n. p.). Chanzy.

ZOUAVE. Bête, bizarre, chacal, chéchia, excentrique, fantassin, guignol, homme, malin, original, soldat.

ZOULOU. Bantou, bantoustans, matabélé, malotru, tébélé.

ZOZO. Benêt, charlot, foutraque, gugusse, guignol, gus, homosexuel, naïf, niais, nicodème, rustaud, type.

ZOZOTER. Bégayer, bléser, dire, parler, susseyer, zézayer.

ZUCHETTE. Citrouille, coloquinte, concombre, courge, courgette, cucurbitacée, giraumon, giraumont, loofa, luffa, pâtisson, plante, potimarron, potiron.

ZUT. Assez, exclamation, flûte, impatience, juron, mécontentement, mince, tant pis.

ZWANZE. Badinage, batifolage, blague, boutafe, calembour, facétie, farce, humour, pitrerie, plaisanterie.

ZYGOMATIQUE. Anatomie, apophyse, arcade, dérider, muscle, poiler, pommette, rictus, rire.

ZYGOMYCÈTE. Entomophtorale, basidiolobus, cochlonema, dactylella, endocochlus, mucorale, zoopagale.

ZYGOPÉTALE. Ada, aéricole, catleya, cattleya, épiphyte, irène, liparis, monandre, néottie, nid-d'oiseau, ophis, ophrys, orchidée, orchis, plante, rhizotome, sabot-de-Vénus, salep, vanda.

ZYGOTE. Allosome, cellule, champignon, copula, diploïde, dizygote, jumeau, œuf, zygomycète.

ZYMASE. Bière, diastase, élément, enzyme, fermentation, levain, levure.

ZYRIANES (n. p.). Komis.

ZYTHUM. Bière, boisson, égyptien, gueuse, orge, pharaon, zython.

ZYZOMYS. Rat.

Achevé d'imprimer au Canada
sur les presses de Imprimerie Lebonfon Inc.